NEUE DEUTSCHE BIOGRAPHIE

ACHTZEHNTER BAND

NEUE DEUTSCHE BIOGRAPHIE

HERAUSGEGEBEN VON DER
HISTORISCHEN KOMMISSION
BEI DER BAYERISCHEN AKADEMIE
DER WISSENSCHAFTEN

ACHTZEHNTER BAND

MOLLER – NAUSEA

DUNCKER & HUMBLOT / BERLIN

Stichtag für den achtzehnten Band: 1. Januar 1996

SCHRIFTLEITUNG

Hauptschriftleiter

Universitätsprofessor Dr. Dr. h. c. Karl Otmar Frhr. v. Aretin

Generalredaktor

Dr. Hans Jaeger († 14. 8. 1996), Dr. Franz Menges

Dr. Bernhard Ebneth, Dr. Friedrich Nemec, Dr. Claus Priesner
Dr. Regine Sonntag

Anschrift

Marstallplatz 8, 80539 München

Alle Rechte, auch die des auszugsweisen Nachdrucks,
der photomechanischen Wiedergabe und der Übersetzung, vorbehalten.
© 1997 Duncker & Humblot GmbH, Berlin
Fremddatenübernahme und Druck: Berliner Buchdruckerei Union GmbH, Berlin
Printed in Germany
ISBN 3-428-00181-8 (Gesamtausgabe)
3-428-00199-0 (Lw. Bd. 18)
3-428-00287-3 (Hldr. Bd. 18)

BENUTZUNGSHINWEISE

Das **Namensregister** am Ende des Bandes erfaßt außer den in eigenen Artikeln behandelten Persönlichkeiten auch solche Personen, die in den Familienartikeln, in den Genealogien von Verwandten, in den Artikeln von Mitarbeitern oder bereits in der ADB genannt sind.

Die **Genealogien**, zu denen keine Spezialliteratur angegeben wird, beruhen auf den Angaben der Autoren und der genealogischen Handbücher sowie auf Auskünften der Pfarr- und Standesämter, von Archiven und von Verwandten.

Die Schriftleitung dankt besonders Herrn Generalredaktor i. R. Dr. Hans Körner sowie Herrn Dr. Nikolaus Mikoletzky für ihre Mitarbeit.

ABKÜRZUNGEN

* = geboren † = gestorben
~ = getauft ⚔ = gefallen
∞ = verheiratet □ = begraben
o|o = geschieden

AA = Auswärtiges Amt
Abb., abgeb. = Abbildung(en), abgebildet
Abdr., abgedr. = Abdruck(e), abgedruckt
Abg. = Abgeordnete(r)
Abh., Abhh. = Abhandlung(en)
Abt. = Abteilung(en)
a. D. = außer Dienst
ADB = Allgemeine Deutsche Biographie, hrsg. v. der Historischen Kommission bei der Bayerischen Akademie der Wissenschaften, 55 Bde. u. 1 Registerbd., München u. Leipzig 1875–1912, Nachdr. Berlin 1967–71
AfD = Archiv für Diplomatik, 1955 ff.
AG = Aktiengesellschaft
ahd. = althochdeutsch
Ak. = Akademie
AKG = Archiv für Kulturgeschichte, 1903–44, 1950 ff.
AKL = Allgemeines Künstlerlexikon, Die bildenden Künstler aller Zeiten u. Völker, München u. Leipzig, 1992 ff.
Albrecht-Dahlke = Internationale Bibliographie zur Geschichte der Deutschen Literatur von den Anfängen bis zur Gegenwart, unter Leitung v. G. Albrecht u. G. Dahlke, Teile I–IV, München u. Berlin 1969–84
allg. = allgemein
Alm. = Almanach
Alm.Ak. = Almanach der Akademie der Wissenschaften
Altpreuß. Biogr. = Altpreußische Biographie, hrsg. i. A. der Historischen Kommission für ost- u. westpreußische Landesforschung, Bd. I v. Ch. Krollmann, Königsberg (Pr.) 1941, Bd. II v. dems., fortgesetzt v. K. Forstreuter u. F. Gause, Marburg 1967, Bd. III v. dens., Marburg 1975, Bd. IV v. E. Bahr u. G. Brausch, Marburg 1995
amerik. = amerikanisch
angew. = angewandt
Anm. = Anmerkung(en)
Ann. = Annalen, Annales, Annali, Annals
Anz. = Anzeiger, Anzeigen
ao. = außerordentlich
AÖG = Archiv für österreichische Geschichte, 1848 ff.
apl. = außerplanmäßig
Arb., Arbb. = Arbeit(en)
Art. = Artikel
AT = Altes Testament
AUF = Archiv für Urkundenforschung, 18 Bde., 1907–39 (Fortsetzung: **AfD**)
Aufl. = Auflage(n)
Ausg., Ausgg. = Ausgabe(n)
Ausst. = Ausstellung
Ausst.kat. = Ausstellungskatalog
Ausw., ausgew. = Auswahl, ausgewählt

B = Bruder, Brüder
b. = bei
Banniza = H. Banniza v. Bazan u. R. Müller, Deutsche Geschichte in Ahnentafeln, I, 1943, II, 1942
BBKL = Biographisch-bibliographisches Kirchenlexikon, hrsg. v. F. W. Bautz, fortgeführt v. T. Bautz, Herzberg (Harz) 1975 ff. (künftig: **Bautz**)
Bd., Bde. = Band, Bände
Bearb., Bearbb., bearb. = Bearbeiter, Bearbeitung(en), bearbeitet
Begr., begr. = Begründer, begründet
Beil., Beill. = Beilage(n)

Bénézit = E. Bénézit, Dictionnaire Critique et Documentaire des Peintres, Sculpteurs, Dessinateurs et Graveurs de tous les temps et de tous les pays, 3. Aufl., Paris 1956–62
Benzing, Buchdrucker = J. Benzing, Die Buchdrucker des 16. u. 17. Jahrhunderts im deutschen Sprachgebiet, 2. Aufl., Wiesbaden, 1982
Benzing, Verleger = J. Benzing, Die deutschen Verleger des 16. u. 17. Jahrhunderts, in: Archiv für Geschichte des Buchwesens 2, 1960, S. 445–509
Ber., Berr. = Bericht(e)
Bernsdorf-Knospe = Internationales Soziologen-Lexikon, hrsg. v. W. Bernsdorf u. H. Knospe, 2 Bde., 2. Aufl. 1980/84
Bes. = Besitz(er)
bes. = besonders
Betr., betr. = Betreff, betreffend, betrifft
Bez. = Bezirk
Bf. = Bischof
Bgm. = Bürgermeister
BHdE = Biographisches Handbuch der deutschsprachigen Emigration nach 1933, hrsg. v. Institut für Zeitgeschichte, München, u. der Research Foundation for Jewish Immigration, New York, unter der Gesamtleitung v. W. Röder u. H. A. Strauss, 2 Bde. in 3 Teilen (Bd. II englisch unter dem Titel: International Dictionary of Central European Emigrés 1933–45), München 1980–83; Gesamtregister, München 1983
Bibl. = Bibliothek, Biblioteca, Bibliothèque
Bibliogr., Bibliogrr., bibliogr. = Bibliographie(n), Bibliography, Bibliographia, bibliographisch, bibliographical
Biogr., Biogrr., biogr. = Biographie(n), Biography, Biografia, biographisch, biographical
Biogr. Hdb. Oldenburg = Biographisches Handbuch zur Geschichte des Landes Oldenburg, hrsg. v. H. Friedl, W. Günther, H. Günther-Arndt u. H. Schmidt, Oldenburg 1992
Biogr. Hdb. Osnabrück = Biographisches Handbuch zur Geschichte der Region Osnabrück, bearb. v. H. Hehemann, Osnabrück 1990
Biogr. Hdb. SBZ/DDR = Biographisches Handbuch der SBZ/DDR 1945–1990, hrsg. v. G. Baumgartner u. D. Hebig, 2 Bde., München u. a. 1996
Biogr. Lex. Banat = A. P. Petri, Biographisches Lexikon des Banater Deutschtums, Marquartstein 1992
Biogr. Lex. Böhmen = Biographisches Lexikon zur Geschichte der böhmischen Länder, München u. Wien 1979 ff.
Biogr. Lex. Ostfriesland = Biographisches Lexikon für Ostfriesland, hrsg. v. M. Tielke, I, 1993

Biogr. Lex. Schleswig-Holstein = Schleswig-Holsteinisches Biographisches Lexikon, I–V, Neumünster 1970–79, ab VI, 1982: Biographisches Lexikon für Schleswig-Holstein u. Lübeck
Biogr. Lex. Südosteuropa = Biographisches Lexikon zur Geschichte Südosteuropas, 4 Bde., München 1974–81 (bisher: **BLGS**)
Biogr. Nat. Belge = Biographie Nationale, publiée par l'Académie des Sciences, des Lettres et des Beaux Arts de Belgique, 27 Bde., Brüssel 1866–1938
BJ = Biographisches Jahrbuch u. deutscher Nekrolog, hrsg. v. A. Bettelheim, 18 Bde. (für die Jahre 1896–1913), Berlin 1897–1917, Register zu I–X, 1908, zu XI–18, 1973
Bl., Bll. = Blatt, Blätter
BLÄ = Biographisches Lexikon der hervorragenden Ärzte aller Zeiten u. Völker, hrsg. v. A. Hirsch, 2. Aufl. hrsg. v. W. Haberling, F. Hübotter, H. Vierordt, 5 Bde., Berlin u. Wien 1929–34, Erg.bd. bearb. v. W. Haberling u. H. Vierordt, 1935, 3. Aufl., red. v. E. Gurlt u. A. Wernich, 5 Bde. u. Erg.-Bd., München u. Berlin 1962
BLBL = Biographisches Lexikon zur Geschichte der böhmischen Länder, München u. Wien 1979 ff. (künftig: **Biogr. Lex. Böhmen**)
BLGS = Biographisches Lexikon zur Geschichte Südosteuropas, 4 Bde., München 1974–81 (künftig: **Biogr. Lex Südosteuropa**)
Bode = I. Bode, Die Autobiographien zur deutschen Literatur, Kunst u. Musik 1900–1965, Bibliographie u. Nachweise der persönlichen Begegnungen u. Charakteristiken, Stuttgart 1966
Bosl = Bosls Bayerische Biographie, Regensburg 1983, Erg.bd. 1989
Brümmer = F. Brümmer, Lexikon der deutschen Dichter u. Prosaisten v. Beginn des 19. Jahrhunderts bis zur Gegenwart, 8 Bde., Leipzig 1885, 6. Aufl., Leipzig 1913
BT = Bundestag
Btr., Btrr. = Beitrag, Beiträge
Bull. = Bulletin
Bursian-BJ = Biographisches Jahrbuch für Altertumskunde, begründet v. C. Bursian, 1878 ff., in: Jahresberichte über die Fortschritte der klassischen Altertumswissenschaft, begründet v. C. Bursian, 1874 ff.
BVK = Bundesverdienstkreuz
BVP = Bayerische Volkspartei
BWN = Biografisch Woordenboek van Nederland, hrsg. v. Instituut voor Nederlandse Geschiedenis, 's-Gravenhage 1979 ff.
bzgl. = bezüglich
bzw. = beziehungsweise

ca. = circa
Callisen = A. C. P. Callisen, Medizinisches Schriftstellerlexikon, 33 Bde., Kopenhagen 1830–45
Cbl. = Centralblatt
CDU = Christlich-Demokratische Union
Cgm = Codex germanicus Monacensis
Chron. = Chronik(en), Chronic, Chronica, Chronicon, Chronique
CineGraph = CineGraph, Lexikon zum deutschsprachigen Film, hrsg. v. H.-M. Bock, 1984 ff.
Clm = Codex latinus Monacensis
Co., Cie. = Compagnie
Cod. = Codex, Codices
Corp. Cath. = Corpus Catholicorum, begr. v. J. Greving, hrsg. (seit 1922) v. W. Neuß, Münster 1919 ff.
Corp. Ref. = Corpus Reformatorum, hrsg. v. K. G. Bretschneider, 28 Bde., Halle 1854–60
Corr. = Correspondance, Correspondence, Correspondenz
CSU = Christlich-Soziale Union

d. = bestimmter Artikel (in allen Casus u. Genera)
DA = Deutsches Archiv für Erforschung (bis 1950: Geschichte) des Mittelalters, 1937 ff. (Fortsetzung d. **NA**)
d. Ä. = der Ältere
Dansk Leks. = Dansk Biografisk Leksikon, begr. v. C. F. Bricka, red. v. P. Engelstoft unter Mitwirkung v. S. Dahl, 27 Bde., Kopenhagen 1933–44, 3. Aufl., 16 Bde., 1979–84
Darst., dargest. = Darstellung(en), dargestellt
dass. = dasselbe
DBE = Deutsche Biographische Enzyklopädie, München 1995 ff.
DBI = Dizionario Biografico degli Italiani, Rom 1960 ff.
DBJ = Deutsches Biographisches Jahrbuch, hrsg. v. Verband der deutschen Akademien, 7 Bde., Berlin u. Leipzig 1925–1932, Register zu I–V, X u. XI, München u. a. 1986
DDP = Deutsche Demokratische Partei
DDR = Deutsche Demokratische Republik
DDT = Denkmäler deutscher Tonkunst, erste Reihe, ed. v. R. Liliencron, H. Kretzschmar, H. Abert, A. Schering, Leipzig 1892 ff., zweite Reihe, ed. v. H. J. Moser, 65 Bde., Wiesbaden u. Graz 1957–61
dem. = demokratisch
Dep. = Depart(e)ment
ders. = derselbe
DFVLR = Deutsche Forschungs- u. Versuchsanstalt für Luft- und Raumfahrt
DGB = Deutscher Gewerkschaftsbund (bisher auch: Deutsches Geschlechterbuch)
dgl. = dergleichen, desgleichen

DGLR = Deutsche Gesellschaft für Luft- u. Raumfahrt
d. Gr. = der Große
d. h. = das heißt
d. i. = das ist
Dict. = Dictionary, Dictionnaire
Dict. Am. Biogr. = Dictionary of American Biography, Bde. 1–20, 1 Index- u. Suppl.-Bd., New York 1946
Dict. Hist. Geogr. = Dictionnaire d'Histoire et de Géographie Ecclésiastiques, Paris 1912 ff.
Dict. Nat. Biogr. = The Dictionary of National Biography from the Earliest Times to 1900, ed. by L. Stephen und S. Lee, 67 Bde., London 1885–1900, Suppl.- u. Fortsetzungsbde., 1901–50, Index Covering the Years 1901–1990, ed. by S. Nicholls 1996
dies. = dieselbe(n)
Dipl. Vertr. = Repertorium der diplomatischen Vertreter aller Länder seit dem Westfälischen Frieden (1648), I (1648–1715), hrsg. v. L. Bittner u. L. Groß, Oldenburg u. Berlin 1936, II (1716–63), hrsg. v. F. Hausmann, Zürich 1950, III (1764–1815), hrsg. v. O. F. Winter, Graz u. Köln 1965
Dir. = Direktor
Diss. = Dissertation
Div. = Division
div. = diverse
d. J. = der Jüngere
DJZ = Deutsche Juristenzeitung
DLB = Dictionary of Literary Biography, An Illustrated Chronicle, Depicting the Lives and Works of Authors, Including Photographs, Manuscript Facsimiles, Letters, Notebooks, Interviews, and Contemporay Assessments, hrsg. v. M. A. Vanantwerp, Detroit, Washington u. London 1978 ff.
DLG = Deutsche Landwirtschafts-Gesellschaft
DLZ = Deutsche Literaturzeitung, Berlin 1880 ff.
DNVP = Deutschnationale Volkspartei
Doderer = K. Doderer (Hrsg.), Lexikon der Kinder- u. Jugendliteratur, 3 Bde. u. Erg.bd., Weilheim u. Basel 1975–82
Doz. = Dozent
Drüll = D. Drüll, Heidelberger Gelehrtenlexikon 1803–1932, Berlin u. Heidelberg 1986 (**I**), Heidelberger Gelehrtenlexikon 1652–1802, Berlin u. a. 1991 (**II**)
DSB = Dictionary of Scientific Biography, 16 Bde., New York 1970–80
dt., Dtld. = deutsch, Deutschland
DTB = Denkmäler der Tonkunst in Bayern, ed. v. A. Sandberger, Leipzig u. Augsburg 1900 ff., u. v. H. Schmid u. a., Wiesbaden 1962 ff.

Dt.balt. Biogr. Lex. = Deutschbaltisches Biographisches Lexikon 1710–1960, Köln u. Wien 1970
Dt.GB = Deutsches Geschlechterbuch (bisher: **DGB**)
DTÖ = Denkmäler der Tonkunst in Österreich, ed. v. G. Adler u. E. Schenk, Wien, Leipzig u. Graz 1894 ff.
Dünnhaupt = G. Dünnhaupt, Bibliographisches Handbuch der Barockliteratur, 3 Bde., Stuttgart 1980/81
Duhr = B. Duhr, Geschichte der Jesuiten in den Ländern deutscher Zunge, 4 Bde., 1907–23
DVjS = Deutsche Vierteljahresschrift für Literaturwissenschaft u. Geistesgeschichte, 1923 ff.
DVP = Deutsche Volkspartei
DW = Dahlmann-Waitz, Quellenkunde der deutschen Geschichte, 9. Aufl., hrsg. v. H. Haering, Leipzig 1931/32, 10. Aufl., hrsg. v. H. Heimpel u. H. Geuss, Stuttgart 1969 ff.

E = Enkel(in)
e. = unbestimmter Artikel (in allen Casus u. Genera)
EB = Erzbischof
ebd. = ebenda
Ed., Edd., ed. = Edition(en), ediert
Egerländer Biogr. Lex. = J. Weinmann, Egerländer Biographisches Lexikon, 2 Bde., Bayreuth 1985/87
E. h. = Ehren halber
ehem. = ehemalig
eigtl. = eigentlich
Einf. = Einführung
Einl., eingel. = Einleitung, eingeleitet
Eisenberg = L. Eisenberg, Großes Biographisches Lexikon der Deutschen Bühne im XIX. Jahrhundert, Leipzig 1903
EKD = Evangelische Kirche in Deutschland
EKL = Evangelisches Kirchenlexikon, Kirchlich-theologisches Handwörterbuch, hrsg. v. H. Brunotte u. O. Weber, Göttingen 1955 ff.
Enc. = Enciclopedia, Encyclopaedia, Encyclopédie
Enc. Catt. = Enciclopedia Cattolica, 12 Bde., Rom 1949–54
Enc. Jud. = Encyclopaedia Judaica, Das Judentum in Geschichte u. Gegenwart, 10 Bde. (Aach-Lyra), Berlin 1928–34
Enc. Jud. 1971 = Encyclopaedia Judaica, 16 Bde. (engl.), Jerusalem 1971/72
enth. = enthält
Enz. = Enzyklopädie
Eppelsheimer = Bibliographie der deutschen Literaturwissenschaft, hrsg. v. H. W. Eppelsheimer, Frankfurt/Main 1957 ff., ab IX, 1970: Bibliographie der deutschen Sprach- u. Literaturwissenschaft, hrsg. v. C. Köttelwesch
Erg., Ergg., erg. = Ergänzung(en), ergänzt
Erl., Erll., erl. = Erläuterung(en), erläutert
ersch. = erschienen
Ersch-Gruber = Allgemeine Encyclopädie der Wissenschaften u. Künste, begründet v. J. S. Ersch u. J. G. Gruber, 168 Bde., Leipzig 1818–89
erw. = erwähnt
Erz., Erzz., erz. = Erzählung(en), erzählt
ETH = Eidgenössische Technische Hochschule (Zürich)
Euphorion = Euphorion, Zeitschrift für Literaturgeschichte, 1894–1933, 1950 ff.
ev. = evangelisch
ev. A. B. = evangelisch Augsburger Bekenntnisses
evtl. = eventuell

f. = für
f., ff. (nach Zahlen) = folgende (Singular u. Plural)
Fa. = Firma
Fabr. = Fabrik, Fabrikant
Fak. = Fakultät
Faks. = Faksimile
Fam. = Familie
fasc. = fasciculus
FAZ = Frankfurter Allgemeine Zeitung
FDP = Freie Demokratische Partei
Ferchl = F. Ferchl, Chemisch-Pharmazeutisches Bio- u. Bibliographicon, Mittenwald 1938
Fétis = F. J. Fétis, Biographie Universelle des Musiciens, 8 Bde., Paris 1860–66, Neudr. I, 1889, III–VII, 1878, Suppl. I, 1878, Suppl. II, 1880
FF = Forschungen u. Fortschritte, Korrespondenzblatt der deutschen Wissenschaft u. Technik, Berlin 1925–67
Fischer = I. Fischer, Biographisches Lexikon der hervorragenden Ärzte der letzten fünfzig Jahre, 2 Bde., Berlin u. Wien 1932/33, 2.–3. Aufl., München u. Berlin 1962
fl. = Gulden
FM = Feldmarschall
FML = Feldmarschall-Leutnant
Forts. = Fortsetzung
FPÖ = Freiheitliche Partei Österreichs
Frankfurter Biogr. = Frankfurter Biographie, hrsg. v. W. Klötzer, 2 Bde., Frankfurt/Main 1994/96
franz. = französisch
Frhr. = Freiherr
Friedrichs = E. Friedrichs, Die deutschsprachigen Schriftstellerinnen des 18. u. 19. Jahrhunderts, Stuttgart 1981

FS = Festschrift
FU = Freie Universität (Berlin)
FZM = Feldzeugmeister

Gal. = Galerie
Gatz = E. Gatz (Hrsg.), Die Bischöfe der deutschsprachigen Länder 1785/1803–1945, Ein Biographisches Lexikon, Berlin 1983 (**I**); Die Bischöfe des Hl. Römischen Reiches 1648–1803, Berlin 1990 (**II**); Die Bischöfe des Hl. Römischen Reiches 1448–1648, Berlin 1996 (**III**)
Gebr. = Gebrüder
Geb.tag = Geburtstag
Gde. = Gemeinde
gedr. = gedruckt
gegr. = gegründet
Geh. = Geheime(r)
Geist und Gestalt = Geist und Gestalt, Biographische Beiträge zur Geschichte der Bayer. Akademie der Wissenschaften, I: Geisteswissenschaften, II: Naturwissenschaften, III: Bilder, München 1959, Erg.bd 1: Mitglieder, 1963, 2. Aufl. 1984, Erg.bd. 2: Schriften, 1970
Gel., gel. = Gelehrte(r), gelehrt
Gem. = Gemälde
Gen. = General
gen. = genannt
Ger. = Gerichts- (in Wortverbindungen)
Ges. = Gesellschaft
ges. = gesammelt
Gesch. = Geschichte
Geschl. = Geschlecht
Geschw = Geschwister
gez. = gezeichnet
Gf., Gfn., Gfsch. = Graf, Gräfin, Grafschaft
GFM = Generalfeldmarschall
GFZM = Generalfeldzeugmeister
GGA = Göttingische Gelehrte Anzeigen, 1753–1944, 1953 ff.
GHdA = Genealogisches Handbuch des Adels, Bde. 1–35 bearb. v. H. F. v. Ehrenkrook, ab Bd. 36 v. W. v. Hueck, Glücksburg bzw. Limburg/Lahn 1951 ff.
GHR = Geheimer Hofrat
Ghzg., Ghzgn., Ghzgt., ghzgl. = Großherzog(in), Großherzogtum, großherzoglich
Giebisch-Gugitz = H. Giebisch u. G. Gugitz, Bio-Bibliographisches Literaturlexikon Österreichs von den Anfängen bis zur Gegenwart, Wien 1964
GKR = Geheimer Kommerzienrat
GmbH = Gesellschaft mit beschränkter Haftung
Gmm, Gmv = Großmutter mütterlicher- bzw. väterlicherseits
Goedeke = K. Goedeke, Grundriß zur Geschichte der deutschen Dichtung, 2. Aufl. v. E. Goetze (ab Bd. XI v. F. Muncker u. A. Rosenbaum), Dresden 1884 ff., 3. Aufl. IV, bearb. v. E. Goetze, 1910–16, Neue Folge für 1830–80, bearb. v. G. Minde-Pouet u. E. Rothe, 1955 ff.
Gorzny = Nachrufe in Zeitungen 1974–1990, hrsg. v. W. Gorzny, Pullach 1994
GR = Geheimrat
gr. = groß
GRM = Germanisch-romanische Monatsschrift, begründet v. H. Schröder, 1905 ff.
Grove = G. Grove, A Dictionary of Music and Musicians, 9 Bde. u. Suppl.-Bd., 5. Aufl., London 1954–61 (s. a. **New Grove**)
GV = Gesamtverzeichnis des deutschsprachigen Schrifttums 1700–1910 bzw. 1911–1965, 2 Bde., München 1976 ff.
Gvm, Gvv = Großvater mütterlicher- bzw. väterlicherseits
GW = Gesamtkatalog der Wiegendrucke, Leipzig 1925 ff., 2. Aufl., Stuttgart u. New York 1968 ff.

H., Hh. = Heft(e)
Habil. = Habilitation(s-)
Hain = L. Hain, Repertorium bibliographicum, 2 Bde., Stuttgart u. Tübingen 1826–38
Hamberger-Meusel s. **Meusel, Gel. Teutschland**
hann. = hannoversch
Hauck = A. Hauck, Kirchengeschichte Deutschlands I, 7. Aufl. 1952, II, 6. Aufl. 1952, III, 6. Aufl. 1952, IV, 6. Aufl. 1953, V, 8. Aufl. 1954
HBLS = Historisch-Biographisches Lexikon der Schweiz, 7 Bde. u. 1 Suppl.-Bd., Neuenburg 1921–34
h. c. = honoris causa
Hdb. = Handbuch
Hdwb. = Handwörterbuch
hebr. = hebräisch
Heimbucher = M. Heimbucher, Die Orden u. Kongregationen der katholischen Kirche, 3 Bde., Paderborn, 2. Aufl. 1907/08, 3. Aufl., 2 Bde., 1933/34
Hersche = P. Hersche, Die deutschen Domkapitel im 17. u. 18. Jahrhundert, 3 Bde., Bern 1984
Heuer = Lexikon deutsch-jüdischer Autoren, hrsg. v. R. Heuer, München 1992 ff.
Heyd = Bibliographie der Württembergischen Geschichte, bearb. v. W. Heyd, Stuttgart 1895 ff.
Hirsch = E. Hirsch, Geschichte der neueren evangelischen Theologie im Zusammenhang mit den allgemeinen Bewegungen des europäischen Denkens, 5 Bde., Göttingen 1949–54
Hist., hist. = Historiker, Historia, Histoire, History, historisch
HJ = Hitlerjugend

HJb = Historisches Jahrbuch der Görres-Gesellschaft, München 1860 ff.
Hl., Hll., hl. = Heilige(r), Heilige (Plural), heilig
Holzschn. = Holzschnitt(e)
Hptm. = Hauptmann
HRG = Handwörterbuch zur Deutschen Rechtsgeschichte, hrsg. v. A. Erler u. E. Kaufmann, Berlin 1971 ff.
Hrsg., hrsg. = Herausgeber, herausgegeben
Hs., Hss., hs. = Handschrift(en), handschriftlich
HStA = Hauptstaatsarchiv
HZ = Historische Zeitschrift, 1859 ff.
Hzg., Hzgn., Hzgt., hzgl. = Herzog(in), Herzogtum, herzoglich

IHK = Industrie- u. Handelskammer
Ill., ill. = Illustration(en), illustriert
Inf. = Infanterie
Ing. = Ingenieur
Inh. = Inhaber
insbes. = insbesondere
Insp. = Inspektor
Inst. = Institut
i. R. = im Ruhestand
Isenburg = W. K. Prinz v. Isenburg, Stammtafeln zur Geschichte der europäischen Staaten, 2. Bde., 2. Aufl. hrsg. v. F. Baron Freytag v. Loringhoven, Marburg 1956–78, Neue Folge hrsg. v. D. Schwennicke, Marburg 1980 ff.
isr. = israelitisch
ital. = italienisch

J., j. = Jahr(e), -jährig
Jb., Jbb. = Jahrbuch, -bücher
Jb.Ak. = Jahrbuch der Akademie der Wissenschaften
Jbb. d. Dt. Gesch. (mit Herrschernamen) = Jahrbücher der Deutschen Geschichte, hrsg. v. der Historischen Kommission bei der Bayerischen Akademie der Wissenschaften, 1866 ff.
Jber., Jberr. = Jahresbericht(e)
Jedin = Handbuch der Kirchengeschichte, hrsg. v. H. Jedin, 6 Bde., Freiburg 1962–73
Jg., Jgg. = Jahrgang, -gänge
Jh., Jhh. = Jahrhundert(e)
Jöcher = Ch. G. Jöcher, Allgemeines Gelehrten-Lexicon, 4 Teile, Leipzig 1750/51
Jöcher-Adelung = Fortsetzung u. Ergänzungen zu Ch. G. Jöchers Allgemeinem Gelehrten-Lexicon, I–II v. J. Ch. Adelung, Leipzig 1784–87, III–VI v. H. W. Rotermund, Delmenhorst u. Bremen 1810–22, VII v. O. Günther, Leipzig 1897, Nachdr. Hildesheim 1960 ff.
jur. = juristisch

K = Kinder
Kab. = Kabinett
Kal. = Kalender
Kap. = Kapitel
Kard. = Kardinal
Kat. = Katalog
kath. = römisch-katholisch
Kaufm. = Kaufmann
Kav. = Kavallerie
kde. = -kunde (in Wortverbindungen)
Kdt. = Kommandant
Kf., Kfn. = Kurfürst(in)
Kg., Kgn., Kgr., kgl. = König(in), Königreich, königlich
KGesch = Kirchengeschichte (bisher: **KG**)
Killy = W. Killy (Hrsg.), Literatur Lexikon, 14 Bde., Gütersloh 1988–93
k. k., k. u. k. = kaiserlich (und) königlich
Kl. = Klasse
kl. = klein
KLG = Kindlers Literaturgeschichte der Gegenwart, Autoren, Werke, Themen, Tendenzen seit 1945, 5 Bde., München 1973–78
Klimesch = Köpfe der Politik, Wirtschaft, Kunst u. Wissenschaft, hrsg. v. K. v. Klimesch, 2 Bde., Augsburg 1953
KLL = Kindlers Neues Literatur Lexikon, 20 Bde., München 1988–92
KML = Kindlers Malerei Lexikon, 6 Bde., Zürich 1964–71
Koch = L. Koch, Jesuitenlexikon, Paderborn 1934
Könnecke = G. Könnecke, Bilderatlas zur Geschichte der deutschen Nationalliteratur, 2. Aufl. 1895
Körner = J. Körner, Bibliographisches Handbuch des deutschen Schrifttums, 3. Aufl., Bern 1949
Komm. = Kommission
Komp., komp. = Komponist, Komposition, komponiert
Korr., korr. = Korrespondenz, korrespondierend
Kosch, Biogr. Staatshdb. = W. Kosch, Biographisches Staatshandbuch, fortgeführt v. E. Kuri, 2 Bde., Bern u. München 1963
Kosch, Kath. Dtld. = Das Katholische Deutschland, Biographisch-bibliographisches Lexikon v. W. Kosch, Augsburg 1930 ff.
Kosch, Lit.-Lex. = Deutsches Literatur-Lexikon, Biographisches u. bibliographisches Handbuch v. W. Kosch, 4 Bde., Bern, 2. Aufl. 1949–58, 3. Aufl. 1968 ff. (**Kosch, Lit.-Lex.**[3])
Kosch, Theater-Lex. = Deutsches Theater-Lexikon, Biographisches u. bibliographisches Handbuch v. W. Kosch, Klagenfurt u. Wien 1953 ff.
KPD = Kommunistische Partei Deutschlands
KPÖ = Kommunistische Partei Österreichs

KR = Kommerzienrat
Kr. = Kreis
Kt. = Kanton
Kürschner, Gel.-Kal. = Kürschners Deutscher Gelehrten-Kalender, 1925 ff.
Kürschner, Lit.-Kal. = Kürschners Deutscher Literatur-Kalender, 1878 ff.
Kunisch = Handbuch der deutschen Gegenwartsliteratur, unter Mitwirkung v. H. Hennecke, hrsg. v. H. Kunisch, München 1965
Kunisch-Wiesner = Lexikon der deutschsprachigen Gegenwartsliteratur, begr. v. H. Kunisch, neu bearb. v. H. Wiesner, München 1981
Kupf. = Kupferstich(e)
KWI = Kaiser-Wilhelm-Institut
KZ = Konzentrationslager

L = Literatur
lat. = lateinisch
Lb. = Lebensbild(er)
Lb. Böhmen = Lebensbilder zur Geschichte der böhmischen Länder, München u. Wien 1974 ff.
Lb. Kurhessen = Lebensbilder aus Kurhessen und Waldeck 1830–1930, hrsg. v. I. Schnack, 6 Bde., Marburg 1939–58
Lb. Schwaben = Schwäbische Lebensbilder, I–VI, Stuttgart 1940–57, ab VII, 1960: Lebensbilder aus Schwaben und Franken
Lehrb. = Lehrbuch
Leopoldina = (Kaiserlich Leopoldinisch-Carolinische) Deutsche Akademie der Naturforscher
Lex. = Lexikon
Lex. d. Kunst = Lexikon der Kunst: Architektur, bildende Kunst, angewandte Kunst, Industrieformgestaltung, Kunsttheorie, Leipzig 1987 ff.
Lex. d. Päd. = Lexikon der Pädagogik, 5 Bde., Salzburg 1952–64
Lfg. = Lieferung
Lit., lit. = Literatur, literarisch
Lith. = Lithographie
LIZ = Leipziger Illustrirte Zeitung, 1843 ff.
Ll. = Lebensläufe
LMA = Lexikon des Mittelalters, München u. Zürich 1980 ff.
Lpr. = Leichenpredigt
LT = Landtag
Lt. = Leutnant
LThK = Lexikon für Theologie u. Kirche, hrsg. v. M. Buchberger, 10 Bde., Freiburg/Br. 1930–38, 2. Aufl. hrsg. v. J. Höfer u. K. Rahner, 10 Bde., 1957–67 (**LThK²**), 3. Aufl. hrsg. v. W. Kasper, 1993 ff. (**LThK³**)
luth. = lutherisch

M, m = Mutter, mütterlicherseits
MA, ma. = Mittelalter, mittelalterlich
Mag. = Magister
masch. = maschinenschriftlich
Math., math. = Mathematik(er), mathematisch
Mbl., Mbll. = Monatsblatt, -blätter
MdB, MdL, MdR = Mitglied des Bundestags, Landtags, Reichstags
Meckl., meckl. = Mecklenburg, mecklenburgisch
Med., med. = Medizin(er), medizinisch
Meusel = J. G. Meusel, Lexikon der vom Jahr 1750 bis 1800 verstorbenen teutschen Schriftsteller, 15 Bde., Leipzig 1802–16
Meusel, Gel. Teutschland = Das Gelehrte Teutschland oder Lexikon der jetzt lebenden teutschen Schriftsteller, angefangen v. G. Ch. Hamberger, fortgeführt v. J. G. Meusel, 5. Ausg., 23 Bde., Lemgo 1796–1834 (ab Bd. 13 auch unter dem Titel: Das Gelehrte Teutschland im 19. Jahrhundert), Nachdr. Hildesheim 1965/66
Mgf., Mgfn., Mgfsch. = Markgraf, Markgräfin, Markgrafschaft
MGG = Die Musik in Geschichte u. Gegenwart, Allgemeine Enzyklopädie der Musik, hrsg. v. F. Blume, 14 Bde. u. 2 Erg.-Bde., Kassel u. Basel 1949–79
MGH = Monumenta Germaniae Historica, 1826 ff. (**AA** = Auctores antiquissimi, **Capit.** = Capitularia, **Conc.** = Concilia, **Const.** = Constitutiones, **DD** = Diplomata, **Epp.** = Epistolae, **LL** = Leges, **Necrol.** = Necrologia, **SS** = Scriptores, **SS rer. Germ.** = Scriptores rerum Germanicarum in usum scholarum, **SS rer. Mer.** = Scriptores rerum Merovingicarum)
Mh., Mhh. = Monatsheft(e)
mhd. = mittelhochdeutsch
Mil., mil. = Militär, militärisch
Mio. = Million(en)
Min. = Minister, Ministerium
MIÖG = Mitteilungen des Instituts für österreichische Geschichtsforschung (1923–42: **MÖIG** = Mitteilungen des österreichischen Instituts für Geschichtsforschung), 1880 ff.
Mitgl., Mitgll. = Mitglied(er)
Mitt. = Mitteilungen
Möller = W. Möller, Stamm-Tafeln westdeutscher Adels-Geschlechter im Mittelalter, 3 Bde., Darmstadt 1922–36, Neue Folge, 2 Teile, 1950/51
MÖStA = Mitteilungen des Österreichischen Staatsarchivs, Wien 1946 ff.
Mon. = Monumenta
Monogr., Monogrr. = Monographie(n)
MPG = Max-Planck-Gesellschaft zur Förderung der Wissenschaften
MPI = Max-Planck-Institut
Ms., Mss. = Manuskript(e)

Mschr., Mschrr. = Monatsschrift(en)
Munzinger = Internationales Biographisches Archiv, Ravensburg 1949 ff.
Mus. = Museum, Musée, Museo

N = Neffe, Nichte
n. = nach
NA = Neues Archiv der Gesellschaft für ältere deutsche Geschichtskunde, 50 Bde., 1876–1935, fortgesetzt als **DA** = Deutsches Archiv für Geschichte (bzw.: Erforschung) des Mittelalters, 1937 ff.
Nachdr. = Nachdruck
Nachf. = Nachfahre(n), Nachfolger
Nachr., Nachrr. = Nachricht(en)
Nagl-Zeidler-Castle = Deutsch-österreichische Literaturgeschichte, Ein Handbuch zur Geschichte der deutschen Dichtung in Österreich-Ungarn, hrsg. v. J. W. Nagl, J. Zeidler, E. Castle, 4 Bde., Wien 1899–1937
Nassau. Biogr. = O. Renkhoff, Nassauische Biographie, 2. Aufl., Wiesbaden 1992
nat. = national
Nat.ök., nat.ök. = Nationalökonomie, nationalökonomisch
nat.soz. = nationalsozialistisch
Nederl. Biogr. Woord. = Nieuw Nederlandsch Biographisch Woordenboek, 10 Bde., Leiden 1911–37
Nekr. = Nekrolog
Neudr. = Neudruck
New Grove = The New Grove, A Dictionary of Music and Musicians, hrsg. v. S. Sadie, 20 Bde., London 1980
New Grove Dict. of Opera = The New Grove Dictionary of Opera, hrsg. v. S. Sadie, 4 Bde., London 1992
NF = Neue Folge
N. N. = (nomen nescio), Name unbekannt
NND = Neuer Nekrolog der Deutschen, hrsg. v. F. A. Schmid, 30 Jgg. u. 3 Register-Bde., 1824–56
NÖB = Neue Österreichische Biographie 1815–1918, 8 Bde., Wien 1923–35; IX, 1956: Neue Österreichische Biographie ab 1815; ab X, 1957: Neue Österreichische Biographie ab 1815, Große Österreicher
Nouv. Biogr. = Nouvelle Biographie Générale, Publiée sous la Direction de F. Hoefer, 46 Bde., Paris 1852–66 (teilweise als: Biographie Universelle)
Nova Acta Leopoldina = Nova Acta physicomedica Academiae Caesareae Leopoldino-Carolinae Naturae curiosorum, 110 Bde., Nürnberg u. a. 1757–1928, Neue Folge: Nova Acta Leopoldina, Abhandlungen der Kaiserlich Leopoldinisch-Carolinischen Deutschen Akademie der Naturforscher, Halle/Saale 1932 ff.

NS = Nationalsozialismus, nationalsozialistisch (in Wortverbindungen)
NSDAP = Nationalsozialistische Deutsche Arbeiterpartei
NT = Neues Testament
NZZ = Neue Zürcher Zeitung

o. = ordentlich(er)
OB = Oberbürgermeister
OCarm = Karmeliterorden
OCart = Kartäuserorden
OCist = Zisterzienserorden
od. = oder
ÖBL = Österreichisches Biographisches Lexikon 1815–1950, hrsg. v. d. Österreichischen Akademie der Wissenschaften, Graz u. Köln bzw. Wien 1954 ff.
öff. = öffentlich
Österr., österr. = Österreich, österreichisch
ÖVP = Österreichische Volkspartei
Offz. = Offizier
OFM = Franziskanerorden
OFMCap = Kapuzinerorden
o. J. = ohne Jahr
Om, Ov = Onkel mütterlicher- bzw. väterlicherseits
o. O. = ohne Ort
OP = Dominikanerorden
OPraem = Prämonstratenserorden
Orch. = Orchester
orth. = orthodox
OSA = Augustinerorden
OSB = Benediktinerorden
OT = Deutscher Orden (Ordo Teutonicus)

P = Porträt
Päd., päd. = Pädagoge, Pädagogik, pädagogisch
Pagel = Biographisches Lexikon hervorragender Ärzte des 19. Jahrhunderts, hrsg. v. J. Pagel, Berlin u. Wien 1901, Nachdr. 1989
Paul, Inventar = H.-H. Paul, Inventar zu den Nachlässen der deutschen Arbeiterbewegung, München 1993
PBB = Beiträge zur Geschichte der deutschen Sprache u. Literatur, begründet v. H. Paul u. W. Braune, Halle 1874 ff., seit 1955 in zwei Ausgaben Tübingen u. Halle
PD = Privatdozent
PDS = Partei des Demokratischen Sozialismus
PEN = Poets, Essayists, Novelists (Internationale Schriftstellervereinigung)
PH = Pädagogische Hochschule
Philol., philol. = Philologe, Philologie, philologisch
Philos., phil. = Philosoph, Philosophie, philosophisch

Phot. = Photographie
Planitz-Buyken = H. Planitz u. Th. Buyken, Bibliographie zur deutschen Rechtsgeschichte, Frankfurt/Main 1952
Pogg. = J. Ch. Poggendorff, Biographisch-literarisches Handwörterbuch zu den exakten Wissenschaften, 8 Bde. (unterteilt), Leipzig 1863 ff.
Pol., pol. = Politik(er), politisch
pomm. = pommerisch
Potthast = A. Potthast, Bibliotheca historica medii aevi, Wegweiser durch die Geschichtswerke des europäischen Mittelalters bis 1500, 2 Bde., 2. Aufl. Berlin 1896
Präs. = Präsident
PRE = Realencyklopädie für protestantische Theologie u. Kirche, begr. v. J. J. Herzog, hrsg. v. A. Hauck, 24 Bde., 3. Aufl., Leipzig 1896–1913
Priesdorff = Soldatisches Führertum, hrsg. v. K. v. Priesdorff, 10 Bde. u. 1 Registerband, Hamburg o. J. (1936–42)
Prn. = Prinzessin
Prof. = Professor
Progr. = Programm
prot. = protestantisch
Prov. = Provinz
Ps. = Pseudonym
Publ., publ. = Publikation(en), Publizist, publiziert

Qu., Qu = Quelle(n)

R. = Reihe
RA = Rechtsanwalt
Rdsch. = Rundschau
Red., red. = Redaktion, redigiert
Ref., ref. = Reformation, reformiert
Reg. = Regierungs- (in Wortverbindungen)
Regg. = Regesten, Regesta
Regg. Imp. = Regesta Imperii, 1831 ff., neubearb. v. der Österreichischen Akademie der Wissenschaften, 1950 ff.
Rel., rel. = Religion, religiös
Rep. = Repertorium
Rev. = Revolution
Rez. = Rezension
RGG = Die Religion in Geschichte u. Gegenwart, Handwörterbuch für Theologie u. Religionswissenschaft, 2. Aufl. hrsg. v. H. Gunkel u. L. Zscharnack, 5 Bde. u. Register, Tübingen 1927–32 (**RGG²**), 3. Aufl. hrsg. v. K. Galling, 6 Bde. u. Erg.bd., Tübingen 1957–65 (**RGG³**)
Rgt. = Regiment
Rhdb. = Reichshandbuch der deutschen Gesellschaft, 2 Bde., Berlin 1930/31
Riemann = H. Riemann, Musiklexikon, Personenteil, 2 Bde., hrsg. v. W. Gurlitt, Mainz, 12. Aufl. 1959/61, 2 Erg.bde., hrsg. v. C. Dahlhaus, 1972/75

RISM = Répertoire International des Sources Musicales, hrsg. v. der Internationalen Gesellschaft für Musikwissenschaft u. der Internationalen Vereinigung der Musikbibliotheken, 1960 ff.
Rößler-Franz = H. Rößler u. G. Franz, Biographisches Wörterbuch zur deutschen Geschichte, München 1952, 2. Aufl., bearb. v. K. Bosl, G. Franz u. H. H. Hofmann, München 1973–75
Rr. = Ritter
RT = Reichstag
RTA = Deutsche Reichstagsakten, hrsg. durch die Historische Kommission bei der Bayerischen Akademie der Wissenschaften, München 1867 ff.
Rtlr. = Reichstaler

S = Sohn, Söhne
S. = Seite(n)
s., s. a., s. d., s. o., s. u. = siehe, siehe auch, siehe dort, siehe oben, siehe unten
SA = Sturmabteilung (der NSDAP)
SB = Sitzungsbericht(e)
SBAk. = Sitzungsbericht(e) der Akademie der Wissenschaften
Schärl = W. Schärl, Die Zusammensetzung der bayerischen Beamtenschaft von 1806 bis 1918, Kallmünz 1955
Schausp. = Schauspiel, Schauspieler(in)
Schmollers Jb. = Schmollers Jahrbuch für Gesetzgebung, Verwaltung u. Volkswirtschaft, Berlin 1871 ff.
Schottenloher = K. Schottenloher, Bibliographie zur deutschen Geschichte im Zeitalter der Glaubensspaltung 1517–1585, 7 Bde., Stuttgart 1952–66
Schr., Schrr. = Schrift(en)
Schriftst. = Schriftsteller(in)
Schröder = H. Schröder, Lexikon der Hamburgischen Schriftsteller bis zur Gegenwart, 8 Bde., Hamburg 1851–53
Schumacher, M. d. L. = M. Schumacher (Hrsg.), M. d. L., Das Ende der Parlamente 1933 und die Abgeordneten der Landtage und Bürgerschaften der Weimarer Republik in der Zeit des Nationalsozialismus, Düsseldorf 1995
Schumacher, M. d. R. = M. Schumacher (Hrsg.), M. d. R., Die Reichstagsabgeordneten der Weimarer Republik in der Zeit des Nationalsozialismus, 3. Aufl., Düsseldorf 1994
Schw = Schwester(n)
Schweizer Lex. = Schweizer Lexikon in 6 Bdn., Luzern 1992
SchwZG = Schweizerische Zeitschrift für Geschichte, 1951 ff. (Fortsetzung der **ZSG**)
Scriba = E. Scriba, Biographisch-literarisches Lexikon der Schriftsteller des Großherzogthums Hessen im 19. Jahrhundert, 2 Bde., Darmstadt 1831/43

SED = Sozialistische Einheitspartei Deutschlands
Sekr. = Sekretär
sel. = selig
Singer = H. W. Singer, Neuer Bildniskatalog, 5 Bde., Leipzig 1937/38
Sitzmann = F. E. Sitzmann, Dictionnaire de biographie des hommes célèbres de l'Alsace, 2 Bde., Rixheim (Elsaß) 1909/10
SJ = Societas Jesu (Jesuitenorden)
SKL = Schweizerisches Künstlerlexikon, red. v. C. Brun, 3 Bde., 1 Suppl.bd., Frauenfeld 1905–17
Slg., Slgg. = Sammlung(en)
sog. = sogenannt
Sommervogel = C. Sommervogel, Bibliothèque de la Compagnie de Jésus, 11 Bde., Brüssel u. Paris 1890–1932, 5 Suppl.bde., Toulouse 1911–30
soz. = sozial
Sp. = Spalte
SPD = Sozialdemokratische Partei Deutschlands
SPÖ = Sozialistische bzw. Sozialdemokratische Partei Österreichs
SS = Schutzstaffel (der NSDAP)
St. = Sankt, Saint(e)
StA = Staatsarchiv
Staatslex. = Staatslexikon – Recht, Wirtschaft, Gesellschaft – in 5 Bdn., hrsg v. d. Görres-Gesellschaft, 7. Aufl., Freiburg/Br. 1985–89
Stellv., stellv. = Stellvertreter, stellvertretend
Stern = D. Stern, Werke v. Autoren jüdischer Herkunft in deutscher Sprache, Eine Bio-Bibliographie, Wien 1969
Stintzing-Landsberg = R. Stintzing, Geschichte der Deutschen Rechtswissenschaft, I, München u. Leipzig 1880, II, ebd. 1884, III/1 u. 2 v. E. Landsberg, München u. Berlin 1898/1910
StMBO = Wissenschaftliche Studien und Mitteilungen zur Geschichte des Benediktinerordens, München 1911 ff. (Fortsetzung der Studien und Mitteilungen aus dem Benediktiner- u. Cistercienserorden, 1880 ff.)
Stud. = Studie(n)
Sup. = Superintendent
Suppl. = Supplement
SZ = Süddeutsche Zeitung

T = Tochter, Töchter
T. = Teil(e)
t. = tomus, tome
Tab. = Tabelle
Tb. = Taschenbuch
Teichl = Österreicher der Gegenwart, bearb. v. R. Teichl, Wien 1951
Teilh. = Teilhaber
TH = Technische Hochschule

ThB = Allgemeines Lexikon der Künstler v. der Antike bis zur Gegenwart, begründet v. U. Thieme u. F. Becker, hrsg. v. H. Vollmer, 36 Bde., Leipzig 1907–47, Bd. 37 (Monogrammisten), 1950, Erg.bd., 1954
Theol., theol. = Theologe, Theologie, theologisch
Thür., thür. = Thüringen, thüringisch
Tl. = Totenliste
Tradition = Tradition, Zeitschrift für Firmengeschichte u. Unternehmerbiographien, 21 Jgg., 1956–76 (ab 22. Jg.: ZUG)
TRE = Theologische Realenzyklopädie, hrsg. v. G. Krause u. G. Müller, 1976 ff.
Tsd. = Tausend
TU = Technische Universität

u. = und
u. a. = unter anderem, und andere
UA = Uraufführung
UB = Urkundenbuch
u. d. T. = unter dem Titel
üb. = über
Übers., Überss., übers. = Übersetzung(en), übersetzt
übertr. = übertragen
Überweg = F. Überweg, Grundriß der Geschichte der Philosophie, I bearb. v. K. Praechter, 13. Aufl. 1953, II bearb. v. B. Geyer, 12. Aufl. 1951, III bearb. v. M. Frischeisen-Köhler u. W. Moog, 13. Aufl. 1953, IV u. V bearb. v. T. K. Österreich, 15. Aufl. 1951/53
Uhlirz = K. u. M. Uhlirz, Handbuch der Geschichte Österreichs u. seiner Nachbarländer Böhmen u. Ungarn, 4 Bde., Graz-Wien-Leipzig 1927–44, I, 2. Aufl. 1963
unbek. = unbekannt
ungedr. = ungedruckt
Univ. = Universität, Università, Université, University
Unters., Unterss. = Untersuchung(en)
unvollst. = unvollständig
u. ö. = und öfters
Urk., Urkk. = Urkunde(n)
urspr. = ursprünglich
USPD = Unabhängige Sozialdemokratische Partei Deutschlands
usw. = und so weiter

V, v = Vater, väterlicherseits
v. = von, vor
v. a. = vor allem
VD 16 = Verzeichnis der im deutschen Sprachbereich erschienenen Drucke des XVI. Jahrhunderts, hrsg. v. der Bayerischen Staatsbibliothek in München in Verbindung mit der Herzog-August-Bibliothek in Wolfenbüttel, bearb. v. J. Bezzel, 22 Bde., Stuttgart 1983–95
VDI = Verein Deutscher Ingenieure

VDI-Btrr. = Beiträge zur Geschichte der Technik u. Industrie, im Auftrage des VDI hrsg. v. C. Matschoß, 30 Bde., Berlin 1909–41 (ab 22, 1933, unter dem Titel: Technik-Geschichte)
VDI-Zs. = Zeitschrift des Vereins Deutscher Ingenieure, 1857 ff.
Ver. = Verein
Verh., Verhh. = Verhandlung(en)
verh. = verheiratet
verm. = vermehrt
Veröff., veröff. = Veröffentlichung(en), veröffentlicht
versch. = verschieden(e)
Vertr. = Vertreter
Verw. = Verwalter, Verwaltung
verw. = verwitwet
Verz., verz. = Verzeichnis(se), verzeichnet
Vf. = Verfasser(in)
Vfg. = Verfassung
Vf.-Lex. d. MA = Die deutsche Literatur des Mittelalters, Verfasserlexikon, hrsg. v. W. Stammler u. (ab Bd. 3) K. Langosch, Berlin u. Leipzig 1933 ff., 2. völlig neu bearb. Aufl., hrsg. v. K. Ruh, Berlin 1978 ff. (**Vf.-Lex. d. MA²**)
VfZ = Vierteljahreshefte für Zeitgeschichte, 1955 ff.
vgl. = vergleiche(nd)
Vj. = Vierteljahr(es)-
vol. = volume(n)
Vollmer = H. Vollmer, Allgemeines Lexikon der bildenden Künstler des XX. Jahrhunderts, 6 Bde., Leipzig 1953–62
vollst. = vollständig
Vors. = Vorsitzende(r)
VSWG = Vierteljahrschrift für Sozial- u. Wirtschaftsgeschichte, 1903–44, 1949 ff.
Vt = Vetter

W = Werke
wahrsch. = wahrscheinlich
Wattenbach = W. Wattenbach, Deutschlands Geschichtsquellen im Mittelalter, **I**, 7. Aufl., Berlin 1904, **II**, 6. Aufl. 1894
Wattenbach-Holtzmann = W. Wattenbach, Deutschlands Geschichtsquellen im Mittelalter, Deutsche Kaiserzeit, bearb. v. R. u. W. Holtzmann, Berlin 1938 ff.
Wattenbach-Levison = W. Wattenbach, Deutschlands Geschichtsquellen im Mittelalter, Vorzeit u. Karolinger, bearb. v. W. Levison u. W. Holtzmann, Weimar 1952 ff.
Wb. = Wörterbuch
Wbl., Wbll. = Wochenblatt, -blätter
Wenzel = Deutscher Wirtschaftsführer, bearb. v. G. Wenzel, Hamburg 1929
Werckmeister = Das 19. Jahrhundert in Bildnissen, 5 Bde., hrsg. v. K. Werckmeister, Berlin 1896–1901
WGR = Wirklicher Geheimer Rat

Wi. = Wer ist's?, begr. u. hrsg. v. H. Degener, Berlin 1905 ff.; Wer ist wer? Das deutsche Who's who, Berlin 1951 ff.
Wilpert = G. v. Wilpert, Deutsche Literatur in Bildern, Stuttgart 1957
Wilpert-Gühring = G. v. Wilpert u. A. Gühring, Erstausgaben deutscher Dichtung, Eine Bibliographie zur deutschen Literatur 1600–1960, Stuttgart 1967
Wininger = S. Wininger, Große Jüdische National-Biographie, 7 Bde., Czernowitz 1925–36
Wirtsch., wirtsch. = Wirtschaft(s), wirtschaftlich
Wiss., wiss. = Wissenschaft(en), wissenschaftlich
Wschr., Wschrr. = Wochenschrift(en)
Württ., württ. = Württemberg, württembergisch
Wurzbach = C. v. Wurzbach, Biographisches Lexikon des Kaiserthums Oesterreich, 60 Bde., Wien 1856–91
Wwe = Witwe

z. = zum, zur
Za. = Zeitalter
zahlr. = zahlreich
z. B. = zum Beispiel
Zbl. = Zentralblatt
ZBLG = Zeitschrift für bayerische Landesgeschichte, 1928 ff.
ZDA = Zeitschrift für deutsches Altertum, 1841 ff., seit 1876: Zeitschrift für deutsches Altertum u. deutsche Literatur (mit Anzeiger für deutsches Altertum)
Zedler = J. H. Zedler, Großes vollständiges Universal Lexikon aller Wissenschaften u. Künste, 64 Bde., 4 Suppl.bde., Halle u. Leipzig 1732–54, Nachdr. 1991 ff.
ZfG = Zeitschrift für Geschichtswissenschaft, Berlin 1967 ff.
ZGORh = Zeitschrift für die Geschichte des Oberrheins, 1851 ff.
ZGStW = Zeitschrift für die gesamte Staatswissenschaft, 1844 ff.
ZHF = Zeitschrift für historische Forschung, 1974 ff.
Ziegenfuß = Philosophen-Lexikon, hrsg. v. W. Ziegenfuß, 2 Bde., Berlin 1949/50
Ziese = A. A. Ziese, Allgemeines Lexikon der Kunstschaffenden in der bildenden u. gestaltenden Kunst des ausgehenden XX. Jahrhunderts, 2. Aufl., Nürnberg 1987
Zs., Zss. = Zeitschrift(en)
ZSG = Zeitschrift für schweizerische Geschichte, Zürich 1921–50 (seit 1951: **SchwZG**)

ZSRG^G, **ZSRG**^{R}, **ZSRG**^{K} = Zeitschrift der Savigny-Stiftung für Rechtsgeschichte, Germanistische Abteilung, 1880 ff., Romanistische Abteilung, 1880 ff., Kanonistische Abteilung, 1911 ff.
z. T. = zum Teil
Ztg., **Ztgg.** = Zeitung(en)
ZUG = Zeitschrift für Unternehmensgeschichte, 1977 ff. (Fortsetzung von: **Tradition**)
zw. = zwischen
z. Z. = zur Zeit

M

Moller, *Martin,* ev. Kirchenlieddichter, * 9. 11. 1547 Leisnitz b. Wittenberg, † 2. 3. 1606 Görlitz.

V Dionysius, Landmann u. Maurer; *M* N. N.; ∞ N. N.; *K*, u. a. Martin (1594–1649), Mag., Rektor in G. (s. *L*).

Seit 1560 besuchte M. in Wittenberg die Stadtschule. Sein Lehrer M. Frentzel nahm ihn, als er 1566 ans Gymnasium nach Görlitz berufen wurde, dorthin mit. M. machte solche Fortschritte beim Musikstudium, daß er bereits 1568 in Löwenberg (Schlesien) eine Anstellung als Kantor finden konnte. Ohne theologische Bildung erhalten zu haben, wurde er 1572 Pfarrer in Kesselsdorf (Schlesien), bald darauf in Löwenberg und 1575 in Sprottau (Niederschlesien), wo er 25 Jahre lang wirkte. 1600 wurde er als Pastor primarius an die Petrikirche in Görlitz vom Stadtrat berufen. 1602 erwarb er hier das Bürgerrecht. Als er am grauen Star erblindete, ließ er sich in der Kirche den Predigttext vorlesen und meditierte darüber.

M. widmete sich dem Kirchenlied und der erbaulichen Schriftstellerei. 1584 erschienen seine „Meditationes sacrae, Schöne andächtige Gebete etc.", denen drei Auflagen folgten. 1593 veröffentlichte er sein „Manuale de Praeparatione ad Mortem", das zu seinen Lebzeiten vier Auflagen erlebte. Zugleich erschien es in deutscher Übersetzung unter dem Titel „Selige Sterbekunst der Gläubigen", von der bis 1910 zahlreiche Nachdrucke erschienen. In Görlitz gab M. außerdem das Gebetbüchlein „Thesaurus precationum" (1602) heraus. Sein aufsehenerregendes Werk war aber die vierbändige „Postilla Evangelia, Praxis Evangeliorum, d. i. praktische Erklärung der sonn- und festtäglichen Evangelien" (1601–05). Gegen diese polemisierte Salomo Gesner in Wittenberg, der M. Kryptokalvinismus vorwarf. M. fand aber in Görlitz in Rektor Samuel Großer einen Verteidiger. Er war überzeugt, seiner bei der Berufung nach Görlitz übernommenen Verpflichtung, nach dem Corpus doctrinae Philippicum zu lehren, entsprochen zu haben. Durch seine Lieder war M. weit bekannt geworden. Einige von diesen sind altlat. Hymnen und Sequenzen nachgedichtet. Seinen Übersetzungen besonders der Hymnen Bernhards von Clairvaux wurde sprachliche Feinfühligkeit nachgerühmt. Noch heute finden sich einige seiner Dichtungen im Evangelischen Kirchengesangbuch (Nr. 101, 119, 286, 287).

Weitere W Soliloquia de Passione Christi, Wie jeder Christenmensch das allerheiligste Leiden u. Sterben J. C. in seinem Herzen betrachten soll, 1587; Mysterium Magnum, Fleißige u. andächtige Betrachtung d. Himmlisch geistl. Hochzeit u. Verbündnis unsers Herrn J. C. mit d. christgläubigen Gemeine seiner Braut, 1597; Natalitia Christi, Die vornehmsten Weinachtslehren u. Trost, in Frag u. Antwort, 1603.

L ADB 22; (Giese), Leben u. Schrr. M. M.s, Görlitz 1768; G. F. Otto, Lex. d. seit d. 15. Jh. verstorbenen u. jetztlebenden Oberlausiz. Schriftst. u. Künstler II, 1802, S. 624–28 *(auch zu Martin d. J.)*; E. E. Koch, Gesch. d. Kirchenliedes u. d. Kirchengesangs I–IV, ³1866 ff.; H. Beck, Die Erbauungslit. d. ev. Kirche Dtld.s v. Dr. Martin Luther bis M. M., 1883, S. 258–68; H. Groß, Die alten Tröster, 1900; F. Spitta, Der Dichter d. Liedes „Ach Gott, wie manches Herze-Leid", in: Mschr. f. Gottesdienst u. kirchl. Kunst, hrsg. v. F. Spitta u. J. Smend, 7, 1902, S. 12–18, 57–62, 82–91 *(P)*; P. Althaus, Forschungen z. ev. Gebetslit. 1927, S. 134–42, 251 f.; Hdb. z. Ev. Kirchengesangbuch, hrsg. v. Ch. Mahrenholz u. O. Söhngen, II, 1, Lb. d. Liederdichter u. Melodisten, 1957; J. Kulp, A. Büchner, S. Fornaçon, Die Lieder unserer Kirche, 1958, S. 168 ff., 190 f., 445 ff.; A. Dürr u. W. Killy, Das prot. Kirchenlied im 16. u. 17. Jh., 1986; E. Axmacher, Theol. u. Frömmigkeit b. M. M. (1547–1606), 1989; M. Brecht, Neue Frömmigkeit u. Gemeindesituation b. M. M., in: FS H.-C. Rublack, 1992, S. 217–30; Zedler 22; Jöcher III; Jöcher-Adelung IV; Kosch, Lit.-Lex.³; Killy; BBKL.

P Ölgem. (Görlitz, Sakristei d. Petrikirche), Abb. in: Spitta (s. *L*), S. 14.

Robert Stupperich

Mollier. (kath.)

1) *Richard,* Thermodynamiker, * 30. 11. 1863 Triest, † 13. 3. 1935 Dresden.

V Eduard (1828–1906) aus Montabaur, Schiffsbauing., techn. Dir. d. Maschinenfabr. u. Schiffswerft E. Mollier in T., *S* d. Gutsbes. Martin Joseph (1796–1848) u. d. Angela Thewalt (* 1806) aus Nauort (Westerwald); *M* Armine (1836–1910) aus Riedenburg (Oberpfalz), *T* d. Carl v. Dyck (bayer. Personaladel 1861, 1803–88), Eisenbahnbaudir., Vorstand d. Telegraphenamts in München, u. d. Katharina Cayenz (1807–77); *Groß-Om* Hermann Dyck (1812–74), Architekturmaler, Dir. d. Kunstgewerbeschule in München (s. ADB V; NDB IV*); *B* Siegfried (s. 2); – ∞ Bremen 1908 Elisabeth (1885–1974, ref.) aus Bremen, *T* d. Landgerichtsdir. Friedrich Barkhausen (1840–96) u. d. Catharina Hegeler (1851–1928), beide aus Bremen; *Schwager* Heinrich Barkhausen (1881–1956), Prof. f. Elektrotechnik an d. TH Dresden (s. Pogg. V–VIIa; DBE); 3 *S*, 1 *T*; *Verwandter* Walther v. Dyck (1856–1934), Mathematiker (s. NDB IV).

M. besuchte das Deutsche Gymnasium von Triest und legte dort 1882 die Reifeprüfung ab. Sein anschließendes Studium begann er an der Univ. Graz in Mathematik und Physik und setzte es in München zunächst an der Universität, dann an der Technischen Hochschule fort; 1888 legte er die Diplomprüfung als Maschineningenieur ab. Danach ging er für zwei Jahre in den väterlichen Betrieb zurück nach Triest. 1890 kehrte er als Assistent zu M. Schröter an die TH München zurück. Mit einer Schrift über das Wärmediagramm habilitierte er sich hier 1892 für theoretische Maschinenlehre und erwarb 1895 den Grad eines Dr.-Ing. mit einer Dissertation „Über die Entropie der Gase" an der Univ. München. Damit begründete er seinen wissenschaftlichen Ruf als Fachmann für technische Wärmelehre. 1896 holte ihn Felix Klein als planmäßigen ao. Professor an die Univ. Göttingen, um dort die technische Physik zu etablieren; M.s Lehrgebiet umfaßte angewandte Physik und Maschinenlehre. Bereits nach zwei Semestern wurde er 1897 zum o. Professor für theoretische Maschinenlehre an die TH Dresden als Nachfolger von Gustav Zeuner berufen (Rektor 1905/06 u. 1918/19).

Hier begann der wichtigste Abschnitt seines Werdeganges als Thermodynamiker. 1902 betonte M. die praktische Bedeutung des 1875 von Gibbs eingeführten thermodynamischen Potentials „Wärmeinhalt bei konstantem Druck"; es gestattet, Energieänderungen in thermodynamischen Systemen zu beschreiben, ohne zwischen Wärme und Arbeit zu unterscheiden. Die Enthalpie H, wie sie später von Kammerlingh Onnes genannt wurde, benutzte M. als Ordinate in dem 1904 von ihm entwickelten Enthalpie-Entropie-Diagramm (H-S-Diagramm), das für die angewandte Thermodynamik zentrale Bedeutung erlangt hat. Es ersetzte das bis dahin von Ingenieuren häufig verwendete Druck-Volumen-Diagramm (P-V-Diagramm). Vorteilhaft ist, daß sich im H-S-Diagramm die wesentlichen Merkmale des 1. und 2. Hauptsatzes der Thermodynamik im Gegensatz zum P-V-Diagramm und zu dem von Gibbs vorgeschlagenen Temperatur-Entropie-Diagramm (T-S-Diagramm) sehr leicht repräsentieren lassen. Das bedeutete für den praktisch arbeitenden Ingenieur eine erhebliche Erleichterung. Ein wichtiges Hilfsmittel war auch M.s 1906 veröffentlichtes Werk „Neue Tabellen und Diagramme für Wasserdampf", das er in den folgenden Jahren immer wieder an den neuesten Stand der Technik anpaßte. M. trug auf diese Weise zum schnellen Aufschwung der Wärmekraftmaschinen bei. Daneben beschäftigte er sich auch mit Fragen der Dampfmaschinen, Verbrennungsmotoren und Kälteanlagen sowie des Wärmeüberganges. Insbesondere untersuchte er Möglichkeiten zur Beschreibung von Verbrennungsvorgängen und gab entsprechende Gleichungen und ein Diagramm an. Somit war M. neben der Publikation zahlreicher Einzelergebnisse vor allem an einer Reorganisation der Thermodynamik interessiert, die für technische Anwendungen zweckmäßig ist. Seine wichtigsten Schüler, zu denen A. Nägel, W. Nusselt, R. Plank, W. Pauer, F. Merkel und F. Bosnjakovic zählen, führten diese Arbeiten erfolgreich weiter.

M. war auch in nationalen und internationalen wissenschaftlichen Vereinen und Gremien tätig; 1909 war er der deutsche Vertreter auf dem 1. Kongreß der Internationalen Vereinigung für Kältetechnik. 1923 wurde auf dem Thermodynamik-Kongreß von Los Angeles beschlossen, alle Enthalpie-Diagramme nach M. zu bezeichnen. 1931 wurde M. emeritiert. – Geh. Hofrat; Dr.-Ing. E. h. (TH Braunschweig 1919); Grashof-Denkmünze d. VDI (1928).

W Neue Diagramme z. techn. Wärmelehre, in: VDI-Zs. 48, 1904, S. 271–75; Ein neues Diagramm f. Dampfluftgemische, ebd. 67, 1923, S. 869–72; Das *ix*-Diagramm f. Dampfluftgemische, ebd. 73, 1929, S. 1009–13; Neue Tabellen u. Diagramme f. Wasserdampf, 1906, [7]1932.

L FS R. M. z. 70. Geb.tag, 1933 *(P)*; VDI-Zs. 79, 1935, S. 451 f.; M. Oehmichen, in: 125 J. TH Dresden, 1828–1953, 1953, S. 142 f. *(P)*; Wiss. Zs. d. TU Dresden 13, 1964, H. 4, S. 1099 ff.; DSB IX; Pogg. VI, VII a.

Wolfgang Mathis

2) *Siegfried*, Anatom, * 19. 7. 1866 Triest, † 18. 8. 1954 Schalchen/Chiemsee.

B Richard (s. 1); – ∞ München 1894 Hedwig (1875–1951), *T* d. Heinrich Riemerschmid (1836–83), Chemiker u. Fabr. in München, u. d. Marie Lachner (1844–1915); *Gvm d. Ehefrau* Franz Lachner (1803–90), Komp. (s. NDB 13); *Schwager* Richard Riemerschmid (1868–1957), Architekt (s. Vollmer); 3 *S*, 1 *T*.

Nach Schulbesuch und Abitur in München begann M. im Wintersemester 1884/85 hier das Medizinstudium, das er 1889 durch die ärztliche Prüfung abschloß. Im selben Jahr promovierte er als 2. Assistent des Münchener Anatomischen Institutes bei Nicolaus Rüdinger zum Dr. med. Seine anatomischen Lehrer waren Karl v. Kupffer in der Gewebelehre und Entwicklungsgeschichte sowie Nicolaus Rüdinger (1832–96), der Begründer der Münchener makroskopischen Schule. 1890 wurde M. zum 1. Assistenten und Prosektor bei Johannes Rüdinger ernannt. 1893 habilitierte sich der 26jährige mit einer Arbeit „Über das Ichthyopterygium" für das Fach Anatomie. 1897 wurde M. Prosektor bei J. Rückert, nachdem er im Wintersemester 1896 die Vertretung des verstorbenen N. Rüdinger übernommen hatte. Für die Studierenden der Schönen Künste hielt er 1897–1938 das Kolleg „Anatomie für Künstler". 1901 erfolgte seine Ernennung zum planmäßigen ao. Professor. 1902 wurde M. auf den Lehrstuhl seines Lehrers Kupffer für Histologie und Embryologie berufen. Nach Rückerts Tod 1923 übernahm M. die Gesamtleitung der Anatomischen Anstalt in der Pettenkoferstraße, an deren Neuaufbau 1905–07 er schon mitgewirkt hatte.

In M.s Dissertation bestätigten sich die damals angezweifelten Rückertschen Ansichten über die Vornierenentwicklung bei Amphibien. Unverrückbare Tatsache ist seither, daß das Ektoderm sich am Aufbau der Vorniere nicht beteiligt. M. wollte zeitlebens Nachweise für die Idee erbringen, daß und wie konstruktive Formen in der Anatomie aus ihrer Funktion heraus verstehbar zu erklären sind. Die von seinem Lehrer übernommenen plastischen anatomischen Demonstrationen gestaltete M. zu einer „Plastischen Anatomie" aus, ein erstmals 1924 erschienenes ausgefeiltes, bahnbrechendes Werk, das auch heute noch nicht nur für Kunstschüler, sondern auch für Mediziner seinen Führungsanspruch behauptet. Epochemachend waren seine genauen Funktionsanalysen über die Bewegungsabläufe des menschlichen Schultergürtels, die Öffnungsbewegung des Mundes sowie den Aufbau der vorderen Bauchwand. Im Zusammenhang mit der Mechanik des Schultergürtels stellte M. erstmals 1898 sein „Muskelklavier" vor, wobei er die 16 wirksamen Muskelzugrichtungen am Schultergürtel durch Schnüre ersetzte, die ihre Bewegungsausschläge auf Hebel übertrugen, so daß Veränderungen des Schultergürtels am Gelenkphantom anschaulich reproduziert werden konnten. Hinsichtlich der Öffnungsbewegung des Mundes stellte M. fest, daß die Halswirbelsäule die Bewegungen des Schädels im Kiefergelenk erlaubt, so daß zervikale Synostosen etc. kaum Behinderungen bewirken können. Seine ganzheitliche Betrachtung der vorderen weichen Bauchwand gipfelt in der Feststellung, daß eine gegenseitige Verklammerung und Zusammenschaltung in Rectusscheide, Linea alba abdominis sowie Inscriptiones tendineae gegeben ist. – ao. Mitgl. d. Bayer. Ak. d. Wiss. (1908), o. Mitgl. (1911).

W u. a. Über d. Entstehung d. Vornierensystems b. Amphibien (Diss. München 1889), in: Archiv f. Anatomie u. Physiol., 1890, S. 209–35; Die paarigen Extremitäten d. Wirbeltiere I, Das Ichthyopterygium, in: Anatom. Hh. 3, 1894, S. 1–160; dass. II, Das Cheiropterygium, ebd. 5, 1895, S. 435–529; dass. III, Die Entwicklung d. paarigen Flossen d. Störs, ebd. 8, 1897, S. 1–74; Über d. Entwicklung d. fünfzehigen Extremität, Vorläufige Mitt. z. 5. SB d. Ges. f. Morphol. u. Physiol., 1894, S. 1–17; Die Mechanik d. Schultergürtels, Vorläufige Mitt. z. 9. Verh. d. Anatom. Ges. 12, 1898, S. 144 f.; Über d. Statik u. Mechanik d. menschl. Schultergürtels unter normalen u. patholog. Verhältnissen, in: FS z. 70. Geb.tag v. Carl v. Kupffer, 1899; Über Knochenentwicklung, in: SB d. Ges. f. Morphol. u. Physiol. 26, 1910, S. 1–18; Die Öffnungsbewegung d. Mundes, in: Roux' Archiv f. Entwicklungsmechanik 119, 1929, S. 531–42; Die Konstruktion d. vorderen weichen Bauchwand d. menschl. Körpers, in: Zs. f. Anatomie 93, 1930, S. 623–44; Plast. Anatomie, ²1938.

L Alm. d. Kgl. Bayer. Ak. d. Wiss. z. 150. Stiftungsfest, 1909, S. 306 *(W-Verz.)*; T. v. Lanz, in: Ärztebl. Bayern 2, 1935, S. 75; ders. in: Münchener med. Wschr. 97, 1955, S. 642 f.; ders., in: Anatom. Anz. 106, 1959, S. 130–43; B. Romeis, in: Jb. d. Bayer. Ak. d. Wiss., 1955, S. 172–78; G. Egerer, Personalbibliogr. v. Professoren u. Dozenten d. Anatomie an d. Med. Fakultät d. Univ. München im ungefähren Zeitraum v. 1870 bis 1945, Diss. Erlangen-Nürnberg 1970, S. 130–34.

P Phot. in: Geist u. Gestalt, Biogr. Btrr. z. Gesch. d. Bayer. Ak. d. Wiss. III, 1959, Nr. 194.

Klemens Dieckhöfer

Mollinary *v. Monte Pastello, Anton* Frhr. (österr. Ritter 1854, Frhr. 1872), General, Militärschriftsteller, * 8. od. 9. 10. 1820 Titel (Batschka), † 26. 10. 1904 Villa Soave b. Como. (kath.)

V Karl M. (1792–1868), Oberstlt. im Tschaikisten-Grenzbataillon in T., *S* d. Karl M. (1757–1808) aus Nimburg (Böhmen) u. d. N. N. († 1830); *M* Josephine

(† 1858), T d. Ferdinand Hohensinner v. Hohensinn (* 1761), Kdt. d. Tschaikisten-Grenzbataillons, u. d. N. N. Finger; ∞ Riva 1850 Beatrix (1828–1904, ∞ 1) Peter Frhr. Torresani v. Lanzenfeld u. Camponero, 1818–47), T d. Franz Conte Giovio u. d. Clelia Marchesa Cigalini; 1 S, 3 T, u. a. Franz Anton Karl (1853–1909), Dr. iur., Sektionschef, Josephine (1851–1933, ∞ Georg Frhr. v. Vranyczány-Dobrinović, 1838–1925); *Stief-S* Carl Frhr. Torresani v. Lanzenfeld u. Camponero (1846–1907), Offz., Schriftst. (s. NÖB 17; *L*).

M. trat mit 13 Jahren als Kadett in die Tullner Pionierschule ein und diente, seit 1837 Unterleutnant, im k. k. Infanterieregiment 45. 1839 kam er in den Stab des Pionierkorps in Wien, wo Oberstleutnant Birago, der Erfinder eines Pontonbrückensystems und damals der berühmteste „Pionier" der österr. Armee, sein Vorgesetzter war. Dessen Intentionen folgend, begann M., inzwischen in den Generalquartiermeisterstab übernommen, 1846 mit der Eingliederung der Flußschiffe der sog. „Tschaikisten" (Grenzer) an der Militärgrenze in die militärische Donauflottille. 1847 unternahm er ausgedehnte Reisen nach England und Frankreich, nach Griechenland und in die Türkei. 1848/49 kämpfte M. in der Italienischen Armee des Feldmarschalls Josef Gf. Radetzky gegen die Piemontesen. Seit September 1850 kommandierte er als Oberstleutnant das Flottillenkorps in Oberitalien. 1851 half er mit, das österr. Korps nach Holstein zu bringen. Seit 1858 kommandierte M. eine Brigade in Mailand, während des Krieges mit Frankreich 1859 die Besatzung von Ancona (Kirchenstaat) und seit 1860 eine Brigade in Laibach (Krain). 1864 wurde er als General dem V. Armeekorps zugeteilt.

Im Gefecht bei Schweinschädl (Böhmen) am 29. 6. 1866 gegen Divisionen der 2. preuß. Armee lernte M. die waffentechnische Überlegenheit der Preußen kennen, die das damals moderne Zündnadelgewehr benützten. Als er am 3. Juli in der Schlacht bei Königgrätz das Kommando seines Korps übernahm, war er vom schlachtentscheidenden Anmarsch der Armee des preuß. Kronprinzen nicht informiert. M. ließ daher im Laufe des Vormittags in den Swiepwald, der vor seiner defensiven Aufstellung lag, eindringen, was zu ungeheueren Verlusten führte. Zusammen mit dem Kommandanten des österr. II. Korps ermöglichte er so der preuß. Garde eine Umzinglung. Wenn auch die Hauptschuld an der Niederlage den Armeekommandanten Feldzeugmeister Ludwig v. Benedek trifft, so ist M. und den übrigen österr. Generälen vorzuwerfen, daß sie keinerlei taktische Schlüsse aus den vorangegangenen Gefechten zogen.

Seit 1868 wirkte M. als Kommandierender General in Agram (Kroatien), seit 1873 im Rang eines Feldzeugmeisters. Er sollte auf diesem Posten bei der angestrebten Erwerbung Bosniens und der Herzegowina mitwirken. Da er hierbei die Schaffung eines österr. Großkroatien anstrebte, geriet er in Gegensatz zur Politik Ungarns bzw. des Außenministers Julius Gf. Andrássy. Deshalb wurde er 1877, also noch vor der bosnischen Krise, nach Brünn (Mähren) und im folgenden Jahr nach Lemberg (Galizien) versetzt. Nach dem Eintritt in den Ruhestand 1879 schrieb M. seine Memoiren, das gehaltvollste Erinnerungswerk eines k. u. k. Offiziers aus der 2. Hälfte des 19. Jh. Bereits früher hatte er eine Reihe von Büchern und Aufsätzen verfaßt, die alle die verkehrstechnische Erschließung Südosteuropas unter militärischen Gesichtspunkten zum Inhalt haben. – Großkreuz d. Eisernen Krone; WGR.

W Reisebericht betr. Frankreichs Pontonierwesen, Kanonen- u. Mörserboote, schwimmende Batterien, nebst allg. mil. Notizen üb. d. franz. Armee, 1856; Über d. Benützung d. Dampf- u. Schleppschiffe b. Truppen-Verschiffungen u. Fluß-Übergängen, 1858; Stud. üb. d. Operationen u. Tactique d. Franzosen im Feldzuge 1859 in Italien, 1864; Erwiderung auf d. Art. „Rückblicke auf d. Krieg 1866" v. S. v. Pollatschek, Oberstlt. im k. k. Generalstabe, 1868; 46 J. im österr.-ungar. Heere 1833–1879, 2 Bde., 1905 (franz. 1913/14); Die Römerstraßen in d. europ. Türkei, 1914.

L L. Toth, Die Balkanpol. Ungarns z. Zt. d. Dreikaiserbündnisses, Gf. Andrássy u. d. russ. Pol. Donaueuropas II, 1942; C. Arigoni, Cincinnato in Brianza, Un Generale austriaco veterano di battaglie del nostro Risorgimento, in: Brianza 5, 1957, S. 99–105; R. Apfelauer, FZM A. Frhr. M. v. M. P. u. seine „Sechsundvierzig J. im österr.-ungar. Heere 1833–1879", Staatsprüfungsarbeit Wien 1980 (ungedr.); F. J. Kos, Die Pol. Österreich-Ungarns während d. Orientkrise 1874/75–1879, 1984; G. Wawro, The Austro-Prussian War, 2 Bde., 1993; Wurzbach 18/19; C. v. Torresani in: BJ IX, S. 135–44; ÖBL.

Peter Broucek

Mollison, *Theodor,* Anthropologe, * 31. 1. 1874 Stuttgart, † 1. 3. 1952 München. (ev.)

V James (1810–75, anglikan.) aus d. Gfsch. Middlesex (England), Kupferstecher in St., *S* d. Crawford, Gutsbes., Kaufm. in Edinburgh u. London, u. d. Elisabeth Fullerton; *M* Emma (1840–92, ev.) aus Reutlingen, T d. Georg Frank (1815–59), Fabr. in St., u. d. Wilhelmine Daiber (1818–68) aus Ludwigsburg; ∞ 1) Freiburg (Breisgau) 1898 Dorothea (* 1876) aus Bornheim b. Frankfurt/Main, T d. Wilhelm Pfalzgraf (1844–1923) aus Loshausen b. Ziegenhain (Hessen-Nassau), Oberpostsekr. in Freiburg (Breisgau), u. d. Elisabeth Riebeling (1849–1932) aus Zella Kr. Ziegenhain, 2) Heidelberg 1925 Elisabeth Freudenberg (1879–n. 1952), T d. Wilhelm Gmelin (1832–1901) aus Gundelsheim Kr. Neckarsulm (Württemberg), Landger.rat in Tübingen, u. d. Marie Fraas (1851–1936) aus Laufen Kr. Balingen (Württemberg); *Gvm d. 1. Ehefrau* Konrad Riebeling (1803–73), Pfarrer in Zella; *Gvm d. 2. Ehefrau* Oscar v. Fraas (1821–97), Geologe, Dir. d. kgl. Naturalienkabinetts in St. (s. NDB V); 1 *T* aus 1), 1 *Stief-S*, 2 *Stief-T*.

M. studierte Medizin in Freiburg (Breisgau) und promovierte 1898 mit einer Dissertation „Über die anatomischen Veränderungen der Haut bei Scharlach" zum Dr. med. Nach der Approbation war er zunächst bis 1902 als praktischer Arzt in Frankfurt/Main tätig. Seine biologische Ausbildung vertiefte und erweiterte er 1902–05 bei dem Zoologen Th. Boveri in Würzburg. Auf einer Forschungsreise nach Deutsch-Ostafrika 1904 entdeckte er u. a. eine neue Art des Klippschliefers, die er 1905 als „Dendrohydrax terricola" beschrieb.

1905 wurde M. Assistent am Anthropologischen Institut in Zürich. Als Mitarbeiter Rudolf Martins war er entscheidend an der Entwicklung exakter anthropologischer Methoden beteiligt. Nachdem er sich 1910 mit einer vielbeachteten Arbeit über die Körperproportionen der Primaten habilitiert hatte, war er 1911/12 Leiter der anthropologischen Abteilung des Zoologisch-Anthropologisch-Ethnographischen Museums des Zwingers in Dresden. 1912–18 folgte eine Tätigkeit als Kustos der Anthropologischen Sammlung am Anatomischen Institut in Heidelberg (1916 ao. Professor). 1918 erhielt M. einen Ruf als Extraordinarius für Anthropologie an die Univ. Breslau, wo er als Nachfolger von Hermann Klaatsch 1921–26 ein persönliches Ordinariat innehatte. Als Nachfolger seines Lehrers Martin war M. anschließend bis 1944 – seit 1939 als Emeritus – Ordinarius für Anthropologie an der Ludwig-Maximilians-Univ. und Direktor der Anthropologischen Staatssammlung in München.

Die wissenschaftliche Tätigkeit M.s umfaßt nahezu alle Gebiete der klassischen Anthropologie. Ein Schwerpunkt, besonders in den ersten Jahren, waren methodische Fragen, wie apparative Verbesserungen und Neukonstruktionen von Meß- und Zeichengeräten, die noch heute für morphologische Untersuchungen an historischem und prähistorischem Fundmaterial, für Studien lebender Populationen und für die vergleichende Primatologie unentbehrlich sind. Dazu gehören auch M.s Richtlinien für standardisierte photographische Aufnahmen zur Sicherung vergleichbarer Untersuchungsergebnisse, die Nutzung von Röntgenaufnahmen zur Bestimmung der Schädelkapazität und die Entwicklung statistischer Methoden zur vergleichenden Anthropologie. Eine anschauliche Zusammenfassung solcher Methoden hat M. 1938 in seinem Beitrag über „Spezielle Methoden anthropologischer Messung" im „Handbuch biologischer Arbeitsmethoden" von Emil Abderhalden vorgelegt. Ein zentrales Forschungsgebiet M.s war die Stammesgeschichte des Menschen. 1915 konnte er auf Grund einer von ihm entwickelten Methode, der Ermittlung eines „Cerebralisationskoeffizienten", unter Berücksichtigung des Volumens der langen Extremitätenknochen nachweisen, daß es sich bei der von E. Dubois 1891 entdeckten, als Pithecanthropus bezeichneten, heute dem Homo erectus erectus zugeordneten und ca. 830 000 Jahre alten Schädelkalotte von Trinil auf Java nicht um das Schädeldach einer großen Gibbonart handelt. Unter den zusammenfassenden Darstellungen nimmt insbesondere die 1933 als Handbuchbeitrag erschienene „Phylogenie des Menschen" auf Grund der kritischen Sichtung des damals vorliegenden Fundmaterials eine hervorragende Stellung ein. Zu den von M. untersuchten Einzelfunden gehören u. a. die bereits 1907 geborgenen, ca. 7500 Jahre alten Schädel aus der Ofnet-Höhle bei Nördlingen, an denen er erstmals nachweisen konnte, daß die Ofnet-Leute eines gewaltsamen Todes gestorben sein müssen, bevor die Köpfe getrennt vom Körper kultisch bestattet wurden, sowie der Schädel des 1913 entdeckten ersten menschlichen Skeletts aus der später für die Fossilgeschichte so wichtig gewordenen Oldoway-Schlucht in Ostafrika (beides 1936). Ausgehend von den grundlegenden Arbeiten von P. Uhlenhut (1901) und C. H. F. Nuttal (1904) konnte M. mittels der „Präzipitinreaktion" (einer wechselseitigen Serum-Antiserum-Reaktion), der Einbeziehung von Filtrationsversuchen (1934, 1937) und der Berechnung eines „serochemischen Quotienten" (1938) u. a. nachweisen, daß das Bluteiweiß des Schimpansen dem des Menschen ähnlicher ist als das Bluteiweiß anderer Primaten (Makak, Pavian, Orang). Er schloß daraus, daß der gemeinsame stammesgeschichtliche Weg des Menschen und des Schimpansen länger gewesen sein müsse als der mit den anderen Primaten. M. hat damit in der Anthropologie eine Arbeitsrichtung eingeleitet, die heute – mit modernen, differenzierteren Methoden – für die Evolutionsforschung unentbehrlich geworden ist.

Auch zum Thema Rassenkunde hat M. Beiträge geliefert. Mit seinen Äußerungen zu der damals – nicht nur in Deutschland – viel diskutierten „Rassenhygiene" (1934) war er, der seit 1937 der NSDAP und seit 1941 dem NS-Dozentenbund angehörte, einer jener Anthropologen, die den Nationalsozialisten eine „wissenschaftliche Begründung" für ihr verbrecherisches Handeln boten. Seine Einstellung wird in einem Brief an den Ethnologen und Anthropologen Franz Boas von der Columbia University aus dem Jahr 1938 erkennbar. Er wisse sehr wohl, schrieb M., was die deutschen Wissenschaftler Hitler zu verdanken hätten, „nicht zuletzt auch die Reinigung unseres Volkes von fremdrassigen Elementen". – Mitgl. d. Leopoldina (1933); Ehrenmitgl. d. Med.-naturwiss. Ges. zu Jena u. d. Dt. Ges. f. Anthropol.; Goethe-Medaille f. Kunst u. Wiss. (1944).

W Die Körperproportionen d. Primaten, in: Morpholog. Jb. 42, 1910, S. 79–304; Zur Beurteilung d. Gehirnreichtums d. Primaten nach d. Skelett, in: Archiv d. Anthropol., NF 13, 1915, S. 388–96; Serodiagnostik als Methode d. Tiersystematik u. Anthropol., in: E. Abderhalden (Hrsg.), Hdb. biolog. Arbeitsmethoden, Abt. IX, T. 2, 1923, S. 553–84; Spezielle Methoden anthropolog. Messung, ebd. Abt. VII, H. 3, 1938, S. 532–682; Phylogenie d. Menschen, in: E. Baur u. M. Hartmann (Hrsg.), Hdb. d. Vererbungswiss. III, 1933; Rassenkde. u. Rassenhygiene, in: E. Rüdin, Erblehre u. Rassenhygiene im völk. Staat, 1934, S. 34–48; – *Hrsg.* Anthropolog. Anz., 1926–43.

L P. Kramp, In Memoriam Th. M. (1874–1952), in: Zs. f. Morphol. u. Anthropol. 45, 1952, S. 416–32 *(P)*; K. Henning, Personalbiogrr. d. Professoren u. Dozenten d. Anthropolog. Inst. an d. Naturwiss. Fak. d. Ludwig-Maximilians-Univ. zu München im Zeitraum v. 1865–1970, Diss. Erlangen 1972; Drüll I. – Eigene Archivstud. (Univ.-Archiv München).

P Ölgem. v. J. Leesch, 1930 (München, Anthropolog. Staatsslg.); Büste v. K. Romeis, 1939 (Frankfurt/M., Inst. f. Anthropol.).

Gerfried Ziegelmayer

Mollweide, *Karl Brandan,* Mathematiker und Astronom, * 3. 2. 1774 Wolfenbüttel, † 10. 3. 1825 Leipzig. (ev.)

V Christoph (* 1719), Registrator, seit 1752 Bürger in W., *S* d. Böttchers Christoph Stephan in Schöningen; *M* Sophia Magdalena, *T* d. Wilhelm Schröders; ∞ Leipzig 1814 N. N. († 1821), Wwe d. Torschreibers N. N. Knorr am Hospitaltor in L.; nach deren Tod führte ihm seine Schwägerin, Wwe d. N. N. Meißner, Amanuensis d. Sternwarte auf d. Pleißenburg in L., d. Haushalt; kinderlos; 1 *Stief-S.*

Nach dem Studium in Halle erhielt M. dort 1800 eine Anstellung als Lehrer der Mathematik und Physik. An die Univ. Leipzig wurde er 1811 zunächst als Professor für Astronomie und Observator der Sternwarte und 1814 zusätzlich als Professor der Mathematik berufen. Er hat bis an sein Lebensende beide Professuren betreut und auch regelmäßig Vorlesungen über Physik abgehalten. Noch vor der Berufung nach Leipzig trat M. als entschiedener Gegner der Farbenlehre von Goethe öffentlich hervor. Dann widmete er sich der Herausgabe bzw. Vollendung einiger Lehrbücher und Lexika der Mathematik. Astronomisch hat er über Fragen der sphärischen Astronomie, z. B. die Fixsternaberration, über die astronomische Ortsbestimmung sowie über die Interpretation verschiedener Stellen bei antiken astronomischen Autoren gearbeitet. Mathematische Aufsätze M.s betreffen die Konstruktion Magischer Quadrate, die Verwendung der von Gauß erfundenen Additions- und Subtraktionslogarithmen und die größte einem Viereck einbeschreibbare Ellipse.

Große, bis heute bleibende Bedeutung haben zwei herausragende Entdeckungen M.s im Bereich der Mathematik: Es sind seine kartographischen Entwürfe und die nach ihm benannten trigonometrischen Formeln. Das Ziel, eine flächentreue Abbildung von Teilen einer Kugeloberfläche herzustellen, hat M. sowohl durch eine zylindrische Darstellung mit elliptischen Meridianen mit dem Pol als Punkt als auch mit dem Pol als gerader Linie erreicht. Die erstere Art wird auch als Babinets homalographischer Entwurf bezeichnet, obgleich M.s Priorität 1858 durch d'Avezac bewiesen wurde. M.s Verdienst besteht in der Ausarbeitung des wichtigen Gesichtspunktes der Flächentreue. Seine zweite bedeutende Entdeckung betrifft die trigonometrischen Formeln der Berechnung eines Dreiecks, in dem zwei Seiten und der von ihnen eingeschlossene Winkel bekannt sind. Für den Fall eines sphärischen Dreiecks sind diese Formeln etwa gleichzeitig mit M. 1807 von Delambre entdeckt worden, doch hat M. zusätzlich die entsprechenden Aussagen für ebene Dreiecke gefunden und zu denen für sphärische Dreiecke in Parallele gesetzt. Allerdings sind die M.schen Formeln teilweise schon bei Newton und vollständig bei de Oppel (1746) angegeben, sie wurden aber von M. unabhängig neu entdeckt und sind durch ihn bekannt geworden.

W Prüfung d. Farbenlehre d. Herrn v. Goethe u. Verteidigung d. Newton'schen Systems wider dieselbe, 1810; Darstellung d. opt. Irrtümer in Herrn

v. Goethe's Farbenlehre, 1811; Einige Projektionsarten d. sphäroid. Erde, in: Monatl. Corr. z. Beförderung d. Erd- u. Himmelskde. 16, 1807; Zusätze z. ebenen u. sphär. Trigonometrie, ebd. 18, 1808.

L ADB 22; J. Naas u. H. L. Schmid, Math. Wb. II, 1967, S. 192; R. Sigl, Ebene u. sphär. Trigonometrie, 1969; Pogg. II; DSB.

Felix Schmeidler

Mollwo, *Erich,* Physiker, * 23. 6. 1909 Göttingen, † 11. 12. 1993 Erlangen. (ev.)

V Ludwig (1869–1936), Prof. f. Gesch. an d. TH Hannover (s. L), S d. Ludwig (1832–1922), Gymnasialprof. in Lübeck, u. d. Luise Haltermann (1844–1900); M Erika (1883–1960), T d. Woldemar Voigt (1850–1919), Prof. f. theoret. Physik an d. Univ. Göttingen (s. Pogg. III-VI), u. d. Marie Föste (1852–1927); ∞ Pforzheim 1937 Lotte (* 1904), T d. Wilhelm Kern (1874–1959) Kaufm. in Pforzheim, u. d. Elsa Schneider (1880–1963); 1 S, 1 T Hans Joachim (* 1941), Dr., Studiendir. in E., Marianne Oesterreicher-Mollwo (* 1939), Dr., Schriftst. in Freiburg (Breisgau).

M. studierte seit 1928 Physik, Mathematik, Chemie und Metallkunde an den Universitäten München und Göttingen (u. a. bei M. Born, R. Courant, W. Heitler, R. W. Pohl, G. Tammann und A. Windaus). 1930 trat er in Pohls I. Physikalisches Institut in Göttingen ein, wo er 1933 promovierte und anschließend als Assistent, Privatdozent (1938) und ao. Professor (1944) blieb, bis er 1948 das neugegründete Ordinariat für Angewandte Physik an der Univ. Erlangen erhielt. Ein Angebot, die Leitung des Forschungsinstituts der AEG zu übernehmen, lehnte er ab. 1976 wurde M. emeritiert.

M. war ein typischer Vertreter der Pohlschen Schule der Festkörperphysik, die er nicht nur durch wichtige eigene Arbeiten, sondern auch durch die Betreuung zahlreicher Diplom- und Doktorarbeiten wesentlich bereicherte. Im ersten Abschnitt seines Lebenswerkes beschäftigte sich M. mit synthetischen Alkalihalogeniden. An photochemisch bzw. mit Alkalidämpfen verfärbten Kristallen fand er bereits vor der Promotion 1931 die „Mollwosche Beziehung", die die Abhängigkeit der Frequenz im Maximum der Farbzentrenabsorption von der Gitterkonstanten beschreibt. Die 1932 veröffentlichte Idee der Lokalisierung des Elektrons im Kristall innerhalb der Gitterkonstanten lieferte das erste Modell einer Störstelle im festen Körper.

M.s Dissertation befaßte sich mit der elektrischen Leitung und den Absorptionsspektren der Alkalihalogenide bei Halogenüberschuß (1933). Anschließend dehnte er diese Untersuchungen auf viele einzelne Substanzen (u. a. Flußspat 1934) aus, bevor er sich seit 1944 einem gänzlich neuen Programm zuwandte: der systematischen, genauen Erfassung der elektrischen und optischen Eigenschaften des Zinkoxides, von der Kristallzüchtung über die Messung von Diffusion, Störstellen, Ladungstransport bis zum Studium von Oberflächenphänomenen. Obwohl die industrielle Bedeutung dieses sog. II-VI-Halbleiters gegenüber den III-V-Halbleitern zurückstand, hielt M. am Zinkoxid als grundlegender Modellsubstanz fest. In einer großen, mit seinen Schülern G. Heiland und F. Stöckmann geschriebenen Arbeit in „Solid State Physics, Advances in Research and Application" (Bd. 8, 1959) faßte M. die Ergebnisse seiner Erlanger Schule zusammen. Der Hochschullehrer M. richtete einen vorbildlichen Vorlesungszyklus „Angewandte Physik" mit vielen schwierigen, selbstdachten Versuchen ein, der Studenten und Kollegen gleichermaßen anzog. Er beteiligte sich am Gründungsausschuß für die Univ. Passau und deren Technische Fakultät. – o. Mitgl. d. Bayer. Ak. d. Wiss. (1978), Mitgl. d. Academy of Science, New York (1982).

W Maser u. Laser, 1966 (mit W. Kaule); Lichtelektr. Leitung (Photoleitung), in: Landolt-Börnstein, Zahlenwerte u. Funktionen aus d. Physik, Chemie, Astronomie, Geophysik u. Technik, II, T. 6, ⁶1959, S. 365–413; ca. 80 Aufsätze u. a. in: Nachrr. d. Ges. d. Wiss. Göttingen; Ann. d. Physik; Zs. f. Physik; Journal of Physics and Chemistry of Solids; Solid State Communications.

L G. Heiland, in: Physikal. Bll. 40, 1984, S. 231; A. W. Lohmann, ebd. 50, 1994, S. 1158 *(P);* ders., in: Jb. d. Bayer. Ak. d. Wiss. 1994, S. 232–34 *(P);* Pogg. VII a; Kürschner, Gel.-Kal. 1992. – *Zu Ludwig († 1936):* Kürschner, Gel.-Kal. 1931; Wi. 1935; Catalogus Professorum 1831–1981, FS z. 150jährigen Bestehen d. Univ. Hannover, II, 1981.

Helmut Rechenberg

Molo, *Walter* Ritter v., Schriftsteller, * 14. 6. 1880 Sternberg (Mähren), † 27. 10. 1958 Hechendorf b. Murnau (Oberbayern). (ev.)

Aus lombard. Nobilifam.; V Carl (1849–1923), kaiserl. Rat, Textilkaufm. in Wien, S d. Joseph (1815–91), Dr. med., Bez.arzt in Kempten, u. d. Josepha Sophia Reichel (1823–79); M Bertha (1850–1928), T d. Reg.rats Martin Gehring in Augsburg u. d. Helene Louise Schäffer (illeg. T d. Prinzen Emil v. Hessen u. b. Rhein, 1790–1856, s. NDB IV); B Hans (Ps. Hans Hart, 1878–1941), Bibliothekar u. Schriftst. (s. Kosch, Lit.-Lex.³); – ∞ 1) Wien 1906 (oo 1925) Rosa (1882–1970), T d. Oberbaurats Ludwig Richter in Wien u. d. Maria Streschmude, 2) Berlin 1930

Annemarie (1903–83), T d. Albert Mummenhoff (1863–1939), Dr. iur., Justizrat in Bochum, 1916–19 Mitgl. d. Westfäl. Provinziallandtags (s. L), u. d. Agnes Frielinghaus; 1 S, 1 T aus 1), Conrad (Kurt) (* 1906, ∞ Beate Moissi, * 1906, Tänzerin u. Regisseurin, s. NDB 17*), Regisseur, Trude de Ribon (* 1906), Filmschausp.

M. wuchs in Wien auf. Nach dem Abitur an einer Oberrealschule studierte er 1898–1902 an der TH Wien Maschinenbau und Elektrotechnik. Nach der 2. Staatsprüfung trat er bei Siemens und Halske in Wien als Prüffeldingenieur ein. 1903–14 k.u.k. Beamter, war er zuletzt als Oberingenieur in der Patentabteilung des Ministeriums für öffentliche Arbeiten tätig. Gleichzeitig redigierte er eine Zeitschrift für Bautechnik, die „Österr. Wochenschrift für den öffentlichen Baudienst" und die „Zeitschrift für Berg- und Hüttenwesen". In der Fachwelt wurde er bekannt als Autor bzw. Mitautor der Schriften „Geschwindigkeitsmesser an Automobilen" (1907) und „Wie mache ich eine Patentanmeldung?" (1905).

Seit 1904 schrieb M. Erzählungen und Romane, die sich mit seiner Studentenzeit als Burschenschafter sowie mit sozialen und gesellschaftlichen Fragen beschäftigen. Von diesen Arbeiten ließ er später nur vier Romane gelten, die er 1924 unter dem Titel „Liebessymphonie" neu herausgab. Seit 1908 war M. literarisch anerkannt. Freundschaft verband ihn vor allem mit Stefan Zweig (der langjährige Briefwechsel wurde nach 1933 vernichtet), Arthur Schnitzler und Richard Dehmel. Als Dramatiker konnte er sich trotz Uraufführungen in Berlin, Leipzig, Jena und am Hoftheater Gera nicht durchsetzen („Die Mutter", 1914; „Der Infant der Menschheit", 1916; „Die Erlösung der Ethel", 1917; „Friedrich Staps", 1918; „Der Hauch im All", 1918; „Die helle Nacht", 1919; „Till Lausebums", 1921). Seinen ersten großen Erfolg errang M. mit dem vierteiligen Roman über Friedrich Schiller („Ums Menschentum", 1912; „Im Titanenkampf", 1913; „Die Freiheit", 1914; „Den Sternen zu", 1916). 1914 gab er seine Beamtenstellung in Wien auf und übersiedelte nach Berlin, da ihn Preußen und Ostdeutschland besonders anzogen. Wegen einer Krankheit nicht wehrtauglich, war er in den Kriegsjahren ehrenamtlicher Mitarbeiter für soziale Fragen am k. u. k. Generalkonsulat in Berlin. Getragen von einer christlich-kosmopolitischen Weltanschauung, in der er eine „Menschenbruderschaft" anstrebte, verfaßte er Biographien großer Deutscher (u. a. Friedrich d. Gr., Luther, Friedrich List, Prinz Eugen, Kleist), die seinen Namen durch große Auflagen und durch Übersetzungen auch im Ausland sehr bekannt machten und nach 1933 teilweise verboten wurden (Friedrich d. Gr., Luther). Gestützt auf sorgfältige historische Studien, beraten von den Historikern Friedrich Meinecke, Heinrich v. Srbik und Julius Petersen, verdichtete er Leben und Leiden seiner „entheroisierten" Helden zu einer durch inneren und äußeren Dialog gekennzeichneten dramatischen Epik, die Theodor Heuss „Balladen in Prosa" nannte. Die Sprache ist in den ersten Biographien noch stark vom Expressionismus geprägt.

Mit Hilfe des mit ihm befreundeten Gustav Stresemann erlangte M. 1920 die deutsche Staatsangehörigkeit. In Reden und Schriften engagierte er sich leidenschaftlich für die Weimarer Republik, gegen Radikalismus und Antisemitismus. Aktiv in Berufsverbänden tätig, wirkte er u. a. als langjähriger Vorsitzender des Schutzverbandes der deutschen Schriftsteller und des Bühnenschriftstellerverbandes. Er begründete die deutsche Gruppe des Internationalen PEN-Zentrums mit und war 1928–30 Präsident der Sektion Dichtkunst der Preuß. Akademie der Künste. In enger Verbindung stand er zu den Politikern Otto Braun, Paul Löbe und Carl Severing, zu den Dichtern Heinrich Mann, Alfred Döblin und Gottfried Benn, den Architekten Walter Gropius und Hans Poelzig, zu den Malern Lyonel Feininger und Emil Orlik. Nach 1933 verstärkten sich die Angriffe der NS-Presse, vor allem des „Schwarzen Korps" und des völkischen Literaturhistorikers Adolf Bartels, gegen M. Als „abservierte Systemgröße", „Judenfreund" und „Pazifist" erhielt er Rundfunkverbot. Seine Bücher waren nicht mehr „herausstellungswürdig" und fanden nur schwer Verleger. Soweit sie ihm nicht schon genommen worden waren, legte er alle Ehrenämter nieder und blieb nur im Vorstand der Goethe-Gesellschaft in Weimar, in dem er sich mit seinem Freund Eduard Spranger sowie mit Max Planck und Carl Jacob Burckhardt traf. Obwohl Tochter und Sohn – dieser kehrte 1940 zurück – 1933 emigrierten, lehnte M. es ab, Deutschland zu verlassen. 1934 übersiedelte er von Berlin auf seinen kleinen Bauernhof in Hechendorf bei Murnau und bewirtschaftete ihn unter schweren Bedingungen mit seiner zweiten Frau.

Nach Kriegsende erregte M. Aufsehen durch seinen offenen Brief an Thomas Mann, den er in der „Münchner Zeitung" vom 18. 8. 1945 zur baldigen Rückkehr aufforderte. Am 12. 10. antwortete Thomas Mann im „Augsburger Anzeiger" in der Sache scharf ablehnend. An dieser Korrespondenz entzündete sich die Diskussion um die „innere Emigration", deren Wortführer Frank Thieß wurde. 1948/49 war M. Mitarbeiter an der von Alfred Kantorowicz in Berlin (Ost) herausgegebenen Zeitschrift „Ost und West", die der Trennung Deutschlands entgegenwirken wollte. Auch sein soziales Engagement für die Berufskollegen setzte er fort, so in einem Artikel in der „Neuen Zeitung" Nr. 99/1952 („Zur Lage des Schriftstellers") und in einem Briefwechsel mit Bundespräsident Theodor Heuss. 1949 gehörte M. mit Alfred Döblin zu den Gründern der „Akademie der Wissenschaften und der Literatur" in Mainz. Anläßlich seines 70. Geburtstages wurden die meisten seiner Romane neu aufgelegt, sein List-Roman erschien 1956 auch in der DDR. Aus dem Nachlaß wurde 1959 „Wo ich Frieden fand, Erlebnisse und Erinnerungen", lyrische Bilder aus der Murnauer Zeit, herausgegeben. – Ehrenbürger d. TH Danzig (1930); Goethe-Medaille f. Kunst u. Wiss. (1932); Mitgl. d. Sektion Dichtkunst d. Preuß. Ak. d. Künste (1926–33), Mitgl. d. Ak. d. Wiss. u. d. Lit. in Mainz (1949).

W u. a. Ausgg.: W. v. M., Der Mensch u. d. Werk, 1923; Ges. Werke, 3 Bde., 1924; Zw. Tag u. Traum, Ges. Reden u. Aufsätze, 1930, erweitert 1950; Erkenntnis f. uns, 1940. – *Briefwechsel mit Th. Mann:* Th. Mann, F. Thieß, W. v. M., Ein Streitgespräch üb. d. äußere u. innere Emigration, 1946; Die große Kontroverse, Ein Briefwechsel um Dtld., hrsg. u. bearb. v. J. F. G. Grosser, 1963. – *Autobiogr. Schrr.:* Zu neuem Tag, Ein Lebensber., 1950; So wunderbar ist d. Leben, Erinnerungen u. Begegnungen, 1957 *(W, P)*; Wo ich Frieden fand, 1959. – *W-Verz.:* G. Künzel, in: Jb. d. Ak. d. Wiss. u. d. Lit. in Mainz, 1959, S. 47–72. – *Nachlaß:* Berlin, Ak. d. Künste (Molo-Archiv); Archiv Haus Laer, Bochum (Privatnachlaß).

L G. Brand, in: Literar. Echo 21, 1918; H. M. Elster, W. v. M. u. sein Schaffen, e. krit. Würdigung, 1920 *(W, P)*; F. C. Munck, W. v. M., d. Dichter u. d. Leben, 1930; Ostdt. Mhh., hrsg. v. C. Lange, 1930 *(P)*; G. Ch. Rasse, W. v. M., 1936; H. Langenbucher, in: Nat.soz. Mhh. 79, 1936; W. v. M., Erinnerungen, Würdigungen, Wünsche, Zum 70. Geb.tag, 1950 (mit Btrr. v. H. Hartung, G. Benn, H. H. Borcherdt, M. Boucher, E. Diesel, A. Döblin, P. Dörfler, Th. Heuss, A. Kantorowicz, H. Kasack, P. Löbe, E. Redslob, W. v. Scholz, R. A. Schröder, C. Severing, E. Spranger, A. Winnig); H. v. Srbik, in: Neues Abendland 5, 1950; H. R. Leber, Ein Meister d. hist. Romans, in: Salzburger Nachrr. 134, 1950; I. Jens, Dichter zw. rechts u. links – d. Gesch. d. Sektion f. Dichtkunst d. Preuß. Ak. d. Künste, 1979; H. Kasack, Nachruf auf W. v. M., in: Jb. d. Dt. Ak. d. Wiss. u. d. Lit. in Mainz 10, 1959, S. 46 f.; D. Lattmann, Reden an d. Deutschen, in: Die Lit. d. Bundesrepublik Dtld., hrsg. v. dems., 1973, S. 34–45 *(P)*; R. Pozorny, W. v. M. z. Gedenken, in: Soldatenjb. 28, 1980, S. 254–56; E. Horn, Seine Menschen sind große Einsame, W. v. M., in: dies., Geehrt, geliebt, vergessen, 1985, S. 118–23; Kunisch[2]; Internat. Bibliogr. z. Gesch. d. Dt. Lit., II/2, 1972; Kosch, Lit.-Lex.[3]; BLBL; Killy. – *Zu Albert Mummenhoff:* F. Pudor, Nekr. aus d. rhein.-westfäl. Industriegebiet 1939–1951, 1955, S. 18.

P Gem. v. W. v. Websky, 1957, Abb. in: SZ 224, 1980; Der photographierte Dichter, Marbacher Magazin 51, 1989.

Rudolf Gnauk

Molt, Emil, Zigarettenfabrikant, Gründer der ersten Waldorf-Schule, * 14. 4. 1876 Schwäbisch Gmünd, † 16. 6. 1936 Stuttgart. (ev.)

V Conrad (1840–83), Konditor; *M* Marie Göller (1840–89) aus Waldenburg; ∞ Calw 1899 Bertha (1876–1939), *T* d. Georg Heldmaier, Schlossermeister in Calw; 1 *S* Walter Georg Konrad (* 1906), Kaufm.; 1 *Adoptiv-S.*

Nach dem frühen Tod der Eltern verbrachte M. seine Kindheit und Schulzeit in Alfdorf, Stuttgart und zuletzt in Calw, wo er 1891 das Realgymnasium mit dem Einjährigen-Diplom abschloß. Es folgte in Calw eine dreijährige kaufmännische Lehre bei der Firma Emil Georgii, einem Laden-, Bank- und Versicherungsgeschäft mit angegliederter Auswanderungsagentur. 1895/96 leistete M. seinen Militärdienst in Neu-Ulm ab. Danach ging er nach Patras, um den Welthandel bei der damals bedeutendsten griech. Exportfirma Hamburger & Co. Nachf. von Fels & Co. kennenzulernen. Die dort erworbenen Sprachkenntnisse ermöglichten ihm später auf seinen Geschäftsreisen die Verständigung mit den griech. Tabakpflanzern. 1898 nach Stuttgart zurückgekehrt, trat er in die Zigarettenfabrik Georgii & Harr ein, deren Gesellschafter er persönlich aus seiner Calwer Zeit kannte. Sie hatten ebenfalls Stellungen bei griech. Exportfirmen bekleidet, bevor sie die Produktion der neu aufgekommenen Zigarette aufnahmen. M. war zunächst Reiseinspektor, dann Buchhalter, 1901 erhielt er Prokura und wurde ein Jahr später in den Vorstand der in eine Aktiengesellschaft umgewandelten Vereinigten Zigarettenfabriken AG berufen.

Entscheidend für seinen weiteren beruflichen Werdegang war die Geschäftsverbindung mit der Hamburger Zigarrengroßhandlung M. Müller jr. Diese hatte 1905 die Firmenbezeichnung „Waldorf-Astoria Company" samt Warenzeichenrechten von der amerikan. Waldorf-Astoria Cigar Store Company erworben. M. erkannte, daß sich auf dieser Basis ein neues, gewinnbringendes Geschäft aufbauen ließ. Der Zeitpunkt für eine Firmengründung war günstig, zumal die Einführung einer Tabaksteuer die ausländische Konkurrenz einschränkte. Nachdem er einen weiteren Partner in dem Hamburger Großhändler und Zigarettenimporteur Heinrich Abraham & Co. gefunden hatte, kam es 1906 zur Gründung der Waldorf-Astoria Company mbH Zigarettenfabrik mit Hauptsitz in Hamburg und Zweigstelle in Stuttgart. M. kündigte seine alte Stellung und übernahm in Stuttgart als Teilhaber die Leitung der Produktion und den Vertrieb, zunächst nur für Süddeutschland und die Schweiz. Seit 1913 führte er den Gesamtbetrieb als Generaldirektor. Das Unternehmen entwickelte sich rasch zu einem Großbetrieb mit Produktionsstätten in Zuffenhausen und Königsberg, beide gegründet 1907, und zählte 1915 über 1000 Beschäftigte. Gestützt auf erfahrene Tabakfachleute aus Griechenland, Ägypten und Armenien, ließ M. überwiegend in Handarbeit qualitativ hochwertige Tabakmischungen herstellen, die er aus den klassischen Anbaugebieten in Mazedonien, Smyrna und Samara bezog. M. erkannte die Bedeutung des Markenartikels und legte großen Wert auf die äußerliche Kennzeichnung der Zigarettensorten durch eine ansprechende, künstlerisch gestaltete Verpackung. Ebenso nutzte er moderne Werbemethoden zur Steigerung des Absatzes im In- und Ausland. Auf M.s Betreiben wurde unter Mitwirkung der Württ. Vereinsbank 1918 die GmbH in eine AG umgewandelt. Während M. in den ersten zwei Jahrzehnten als Unternehmer erfolgreich agierte, gelang es ihm nicht, die Währungs- und Wirtschaftskrisen der 1920er Jahre zu überstehen. Das Unternehmen wurde 1929 liquidiert.

Eine zentrale Rolle in M.s Leben spielte der Begründer der Anthroposophie, Rudolf Steiner, mit dem ihn eine enge Freundschaft verband. M. engagierte sich für die Verwirklichung von Steiners Idee von der Dreigliederung des sozialen Organismus, d. h. für eine Gesellschaftsordnung, die dem kulturellen Bereich mit seinen Institutionen volle Selbstverwaltung einräumt. Im eigenen Unternehmen schuf er vorbildliche Sozialeinrichtungen. Um den Kindern seiner Arbeiter bessere berufliche Aufstiegschancen zu eröffnen, gründete M. 1919 im Zusammenwirken mit Rudolf Steiner die erste „Freie Waldorfschule", die rasch über den Rahmen einer Fabrikschule hinauswuchs und sich zur größten nichtkonfessionellen Privatschule Europas entwickelte. – KR; Dr. rer. pol. h. c. (Tübingen 1928).

W E. M., Entwurf meiner Lebensbeschreibung, 1972 *(P)*; Dr. Rudolf Steiner u. d. Waldorfschule, in: Die Drei, Monatszs. f. Anthroposophie, Dreigliederung u. Goetheanismus, Jg. 1925, H. 1, S. 361–71.

L Waldorf-Astoria Company m.b.H., Cigarettenfabrik Stuttgart-Hamburg, in: Dt. Industrie, Dt. Kultur, Jg. 10, Nr. 10, 1916, S. 10–23; Waldorf-Astoria-Zigarettenfabrik, in: Stuttgarter goldenes Firmenbuch 1229–1929, 1929, S. 220 f.; Schwäb. Merkur, 1936, Nr. 139; 150 J. Promotion an d. Wirtsch.wiss. Fak. d. Univ. Tübingen, 1984; Rhdb. *(P)*.

Anneliese Hermann

Molt, *Carl Gottlob,* Versicherungsunternehmer, * 26. 9. 1842 Stuttgart, † 21. 1. 1910 ebenda. (ev.)

V Karl Gottlob (1813–42), Mechaniker, Inh. e. Maschinenschlosserei in Ludwigsburg, S d. Gastwirts Johann Friedrich in Lorch; M Karoline Wirth (1810–63) aus St.; ∞ Stuttgart 1865 Christiane (1845–1919), T d. Schreiners Michael Schach u. d. Christiane Heinrike Leibfahrt; 13 K (7 jung †), u. a. Alfred (1881–1935), Versicherungsdir., Walter (1887–1949), Dr. iur., Rechtsanwalt, beide in St.; E Peter (* 1929), Prof. Dr. phil., Referent f. Entwicklungshilfe im Innenministerium in Mainz (s. Wi. 1990).

M. wurde kurz nach dem frühen Tod des Vaters geboren. Die Mutter mußte Werkstatt und Anwesen in Ludwigsburg mit erheblichem Verlust verkaufen und zog mit den drei unmündigen Kindern in ihre Heimatstadt Stuttgart, wo sie die Familie unter großer Mühe, zeitweise als Marktfrau arbeitend, durchbrachte und M. bis zu seinem 14. Lebensjahr die Realschule besuchen ließ. Anschließend absolvierte dieser eine Konditorlehre in Stuttgart und kam auf der üblichen Wanderung als Konditorgeselle über Braunschweig und Halle nach Lübeck zu der Marzipanfabrik Niederegger. Nach dem Tode seiner Mutter kehrte er nach Stuttgart zurück und nahm nach einjährigem Besuch einer Handelsschule eine Stelle als Buchhalter bei einer Nürnberger Möbelfabrik an. Mit seinem Schwager eröffnete er nach seiner Heirat ein Agenturgeschäft in Stuttgart.

Durch die Übernahme der Vertretung für eine schweizer. Lebensversicherungs-Gesellschaft im Jahre 1868 wurde M. mit dem Versicherungswesen vertraut. Als das Reichshaftpflichtgesetz von 1871 aufgrund der zunehmenden Technisierung eine Gefährdungshaftung der Fabrikanten für Schäden einführte, die im Rahmen des Betriebes Arbeitern oder dritten Personen zugefügt werden, entstand eine Reihe von Versicherungs-Einrichtungen, mit denen er sich eingehend beschäftigte. Dabei zeigten sich seine Begabung und sein außerordentliches Verständnis für juristische Zusammenhänge, obwohl er niemals Rechtswissenschaft studiert hatte. M. erkannte den Unterschied zwischen der Unfallversicherung der Arbeitnehmer und der Schadenersatzverpflichtung der Unternehmer. Gegen diese Haftpflichtgefahr wollte er Versicherungsschutz bieten und gründete zu diesem Zweck am 10. 12. 1874 zusammen mit dem Rechtsanwalt Karl Schott den Allgemeinen Deutschen Versicherungs-Verein in Stuttgart als Genossenschaft, die 1879 in einen Versicherungsverein auf Gegenseitigkeit umgewandelt wurde. Neben der Haftpflichtversicherung nahm die Gesellschaft auch den Betrieb der Unfall-, Kranken- und Sterbegeldversicherung auf. Das 1885 in Kraft getretene Gesetz über die berufsgenossenschaftliche Unfallversicherung ersetzte die bisherige zivilrechtliche Haftung der Unternehmer durch die Leistungen der gesetzlichen Unfallversicherung und berechtigte die Betriebe zur Kündigung der privaten Versicherungsverträge. Während die übrigen in diesem Bereich tätigen Versicherer entweder das Geschäft aufgaben oder liquidierten, machte M. deutlich, daß nicht alle Arbeitnehmer versicherungsfähig waren, betriebsfremde Personen nach wie vor Ansprüche stellen und die Berufsgenossenschaften die Unternehmer regreßpflichtig machen konnten, und bot Versicherungsschutz gegen diese sog. Haftpflichtreste mit der Folge, daß dem Verein 1886 schon wieder 1508 Fabrikanten beigetreten waren.

Nachdem die Haftpflichtversicherung in dem Jahrzehnt 1875–84 ausschließlich Deckung gegen die Schadenersatzpflicht der Unternehmer nach dem Reichshaftpflichtgesetz gewährt hatte, dehnte M. sie in einem dritten Schritt ihrer Entwicklung auf alle Betriebs-, Berufs- und Tätigkeitsgruppen sowie den privaten Bereich aus. Die technischen Grundlagen bildeten eine vorbildliche Statistik über den Risikoverlauf der verschiedenen Berufs- und Betriebszweige. Gleichzeitig propagierte er die Haftpflichtversicherung in Wort und Schrift, indem er auf die jedermann drohende Haftpflichtgefahr hinwies. Ende des Jahrhunderts kamen die Automobil-Haftpflichtversicherung und eine Karambolageversicherung als Vorläufer der Fahrzeugversicherung hinzu. Aufgrund der erfolgreichen Geschäftstätigkeit entwickelte sich die Gesellschaft zu einem der größten Versicherungsbetriebe in Deutschland mit 1500 Angestellten. M. bediente sich erstmals für die Versicherungswirtschaft der Hilfsmittel moderner Bürotechnik. Er setzte amerikan. Schreibmaschinen ein und stellte hierfür als einer der ersten weibliche Arbeitskräfte ein; diese „Fräulein" arbeiteten in eigenen großen Schreibzimmern, die von den Räumen der männlichen Angestellten streng getrennt waren. Ferner besaß der Verein ein von Robert Bosch konstruiertes Netz elektrischer Aktenbahnen zur Verbindung sämtlicher Abteilungen des weitverzweigten Gebäudekomplexes, eine neuzeitliche Registratureinrichtung und eine für die damalige Zeit fortschrittliche Telefonanlage mit 250 Anschlüssen. – GKR (1909); Mitgl. d. Stuttgarter Stadtverordnetenkollegiums; Mitgl. d. Beirats d. Kaiserl. Aufsichtsamtes f. Privatversicherung.

W Zur Arbeiterversorgungsfrage, 1881; Zum Entwurf d. Allg. obligator. Reichs-Unfallversicherungsgesetzes, 1881; Kritik d. Entwurfes e. Reichs-Unfall-Versicherungs-Gesetzes, 1881; Wie soll man sich versichern? Eine Anleitung z. Erzielung e. auskömml. Pension od. Alters-, Invaliden-, Witwen- u. Waisenversorgung, 1895; Zur Haftpflichtversicherung, Eine Abwehr u. Aussprache in friedl. Sinn, 1900; Die Kreditversicherung, 1905.

L K. Lindeboom, Stuttgarter Ver. Versicherungs-AG in Stuttgart 1875–1925, 1925 *(P)*; A. Manes, Versicherungslex., ³1930, Sp. 1084 f.; W. Molt, in: Schwäb. Lb. IV, 1948, S. 134–48 *(W, L, P)*; L. Arps, Dt. Versicherungsunternehmer, 1968, S. 99–114 *(P)*; P. Koch, Pioniere d. Versicherungsgedankens, 1968, S. 313–19 *(L, P)*; P. Borscheid, 100 J. Allianz, 1990, S. 63–65.

P Ölgem. v. H. Moor, 1909 (Dr. Peter Molt, Bad Honnef), Abb. b. W. Molt (s. *L*).

Peter Koch

Molter, *Johann Melchior,* Komponist, * 10. 2. 1696 Tiefenort/Werra, † 12. 1. 1765 Karlsruhe. (luth.)

V Valentin (1659–1730), Schulmeister u. Kantor in T.; *M* Maria Ottilia N. N. (1670–1745); *B* Johann Christoph, Schulmeister u. Kantor in T.; – ∞ 1) Hagsfeld b. Karlsruhe 1718 Maria Salome († 1737), *T* d. Barbiers N. N. Rollwagen in Gernsbach, 2) um 1740 Maria Christina Wagner (1686–1767); 5 *S*, 3 *T* aus 1), u. a. Friedrich Valentin (1722–1808), Literat, Dir. d. Hofbibl. u. GR in K.; *E* Friedrich (1775–1842), Oberbibliothekar u. GR in K., Johann Friedrich (1776–1828), Geh. Archivrat in K. (s. *L*).

M. erhielt ersten Musikunterricht im Elternhaus, später besuchte er das Gymnasium im nahen Eisenach, wo der Gelehrte und Kantor Johann Conrad Geisthirt (1672–1734) sein Lehrer wurde. 1715 verließ M. Eisenach, möglicherweise ging er zu Telemann nach Frankfurt/Main, wenn er nicht bereits vor 1712 dessen Schüler in Eisenach gewesen war. Franz. Einflüsse in frühen Werken M.s lassen auch eine Reise nach Frankreich oder einen Studienaufenthalt bei J. C. F. Fischer in Rastatt möglich erscheinen. Um 1717 trat M. in Karlsruhe als Geiger in die Dienste des Mgf. Karl III. Wilhelm von Baden-Durlach, der ihm einen Studienaufenthalt in Italien bei vollem Gehalt gewährte. Knapp zwei Jahre, von Ende 1719 bis Spätsommer 1721, hielt er sich in Venedig und Rom auf; unverkennbar ist der Einfluß venezian. Musik auf sein Schaffen im folgenden Jahrzehnt. Nach seiner Rückkehr wurde er 1722 als Nachfolger von J. Ph. Käfer zum Hofkapellmeister ernannt und erhielt damit auch die Leitung der in Karlsruhe neben der ital. und franz. besonders gepflegten deutschen Oper. Nach dem Ausbruch des Polnischen Thronfolgekrieges wurde 1733 die Hofmusik aufgelöst und M. unter Beibehaltung seines Titels entlassen. Bereits 1734 erhielt er in Eisenach die vakante Kapellmeisterstelle am Hof Hzg. Wilhelm Heinrichs von Sachsen-Eisenach. Nach dem Tod seiner Frau trat M. 1737 eine zweite, wiederum voll bezahlte Reise nach Italien an, die ihn nach Venedig, Rom und Bologna, möglicherweise auch nach Neapel und Mailand führte. Auf die Nachricht vom Tod seines früheren Dienstherrn hin kam er im Sommer 1738 aus Italien nach Karlsruhe und führte dort eine umfangreiche Trauermusik bei den Beisetzungsfeierlichkeiten auf. In den folgenden Jahren brachte er sich durch Übersendung von Musikalien aus Eisenach dort immer wieder in Erinnerung. 1741 erhielt M. nach dem Tod Hzg. Wilhelm Heinrichs erneut seine Entlassung und ging 1742 nach Karlsruhe, wo er jedoch erst 1743 unter drückenden Bedingungen wieder in Dienst genommen wurde. Nach dem Regierungsantritt des Mgf. Karl Friedrich wurde M. 1747 mit der Reorganisation der Hofmusik beauftragt. Die Pflege der Oper wurde nicht wieder aufgenommen, das Gewicht lag jetzt mehr auf der Instrumentalmusik. M. versah sein Amt bei nun angemessener Besoldung bis zu seinem Tod.

In M.s Schaffen, das alle Gattungen der damaligen Musik umfaßt, spiegeln sich die verschiedenen Einflüsse, die im Laufe seines Lebens auf ihn einwirkten. Dabei wird eine konsequente Entwicklung vom Spätbarock zur Vorklassik sichtbar. Von entscheidender Bedeutung waren die beiden Italienaufenthalte durch die Begegnung mit der Musik von Vivaldi, Pergolesi und Sammartini. Den Höhepunkt seines Schaffens bilden die Kompositionen der Eisenacher Jahre, in denen er unter dem Einfluß der hochentwickelten, von Telemann geprägten Musikkultur Mitteldeutschlands stand und im Austausch und Wettstreit mit den in Eisenach wirkenden Künstlern wie Johann Bernhard Bach und Johann Christian Hertel einen deutlichen Reifeprozeß erfuhr. Die damals geschaffenen Vokal- und Orchesterwerke gehören zum besten, was M. geschrieben hat. Der neue ital. Stil, der in seiner späteren Produktion dominierte, gereichte dieser nicht unbedingt zum Vorteil, eine gewisse Verflachung ist bisweilen nicht zu übersehen. Das bei M. nie stark ausgeprägte kontrapunktische Element trat nun ganz zurück. Schematisch wiederkehrende Formabläufe und kurzatmige Sätze wirken kleinmeisterlich, doch wird dieser Eindruck wenigstens teilweise durch ein außergewöhnliches Interesse am Klanglichen, das sich in der Verwendung seltener Instrumente und in apart besetzter Kammermusik manifestiert, sowie durch eine schier unerschöpfliche melodische Erfindungskraft in den zahlreichen nach 1742 entstandenen Sinfonien und Konzerten wieder aufgewogen. Von M.s ca. 550 nachweisbaren Kompositionen sind mehr als 400 erhalten.

Erhaltene W 1 Oratorium; 11 Kirchenkantaten; 1 Dramma per Musica; 7 ital. Solokantaten; 2 Arien; 6 Solfeggien; 14 Ouverturen; 1 Musica turchesca; 28 Orchestersonaten u. -konzerte; 38 Solokonzerte; ca. 160 Sinfonien; 20 Bläserensembles; 9 Märsche; Hofballmenuette; ca. 100 Kammermusikwerke (darunter M.s einziges zu Lebzeiten ersch. Werk: 6 Violinsonaten mit d. Titel „Esercizio Studioso" op. 1, Amsterdam 1722/23); Choralbearbb. f. Orgel; Cembalostücke; zahlr. Fragmente u. Skizzen.

L L. Schiedermair, Die Oper an d. Bad. Höfen d. 17. u. 18. Jh., 1913; F. Längin, J. M. M., d. Mgfl. Baden-Durlach. Kapellmeister u. Hofkompositeur, in: Bad. Heimat, Ekkhart, Jb. f. d. Badner Land, 1965, S. 128–33; N. O'Loughlin, J. M. M., in: The Musical Times 107, 1966, S. 110–13; K. Häfner, Der badische Hofkapellmeister J. M. M. (1696–1765) in seiner Zeit, hrsg. v. d. Bad. Landesbibl. Karlsruhe, 1996 *(P)*; ders., Systemat.-themat. Verz. d. Werke v. J. M. M. *(in Vorbereitung);* MGG mit Suppl.bd.; Riemann mit Erg.bd.; The New Grove. – *Zu Johann Friedrich:* W. Leesch, Die dt. Archivare 1500–1945, II, 1992.

P Federzeichnung v. P. L. Ghezzi, 1738 (Biblioteca Apostolica Vaticana, Rom).

Klaus Häfner

Moltke, v. (ev.)

Das meckl. Adelsgeschlecht ist seit der Mitte des 13. Jh. urkundlich nachweisbar. *Gebhard* (1567–1644) war meckl. Geh. Ratspräsident (s. ADB 22), *Gustav Bernhard* (1634–1710) hann. Gesandter in Wien (s. Dipl. Vertr. I).

Von der weitverzweigten Familie wurden verschiedene Linien in den Reichsgrafen- bzw. dän. Lehensgrafenstand erhoben (1776 bzw. 1750).

Viele Angehörige des Geschlechts nahmen hohe Stellungen in Dänemark ein: *Adam Gottlob* Gf. (1710–92), Oberhofmarschall, Präses der Stockholmer Bank, der Asiat. Handelsgesellschaft und der Akademie der Maler, Bildhauer und Architekten, Mitglied der Leopoldina, *Adam Ludwig* Gf. (1743–1810), General, *Magnus* Gf. (1741–1813), Generalleutnant, *Joachim Godske* Gf. (1746–1818), Finanzminister, *Adam Gottlob Ferdinand* Gf. (1748–1820), Admiral, *Werner Jasper Andreas* Gf. (1755–1838), Geh. Rat und Oberpräsident von Kopenhagen, *Adam Gottlob Detlev* Gf. (1765–1843), Politiker, Mitarbeiter an der eigenen Verfassung Schleswig-Holsteins, Schriftsteller (s. L), *Otto Joachim* Gf. (1770–1853), Staatsminister und Präsident der Schleswig-Holstein-Lauenburg. Kanzlei bis 1842, *Carl Emil* Gf. (1773–1858), Gesandter, *Magnus* Gf. (1783–1864), Landrat in Schleswig, seit 1836 Präsident der schleswig. Provinziallandstände, *Ludwig* Gf. (1790–1864), Gesandter, *Wilhelm* Gf. (1785–1864), Finanzminister bis 1852, *Carl* Gf. (1798–1866), Vertreter der dän. Interessen in Schleswig-Holstein-Lauenburg, Staatsminister für Schleswig 1851–54, *Frederik* Gf. (1825–75), Außenminister, *Léon* Gf. M.-Hvitfeld (1829–96), seit 1860 Gesandter in Paris, *Carl* Gf. (1869–1935), Gesandter in Berlin, Außenminister (s. Wi. 1928), *Adam* Gf. (* 1908), Botschafter.

In preuß. Diensten standen der Generalfeldmarschall *Helmuth* Gf. (s. 1), sein gleichnamiger Neffe (s. 2), Chef des Generalstabs 1906–14, ferner *Kuno* Gf. (1847–1923), Generalleutnant und Generaladjutant von Kaiser Wilhelm II. (s. Wi. 1908; DBJ V, Tl.), *Conrad* Gf. (1861–1937), Generalmajor und *Heinrich* Gf. (1854–1922), Vizeadmiral (s. DBJ IV, Tl.). *Otto* Gf. (1847–1928) war Mitglied des Reichstags und des Abgeordnetenhauses seit 1893 (freikonservativ) (s. Wi. 1928; DBJ X, Tl.), *Friedrich* Gf. (1852–1927), Oberpräsident von Ostpreußen 1903–07, Minister des Innern 1907–10 und Oberpräsident von Schleswig-Holstein 1914–19 (s. Altpr. Biogr. II). *Harald* Gf. (1871–1960) betätigte sich als Porträt- und Landschaftsmaler (s. ThB; Vollmer); *Hans Adolf* (1884–1943) war Botschafter in Warschau 1934–39, dann in Madrid. Der Widerstandskämpfer und Gründer des Kreisauer Kreises, *Helmuth James* Gf. (s. 3), Urgroßneffe des Generalfeldmarschalls, wurde 1945 hingerichtet.

Aus einer außerehelichen Verbindung des Leutnants *Carl* (1754–1838), später mecklenburg-strelitz. Kammerherr und Oberjägermeister, stammt *Maximilian Leopold* Moltke (1819–94), Buchhändler, 1841–49 in Siebenbürgen; er dichtete 1846 die „Nationalhymne" der Siebenbürger Sachsen („Siebenbürgen, Land des Segens, Land der Fülle und der Kraft"), beteiligte sich am Freiheitskampf 1848 und war später Bibliothekar in Leipzig, Shakespeare-Übersetzer und Herausgeber der Zeitschrift „Deutscher Sprachwart" (s. ADB 52; ÖBL; Killy). Sein Sohn *Siegfried* (1869–1955) war sein Nachfolger als Bibliothekar der Industrie- und Handelskammer in Leipzig (s. Wi. 1912–35; Rhdb.).

L H. H. Langhorn, Hist. Nachrr. üb. d. dän. M., 1871; NND; Kosch, Biogr. Staatshdb. II; Danmarks Adels-Aarbog; Dansk Biogr. Leks. X, 1982, S. 13–38. – Zu Adam Gottlob Detlev: ADB 22; A. Pontopjedan, A. G. D. Grewe M., 1939; Killy. – Zu Maximilian Leopold: J. Arndt, Eine bürgerl. Linie d. Fam. Moltke, in: Der Herold, Bd. 10, 24. Jg., 1981, S. 49–58 *(L, P).*

Hans Körner

1) *Helmuth* Graf (preuß. Frhr. 1843, Graf 1870), preuß. Generalfeldmarschall, * 26. 10. 1800 Parchim (Mecklenburg), † 24. 4. 1891 Berlin.

V Friedrich (1768–1845), auf Augustenhof (Holstein), preuß. Hptm., Gutsbes., dann dän. Offz., zuletzt Gen.-Lt. u. Kdt. v. Kiel, S d. kaiserl. Hptm. Friedrich Kasimir Siegfried (1730–85), auf Samow u. Wilhelmshof, u. d. Anna Charlotte d'Olivet (1733–85); M Henriette (1776–1837), T d. Johann Bernhard Paschen (1734–1816), Kaufherr in Lübeck, Gutsbes., u. d. Friederica Margaretha Elisabeth Moll (1748–92); ∞ Itzehoe 1842 Marie (1825–68), T d. John Heyliger Burt, Farmer in Westindien (∞ 2] Auguste v. M., 1807–90, *Schw* M.s) u. d. Ernestine v. Staffeldt; kinderlos; N Helmuth (s. 2); Ur-Gr-N Helmuth James Gf. (s. 3).

M.s Vater vermochte die vom Schwiegervater erworbenen Güter nicht zu halten, so daß er 1806 in dän. Dienste trat, wo er es bis zum Generalleutnant brachte. Die bescheidene materielle Lage der Familie war dafür ausschlaggebend, daß M. zusammen mit seinen älteren Brüdern Wilhelm und Fritz ohne Rücksicht auf persönliche Neigungen zur Soldatenlaufbahn bestimmt wurde. 1811 wurden sie in dän. Kadettenanstalten untergebracht, für die der Vater Freistellen erhalten hatte. M. und Fritz bezogen die Land-Kadettenakademie zu Kopenhagen. Lediglich der Umstand, daß sie als Freunde der Söhne des dän. Generals v. Hegermann-Lindencrone in dessen Haus verkehren konnten, war ein Lichtblick in den Jahren, die M. an dieser spartanischen Schule verbringen mußte und die ihn nach eigener Einschätzung lernen ließen, das gesteckte Ziel allein auf sich selbst gestellt mit zäher Beharrlichkeit zu verfolgen. Im Hegermannschen Hause trafen sich die führenden Persönlichkeiten des dän. Geisteslebens, so daß der junge M. durch den Umgang mit Literaten und Gelehrten entscheidende Anregungen und Impulse für seine Bildung erhielt. Er lernte dort u. a. den Dichter Adam Oehlenschläger und den Theologen Jacob Peter Mynster kennen, der Glaube und Wissen, christliche Offenbarung und klassischen Humanismus zu verbinden suchte und die tiefreligiöse Einstellung M.s grundlegend beeinflußte. Nach Beendigung der Kadettenschule wurde er 1818 Page am dän. Königshof und ein Jahr später Leutnant im dän. Infanterieregiment Oldenburg in Rendsburg.

Da M. die Möglichkeiten für eine erfolgreiche Offizierslaufbahn in der kleinen dän. Armee für wenig aussichtsreich hielt, bemühte er sich um die Übernahme in die preuß. Armee. Nach erfolgreicher Absolvierung der Offiziersprüfung, in der man ihm „eine nicht gewöhnliche Bildung und eine auffallende Reife des Verstandes" attestierte, wurde er 1822 als Sekonde-Lieutenant im Leibgrenadier-Rgt. Kg. Friedrich Wilhelm III. (1. Brandenburg.) Nr. 8 eingestellt und kam nach Frankfurt/Oder. Dort qualifizierte er sich innerhalb kürzester Zeit für eine Kommandierung zur Allgemeinen Kriegsschule nach Berlin (1823–26). Seinen Aufenthalt in Berlin nutzte er, soweit es seine bescheidenen Finanzen zuließen, zur Weiterbildung; er war Gasthörer an der Universität, besuchte Theater, Konzerte und Museen. Zur Aufbesserung seiner schmalen Bezüge verfaßte er Novellen, die in Zeitschriften veröffentlicht wurden. Später konzentrierte er sich auf die Bearbeitung militärspezifischer Themen. Auch als Topograph und Zeichner von Veduten zeigte er Talent. Nach einer Zwischenverwendung als Lehr- und Prüfoffizier für Offiziersanwärter an der Divisionsschule der 5. Division in Frankfurt/Oder wurde M. 1828 zum Topographischen Büro des Großen Generalstabes nach Berlin kommandiert, wo er sich durch kartographische Arbeiten auszeichnete, so daß er 1832 zum Großen Generalstab kommandiert und 1833 als Premierlieutenant dorthin versetzt wurde (1835 Hauptmann).

1835 erhielt M. einen sechsmonatigen Urlaub für eine Bildungsreise nach Wien, Athen, Neapel und Konstantinopel. Zur gleichen Zeit bat der türk. Sultan Mahmud II. den preuß. König Friedrich Wilhelm III. um Entsendung von Militärberatern zur Reorganisation des türk. Heeres nach europ. Muster. So erhielt der bereits in Konstantinopel weilende M. Anfang 1836 seine Kommandierung zur Instruktion und Organisation der dortigen Truppen. Später traten noch zwei Generalstabsoffiziere und ein Offizier vom Ingenieurkorps als weitere Berater hinzu. M.s Kommando als Militärberater in der Türkei, von dem er sich Ende 1839 in Berlin zurückmelden sollte, wurde zum Wendepunkt seiner Karriere. Während dieser vier Jahre unternahm M. weite Reisen durch das Osmanische Reich, beschäftigte sich mit sehr unterschiedlichen Aufgaben und sammelte eine Fülle von Erfahrungen. Oftmals konnte er seinen eisernen Willen sowie seine Fähigkeit, Strapazen und Entbehrungen zu ertragen, unter Beweis stellen. M. veröffentlichte 1841 seine Reiseerlebnisse, über die er kontinuierlich in Briefform an die Familie berichtet hatte („Briefe über Zustände und Begebenheiten in der Türkei aus den Jahren 1835 bis 1839"). Sie weisen ihn als scharfen und sensiblen Beobachter aus. In glänzendem Stil verfaßt, wurde dieses Werk immer wieder neu aufgelegt (zuletzt u. d. T. „Unter dem Halbmond", 1981, ²1984). Ein weiteres Ergebnis waren M.s kartographische Arbeiten in Gestalt der ersten maßstabsgetreuen Karten von Konstantinopel, der Dardanellen und Aufnahmen von Kleinasien, Armenien und Kurdistan, die 1852–58 im Druck erschienen. Als Berater des Oberbefehlshabers Hafiz Pascha nahm M. 1838/39 am Feldzug der türk. Armee gegen die in Syrien operierende ägypt. Armee des Mehmed Ali und hier an der Schlacht von Nisib am oberen Euphrat am 24. 6. 1839 teil. Da Hafiz Pascha M.s taktischen Ratschlägen nicht folgte, erlitt seine Armee eine vernichtende Niederlage, bei der M. nur mit knapper Not entkam. M., der 1837 den hohen türk. Orden von Nischam Ifterhan erhalten hatte, wurde nach seiner Rückmeldung im Großen Generalstab 1839 mit dem Orden Pour le mérite ausgezeichnet und war damals einer der wenigen preuß. Offiziere mit Kriegserfahrung.

Am 18. 4. 1840 wurde er zum Generalstab des IV. Armeekorps mit Dienstsitz Berlin versetzt, das unter dem Befehl des Prinzen Carl von Preußen stand (1842 Major). Ende 1845 wurde M. in Anbetracht seiner umfassenden Bildung zum Adjutanten von Prinz Heinrich von Preußen ernannt, der sich seit drei Jahrzehnten in Rom aufhielt und dort ein Einsiedlerdasein als Kunstliebhaber führte. Die reichlich bemessene Freizeit nutzte er zur

Vertiefung seiner Kenntnisse der antiken Geschichte und fertigte eine Karte von Rom und der Campagna an, während ein erläuternder Führer durch die ital. Hauptstadt und ihre Umgebung nicht mehr vollendet werden konnte, da Prinz Heinrich am 12. 7. 1846 starb. M. wurde nun zum Generalstab des VII. Armeekorps nach Koblenz und 1848 zunächst als Abteilungs-Vorsteher im Großen Generalstab I nach Berlin, dann als Chef des Generalstabes beim IV. Armeekorps nach Magdeburg versetzt (1850 Oberstleutnant, 1851 Oberst). 1855–57 war der zum Generalmajor (Patent vom 15. 10. 1856) beförderte M. Adjutant von Prinz Friedrich Wilhelm von Preußen, dem späteren Kaiser Friedrich III. In dieser Verwendung hatte er nicht allein die Pflichten eines militärischen Adjutanten wahrzunehmen, sondern vielmehr als Mentor die Erziehung des für eine spätere Thronfolge vorgesehenen Prinzen zu ergänzen. Außer seiner Bildung und den militärfachlichen Kenntnissen empfahlen ihn vor allem sein taktvoll zurückhaltendes Wesen und seine Diskretion für diese Aufgabe. M. begleitete den Prinzen auf vielen Reisen nach Großbritannien, Frankreich und Rußland und lernte dabei die Höfe der wichtigsten Großmächte kennen. Am 29. 10. 1857 wurde er mit der Führung der Geschäfte des Chefs des Großen Generalstabes beauftragt und am 18. 9. 1858 dazu offiziell ernannt. Damit hatte M. seine bedeutendste Dienststellung erreicht, von der er erst nach drei Jahrzehnten durch Kaiser Wilhelm II. entbunden werden sollte. 1859 zum Generalleutnant, 1866 zum General der Infanterie befördert, sollte er mit der Ernennung zum Generalfeldmarschall am 16. 6. 1871 den Gipfel seiner militärischen Laufbahn erreichen.

Mit M. war ein Offizier an die Spitze des Generalstabes getreten, für den die Beschäftigung mit geistigen, künstlerischen und wissenschaftlichen Dingen eine „verborgene Wurzel seiner Existenz" (Stadelmann) war. Er bejahte uneingeschränkt die modernen technischen Errungenschaften und die Industrialisierung; als überzeugter Monarchist lehnte er jedoch entschieden die mit der Entwicklung zur Industriegesellschaft zwingend einhergehende Tendenz zu Demokratisierung und Partizipierung ab. Auf königlichen Wunsch nahm er 1867 seine Wahl zum Reichstagsabgeordneten an und vertrat als Mitglied der konservativen Fraktion den Wahlkreis Memel-Heydekrug zuerst im Norddeutschen und dann bis zu seinem Tode im Deutschen Reichstag, wo er sich immer wieder pflichtgemäß und sachgerecht zu militärischen Fragen äußerte. Seit 1872 war er auch Mitglied des preuß. Herrenhauses. M. war von einem genuinen, zuweilen massiv artikulierten deutschen Nationalismus geprägt, der jedoch durch die realistische Einsicht gezügelt war, daß der Traum von einem größeren Deutschland keine Handlungsorientierung für die praktische Politik abgeben konnte und durfte. Im Großen Generalstab sah er die allein zuständige Institution für Fragen der operativen Kriegsvorbereitung, des Aufmarsches und der Operationsführung. Daher verlangte er die Freiheit der Operationsführung von jeglicher zivilen Kontrolle und das Beratungsmonopol des Generalstabschefs gegenüber dem Oberbefehlshaber. Eine weitere Maxime war die Forderung nach einer sorgfältigen Trennung der Beratung durch den Chef einerseits und der alleinverantwortlichen Operationsführung durch den Oberkommandierenden andererseits. Dieses Beratungsmonopol hatte ihm Kg. Wilhelm I., mit dem M. ein tiefes Vertrauensverhältnis verband, erstmalig in der Endphase des Deutsch-Dänischen Krieges am 30. 4. 1864, dann am 2. 6. 1866, 13 Tage vor dem Preuß.-Österr. Krieg, und wiederum am 20. 7. 1870, einen Tag nach der franz. Kriegserklärung, durch Ernennung zum Chef des Generalstabes der Armee im Großen Hauptquartier während der Dauer des Krieges erteilt. In den deutschen Einigungskriegen, vor allem in den Siegen von Königgrätz am 3. 7. 1866 und Sedan am 1. 9. 1870, konnte M. die heute noch gültigen Prinzipien seiner operativen Ideen unter Beweis stellen: Genaueste Vorbereitung des Krieges und der Schlacht, getrennter Aufmarsch der Armeen und Konzentration der Kräfte erst auf dem Schlachtfeld, keine Ermattungsstrategie, sondern Vernichtung der gegnerischen Streitkräfte in der Umfassungsschlacht, weitgehende Handlungsfreiheit der nachgeordneten Armeeführer, strenge Einhaltung der Marschordnung und taktischen Gefechtsgliederung, Bevorzugung des Flankenangriffes und Staffelung der Truppe in der Tiefe.

M. hat kein systematisches Lehrgebäude seiner strategischen Auffassungen hinterlassen. Aufgrund einer Vielzahl unvoraussehbarer Faktoren hielt er einen Feldzug nur bis zum Beginn der ersten Feindberührung für vorausplanbar. So war Strategie für ihn ein „System von Aushilfen", die der Lage entsprechend durch gesunden Menschenverstand anzuwenden waren. Die daraus resultierende Handlungsfreiheit für die militärischen Unterführer, die er im Rahmen der „Auftragstaktik" gewährte, hatte allerdings zur Voraussetzung eine Einheitlichkeit im operativen Denken, zu der er während der langen Dienstzeit im Generalstab seine Offiziere erzogen hatte. M. hat damit eine der besten Traditionen militärischen Führungsdenkens in deutschen Streitkräften begründet. Materielle Voraussetzung der erfolgreichen Anwendung seiner operativen Prinzipien war eine konsequente Nutzung der technischen Errungenschaften, der wirtschaftlichen und industriellen Ressourcen, wie sie mit einer solchen Folgerichtigkeit von keinem seiner Zeitgenossen gefordert wurde. Außer dem Einsatz moderner Waffen (Zündnadelgewehr und Artillerie) waren vor allem Eisenbahn und Telegraph die entscheidenden Mittel, mit denen die raschen strategischen Bewegungen der von ihm erstmalig geführten Massenheere überhaupt möglich geworden waren. M., der sich bereits seit den 30er Jahren mit großer Tatkraft für den Aufbau eines leistungsfähigen Eisenbahnnetzes eingesetzt hatte, war der erste Feldherr in Europa, der die strategischen Möglichkeiten dieses neuen Verkehrsmittels in voller Konsequenz in seine Planungen einbezog. M. war damit ein Wegbereiter des industrialisierten Volkskrieges. Er hat dessen technisch-wirtschaftliche Voraussetzungen in aller Schärfe erkannt und die dafür notwendigen führungstechnischen Grundlagen geschaffen.

Für M., der sich aus christlicher Grundhaltung nur als „Werkzeug in eines Höheren Hand" betrachtete, war Krieg im idealen Sinne ein Glied der göttlichen Weltordnung (wie Unwetter, Not oder Krankheit), ohne die die Welt im Materialismus versinken würde (Kessel), und der ewige Friede war ihm in diesem Sinne nur „ein Traum und nicht einmal ein schöner". In Weiterentwicklung Clausewitzscher Ideen stellte er fest: „Der Krieg hat zum Zweck, die Politik der Regierung mit den Waffen durchzuführen", und betonte die Eigengesetzlichkeit des Krieges, dem sich während seiner Dauer alles unterzuordnen habe. Dadurch geriet er 1866 und vor allem 1870/71 in Konflikt mit Bismarck, dem M.s rein militärisch gefaßter Strategiebegriff zu eng erschien. In tiefer Loyalität zu seinem Monarchen, der ihm auf dessen Wege voranging, beugte sich M. Bismarcks überlegenem politischen Verstand und dessen eisernem Durchsetzungswillen. M. verkannte keineswegs das Leid und Elend, welches der Krieg mit sich brachte, hielt ihn jedoch im Sinne Hegels für eine sittliche Notwendigkeit, so daß er wiederholt Planungen für einen Präventivkrieg gegen Frankreich anstellte. Dennoch erwartete er, daß Kriege aufgrund der technischen Entwicklung seltener und humaner würden, und warnte vor Nationalitäten- und Rassenkampf.

Unter den drei hauptsächlichen Gründern des am 18. 1. 1871 proklamierten neuen Deutschen Kaiserreiches, zu denen neben ihm der „eiserne Kanzler" Bismarck und der Kriegsminister Albrecht Gf. v. Roon zählten, war M., der „große Schweiger", der populärste. Durch seine Siege über die Armeen zweier europ. Großmächte galt er als erfolgreichster Feldherr seiner Zeit. So erfuhr er nach 1866 zahlreiche Ehrungen. Eine 1866 vom König gewährte Dotation ermöglichte ihm den Erwerb der schles. Güter Kreisau, Wierischau und Graditz, die der kinderlos gebliebene M. zum Familienfideikommiß Kreisau machte. Er bestimmte Wilhelm, den ältesten Sohn seines Bruders Adolf, zum Majoratsherren, der nach M.s Tod Kreisau erbte. Mit der Verleihung der Friedenklasse des Ordens Pour le mérite 1874 würdigte der Kaiser die kulturellen Leistungen M.s, unter dessen Leitung die Generalstabswerke über den ital. Krieg 1859 und die Kriege von 1864, 1866 und 1870/71 entstanden waren. Wiederholte Gesuche um Verabschiedung aus dem aktiven Dienst aus Altersgründen lehnte Kaiser Wilhelm I. stets ab. Kaiser Wilhelm II. entband M. am 10. 8. 1888 auf dessen eigenen Wunsch unter gleichzeitiger Ernennung zum Präses der Landesverteidigungskommission von seinen Pflichten als Chef des Großen Generalstabes. M. gilt bis heute als Inkarnation des an sittliche Maßstäbe gebundenen genialen Feldherren und vielseitig gebildeten Soldaten, dessen operative Prinzipien und Führungsgrundsätze zu den besten Traditionen deutschen Soldatentums zählen. – Schwarzer Adlerorden (1866), Großkreuz d. Eisernen Kreuzes (1871); Ehrenbürger v. 23 Städten, u. a. Berlin (1871), Dresden (1871), Hamburg (1871), Köln (1879), Königsberg (1890), München (1890).

W u. a. Ges. Schrr., 8 Bde., 1891–93; Militär. Werke, hrsg. v. Gr. Gen.stab, Kriegsgeschichtl. Abt., 1892–1912; Ausgew. Werke, hrsg. v. F. v. Schmerfeld, 4 Bde., 1925; Briefe, hrsg. v. W. Andreas, 2 Bde., 1922; Briefe an d. Braut u. Frau, 2 Bde., 1877, ²1894; Die dt. Aufmarschpläne 1871–1890, hrsg. v. F. v. Schmerfeld, 1929; Kriegslehre, Eine Auswahl aus M.s militär. Schrr., hrsg. v. H. Gackenholz, 1938; Strategie u. Pol., Eine Auswahl aus M.s Schrr., hrsg. v. E. Kessel, 1936; Gespräche, hrsg. v. dems., 1940.

L ADB 52; Wilhelm Müller, GFM Gf. M. 1800–1878, 1878 *(P, mehrere Aufl.);* H. Wiermann, GFM Gf. v. M., 1885, ²1891 *(P);* H. Müller-Bohn, Gf. M., Ein Bild seines Lebens u. seiner Zeit, 1889, ³1893 *(P);* F. Dahn, M. als Erzieher, 1892, ⁵1894; W. Bigge,

FM Gf. M., 2 Bde., 1901 *(P);* F. v. der Goltz, M., 1903; A. Möller van den Bruck, in: Die Deutschen IV, 1907; A. Gf. Schlieffen, Reden auf M., in: Ges. Schrr. II, 1913; E. Wentscher, Aus M.s Ahnentafel, in: Fam.gesch. Bll. 15, 1917; H. M. Elster, M., Ein Lb. nach seinen Briefen, 1924 *(P);* M. Wieser, M.s phil. Vermächtnis, 1927; H. v. Seeckt, M., Ein Vorbild, 1931 *(P);* P. Rassow, Der Plan d. FM Gf. M. für d. Zweifrontenkrieg 1871/1890, 1936, ²1938; ders., in: Die Gr. Deutschen III, 1966 *(P);* W. Jost, in: Die Gr. Deutschen III, hrsg. v. W. Andreas u. W. v. Scholz, 1936; P. v. Gebhardt, Zu M.s Ahnentafel, in: Dt. Adelsbl. 56, 1938; H. Gackenholz, in: Gestalter dt. Vergangenheit, 1939; R. Stadelmann, M. u. d. 19. Jh., in: HZ 166, 1942, S. 287–310; ders., M. u. d. Staat, 1950; H. G. Dahms, Das geschichtl. Denken H. v. M.s, Diss. Tübingen 1944; E. Kessel, M., 1957 *(ausführl. W- u. L-Verz., P);* G. Papke, in: Klassiker d. Kriegskunst, hrsg. v. W. Hahlweg, 1960; F. Herre, M., Der Mann u. sein Jh., ²1984 *(P);* R. G. Foerster (Hrsg.), GFM v. M., Bedeutung u. Wirkung, 1991; A. Bucholz, M., Schlieffen and Prussian War-Planning, 1991; Priesdorff VII, S. 371–91 *(P);* Killy.

P Zahlr. Ölgem., u. a. v. F. v. Lenbach, A. v. Werner (z. B. „M. in Versailles 1870", 1877, Kunsthalle Hamburg) u. C. Röchling; ca. 90 öff. Standbilder u. Reliefs, u. a. Büste v. R. Begas; ca. 160 Medaillen; s. E.-H. Schmidt, M. in d. bildl. Darst., in: GFM v. M., hrsg. v. R. G. Foerster, 1991, S. 177–200.

Heinrich Walle

2) *Helmuth,* preuß. General, * 23. 5. 1848 Gersdorf (Mecklenburg), † 18. 6. 1916 Berlin.

V Adolf (1804–71), dän. Beamter, Deputierter d. schleswig-holstein-lauenburg. Kanzlei in Kopenhagen, seit 1867 preuß. Landrat in Pinneberg, *S* d. Friedrich (s. Gen. 1); *M* Auguste (anhalt-bernburg. Adel 1834, 1814–1902), *T* d. August v. Krohn (dän. Personaladel, 1782–1856), schleswig. Gen. u. Kriegsmin., u. d. Charlotte Thomsen (1789–1885); *Ur-Ur-Gvm* Johann Leonhard Callisen (1738–1806), luth. Theologe (s. NDB III); *Ov* Helmuth Gf. (s. 1); *B* Wilhelm Gf. (1845–1905), Majoratsherr auf Kreisau, Mitgl. d. preuß. Herrenhauses, Gen.-Lt. (s. BJ X, Tl.); – ∞ Quäsarum (Schonen) 1878 Eliza (1859–1932), *T* d. Wladimir Gf. v. M.-Hvitfeld (1834–94), auf Quäsarum, dän. Hofjägermeister, u. d. Oktavia Hjelm (1834–1918); 2 S, 2 T; *Gr-N* Helmuth James Gf. (s. 3).

M. trat nach bestandener Fähnrichsprüfung 1869 als Fahnenjunker in das Füsilier-Rgt. 86 ein und kam 1870 zum Grenadier-Rgt. Kg. Wilhelm I. (2. Westpreuß.) Nr. 7 in Liegnitz. Damit befand er sich in der Nähe von Kreisau und diente im Regiment, dem auch der Jugendfreund seines Onkels, v. Wartensleben, angehört hatte. Als Sekonde-Leutnant nahm er am Deutsch-Franz. Kriege teil und wurde mit dem Eisernen Kreuz II. Kl. ausgezeichnet. 1872 wurde er zum 1. Garde-Rgt. zu Fuß nach Potsdam versetzt. 1875–78 absolvierte er an der Kriegsakademie Berlin die Ausbildung zum Generalstabsoffizier (1877 Premier-Leutnant). 1880 wurde er zum Großen Generalstab kommandiert (1881 Hauptmann). Nachdem er von seinem Onkel, dem Chef des Großen Generalstabes, bereits gelegentlich zu Adjutantendiensten herangezogen worden war, wurde er 1882 zum 2. Adjutanten des Chefs des Generalstabes der Armee ernannt und löste damit seinen Vetter Henry Burt ab. 1888 rückte er zum 1. Adjutanten des Generalfeldmarschalls Gf. v. Moltke auf und wurde zwei Monate später zum Major befördert. Er begleitete seinen Onkel auf dessen zahlreichen Reisen und bei Einladungen. Hierbei lernte er auch den nachmaligen Kaiser Wilhelm II. kennen, der im 1. Garde-Regiment zu Fuß diente, M.s letztem Truppenkommando. Nach dem Tode des Onkels ernannte ihn Kaiser Wilhelm II., zu dem M. freundschaftliche Beziehungen unterhielt, 1891 zum diensttuenden Flügeladjutanten. 1893 wurde er zum Oberstleutnant befördert und zum Kommandeur der Schloßgarde-Kompanie ernannt. Für die nächsten elf Jahre gehörte M. somit zur unmittelbaren Umgebung des Kaisers. Seit 1895 Oberst, wurde er im folgenden Jahr Kommandeur des Kaiser Alexander Garde-Grenadier-Rgt. Nr. 1 in Berlin. 1899 erfolgte die Beförderung zum Generalmajor und die Ernennung zum Kommandeur der 1. Garde-Infanterie-Brigade sowie die Beauftragung zur Wahrnehmung der Geschäfte des Kommandanten von Potsdam. 1902 wurde er zum Generalleutnant befördert und erhielt das Kommando über die 1. Garde-Infanterie-Division, gleichzeitig wurde er zum Generaladjutanten des Kaisers ernannt. Der Kaiser kommandierte M. 1904 zur Dienstleistung beim Chef des Generalstabes der Armee und ernannte ihn am 16. 2. 1904 zum Generalquartiermeister. M. war damit zum Kandidaten für die Nachfolge des Generalobersten Alfred Gf. v. Schlieffen aufgerückt, der seit 1891 Chef des Generalstabes der Armee war. Nach einem Reitunfall M.s im August 1905 entsprach Kaiser Wilhelm II. seinem Abschiedsgesuch und ernannte ihn am 1. 1. 1906 zum Chef des Generalstabes der Armee (General der Infanterie 16. 10. 1906). Im folgenden Jahr wurde M. à la suite des Kaiser Alexander Garde-Grenadier-Rgt. Nr. 1 gestellt, 1913 erhielt er das Füsilier-Rgt. General-Feldmarschall Gf. Moltke (Schlesisches) Nr. 38 verliehen. Am 27. 1. 1914 wurde M. zum Generaloberst befördert.

Im Gegensatz zu seinen Vorgängern verfügte der neue Generalstabschef nur über wenig Erfahrung in der Arbeit des Großen Generalstabes. M. wurde in erster Linie aufgrund seiner freundschaftlichen Beziehungen zu Wilhelm II. von diesem für dieses Amt ausgesucht. M. war ein kultivierter Mann von hoher Intelligenz und großer Bildung. Ein Anhänger der theosophischen Lehren von Rudolf Steiner, war er an Kunst und Musik, Literatur und Philosophie interessiert. Die Zeitgenossen schätzten sein verbindliches Wesen, seine Bescheidenheit und seinen anständigen Charakter. Allerdings besaß M. weder das Charisma eines Feldherren, der seine Truppen mit Siegeszuversicht erfüllen konnte, noch war er der geborene Administrator einer komplexen Bürokratie, zu welcher sich der Große Generalstab inzwischen entwickelt hatte. Hinzu kam, daß seit 1911 seine Gesundheit ernsthaft angeschlagen war.

Als Chef des Generalstabes der Armee oblag ihm seit Kriegsbeginn 1914 die Leitung der Operationen des deutschen Feldheeres. Der deutsche Operationsplan gegen Frankreich basierte auf den Studien seines Vorgängers Schlieffen, die eine gigantische Umfassungsbewegung zur Einschließung der franz. Armee mit einem Durchmarsch durch das neutrale Belgien vorsahen und die Vernichtung der gegnerischen Streitmacht in einer einzigen gewaltigen Schlacht zum Ziel hatten. Ob dieser zahllose Risiken enthaltende „Schlieffenplan" und das von ihm intendierte „Cannae" mit einer Armee, die noch nicht über motorisierte Truppen und Panzerverbände verfügte, technisch realisierbar war, ist heute noch umstritten. Die Zeitgenossen und die Kriegsgeschichtsschreibung nach dem 1. Weltkrieg warfen M. die Verwässerung des Schlieffenplanes vor, weil durch Schwächung des rechten Flügels die große, weit nach Westen ausholende Umgehung vereitelt worden sei. Als am 9. 9. 1914 den bis zur Marne etwa 50 km vor Paris vorgedrungenen deutschen Verbänden die Einschließung durch die Franzosen drohte, erteilte M. den Befehl zum Rückzug hinter die Aisne. Das „Wunder an der Marne", wie die Franzosen dieses Ereignis bezeichnen, war ein Meilenstein für die militärische Niederlage Deutschlands im 1. Weltkrieg. Ursachen für den militärischen Mißerfolg waren unbestreitbar die technische Unzulänglichkeit der damaligen Fernmeldemittel zwischen dem Großen Hauptquartier und der Front sowie die weitgehende Selbständigkeit, die M. seinen Armeeführern einräumte, und sein Zögern, rechtzeitig in die Operationen einzugreifen, wenn diese vom Gesamtplan abwichen. Durch den Rückschlag vom September 1914 ein seelisch gebrochener Mann, mußte M. am 14. 9. 1914 die Leitung der Operationen an General Erich v. Falkenhayn abgeben, blieb aber bis zum Jahresende nominell noch Chef des Generalstabes des Feldheeres im Großen Hauptquartier. 1916 erlag er einem Schlaganfall. – Schwarzer Adlerorden (1909), Pour le mérite (1915).

W Gen.oberst H. v. M., Erinnerungen, Briefe, Dokumente 1877–1916, hrsg. u. mit e. Vorwort versehen v. Eliza v. Moltke, 1922.

L Die Grenzschlachten im Westen (Der Weltkrieg 1914 bis 1918, bearb. im Reichsarchiv, I), 1925; H. Rochs, Ärztl. Betrachtungen d. Schweizer Chirurgen u. Oberstlt. Bircher z. Weltkrieg, in: Dt. med. Wschr. 1927, Nr. 33; W. Gröner, Das Testament d. Gf. Schlieffen, 1927; ders., Feldherr wider Willen, Operative Stud. üb. d. Weltkrieg, 1931; H. Möller (Hrsg.), Gesch. d. Rr. d. Ordens „pour le mérite" im Weltkrieg II, 1935, S. 48–50; G. Ritter, Der Schlieffenplan, Kritik e. Mythos, 1954; F. Frhr. Hiller v. Gaertringen (Hrsg.), Gröner, Lebenserinnerungen, 1957; Das Tagebuch d. Baronin Spitzemberg, Aufzeichnungen aus d. Hofges. d. Hohenzollernreiches, hrsg. v. R. Vierhaus, ³1963; I. Geiss, Julikrise u. Kriegsausbruch 1914, 2 Bde., 1963; E. Hull, The Entourage of Kaiser Wilhelm II., 1888–1918, 1982; S. Förster, Der doppelte Militarismus, Die dt. Heeresrüstungspol. zw. Status-quo-Sicherung u. Aggression 1890–1913, 1985; ders., H. v. M. u. d. Problem d. industrialisierten Volkskrieges im 19. Jh., in: GFM v. M., Bedeutung u. Wirkung, Im Auftrag d. Militärgeschichtl. Forschungsamtes hrsg. v. R. G. Foerster, 1991, S. 103–15; A. Bucholz, M., Schlieffen, and Prussian War Planning, 1991.

Heinrich Walle

3) *Helmuth James* Graf, Jurist, Widerstandskämpfer, * 11. 3. 1907 Kreisau Kr. Schweidnitz (Schlesien), † (hingerichtet) 23. 1. 1945 Berlin-Plötzensee.

V Helmuth (1876–1939, Christian Science), Gutsbes., *S* d. Wilhelm (s. Gen 2) u. d. Ella Gfn. v. Bethusy-Huc (1856–1924); *M* Dorothy (1884–1935) aus Kapstadt, *T* d. Sir James Rose Innes (Personaladel 1901, 1855–1942, anglikan.), Chief Justice of the Union of South Africa, u. d. Jessie Pringle (1860–1943); *Ur-Gr-Ov* Helmuth Gf. (s. 1); *Gr-Ov* Helmuth (s. 2); *B* Joachim Wolfgang (* 1909), Dr. phil., Museumsdir. in Bielefeld, Kunsthistoriker (s. Kürschner, Gel.-Kal. 1992), Wilhelm Viggo (1911–87, ∞ Veronica, * 1932, Konzertpianistin, *T* d. Dirigenten Eugen Jochum, 1902–87), Prof. f. Städteplanung an d. Harvard-Univ. in Cambridge (Massachusetts) (s. BHdE II); – ∞ Köln 1931 Freya (* 1911), Dr. iur., seit 1960 in d. USA (s. *L*), *T* d. Karl Deichmann (1866–1931), Bankier in Köln, u. d. Ada v. Schnitzler (* 1886); *Ur-Gvv d. Ehefrau* Wilhelm Ludwig Deichmann (1798–1876), Bankier in Köln (s. NDB III); 2 *S*.

Gegen den Wunsch seines Vaters studierte M. in Breslau, Wien und Berlin Jura. In Berlin lernte er 1926 Hermann Schwarzwald, einen österr. Nationalökonomen, und dessen Frau kennen, die ihn wie einen Sohn aufnahmen und ihn mit einer Reihe interessanter Persönlichkeiten, u. a. Carl Zuckmayer, Egon Friedell, Bert Brecht und Helene Weigel, bekannt machten. M. traf in dieser Zeit mit zahlreichen ausländischen Journalisten zusammen, denen er die wirtschaftlichen Probleme des deutschen Ostens nahebrachte. Der damals 19jährige wirkte auf seine Umgebung still und verschlossen, fiel aber durch seine Fähigkeit auf, sich präzise auszudrücken und in Diskussionen eindeutige Standpunkte zu vertreten. Einen großen Einfluß übte in Breslau auf ihn der Kulturphilosoph Eugen Rosenstock-Huessy aus. Auf das soziale Elend im schles. Kohlenrevier Waldenburg aufmerksam geworden, gründete M. mit Rosenstock-Huessy die Löwenberger Arbeitsgemeinschaft. In Diskussionsveranstaltungen und Arbeitslagern versuchte er, junge Menschen aus ganz verschiedenen sozialen Schichten mit bedeutenden Zeitgenossen zusammenzubringen. In vorbereitenden Gesprächen in Kreisau versammelte M. im September 1927 interessierte Persönlichkeiten um sich. Dabei wurde mit der schles. Jungmannschaft und mit Professoren der Univ. Breslau das weitere Vorgehen in den sog. Freizeiten abgesprochen. In einem Kuratorium für die Löwenberger Gesellschaft gelang es M., wichtige Persönlichkeiten des öffentlichen Lebens wie Gerhart Hauptmann, Paul Löbe, aber auch den Zentrumsabgeordneten von Waldenburg, Heinrich Brüning, mit dem er auch später in Verbindung blieb, zu interessieren. Der Ausbruch der Weltwirtschaftskrise beendete die Tätigkeit des Löwenberger Arbeitskreises. Bei diesen intensiven Diskussionen hatte M. u. a. Persönlichkeiten wie Adolf Reichwein, Theodor Steltzer, Horst v. Einsiedel und Peter Graf Yorck v. Wartenburg kennengelernt, die er später für den Kreisauer Kreis ansprechen konnte. Politisch sympathisierte M., ein begeisterter Anhänger Stresemanns, mit der DVP. So, wie er den Klassengegensatz durch Diskussionen und gemeinsame Lager zu überwinden trachtete, stellte er gegen den Parteiengegensatz das Modell einer von den unteren Einheiten her aufgebauten Selbstverwaltung. Diese Ideen formulierte er 1929 in der amerikan. Zeitschrift „The Survey", die diese zum 10. Jahrestag der Gründung der Weimarer Republik unter dem Obertitel „Das neue Deutschland" herausbrachte. Im selben Jahr rief ihn sein Vater nach Kreisau, weil sich das Gut in einer schweren finanziellen Krise befand. Es gelang M., den Verkauf von Teilen des Gutes zu verhindern. 1942 war Kreisau schuldenfrei, doch hat die Sorge um die Erhaltung des Besitzes erhebliche Teile seiner Aktivitäten in Anspruch genommen.

Nach seinem Assessorexamen (1929) fuhr er mit seiner Frau zu seinen Großeltern nach Südafrika. Dort erschloß sich ihm die angelsächsische Welt. Von seinem Großvater mit Empfehlungen versorgt, ging er nach London, wo er wichtige Verbindungen knüpfen konnte. 1934 kehrte er nach Deutschland zurück, wo die inzwischen fest etablierte NS-Herrschaft wie ein Schock auf ihn wirkte. Er war überzeugt, daß Hitler über kurz oder lang einen Krieg beginnen würde, den Deutschland nicht gewinnen konnte. Lange setzte er, wie viele Gegner des Dritten Reiches, seine Hoffnungen auf die Reichswehr. 1936/37 nahm er mehrfach an den Sitzungen des nach dem ehemaligen Justizminister Eugen Schiffer benannten oppositionellen Kreises teil, zu dem Persönlichkeiten wie der ehemalige Reichswehrminister Otto Geßler, Kuno Gf. Westarp und Theodor Heuss gehörten. Im Herbst 1938 war er in die Vorbereitungen zum Putsch genauer eingeweiht, der durch das Münchener Abkommen vereitelt wurde. Abgestoßen von den deutschen Verhältnissen, studierte er in diesen Jahren zeitweise in Oxford und legte 1938 in London juristische Examen ab, um Barrister zu werden. Seine Absicht, Deutschland endgültig zu verlassen, ließ sich aber nicht mehr verwirklichen.

Bei Kriegsausbruch wurde M. als Spezialist für Völkerrecht in die Abteilung Ausland im OKW als Kriegsverwaltungsrat eingezogen. Dieses Amt war eine Verbindungsstelle zwischen Wehrmacht und Auswärtigem Amt. 1939 wurde die Abteilung Ausland in die von Admiral Canaris geleitete Abwehr eingegliedert und zur völkerrechtlichen Gruppe erweitert. M. kam damit in Verbindung zur Widerstandsgruppe in der Abwehr um Admiral Canaris und General Oster, zudem erfuhr er als Fachmann von allen Verletzungen des Völkerrechts durch Wehrmacht und SS bis hin zu den Greueln des Krieges in der Sowjetunion. Seine Versuche, Verfolgten zu helfen und Völkerrechtsverletzungen zu verhindern, waren von der Erkenntnis geleitet, daß das deutsche Volk mit der Zustimmung zu Hitler eine schwere moralische Schuld auf sich geladen hatte. Zusammen mit Peter Gf. Yorck v. Wartenburg knüpfte er Verbindungen zu Gegnern des Dritten Reiches, wobei ihm seine Fähigkeit, Menschen zu gewinnen und zu führen, zustatten kam. Aus diesen

Gesprächen entstand in den Jahren 1940–43 das, was die Gestapo später den „Kreisauer Kreis" nannte.

In kleineren Gruppen wurde darüber diskutiert, wie nach der beispiellosen moralischen Verrohung durch das Dritte Reich ein neues Deutschland aufgebaut werden könnte. Ziel des Kreisauer Kreises war nicht ein Staatsstreich (der über die Kräfte der Beteiligten gegangen wäre), sondern Überlegungen, wie nach dem Ende des Dritten Reiches der Wiederaufbau Deutschlands geschehen solle. So hatte der Kreisauer Kreis, dessen Motor M. und seine Frau wurden, zwar Verbindung zu den meisten anderen Widerstandsgruppen, unterschied sich aber durch seine auf die Zeit nach dem Sturz der NS-Diktatur ausgerichtete Zielsetzung erheblich von ihnen. M. lehnte z. B. ein Attentat auf Hitler ab. Die im Kreisauer Kreis erörterten Ideen waren insofern von M.s Vorstellungen geprägt, als sie eine von unten nach oben aufgebaute Selbstverwaltung anstrebten. So wollte M. z. B. keine großen Gewerkschaften, sondern Betriebsgruppen, was ihn in Gegensatz zu Wilhelm Leuschner brachte. Nach den Erfahrungen der Weimarer Republik lehnte M. auch die Wiedererrichtung einer auf Parteien aufbauenden parlamentarischen Republik ab. Nach dem von M. vertretenen Ideal der Selbstverwaltung sollte nur auf den untersten Ebenen eine allgemeine Wahl stattfinden, während die Landtage und der Reichstag nicht direkt gewählt, sondern von den Vertretern der unteren Gremien bestimmt werden sollten. Dieses Verfahren bezeichnete der zum Kreis gehörende Eugen Gerstenmaier im nachhinein als ein „nicht eben überzeugendes System, das Parteien und Parteibildungen verhindern sollte". Das Reich sollte in etwa gleichgroße Länder gegliedert werden. In den meisten Fällen gelang es M., in langen Diskussionen eine Annäherung der Standpunkte zu erreichen.

M.s großes Verdienst war die Gewinnung ganz unterschiedlich denkender und aus verschiedenen sozialen Schichten stammender Persönlichkeiten. Neben Adeligen wie Yorck, Einsiedel, v. d. Gablentz oder Fürst Fugger-Glött, standen Gewerkschafter wie Reichwein, Maaß, Mierendorff, kath. Theologen wie die Jesuiten Delp, Rösch, König und Gallo, die wiederum Verbindung zu den kath. Bischöfen Gf. Preysing (Berlin), Faulhaber (München) und Dietz (Fulda) knüpften, oder ev. Theologen wie Gerstenmaier mit Verbindung zu ev. Bischöfen wie dem württ. Landesbischof Wurm und Diplomaten wie Adam v. Trott zu Solz. M. und seine Frau organisierten in Kreisau drei große Treffen, zwei zu Pfingsten 1942 (22.-25. Mai) und 1943 (12.-14. Juni) und ein Herbsttreffen vom 16.-18. Oktober 1942, bei denen die künftige Form des Staatsaufbaus, der Ordnung der Wirtschaft und vor allem das Problem erörtert wurde, wie die Kriegsverbrecher, insbesondere die Richter, zur Rechenschaft zu ziehen wären, die sich in den Dienst des Unrechtsstaates gestellt hatten.

Im Januar 1944 wurde M. verhaftet. Diese Maßnahme richtete sich nicht gegen seine Widerstandstätigkeit, von der die Gestapo nichts wußte, sondern gehörte zu den Maßnahmen des Sicherheitsdienstes (SD) gegen die Abwehr. M. wurde in das KZ Ravensbrück gebracht, wo er noch Arbeiten für sein Amt erledigen und seiner Sekretärin Briefe diktieren konnte. Er stand vor der Entlassung, als in den Verhören nach dem 20. Juli 1944 sein Name mehrfach genannt wurde. Am 10. 1. 1945 zum Tode verurteilt, wurde M. wenige Tage später in Plötzensee hingerichtet.

W Mehrere Aufsätze in: Zs. f. ausländ. öff. Recht u. Völkerrecht, 1935–41; Einer v. dt. Widerstand, Die letzten Briefe d. Gf. H. J. v. M., in: Neue Auslese 2, 1947, S. 1–17; Letzte Briefe aus d. Gefängnis Tegel, ⁹1963; Völkerrecht im Dienst der Menschen, hrsg. u. eingel. v. G. van Roon, 1986 *(L, P)*; Briefe an Freya 1939–1945, hrsg. v. B. Ruhm v. Oppen, 1988, ²1991 *(L, P)*. – Zu Freya: Briefe an Harald u. Dorothee Poelchau, mit Anm. v. B. Ruhm v. Oppen, in: Der Aquädukt 1763–1988, Ein Alm. aus d. Verlag C. H. Beck, 1988 *(P)*.

L G. van Roon, Neuordnung im Widerstand, Der Kreisauer Kreis innerhalb d. dt. Widerstandsbewegung, 1967; ders., Gf. M. als Völkerrechtler im OKW, in: VfZ 18, 1970, S. 12–61; ders., Der Kreisauer Kreis zw. Widerstand u. Umbruch, 1985; G. Webersinn, H. J. Gf. v. M., in: Schles. Lb. V, 1968, S. 269–82; M. Balfour u. J. Frisby, H. v. M., A Leader against Hitler, 1972 (dt., bearb. v. Freya v. Moltke, u. d. T.: H. J. Gf. v. M., 1907–1945, 1984); K. Finker, Gf. M. u. d. Kreisauer Kreis, 1978; E. Gerstenmaier, H. J. Gf. v. M., in: 20. Juli, Porträts d. Widerstandes, hrsg. v. R. Lill u. H. Oberreuter, 1984 *(P)*; W. E. Winterhager, Der Kreisauer Kreis, Porträt e. Widerstandsgruppe, 1985 *(L, P)*; W. Hubrich u. R. Wenzel (Hrsg.), Der Kreisauer Kreis, 1986; R. Bleistein (Hrsg.), Dossier: Kreisauer Kreis, Dokumente aus d. Widerstand gegen d. Nat.sozialismus, Aus d. Nachlaß v. Lothar König S. J., 1987; H.-H. Pukall, G. van Roon, M. Balfour, K. v. Dohnanyi u. I. Vermehren, H. J. Gf. v. M., Reden anläßl. d. 80. Geb.tages im Kaisersaal d. Hamburger Rathauses am 11. 3. 1987, 1987; A. v. Moltke, Die wirtschafts- u. gesellschaftspol. Vorstellungen d. Kreisauer Kreises innerhalb d. dt. Widerstandsbewegung, Diss. Köln 1989; H. Engel (Hrsg.), Dt. Widerstand, Demokratie heute, Kirche, Kreisauer Kreis, Ethik, Militär u. Gewerkschaften, 1992 (L). – Zur Fam.: Die Herkunft d. Mitgll. d. Kreisauer Kreises, Moltke Alm. I, 1984, S. 10–23 (P).

Karl Otmar Frhr. v. Aretin

Molzahn, *Johannes,* Maler, Graphiker, Photograph, * 21. 5. 1892 Duisburg, † 31. 12. 1965 München. (kath.)

V Ludwig (1859–1931, ev.) aus Belgard (Pommern), Buchbindermeister in D. u. Weimar, S d. Ludwig († v. 1886) u. d. Louise Behling († v. 1886), beide in Belgard; M Elisabeth (* 1863, kath.) aus Köln, T d. Eduard Weisbarth († n. 1886) in Lobith b. Arnheim (Gelderland) u. d. Sophia Brien († v. 1886) in Dordrecht (Südholland); ∞ 1) 1919 (o/o 1938) Ilse Schwollmann (1895–1981), Schriftst. (s. W, L), T e. Gutspächters in Kowalewo (Posen), 2) Seattle (Washington) 1941 Loretto Margaret McBarron (* 1907) aus Butte (Montana); 2 S aus 1) (beide ✕).

Noch in M.s Geburtsjahr siedelte die Familie nach Weimar über, wo M. ersten Zeichenunterricht an der Ghzgl. Zeichenschule erhielt und eine Lehre als Photograph absolvierte. 1909/10 hielt er sich in der Schweiz auf, wo er zunächst als Photograph tätig war. Er schloß sich dem Künstlerkreis um Otto Meyer-Amden an, der ihn ebenso wie Willi Baumeister, Johannes Itten und Oskar Schlemmer stark beeindruckte. 1914 ging M. wieder zurück nach Weimar, 1915/16 absolvierte er den Militärdienst. In dieser Zeit pflegte er Kontakte zur „Sturm"-Bewegung Herwarth Waldens in Berlin, in dessen Galerie er bereits zwei Jahre vorher ausgestellt hatte. Die Werke dieser Periode zeigen kubische Formen, teilweise noch mit Jugendstilelementen durchsetzt. 1919 veröffentlichte er „Das Manifest des absoluten Expressionismus" in der Zeitschrift „Der Sturm". Es folgte eine vom ital. Futurismus mitgeprägte Phase, in der er sich auch den angewandten künstlerischen Techniken wie der Typographie zuwandte. 1921 legte er die graphischen Mappen „Zeit-Taster" und „Summa Summarum" vor. Im selben Jahr erhielt er einen Gestaltungsauftrag für die Tagus-Werke von Karl Benscheidt in Alfeld/Leine. 1923 wurde M. als Lehrer für Werbegraphik, Satz, Druck und Lithographie an die Kunstgewerbeschule Magdeburg berufen. Von dort pflegte er Kontakte zum Bauhaus in Weimar, insbesondere zu Walter Gropius, Robert Michel, Georg Muche und Oskar Schlemmer.

In seiner Malerei entwickelte M. in dieser Periode einen „metaphysischen Konstruktivismus", der technische Elemente mit metaphysischen Symbolen vereint. Er verfaßte bedeutende, bis heute unveröffentlichte theoretische und pädagogische Arbeiten zur Kunst, u. a. die „Biophysik der Form". 1928 wurde er von Oskar Moll als Professor für Graphik an die Staatl. Akademie für Kunst und Kunstgewerbe in Breslau berufen. Hier beteiligte er sich an der Ausstellung „Wohnung und Werkraum". Die Arbeiten dieser Zeit zeigen eine Tendenz zu biomorphen und figurativen Formen, analog den Bestrebungen des ebenfalls in Breslau tätigen Malers Oskar Schlemmer. Es entstand eine Anzahl von „kosmogonischen Monumentalporträts", darunter von dem Maler Otto Mueller, sowie räumliche Konstruktionen mit Figurationen. Nach Schließung der Breslauer Akademie infolge der Brüningschen Notverordnungen 1932 übersiedelte M. nach Berlin. Von den Nationalsozialisten als „entartet" gebrandmarkt – die Münchener Ausstellung „Entartete Kunst" (1937) enthielt acht seiner Gemälde –, emigrierte M. ein Jahr später in die USA. Hier wirkte er zunächst als Professor im Art Department der University of Washington in Seattle, seit 1943 am „Kleinen Bauhaus", der School of Design in Chicago, und nach dem Krieg an der New York School of Social Research (1947). Die Zeit in Amerika bewirkte eine neuerliche Veränderung des Stils. M. entwickelte transzendentale Raumvorstellungen und ging schließlich zu einer ikonenhaften religiösen Malerei über. In ihr sind moderne Architekturelemente mit christlichen Symbolfiguren zu einer neuen Einheit verschmolzen, wie in der Serie „Christ in Majesty". 1959 kehrte M. nach Deutschland zurück und lebte zuletzt in München.

Weitere W Der Idee-Bewegung-Kampf, 1919 (Wilhelm-Lehmbruck-Mus., Duisburg); Mit wertvollem Glühstoff ..., 1919 (Staatl. Kunsthalle, Karlsruhe); Astro-Konstellationstafel, 1923 (Westfäl. Landesmus., Münster); Drei Gassen, 1931; Christ in Majesty III (Majestas Domini), 1953. – *Nachlaß:* Johannes-Molzahn-Centrum, Kassel.

L H. Schade, J. M., Einf. in d. Werk u. d. Kunsttheorie d. Malers, 1972 (P); S. Salzmann u. E. G. Güse, J. M., Das druckgraph. Werk, Ausst.kat. Wilhelm-Lehmbruck-Mus. Duisburg 1977 (P); J. M., Das maler. Werk, Ausst.kat. Duisburg 1988 (P); Expressionismus, Die zweite Generation 1915–1925, hrsg. v. St. Barron, 1989 (W, L, P); Ch. Gries, J. M. (1892–1965) u. d. „Kampf um d. Kunst" im Dtld. d. Weimarer Rep., Diss. Augsburg 1996 (Verz. d. Gem.); K. Ott, J. M. in Amerika, Diss. Bremen 1996; ThB; BHdE II. – *Zu Ilse M.:* D. v. Mutius, in: Schlesien 27, 1982; Kürschner, Lit.-Kal. 1981; Killy.

Siegfried Salzmann †

Mombert. (isr.)

1) *Alfred*, Dichter, * 6. 2. 1872 Karlsruhe, † 8. 4. 1942 Winterthur (Schweiz).

V Eduard (1829–1901), Kaufm., betrieb gemeinsam mit seinen Brüdern Jakob (s. Gen. 2) u. Hermann e. Hemdenfabr. in K., S d. Moritz (1799–1859), Dr. med., Arzt in Wanfried/Werra, zuletzt in K., u. d. Caroline Goldschmidt; M Helene Gompertz (1842–1913); Ur-Gvv Jacob Lazarus (um 1760–1824), Hofzahnarzt in Kassel; Vt Paul (s. 2); – ledig.

Nach dem Abitur in Karlsruhe 1890 und dem Militärdienst als Einjährig-Freiwilliger studierte M. 1891–96 Jura in Heidelberg, Leipzig und Berlin, legte 1896 in Heidelberg das Staatsexamen ab und promovierte 1897. Juristisch war er bis zur 2. Staatsprüfung 1899 als Praktikant in Anwaltskanzleien und an bad. Gerichten tätig, seit November 1899 als Rechtsanwalt in Heidelberg. Im September 1906 gab er den Beruf auf, um sich ganz seiner dichterischen Arbeit sowie ausgedehnten Studien der Geographie und Ethnologie, Orientalistik, Philosophie und Religionswissenschaft zu widmen. Er bereiste Südeuropa, die afro-asiat. Mittelmeerländer und unternahm Wanderungen im Hochgebirge. 1909–11 lebte er in Berlin und München, dann wieder in Heidelberg.

Das Fundament seines Werkes war 1906 erarbeitet. Neben dem ersten Gedichtband, der 1894 durch ganz eigenständige Ansätze aufgefallen war, lagen vier zyklisch komponierte „Gedicht-Werke" vor, drei davon, als Ergebnis einer konsequenten Entwicklung, in zweiten, veränderten Auflagen. M. hatte seine Sprache von allen Konventionen befreit und zu sinnbildlicher Bedeutung gesteigert; er konnte Außen- und Innenwelt im Gedicht verschränken, Erlebnisse der Sinne wie des Geistes, physische wie metaphysische Erfahrungen in einem Ausdruck erfassen, lyrisch chiffrieren. Nach einer die ersten Werke prägenden mystischen Erfahrung des Schöpferischen in sich und in der Welt weitete sich M.s Anschauung zu einem mythischen Weltverständnis. Er erkannte im All wie in der Erd- und Menschheitsgeschichte die gleichen, Chaos und Kosmos in immerwährenden Schöpfungsprozessen bewegenden und erhaltenden Kräfte und erlebte sie als Emanationen auch seines Geistes. Das lyrische Subjekt seiner Gedichte ging in Pluralität über und drängte zu der räumlichen und figürlichen Vielgestaltigkeit dramatischer Formen, die er um 1910 zuerst einem Alter ego, „Aeon", dem ewigen Menschengeist, widmete. Er brachte sie aber bis 1925 durch ein „flächenförmig-ausstrahlendes" Kompositionsprinzip auch in die Gedicht-Werke ein, in zwei neu entstandene sowie in überarbeitete Ausgaben seiner frühen Zyklen; aus allen Einzelwerken entstand so eine neue dichterische Einheit. Sein „opus ultimum" schrieb M. seit 1933 in epischer Form; „Sfaira", die aus dem „Aeon"-Mythos hervorgegangene Gestalt des dichterischen Geistes, schildert rhapsodisch die Vollendung des irdischen Lebens in der Welt durch Geist.

M. vereinte in seinem kosmischen Erleben die Mystik des Ostens und des Abendlandes und setzte die Mythen vieler Völker in seinem Mythos um. Mit seinem visionären Weltverständnis und seiner hymnischen Lebensbejahung stellt er sich in die Tradition Hölderlins und Nietzsches; die absolute Konsequenz und Geschlossenheit macht seine Dichtung dem Werk Georges oder Rilkes vergleichbar. Die Esoterik seiner Sprache und Konzeption indessen verhinderte M.s Wirkung in die Breite, obgleich er in literarischen Kreisen viel gerühmt wurde, etwa von M. Buber, R. Pannwitz, R. Dehmel, H. Carossa, O. Loerke, und Anfang 1928 in die Preuß. Akademie der Künste aufgenommen wurde. Seine Gedichte wurden zwischen 1899 und 1934 ins Polnische, Tschechische, Englische und Französische übersetzt, durch C. Ansorge, A. Berg, F. Klose, A. Knab, H. Walden u. a. vertont und inspirierten bildende Künstler wie C. Hofer, L. Meidner, E. R. Weiß, G. Wolf und A. Zweininger. In eine der schnell wechselnden Kunstströmungen seiner Zeit kann M. nicht eingeordnet werden, ebensowenig wie George; hinsichtlich der dichterischen Ziele erscheint er als dessen Antipode. M. lebte zurückgezogen in Räumen des ehemaligen Karmeliterklosters am Friesenberg, später in einem Haus am Klingenteich. Seine Briefe bezeugen viele, oft lebenslang gepflegte Freundschaften, aber auch die Einsamkeit seiner dichterischen Existenz, die schweren, visionären Erschütterungen ausgesetzt war. Demgegenüber berührte es ihn wenig, daß er 1917 Soldat werden mußte, daß durch die Inflation sein Vermögen minimiert und seine Umstände beengt wurden. Erst nach 1933 wurden für ihn seine visionären Erfahrungen von der Zertrümmerung des Individuums, dem Niedergang der Kulturen und der Überwältigung des Kosmischen durch das Chaos Realität. Im Mai 1933 wurde er, als Jude, aus der Akademie der Künste ausgeschlossen, 1934 die Verbreitung seiner Bücher verboten. Trotz Isolierung, Diffamierung und absehbarer Gefährdung emigrierte M. nicht. Er glaubte, als Dichter der Deutschen, der deutschen

Landschaft und Geschichte geschützt zu sein oder, sollte er „verraten" werden, sich seinem Schicksal in Deutschland nicht entziehen zu dürfen. Am 22. 10. 1940 wurde er in das Konzentrationslager Gurs (Südfrankreich) verschleppt und durchlitt dort bis April 1941 die „Baracken-Winter-Finsternis" – „Nacht-Asche auf den Lippen". Freunde, darunter H. Carossa, verwandten sich bei NS-Politikern für M. Er wurde im April 1941 in das Internierten-Sanatorium Idron-par-Pau verlegt, bis der Schweizer Freund Hans Reinhart im Oktober 1941 eine Einreisegenehmigung in die Schweiz erwirkte und ihn, der damals schon todkrank war (Karzinom), befreien konnte. M. überarbeitete seine Gedicht-Bücher noch einmal, „für künftigen Druck", dessen Realisierung 1942 nicht zu erhoffen war.

W Dichtungen, Gesamtausg., 3 Bde., hrsg. v. E. Herberg, 1963 (W-Verz.). – Einzelausgg.: s. Dichtungen, III, S. 393 f.; U. Weber, Bio-bibliogr. Zeittafel, in: Hundert Gedichte v. himml. Zecher (s. u.). – Anthologien: Der himml. Zecher, Ausgew. Gedichte, 1909, Neue erweiterte Ausg. 1922, Neue Ausg. in sieben Büchern, 1958; Musik d. Welt, Aus meinem Werk, 1915; Gedichte, Ausw. u. Nachwort v. E. Höpker-Herberg, 1967; Hundert Gedichte v. himml. Zecher, Ausw. v. ders., H. Ebeling u. A. v. Schirnding, Bio-bibliogr. Zeittafel v. U. Weber, 1992. – Briefe: Briefe 1893–1942, hrsg. v. B. J. Morse, 1961; Briefe an Richard u. Ida Dehmel, hrsg. v. H. Wolffheim, 1955; Briefe an Vasanta 1922–1937, hrsg. v. B. J. Morse, 1965; Briefe an F. K. Benndorf aus d. J. 1900–1940, hrsg. v. P. Kersten, eingel. v. H. Wolffheim, Nachwort v. E. Wolffheim, 1975. – Nachlaß: Karlsruhe, Bad. Landesbibl.; Moskau, Zentrum f. d. Aufbewahrung hist. dokumentar. Slgg. (bis 1992 verschollen).

L F. K. Benndorf, A. M., Der Dichter u. Mystiker, 1910; ders., A. M., Geist u. Werk, 1932 (P); R. Benz, Der Dichter A. M., 1947; F. J. Petermann, Symbolik u. Problem d. „Gestalt" b. A. M., 1960; U. Weber, A. M., Ausst.kat. Karlsruhe 1967 (W-Verz., L, P, mit Hinweisen auf unselbständig ersch. Würdigungen u. a. v. I. Bachmann, M. Buber, H. Carossa, R. Pannwitz); F. Usinger, A. M., Der Dichter d. Kosmos, in: ders., Dichtung als Information, Von d. Morphol. z. Kosmol., 1970, S. 281–94; M. A. Scott-Jones, Constellar Imagery as the Structural Basis of Der himmlische Zecher by A. M., Diss. Oregon 1975; E. Höpker-Herberg, Zur Beziehbarkeit v. Brief u. Werk, Befunde b. A. M. u. St. George, in: Probleme d. Briefedition, hrsg. v. W. Frühwald u. a., 1977, S. 187–211; dies., „Gott – Und d. Träume", Der Kontext d. Verses b. A. M. u. M. Lechter, in: Stud. z. dt. Lit., FS f. A. Beck, hrsg. v. U. Fülleborn u. J. Krogoll, 1979, S. 255–77; dies., „Ich lausche meiner obern Melodie", Die dichter. Grunderfahrung A. M.s in e. Gedicht aus d. „Denker", in: Gedichte u. Interpretationen, V: Vom Naturalismus bis z. Jh.mitte, hrsg. v. H. Hartung, 1983, S. 90–99; dies., „Ich aber bin dann Äther. Hauch. Und Sage", Erinnerung an A. M., 1993; W. Helwig, A. M., Visionär auf eigene Rechnung, in: Merkur 33, 1979, S. 496–502; U. R. M. Gillett, „Mysticism", „Myth" and „Magic" in the Poetry of A. M. and O. Loerke, Diss. Cambridge 1987; U. J. Beil, A. M., Die Wiederkehr d. Absoluten, 1988; A. Tosi, A. M., Diss. Mailand 1989; R. Haehling v. Lanzenauer, A. M., d. Weltenseher, in: Neue jurist. Wschr. 1992, H. 20, S. 1284–88; W. Lenz, A. M., Internierung u. Schweizer Exil, in: NZZ v. 27. 3. 1992, S. 28 (P); S. Himmelheber u. K.-L. Hofmann, A. M. (1872–1942), Ausst.kat. Heidelberg 1993; J. W. Storck, „Reine Gestalt – unnahbare Sage", in: Allmende 13, 1993, S. 123–47; Rhdb. (P); Enc. Jud. 1971; Kosch, Lit.-Lex.[3]; BHdE II; Killy.

P Gem. v. K. Hofer (Karlsruhe, Staatl. Kunsthalle), Abb. in: Dt. Schriftst. im Porträt V, hrsg. v. H.-O. Hügel, 1983; Lith. v. E. R. Weiss, Abb. in: NZZ v. 27. 3. 1992, S. 28; Phot., Abb. b. Wilpert.

Elisabeth Höpker-Herberg

2) *Paul*, Nationalökonom, * 9. 11. 1876 Karlsruhe, † 8. 12. 1938 Stuttgart.

V Jakob († 1894), Kaufm. in K., S d. Moritz (s. Gen. 1); M Auguste Rosenthal; Vt Alfred (s. 1); –∞ Frankfurt/Main 1908 Cornelie (Nellie) (1880–1963), T d. Hermann Gieser (* 1842) aus Walldorf (Hessen), Kaufm. in Mannheim, seit 1881 in Frankfurt/Main, u. d. Josephine Pfann (* 1848) aus Mainz; 2 S, Franz (François, * 1909), Dr. ès sc. pol., Dipl.-Volkswirt, Ernst (1911–42, Auschwitz), Landwirt.

Nach dem Militärdienst studierte M. Nationalökonomie in Heidelberg, Leipzig, Berlin und München, wo er 1902 bei Lujo Brentano zum Dr. oec. publ. promoviert wurde. Da die Nationalökonomie als eigenständiges Universitätsfach noch nicht etabliert war, mußte das Studium zusätzliche Fächer umfassen; bei M. waren dies Geschichtswissenschaft und Jurisprudenz. Beide haben deutliche Spuren in seinem wissenschaftlichen Werk hinterlassen, die Historie durch eine Fundierung der in der zeitgenössischen Nationalökonomie gepflegten historischen Betrachtungsweise, die Rechtswissenschaft durch die Einübung des streng systematischen Arbeitens. M. habilitierte sich 1906 und erhielt die venia legendi für Volkswirtschaft, Finanzwissenschaft und Statistik an der Rechts- und Staatswissenschaftlichen Fakultät der Univ. Freiburg, wo er zunächst als Privatdozent und seit 1911 als apl. Professor wirkte. Die Freiburger Jahre waren für die thematischen und methodischen Schwerpunkte seiner Arbeit prägend. Neben die Beschäftigung mit Bevölkerungstheorie und -politik, die bereits in München durch Brentano angelegt worden war, traten nun, angeregt durch den Lehrer und Kollegen Karl

Diehl, dogmengeschichtliche und konjunkturtheoretische sowie finanzwissenschaftliche Studien. Während des 1. Weltkriegs legte M. einige Publikationen über die Bedeutung des Krieges für die Bevölkerungspolitik vor. 1922 wurde er als Nachfolger von August Skalweit auf den ordentlichen Lehrstuhl für Nationalökonomie an die hess. Landesuniversität in Gießen berufen, wo er in der folgenden Dekade gemeinsam mit Ernst Günther und Friedrich Lenz aus dem einstigen Statistischen Institut von Étienne Laspeyres einen modernen wirtschaftswissenschaftlichen Lehr- und Forschungsbetrieb aufbaute. M.s Wirken als Hochschullehrer wurde 1933 beendet. Aufgrund des „Gesetzes zur Wiederherstellung des Berufsbeamtentums" erfolgte seine Entlassung aus dem Staatsdienst, die nach seinen Protesten mit Unterstützung des Rektors 1934 in eine Ruhestandsversetzung umgewandelt wurde. Am 9. 11. 1938 wurde er im Zuge der Judenpogrome trotz schwerer Krankheit inhaftiert; er starb wenige Tage später.

M. war ein überaus vielseitiger Wissenschaftler, wie das Werkverzeichnis, seine Vorlesungen (neben den genannten Gebieten auch Agrarpolitik, Kartellwesen, Geld und Kredit, Statistik und ökonomische Soziologie) und seine Zugehörigkeit zu diversen Fachgesellschaften (Verein für Socialpolitik, Deutsche Statistische Gesellschaft, Gesellschaft für Soziologie, Deutscher Verein für Versicherungswissenschaft) ausweisen. Im Mittelpunkt seines Schaffens standen die bevölkerungswissenschaftlichen Arbeiten. Darunter haben die Freiburger Habilitationsschrift von 1907 und die Bevölkerungslehre von 1929 jüngst wieder Beachtung gefunden, da sie wesentliche Elemente moderner ökonomischer Theorien vorwegnehmen. M. entstammte zwar der historischen Schule, doch er verband deren Methode mit systematisch-theoretischen Überlegungen und stand der gerade erst aufgekommenen mathematischen Wirtschaftstheorie offen gegenüber. Er war insofern beispielhaft für den Zustand der deutschen Nationalökonomie zwischen den Weltkriegen. Seine Publikationstätigkeit beschränkte sich nicht auf die Fachzeitschriften, ebenso nahm er zu den Problemen seiner Zeit in politischen Wochenschriften („Hilfe", „Zeit") Stellung; er selbst war beeinflußt durch den Liberalismus seiner bad. Heimat und stand der Deutschen Demokratischen Partei nahe. – Dr. phil. h. c. (Gießen 1923).

W u. a. Stud. z. Bevölkerungsbewegung in Dtld. in d. letzten J.zehnten, 1907 (Habil.schr.); Eine Verbrauchseinkommensteuer f. d. Reich als Ergänzung z. Vermögenszuwachssteuer, 1916; Soziale u. wirtsch.pol. Anschauungen in Dtld. v. Beginn d. 19. Jh. bis z. Gegenwart, 1919, ²1928; Einf. in d. Studium d. Konjunktur, 1921, ²1925; Gesch. d. Nat.ök., 1927; Bevölkerungslehre, 1929; Der weltwirtsch. Ausgleich d. Produktionsfaktoren, Ein Btr. zum internat. Bevölkerungsausgleich, in: Weltwirtsch. Archiv 138, 1933, S. 132–54; Der Einfluß d. Geburtenrückganges auf Konjunktur u. Arbeitsmarkt, Krit. Betrachtungen, in: Schmollers Jb. 57, 1933, S. 835–44. – *Hrsg.:* Ausgew. Lesestücke z. Stud. d. pol. Ökonomie, Bde. 1–20, 1910–26 (mit K. Diehl, mehrere Aufll., zuletzt teilw. neu hrsg. v. R. Hickel, 1979 ff.); Grundrisse z. Studium d. Nat.ök., 1924 ff. (mit K. Diehl). – *W-Verz.* in: Bibl. d. Inst. f. Weltwirtsch., Kiel, Personenkat., Bd. 18, 1966, S. 1056–60.

L Vereinigung d. Soz.- u. wirtsch.wiss. Hochschullehrer, Werdegang u. Schrr. d. Mitgll., 1929, S. 183–85 *(W-Verz.);* W. G. Waffenschmidt, in: Hdwb. d. Soz.wiss. VII, 1961, S. 418–20 *(W-Verz.);* F. Neumark, P. M. (1876–1938), Nationalökonom, in: H. G. Gundel, P. Moraw, V. Press (Hrsg.), Gießener Gelehrte in d. 1. Hälfte d. 20. Jh., II, 1982, S. 672–80 *(P)*; K. F. Zimmermann, Wurzeln d. modernen ökonom. Bevölkerungstheorie in d. dt. Forschung um 1900, in: Jbb. f. Nat.ökonomie u. Statistik 205, 1988, S. 116–32; M. Hüther, Ernst Günther, Friedrich Lenz, P. M. od. d. Aufbruch d. Gießener Nat.ökonomie z. modernen Univ.wiss., in: Gießener Univ.bll. 22, 1989, S. 77–89; J. Kroll, Zwischen Prozenten, Pult u. Politik – Bevölkerungswiss. im ersten Drittel dieses Jh., in: Zs. f. Bevölkerungswiss. 15, 1989, S. 163–73. - Eigene Archivstud.

Michael Hüther

Mommersloch *(Mummersloch, von der Po)*, Kölner Patriziergeschlecht.

Das nach dem Stammhaus Mimbernesloch gegenüber der Kirche St. Alban benannte Geschlecht ist schon vor der Mitte des 12. Jh. in der ältesten städt. Überlieferung bezeugt. Im Spätmittelalter führten die M. ebenso wie andere Kölner Patrizier ihre Ursprünge auf ein röm. Senatorengeschlecht zurück. Die Brüder *Ludwig* und *Dietrich* aus der zweiten bekannten Generation gehörten als Schöffen (1167–88 bzw. 1178–80) zur politischen Führungsschicht Kölns. Ludwig war auch Bürgermeister der Richerzeche. Seine Söhne *Hermann* und *Dietrich* wurden wiederum Schöffen. Dietrich begründete die Nebenlinie „von der Po" (de Pavone, nach dem Haus zum Pfau auf der Sandkaule). Durch den Aufstieg des Geschlechts von der Mühlengasse wurden die M. nach 1230 aus dem Schöffenkolleg verdrängt; Hermanns Sohn *Daniel* brachte es nur noch bis zum Anwärter (Schöffenbruder). Sowohl in den Auseinandersetzungen der Kölner Bürger mit Erzbischof Konrad v. Hochstaden (1259–61) als auch in den Fehden zwischen den von der Mühlengasse und den Overstolzen (1268) hielten sich die M. im Hintergrund. Diese Zurückhaltung hatte zur Folge, daß sie nach dem Sieg der Overstolzen nicht in den engsten Kreis der Ratsgeschlechter aufsteigen konnten. Seit dem späten 13. Jh. führten die M. ein Wappen (schwarzer Zickzackbalken in Gold) und nahmen ritterliche Lebensweise an (*Ludwig*, 1276 Ritter). Die M. von St. Severin, wohl eine kleinere Nebenlinie, führten ein eigenes Wappen. Den Brüdern *Ludwig* († 1319) und *Gerhard* gelang noch einmal der Einzug in das Schöffenkolleg. Ihre Schwester *Bela* gründete den Beginenkonvent Mommersloch, dessen Patronat das Geschlecht wahrnahm.

Erst in der 2. Hälfte des 14. Jh. scheinen die M. in den engen Rat vorgedrungen zu sein. Nach dem Sturz der Geschlechterherrschaft 1396 wurde der Ratsherr *Franko* mit einer Geldbuße belegt und für 3 Jahre verbannt. 1399 wurde ihm Beteiligung an einem Komplott gegen die Stadt Köln vorgeworfen. Während andere Geschlechter nach 1396 in den Landadel überwechselten, hielten sich die M. weiterhin in Köln, obwohl sie reichen Grundbesitz auch außerhalb der Stadt hatten. *Johann* wurde vor 1441 Schöffe. Zu neuer Blüte gelangten die M. erst mit *Herbert* († v. 1497), der 1467 und 1476 von der Gaffel Eisenmarkt in den Rat gewählt wurde und seit 1485 als Schöffe erscheint. Er und seine Nachkommen waren Mitglieder der exklusiven Marienbruderschaft von St. Maria im Kapitol. Herberts Tochter *Klara* war die Ehefrau Eggarts von Jülich, des Bastardbruders Hzg. Wilhelms IV. Herberts Sohn *Gumpert* († 1541), der 1472-78 die Univ. Köln besuchte, wurde ebenso Schöffe (1505-41) wie dessen Sohn *Melchior* (seit 1544, † 1564). Melchiors Bruder *Kaspar*, 1555 Ratsherr für die Gaffel Himmelreich, starb am 16. 3. 1590 als letzter seines Geschlechts. Die seit dem späten 15. Jh. auftretende Namensform „Kleingedank genannt M." ist wohl von der Wappengleichheit mit den Kleingedank (silberner Zickzackbalken in Rot) angeregt worden.

L F. Lau, Das Kölner Patriziat bis z. J. 1325, III, in: Mitt. aus d. Stadtarchiv v. Köln 26, 1895, S. 130-33; W. Herborn, Die pol. Führungsschicht d. Stadt Köln im Spätma., 1977, S. 455 f., 487, 618, 645; M. Groten, Köln im 13., Jh., Gesellschaftl. Wandel u. Vfg.entwicklung, 1995.

Manfred Groten

Mommsen. (ev.)

1) *Theodor,* Historiker, * 30. 11. 1817 Garding b. Eiderstedt (Schleswig-Holstein), † 1. 11. 1903 Berlin-Charlottenburg.

V Jens (1783-1851), Pfarrer in G., dann 2. Pfarrer in Oldesloe, *S* d. Jens (1756-1816), Marschhofbes. auf Nordhülltoft Kr. Südtondern, u. d. Maria Tychsen (1754-1835); *M* Sophie (1792-1855), *T* d. Friedrich Christian Krumbhaar (1746-1819) aus Leipzig, Bankschreiber in Altona, u. d. Susanne Lotz (1757-1832) aus Meiningen; *B* Tycho (1819-1900), Dr. phil., Philologe u. Gymnasialdir. in Frankfurt/M. (s. *L*), August (1821-1913), Dr. phil., Gymnasialprof. in Schleswig (s. BJ 18, Tl.; Pogg. III); – ⚭ Leipzig 1854 Maria (1832-1907), *T* d. Verlagsbuchhändlers Karl Reimer (1801-58) u. d. Auguste Hörner (1805-34); 9 *S*, 7 *T* (4 *K* jung †), u. a. Karl (1861-1922), Bankdir., Mitgl. d. Reichstags 1903-12 (Freisinn) u. Stadtverordneter in Frankfurt/M. (s. DBJ IV, Tl.), Konrad (1871-1946), Vizeadmiral, 1924-27 Flottenchef, Marie (1855-1936, ⚭ Ulrich v. Wilamowitz-Moellendorff, 1848-1931, Prof. d. klass. Philol. in Greifswald, Göttingen u. B.), Lehrerin, Adelheid (1869-n. 1936), Schuldir. in B. (s. *L*); *E* Wilhelm (1892-1966), Prof. f. Mittlere u. Neuere Gesch. in Marburg (s. Rhdb.), Theodor (1905-58), Prof. f. Mittelalterl. Gesch. an d. Cornell University in Ithaca (New York), Ernst Wolf (s. 2), Wolfgang (s. 3); *Ur-E* Hans (* 1930), Prof. f. Neuere Gesch. in Bochum, Wolfgang J. (* 1930), Prof. f. Neuere Gesch. in Düsseldorf.

Bis zum 17. Lebensjahr wurde M. zusammen mit seinen beiden jüngeren Brüdern vom Vater unterrichtet. Obwohl dieser Pfarrer war, zeigte M. ein durchgehend distanziertes Verhältnis zum Christentum und zum „Wunderland Religion" überhaupt. 1834-38 besuchte er das Christianeum in Altona, 1838-43 studierte er an der Univ. Kiel, damals zu Dänemark gehörig, Rechtswissenschaft. Nach seiner Promotion über röm. Recht ging er mit einem dän. Stipendium nach Frankreich und Italien, wo er sich unter dem Einfluß von Bartolommeo Borghesi den Inschriften des Kgr. Neapel widmete. Während der Revolution 1848 wandte sich M. als Journalist gegen die dän. Ansprüche auf Schleswig-Holstein. Im gleichen Jahr erhielt er eine rechtswissenschaftliche Professur in Leipzig, die er 1851 verlor, als er mit Moriz Haupt und Otto Jahn gegen den sächs. Verfassungs-Oktroi protestierte. M. fand 1852 Aufnahme in Zürich, ging 1854 nach Breslau und kam auf Intervention Alexander v. Humboldts 1858 an die Berliner Akademie, deren korrespondierendes Mitglied er 1853 geworden war. 1874 wurde er Sekretär der Historisch-Philologischen Sektion und legte den Posten erst 1895 während des Antisemitismus-Streits mit Treitschke nieder. 1861-87 hielt M. – nie habilitiert – regelmäßig Vorlesungen (vier Wochenstunden) und Seminare (zwei Wochenstunden) an der Berliner Universität. Die Themen entstammten überwiegend seinem wichtigsten Forschungsgebiet, der röm. Kaisergeschichte. Zu seinen Schülern gehören

O. Hirschfeld, H. Dessau, A. v. Domaszewski, O. Seeck, L. M. Hartmann und U. Wilcken. 1874/75 bekleidete M. das Rektorenamt.

Als M. nach Berlin berufen wurde, hatte er schon 262 Publikationen vorgelegt, darunter seine Römische Geschichte (I-III, 1854–56), verfaßt auf Drängen der Verleger Hirzel und Reimer. Das Werk wurde schnell populär, trotz der Kritik durch D. F. Strauß, Bachofen und Gregorovius, und ist bis heute eines der meistgelesenen und meistübersetzten Geschichtswerke deutscher Sprache. Die ersten drei Bände behandeln die Röm. Republik unter dem Gesichtspunkt einer „nationalen Einigung" Italiens und einer allmählichen Demokratisierung der res publica. Die Römer waren nach M. „ein freies Volk, das zu gehorchen verstand, in klarer Absage von allem mystischen Priesterschwindel, in unbedingter Gleichheit vor dem Gesetz und unter sich, in scharfer Ausprägung der eigenen Nationalität." Mit dem Ausgreifen über Italien hinaus und der Proletarisierung, zumal der Landbevölkerung, schien für M. ein Zustand erreicht, dessen innere Probleme nur noch durch die Genialität Caesars zu lösen waren. Dieser war für M. wie für Hegel und Burckhardt der „größte der Sterblichen." Offen oder verdeckt zog er immer wieder Parallelen zu seiner eigenen Zeit, daher firmieren die Senatoren als „Junkerklasse", die equites als „Kapitalisten". Diese „Modernisierungen" wurden ihm sowohl von Marx als auch von Nietzsche verübelt. Dennoch versuchte M., nicht grundsätzlich anders als diese Autoren, Geschichte zu aktualisieren und in den Dienst einer politischen Pädagogik zu stellen. Dies wollte er auch durch scharfe Wertungen und prägnante Charakteristiken der handelnden Persönlichkeiten erreichen. Der dritte Band endet mit der Vollendung der Monarchie durch Caesars Sieg über die Republikaner („Legitimisten") bei Thapsus 46 v. Chr. Nach langer Pause publizierte M. 1885 eine „sine ira et studio" geschriebene Geschichte der röm. Provinzen in der Kaiserzeit unter dem Serientitel „Römische Geschichte, Band V". 1902 erhielt er für sein großes Werk aufgrund einer Eingabe berühmter Kollegen der Akademie den Nobelpreis für Literatur. Den vierten Band über die Röm. Kaisergeschichte hat M. nie geschrieben; über die Gründe ist schon unter den Zeitgenossen viel gerätselt worden. Einen gewissen Ersatz bieten die 1980 aufgefundenen Vorlesungsnachschriften der M.schen Kaisergeschichte von Sebastian und Paul Hensel. Sie schildern Innen- und Außenpolitik, Hofleben und Verwaltung in Italien und den Provinzen in der Zeit von Caesar bis Alarich und liefern somit ein Gesamtbild der Kaiserzeit, in das sich die entsprechenden „Reden und Aufsätze" (1905), literarische Kabinettstücke, einfügen. 1871–88 veröffentlichte M. sein dreibändiges „Römisches Staatsrecht", bis heute unentbehrlich wie sein „Römisches Strafrecht" (1899). Dazu kommen seine Monographien über Chronologie und Numismatik, seine „Römischen Forschungen" (2 Bde.) und seine postum edierten „Gesammelten Schriften" (8 Bde.). Die Gesamtzahl der publizierten Arbeiten beträgt fast 1600.

M.s Hauptarbeit an der Akademie galt dem „Corpus Inscriptionum Latinarum", dem – gemäß Adolf v. Harnack – aufwendigsten Projekt der Akademie. Es kostete bis 1900 über 400 000 Goldmark. Bei seinem Tode waren 15 der 16 geplanten Teile erschienen. Fünf von ihnen hatte M. selber vorgelegt, für die anderen die Mitarbeiter ausgesucht und ihnen Unterstützung gewährt. Er bestand darauf, daß jede erhaltene Inschrift am Original verglichen wurde, bevor sie in den Druck ging. 1854 schrieb er an seinen Jugendfreund Theodor Storm: „Diese Inschriftenwelt mit all ihrer Plattitüde und Tenuität steht dem wirklichen Leben doch sehr nah." Daneben war M. beteiligt an der Gründung der Zeitschriften „Hermes" und „Ephemeris Epigraphica" sowie an der Organisation des Deutschen Archäologischen Instituts in Rom. 1871 entwarf er die neue Satzung, die 1874 aus dem preuß. ein deutsches Institut machte. Eine zweite Sorge galt der Römisch-Germanischen Kommission und der provinzialröm. Archäologie, namentlich der von Wilhelm II. persönlich geförderten, seit 1890 in Gang kommenden Reichs-Limes-Forschung. Ebenso beteiligte sich M. am „Vocabularium Iurisprudentiae Romanae", am „Thesaurus Linguae Latinae", am „Corpus Nummorum" und an den Editionen der Kirchenväter-Kommission. M.s große editorische Arbeiten standen im Zusammenhang mit den „Monumenta Germaniae Historica", für die er mehrere Bände der „Auctores Antiquissimi" und den ersten Teil der „Gesta Pontificum" redigierte. Auf ausgedehnten Reisen durch die europ. Bibliotheken kollationierte er alle Manuskripte selbst. Für die von ihm herausgegebenen Corpora des Römischen Rechts „Corpus Iuris Civilis" und „Codex Theodosianus" griff er auf Vorarbeiten anderer zurück, die dabei ungebührlich in den Hintergrund rückten. Alle diese Editionen sind bis heute Standardwerke der Forschung.

In seinem Testament von 1899 bezeichnete sich M. in Anknüpfung an Aristoteles (pol.

1253 a) als „animal politicum". Nach den Aktivitäten in Rendsburg 1848 und Leipzig 1850 ließ er sich 1863–66 als Mitglied der Fortschrittspartei ins preuß. Abgeordnetenhaus wählen. Im deutsch-franz. Krieg trat er publizistisch nur halbherzig hervor. Er fürchtete um die wissenschaftliche Zusammenarbeit und plädierte später (1900) für eine Abschaffung der Sedan-Feiern. 1873–79 saß er wiederum im preuß. Abgeordnetenhaus, 1881–84 im Reichstag. M. kämpfte vor allem für die finanzielle Ausstattung der Bibliotheken und Universitäten und verfocht im übrigen eine liberale und nationale Politik. Bismarcks Föderalismus hielt er für eine halbe Sache, brüchiges Flickwerk. 1879/80 stellte er sich in der „Judenfrage" gegen Treitschke, der ebenso wie der mit beiden befreundete Herman Grimm (und wie zuvor Ranke und Burckhardt) einen wachsenden Einfluß der Juden fürchtete. Treitschke hatte gefordert, die Juden sollten Deutsche werden, M. meinte, sie seien es. 1901 stemmte er sich im „Fall Spahn" öffentlich gegen konfessionelle Gesichtspunkte bei Berufungen auf Lehrstühle; das preuß. Kultusministerium hatte bei der Besetzung einer historischen Professur in Straßburg mit Rücksicht auf die Elsässer einen Kandidaten wegen seines kath. Bekenntnisses bevorzugt. Aus Mißmut über die bürgerliche Politik begann M., mit den Sozialisten zu sympathisieren, was bisweilen als schockierend empfunden wurde. 1881 strengte Bismarck eine Beleidigungsklage gegen M. an, dessen Protest gegen die „Politik des Schwindels" und den „größten der Opportunisten" offenbar auf den Kanzler gemünzt war. M. bestritt dies und wurde freigesprochen. In seiner erst 1948 bekanntgewordenen Testamentsklausel beklagte er sein Unvermögen als Historiker und bescheinigte seinen deutschen Landsleuten, daß sie aus dem Dilemma zwischen „politischem Fetischismus" und „Dienst im Gliede" nicht herauskämen.

Optimistisch blieb M. im Hinblick auf die Fortschritte der Forschung. Ebenso glaubte er, daß sich Humanität und Zivilisation langfristig durchsetzten. In seiner Römischen Geschichte bezeichnete er als das wahrscheinliche Ziel der modernen politischen Entwicklung ein friedlich-freundliches Nebeneinander der Staaten. Noch im Jahre vor seinem Tod hatte er die Vision einer „heiligen Allianz der Völker", die alle Fehler vermiede, die er dem Imperium Romanum anlastete: Wohlstand vor Freiheit, Egoismus vor Patriotismus, Lebensgenuß vor Geistesarbeit. Zur Kenntnis von M.s Persönlichkeit sind die Reisetagebücher aus Italien von 1844/45 nützlich, ebenso der Briefwechsel mit seinem Schwiegersohn Ulrich v. Wilamowitz-Moellendorff, mit Otto Jahn sowie mit Theodor Storm, mit dem er 1843 eine Gedichtsammlung herausgegeben hatte.

Für die Geschichte der deutschen Altertumswissenschaft ist M. aus drei Gründen bedeutsam: Zum ersten hat er den traditionellen, auf Winckelmann, Goethe und Wilhelm v. Humboldt fußenden Philhellenismus der deutsch-griech. Seelenverwandtschaft erweitert um ein Verständnis für Rom. Für nahezu alle Bereiche der röm. Geschichte verdanken wir ihm grundlegende Schriften. Zum anderen veranschaulicht M. in seinem Werk den Übergang von der ästhetisch-literarischen Geschichtsschreibung des 18. und 19. Jh. zu einer streng analytisch-positivistischen Quellenforschung – eine Entwicklung, die er selbst bedauerte („Die besten von uns empfinden es, daß wir Fachmänner geworden sind."). Zum dritten hat M. historische Forschung zum ersten Mal mit Hilfe der Berliner Akademie in großem Stil organisiert. – Pour le mérite f. Wiss. u. Künste (1868, Vizekanzler 1894); Maximilians-Orden f. Wiss. u. Kunst (1871); Ehrenbürger v. Rom; Nobelpreis f. Lit. (1902).

Weitere W M. u. Wilamowitz, Briefwechsel 1872–1903, 1935; L. Wickert (Hrsg), Th. M. – Otto Jahn, Briefwechsel 1842–1868, 1962; H. E. Teitge, Theodor Storms Briefwechsel mit Th. M., 1966; G. u. B. Walser (Hrsg.), Th. M., Tagebuch d. franz.-ital. Reise, 1844/45, 1976; Röm. Kaisergesch., Nach d. Vorlesungsmitschrr. v. S. u. P. Hensel, hrsg. v. B. u. A. Demandt, 1992.

L L. M. Hartmann, Th. M., Eine biogr. Skizze, 1908; ders., in: BJ IX, S. 441–516; K. Zangemeister u. E. Jacobs, Th. M. als Schriftst., Ein Verz. seiner Schrr., 1905; Adelheid Mommsen, Mein Vater, Erinnerungen an Th. M., 1936, Neudr. 1992 *(P)*; A. Heuß, Th. M. u. d. 19. Jh., 1956; A. Wucher, Th. M., Gesch.schreibung u. Pol., 1956, ²1968; L. Wickert, Th. M., Eine Biogr., 4 Bde., 1959–80 *(P)*; K. Christ, Von Gibbon zu Rostovtzeff, Leben u. Werk führender Althistoriker d. Neuzeit, 1972; A. Demandt, M. in Berlin, in: Berlin. Lb. III, 1987, S. 149–73 *(P)*; ders., Th. M., in: W. W. Briggs u. W. M. Calder, Classical Scholarship, A Biographical Encyclopedia, 1990, S. 285 ff.; ders., M. zum Niedergang Roms, in: HZ 261, 1995, S. 23–49; H. Galsterer, in: Berlin. Lb. IV, 1989, S. 175–94 *(P)*; BBKL. – *Zu Tycho:* BJ V; Bursian-BJ 27; Schleswig-Holstein. Biogr. Lex. IV.

P Gem. v. F. v. Lenbach, 1897 (Berlin Mus.), u. 1899 (Städt. Gal. im Lenbach-Haus, München), Abb. v. beiden in: Franz v. Lenbach, 1836–1904, Ausst.kat. München 1987, S. 341 u. 349; Gem. v. L. Knaus, 1881 (Nat.-Gal., Berlin), Abb. in: Die Gr. Deutschen im Bild, hrsg. v. A. Hentzen u. N. v. Holst, 1937; Phot. in: BJ VIII.

Alexander Demandt

2) *Ernst Wolf*, Industrieller, Staatssekretär, * 12. 5. 1910 Berlin-Charlottenburg, † 23. 1. 1979 Düsseldorf.

V Ernst (1863–1930), Dr. med., Arzt u. Sanitätsrat in B., S d. Theodor (s. 1); M Clara (1875–1953), T d. Max Weber (1836–97) aus Erfurt, Jurist, nat.liberaler Politiker, Stadtrat, Landtags- u. Reichstagsabg., u. d. Helene Fallenstein (1844–1919); *Om* Max Weber (1864–1920), Nat.ökonom u. Soziologe, Alfred Weber (1868–1958), Soziologe (beide s. Bad. Biogr. NF I, 1982); *Vt* Wolfgang (s. 3); – ∞ 1) Berlin um 1938 Ruth Seegart, 2) Düsseldorf 1947 Eva verw. Cagliani (* 1908), T d. Pfarrers Franz Connor (1868–1940) aus Allenstein u. d. Lotte Ragnit (1882–1940); 1 *Adoptiv-S*.

M. studierte 1930–35 in Heidelberg und Berlin Jurisprudenz und Volkswirtschaft. Nach der 2. juristischen Staatsprüfung (1938) war er kurze Zeit in einem Berliner Anwaltsbüro tätig. 1939 wechselte er zur Reichsgruppe Industrie in Berlin über. Nach Ausbruch des 2. Weltkriegs wurde er 1940 dem Reichsminister für Bewaffnung und Munition als Verbindungsmann der Industrie im Range eines Amtsgruppenchefs beigegeben. Das Kriegsende erlebte M. als enger Mitarbeiter von Albert Speer. Nach Verhaftung, Internierungslager und kurzer Tätigkeit in Hamburg wurde er 1948 in Düsseldorf Geschäftsführer der Gruppe Walzstahl der Wirtschaftsvereinigung Eisen- und Stahlindustrie und Verantwortlicher für die Vorbereitung des Gemeinsamen Marktes der Montanunion. Einem Zwischenspiel im Klöckner-Konzern (1952/53) folgte 1954 die Berufung in den Vorstand der mehrheitlich im Besitz der Familie Thyssen befindlichen Rhein. Röhrenwerke AG, Mühlheim. Innerhalb des sich formierenden Thyssen-Konzerns übernahm M. 1965 den Vorstandsvorsitz der Thyssen-Röhrenwerke AG in Düsseldorf. In den 50er Jahren zählte er zu den Protagonisten des Interzonen- und des Osthandels. Er vertrat die deutsche Eisen- und Stahlindustrie im Ostausschuß der Deutschen Wirtschaft und war stellvertretender Vorsitzender der Arbeitsgemeinschaft Interzonenhandel beim Bundeswirtschaftsministerium.

Seit Anfang der 60er Jahre fanden zwischen den westdeutschen Röhrenproduzenten Gespräche über Kooperationen statt. Sie führten 1969 zur Arbeitsteilung zwischen Thyssen und Mannesmann und 1970 zur Fusion ihrer Röhrenwerke unter dem Namen Mannesmannröhren-Werke AG. M. zählte zu den Initiatoren, sah sich jedoch im letzten Augenblick durch seinen Konzernchef H. G. Sohl ausmanövriert. An die Spitze des neuen Röhrenwerks trat mit F. J. Weisweiler ein Vertreter von Mannesmann. Als ihn zur selben Zeit Verteidigungsminister Helmut Schmidt aufforderte, als Berater in seinem Ministerium tätig zu werden, akzeptierte M. dies nach amerikan. Vorbild ohne Bezahlung. Als Staatssekretär organisierte er seit April 1970 die Abteilung Rüstungsangelegenheiten, Wehrtechnik und Verteidigungswirtschaft mit industriellen Management-Methoden und moderner Kostenrechnung. Er folgte Schmidt im Juli 1972 ins Wirtschaftsministerium, schied aber im November desselben Jahres aus. Am 1. 1. 1973 wurde er überraschend Vorstandsvorsitzender der Fried. Krupp GmbH, Essen, trat jedoch Ende 1975 vorzeitig zurück, nachdem er der Regierung des Iran eine Beteiligung von 25 % an der Krupp Hüttenwerke AG eingeräumt hatte. 1976 schien für M. in der Funktion als Aufsichtsratsvorsitzender des VEBA-Konzerns eine Rückkehr in die Politik als Wirtschaftsberater des Bundeskanzlers Schmidt möglich. Dieses Vorhaben scheiterte aber ebenso wie der Versuch, sich der Stadt Berlin als Wirtschaftsberater zur Verfügung zu stellen.

Wie kaum ein anderer westdeutscher Unternehmer beteiligte sich M. öffentlich an der gesellschaftspolitischen Diskussion in Verbindung mit dem Wiederaufbau der 50er Jahre. Er beschäftigte sich kritisch mit der künftigen Rolle der Großunternehmen und der Unternehmer sowie ihrer gesellschaftlichen Verantwortung, der Menschenführung im Betrieb und dem Umweltschutz. In der Unternehmensführung vertrat er das Kollegialprinzip. Er entwickelte neue Strukturen der Integration von Wirtschaft und Technik im gesellschaftlichen Bewußtsein, die schon in der schulischen Erziehung eingebunden sein sollten. M. war Präsidiumsmitglied der Deutschen Volkswirtschaftlichen Gesellschaft, zählte zu den Referenten der Ev. Akademie Loccum und gehörte dem Kuratorium der Friedrich-Ebert-Stiftung an. Als Vorsitzender des Gesprächskreises Wirtschaft und Politik dieser Stiftung trat er öffentlich für die erweiterte Mitbestimmung ein und wirkte als Mittler zwischen den Sozialpartnern. – Dr. rer. pol. h. c. (TU München 1964); Ehrenmitgl. d. Iron and Steel Inst. of Japan (1965); Gr. Bundesverdienstkreuz (1972).

W u. a. Das Wettbewerbsproblem in d. Eisenschaffenden Industrie, in: F. Grosse, E. W. Mommsen u. Th. Wessels (Hrsg.), Der Wettbewerb in d. Grundstoffindustrie, 1954, S. 26–51; Elitebildung in d. Wirtsch., 1955; Die Aufgaben d. Wirtsch. in d. Zukunft u. d. Anforderungen an d. Schule, in: E. W. Mommsen (Hrsg.), Die Schule in d. industriellen Ges., 1961; Die Eisenschaffende Industrie im Interzonenhandel, in: Stahl u. Eisen 79, 1959, S. 1511 f.; Führungsprobleme in d. anonymen Wirtsch., in: Ev. Ak. Loccum (Hrsg.), Führung u. Autorität in d. modernen Wirtsch.ges., 1959; Unternehmenskonzentration u. Staatsaufsicht (Vortrag), 1960; Dtld. – Europ. Industriemacht im Umbruch, in: R. Schwebler u. W. Föhrenbach (Hrsg.), Jahre d. Wende, Festgabe f. Alex Möller, 1968; Management-Aufgaben d. 70er Jahre (Vortrag), 1969; Erinnerungen u. Betrachtungen z. 12. Mai 1970; Selbstmord d. Unternehmer, in: Handelsbl. v. 23. 10. 1970; Das preuß. Erbe (Rede), 1973; Das moderne Großunternehmen zw. Ges.pol. u. Unternehmenspol., in: Das Unternehmen in d. Ges., 1974.

L K. H. Herchenröder, Neue Männer an d. Ruhr, 1958, S. 109–45; F. Simoneit, Die neuen Bosse, 1966, S. 189–204; L. Brawand, Wohin steuert d. dt. Wirtsch.?, 1971, S. 142–55; W. Höfer, Menschen unserer Zeit, 1971; W. Müller-Haeseler, Der Grandseigneur d. Ruhr, Wanderer zw. Pol. u. Wirtsch., in: Die Weltwoche v. 4. 7. 1973; Gorzny.

Gertrud Milkereit

3) *Wolfgang,* Archivar, * 11. 11. 1907 Berlin, † 26. 2. 1986 Koblenz.

V Hans Georg (1873–1941), Ing., Gasanstaltsdir. in B., *S* d. Theodor (s. 1); *M* Anna (1881–1950) aus Insterburg, *T* d. Arthur Germershausen (1849–1913), Oberverw.ger.rat in B., u. d. Jeanette Donner (1852–1923); *Vt* Ernst Wolf (s. 2); – ∞ Posen 1941 Ingeborg (1921–92), *T* d. Kaufm. Wilhelm Mend (1890–1978) aus Reval u. d. Anna-Pauline Jeddal (1889–1981) aus Nechat (Estland); 1 *S*, 1 *T*, Hans (* 1942), Physiker, Priv.doz. an d. Univ. Bonn, Ingeborg (* 1946), Juristin, Reg.dir. in B.

M. studierte 1927–33 in Heidelberg und Berlin. Widmete er sich zunächst den alten Sprachen des Orients, so wandte er sich später nach dem Vorbild seines Großvaters stärker der Geschichte zu. Mit der Arbeit „Die letzte Phase des brit. Imperialismus auf den amerikan. Kontinenten, 1880–1896" promovierte er 1933 bei Hermann Oncken zum Dr. phil. M.s ausgeprägtes Streben, den historischen Quellen auf der Spur zu bleiben, führte ihn 1933/34 zur Ausbildung im Institut für Archivwissenschaft beim Preuß. Geheimen Staatsarchiv in Berlin-Dahlem. Seine berufliche Tätigkeit begann er 1936 im Brandenburg.-Preuß. Hausarchiv der Hohenzollern-Dynastie. Hier bereits wurde sein Interesse an der Sammlung und Erschließung schriftlicher Nachlässe bedeutender Persönlichkeiten geweckt. 1938 wechselte er zum Preuß. Geheimen Staatsarchiv über, das ihn 1940–42 zur „Deutschen Archivkommission Lettland-Estland" abordnete, der zur Aufgabe gesetzt war, den aufgrund des Hitler-Stalin-Paktes umzusiedelnden Deutschbalten ihre Kulturgüter und Bildungseinrichtungen zu bewahren. 1942–45 als Soldat im Kriegseinsatz, fand M. nach Kriegsende eine erste berufliche Bleibe im fürstl. Archiv Hohenlohe-Schillingsfürst. 1947 trat er als Staatsarchivrat in das Bayer. Staatsarchiv Nürnberg ein, wo er für die überaus schwierige Sicherstellung und Erhaltung der Akten der Nürnberger Kriegsverbrecherprozesse sorgte. Damit verschaffte er – ein Jahrzehnt vor der Rückgabe der durch die Alliierten requirierten deutschen Akten an die Bundesrepublik 1957 – der Geschichtsschreibung eine erste Quellenbasis für die Erforschung der nationalsozialistischen Zeit.

Als am 3. 6. 1952 in Koblenz das neu gegründete Bundesarchiv seine Tätigkeit aufnahm, zählte M. zu der kleinen Schar seiner Archivare. Beim Auf- und Ausbau des jungen Archivs erwarb er sich vielfältige Verdienste, vor allem in der Sammlung und Pflege schriftlicher Nachlässe bedeutender Persönlichkeiten, der wohl umfangreichsten und gewichtigsten Sammlung dieser Art, die sich heute in einem staatlichen Archiv befindet. Sein in zwei Bänden erschienenes „Verzeichnis der schriftlichen Nachlässe in den deutschen Archiven" (1971/83) legt eindrucksvoll Zeugnis dafür ab. Am 19. 6. 1967 wurde M. – in Nachfolge Georg Winters und Karl G. Bruchmanns – zum Direktor des Bundesarchivs ernannt, am 1. 7. zu dessen erstem Präsidenten. Bis zu seinem Eintritt in den Ruhestand 1972 blieb er unermüdlich tätig, ein relativ junges Kollegium im Rahmen bewährter archivischer Traditionen zu führen, zugleich aber auch zu sensibilisieren für moderne Entwicklungen im Archivwesen. Als gewähltes Mitglied des Exekutivkomitees setzte er sich 1968–73 aktiv für die Ziele des Internationalen Archivrates ein und öffnete damit das Bundesarchiv einer fruchtbaren internationalen Zusammenarbeit. Dieser ernannte ihn 1976 auf dem Internationalen Archivkongreß in Washington zu seinem Ehrenmitglied. An der Seite Karl Dietrich Erdmanns widmete sich M. der Edition der „Akten der Reichskanzlei, Weimarer Zeit". Jahrelang hat er seine Kräfte daran gesetzt, daß es in London schließlich 1969 und 1976 zur Gründung eines „Deutschen Historischen Instituts" kam. – Gr. Bundesverdienstkreuz (1972).

W u. a. Die Akten d. Nürnberger Kriegsverbrecherprozesse u. d. Möglichkeit ihrer Auswertung, in: Der Archivar, 1950.

L Kürschner, Gel.-Kal. 1980; Wi. 1985; H. Booms, W. M., in: Der Archivar 41, 1988, Sp. 661–64.

Hans Booms

Mond, *Ludwig,* Chemiker, Industrieller, *7. 3. 1839 Kassel, † 11. 12. 1909 London. (isr.)

V Meyer Bär (1811–91), Textilkaufm., *S* d. Kaufm. Bär. Meyer († 1820, nahm d. Namen Mond an) u. d. Perle Weinberg; *M* Henriette (1809–78), *T* d. Aaron Levinsohn (1771–1841), Kaufm. in K., u. d. Eva Müller; ∞ 1866 Friederike *(Cousine),* T d. Fabrikbes. Adolf Löwenthal; 2 *S* Robert Ludwig (seit 1932 Sir, 1867–1938), Chemie- u. Metallindustrieller, Archäologe (s. Enc. Jud.), Alfred (seit 1910 Sir, seit 1928 Lord Melchett of Langford, 1868–1930), Chemieindustrieller u. Politiker, gründete 1926 mit Sir Harry McGowan d. Imperial Chemical Industries (ICI), deren erster Präs. er wurde, seit 1906 Mitgl. d. Unterhauses f. d. Liberalen, wechselte 1926 zu d. Konservativen über, 1921/22 brit. Gesundheitsminister; *E* Henry (1898–1949), 2. Lord Melchett, Chemieindustrieller, liberales, dann konservatives Mitgl. d. Unterhauses (1923/24, 1929/31); *Ur-E* Julian (1925–73), 3. Lord Melchett, Stahlindustrieller, 1966–73 Präs. d. British Steel Corporation.

M. erhielt eine Ausbildung an der Realschule und dem Polytechnikum in Kassel, wo zu jener Zeit zunächst Friedrich Wöhler und danach Robert Wilhelm Bunsen unterrichteten, deren Einfluß wohl M.s Interesse für die Chemie zuzuschreiben ist. 1855/56 studierte er bei Hermann Kolbe in Marburg und danach erneut bei Bunsen, der nun an der Univ. Heidelberg lehrte. Aufgrund drückender Schulden verließ M. die Hochschule ohne Abschluß. Er arbeitete in einigen kleineren chemischen Betrieben und begann, sich mit der Entwicklung eines Verfahrens zur Aufarbeitung der vorwiegend aus Calciumsulfid bestehenden Rückstände des Leblanc-Sodaverfahrens zu befassen. Er entwickelte einen Prozeß, bei dem das Calciumsulfid mit Luftsauerstoff oxidiert und der Schwefel teilweise zurückgewonnen wurde. 1862 besuchte M. die Weltausstellung in London und bemühte sich, in der brit. Sodaindustrie einen Interessenten für sein inzwischen patentiertes Verfahren zu finden. Obwohl das Verfahren schließlich in 40 Fabriken eingesetzt wurde, konnte es sich auf dem Markt nicht recht behaupten, da die Schwefelpreise in England zu niedrig lagen und der Prozeß zu langsam und zu uneffektiv verlief. In den Jahren 1863–76 erzielte M. jedoch immerhin Lizenzeinnahmen von 5000 Pfund Sterling.

1872 erfuhr M., daß der Belgier Ernest Solvay eine neue Methode zur Herstellung von Soda entwickelt hatte. M. reiste sogleich nach Belgien und vereinbarte mit Solvay, daß er innerhalb von zwei Jahren eine nach dem neuen Verfahren funktionierende Fabrik in England bauen werde und Solvay 8 Shilling Lizenzgebühren für jede Tonne Soda erhalten solle.

Zusammen mit John T. Brunner gründete M. die Brunner-Mond Company in Winnington Hall in der Gegend der Solevorkommen von Cheshire. Wie sich zeigte, waren enorme technische und finanzielle Schwierigkeiten zu überwinden, ehe die Fabrik zuverlässig arbeitete. 1874 begann man mit der Produktion und erzeugte 800 Tonnen; 1875 konnte man den Ausstoß verdreifachen, 1877 erhöhten Brunner und M. die Kapazität der Werksanlagen auf 8000 Tonnen pro Jahr. 1881 gründeten sie eine Aktiengesellschaft (Brunner, Mond & Company Ltd.) mit einem Kapital von 360 000 Pfund Sterling.

Beim Solvay-Verfahren reagieren Natriumchlorid und Calciumcarbonat zu Soda und Calciumchlorid; da diese Reaktion nicht direkt ablaufen kann, wird eine ammoniakhaltige Zwischenstufe eingeschaltet. Das Ammoniak wird hierbei im Laufe des Prozesses stets zurückgewonnen, doch verlor man in der Praxis stets Ammoniak. Um diese ernste Schwierigkeit zu lösen, begann M. 1879 mit der Suche nach neuen Methoden der Ammoniakerzeugung. Er dachte zunächst an die Bindung von Luftstickstoff an Bariumcarbonat und Kohle, scheiterte aber an den dafür nötigen hohen Temperaturen. Nun experimentierte er mit der Kohlevergasung, d. h. der Reaktion von Kohle mit Heißluft und Wasserdampf, und entwickelte ein Verfahren, das etwa die Hälfte des in der Kohle enthaltenen Stickstoffs in Ammoniak umwandelte. Das nach dem Auswaschen des Ammoniaks verbleibende sog. „Mond-Gas", ein Gemisch aus Kohlenmon- und -dioxid, Wasserstoff und Stickstoff, eignete sich gut als Energieträger und hatte zudem den Vorzug, besonders sauber zu verbrennen. Gegen den hartnäckigen Widerstand der etablierten Gaserzeuger setzte M. die Verabschiedung einer Parlamentsakte durch, die der von ihm 1901 gegründeten „South Staffordshire Mond Gas Company" ein Versorgungsmonopol im engl. „Black Country" sicherte. Die Gesellschaft bestand bis zur Verstaatlichung der Gasindustrie 1948. Um 1910 wurden in mehreren Anlagen weltweit ca. 3 Mill. Tonnen Kohle nach dem Mond-Verfahren vergast.

Als nächstes versuchte M., anstelle des praktisch wertlosen Calciumchlorids höherwertige Nebenprodukte zu gewinnen. Der Gedanke war, das Zwischenprodukt Ammoniumchlorid nicht mit Kalk (zu Calciumchlorid) umzusetzen, sondern mit einem anderen Metalloxid reagieren zu lassen, aus dem dann das Chlor durch Erhitzen abgespalten werden konnte. Umfangreiche Versuchsreihen lieferten zwar nicht das ursprünglich gewünschte Resultat, doch entdeckte M. dabei zusammen mit seinem Mitarbeiter Carl Langer (1859–1935) die bis dahin unbekannte Verbindungsklasse der Metallcarbonyle und entwickelte eine Methode zur Gewinnung hochreinen Nickelmetalls durch thermische Zersetzung von Nickelcarbonyl. M. erkannte rasch die wirtschaftlichen Möglichkeiten dieser Entdeckung und versuchte, in der Nikkelindustrie Partner zur Auswertung des „Mond-Nickel-Prozesses" zu finden, allerdings ohne Erfolg. Da beschloß M. – immerhin bereits 59 Jahre alt —, sich auf eigene Rechnung im Nickelgeschäft zu versuchen. Er ließ geeignete Lagerstätten in Kanada ausfindig machen und bei Deniston (Ontario) ein Bergwerk anlegen. Bei Clydach in der Nähe von Swansea ließ M. durch Langer ein Hüttenwerk bauen. Anfänglich war man sich nicht über die Giftigkeit des Nickelcarbonyls im klaren, was den Tod von sieben Arbeitern im Herbst 1902 zur Folge hatte. Durch geeignete Nachbesserungen erreichte man, daß später keine Unfälle mehr vorkamen. Das „Mond-Nickel" war besonders rein und fand reichlich Abnehmer. Die im Jahr 1900 gegründete „Mond Nickel Company" produzierte um 1910 3000 Tonnen pro Jahr.

Die Firma Brunner Mond ging 1926 in den Imperial Chemical Industries auf. Sowohl M. wie auch sein Partner Brunner waren sozial fortschrittlich eingestellt. Bereits 1884 gewährten sie ihren Arbeitern eine Woche bezahlten Urlaub pro Jahr und führten 1895 die 49 $^{1}/_{4}$-Stunden-Woche ein. Ferner zahlten sie den Lohn bei Erkrankung fort und bauten einen medizinischen Versorgungsdienst auf. M. stiftete das Davy-Faraday Institute in London und unterstützte eine Reihe wissenschaftlicher Einrichtungen in London, Rom, Berlin und München mit namhaften Summen. Seine Gemäldesammlung alter ital. Meister, eine der bedeutendsten Privatsammlungen Englands, vermachte er der National Gallery.

M. war eine der Schlüsselfiguren der brit. chemischen Industrie. Ohne seine erfolgreiche Einführung und Durchsetzung des Solvay-Verfahrens wäre diese Gefahr gelaufen, von der sich mächtig entwickelnden deutschen Chemiebranche dominiert zu werden. Ohne sein Nickel-Verfahren hätte sich eine brit. Nickelindustrie nicht entwickelt. Sein Gaserzeugungsverfahren blieb jahrzehntelang wichtig, seine Power Gas Corporation war Vorläufer einer neuen Generation von Unternehmen der chemischen Verfahrenstechnik. Die Entdeckung der Metallcarbonyle sicherte M. auch die Beachtung der Wissenschaft. – Fellow d. Royal Society (1891); Mitgl. d. Ak. d. Wiss. Rom u. Berlin; Dr. h. c. (Padua 1892, Heidelberg 1896, Manchester, Oxford).

W u. a. On the Origins of the Ammonia-soda Process, in: Journal of the Society of Chemical Industry 4, 1885, S. 527–29; The Commercial Production of Ammonium Salts, ebd. 8, 1889, S. 505–10; The History of the Process of Nickel Extraction, ebd. 14, 1895, S. 945 f. – *W-Verz.:* Royal Society Catalogue of Scientific Papers XVII, S. 318. – Zahlr. brit. Patente.

L C. Langer, in: Berr. d. Dt. Chem. Ges. 43, 1910, S. 3665–82 *(W-Verz., P)*; E. Hatschek, in: Chemikerztg. 33, 1909, S. 1329 *(P);* Journal of the Chemical Society 113, 1918, S. 318–34; F. G. Donnan, L. M., 1939; J. M. Cohen, The Life of L. M., 1956; K. Dimroth, in: Lb. aus Kurhessen u. Waldeck VI, 1958, S. 226–32 *(L, P)*; P. Morris, in: Dictionary of Business Biography IV, 1985, S. 287–95 *(P)*; ders., The Legacy of L. M., in: Endeavour, New Series 13, 1989, S. 34–40 *(W, P);* Enc. Jud. 1971; DSB IX; Pogg. IV. – *Zur Fam.:* P. H. Emden, Jews of Britain, 1944; A. C. Sturney, The Story of Mond Nickel, 1951; Dictionary of Business Biography IV, 1985 (*P* v. Robert Ludwig, Alfred, Henry u. Julian).

Claus Priesner

Monden, *Herbert,* Eisenhüttenmann, * 7. 1. 1888 Marthahütte b. Kattowitz, † 29. 6. 1952 Düsseldorf.

V Julius, Industriekaufm.; *M* Luise Scholz; ∞ Elisabeth Wiethaup (1895–1965), Lehrerin in Brakel (Westfalen); 1 S.

M. besuchte das Gymnasium in Kattowitz sowie die Fürstenschule in Pleß und studierte dann Eisenhüttenkunde an der Bergakademie in Berlin und der TH Breslau. Die hier mit Auszeichnung bestandene Diplomprüfung (1912) und die 1921–23 entstandene Dissertation ließen besondere fachliche Qualitäten erkennen. 1912 wurde M. Stahlwerksingenieur bei der Julienhütte in Bobrek, 1914 Hütteninspektor bei der Falvahütte in Schwientochlowitz, 1921 Hüttendirektor der Silesiahütte in Rybnik-Paruschowitz, 1931 Oberhüttendirektor der Interessengemeinschaft für Bergbau und Hüttenbetriebe in Bismarckhütte. Die technische Leitung dieses Konzerns, dem die Werke Königshütte, Falvahütte, Bismarckhütte, Laurahütte, Silesiahütte und Hubertushütte angehörten, ermöglichte ihm eine volle Entfaltung seines Könnens. Schwierigkeiten, die seit 1934 mit der Unterstellung des Konzerns unter poln. Staatsaufsicht verbunden waren, meisterte er ebenso wie geschäftliche Probleme aufgrund wirtschaftlicher Krisen. Besonders der Ausbau des Röhrenwerks der Bismarckhütte ist sein Verdienst.

Mit Beginn des 2. Weltkriegs wurde die Interessengemeinschaft aufgelöst. M. erhielt zunächst Generalvollmacht für die Eiseninteressen in der Güterdirektion des Grafen Ballestrem, leitete dann vorübergehend die Osthütte in Zawiercie und die Dnjepr-Stahl GmbH im ukrain. Dnjepropetrowsk. Hiernach fand er einen neuen Tätigkeitsbereich in der Leitung der Hüttenverwaltung Westmark im lothring. Hayingen mit den Werken Hayingen, Hagedingen und Mövern. Das Ende des Krieges erlebte er als hüttenmännischer Leiter des Konzerns der ehemaligen „Reichswerke" in Watenstedt-Salzgitter. Nach Kriegsende wurde M. 1946 zum stellvertretenden Leiter des unter der Führung von Max Carl Müller (1894–1961) stehenden Verwaltungsamts für Stahl und Eisen in Düsseldorf berufen. Gemeinsam mit Müller baute er die Fachstelle Eisen und Stahl des Zentralbzw. Verwaltungsamts für Wirtschaft in Minden auf. 1949 erfolgte die Berufung in die auf Anordnung der Militärregierung gebildete „Stahltreuhänder-Vereinigung", in der er besonders an der Neugliederung der sog. Einheitsgesellschaften in der Eisen- und Stahlindustrie beteiligt war und sich mit Fragen der für die Werke lebenswichtigen Verbundwirtschaft beschäftigte. Ende 1951 übernahm er vorübergehend die Leitung der „Fachlichen Gruppe Stahl und Eisen" der Bundesstelle für den Warenverkehr der gewerblichen Wirtschaft. Gleichzeitig wurde er mit der Vertretung der Bundesrepublik Deutschland im Eisen- und Stahlkomitee der Organization for European Economic Cooperation (OEEC) in Paris beauftragt. Die europ. Zusammenarbeit innerhalb der Eisen- und Stahlindustrien wurde nun zu seinem hauptsächlichen Betätigungsfeld. Daneben hatte er noch bei der Dortmund-Hörder Hüttenunion seit deren Gründung 1951 und bei der Hüttenwerke Ruhrort-Meiderich AG den Aufsichtsratsvorsitz inne.

W Über d. Verhalten mehrerer Eisen- u. Stahlsorten beim Druckversuch, in: Stahl u. Eisen 35, 1915, S. 1022–28, 1052–56; Über d. Einfluß d. Blockgewichts u. d. Walzgeschwindigkeit auf d. Kraftbedarf b. Walzen, ebd., S. 497–507, 527–33 (mit J. Puppe); Btr. z. Metallurgie d. bas. Siemens-Martin-Verfahrens u. z. Frage d. Einflusses d. Sauerstoffgehalts auf d. mechan. Eigenschaften d. Flußeisens, inbes. d. Rotbruchs, ebd. 43, 1923, S. 745–52, 782–88 (Auszug aus d. Diss.); Nutzanwendung aus amerikan. Wirtsch.formen f. Europa, ebd. 46, 1926, S. 806–10; Leistungsüberwachung in Walzwerken in Anlehnung an d. Gantt-Verfahren, in: Archiv f. d. Eisenhüttenwesen 7, 1933/34, S. 539–46; Techn. Grundlagen e. Europa-Union, in: Europa, Großmacht od. Kleinstaaterei, hrsg. v. E. Stern-Rubarth, 1951 (mit H. Euler).

L F. Harders, in: Stahl u. Eisen 72, 1952, S. 1052; F. Pudor, Lb. aus d. rhein.-westfäl. Industriegebiet, Jg. 1952–54, 1957, S. 25 f.

P Bildarchiv Stahleisen, Düsseldorf.

Günter Bauhoff

Mone, *Franz Joseph,* Historiker und Archivar, * 12. 5. 1796 Mingolsheim b. Bruchsal, † 12. 3. 1871 Karlsruhe. (kath.)

V Johann Josef Moonen (auch: Mohne, Monee) (1765–1840), Kaufm., bis 1803 bischöfl.-speyer. Vogt, dann bad. Vogt u. Schultheiß in M., S d. Rudolph Mohne (um 1729–89), Kaufm. in M., u. d. Eva Katharina Knopf (um 1740–90); M Anna Maria (1774–1835), T d. Johannes Heilig in Wiesental b. Bruchsal u. d. Anna Maria Hallmeyer; ∞ Ubstadt b. Bruchsal 1820 Sophie, T d. Anton Warnkönig (1754–1828), bischöfl.-speyer. Domänenverwalter in Bruchsal, u. d. Maria Anna Bellosa (1754–1831) aus Bruchsal; *Schwager* Leopold August Warnkönig (1794–1866), Jurist (s. ADB 41); 7 K, u. a. Fridegar (1829–1900), Prof. in K. (s. W, L), Friedrich, nach Beteiligung am bad. Aufstand 1849 in d. USA geflohen.

Die Laufbahn M.s, der 1814 sein Studium in Heidelberg aufnahm, führte schnell zu hohen akademischen Würden. Mit 21 Jahren erhielt er die venia legendi, zwei Jahre später eine Professur für Geschichte, 1825 auch die Leitung der Heidelberger Universitätsbibliothek. Durch zahlreiche Arbeiten zur altdeutschen Sprache und Literatur, so eine Einleitung zum Nibelungenlied, hatte er sich früh einen Namen gemacht und diesen durch eine zweibändige „Geschichte des Heidenthumes im nördlichen Europa" gefestigt. M. hat diese der germanischen Mythologie, der deutschen Heldensage, der Volksliteratur und den altdeutschen Schauspielen geltenden Forschungen später als unermüdlicher Sammler und Editor weitergeführt. Zusammen mit Hans v. Aufseß gab er den „Anzeiger für Kunde des deutschen Mittelalters" heraus. Seine Vielseitigkeit zeigen seine Studien zu den lat. und griech. Meßtexten, und schließlich sein dreibändiges Werk über „Lateinische Hymnen" (1855–57, Neudr. 1964). In eine ganz andere Richtung führten seine kelt. Forschungen, womit M. freilich einem Modetrend huldigte und vorschnelle Ergebnisse herausbrachte. Inzwischen hatte ein Ruf M. an die Univ. Löwen (1827) geführt, von wo er nach der Revolution von 1830 nach Heidelberg zurückkehrte. Dort lebte er als Privatgelehrter, leitete für einige Jahre die Redaktion der ultramontanen „Karlsruher Zeitung", um schließlich 1835 zum Geh. Archivar und Direktor des Badischen Generallandesarchivs in Karlsruhe ernannt zu werden. Dies blieb er bis zu seiner Pensionierung 1868.

M. zeichnete auch in seiner Karlsruher Zeit eine außerordentliche Produktivität aus. Zu den bereits genannten Themen kamen nun solche der bad. Geschichte und die Edition ihrer mittelalterlichen Quellen hinzu. Die 21 Jahrgänge der „Zeitschrift für die Geschichte des Oberrheins", zunächst „Mones Zeitschrift", hat er zusammen mit seinen Mitarbeitern aus der Fülle der in „seinem" Archiv verwahrten urkundlichen Quellen gespeist, und die „Quellensammlung der bad. Landesgeschichte" erschloß chronikalische Quellen des Mittelalters in Text und Kommentar. Wie viele seiner Zeitgenossen, die wie er den Zielen der Monumenta Germaniae Historica nahestanden und ihre Arbeit im Sinne der Sammlung von Material zur „vaterländischen Geschichte" betrieben, konnte er aus dem Vollen schöpfen. Was M. aufgriff, erschloß Neuland und ließ den Gedanken einer kontrollierten und strengen Editionstechnik zunächst zurücktreten. Die massive Kritik, die vor allem nach seinem Rücktritt laut wurde, kam aus dem Kreis jüngerer, methodisch glänzend geschulter Wissenschaftler und Archivare, die M. Unordnung und Konzeptionslosigkeit vorwarfen und auch seine Arbeit im Badischen Generallandesarchiv kritisierten, da er seine Archivbestände nicht geordnet und gesichert, sondern sie als Rohmaterial für seine Publikationen angesehen habe.

Freilich hat M. seine Kritiker auch provoziert. Schon früh hatte er im Sinne des Ultramontanismus in kirchenpolitische Fragen eingegriffen und galt als scharfer publizistischer Verfechter eines harten Kurses im Kampf zwischen Kirche und Staat, was ihm im liberalen Baden der nachrevolutionären Ära viele Gegner einbrachte und ihn in Karlsruhe mehr und mehr isolierte. So personalisierte sich die Polemik, auch als sein Sohn Fridegar nach dem Tode des Vaters versuchte, die z. T. zu Recht erhobenen Vorwürfe zu entkräften; M. habe sich Archivmaterial angeeignet; dies entsprach aber durchaus der archivarischen Praxis in der ersten Hälfte des 19. Jh. Feststeht, daß M. ein starker Geschäftssinn eigen war, der ihn als Aktionär und Mitbetreiber der Zuckerfabrik in Waghäusel auch unternehmerisch tätig werden ließ.

W u. a. Gesch. d. Heidenthumes im nördl. Europa, 2 Bde., 1822–23; Reinardus Vulpes, 1832; Quellenslg. d. bad. Gesch., 4 Bde., 1845–1868; Urgesch. d. bad. Landes, 2 Bde., 1845; Schauspiele d. MA, 2 Bde., 1846, Neudr. 1970; Die gall. Sprache u. ihre Brauchbarkeit f. d. Gesch., 1851. – *Hrsg.:* Bad. Archiv, 2 Bde., 1826–28; ZGORh 1–21, 1850–68. – *Nachlaß (auch v. Fridegar):* Gen.landesarchiv Karlsruhe, hektographiertes Rep. M. Salabova, 1979, sowie ebd., Slg. M. Rosenberg; weitere Nachlaßteile im German. Nat.mus., Nürnberg (Hardenbergsche Fragmente) u. Univ.bibl. Heidelberg (Hs. Heid 1317–21).

L ADB 22; F. v. Weech, in: Bad. Biogrr. II, 1875, S. 88 f.; E. Avari (Ps. f. E. Weber), Fam.-Chronik, 1895; A. Schnütgen, Der kirchl.-pol. Kreis um F. J. M., in: Freiburger Diözesan-Archiv NF 22, 1921, S. 68–122, 26, 1925, S. 1–66, 27, 1926, S. 153–226; G. Haselier, F. J. M., Zur 100. Wiederkehr seines Todestages, in: Btrr. z. Landeskde., Beil. z. Staatsanzeiger Baden-Württemberg, Juni 1971, S. 9–14; D. Drüll, Heidelberger Gelehrtenlex. 1803–1932, 1986, S. 183 f.; W. Messmer, Archivdir. F. M. u. seine Zeit, 1989; W. Leesch, Die dt. Archivare 1500–1945, II, 1992, S. 413; – *Polem. Lit.:* ⟨Fridegar Mone⟩, F. J. M., sein Leben, Wirken u. seine Schrr., 1871; K. H. Frhr. Roth v. Schreckenstein, Das Gen.-landesarchiv in Karlsruhe unter d. Leitung d. verstorbenen Archivdir. Herrn F. J. M., Offener Brief, 1871; Fr⟨idegar⟩ Mone, F. J. M. u. seine Ankläger, 1872; zahlr. weitere Zeitungsart. hierzu in d. Bibl. d. Gen.landesarchivs.

P Pastell v. M. Ellenrieder, 1835 (Gen.landesarchiv Karlsruhe; dort auch Phot.).

Hansmartin Schwarzmaier

Monforts, Maschinenbauer. (kath.)

Die Bauernfamilie war seit dem 17. Jh. zwischen Niederrhein und Maas ansässig. Als Stammvater der deutschen Linie gilt der Jurist *Johannes Matthias* (* 1702) aus Thorn.

1) *August,* * 18. 9. 1850 Gerderath b. Erkelenz, † 7. 7. 1926 Mönchengladbach.

V Peter Anton (1814–1902), Bauer u. Ortsvorsteher in G., *S* d. Johann Conrad (1772–1861) u. d. Anna Katharina Hensen; *M* Jacobine Lambertine (1818–72), *T* d. Peter Joseph Baurs u. d. Maria Sibylla Ursula Dederichs; ∞ Moers 1882 Ludovica Agathe (1852–1919), *T* d. Joseph Trimborn u. d. Josephina Gaekels in Niederkrüchten b. M.; 1 *S,* 1 *T,* u. a. Joseph (s. 2).

Durch den harten Wettbewerb mit der engl. Textilindustrie kam es in der zweiten Hälfte des 19. Jh. in Deutschland zum entscheidenden Schritt von der Textilherstellung als land- und hauswirtschaftlichem Nebengewerbe zur mechanischen Baumwollspinnerei und -weberei in städtischen Textilfabriken. Als gelernter Ingenieur eröffnete M.

Ende 1884 in Mönchengladbach eine Textilmaschinenfabrik. Mit 52 Beschäftigten begann sie zu einem günstigen Zeitpunkt zu arbeiten, als sich die Konjunktur wieder besserte.

In der Maschenwarenindustrie waren die Ausrüstungs- und Veredelungsarbeiten wichtig geworden. M. verlegte sich zuerst auf das Rauhen; er entwickelte und fertigte eine Rauhmaschine mit fünf Walzen und Wärmplatte und lieferte das erste Exemplar nach Sachsen. Der Erfolg dieser Maschine machte ihn weithin bekannt. Seit 1886 baute er Trommel-Rauhmaschinen mit 14 Walzen und planetenartiger Bewegung der einzelnen Rauwalzen nach einem Patent von L. Riedel. M. lieferte solche Maschinen nach Süddeutschland und Westfalen, exportierte sie aber auch nach Österreich (Böhmen), Belgien, Holland, Italien, Polen und Rußland. Ende der 90er Jahre brachte er die Verfilzungs-Rauhmaschine mit Warenführung und Breithaltung auf den Markt, die Trikotschläuche behandelte. Er konstruierte auch Maschinen zum Aufdrucken oder Aufbringen von Maßzahlen oder Papiermarken auf Gewebe.

Angeregt durch eine franz. Konstruktion, baute M. 1891 die erste Strich- und Gegenstrich-Rauhmaschine mit 24 Walzen, doppelseitigem Angriff des Gewebeschusses und Reinigungsvorrichtung für die Rauhwalzen. Seine Lösung behielt Bedeutung bis in die Gegenwart. Allerdings mußte M. viele Patentstreitigkeiten durchfechten, wobei es um die Zukunft seines Unternehmens ging. In Deutschland, Belgien und Rußland obsiegte M., in anderen Staaten unterlag er. Während sich M. mit seinen franz. Gegnern verständigen konnte, verlor er in England nach Erfolgen in zwei Instanzen 1893 die Berufung im House of Lords. Danach beruhigten sich aber die Verhältnisse, und M.s Maschine setzte sich durch; bis 1915 stellte er 1000 Stück her. M. baute auch sämtliche Hilfsmaschinen für das Rauhen, wie Bürst-, Dekatier- und Schmirgel-, Meß-, Wickel-, Lege- und Dubliermaschinen. 1894–1914 baute er auch Maschinen für Baumwollspinnereien, z. B. eine patentierte Kämmaschine sowie Stranggarnschlicht- und Trockenmaschinen. 1910 begann M. den Bau von Ausrüstungsmaschinen für die Cord- und Velvetfabrikation.

1897 errichtete M. auch eine Eisengießerei mit hydraulisch betätigten Formmaschinen nach amerikan. Vorbildern. Da die maschinelle Formerei noch am Anfang stand, gehörte M.s Gießerei zu den besteingerichteten; er mußte sie erweitern, um auch für fremde Kunden arbeiten zu können. Dadurch trennten sich die Arbeitsgebiete seines Unternehmens so sehr, daß M. die Eisengießerei 1919 zu einer eigenständigen Firma umgründete. Im 1. Weltkrieg mußte M. auch Munition herstellen. Als die Nachfrage nach Maschinen immer mehr stieg, baute er 1916 eine neue Fabrik, in der neben der Werkzeugmaschinen-Fertigung auch die Textilmaschinen-Abteilung untergebracht wurde. Durch die Erfordernisse der Kriegsproduktion war M. zum Werkzeugmaschinenbau gekommen. Er lieferte halbautomatische Drehbänke für die Geschoßfertigung, d. h. für Werkstücke mit großen Durchmesser-Unterschieden und stark wechselnder Bearbeitung. Die meisten Ideen zu ihrer Konstruktion lieferte M.s erster Betriebsingenieur in der Maschinenfabrik Fritz Richard Deuring (1884–1958). Anders als bei den engl. und amerikan. Maschinen lagerte er den Revolver starr senkrecht und sah einen Eintrommel-Antrieb vor. Hier nahm M. eine Entwicklung vorweg, auf die man allgemein erst später mit der Einführung hoher Schnittgeschwindigkeiten einschwenkte.

Nach dem Krieg mußte M. die Textilmaschinenherstellung und die ausländischen Geschäftsbeziehungen wieder neu aufbauen. 1919 verband er sich mit vier anderen Herstellern zu einer „Interessengemeinschaft deutscher Textilmaschinenfabriken", der noch sechs weitere Werke beitraten. Die Mitglieder dieser Gruppe teilten sich den Markt für Sondermaschinen auf. 1925 übergab M. seinem Sohn Joseph die alleinige Leitung der Firma.

W Patente: DRP 33 407 v. 1885 (Wärmplatte f. Rauhmaschinen); 65 572 v. 1891 (Reinigungsvorrichtung f. Rauhwalzen); 90 699 v. 1895, 127 669 v. 1900, 160 466 v. 1904 (Maschinen u. Vorrichtungen z. Aufbringen v. Maßzahlen od. Papiermarken auf Gewebe).

Hans Christoph Graf v. Seehrr-Thoß

2) *Joseph,* * 21. 3. 1883 Mönchengladbach, † 25. 3. 1954 ebenda.

V August (s. 1); – ∞ Mönchengladbach 1933 Maria (1895–1959), *T* d. Mathias Joseph Blum (1866–1924), Dr. med., Sanitätsrat in M., u. d. Catharina Wallenfang (1870–1953); 1 *Adoptiv-S (N)* Johann Caspar v. Hobe (* 1915) aus Düttebüll (Angeln), Fabr.

M. trat kurz nach der Jahrhundertwende in die Firma seines Vaters ein. 1907 verwendete er als erster in größerem Umfang die Kugellagerung im Textilmaschinenbau, und zwar bei der Walzenlagerung in der Rauhmaschine. In dieser Bauweise setzte sich M.s Maschine durch. Gemeinsam mit einer anderen Firma entwickelte M. auch die erste Maschine mit riemenlosem Walzenantrieb. Er konstruierte die breitesten Maschinen mit freitragenden Walzen. Seit 1911 an der Leitung der Firma beteiligt, entwarf er die Gesamtanlage der neuen Textil- und Werkzeugmaschinenfabrik von 1916. Nach dem 1. Weltkrieg entwickelte M. die halbautomatischen Drehbänke in Richtung hoch automatisierter Maschinenstraßen weiter. Ein wichtiger Markt für den Werkzeugmaschinenbau war England. Als das brit. Pfund 1932 fiel und der Export nach England durch Zollschranken erschwert war, gründete M. in Coventry eine eigene Firma für die Herstellung seiner Automaten.

Seit 1925 war M. alleiniger Geschäftsführer des Unternehmens. Aufgeschlossen für den technischen Fortschritt, schlug er für den 1924 eingeführten elektrischen Antrieb der Textilmaschinen neben den Flachriemen die neuartigen Gummi-Keilriemen vor. 1930 baute er die Kratzenrauhmaschine mit 24–30 kugelgelagerten Walzen für die Weberei und Wirkerei. Er nahm auch den Lizenzbau der Sanforidiermaschine für Zellulosefasern auf. Zur Umgehung der Patente des Amerikaners Sanfor L. Cluett schuf M. 1937 eine Duplex-Anlage, in der er die gleichen Ergebnisse erreichte und ein besonderes Trocknen ersparte. Sein Verfahren fand weite Verbreitung, und das „Monforisieren" wurde zu einem Begriff der Fachsprache. Für Cord und Velvet schuf M. einen Kompaktor nach amerikan. Vorbild mit glatter Ober- und rauher Unterwalze. 1932 erfand er einen Filzkalander, den er selbst produzierte. Daraus leitete er eine Muldenpresse ab (eine beheizte Quetschwalze wurde hydraulisch gegen eine beheizte Mulde gedrückt). M. förderte auch die Weiterentwicklung der Strich-Gegenstrich-Maschine und machte sich durch sieben Patente (1934–36) um die Meßmaschine verdient.

Als 1927 eine der Firmen der Interessengemeinschaft den Textilmaschinenbau aufgab, erwarb M. deren Herstellungsrechte, und als 1932 eine weitere Firma aus dem Schlichtmaschinenbau ausschied, übernahm sie M. zusammen mit der Firma W. Schlafhorst & Co. und gründete sie neu als Gebr. Sucker GmbH, Mönchengladbach. Besonders nach 1948 florierte M.s Unternehmen, in dessen Leitung nun auch sein Adoptivsohn Johann Caspar v. Hobe sowie Franz Reiners (1907–91) eintraten. Die Firma war bis Anfang der 80er Jahre Marktführer bei Ausrüstungs- und Aufmachungs-Maschinen für Stückware. Dann wurden vor allem Kontinue-Färbeanlagen und Spannmaschinen gefertigt. Im Werkzeugmaschinenbau liegt der Schwerpunkt der Produktion bei rechnergesteuerten Standard-Drehmaschinen.

W Patente: DRP 384 494 v. 1923 (geteilter Legetisch f. Dublier- u. Legemaschinen); 395 506 v. 1922 (Gewebe-Prüftisch); 401 897 u. 431 863 v. 1922/24 (Gewebe-Legemaschine); 491 589 u. 505 876 v. 1928 (Gewebe-Bürstmaschine); 573 623 u. 642 895 v. 1932 (Filzkalander); 617 877, 621 399, 630 322, 651 606, 671 826 u. 682 385 v. 1934–36 (Meßmaschinen f. Textilstoffe); 644 129/233 u. 675 933 v. 1933/34 (Riemenantriebe f. Trommel-Rauhmaschinen); 742 495 v. 1941 (Gewebe-Scher- u. Putzmaschine).

L zu 1) u. 2) 50 J. Monforts 1884–1934 *(P);* W. Bernhard, Appretur d. Textilien, ²1967; Wenzel. – Mitt. v. J. C. v. Hobe.

Hans Christoph Graf v. Seherr-Thoß

Monheim, *Eberhard* v., Landmeister des Deutschen Ordens von Livland, * um 1275 wohl Monheim/Niederrhein, † nach 1346.

Ursprüngl. wohl Ministeriale d. Grafen v. Berg, hatten d. M. offenbar nur in Monheim Besitz.

Ort und Zeit von M.s Eintritt in den Deutschen Orden sind nicht überliefert, in den Quellen begegnet er sofort im Rang eines Gebietigers, und zwar 1309/13 als Komtur von Windau in Kurland und 1327 als Komtur von Goldingen, der führenden livländ. Komturei südlich der Düna. 1328 wurde er als Leiter einer livländ. Delegation zum Generalkapitel nach Marienburg und Elbing geschickt, wobei – Wahrung der Rechte seiner bisherigen Komturei am Fischfang im Kurischen Haff – der Übergang der Komturei Memel vom livländ. an den preuß. Ordenszweig beschlossen und M. selbst zum neuen Meister von Livland bestimmt wurde.

Gleich im folgenden Jahr konnte er zwar nicht verhindern, daß die heidnischen Litauer als Verbündete der innerlivländ. Ordensgegner unter ihrem Großfürsten Gedimin einen verheerenden Feldzug in das südliche Estland unternahmen, doch begann er anschließend im Oktober 1329 die Stadt Riga zu belagern, die 1297 den Orden aus seiner damaligen Burg innerhalb der Stadtmauern vertrieben hatte. Am 20. 3. 1330 ergab sich die Stadt der Ordensmacht. Im sog. Sühnebrief verpflichtete sie sich, dem Meister zu huldigen, die Hälfte der Gerichtsgefälle abzutreten, einem Ordensvertreter Sitz und Stimme im Rat zu gewähren und dem Bündnis mit den Litauern zu entsagen. Auffälligstes Zeichen der Ordensmacht wurde die Burg, die der Meister nicht mehr an der alten Stelle am Rigebach, sondern an der Nordwestecke der Stadt an der Düna sogleich zu errichten begann. Durch die Milderung einiger Bestimmungen des Sühnebriefs gelang es M., die Stadt für seine Politik auch dauerhaft zu gewinnen; der Umstand, daß der bisherige Stadtherr, Erzbischof Friedrich v. Pernstein (1304–41), seit vielen Jahren an der Kurie weilte, um gegen den Orden zu prozessieren, kam M. dabei entgegen. Während Kaiser Ludwig IV. 1332 die neuen Herrschaftsverhältnisse in Riga anerkannte, unterstützte die Kurie die Ansprüche des Erzbischofs, der in diesen Jahren zusätzlich behauptete, Lehnsherr des Meisters zu sein, nachdem er bisher nur um einen kirchenrechtlichen Treueid gegangen war. Doch ließ sich M. dadurch wenig beeindrucken, so daß es auch über seine Amtszeit hinaus bei den 1330 erzielten Machtverhältnissen blieb.

Mit dem Neubau der Burg Riga führte M. den viertürmigen regelmäßigen Kastellbau in Livland ein. Vom Grundriß her waren die preuß. Konventshäuser des frühen 14. Jh. Vorbild, doch wurde statt des Backsteins Haustein verwandt. Zur militärischen Sicherung des Landes veranlaßte der Meister eine Verstärkung des Burgennetzes vor allem im Süden durch die Burgbauten von Doblen, Mitau und Terweten, wo die Litauergefahr am größten war. Während M.s Amtszeit hat es nur noch kleinere kriegerische Auseinandersetzungen mit Litauen und Pleskau gegeben. In seine Zeit fallen die Anfänge der diplomatischen Bemühungen eines Erwerbs von Nordestland, der aber erst seinen Nachfolgern gelang. 1340 ließ sich M., nachdem er die Stellung des livländ. Ordenszweiges nach innen und außen hatte stärken können, aus Altersgründen von seinem Amt entbinden. Er kehrte vermutlich gleich in seine niederrhein. Heimat zurück und war noch bis 1346 Komtur von Mecheln, das zur Ballei Koblenz gehörte.

L ADB 23 (unter Munheim); R. Baron v. Toll, Est- u. Livländ. Brieflade 3: Chronol., hrsg. v. Ph. Schwartz, 1879, S. 39–41; L. Arbusow, Die im Dt. Orden vertretenen Geschlechter, in: Mitauer Jb. f. Geneal., Heraldik u. Sphragistik, 1899, S. 77; ders., Grundriß d. Gesch. Liv-, Est- u. Kurlands, ⁴1918; A. Tuulse, Die Burgen in Estland u. Lettland, 1942; Ritterbrüder im livländ. Zweig d. Dt. Ordens, hrsg. v. L. Fenske u. K. Militzer, 1993, Nr. 594.

Bernhart Jähnig

Monheim, *Johannes,* Humanist, * um 1509 Klausen b. Elberfeld, † 8. od. 9. 9. 1564 Düsseldorf. (ev.)

V N. N., Bauer, Bes. e. Garnnahrung in Barmen; M N. N.; ∞ 1) N. N., 2) N. N.; 2 S, 4 T aus 1) u. 2), u. a. Johannes, 1594–1614 Richter im berg. Amt Bornefeld, Katharina (∞ Ludolf Lithocomus, eigtl. Steinrich od. Steenhauwer, Lehrer in D., s. Jöcher), Elisabeth († 1591, ∞ Arnold Mercator, 1537–87, Kartograph, s. NDB 17*, bzw. Sibert v. Redinghoven, hzgl. berg. Rat u. Zollschreiber).

M. besuchte die Lateinschule in Münster, studierte seit Herbst 1526 in Köln und wurde im Sommer 1530 Magister artium. Hier, im Umkreis des Dompropsts Hermann von Neuenahr, hat er vermutlich durch Johannes Caesarius und Arnold Halderen von Wesel seine humanistische Bildung empfangen. 1532–36 war er Rektor der vierklassigen Stiftsschule in Essen, danach bis 1545 Rektor der Domschule in Köln. 1538–50 veröffentlichte er die Serie seiner Lehrbücher über die meisten Unterrichtsdisziplinen, z. T. Auszüge und Schulbearbeitungen prominenter Autoren. Ostern 1545 wurde er Rektor des vom Hzg. Wilhelm V. von Kleve-Jülich-Berg nach Straßburger Muster neuerrichteten Gymnasiums in Düsseldorf. Die sechsklassige Anstalt zählte um 1560 1500–2000 Schüler. In den Oberklassen bot sie Griechisch, für angehende Juristen die Institutiones des römischen Rechts, für die Sekundaner pflichtmäßige Disputationen und Deklamationen. Monatliches Katechismusverhör und sonntägliche Besprechung der biblischen Perikopen unterstrichen die religiöse Erziehung.

1545 bearbeitete M. die Institutiones des Christoph Hegendorfer (1526) und gab sie als Katechismus in acht Dialogen heraus, wobei er ausdrücklich hervorhob, dieser solle vom Glauben der kath. Kirche nicht abweichen. An dessen Stelle traten 1551 zwei katechetische Schriften, Erasmus-Bearbeitungen je für die Mittel- und Unterklassen. Das lag auf der Linie der herzoglichen Kirchenpolitik. 1560 veröffentlichte M. einen neuen Katechismus in 11 Dialogen, der auch die Rechtfertigungslehre eigens erörterte. In der Dekalog- und Vaterunserauslegung finden sich deutliche Anklänge an Luthers Katechismus, in Credo und Sakramentenlehre direkte Anleihen aus Calvins Institutio, nur mit einer innerevangelischen Mittelposition in der Abendmahlslehre. Das Buch hat eine private Kritik des Canisius und eine gedruckte Zensur der Kölner Universität ausgelöst. Die Konzilslegaten und Nuntius Commendone intervenierten beim Herzog. Dieser äußerte sich dilatorisch, untersagte M. aber jede öffentliche Antwort und verpflichtete ihn 1563 auch zum Verzicht auf prot. Lehren im Unterricht. Der von anderen geführte literarische Streit akzentuierte die konfessionellen Positionen und signalisierte die Aussichtslosigkeit der humanistischen Kirchenpolitik am Niederrhein. Die Frequenz des Düsseldorfer Gymnasiums ging nach M.s Tod trotz weiterhin guter Qualität stark zurück.

W Textausgg. d. Katechismen v. 1545 u. 1560, in: J. M. Reu, Qu. z. Gesch. d. Katechismus-Unterrichts III, 2. Abt., 3. T., 1924, S. 1386–1417 u. 1417–97; Katechismus 1560, Faks.-Ausg. mit dt. Übers., 1987. – Verz. weiterer Schrr.: H. Hamelmann, Geschichtl. Werke, Krit. Neuausg. v. H. Detmer u. K. Löffler, I, 1908, S. 99–101.

L ADB 22; H. Willemsen, Aus d. Gesch. d. Düsseldorfer Gymnasiums, in: Btrr. z. Gesch. d. Niederrheins 23, 1911, S. 221–56 u. 313–25; A. Lomberg, J. M., d. Rektor d. hzgl. Landesschule, in: Bergische Männer, ²1927, S. 43–46; J. Kuckhoff, Der Sieg d. Humanismus in d. kath. Gelehrtenschulen d. Niederrheins 1525–1557, 1929, S. 26–32; J. M. Reu, Qu. (s. W) III, 1. Abt., 2. T., 1935, S. 1290–95 (L); H. Jedin, Der Plan e. Univ.gründung in Duisburg 1555–64, in: G. v. Roden, Die Univ. Duisburg, 1968, S. 1–32; H. Ackermann, J. M., in: Katechismus 1560 (s. W), S. 423–47; PRE 13; LThK²; RGG³.

P Holzschn. (Düsseldorf, Stadtgeschichtl. Mus.), Abb. in d. Faks.-Ausg. (s. W).

J. F. Gerhard Goeters

Monheim, *Leonard,* Schokoladenfabrikant, * 16. 6. 1830 Aachen, † 23. 1. 1913 ebenda. (kath.)

V Johann Peter Joseph (1786–1855), Dr. phil., Apotheker, Chemiker u. Medizinalassessor, Abg. im Rhein. Provinziallandtag (s. L), S d. Andreas (1750–1804), Apotheker, Chemiker, letzter regierende Bgm. d. Freien Reichsstadt A. (s. L), u. d. Anna Maria Gertrud Peuschgens (1751–1814); M Lucia Dorothea (1790–1848), T d. Johann Adam Emonts (1756–1832) u. d. Odilia Lucia Willemsen (1750–1807); ∞ 1856 Antoinette (1835–1913), T d. Jan Mathys Merckelbach (1792–1838) u. d. Josepha Claessen (1802–82); 5 K, u. a. Hermann Josef (1868–1945), Schokoladenfabr., Leiter d. Unternehmens bis 1917; E Franz (1891–1969), Hans (1898–1992), Richard (1900–51), alle im Unternehmen tätig, Felix (1916–83), Prof. f. Geogr. in Aachen (s. Kürschner, Gel.-Kal. 1983); Ur-E Hans-Georg (* 1928), Dieter (* 1932), Bernd (* 1933), alle in d. Unternehmensgruppe tätig, Irene (* 1927, ∞ Peter Ludwig, 1925–96, Prof., Dr. phil., Dr. phil. h. c., Geschäftsführender Gesellschafter d. Fa. seit 1953, Kunstsammler u. -mäzen, s. L), Rolf (* 1941), Prof. f. Geogr. in Bayreuth (s. Kürschner, Gel.-Kal. 1992).

M. erhielt eine kaufmännische Ausbildung im Betrieb seines Vaters (Apotheke und Großhandel) sowie in Mainz und in Frankreich (Lyon, Marseille). Entweder schon hier oder auf seiner Rückreise über Italien und die Schweiz lernte er die Schokoladenproduktion kennen. 1857 übernahm er aus den väterlichen Betrieben das Drogen- und Materialwarengeschäft und gliederte diesem, wohl aufgrund seiner Auslandserfahrung, einen Handel mit Kolonialwaren und Südfrüchten an. Mit sicherem Instinkt für die zukünftigen Marktchancen ließ er 1857 einen schweizer. oder ital. Chocolatier nach Aachen kommen und nahm die Produktion von Tafelschokolade auf. Bis dahin galt Schokolade in Deutschland eher als Luxus und war ein teurer Importartikel. Die „Chocolade Fabrik von Leonard Monheim Aachen" versorgte mit einer Tagesproduktion von ca. 400 Tafeln zunächst den aufnahmefreudigen lokalen Markt. 1865–68 baute M. die handwerkliche Fertigung zu einem fabrikmäßigen Betrieb aus. Die Verbesserung der maschinellen Einrichtung (die Maschinen kamen aus Frankreich) erlaubte größere Produktionsmengen für eine schnell wachsende Nachfrage. M. legte damit den Grundstein für eine der größten europ. Schokoladenfabriken, die noch zu seinen Lebzeiten unter der Leitung seines Sohnes Hermann Josef (Einführung der Conche – einer Reibmaschine – zur Herstellung von Schmelzschokolade) ausgesprochen industriellen und auch exportorientierten Charakter bekam. Seit 1910 wurde die M.sche Schokolade unter dem Markennamen „Trumpf" vertrieben. Familientradition und solide Kapitalgrundlage sowie die gelungene Verknüpfung von Anwendung und Verbesserung spezifischer Produktionstechnik mit kaufmännischem Gespür und Risikobereitschaft zeichnen M.s unternehmerische Leistung in besonderem Maße aus.

In den 20er Jahren setzte sich der Aufstieg des nun von M.s Enkeln geleiteten Unternehmens fort. In Berlin wurde ein Zweigbetrieb gegründet. 1927 beschäftigte die Firma rund 1000 Mitarbeiter. Nach dem 2. Weltkrieg wurde die Leonard Monheim AG, in deren Leitung Urenkel M.s und der Schwiegersohn eines seiner Enkel, Peter Ludwig, tätig waren, zum führenden deutschen Schokoladen- und Kakaohersteller und war zeitweilig sogar das weltweit größte Unternehmen der Branche. 1982 waren in der Monheim-Gruppe (Trumpf, Lindt & Sprüngli, Mauxion) insgesamt 7000 Mitarbeiter beschäftigt. Danach setzte ein Prozeß der Entflechtung ein. Die AG wurde 1986 in mehrere Teilbetriebe aufgelöst. Das Berliner Werk und Produktionsstätten in Belgien und Kanada wurden an die

Jacobs-Suchard AG in Zürich verkauft. Die Marken „Trumpf", „Novesia", „Regent" und „Mauxion" blieben mit ca. 2000 Mitarbeitern unter dem Firmennamen „Ludwig Schokolade GmbH" in den Händen von Peter Ludwig. Die Marke „Trumpf" wird heute in Saarlouis und Quickborn hergestellt, die alten Aachener Produktionsstätten gingen an die Firma „Lindt-Schokolade" über.

L H. Monheim, Fam.gesch. u. Ahnennachweis d. Fam. Monheim, 1977 (Selbstverlag); 70 J. Trumpf, Schokoladenfabrik Leonard Monheim, Aachen u. Berlin 1857–1927, o. J. *(P);* Leonard Monheim Aachen (Hrsg.), Trumpf bringt Freude 1857–1957, FS, 1957 *(P).* - Zu Johann Peter Joseph: ADB 22; F. Monheim, J. P. J. Monheim, 1786–1855, Apotheker u. Chemiker, soz. engagierter Bürger u. Politiker zu Aachen, 1981 *(Ahnentafel, P);* Dt. Apotheker-Biogr. II, hrsg. v. W.-H. Hein u. H.-D. Schwarz, 1978 (auch zu Andreas). – *Zu Irene u. Peter Ludwig:* R. Speck, Peter Ludwig als Sammler, 1986; Ludwigslust, Die Slg. Irene u. Peter Ludwig, hrsg. v. M. Eissenhauer, 1993 (Ausst.kat.).

P Ölgem. v. C. v. Reth, um 1900 (im Bes. d. Fam.), Abb. in: Trumpf bringt Freude (s. *L*).

Immo Zapp

Monn (eigtl. *Mann*), **Mathias** (eigtl. *Johann*) *Georg*, Komponist, Organist, * 9. 4. 1717 Wien, † 3. 10. 1750 ebenda. (kath.)

V Jakob Mann († n. 1750), Kutscher; *M* Katharina, *T* d. Hanns Päsching, Weinbauer in Fels (Niederösterreich), u. d. Maria N. N.; mehr als 10 *Geschw* u. *Halb-Geschw,* u. a. Johann Christoph Mann (1726–82), Komp., Musiklehrer b. Gf. Kinsky in Prag, seit 1766 in W. tätig (s. MGG; Riemann mit Erg.bd.; New Grove); – ledig.

Über das kurze Leben M.s, der seinen ersten Vornamen vermutlich zur besseren Unterscheidung von seinem Bruder oder anderen, entfernteren Verwandten gleichen Namens geändert hat, ist wenig bekannt. Die von ihm bevorzugte Schreibweise seines Familiennamens könnte vom niederösterr. Dialekt beeinflußt worden sein. M. dürfte seine musikalische Ausbildung in Violine und Orgel als Sängerknabe am Augustiner-Chorherrenstift Klosterneuburg b. Wien erhalten haben. 1731/32 wurde er in den dortigen „Cammerambtsraittungen" als „Discantist" geführt. Nach nicht überprüfbaren Berichten soll er hier oder gar in Melk Kompositionslehrer J. G. Albrechtsbergers gewesen sein. Eine Unterrichtstätigkeit M.s ist allerdings aufgrund seiner überlieferten kurzen Generalbaßtheorie nicht auszuschließen. Er war in jungen Jahren, allerdings nicht vor 1738, der erste Organist an der 1737 fertiggestellten Wiener Karlskirche. Nach längerer Krankheit starb er am „Lungl-Defect".

M. zählt aufgrund einiger stilistischer Neuerungen neben Georg Christoph Wagenseil und Joseph Starzer zu den wichtigsten Komponisten der Wiener Vorklassik. Wenn er auch nicht die Bedeutung des zwei Jahre älteren und wesentlich fortschrittlicheren Wagenseil erreichte, so muß sein für die kurze Schaffenszeit umfangreiches Œuvre z. T. doch als zukunftsweisend angesehen werden. So komponierte er 1740 die früheste bisher nachweisbare viersätzige, ansonsten aber konservative Sinfonie, indem er die bis dahin übliche und auch von ihm in seinen anderen Sinfonien verwendete dreisätzige Form um ein Menuett an dritter Stelle erweiterte. 1749 folgte eine Sinfonie, in der sich durch die Ausbildung eines prägnanten 2. Themas und Ansätze einer echten Durchführung die Übernahme der Sonatensatzform ankündigt. In vielem zwar noch stark der Kammermusik-Tradition verhaftet, zeigen seine Sinfonien und Konzerte aber auch individuelle Züge im Gebrauch der Dissonanz, in der Tonartenwahl, wie z. B. eine Sinfonie in der sehr ungewöhnlichen Tonart H-Dur, und im phantasievollen Modulieren. Seine Originalität beweist M. auch durch sein Gefühl für melodisch-motivische Entwicklung. Im Violoncello-Konzert (1911/12 von Arnold Schönberg herausgegeben) werden die technischen Möglichkeiten dieses Instruments in einem für die Zeit überraschenden Ausmaß ausgeschöpft. Im Bereich der Kammer- und der Kirchenmusik zeigt sich M. mit seiner Vorliebe für kontrapunktisch fugierte Schreibweise am stärksten der Tradition verhaftet. M. wird oft, etwas überbewertet, als Wiener Gegenstück zum gleichaltrigen Hauptvertreter der Mannheimer Schule, Johann Stamitz, angesehen, dessen Neuerungen auf dem Gebiet der Orchestermusik, auch dank der Qualitäten der ihm zur Verfügung stehenden Mitglieder der Mannheimer Hofkapelle, doch deutlich weiter gingen. Von M.s Werken erschien zu seinen Lebzeiten keines im Druck, das erste kam um 1803 heraus. Sie wurden aber häufig am Hof Josephs II. und in zahlreichen österr. bzw. slowak. Klöstern aufgeführt. Auch in Paris und Györ (Ungarn) sind Werke von M. bzw. deren Abschriften gefunden worden.

W Kompositionen (Zuschreibung an M. od. seinen Bruder nicht immer sicher): „Diana ed Amore", Oper, 1740er J. (vgl. F. Stieger, Opernlex., 1975, *Autorschaft eher fraglich);* 4 Messen; Magnificat; 2 Dt. Marienlieder; ca. 20 Sinfonien; 7 Cembalo-Konzerte; Violoncello-Konzert; Divertimento f. Cembalo u. Streicher; 6 Streichquartette (gedr. um

1803); 8 Partiten; 14 Cembalo- bzw. Klaviersonaten; 6 Präludien u. Fugen etc. (alles Ms., hauptsächl. in d. Österr. Nat.bibl. u. im Archiv d. Ges. d. Musikfreunde, beide Wien, in d. Stiftsbibl. Göttweig u. d. Staatsbibl. Preuß. Kulturbes. Berlin). – *Schr.*: Theorie d. Generalbasses in Beispielen ohne Erklärung (Ms., Österr. Nat.bibl., Wien).

L Verz. alter u. neuer sowohl geschriebener als gestochener Musikalien, welche b. Johann Traeg erschienen sind, 1799; J. Sonnleithner, Biogr. Notizen üb. G. M. M. aus d. Munde seines Schülers G. Albrechtsberger, in: Monatsber. d. Ges. d. Musikfreunde 6, 1830, S. 88 (Korrekturen dazu b. S. Molitor, Biogr. u. kunsthist. Stoffslgg. z. Musik in Österreich, Ms. Österr. Nat.bibl., T. XIV); W. Fischer, M. G. M. als Instrumentalkomp., 1912; ders., Wiener Instrumentalmusik vor u. um 1750, II, 1912 *(Verz. d. Instrumentalwerke)*; G. Reichert, Zur Gesch. d. Wiener Meßkomposition in d. 1. Hälfte d. 18. Jh., 1935, S. 63 f.; R. Philipp, Die Meßkomposition d. Wiener Vorklassiker G. M. M. u. G. Chr. Wagenseil, 1938, S. 5–12; R. N. Freeman, J. G. Albrechtsberger, in: New Grove I, 1980; K. E. Rudolf, The Symphonies of G. M. M. (1717–1750), 1982; Wurzbach 16 (unter Mann; *W-Verz.);* MGG *(W-Verz., L)* mit Suppl.bd.; Riemann mit Erg.bd.; New Grove.

Uwe Harten

Mont, de, Freiherren *v. Mont-Löwenberg* (auch *Demont*), (bayer. Freiherren 1813 *de Mont-Leuenberg*). (kath.)

Die rätische Familie, Vasallen des Bischofs von Chur, war zunächst 1481/89–1551 und erneut seit 1595 Inhaber von Burg und Herrschaft Löwenberg. Die M. stellten bis 1793 15 Landrichter (Bundesoberhaupt) des Grauen Bundes, übten Amtsfunktionen in den bündner. Untertanengebieten (Veltlin, Bormio, Chiavenna) aus und standen als Offiziere in franz. Diensten. Etwa seit 1670 waren sie Erbtruchsessen des Bistums Chur. – 1308 wird ein *Burkhard* in Sumvitg erwähnt, 1354–84 erscheint Ritter *Ulrich* zu Chur. Ob verwandtschaftliche Beziehungen zu dem seit 1372 bezeugten *Heinrich* v. M. in Vella bestanden, über dessen Söhne *Burkhard* (erw. 1408–39), *Rudolf* (erw. 1408–26) und *Wilhelm* (erw. 1408–35) drei Linien ausgehen, ist ungewiß. *Aegidius* (oder *Gilli,* erw. 1487–1520), der zwischen 1481 und 1489 die Herrschaft Löwenberg kaufte, schloß als Landrichter 1497 das Bündnis zwischen den Sieben Orten der Eidgenossenschaft (ohne Bern) und dem Grauen Bund ab, war 1502 Gesandter beim Vertrag der Drei Bünde und dem Erzhaus Österreich und 1525 in Mailand. Sein Sohn *Michael* wirkte 1502–24 als Kanzler, 1521 und 1523 als Bürgermeister von Chur. *Gallus* (1537–1608) erwarb 1595 die Herrschaft Löwenberg. Er war erster Gesandter zur Beschwörung eines ewigen Bundes mit Bern 1602 und stiftete 1592 die Kirche St. Rochus und Sebastian in Vella. *Luzius* wurde als Anführer der span. Partei 1618 vom Strafgericht in Thusis verurteilt und des Landes verwiesen. Als Gesandter unterzeichnete er 1622 das Mailänder Traktat und im selben Jahr den Lindauer Vertrag; er trat als Oberst in franz. Dienste. Sein Enkel *Ulrich* (1624–92) wurde nach Studien in Disentis und Dillingen 1650 Pfarrer von Domat/Ems und 1656 Domkantor von Chur. Am 23. 2. 1661 wählte ihn das Domkapitel zum Bischof von Chur, wobei der Gotteshausbund ihm zunächst die Zustimmung verweigerte. Er visitierte seine Diözese, betrieb die Wiederherstellung des Dominikanerinnenklosters Cazis, die Reform der Frauenklöster Maria-Steinach bei Algund und Müstair, ließ die bischöfl. Residenz in Chur erheblich erweitern und behauptete die Zuständigkeit des bischöfl. Gerichts gegenüber den Drei Bünden (s. Gatz II). *Hans* (Johann) war in franz. Diensten 1620–35 Kommandant einer nach ihm benannten Gardekompanie und Oberstleutnant im Regiment Schauenstein, sein Bruder *Melchior* († 1661, Frhr. zu Löwenberg) war 1642–58 Hauptmann im selben Regiment. Mit dem Rang eines franz. Divisionsgenerals wurde nach der Schlacht bei Austerlitz 1805 *Joseph Lorenz* (1746–1826) ausgezeichnet.

Qu. Kopiale C 45, Pfarrarchiv Vella, Kopie in StA Chur.

L Gothaisches genealog. Taschenbuch d. freiherrl. Häuser auf d. J. 1857, VII, S. 497–505; I. Müller, Aus Gen. Demonts Studienjahren, in: Bündner. Mbll. 1946, S. 289–99; P. E. Grimm, Die Anfänge d. Bündner Aristokratie im 15. u. 16. Jh., 1981; S. Färber, Der bündner. Herrenstand im 17. Jh., 1983; O. P. Clavadetscher, W. Meyer, Das Burgenbuch v. Graubünden, 1984, S. 93; A. Maissen, Die Landrichter d. Grauen Bundes, 1424–1799, Siegel, Wappen, Biogrr., 1990; HBLS.

Ursus Brunold

Montag, *Eugen* (Taufname: *Georg Philipp Wilhelm*), Zisterzienser, Abt von Ebrach, * 5. 3. 1741 Ebrach (Oberfranken), † 5. 3. 1811 Oberschwappach (Unterfranken).

V Georg Wilhelm (1732–67), Dr. iur., Syndikus u. Rechtskonsulent d. Abtei Ebrach, 1745 Landger.rat in Würzburg; *M* Anna Barbara (1718–91), *T* d. Matthias Krämer († 1756) aus Neudenau/Jagst, Bankier in Würzburg, u. d. Magdalena Vogel († 1761).

Am 16. 11. 1760 legte M. nach Beendigung seiner Schulzeit in Würzburg und dem Eintritt als Novize in Ebrach unter dem Namen Eugen die Profeß ab. Er studierte in Würzburg

Theologie, beide Rechte sowie Geschichte und empfing 1765 die Priesterweihe. Im Kloster genoß der gebildete und gewandte Mönch bald hohes Ansehen, wurde Subprior, Kanzleirat, Amtmann und Kanzleidirektor, d. h. der weltliche Regent des Abteilandes. Jahrelang war er Sekretär der Oberdeutschen Zisterzienserkongregation und hatte diffizile Rechtsangelegenheiten im Orden zu klären. Zugleich erlebte M. unter den Äbten Hieronymus Held († 1773) und Wilhelm Roßhirt († 1791) eine letzte Blüte des Bauwesens (Umgestaltung des Kircheninneren), der Klostermusik, der Gelehrsamkeit (Bibliothek unter P. Aquilin Jäger) und wirtschaftliche Prosperität. Er selbst wurde nicht nur zum Geschichtsforscher und -schreiber, sondern zum Streiter für die Unabhängigkeit Ebrachs vom Hochstift Würzburg. Seine Interpretation der Würzburger Rechtsstellung ist zwar nicht immer ganz zutreffend, zeigt aber oft Einsicht in das Wesentliche, z. B. die zeitbedingten Unschärfen spätmittelalterlicher Rechtsstrukturen. Gedichte zu Jubiläen verraten persönliche Frömmigkeit und literarische Bildung.

Am 21. 2. 1791 wurde M. zum Abt gewählt, einen Monat später erfolgte die Weihe durch den Würzburger Fürstbischof Franz Ludwig v. Erthal; die Einführung vollzog Abt Robert von Salem. Bald danach konnte M. die Wiedereinweihung der Klosterkirche feiern. Zu den noch anstehenden Aufgaben gehörte die Vollendung der Ebracher Schulordnung (gemeinsam mit P. Engelbert Fürstenwerth). Obwohl 11 Patres und 2 Laienbrüder während M.s Amtszeit die Profeß ablegten, ging die alte Zeit für die wohl reichste Abtei Frankens zu Ende. Antikirchliche Strömungen verbreiteten sich, Flüchtlinge aus dem Westen kamen, darunter der Abt des Mutterklosters Morimond (zeitweise Burgebrach), Amtshöfe wurden Lazarette, Kontributionen mußten gezahlt werden. Franz. Truppen besetzten und plünderten 1796 und 1800 Ebrach; der Abt mußte fliehen, um der Geiselnahme zu entgehen. Preußen nutzte die Lage zur Okkupation ebrachischer Besitzungen. Angesichts der Gefahren forderte M. mehrmals vergeblich die Einberufung der Würzburger Landstände. Daß Ebrach 1800 im Reichskammergerichtskalender und 1802 im Reichsdeputationshauptschluß als reichsunmittelbar bezeichnet wurde, konnte es ebensowenig vor der Säkularisation bewahren wie M.s Verhandlungen mit Kurpfalzbayern, um z. B. das Kloster als Kollegium einzurichten.

Am 11. 12. 1802 forderte der bayer. Kommissar Klinger den Treueid auf den Kurfürsten.

Bald begann die Inventarisierung, und am 2. 5. 1803 verkündete der ehemalige Ebracher Syndikus Stupp die Auflösung der ältesten rechtsrhein. Zisterze. Durch Schreiben an Minister Montgelas bemühte sich M. um Konzessionen: Die Klosterkirche durfte als Pfarrkirche stehen bleiben, die 47 Priestermönche, vier Diakone, zehn Laienbrüder, auch M. selbst erhielten höhere Pensionen als vorgesehen. Aber sämtlicher Besitz der Abtei verfiel dem Staat, wurde z. T. versteigert oder verkauft. M. verzichtete auf eine Wohnung im Kloster und zog mit einem Hauskaplan und einigem Personal, mit einer Pension von 8000 Gulden und mit seiner privaten Gemäldesammlung, um die er prozessieren und für die er zahlen mußte, in den ehemaligen Amtshof Oberschwappach. Er beschäftigte sich u. a. wieder mit rechtshistorischen Fragen.

W Disquisitio de ducatu et judicio provinciali episcopatus Wirzeburgensis, 1778; Frage, ob d. Abtei Ebrach ... d. Prädikat „reichsunmittelbar" rechtmäßig gebühre, u. ob dieselbe als Herrschaft ihrer Untertanen d. Regel d. Reichsfreyheit gegen d. hochfürstl. Würzburg. Ansprüche e. vollkommenen Landeshoheit zu behaupten befugt seye, 1786; De milite nobili et ingenuo saeculi XI. et XII. una cum vindiciis Marquardi de Grumbach dynaste, 1794; Historiae diplomaticae Ebracensis Monasterii Saeculi primi Epocha prima ab anno 1126–1166 sive de rebus gestis sub Adamo Abbate I., 1794/95 (Ms. im StA Würzburg); Gesch. d. dt. staatsbürgerl. Freyheit, überarb. u. hrsg. v. F. A. Frey, 1812–14.

Qu. Das Begräbnis d. Abtes Wilhelm v. Ebrach u. d. Wahl seines Nachfolgers E. M. 1791, in: Journal von u. für Franken 1791, S. 347–50; Das „Supplementum ad Brevem Notitiam Abbatiae Ebracensis" (1714–1803) v. P. Bernardinus Bauer (1815), mit e. Übers. v. Bernhard Keller u. e. Vorwort v. G. Zimmermann, sowie d. Testament E. M.s aus d. J. 1811, überarb. u. mit e. Anm. versehen v. W. Schenk, 1990.

L ADB 22; J. Jaeger, in: Ll. aus Franken II, 1922, S. 277–312 *(Qu., ältere L);* H. Zeiß, Aus d. Leben d. letzten Abtes v. Ebrach, in: Heimatbll. d. Hist. Ver. Bamberg 6/7, 1927/28, S. 60–64; E. Propst, Der letzte Abt v. Ebrach P. E. M. (1741–1811), d. Zisterzienserabtei Ebrach, in: Unser Bayern 15, 1966, S. 25–27 *(P);* A. Kaspar, Chronik d. Abtei Ebrach, 1971; W. Wießner, Die Schicksale E. M.s, d. letzten Abtes v. Ebrach, nach d. Auflösung seines Klosters (1803–1811), in: Jb. f. fränk. Landesforschung 34/35, 1975, S. 577–91; F. Friedrich, Dokumente, Gemälde u. Reliquienschrein aus d. Nachlaß d. Ebracher Abtes E. M., in: Ber. d. Hist. Ver. Bamberg 113, 1977, S. 181–95 *(P);* E. Ambros, Zum künstler. Nachlaß d. Ebracher Abtes E. M. (1741–1811), ebd. 130, 1994, S. 157–64; M. Domarus, Abt E. M., e. Streiter f. d. Rechte d. Zisterzienserabtei Ebrach u. für d. Wohl d. Klosterangehörigen (1791–1803), in: FS Ebrach 1127–1977, hrsg. v. G. Zimmermann, 1977, S. 197–212; Bruno Müller, Fam.geschichtl.

Aufzeichnungen d. letzten Ebracher Abtes E. M. v. 1809, ebd., S. 213–18; W. Wiemer, Der kurfürstl.-bayer. Galeriedir. streitet um d. Bilderslg. d. letzten Abtes, in: Veröff. d. Forschungskreises Ebrach, 1987, S. 11–19, u. in: Der Steigerwald 7, 1987, H. 1; ders., Zisterzienserabtei Ebrach, 1992.

P Mehrere Ölgem. u. Grafiken (Ebrach, Bamberg, Würzburg); Erich Schneider, Conrad Geiger, 1990, S. 131 f.; A. Kaspar, Porträts Ebracher Äbte, in: Würzburger Diözesangesch.bll. 28, 1966, S. 273–77.

Gerd Zimmermann

Montanus, *Jakob,* Theologe, * um 1460 Gernsbach/Murg (Baden) (?), † um 1534 Herford.

Der deutsche Name Berg oder Berge, den Bugenhagen für M. verwendet, ist nicht gesichert, da es bei Humanisten nicht üblich war, den deutschen Namen festzuhalten. M. wird oft Spirensis oder Spyr genannt nach seiner zum Hochstift Speyer zugehörigen Heimat. Über M.s Ausbildung ist nur bekannt, daß er die berühmte Lateinschule in Deventer besuchte, in die oberdeutsche Schüler nicht selten geschickt wurden. Wann er dahin kam, steht nicht fest. Als seine Mitschüler nennt Hamelmann u. a. Erasmus, Hermann Buschius, Bartholomeus Coloniensis (Zehender). Als sein sodalis wird Johannes Veghe genannt, gelegentlich auch der viel jüngere Murmellius. Jakob Wimpfeling widmete M. sein Poem „De Passione et Morte Christi". Wie er mit Willibald Pirckheimer in Verbindung kam, geht aus den an diesen gerichteten Briefen nicht hervor. Seine großen Kenntnisse verdankte M. seinem Lehrer in Deventer Alexander Hegius. Dort wird er auch mit der Devotio moderna in Verbindung gekommen sein.

M. stand später selbst im Rufe hoher Gelehrsamkeit (excellenter doctus). Rudolph v. Langen berief ihn an die Domschule nach Münster; bei diesem wohnte er auch. Schon seit 1486 war M. Fraterherr in Herford. Nach einigen Jahren in Münster kehrte er 1512 nach Herford zurück, um sich dem Unterricht zu widmen. Er betreute dort auch das Schwesternhaus. Hatte er als Lateinlehrer Einfluß, so sah er sich später im Gegensatz zu den Altgläubigen, ohne zu sagen, wen er im einzelnen meinte. Seit 1509 gab er in Deventer und Köln eine Reihe von Sammelwerken heraus: „Thesaurus latinae constructionis", „Collectanea latinae locutionis" (aus lat. Schriftstellern gesammelte Phrasen), dann die „Elegantiae terminorum" (1521) und „Elegantiae vocabulorum". Er verfaßte auch Lebensbeschreibungen der hl. Elisabeth (1511), eine „Vita apostoli Pauli" (1513), zahlreiche geistliche Dichtungen, die er „Odae spirituales" nannte. Seine Frömmigkeit erinnert an die des Johannes Veghe. Auf dem Titelblatt nennt er sich „sacerdos". Vermutlich ist er in Münster zum Priester geweiht worden. Als sein Landsmann Philipp Melanchthon nach Wittenberg kam (1518), wird M. auf dessen Linie eingegangen sein. Wie Hamelmann berichtet, wurde bald darauf (um 1520) das ganze Herforder Fraterhaus lutherisch. Aus M.s Briefwechsel mit den Reformatoren sind nur wenige Stücke erhalten geblieben. Seine Briefe hatte er an Pirckheimer ausgeliehen und nicht zurückerhalten. 1529 bat er Luther, Erasmus auf seinen Hyperaspistes zu antworten. Luther lehnte dies ab. 1531 vermochte er seinen ehemaligen Schüler Bernd Rothmann, den oppositionellen Prädikanten in Münster, nicht zu beschwichtigen. Auch sein letzter Ausgleichsversuch zwischen Luther und dem Herforder Fraterhaus gelang ihm nicht. Um 1534 verstummte er.

L ADB 22; P. Drews, Pirckheimers Stellung z. Ref., 1887; D. Reichling, Die Humanisten F. Hortensius u. J. M., in: Zs. f. vaterländ. Gesch. u. Altertumskde. 36, 1876, I, S. 16–32; C. Löffler, Briefe d. J. M. an Pirckheimer, ebd. 72, 1914, S. 22 ff.; H. Hamelmann, Geschichtl. Werke, hrsg. v. H. Detmer u. a., I/II, 1902/13; A. Böhmer, Das literar. Leben in Münster bis z. endgültigen Rezeption d. Humanismus, 1906; R. Stupperich, Das Herforder Fraterhaus u. d. devotio moderna, 1975; ders. (Hrsg.), Das Fraterhaus zu Herford II, 1984; Monasticon fratrum vitae communis II, 1979, S. 69 ff.; RGG³; Kosch, Lit.-Lex.³.

Robert Stupperich

Montanus, *Martin (Martinus),* Schwanksammler und -dichter, Dramatiker, * nach 1530 Straßburg, † nach 1566. (vermutl. ev.)

Über die Herkunft, Ausbildung und die persönlichen Verhältnisse M.s ist nichts dokumentiert. Aufgrund von verstreuten Bemerkungen in seinen Werken lassen sich aber einige Lebensstationen rekonstruieren. Aus Straßburg gebürtig, wuchs M. wohl in ärmlichen Verhältnissen auf. Der latinisierte Name läßt vermuten, daß die Vorfahren väterlicherseits Amberg oder Bergmann geheißen haben. Da er sich 1557 als jungen Mann bezeichnet, der „kain wohlbeleßner historicus" sei, und als engen Freund einen Schüler nennt, ist ein Geburtsdatum nach 1530 anzunehmen. 1557 hielt er sich in Ulm auf, sodann in Dillingen (Schwaben); ein Studium an der dortigen,

1554 gegründeten Universität ist jedoch nicht nachgewiesen. Vermutlich führte M., als Handwerksgeselle oder fahrender Schüler, ein unstetes Wanderleben im süddeutsch-elsäss. Raum, bevor er ins heimatliche Straßburg zurückkehrte. Da die Tätigkeit seines dortigen Verlegers nur bis 1566 belegt ist, gibt es für die Zeit danach keinerlei Zeugnisse.

Als Schwankdichter steht M. in der Tradition seines Landsmannes Georg Wickram, dessen „Rollwagenbuechlin" (1555) einer ganzen Reihe von Schwankbüchern als Vorbild diente. Wie die gleichzeitigen Sammlungen von J. Frey, M. Lindener und V. Schumann sind auch die beiden umfangreichsten Werke von M., der „Wegkürtzer" und der spätere „Ander theyl der Garten gesellschafft", Kompilationen von Fazetien und schwankhaften Erzählungen verschiedenen Ursprungs. Als Quellen nutzte M. vor allem die lat. Schwankliteratur, J. Paulis „Schimpf und Ernst" (1522), Meisterlieder Hans Sachsens, Chroniken und die zeitgenössische Flugblattliteratur, aber auch mündlich tradierte Märchen. Etliche Episoden sind Boccaccios „Decamerone" in der Übersetzung von Schlüsselfelder/Arigo entlehnt. Mit derb-komischen, lehrhaft-unterhaltenden Schilderungen standes- und rollenuntypischen Verhaltens von Geistlichen und Handwerkern, Männern und Frauen spiegelt sich in den insgesamt 159 Schwänken die Suche der frühbürgerlichen Stadtbevölkerung nach sozialer Identität. Charakteristisch für M. ist die Vorliebe für sexuell anzügliche bis obszöne Geschichten und Ausdrucksweisen, wie sie bis dahin besonders im Fastnachtsspiel zu finden waren. Novellen aus dem „Decamerone" liegen auch drei kürzeren Prosastücken, drei Spielen in Knittelversen sowie der Episodenerzählung „Andreützo" zugrunde. Von kulturgeschichtlicher Bedeutung ist auch die Schrift „Von vntrewen Würten", eine Schilderung des Wirtshauslebens der Zeit in Versform. Auch wenn M. keineswegs den literarischen Rang Wickrams beanspruchen kann, war der „Wegkürtzer" mit zehn nachgewiesenen Auflagen eine der meistverbreiteten Schwanksammlungen des 16. Jh., Auszüge wurden ins Lateinische und Niederdeutsche übersetzt. Schon kurz nach dem Erscheinen wurde in Augsburg eine Schmähschrift gegen die Schwanksammlung verfaßt, und Johann Fischart spricht in der „Geschichtklitterung" von Büchern „Eulenspiegelischer und Wegkurtzerischer art".

W Wegkuertzer, Ein sehr schön lustig ... Buechlin ..., darinn vil ... Hystorien, in Gaerten, Zechen vnnd auff d. Feld ... zu lesen ... (mit Andreützo), o. J. (1557), 1607; ... Hystoria v. d. ... Ritter Thebaldo ..., o. J. (1558/60), 1620; Das Ander theyl d. Garten gesellschafft ..., o. J. (n. 1559); Von vntrewen Würten ..., o. J. (n. 1559); Schwankbücher (1557–66), hrsg. v. J. Bolte, 1899, Nachdr. 1972.

L ADB 22; J. Bolte, in: M. M., Schwankbücher, 1899, S. VII-XL *(W-Verz.);* J. Hartmann, M.s Verhältnis z. Decameron, in: Acta Germanica, Neue R., H. 2, 1912, S. 104–08; G. Albrecht, Dt. Schwänke, 1923, S. 20 f.; P. Heitz u. F. Ritter, Versuch e. Zusammenstellung d. Volksbücher d. 15. u. 16. Jh., 1924, S. 59 f., 202 ff.; R. Stambough, Proverbs and Proverbial Phrases in the Jestbooks of Lindener, M. and Schumann, 1965; de Boor/Newald, Gesch. d. dt. Lit. IV/2, S. 170 f., 338; Goedeke II, S. 389, 466 f.; Kosch, Lit.-Lex.[3]; Killy.

Thomas Diecks

Monte, *Filippo* di, Komponist, * 1521 Mecheln (Flandern), † 4. 7. 1603 Prag. (kath.)

M., üb. dessen Eltern nichts bekannt ist, nannte sich selbst überwiegend „di Monte"; d. Variationen „van den Berghe", „van Berge" wurden v. Doorslaer (s. L) vorgeschlagen. – N Jacob († 1594), Maler. In ihm vermutete d. ältere Forschung e. Bruder d. Bildhauers Johannes Mont (1545–85, s. ThB).

M. zählt mit Orlando di Lasso und Giaches de Wert zu den bedeutendsten Komponisten aus dem Norden Europas, die in Italien im 16. Jh. gewirkt haben. Alle drei haben eine ideale Mischung der franko-fläm. polyphonen Musik mit den verschiedenen Gattungen in ital. Sprache erreicht. Das Jahr 1568 bildet einen markanten Einschnitt in M.s Leben. Zu diesem Zeitpunkt wurde er als Hofkapellmeister von Kaiser Maximilian II. nach Wien berufen. Fast alles, was man von M.s frühen Jahren weiß, geht aus den Widmungsvorreden zu seinen gedruckten Werken hervor. Hier berichtet er, viele Jahre seiner Jugend im Dienst des genues. Bankiers Cosimo Pinelli in Neapel verbracht zu haben. 1547 erscheint M. aber als „petit vicaire" an der Kathedrale von Cambrai. Seine Beziehung zu Cambrai scheint nie ganz abgebrochen zu sein. 1555 war er Mitglied der Kapelle Kg. Philipps II., als dieser bei seiner Gemahlin, Maria der Katholischen, in England weilte. M. verließ diese Stelle nach wenigen Monaten, angeblich weil er der einzige Nicht-Spanier in der Kapelle war. 1555 war M. wieder in Cambrai, mußte aber aus Krankheitsgründen seine Stelle als „petit vicaire" bald verlassen. Um 1557 ging er nach Italien.

1554 erschienen M.s erste gedruckte Werke – ein Buch ital. Madrigale für 5 Stimmen – in Rom, was als Hinweis auf seine dortige Anwesenheit zu diesem Zeitpunkt verstanden werden kann. Er dürfte Werke für 6 Stimmen für die Hochzeit von Paolo Giordano Orsini und Isabella de Medici (1558) beigesteuert haben. 1562 hat man ihn als Nachfolger von Willaert für die Stelle des Kapellmeisters in San Marco in Venedig vorgeschlagen; sein früherer Schüler, der Humanist Gianvincenzo Pinelli, lebte seit 1557 in Padua. M.s erstes Buch von Madrigalen für 6 Stimmen ist in Venedig um 1560 erschienen, so daß er zu diesem Zeitpunkt kein Unbekannter in Musikkreisen der Lagunenstadt gewesen sein kann. Als er 1568 nach Wien berufen wurde, wirkte er jedoch in Neapel; deswegen schlug der kaiserl. Gesandte in Rom zunächst Giovanni Luigi da Palestrina für die Stelle vor.

M.s Aufgaben am Kaiserhof ließen ihm offensichtlich genug Zeit, um zu komponieren; die Mehrzahl seiner Werke entstand in diesen Jahren. Er unternahm Reisen im Gefolge des Kaisers (Reichstage Speyer 1570, Regensburg 1576 und 1594, Augsburg 1582; Krönungen in Preßburg 1572, Prag und Regensburg 1575) und steuerte Musik zu festlichen Anlässen bei. 1572 belohnte Kaiser Maximilian II. M. mit der reichen Pfründe des Schatzmeisters an der Kathedrale von Cambrai. Anfang der 1580er Jahre wurde M. in einen Streit über den musikalischen Geschmack verwickelt; zu einer schöpferischen Krise kam es jedoch nicht. Von den Kompositionen dieser Zeit waren viele genau so fortschrittlich wie die seiner jüngeren Zeitgenossen, etwa des Italieners Marenzio oder des am Kaiserhof wirkenden Franko-Flamen Regnart; auch die Textauswahl blieb verblüffend modern. Obwohl die Gicht M. gegen Ende seines Lebens wahrscheinlich sehr zu schaffen machte, brach der Strom von gedruckten Werken bis zu seinem Sterbejahr nicht ab. Sein Wohnhaus in Prag diente nach wie vor als als musikalischer Treffpunkt.

Während Orlando di Lasso die verschiedensten Kompositionsarten hervorbrachte, widmete sich M. fast ausschließlich den ital. Madrigalen. Diese ragen nicht nur aufgrund ihrer Quantität, sondern auch wegen ihrer hohen Qualität hervor. Seit 1581 ließ er auch geistliche Madrigale, eine typische gegenreformatorische Erscheinung, als quasi-devotionale Unterhaltung erscheinen, die sogar Lasso zur Nachahmung empfohlen wurden. M. mußte selbstverständlich geistliche Werke in lat. Sprache (Motetten und Messen) für den Kaiserhof liefern, komponierte aber auch eine Sammlung franz. Chansons. In den fast 35 Jahren, die er am Kaiserhof wirkte, weitete er seinen Ruf als Meister des Madrigals mit vielen Musikdrucken in den führenden Verlagshäusern Venedigs (Gardano, Scotto) aus. Nur seine Messen ließ er nördlich der Alpen drucken, und zwar in seiner Heimat Antwerpen (Plantin).

Gedruckte W: Ital. Madrigale: 1 Buch zu 3 Stimmen, 4 Bücher zu 4 Stimmen, 19 zu 5 Stimmen, 9 zu 6 Stimmen, 2 zu 7 Stimmen; Geistl. Madrigale: 2 Bücher zu 5 Stimmen, 2 zu 6 Stimmen, 1 zu 6 u. 7 Stimmen; Franz. Chansons: 1 Buch zu 5, 6 u. 7 Stimmen; Motetten: 1 Buch zu 4 Stimmen, 7 Bücher zu 5 Stimmen, 2 zu 6 Stimmen; 1 Buch mit Messen zu 5, 6 u. 7 Stimmen, 1 Messe zu 5 Stimmen in e. Sammelwerk. – *Mss.:* Im wesentlichen geistl. Werke, Chorbücher d. kaiserl. Hofmusikkapelle in Wien. – *Werkausgaben:* P. de M., Opera Omnia, hrsg. v. Ch. van den Borren, J. van Nuffel u. G. van Doorslaer, 31 Bde., 1927–39 (Neuaufl. 1965); P. de M., Opera, New Complete Edition, hrsg. v. R. Lenaerts u. I. Bossuyt, 1975 ff.

L ADB 22; A. Smijers, Die Kaiserl. Hofmusik-Kapelle v. 1546 bis 1618, in: Stud. z. Musikwiss., 1919–22; G. van Doorslaer, La vie et les œuvres de P. de M., 1921; A. Einstein, The Italian Madrigal, 1949; P. Nuten, De „Madrigali Spirituali" de F. di M., 1957; R. Lindell, Stud. zu d. sechs- u. siebenstimmigen Madrigalen v. F. di M., Diss. Wien 1980; ders., F. di M.s Widmungen an Kaiser Rudolf II., Dokumente e. Krise?, in: FS f. O. Wessely, 1982; ders., Die Neubesetzung d. Hofkapellmeisterstelle am Kaiserhof in d. Jahren 1567/68, Palestrina od. Monte?, 1986; ders., Die Briefe F. di M.s, Eine Bestandsaufnahme, 1989; B. Mann, The Secular Madrigals of F. di M., 1521–1603, 1982; MGG *(P);* Riemann; New Grove *(P).*

P Gedenkmünze, 1584, Abb. in New Grove; Stich v. R. Sadeler, 1594, Abb. in MGG.

Robert Lindell

Monte, *Hilda* (eigtl. *Hilde Olday,* geb. *Meisel*), sozialistische Publizistin, * 31. 7. 1914 Wien, † 17. 4. 1945 bei Feldkirch (Vorarlberg). (isr.)

V Ernst Meisel (1886–1953), Kaufm. aus Kaschau (Slowakei), später in Kairo; M Rosa Meyer (* 1889) aus Konitz (Westpreußen); Schw Margot (* 1912, ∞ Max Fürst, 1905–78, Schriftst. aus Königsberg, s. BHdE II; Altpr. Biogr. IV), Kunstschriftst. (s. *L*); – ∞ London 1938 John Olday (1905–77), Maler u. Publizist.

M. wuchs in Berlin auf, wo sie 1924–29 das Lyzeum besuchte. Schon früh engagierte sie sich politisch. Mit 15 Jahren schloß sie sich dem Internationalen Sozialistischen Kampfbund (ISK) an, der sich 1926 aus dem von dem Göttinger Philosophen Leonard Nelson initiierten Internationalen Jugendbund gebildet hatte. Der ISK verband bei Ablehnung des historischen Materialismus Vorstellungen von einem ethischen Sozialismus mit Bestrebungen zur Erziehung einer politischen Elite

(„Partei der Vernunft"). M. wurde Mitarbeiterin an dem 1932 gegründeten ISK-Organ „Der Funke", für das sie als Korrespondentin nach Paris ging. Während der Machtübernahme der Nationalsozialisten befand sie sich zu einem Studienaufenthalt in Großbritannien, seit 1934 in London. In den folgenden Jahren beteiligte sie sich unter dem Decknamen „Hilda Monte" an Widerstandsaktionen im Rahmen des ISK; sie übernahm Kurierdienste innerhalb Deutschlands und schleuste illegale Literatur aus dem Ausland ein. Um aus England nicht ausgewiesen zu werden, ging sie 1938 eine Scheinehe mit dem anarchistischen Künstler und Schriftsteller John Olday ein.

Mit den vom ISK praktizierten Formen des Widerstandes wollte sich M. nicht begnügen; ihr Ziel war die Vorbereitung eines Attentats auf Hitler. Im Herbst 1939 trennte sie sich nach Meinungsverschiedenheiten u. a. über Bedeutung und Durchführbarkeit direkter Aktionen zusammen mit Fritz Eberhard und Hans Lehnert vom ISK. 1941 versuchte sie mit Hilfe brit. Stellen unter dem Decknamen „Helen Harriman" nach Deutschland zu gelangen, kam aber nur bis Lissabon und mußte nach London zurückkehren. M. stand in engem Kontakt mit dem Kreis um den deutschen Gewerkschafter Walter Auerbach. Diese Gruppe sah in einer sozialen Revolution die wichtigste Voraussetzung für die Überwindung des Nationalsozialismus in Europa. Seit 1940 arbeitete M. am „Sender der Europäischen Revolution" mit, der sich vor allem an deutsche Arbeiter wandte und Anweisungen für Industrie- und Transportsabotage gab. 1941/42 diskutierte die Gruppe das Programm für eine zukünftige „Partei der Revolutionären Sozialisten".

Seit Frühjahr 1942 beteiligte sich M. am Aufbau der „German Educational Reconstruction" (GER), einer deutsch-engl. Organisation, die Grundlagen für ein neues deutsches Erziehungswesen nach dem Krieg schaffen sollte. Sie war außerdem Mitglied der Fabian Society, arbeitete an deutschsprachigen Sendungen der BBC und an Veranstaltungen im Rahmen des Bildungsprogramms der brit. Streitkräfte mit. Im Exil verfaßte sie neben einer Reihe von politischen Schriften auch Gedichte und eine Novelle. Gegen Kriegsende näherte sie sich wieder dem ISK an. 1944 landete M. vermutlich mit Hilfe des brit. Office for Strategic Services (OSS) mit dem Fallschirm in Frankreich und ging von dort in die Schweiz, wo sie Verbindungen zu österr. Widerstandsgruppen (u. a. zu Karl Gerold) aufnahm. Wenige Wochen vor Kriegsende wurde sie auf der Rückkehr von einem illegalen Aufenthalt in Österreich nahe der liechtenstein. Grenze von einem Grenzbeamten erschossen.

W How to Conquer Hitler, 1940 (mit H. v. Rauschenplat); Help Germany to Revolt, A Letter to a Comrade in the Labour Party, 1942 (mit dems.); The Unity of Europe, 1943; Where Freedom Perished, 1947; Hilde Meisel, Gedichte, 1950 (mit H. Lehnert).

L W. Eichler, H. M., in: Geist u. Tat 2, Nr. 4, April 1947, S. 28; E. Innis, Erinnerungen an die Kollegen d. unabhängigen sozialist. Gewerkschaften, in: Aufwärts 1, Nr. 4 v. 31. 7. 1948, S. 2 f.; A. Leber, Das Gewissen steht auf, 64 Lb. aus d. dt. Widerstand 1933–45, 1956, S. 17–19 (P); W. Link, Die Gesch. d. Internat. Jugend-Bundes (IJB) u. d. Internat. Sozialist. Kampf-Bundes (ISK), 1964; W. Röder, Die dt. sozialist. Exilgruppen in Großbritannien 1940–45, ²1973; P. Steiner, Der trag. Tod d. H. M., in: Vorarlberger Tageszeitg. v. 19. 4. 1975; M. Fürst, Talisman Scheherezade, 1976; J. Foitzik, Zwischen d. Fronten, Zur Pol., Organisation u. Funktion linker pol. Kleinorganisationen im Widerstand 1933–1939/40, 1986; BHdE I.

Ilse Fischer

Montecuccoli *(Montecuculi).* (kath.)

Die adelige Familie aus dem modenes. Apennin ist seit 1060 urkundlich nachweisbar und erhielt 1530 von Kaiser Karl V. den Grafenstand; *Raimund* (s. 1) wurde 1651 in den Fürstenstand erhoben. Dem Zweig M. degli Erri (Namensvereinigung nach Heirat 1724), der nach der Vertreibung des modenes. Herzogs 1859 nach Österreich kam, entstammt *Rodolfo* (s. 2); zu einer anderen Linie, die nach Heirat um 1619 den Zunamen Laderchi führte, gehört *Albert* (1802–52), Verwaltungsbeamter und Landmarschall (s. Wurzbach 19; ÖBL).

1) *Raimund* Graf, Fürst (seit 1651), Herzog v. Melfi (seit 1679), österr. Feldherr, Hofkriegsratspräsident und Militärschriftsteller, * 21. 2. 1609 Schloß Montecuccolo b. Modena, † 16. 10. 1680 Linz, □ Wien, Jesuitenkirche am Hof.

V Galeotto IV. Gf. M. (1570–1619), S d. Fabricio Gf. M. zu Modena (1548–86) u. d. Paula Stavoli aus Reggio; M Anna (1586–1638), T d. Anton Maria Bigi (Bighi) in Ferrara u. d. Lucrezia Pigni aus Ferrore; Ov Ernst Gf. († 1633), 1630 Obristfeldwachtmeister, 1632 Obristfeldzeugmeister im kaiserl. Heer, Hercules Pius Gf., österr. FM 1723 u. Hofkriegsrat (beide s. Wurzbach 19); – ∞ 1657 Margaretha (1637–76), T d. Maximilian Fürst Dietrichstein-Nikolsburg (1596–1655), kaiserl. WGR u. Konferenzmin. (s. NDB 14*), u. d. Anna Maria Prn. v. Liechtenstein (1597–1638); 1 S, 3 T, u. a. Leopold

Philipp (Fürst 1689, 1663–98), kaiserl. Kämmerer, österr. FML, Oberst e. Kürassierrgt., Ernestine Barbara († 1701, ∞ 2) Franz Christoph II. Gf. v. Khevenhüller, 1634–84, kaiserl. Oberstjägermeister); *E* Ludwig Andreas Gf. v. Khevenhüller (1683–1744), Vizepräs. d. Wiener Hofkriegsrates, k. k. FM u. Militärschriftst. (s. NDB XI).

M. trat 16jährig in habsburg. Militärdienste und begann als einfacher Musketier. Oft verwundet und mehrmals gefangengenommen, tat er sich in den großen Schlachten bei Breitenfeld (1631), Lützen (1632) und Nördlingen (1634) hervor und lernte dabei vor allem das damals herausragende schwed. Militärwesen in der Praxis kennen. Nach der gelungenen Einnahme Kaiserslauterns 1635 stieg M. zum Obristen und Inhaber eines Kürassierregiments auf. Dieses führte er in den folgenden Jahren im Rahmen der Feldzüge durch Mecklenburg (Wittstock 1636), Pommern, Sachsen und Böhmen, bis er 1639 infolge der von ihm nicht verschuldeten Niederlage der kaiserl. Truppen bei Melnik am Zusammenfluß von Moldau und Elbe für fast drei Jahre in schwed. Gefangenschaft geriet, die er in Wismar und Stettin verbrachte. 1642 kehrte M. auf den Kriegsschauplatz in Schlesien zurück und setzte sich so erfolgreich mit den Schweden auseinander, daß er zum Generalfeldwachtmeister avancierte. Als General der Kavallerie stand er danach im Castro-Krieg auf seiten Hzg. Francescos I. (1610–58) von Modena. 1644 wieder nach Wien zurückgekehrt, wurde der zum Feldmarschall des Herzogs von Modena aufgestiegene M. Generalfeldmarschalleutnant und Hofkriegsrat, erhielt 1645 wieder ein eigenes Kürassierregiment und beteiligte sich in den letzten Jahren des Dreißigjährigen Krieges an zahlreichen Operationen gegen Schweden und Franzosen sowie den mit ihnen verbündeten Fürsten von Siebenbürgen, Georg I. Rákóczi (1593–1648).

Im Ersten Nordischen Krieg 1655–60 war M. – 1647 von Kaiser Ferdinand III. zum General der Kavallerie befördert – 1657 zunächst der Kavallerie, dann in der Nachfolge Hatzfeldts als Feldmarschall (seit 1658) Oberkommandierender der österr. Truppen in Polen, das sich gegen das expansive Schweden zu wehren hatte. Gegen Schweden ging es auch seit 1658 an der Seite Kurbrandenburgs und Polens in Schleswig und auf Jütland – 1659 in Pommern und Mecklenburg —, nachdem Dänemark im Kampf um die Vorherrschaft im Ostseeraum angegriffen worden war. Die höchste militärische Karrierestufe erreichte M., als er eine Woche nach seinem wohl bedeutendsten Sieg in der Schlacht bei St. Gotthard / Raab (1. 8. 1664) von Kaiser Leopold I.

zum Generalleutnant befördert wurde. Dies war nicht nur die Belohnung für einen wichtigen Erfolg im Kampf gegen die Osmanen, errungen zudem mit einer aus kaiserlichen, reichsständischen, rheinbündischen, franz. und Reichstruppen bunt zusammengewürfelten Armee, sondern auch für die Vorkehrungen, die M. seit 1661 als Gouverneur der Festung Raab zum Schutz der Südostgrenze Österreichs und des Reiches insgesamt getroffen hatte. Sie ließen erkennen, daß M. die Heeresstruktur der Muslime ebenso gut kennengelernt und studiert hatte wie früher die der Schweden. Seine glänzende Feldherren-Laufbahn beendete er schließlich in dem von 1672–78 dauernden Verteidigungskrieg gegen die franz. Eroberungsbestrebungen unter Kg. Ludwig XIV., der seit 1674 auch im Reichskrieg geführt wurde und mit dem Frieden von Nimwegen (1679) seinen Abschluß fand. Dabei komplettierte er seinen Kriegsruhm vor allem durch seine Erfolge gegen den bis dahin ungeschlagenen franz. Marschall Turenne. In einer glänzenden Operation gelang es M. 1673, Turenne, der tief nach Franken vorgestoßen war, ohne eine Schlacht zu riskieren, aus dem Reich zu verdrängen. Durch die überraschende Einnahme von Bonn brachte M. den von den Anhängern Frankreichs organisierten Friedenskongreß in Köln, der den Kaiser zu einem schmählichen Frieden zwingen wollte, in schwere Bedrängnis. Ende 1673 legte M. aus gesundheitlichen Gründen den Oberbefehl über die kaiserl. Armee nieder, übernahm ihn – widerwillig – nochmals 1674/75, konnte jedoch an die Erfolge von 1673 nicht mehr anknüpfen.

M., der schon nach dem Urteil der Zeitgenossen – auch seines Gegners Turenne – zu den überragenden Militärs des 17. Jh. gehörte, hinterließ auch ein bedeutendes schriftstellerisches Werk. Viele seiner Gedanken zur Theorie des Kriegswesens, hervorgegangen aus den eigenen praktischen Erfahrungen, behielten ihre Gültigkeit für mehr als ein Jahrhundert. Seine erste Abhandlung, den „Trattato della guerra", verfaßte M. während seiner ersten längeren Gefangenschaft 1639–42, als ihm die Schweden u. a. in Stettin den freien Zutritt zur Bibliothek der Herzöge von Pommern gewährten, danach entstanden immer in Zeiten, in denen er nicht im Felde stand, gewichtige Schriften („Del arte militare", 1653; „Della guerra col Turco in Ungheria", 1670). Neben diesen großen Arbeiten sind u. a. seine Aufzeichnungen zur Kriegführung der Schweden im Reich (1642), zur span. Land- und Seemacht (1668), zum Festungswesen und zu befestigten Städten (1648/49), zur Konzeption von Schlachten (1673) sowie seine Vorschläge zur Aufstellung von Milizen zu Pferde und zu Fuß für den Herzog von Modena (1643) und zur Errichtung eines stehenden Heeres in den habsburg. Erblanden (1664/68) zu nennen. Sie werden ergänzt durch umfangreiche Berichte und „mémoires" über die Feldzüge und Kriegsereignisse, an denen er beteiligt war, über den Krieg in Italien 1643 ebenso wie über die letzten Jahre des Dreißigjährigen Krieges, den Türkenkrieg 1661–64, über den Ersten Nordischen Krieg 1657–60 und die Kriegsjahre 1672/73.

Das gesamte Werk ist gekennzeichnet von dem Bemühen, über die selbst gemachten Erfahrungen und die Verarbeitung des Wissens der Zeit zu einer umfassenden Analyse des Krieges unter taktischen, technischen und administrativen Gesichtspunkten zu kommen. Darüber hinaus suchte M. zugleich den Krieg in einem weiten, Wirtschaft und Finanzen einbeziehenden politischen Kontext zu verstehen, wozu ihn seine politischen und diplomatischen Missionen nach dem Westfälischen Frieden in Stand setzten. Seine Reisen z. B. nach Schweden (1653), Flandern (1654/55) und ins oberital. Finale (1666), zum ungar. Landtag in Preßburg (1655) und zum Regensburger Reichstag (1664) dokumentierte er in unterschiedlicher Form, u. a. auch in einer umfangreichen, bisher kaum erschlossenen Korrespondenz mit Partnern in vielen Teilen Europas. Darüber hinaus galt sein besonderes Interesse den historischen, militärischen und politischen Verhältnissen in Siebenbürgen und Ungarn. Mit den Grundregeln politischer Bündnisse und den Problemen einer Koalitionsarmee beschäftigte er sich ebenso wie mit den Fürsten des Reiches, zu denen er über eine kaiserliche Standeserhebung vom 25. 5. 1651 selber gehörte, ohne allerdings Sitz und Stimme im Reichsfürstenrat des Reichstages zu erhalten.

1668 wurde M., der im Laufe seines Lebens zahlreiche weitere Ehrungen erfahren hatte (Goldenes Vlies 1668), zum Präsidenten des Wiener Hofkriegsrates ernannt. Von dieser Position an der Spitze der militärischen Zentralbehörde der habsburg. Länder aus, die er bis zu seinem Tode innehatte, leitete M. das ganze österr. Heerwesen, war verantwortlich für Aufstellung, Ausrüstung und Fouragierung der Truppen sowie die Befestigung des Landes und die Organisation der Verwaltung. Angesichts der permanenten Türkengefahr im Südosten und der von Frankreich ausgehenden Bedrohungen im Westen betrieb M. in Abkehr von dem bis zur Mitte des 17. Jh. vorherrschenden Kriegsunternehmertum sowie unter Zurückdrängung des ständischen Einflusses die Verstaatlichung des gesamten Militärwesens. Die von ihm durchgeführte Neustrukturierung des Heeres hinsichtlich der verschiedenen Waffengattungen (mehr Grenadiere, weniger Pikeniere) markierte den Wandel im österr. Heerwesen ebenso wie die Ansätze zur Systematisierung und Vereinheitlichung der Infanteriebewaffnung, der Beginn einer österr. Waffenproduktion in Steyr sowie verschiedene waffentechnische Neuerungen, wie die Ablösung der schweren Musketen durch leichtere Gewehre mit neuartigen, eine höhere Feuergeschwindigkeit sichernden Zündmechanismen.

Vielseitig interessiert und hochgebildet, pflegte M. nicht nur mit Politikern und Militärs, sondern auch mit Künstlern und Gelehrten seiner Zeit persönliche und briefliche Kontakte. Er setzte sich für die Anerkennung (1672) der nach ital. Vorbildern 1652 in Schweinfurt gegründeten Akademie der Naturforscher durch Kaiser Leopold I. ein, die seit 1879 als „Leopoldiana" in Halle ihren Sitz hat.

Weitere W Dell'arte della guerra, 1645–46; Opere complete, 2 Bde., 1807–08, ²1821; Ausgew. Schrr. d. R. Fürsten M., Gen.-Lieutenant u. FM, 4 Bde., hrsg. v. d. Direction d. k. u. k. Kriegs-Archivs, bearb. v. A. Veltzé, 1899–1900 (P). – *Eine krit. Gesamtedition fehlt.*

L ADB 22; J. Pezzl, Lebensbeschreibung d. Fürsten R. M., 1792; A. Rintelen, Die Feldzüge M.s gegen d. Türken v. 1661 bis 1664 nach M.s Hss. u. a. österr. Originalquellen, in: Österr. Militär. Zs., 1828; C. Campori, Raimondo M., la sua famiglia, e i suoi tempi, 1876; Briefe an d. FM R. Gf. M., Btrr. z. Gesch. d. Nord. Krieges in d. J. 1659–1660, bearb. v. M. F. Fuchs, 1910; T. Sandonini, Il Generale Raimondo M. e la sua famiglia, 2 Bde., 1914; R. Fuchs, M. in d. J. 1660 bis 1664 mit bes. Berücksichtigung seiner Schrr., Diss. Wien 1917 (ungedr.); P. Pieri, La formazione dottrinale di Raimondo M., in: Revue internationale d'histoire militaire 10, 1951, S. 92–115; ders., Raimondo M., in: Klassiker d. Kriegskunst, hrsg. v. W. Hahlweg, 1960, S. 134–49; F. Stöller, FM R. Gf. M. 1609–1680, in: Gestalter d. Geschicke Österreichs, hrsg. v. H. Hantsch, 1962, S. 171–84 (P); K. Peball, Die Schlacht b. St. Gotthard-Mogersdorf 1664, 1964, ²1978; ders., R. Fürst M. 1609–1680, Gedanken zum Leben u. Werk e. gr. österr. Feldherrn, in: Österr. Militär. Zs. 2, 1964, S. 301–05; Th. M. Barker, M. as an Opponent of the Hungarians, in: Armi Antiche, Sonderbd. d. Bolletino dell' Accademia di S. Marciano, 1972, S. 207–21; ders., The Military Intellectual and Battle, R. M. and the Thirty Years War, 1975; H. Kaufmann, Raimondo M., 1609–1680, Kaiserl. FM, Militärtheoretiker u. Staatsmann, Diss. FU Berlin 1974 (ungedr.); R. Foerster, Turenne et M., une comparaison stratégique et tactique, in: Turenne et L'Art

Militaire, Troisième centenaire de la mort de Turenne (1975), 1978; G. E. Rothenberg, Maurice of Nassau, Gustavus Adolphus, Raimondo M., and the „Military Revolution" of the Seventeenth Century, in: Makers of Modern Strategy from Machiavelli to the Nuclear Age, hrsg. v. P. Paret, 1986, S. 32–63; Wurzbach 19; BLGS. – *Eine Gesamtbiogr. fehlt.*

P Ölgem. nach E. Grießler (Wien, Heeresgeschichtl. Mus.), Abb. in: J. C. Allmayer-Beck u. E. Lessing, Die kaiserl. Kriegsvölker, Von Maximilian I. bis Prinz Eugen 1479–1718, 1978, S. 159.

Helmut Neuhaus

2) *Rodolfo (Rudolf)* Graf v. **M.** *degli Erri,* Admiral, * 22. 2. 1843 Modena, † 16. 5. 1922 Baden b. Wien.

V Luigi (Aloys) Ranieri (1800–52) k. k. u. hzgl. modenes. Kämmerer u. Oberstlt., *S* d. Massimiliano Careo Maria Marchese di Vaglio (1765–1836), hzgl. modenes. Kämmerer u. Major; *M* Caroline (1813–61), *T* d. Karl Frhr. v. Puthon (*1780), auf Teesdorf (Niederösterreich), Dir. d. österr. Nat.bank u. Großhändler, u. d. Apollonia Julier Freiin v. Badenthal (1783–1818); ∞ 1885 Emilie (1863–1914), *T* d. Gustav Frhr. v. Suttner (österr. Frhr. 1867, 1826–1900) Fideikommißherr auf Kirchstetten (Niederösterreich), u. d. Adele Arioli v. Markowitz (1834–1913), auf Alt-Prerau (Niederösterreich); 3 *S*, 1 *T*, u. a. Alfons Karl (1893–1952), k. u. k. Linienschiffslt.

M. trat nach Absolvierung der Marine-Akademie 1859 in den aktiven Dienst der k. k. Kriegsmarine und nahm noch im selben Jahr am Krieg gegen Frankreich und Sardinien teil. Als Linienschiffsfähnrich erlebte er 1866 die für Österreich siegreiche Seeschlacht bei Lissa an Bord der Fregatte „Adria". Auch an der Niederschlagung des Aufstandes in Süddalmatien 1882 und an der internationalen Blockade der griech. Küste und Kretas 1884 wirkte M. mit und empfahl sich für höhere Aufgaben. Sie traten an ihn heran, als er nach einigen Missionsfahrten, einer Dienstleistung im Seearsenal von Pola und dem Kommando von Schlachtschiffen im Eskadre-Verband im Juli 1900 den Befehl über die wegen des Boxeraufstandes nach China entsandte „Ostasien-Eskadre" (vier Kreuzer) übernahm. In dieser Funktion war M. Mitglied des dortigen Admiralrates, sowie Befehlshaber der gelandeten k. u. k. Truppen. Nachdem er im September 1901 dieses Kommandos enthoben worden war, erfolgte schließlich 1903 seine Ernennung zum Stellvertreter des Chefs der Marinesektion und seine Beförderung zum Vizeadmiral. Nach dem Rücktritt des Admirals Freiherrn von Spaun wurde M. 1904 zum Marinekommandanten und Chef der Marinesektion des Kriegsministeriums ernannt. 1905 erfolgte die Ernennung zum Admiral. In seine bis 1913 dauernde Amtszeit fällt an großen Einsätzen der Kriegsmarine die internationale Flottendemonstration im Nov./Dez. 1905, die die Türkei zur Annahme des insbesondere von Rußland und Österreich-Ungarn ausgearbeiteten Reglements zur Finanzkontrolle in Mazedonien veranlaßte. Vor allem wurde während seiner Amtszeit die Flotte gewaltig ausgebaut.

In den Jahren 1904/05 wuchs das Mißtrauen der Militär- und Marinekreise Österreich-Ungarns gegenüber dem verbündeten Italien wegen dessen Hinwendung zu Frankreich. Der Chef des k. u. k. Generalstabes und seine Berater hielten ein aktives Eingreifen Italiens in die politische Krise in Ungarn zur Unterstützung der dortigen „Unabhängigkeitspartei" für möglich, ja sogar einen Überfall durch die ital. Flotte. In einer Art Sofortprogramm beantragte das Kriegsministerium eine Verdoppelung der für Militärerfordernisse vorgesehenen Budgetsumme, wobei die Hälfte davon der Kriegsmarine zugute kommen sollte. Bei ihr sollten für „Ersatz- und Neubauten" außerordentliche Kredite in Anspruch genommen werden. M. war wegen seiner fachlichen Vorzüge, seiner gesellschaftlichen Stellung und seiner geschickten Verhandlungstaktik gegenüber den Delegationen (den Ausschüssen der österr. und ungar. Parlamente für gemeinsame Angelegenheiten) für die Durchsetzung derartiger Anliegen besonders geeignet und schließlich erfolgreich. Er vertrat, propagandistisch unterstützt auch durch den 1902/03 gegründeten „Österr. Flottenverein", den Neubau von Schlachtschiffen, Schnellkreuzern, Torpedobootzerstörern, Hochseetorpedobooten, U-Booten, Monitoren, Patrouillenbooten und Schwimmdocks. Damit ließ sich Österreich-Ungarn auf einen Rüstungswettlauf mit Italien ein. Unter M.s Ägide fielen sodann die Errichtung der ersten U-Boot-Station bei Cap Compare (1909) und der ersten Seeflugstation auf der Insel Santa Catalina vor Pola (1912).

Im Mittelpunkt blieb aber immer das Schiffbauprogramm und hier der Bau der neuartigen Großkalibergeschützschiffe, der „Dreadnoughts". Vier Einheiten der sog. „Viribus-Unitis-Klasse" (eines Dreadnought-Typs) waren vorgesehen. M. hatte angesichts der politischen Krise in Ungarn, die das Zusammentreten der Delegationen über ein Jahr lang verhinderte, selbständig und auf eigene Gefahr vorzugehen. Er schlug den Werften 1909 ein Arrangement vor, daß zwei Dreadnoughts auf Kiel gebracht werden sollten, offiziell auf das Risiko der Werften, jedoch mit der Zusage

M.s, die Schiffe nach erfolgter Bewilligung der Bausummen aufzukaufen. Im Oktober 1913 wurde das Flaggschiff „Viribus unitis" in den Dienst gestellt, der erste Dreadnought eines Mittelmeer-Staates überhaupt. M. suchte am 22. 2. 1913 aus Altersgründen um Pensionierung an, die ihm gewährt wurde.

L H. Bayer v. Bayersburg, Österreichs Admirale 1867–1918, 1962, S. 118 ff.; H. H. Sokol, Des Kaisers Seemacht, Österreichs Kriegsmarine 1848–1914 (Gesch. d. k. u. k. Kriegsmarine, III. Teil), 1980, S. 197 ff.; L. Höbelt, Die Marine, in: Österr. Ak. der Wiss., Die Habsburgermonarchie 1848–1918, V: Die Bewaffnete Macht, 1987, S. 687–763; ÖBL.

Peter Broucek

Montel v. *Treuenfest, Johannes (Giovanni),* Diplomat, kath. Geistlicher, * 13. 6. 1831 Rovereto (Trentino), † 21. 11. 1910 Rom, ☐ ebenda, Campo Santo Teutonico.

V Giovanni Antonio († 1869, österr. Adel 1860) aus Pergine (Trentino), Kreissekr., dann Vizepräs. d. Regentschaft Welschtirol; M Anna Plancher († 1848) aus Rovereto.

Nach dem Besuch des Gymnasiums in Trient studierte M. in Brixen und Trient Philosophie und Theologie. 1855 wurde er in Rom, wo er Jura studierte (Dr. iur. 1858), zum Priester geweiht. Seit 1858 war er Sekretär des jeweiligen österr. Auditors der „S. Rota Romana" (Alois Flir, Michael Gassner, Gf. Bellegarde). Nach dem Tode Flirs war er 1859/60 außerdem Vizerektor der „Anima", der er als Seelsorger auch weiterhin verbunden blieb. Seit dieser Zeit nahm M. die Interessen der deutschen und österr. Bischöfe gegenüber der Kurie wahr. Er war kanonistischer und kirchenpolitischer Konsulent an der österr.-ungar. Botschaft beim Hl. Stuhl, wurde 1865 Advokat, 1877 österr. Auditor und 1889 Dekan der Rota (bis 1906). Außerdem war er Konsulent der Ritenkongregation und seit 1889 des Hl. Offiziums, das sich u. a. mit den Thesen der Reformtheologen Albert Ehrhard, Marie-Joseph Lagrange und Herman Schell befaßte. Außerdem gehörte er der Kommission für die Kodifikation des kanonischen Rechts an. Mit dem Seminar der „Propaganda Fide" und ihren Präfekten von Reisach bis Ledochowski stand er in enger Verbindung.

1865 machte M. die Bekanntschaft Kurd v. Schlözers, des späteren preuß. Gesandten beim Hl. Stuhl (1882–92); er wurde Berater der preuß. Gesandtschaft in kirchenpolitischen Angelegenheiten. Andererseits galt er als „rechte Hand" Kardinal Kopps in Rom und Vertrauter Leos XIII., für den er u. a. Bismarcks Reden übersetzte. Besonders hervorzuheben ist M.s entscheidender Anteil an der Beilegung des Kulturkampfes und des Septennatenstreits, nachdem der Papst das Zentrum gedrängt hatte, Bismarcks siebenjähriger Militärfinanzierung zuzustimmen, um dessen Zugeständnisse im Kulturkampf zu honorieren. Diesem Zweck diente M.s Entsendung zur Fuldaer Bischofskonferenz 1887. Unter Leo XIII. war M. „einer der einflußreichsten ... Männer im Umkreis des Vatikans," eine „Schaltstelle für Deutschland und Österreich-Ungarn in ihren Beziehungen zum Vatikan" (Weber). Bei sämtlichen Bischofsbesetzungen wirkte er mit. Mit Antonio Agliardi, Luigi Galimberti und Schlözer bildete M., dem an einem guten Verhältnis zwischen Staat und Kirche gelegen war, das sog. „quartetto" für die Kommunikation zwischen dem Hl. Stuhl und den Staaten des Dreibundes. Das Verhältnis zum Zentrum und dessen Führer Windthorst war hingegen von Mißtrauen geprägt. Die politische Entwicklung des Zentrums seit 1893 und der Christlichsozialen in Österreich seit 1895 beobachtete M. mit Skepsis. Das hinderte ihn jedoch nicht daran, die Ernennung des Christlichsozialen Celestino Endrici zum Bischof von Trient zu unterstützen (1904). Die irredentistische Bewegung im Trentino lehnte er indes strikt ab. Sein Plan, ein Apostol. Vikariat für die kath. Diaspora in Norddeutschland zu gründen, hatte keinen Erfolg, anders seine Unterstützung der deutschen Mission in China und Afrika.

Mit Staatssekretär Mariano Rampolla begann 1887 in der Kurie eine Abwendung vom Dreibund und eine Hinwendung zu Frankreich, was eine Schmälerung von M.s Einfluß bedeutete. Inwieweit M. jedoch für das österr. Veto gegen die Papstwahl Rampollas 1903 verantwortlich war, ist nicht geklärt. Auch unter Pius X. verlor M., der als zu konziliant galt, weiter an Einfluß. Er bedauerte die antimodernistische Enzyklika über Borromäus (1910) ebenso wie den unnachgiebigen politischen Kurs Pius' X. Im nachhinein kritisierte er den Ausschluß der deutschen Professoren aus dem Beratergremium des Vatikan. Konzils. Mehrmalige Bemühungen Österreichs, für ihn die Kardinalswürde zu erlangen, stießen auf M.s Ablehnung.

1876 gehörte M. zu den Begründern des deutschen kath. Krankenhauses in Rom, das er später jahrelang verwaltete. Hier und in anderen ital. Städten veranlaßte er Niederlassungen der Grauen Schwestern, die sich um deutsche Mädchen kümmerten, die in Italien arbeiteten. Zusammen mit Anton de Waal organisierte er die seelsorgliche Betreuung der Deutschen in Italien sowie die Erzbruderschaft der schmerzhaften Mutter und das 1876 gegründete Priesterkolleg beim Campo Santo Teutonico. Seine Sorge galt außerdem den Kirchen S. Maria in Trastevere und S. Maria dei Miracoli, der böhm. Stiftung bei S. Trinità dei Pellegrini und der kroat. Stiftung bei S. Girolamo degli Schiavoni. – Päpstl. Hausprälat (1877); Großkreuz d. Franz-Joseph-Ordens; Roter Adlerorden I. Kl.; Kronenorden I. Kl. (1886); Großkreuz d. Souveränen Malteserordens (1907).

L C. Crispolti u. G. Aureli, La politica di Leone XIII da Luigi Galimberti a Mariano Rampolla, 1912; K. v. Schlözer, Letzte röm. Briefe, 1882–94, hrsg. v. L. v. Schlözer, 1924; P. M. Baumgarten, Röm. u. a. Erinnerungen, 1927, S. 91–101; B. v. Hutten-Czapski, 60 J. Pol. u. Ges., 2 Bde., 1936; Th. v. Sickel, Röm. Erinnerungen, hrsg. v. L. Santifaller, 1947; L. v. Pastor, Tagebücher, Briefe, Erinnerungen, hrsg. v. W. Wühr, 1950; A. Hudal, Die österr. Vatikanbotschaft 1806–1918, 1952; M. Prandi Gerloni, in: Vita Trentina v. 5. 2. 1953 (P); Rivista di Studi Trentini di Scienze Storiche 33, 1954, S. 301–05 (P); R. Blaas, Das kaiserl. Auditorat bei d. Sacra Rota Romana, in: MÖStA 11, 1958, S. 37–152; F. Engel-Janosi, Österreich u. d. Vatikan, 2 Bde., 1958–60; R. Graber, in: Außenpol. d. Päpste, hrsg. v. W. Sandfuchs, 1962; Ch. Weber, Kirchl. Pol. zw. Rom, Berlin u. Trier 1876–88, 1970; N. Trippen, Das Domkapitel u. d. Erzbischofswahlen in Köln 1821–1929, 1972; A. de Waal, in: Qu. u. Stud. z. Kurie u. z. vatikan. Pol. unter Leo XIII., hrsg. v. Ch. Weber, 1973, S. 1–67 (P); E. Gatz, Anton de Waal (1837–1917) u. d. Campo Santo Teutonico, 1980; H. Heitzer, Georg Kardinal Kopp u. d. Gewerkschaftsstreit, 1900–14, 1983; S. Benvenuti, La Chiesa trentina e la questione nazionale 1848–1918, 1987; H. G. Aschoff, Kirchenfürst im Kaiserreich, Georg Kardinal Kopp, 1987; A. Weiland, Der Campo Santo Teutonico in Rom u. seine Grabdenkmäler, 1988, S. 502–04, 660; BJ 15, Tl.; ÖBL. – *Teilnachlaß*: Trento, Biblioteca Comunale, Fondo Menestrina.

P Büste (Kirche d. Anima, Rom), Abb. in: Rivista, 1954 (s. L); Gem. v. A. Hußlacher, 1904 (Anima, Rom), Abb. in: Waal, 1973 (s. L).

Severino Vareschi

Montenuovo, *Alfred* Fürst v., österr. Hofbeamter, * 16. 9. 1854 Wien, † 6. 9. 1927 ebenda. (kath.)

Eines Stammes mit d. fränk. Adelsfam. Neipperg, d. 1726 in d. Reichsgrafenstand erhoben wurde; V Wilhelm Albrecht Gf. (Fürst 1864, 1821–95), österr. Feldzeugmeister (s. Wurzbach 19; ÖBL), *unehel. S* d. Erzhzgn. Marie Louise (1791–1847), Kaiserin d. Franzosen, Hzgn. v. Parma (s. NDB 16), u. d. Adam Adalbert Gf. v. Neipperg (1755–1829), Obersthofmeister, Min. u. Gen. in Parma (s. ADB 23); *M* Juliana (1827–71), Palastdame d. österr. Kaiserin, *T* d. Johann Baptist Gf. v. Batthyány-Strattmann (1784–1865), k. u. k. Geh. Rat u. Kämmerer, u. d. Marie Gfn. Esterházy v. Galantha (* 1791); ⚭ Wien 1879 Franziska (1861–1935), *T* d. Ferdinand Fürst Kinsky (1834–1904), WGR, u. d. Marie Prn. v. u. zu Liechtenstein (1835–1905); 1 *S*, 3 *T*, Ferdinand (1888–1951), k. u. k. Kämmerer, ungar. Geh. Rat. u. Mitgl. d. Oberhauses (mit ihm erlischt d. Fam. im Mannesstamm), Julia (1880–1961, ⚭ 1] Dyonys Gf. Draskovich, 1875–1909, 2] Karl Fürst zu Oettingen-Oettingen u. Oettingen-Wallerstein, 1877–1930), Marie (1881–1954, ⚭ Franz Gf. v. Ledebur-Wicheln, 1977–1954), Franziska (1893–1972, ⚭ Leopold Prinz v. Lobkowicz, 1888–1933); *E* Maria Gfn. Draskovich (1904–69, ⚭ Albrecht Hzg. v. Bayern, 1905–96).

M. besuchte als Externer das Wiener Schottengymnasium und studierte dann Jus in Heidelberg. Von seiner Militärzeit abgesehen, lebte er auf den von seiner Mutter ererbten Gütern (Herrschaft Margarethen am Moos, seit 1879 auch auf Besitzungen in Ungarn), bis er 1896 auf Vermittlung des Obersthofmeisters Rudolf Prinz v. und zu Liechtenstein, seines Schwiegeronkels, zum Obersthofmeister des Erzhzg. Otto, 1898 dann zum 2., nach Liechtensteins Tod 1909 schließlich zum 1. Obersthofmeister des Kaisers ernannt wurde. In dieser Stellung unterstanden M., der strikt am traditionellen Zeremoniell festhielt, nicht bloß die Verwaltung des Hofstaates einschließlich aller baulichen Angelegenheiten, sondern auch die Hoftheater und -museen sowie die Hofbibliothek. M. betrieb diese Agenden in nüchterner und pragmatischer Weise, vor allem insofern es darum ging, den Ausbau der Neuen Hofburg in Wien zu beschränken. Großen Enthusiasmus brachte er dem Hoftheater entgegen. Er war verantwortlich für die Ernennung Gustav Mahlers zum Hofoperndirektor und hatte am Burgtheater mit den Querelen um die Stellung von Katharina Schratt, der Freundin Kaiser Franz Josephs, zu kämpfen. Politisch stand M. den „Verfassungstreuen" nahe, der liberal-zentralistischen Adelspartei, und unterhielt gute Verbindungen zur ungar. Reichshälfte. So waren seine Verhandlungen mit Ungarn um eine Erhöhung der kaiserl. Zivilliste erfolgreich. In den letzten Regierungsjahren Franz Josephs galt M. als das Haupt des strukturkonservativen, bürokratischen „Isolationsregimes" um den greisen Monarchen. Dementsprechend machte ihn die Öffentlichkeit für die wirklichen und vermeintlichen Versäumnisse und Fehlentwicklungen der ausklingenden Ära verantwortlich. Inwieweit dies zu Recht geschah, läßt sich im einzelnen schwer beurteilen. Zu seinen engagierten Gegnern zählte in erster Linie der Thronfolger Franz Ferdinand, zu seinen Protegés die Minister Leopold Gf. Berchtold und Ernest v. Koerber. Außenpolitisch war M. ein treuer Gefolgsmann des Dreibundes. Er trat für gute Beziehungen zu Italien ein – noch 1915 propagierte er die Abtretung des Trentino – und förderte 1916 das Projekt eines gemeinsamen Oberkommandos der Mittelmächte an der Ostfront. Der junge Kaiser Karl, beeinflußt von den Beratern Franz Ferdinands, entließ M. kurz nach seiner Thronbesteigung. – Geh. Rat (1896), Mitgl. d. Herrenhauses (1899, seit 1907 erbl.); Orden v. Goldenen Vlies (1900), Großkreuz d. St. Stephan-Ordens (1908).

L M. Silber, Obersthofmeister A. Fürst M., Höf. Gesch. in d. beiden letzten J.zehnten d. österr.-ungar. Monarchie (1896–1916), Diss. Wien 1991 *(ungedr.);* ÖBL.

Margit Silber, Lothar Höbelt

Montez, *Lola* (eigtl. *Eliza Gilbert,* bayer. Gräfin 1847 als *Maria* Gräfin *Landsfeld*), Tänzerin, * 25. 8. 1818 Limerick (Irland) (auch: 1819/20 Montrose/Schottland, 1823 Cetasi b. Sevilla), † 17. 1. 1861 New York.

V Edward Gilbert († 1823 Dinapore/Indien), brit. Lt., aus angesehener irischer Fam.; *M* N. N., *T* d. irischen Adeligen Oliver u. e. Bauern-*T,* d. sich Oliverres de Montalva aus Schloß Oliver b. Madrid nannte u. als Nachfahrin d. Toreadors Francisco Montez aus Sevilla bezeichnete; *Stief-V* (seit 1823/24?) Captain John Craigie; – ∞ 1) Meath (Irland) 1836 (1837?) (getrennt 1842) Thomas James († 1871), Captain d. 21st Rgt. of Bengal Native Foot, 2) 1849 (∞ 1851) George Trafford Heald (1828–53), Cornett aus angesehener engl. Fam., 3) San Francisco 1853 Patrick Purdy Hall († 1853), Journalist.

M. kam 1822 mit ihren Eltern nach Ostindien, wo ihr Vater im folgenden Jahr der Cholera erlag. Sie wurde von Verwandten ihres Stiefvaters in Montrose (Schottland) erzogen, später in Paris und Bath, wo sich ihre Mutter niedergelassen hatte. Um einer Konvenienzehe mit dem wesentlich älteren Richter Sir Abraham Lumley zu entgehen, ließ sie sich um 1836 von einem engl. Offizier nach Irland entführen, heiratete ihn dort und begleitete ihn nach Indien. Anfang 1842 kehrte sie nach England zurück und trennte sich von ihrem Mann. In London nahm M. Schauspiel- und Tanzunterricht, letzteren bei einem span. Lehrer; ein Spanienaufenthalt schloß die Ausbildung ab. Ihr Debut in London am 3. 6. 1843 als „span. Tänzerin Lola Montez" – eine geschickte Anknüpfung an das europaweite Spanienfaible seit dem Erscheinen von Prosper Merimées Roman „Carmen" – fand jedoch weniger Beachtung als die Zeitungsberichte über ihre seit dieser Zeit behauptete span. Herkunft. Die in Dresden und Berlin gefeierte Tänzerin wurde wegen ihrer bei ihren Warschauer Auftritten für die nationalpoln. Partei bekundeten Sympathien des Landes (Rußland) verwiesen; ähnlich erging es ihr in Berlin und Baden-Baden. Die Auftritte der blendend schönen, weniger durch ihre tänzerische Begabung als durch ihre außergewöhnliche Ausstrahlung auffallenden und jede Konvention mißachtenden jungen Frau machten auf der Bühne wie in der Gesellschaft gleichermaßen Furore. Von hohen Gönnern protegiert, unternahm sie Tourneen bis St. Petersburg und Konstantinopel. 1843 lernte sie in Dresden Franz Liszt kennen, 1844 begleitete sie ihn nach Paris, wo sich beider Wege trennten. Im März 1845 verließ sie Paris nach einer Affäre wegen eines Duells, bei dem ihr Geliebter Dujarier, der Herausgeber von „La Presse", den Tod fand.

Im Oktober 1846 trat M. in München auf, wo sich Kg. Ludwig I. heftig in sie verliebte. Die öffentliche Meinung nahm Anstoß an dem herausfordernd machtbewußten und die bürgerlichen Maßstäbe von Sittlichkeit sprengenden Auftreten M.s („Je suis la maitresse du Roi"). Ludwigs Autokratismus steigerte sich angesichts der einmütig von allen Seiten geäußerten Verurteilung seiner Verbindung zu der „bayer. Pompadour". Die schon seit längerer Zeit schwelende Regierungskrise kam zum Ausbruch, als der König zur Vorbereitung der Erhebung M.s zur Gräfin Landsfeld ihre Einbürgerung (Indigenat) forderte und das Gesamtministerium Abel im Februar 1847 demissionierte. Dem liberalen „Ministerium der Morgenröte" Maurer/Zu Rhein folgte bereits im Herbst das sog. „Lola-Ministerium" Oettingen-Wallerstein/Berks, das trotz rigorosen Eingreifens seitens des Königs die Opposition nicht mehr dämpfen konnte. Nach Straßenschlägereien zwischen rivalisierenden studentischen Verbindungen – den M. ergebenen Alemannen („Lolamannen") und Lola-Gegnern –, der Schließung der Universität, Insultationen des Königs auf offener Straße und immer heftigeren Tumulten mußte sich Ludwig I. bereitfinden, die Universität wieder zu öffnen und am 12. 2. 1848 die Abreise M.s zu verfügen. Diese „tiefgreifende Erschütterung des monarchischen Prinzips" (H. H. Hofmann) führte unmittelbar in die Märzrevolution und zur Abdankung des Königs.

M. floh in die Schweiz, wo sie vergeblich auf ihre Rückberufung hoffte. Ihre Münchner Episode avancierte bald zum Theater- und Revuestoff: Kurz nach ihrem Eintreffen in London Anfang 1849 kündigte der Covent Garden ihren Auftritt in dem später zurückgezogenen Drama „Lola Montez ou la Comtesse pour une heure" an. Während ihrer Reisen durch Nordamerika, Australien und Frankreich (1851–55) spielte, tanzte und sang M. ihr eigenes Schicksal in der erfolgreichen Revue „Lola in Bavaria". Um dem Urteil eines 1849 nach ihrer zweiten Eheschließung von der Verwandtschaft ihres Mannes angestrengten Bigamieprozesses zu entgehen, floh M. zunächst auf den Kontinent, zwei Jahre später verließ sie nach dem Scheitern dieser Ehe, aus der zwei Kinder hervorgegangen sein sollen, Europa. 1853 heiratete sie einen amerikan. Journalisten, der noch im selben Jahr starb. 1856 unternahm sie ihre letzte, wenig beachtete Europatournee. In den folgenden Jahren trat M. als Schriftstellerin und Vortragsrednerin für die Emanzipation der Frau auf und war schließlich, nun die bekehrte Methodistin Eliza Gilbert, als aktive Sozialarbeiterin für gefallene Mädchen in New York tätig. Dort starb sie, nach schwerer Krankheit halbseitig gelähmt.

Der Flut von Zeitzeugnissen, Memoiren, Briefen und Presseberichten ungeachtet, entziehen sich das abenteuerliche Leben und die schillernde Persönlichkeit M.s der objektiven Betrachtung. Unstrittig erscheinen die bezaubernde Schönheit und ihre Anziehungskraft auf die Männerwelt. Als Tänzerin und Abenteurerin, leichtsinnige Glücksspielerin und Kurtisane, geistreiche, sprachgewandte „Dame mit der Peitsche" und Vorkämpferin der Selbstbestimmung der Frau gehört M. zu den wenigen Frauen des Biedermeier, die bis heute im populären Bewußtsein geblieben sind.

W Abenteuer d. berühmten Tänzerin, Von ihr selbst erzählt, 1847 *(aus d. Franz., nicht authentisch)*; Memoiren, hrsg. v. A. Papon, 1849; Memoiren d. L. M., 1851; Countess of Landsfeld, The Arts of Beauty, or, Secrets of a Lady's Toilet, With Hints to Gentlemen on the Art of Fascinating, 1858; Lectures of L. M. (Countess of Landsfeld), Including her Autobiography, 1858; Anecdotes of Love: Being a true Account of the Most Remarkable Events Connected with the History of Love, in All Ages and Among all Nations, 1858 (franz. 1862 u. ö., dt. Übers. d. Vorträge: Blaues Blut, Hdb. d. Noblesse, v. E. M. Vacano, 1864); Memoiren d. L. M. (Gfn. v. Landsfeld), hrsg. u. mit e. Nachwort versehen v. K. Wilhelms, ²1986; Ludwig I. – L. M., d. Briefwechsel, hrsg. v. R. Rauh u. B. Seymour, 1995 *(P)*.

L E. B. d'Auvergne, L. M., An Adventuress of the Forties, 1909, ⁴1925; F. Bac, Louis I de Bavière et L. M., 1928; H. Wyndham, The Magnificent M., From Courtesan to Convert, 1936; A. Augustin-Thierry, L. Montès, Favorite royale, 1936; C. C. Burr, Autobiography and Lectures of L. M.; K. A. v. Müller, Am Rande d. Gesch., 1957, ²1958, S. 89–116; I. Ross, The Uncrowned Queen, Life of L. M., 1972; W. L. Kristl, Unsterbl. Lola? Bücher von u. üb. L. M., in: Börsenbl. f. d. dt. Buchhandel, Frankfurt, Nr. 25 (30. 3. 1973), A 97-A 106; ders., Lola, Ludwig u. d. Gen., 1979; G. Hojer, Die Schönheitsgal. Kg. Ludwigs I., 1979, ²1983 *(P)*; R. B. Greenblatt, L. M., Auf d. Suche nach Unabhängigkeit, Erfolg u. Liebe, in: Sexualmed., 1981, H. 9, S. 362 ff.; W. Pulz, L.-M.-Darstellungen als Indikator f. Sexualstrukturen im bayer. Alltagsleben d. Mitte d. 19. Jh., in: Oberbayer. Archiv 107, 1982, S. 303–30; H. Gollwitzer, Ludwig I. v. Bayern, 1986, S. 668–705; K.-J. Hummel, München in d. Rev. v. 1848/49, 1987; G. Barche, Jenseits d. biedermeierl. Moral, Abenteuer Emanzipation: L. M. u. Lady Digby, in: Biedermeiers Glück u. Ende, Ausst.kat. München 1988, S. 181–85; R. Rauh, L. M., in: Münchner Stadtanz. v. 21. 11. 1991 ff.; – *Romane:* E. Pottendorf, L. M., Die span. Tänzerin, 1955; N. Holland, L. M., Der König u. d. Tänzerin, 1988; T. E. Harré, The Heavenly Sinner, The Life and Loves of L. M., o. J.

P Ölgem. v. W. v. Kaulbach, 1847/48 (München, Stadtmus.), u. Joseph Karl Stieler, 1847 (München, Schloß Nymphenburg, Schönheitsgal.); Gipsbüste d. Maria Gfn. Landsfeld v. J. Leeb, 1847 (München, Bayer. Staatsgem.slgg., Wittelsbacher Ausgleichsfonds); Phot. in: C. Recht, Die dt. Phot., 1931.

Ina Ulrike Paul

Montfort, Grafen v. (kath.)

Anfänge

Die um 1160 ausgestorbenen Grafen von Bregenz wurden von Pfalzgraf Hugo von Tübingen (um 1130–82, s. NDB X, verheiratet mit Elisabeth, Tochter d. letzten Grafen von Bregenz) beerbt, wobei allerdings erhebliche Teile der Erbschaft in stauf. Besitz übergingen. Nach dem Tode des Pfalzgrafen († 1182) teilten dessen Söhne um 1200 das Erbe so, daß der ältere *Rudolf* den Tübinger Besitz erhielt, der jüngere *Hugo* das verkleinerte Bregenz-Erbe einschließlich Unterrätien. Nach der um 1200 entstandenen Burg „Montfort" (Altmontfort bei Weiler, Bez. Feldkirch) benannte sich Hugo als Graf v. Montfort. Das neue Geschlecht erhielt auch durch Farbabscheidung ein neues Wappen: die rote Kirchenfahne in goldenem Schild (anstelle der Tübinger goldenen Fahne in rotem Schild). Zugleich verlegte Hugo I., „der Gründer", den Herrschaftsmittelpunkt von Bregenz in die von ihm gegründete Stadt Feldkirch. Mit der Stiftung einer Johanniterkommende in Feldkirch 1218 förderte er den Verkehr über den Arlberg und schuf die ersten Ansätze für den Aufbau einer Territorialherrschaft in Vorarlberg.

Aus seiner 1. Ehe mit Mechtild v. Schnabelburg hatte Hugo I. die Söhne *Hugo II.* und *Rudolf I.,* aus der 2. Ehe mit Mechtild v. Wangen (?) *Heinrich* und *Friedrich.* Letztere wurden für den geistlichen Stand bestimmt. Heinrich († 1272) wurde Dominikaner, päpstlicher Pönitentiar und 1251 Bischof von Chur, Friedrich Domherr in Chur und Konstanz sowie Pfarrer von Bregenz. Die beiden älteren Söhne, von denen sich Rudolf I. später nach seinem Sitz von Werdenberg benannte, lösten den 1228 verstorbenen Vater in der Herrschaft ab. Hugo II. war ein entschiedener Anhänger Kaiser Friedrichs II. und der stauf. Politik. Zu seinen Dienstmannen zählt der Dichter Rudolf von Ems (1200–54), dessen „Weltchronik" die Staufer zu rechtfertigen suchte. Um 1258 kam es zur 1. Montforter Teilung: die Söhne Hugos II. übernahmen die Stammlande zwischen Feldkirch und Bregenz, die Söhne Rudolfs I. die südlichen Landesteile, wo sie um 1265 zwei neue Städte, Bludenz und Sargans, gründeten. Die Söhne Hugos II. teilten um 1270 das väterliche Erbe und gründeten drei neue Linien der Grafen von Montfort: *Rudolf II.* († 1302) erhielt Feldkirch, *Ulrich I.* († 1287) Bregenz, *Hugo III.* († 1309) Tettnang. Von den jüngeren Brüdern wurde *Friedrich* († 1290) Bischof von Chur (1283) und *Wilhelm* Abt von St. Gallen (1281–1301); *Heinrich* († 1307) wurde Dompropst zu Chur. Sie alle verfolgten eine gemeinsame Politik gegen die Habsburger, mit der sie 1298 in der Schlacht bei Göllheim scheiterten.

Die Linie Montfort-Feldkirch (bis 1390)

Rudolf II. († 1302) behauptete mit der Gfsch. Feldkirch den besten Teil des väterlichen Erbes. Der frühe Tod seines Erben *Hugo IV.* († 1310) brachte dessen geistliche Brüder *Rudolf III.* († 1334) und *Ulrich II.* († 1350), von denen letzterer wieder weltlich wurde, an die Regierung. Beide hatten in Bologna studiert und stärkten die Rechte der Bürger von Feldkirch (1311 Siegelrecht, 1312 Bewidmung mit Lindauer Stadtrecht), in denen sie bei den Auseinandersetzungen mit ihren Ministerialen neue Partner fanden. Zugleich förderten sie die Einwanderung der Walser. Rudolf III. war wohl der bedeutendste Vertreter seines Geschlechtes: Er wurde 1283 Domherr zu Chur, 1308 Pfarrer von Tirol bei Meran, 1310 Generalvikar von Chur, 1322 Bischof von Chur (bis 1325) und Konstanz und 1330/33 Administrator von St. Gallen. Er legte den Grund für die prohabsburgische Politik seiner Familie, derzufolge später die gesamten Montforterlande in österr. Besitz übergingen. Die Reichspolitik führte ihn in Gegensatz zum Papst; 1334 starb er im Kirchenbann. Sein Bruder Ulrich II. († 1350) schloß 1337 einen ewigen Bund mit den Herzögen von Österreich. Seine lange Regierungszeit brachte ihn seit 1343 in einen Konflikt mit den Söhnen Hugos IV., die ihn zum Verzicht zwangen. Als Herr von Feldkirch setzte sich schließlich *Rudolf IV.* († 1375) durch, mit dessen Sohn *Rudolf V.* († 1390) die Feldkircher Linie ihr Ende fand. Der als Dompropst zu Chur wieder weltlich gewordene Rudolf V. verkaufte 1375 die Grafschaft auf Ableben an Österreich, dessen Vögte 1379 in Feldkirch einzogen. Die Zustimmung der Bürger erkaufte er sich durch den großen Freiheitsbrief von 1376; großzügige Stiftungen und eine rege Bautätigkeit sicherten ihm bis heute große Popularität.

Die ältere Linie Montfort-Bregenz (bis 1338)

Ulrich I. († 1287) erbte Bregenz, doch starb schon mit seinem Sohn *Hugo V.* († 1338) diese Linie wieder aus und wurde von der älteren Tettnanger Linie beerbt. Durch die Aufnahme eines Löwen in sein Wappen hatte Hugo V. die Eigenständigkeit der Bregenzer Linie besonders betont (und damit möglicherweise an ältere Bregenzer Tradition angeknüpft).

Die ältere Linie Montfort-Tettnang (bis 1574)

Hugo III. († 1309) konnte die von ihm geerbte Grafschaft durch verschiedene Erwerbungen (Scheer, Argen) ausbauen und 1297/1304 kgl. Stadtrechtsprivilegien für Tettnang erlangen. Sein Sohn *Wilhelm II.* († 1354), zeitweise Statthalter über Mailand, brachte es zu großem Reichtum und setzte die aktive Territorialpolitik seines Vaters fort (1322 Erwerb der Herrschaft Rothenfels, 1338 auch der Gfsch. Bregenz). Nach seinem Tod teilten seine Söhne das Erbe: *Heinrich IV.* († 1408) erhielt Tettnang, *Wilhelm III.* († 1373) Bregenz (und begründete dort eine neue Linie, s. u.). Heinrich diente als Ritterführer in Florenz. Er gründete Immenstadt und erwarb 1386 Wasserburg, 1399 Oberstaufen sowie 1401 die Pfandschaft über Werdenberg. Über seine

Ehe mit Adelheid, einer Tochter Gf. Johannes II. v. Habsburg-Laufenburg, pflegte er ein gutes Verhältnis zu Österreich. Er stiftete das Hauskloster Langnau (mit der Grablege dieser Linie).

Seine Söhne *Rudolf VI.* († 1425) und *Wilhelm V.* († 1439) teilten das väterliche Erbe. Da Rudolf unverheiratet war, wurde Wilhelm, der in Wien studiert hatte und in Augsburg Domherr war, nach Rückkehr in den weltlichen Stand an der Mitregierung beteiligt. 1404 heiratete er Kunigunde v. Werdenberg. 1437 erwarb er die Gerichte im Prätigau, die von Werdenberg aus verwaltet wurden. Wilhelm war österr. Rat, befand sich aber auch im Burgrecht mit Zürich, Schwyz und Glarus und spielte auf dem Konstanzer Konzil und in der Reichspolitik eine große Rolle. 1437 erhielt er die Rotwachsfreiheit.

Nach dem Tod Wilhelms V. zerschlugen seine Söhne den Besitz in drei Teile: *Heinrich VI.* († 1444) erbte den Besitz in Rätien mit Werdenberg (dieser ging später über seinen leprakranken Sohn *Wilhelm VIII.* († 1483) und dessen verschwenderische Ehefrau Klementa von Hewen dem Haus Montfort verloren, nachdem deren Machtstellung dort ohnehin bereits stark reduziert gewesen war). *Ulrich V.* († 1495) erbte Tettnang, *Hugo XIII.* († 1491), zunächst gemeinsam mit *Rudolf VII.* († 1445), Rothenfels, Argen und Wasserburg. Da der Tettnanger Zweig mit *Ulrich VII.* († 1520), dem Sohn Ulrichs V., ausstarb, wurde dieses Gebiet mit dem Rothenfelser Besitz wieder vereinigt und blieb auch in der Folge unter *Johann I.* († 1529) und *Hugo XV.* († 1519), den Söhnen Hugos XIII., ungeteilt. Die Söhne Hugos XV. machten im Reichsdienst oder unter den Habsburgern Karriere, so daß der Besitz *Hugo XVI.* († 1564) verblieb. Der humanistisch gebildete Hugo XVI. trat ebenfalls als Diplomat hervor, u. a. auf dem Konzil von Trient. Er war ein eifriger Verfechter der Gegenreformation und begründete in seinen Landen den Kult des hl. Johannes von Montfort (eines 1218 gefallenen franz. Ritters, den man aber für das eigene Haus reklamierte). Mit Hugos XVI. kunstsinnigem Sohn *Ulrich IV.* († 1574), der ebenfalls studiert hatte und als Diplomat wirkte, erlosch die Tettnanger Linie. Der Besitz ging an die steir. Linie des Hauses Montfort-Tettnang-Bregenz über.

Die neuere Linie Montfort-Tettnang-Bregenz (bis 1536)

Bregenz fiel nach dem Tod Wilhelms II. von Montfort-Tettnang, der es 1338 übernommen hatte, bei der Erbteilung an seinen Sohn Wilhelm III. († 1373). 1379 teilten dessen Söhne *Konrad* († 1399) und der berühmte Minnesänger *Hugo XII.* († 1423, s. NDB X) die Gfsch. Bregenz. Konrads Sohn *Hugo XIV.* († 1444) erwarb sich große Verdienste als oberster Meister der Johanniter in Deutschland durch den Ausbau zahlreicher Kommenden. Sein Bruder *Wilhelm VII.* († 1422) erbte den südlichen Teil der Gfsch. Bregenz, den dessen Tochter *Elisabeth* 1451 an Österreich verkaufte. Die Nachkommen Hugos XII., der durch Heirat einen großen Besitz in der Steiermark erwarb, behaupteten den nördlichen Teil noch über vier Generationen. 1523 verkaufte ihn *Hugo XVII.* († 1536) an Österreich. Sein Bruder *Georg III.* († 1544) erhielt die steir. Besitzungen.

Die Linie Montfort-Bregenz-Peckach-Tettnang

Georg III. († 1544), verheiratet mit einer illegitimen Tochter Kg. Sigmunds I. v. Polen, sollte zum Stammvater der jüngeren Tettnanger Linie werden. Nach dem Aussterben der älteren Tettnanger Linie 1574 wurde den Söhnen seines Sohnes *Jakob* († 1573) die Gfsch. Tettnang übertragen. Unter ihnen ragen *Johann VI.* († 1619) und *Georg IV.* († 1590) besonders heraus. Da schon die letzten Tettnanger Grafen bedeutende Schulden hinterlassen hatten, mußten sie ihre steir. Besitzungen verkaufen. Gleichwohl sollte es den Grafen nie mehr gelingen, sich gänzlich von ihren Schulden zu befreien. Der 30jährige Krieg beschleunigte diese Entwicklung ebenso wie der anspruchsvolle Lebensstil der Grafen (Anwesenheit bei Hofe, repräsentative Schloßbauten). *Hugo XVIII.* († 1662) führte das Erstgeburtrecht ein, um einer Zersplitterung des Besitzes vorzubeugen. Ihm folgten mit *Johann VIII.* († 1686), *Anton III.* († 1733) und *Ernst* († 1755) pracht- und kunstliebende Grafen. Unter *Franz Xaver* († 1780) war schließlich der Konkurs nicht mehr aufzuhalten. Österreich übernahm mit den Schulden die Grafschaft Tettnang. Mit Graf *Anton IV.*, der nur mehr bescheiden als Privatmann in Tettnang lebte, starb 1787 das Geschlecht aus.

L J. N. Vanotti, Gesch. d. Grafen v. M. u. v. Werdenberg, 1845 (Nachdr. 1988 mit neuer Bibliogr.); O. K. Roller, Grafen v. M. u. v. Werdenberg, in: Genealog. Hdb. z. Schweizer Gesch. 1, 1900/08, S. 145–234; P. Diebolder, Wilhelm v. M.-Feldkirch, Abt v. St. Gallen (1281–1301), in: 83. Neujahrsbl., St. Gallen 1943, S. 3–23; O. Baumhauer, Hugo d. erste Gf. v. M., in: Montfort 8, 1956, S. 219–36; B. Bilgeri, Gesch. Vorarlbergs, 3 Bde., 1971–77; U. Affentranger, Heinrich III. v. M., Bischof v. Chur (1271–72), in: Bündner. Monatsbl. 1977, S. 209–40; K. H. Burmeister, Gf. Hugo v. M.-Bregenz († 1536), in: Siedlung, Markt u. Wirtsch., FS Fritz Posch z. 70. Geb.-tag, 1981, S. 189–202; ders., Hugo VI. v. M. (1269–1298), Propst v. Isen, erwählter Bischof v. Chur, in: Gesch. u. Kultur Churrätiens, FS f. Pater Iso Müller OSB zu seinem 85. Geb.tag, 1986, S. 389–408; ders., Gf. Hugo XIV. v. M.-Bregenz, Oberster Meister d. Johanniterordens in dt. Landen (1370–1444), in: Jahrheft d. Ritterhausges. Bubikon 51, 1987, S. 17–39; ders., Rudolf III. v. M. (1260–1334), Bischof v. Chur u. Konstanz, in: Rottenburger Jb. f. KGesch. 8, 1989, S. 95–109; ders., Die Grafen v. M.-Tettnang als Schloßherrn v. Werdenberg, in: Werdenberger Jb. 4, 1991, S. 15–30; ders., Gf. Hugo I. v. M., Zur Gründungsgesch. d. Stadt Feldkirch, in: Montfort 44, 1992, S. 63–79; Die Grafen v. M., hrsg. v. Vorarlberger Landesmus., 1982; Die Montforter, Ausst.kat. d. Vorarlberger Landesmus. 103, 1982; W. P. Liesching, Die Wappengruppe mit d. Kirchenfahne, in: Der Herold 27, 1984, S. 8–15; Gesch. d. Stadt Feldkirch, hrsg. v. K. Albrecht, 2 Bde., 1985/87; Hugo v. M., Einführung z. Faksimile d. Codex Palatinus Germanicus 329 d. Univ. Heidelberg, 1988; R. Weiss, Die Grafen v. M. im 16. Jh., 1992; HBLS; LMA.

P A. Pfaff-Stöhr, Die Bildnisse d. Grafen v. M., in: Die Grafen v. M., 1982, S. 43–64.

Karl Heinz Burmeister

Montgelas, de Garnerin de la Thuille, Grafen v. (kath.)

Seit dem 16. Jh. erscheinen Mitglieder der Familie Garnerin im Hzgt. Savoyen als Beamte, Offiziere und Kleriker. Die Mutter des hl. Franz v. Sales (1567–1622) war eine Garnerin. Die gesicherte Reihe beginnt mit Jean-François de Garnerin († 1657), Seigneur de la Thuille, 2. Präsident der Rechnungskammer, Staatsrat und Senatspräsident von Chambéry. Sein Enkel Sigismond de Garnerin (1670–1756), Seigneur de Montdragon et de la Thuille, Offizier im Regiment de la Tour, kam durch die Heirat mit Anne Françoise de Barillet in den Besitz der Seigneurie de Montgelas, nach welcher er sich, in den Freiherrnstand erhoben, benannte. Sigismonds Sohn *Janus* (1710–67) trat als Offizier in kaiserl., 1742 in kurbayer. Dienste und wurde 1760 Generalmajor. Verschiedentlich wurde er auch mit diplomatischen Missionen betraut (s. L). Sein Sohn *Maximilian* (1759–1838) gilt als Bayerns größter Staatsmann (s. u.). 1809 wurde er in den Grafenstand erhoben und zum erblichen Reichsrat der Krone Bayern ernannt. Er errichtete ein Fideikommiß mit den Herrschaften Egglkofen, Aham und Gerzen. Seine Söhne *Maximilian* (1807–70), verheiratet mit einer engl. Adeligen, und *Ludwig* (1814–92), verheiratet mit einer Tochter des Reichstagsabgeordneten Maximilian Gf. v. Seinsheim (1811–85), begründeten mit ihren jeweils drei Söhnen die beiden Linien der Familie.

Das Fideikommiß und der Sitz im Reichsrat gingen von Maximilian auf dessen gleichnamigen Sohn (1837–84) und den Enkel *Joseph* (1870–1921), beide Offiziere in der bayer. Armee, über. Josephs Sohn *Emmanuel* (1903–69), auf Egglkofen, Aham und Gerzen, adoptierte 1969 seinen Neffen *Rudolf Konrad* (*1939), Sohn des Würzburger Staatsrechtlers Friedrich August Frhr. v. der Heydte (1907–94). Dieser Familienzweig blüht indes weiter in den vier Söhnen von Emmanuels Bruder *Joseph* (1919–86), auf Gerzen, Dipl.-Forstwirt: u. a. in dem Rechtsanwalt *Max Joseph* (* 1947), auf Gerzen, und in dem Tierarzt *Albert* (* 1950). – Anders der von *Hugo* (1844–85) ausgehende Zweig: Sein gleichnamiger Sohn (1866–1916), württ. Oberstallmeister und preuß. Oberstleutnant, der mit einer Tochter des preuß. Landwirtschaftsministers Clemens Frhr. v. Schorlemer (1856–1922) verheiratet war, hatte keine männlichen Nachkommen. – Maximilians Sohn *Eduard* (1854–1916) trat in den auswärtigen Dienst Bayerns ein. Nach Stationen in Rom, Bern und Wien wurde er 1903 Gesandter in Dresden, seit 1911 im Rang eines Staatsrates (s. Schärl). Eduards Sohn *Franz* (1882–1945), Architekt, wurde im Zusammenhang mit dem gescheiterten Attentat vom 20. Juli 1944 hingerichtet. *Paul* (1886–1968) war Korvettenkapitän, dessen Sohn *Thassilo* (1918–92) Geschäftsführer des Verbands der Aluminiumverarbeitenden Industrie. Eduards dritter Sohn *Albrecht* (1887–1958), Dr. iur., absolvierte eine Bankausbildung in Dresden und New York. In Amerika wandte er sich als Kunst- und Literaturkritiker dem Journalismus zu. 1923 wurde er England-Korrespondent der Vossischen Zeitung, für die er u. a. den ersten Zeppelin-Weltflug mitmachte. 1933 mußte er aus politischen Gründen seine journalistische Tätigkeit einstellen, blieb aber als Vertreter einer Nürnberger Brauerei in London, wo er 1939 interniert wurde. 1949–55 war er außenpolitischer Redakteur des „Münchner Merkur" (s. *W, L*). Seine Frau *Margarete* (1894–1976), Dr. rer. pol., Tochter des Görlitzer Oberbürgermeisters Georg Snay (1862–1930), betätigte sich als Übersetzerin, seine Cousine *Elisabeth* (1873–1945) als Verfasserin von Tiergeschichten (s. *W*).

Ludwig (1814–92), Begründer der 2. Linie, schlug ebenfalls die diplomatische Laufbahn ein. Nach Stationen in Paris, Stuttgart, Karlsruhe, Berlin, St. Petersburg, Dresden und Hannover war er 1854–70 bayer. Gesandter in Berlin, dazwischen 1858–60 in St. Petersburg (s. *W*; Schärl). Sein Sohn *Maximilian* (1860–1938) trat 1879 in die bayer. Armee ein. 1900 war er Bataillonskommandeur im Ostasiat. Expeditionskorps, 1901–03 Militärattaché in Peking, 1910–12 Oberquartiermeister im Großen Generalstab, 1912–15 schließlich Kommandeur der 4. bayer. Infanteriedivision. Nach dem 1. Weltkrieg wurde er zusammen mit dem Völkerrechtler Walter Schücking vom Auswärtigen Amt beauftragt, „Die deutschen Dokumente zum Kriegsausbruch 1914" herauszugeben (1919 ff.). Er wandte sich vehement gegen den seiner Meinung nach ungerechten Versailler Friedensvertrag und den Vorwurf, Deutschland trage die Hauptschuld am Kriegsausbruch (s. *W, L*). Seine Frau *Pauline* (1874–1961), Tochter des österr.-ungar. Botschafters in Rom, Felix Gf. v. Wimpffen (1827–82), betätigte sich ebenfalls schriftstellerisch. Vor dem 1. Weltkrieg nahm sie hohe Funktionen im Kath. Deutschen Frauenbund wahr, danach wurde sie Vorsitzende der Kommission für Volkstumsarbeit (s. *W*). – Auch Ludwigs 2. Sohn *Theodor* (1862–1938), verheiratet mit einer Tochter des Regierungspräsidenten von Mittelfranken Hugo Frhr. v. Herman (1817–90), und sein Enkel *Ludwig* (1907–82), verheiratet mit einer Tochter des Prinzen Friedrich v. Hanau (1864–1940), wählten die militärische Laufbahn. *Tassilo* (* 1937), verheiratet mit einer Tochter des Fürsten Carl v. Wrede (1899–1945), ist Justitiar bei der Allianz Versicherungs-AG. Während der erste Familienzweig dieser Linie schon mit Maximilian ausstarb, lebt der zweite in *Philipp* (* 1969) und *Clemens* (* 1976) weiter. – Ludwigs 3. Sohn *Adolf* (1872–1924), deutscher Gesandter in Mexiko, heiratete eine Amerikanerin. Seine beiden Söhne, die Kaufleute *Karl-Maximilian* (* 1909) und *Rudolf* (* 1913), ließen sich in den USA nieder.

W zu Ludwig (Hrsg.): Denkwürdigkeiten d. bayer. Staatsministers Maximilian Gf. v. M. (1799–1817) im Auszug aus d. franz. Original übers. v. Max Frhr. v. Freyberg-Eisenberg, 1887. – *Zu Albrecht:* Die rel. Erziehung d. Kinder aus gemischten Ehen im Kgr. Sachsen, Diss. Leipzig 1911; Abraham Lincoln, Präs. d. Vereinigten Staaten v. Nordamerika, 1925; Abraham Lincoln, Die schöpfer. Kraft d. Demokratie, 1947, ²1949; Wilhelm Hoegner, Eine Lebensbeschreibung, 1957 (mit C. Nützel). – *Zu Maximilian († 1938):* Bttr. zur Volksbundfrage, 1919; Glossen z. Kautsky-Buch, 1920; Zur Vorgesch. d. Weltkrieges, 1921; Zur Schuldfrage, Eine Unters. üb. d. Ausbruch d. Weltkrieges, 1921; Franz.-dt. Diskussion üb. d. Kriegsursachen u. üb. d. Wiederaufbau Europas, 1922 (mit E. Renauld u. H. Lutz); Die Folgen d. Friedensverträge f. Europa, 1922 (mit F. Klein); Leitfaden z. Kriegsschuldfrage, 1923 (²1929 u. d. T. Leitsätze z. Kriegsschuldfrage); Ursprung u. Ziel d. franz. Einbruchs in d. Ruhrgebiet, 1923; Les responsabilités de la guerre, Un plaidoyer allemand, 1924; Die Sicherheitsfrage, 1925 (mit K. Linnebach); Rußland u. d. Weltkonflikt, 1927; British Foreign Policy under Sir Edward Grey, 1928; Die drei Invasionen Frankreichs, 1923 (auch franz., engl.); Frankreichs Rüstung, 1932; Gesch. d. Weltkriegs (Propyläen-Weltgesch. X), 1933. – *Zu Pauline:* Ostasiat. Skizzen, 1905; Bilder aus Südasien, 1906; Von Frankreichs Seele u. Form, 1925; Zeitenwende, Briefe an e. Freund in Ostasien, 1926; Zeit- u. Streitfragen d. Gegenwart, 1926; Ein Frauenleben aus d. alten Europa – Charlotte Lady Blennerhassett, 1926. – *Zu Elisabeth:* Tiergeschichten, 1922; Vom Umgang mit Tieren – Hunde u. Pferde, 1922; Ein Besuch b. d. Löwengräfin, Zwiegespräch üb. Tiere u. Menschen, 1925; Exot. Wildtiere in Gefangenschaft, 1925.

L P. Guichonnet, Une famille savoyarde au service de la Bavière: les M., in: Mémoires de l'Académie des Sciences, Belles-Lettres et Arts de Savoie, 7. série, V, 1991, S. 75–105 (*P* v. Janus, Maximilian † 1838, Maximilian † 1938). – *Zu Janus:* ADB 22; E. Weis, Montgelas' Vater: Janus Frhr. v. M. (1710–1767), bayer. General u. Diplomat, in: ZBLG 26, 1963, S. 256–322 (*P*). – *Zu Albrecht:* W. Kiaulehn, Ein Leben f. d. Ztg., in: Münchner Merkur Nr. 160, 1958; BHdE II. – *Zu Maximilian († 1938):* G. Demartin, Qui est Montgelas?, 1921; Kosch, Biogr. Staatshdb., 1963.

Franz Menges

Maximilian Joseph, bayer. Staatsmann, * 12. 9. 1759 München, † 14. 6. 1838 ebenda.

V Janus de Garnerin Frhr. v. M. (1710–67, s. Einl.); *M* Maria Ursula Gfn. v. Trauner (1720–60), *T* e. GR d. Fürstbischofs v. Freising, bis 1754 Kammerdame d. Kfn. Maria Anna (1728–97); *Stief-M* Auguste Freiin v. Schönberg († 1805), Oberhofmeisterin d. Kfn.-Witwe Maria Anna; *Schw* Maria Josepha (1757–1827), Kammerdame d. Kfn.-Witwe Maria Leopoldine v. Bayern; – ∞ München 1803 Ernestine (1779–1820), *T* d. ehem. Sprechers d. Bayer. Landschaft Ignaz Gf. v. Arco (1741–1812, s. NDB I) u. d. Rupertine Gfn. v. Trauner; 3 *S*, 5 *T*, u. a. Karoline (1804–60, ∞ Max Frhr. v. Freyberg, 1789–1851, Min.rat, Vorstand d. Reichsarchivs, s. NDB V), Maximilian (1807–70), Reichsrat, Dir. d. Bayer. Hypotheken- u. Wechselbank, Ludwig (1814–92), bayer. Gesandter in Hannover, dann in St. Petersburg.

Nachdem M. seine Eltern bereits als Kind verloren hatte, wurde er bei der Großmutter im fürstbischöflichen Freising, seit 1764 in einem Kolleg der Jesuiten in Nancy erzogen. 1766 fiel Lothringen mit der Hauptstadt Nancy endgültig an Frankreich; die Jesuiten wurden, wie bereits 1764 in Frankreich, enteignet und vertrieben. In Nancy und während seines folgenden Studiums der Rechte in Straßburg nahm M. den Geist der franz. Aufklärung in sich auf. Nach einem vorzüglichen juristischen Examen an der bayer. Landesuniversität Ingolstadt trat er 1777, 18jährig, nach Ablegung der Proberelation als Hofrat in den Dienst des bayer. Kurfürsten ein. Drei Monate später starb sein Gönner und Pate, Kf. Max III. Joseph. Zunächst setzte sich M.s Aufstieg unter dem neuen Kurfürsten Karl Theodor fort, der im Gegensatz zu seinen späteren Jahren am Anfang seiner bayer. Zeit Reformen plante. Wie ein Dokument zeigt, arbeitete der 19jährige Hofrat M. 1778 zusammen mit zwei Vorgesetzten bereits an einem Projekt zur sofortigen Ablösung der Grundherrschaft mit Hilfe von Hypothekenbanken und zur Überlassung auch des Obereigentums an die Bauern – das Untereigentum hatten sie bereits großenteils. Sechs Jahre war M. als unbesoldeter Hofrat vor allem im bayer. Zensurkollegium tätig. Erst sehr spät merkte Kf. Karl Theodor, daß seine Zensurräte, geistliche wie weltliche, nicht auftragsgemäß die Bücher der Aufklärung verboten, sondern diese förderten, dagegen aber antiaufklärerische Schriften aus dem Verkehr zogen. Schließlich kam auch heraus, daß die meisten Angehörigen dieser Zensurbehörde Mitglieder des 1784 aufgedeckten Illuminatenordens waren, darunter auch M. Dieser wurde zwar nicht verfolgt, aber da er keine Aussicht auf eine besoldete Stelle im bayer. Staatsdienst hatte, verließ er Bayern und trat 1786 in den Dienst des Hzg. Karl II. August von Pfalz-Zweibrücken. Von hier aus wirkte M. daran mit, die Tauschpläne Karl Theodors zu verhindern. Am Hof Karls II. August, des voraussichtlichen Erben des Kurfürstentums Pfalz-Bayern, wurden bereits damals unter Mitwirkung M.s Reformpläne für eine zukünftige Erneuerung Bayerns entworfen. Als die Franzosen 1793 Zweibrücken besetzten, blieb M. nach der Flucht Karls als hzgl. Beamter zurück, um zwischen den fremden Truppen und der Bevölkerung zu vermitteln. Dies brachte ihn in den Ruf eines Jakobiners. Bei Karl II. fiel er in Ungnade, nachdem er sich unter Rettung des hzgl. Archivs nach Mannheim durchgeschlagen hatte. Nach Karls Tod stellte dessen Bruder und Nachfolger Max Joseph 1796 M. als politischen Berater ein und nahm ihn 1799 mit nach München, als er die Regierung des Kurfürstentums Pfalz-Bayern antrat. Mit Empfehlung Preußens, gegen den Wunsch Frankreichs, erhielt M. in München 1799 das wichtigste Ministerium, das des Äußeren, von dem aus er bis 1817 die gesamte Regierungstätigkeit lenkte bzw. kontrollierte. 1806–17 war er außerdem Innen-, 1803–06 und 1809–17 auch Finanzminister.

Das Denken M.s war nicht, wie man früher meinte, durch das Illuminatentum geprägt, das ja kein politisches und soziales Programm gehabt hatte. Die Aufklärung, das bayer. Staatskirchenrecht aus der Zeit Max III. Joseph, vor allem aber die Franz. Revolution sowie die Reformen des Konsulats und des Empire hatten ihn beeindruckt. M. bejahte, wie die meisten bekannten Vertreter der deutschen Intelligenz, die frühen Grundsätze der Revolution, die Menschen- und Bürgerrechte und die konstitutionelle Monarchie, aber er lehnte den seit 1792 wachsenden Terror und die Absetzung und Hinrichtung des Königs entschieden ab. In dieser Zeit befestigte sich M.s Überzeugung, die er mit den späteren preuß. Reformern, vor allem Hardenberg, teilte, daß die deutschen Staaten nur überleben könnten, wenn die Regierungen durch eine „Revolution von oben" die seit der Franz. Revolution unabweisbar gewordenen Reformen von sich aus durchführten.

Bereits 1796 hatte M. seinem Hzg. Max Joseph, der sich als Flüchtling im damals preuß. Ansbach aufhielt, ein detailliertes Programm für die inneren Reformen in Bayern vorgelegt, das schon viele der später verwirklichten Maßnahmen enthielt. 1797 folgte aus M.s Feder eine Ausarbeitung über wünschenswerte territoriale Vergrößerungen und Abrundungen Bayerns, die ungefähr dem entspricht, was er später als Minister erreichen konnte.

Der Beginn der Regierung in München 1799 fiel in einen neuen Krieg, in dem zuerst die Österreicher und dann die Franzosen im Lande standen. Eine Gruppe von deutschen Revolutionsanhängern in München plante 1800, Bayern in eine Republik zu verwandeln, aber die franz. Generale versagten ihr jede Unterstützung, ja sie gaben den bayer. Behörden anscheinend sogar Listen der bayer. Jakobiner. Der Kurfürst und M. verfolgten oder bestraften niemanden.

M. lenkte, auf das unentbehrliche Vertrauen seines Kurfürsten/Königs gestützt, den er von der Richtigkeit seiner Vorschläge oft mühsam überzeugen mußte, 18 Jahre lang die bayer. Politik, und zwar vom Außenministerium aus. Außerdem war er auch seit 1806 Innen- und 1803–06 sowie seit 1809 Finanzminister. Er war, wie Hardenberg, Metternich und der bad. Minister Reitzenstein, ein durch die Aufklärung und das Ancien Régime geformter Diplomat und Staatsmann: verstandesbetont, kühl, gewandt, scharfsinnig berechnend, ganz der Staatsräson dienend und doch – dies im Gegensatz zu Metternich – besonders bis etwa 1809 von einem reformerischen Elan erfüllt, der den ihm anvertrauten Staat gemäß den durch Napoleon institutionalisierten und teilweise in eine andere Richtung gelenkten Ideen der Franz. Revolution modernisieren wollte. Während der Minister in der Außenpolitik alle wichtigen Schreiben selbst verfaßte (meist auf Französisch) und Verträge persönlich entwarf, bediente er sich in der Innenpolitik eines Kreises von etwa 30–40 Persönlichkeiten als Geh. Referendäre bzw. Generaldirektoren der Ministerien. Diese entwarfen nach Vorgaben des Ministers die Gesetze und deren Begründungen. Im auswärtigen Dienst bediente sich M. einiger sehr fähiger Diplomaten, die Bayern in dieser Zeit ständiger Kriege und Umbrüche geschickt im Ausland vertraten und durch ihre Vorschläge auch die Politik der Münchener Regierung beeinflußten, wie A. v. Cetto, der langjährige Gesandte in Paris, F. G. de Bray (Berlin und Petersburg) und Alois Gf. Rechberg. Bei den Spitzen der Reformbürokratie handelte es sich um eine Gruppe fähiger, juristisch gebildeter Persönlichkeiten, von denen nur die Minister immer adeliger Herkunft waren, die meisten anderen Beamten aber aus dem Bürgertum kamen und erst im Laufe der Zeit geadelt wurden.

M. stand immer zwischen Kg. Max I., der ihn jederzeit entlassen konnte, und jenem großen Kreis von hochbefähigten, aber auch kritischen Spitzenbeamten, die ihm besonders in der Innen-, Rechts- und Finanzpolitik unentbehrlich waren, von denen einige aber auch zeitweise gegen ihn intrigierten. Die endgültigen Entscheidungen fielen in der Regel in Gesprächen M.s mit dem König allein; die Sitzungen des Staatsrates und der Geheimen Staatskonferenz wurden im Laufe der Zeit seltener. Wichtige politische Verhandlungen mit ausländischen Diplomaten und Staatsdienern führte M. in München stets selbst. Wenn seine Gegner, vor allem von österr. Seite, seine Politik und sein Verhalten oft durch Korruption, blinde Ergebenheit gegenüber Frankreich, Illuminatentum und Taktieren zum Erhalt der eigenen Stellung zu erklären versuchten, so ist dies alles falsch mit Ausnahme des Taktierens um den Erhalt seiner Stellung. Dies führte in der Tat dazu, daß er risikoreiche Entscheidungen nicht selten lange hinausschob, um die weitere Entwicklung zu beobachten, daß er sich absicherte, indem er zuvor schriftliche Äußerungen des Königs, die er meist selbst aufgesetzt hatte, herbeiführte. Seine Meisterschaft lag jedoch darin, daß er seine Entscheidungen zwar meistens spät, aber im richtigen Moment traf. Dies gilt besonders für die dramatischen außenpolitischen Wendungen, die Bayern im Interesse seines Überlebens mehrfach durchführte. Mindestens viermal war in dieser Zeit die Existenz Bayerns als Staat aufs äußerste gefährdet, und zwar jeweils, wenn ein neuer Krieg zwischen Frankreich und Österreich ausbrach und beide Seiten signalisierten, eine Neutralität Bayerns würden sie nicht zulassen; jede der beiden Großmächte bezeichnete es als einzige Alternative, daß Bayern sich ihr anschlösse oder daß es als feindliches Gebiet behandelt und nach Kriegsende aufgeteilt würde, so 1799/1801, 1805, 1809 und 1813. Das Bündnis mit Frankreich von 1805 hatte sich bereits seit dem Ende des Krieges von 1799/1801 angebahnt, in dem Österreich den Verbündeten Bayern geopfert hatte. Diesem Bündnis, zu dem auch die preuß. Regierung geraten hatte, gingen dramatische Verhandlungen in München voraus, in denen M. eine wesentlich aktivere Rolle gespielt hatte, als in älteren Arbeiten angenommen wurde.

Wie man heute weiß und damals in München bereits mit großer Sicherheit vermutete, wollte die österr. Regierung im Falle eines Sieges Bayern annektieren. Für die bayer. Regierung bedeutete damals die Option für Frankreich zugleich eine Entscheidung für die modernere, gerechtere und leistungsfähigere Staats- und Verwaltungsorganisation, denn eine durchgreifende Modernisierung setzte die Beseitigung oder zumindest Einschränkung der Ständeverfassung und der ständischen Privilegien voraus. Dies war aber nicht möglich, solange das Alte Reich noch bestand, denn die landständischen Verfassungen waren durch das Reich und dessen Gerichte geschützt.

Napoleon förderte 1803–10 Bayern als einen starken Pufferstaat gegenüber Österreich. M. nutzte diese Situation, um immer wieder Gebietserweiterungen für Bayern zu erlangen, und zwar solche, die den altbayer. Kernstaat abrundeten (1803, 1805, 1806, 1810, dann, nach Napoleons Sturz, die Tauschverträge mit Österreich von 1814 und 1816). Durch Franken, Schwaben und später die linksrhein. Pfalz wollte M. Bayern kulturell und wirtschaftlich stärker nach den übrigen Deutschland hin öffnen. Politisch wollte er das neue Bayern, das einschließlich der Reichsritterschaft aus rund 300 politischen Gebilden entstanden war, zu einer Einheit umformen und mit einem gemeinsamen Staatsbewußtsein erfüllen, was in der Tat überraschend schnell gelang. Wenn M. die

Unterstützung Napoleons nützte, so verhinderte er doch zusammen mit Württemberg, daß der Rheinbund, wie Napoleon es zunächst wünschte, aus einem Bund souveräner Staaten, der er war, zu einem Bundesstaat umgestaltet würde. M. entwarf ferner die bayer. Konstitution von 1808 persönlich in aller Eile, um einer Einmischung Napoleons in die inneren Verhältnisse Bayerns zuvorzukommen. Er bediente sich dabei des Vorbilds der Konstitution des Königreichs Westphalen, von der er aber im Interesse der Souveränität Bayerns an charakteristischen Stellen abwich. Vertrauliche Äußerungen M.s aus verschiedenen Jahren zeigen, daß der Minister bei aller Sympathie für Frankreich und dessen Institutionen und bei aller Bewunderung für die Genialität Bonapartes zu keiner Zeit geglaubt hat, daß Napoleon für lange Zeit seine Vorherrschaft in Europa behaupten könnte. M. war sich, ebenso wie seine wichtigsten Mitarbeiter, darüber im klaren, daß man diese kurze Zeitspanne nützen müsse, um den Staat nach außen hin zu vergrößern und abzurunden und nach innen zu modernisieren und zu vereinheitlichen.

M.s innenpolitisches Reformwerk stand stark unter dem Einfluß Frankreichs, knüpfte aber teilweise auch an Neuerungen an, die bereits der aufgeklärte Absolutismus in Österreich, Preußen und nicht zuletzt in Bayern unter Max III. Joseph geplant oder teilweise ins Werk gesetzt hatte. 1801/02 wurden die Klöster der Bettelorden in Bayern aufgehoben, ebenfalls die nicht zu den Landständen gehörenden Abteien der Oberpfalz. Die Aufhebung der landständischen Klöster und Stifte, allein in Altbayern rund 70, wurde erst durch den Reichsdeputationshauptschluß, also ein Reichsgesetz, rechtlich möglich. Daß in dessen Text in einer ziemlich späten Phase des § 35 eingefügt wurde, der den Fürsten die Aufhebung sämtlicher Klöster und Stifte und die Verwendung von deren Eigentum neben der Finanzierung des Kultus und der Pensionen der Mönche auch „zur Erleichterung ihrer Finanzen" überließ, war vor allem das Werk der bayer. Diplomatie, die auf die Vermittlermacht Frankreich eingewirkt hatte. M. war hierbei, trotz der Warnungen einiger seiner wichtigsten Berater, neben Zentner die treibende Kraft. Dabei spielten ideologische Motive eine deutliche Rolle, wozu seit dem Krieg von 1799/1801 als wichtigstes öffentliches Argument die katastrophale Finanzlage des Staates kam. In seinem nach der Entlassung geschriebenen Bericht an den König stellt M. die Säkularisation noch als ein großes Verdienst um Staat und Gesellschaft dar.

Dagegen gibt es andere Äußerungen des Ministers, sowohl aus der Zeit 1802/03 als auch aus der Zeit nach seinem Sturz, in denen er darauf hinweist, daß er viele Auswüchse und Mißstände des Verfahrens mißbilligt und bekämpft habe und daß die radikale Form der Durchführung der Klosteraufhebung in Bayern auf den Einfluß anderer, vor allem Zentners, zurückzuführen sei. Ohne den Willen des Ministers und die Rückendeckung Max Josephs wären diese Maßnahmen, die u. a. große Verluste an Kunstschätzen zur Folge hatten, jedoch nicht denkbar gewesen.

Eine der ersten, schon durch den im wesentlichen von M. gestalteten Rohrbacher (Ansbacher) Hausvertrag 1796 (1797) vorbereiteten Reformen war die begriffliche und rechtliche Trennung zwischen Staat und Dynastie. Schrittweise, zuletzt durch die Konstitution von 1808, wurde der Monarch in die Staatsverfassung eingebaut, wurde zum Organ des Staates. Der hochgespannte Souveränitäts- und Einheitsanspruch des im Sinne der Aufklärung rational durchgegliederten Staates duldete keine Enklaven, keine Ausnahmestellungen kraft eigenen, vom Staate nicht übertragenen Rechts, keinen „Staat im Staate"; daher das 1802–06 währende Ringen um die Einverleibung der Reichsritterschaft in den Staatsverband, daher die erstmalige Verstaatlichung der Post 1807, die Politik gegenüber der Kirche und gegenüber der kommunalen Selbstverwaltung.

Eine Modernisierung des Staates stand und fiel, wie in ganz Europa, mit der Einschränkung bzw. Abschaffung der Adelsprivilegien. In Bayern wurde unter Leitung M.s das Adelsmonopol für höhere Staatsstellungen – ausgenommen Ministerämter – gebrochen, die Steuerbefreiung des Adels wurde abgeschafft. Die Regierung stellte wenigstens grundsätzlich die Gleichheit vor dem Gesetz her. Die Grundherrschaft blieb, wie in den anderen deutschen Ländern, rechtlich noch bis 1848 bestehen, wurde aber für ablösbar erklärt, sofern der Grundherr zustimmte. Der Staat förderte die Ablösung in M.s Zeit noch wenig, weil er seit der Säkularisation selbst Grundherr über mehr als 65% der Bauernhöfe des Landes war und man glaubte, die grundherrlichen Einnahmen, die $1/4$ der Staatseinnahmen betragen haben sollen, in der Zeit der Kriege nicht entbehren zu können. Immerhin wurden bereits Anfänge der Ablösung durchgeführt – M.s Ziele zugunsten der Bauern gingen ursprünglich viel weiter. Der Adel als Grundherr verweigerte in der Regel die Zustimmung zur Ablösung bis zur Revolution von 1848. Der Adel war

Grundherr über etwa 26% der Bauernhöfe. Durch ein Gesetz von 1808 wurden die Reste der Leibeigenschaft (die nur eine kleine Minderheit der Bauern und nur in Form von Abgaben betraf) beseitigt und die Belastungen durch Besitzwechselabgaben und andere grundherrliche Rechte stark eingeschränkt. In Bezug auf die Rechte des Adels brachten die Edikte von 1812 und 1814 gegenüber der Reformgesetzgebung der Zeit bis 1808/09 wieder gewisse Rückschritte. M. war gezwungen, einer konservativeren Entwicklung sowohl außerhalb (neue Adelspolitik Napoleons, dann Herrschaftswechsel in Frankreich, verstärkte Bedeutung der drei Ostmächte für Bayern) als auch innerhalb Bayerns, besonders bei dessen König und einem Teil des Geheimen Rates, Rechnung zu tragen. Daß M. selbst inzwischen zum wohlhabenden Grundherrn geworden war, hat dabei wohl keine entscheidende Rolle gespielt, denn die Grundzüge seiner früheren Reformen wußte er zu verteidigen und aufrechtzuerhalten. Jedoch dämpfte er in dieser Zeit aus den erwähnten politischen Rücksichten den weiterhin heftigen Reformeifer mancher seiner Mitarbeiter.

Während Preußen die dort durch den Absolutismus beseitigte Selbstverwaltung der Städte durch die Steinsche Städteverordnung von 1808 in zeitgemäßer Weise erneuerte, hob M. in Bayern die hier bisher wenig kontrollierte Selbstverwaltung der landesherrlichen Städte ebenso wie die der ehemaligen Reichsstädte auf. Die Gemeinde- und Stiftungsvermögen wurden vorübergehend verstaatlicht. Beide Maßnahmen wurden bald als Fehler erkannt, aber erst durch das Gemeindeedikt von 1818 teilweise rückgängig gemacht. Zweck der sukzessiven Aufhebung der städtischen Selbstverwaltung bis 1808 war die notwendige Vereinheitlichung der Stadt- und Marktverfassungen, die sich ja in ganz unterschiedlichen Territorien entwickelt hatten; es war ferner das Ziel, die Landgemeinden als Rechtspersönlichkeiten überhaupt erst zu konstituieren. Beides wurde erreicht, ebenso wie der Abbau der Privilegien innerhalb der Städte und Märkte und die Gleichstellung und Gleichberechtigung der Gemeindemitglieder. Diese Errungenschaften wurden auch beibehalten, als man allmählich von 1808 bis zum Gemeindeedikt von 1818 schrittweise die Selbstverwaltung wieder herstellte, allerdings noch unter starker Staatskuratel.

Die persönliche Initiative des Ministers ist auch bei der Einführung der Toleranz in ganz Bayern (1803) und der vollen Parität der christlichen Konfessionen (1809) festzustellen. M. selbst hatte ein Modell hierfür geschaffen durch seine Vorbereitung der kurpfälz. Religionsdeklaration vom 9. 5. 1799. M. suchte nicht, die kath. Kirche seines Landes zu zerstören; die beiden prot. Kirchen förderte er ohnehin. Er war an einer Hebung des Bildungsniveaus der Geistlichen interessiert, denen er auch staatliche Aufgaben zudachte. Er führte den Pfarrkonkurs ein und begünstigte die Neueinrichtung von Pfarreien vor allem in Gebieten der jeweils anderen Konfession. Seine Verhandlungen mit Rom wegen eines Konkordats kamen während seiner Amtszeit zu keinem Abschluß, und zwar nicht etwa wegen der von ihm angestrebten geographischen Deckungsgleichheit der Diözesen mit dem bayer. Territorium, auch nicht wegen des Nominationsrechts der Bischöfe, bei dem die Kurie weit entgegenzukommen bereit war, oder wegen der Säkularisation, die von Rom nicht mehr in Frage gestellt wurde, sondern wegen der Gegnerschaft der Kurie gegen die Gleichstellung der christlichen Konfessionen in Bayern und wegen der Ausweitung des staatlichen Rechts in Bayern (Gerichtsbarkeit über die Geistlichen) auf Kosten des Kirchenrechts. Die Ehe wurde zu einem weltlichen Vertrag erklärt. Das Volksschulwesen blieb, trotz ursprünglich anderer Pläne, unter geistlicher Aufsicht in den Gebieten aller Konfessionen. M. hoffte auch nach dem Scheitern der Konkordatsverhandlungen 1806/07 auf einen Ausgleich, u. a. da er wünschte, daß die verwaisten Bischofsstühle wieder besetzt werden könnten. Dagegen trug die radikale bayer. Kirchenpolitik in Tirol, im Trentino und gegenüber dem Bischof von Chur wesentlich zur Auslösung der Volkserhebungen in Tirol und Vorarlberg 1809 bei, zumal Bayern hier noch die Klostersäkularisation nachholte. Nach diesem Aufstand ging man vom Prinzip der Säkularisation ab, z. B. in Salzburg, das 1810 zu Bayern kam. Schon vor M.s Sturz begannen die Konkordatsverhandlungen 1816 erneut. Das Judenedikt von 1813 verlieh den Israeliten Glaubensfreiheit und durch Erteilung des Indigenats wenigstens eine Verbesserung ihrer Rechtsstellung. Der Zuzug blieb beschränkt. Wie viele seiner Zeitgenossen hatte M. Zweifel am völligen Gelingen der Integration der ungebildeteren Schichten der Juden in die Gesellschaft. Dagegen pflegte er die Verbindung zu den jüd. Bankiers, die für den Staat unentbehrlich waren.

Durch die Gerichtsverfassung von 1808 legte die Regierung die Unabhängigkeit der Richter, die Gliederung der Justiz und deren Trennung von der Verwaltung auf der zentralen und der mittleren Ebene und die kollegiale Beratung für sämtliche Gerichte fest. Schöffengerichte blieben abgelehnt. 1813 trat das von Anselm Feuerbach ausgearbeitete neue Strafrecht in Kraft. Die größten Härten des antiquierten Kreittmayrschen Strafgesetzbuches von 1751 waren damit aus dem Strafrecht verschwunden. Den Verzicht auf die Anwendung der Folter hatte M. bereits früher gegen Widerstände, auch des Königs, durchgesetzt. Dagegen gelang es trotz zweier Anläufe nicht, ein modernes, für alle Landesteile verbindliches Zivilrecht zu schaffen. Bayern lehnte Napoleons Wunsch auf direkte Übernahme des Code civil (Code Napoléon) ab. Ein von Feuerbach ausgearbeiteter Entwurf eines bayer. Zivilrechts, der sich im Grundsätzlichen stark an den Code Napoléon anlehnte, aber die gesellschaftlichen und rechtlichen Verhältnisse Bayerns zu berücksichtigen suchte, scheiterte 1811 an inneren Widerständen, vor allem von seiten einflußreicher Vertreter der adeligen Grundherren. Ein anschließend von Feuerbach, Adam v. Aretin und Gönner erarbeiteter Entwurf, der ein Zivilgesetzbuch aufgrund einer Synthese aus dem Codex civilis Kreittmayrs von 1756, der neueren bayer. Gesetzgebung, dem Code Napoléon und „anderen bewährten Gesetzbüchern" schaffen sollte, gelangte ebenfalls nicht zur Verabschiedung. Bayern behielt bis zum BGB die Zivilrechte seiner alten, ehemals reichsunmittelbaren Bestandteile bei.

Bayern wurde durch die Aufhebung aller Binnenzölle zu einer Wirtschaftseinheit mit gleichartigen Münzen, Maßen und Gewichten. Im Zusammenhang mit der Abschaffung der Steuerprivilegien wurde erstmals ein Kataster angelegt zur gerechteren Verteilung der Lasten. Der Zunftzwang wurde, wie in den meisten anderen deutschen Staaten, abgeschafft. Die Regierung stellte aber nicht, wie die preuß., die volle Gewerbefreiheit her, sondern regelte den Zugang zu den Meisterstellen durch ein staatliches Konzessionssystem. Da dies nicht voll den Erwartungen entsprach, plante M. weitere Schritte zur Herstellung der Gewerbefreiheit, zu denen er aber nicht mehr kam. Seine anfangs eingeschlagene Freihandelspolitik, bei teilweise dirigistischer Preispolitik im Inneren, mußte er infolge der Kontinentalsperre und der Schutzzollpolitik der Großmächte seit 1810/11 radikal ändern. Schon vorher hatte Napoleon im Eigeninteresse Frankreichs die Verwirklichung des Handelsvertrages Bayerns mit dem Kgr. Italien von 1808 verhindert, was sowohl die bayer. als auch die ital. Wirtschaft schwer schädigte. Erst unter dem Druck der öffentlichen Meinung angesichts der beginnenden Hungersnot von 1816 verbot M. die Getreideausfuhr – das war zu wenig in den Augen seiner Kritiker, ein wirtschaftspolitischer Fehler und Rückfall in den Dirigismus, der der Spekulation Vorschub leistete, in seinen eigenen Augen und in denen seiner liberalen Berater.

Alle Reformen und alle wirtschaftspolitische Aktivität vollzogen sich während der erzwungenen Teilnahme Bayerns an sieben europ. Kriegen, während ständiger Durchzüge fremder Heere und während fortgesetzter Veränderungen des Territoriums. Die Staatsschulden durch Altlasten der früheren Wittelsbacher, ferner durch die Folgen der Säkularisation (Pensionen), die Übernahme der Schulden und Pensionslasten aller neuerworbenen Territorien, die Zahlungen für die Erwerbung Bayreuths sowie die enormen Kosten der Kriege und der Requisitionen und Kontributionen der fremden Heere, dies alles führte dazu, daß Bayern ständig am Rande des Bankrotts und damit des Kreditverlustes stand. W. Demel und H.-P. Ullmann haben die zentrale Bedeutung der Schuldenfrage eindringlich gezeigt. Sie beschäftigte M. als Finanzminister fast ständig.

Alle Neuerungen konnten nur vorbereitet und durchgeführt werden mit Hilfe eines neuen reform- und arbeitsfreudigen, durch Prüfungen und Leistung qualifizierten, für seine Aufgaben vorgebildeten, nicht mehr auf Gebühren und Sporteln angewiesenen Beamtentums. Dies hatte bereits M.s Programm von 1796 vorgesehen. Die Staatsdienerpragmatik von 1805 (Verfasser N. T. Gönner), die für die meisten deutschen Staaten vorbildlich wurde, sicherte den Bediensteten des Staates eine zwar bescheidene, aber gegenüber früher bessere und vor allem rechtlich abgesicherte Bezahlung und Altersversorgung. Selten hat eine so relativ kleine Zahl von Beamten so viel geleistet wie in der Ära Montgelas.

Auch auf vielen anderen als den schon genannten Gebieten war eine rastlose Erneuerungsarbeit zu beobachten: Straßen- und Kanalbau, Salzbergbau, für dessen Verbesserung sich M. persönlich engagierte – Salz war das wichtigste Exportgut des Landes –, Einführung der Brandversicherung und der Pockenschutzimpfung, Reorganisation der Armen- und der Krankenfürsorge, Förderung der Statistik, der Landesvermessung und der Agrarwissenschaft, Schaffung eines fachlich vorgebildeten Volks- und Mittelschullehrerstandes, Grundlegung sowohl des humanistischen als auch des Realgymnasiums, Förderung der angewandten Naturwissenschaften und der Kameralistik, Hebung des Niveaus der Universitäten, vor allem der von Landshut, der Bayerischen Akademie der Wissenschaften und der Lyzeen durch eine großzügige Berufungspolitik (z. B. Savigny, Feuerbach, Thiersch, Jacobi, Schelling; Hegel war 1808–16 Rektor des Nürnberger Gymnasiums). M. selbst mußte öfters in den 1810/ 11 entbrannten öffentlichen Streit zwischen Einheimischen und von auswärts Berufenen, ferner zwischen den nichtbayer. Gelehrten unter sich, eingreifen, er mußte 1809 die österreichfreundliche Haltung von Mitgliedern der Universität Landshut gegenüber den franz. Generälen in Schutz nehmen; er war persönlich an den meisten Berufungen beteiligt gewesen.

Den Höhepunkt der M.schen Reformtätigkeit stellten die von ihm verfaßte Konstitution von 1808 und die sie ergänzenden organischen Edikte dar. Sie dienten der Zusammenfassung der bisherigen Reformgesetzgebung und der Schaffung eines einheitlichen öffentlichen Rechts für alle Landesteile sowie der Ersetzung der nun endgültig beseitigten Ständeverfassung. Die Konstitution faßte die Freiheitsrechte des Bürgers – man könnte bedingt sagen: Grundrechte –, ferner die Bestimmungen über die Neuordnung der Verwaltung, die Unabsetzbarkeit der Richter, die allgemeine Wehrpflicht usw. zusammen. Die in der Konstitution vorgesehene „Nationalrepräsentation" wies zwar Fortschritte gegenüber den alten Ständen auf, aber sie war doch noch kein Parlament, und außerdem trat sie, ebenso wie die ebenfalls vorgesehenen Kreisversammlungen, nie zusammen. Doch war sie insofern von Bedeutung, als sie das Bürgertum, zumindest das wohlhabende, begünstigte und eine freiwillige und dauernde Beschränkung der Rechte des Königs voraussetzte.

Seit 1814 ließ M. eine der franz. Charte desselben Jahres vergleichbare Repräsentativverfassung durch eine Kommission vorbereiten. Er behinderte jedoch durch offenbar von ihm veranlaßte Einsprüche des Königs die Arbeit der Verfassungskommission und bewirkte 1815 ihren Stillstand. Offensichtlich vertrat er noch immer seine früher geäußerte aufgeklärt-absolutistische Auffassung, das Volk sei noch nicht zur politischen Freiheit reif, es strebe auch gar nicht nach derselben, die ihm seit 1808 garantierten „bürgerlichen Freiheiten" seien das, was die Menschen damals wünschten. Erst nach seinem Sturz konnte die Arbeit an der Verfassung, vor allem dank des Einsatzes des Kronprinzen und Zentners, fertiggestellt und dieselbe verkündet werden, ebenso wie die Gemeindeordnung von 1818, die eine kommunale Selbstverwaltung wiederherstellte, und das Konkordat von 1817.

M. war, obwohl ihm seine Kritiker eine gewisse Gemächlichkeit nachsagten, doch der Motor der vielfältigen staatlichen Aktivitäten. Wenn er einmal ausfiel, wie während seines langen Aufenthalts in Paris 1810, stockte die gesamte Regierungstätigkeit. In der zweiten Hälfte des Jahres 1816 kam es vorübergehend zu einem krankheitsbedingten Nachlassen der Aktivität des erst 57jährigen Ministers. Eine Verschwörung, angeführt von Kronprinz Ludwig, den der König und M. bis 1814 von den Staatsgeschäften ferngehalten hatten, weil er offen gegen die Außenpolitik der Regierung, vor allem gegen das Bündnis mit Frankreich, opponiert hatte, ferner von Marschall Wrede und M.s wichtigstem Mitarbeiter Zentner, überredete den gerade von Wien heimgekehrten König, M., der 21 Jahre lang sein volles Vertrauen besessen hatte, zu entlassen, ohne ihm Gelegenheit zu einer Rechtfertigung gegen die größtenteils unbegründeten Anschuldigungen seiner Gegner, vor allem wegen Untätigkeit und schlechter Finanzpolitik, zu geben. M. behauptete später, er habe von der Verschwörung gewußt, es aber unter seiner Würde gefunden, etwas dagegen zu unternehmen. Erstaunlich ist, daß der König, der sich jahrzehntelang allen Intrigen gegen seinen Minister widersetzt hatte, auch wenn sie vom Kronprinzen ausgingen, jetzt der Entlassung sofort zustimmte. Demel machte darauf aufmerksam, daß in der zweiten Hälfte des Jahres 1816 innerhalb der Regierung bzw. des Finanzkomitees eine heftige Kontroverse ausgefochten wurde, weil die Vertreter der Armee, an ihrer Spitze Wrede, der offenbar bayer. Großmachtpläne verfolgte, trotz des eingetretenen Friedens und auch des Vertrages von 1816 mit Österreich die Armee auf Kriegsstärke belassen, ja den Heeresetat noch um $^1/_5$ des Gesamtetats aufstocken wollten. M. lehnte dies kategorisch ab, da es Bayern in den Bankrott oder zur Annullierung seiner früher eingegangenen Verpflichtungen (z. B. Staatsdienerpragmatik) und vieler Reformen gezwungen hätte. Damals stellte sich der König, dessen Lieblingskind die Armee war und der die finanzpolitischen Implikationen nicht überblickte, erstmals gegen seinen Minister. Dieser Bruch wurde nicht mehr gekittet. Ferner spielten, wie K. O. v. Aretin gezeigt hat, außen- und bundespolitische Fragen für die Bildung der Koalition gegen den Minister eine Rolle. Wien wünschte offenbar seit langem den Sturz des Ministers. Aber es handelte sich zweifellos primär um das Ergebnis eines Generationsunterschieds. Die Aufklärer und Reformer von gestern, an ihrer Spitze M., hatten ihr Äußerstes geleistet und den notwendigen Neuerungen zum Durchbruch verholfen. Nun wollten sie im Stil des aufgeklärten Absolutismus weiterregieren. Für die Anhänger der nationalen, romantischen und liberalen Bewegung, an deren Spitze damals Kronprinz Ludwig stand, hatten sie kein Verständnis, hielten sie vielmehr für äußerst gefährlich. Einige alte Aufklärer wie Zentner schlossen sich nun der Partei des Thronfolgers an, der die Zukunft zu gehören schien. Kg. Max gab später an, er habe M. eigentlich nur wegen dessen Frau entlassen. Als diese 1820 verstorben war, erwog er wiederholt, M. wieder als Minister zu berufen. Offenbar wich er dann vor dem entschiedenen Widerspruch des Kronprinzen gegen einen solchen Schritt zurück. M. lebte in den 21 Jahren, die ihm noch blieben, zurückgezogen auf seinen Gütern oder in einem seiner Häuser in München. Als erbliches Mitglied des Reichsrats, der I. Kammer Bayerns, unterstützte er später aus Gründen der Staatsräson seinen alten Feind Ludwig I. Das Angebot, Gesandter in Paris zu werden, lehnte er ab. Gegenüber den vielen Eskapaden seiner um 20 Jahre jüngeren Frau hatte er stets die großzügige Toleranz eines Kavaliers des Ancien Régime gezeigt. In allen entscheidenden Fragen ergriff Ernestine Gfn. Montgelas die Partei ihres Mannes. Nach seiner Entlassung bezeichnete sie an der Hoftafel in Gegenwart des Kronprinzen und Wredes die Männer, die ihn gestürzt hatten, als „fripons" (Schurken), worauf sie für immer Hofverbot erhielt. M. verwand den Tod seiner Frau, die 1820 in Italien an Tuberkulose starb, nie.

Persönlich war M. ein hochgebildeter Mann, wie seine heute in der Bayer. Staatsbibliothek befindliche Bibliothek und seine Briefe zeigen. Er besaß eine rasche Auffassungsgabe, eine außerordentliche Intelligenz, Gewandtheit und Arbeitskraft, war ein Meister des Details, der Form und der Taktik und zugleich eine Persönlichkeit von weiten Perspektiven. Er erhielt stets, auch nach seiner Entlassung, das höchste Gehalt in seinem Lande und sehr hohe Dotationen. Bestechlich war er, entgegen den Behauptungen seiner Feinde, überhaupt nicht. Ein scharfer Beobachter wie der Ritter v. Lang in seinen Memoiren vergleicht ihn mit einem Richelieu oder Mazarin, hebt dabei hervor, daß er großzügig und menschlich zu seinen Untergebenen gewesen sei. In seinem „Compte rendu au Roi", dem Rechenschaftsbericht über die innere Verwaltung, den er noch 1817 an seinen König schickte, räumt M. Fehler ein, ist sich aber des Wertes und der Bedeutung seines Werkes voll bewußt. In der Tat ruht der bayer. Staat, den er mehrfach gerettet hat, in seinem geographischen Umfang bis ins 20. Jh., in seiner Verwaltungsstruktur sogar teilweise bis in die Gegenwart, auf den Fundamenten, die M. und seine Mitarbeiter gelegt haben. Als Vertreter einer „Reform von oben", die durch das revolutionäre und das imperiale Frankreich beeinflußt worden ist, steht er Hardenberg nahe, mit dem ihn auch, trotz Interessengegensätzen, gegenseitige Hochschätzung verband.

W Denkwürdigkeiten d. bayer. Staatsmin. M. Gf. v. M. (1799–1817), im Auszug aus d. franz. Original übers. v. M. Frhr. v. Freyberg-Eisenberg, hrsg. v. L. Gf. v. M., 1887 (Außenpol.); Denkwürdigkeiten d. Gf. M. J. v. M. üb. d. innere Staatsverw. Bayerns (1799–1817), hrsg. v. G. Laubmann u. M. Doeberl, 1908; Briefe d. Staatsmin. M. J. Gf. v. M., hrsg. v. J. v. Zerzog, 1853 (Privatbriefe seit 1826); E. Weis, M.s innenpol. Reformprogramm, Das Ansbacher Mémoire f. d. Hzg. v. 30. 9. 1796, in: ZBLG 33, 1970, S. 219–56 (Text ab S. 243).

L Gesamtdarstellungen: ADB 22; M. Doeberl, M. v. M. u. d. Prinzip d. Staatssouveränität, 1925; M. Doeberl, Entwicklungsgesch. Bayerns II, ³1928; M. Dunan, Napoléon et l'Allemagne, Le système continental et les débuts du royaume de Bavière 1806–1810, ²1948; Adalbert Prinz v. Bayern, Max I. Joseph v. Bayern, 1957 *(P)*; E. Weis, Montgelas I: Zwischen Rev. u. Reform, 1759–1799, ²1988 *(P)*; ders., Die Begründung d. modernen bayer. Staates unter Kg. Max I. (1799–1825), in: M. Spindler (Hrsg.), Hdb. d. bayer. Gesch. IV/1, ²1979, S. 3–86 (Neubearbeitung im Gang; weitere Btr. z. Zeit M.s in Bd. IV/2 dieses Hdb.); ders., Dtld. u. Frankreich um 1800, Aufklärung – Revolution – Reform, 1990 (Aufsätze); K. Möckl, Der moderne bayer. Staat, Eine Vfg.gesch. v. aufgeklärten Absolutismus bis z. Ende d. Reformepoche, 1979; H. Glaser (Hrsg.), Krone u. Vfg., Kg. Max I. Joseph u. d. neue Staat (Wittelsbach u. Bayern III/1 u. III/2, Aufsatz- u. Kat.bd.), 1980 *(P)*; W. Demel, Der bayer. Staatsabsolutismus 1806/08–1817, 1983. – *Einzelne Aspekte:* M. Doeberl, Rheinbundvfg. u. bayer. Konstitution, 1924; F. Zimmermann, Bayer. Vfg.gesch. v. Ausgang d. Landschaft bis z. Vfg.urk. v. 1818, I: Vorgesch. u. Entstehung d. Konstitution v. 1808, 1940; P. Wegelin, Die bayer. Konstitution v. 1808, 1958; G. Schwaiger, Die altbayer. Bistümer Freising, Passau u. Regensburg zw. Säkularisation u. Konkordat (1803–1817), 1959; H. H. Hofmann, Adelige Herrschaft u. souveräner Staat, 1962; F. Dobmann, G. F. Frhr. v. Zentner als bayer. Staatsmann in d. J. 1799–1821, 1962; E. Weis, M.s Vater: Janus Frhr. v. M. (1710–1767), bayer. Gen. u. Diplomat, in:

ZBLG 26, 1963, S. 256–322; ders., Die Säkularisation d. bayer. Klöster 1802/03, Neue Forschungen zu Vorgesch. u. Ergebnissen, 1983; ders., Bayern u. Frankreich ... (1799–1815), in: HZ 237, 1983, S. 559–95; A. Winter, K. Ph. Fürst v. Wrede als Berater d. Kg. Max Joseph u. d. Kronprinzen Ludwig v. Bayern (1813–1825), 1968; W. Quint, Souveränitätsbegriff u. Souveränitätspol. in Bayern v. d. Mitte d. 17. bis z. ersten Hälfte d. 19. Jh., 1971; F. Hausmann, Die Agrarpol. d. Regierung M., 1975; K. O. Frhr. v. Aretin, Bayerns Weg z. souveränen Staat, Landstände u. konstitutionelle Monarchie 1714–1818, 1976; M. Stolleis, Die bayer. Gesetzgebung z. Herstellung e. frei verfügbaren Grundeigentums, in: H. Coing u. W. Wilhelm (Hrsg.), Wiss. u. Kodifikation d. Privatrechts im 19. Jh., III, 1976, S. 44–117; B. Wunder, Privilegierung u. Disziplinierung, Die Entstehung d. Berufsbeamtentums in Bayern u. Württemberg (1780–1825), 1978; E. Fehrenbach, Traditionale Ges. u. revolutionäres Recht, Die Einf. d. Code Napoléon in d. Rheinbundstaaten, ³1983; W. Volkert, Überblick über d. bayer. Verw.gesch. zw. 1799 u. 1866, in: K. G. A. Jeserich u. a. (Hrsg.), Dt. Verw.gesch. II, 1983, S. 503–50; ders. (Hrsg.), Hdb. d. bayer. Ämter, Gemeinden u. Gerichte 1799–1980, 1983; K. Hausberger, Staat u. Kirche nach d. Säkularisation, Zur bayer. Konkordatspol. im frühen 19. Jh., 1983; H. Gollwitzer, Ludwig I. v. Bayern, 1986; W. Demel u. W. Schubert (Hrsg.), Der Entwurf e. bürgerl. Gesetzbuchs f. d. Kgr. Bayern v. 1811, 1986; J. A. Weiss, Die Integration d. Gemeinden in d. modernen bayer. Staat, Zur Entstehung d. kommunalen Selbstverw. in Bayern (1799–1818), 1986; H.-P. Ullmann, Staatsschulden u. Reformpol., Die Entstehung moderner öffentl. Schulden in Baden u. Bayern 1780–1820, 2 Bde., 1986; R. A. Müller, Akadem. Ausbildung zw. Staat u. Kirche, Das bayer. Lyzealwesen 1773–1849, 2 Bde., 1986; D. Stutzer, Klöster als Arbeitgeber um 1800, Die bayer. Klöster als Unternehmenseinheiten u. ihre Sozialsysteme z. Z. d. Säkularisation 1803, 1986; S. Krauss, Die pol. Beziehungen zw. Bayern u. Frankreich 1814/15–1840, 1987; S. Arndt-Baerend, Die Klostersäkularisation in München 1802/03, ²1988; W. Müller, Die Säkularisation v. 1803, in: W. Brandmüller (Hrsg.), Hdb. d. bayer. KG, III, 1991, S. 1–129; J. Kirmeier u. M. Treml (Hrsg.), Glanz u. Ende d. alten Klöster, Säkularisation im bayer. Oberland 1803, 1991; M. Henker u. a. (Hrsg.), Bayern entsteht, M. u. sein Ansbacher Mémoire v. 1796, Ausst.kat. Ansbach u. München, 1996 (L, P); BBKL.

P Ölgem. v. J. Hauber, 1804 (Privatbes.), Abb. in: Wittelsbach u. Bayern, Ausst.kat. München 1980, III/2, S. 155; Lith v. J. Fertig nach e. Gem. v. Ed. v. Heuss (München, Stadtmus.), Abb. in: Geist u. Gestalt III, 1959, Nr. 42.

Eberhard Weis

Montjoye, v. (auch *Froberg,* 1743 Reichsgrafen), Familie aus der Franche-Comté (Freigrafschaft). (kath.)

Der Ursprung der Familie, die sich zuerst Gliers nannte, liegt im Tal Clos du Doubs (Frankreich). *Wilhelm II.* (1300–50) wurde 1336 der Besitz von Heimersdorf (Oberelsaß), eines Teils von Hirsingen und von Ruederbach durch die österr. Herzöge bestätigt. Sein Sohn *Ludwig* (um 1335–1425) wurde Vizekönig von Neapel und Sizilien, nachdem er den Hzg. v. Anjou bei der Eroberung dieses Königreichs behilflich gewesen war. Erzhzg. Friedrich von Österreich gab ihm und seinem Bruder *Johann* († 1437) die Burgen von Moron und Montjoye sowie das Schloß Heimersdorf mit den zugehörigen Besitzungen zu Lehen. Mit Johann starb die Linie Gliers im Mannesstamm aus. Erbe war *Johann Ludwig v. Thuillières* (um 1400–54) aus lothring. Adel, der eine Nichte Johanns geheiratet hatte. Seine beiden Enkel *Stephan* († 1540) und *Johann Nikolaus* (vor 1474–1537) begründeten die Linien M.-Hirsingen-Vaufrey und M.-Emericourt, wobei die Besitzungen nicht geteilt wurden. Der Urenkel von Johann Nikolaus, *Johann-Claudius* (1554–1604) hatte das Amt eines Kammerherrn des Erzherzogs von Österreich inne und war Statthalter von Belfort und Delle. Sein Sohn *Johann Georg d. Ä.* († 1648), war Kämmerer des Fürsterzbischofs von Salzburg und Vogt der Herrschaften von Belfort und Delle. Mit seinem Sohn *Franz-Paris* (1635–86) starb die Linie der M.-Emericourt im Mannesstamm aus. Die Güter fielen zur Hauptsache an die Linie von M.-Hirsingen-Vaufrey. Ein Nachkomme Stephans, *Beat Albert Ignaz* (1647–1725), begründete 1703 mit dem Kauf der Gfsch. La Roche-Saint Hippolyte, die 1736 zu einer franz. Grafschaft erhoben wurde, die Linie der M.-De la Roche zu Vaufrey. Sein Bruder *Johann Franz Ignaz* (1653–1716), Generalleutnant eines Kavallerieregiments im Dienst Ludwigs XIV., nannte sich seit 1710 Graf und gilt als Stammvater der Linie M.-Hirsingen. Dessen Sohn *Simon Nikolaus Euseb* (1693–1775, s. Gatz II) erneuerte 1768 als Fürstbischof von Basel (1763–75) die Militärkapitulation mit Frankreich und schloß 1769 einen Vertrag mit dem Markgrafen von Baden über einen Gebietsaustausch im Markgräflerland ab. Er stand dem Gedankengut der Physiokraten nahe, organisierte das Armenwesen neu und führte 1770 eine Volkszählung durch. Sein Bruder *Philipp Joseph Anton* (1678–1757), Deutschdenskomtur der Provinzen Burgund und Elsaß sowie Gesandter Kaiser Karls VII. in der Schweiz und Generalleutnant der kurfürstlichen Armeen von Köln, errichtete zusammen mit seinen Brüdern 1737 einen Fideikommiß. 1736 wurde die gesamte Familie in den Grafenstand, 1743 in den Reichsgrafenstand erhoben. Der dritte Bruder *Magnus Ludwig Karl Franz* (1697–1757) ließ durch den Architekten Bagnato in Hirsingen ein repräsentatives Schloß errichten. Der autoritäre Charakter seines Sohnes *Johann Nepomuk Franz* (1737–91) trug dazu bei, daß dieses 1789 von Bauern niedergebrannt wurde. Dessen Sohn *Johann Nepomuk Simon Joseph* (1763–1814) focht zuerst in der Armee Condé, danach war er Generaladjutant bei Kg. Maximilian I. Joseph von Bayern. Der Zweig der M.-Hirsingen starb 1914 aus. Die M.-Vaufrey und -De la Roche, die 1817 in der Grafenklasse im Kgr. Bayern immatrikuliert wurden, starben mit *Franz de Paula Maria* (1900–78) im Mannesstamm aus.

L Encyclopédie de l'Alsace, IX, 1984; K. F. v. Frank, Standeserhebungen u. Gnadenakte f. d. Dt. Reich u. d. österr. Erblande bis 1806, II, S. 49; GHdA, Gräfl. Häuser B, I, 1953, S. 301–03; Bulletin du Cercle généalogique d'Alsace, 1977/3, Nr. 39, S. 117 u. 1978/2, Nr. 42, S. 251 f.; Genealog. Hdb. d. in Bayern immatrikulierten Adels, III, 1952, S. 63 f.

Catherine Bosshart-Pfluger

Montmartin *(du Maz), Friedrich Samuel* Graf v. (seit 1758), württ. Staatsmann, * 1712 Zeitz, † 29. 1. 1778 Dinkelsbühl. (ev.)

Einer 1686 nach Kurbrandenburg emigrierten Hugenottenfam. entstammend. V Samuel du Maz v. Montmartin; M Susanne Judith v. Martel; ∞ 1) N. N., 2) Friederike v. Wangenheim; K u. a. Louise Friederike (1752–70, ∞ 1769 Ludwig Carl Eckbrecht Gf. Dürckheim, † 1774, Reichshofrat, württ. Reichstagsgesandter, s. Dipl. Vertr. III).

Die Familie zog 1718 an den – zu dieser Zeit eng mit den kurfürstlichen Vettern in Berlin kooperierenden – bayreuth. Hof. Das Leben M.s war also von Anfang an eng mit den Geschicken der aufstrebenden Macht im Norden des Reichs verknüpft und sollte es bis in die Mitte der 1750er Jahre bleiben. Dem Rechtsstudium an den Universitäten Leipzig (C. O. Rechenberg, J. B. Mencke) und Leiden und einem halbjährigen Aufenthalt beim Reichskammergericht in Wetzlar folgte bis in die Mitte der 1740er Jahre ein rascher Aufstieg – zuerst in bayreuth. Diensten (1738 Regierungsrat, 1739 Präsident des Justizrates und Amtshauptmann in Erlangen, 1740 Geh. Regierungsrat und Kreisgesandter, 1741 wirklicher Geh. Rat), dann mit dem wittelsbach. Kaisertum Karls VII. (1742–45) auch auf Reichsebene (1742 Reichshofrat). In seiner Funktion als Reichshofrat vermittelte er erfolgreich zwischen dem sich um die Majorennitätserklärung des jungen württ. Herzogs Carl Eugen bemühenden preuß. Gesandten J. W. v. Klinggräf und dem wittelsbach. Kaiser. Damit hatten sich seine Geschicke zum ersten Mal mit den Interessen dieses Territorialstaa-

tes verquickt, der für seinen weiteren Werdegang von maßgeblicher Bedeutung werden sollte. Seine Tätigkeit in Württemberg war es freilich auch, die den Grund legte für das (Zerr-)Bild, das die württ., überwiegend auf ständischen Quellen basierende Landesgeschichtsschreibung von seiner Person entwarf (beispielhaft Eugen Schneider, in: ADB 22). Doch bevor M. im Februar 1758, vom kaiserlichen Hof lanciert und in den Grafenstand erhoben, als leitender Minister in das soeben gegründete Kabinettsministerium Hzg. Carl Eugens eintrat, hatte der hochambitionierte Politiker eine wesentliche, seinen weiteren Lebensgang entscheidend prägende Erfahrung gemacht: die – in seinen Augen – vollkommen unzulängliche Honorierung seines Engagements für die preuß. Sache. Die Chance, aus der mittelmäßigen Position eines Reichstagsgesandten der sächs. Herzogtümer, den er nach nahezu vierjähriger Beschäftigungslosigkeit seit April 1749 innehatte, doch noch persönlichen Nutzen zu ziehen, war gekommen, als sich das österr.-preuß. Verhältnis im Vorfeld des Siebenjährigen Krieges 1754/55 dramatisch verschlechterte. Indem er die zu dieser Zeit immer enger werdende Kooperation Preußens mit den prot. Reichsständen hintertrieb und damit seinen Frontwechsel ins kaiserl. Lager vollzog, konnte er sich als „Verräter" nicht mehr länger in Regensburg halten. Erneut folgten beinahe zwei Jahre der Untätigkeit (Mai 1756–Februar 1758), bis es dem Wiener Hof gelang, seinen neu gewonnenen politischen Gefolgsmann für beide Seiten nutzbringend einzusetzen: zwei Jahre, die M. seine unentrinnbare Abhängigkeit vom Wohlwollen des Kaisers vor Augen führten und ihn in Württemberg (1758–1766/73) eine Politik betreiben ließen, die – als oberste Maxime – danach strebte, den (schwankenden) politischen Willen des Kaiserhofs in Württemberg zu realisieren.

Gelingen sollte ihm dies nur in den ersten drei Jahren seiner Stuttgarter Tätigkeit (1758–61), in denen er aus der Position des leitenden Kabinettsministers, kaiserlichen wie herzoglichen Intentionen gemäß, Württemberg vollständig in die österr.-franz. Allianz einband. Militärische Aufrüstung und der enge Schulterschluß mit dem kaiserl. Hof in allen reichspolitischen Kontroversen kennzeichnen die herzoglich-württ. Politik in dieser Zeit. Angesichts der innerterritorialen Machtverteilung und der politisch an Preußen orientierten württ. Landschaft mußte sie zwangsläufig anti-ständisch ausgerichtet sein. Als der ständische Konflikt in Württemberg 1763/64 endgültig eskalierte, geschah dies unter der Federführung des Herzogs, nicht M.s. Dieser war seit Jahresbeginn 1761, als Hzg. Carl Eugen erkennen mußte, daß M. nicht in dem Maße wie erhofft zum Erfüllungsgehilfen seiner ambitionierten Politik taugte, politisch ausgeschaltet. Durch den Konflikt mit seinen Landständen wurde der Herzog zwar zu einem Entgegenkommen gegenüber dem Kaiserhof gezwungen (M. wurde 1763 zum Geheimratspräsidenten ernannt), dem Exponenten kaiserl. Politik aber so bedingungslos zu folgen wie Ende der 1750er Jahre, fand er sich nicht mehr bereit. So ergriff M. die erste sich bietende Gelegenheit, seine „württ. Galeere", durch zunehmende Spannungen zum Herzog gekennzeichnet, zu verlassen, und demissionierte im Mai 1766. Als ihn der Herzog im Dezember 1766 in seiner Eigenschaft als kaiserl. Geheimer Rat zurückberief, von der Einsicht getragen, daß es nicht die Person seines Geheimratspräsidenten gewesen war, die einen Ausgleich mit der Landschaft und den sie unterstützenden prot. Mächten (Kurbrandenburg, Kurhannover, Dänemark) verhindert hatte, setzte er ein politisches Signal: Er bekundete seine Bereitschaft, den Vorstellungen des Wiener Hofes gemäß die Konfliktregulierung voranzutreiben. So war es M., der auf herzoglicher Seite in enger Kooperation mit dem Kaiser und zu dessen vollkommener Zufriedenheit den Ständekonflikt beilegte. Bis 1773 überwachte er den Vollzug des „Erbvergleichs" (1770), um sich sodann definitiv aus der württ. Politik zurückzuziehen. Seinen Lebensabend verbrachte er als Ritterhauptmann des Kantons Altmühl auf seinem 1763 erworbenen Gut Thürnhofen.

L ADB 22; Anonymus (J. Uriot), Die Wahrheit so wie sie ist ..., 1765, S. 266–366; G. Haug-Moritz, Württ. Ständekonflikt u. dt. Dualismus, Ein Btr. z. Gesch. d. Reichsverbands in d. Mitte d. 18. Jh., 1992 (L). – Eigene Archivstud.

Gabriele Haug-Moritz

Monzel, *Nikolaus,* kath. Religionssoziologe, * 9. 6. 1906 Siegburg, † 14. 11. 1960 München.

V Matthias (1879–1954), Lagerist, S d. Peter u. d. Helene Thomas; M Elisabeth (1883–1969), T d. Johann Hoffmann u. d. Karoline Vibich.

M. besuchte das humanistische Gymnasium in Siegburg und studierte seit 1926 an den Universitäten Bonn und Freiburg (Breisgau) sowie am Priesterseminar in Bensberg Philosophie und Theologie. 1932 wurde er in Köln zum Priester geweiht, um dann bis 1950 als Seelsorger zu wirken – zunächst bis 1937 als Kaplan in Essen-Kray und Köln, dann als Kaplan und Pfarrvikar, sowie seit 1946 als Subsidiar, in Bad Godesberg-Friesdorf. Neben diesen Tätigkeiten widmete er sich weiterhin akademischen Studien und promovierte 1939 in Bonn zum Dr. theol. mit der Arbeit „Recht und Grenzen einer Soziologie der Kirche". 1943 erfolgte die Habilitation für Fundamentaltheologie aufgrund der Schrift „Der christliche Lehrtraditionalismus im Lichte der Religionsphilosophie und der vergleichenden Religionsgeschichte". Die Kriegswirren verzögerten M.s Zulassung zum Privatdozenten bis 1945. Seit 1946 hielt M. Vorlesungen über scholastische Philosophie, 1947 wurde er mit der Vertretung des Lehrstuhls für Christliche Gesellschaftslehre an der Univ. Bonn beauftragt. Dort wurde er 1948 auch zum planmäßigen Extraordinarius für Christliche Gesellschaftslehre und Allgemeine Religionssoziologie, 1949 zum persönlichen Ordinarius ernannt. 1955 folgte die Berufung M.s als o. Professor auf den eben erst errichteten Lehrstuhl für Christliche Soziallehre und Allgemeine Religionssoziologie an der Univ. München, wo er bis zu seinem Tod forschte und lehrte.

Gemäß der von ihm erbetenen Benennung seiner Lehrstühle gliedert sich M.s wissenschaftliche Arbeit in zwei (einander überlappende) Bereiche: In seinen religions- und kultursoziologischen Forschungen widmet sich M. insbesondere der Entwicklungslogik der kath. Kirche in der Sozialgeschichte. Anknüpfend an Max Weber, sucht er die Wechselwirkungen zwischen jeweiliger Gesellschaftsform und Frömmigkeit idealtypisch zu rekonstruieren. Neben einer ekklesiologischen Klärung der Gestalt der Kirche soll dies zugleich deren gesellschaftliche Aufgabe und Rolle, die M. als wertsetzende bestimmt, präzisieren helfen. In seiner theologischen Soziallehre bemüht sich M. darum, durch begrifflich-systematische Reflexion der gesellschaftlichen Sachverhalte die seiner Ansicht nach vordringlich pastoral ausgerichtete „kirchliche Soziallehre" wissenschaftlich zu begründen und umzusetzen. Hierzu bezieht er die Methoden und Ergebnisse anderer Wissenschaften (Soziologie, Nationalökonomie etc.) in die Theoriebildung mit ein. Sein ethisches Paradigma erhält er aus der Wertethik, die ihm einerseits eine „objektive Rangordnung" für Wertsetzungen – d. h. einen normativen Beurteilungsrahmen – liefert und andererseits die Kombination mit soziologischen Analysen im Bereich der „Wertrealisation" ermöglicht. Unter den Stichworten „Individualismus", „Materialismus" und „Dominanz ökonomischer Werte" übt M. dabei zeittypische Gesellschaftskritik. Als Spezifikum der christlichen Ethik betrachtet er ein „materiales Mehr" (wie die Feindesliebe), das ihr aus der Offenbarung zukomme und durch eine „natürliche", rein philosophische Ethik nicht einholbar sei. – M.s eigentliche Leistung kann insbesondere im kombinatorischen Fruchtbarmachen anderer Wissenschaften für seinen Entwurf und im Heranführen der Theologie an die neuzeitliche Sozialwissenschaft gesehen werden. Besonders seine kultur- und religionssoziologischen Studien sind von bleibendem Wert.

Weitere W Die Überlieferung, 1950; Solidarität u. Selbstverantwortung, 1960; Der Jünger Christi u. d. Theol., 1961 *(W-Verz., P);* Kath. Soz.lehre, 2 Bde., 1965–67 *(W-Verz.);* Die kath. Kirche in d. Soz.-gesch., 1980.

L T. Herweg u. K. H. Grenner, Einl. z. kath. Soz.-lehre I (s. *W*); F. Groner, in: Bonner Gelehrte, Kath. Theol., 1968, S. 131–36 *(P).*

Wilhelm Korff

Moog, *Georg,* alt-kath. Theologe, Bischof (seit 1912), * 19. 2. 1863 Bonn, † 28. 12. 1934 ebenda.

V Philipp (1838–64), Schriftsetzer in B., *S* d. Georg (um 1807–44), Buchdrucker in B., u. d. Johanna Hollweg (um 1814–um 1862); *M* Wilhemina (* 1835), *T* d. Samuel Brieger (* um 1801), Goldarbeiter in B., u. d. Theresia Magnier (um 1805–43); *B* Joseph (* 1867), 1898–1927 alt-kath. Pfarrer in Dortmund; – ∞ Gertrud (1865–1931), *T* d. Johann Baptist Baum (* um 1832), Angestellter b. d. Colonia-Versicherung in Köln, u. d. Theresia Scherf (* um 1835); 2 *S*, 1 *T*, u. a. Ernst (1891–1930), Dr. theol., erhielt 1914 v. seinem Vater d. Priesterweihe, seit 1920 Regens d. bischöfl. Seminars in B., 1922–30 alt-kath. Pfarrer in Krefeld.

Nachdem sich seine Eltern 1870–72 zur alt-kath. Opposition gegen das Vaticanum I bekannten, studierte M. 1881–84 in Bonn bei H. Reusch, J. Langen u. A. Menzel an der mehrheitlich alt-kath. Kath.-Theologischen Fakultät. Er wurde 1884 Priester und Vikar (später Pfarrverweser) in Köln und im selben Jahr Lizentiat der Theologie in Bern, 1888 Pfarrverweser in Dortmund. 1898 wurde er zum Pfarrer der alt-kath. Gemeinde in Krefeld gewählt. Seit 1903 gehörte er der Synodalrepräsentanz als ordentliches Mitglied an; 1907 wurde er Professor für neutestamentliche Exegese am alt-kath. bischöflichen Seminar in Bonn. Er verfaßte für die „Revue Internationale de Théologie" zahlreiche exegetische, homiletische und kirchenhistorische Beiträge sowie Buchbesprechungen. Bischof J. Demmel ernannte ihn 1911 zum Generalvikar und übertrug ihm 1912 die gesamte bischöfliche Verwaltung. Im selben Jahr wurde M. in Krefeld zum Weihbischof konsekriert; im Oktober 1912 wählte ihn die Synode mit verhältnismäßig knapper Mehrheit zum Bischof-Koadjutor mit Recht der Nachfolge, seit November 1913 war er nach dem Tod seines Vorgängers Bischof. Als Bischof hielt M. weiter exegetische Vorlesungen und veröffentlichte kirchenhistorische Beiträge in der „Internationalen Kirchlichen Zeitschrift". In Hirtenbriefen und Predigten setzte er sich für die Ausbildung eines eigenen Klerus ein. Einen Schwerpunkt seines Wirkens bildete die Linderung der Not während und nach dem 1. Weltkrieg und in der folgenden Inflation. Die in den zwanziger Jahren unter seiner Leitung abgehaltenen Synoden betrieben die erste bedeutende Umgestaltung des alt-kath. Kirchenrechts. 1920 wurde das Frauenwahlrecht eingeführt, 1928 Landesbezirke (Landessynoden) gegründet. 1931 fanden in Bonn Unionskonferenzen aller alt-kath. Kirchen mit den anglikan. und orthodoxen Kirchen statt. M. vertrat in beiden Konferenzen die deutsche Alt-Katholische Kirche; die in Deutschland schon 1883 beschlossene Zulassung der Anglikaner zum Empfang der Eucharistie wurde zur offiziellen Interkommunion erweitert und auf alle Kirchen der Utrechter Union ausgedehnt. In Hirtenbriefen setzte er sich 1926 für die ökumenische Bewegung, 1929 für die Trennung von Religion und Politik, 1933 für das Anliegen einer deutschen kath. Nationalkirche ein. Diese sah er als ein nur in der Freiheit zu verwirklichendes Ziel an, ohne jede Gleichschaltung auf internationaler oder politischer Ebene. Die alt-kath. Kirche habe von Anfang an die Ausscheidung der Politik aus der Religion, die deutsche Art in Glauben und Leben der Kirche und die Verständigung mit der ev. Glaubensrichtung als ihre Grundsätze angesehen. In einer schwierigen Zeit konnte M. mit Festigkeit und Treue die Grundanliegen der alt-kath. Bewegung weiterführen. Seine Hirtenbriefe lassen Vertrautheit mit dem biblischen Text und geistliche Ausrichtung erkennen; sie enthalten aber wenige Erneuerungsimpulse. M.s historische Arbeiten dienen vor allem der Bekanntmachung von Quellen, die für die alt-kath. Position von Bedeutung sind. – Dr. theol. h. c. (Bern 1908).

W Über d. in d. Kaiseredikten bis z. J. 311 betreffs d. Christen festgestellten Normen, Diss. Bern 1884; Die homilet. Verwertung d. zweiten Korintherbriefes, in: Revue Internationale de Théologie,

1903, S. 722–40; Jesuitenbriefe (1547–61), ebd., 1904, S. 66–83, 441–61, 574–92, 1905, S. 461–77; Wahrheit, Licht, Leben u. Liebe b. Johannes, ebd., 1905, S. 76–86; Joh. Van Neerkassel u. sein „Amor Poenitens", ebd., 1907, S. 603–21, 1908, S. 14–37, 279–97, 507–31; Die „Röm. Briefe vom Konzil", in: Internat. Kirchl. Zs., 1915, S. 209–19; Die kirchl. Reformen Josefs II., ebd. 1917, S. 83–92; Der Emser Kongress, ebd., 1918, S.141–65, 225–51; J. F. v. Schulte, d. dt. van Espen, ebd. 1928, S. 232–36; Zur 1500-J.feier d. 3. allg. Konzils in Ephesus, ebd. 1932, S. 1–17; Hirtenbriefe, Amtl. Kirchenbl. IV-VII, 1912–34.

L Altkath. Volksbl. 1935, S. 1–4, 13–15, 61 f.; RGG³; BBKL.

Christian Oeyen

Moog, *Heinz (Heinrich Gustav Eduard)*, Schauspieler, * 28. 6. 1908 Frankfurt/Main, † 9. 5. 1989 Wien. (kath., seit 1982 konfessionslos)

V Jakob Paul, Polizeiwachtmeister in F.; M Katharina Kasper; ∞ Wien 1948 Annette, Tänzerin, T d. Ludwig Geisen u. d. Else N. N.; 1 S Thomas (* 1950), Maler.

Noch während des Besuchs der Oberrealschule begann M. 1925 mit einer Schauspielausbildung am Hochschen Konservatorium in Frankfurt und bei Alfred Auerbach. Nach dem Abitur und dem Abschluß dieser Ausbildung erhielt er im Herbst 1927 sein erstes Engagement am Frankfurter Künstlertheater für Rhein und Main. Es folgten Engagements bei den Marburger Festspielen (1928), am Kleinen Theater in Kassel (1928–33), am Stadttheater in Plauen (1933–35) und seit 1935 am Deutschen Nationaltheater in Weimar. Kennzeichnend für diese Jahre ist sein vielseitiges Rollenrepertoire, das von Bonvivants, alten Männern und Greisen über klassische Heldenrollen wie Macbeth bis zu komischen Shakespeare-Rollen (wie Zettel und Malvolio) und dem Frosch in der „Fledermaus" reichte. 1939 sah ihn der Regisseur Saladin Schmitt und engagierte ihn sofort an eines der damals führenden Theater im deutschen Sprachraum, die Städtischen Bühnen Bochum. Schmitt erkannte M.s Fähigkeiten zum ernsthaften Charakterdarsteller und setzte ihn dementsprechend ein. Zu einer der Glanzleistungen in Bochum wurde sein Rudolf II. in Grillparzers „Bruderzwist in Habsburg", mit dem er u. a. in Wien (1941) und Weimar gastierte. Im Februar 1943 wurde M. vorerst auf drei Jahre für „Charakter- und individuelle Rollen" an das Wiener Burgtheater verpflichtet. Bis zu Beginn der 60er Jahre gehörte er dort zu den meistbeschäftigten Schauspielern. Im Dezember 1969 kündigte M. erstmals, trat aber 1976 dem Ensemble wieder bei, um 1978 endgültig das Burgtheater zu verlassen. M. war mit seiner unverwechselbaren Sprache und scharf zeichnenden Nuancierungskunst einer der markantesten Schauspieler der Wiener Theaterszene. Bekannt vor allem für seine überzeugende Interpretation düsterer und zwielichtiger Charaktere (z. B. Wurm, Mephisto oder Melchior Klesel im „Bruderzwist"), setzte er doch in seinen komischen, menschlich zutiefst berührenden Rollen, etwa des Kesselflickers Sly in Shakespeares „Der Widerspenstigen Zähmung", des Just in Lessings „Minna von Barnhelm" oder des Kolieski in der Uraufführung von J. B. Priestleys „Schafft den Narren fort" (1955) die Höhepunkte seiner Darstellungskunst. Daneben wirkte M. schon sehr früh auch im Rundfunk und in rund 75 deutschsprachigen und internationalen Filmen (u. a. in L. Viscontis „Sehnsucht" und „Ludwig II.") mit. In seinen letzten Lebensjahren trat M. mit großem Erfolg am Theater in der Josefstadt und am Wiener Volkstheater auf; in über 100 Produktionen arbeitete er vor allem für das deutschsprachige Fernsehen (etwa in P. Patzaks „Der Strawanzer", 1983). – Kammerschausp. (1955); Österr. Ehrenkreuz 1. Klasse f. Wiss. u. Kunst (1960), Josef-Kainz-Medaille (1977), Ehrenmitgl. u. Ehrenring d. Wiener Burgtheaters (1978).

L H. Ihering, Von Josef Kainz bis Paula Wessely, 1942; A. Kaun, Berliner Theater-Alm. 1942; M. A., H. M., in: Die Presse v. 14. 3. 1951; E. Wurm, H. M., in: Neue Wiener Tagesztg. v. 30. 1. 1955; J. Handl, H. M., in: Schausp. d. Burgtheaters, 1955; D. Sommer, H. M., Menschengestalter am Wiener Burgtheater, Diss. Wien 1972 (P); Wiener Bühne, 1948, H. 4; Die Bühne, Juni 1989, S. 106; Die Presse v. 10. u. 11. 5. 1989; Wiener Ztg. v. 10. u. 11. 5. 1989; Kurier v. 11. 5. 1989; Kosch, Theater-Lex.; Glenzdorfs Internat. Filmlex., 1961; Das gr. Buch d. Österreicher, hrsg. v. W. Kleindel, 1987; Dt. Bühnenjb. 1989/90, S. 668; Wi. 1958–85; Gorzny.

Edith Marktl

Moog, *Willy (Wilhelm)*, Philosoph, Pädagoge, * 22. 1. 1888 Neuengronau b. Kassel, † 24. 10. 1935 Braunschweig. (ev.)

V Emil, Lehrer in N., später in Griesheim b. Darmstadt; M Caroline Faßbinder; ∞ Darmstadt 1919 Mathilde (1884–1958), Aquarellmalerin, T d. Eisenbahn-Ing. Louis Buss (1850–1915) in Darmstadt u. d. Sophie Vaeth; 1 T.

Nach dem Abitur am Neuen Gymnasium in Darmstadt 1906 studierte M. in Gießen, Berlin, München und zuletzt wieder in Gießen Philosophie, deutsche und klassische Philologie und Kunstgeschichte. In Gießen promovierte er 1909 bei Karl Groos mit der Arbeit „Das Verhältnis von Natur und Ich in Goethes Lyrik, eine literarpsychologische Untersuchung". 1910 legte er in Gießen die Prüfung für das höhere Lehrfach in Deutsch, Latein und Griechisch ab, worauf die praktische Ausbildung im Schuldienst folgte. 1913 ließ er sich vom Schuldienst beurlauben, um u. a. in Berlin philosophischen Studien nachzugehen. Die baldige Einberufung zum Kriegsdienst hinderte ihn nicht, in dieser Zeit eine Reihe von wissenschaftlichen Arbeiten zu veröffentlichen, u. a. über die Lehre vom Krieg bei Kant und Fichte sowie Aufsätze aus dem Grenzgebiet von Philosophie, Psychologie und Pädagogik. Die Habilitation für Philosophie und Pädagogik erfolgte 1919 an der Univ. Greifswald mit der Schrift „Logik, Psychologie und Psychologismus, Wissenschaftssystematische Untersuchungen", die im selben Jahr etwas erweitert auch als Buch erschien. M. griff damit in die damals besonders durch Husserl aktuelle Kontroverse um das Verhältnis von Psychologie und Logik ein, das durch eine Ausdehnung auf wissenschaftssystematische Untersuchungen erhellt werden sollte. Er vertrat eine vermittelnde Position, die Psychologie und Logik weder in gegenseitiger Abhängigkeit noch Beziehungslosigkeit sieht und sowohl den naturalistischen Psychologismus der Logik als auch den abstrakten Logizismus ablehnt. Die öffentliche Probevorlesung mit dem Titel „Das Verhältnis der Philosophie zu den Einzelwissenschaften" schloß sich als die Bearbeitung der allgemeineren Problematik daran an.

1922 wurde M. ao. Professor in Greifswald, 1924 o. Professor der Philosophie und Pädagogik an der TH Braunschweig, wo er bis zu seinem Tode blieb. Aus der Zeit nach seiner Habilitation stammen mehrere Werke zur Pädagogik und zahlreiche Arbeiten zur Geschichte der Philosophie. In der systematischen Pädagogik betonte M. die Zusammengehörigkeit von Pädagogik und Philosophie, wobei er auf seine Untersuchungen über das Verhältnis der Philosophie zu den Einzelwissenschaften zurückgreifen konnte. Seine „Geschichte der Pädagogik" zeichnet sich durch zuverlässige Kenntnis der Quellen aus. In der Geschichte der Philosophie lag M.s Schwerpunkt in der Neuzeit. Zusammen mit M. Frischeisen-Köhler bearbeitete er Bd. III von Ueberwegs „Grundriß der Geschichte der Philosophie" (^{12}1924). Den folgenden Zeitraum erschließen ein Buch über „Hegel und die Hegelsche Schule" (1930, Neudr. 1973, span. 1932) sowie zwei zusammenfassende Darstellungen der Philosophie des 20. Jh. Trotz seines kurzen Lebens konnte M. mit seinen wissenschaftssystematischen und philosophiegeschichtlichen Werken einen bedeutenden Platz im wissenschaftlichen Leben der Zeit zwischen den beiden Weltkriegen einnehmen.

Weitere W u. a. Kants Ansichten üb. Krieg u. Frieden, 1917; Fichte üb. d. Krieg, 1917; Über Spaltung u. Verdopplung d. Persönlichkeit, $^{2-3}$1921; Philos., 1921 (Forschungsber.); Die dt. Philos. d. 20. Jh. in ihren Hauptrichtungen u. ihren Grundproblemen, 1922; Grundfragen d. Päd. d. Gegenwart, 1923; Phil. u. päd. Strömungen d. Gegenwart in ihrem Zusammenhang, 1926; Geschichtsphilos. u. Geschichtsunterricht in ihren wichtigsten Problemen, in: Hdb. f. d. Gesch.lehrer, hrsg. v. O. Kende, Bd. 1, I, 1927; Gesch. d. Päd. II: Die Päd. d. Neuzeit v. d. Renaissance bis z. Ende d. 17. Jh., 1928, III: Die Päd. d. Neuzeit v. 18. Jh. bis z. Gegenwart, 1933 (I nicht ersch.), neu hrsg. v. F. J. Holtkemper, ^{9}1991; Das Leben d. Philosophen, 1932; Der Bildungsbegriff Hegels, in: Verhh. d. Dritten Hegelkongresses v. 19. bis 23. April 1933 in Rom, hrsg. v. B. Wigersma, III, S. 168–86, 1934, Neudr. in: J.-E. Pleines, Hegels Theorie d. Bildung II, Kommentare, 1986, S. 69–85. – *Hrsg.:* Gesch. d. Philos. in Längsschnitten, 11 Bde., 1931–36; Jbb. d. Philos., begr. v. M. Frischeisen-Köhler, 3, 1927 (letzter Bd.).

L Btrr. z. Gesch. d. Carolo-Wilhelmina, hrsg. v. K. Gerke, IX, 1991, S. 179 f.; Kürschner, Gel.-Kal. 1931; Ziegenfuß; Lex. d. Päd., ^{3}1963.

Helmut Schneider

Mooren, *Albert* Clemens, Augenarzt, * 26. 7. 1828 Oedt b. Kempen (Rheinland), † 31. 12. 1899 Düsseldorf. (kath.)

Die Fam. ist im 16. Jh. in Elmpt Kr. Erkelenz nachweisbar, wo sie d. ehem. Moorenhof besaß. – *V* Clemens (1799–1866), Landwirt, Kaufm. in Venlo, Bgm. v. O., *S* d. Johann Lambert Joseph (1772–1801) aus Elmpt, Jurist, seit 1799 Präs. d. Kantonverw. in Horst, u. d. Maria Elisabeth Josepha Emans (um 1772–1858); *M* Catharina Gertrud van den Bruck (1803–62); *Ov* Joseph Johann Hubert (1797–1887) aus Roermond, Dr. h. c., Pfarrer in Wachtendonk b. Kempen, Mitgründer u. bis 1881 Präs. d. Hist. Ver. f. d. Niederrhein, Vf. v. Arbeiten z. Kirchen- u. Regionalgesch., u. a. „Gesch. d. Erzdiözese Köln im MA", 4 Bde., 1828–31 (s. W), Ehrenbürger v. Roermond; *B* Theodor (1833–1906), 1860–76 Bgm. v. O., 1869–76 auch v. Kempen u. Schmalbroich, 1887–98 Reichstagsabg. d. Zentrumspartei, Vf. e. Schr. üb. seine Amtsenthebung während d. Kulturkampfes (s. BJ XI, Tl.; Kosch, Biogr. Staatshdb.); – ∞ Ahaus 1860 Theodora (1841–1905), *T* d. Jacobus Bernard Oldenkott (1815–53), Tabakfabrikbes. in Ahaus (s. *L*), u. d. Maria Anna Triep (1816–85) aus

Ahaus; 3 S (2 früh †), 7 T, u. a. Hedwig (1871–1950, ∞ Theodor v. Guérard, 1863–1943, Reichsmin., s. NDB VII).

Nach der Reifeprüfung begann M. im Herbst 1850 mit dem Medizinstudium an der Univ. Bonn. 1853 setzte er sein Studium in Berlin fort, promovierte dort 1854 und schloß die Ausbildung im folgenden Semester mit dem Staatsexamen ab. Ursprünglich wollte sich M. ausschließlich der Chirurgie widmen, wandte sich jedoch auf Anregung Albrecht v. Graefes der Augenheilkunde zu. Graefe hatte den von dem Physiker Hermann Helmholtz erfundenen Augenspiegel in die deutsche Augenheilkunde eingeführt und 1854 das „Archiv der Ophthalmologie" gegründet. M. hatte als einer der ersten Assistenten Graefes die Gelegenheit, mit dem Augenspiegel diagnostische Erfahrungen zu sammeln. Darüber hinaus verfügte M. über ein ungewöhnliches Operationstalent. Im Oktober 1855 begann er in seiner Heimatstadt Oedt mit der augenärztlichen Tätigkeit und war dabei so erfolgreich, daß ihm im Frühjahr 1862 die Leitung der von der Stadt Düsseldorf neugegründeten Fachklinik für Augenerkrankungen (84 Betten) übertragen wurde – dies war eine der ersten Spezialkliniken der noch jungen ophthalmologischen Disziplin. 1868–78 übernahm M. in der Nachfolge von Jules Ansiaux zusätzlich im 5-wöchigen Intervall auch die Leitung des Institut ophthalmique de Liège et Limbourg. 1883 gab er die Leitung der städtischen Augenklinik ab und arbeitete bis zu seinem Tod in privatärztlicher Praxis. M. war 43 Jahre lang mit Ausnahme einer durch Malariaerkrankung bedingten 2jährigen Pause (1887 / 88) ohne Unterbrechung als Augenarzt tätig. Er war in ganz Europa geschätzt und verfügte über eine internationale Patientenklientel.

M.s vorwiegend kasuistisch orientierte Veröffentlichungen behandelten hauptsächlich Fragestellungen der operativen Augenheilkunde. Zunächst beschäftigte sich M. mit der Retinitis pigmentosa, einer damals noch nicht beschriebenen seltenen Augenerkrankung. Größere Aufmerksamkeit erregte M.s Schrift über die verminderten Gefahren der Staroperation mit vorangehender Entfernung der Iris (Iridektomie, 1862). In der vorantiseptischen Ära wurde diese mit geringen entzündlichen Komplikationen belastete Methode vielfach von Augenärzten übernommen. M. beschrieb die operative Therapie des Glaukoms (erhöhter Augeninnendruck) (1881) und die Diszissions-Therapie des Grauen Stars (Katarakt) (1887, 1893). Darüber hinaus führte er als einer der ersten bei extremer Kurzsichtigkeit (Myopie) die therapeutische Extraktion der Linse durch (1894, 1897). M. behandelte auch Fragen der Entschädigungsansprüche von Arbeitern bei unfallbedingten Sehstörungen und widmete sich literarischen Arbeiten zur Geschichte und mittelalterlichen Geographie des Erzstiftes Köln. – Belg. Rr. (1871); preuß. Geh. Medizinalrat (1884), Prof.titel (1895); Ehrenbürger v. Düsseldorf (1898); Denkmal auf d. Moorenplatz in Düsseldorf.

W De Diplopia, Diss. Berlin 1854; Ueber Retinitis pigmentosa, 1858 / 63; Die verminderten Gefahren e. Hornhautvereiterung b. d. Staarextraction, 1862; Die Behandlung d. Bindehauterkrankungen, 1865; Ueber sympath. Gesichtsstörungen, 1869; Ueber Gefäßreflexe am Auge, in: Centralbl. f. d. med. Wiss., 1880; Btrr. z. klin. u. operativen Glaucombehandlung, 1881; Sehstörungen u. Entschädigungsansprüche d. Arbeiter, 1891; Die Indicationsgrenzen d. Katarakt-Discissionen, in: Dt. med. Wschr., 1893, S. 857 f.; Die operative Behandlung d. natürlich u. künstlich gereiften Staar-Formen, 1894; Die med. u. operative Behandlung kurzsichtiger Störungen, 1897. – Hrsg. J. J. H. Mooren, Gesch. d. Erzdiözese Köln im MA, erweiterte Neuaufl. 1892.

L W. v. Zehender, in: Klin. Monatsbll. f. Augenheilkde. 38, 1900, S. 99–107 (W); A. Graefe, in: Dt. med. Wschr. 26, 1900, S. 44; J. Hoß, A. M., Ein Augenarzt im 19. Jh., o. J. (P); 100 J. Ver. d. Ärzte Düsseldorfs, FS, 1965, S. 122 f. (P); H. Schadewaldt, M. als geschichtl. Persönlichkeit, in: Rhein. Ärztebl., 1978, H. 20 (P); Pagel (P); BLÄ (P). – Zu J. B. Oldenkott: FS zu d. 100j. Bestehen d. Tabakfabr. Herms Oldenkott & Söhne, 1919.

Eberhard J. Wormer

Moortgat, *Anton,* Archäologe, * 21. 9. 1897 Antwerpen, † 9. 10. 1977 Damme b. Brügge (Flandern).

Aus fläm. Fam., d. 1918 Belgien verlassen mußte; – V Anton Hendrik (1862–1927, seit 1920 Moortgat-Pick), Syndikus in A., 1920 in Wolfenbüttel eingebürgert, Prof. f. Fremdsprachen an d. TH Braunschweig, S d. Franziskus (1831–1913), Segelmacher in A., u. d. Maria Regina Wellens (1832–1900); M Hortensia (1865–1918), T d. Henrikus Jacobus Pick (1838–96), Möbelmaler in A., u. d. Carolina Juliana Schoysman (1841–86); Halb-B Waldemar Moortgat-Pick (* 1923), Dr.-Ing., Dipl.-Physiker, Entwicklungsing. u. Geschäftsführer (s. Wi. 1989); – ∞ 1) Berlin 1925 Josephine Abrahamczik († 1964), 2) Berlin 1946 Ursula (* 1920, s. W), Dr. phil., Mitarbeiterin d. Max-Frhr.-v.-Oppenheim-Stiftung, T d. Dr. Joachim Correns (1892–1964), Versicherungsdir. in Berlin, u. d. Gertrud Schaefer (1893–1927); 1 T aus 2) Elisabeth Alexandra (* 1947), Redakteurin in Berlin.

M. studierte 1916–18 klassische Archäologie, klassische Philologie, Alte Geschichte und

Kunstgeschichte in Gent, seit 1919 in Münster und Berlin bei H. Dragendorf, F. Noack, G. Rodenwaldt, U. v. Wilamowitz, W. Jaeger, Ed. Meyer, U. Wilcken und A. Goldschmidt und wurde 1923 bei Noack in Berlin mit einer Arbeit über „Das antike Torgebäude in seiner baugeschichtlichen Entwicklung" promoviert. 1923–28 war er wissenschaftlicher Hilfsarbeiter im Orient-Forschungs-Institut von Max Frhr. v. Oppenheim in Berlin. Nach einem Stipendiatenjahr in Rom trat er 1929 in den Dienst der Vorderasiatischen Abteilung der Staatlichen Museen zu Berlin. Seit 1938 wirkte er dort als Kustos, 1941 wurde er zum Professor ernannt. Im selben Jahr wurde er Honorar-Professor an der Univ. Berlin, 1948 o. Professor für Vorderasiatische Altertumskunde an der neu gegründeten Freien Univ. Berlin. Er hatte den Lehrstuhl bis zu seiner Emeritierung 1967 inne. M. hat die Vorderasiatische Altertumskunde als Lehrfach in Deutschland begründet. Es fiel ihm zu, die Denkmäler des Alten Vorderasien zu ordnen und in eine zeitliche und stilistische Abfolge zu setzen. Seine Schrift „Hellas und die Kunst der Achaemeniden" (1926) spiegelt den Bewußtseinsprozeß wider, den der junge klassische Archäologe durchmachte. Grundlegend war dann der Aufsatz „Die Bildgliederung des jungassyr. Wandreliefs" (1930). Die Verflochtenheit der altorientalischen Bildsymbolik ließ ihn bereits 1932 ein Thema aufgreifen, das bis heute große Probleme aufwirft, „Die Bildende Kunst des Alten Orients und die Bergvölker". Sie führte ihn schließlich zu ihren Anfängen zurück mit „Frühe Bildkunst in Sumer" (1935). In diesem Buch erschließt M. die Bildkunst des 3. Jahrtausends in methodisch mustergültiger Weise; durch Inschrift oder Fundlage gesicherte Monumente werden auf ihre Stilmerkmale untersucht und andere Werke ihnen in Analogie beigeordnet oder entsprechend vorangesetzt. Indem er die „Bildgedanken", d. h. die Motive und Themen, immer weiter zurückverfolgt, gelingt ihm die Isolierung einer Symbolik, die er wegen ihres einfachen Gehaltes und in Verbindung mit der sumer. Mythologie deuten zu können glaubt. Dies manifestiert sich in seiner Schrift „Tammuz, der Unsterblichkeitsglaube in der Altoriental. Bildkunst" (1949). Wie die Variationen eines musikalischen Themas ziehen sich „überzeitliche Bildgedanken" und Kompositionsschemata durch die altoriental. Kunst. Die Anbindung dieser Kunstbetrachtung an die Geschichte Alt-Vorderasiens führte zu einer grundlegenden, bis heute anerkannten kunstgeschichtlichen Periodisierung in den Schriften „Vorderasiat. Rollsiegel" (1940), „Geschichte Vorderasiens bis zum Hellenismus" (in: „Ägypten und Vorderasien im Altertum", 1950, mit A. Scharff) sowie „Die Kunst des Alten Mesopotamien" (1967). Darüber hinaus hat M. die Vorstufen dieser Kunst untersucht in „Die Entstehung der sumer. Hochkultur" (1945). Die alt-vorderasiatische Kunst war für M. eine religiös gebundene Kunst; selbst wenn der ursprüngliche Gehalt im Laufe der Zeit verloren ging und die Symbole nur noch dekorative Zwecke erfüllten, wurde sie dennoch nicht weltliche Kunst. In diesem Sinne war die Ausdrucksform der Kunst für ihn unteilbar, sie war Stil und Deutung in einem. Die alt-vorderasiatische Kunst ist Abbild ihrer „Eigenbegrifflichkeit" (Landsberger), und M. hat ihre Bildsprache gelesen, analysiert und gedeutet. Bedingt durch die politischen Ereignisse, befaßte M. sich erst spät in seinem Leben aktiv mit Feldforschungs- und Ausgrabungstätigkeit. Im Auftrag der Max-Frhr.-v.-Oppenheim-Stiftung führte er seit 1955 archäologische Geländebegehungen in Nordost-Syrien, in der Djazira, und in deren Folge kleine Ausgrabungen am Tell Fecheriye und Tell Ailun durch. 1958–76 leitete er acht Grabungskampagnen auf dem Tell Chuera, deren Ergebnisse diesen Ort als ein bedeutendes städtisches Zentrum des 3. vorchristlichen Jahrtausends ausweisen. – Mitgl. d. Dt. Archäolog. Inst.

Weitere W Bronzegerät aus Luristan, 1932; Tell Halaf, III, Die Bildwerke, 1955; Altvorderasiat. Malerei, 1959; Einführung in d. Vorderasiat. Archäol., 1971; Vorläufige Berr. üb. d. Grabung Tell Chuera, 1958, 1959, 1963, 1964, 1973, 1974, 1976; Kl. Schrr. z. Vorderasiat. Altertumskde., 1927–74, hrsg. v. U. Moortgat-Correns, 1990 *(W-Verz.).* – *Mithrsg.:* Zs. f. Assyriol. u. Vorderasiat. Archäol., 1939–71. – *Mitarbeit:* Reallex. d. Assyriol. u. Vorderasiat. Archäol.

L K. Bittel, E. Heinrich, B. Hrouda, W. Nagel (Hrsg.), Vorderasiat. Archäol., Stud. u. Aufsätze, A. M. z. 65. Geb.tag, 1964 *(P)*; A. M. z. 75. Geb.tag gewidmet, Baghdader Mitt. 7, 1974; J. Schmidt, ebd. 9, 1978, S. 7–9; B. Hrouda, in: Archiv f. Orientforschung 25, 1974–77, S. 345 f.; W. Wiegand, in: FAZ v. 28. 10. 1977; H. Schmökel, in: Zs. f. Assyriol. u. Vorderasiat. Archäol. 68, 1978, S. 1–5; Reallex. d. Assyriol. u. Vorderasiat. Archäol. VIII, 1995.

Hartmut Kühne

Moos, v., Luzerner Familie. (kath.)

Das Ministerialengeschlecht stammt aus dem Urserntal im heutigen Kanton Uri. Es wird erstmals 1281 in einer Urkunde genannt, und zwar im Zusammenhang mit dem Kloster Disentis, denn die M. standen im Dienste der fürstlichen Abteien von Disentis und des Fraumünsters in Zürich sowie der Herzöge von Österreich und der deutschen Kaiser. Sie „bewegten sich stets in einem gehobenen feudal-höfischen Milieu und genossen auch die Vorrechte und Einkünfte dieser Kreise" (Schnellmann). Man nimmt als sicher an, daß die einflußreichen, mit den Freiherren v. Attinghausen befreundeten und mit führenden Urner Familien verwandten M. aktiv an der Freiheitsbewegung der habsburg. Untertanen rund um den Vierwaldstättersee im 13. Jh. und somit an der Gründung des eidgenössischen Bundes beteiligt waren. Im selben Jahr 1332, in dem Luzern dem Dreierbund der Eidgenossen beitrat, ließ sich *Jost* († 1369) in Luzern einbürgern und begründete damit das noch heute bestehende Geschlecht der Luzerner M. *Heinrich* (1339–86) ist als Hauptmann der Heerschar der Eidgenossen in der Schlacht von Sempach (1386) aktenkundig. Die M. wurden rasch zu einer der vornehmsten, wohlhabendsten und einflußreichsten Familien Luzerns und stellten eine Reihe führender Politiker, Militärs und hoher Beamter in Stadt und Kanton. Zu Beginn des 17. Jh. widerrief *Kaspar* (1582–1629), Chorherr zu Beromünster, seinen angestammten Glauben, zog aus der kath. Innerschweiz nach Zürich und wurde damit zum Begründer des prot. Zweiges der Familie im Kanton Zürich.

Im 17. und 18. Jh. betätigten sich die M. mehr und mehr handwerklich und unternehmerisch. Sie gehörten den Luzerner Zünften, vorab der Zunft zu Safran, an. *Peter* (1636–1713), Krämerschultheiß (Vorsteher der Safran-Zunft) von Luzern, betrieb um 1680 in Kriens am Krienbach ein Hammerwerk und eine Nagelschmiede. Seither ist der Name M. mit der Herstellung von und dem Handel mit Eisenwaren verbunden. Sein Urenkel *Ludwig* v. M.-Schobinger (1743–1812), ein gelernter Kupferschmied, verhalf der Handelstätigkeit der Familie, nicht zuletzt durch Einheirat in ein mit dem Eisenhandel verbundenes Großratsgeschlecht, zu ihrer eigentlichen Blüte. 1842 nahmen seine Enkel *Ludwig* (s. 1) und *Franz Xaver* (1819–97) die Herstellung von Drähten und Stiften auf. Sie verlegten später die Fabrikation vom ursprünglichen Standort, der Reussinsel, nach der Emmenweid, wo sie das Gelände einer Papierfabrik erwerben konnten. Der traditionelle Eisenwarenhandel wurde seit 1852 im sog. An der Allmend-Haus am Kasernenplatz in Luzern weitergeführt, wo sich noch heute der Sitz des Konzerns befindet.

Nach Ludwigs Tod übernahm dessen Sohn *Eduard* (1855–1911), der bereits seit 1887 die technische Leitung innehatte, die Führung der Betriebe. Seine Geschäftsleitung fiel in eine Periode umwälzender technischer Neuerungen auf den Gebieten der Eisenindustrie, der Kohleverwertung und der Krafterzeugung. Er baute die Herstellung von Halb- und Fertigprodukten wie Walzerzeugnissen, Draht und Kleineisenwaren aus und errichtete 1889 ein Stahlwerk nach dem Siemens-Martin-Verfahren, das als Rohstoff überwiegend Schrott verwendete, die erste derartige Anlage in der Schweiz. Der weitere Ausbau des Werks hatte einen zunehmenden Energiebedarf zur Folge und führte zur Gründung des Elektrizitätswerkes Rathausen, das später von der Centralschweizer. Kraftwerke AG übernommen wurde. Eduard gehörte dem Verwaltungsrat dieses Unternehmens bis zu seinem Tode an. Der Siemens-Martin-Ofen mußte 1911 wegen mangelnder Rentabilität stillgelegt werden.

Die Nachfolge Eduards trat dessen Neffe *Ludwig* v. M.-Zetter (s. 2) an. Diesem folgte 1940 Eduards Sohn *Moritz* (1898–1972, s. L), der den industriellen Liegenschaftsbesitz in Emmenbrücke und Littau bedeutend ausweitete und damit die Grundlage für die spätere Weiterentwicklung des Unternehmens legte. Er wurde abgelöst durch *Walter* (* 1918), einen Sohn Ludwig v. M.-Zetters. Die M.schen Werke entwickelten sich Ende des 19. und im 20. Jh. unter Führung von Mitgliedern der Familie zu einer bedeutenden Gruppe von 30 Gesellschaften (seit 1987 mit Holding-Struktur), die vor allem in der Stahlherstellung, der Stahlverarbeitung und im Stahl- und Verbindungselementehandel in Europa und Übersee tätig waren und sich gegen die Konkurrenz der großen ausländischen Konzerne auch in Kriegs- und Krisenzeiten zu behaupten vermochten. Markssteine in der Entwicklung des Unternehmens waren der Bau eines der ersten sog. Ministahlwerke (1938), eines Kaltwalzwerks (1946–48) und eines Massenstahl-Warmwalzwerks (1955), die Entwicklung der ersten Bogenstranggußanlage für Stahl (1958), die Errichtung einer Präzisionszieherei für Blankstahl (1970–73) und eines Edelstahl-Warmwalzwerks (1978–80), die Entwicklung eines neuen Tunnelausbauverfahrens mit weltweiter Patentierung, der Erwerb eines Stahl- und Warmwalzwerks in den USA (1991) sowie die Übernahme einer Betonwarenfabrik im deutschen Halberstadt (1991). Seit 1988 ist die v. Moos Stahl AG eine Publikumsgesellschaft.

Die Familie M. brachte nicht nur Industrielle hervor, sondern auch bedeutende Geistliche, Juristen, Ärzte, Maschinen- und Bauingenieure, Architekten, Apotheker, Chemiker, Offiziere und Forstleute. Ihr entstammen zudem Schriftsteller, Kunsthistoriker und Künstler wie die Maler *Joseph* (1859–1939) und *Max* (s. 3).

W zu Walter: Geschmiedete Gedanken, o. J.; Brennpunkte unserer Zeit, 1983; Bilder unserer Zeit, 1988.
L M. Schnellmann, Die Adolffrage in d. Geneal. d. Luzerner v. M., Privatdr., o. J. (1927); ders., Die Fam. v. M. v. Uri u. Luzern, 1955; Mario v. Moos, Dokumente z. Gesch. d. Geschl. v. M. v. Zürich, anläßl. d. ersten Fam.tages am 20. 10. 1979, o. J.; ders., Stammliste d. Geschl. v. M., seit 1613 in Zürich verbürgert, 1993; A.-M. Dubler, Gesch. d. Luzerner Wirtsch., 1983; HBLS. – *Zu Moritz:* Zur Erinnerung an Dr.-Ing. Moritz v. M.-Hug, 1972; Biogr. Lex. verstorbener Schweizer VII, 1975, S. 180 f. *(P)*. – *Gesch. d. Unternehmens:* von Moos, Bewahrung u. Veränderung am Beispiel d. Industriegesch., 1992.

Ferdinand Oehen

1) **Ludwig** v. **M.**-*Schumacher,* Eisenindustrieller, * 24. 11. 1817 Luzern, † 8. 5. 1898 ebenda.

V Martin (1770–1842), Eisenhändler in L., *S* d. Eisenhändlers Ludwig v. M.-Schobinger (1743–1812, s. Einl.) u. d. Anna Maria N. N. (1731–81) aus L.; *M* Anna Maria Schallbretter (1790–1861) aus L.; ∞ Luzern 1844 Julia (1821–91), *T* d. Josef Schumacher-Uttenberg (1793–1860), Schultheiß, Stadtpräs. u. Ständerat in L., u. d. Sophie Müller aus Altdorf; 6 *S*, 2 *T*, u. a. Albert (1845–1918), Ludwig (1847–72), Eduard (1855–1911, s. Einl.), alle Eisenindustrielle in L.; *E* Ludwig v. M.-Zetter (s. 2), Moritz (1898–1972, s. Einl.).

M. wuchs in Luzern auf. Er besuchte zwei Jahre lang das Gymnasium der Zisterzienser-Abtei St. Urban und dann eine Handelsschule in St. Gallen. Berufskenntnisse erwarb er sich in Eisenhandlungen in der Schweiz und im Ausland. M. hatte ursprünglich den Wunsch, Offizier zu werden, trat aber auf Drängen seines Vaters in dessen Eisenhandlung in Luzern ein. Hier legte er zusammen mit seinem jüngeren Bruder Franz Xaver den Grund zu den industriellen Unternehmungen der Familie. Um Drähte, Stifte und Nägel für ihr Eisenwarengeschäft selber herzustellen, kauften die Brüder den oberen Teil der Reussinsel am Westrand von Luzern, wo genügend Wasserkraft für den Betrieb einer Fabrikanlage zur Verfügung stand, und richteten dort 1842 einen kleinen Drahtzug und eine Stiftefabrik ein. In dem 1852 erworbenen barocken Riegelhaus am Kasernenplatz in Luzern und einigen hinzugekauften Nebengebäuden brachten sie das Eisenwarengeschäft der Familie unter. In den 1860er Jahren nahm M. die industrielle Fertigung von Schuhnägeln in Horw bei Luzern auf. In jahrelanger Arbeit gelang es ihm, eine Maschine herzustellen, die den Urtyp aller später verwendeten Schuhnagel-Maschinen darstellte.

1850 kauften die Brüder eine Papierfabrik in der Gemeinde Emmen, zu der auch eine Konzession zur Nutzung des Wassers der kleinen Emme gehörte, und errichteten dort ein Eisenwerk. Die 1853 in Betrieb gesetzte Fabrik bestand aus einer Frischfeueranlage, einem Hammerwerk, einem Schweißofen, einem sog. Zäng-Walzwerk und dem eigentlichen Walzwerk. Ausgangsmaterial für die Eisenherstellung war Alteisen, das im Rennfeuerbetrieb zu neuwertigem Eisen umgewandelt wurde. Daneben stellte man seit Ende der 70er Jahre auch Schweißeisen im Paketierverfahren her. Die Herstellung von Eisenluppen im Rennfeuer erforderte große Mengen Holzkohle. Die Brüder erwarben deshalb in den Gemeinden Schwarzenberg und Entlebuch am Fuße des Pilatus ausgedehnte Waldungen, in denen sie eigene Köhlereien betrieben und die nach der Beendigung der Holzkohlengewinnung in die seit 1891 bestehende Familienstiftung „Forstwirtschaftliche Genossenschaft v. Moos" eingebracht wurden.

M. wurde 1867 nach dem Ausscheiden von Franz Xaver, der eine Seidenspinnerei übernahm, alleiniger Leiter des Eisenwerks. Die Firma wurde im selben Jahr in eine Kommanditgesellschaft und 1881 in die „Aktiengesellschaft der v. Moos'schen Eisenwerke" umgewandelt. M., seine Familie und weitere Verwandte übernahmen den Großteil des Gesellschaftskapitals. M. wurde Präsident des Verwaltungsrats. Er widmete der sozialen Betreuung der Werksangehörigen besondere Aufmerksamkeit. Schon seit den 1850er Jahren ließ er für die Arbeiter billige Wohnungen bauen und stellte ihnen Pflanzland für eine teilweise Selbstversorgung mit Nahrungsmitteln zur Verfügung. Die meisten sozialen Einrichtungen des Unternehmens gehen in ihren Anfängen auf seine Initiative zurück.

M. gehörte dem Großen Rat des Kantons Luzern und der Staatsrechnungskommission an. Er war Verwaltungsrat der Luzerner Kreditanstalt und Präsident der Luzerner Handelskammer. Eifrig förderte er den Bau der Bahnlinie Luzern-Zürich und der Privatbahn Emmental-Entlebuch. Wie sein Bruder Franz Xaver nahm er 1844–47 auf der Seite der kath. Kantone aktiv an den Freischarenzügen und am Sonderbundskrieg teil. 1854 erwarb er am

Ufer des Luzerner Sees das Gut Haslihorn und errichtete dort ein Landhaus, das nach seinem Tode vom Grafen von Flandern erworben wurde.

Ferdinand Oehen

2) *Ludwig* v. **M.**-*Zetter,* Eisenindustrieller, * 4. 10. 1877 Luzern, † 18. 4. 1956.

V Albert (1845–1918), Eisenindustrieller in L., *S* d. Ludwig v. M.-Schumacher (s. 1); *M* Maria (1849–97), *T* d. Karl Mazzola (1813–92) aus L. u. d. Anna Elmiger; ⚭ Solothurn 1916 Alice (1884–1970), *T* d. Emil Zetter, Kaufm. in Solothurn, u. d. Emma Scherer; 3 *S*, 1 *T*, u. a. Walter (* 1918), Eisenindustrieller (s. Einl.); *E* André (* 1949), Eisenindustrieller.

M. besuchte das Gymnasium in Luzern und anschließend die ETH in Zürich. Dort schloß er 1902 sein Studium mit dem Diplom als Zivilingenieur ab. Seine berufliche Laufbahn begann er beim Elektrizitätswerk Luzern-Engelberg. 1904 trat er als Technischer Direktor in die AG der v. Moos'schen Eisenwerke ein. Nach dem Tod seines Onkels Eduard (1911) übernahm M. die Leitung des Unternehmens, vorerst als Oberdirektor, später auch als Delegierter und Vizepräsident des Verwaltungsrates. Seit 1943 war er Präsident des Verwaltungsrates.

M. führte die Firma in rastloser Arbeit zu neuer Blüte und machte sie zu einem führenden Unternehmen der schweizer. Eisen- und Maschinenindustrie, wobei ihn unternehmerischer Wagemut, aber auch Verantwortungsbewußtsein gegenüber den Arbeitnehmern und die Fähigkeit zur kollegialen Zusammenarbeit innerhalb der Betriebsgemeinschaft auszeichneten. Er legte durch Förderung der Stahlverfeinerungsbetriebe den Grundstein für die später von seinem Sohn Walter entwickelte Strategie der vertikalen Integration, die für die Unternehmungen der v. Moos-Gruppe zu einem typischen Merkmal wurde. 1918 übernahm diese die Aktienmehrheit der Eisenwerk Frauenfeld AG und 1941 diejenige der Eisenwarenfabrik Gamper & Co. in Münchwilen, zweier wichtiger Konkurrenten. M.s wesentlichste unternehmerische Entscheidung war es, vor Ausbruch des 2. Weltkrieges den Bau eines Elektrostahlwerks in der Emmenweid zu veranlassen. Damit wurde die Basis für die Eigenerschmelzung von Stahl und für eine bis 1974 dauernde Prosperität gelegt.

Auch außerhalb seines Unternehmens hatte M. weitgefächerte Interessen. Während des 1. Weltkriegs befaßte er sich im Auftrage der Eidgenossenschaft mit der für die Eisenindustrie wichtigen Alteisenversorgung. Die 1918 gegründete Luzerner Industrievereinigung, deren Präsident er 25 Jahre lang war, geht auf seine Initiative zurück. Er war Präsident der Luzerner Handelskammer und Mitglied zahlreicher weiterer wirtschaftlicher Gremien und Kommissionen sowie Mitglied oder Präsident der Verwaltungsräte mehrerer Unternehmen. Auf seine Initiative wurde 1910 in der Gemeinde Emmen eine gewerbliche Fortbildungsschule gegründet. Im Militär bekleidete M. den Rang eines Obersten der Artillerie. In jungen Jahren machte er sich einen Namen als erfolgreicher Ruderer. 1899–1904 nahm er an nationalen und internationalen Regatten im Skiff und Doppelzweier teil und gewann 16 erste Preise. 1904 wurde er in Paris Europameister im Skiff.

L zu 1) u. 2) 100 J. v. Moos'sche Eisenwerke Luzern 1842–1942, 1942 *(P);* von Moos, Bewahrung u. Veränderung am Beispiel d. Industriegesch., 1992.

Ferdinand Oehen

3) *Max,* Maler, Zeichner, Graphiker, * 6. 12. 1903 Luzern, † 28. 5. 1979 ebenda. (kath.)

V Joseph (1859–1939), Maler, Zeichner, Radierer, Dir. d. Kunstgewerbeschule in L., *S* d. Franz Xaver (1819–97), Industrieller (s. Einl.); *M* Helena (1872–1959), *T* d. Karl Schmid v. Böttstein (1827–89), Aargauer Großrat u. Nationalrat, verteidigte während d. Kulturkampfes kath. Positionen; *Gvm* Joseph Schmid v. Böttstein (1795–1854), Hptm. u. Großrat, 1841 wegen angebl. Volksaufwiegelung inhaftiert; – ledig.

M. besuchte 1919–22 die Luzerner Kunstgewerbeschule. Nach eigenem Bekunden war der Vater in diesen Jahren sein wichtigster Lehrer. 1922/23 hielt er sich zu Studienzwecken in München auf; als Schüler von Johan Thorn-Prikker hörte er kunsthistorische Vorlesungen bei Joseph Popp und Heinrich Wölfflin, beschäftigte sich mit Anatomie und absolvierte einen Sezierkurs. Eine depressive Erkrankung am Ende des Münchener Aufenthalts führte dazu, daß er seinen Plan, Maler zu werden, vorerst aufgab. Nach einem Jahr im Elternhaus in Luzern machte er eine dreijährige Lehre als Buchantiquar in Basel, 1929 kehrte er erneut ins Elternhaus zurück. Nach kurzer Tätigkeit als Entwerfer in einer Luzerner Reklamefirma begann er, an der Luzerner Kunstgewerbeschule zu unterrichten, bis 1932 als Hilfslehrer, seit 1933 bis zu seiner Pensionierung 1969 als Hauptlehrer. Seine Fächer waren hauptsächlich „Form und Farbe", Kunstgeschichte, Anatomisches Zeichnen, Aktzeichnen, Schriftenschreiben und Paramentik. Von längeren Reisen abgesehen, wohnte M. während der letzten fünf Jahrzehnte seines Lebens im elterlichen Haus „Im Heimbach" in Luzern.

M. entwickelte seit 1929, zunächst von Paul Klee inspiriert, zunehmend eine eigene, surrealistischen Stilmitteln verpflichtete Bildsprache. Zum Pariser Surrealisten-Kreis unterhielt er keinerlei Kontakte; seine Kunst hat ihre geistigen Wurzeln nicht in den Theorien Bretons und seiner Freunde, obwohl er zweifellos einigen dieser Maler stilistische Anregungen verdankt, sondern eher in den Schriften Friedrich Nietzsches. In den 30er Jahren zählte M. zu den Vertretern der schweizer. „Avantgarde", wie sie sich in der Ausstellung „Zeitprobleme in der Schweizer Malerei und Plastik" im Kunsthaus Zürich 1936 manifestierte. 1939 gehörte M. zu den Gründungsmitgliedern der Künstlervereinigung „Allianz", die dem modernen, durch die Abstraktion und den Surrealismus bestimmten Kunstschaffen in der Schweiz zum Durchbruch verhalf.

Wichtige Ausgangspunkte im ikonographischen Bereich waren für M. neben einzelnen Werken seines Vaters die Figurenmalerei Ferdinand Hodlers, der Wiener Jugendstil sowie historische Lehrbücher der Anatomie. Indem M. die „Vorbilder" grimmig parodierte und sie ins Surreale und Makabre umformte, entstand eine düstere, enigmatische Bildwelt, deren Thematik den Archetyp der „Furchtbaren Mutter" umkreist. Immer wieder – am Thema der Einzelfigur wie in dem Bild „Astarte" (1968, Privatbes.) oder des durch eine Reihe weiblicher Figuren gebildeten „Weiberhags" wie in „Versteinerte Tänzerinnen" (um 1936, Kunstmus. Luzern) und „Die Totenparade" (1954, Kunsthaus Zürich) – wird die diesen Archetyp kennzeichnende negative, zerstörerische und unfruchtbare Weiblichkeit in vielfältiger Symbolik dargestellt. 1955–64 wich die surreale Stilistik zeitweise ganz einer von Jackson Pollock und dem franz. Tachismus inspirierten, vom Künstler selbst als „tachistisch" bezeichneten Malweise. Es entstanden zahlreiche, z. T. sehr farbige abstrakte Gemälde. Das spätere Schaffen kehrte jedoch wieder zu den surrealistischen Ausdrucksformen zurück. Seit 1973 machte ein Augenleiden die Öl- und Temperamalerei unmöglich. Das Werk endet in einer langen Serie tragisch gestimmter Zeichnungen mit schwarzen Filzstiften.

Das Schaffen M.s, das größtenteils in den Zusammenhang des „mythologischen Surrealismus" gehört, will als schonungslose, von tiefenpsychologischem Scharfblick geprägte Zeit- und Gesellschaftsdiagnose verstanden werden. Mit einem Werk von über 1200 Gemälden und mehreren tausend Zeichnungen gilt M. heute als einer der wichtigsten schweizer. Künstler des 20. Jh. – Prof.titel 1963; Kunstpreis d. Stadt Luzern 1966.

Weitere W u. a. Hadestrio (um 1935, Kunsthaus Zürich); Die Unversöhnlichen (1951); Polyphems Kindheit (1960); Flamme (1962, alle Kunsthaus Zug); Dämon. Frühstück (1934); Nächtl. Spiele (1952); Nornen (1964, alle Aargauer Kunsthaus, Aarau). – *Nachlaß:* M. v. M.-Stiftung, Luzern; Dokumentation im Schweizer. Inst. f. Kunstwiss., Zürich.

L P. Thali (Hrsg.), M. v. M., 1974 *(P);* H.-J. Heusser, M. v. M. (1903–1979), Eine tiefenpsycholog. Werkinterpretation mit e. krit. Kat. d. Gem., 1982 *(L-Verz., P);* M. v. M., Retrospektive aller Werkbereiche, Ausst.kat. Luzern, 2 Bde., 1984 *(P);* Künstler-Lex. d. Schweiz 20. Jh., 1963–67; Vollmer. – *Zu Joseph:* J. v. M. u. Emil Wiederkehr, Ausst.kat. Luzern 1929; K. Müller, Der Maler J. v. M., in: Innerschweiz. Jb. f. Heimatkde. 2, 1937.

P Selbstbildnis (zw. 1917 u. 1923), Tempera auf Packpapier, Abb. b. H.-J. Heusser, Kat. Nr. 62.

Hans-Jörg Heusser

Moos, *Paul,* Musikästhetiker, * 22. 3. 1863 (Bad) Buchau/Federsee (Oberschwaben), † 27. 2. 1952 Raeren b. Eupen. (kath.)

V Heinrich (1834–91) aus B., Kaufm., seit 1886 Bürger in Ulm, *S* d. Abraham (1799–1861) u. d. Veronika (Fanny) Weil (1803–85); *M* Karoline (1840–1929) aus B., *T* d. Raphael Einstein (1800–80) u. d. Jette Baruch; – ledig (?); *Vt* Albert Einstein (1879–1955), Physiker (s. NDB IV).

M. gab die auf Wunsch des Vaters begonnene Kaufmannslehre auf, um das Abitur nachzuholen und studieren zu können, brach aber nach einigen Semestern an den Universitäten Tübingen und München das Studium ab. Er besuchte nun die Akademie der Tonkunst in München, war dort Schüler u. a. von Thuille, Rheinberger und Giehrl, führte jedoch auch diese Ausbildung nicht zu Ende, sondern ging nach Berlin, um Schriftsteller zu werden. Hier lernte er den Philosophen Eduard v. Hartmann kennen, dessen Lehre einen entscheidenden Einfluß auf sein Denken gewann. Nach einem längeren Aufenthalt in Italien, wo er seine von Jugend auf schwache Gesundheit zu stärken hoffte, kehrte er 1898 in seine Heimatstadt Ulm zurück. Unterstützt von seiner Mutter lebte und arbeitete er fortan als Privatgelehrter. 1902 erschien seine umfangreiche Monographie über die „Moderne Musikästhetik in Deutschland", worin zum erstenmal eine historisch-kritische Übersicht über die Entwicklung musikästhetischen Denkens in Deutschland von Kant bis in die Gegenwart gegeben wurde. Das Werk gipfelte in einer Würdigung des 1887 erschienenen „Philosophie des Schönen" E. v. Hartmanns als des Wertvollsten, was seit langem im Gebiet der Ästhetik einschließlich der Musikästhetik geleistet worden sei. Mit dieser These vermochte M. jedoch kaum jemanden zu überzeugen. Unbeirrt ergänzte er in den folgenden Jahren seine musikästhetischen und historischen Forschungen durch eine Reihe von Aufsätzen, u. a. über die Musiktheorie E. T. A. Hoffmanns (1906), in der er die Vorstufe zu den Lehren von Schopenhauer, R. Wagner und Hartmann sah. Da die Musikphilosophie Wagners nicht widerspruchslos in die Entwicklung des modernen musikästhetischen Denkens einzuordnen war, suchte er ihr in einer eigenen Monographie gerecht zu werden („Richard Wagner als Ästhetiker, Versuch einer kritischen Darstellung", 1906). Seine Forschungen dehnten sich mehr und mehr auf das gesamte Gebiet der nachkantischen Ästhetik aus. Dabei unterschied M. grundsätzlich zwischen der empirisch ausgerichteten Kunsttheorie, die er generell für unzureichend hielt, und der metaphysisch ausgerichteten Ästhetik bzw. Kunstphilosophie, die allein dem Symbolgehalt der Musik und Kunst gerecht zu werden versprach. Die Priorität der Philosophie vor jeglicher Empirie und Psychologie hat er zeitlebens aufrechterhalten und wiederholt in kritischen Studien zu begründen versucht, z. B. in seinen Anmerkungen „Über den gegenwärtigen Stand der Musikästhetik" (Bericht vom Kongreß für Ästhetik und allgemeine Kunstwissenschaft, Stuttgart 1914). 1920 erschien als erster Band seiner kritischen Darstellung der „Deutschen Ästhetik der Gegenwart" seine Auseinandersetzung mit der psychologischen Ästhetik in der Vielfalt ihrer Ansätze und Methoden, jedoch mit Ausnahme der experimentellen und der Tiefenpsychologie; mit diesen Ansätzen hat er sich nie näher beschäftigt. 1931 konnte er den zweiten Band der „Deutschen Ästhetik" erscheinen lassen, der die Philosophie des Schönen seit E. v. Hartmann behandelt. Grundlage und Maßstab seiner kritischen Darstellung, die sich nicht nur auf die philosophischen Standpunkte beschränkte, sondern auch die ästhetischen Reflexionen in den einzelnen Kunstwissenschaften einbezog, bildete nach wie vor die idealistische Inhaltsästhetik, die durch E. v. Hartmann zu einem konkreten Idealismus weitergebildet worden war. Danach versiegte M.s schriftstellerische Tätigkeit. – Dr. phil. h. c. (Erlangen 1929).

Weitere W u. a. Hermann Cohen als Musikästhetiker, in: FS f. H. Kretschmar, 1918, S. 88–91; Beziehungen d. jüngsten Musikwiss. z. Ästhetik, in: Ber. üb. d. I. Musikwiss. Kongreß d. dt. Musikges., Leipzig, 1926, S. 405–09; Bemerkungen z. Thema „Sinn u. Wesen in d. Musik", in: Musikforschung 4, 1951, S. 205 f.

L A. Drews, P. M., Die Philos. d. Musik, in: Die Musik 15, 1, 1922/23, S. 352–56; J. H. Wetzel, P. M., ebd. 18, 2, 1925/26, S. 485–89; R. Dehmel, Bekenntnisse, 1926, S. 189–92; H. Engel, P. M. z. Gedächtnis, in: Musikforschung 5, 1952, S. 361–63; P. Mies, P. M. z. Gedächtnis, Aus seinen Briefen, in: Musicae Scientiae Collectanea, FS f. K. G. Fellerer, 1973, S. 386–89; Ziegenfuß; MGG Suppl.bd.; Riemann; New Grove.

Wolfhart Henckmann

Moos, *Salomon,* Otologe, * 15. 7. 1831 Randegg bei Konstanz, † 15. 7. 1895 Heidelberg. (isr.)

V N. N.; *M* N. N.; ∞ Sophie Haas.

M. besuchte das Lyceum in Karlsruhe und begann 1851 das Studium der Medizin in Heidelberg, wo er, nach Studienaufenthalten in Prag und Wien, 1856 promoviert wurde. Seine Dissertation bildete die Antwort auf eine Preisaufgabe der Heidelberger Medizinischen Fakultät zum Thema „Über den Harnstoff- und Kochsalzgehalt des Urins in verschiedenen Krankheiten, insbesondere im Typhus und im Intestinalcatarrh". Nach seiner Promotion ließ sich M. als praktischer Arzt nieder, übernahm jedoch bald darauf eine Assistenstelle an der Heidelberger Medizinischen Klinik bei Karl Ewald Hasse. Mit einer Arbeit „Untersuchungen und Beobachtungen über den Einfluss der Pfortaderentzündung auf die Bildung der Galle und des Zuckers in der Leber" habilitierte sich M. 1859 für Innere Medizin. Sein Interesse richtete sich immer stärker auf die damals als eigenständiges Fachgebiet der Medizin noch kaum hervorgetretene Ohrenheilkunde (Otologie); 1862 begann er einschlägige Vorlesungen zu halten. Zunächst in seiner eigenen Wohnung, später in einem kleinen Raum der Klinik richtete M. ein Ambulatorium zur Behandlung von Ohrenleiden ein. 1866 erfolgte seine Ernennung zum ao. Professor, die 1876 in eine Fachprofessur für Ohrenheilkunde umgewandelt wurde (1891 o. Honorarprof.). 1870/71 fungierte M. als Lazarettarzt. Von 1873 bis zu seinem Tod stand er als Leiter einer staatlichen Poliklinik in Heidelberg vor. Mit dem Extraordinariat für Ohrenheilkunde erhielt er 1876 auch die Mittel zur Errichtung eines kleinen Instituts für Otiatrie. Aufgrund seiner zahlreichen pathologischen, pathologisch-anatomischen und auch histologischen Arbeiten gelang es M., den Stellenwert der Ohrenheilkunde in der Medizin wesentlich zu steigern. M. gehört als einer der Begründer der modernen Otologie zu den bedeutendsten Vertretern dieses Faches. – Hofrat (1889).

W Klinik d. Ohrenkrankheiten, Ein Hdb. f. Studierende u. Ärzte, 1866; Btrr. z. normalen u. patholog. Anatomie u. z. Physiol. d. Eustachischen Röhre, 1875; Über Meningitis cerebrospinalis epidemica (Genickkrampf), insbes. üb. d. nach derselben zurückbleibenden kombinierten Gehörs- u. Gleichgewichtsstörungen, 1881. – *Mithrsg.*: Archiv f. Augen- u. Ohrenheilkde. (1869–78, auch engl.: The Archives of Ophthalmology and Otology, New York), seit 1879 als Zs. f. Ohrenheilkde. weitergeführt.

L Index-Catalogue of the Library of the Surgeon-General's Office, United States Army, 1888, S. 442; A. Politzer in: Archiv f. Ohrenheilkde. 40, 1895, S. 27–30; ders., Gesch. d. Ohrenheilkde., 2 Bde., 1913, S. 247 f.; H. Steinbrügge in: Mschr. f. Ohrenheilkde. 1895, Nr. 11, S. 1–6 *(W-Verz.);* Bad. Biogrr. V, 1906, S. 916; Drüll I; BLÄ.

P Phot. (Inst. f. Gesch. d. Med. d. Univ. Wien; Univ.-Archiv Heidelberg).

Judith Bauer

Moosbrugger *(Mosbrugger).* (kath.)

1) *Caspar* (Taufname *Andreas*), Baumeister, Benediktiner, * 15. 5. 1656 Au im Bregenzerwald (Vorarlberg), † 26. 8. 1723 Kloster Einsiedeln.

V Johannes (* 1615), S d. Christian u. d. Anna Beer; M Anna Sailer; B Michael (1642–n. 1697), Zimmermeister, Johannes (1659–1710), Maurermeister, wirkte mit am Neubau d. Klosters Einsiedeln (s. ThB); *Verwandter* Friedrich (s. 2).

Nach einer Maurer- und Steinmetzlehre in der Auer Zunft seit 1670 wurde M. von Christian Thumb am 5. 1. 1673 ledig gesprochen. Als Steinmetz war er seit 1674 unter Johann Georg Kuen am Chor der Stiftskirche Einsiedeln beteiligt, seit 1676 an der Sakristei und der Beichtkirche. Am 7. 6. 1681 bat M. um Aufnahme als Frater in das Kloster Einsiedeln und legte dort am 21. 11. 1682 die Profeß ab. Rasch entwickelte er sich zum gefragten Bauberater in der Schweiz und im Bodensee-Raum. 1691 begann M. eine umfangreiche Entwurfsserie für den Neubau von Kirche und Kloster Einsiedeln, zu dem er 1703 den Planungsauftrag erhielt. Im Gegensatz zur Klosteranlage wurde die Formfindung der Klosterkirche für M. zu einem äußerst langwierigen Prozeß, der 1705 durch die Einschaltung des Bolognesser Architekten Marsigli und eines Mailänder Bernini-Schülers in die Richtung des ausgeführten Baues gelenkt wurde, insbesondere in der Anlage des querovalen Gnadenraums und der Einbeziehung des Vorplatzes. Die 1713 einsetzende letzte Planungsphase endete erst 1719 kurz vor Baubeginn mit der Festlegung der Fassade, wozu von M. allein sieben Varianten bekannt sind. Während der Einsiedler Planung übte M. weiterhin eine umfangreiche Berater- und Entwurfstätigkeit zu Kloster- und Kirchenbauten in der Schweiz und im Schwarzwald aus.

Durch den Fund des sog. Auer Lehrgangs 1948 wurde die enge Verflechtung der Gestaltungsprinzipien M.s mit denen der Vorarlberger Bauschule deutlich. Zumeist schließt sich einem Langhaus des Vorarlberger Schemas (Hallenkirche mit eingezogenen Streben) ein Zentralbau an, der letztlich eine Weiterführung der Zentralisierungsideen von Michael Beer und Johann Georg Kuen ist: Es entsteht ein gerichtetes Raumgefüge durch die klare Abfolge heterogener, selbständiger Teilräume bei gleichzeitigem Verzicht auf Raumverschmelzung. Dabei wird der Wandpfeiler zumeist im Ober- wie auch im Untergeschoß geöffnet. Als Ausgangspunkt diente M. häufig ein Grundriß vom Typ Obermarchtal, der vor allem für die Entwürfe von Disentis, Seedorf und Lachen entscheidend wurde. Für die differenzierten, reich gegliederten Fassaden (Einsiedeln, Projekte und Ausführung; Solothurn, Projekt) und für einzelne Details schöpfte M. zumeist aus ital. Stichwerken und Traktaten (Sebastiano Serlio, V. Buch), zudem übernahm er Anregungen der Architektur von Franz II Beer und des Salzburger Barocks.

Kennzeichnend für die Entwurfstätigkeit von M. ist ein stetiges, nicht selten rein experimentelles Ringen um die Form. Die Bedeutung M.s, der nach seinem Tode als „Architectus celeberrimus" gerühmt wurde, lag mehr im einfallsreichen Weiterverarbeiten vorhandener Tendenzen als in der souveränen Invention, doch griffen sowohl Franz II Beer in Weißenau wie Dominikus Zimmermann in Steinhausen seine moderne Ovalchorlösung auf.

Weitere W Disentis, Klosterbau, 1683 / 94, Klosterkirche, 1695 / 1712; Muri, Kloster, 1684 / 1710, Klosterkirche, Entwurf (nicht ausgef.), 1694; Etzel,

St.-Meinrad-Kapelle, 1687/98; Kalchrain, Zisterzienserinnenkloster, 1697, 1702 ff., Kirche, 1717/23; Netstal, Pfarrkirche, 1703 ff.; Engelberg, Benediktinerkloster u. Kirche, 1704; Solothurn, Stiftskirche St. Ursen, Entwurf (nicht ausgef.), 1711; St. Gallen, Stiftsanlage u. Kirche, Entwürfe (nicht ausgef.), 1720/21 (Stiftsarchiv Einsiedeln). – *Vollst. W-Verz.* b. Lieb (s. *L*), S. 104 f.

L N. Lieb, Die Vorarlberger Barockbaumeister, 1960, ³1976 *(W, L)*; ThB.

Ingo Seufert

2) *Friedrich* **Mosbrugger**, Maler, * 19. 9. 1804 Konstanz, † 17. 10. 1830 St. Petersburg.

V Wendelin (1760–1849) aus Rehmen b. Au (Bregenzer Wald), württ. Hofmaler in K. (s. ADB 22; ThB; *L*), *S* d. Leopold (1718–67), Müller in Rehmen, u. d. Anna Kohler (1719–76); *M* Anna Maria (1774–1829), *T* d. Franz Joseph Ignaz Benedikt Hüetlin (1740–99) in K. u. d. Anna Maria N. N. (1752–1835); *Halb-B* Leopold (1796–1864), Mathematiker (s. ADB 22; Biogr. Lex. d. Aargaus, 1958); *B* August (1802–58), Architekt (s. ADB 22), Joseph (1810–69), Landschaftsmaler (s. ADB 22; ThB; *L*); – ledig; *Verwandter* Caspar (s. 1).

M. erhielt seine erste künstlerische Ausbildung in Konstanz bei seinem Vater und bei der Historien- und Bildnismalerin Marie Ellenrieder. Wohl auf deren Anraten schrieb sich der 17jährige im April 1822 an der Münchener Kunstakademie für das Fach „Historienmalerei" ein. Mehr als die dort geübte spätklassizistische Ausbildung im Zeichnen nach Vorbildern, im Kolorieren und Komponieren haben den jungen Maler außerhalb der Akademie tätige Genremaler beeindruckt, deren Kunstauffassung und motivische Interessen von niederländ. Gemälden des 17. Jh., vor allem der Alten Pinakothek, inspiriert waren. Während der neue Akademiedirektor Peter v. Cornelius seit 1825 die traditionelle Führungsrolle der Historienmalerei innerhalb der Gattungshierarchie behauptete, begann sich M. – gleichzeitig mit Heinrich Bürkel – mit „gewöhnlichen" volkstümlichen Bildgegenständen einen Namen zu machen. 1825 und 1827 konnte er sich als bad. Maler an der Kunstausstellung in der Ghzgl. Residenzstadt Karlsruhe beteiligen. Die Gemälde „Der Bockkeller in München" (Privatbes.), „Die Brettspieler", „Der erzählende Invalide" (beide verschollen), „Die Kameraden" (Staatl. Kunsthalle Karlsruhe) wurden von der zeitgenössischen Kunstkritik als beachtliche Leistungen gewürdigt. Die daneben, wohl um 1826/27, gemalten Doppelbildnisse der Eltern des Künstlers (Rosgartenmus., Konstanz) und des Ehepaars v. Schach (Privatbes.) können den besten realistischen Porträts des frühen 19. Jh. in Deutschland an die Seite gestellt werden.

Von Dezember 1827 bis Juni 1829 lebte und arbeitete M. in Italien – vor allem in Rom (mit Aufenthalten in Olevano, Civitella, Capri und Neapel, später in Venedig). Hier erweiterte er sein noch niederländ. geprägtes Themenrepertoire („Künstleratelier in Rom", 1828, Staatl. Kunsthalle Karlsruhe) um die modischen Sujets und die kräftigen Farben der südlichen Folkloremalerei (Italienerinnen in Lokaltrachten, Markt- u. Straßenleben mit malerischen Gestalten, Tierstudien und Landschaften). Zu seinem ital. Hauptwerk wurde jedoch das auf seinen fast zweimonatigen Neapelaufenthalt zurückgehende Gemälde „Der Improvisator am Molo von Neapel" (1829, Privatbes.), mit dem sich M. an poetische und bildliche Schilderungen dieser volkstümlichen Attraktion der Vesuvstadt anschloß. Die Zweitfassung des Bildes (1830, Staatl. Kunsthalle Karlsruhe) verkaufte M. dem Großherzog v. Baden, die Erstfassung nahm er wohl als Präsentationsobjekt auf seine Reise nach St. Petersburg (August 1830) mit, wo er sich, im Anschluß an befreundete Künstler, offenbar einen neuen Markt für seine folkloristische Malerei erschließen wollte. Kurz nach seiner Ankunft erlag der Maler jedoch einer tödlichen Infektionskrankheit.

M.s formal und thematisch weitgespanntes Œuvre bietet – vor allem durch den Verlust zahlreicher Hauptwerke – kein vollständiges und homogenes Bild. Gleichwohl lassen die erhaltenen Genrebilder, die Porträts und viele Entwürfe und Studien aus Italien M.s Rang innerhalb des frühen Realismus in Deutschland deutlich werden.

W Ölgem.: Drei Bildnisse d. Fam. v. Paur, 1824; Ganzfiguriges Porträt d. Frhr. v. Seldeneck, 1827 (alle Rosgartenmus., Konstanz); Friedrich Eisenlohr u. seine Freunde, um 1826–29 (?); Blick auf Hinterhäuser in Rom (beide Staatl. Kunsthalle Karlsruhe). – 5 *Skizzenbücher* u. etwa 250 *Handzeichnungen* (größtenteils in Privatbes. in d. Staatl. Kunsthalle Karlsruhe u. in d. Konstanzer Museen).

L ADB 22; F. Pecht, in: Bad. Biogr., 2. T., 1875, S. 90 f.; Die Konstanzer Maler Wendelin, Friedrich u. Joseph Mosbrugger, Ausst.kat. 1969; A. Morel u. P. Lachat, Die Vorarlberger Fam. Mosbrugger im Birstal, in: Basler Volkskal. 1971, S. 51–66; H. Gies, Die Vorarlberger Künstlerfam. Moosbrugger (Baumeister – Stukkateure – Maler), in: Schrr. d. Ver. f. d. Gesch. d. Bodensees u. seiner Umgebung, H. 92, 1974, S. 211–31; M. Bringmann u. S. v. Blanckenhagen, Die Mosbrugger, Die Konstanzer Maler Wendelin, Friedrich u. Joseph Mosbrugger, 1974 *(W-Verz.* mit *Abb., L);* R. Theilmann u. E. Ammann, Die dt. Zeichnungen d. 19. Jh., Staatl.

Kunsthalle Karlsruhe, Kupf.kabinett, 1978, Nr. 2601–2761; Kunst in d. Residenz, Karlsruhe zw. Rokoko u. Moderne, Ausst.kat. Staatl. Kunsthalle Karlsruhe 1990, S. 108–11; ThB.

P Mehrere Selbstbildnisse, Abb. b. M. Bringmann u. S. v. Blanckenhagen (s. L).

Michael Bringmann

Mooser, *Hermann,* Mikrobiologe, * 3. 5. 1891 Maienfeld Kt. Graubünden, † 20. 6. 1971 Zürich. (ref.)

V Anton (1860–1947), Kunstschlossermeister u. Heraldiker, Burgenforscher u. Vf. zahlr. Btrr. (s. HBLS), S d. Müllers Josef Anton (1822–91) aus M. u. d. Anna Elisabeth Hochstrasser (1825–96); M Johanna (1864–1908), T d. Johann Barandun (1836–1922) aus Trans (Graubünden), Bauer u. Fuhrmann, u. d. Catharina Buchli (1841–1922); ∞ 1) 1922 Jessie Hawtree (1897–1939), 2) 1940 Hedwig Z'graggen (* 1906); 1 S, 1 T aus 1), 1 S aus 2); N Emanuel Mooser-Hunkeler (* 1925), Prof. f. Physik an d. École Polytechnique Fédérale, Lausanne.

Nach Besuch der Mittelschule studierte M. Medizin in Lausanne, Zürich und Basel und doktorierte 1920 in Zürich mit einer pathologisch-anatomischen Arbeit über einen „Fall von endogener Fettsucht mit hochgradiger Osteoporose" – die Krankheit sollte später unter dem Namen Cushing-Syndrom bekanntwerden. Nach je einem Assistentenjahr in der Chirurgie in Zürich (1918), der Pathologie in Basel (1919) und am Hygiene-Institut in Zürich (1920) übernahm er 1921–28 die Stelle eines Clinical Pathologist am American Hospital in Mexico City. Es folgte eine knapp halbjährige Tätigkeit als Direktor des Christ Hospital Institute for Medical Research in Cincinnati (1929). Nach seiner Rückkehr nach Mexiko wurde M. 1930 Professor für Bakteriologie an der Nationaluniversität. 1936 erfolgte seine Berufung als Nachfolger von William Silberschmidt (1869–1947) zum Direktor des Hygiene-Instituts der Univ. Zürich. Der altersbedingte Rücktritt erfolgte 1962; sein interimistischer Nachfolger wurde Arthur Grumbach (1895–1975). Als Spezialist für exotische Krankheiten wurde M. 1938 vom Völkerbund nach China entsandt; epidemiologische Missionen brachten ihn 1942 nach Spanien, 1944 nach Jugoslawien, 1947 und 1960 nach Ägypten. Er hielt sich wiederholt zu Forschungsaufenthalten in Afrika auf. In Mexiko studierte M. mit besonderem Erfolg das mexikan. endemische oder murine Fleckfieber. Er konnte erstmals den Krankheitserreger klar von demjenigen des klassischen Fleckfiebers unterscheiden (Journal of Infectious Diseases 43, 1928, S. 241–70). Viele Forscher nennen deshalb den Erreger des mexikan. endemischen oder murinen Fleckfiebers zu Ehren M.s Rikkettsia mooseri. Heute gilt die abweichende Einordnung des Erregers als „Rickettsia typhi" durch Bergey's Manual of Systematic Bacteriology (1984). Weitere Forschungen M.s schienen zunächst zu belegen, daß der Erreger des klassischen Fleckfiebers eine durch lange Passagen der Übertragung von Mensch zu Mensch mittels Läusen aus Rikkettsia mooseri entstandene Varietät und damit nicht die Urform des Fleckfiebererregers darstellte (Journal of Experimental Medicine 59, 1934, S. 137–57). Später revidierte M. seine Meinung und erklärte die von ihm früher gefundene Umwandlung der Erreger des klassischen Fiebers in die murine Form als durch Laborkontamination vorgetäuscht (Archives de l'Institut Pasteur de Tunis 36, 1959, S. 301–06). Andere Arbeiten M.s befaßten sich mit der Rattenbißkrankheit (Sodoku), dem Mal del Pinto, den akzidentellen Infektionen bei Labormäusen, dem Fünftagefieber, dem Rückfallfieber, dem Q-Fieber, der insektiziden Wirkung von DDT und von Butazolidin sowie der Virus-Interferenz.

M. war ein Naturforscher alter Schule, der vor allem von Beobachtungen ausging oder von Experimenten, welche die Situation in „freier Wildbahn" möglichst eng reproduzierten. Er war Spekulationen nicht abhold, suchte sie aber immer an der Realität zu messen. Trotz 26jähriger Tätigkeit in Zürich begründete er keine eigentliche Schule. Seine Interessen waren breitgefächert und reichten von der Mathematik bis zur Altphilologie. Vor und während des 2. Weltkriegs bewies er eine konsequente antinationalsozialistische Gesinnung, was ihm damals nicht nur Beifall eingebracht hat. – Marcel-Benoist-Preis (1941), Bernhard-Nocht-Medaille d. Tropeninst. Hamburg (1951); Dr. h. c. (Mexico City 1954, Basel 1961, Hamburg 1961); Ehrenmitgl. d. Kgl. Med. Ak. Barcelona, d. Dt. Ges. f. Hygiene u. Mikrobiol., d. Schweizer. Ges. f. Mikrobiol., d. Société Belge de Médecine Tropicale, d. American Association of Immunologists u. d. Société de Pathologie Exotique, Paris.

L FS z. 70. Geb.tag, in: Pathologia et Microbiologia 24, 1961, Suppl. *(W-Verz., P);* R. Geigy, H. M. z. 70. Geb.tag, in: Schweizer. med. Wschr. 91, 1961; F. Weyer, H. M. z. 70. Geb.tag, in: Dt. med. Wschr. 86, 1961; R. B. Marti, H. M. 1891–1971, Der Entdekker d. murinen Fleckfiebers, 1978 *(W-Verz., P);* Kürschner, Gel.-Kal. 1970; Schweizer Lex. *(P).*

Jean Lindenmann

Morach, *Otto,* Maler, * 2. 8. 1887 Hubersdorf Kt. Solothurn, † 25. 12. 1973 Zürich. (kath.)

V Albert (1848–1912), Mittelschullehrer in Solothurn, *S* d. N. N. u. d. Johanna (1820–99), Landarbeiterin in Gretzenbach; *M* Viktoria (1856–1934), *T* d. Viktor Wyss (1827–84), Lehrer in H., u. d. Maria Anna Steiner (1821–84); ∞ Zürich 1923 Hermana (1899–1974), Bildhauerin u. Textilgestalterin (s. Künstler Lex. d. Schweiz XX. Jh.), *T* d. Hermann Auguste Sjövall aus Ystad (Schweden) u. d. Berthe Duvoisin aus Genf; kinderlos.

M. wuchs in Hubersdorf und seit 1901 in Solothurn auf. Nach der Matur 1906 zog er nach Bern und erwarb 1908 das Sekundarlehrerpatent mathematisch-naturwissenschaftlicher Richtung. Danach besuchte er zwei Semester lang Kurse an der Univ. und an der Kunstgewerbeschule Bern, um sich zum Zeichenlehrer ausbilden zu lassen. 1910/11 ging er nach Paris, im Sommer 1912 nach München, im Winter 1912/13 nochmals nach Paris, um sich die Stilmittel der damaligen Avantgarde anzueignen. Der Plan zu einer weiteren großen Auslandsreise wurde durch den Ausbruch des 1. Weltkriegs vereitelt; M. mußte als Zeichenlehrer in Solothurn bleiben. 1919 wurde er Lehrer an der Kunstgewerbeschule Zürich, zunächst mit einem Pensum, das er mit Sophie Taeuber-Arp teilte, so daß Zeit für freies künstlerisches Schaffen blieb: Im Winter 1922/23 weilte er in Berlin, von wo aus er Reisen nach Norddeutschland unternahm. Seit 1925 malte er oft in Südfrankreich und in Paris, 1927 ermöglichte ihm ein eidgenöss. Stipendium einen mehrmonatigen Arbeitsaufenthalt in Südfrankreich und in der Normandie. Seit 1928 war M. als vollamtlicher Lehrer an der Kunstgewerbeschule in Zürich tätig; seit 1953 arbeitete er als freischaffender Künstler.

Bis etwa 1916 verarbeitete M. in seinen Staffeleibildern die Einflüsse von Kubismus und Futurismus. Die Sujets sind meistens in Solothurn lokalisierbar; doch ist die Perspektive geändert, überhöht, Plätze werden ausgeweitet, Häuserzeilen verschoben, um das Vertraute zu dynamisieren oder in eine geheimnisvolle Sphäre zu rücken. Die Eindrücke seines Aufenthalts in Norddeutschland schlugen sich in Architektur- und Stadtbildern nieder, die eine gewisse Nähe zu den Werken Feiningers aufweisen. Gleichzeitig mit den strenggefügten Kompositionen entstanden – beeinflußt von Chagall, Marc und Campendonk – Bilder, in denen Mensch und Tier in die Landschaft eingebettet sind. In den mittleren 20er Jahren wandte sich M. der Neuen Sachlichkeit, dem Purismus, danach dem Surrealismus zu, später vollzog sich eine Wendung zum Kargen, Abgestorbenen, gewaltsam Zerstörten. Ruinenstädte und verbrannte Wälder bildeten die Themen, menschenleere Architektur- und Felsenbilder zeigten zunehmend harte Konturen und Flächen aus sandhaltigen Farbpasten. Daneben schuf M. Glasfenster, Wandbilder und Mosaiken. Seine Plakate errangen mehrfach hohe Auszeichnungen (u. a. zweimal Goldmedaille Weltausst. Paris 1925). In den 20er Jahren erarbeitete er zusammen mit seiner Frau Teppichentwürfe. Schließlich trat M. als einer der Pioniere des Schweizer Marionettentheaters hervor. Er entwarf und fertigte Dekorationen und Figuren zu einem Krippenspiel, zu Goethes „Faust", Manuel de Fallas „Meister Pedros Puppenspiel" und – in engem Kontakt zu den Dadaisten – für Débussys Ballett „La boîte à joujoux".

W u. a. in Museen in Bern, Solothurn, Zürich; Marionettenfiguren u. Ausstattungsstücke (Privatbes. u. Mus. Bellerive, Zürich).

L P. Wullimann, O. M., Leben u. Hauptwerk d. Malers, 1970; M.-L. Schaller, O. M. (1887–1973), Mit e. krit. Kat. d. Staffeleibilder, 1983 *(P, L, Ausst.-Verz.);* dies., Junge Künstler in Bern: Johannes Itten, Arnold Brügger, O. M., in: „Der sanfte Trug d. Berner Milieus", Ausst.kat. Kunstmus. Bern 1988, S. 126–49; O. M. z. 100. Geb.tag, Ausst.kat. Kunstmus. Solothurn 1987; O. M.s Arbeit für d. Marionettentheater: la boîte à joujoux, Ausst.kat. ebd. 1988; Künstler Lex. d. Schweiz XX. Jh., II, S. 659 *(W, L);* ThB; Vollmer.

Marie-Louise Schaller

Moral, *Hans,* Zahnarzt, * 8. 9. 1885 Berlin, † (Freitod) 6. 8. 1933 Rostock. (isr.)

V Martin, Kaufm.; *M* Lina Blumgart; ledig.

M. wuchs in einem wohlhabenden Elternhaus auf. Er besuchte Schulen in Berlin und Weilburg/Lahn, wo er 1905 das Reifezeugnis erhielt. Im Anschluß daran studierte er Zahnheilkunde zunächst in München und dann in Berlin, wo er 1908 das Staatsexamen ablegte. Im selben Jahr nahm er in Greifswald das Studium der Medizin auf und bestand dort 1911 das Medizinische Staatsexamen. 1912 promovierte er mit der Arbeit „Über die ersten Entwicklungsstadien der Glandula submaxillaris" zum Dr. med. und mit der Arbeit „Über die ersten Entwicklungsstadien der Glandula parotis" zum Dr. phil. Im selben Jahr absolvierte M. seine Medizinal-Praktikantenzeit in Berlin und wurde Assistent am zahnärztlichen Institut der Univ. Marburg.

1913 wechselte er an das zahnärztliche Institut in Rostock, wo er sich im Sommer 1914 mit der Arbeit „Über die Lage des Anästhesiedepots" habilitierte. Im selben Jahr wurde M. nach Einberufung von Johannes Reinmöller die kommissarische Leitung des Instituts übertragen, die er bis 1918 innehatte; 1917 erhielt er den Professortitel. Als Reinmöller Rostock 1920 verließ, wurde das bis dahin in dessen Privatbesitz befindliche Institut staatlich, und man übertrug M. die Leitung zunächst als ao., 1923 als o. Professor. Vortragsreisen führten M. vorwiegend in die Länder Südosteuropas. Zu Beginn der 30er Jahre unternahm er infolge schwerer Depressionen zwei Selbstmordversuche. Nach der Machtergreifung der Nationalsozialisten wurde M. gezwungen, sich auf unbestimmte Zeit beurlauben zu lassen. Wenig später wählte er den Freitod.

M. veröffentlichte 89 Arbeiten, darunter mehrere Monographien und Buchbeiträge. Sein wissenschaftliches Interesse galt zunächst der lokalen Anästhesie, als deren Wegbereiter in der Zahnheilkunde er gemeinsam mit Guido Fischer anzusehen ist. Neben der klinischen Anwendung beschäftigten ihn vor allem die anatomischen und physiologischen Grundlagen dieser damals neuen Anästhesieform. In späteren Jahren folgten Arbeiten zu Fragen der Zahnerhaltungskunde, darunter grundlegende Studien zur Wurzelkanalbehandlung, und zu verschiedenen Formen von Zahnmißbildungen. Nach der Übernahme der Institutsleitung beschäftigte sich M. dann überwiegend mit Fragen der Mundchirurgie und -pathologie. Daneben galt sein besonderes Interesse der Universitäts- und Standespolitik, wobei er energisch für die Anerkennung der Zahnheilkunde als einer gleichberechtigten Teildisziplin der Medizin eintrat. – Dr. med. dent. h. c. (Rostock 1924).

W u. a. Die Leitungsanästhesie im Ober- u. Unterkiefer auf Grund d. anatom. Verhältnisse, 1910 (mit Bünte); Einf. in d. Klinik d. Zahn- u. Mundkrankheiten, 1920; Wurzelbehandlung, in: Hdb. d. Zahnheilkde., 1924; Atlas d. Mundkrankheiten mit Einschluß d. Erkrankungen d. äußeren Mundumgebung, 1924 (mit Frieboes); Spezielle Pathol. d. Mundhöhle, in: Fortschritte d. Zahnheilkde., 1926.

L D. Pahncke u. E. Beetke, H. M. (1885–1933) – zu Leben u. Werk, in: Btrr. z. Gesch. d. Univ. Rostock, H. 15, 1990 *(P);* U.-W. Depmer, Weg u. Schicksal verfolgter Zahnmediziner während d. Zeit d. Nationalsozialismus, Diss. Kiel 1993; E. Häussermann, Letzte Auswege waren Selbstmord u. Emigration, in: Zahnärztl. Mitt. 84, 1994, S. 1542; Rhdb. *(P);* Fischer.

Christoph Benz

Moralt, Münchener Künstlerfamilie. (kath.)

Die Familie geht – wie die schweizer. Familie Muralt – auf Capitanei in Locarno zurück, die ursprünglich Vasallen des Kaisers sowie des Bischofs von Como waren, von dem sie u. a. die Türme von Muralto als Lehen erhielten, nach denen sie sich benannten. *Martin* Muralto († 1567), Dr. iur. utr., und der Wundarzt *Johannes* Muralto († 1579) wanderten wegen ihres prot. Glaubens 1555 nach Zürich aus und wurden die Stammväter der Zürcher und Berner Muralt. Dieser Zweig behielt das Adelsprädikat bei, nicht so Familienmitglieder, die nach Deutschland und Österreich auswanderten.

Adam (um 1741–1811, s. MGG), kurfürstl. Hofkalkant in Mannheim, übersiedelte 1778 nach München. Er wurde der Stammvater der Münchener Künstlerfamilie M. Seine acht Söhne, alle Hofmusiker, begründeten die Zweige der Familie, seine Tochter *Clementine* (1797–1845, s. MGG), kgl. Hofsängerin, heiratete den Sänger Julius Pellegrini (1806–58, s. ADB 25; MGG). Über seine Frau Maria Anna Kramer war Adam mit der Londoner Musikerfamilie Cramer verwandt.

Joseph (1775–1855, s. MGG), Schüler von Peter Winter, war ein vorzüglicher Violinist. 1800 wurde er zum kurfürstl. Konzertmeister ernannt. Mit seinem Bruder Philipp gehörte er 1811 zu den Initiatoren der Münchener „Musikalischen Akademie", deren Konzerte er häufig dirigierte. Seit 1827 Hofmusik-Instrumental-Direktor (Dirigent des Hoftheater-Orchesters), machte er sich um die Pflege der berühmten Mannheim-Münchener Streichertradition verdient. Mit seinen Brüdern Johann Baptist, Jakob und Philipp bildete er das sog. Moralt-Quartett, eines der frühesten reisenden Streichquartette, das ausgedehnte Konzertreisen innerhalb Deutschlands sowie in die Schweiz, nach Frankreich und England unternahm. Josephs Sohn *Otto* (1828–87) wurde 1880 Landgerichtsdirektor in München. Dessen gleichnamiger Sohn (1855–1913) war Redakteur bei den Münchener Neuesten Nachrichten und bei der München-Augsburger Abendzeitung (s. *L*). Josephs Tochter *Emilie* (1865–1954) heiratete den späteren bayer. Generalleutnant Franz Xaver Ritter v. Held (1862–1943).

Johann Baptist (1777–1825, s. MGG) erhielt seine musikalische Ausbildung bei dem Münchener Hofmusik-Instrumental-Direktor Karl Cannabich und bei Joseph Grätz. Mit 21 Jahren wurde er als Violinist Hofmusiker. Seine an Joseph Haydn erinnernden Kompositionen, darunter mehrere Symphonien, wurden vor allem in der „Musikalischen Akademie" aufgeführt. Seine Quartette für Flöte, Violine, Viola und Violoncello (1815) werden auch heute noch gespielt. Johann Baptists Töchter *Maria Ottilie* (1812–44) und später *Angelika* (1819–73) waren mit dem Musikalienhändler Eduard Spitzweg (* 1811) verheiratet, einem Bruder des Malers Carl Spitzweg. Johann Baptists Sohn *Wilhelm* (1815–74) wurde 1835 Hofmusiker, machte sich aber auch um die Volksmusik verdient. Er komponierte mehrere Stücke für die Zither. Seiner Ehe mit der Hofkapellsängerin Josephine Deybeck (1815–98) entsproß *Paul Alois* (1849–1943), kgl. Kammermusiker, der auch als Zeichner und Maler hervortrat. In seiner Jugend war er Schüler Carl Spitzwegs und Christian Morgensterns gewesen. Sein Sohn *Willy* (1884–1947) studierte an der Münchener Akademie der Bildenden Künste bei Karl Raupp Malerei. Da er es meisterhaft verstand, im Stil seines Großonkels Carl Spitzweg zu malen, und auch dessen Motive einer biedermeierlichen „heilen Welt" übernahm, blieb der Erfolg nicht aus. Auf der Großen Internationalen Kunstausstellung in Venedig 1924 errang er die Goldene Medaille (s. L).

Jakob (1780–1820) brachte es auf der Viola zu hoher Meisterschaft. Von seinen Söhnen folgten ihm *Anton* (1812–83) und *Eduard Anton* (1819–59) als Hofmusiker, *Ludwig* (1815–88) wurde Historienmaler (s. L) und *Heinrich Anton* (1816–59) Apotheker, seine Tochter *Maria Magdalena* (1813–75) heiratete den Architekturprofessor Rudolf Josef v. Kramer (1809–74). Ludwig war an der Münchener Akademie Schüler von Heß, Schlotthauer und Cornelius. Er fertigte zwei Gemälde für den Regensburger Dom (1840) und die Fresken im Dom zu Gran (Esztergom/Ungarn). Bei der Ausmalung der Ludwigskirche in München assistierte er Peter Cornelius. Ludwigs gleichnamiger Sohn (1851–1931) ließ sich als Kaufmann in Reichenhall nieder. Jakobs Sohn *Theodor* (1817–77), Hoftheater-Hauptkassier, heiratete die reiche Brauerstochter Maria Louise Pschorr (1834–89). Theodors Sohn *Angelo* (1856–1906) ließ sich als Kaufmann in London nieder, *Rudolf* (1858–1922) wurde Hoftheater-Kassier, *Theodor Ludwig* (1863–1922) Kaufmann. Theodors Tochter *Bertha* (1870–1948) heiratete den Architekten Adolf Ziebland (1863–1934), Rudolfs Tochter *Margarethe* (* 1894) den Chirurgen Richard Bestelmeyer. Rudolfs gleichnamiger Sohn (1902–58, s. MGG), über seine Großmutter Pschorr mit Richard Strauss verwandt, begann als Korrepetitor an der Münchener Oper, wurde 1932 musikal. Oberleiter in Kaiserslautern und 1937 Operndirektor in Graz. 1940 holte man ihn als Ersten Kapellmeister und Chefdirigenten an die Wiener Staatsoper. Er führte sich mit einer vielbeachteten „Daphne"-Premiere ein. Zum Verdi-Jahr dirigierte er im April 1942 den „Troubadour", zu den Geburtstagen von Richard Strauss 1944 den „Rosenkavalier", 1949 die „Elektra". Große Beachtung fanden die Richard Strauss-Opernaufführungen „Salome" (1946), „Intermezzo" (1954) und vor allem „Arabella" (1952). Ende 1945 dirigierte er „Fidelio", 1946 zum 950. Geburtstag Österreichs Mozarts „Entführung", zum 70. Todestag Richard Wagners den „Tristan", 1953 d'Alberts „Tiefland" und kurz vor seinem Tod die „Josephslegende". Schallplattenaufnahmen von Werken Anton Dvořáks, Richard Strauss' und Anton Rubinsteins mit den Wiener Philharmonikern und den Wiener Symphonikern fanden weite Verbreitung (s. L).

Jakobs Zwillingsbruder *Philipp* (1780–1830), Hof- und Kammermusiker, unternahm als Cellist häufig Konzertreisen. 1824 trat er aus der „Musikalischen Akademie" aus, um das Orchester der Gesellschaft „Frohsinn" dirigieren zu können. Seine Söhne, die Cellisten *August* (1811–86) und *Joseph* (1816–48) sowie der Violinist und Dirigent *Peter* (1814–65, s. MGG), wurden ebenfalls Hofmusiker. August und Peter schlossen sich mit ihren Vettern *Wilhelm* (1815–74) und *Anton* (1812–83) zu einem zweiten Moralt-Quartett zusammen, mit dem sie Konzertreisen unternahmen. Josephs Sohn *August* (1842–1906) war Premierleutnant, bevor er sich 1874 als Landwirt in Tölz niederließ. Dessen Sohn *Augustin* (1875–1927) errichtete eine Möbelschreinerei, die 1909 zu einer Fabrik mit 250 Beschäftigten angewachsen war, drei Jahre später wegen finanzieller Schwierigkeiten jedoch verkauft werden mußte. 1915 erwarb Augustin die Schletzbaumsäge in Tölz, der er bald eine Türenfabrik, 1924 eine Fabrik für Sperrholzplatten anfügte. Sein Sohn *August* (1905–86) führte die Fabrikation von Sperrholz- und Spanplatten fort.

Karl (1800–53) wurde als Kontrabassist Hofmusiker, sein Sohn *Julius* (1827–61) Archivar, *Peter* (1840–1906) Intendanzrat. *Josef* (1802–58) mußte sich mit der bescheidenen Stellung eines Hofmusik-Konservators begnügen, ebenso dessen Sohn *Josef Anton* (1835–74). *Karl-Peter* (1836–1901) wechselte 1869 von der Stadt- zur Hofmusik. Karl-Peters Söhne *Josef* (1860–1910) und *Karl* (1862–1930) wurden Gastwirte, seine Tochter *Theo-*

dolinde (1861–1916) heiratete den Bauunternehmer Ludwig Vogl (1864–1920). *Friedrich* (1805–69) wurde der Familientradition gemäß ebenfalls Hofmusiker (Hornist), seine Tochter *Luise* (1853–84) Opernsängerin. Adams 19. Kind und 8. Sohn *Anton* (1807–62) gehörte der Hofkapelle als Hornist und Kontrabassist an.

L H. Bihrle, Die Musikal. Ak. in München 1811–1911, 1911; M. Zenger, Gesch. d. Münchener Oper, 1923; A. Bauckner, 150 J. Bayer. Nat.theater, 1928; A. Aschl, Die M., Lb. e. Fam., 1960 (*P* zu d. meisten hier erw. Fam.mitgll.); L. F. Schiedermair, Dt. Oper in München – e. 200j. Gesch., 1992; HBLS V. – *Zu Otto († 1913):* A. Dreyer, in BJ 18, 1917, S. 178 f. – *Zu Ludwig († 1888):* Festgabe d. Ver. f. Christl. Kunst in München, 1910, S. 85 f. *(P)*; ThB. – *Zu Willy († 1947):* K. Dreher, W. M., Fröhliche Bilder aus sonnigem Leben, 1923 *(Abb. v. W, P)*; R. Braungart, Fälschung od. Anlehnung?, in: Der Kunsthandel 45, 1953, H. 2, S. 14 f.; H. Heyn, Südt. Malerei, 1980; U. Hölzermann, W. M. anläßl. seines 100. Geb.tags, Der bayer. Romantiker unter d. Malern d. 20. Jh., in: Weltkunst 54, 1984, S. 1432 f. – *Zu Rudolf († 1958):* A. Witeschnik, Wiener Opernkunst, 1959; F. Hadamowsky u. A. Witeschnik (Hrsg.), Jubiläumsausst. 100 J. Wiener Oper am Ring, Wien 1969; M. Prawy, Die Wiener Oper, 1969 *(P);* H. Christian u. H. Hoyer, Die Wiener Staatsoper 1945–80, 1980 *(Verz. d. v. ihm dirigierten Opern).*

Franz Menges

Morandus, hl., Benediktiner, * in der Gegend von Worms, † um 1115.

Leben und Wirken des M. sind bisher lediglich aus einer Überlieferung bekannt, deren Ursprung wohl ins 13. Jh. zurückgeht. Nach diesem Zeugnis ging er aus adeliger Familie hervor und wurde zur Erziehung und zum Studium dem Marienkloster in Worms übergeben. Zum Priester geweiht, unternahm M. eine Wallfahrt nach Santiago de Compostela. Bei dieser Gelegenheit kam er in Kontakt mit der Abtei St. Peter und Paul in Cluny, dem wichtigsten Zentrum der mittelalterlichen Klosterreform. Er trat diesem Konvent bei und übernahm die Aufgabe, in der Auvergne die Erneuerung des monastischen Lebens zu fördern.

Entscheidender Wirkungsort des M. wurde der elsäss. Sundgau. Das Kollegiatstift St. Christophorus in Altkirch, dessen innere Ordnung am Zerfallen war, wurde am 3. 7. 1105 durch Gf. Friedrich I. v. Pfirt, einen Angehörigen der Stifterfamilie, Abt Hugo von Cluny (1049–1109) zur Aufsicht übergeben. Dieser beauftragte eine Gruppe von Mönchen mit der Einführung der cluniazensischen Lebensform. Da sich mangels deutscher Sprachkenntnisse Schwierigkeiten einstellten, rief man M. zu Hilfe. Ihm gelang es, die geistliche Disziplin zu heben und die Seelsorgetätigkeit zu verbessern. Neben den klösterlichen Aufgaben wirkte er vielfältig zugunsten der Bevölkerung; er schlichtete Streitigkeiten und heilte Kranke. Zu hohem Ansehen gelangt, starb M. um 1115. Die Verehrung dauerte über den Tod hinaus: Seine Gebeine wurden in ein prachtvolles Hochgrab umgebettet; möglicherweise noch im 12. Jh. erfolgte auf Antrag des Bischofs von Basel die Heiligsprechung durch den Papst. Das Cluniazenserpriorat in Altkirch übernahm M. als Patron, es entstand eine Wallfahrt, und es erfolgten Reliquientranslationen u. a. nach Wittenberg und nach Wien. Der Kult des Heiligen (Patron der Winzer und „Apostel des Sundgaus") erreichte seine Höhepunkte im 15. und im 17. Jh.

L Acta Sanctorum Junii I, 1695, S. 339–57, ²1867, S. 332–51; J. Trouillat, Monuments de l'Histoire de l'ancien Evêché de Bâle I, 1852, S. 218–20, 225 f.; F. J. Fues, Der hl. M., 1850; E. A. Stückelberg, Die Verehrung d. hl. M., in: Schweizer. Archiv f. Volkskde. 8, 1904, S. 220–23; M. Barth, Zur Gesch. d. Kultes v. St. M. d. Sundgauheiligen, in: Archives de l'Eglise d'Alsace 22, 1955, S. 256–58; LThK²; Bibliotheca Sanctorum IX, 1967, S. 586–88; Lex. d. christl. Ikonographie, hrsg. v. W. Braunfels, VIII, 1976.

Markus Ries

Moras, *Joachim,* Redakteur, Mitbegründer der Zeitschrift „Merkur", * 9. 12. 1902 Zittau (Sachsen), † 25. 3. 1961 München. (ev.)

V Alfred (1867–1943), Textilfabrikdir. in Z., Vors. d. Webereiverbandes d. Sächs. Oberlausitz (s. Wenzel), *S* d. Otto (1842–97) aus Odenkirchen (Rheinland), Fabr. u. Kaufm. in Z.; *M* Margarete (1879–1945), *T* d. Karl Theodor Seidel (1849–1918), Kaufm. in Z., u. d. Clara Emilie Bluhm (1856–81); *Schw* Margot (1900–87, ∞ Friedrich Wilhelm Richter, 1878–1946, 1929–33 Sächs. Staatsmin. d. Innern, seit 1930 zusätzl. f. Arbeit u. Wohlfahrt, s. Rhdb.), Renate (* 1917, ∞ Heinz Mahlo, Dr.-Ing., Industrieller in Saal/Donau), *B* Gottfried (1904–84), Textilfabr. in Kollnau (Schwarzwald); *Ov* Otto (* 1871), Fabrikbes., Dir. u. Vorstandsmitgl. d. Vereinigten Dt. Textilwerke AG, Mutterges. d. Fa. Wagner & Moras, 1918–28 1. Vors. d. Verbandes sächs. Industrieller u. Präsidialmitgl. d. Reichsverbands d. Dt. Industrie (s. Wenzel); – ∞ Dresden 1933 Claere (* 1910), *T* d. Georg Fried (1978–1938), Handwerker, u. d. Maria Huber (1876–1952), beide in Friedrichshafen/Bodensee; 2 *S* Nikolaus (* 1936), Graphiker, Buchillustrator in Rom, Ferdinand (* 1941), Kaufm. in Kempten (Allgäu).

M. studierte zunächst Jura in Innsbruck und München, dann Germanistik in Berlin, Wien,

Genf und Köln. Nach einem Paris-Aufenthalt 1926/27 wurde er Schüler von Ernst Robert Curtius in Heidelberg. 1929 promovierte er mit einer Arbeit über „Ursprung und Entwicklung des Begriffs der Zivilisation in Frankreich (1756–1830)", die u. a. ein Beitrag zur Überwindung der noch aus der Zeit des 1. Weltkrieges stammenden Antithese von Kultur und Zivilisation war. Zugleich hatte er damit eines seiner Lebensthemen angeschnitten, jene Form der Literatur, die „als Gemisch aus Philosophie, Dichtung und Aktualität ... noch heute für Frankreich charakteristisch ist." Nach einer kurzen Lektorentätigkeit in Bordeaux und einem längeren Aufenthalt in England wurde M. im März 1932 Redakteur der „Europäischen Revue" in Berlin. Diese 1925 von K. A. Rohan im Geiste von Gustav Stresemann und Aristide Briand gegründete Monatsschrift, die internationales Ansehen genoß, war nach der Machtergreifung der Nationalsozialisten in Gefahr, als Aushängeschild mißbraucht zu werden. M., seit April 1933 Schriftleiter und seit 1938 Herausgeber, schrieb politische Beiträge, die durch geschickten Einsatz stilistischer Mittel die Zensur passieren konnten. Er veröffentlichte auch Autoren, die Schreibverbot hatten, unter falschem Namen, so den späteren Bundespräsidenten Theodor Heuss. Bald nach seiner Einberufung zur Wehrmacht 1943 wurde das Erscheinen der Zeitschrift eingestellt.

1947 gründete M. zusammen mit Hans Paeschke den „Merkur, Deutsche Zeitschrift für europäisches Denken", der seit 1948 in München herausgegeben wurde und eine der erfolgreichsten kulturpolitischen Zeitschriften in Deutschland wurde. In der Namensgebung lag ein Anklang an die von Ch. M. Wieland seit 1773 herausgegebene Zeitschrift „Der Teutsche Merkur" sowie an den „Neuen Merkur", der 1914–25 von Efraim Frisch herausgegeben wurde, der danach bis 1933 bei der „Europäischen Revue" für Literatur zuständig gewesen war. Der „Merkur" wurde mit dem programmatischen Abdruck eines Beitrages von G. E. Lessing in Wielands Zeitschrift eröffnet, worin die Haltung des humanen Aufklärers gegenüber allen Sorten von Schwärmern dargelegt ist. Er sollte „keinem Dogma, keiner Doktrin und keiner Ideologie" verpflichtet sein. Für M. war Tradition nicht gleichbedeutend mit Konservativismus, sondern mit personaler Kontinuität, die ihren Ausdruck zunächst darin fand, daß sowohl Autoren des einstigen „Neuen Merkur", wie M. Buber, W. Hausenstein und Th. Mann, wieder zur Mitarbeit gewonnen wurden, als auch viele der „Europäischen Revue". Bald kamen fast alle wichtigen Autoren der jüngeren Generation hinzu. M. war der Überzeugung, daß „unsere ungeklärte geistige Situation ... nicht auf einfache Nenner zu bringen" sei, und gab daher den entscheidenden Fragen der Zeit den notwendigen Raum in Form kontroverser Auseinandersetzung der profiliertesten Gegenpositionen. Von Anfang an war die Atombombe Thema; die Debatte über die Entmythologisierung der Bibel, das adäquate Verständnis des Religiösen in der Gegenwart, wurde zwischen Karl Jaspers und Rudolf Bultmann ausgetragen; eine „Diskussion des – auch der modernen Dichtung gestellten – Problems von Wahrheit und Schönheit" wurde zwischen Erich Heller und T. S. Eliot eröffnet. Es wurde zum „Prinzip, Geistes- und Naturwissenschaft miteinander ... ins Gespräch zu bringen. Zu Problemen der modernen Technik nahmen Kulturkritiker das Wort, zur Kulturkritik Anthropologen; Physiker behandelten die mathematisierte Logik, Biologen die Kybernetik" (H. Paeschke). Jürgen Habermas nahm zu Arnold Gehlen Stellung, C. F. v. Weizsäcker zu Martin Heidegger.

M. übernahm als Lektor der Deutschen Verlagsanstalt nebenher Nachlaßbetreuungen für Autoren (F. A. Kauffmann, L. Curtius). Seit 1954 gab er zusätzlich regelmäßig den „Jahresring" heraus, der einen repräsentativen „Schnitt durch Literatur und Kunst der Gegenwart" geben sollte. In seinen alljährlichen Nachworten zur „geistigen Situation der Zeit" spannte M. oft einen Bogen zwischen verfeindeten Lagern in der Erkenntnis, daß „die Experimente Geschichte ansetzen und die Hüter der Tradition auf Experimente aus sind", die Gegensätze also „offenbar komplementär geworden" sind: „Wo immer heute Antithesen einsinnig aufgestellt werden, besteht Fluchtverdacht". M. kam es nicht auf intellektuelle Gruppen, „nicht auf die Kollektive, sondern auf die Einzelnen" an, so daß er Dichter wie G. Britting ebenso veröffentlichen ließ wie die besten Autoren der antagonistischen „Gruppe 47". Persönlich war er mit so verschiedenen Künstlern befreundet wie Ingeborg Bachmann und Heimito v. Doderer. M. war ein entschiedener und entscheidender Förderer noch unbekannter Begabungen (u. a. Johannes Bobrowski) und hatte zugleich das Vertrauen des Bundesverbandes der Deutschen Industrie, für dessen Kulturkreis er die Vergabe der Literaturpreise verantwortete. M. hatte selbst, was er an L. Curtius rühmte, eine „eminent dialogische Konstitution" und wirkte wesentlich durch seine umfangreiche Korrespondenz (u. a. mit E. Grassi über dessen Herausgabe von Rowohlts Enzyklopädie). – Mitgl. d. Fondation Européenne de la Culture (1957).

Weitere W u. a. Diane (Fragment), in: Merkur 1, 1947, H. 1–2, S. 79–100, 257–69. – *Hrsg.:* Europ. Revue 14–19, 1938–43; Merkur 1–15, 1947–61 (mit H. Paeschke); Jahresring, Btrr. z. dt. Lit. u. Kunst d. Gegenwart, 1954–61; Dt. Geist zw. Gestern u. Morgen, Bilanz d. kulturellen Entwicklung seit 1945, 1954 (mit H. Paeschke u. W. v. Einsiedel); F. A. Kauffmann, Leonhard, Chronik e. Kindheit, 1956; L. Curtius, Torso, Verstreute u. nachgelassene Schrr., 1957. – *Überss.:* André Gide, Corydon, 4 sokrat. Dialoge, 1932, Neuausg. 1964; Sir Frederick Whyte, Der Ferne Osten v. England aus gesehen, 1936; Neu-Amerika, 20 Erzähler d. Gegenwart, 1937; T. F. Powys, König Duck, 1938 (mit H. Hennecke). – *Nachlaß:* Marbach, Dt. Lit.-Archiv (Merkur-Korr.).

L G. Mann, Dt. Geist 10 J. danach (Rez.), in: FAZ v. 29. 1. 1955; H. v. Doderer, Die Dämonen, 1956, S. 645; Nelly Sachs, Grabschr. (Gedicht), in: Jahresring, 1961, S. 7; H. E. Nossack, H. E. Holthusen, W. v. Einsiedel, K. A. Horst, H. Paeschke, in: Merkur 15, 1961, H. 159, S. 401–21; P. Härtling, J. M.: „Diane", in: Vergessene Bücher, 1966, S. 160–63; Kosch, Lit.-Lex.³

P Jemand d. schreibt, 1972, S. 346; J. Bobrowski, Kat. Schiller-Nat.mus., Marbach/Neckar, 1993.

Klaus v. Welser

Morasch, *Johann Adam,* Mediziner, Anatom, * 27. 4. 1682 Pöttmes b. Aichach (Oberbayern), † 19. 12. 1734 Ingolstadt. (kath.)

V Adam Moras, ital. Abstammung, Bürger u. Krämer in P.; *M* Richildis Wiser; ∞ 1) vermutl. Herrieden b. Eichstätt Maria Elisabeth N. N. († 1716), 2) Rain/Lech 1716 Maria Theresia (1694–1731), *T* d. Johann Georg Baumann (1643 ?–1720), Gastwirt in Rain, u. d. Regina Pappin (* 1654), 3) 1731 Gertraud Rosina Haas († 1734), Dienstmagd in M.s Haushalt in I.; 5 *S*, 3 *T* aus 1), 5 *S*, 3 *T* aus 2), u. a. Maximilian Anton (* 1718), Johann Karl (* 1719), beide 1740 in I. zum Dr. med. promoviert, 1 *T* aus 3) (früh †).

M. besuchte das Gymnasium in Ingolstadt und Neuburg/Donau und absolvierte das Lyzeum in Freising. An das Studium der Philologie in Wien schlossen sich philosophische Studien in Dillingen an, die M. in Ingolstadt bei dem Jesuiten Joseph Anton Kleinbrodt (1668–1718) fortsetzte, der auch die neue, von Descartes und Newton geprägte Philosophie und Naturwissenschaft lehrte und M.s medizinische Anschauungen grundlegend prägte. Er wurde 1705 zum Dr. phil. promoviert und im selben Jahr – noch als Kandidat der Medizin – mit dem Stadtphysikat von Herrieden betraut. Nach der Promotion zum Dr. med. 1707 erhielt er die Stelle eines fürstbischöflichen Leibarztes in Eichstätt. Einer klinisch-praktischen Weiterbildung bei Franz Ignaz Sattler in München folgte nach erfolgreich abgelegtem Examen vor dem Collegium Medicum die Berufung zum Landschaftsphysikus des Ingolstädter Kreises im Jahr 1710. Seine Ernennung zum ao. Professor (1708) wie auch die Berufung zum Ordinarius für Anatomie und praktische Medizin in Ingolstadt (1710) erfolgte gegen den Widerstand der Fakultät, die M. antiaristotelische Tendenzen und mangelnde Erfahrung vorwarf.

In M., einem entschiedenen Vertreter der Aufklärung, erwuchs der medizinischen Fakultät ein kraftvoller und zielstrebiger Reformer. Er publizierte die Vorlesungen und hinterlassenen Manuskripte Kleinbrodts unter dem Titel „Philosophia atomistica" (1727/31). Trotz heftiger Kritik durch die Jesuiten Konrad Herdegen, Anton Heisinger und Georg Hermann, der 1730 eine gegen M. gerichtete antiatomistische Streitschrift publizierte, gelang es M., die moderne Lehre für die Medizin in Ingolstadt fruchtbar zu machen und durchzusetzen. Während Philosophie und Theologie die metaphysischen Konsequenzen des Cartesianismus mit Recht als Bedrohung ihres Weltbildes empfanden, bot das cartesianische Modell der im tierischen Körper mechanisch wirkenden „spiritus animales" der Medizin einen brauchbaren und plausiblen Ansatz für die Interpretation vieler neuer anatomischer und physiologischer Entdeckungen. Wie auch Kleinbrodt stützte sich M. nicht allein auf Descartes, sondern zog auch die Vorstellungen J. B. van Helmonts, R. Boyles, D. Sennerts, P. Gassendis und J. C. Sturms zur Entwicklung seiner mechanistischen Physiologietheorie heran, die er Georg Ernst Stahls humoralpathologischem, psychodynamischem Körperkonzept entgegensetzte. Der Dissens mit der auf einem erstarrten Aristotelismus beharrenden Theologie und Philosophie wurde offenkundig, als man einem seiner besten Schüler, Franz Josef Grienwaldt, 1732 die Annahme der Dissertation „Novitius medicorum scrupulosus" verweigerte. Grienwaldt verließ Ingolstadt und wurde in Altdorf promoviert. M. reagierte mit einer anonymen Schrift „Atomismus a injustis Peripateticorum" (1733). Schon zu Beginn seiner Lehrtätigkeit belebte M. die an der medizinischen Fakultät darniederliegende Disputationstradition und verfaßte eine Reihe von Traktaten, die er verteidigen und als Sammelband „Praelectiones academicae"

(1725) publizieren ließ. Das Leib-Seele-Problem wird hier u. a. im Zusammenhang mit physischen und psychischen Erkrankungen unter mechanistischen Gesichtspunkten diskutiert. In dem Lehrbuch „Nucleus Physiologicus" behandelte er die Grundlagen der praktischen Medizin, Physiologie, Pathologie, Semiotik, Hygiene und Therapie. Sein besonderes Interesse galt den fiebrigen Erkrankungen, auf deren Genese sich die Korpuskulartheorie als Erklärung exemplarisch anwenden ließ. M. war ein behutsamer Therapeut, der sich gegen den seinerzeit verbreiteten exzessiven Aderlaß, drastische Purganzien, schweißtreibende Mittel und Experimente mit Blutübertragung und Pockeninokulation aussprach. Zu seinen bevorzugten Heilmitteln gehörten Mineralwässer, flüchtige Salze und Chinarinde. Als chemiatrisch orientierter Arzt verfügte er über gute analytische Fähigkeiten, die er beispielsweise für die chemische Beurteilung des Wassers von Räb einsetzte. Auf chirurgischem Gebiet befaßte er sich mit Augenkrankheiten, Brüchen und Steinleiden.

Die Errichtung einer Anatomie und eines Botanischen Gartens betrieb M. zielstrebig und erfolgreich. Er konnte eine den Erfordernissen des Experimentalunterrichts entsprechende Anatomie schaffen, wo er nicht nur Sektionen an Tierkadavern, sondern auch an menschlichen Leichen durchführte. Erfahrungen, die er 1725 in Botanischen Gärten in Italien gesammelt hatte, setzte er im Ingolstädter Hortus medico-botanicus um. Die Pflanzen beschaffte er persönlich aus dem Würzburger Garten. Die Einweihung des Anatomiegebäudes 1736 erlebte M. nicht mehr. M. war 1718 und 1727 Rektor der Universität, insgesamt versah er zehnmal das medizinische Dekanat. Er hinterließ eine hervorragende wissenschaftliche Bibliothek, die von der medizinischen Fakultät erworben und später in die Münchener Universitätsbibliothek überführt wurde. – bayer. Rat (1716); Mitgl. d. Leopoldina (1719).

Weitere W Nucleus Physiologicus seu Institutionum Medicarum, 1711; Ophtalmicon Medico-Practicum in Praelectionibus Academicis publicis, 1728; Gründl. Unterss. od. Beschreibung d. Heyl-Brünnleins, u. Wild-Bads nächst Räb etc., 1733, ²1750.

L ADB 22; F. J. Grienwaldt, Album Bavariae Iatricae, 1733, S. 96–99 *(L)*; ders., Biographia D. J. A. M., 1735 *(Bibliogr.);* W. K. Rammiger, Die v. A. F. Oefele nicht bearb. Ärzte-Bio-Bibliogrr. aus d. Album Bavariae Iatricae seu Catalogus celebriorum aliquot medicorum v. F. J. Grienwaldt 1733, Diss. Erlangen 1968, S. 93–102; S. Hofmann, Die Alte Anatomie in Ingolstadt, in: Neue Münchner Btrr. z. Gesch. d. Med. u. Naturwiss., Med.hist. R., V, 1974, S. 22–27, 32–34, 40–51, 72–75; A. Groh, Bio-Bibliogrr. d. bayer. Ärzte u. Gelehrten aus d. Elenchus quorundam Bavariae Medicorum von A. F. Oefele sowie d. Album Bavariae Iatricae von F. J. Grienwaldt, Diss. Erlangen 1975, S. 96–98; BLÄ. – Eigene Archivstud. (Univ.archiv München).

Christa Habrich

Morata, *Olympia Fulvia,* Humanistin, Dichterin, * Spätherbst 1526 Ferrara, † 26. 10. 1555 Heidelberg. (ev.)

V Pellegrino Moretto (latinisiert Fulvius Peregrinus Moratus) (1483–1548), humanist. Lehrer u. Schriftst., unterrichtete 1522–32 d. jüngeren Söhne v. Hzg. Alfonso I. am Hof in F., wurde 1533–39, vielleicht wegen ref. Äußerungen, verbannt, darauf in Vicenza u. Venedig tätig, 1539–48 wieder in F.; *M* Lucrezia Gozi; ∞ Ferrara 1550 Andreas Grundler (um 1516–55), Med. u. Humanist aus Schweinfurt.

M. erhielt schon als Kind bei ihrem Vater Unterricht in lat. Sprache, Grammatik und Rhetorik. Vermutlich durch die Vermittlung der sie bewundernden, einflußreichen Freunde ihres Vaters wurde sie 1540 zur Studiengenossin der Prn. d'Este, der Tochter des Hzg. Ercole II., bestimmt. So gelangte sie in den Kreis um die humanistisch gebildete Hzgn. Renata von Ferrara, einer Tochter Kg. Ludwigs XII. von Frankreich. Hier konnte M. unter der Leitung ihrer Lehrer, der aus Schweinfurt stammenden Brüder Johannes und Kilian Sinapius, bald an lat. Diskussionen teilnehmen und mit drei Vorlesungen über die philosophische Schrift Ciceros „Paradoxa Stoicorum" brillieren. Auch im Griechischen war sie in kurzer Zeit so gewandt, daß sie Gedichte und Epigramme sowie eine Lobrede auf den altröm. Helden Mucius Scaevola in dieser Sprache verfassen konnte.

Während M.s Vater sich unter dem Einfluß des späteren Rhetorikprofessors Celio Secondo Curione (1503–69) der am Hof der Herzogin unterstützten reformatorischen Bewegung anschloß, öffnete sich M. selbst erst nach dessen Tod 1548 dieser neuen Frömmigkeit und Theologie – vielleicht auch unter dem Eindruck schwerer Schicksalsschläge und tiefer persönlicher Enttäuschungen: Nach dem Tod des Vaters verloren sie und ihre Angehörigen plötzlich die Gunst der Herzogin. Unter dem Druck des Herzogs und der von ihm 1542 eingerichteten Inquisition mußte diese alle reformatorischen Neigungen nach außen aufgeben und sich von ihren ev. gesinnten Freunden trennen. In dieser bedrängten Situation wandte sich M. ganz den Inhalten des ev. Glaubens zu; sie studierte die Bibel und die ihr zugänglichen Schriften der deutschen Reformatoren. Wie sie selbst später äußerte, betrachtete sie diese Zeit als die entscheidende Wende ihres Lebens zum Glauben.

1549 lernte M. in Ferrara den aus Schweinfurt stammenden Mediziner und Humanisten Andreas Grundler kennen, den sie Anfang 1550 heiratete. Im selben Jahr folgte sie ihm in seine Vaterstadt Schweinfurt, wo er als Stadtarzt angestellt wurde. M. und er waren bald führende Mitglieder eines Humanistenkreises. Ein reger Briefwechsel M.s mit alten Freunden, besonders mit dem späteren Herausgeber ihrer Werke, Celio Secondo Curione, und ihrer adligen Freundin Lavinia della Rovere-Orsini entstand. Neben dem Unterricht in den klassischen Sprachen, den sie ihrem kleinen Bruder Emilio und der Tochter des Sinapius erteilte, übertrug M. mehrere alttestamentliche Psalmen ins Griechische. Ein intensives Studium der deutschen Reformatoren führte zur Abfassung von zwei im Stil Platons gehaltenen Dialogen, in denen die Verfasserin mit ihrer Freundin über das Verhältnis von klassischer und theologischer Bildung diskutiert und den Sinn des Leidens aus christlicher Sicht darlegt.

Selbst bereit, für ihre ev. Überzeugung zu leiden, unterstützte M. die ref. Bewegung und ihre Anhänger durch Briefe an einflußreiche Persönlichkeiten. 1553/54 wurde diese kurze, fruchtbare Schaffenszeit M.s beendet durch die Eroberungsgelüste des Mgf. Albrecht Alkibiades von Brandenburg-Kulmbach, der die kleine Reichsstadt Schweinfurt zu seinem Heerlager machte und sie damit der Belagerung durch seine Gegner und schließlich der Zerstörung am 12. 6. 1554 aussetzte. Zwar gelang es Andreas Grundler und M., mit ihrem Bruder aus der brennenden Stadt zu fliehen und sich nach vielen Gefahren schließlich in Heidelberg niederzulassen, aber die Flucht hatte M.s Kräfte verzehrt. Wegen mehrerer Erkrankungen kam sie kaum noch zu ihren Studien. Sie starb, noch nicht 29 Jahre alt.

W Olympiae Fulviae Moratae mulieris omnium eruditissimae Latina et Graeca, quae haberi potuerunt, monumenta ..., 1558; Olympiae Fulviae Moratae foeminae doctissimae ac plane divinae opera omnia, quae hactenus inveniri potuerunt ..., 1570; Epistolario (1540–55), Con uno studio introduttivo di Lanfranco Caretti, 1940; Opere, A cura di Lanfranco Caretti, Volume secondo: Orationes, Dialogi et Carmina, 1954; Briefe, hrsg. v. R. Kößling, übers. v. dems. u. G. Weiss-Stählin, 1990.

L ADB 22; G. L. Nolten (= Noltenius), Commentaria historica critica de Olympiae Moratae Vita, Scriptis, Fatis et Laudibus ... rec. Io. Gust. Vilh. Hesse, 1775; Raab, O. F. M., e. Glaubenszeugin aus d. 16. Jh., in: Jb. f. d. ev.-luth. Landeskirche Bayerns, 1903, S. 156–64; M. Heinsius, O. M., in: Das unüberwindl. Wort, Frauen d. Ref.zeit, 1951, S. 96–133; G. Weiss-Stählin, O. F. M. u. Schweinfurt, Wechselbeziehungen zw. ital. u. dt. Frömmigkeit im Za. d. Ref., in: Zs. f. bayer. KGesch. 30, 1961, S. 175–83; dies., Die Briefe d. O. F. M., Goethes letzte Auseinandersetzung mit d. Ref., in: NF d. Jb. d. Gotheges. 25, 1963, S. 220–49; D. Vorländer, O. F. M. – e. ev. Humanistin in Schweinfurt, in: Zs. f. bayer. KGesch. 39, 1970, S. 95–113; dies., Wissen u. Glauben – d. Btr. O. M.s zu d. Fragen ihrer Zeit, in: O. F. M., Das O.-M.-Gymnasium u. seine Schulpatronin in Bildern u. Texten, 1986, S. 29–34 *(P);* dies., O. F. M., e. ital. Humanistin u. ev. Christin in Schweinfurt, in: Streiflichter auf d. KGesch. in Schweinfurt, hrsg. v. J. Strauß u. K. Petersen, 1992, S. 65–76; N. Holzberg, in: Fränk. Lb. X, 1982, S. 141–56 *(P);* ders., O. M.: Eine ital. Humanistin in Dtld., in: O. F. M., Das O.-M.-Gymnasium u. seine Schulpatronin (s. o.); U. Müller, O. F. M. 1526–1555, in: B. Vogel-Fuchs (Hrsg.), Lb. Schweinfurter Frauen, 1991, S. 158–68; PRE; RGG³; BBKL.

P Ölgem. 1540/48 (Pfullingen, Privatbes.), Abb. in: O. F. M., Das O.-M.-Gymnasium u. seine Schutzpatronin in Bildern u. Texten (s. *L*); Ölgem., 16. Jh. (Schweinfurt, Städt. Slgg.), Abb. ebd.

Dorothea Vorländer

Morawietz, *Kurt,* Schriftsteller, * 11. 5. 1930 Hannover, † 16. 7. 1994 ebenda. (kath.)

V Robert (1894–1954), Buchbinder in H.; *M* Annemarie Liebner (1894–1944), beide gehörlos; ∞ Hildesheim 1957 Ursula (* 1933), gehörlos, *T* d. Friedrich Senger (1910–81) u. d. Erna Häger (* 1914); 2 *S.*

M. wuchs in nationalsozialistischen Jugendlagern auf, war Schüler einer Napola und Anwärter für die Ordensburg Sonthofen. 1944 begann er eine Lehre bei der Stadtverwaltung Hannover. Nach Kriegsende arbeitete er zunächst als Notstandsarbeiter im Straßenbau, danach war er an verschiedenen Stellen in der Stadtverwaltung tätig. 1953–55 besuchte er eine Gemeindeverwaltungsschule und arbeitete seit 1962 im Kulturamt der Stadt Hannover, wo er u. a. für die Ressorts Literatur, Heimat- und Denkmalpflege sowie Volksbildung zuständig war. 1978 richtete er ein Lyriktelephon ein, das er bis zuletzt betreute. Er veranstaltete u. a. die Schriftstellerlesungen „Autoren im Aegi", organisierte Literaturmärkte und gab verschiedene Anthologien über die Herrenhäuser Gärten heraus.

M.s literarische Bemühungen waren zunächst bestimmt von der Absicht, sich von der NS-Ideologie zu befreien, die ihn in seiner Jugend geprägt hatte. 1954–64 war er Sprecher des seit 1951 bestehenden „Jungen Literaturkreises". M.s Gründung der Zeitschrift „die horen, Zeitschrift für Literatur, Graphik und Kritik" (1955) im Anschluß an die von Schiller herausgegebene Zeitschrift ist als Bekenntnis zu dessen Freiheitsbegriff zu verstehen. Diese anfänglich aus hektographierten Blättern bestehende Publikation entwickelte sich allmählich zu einer auch international angesehenen Kultur- und Literaturzeitschrift. Sie wurde 1980 und 1988 mit dem vom Börsenverein für den deutschen Buchhandel verliehenen Alfred-Kerr-Preis ausgezeichnet. Seit 1979 leitete M. die Redaktion des Forums „Autoren in Niedersachsen" der Zeitschrift „Heimatland". M. hat zahlreiche Aufsätze, Erzählungen und Gedichte in verschiedenen Zeitschriften veröffentlicht (u. a. Hannoversche Allg. Ztg., Hannoversche Presse, der literat, publikation). In ihnen setzte er sich überwiegend gesellschaftskritisch mit aktuellen Themen auseinander und wandte sich im Stil der Satire ebenso humorvoll wie scharf gegen die Mißachtung der Freiheit sowie den Mißbrauch der Macht. Dies zeigt besonders seine Gedichtsammlung „Die ihr noch atmet, Zeitgedichte aus dreizehn Jahren" (1958). Die von ihm herausgegebene, zunächst umstrittene Anthologie politischer Gedichte „Deutsche Teilung, Ein Lyriklesebuch aus Ost und West" (1966) gilt heute als zeitgeschichtliches Dokument. – Mitgl. im Verband dt. Schriftst. (1959, 2. Vors. 1975–81), Karl-May-Ges. (Gründungsmitgl. 1969), Dt. Schiller-Ges. (1972), Gerrit-Engelke-Ges. (Geschäftsführer 1985), P.E.N.-Zentrum Bundesrepublik (1981); Künstlerstipendium f. Lit. d. Landes Niedersachsen (1982).

Weitere W u. a. Gottfried Wilhelm Leibniz – Herrenhausen – Weimar, 1962 (Essay) ; Aufsätze aus zehn Jgg. d. Zs. die horen, Essays, 1967; Ostwärts-Westwärts, Gedichte, Kurzprosa, 1972; Jahrgang 30, 1975, erweitert 1987 (Gedichte); Mich aber schone Tod ..., Gerrit Engelke 1890–1918, 1979; Satir. Gedichte, 1979; Bittere Erde, 1988 (Gedichte); Judas Dupont, 1990 (Novelle); Besuch im Colosseum, Die Sonntagsmaschine, 1994 (Novellen). – *Schallplatte:* Zw. hergegangen, 1980. – *Hrsg. u. a.*: Schlagzeug u. Flöte, Junge Lyrik, 1961; Niedersachsen Literarisch, Bibliogr., Daten, Phot. u. Texte v. 65 Autoren aus Niedersachsen, 3 Bde., 1978/81/83 (mit D. P. Meier-Lenz).

L K. Krolow, in: Junge Dichtung Niedersachsen, 1973, S. 141; J. P. Tammen, Das große Sterben u. d. lange Leben, Radio Bremen, 17. 8. 1973; W. Gerlach, Dritter Frühling – K. M.s horen-story, in: Börsenbl. f. d. dt. Buchhandel v. 30. 12. 1975; W. Neumann, die horen – 20 J. literar. Engagement, in: Westfalenspiegel, 1976, H. 3; D. P. Meier-Lenz, Zur gegenwärt. Lit.szene in Niedersachsen, in: Eine Heimat f. unsere Zukunft, FS, hrsg. v. Niedersächs. Heimatbund Hannover, 1977, S. 73; A. Doutiné, 25 J. „die horen", Fernseher., ARD, 1980; H. Bicknaese, Die Horen – zur Charakteristik ihrer Anfänge 1955–57, Mag.arb. Göttingen 1983; O. Hügel, „die horen" – Eine Zs. aus Hannover, Kat. z. Horen-Ausst. 1955–85; H. Goertz, Am Anfang kam d. Verfassungsschutz, die horen, Gesch. e. Zs., in: Hannoversche Allg. Ztg. v. 23. 9. 1989; H. Postma, Wir sind e. einziges Ja, in: die horen, Nr.175, 1994, S. 7; J. P. Tammen, Von nobler Querköpfigkeit, ebd., S. 11; Niedersachsen Literarisch, 100 Autorenporträts, 1981 *(W-Verz., L);* F. Lennartz, Dt. Schriftst. d. Gegenwart, 1978; Kürschner, Lit.-Kal., 1988; Wi. 1989 *(P);* Kosch, Lit.-Lex.³; Killy.

Dieter P. Meier-Lenz

Morawitz, Karl Ritter v. (österr. Adel 1913), Bankier, * 9. 3. 1846 Triesch Bez. Iglau (Mähren), † 12. 1. 1914 Wien. (isr.)

V N. N., Kaufm.; *M* Sophie Beck; *B* Moritz (1832–1909), Eisenbahntechniker (s. ÖBL); – ∞ Bukarest 1887 Margarethe (1868–n. 1925), *T* d. Demeter v. Frank (österr. Rr. 1858, 1829–1909), Gen.dir. d. Banque de Roumanie, u. d. Leonie de Tedesco (1847–80); 1 *S*, 3 *T*, u. a. Leonie (* 1888, ∞ Franz Seemann Rr. v. Treuenwart, Hptm. im österr. Gen.-stab).

M. absolvierte die Handelsakademie in Prag und arbeitete anschließend in kleinen Banken in Prag und Dresden. 1868 übersiedelte er nach Paris und war dort für Ludwig Bamberger in der Banque de Paris et des Pays-Bas tätig. 1870 wechselte er zur Banque Impériale Ottomane und wurde Sekretär des Barons Moritz v. Hirsch, des Erbauers der transbalkan. Eisenbahn nach Konstantinopel. Er spielte eine wichtige Rolle bei der Reorganisation dieser Bank und damit bei der Finanzierung des türk. Eisenbahnbaues, wobei er später die Stellung eines Finanzdirektors und eines Verwaltungsrates der Gesellschaft der ottoman. Eisenbahnen einnahm. Schon nach Ausbruch des Deutsch-Franz. Krieges 1870 hatte M. sich einige Zeit in Wien aufgehalten und war 1885 dorthin übersiedelt. Er war aber auch häufig in Paris, Brüssel und London tätig. Seine Kenntnis des türk. Finanzwesens war international anerkannt, und sein Werk „Les finances de la Turquie" (1902) gilt als beste Darstellung der damaligen türk. Finanzverwaltung.

M. wurde 1893 Mitglied des Generalrates der Anglo-Österr. Bank in Wien und war 1906–14 dessen Präsident. Unter seiner Leitung entfaltete die Bank weitreichende Aktivitäten bei der Gründung von Banken und industriellen Unternehmungen im In- und Ausland. 1906–13 wurden von der Anglo-Österr. Bank 31 Aktiengesellschaften gegründet, darunter die Prager Maschinenbau AG und die Österr. Fiat-Werke. 1913 bestanden neben einer Filiale in London 32 weitere Zweigstellen und 18 Depositenkassen. M., der eng mit Baron Albert v. Rothschild befreundet war, spielte eine hervorragende Rolle im internationalen Bankgeschäft. Er unterhielt wertvolle Beziehungen zu den bedeutenden engl. und franz. Banken sowie zur türk. Regierung. – Komtur d. Franz-Joseph-Ordens mit d. Stern, ital. Kronen-Orden, türk. Medschidije-Orden I. Kl.; Offz. d. franz. Ehrenlegion.

W Aus d. Werkstatt e. Bankmannes, 1913; 50 J. Gesch. e. Wiener Bank, 1913.

L Wiener Ztg. v. 9. 11. 1913 u. 14. 1. 1914; B. Michel, Banques et banquiers en Autriche au début du 20e siècle, 1976; Wininger; Enc. Jud. 1971; ÖBL; BLBL. – Mitt. d. Israelit. Kultusgemeinde Wien.

Josef Mentschl

Morawitz, *Paul* Oskar, Mediziner, * 3. 4. 1879 St. Petersburg, † 1. 7. 1936 Leipzig. (ev.)

V August (1837–97), Entomologe, russ. Kollegienrat in St. P., Konservator d. Zoolog. Mus. d. Ak. d. Wiss. in St. P., S d. Ferdinand (1796–1844) aus Schweidnitz, Wagenbaumeister in St. P., u. d. Amalie Friederike Wiedemann (1807–59); M Charlotte Bergholz (1858–1939); ∞ Greifswald 1919 Erna (1890–1979), T d. Friedrich Benjamin Arnold (* 1840), Hofbes. in Segebadenhau Kr. Grimmen, u. d. Marie Emilie Alwine Gladrow (1864–1954); kinderlos.

M. kam 1893 mit den Eltern von St. Petersburg nach Blankenburg am Harz. Nach dem Besuch des Gymnasiums, dem Medizinstudium in Jena, München und Leipzig (Promotion 1901 in Jena) und dem Militärdienst wurde er 1903 Assistent Ludolf v. Krehls an der Tübinger Klinik. Auf dessen Empfehlung untersuchte er zunächst am Straßburger Physiologisch-chemischen Institut bei Franz Hofmeister die Physiologie der Blutgerinnung. Er folgte Krehl, seinem ärztlichen Vorbild, nach Straßburg und Heidelberg, wo er sich 1907 habilitierte. Bereits 1909 berief man M. an die Medizinische Poliklinik in Freiburg (Breisgau), 1913 erhielt er das Ordinariat für Innere Medizin an der Univ. Greifswald. Nach dem 1. Weltkrieg, in welchem er als Militärarzt selbst schwer an Typhus erkrankte, kehrte M. zunächst nach Greifswald zurück, wurde 1921 Ordinarius in Würzburg und nahm schließlich 1926 den Ruf nach Leipzig als Nachfolger Adolf v. Strümpells an. Den gleichzeitig erfolgten Ruf an die Freiburger Klinik lehnte er ebenso ab wie spätere Rufe nach Wien und Berlin. 1928 wurde die mustergültige Leipziger Medizinische Klinik fertiggestellt, damals die größte deutsche Universitätsklinik, an deren Planung M. mitgewirkt hatte.

M. gilt als universeller Forscher, der zu fast allen Teilgebieten der Inneren Medizin wissenschaftliche Beiträge geliefert hat. Vor allem als Hämatologe genoß er internationalen Ruf (Arbeiten zur physiologischen Hämostase und deren Störungen, Beiträge über Fibrinogen und Blutplättchen, zu Gefäßfunktionen und zur Klinik der hämorrhagischen Diathesen). Seine Forschungen zur Physiologie und Pathologie des Blutes, insbesondere zum Blutgasgehalt, waren grundlegend für die Arbeits- und Sportmedizin. Er beschrieb erstmals die agastrische Form der Anämien (Resektionsanämien), erklärte die Rolle der Calciumionen bei der Thrombinbildung, entdeckte die Thrombokinase und zeigte, daß das Gift der Kobra wie eine Antithrombokinase wirkt. M. isolierte als erster Thrombozyten, konstruierte ein Kapillarthrombometer, beschrieb Patienten mit Thrombasthenie (wahrscheinlich von Willebrand-Jürgens-Syndrom) und bestätigte die Hypothese von Sahli, daß es sich bei der Hämophilie um einen Thrombokinasemangel handelt. Mit seinen Vorstellungen über die Blutgerinnung verlieh er der Gerinnungsforschung wesentliche Impulse. M. war auch einer der Begründer des Blutspendewesens in Deutschland.

W u. a. Btrr. z. Kenntnis d. Blutgerinnung, in: Dt. Archiv f. klin. Med. 79, 1904, S. 1–28, 215–33, 432–42; Lehrbuch d. klin. Diagnostik innerer Krankheiten, 1920, ²1923; Die Blutkrankheiten in d. Praxis, 1923, ²1933; Blutgerinnung, in: Oppenheimers Hdb. d. Biochemie IV, 1925, S. 40–77; Grundsätzliches üb. Blutplättchenagglutination (Blutplättchenagglutinine), in: Naunyn-Schmiedebergs Archiv 172, 1933, S. 657–67 (mit H. Brugsch). – *Mithrsg.:* Fortschritte d. Therapie; Münchener Med. Wschr.; Archiv f. Verdauungs-Krankheiten; Dt. Archiv f. klin. Med.

L N. Henning, in: Archiv f. Verdauungs-Krankheiten 60, 1936, H. 1/2; M. Hochrein, in: Dt. Med. Wschr. 62, 1936, S. 1233 f.; L. v. Krehl, in: Münchner Med. Wschr. 83, 1936, S. 1397 f.; W. Nonnenbruch, in: Med. Welt 10, 1936, S. 1131 f.; R. Schoen, in: Med. Klinik 32, 1936, S. 1090 f.; ders., in: Dt. Archiv f. klin. Med. 179, 1936, H. 3, S. I–X; A. Schwenkenbecher, in: Klin. Wschr. 15, 1936, S. 1183; R. Cobet, Die Med. Klinik Greifswald unter P. M. 1913–1921, in: FS z. 500-J.feier d. Univ. Greifswald, II, 1956, S. 381–84; K.-H. Geißler, Personalbibliogrr. von o. u. ao. Professoren d. Med. Klinik an d. Univ. Würzburg im ungefähren Zeitraum v. 1900–1945, Diss. Erlangen-Nürnberg 1971

(W-Verz.); A.-M. Mingers, P. M., Seine Bedeutung f. d. Hämostaseol., in: Würzburger med.hist. Mitt. 8, 1990, S. 53–72; C. Schmidt, Leben u. Werk d. Internisten P. M., Diss. Leipzig 1995; BLÄ; Rhdb.

Ingrid Kästner

Morawitzky, *Theodor* Heinrich Graf v. **Topor,** bayer. Justiz- und Kultusminister, * 21. 10. 1735 München, † 14. 8. 1810 ebenda. (kath.)

Die Fam. stammt aus Polen. V Joseph Clemens (1711–88), v. Tenczin u. Rudniz, Herr auf Moosen, Arnstorf u. Ramlesreuth, zuletzt Vizestatthalter in Amberg u. WGR, S d. Benedict Heinrich (Gf. 1742, 1680–1770), kaiserl. Geh. Rat u. FZM, bayer. GFMlt., u. d. Maria Josepha Monika Caroline le Danois Comtesse de Cernay; M Maria Elisabeth (1709–88), T d. Alois Clemens Ernst Bero Gf. v. Rechberg u. Rothenlöwen, Hofrat, Kämmerer u. Pfleger in Erding, u. d. Anna Maria Josepha Gfn. Fugger; B Maximilian (1744–1817), Dir. d. Hofgerichtsrats u. Vizestatthalter in Ingolstadt; – ledig.

Nach dem Schulbesuch in Frankfurt/Main und Amberg studierte M. an der Univ. Ingolstadt 1754–56 Rechtswissenschaften. 1758 trat er als frequentierender Hofrat in bayer. Dienste. 1759–65 war er bei der Regierung in Amberg tätig, dann als Hofrat in München. Es folgte eine steile Beamtenkarriere: 1766 Ernennung zum Revisionsrat, Hofratsvizepräsidenten und Wirklichen Geh. Rat, 1778 zum Präsidenten der Hofkammer und 1779 zum Präsidenten der neugeschaffenen Oberen Landesregierung. Es gelang M. nicht, sich in letzterer Position gegen die anderen „klassischen" Oberbehörden durchzusetzen. Nachdem ihm Kf. Karl Theodor das Vertrauen entzogen hatte, quittierte er 1791 den Dienst.

Vor allem während seiner frühen Jahre in München spielte M. im geistigen Leben der Hauptstadt eine bedeutende Rolle. Nachdem er bereits 1765 zum Mitglied der Bayer. Akademie der Wissenschaften gewählt worden war, wurde er 1769 deren Vizepräsident. Als christlicher Aufklärer wandte er sich der Philosophie zu. Er war aber auch literarisch tätig: 1773 und 1774 erschien je eine Komödie von ihm, 1780 eine Ballade. Seine Theaterstücke erfreuten sich in München großer Beliebtheit. Sein Aufklärertum manifestierte M. auch durch die Mitgliedschaft in der ersten Münchner Freimaurerloge, der sog. Pögner'schen Loge, aus der er aber 1775 austrat, um eine eigene Loge mit dem Namen „Zur Behutsamkeit" zu gründen, in der besonders die Ideen der Rosenkreuzer gepflegt wurden.

Allerdings trat er den Illuminaten nicht bei. Als Mitglied des Bücher-Censur-Kollegiums 1774–76 war M. bemüht, der aufklärerischen Literatur in Bayern Eingang zu verschaffen.

M., dessen Karriere 1791 beendet schien, wurde in schwerer Stunde von Kf. Karl Theodor wieder in bayer. Dienste zurückgeholt: Im Februar 1798 ernannte dieser ihn zum bevollmächtigten Minister beim Rastatter Kongreß. M. agierte auf diesem schwierigen Posten sehr selbständig und überlegt und zur vollen Zufriedenheit des zukünftigen bayer. Kf. Max Joseph und dessen Ministers Montgelas. Als Max Joseph 1799 die Regierung in Bayern übernahm, berief er M. zum Minister für geistliche Angelegenheiten. In der Verfassungsdiskussion 1800 spielte M. eine bedeutsame Rolle. Als es ihm in der zweiten Jahreshälfte 1800 nicht gelang, den Kurfürsten zu einem rechtzeitigen Frontwechsel von der österr. zur franz. Seite zu bewegen, schien er sich innerlich von der großen Politik abgewandt zu haben. Zwar übte er nach wie vor seine hohen Ämter aus, doch engagierte er sich nicht mehr politisch im nächsten Umkreis des Kurfürsten. In Vorbereitung des neuen bayer. Zivilgesetzbuches legte M. 1808 einen Entwurf zur Ablösung der Feudallasten und künftigen Gestaltung der grundherrlichen Verhältnisse vor. Das entsprechende Edikt vom 28. 7. 1808 kündigte tatsächlich einige Reformen im Bereich der Emphyteuse an, hielt jedoch auf Betreiben Montgelas' im Prinzip an der bestehenden Verteilung des Landeigentums fest. Als Montgelas 1810 in Paris weilte, mußte M. in München die Leitung der gesamten Regierung in Vertretung Montgelas' übernehmen. Diese Bürde scheint den inzwischen Fünfundsiebzigjährigen überfordert zu haben: Er erlitt einen Zusammenbruch und starb am darauffolgenden Tag.

W Akadem. Rede v. Nutzen d. Wiss. in Rücksicht auf d. Bildung d. Herzens gehalten an d. höchstfreulichen Namensfeste Seiner churfürstl. Durchleucht in Baiern ... Bey d. churfürstl. Ak. d. Wiss., 1769.

L H. Wanderwitz, Th. H. Gf. v. Topor M. (1735–1810), in: ZBLG 46, 1983, S. 139–55; W. Demel, Der bayer. Staatsabsolutismus 1806/08–1817, 1983.

P Ölgem. v. M. Franck (München, Bayer. Ak. d. Wiss.), Abb. in: Geist u. Gestalt III, 1959; Miniatur, Aquarell u. Gouache, wahrsch. um 1780/90, Künstler unbekannt (Schloß Amerang Lkr. Rosenheim); Medaillon-Stammbaum d. Gf. Th. H. v. Topor M. mit Porträtmedaillon, wahrsch. 1792 v. M. Klotz(e) (ebd.).

Heinrich Wanderwitz

Mordechai *ben Hillel,* Rabbiner, * um 1240, † 1. 8. 1298 Nürnberg.

Aus Rabbinerfam.; *Vorfahre* Elieser ben Joel ha-Levi († 1235), Rabbiner; *Vt* Ascher ben Jechiel (1250–1327), Rabbiner; – ∞ Leda († 1298), *T* d. Pariser Rabbiners Jechiel ben Josef (1190–1268); 5 *K* († 1298); *E* Jechiel ben Josef, liturg. Dichter.

M. war ein Schüler des Meir ben Baruch von Rothenburg, Isaak ben Moses und Perez ben Elias von Corbeil. Er wirkte als Rabbiner in Goslar und Nürnberg, wo die wohlhabende Gemeinde 1296 eine neue Synagoge stiftete. Zwei Jahre später fiel er zusammen mit seiner Familie und über 600 Glaubensbrüdern dem Massaker des Ritters Rindfleisch zum Opfer.

M. trug auf Veranlassung Meirs von Rothenburg Gutachten von Gesetzeslehrern samt den sich hierauf beziehenden Erläuterungen zusammen. Auf diese Weise entstand als Kompilation der gesamten aschkenasischen Halacha der vorausgegangenen drei Jahrhunderte das Kompendium „Sefer Mordechai", kurz „Mordechai" genannt. Es lehnt sich an den verbreiteten Talmud des Rabbiners Isaak Alfasi an, zitiert aber viel mehr Autoritäten als jener, besonders aus dem deutschen und franz. Raum. Es zeichnet sich aus durch Klarheit und strenge Logik und vermeidet jegliche Haarspalterei. Der „Mordechai", bald das führende Lehrbuch für den talmudischen Unterricht, wurde in der Folgezeit vielfach abgeschrieben, überarbeitet, ergänzt, kommentiert, interpretiert sowie auszugsweise veröffentlicht und in andere Werke übernommen. Alle späteren Talmudgelehrten in Deutschland stützten sich mehr oder weniger auf ihn. Zwei Versionen des „Mordechai" setzten sich durch: die rheinische und die österreichische. Erstere verrät den Einfluß Frankreichs und Englands, letztere jenen Südosteuropas. 1376 schuf Samuel Schlettstadt eine gekürzte Fassung der rhein. Version, den sog. „Kleinen Mordechai", dem er eigene Glossen und Elemente der österr. Version beifügte. Da im Laufe der Zeit jedoch immer mehr Fassungen kursierten, die offenkundige Fehler und irreführende Bestimmungen enthielten, verbot der Prager Rabbiner Jehuda Löw um 1600 den „Mordechai" als Grundlage für rechtliche Entscheidungen.

Neben weiteren talmudischen Schriften verfaßte M. ein Gedicht über die Schlachtungs- und Speisegesetze, ein Lehrgedicht über die Anwendung der Interpunktion und ein Bußgebet bezüglich eines Martyriums. Sein umfangreiches Werk wird seit den 80er Jahren vom Jerusalemer Institut für Talmudische Forschungen in insgesamt zehn Bänden herausgegeben. – M. galt jahrhundertelang als einer der letzten „Rischonim", der älteren rabbinischen Autoritäten, auf die man sich berief, und neben Meir von Rothenburg als einer der bedeutendsten Halachisten in Deutschland.

L ADB 22; L. Zunz, Der Ritus d. synagogalen Gottesdienstes, 1859; ders., Lit.gesch. d. synagogalen Poesie, 1865 (Neudr. 1966); S. Kohn, M. b. H., sein Leben u. seine Schrr. sowie d. v. ihm angeführten Autoritäten, 1878; S. Salfeld, Das Martyrologium d. Nürnberger Memorbuchs, 1898; Zulbach, in: Jb. d. jüd.-literar. Ges. 3, 1905, 5, 1907; Arnd Müller, Gesch. d. Juden in Nürnberg 1146–1945, 1968; L. Jacobs, A Tree of Life – Diversity and Creativity in Jewish Law, 1984; E. E. Urbach, The Sages, their Concepts and Beliefs, 1987; M. Breuer, Die Responsenlit. als Gesch.qu., in: Gesch. u. Kultur d. Juden in Bayern, hrsg. v. M. Treml, 1988, S. 29–37; K. Ulshöfer, Zur Situation d. Juden im ma. Nürnberg, ebd., S. 147–60; Ch. Touati, Prophètes, talmudistes, philosophes, 1990; Wininger IV, 1928; Jüd. Lex. IV/1, 1930; Enc. Jud. XII, 1971.

Franz Menges

Mordeisen, *Ulrich* v., sächs. Rat und Kanzler, * 13. 7. 1519 Leipzig, † 5. 6. 1572 Dresden, ⬜ Kleinwaltersdorf Kr. Freiberg. (ev.)

V Ulrich († 1541), 1512 Bürger in L., Kaufm. u. Lederhändler, unterzeichnete 1524 mit mehr als hundert weiteren Bürgern die Bitte um Anstellung eines ev. Predigers in L., *S* d. N. N., Bürger in Hof (Oberfranken), erhielt 1487 Wappenbrief Ks. Friedrichs III.; *M* Barbara, *T* d. Lorenz Jechler, Kaufm. in L.; ∞ 1) Leipzig 1544 Margarethe (1527–64), *T* d. Heinrich Scherl (1475–1548), Metallkaufm., reichster Grundbes. in L., 2) 1570 Magdalena, *Wwe* d. Modestinus Pistoris (1516–65), Jurist, Prof. in L. in Dauervertretung für M. (s. ADB 26), *T* d. N. N. Ziegler; 2 *S,* u. a. Joachim (s. *L*), 4 *T* aus 1), u. a. Barbara (∞ Hartmann Pistoris, 1543–1603, auf Seußlitz u. Hirschstein, Jurist in L., s. ADB 26), 1 *S,* 1 *T* aus 2).

Schon vor der Einführung der Reformation gehörte M.s Familie zu der großen ev. Bevölkerungsgruppe in Leipzig, die enge Kontakte zu Luther pflegte. Trotz eines von Hzg. Georg dem Bärtigen auferlegten Strafgeldes für in Wittenberg Studierende ließ M.s Vater seinen Sohn seit dem Wintersemester 1534/35 dort studieren, wo er als Schüler von Hieronymus Schurpff zum Licentiaten der Rechte promoviert wurde. M. wurde vom Wittenberger Bibelhumanismus geprägt. Nach einem Studium 1539 in Padua bei Marianus Socinus wieder in Wittenberg, begann M. ein Repetitorium an der Universität. 1543 zum Doktor promoviert, erhielt er im August des Jahres eine Lektorenstelle der Rechte. 1543 vertrat er das ernestin. Sachsen beim Reichskammergericht, 1545 wurde er zum Rektor der Wittenberger Universität gewählt.

1546 trat er in die Dienste des albertin. Hzg. und späteren Kf. Moritz von Sachsen. Dieser betraute M. im November 1546 damit, bei Kf. Joachim zu sondieren, ob durch eine gemeinsame Gesandtschaft zum Kaiser ein Frieden im Schmalkaldischen Krieg vermittelt werden könne, doch blieben diese Bemühungen ohne Erfolg. M. war auch beteiligt an der Bitte der albertin. an die ernestin. Landstände, sich im Falle eines Angriffs von außen Hzg. Moritz zugunsten des Hauses Sachsen zu ergeben. Im Gefolge von Hzg. Moritz nahm M. 1547 an der Schlacht von Mühlberg teil. Seit April 1549 als Nachfolger von Kanzler Dr. Ludwig Fachs ließ M. Kf. Moritz in den Fragen von Interim und Trienter Konzil, Schule und Universität durch Melanchthon beraten, mit dem er in vertrautem Briefwechsel stand. Das fiktive Eingehen auf das kaiserl. Interim durch die „Artikel des Leipziger Landtages 1548", das Fachs gefördert hatte, ließ der Dresdner Hof ins Leere laufen. Über die Anweisungen von Moritz hinaus bemühte sich M. in Linz und Passau als Vertreter des Kurfürsten 1552 um das Zustandekommen des Passauer Vertrags. Neben Kf. Moritz und Georg v. Komerstadt entwickelte er dafür den Gedanken eines ewigen Friedens zwischen den Konfessionen. In einem Brief an Melanchthon erbat M. am 14. 7. 1553, eine Trauerrede auf Moritz von Sachsen zu verfassen.

Unter dem Nachfolger Kf. August war M. nicht mehr Kanzler, aber bis 1565 der herausragende persönliche Rat (Bestallung 9. 4. 1554). Durch eine überaus hohe Besoldung bewegte ihn der Kurfürst, auf die Ausübung seiner Leipziger Rechtsprofessur (Prof. seit 1554) zu verzichten. 1557 vertrat er Kf. August auf dem Frankfurter Tag zur Beilegung der prot. Streitigkeiten und nahm mit Melanchthon am Wormser Religionsgespräch 1557 teil und blieb bis 1564 der für die Außenpolitik wichtigste Rat. Am 11. 5. 1565 entließ Kf. August M., ohne ihn anzuhören, und stellte ihn für den Rest seines Lebens unter Hausarrest, nach einem Jahr mit Kirchgang, dann in Freiberg, dann auf seinem Gut in Kleinwaltersdorf. Einerseits fürchtete August wohl eine zu große Eigenständigkeit M.s – noch 1564 meinte er, M. befreundete kaiserl. Vizekanzler Zasius, ein Schreiben solle vom Kurfürsten oder von M. verfaßt werden –, andererseits wollte er mit der Absetzung den Einfluß des Adels mindern. Erst nach mehreren Jahren erhielt M. eine Reiseerlaubnis für Kursachsen. Seine überwiegend lat. Bibliothek ging nach dem Verzeichnis im Nachlaß mit ca. 1500 Titeln weit über das Normalmaß eines Gelehrten der Zeit hinaus.

Qu. HStA, Dresden: Loc. 7192: Dr. U. M.s Bestrickung, 1565; Loc. 7192: Dr. M. Schreiben an die Churfürstin zu Sachsen 1567–72; Loc. 10668: D. U. M.s zu Dresden hinterlassene Kinder 1572–75 *(Nachlaß-Verz.).* – K. Bruschius, De nuptiis iuvenum Huldenrici Mordyssii legum Doctoris et Martini Pfintzingii patricii Noribergensis Margaretham et Catharinam sorores ... epithalamion, 1544; Pol. Korr. d. Hzg. u. Kf. M. v. S., II, hrsg. v. E. Brandenburg, 1904 (Nachdr. 1983), III u. IV, bearb. v. J. Herrmann u. G. Wartenberg, 1978–92, V, bearb. v. dens. u. Ch. Winter, 1996; Schrr. Dr. Melchiors v. Osse, hrsg. v. O. A. Hecker, 1922.

L ADB 22. – *Zu Joachim:* Dresdner Gesch.bll. 2, 1897–1900, S. 59 f.

P Epitaphaltar in Kleinwaltersdorf, Abb. im Landesamt f. Denkmalpflege, Dresden.

Johannes Herrmann

Mordo, *Renato,* Theaterintendant und -regisseur, * 3. 8. 1894 Wien, † 5. 11. 1955 Mainz. (ev., seit 1920 kath.)

V Rodolfo († 1932, isr., später ev.), Kaufm. aus Korfu, Nachfahre sephard. Juden; *M* Regina (Rechlette) Großmann (isr., später ev., † während d. Dritten Reiches im KZ); ∞ Wien 1922 Gertrude („Trude"), Theaterschausp. (s. *L*), *T* d. Rudolf Wessely, Dr. iur., tätig am Wiener Landesgericht, u. d. Helene Schmitt; *Gvm d. Ehefrau* Hans Schmitt (1835–1907), Musikpädagoge, Pianist u. Komp.; *Om d. Ehefrau* Robert Hans Schmitt (1870–99), Bergsteiger, Afrikaforscher u. Maler (beide s. ÖBL); 1 *S* Peter Rudolf (1923–85), Komp. u. Programmreferent am Stuttgarter Rundfunk.

Gegen den Wunsch des Vaters, der für M. eine Kaufmannslehre vorgesehen hatte, hörte M. an der Univ. Wien Vorlesungen in Germanistik, Kunst- und Musikgeschichte. Seit 1914 besuchte er zudem die „K. K. Akademie für Musik und darstellende Kunst", an der er 1917 die „Künstlerische Reifeprüfung" ablegte. Danach ging M. zunächst an das Stadttheater in Aussig. 1918–20 war er Oberspielleiter am Stadttheater von Kattowitz. Im August 1920 wurde M. Oberspielleiter am Landestheater in Oldenburg (1921 Direktor, 1923 Intendant). Hier führte er 1921 Opernaufführungen ein und modernisierte den Spielplan; 1923 band er die Niederdeutsche Bühne an das Landestheater. Seine Vorstellung von einem für alle sozialen Schichten offenen Theater stieß jedoch auf Widerstand; wegen seiner Inszenierung von Arnold Zweigs „Ritualmord in Ungarn" wurde er 1922 von deutsch-völkischen Kreisen scharf angegriffen. Theaterinterne Schwierigkeiten und Kompetenzstreitigkeiten im Zusammenhang mit der von ihm geplanten Aufführung des Schauspiels „Frühlings Erwachen" von Frank Wedekind führten dazu, daß er Ende 1923 seinen Vertrag auflöste. Danach war M. Oberregisseur des Schauspiels am Deutschen Volkstheater in Wien (1924/25), Schauspieldirektor am Lobe-Theater in Breslau (1925/26) und an der „Komödie" in Dresden (1926–28). 1928–32 arbeitete er als Oberregisseur der Oper und des Schauspiels am Hessischen Landestheater in Darmstadt, wo er 1928 in Gegensatz zur Bayreuther Aufführungspraxis Wagners „Lohengrin" in einer entromantisierten Fassung aufführte. Gleichzeitig arbeitete M. auch im „Neuen Theater" in Frankfurt/Main.

1932 nahm M. ein Angebot des „Deutschen Theaters" in Prag an, und wurde Oberspielleiter der Oper, der Operette und des Schauspiels sowie Professor der Akademie für Musik und darstellende Kunst. Nach dem Einmarsch der deutschen Truppen emigrierte er mit seiner Familie 1939 nach Griechenland. In Athen gründete und leitete er die griech. Staatsoper und förderte u. a. die Opernsängerin Maria Callas. Während der Besetzung Griechenlands durch Italien und das Deutsche Reich erhielt er Arbeits- und Ausgehverbot; 1943 wurde er im Zuge der Judenverfolgung verhaftet und in das deutsche Konzentrationslager in Haidari bei Athen gebracht. Nach dem Abzug der Deutschen im September 1944 freigelassen, durfte M. seine Arbeit wieder aufnehmen, wurde jedoch nach dem Ende des griech. Bürgerkriegs als Kommunist diffamiert und aus der Staatsoper entlassen. 1947 gab M. ein Gastspiel an der Wiener Staatsoper und eröffnete die türk. Oper in Ankara, die er bis 1951 leitete. Gleichzeitig versah er dort eine Professur für Musik und darstellende Kunst. 1951/52 hielt er sich wieder in Athen auf und absolvierte anschließend ein sechsmonatiges Gastspiel an der „Habimah" in Tel Aviv. 1952 kehrte M. – ein künstlerischer Neuerer im Sinne Max Reinhardts – nach Deutschland zurück; bis zu seinem Tod war er als Oberregisseur der Oper am Städtischen Theater in Mainz tätig.

W Heilige Stunden, Gedichte, 1917; Dreimal Offenbach (Bearbeitung v. drei Offenbach-Einaktern), 1923; Pfeffer u. Salz (Komödie), 1941; Kleines Abenteuer (Komödie), 1944; Chaidari (Drama), 1945; Das schwarze Phantom, 1946; Adam II. (Komödie), 1947; Erlebt, erlauscht, erlogen (Theateranekdoten), 1951. – *Hrsg.:* Dramaturg. Bll. d. Oldenburger Landestheaters, 6 Mhh., 1920/21; Der Ziehbrunnen, Oldenburger Bll. f. Theater, Lit. u. bildende Kunst, 4 Mhh., 1921 (mit J. Stöcker u. M. Venzky); Bll. d. Dt. Theaters in Prag.

L W. Vahlenkamp, R. M. befreite Oldenburgs Bühne „aus Staub d. Hoftheaters", Erfolgreicher Intendant wurde Opfer d. Antisemitismus, in: Nordwest-Ztg. (Oldenburg) v. 18. 1. 1986 (Beil. Nordwest-Heimat); M. Struck, R. M., in: H. Friedl u. a. (Hrsg.), Biogr. Hdb. z. Gesch. d. Landes Oldenburg, 1992 *(L, P);* Wi. 1955; Kosch, Theater-Lex. *(fehlerhaft);* Kürschner, Lit.-Kal., Nekr. 1936–70, 1973 *(W);* BHdE II. – Ms. v. Gertrude Mordo, 1975; Fam.gesch. v. Peter R. Mordo, 1979 (beide *ungedr.,* in Fam.-bes.).

P Phot., 1953 (Fam.bes.), Abb. in: Biogr. Hdb. (s. *L*).

Matthias Struck

Mordtmann. (ev.)

1) *Andreas David,* Diplomat, Orientalist, * 11. 2. 1811 Hamburg, † 31. 12. 1879 Konstantinopel.

V Jens Roloff Elias (1786–1829), Arbeitsmann, Galanteriewarenhändler in H., S d. Johann Jakob (1751–1807), Soldat aus Goslar, u. d. Christina Elisabeth Schmidt; M Anna Friederica (1794–1813) aus Schleswig, T d. Bäckergesellen Jürgen Friedrich Peiniger (Beyninger) (1770–1840) aus Rendsburg u. d. Anna Christiana Knuth (1758–1832) aus Schleswig; ∞ Hamburg 1838 Christina (1810–91, ∞ 1837 Peter Fendt) aus Elmshorn (Holstein), T d. Jasper Brandemann (um 1778–1857), Hufner in Lutzhorn b. Barmstedt, u. d. Katharina Schoellermann (um 1787–1866) aus Lutzhorn; 3 S, 3 T, u. a. Andreas (1837–1912), Dr. med., Geh. Sanitätsrat, Vf. v. Aufsätzen z. byzantin. Gesch., Lit. u. Epigraphik (s. BJ 18, Tl.; Istanbul Ansiklopedisi, V, 1994), August Justus (1839–1912), Journalist, Homer-Forscher u. Schriftst. (Ps. Dr. Eisenhart, R. A. Guthmann) (s. Kosch, Lit.-Lex.[3]), Johann(es) Heinrich (s. 2), Doris (* 1841, ∞ 1) N. N. Ömer Pascha, 2) N. N. Reek), Übersetzerin.

Seine Ausbildung am Johanneum in Hamburg mußte der hochbegabte, früh verwaiste M. aus Geldmangel bereits in der Tertia abbrechen. Im Selbstunterricht bildete er sich weiter, lebte von Privatstunden und wurde 1829 Hilfslehrer an einer Volksschule. Seine Kenntnis insbesondere orientalischer Sprachen erregte die Aufmerksamkeit des hamburg. Syndikus Karl Sieveking, der ihm eine Stellung beim Hamburger Senat besorgte und ihn auch weiterhin förderte. 1840 wurde M. die Katalogisierung der orientalischen Handschriften der Hamburg. Stadtbibliothek übertragen, 1841 erhielt er eine Bibliothekarsstelle. Für seine von dem Geographen Karl Ritter angeregte Übersetzung des „Buches der Länder" von Istachri (Istaḫrī) aus dem Arabischen erhielt er von der Philosophischen Fakultät der Univ. Kiel 1845 den Doktortitel. Im selben Jahr wurde M. als Kanzlist an die span. Gesandtschaft nach Istanbul geschickt, die dort auch die hanseatischen Interessen vertrat.

1847 stieg M. zum Geschäftsführer, 1851 zum Geschäftsträger der Hansestädte bei der Hohen Pforte auf und war gleichzeitig auch oldenburg. Konsul. Als sein Amt 1859 durch die Aufhebung der hanseatischen Vertretungen erlosch, blieb er im Osman. Reich und trat als Richter beim neu begründeten Handelsgericht in osman. Staatsdienst (1860–71). Vom Großwesir Mahmud Nedim Pascha entlassen, lehnte er neue Ämter ab, um sich wissenschaftlichen und literarischen Studien zu widmen. Kurzfristig wirkte er als Schriftleiter der deutschfreundlichen Zeitung „Phare du Bosphore" (1872/73). Einen Lehrstuhl für Erd- und Völkerkunde sowie Statistik an der 1877 wiederbegründeten Hochschule für Zivilbeamte (mekteb-i mülkiye) in Istanbul übernahm er nur noch für kurze Zeit.

M.s wissenschaftliche Beschäftigung galt der Epigraphik, der Geographie sowie der Geschichte und Gegenwart des Osman. Reiches. Er untersuchte Keilschriften ebenso wie sassanidische Gemmen oder byzantin. Inschriften. Bleibend sind seine Verdienste um die Pahlavi-Münzkunde, deren Begründer er wurde. M.s verstreut gedruckte Reiseskizzen, die 1925 gesammelt erschienen, waren reich an neuen historisch-geographischen Beobachtungen und Erkenntnissen. Seine „Belagerung und Eroberung Constantinopels durch die Türken im Jahre 1453" (1858) ist die erste wissenschaftliche, aus den Quellen geschöpfte Monographie zu diesem Thema. Die drei griech. Ausgaben zeigten ungewollt auch politische Wirkung, so daß die osman. Behörden schließlich um 1909 die weitere Verbreitung unterbanden. M. beobachtete seine osman. Umwelt aufmerksam und schilderte sie verständnisvoll, doch unverblümt. Er darf als einer der wichtigen Zeitzeugen der osman. Geschichte des 19. Jh. gelten. – Korr. Mitgl. d. Bayer. Ak. d. Wiss. (1869).

W Anatolien, Skizzen u. Reisebriefe aus Kleinasien 1850–59, Eingel. u. mit Anm. versehen v. F. Babinger, 1925 (W-Verz., S. XXI-XXXIII); Das Buch d. Länder, v. Scheich Ebu Ishak el Farsi el Isztachri, Aus d. Arabischen übers., 1845; Stambul u. d. moderne Türkentum, Pol., soz. u. biogr. Bilder v. e. Osmanen, 2 Bde., 1877/78 (anonym); Erklärung d. Münzen mit Pehlevi-Legenden, in: Zs. d. Dt. Morgenländ. Ges. 8, 1854, S. 1–194; ebd. 12, 1858, S. 1–56; Zur Pehlevi-Münzkde., ebd. 33, 1879, S. 82–142; ebd. 34, 1880, S. 1–162.

L ADB 22; F. Babinger, A. D. M.s Leben u. Schrr., in: A. D. M. d. Ä., Anatolien ... (s. W), S. VII-XXI (P); Bursian-BJ 16, S. 47; S. Eyice, in: Istanbul Ansiklopedisi, V, 1994, S. 489 f. (P).

Hans Georg Majer

2) *Johann Heinrich,* Orientalist, Diplomat, * 11. 9. 1852 Pera (Istanbul), † 3. oder 4. 7. 1932 Berlin.

V Andreas David (s. 1); ∞ 1) N. N. († v. 1932), 2) Emma Mix († 1932); 1 T († v. 1932).

Zur Schulbildung und zum Studium wurde M. von Istanbul nach Hamburg geschickt, wo er 1861–71 das Johanneum besuchte. An der Univ. Bonn betrieb er die klassischen Studien weiter, wandte sich aber immer mehr der Orientalistik zu. In Leipzig hörte er bei dem Arabisten Heinrich Leberecht Fleischer und bei dem Altertumsforscher Georg Curtius. In Berlin, wo ihn Theodor Mommsen stark beeinflußte, erwarb er 1874 den Doktorgrad mit einer epigraphischen Arbeit, „Marmora Ancyrana". Das Osmanische Reich, in dem er geboren und aufgewachsen war, wurde Schauplatz seiner beruflichen Karriere als Dragoman, Konsul und Generalkonsul in Thessaloniki, Istanbul und Izmir. Daneben beschäftigte sich M. mit den Denkmälern der Vergangenheit, zunächst mit himjar. und dann mit griech. und byzantin. Inschriften. Immer wieder befaßte er sich auch mit altsüdarab. Themen. Seit 1910 behandelte er vorwiegend türk. Themen und hielt Vorlesungen an der Univ. Istanbul. Das Ende des 1. Weltkriegs zwang ihn zum Verlassen seiner türk. Heimatstadt. Über Schaffhausen, Innsbruck, wo er vorübergehend lehrte, und Würzburg kam er 1920 nach Berlin. Am Orientalischen Seminar der dortigen Universität las er über islam. Realien. Die wissenschaftliche Arbeit seiner letzten Jahre konzentrierte sich auf altsüdarab. Forschungen, ermöglicht und angeregt durch die Inschriften, die Carl Rathjens und Hermann v. Wissmann nach Deutschland gebracht hatten. Als Ergebnis veröffentlichte er gemeinsam mit Eugen Mittwoch die Werke „Sabäische Inschriften" (1931) und „Himjarische Inschriften in den Staatlichen Museen zu Berlin" (1932).

M. zählt zu den Pionieren der Altsüdarabistik. Seine nüchternen, philologisch exakten Studien waren zu seiner Zeit mustergültig und gelten nach wie vor als wissenschaftlich brauchbar. Die turkologischen Arbeiten spiegeln eine umfassende Belesenheit und jahrzehntelange Vertrautheit mit den Verhältnissen im Osmanischen Reich wider. Mit Georg

Jacob und Friedrich v. Kraelitz-Greifenhorst war M. einer der Wegbereiter der osman. Diplomatik. In oft knappen Aufsätzen äußerte er sich auch kompetent zu Einzelfragen der osman. Geschichte, Literatur, Sprache und Gegenwart. Darüber hinaus galt M. als Autorität auf dem Gebiet der osman. Forschung und gab der damals als wissenschaftliche Disziplin entstehenden realienkundlichen Turkologie (Osmanistik) Anregung und Rückhalt. Seine bedeutende Bibliothek wurde von der Hamburger Staats- und Universitätsbibliothek erworben.

Weitere W Sabäische Denkmäler, 1883 (mit D. H. Müller); Himjar. Inschrr. u. Altertümer in d. Kgl. Museen zu Berlin, 1893; Btrr. z. Mináischen Epigraphik, 1897; Die Kapitulation v. Konstantinopel im J. 1453, in: Byzantin. Zs. 21, 1912, S. 129–44; Zwei osman. Paßbriefe aus dem 16. Jh., in: Mitt. z. Osman. Gesch. 1, 1922, S. 177–202; Suheil u. Nevbehar, Romant. Gedicht. d. Mes ûd b. Ahmed (8. Jh. d. H.), 1925; Sunnit.-schiit. Polemik im 17. Jh., in: Mitt. d. Seminars f. Oriental. Sprachen 32, 1929, 2. Abt., Westasiat. Stud., S. 1–38; Zur Lebensgesch. d. Kemal Re îs, ebd., S. 39–49, Nachtrag, S. 231 f. – Mehr als 60 Artikel in: Enz. d. Islam (1912–36). – *Nachlaß:* Staats- u. Univ.bibl. Hamburg.

L F. Babinger, J. H. M., Zum 70. Geb.tag, in: Hamburg. Correspondent 142, Nr. 422 v. 10. 9. 1922, 1. Beil., S. 2; ders., J. H. M. z. Gedächtnis, in: Mitt. d. Seminars f. Oriental. Sprachen 35, 1932, 2. Abt., Westasiat. Stud., S. 1–16 (*W-Verz., P,* als Einzeldruck 1933); ders., in: Münchner Neueste Nachrr. 85, Nr. 182 v. 7. 7. 1932; ders., in: FF 8, 1932, S. 288; ders., M.s Bücherei in Hamburg, in: Hamburg. Fremdenbl., 7. Beil. zu Nr. 322 v. 19. 11. 1932, Literar. Rdsch., S. 29; N. Rachmati, in: Ungar. Jbb. 12, 1932, S. 304; K. Regling, in: Numismat. Zs. 42, 1932, S. 149–51.

Hans Georg Majer

Moreau, *Clément* (seit ca. 1933, eigtl. *Meffert, Carl Josef,* 1940–62 *José Carlos Meffert*), Graphiker, politischer Karikaturist, * 26. 3. 1903 Koblenz, † 27. 12. 1988 Sirnach. (kath., später konfessionslos)

Adoptiv-V (seit 1905) Josef Meffert (1873–n. 1950), Postbeamter in K., *S* d. August u. d. Eleonore Groß (* 1832); *M* Gertrude Schmidt († 1919), Ladengehilfin in K.; ∞ 1) Koblenz 1926 Augusta (1904–30), *T* d. Florian Baitzel (1871–1944), Großkaufm. in K., u. d. Angelika Dott (1873–1933), 2) Buenos Aires 1935 Nelly (* 1904), Kinderpsychologin, *T* d. Carl Guggenbühl-Giger (1872–1964), Versicherungs-Generalagent, u. d. Helen Giger (1878–1964); 2 *T* aus 1), 1 *S,* 1 *T* aus 2).

Kurz vor dem 1. Weltkrieg kam M., der aus zerrütteten Familienverhältnissen stammte, in die Fürsorgeerziehung, zunächst zu den „Ehrwürdigen Brüdern der christlichen Liebe" in die Anstalt Warburg, später nach Burgsteinfurt in Westfalen. Er begann früh zu zeichnen, erwarb sich aber neben der Arbeit in Rüstungsfabriken und auf dem Felde nur eine spärliche Schulbildung. 1919 begann er eine Lehre als Maler, die er nach kurzer Zeit abbrach, trieb sich in den Wirren der Revolutionsjahre zunächst ziellos umher und schloß sich dann den Spartakisten an, für die er Plakate malte und Ausweise fälschte. 1920 wurde er deswegen, nach einer Denunziation durch seinen Vater, von einem Militärsondergericht zu drei Jahren und vier Monaten Einzelhaft verurteilt, die er im Zuchthaus Werl absaß.

Nach seiner Entlassung 1924 absolvierte M. ein Volontariat als Kirchen- und Dekorationsmaler und studierte an der Kunstgewerbeschule in Köln, wo er über die „Kölner Progressiven" um Franz W. Seiwert und Jankel Adler erste Kontakte zur Kunstszene bekam. 1926 übersiedelte er nach Berlin und verdiente dort seinen Lebensunterhalt zunächst mit graphischen Gelegenheitsarbeiten und Preisschilderschreiben auf Wochenmärkten. Mit Illustrationen zu Fjodor Gladkows Roman „Zement" und der Mappe „Hamburg" über den Arbeiteraufstand von 1923 stellte er sich bei Käthe Kollwitz vor, die ihn als Schüler aufnahm und dann an Emil Orlik weiterempfahl. Durch den Maler Otto Nagel fand M. Zugang zu dem Kreis um Heinrich Zille, befreundete sich mit Heinrich Vogeler, Erich Mühsam, Egon Erwin Kisch und John Heartfield und wurde 1928 Mitglied der „ASSO" (Assoziation Revolutionärer Bildender Künstler Deutschlands). Erste Erfolge hatte er mit Illustrationen für die Arbeiterpresse („AIZ", Verlag für Literatur und Politik) sowie mit graphischen Mappen. Es entstanden fünf Linolschnittzyklen, in denen er seine eigene Jugend und die sozialen Probleme seiner Zeit verarbeitete, darunter der 20teilige Zyklus „Fürsorgeerziehung" (1928). In diesen Jahren trennte sich M. von seiner Frau und lebte in Paris, Berlin und in der Schweiz, nach dem Suizid seiner Frau ging er 1930 erneut nach Paris. Für die dortige Wochenzeitschrift „Monde", herausgegeben von Henri Barbusse, zeichnete er bereits seit 1929. 1931 kam M. nach Fontana Martina bei Ascona, wo er als Mitglied der Kooperative um den Sozialutopisten Fritz Jordi lebte. Mit ihm, Helene Ernst und Heinrich Vogeler arbeitete er für die Zeitschrift „Fontana Martina". Hier lernte er auch Ignazio Silone kennen, dessen Romane er später illustrierte.

1933 tauchte M. als illegaler Immigrant in der Schweiz unter und nahm den Namen Clément Moreau (Initialen CM) an, den Geburtsnamen seiner Großmutter. Er schuf Bleischnitte für den Basler „Vorwärts", arbeitete für die Gewerkschaftspresse und entwarf Buchillustrationen und Umschläge für den Verlag Oprecht u. Helbling in Zürich. Mit Hilfe seiner zweiten Frau konnte er 1935 mit einem Nansenpaß legal nach Buenos Aires übersiedeln. Hier unterrichtete er bis 1937 an der Pestalozzi-Schule, engagierte sich politisch in der antifaschistischen Gruppe „Das Andere Deutschland" um August Siemsen und produzierte für das „Argentin. Tageblatt" und andere große Zeitungen des Landes Hunderte politischer Karikaturen. 1937/38 schuf er den Zyklus „La comedia humana (Nacht über Deutschland)" mit über 200 Linolschnitten, der zu den wichtigsten Werken der Exilkunst zählt (Teilnachdr. u. d. T. „Nacht über Deutschland, Mein Kampf – zweiter Teil", 1976, ²1979, Einl. v. C. M., Vorwort v. Heinrich Böll). Nach dem Krieg richtete sich seine Kritik zunehmend gegen die Verhältnisse in Argentinien. 1947/48 wurde er gezwungen, mehrere Monate in Jujuy in den Anden zu verbringen, offiziell mit dem Auftrag, als Werbefachmann diese Region für den Tourismus zu erschließen. Von da an entstand eine Fülle von Zeichnungen und Linolschnitten über das Leben der Indios. 1949 wurde M. wegen seiner Mitarbeit in antiperonistischen Organisationen nach Patagonien verbannt, konnte nach einigen Monaten nach Montevideo fliehen und kehrte nach einem Jahr nach Buenos Aires zurück. In der Amtszeit Frondizis seit 1958 beteiligte er sich an einem staatlichen Entwicklungsprojekt in der Provinz Chaco als Leiter des Amtes für Öffentlichkeitsarbeit, klärte die Indianerbevölkerung über Gesundheitsfragen auf und beteiligte sich am Aufbau der Universität in Resistencia, wo er als Professor für Bildende Kunst tätig war. Seit 1962 lebte M. in der Schweiz in St. Gallen und Zürich, da er wegen des Militärputsches nicht mehr nach Argentinien zurückkehren konnte. Er arbeitete nun als Zeichenlehrer an der Schule für Gestaltung in St. Gallen (1967–81), als Arbeitstherapeut in psychiatrischen Kliniken und als Theaterzeichner am Schauspielhaus Zürich für Schweizer und deutsche Zeitungen.

M. hat sich selbst nicht als Künstler, sondern als „menschlichen Gebrauchsgraphiker" gesehen, der mit seiner Kunst vor allem Zugang zu den weniger Gebildeten suchte, wozu auch seine bevorzugten Techniken der Zeichnung und des Linolschnitts beitrugen. Dadurch war er gezwungen, sich mit klaren, einfachen bildnerischen Mitteln in weichen, ruhigen Formen auf das Wesentliche zu beschränken. Inhaltlich stand er deutlich in der Tradition von Käthe Kollwitz, wenn er aus eigenem Erleben mit psychologisch einfühlsamem Blick individuelle und doch allgemeingültige Schicksale gestaltete. Seine antifaschistischen, in Argentinien entstandenen Karikaturen dagegen zeichnen sich durch das Aufeinandertreffen von leidenschaftlicher Empörung und politischem Bildwitz aus. Erst in den 70er Jahren wurde sein frühes sozialkritisches Werk aus den 30er und 40er Jahren in der Schweiz und in Deutschland bekannt. Ein großer Teil seines Werkes wird seit 1984 von der Stiftung Clément Moreau im Schweizer. Sozialarchiv in Zürich verwahrt. Zur Wiederentdeckung von M.s Werk hat seine langjährige Freundin in den Schweizer Jahren, Margit Brenner, entscheidend beigetragen. – Kulturpreis d. Stadt Koblenz (1983), Auszeichnung durch d. Schweizer. Gewerkschaftsbund (1987), Kulturpreis d. Dt. Gewerkschaftsbundes (1988).

Weitere W Graph. Zyklen: Hamburg, 1927; Zement, 1927/28; Shanghai, 1930; Deine Schwester, 1928; Erwerbslose Jugend, 1928 (Vorw. v. K. Kollwitz); Proletar. Kunst, o. J. (1932), Neuausg. mit Einl. v. D. Pforte, 1977; Mein Kampf, Texto de Adolfo Hitler, Buenos Aires ca. 1937, Nachdr. 1975 (Vorw. v. Max Frisch), franz. 1976, türk. 1977; Mit d. Zeichenstift gegen d. Faschismus, ausgew. Karikaturen aus d. J. 1935–45, 1980 (Einl. v. G. Magnaguagno); Argentina, 12 grabados del norte y del chaco de C. M., Zürich 1973; El chaco, o. J., Zürich 1963; Nachdr. d. Zyklen Erwerbslose Jugend, Fürsorgeerziehung, Deine Schwester, u. d. T., Die Welt v. unten, 1978 (mit autobiogr. Text, *P*); Nachdr. d. Zyklen Hamburg, Zement, Deine Schwester, Erwerbslose Jugend, Fürsorgeerziehung u. d. T. Frühe Arbeiten, 1983 (mit autobiogr. Text). – *Illustrationen zu:* Ignazio Silone, Fontamara, ital. 1933, franz. 1935, dt. 1944, 1947; Die Reise nach Paris, dt. 1934, argentin. 1935, engl. 1935. – *Linolschnitte zu:* I. S., 1980, Einl. v. G. Magnaguagno; B. Traven, Die Brücke im Dschungel, 1979. – *Zs.-Btrr.:* Fontana Martina, Okt. 1931–Nov. 1932, Nachdr. hrsg. v. D. Pforte, 1976.

L W. Mittenzwei, C. M., Ein Leben auf d. Suche nach d. Brüderlichkeit d. Menschen, 1977 *(P);* ders., in: Wochenztg. Zürich, Nr. 3 v. 20. 1. 1989, S. 17 f.; Neue Ges. f. Bildende Kunst (Hrsg.), C. M., Grafik f. d. Mitmenschen, Ausst.kat. Berlin 1978 *(W-Verz. unvollst., P);* Widerstand statt Anpassung, Ausst.kat. Berlin 1980, S. 184–90, passim; M. Müller-Strunk, Lernen mit C. M., Ästhet. Handeln als Prozeß d. Solidarität, o. J. (um 1981) *(P);* dies., C. M., Im Auftrag meiner Neugier, 1987 *(P);* Kulturarbeit im DGB – Kreis Koblenz (Hrsg.), C. M., Es geht um Alle, Grafik f. d. Mitmenschen – gewerkschaftl. Kulturarbeit, o. J., 1984 *(P);* Th. Miller, in: Bodensee Hh. 10, 1988, S. 48–53; ders. (Hrsg.), C. M. – Carl

Meffert, Eine Liebesgesch., 1991; E. Korazija Magnaguagno, Laudatio aus Anlaß d. Kulturpreisverleihung 1988 d. DGB an C. M., 13. 12. 1988 in Koblenz (Typoskript); dies., in: Tages-Anz. Zürich v. 29. 12. 1988, S. 9; R. Hiepe, in: Tendenzen 166, 1989, S. 57–59 *(P);* H. Kreis, in: print 7, 1989, S. 536–38; K. Kollwitz – C. M., Ausst.kat. Koblenz 1989, Berlin 1990 *(P);* C. M., Con el lápiz contra el fascismo, mit Btrr. v. M. Nungesser, B. L. Engelbert, M. Lauga u. a., hrsg. v. Goethe-Inst. Buenos Aires, 1994; Lex. d. zeitgenöss. Schweizer Künstler, 1981; BHdE II. – Eigene Archivstud.

Dorothea Peters

Morel, *Gall* (Taufname *Benedikt*), Benediktiner, Historiker und Dichter, * 24. 3. 1803 St. Fiden b. St. Gallen, † 16. 12. 1872 Einsiedeln.

V Johann, Kaufm., *S* d. Marinus Joseph, Kaufm., ließ sich 1777 in St. F. nieder (s. HBLS); *M* Theresia Eggenschwiler; *Verwandte* Karl (1822–66), Historiker u. Dichter (s. ADB 22; HBLS), Josef (1825–1900), Jurist u. Politiker (s. HBLS).

M. besuchte das Gymnasium 1814–17 in St. Gallen und 1818–19 in Einsiedeln. Hier trat er in das Noviziat der Benediktinerabtei ein und legte im Mai 1820 die Ordensgelübde ab. Es folgten eine philosophische und theologische Ausbildung an der hausinternen Schule, im Mai 1826 die Priesterweihe. Seiner besonderen Befähigung entsprechend wurde M. für Aufgaben herangezogen, die mit Wissenschaft und Bildung im Zusammenhang standen. Seine Ämter waren: 1826–31 Lehrer der Rhetorik, 1831–34 Lehrer der Philosophie, 1835–72 Stiftsbibliothekar, 1835–40 Kapellmeister, 1835–40 und 1846–50 Präfekt des schweizer. Werkes für die Glaubensverbreitung, 1836–47 Präfekt und 1847–72 Rektor der Klosterschule, 1839–46 Stiftsarchivar, 1843–52 Erziehungsrat des Kantons Schwyz, 1846–52 Subprior der Abtei, 1848–72 Professor für Ästhetik, 1850–65 Professor für Philologie.

Nach Absolvierung des klösterlichen Ausbildungsgangs erweiterte M. seine historischen, literarischen und kunstgeschichtlichen Kenntnisse durch zahlreiche Reisen. Sie brachten ihn mit allen wichtigen Klosterbibliotheken des Landes in Berührung und führten ihn in bedeutende europ. Kulturzentren (Mailand, Venedig, Genua, Wien, Paris). 1852/53 verbrachte M. acht Monate zur Weiterbildung in Rom und besuchte 1863 die aufsehenerregende Versammlung kath. Gelehrter in München. Als besonders begabt erwies sich M. zunächst im Bereich der Dichtung:

Schon als junger Mönch verfaßte er zu ordensgeschichtlichen und hagiographischen Themen Gedichte, Dramen und Oratorientexte. Zum Archivar und Bibliothekar ernannt, wandte er sich historischen Arbeiten zu. Er schrieb Aufsätze zur Kloster- und Schweizergeschichte, inventarisierte die in Einsiedeln vorhandenen Manuskripte, Inkunabeln, Musikalien und Münzen und edierte zahlreiche historische Quellentexte, darunter insbesondere eine Handschrift mit dem „Fließenden Licht der Gottheit" der Mystikerin Mechtild von Magdeburg. Nach 1847 widmete sich M. verstärkt der Lehrtätigkeit. Er reorganisierte die Stiftsschule, indem er sie in Gymnasium und Lyzeum untergliederte, und förderte das lokale Volksschulwesen u. a. durch Herausgabe neuer Schulbücher.

Über die Grenzen von Kloster und Orden hinaus knüpfte M. wissenschaftliche Verbindungen und unterhielt als Angehöriger zahlreicher geschichtsforschender Gesellschaften in der Schweiz und in Deutschland einen großen Korrespondentenkreis. War er hier wegen seiner umfangreichen Katalogisierungs- und Editionsarbeit hoch angesehen, so wirkte er für das Kloster vor allem durch seine Tätigkeit als Lehrer und seine dichterische Auseinandersetzung mit lokalhistorischen Themen. M., dessen Schriftenverzeichnis 214 Nummern umfaßt, gilt zu Recht als eines der am vielseitigsten gebildeten Mitglieder der Abtei Einsiedeln in ihrer neuzeitlichen Geschichte. Mehrere der von ihm erstellten Verzeichnisse, Textausgaben und historischen Abhandlungen erlangten bleibende Bedeutung.

W Der hl. Othmar, Sein Leben u. Wunderwerke, nebst einigen andächtigen Gebethern, 1839, ³1868; Btrr. z. Gesch. d. Einfalls d. Schweden in d. Schweiz im J. 1633, in: Gesch.freund 2, 1845, S. 220–30; Leben d. sel. Bruder Claus v. d. Flüe, Aus e. Nürnberger Hs. v. J. 1482, ebd. 18, 1862, S. 18–35; Die Regg. d. Benediktinerabtei Einsiedeln (946–1526), 1848; Gedichte I, 1852, II, 1859; Regg. d. Frauenklosters Münsterlingen im Thurgau, 1854; Benno, od. d. Gründung v. Maria-Einsiedeln, Drama in 5 Aufzügen, 1854; Das geistl. Drama v. 12.–19. Jh. in d. fünf Orten Luzern, Uri, Schwyz, Unterwalden u. Zug u. bes. in Einsiedeln, 1861; Maria, Mutter d. Herrn, Oratorium, Musik v. Carl Kempter, 1861; St. Meinrads Leben u. Sterben, e. geistl. Spiel, aus d. einzigen Einsiedler Hs., hrsg. 1863. – *Hrsg.:* Lat. Hymnen d. MA, größtentheils aus Hss. schweizer. Klöster, als Nachtrag zu d. Hymnen-Slgg. v. Mone, Daniel u. Andern I–II, 1866–68; Offenbarungen d. Schwester Mechtild v. Magdeburg, od. d. fließende Licht d. Gottheit, Aus d. einzigen Hs. d. Stiftes Einsiedeln, 1868.

L ADB 22; B. Kühne, P. G. M., Ein Mönchsleben aus d. 19. Jh., 1875; A. v. Liebenau, Ein edles Freundespaar, P. G. M., d. Sänger v. Maria-Einsiedeln u. M. Paul v. Deschwanden, rel. Historienmaler, 1902; R. Henggeler, Profeßbuch d. Fürstl. Benediktinerabtei U. L. Frau zu Einsiedeln, Festgabe z. 1000j. Bestand d. Klosters, 1933 *(W-Verz.)*; H. S. Braun, Unveröff. Dichterbriefe *(Briefslg. M.s)*, in: St. Meinrads Raben 55, 1965/66, S. 56–72; L. Helbling, P. G. M., in: Maria Einsiedeln 78, 1972/73, S. 339–47; HBLS; LThK²; Kosch, Lit.-Lex.³.

Markus Ries

Morel, *Willy,* klassischer Philologe, * 8. 8. 1894 Frankfurt/Main, † 9. 4. 1973 London. (isr.)

V Eduard († v. 1907); *M* Blanca Schnapper († 1945), emigrierte im Juni 1938 v. F. nach Weybridge (England); *B* Max (1888–1966), Bankier, emigrierte 1935 nach Großbritannien; *Schw* Adela (1896–1975), ∞ Dr. Otto Eberstadt, emigrierte 1938 nach Großbritannien, Doz. an d. Univ. Durham; – ledig; *N* David E. Eversley (* 1921, bis 1943 Ernst Carl Eduard Eberstadt), Prof. f. Demographie u. Regionalstud. an d. Univ. Sussex u. Berkeley (Kalifornien), seit 1973 korr. Mitgl. d. Dt. Ak. f. Städtebau u. Landesplanung (s. BHdE II), John Eversley (* 1908, bis 1945 Hans Walter Eberstadt), Doz. an d. Univ. Durham, Betriebsleiter in Cottered (Hertshire, England).

Nach dem Abitur am Frankfurter Goethe-Gymnasium (1913) widmete sich M., im Weltkrieg zweimal verwundet, in Freiburg (Breisgau), Straßburg und Frankfurt dem Studium der klassischen Philologie, das er in seiner Heimatstadt 1920 mit der Promotion bei Hans v. Arnim und Walter F. Otto aufgrund der Dissertation über „De Euripidis Hypsipyla" sowie 1921 mit dem Ersten Staatsexamen abschloß. Seine finanziellen Mittel erlaubten es ihm, ohne permanente Lehr- oder Publikationspflichten als Privatgelehrter zu leben. Er konnte sich auf einzelne Vorhaben konzentrieren, die neben zahlreichen kleinen Aufsätzen und Miszellen vor allem in zwei Editionen sowie seinen beiden Forschungsberichten über Aischylos (1932/33) und Euripides (1938) ihren Niederschlag fanden. Selbst nach 1933 konnte M., obwohl jüdischer Herkunft, zunächst relativ unbelästigt weiterarbeiten und publizieren. 1931–40 erschienen Beiträge M.s für die Realenzyklopädie von Pauly-Wissowa, 1941 ein Aufsatz in der niederländ. Zeitschrift Mnemosyne. Nach dem November-Pogrom 1938 wurde M. jedoch in ein Konzentrationslager verschleppt. 1939 konnte er nach Großbritannien emigrieren, wo er für die Dauer von fünf Jahren an der Heath Grammar School in Halifax unterrichtete. Seit Februar 1949 war M. brit. Staatsbürger. Nach 1955 erschienen nur noch kleinere Aufsätze und Miszellen, teils in engl., teils in deutscher Sprache. Insbesondere übersetzte er Menanders „Samia" ins Deutsche (Gymnasium 65, 1958 u. 77, 1970).

M.s wichtigste Leistung bildet die Edition der „Fragmenta poetarum latinorum epicorum et lyricorum praeter Ennium et Lucilium" (FPL, 1927, unveränderter Nachdr. o. J., 1963, hierzu Index Morelianus, hrsg. v. M. Bini, 1980, und Supplementum Morelianum, hrsg. v. A. Traina u. M. Bini, ²1990). Trotz nennenswerter Einwände, formuliert u. a. in den Rezensionen von U. Knoche (Gnomon 4, 1928) und A. E. Housman (Classical Review 42, 1928), konnten die FPL jahrzehntelang nicht wirklich ersetzt werden, da auch die Nachfolge-Edition von K. Büchner (1982) viele Wünsche offenließ und E. Courtneys „The Fragmentary Latin Poets" (1993) nicht alle von M. publizierten Texte bietet. 1995 erschien die dritte Auflage der FPL (Post M.-Büchner ed. Blänsdorf). Bei der diffizilen Interpretation der oft nur aus wenigen Worten bestehenden Fragmente war für mindestens 55 Jahre die Auseinandersetzung mit M.s Sammlung unumgänglich.

Weitere W u. a. Appendix Vergiliana (³1935).

L A. Traina u. M. Bini, Dal M. al Büchner, In margine alla nuova edizione dei FPL, in: Rivista di filologia e di istruzione classica 113, 1985, S. 96–119; E. Mensching, Ein Nachruf auf W. M., in: Latein u. Griech. in Berlin, 33, 1989, S. 110–24, wieder in: ders., Nugae z. Philologie-Gesch. III, 1990, S. 48–63 *(W-Verz., P)*.

Eckart Mensching

Morell, *Theodor,* Leibarzt Hitlers, * 22. 7. 1886 Trais-Münzenberg (Oberhessen), † 26. 5. 1948 Tegernsee. (ev.)

Die Fam. stammte aus Frankreich u. kam 1687 mit anderen Hugenotten nach Friedrichsdorf. *V* Karl (1857–n. 1933), Volksschullehrer in Trais-Münzenberg, *S* d. Volksschullehrers Georg Jacob Karl (1826–81) u. d. Elisabeth Catharina Müller (1826–93); *M* Elise Häuser (1857–1933), aus Bauernfam.; ∞ Berlin-Charlottenburg 1919 Johanna (Hanni) Möller (1898–1983); kinderlos.

M. wurde zunächst Volksschullehrer und erhielt 1905 eine Anstellung in Bretzenbach bei Mainz. Seit 1907 studierte er Medizin in Gießen, Heidelberg, Grenoble, Paris und München, wo er 1912 das Staatsexamen ablegte. Nach seiner Approbation 1913 promovierte er zum Dr. med. („Dreizehn Fälle von verschleppter Querlage und ihre Behandlung in der Universitäts-Frauenklinik München").

Danach, noch vor Ausbruch des 1. Weltkrieges, fuhr M. als Schiffsarzt neun Monate zur See, besuchte beide Amerika und die afrikan. Westküste, ehe er sich 1914 als praktischer Arzt in Dietzenbach bei Offenbach niederließ. 1915 wurde er zum Militär eingezogen und als Stabsarzt im Westen eingesetzt, erkrankte jedoch alsbald an einem Nierenleiden und verbrachte die folgenden Jahre teils in Lazaretten, teils als Arzt in Kriegsgefangenenlagern. Anfang 1918 als dienstuntauglich entlassen, ließ er sich im Oktober als Facharzt für Urologie in Berlin nieder und baute eine anerkannte Praxis auf.

Zum Jahreswechsel 1936/37 untersuchte M. erstmals Adolf Hitler und behandelte ihn so erfolgreich, daß er zum Leibarzt ernannt wurde. Er hatte viele andere prominente Patienten, weilte aber seit 1939 bis April 1945 stets in allernächster Nähe Hitlers, obgleich er verschiedentlich selbst ernstlich erkrankte. Seine Vorstellungen von der Bedeutung der Darmbakterien für die Gesundheit und die der Hormone und Vitamine für die Leistungsfähigkeit bestimmten die Therapie Hitlers. Zwischen 1941 und 1945 verordnete M. mindestens 92 verschiedene Medikamente und machte ihm über 1000 intravenöse und intramuskuläre Injektionen zu dessen Zufriedenheit und teilweise auf dessen Verlangen. Psychopharmaka kamen dabei nicht zum Einsatz. Zugleich baute M. vom jeweiligen Führerhauptquartier aus seit 1943 ein Pharma-Imperium auf, das von Riga über Winniza und Olmütz bis Charkow reichte, aber in dem Maße liquidiert wurde, wie die besetzten Ostgebiete verlorengingen. Er war Eigentümer bzw. Treuhänder mit Vorkaufsrecht von sechs Firmen in den von Deutschland besetzten Gebieten. An einer Reihe deutscher Pharmafirmen war er maßgeblich beteiligt, dazu gehörten die Nordmark Werke in Hamburg und ein privates Forschungslabor in Bayrisch Gmain, das er von Hitler als Geschenk erhalten hatte. Eine in jüdischen Händen befindliche Gesellschaft in Ungarn machte ihn 1944 zu ihrem Geschäftsführer bzw. Präsidenten. Wenn M. auch seine Position als Leibarzt Hitlers rigoros ausnutzte, um seine geschäftlichen Interessen zu fördern, so betätigte er sich politisch oder ideologisch kaum oder gar nicht. An der Planung von Euthanasieprogrammen und am Holocaust war er unbeteiligt. Er trug eine selbst erdachte Sonderuniform und verstand es, sich den Bemühungen Himmlers zu entziehen, der ihm, wie allen anderen Personen in Hitlers Umgebung, einen Ehrenrang der SS verleihen wollte. M. betrachtete seine Aufgabe zwar als historisch, achtete aber dennoch in erster Linie auf seinen persönlichen Vorteil und vermochte Hitler in diesem Sinne auszunutzen. Die unter M.s Namen erschienenen Publikationen stammen nicht von ihm, sondern wurden für ihn verfaßt. Sie waren medizinisch-pharmakologisch ausgerichtet und hatten vornehmlich den Zweck, von M. hergestellte oder vertriebene Pharmaka möglichst positiv darzustellen. Ferner sollte sein Ansehen als bedeutender Arzt und Wissenschaftler damit gehoben werden.

Am 21. 4. 1945 endete M.s Tätigkeit für den „Führer". Er flog nach Bayern, wo er schwer erkrankte und von den Amerikanern verhaftet wurde. Nach ausgiebigen Verhören entließ man ihn 1947 als haftunfähig. Er starb ein Jahr später in einem Krankenhaus am Tegernsee. – Ernennung zum Professor (1938); Ritterkreuz zum Kriegsverdienstkreuz (1944).

L O. Katz, T. M., 1982; E. G. Schenck, Patient Hitler – e. med. Biogr., 1989.

Ernst Günther Schenck

Morena (eigtl. *Meyer*), *Berta*, Sängerin, * 27. 1. 1877 Mannheim, † 7. 10. 1952 Rottach-Egern. (Christl. Wissenschaft)

V German Meyer (1847–1917), Kaufm., *S* d. Xaver, Metzger u. Wirt in Rottweil, u. d. Margaretha Hirl; *M* Friederike (1848–1929), *T* d. German Burkhardt (1821–90), Ökonomierat u. Gutsbes. in Rottweil, nat.liberaler Reichstagsabg. 1887–90 (s. *L*), u. d. Mathilde Osiander; *Ur-Gvm* Dr. Andreas Burkhardt (1786–1839), Rechtsanwalt u. württ. Landtagsabg.; – ledig.

Durch den Chorleiter des Mannheimer Vereins für klassische Kirchenmusik, in dessen Konzerten die junge M. erstmals solistisch hervorgetreten war, wurde sie dem Mannheimer Hofkapellmeister H. Röhr empfohlen. Nach einem Vorsingen auf der Bühne des Hoftheaters übernahm dessen Frau, die Gesangspädagogin Sophie Röhr-Braijnin, die Ausbildung der angehenden Sängerin. Als Röhr 1896 an das Münchener Hoftheater berufen wurde, folgte M. dem Ehepaar nach München, um weiterhin bei ihrer Lehrerin studieren zu können. Ein Jahr danach konnte sie dem Münchener Generalintendanten E. v. Possart vorsingen, der sie daraufhin für die folgende Saison an die Hofoper engagierte. Seit ihrem Debüt als Agathe in Webers „Freischütz" am 15. 10. 1898 blieb sie bis 1923 ständiges Mitglied des Münchener Ensembles. International berühmt wurde M. dabei vor allem durch ihr regelmäßiges Mitwirken bei den 1901 eingerichteten, alljährlichen Wagner-Festspielen im Prinzregententheater. Es folgten Einladungen zu Gastspielen in der ganzen Welt. Zweimal verpflichtete sie sich an die Metropolitan Opera in New York, zunächst für fünf aufeinanderfolgende Spielzeiten 1908–12, dann noch einmal für die Saison 1924/25, nachdem sie die Münchner Oper bereits verlassen hatte. Zunehmende Beeinflussung des kulturellen Lebens durch nationalsozialistische Kreise sowie antisemitische Angriffe gegen viele ihrer Kollegen und auch gegen sie selbst hatten dort schon 1923 ihren Rücktritt bewirkt. Aufgrund ihrer Freundschaft zu unterdrückten Juden wurde ihr in der Folgezeit unter dem falschen Vorwand, sie selbst sei Jüdin, der Zutritt zum Nationaltheater verboten und auch jedes sonstige Auftreten erschwert. Ihr letztes Konzert, einen reinen Wagner-Abend, sang M. am 14. 1. 1933 im Odeon. Nach ihrem Abschied vom Konzertleben wirkte sie als Pädagogin in München, bis sie im August 1943 als Bombenflüchtling die Stadt verließ und nach Rottach-Egern am Tegernsee übersiedelte. Dort lebte sie bis zu ihrem Tod in völliger Zurückgezogenheit.

Nach ihrem erfolgreichen Münchener Debüt als Agathe sang M. zunächst überwiegend Partien des jugendlichen Faches, entwickelte sich aber aufgrund des warmen gesättigten Timbres ihrer Stimme, besonders in der Mittellage, bald zum lyrisch-dramatischen und hochdramatischen Sopran. Ihre hochgewachsene Gestalt, die stets hervorgehobene Schönheit und dramatische Ausdruckskraft ihrer Erscheinung prädestinierten sie in den Spielplänen der Zeit vor allem für die großen Wagner-Rollen, auf denen trotz vieler anderer Partien ihres Faches sowohl in München als auch an der Metropolitan Opera der Schwerpunkt ihres Wirkens lag. Erwähnenswert erscheint aus heutiger Sicht besonders ihr Erfolg als Leonore 1908 in New York unter Gustav Mahler. Da M. den technischen Möglichkeiten der Klangaufzeichnung ihrer Zeit skeptisch gegenüberstand, ist ihre Stimme nur auf einer einzigen Schallplatte mit Aufnahmen aus den Jahren 1908 und 1911, dafür jedoch in den wahrscheinlich wichtigsten der von ihr gesungenen Rollen (Elsa, Elisabeth, Sieglinde, Brünhilde) zu hören.

L A. Vogl, B. M. u. ihre Kunst, 1919; J. Gentil, B. M., in: Mannheimer Hh. 3, 1952; J. Kesting, Die großen Sänger II, 1986, S. 763 f. *(P)*; K. J. Kutsch u. L. Riemens, Großes Sängerlex. II, 1987. – *Zu German Burkhardt:* M. Schwarz, Biogr. Hdb. d. Reichstage, 1965.

Vera Baur

Morena, *Erna* (eigtl. *Ernestine Maria Fuchs*), Filmschauspielerin, * 24. 4. 1885 Wörth b. Aschaffenburg, † 20. 7. 1962 München.

V Fritz Fuchs († 1895); *M* Eugenie Seyler (1862–1951); *B* Friedrich Fuchs (1890–1948), Redakteur u. Hrsg. d. Zs. „Hochland" (s. Kürschner, Lit.-Kal., Nekr. 1936–70); *Schwägerin* Ruth Schaumann (1899–1975), Schriftst. (s. Killy); – ∞ 1915 (oo 1921) Wilhelm Herzog (1884–1960), Schriftst. (s. NDB VIII); 1 *T*.

M. besuchte nach eigenen Angaben eine Kunstgewerbeschule. 1910/11 war sie am Deutschen Theater in Berlin engagiert, 1912 gab sie die Titelrolle in dem Film „Die Sphinx". Ihre große, schlanke Erscheinung, ihre fragilen Bewegungen und markanten Gesichtszüge prägten eine der bekanntesten, dabei vom Gestus ungewöhnlichsten Diven des deutschen Stummfilms. 1917 verkörperte sie in Filmrollen eine überaus damenhafte „Lulu" und die „Kameliendame". 1914 und 1917 brachten die Filmgesellschaften Messter und Union unter ihrem Namen und mit ihr als Star Serienfilme heraus. Mit eigener Filmfirma drehte sie 1918 „Geschichten aus 1001 Nacht" und spielte darin die Scheherezade. 1918 gab sie die verführte Apothekerstochter in der Verfilmung von Margarethe Boehmes vielgelesenem Trivialroman „Tagebuch einer Verlorenen". 1918/19 war sie am Stadttheater Troppau engagiert. In den expressionistischen Filmen „Von morgens bis mitternachts" und „Algol" (1920) wurde sie in greller Überzeichnung als großbürgerliche Dame eingesetzt. Eine ihrer prägnantesten Rollen war die exotisch-schöne Maharani in dem Monumentalfilm „Das indische Grabmal" (1921). Komplexeren Rollenanforderungen, etwa in den Klassikerverfilmungen „Die Verschwörung zu Genua" (1920), „Wilhelm Tell" (1923) und „Wallenstein" (1925), konnte sie nicht immer gerecht werden. In „Grand Hotel" (1927) verkörperte sie noch einmal den auf Augenspiel und grazile Gesten reduzierten Typ der grande dame, der sich zum Ende der Stummfilmzeit erschöpft hatte. In Tonfilmen wurde M. nur noch in Nebenrollen beschäftigt. Sie betrieb später in München eine Künstlerpension.

W E. M., in: Die Frau im Film, 1919, S. 8 f.; Brief an e. Unbekannten, in: S. Lorant (Hrsg.), Wir vom Film, 1928, Nachdr. 1986, S. 69 f. *(P)*.

L E. M., in: H. Treuner (Hrsg.), Filmkünstler, Wir üb. uns selbst, 1928 *(P)*; E. Reiche, E. M., in: Ill. Filmwoche 49, 1918, S. 358 *(P)*; F. W. K., E. M., ebd. 11, 1919, S. 90 *(P)*; CineGraph.

Jürgen Kasten

Morenz, *Siegfried,* Ägyptologe, 22. 11. 1914 Leipzig, 14. 1. 1970 ebenda. (ev.)

V Emil Karl (1888–1958), Oberpostinsp. in L., *S* d. Eugen (1864–1932) aus Lucka (Thüringen), Oberpostsekr. in L., u. d. Louise Hesse (* 1868) aus Hannover; *M* Hilde (1891–1969), *T* d. Gottlob Weißwange (1850–1927) aus Schköna b. Bitterfeld, Kaufm. in L., u. d. Wilhelmine Emma König (1854–1931) aus Schköna; ∞ 1) Leipzig 1946 (∞ 1960) Gertraude Hempel, geb. Geißler (* 1921); 2) Leipzig 1961 (∞ 1966) Helga (* 1938), Krankenschwester, *T* d. Kurt Lorenz (1899–1973), kunstgewerbl. Tischlermeister in Freiberg (Sachsen), u. d. Johanna Pöhland (1902–87), 3) Leipzig 1966 Ruth (* 1929), Doz. f. Tonsatz u. Gehörbildung, *T* d. Georg Wagner (1898–1981), Obertelegrapheninsp. in L. u. Tübingen, u. d. Gertrud Grundmann (1892–1975); 1 *T* aus 1), 1 *T* aus 2), 1 *S* aus 3).

Nach dem Abitur am Schiller-Gymnasium in Leipzig studierte M. 1934–38 ev. Theologie, seit 1935 auch Ägyptologie in Leipzig und bestand 1939 das Erste theologische Examen. Die für ihn wichtigen Lehrer waren A. Alt, J. Leipoldt und W. Wolf. 1941 wurde er mit der Edition der kopt. „Geschichte von Joseph dem Zimmermann" (1951) zum Dr. phil. promoviert und als wissenschaftliche Hilfskraft am Ägyptologischen Institut angestellt. Diese Tätigkeit übte er aus, unterbrochen von jeweils kurzen Verpflichtungen zum Kriegsdienst, bis er sich 1946 mit einer Untersuchung von „Ägyptens Beitrag zur werdenden Kirche" (ungedr.) habilitierte und zum Dozenten ernannt wurde. 1948 erhielt M. – zunächst kommissarisch – die Leitung des Instituts. 1952 und 1954 folgten die Berufungen zum Professor mit Lehrauftrag bzw. Ordinarius für Ägyptologie und Religionsgeschichte des Hellenismus. Von Leipzig aus versah M. 1952–58 das Amt eines Direktors des Ägyptischen Museums der Staatlichen Museen zu Berlin (Ost). Von Basel aus, wo er 1961–66 den ägyptologischen Lehrstuhl innehatte, leitete er das Leipziger Institut im Nebenamt. Das Interesse M.s galt zunächst dem Koptischen und den Wirkungen der ägypt. Religion auf Altes und Neues Testament, Hellenismus, Alte Kirche und auf das nachantike Europa. Charakteristisch hierfür ist seine Schrift „Die Zauberflöte" (1952). Der „Begegnung Europas mit Ägypten" (1968, ²1969) widmete er sein letztes großes Werk. Hauptgegenstand seiner ägyptologischen Arbeit wurde die Religion pharaonischer Zeit, die er in den phänomenologischen und historischen Darstellungen „Ägyptische Religion" (1960, ²1977, franz. 1962, ital. 1968, engl. 1973), „Gott und Mensch im alten Ägypten" (1964, ²1984, poln. 1972) und „Die Heraufkunft des transzendenten Gottes in Ägypten" (1964) behandelte. Damit überwand er den Positivismus in der deutschsprachigen Geschichtsschreibung zur ägypt. Religion und bahnte den Weg zum Verständnis ihrer strukturellen Eigenart und ihres „Glaubensgehalts". Vorarbeiten zu einer geplanten Geschichte Ägyptens begann er mit einem Strukturvergleich in seinem Beitrag zur Propyläen-Weltgeschichte „Der Alte Orient, Von Bedeutung und Struktur seiner Geschichte" (1965) und der Erprobung neuartiger historisch-kritischer Methoden in der Abhandlung „Prestige-Wirtschaft im alten Ägypten" (1969).

Seiner geistigen Weite und Großzügigkeit entsprechend war M. prägend für einen großen Schülerkreis in vielen Disziplinen, bildete aber keine eigentliche Schule. In seiner Existenz als Forscher und Lehrer von hohem politischen und humanen Ethos suchte er den Ost-West-Gegensatz, der nach Nationalsozialismus und Krieg seine Lebenszeit bestimmte, auszuhalten und zu überbrücken. Erst die Sprengung der Leipziger Universitätskirche am 30. 5. 1968 und die Zerstörung des Prager Reformsozialismus durch den Einmarsch der Warschauer-Pakt-Truppen im August desselben Jahres vermochten seinen produktiven Idealismus zu erschüttern. – Nat.preis d. DDR (1953); korr. Mitgl. d. Dt. Archäolog. Inst. (1954, seit 1957 o. Mitgl.); o. Mitgl. d. Sächs. Ak. d. Wiss. (1955, seit 1966 Vizepräs.); Dr. theol. h. c. (Tübingen 1959); Ehrenmitgl. d. Ägyptolog. Inst. d. Univ. Prag (1968); korr. Mitgl. d. Bayer. Ak. d. Wiss. (1968).

Weitere W Rel. u. Gesch. d. alten Ägypten, Ges. Aufsätze, hrsg. v. E. Blumenthal u. S. Herrmann, 1975 *(W-Verz., P).*

L H. Brunner, in: Archiv f. Orientforschung 23, 1970, S. 221–23 *(P)*; Ph. Derchain, in: Chronique d'Egypte 45 (89), 1970, S. 132 f.; H. W. Müller, in: Jb. d. Bayer. Ak. d. Wiss. 1971, S. 191–98 *(P)*; E. Blumenthal u. F. Hintze, in: Zs. f. ägypt. Sprache u. Altertumskde. 99, 1972, S. I–X *(W-Verz., P)*; R. Meyer, in: Jb. d. Sächs. Ak. d. Wiss. zu Leipzig 1969–70, 1972, S. 235–38 *(W-Verz., L, P)*; J. Irmscher, S. M. als Koptologe, in: P. Nagel (Hrsg.), Studia Coptica, 1974, S. 19–28; S. Morenz, Rel. ... (s. *W*), S. 15–29; E. Blumenthal, Altes Ägypten in Leipzig, Zur Gesch. d. Ägypt. Mus. u. d. Ägyptolog. Inst. an d. Univ. Leipzig, 1981, S. 33–38 *(P)*; W. R. Dawson, E. P. Uphill, M. L. Bierbrier, Who Was Who in Egyptology, ³1995 *(P)*.

Elke Blumenthal

Morf, *Heinrich,* Romanist, * 23. 10. 1854 Münchenbuchsee Kt. Bern, † 23. 1. 1921 Thun.

V Heinrich (1818–99), Dr. phil. h. c., Dir. d. Waisenhauses in Winterthur, Schriftst. (Ps. Heinrich

Breitner) (s. HBLS), S d. Hans Conrad aus Nürensdorf Kt. Zürich u. d. Catharina Briner; M Maria Susanna (1827–62), T d. Wilhelm Merk aus Pfyn (Thurgau) u. d. Anna Barbara Hüblin; ∞ Interlaken 1880 Frieda Denler (1861–1935) aus Interlaken; kinderlos.

Nach dem Abitur am humanistischen Gymnasium Winterthur studierte M. 1873–75 an der Univ. Zürich zunächst indogermanische und klassische Philologie, sodann romanische Philologie 1875–77 in Straßburg, wo er 1877 bei Eduard Boehmer mit einer Dissertation über „Die Wortstellung im altfranz. Rolandslied" promoviert wurde. Nach einem Spanienaufenthalt im Winter 1877/78 studierte er in Paris 1878/79 bei Gaston Paris. Im März 1879 erhielt er einen Ruf an die Univ. Bern als ao. Professor, danach wurde er dort zum Ordinarius ernannt. 1889–1901 war er Ordinarius an der Univ. Zürich. 1901 wurde er an die Akademie für Sozial- und Handelswissenschaft in Frankfurt/Main berufen, deren erster Rektor er 1901–03 war. 1909 lehnte er einen Ruf nach Straßburg ab, 1910 wurde er Nachfolger Adolf Toblers in Berlin. Bis 1918 nahm er hier auch an den Sitzungen der Mittwochs-Gesellschaft teil und referierte u. a. über „Das linguistische Denken" sowie über Voltaire und François Fénelon.

In seiner Dissertation hatte sich M. mit syntaktischen Fragen befaßt, anschließend betätigte er sich als Herausgeber mittelalterlicher Texte, darunter „El poema de José" (1883), „Le pélegrinage de Charlemagne" (1884), „La folie Tristan" (1886). Durch Boehmer in die Phonetik eingeführt und durch Hermann Paul und Hugo Schuchardt angeregt, wandte er sich von der vornehmlich der Edition mittelalterlicher Sprachdenkmäler geltenden Philologie ab und beschäftigte sich mehr mit der Erforschung der lebenden Sprachen, wodurch er zum Bahnbrecher der modernen Mundartforschung wurde. Als Schweizer befaßte er sich mit den rätoromanischen Volksliedern Graubündens (Bergell, Surselva), verfolgte mit heute noch beherzigenswerten Argumenten kritisch die Bemühungen um eine rätoromanische Gemeinsprache. In zahlreichen Abhandlungen, Vorträgen und Rezensionen behandelte er linguistische Probleme, darunter die Beziehung zwischen Sprachwandel und Kulturwandel, die Gründe des Lautwandels, das Wesen des Akzents, das Deutlichkeitsstreben, die Wertung der Lautgesetze sowie den Ursprung der altprovenzal. Dichtersprache (1911). M. erkannte die Bedeutung von Gillierons franz. Sprachatlas für die Sprachgeographie. Mehrfach befaßte er sich mit der Entstehung der franz. Mundartgrenzen, zuletzt abschließend in seiner bahnbrechenden Akademieabhandlung „Die sprachliche Gliederung Frankreichs" (1911).

Nicht minder vielfältig und fruchtbar war M.s Tätigkeit als Literarhistoriker. Als meisterhafter Stilist erwies er sich in seinen alle romanischen Literaturen einbeziehenden Essais, wie über die Troubadourlyrik, Mistral, Cervantes, Petrarca, Dante, sowie in zahlreichen Aufsätzen über franz. Autoren, vornehmlich der Aufklärung. Insbesondere bemühte er sich dabei um die Richtigstellung von Fehlurteilen über Voltaire. M. besorgte auch die 5. Auflage von H. Hettners „Geschichte der franz. Literatur im 18. Jh." (1894, ^{6}1912). Dem 16. Jh. galt seine „Geschichte der franz. Literatur im Zeitalter der Renaissance" (1898, ^{2}1914), ein auch für Laien bestimmtes Lehrbuch von klassischer Ausgeglichenheit der Form und Ausgewogenheit des Urteils. Ein Meisterwerk literarischer Darstellungskunst ist seine Synthese von 8 Jahrhunderten romanischen Geisteslebens „Die romanischen Literaturen" in Paul Hinnebergs „Kultur der Gegenwart" (1909). Den Fortschritt des Faches förderte M. durch eine eifrige Tätigkeit als Rezensent. 1903–14 war er Herausgeber des romanistischen Teils von Herrigs „Archiv für das Studium der neuen Sprachen".

Durch seine auf die Gesamtheit der romanischen Sprachen und Literaturen sich erstreckende Forschertätigkeit gab M. der romanischen Philologie das Gepräge, das sie bis in die Mitte des 20. Jh. bewahrte. In genialer Weise verband er sprachliches und literarisches Verständnis, war Sprachforscher und Literarhistoriker zugleich. Außer dem Französischen, dem sein Hauptaugenmerk galt, bezog er das Spanische, Italienische, Alt- wie Neuprovenzalische, das Rätoromanische in der Schweiz sowie das Kreolische (Aufsätze 1889, 1891 und 1918) in seine Betrachtungen ein. Pädagogischen Fragen aufgeschlossen, trug er entscheidend zur Erneuerung des neusprachlichen Unterrichts an den Schulen bei und setzte sich für die Erwachsenenbildung ein (1909). – Dr. iur. h. c. (Frankfurt/Main); Ehrenmitgl. d. Herrigschen Ges. Berlin (1907), Mitgl. d. Preuß. Ak. d. Wiss. (1911).

W Aus Dichtung u. Sprache d. Romanen, Vorträge u. Skizzen, 1. R., 1903 (Nachdr. 1922), 2. R., 1911, 3. R., 1922, hrsg. mit e. Vorwort v. E. Seifert (P).

L FS z. 25j. Jubiläum seiner Lehrtätigkeit, 1905 (Rez. s. Archiv f. d. Studium d. neuen Sprachen 115, 1905, S. 430–63); E. Lommatzsch, in: Archiv f. d. Studium d. neuen Sprachen 142, 1921, S. 78–

94 *(P)*; G. Rohlfs, in: Zs. f. roman. Philol. 41, 1921, S. 259–63; G. Roethe, in: SB d. Preuß. Ak. d. Wiss., 1921, S. 521–29; HBLS.

W. Theodor Elwert

Morgan (bis 1911 *Morgenstern*), *Paul,* Schauspieler, Kabarettist, Schriftsteller, * 1. 10. 1886 Wien, † 10. 12. 1938 KZ Buchenwald. (kath.)

V Gustav Morgenstern (1855–1922, isr., später kath.) aus Budapest, Hof- u. Ger.advokat, Schriftst. in W. (s. *L*); *M* Klementine Frankl (1867–1912?) aus W.; *Ur-Om* Ludwig August Frankl Rr. v. Hochwart (1810–94), Schriftst. u. Philanthrop (s. ADB 48; NDB V*; ÖBL); *Om* Lothar Frankl Rr. v. Hochwart (1862–1914), Neurologe (s. NDB V); *B* Heinrich Morgenstern (* 1893), Dr. iur. (s. *L*), Ernest Morgan (Ernst Morgenstern) (1902–57), Schausp., Maler u. Journalist, seit 1943 in d. USA; – ∞ 1917 Josa (Josephine) Ruffner (* 1898) aus W., Schausp. u. Schriftst., *T* d. N. N. Lederer; kinderlos.

M. wurde mehrmals des Gymnasiums verwiesen, schaffte schließlich die Matura und erhielt seit 1906 eine Ausbildung als Schauspieler an der „K. u. K. Akademie für darstellende Kunst" bei Ferdinand Gregori in Wien. 1908–12 war er engagiert am „Theater in der Josefstadt" unter Josef Jarno. Nach seinen Vorstellungen trat er an der „Neuen Wiener Bühne" und im Kabarett „Simplicissimus" als Conférencier auf. 1912–18 wurde er als Charakterspieler nach München und Czernowitz verpflichtet. 1918 ging er nach Berlin, spielte einige Zeit am Lessing-Theater unter Victor Barnowsky und konferierte nach Theaterschluß unter dem Pseudonym „Paul Stephan" am „Nelson-Theater". In dieser Zeit wirkte er auch in verschiedenen Stummfilmen mit. Danach übernahm er Komikerrollen in den Berliner Revuen von Hermann Haller („Admiralspalast") und Erik Charell („Großes Schauspielhaus"). M. galt als der witzigste Schauspieler im Berlin der 20er Jahre, kultiviert, eloquent, geistvoll und belesen. Am 1. 12. 1924 eröffnete er zusammen mit Kurt Robitschek, mit dem er schon früher im „Charlott-Kasino" die Doppelconférence eingeführt hatte, und Max Hansen in dem von Robitschek übernommenen Kabarett „Rakete" das „Kabarett der Komiker" („Kadeko"). Hier spielte er gemeinsam mit den Genannten sowie mit Max Adalbert (Paradenummer: „Das Meisterquartett") und trat besonders in der Hitler-Parodie „Quo vadis" (September 1926) und mit der Bühnenfassung von Egon Erwin Kischs „Der Fall des Generalstabchefs Redl", einer dramatischen Reportage gegen Militarismus, Krieg und Nationalsozialismus (November 1930) hervor. In vielen anderen Kabaretts und Varietés, u. a. im „Alt Bayern" und im „Wintergarten", übernahm M. die Conférence. Er war eng befreundet mit Gustav Stresemann, veröffentlichte amüsante Anekdotensammlungen und 1926–32 rund 30 Schallplatten. 1930 gründete er gemeinsam mit Max Hansen und Carl Jöken die Filmfirma „Trio-Film GmbH" und arbeitete als Schauspieler 1930/31 ein Jahr für den Film in Hollywood, kehrte aber kurzzeitig wieder nach Berlin zurück. 1933 emigrierte er über Zürich nach Wien, trat dort im November 1933 in den von Robitschek übernommenen „Kammerspielen" in einer Variante der Kabarettrevue „Rufen sie Herrn Plim" auf und konferierte in Trude Kolmans Kabarett im „Grand Hotel" und im „Fiaker". Als Autor schrieb er zusammen mit Adolf Schütz das von Ralph Benatzky vertonte Lustspiel „Axel vor der Himmelstür", in dem Zarah Leander entdeckt wurde. Nach dem Einmarsch der deutschen Truppen in Österreich im März 1938 erfolgte seine Verhaftung durch die Gestapo. Man deportierte ihn zuerst nach Dachau, im Mai 1938 nach Buchenwald, wo er im Dezember an Lungenentzündung und an den Folgen medizinischer Experimente starb.

W Von d. Schmuse geküßt, 1916; Mein Onkel u. andere Beschwerden, 1917; Mein Onkel Siegmund u. andere Familienschwächen, 1917; Die einsame Träne – Das Buch d. guten Witze, 1924 (hrsg. mit K. Robitschek); Heulen u. Zähneklappern – Das Buch d. faulen Witze, 1927 (hrsg. mit M. Ehrlich); Pillen, Krach u. Karokönig, 1927; Stiefkind d. Grazien – Tagebuch e. Spaßmachers, 1928; Prominenten-Teich – Abenteuer u. Erlebnisse mit Stars, Sternchen u. allerlei Gelichter, 1934. – *Diskographie* v. R. Hippen (Stiftung Dt. Kabarett Archiv, Mainz).

L H. Greul, Bretter, die d. Welt bedeuten – Die Kulturgesch. d. Kabaretts, 1967; R. Hösch, Kabarett v. gestern, I, 1900–1933, 1967; K. Budzinski, Die Muse mit d. scharfen Zunge – Vom Cabaret z. Kabarett, 1982; ders., Das Kabarett, 1985; W. Jansen, Glanzrevuen d. zwanziger J., 1987; R. Hippen, Es liegt in d. Luft – Kabarett im Dritten Reich, 1988; U. Liebe, Verehrt, verfolgt, vergessen – Schausp. als Naziopfer, 1992 *(P)*; BHdE II; Kosch, Lit.-Lex.³. – *Zu Gustav:* Biogrr. d. Wiener Künstler u. Schriftst., hrsg. v. H. C. Kosel, 1902. – *Zu Heinrich:* Das Jb. d. Wiener Ges., hrsg. v. F. Planer, 1929.

Reinhard Hippen

Morgenroth, *Julius,* Bakteriologe, Immunologe, Mitbegründer der Chemotherapie, * 19. 10. 1871 Bamberg, † 20. 12. 1924 Berlin. (isr.)

V Herz, dann Heinrich (1845–1906), Hopfengroßhändler in Bamberg, *S* d. Lazarus (1814–81), Tuchmacher u. Hopfenhändler aus Bischberg, siedelte 1850 nach Bamberg über, u. d. Jette Heidenheimer (1815–88); *M* Henriette (* 1849), *T* d. Anton Berliner, Kaufm. u. Bankier in München; ∞ Berlin 1908 Gertrud Bejach (* 1884), Kaufm.-*T*.

Nach Absolvierung des Medizinstudiums in Freiburg (Breisgau), Würzburg und München, wo er 1896 auch promoviert wurde, entstanden auf Grund der Anregungen des Münchner Klinikers Friedrich Moritz die ersten wissenschaftlichen Veröffentlichungen M.s. Impulse zu weiterer Forschungsarbeit erhielt er kurze Zeit später in Frankfurt/Main von dem Pathologen und Anatomen Karl Weigert sowie dem Neurologen Ludwig Edinger. Nach Beendigung seiner wissenschaftlichen Tätigkeit in Frankfurt ging M. 1897 nach Berlin, wo er im Steglitzer Institut für Serumprüfung Assistent des Serologen Paul Ehrlich wurde. 1899–1905 arbeitete M. dann in dem von Ehrlich gegründeten und geleiteten Frankfurter Institut für experimentelle Therapie (später Paul-Ehrlich-Institut). Nach einem kurzen Studienaufenthalt an der Zoologischen Station in Neapel war er 1906–19 Direktor der Bakteriologischen Abteilung des Pathologischen Instituts der Charité in Berlin. Von 1919 bis zu seinem Tod leitete er die neueingerichtete Abteilung für Chemotherapie des Berliner Instituts für Infektionskrankheiten „Robert Koch". Gleichzeitig lehrte er als ao. Professor an der Univ. Berlin.

Hauptforschungsgebiete M.s waren die von ihm mitentwickelte Immunitätslehre – die sechs Mitteilungen „Ueber Hämolysine" (1899–1901) von Paul Ehrlich und M. sind klassische Arbeiten zur Immunitätsforschung – sowie die Chemotherapie, als deren Mitbegründer er gilt. Ihm gelang der epochale Nachweis, daß es chemische Substanzen gibt, die im lebenden Körper Bakterien abtöten können, d. h. er erkannte, daß bakterielle Infektionen mit Hilfe der Chemotherapie heilbar sind. Im Verlauf dieser Forschungen fand M. im Chininderivat Optochin ein hochwirksames chemotherapeutisches Medikament gegen Pneumokokken, das nicht nur im Reagenzglas, sondern auch im menschlichen Körper seine bakterizide Wirkung entfaltet.

Auf dem Gebiet der Erforschung der bakteriellen Erreger der Wundinfektionskrankheiten (Streptokokken, Staphylokokken, Gasbrandbazillen) leistete M. insbesondere während des 1. Weltkrieges Pionierarbeit. Auf der Grundlage des zuvor gewonnenen Wissens konnte er zeigen, daß trotz des Vorhandenseins von Körperflüssigkeiten und Gewebe eine innere Desinfektion möglich ist, die auch für die (kriegs-)chirurgische Praxis nutzbar gemacht werden kann. In Abkömmlingen des Chinins (Eucupin, gegen grippale Lungenkomplikationen; Vuzin) fand M. Präparate, die eine innere Desinfektion bewirken. Eine weitere Frucht seiner Arbeiten ist die von ihm eingeführte Akridinverbindung Rivanol, ein Mittel zur örtlichen chirurgischen Wunddesinfektion. – Geh. Medizinalrat.

W u. a. Über e. Fall v. Purpura haemorrhagica, Diss. München 1896; Über d. Beeinflussung d. experimentellen Trypanosomeninfektion durch Chinin, in: SB d. Preuß. Ak. d. Wiss., 1910, 2. Halbbd., S. 732–48 (mit L. Halberstädter); Über d. Beeinflussung d. experimentellen Trypanosomeninfektion durch Chinin u. Chininderivate, ebd., 1911, 1. Halbbd., S. 30–37 (mit dems.); Ueber d. Heilwirkung v. Chininderivaten b. experimenteller Trypanosominfektion, in: Berliner klin. Wschr. 48, 1911, S. 1558–60 (mit dems.); Chemotherapie d. Pneumokokkeninfektion, ebd. 48, 1911, S. 1560 f., 1979–83 (mit R. Levy); Ueber d. Wirkung d. China-Alkaloide auf d. Cornea, ebd. 49, 1912, S. 2183–85 (mit S. Ginsberg); Die experimentelle Chemotherapie u. d. Problem d. inneren Desinfektion b. bakteriellen Infektionen, in: Die Naturwiss. 1, 1913, S. 609–15; Die Begründung d. experimentellen Chemotherapie durch Paul Ehrlich, ebd. 2, 1914, S. 251–58; Neuere Fortschritte u. Fragen d. Chemotherapie, ebd. 12, 1924, S. 219–30.

L F. Kraus, in: Med. Klinik 21, 1925, S. 38; F. Neufeld, in: Dt. med. Wschr. 51, 1925, S. 159 *(P)*; H. Sachs, in: Die Naturwiss. 13, 1925, S. 157–59; Fischer II.

Werner Gerabek

Morgenstern. (ev.)

1) *Christian* Ernst Bernhard, Maler, Radierer, * 29. 9. 1805 Hamburg, † 26. 2. 1867 München.

V Johann Heinrich (1769–1813), Krämer u. Miniaturmaler in H.; *M* Anna Maria (1773–1855), *T* d. Johann Peter Schröder u. d. Maria Seizen, Stadtleichenfrau; ∞ München 1844 Louise (1804–74) aus Mannheim, Malerin, *T* d. Karl v. Lüneschloß († 1805), kurpfälz. Oberlt., Bes. v. Herrenchiemsee, u. d. Maria Magdalena Dagobill aus Mannheim; *S* Carl Ernst (1847–1928, s. Gen. 2); *E* Christian (s. 2).

Nach dem frühen Tod des Vaters erhielt M. die erste Ausbildung zum Maler in der Werkstatt der Hamburger Künstlerfamilie Suhr, in der vor allem Radierungen und Lithographien angefertigt wurden. Die Tätigkeit M.s beschränkte sich zunächst auf das Kolorieren von Spielkarten und Zeichnen von Prospekten. 1818 ging er mit Cornelius Suhr auf eine Ausstellungsreise, die über Aachen, Köln, Dresden, Berlin und Königsberg führte. Zwei Jahre später reisten beide nach Rußland. M.

wurde in St. Petersburg konfirmiert und kehrte erst 1823 nach Hamburg zurück. 1824 kam er in die Lehre zu dem Maler, Kupferstecher und Lithographen Siegfried Detlev Bendixen, der ihn zu Naturstudien anhielt. Ihm verdankte er auch den Preis des Averhoff'schen Stipendiums (1827) für das Gemälde „Alte Eiche an einem Sumpf", der ihm eine Skandinavienreise ermöglichte. Zunächst begab er sich auf den Rat seines Mäzens Carl Friedrich Frhr. v. Rumohr nach Kopenhagen, erhielt dort Aufträge vom dän. Königshaus und arbeitete für kurze Zeit auch an der Kopenhagener Akademie. Von Kopenhagen aus bereiste M. Schweden und Norwegen, 1828 kehrte er nach Hamburg zurück. 1829 durchwanderte er den Harz und die Lüneburger Heide. Auf Rumohrs Rat ging M. 1830 nach München, um als Landschaftsmaler neue Anregungen zu finden. Alsbald sammelte sich ein Freundeskreis um ihn, zu dem u. a. Eugen Neureuther, Julius Oldach, Friedrich Wasmann und Daniel Fohr gehörten. Es entstanden zahlreiche Studien in Oberbayern, insbesondere am Starnberger See, mit denen M. als einer der frühesten Freilichtmaler der Münchner Schule gilt. 1835 freundete er sich mit dem Landschaftsmaler Carl Rottmann an, der ihn nachhaltig beeinflußte. Rottmanns Farbigkeit und kompositionelles Geschick schlägt sich auch in den Werken M.s nieder. M. bediente sich jedoch auch der camera obscura, um die – ebenfalls bei Rottmann vorgebildete – Illusion der Raumtiefe zu steigern. Möglicherweise angeregt durch zwei Reisen ins Elsaß (1837, 1838) widmete er sich Ende der 30er Jahre der Darstellung von Schloß- und Burgruinen. 1842 knüpfte er engere Kontakte zu Eduard Schleich d. Ä. und reiste mit ihm nach Oberitalien. Es folgten Reisen nach Tirol (1843, 1849, 1860), Hamburg und Helgoland (1850) sowie in die Schweiz (1865). Seit 1853 hielt er sich während der Sommermonate in Dachau auf. Seit den 60er Jahren bis zu seinem Tod lebte er in München oder am Starnberger See. M. widmete sich fast ausschließlich der Landschaftsmalerei. Sein umfangreiches Werk umfaßt Zeichnungen und Ölgemälde; einen Teil davon vervielfältigte er selbst in Radierungen.

W Starnberger See b. Unwetter, 1851 (Kunsthalle, Bremen); Mondaufgang am Meer in d. Nähe v. Venedig, 1849 (Städel, Frankfurt/M.); An d. Dünen d. Nordsee u. andere Landschaftsgem. v. 1825–36 (Kunsthalle, Hamburg); Heidelandschaft b. München, 1850 (Niedersächs. Landesgal., Hannover); Der Ammersee; Apriltag am Starnberger See, 1853 (beide Mus. d. Bildenden Künste, Leipzig); Toreinfahrt in Partenkirchen, 1831; Blick üb. d. Heide im Elsaß, 1849; Gehöft unter Bäumen: Dachau-Etzenhausen; Mondnacht in Partenkirchen, 1864 (alle Neue Pinakothek, München); weitere Gem. in d. Schack-Gal. u. in d. Städt. Gal. im Lenbachhaus, München; Vorgebirgslandschaft mit sumpfigem See, 1846 (Slg. G. Schäfer, Euerbach); Blick üb. d. Starnberger See z. Benediktenwand; Bei Feldafing, 1857 (beide Stiftung Oskar Reinhart, Winterthur).

L ADB 52; M. Mauß, Ch. E. B. M., Ein Btr. z. Landschaftsmalerei d. 1. Hälfte d. 19. Jh., Diss. Marburg/ Lahn 1969 (ungedr.); R. Schapire, Aus Ch. M.s Briefen, in: A. A. Seemann, Meister d. Farbe, 1909; H. Ludwig, Münchner Malerei im 19. Jh., 1978, S. 90 f.; Münchner Landschaftsmalerei 1800–1850, Ausst.kat. 1979, S. 444; O. Thiemann-Stoedtner, Dachauer Maler, in: K. Kiermeier (Hrsg.), Der Künstlerort Dachau v. 1801–1946, 1981, ²1989, S. 14 f., 152–61; S. Wichmann, Meister-Schüler-Themen, Münchner Landschaftsmaler im 19. Jh., 1981, S. 265 f.; H. Ludwig, Münchner Maler im 19. Jh. III, 1982, S. 176–79; B. Eschenburg u. a., Spätromantik u. Realismus, Mus.kat. Neue Pinakothek München V, 1984, S. 311–16; ThB.

P Lith. v. J. E. Cardon (Stadtmus., München, Slg. Maillinger II/3254).

Choung-Hi Lee-Kuhn

2) *Christian*, Dichter, Übersetzer, * 6. 5. 1871 München, † 31. 3. 1914 Meran-Untermais. (ev.)

V Carl Ernst (1847–1928), Landschaftsmaler, Prof. an d. Kgl. Kunstschule in Breslau (s. DBJ X, Tl.; ThB), S d. Christian (s. 1); M Charlotte (1849–80, kath.), T d. Josef Schertel (1810–69, s. ADB 31; ThB), Landschaftsmaler, befreundet mit M.s Großvater, u. d. Emma Zeitler (* 1814) aus München; *1. Stief-M* (seit 1881, ∞ 1894) Amalie (1852–1922), T d. Gutsbes. Augustin v. Dall'Armi (1823–1903) u. d. Viktoria Poelt (1828–54), *2. Stief-M* (seit 1894) Elisabeth Reche (um 1870–1913); – ∞ Meran 1910 Margareta (1879–1968), T d. Theodor Gosebruch (1828–87), Architekt in Berlin, u. d. Lida Jacobi (1848–1925, ∞ 2] Friedrich Frhr. v. Liechtenstern, 1843–1906, preuß. Gen.lt., s. BJ XI, Tl.); kinderlos.

M. verlebte seine Kindheit in München, wo die Familie allerdings nur während der Wintermonate wohnte, denn der Vater zog als Naturmaler den ganzen Sommer über in die ländliche Umgebung. Dort erhielt das Kind seine ersten elementaren Eindrücke. M. war sein „Malererbe" (Gedichttitel) zeitlebens bewußt. Hinweise darauf finden sich in seiner Naturlyrik und in seinen aphoristischen Beobachtungen wieder: „Ich bin ein Maler bis in den letzten Blutstropfen hinein. – Und das will nun heraus ins Reich des Wortes, des Klanges; eine seltsame Metamorphose". Die Schulzeit verlief anfangs durch das Herumreisen des Vaters in einem dauernden Wechsel zwischen verschiedensten Stadt- und

Dorfschulen. Mit neun Jahren verlor M. seine Mutter, die an Lungentuberkulose starb – einer Krankheit, die später bei dem 22jährigen erstmals auftrat, die ihn sein ganzes ferneres Leben immer wieder zu Bettlägerigkeit, zu Kuraufenthalten und Klimawechseln zwang und schließlich zu seinem frühen Tode führte. Nach dem Tod seiner Mutter verbrachte M. zunächst ein Schuljahr bei seinem Paten, dem Kunsthändler Arnold Otto Meyer, in Hamburg, dann zwei harte Jahre (1882–84) in einem Internat in Landshut. Seit April 1884 besuchte er das Gymnasium Maria Magdalena in Breslau, wohin sein Vater inzwischen als Leiter der Landschaftsklasse und der Klasse für graphische Künste der Kgl. Kunstschule berufen worden war. Nach einem halbjährigen Versuch in einer Militär-Vorbereitungsschule, wozu ihn der Vater gedrängt hatte, setzte er seine Gymnasialzeit 1890 in Sorau (Niederschlesien) fort und schloß Ostern 1892 mit dem Abitur ab. In diese Zeit fallen seine dauerhaften Freundschaften mit dem späteren Schauspieler Friedrich Kayssler, dem Dichter und Lektor Oskar Anwand, der Pfarrersfamilie Göttling und dem Maler Fritz Beblo. Er beginnt mit Gedichten und Essays in einer Schülerzeitung, sucht sich in einem zweiten Leben außerhalb der Schule autodidaktisch seinen Weg in die Literatur und Philosophie (Schopenhauer) und verachtet den meist geistlosen gymnasialen Unterricht.

1892–93 war M. als Jurastudent an der Breslauer Universität immatrikuliert und studierte bei Ludwig Elster, Felix Dahn und Werner Sombart Nationalökonomie. Während dieser Zeit publizierte er mit seinen Freunden eine kulturkritische Zeitschrift „Deutscher Geist". Als er im Sommersemester 1893 sein Studium in München fortsetzen wollte, traf ihn dort der erste Anfall seiner Krankheit, die ihn bis April 1894 im Zimmer festhielt. In dieser Periode der Abgeschiedenheit hatte er die entscheidende Begegnung mit den Schriften Nietzsches, der ihm mit seiner Kulturanalyse und Zeitkritik neue Aspekte für die Zukunft eröffnete und ihm zu seiner geistigen Selbstbefreiung verhalf. M.s enttäuschte Ablehnung der gründerzeitlich borniert Gesellschaft im Wilhelminischen Deutschland wurde durch Nietzsche auf ein philosophisches Niveau gehoben. Nietzsches Impuls, die Grenzen des modernen Bewußtseins zu sprengen, kam den Hoffnungen des jungen M. entgegen. Aus der dithyrambischen Sprache des großen Anregers fand er den neuen Klang seiner eigenen Lyrik und Prosa. Von jetzt an stand sein Entschluß fest, eine literarische Existenz als freier Schriftsteller zu suchen. Dazu ging er im April 1894 nach Berlin, wo er Anschluß an den Friedrichshagener Kreis der Brüder Heinrich und Julius Hart fand und bald die Bekanntschaft fortschrittlicher Literaten machte (W. Bölsche, M. Reinhardt, J. H. Mackay, O. E. Hartleben, C. Flaischlen, H. v. Gumppenberg, O. Bie, P. Scheerbart, Fidus u. a.). Er schrieb regelmäßig Kulturberichte aus der Hauptstadt und Literaturkritiken für die Zeitschriften „Der Zuschauer", „Neue Deutsche Rundschau" (später: „Die Neue Rundschau") und „Der Kunstwart" und veröffentlichte Beiträge und Glossen in der „Vossischen Zeitung" und in anderen Kulturzeitschriften wie „Jugend" oder „Die Gesellschaft" (1894–99). Sein erster Lyrik-Band „In Phantas Schloß, Ein Zyklus humoristisch-phantastischer Dichtungen" entstand 1894/95 und brachte ihm neben hoher Anerkennung, z. B. durch Rilke, weitere Freundschaften in der literarischen Welt Berlins. Diese Entwicklung wurde von M.s Vater abgelehnt, der sich von der materiellen Verantwortung zu befreien suchte, es kam 1895 zum endgültigen Bruch, dem ein 14 Jahre dauerndes Schweigen folgte.

Im Sommer 1897 beauftragte der Berliner Verleger Georg Bondi M. mit der Übersetzung aus dem Französischen der soeben erschienenen autobiographischen Tagebuchbearbeitung „Inferno" von August Strindberg. Außerdem bot im Oktober desselben Jahres der S. Fischer Verlag einen Übersetzungsvertrag für Dramen und Gedichte Henrik Ibsens in der deutschen Gesamtausgabe an (10 Bände 1898–1904). Die Wahl war durch Empfehlung des Herausgebers P. Schlenther auf M. gefallen, weil das Unternehmen sich die Aufgabe gestellt hatte, Ibsens Werke in originalen deutschen Nachdichtungen darzubieten. In kurzer Zeit arbeitete sich M. in die norweg. Sprache ein und begann noch in Berlin mit dem Drama „Das Fest auf Solhaug". Von Mai 1898 bis September 1899 lebte er in Christiania (Oslo), Molde und Bergen und traf öfter mit Ibsen zusammen, der seine poetischen Übertragungen besonders schätzte und ihn bei den Herausgebern unterstützte. In der Folge kamen zu dieser Arbeit noch Übersetzungen von Hamsun und Björnson für den Münchener Verlag Langen hinzu. In diesen Jahren erschienen die schon früher abgeschlossene humorvolle Travestiensammlung „Horatius travestitus" und die Gedichtbände „Auf vielen Wegen" (1897), „Ich und die Welt" (1898), „Ein Sommer" (1900) – als Reflex der Norwegenreise –, „Und aber ründet sich ein Kranz" (1902). Die Jahre 1900–02 verbrachte M. nach einer Verschlimmerung seiner Krankheit vor allem in der Schweiz (Davos, Arosa), wo er neben Gedichten und Übersetzungen satirische Szenen und Parodien für die neu gegründeten Berliner Kabaretts „Überbrettl" (Ernst v. Wolzogen) und „Schall und Rauch" (Max Reinhardt) schrieb. Nach zwei Italienaufenthalten (1902/03) war er seit Mai 1903 wieder in Berlin und übernahm von Oktober 1903 bis Juni 1905 im Verlag von Bruno Cassirer die Redaktion der Zeitschrift „Das Theater", die sich besonders der Erläuterung von Reinhardts Bühnenreform und der Rezension seiner Theaterproduktionen widmete. Wertvoll für M.s materielle Sicherung war jetzt und in den folgenden Jahren auch die freie Mitarbeit als beratender Lektor für Cassirer, aus der zahlreiche Gutachten zu eingesandten Manuskripten zeitgenössischer Dichter hervorgegangen sind (vgl. Briefbände der Stuttgarter Ausgabe).

Charakteristisch für M.s Doppelveranlagung zu ernster und humoristischer Poesie waren der Band „Melancholie" (1906) mit Lyrik aus den Jahren 1901–06 und die zuvor erschienenen „Galgenlieder" (1905), seine bald berühmt gewordene Gedichtsammlung, die ein völlig neuartiges humoristisch-ironisches Spiel mit Klang, Bedeutung, Grammatik und Rhythmus der Sprache vorführte. Die Galgenpoesie war ursprünglich aus dem Ritual eines Bundes von „Galgenbrüdern" entstanden, die sich im April 1895 bei einem Ausflug nach Werder bei Potsdam auf dem dortigen „Galgenberg" zusammengefunden hatten und seither in regelmäßigen Sitzungen ein komisch-gruseliges Reglement zelebrierten. M. trug dazu die Gedichte bei, die gesungen und bis zur Auflösung des Bundes 1896 von sechs auf fünfzehn vermehrt wurden. Diese machten zwar den Kern der späteren Sammlung aus, führten aber in den Jahren bis 1905 durch immer neu entstehende Gedichte zu einer wesentlich größeren Vielfalt sprachlicher Gestaltungsmöglichkeiten. „Ein Galgenbruder ist die beneidenswerte Zwischenstufe zwischen Mensch und Universum. Nichts weiter. Man sieht vom Galgen die Welt anders an und man sieht andre Dinge als Andre."

M. hat diese neue Art humorig verspielter Poetisierung der Welt bis in sein letztes Lebensjahr fortgesetzt. 1910 folgte noch der Gedichtband „Palmström"; und nur wegen der zögernden Haltung des Verlegers Cassirer konnten weitere Sammlungen, von seiner Frau aus dem reichen Nachlaß zusammengestellt, erst postum erscheinen: „Palma Kunkel" (1916), „Der Gingganz" (1919) und der satirische Eigenkommentar „Über die Galgenlieder" (1921). M.s humoristische Sprache löst die Wörter und Sätze aus ihrer gewohnten Ordnung, macht sie beweglich, veränderlich, lebendig, schöpferisch, bringt sie zum Tanzen. So entstehen neue Wesen aus reiner Phantasie (Nachtschelm, Zwölf-Elf, Vierviertelschwein, Auftakteule, Nasobem, Steinochs, Weinpintscher usw.), wobei das Physische ins Geistige hinüberspielt oder sogar, in totaler Umwertung der bürgerlichen Realität, das Geistige als das eigentlich Wirkliche zur Erscheinung kommt („Umwortung aller Worte"). Die Zivilisation und Fortschrittsgläubigkeit der Wilheminischen Ära werden in abgründiger Ironie durch die Phantasiegestalten Palmström (das luftige Ideal) und v. Korff (der Blick auf die Dinge, wie sie sind) in eine Gegenwelt verwandelt, in der sie sich in Lachen auflösen. Der Hintergrund dieses Humors ist das Leiden des Dichters an der Zeit, der scharfsichtige Blick auf ihre Defekte, ihre Technikbesessenheit, ihren kaiserlichen Hurrapatriotismus und Flottenenthusiasmus, die Mechanisierung des Lebens, die brutale Anwendung der Todesstrafe durch die Justiz und die Unterdrückung der Frau in einer maskulinen Gesellschaft, wie M. sie in seinen Aphorismen, Kritischen Schriften, Epigrammen und Briefen zum Ausdruck brachte. Die Kehrseite seines Humors ist deshalb Melancholie. M.s Veranlagung zu einer hohen und reinen Ansicht der Menschheit gerät mit der Wirklichkeit in einen Gegensatz, dessen Spannung sich schließlich im Komischen löst. „Es gibt nur eine Rettung: Vor dem Ekel muß man sich durch Lachen schützen." Dabei betrachtete der Dichter selbst seine humoristischen Gedichte nur als „Beiwerkchen, Nebensachen" und wunderte sich über ihren Erfolg (21 Auflagen bis 1914). Sie wurden in der Folge trotz der Schwierigkeiten, die deutschen Doppelbedeutungen und Lautmalereien in anderen Sprachen wiederzugeben, ins Französische, Schwedische, Ungarische, Englische, Italienische, Tschechische, Lateinische, Rumänische und Dänische übersetzt.

Im Winter 1905/06 verschlimmerte sich M.s Krankheit wieder, so daß er ein Sanatorium in Birkenwerder bei Berlin aufsuchen mußte. In der Abgeschiedenheit des Krankenzimmers brachte ihm die Vertiefung in das Johannes-Evangelium eine Fülle unerwarteter mystischer Erfahrungen und Einsichten in die göttliche Grundnatur des ganzen Seins. „Natur und Mensch hatten sich ihm endgültig vergeistigt" („Autobiographische Notiz"). In diesem Erlebnis konnte M.s religiöse Veranlagung zum Durchbruch kommen. Sie fand später ihren Ausdruck in dem Kapitel „Tagebuch eines Mystikers" innerhalb der Aphorismen (postum) und in der Gedichtsammlung „Einkehr" (1910). Seit 1901 hatte M. sich mit den „Deutschen Schriften" Paul de Lagardes beschäftigt, die ihn vor allem wegen ihrer Kulturkritik beeindruckten. Später (1908) befaßte er sich mit der Lehre Buddhas als Anleitung zur Selbsterziehung und suchte nach einer „Technik zur Hervorbringung contemplativer Zustände", um in sich den „inneren Herrscher" zu finden.

Bei einem Aufenthalt in Bad Dreikirchen (Südtirol) lernte M. im August 1908 seine spätere Frau kennen. Sie regte ihn zu neuen Dichtungen an, unterstützte ihn bei der Redaktion seiner Manuskripte und übernahm seine Pflege bis zu seinem Tode. Aus der ersten Zeit dieser Lebensbegegnung stammen die Gedichte der Sammlung „Ich und Du" (1911). Nach Berlin zurückgekehrt, hörte M. auf Anregung Margaretas im Januar 1909 einen Vortrag Rudolf Steiners und war so beeindruckt, daß er in den folgenden Monaten auch die Vortragszyklen in Düsseldorf, Koblenz, Christiania (Oslo), Budapest, Kassel und München besuchte. M., dem der Reinkarnationsgedanke seit seiner Jugend vertraut war, fand in der Anthroposophie Steiners die Ideen, die seine eigenen künstlerischen, philosophischen und religiösen Bestrebungen in einer Gesamtanschauung zusammenführten. Seine innere Entwicklung war über Nietzsche, die Mystik und den Pfad Buddhas an ein „Ende" gekommen, das nach einer Neuorientierung verlangte (Materialien zur „Autobiographischen Notiz"). Er fühlte sich „am Tor" und betrachtete den neuen Weg als „Erfüllung" seines Lebens. Soweit es sein Zustand erlaubte, verfolgte er Steiners Vortragstätigkeit auch weiterhin. In der nun immer stärker von ihm Besitz ergreifenden Krankheit löste sich sein körperliches Dasein langsam auf und erlaubte ihm eine Läuterung und Spiritualisierung seiner poetischen Bilder bis zu seinen letzten Gedichten der Sammlung „Wir fanden einen Pfad", die wenige Wochen nach seinem Tod erschienen. Schon als 24jähriger hatte er in sein Tagebuch geschrieben: „Der Dichter muß 77mal als Mensch gestorben sein, ehe er als Dichter etwas wert ist".

M., dessen Leben von Kindheit an durch ständige Ortswechsel bestimmt war, konnte sich niemals an einer festen Stelle beheimaten. Auch sein Verhältnis zur materiellen Zivilisation seiner Zeit entwickelte sich stets nur unter Vorbehalten; er fühlte sich als Fremdling, als Einsamer in einer ungeistigen Welt. „Wenn ich unter Menschen bin, bin ich wie auf Ferien."

Die Stellung M.s in der Geschichte der deutschen Literatur um 1900 ist nicht einfach zu bestimmen. Schon seine Schaffenszeit 1895–1914, d. h. die Epoche zwischen Naturalismus und Expressionismus, zeigt sich als eine Vielfalt verknüpfter und getrennter, paralleler und antinomischer Strömungen, die mit Bezeichnungen wie Impressionismus, Fin de siècle, literarischer Jugendstil, Symbolismus, Neuromantik, Neuklassik u. a. immer nur in Teilaspekten beschrieben werden kann. M. wird dabei öfter zu den Neuromantikern und hier wiederum gelegentlich unter die sog. Kosmiker, wie Spitteler, Mombert oder Däubler, gerechnet, mit denen er doch allenfalls in Anklängen seines ersten Gedichtzyklus „In Phantas Schloß" (1895) etwas zu tun hat. Durch seinen radikalen Antinaturalismus, seine Freisetzung der poetischen Phantasie bis in die Klangqualität der Sprache hinein mag er – allerdings auf anderer historischer Stufe – bestimmte romantische Elemente wiederaufnehmen; mit seiner scheinbar widersprüchlichen Verbindung von Mystik, Groteske, Kritik und Humor erscheint sein Werk in der Zeit um 1900 jedoch als solitäres Phänomen. M. war ein Autor der kleinen Form: Lyrik, Aphorismus, Kurzgeschichte, dramatische Szene, kabarettistischer Sketch, kritischer Essay. Pläne für einen humoristischen Roman oder ein fünfaktiges Drama („Savonarola") gediehen nie bis zur Vollendung. M.s literarische Wirkung zu seinen Lebzeiten war anfangs gering. Die Selbstgefälligkeit der Wilhelminischen Gesellschaft hatte für solche Geister keine Sympathie. Seine Zeit kam erst mit dem 1. Weltkrieg, mit der Wende zum Expressionismus und anderen verwandten Kunstströmungen, die das Bestehende in Frage stellten.

Weitere W u. a. Stufen, Eine Entwickelung in Aphorismen u. Tagebuchnotizen, 1918; Epigramme u. Sprüche, 1920; Klein Irmchen, 1921; Mensch Wanderer, 1927; Die Schallmühle, 1928; Alle Galgenlieder, 1932; Böhmischer Jahrmarkt, 1938; Klaus Burrmann, d. Tierweltphotograph, 1941; Oswald Hahnenkamm, Komödie (mit Oskar Anwand), 1942; Ostermärchen, 1945; Ein Leben in Briefen, 1952 (Auswahl); Das Theater, 1981 (kommentierte Faks.ausg.); O greul! O greul! O ganz abscheul! Beil u. Hufeisen d. Scharfrichter, 1989; Sämtl. Dichtungen, 17 Bde. u. Verz., 1971–80; Jubiläumsausg., 4 Bde., 1979; Werke u. Briefe, Stuttgarter Ausg., kommentierte Ausg., 9 Bde., 1987 ff. (enthält alles bisher Erschienene u. d. Unveröff. aus d. Nachlaß ohne d. Übers.). – *Weitere Überss. u. a.:* Henrik Ibsen,

Komödie der Liebe, 1898; Wenn wir Toten erwachen, 1900; Brand, 1901; Peer Gynt, 1901; Gedichte, 1902–03; Catilina, 1903; Knut Hamsun, Abendröte, 1904; Spiel d. Lebens, 1910; Björnstjerne Björnson, Gedichte, 1908. – *W-Verz.:* Wilpert-Gühring ²1992. – *Nachlaß:* Marbach, Dt. Lit.archiv.

L *Bibliogr.:* E. Kretschmer, C. M., 1985 *(W-Verz., L).* – *Gesamtdarst.:* F. Kayssler, in: DBJ I; Michael Bauer, C. M.s Leben u. Werk, 1933 u. ö. verändert, zuletzt in: ders., Ges. Werke III, 1985 *(P);* H. Gumtau, C. M., 1971; K. Schuhmann, Leben u. Werk C. M.s, in: C. M., Ausgew. Werke, 1975, S. 5–62; M. Beheim-Schwarzbach, C. M., Selbstzeugnisse u. Bilddokumente, 1964 u. ö. *(P);* Michael Schulte (Hrsg.), Das große C. M. Buch, 1976; E. Hofacker, C. M., Boston 1978; E. Kretschmer (Hrsg.), C. M., Ein Wanderleben in Text u. Bild, 1989 *(P).* – *Einzelstud.:* A. Liede, Dichtung als Spiel, 1963, ²1992; J. Walter, Sprache u. Spiel in C. M.s Galgenliedern, 1966; R. Eppelsheimer, Mimesis u. Imitation Christi b. Loerke, Däubler, Morgenstern, Hölderlin, 1968; H. Hesse, C. M., in: ders., Ges. Werke XII, 1970, S. 421–25; R. Alewyn, C. M., in: Probleme u. Gestalten, 1974, S. 397–401; R. M. Mazur, The Late Lyric Poetry of C. M., University of Michigan, Phil. Diss. 1974; R. Piper, Erinnerungen an meine Zusammenarbeit mit C. M., 1978; E. Kretschmer, Die Welt d. Galgenlieder, C. M. u. d. viktorian. Nonsense, 1983; M. Cureau, C. M. humoriste, 2 Bde., 1986; C. Platritis, C. M., 1992. – *Zur Fam.:* Der Morgenstern, Sippenzeitung d. dt. Morgenstern-Familien, Hamburg-Altona 1, 1938, Nr. 5. – Heiner Schmidt, Qu.lex. d. Interpretationen u. Textanalysen V, ²1985, S. 300–05, XI, 1987, S. 277–80; Bode; W. Kosch, Lit.-Lex.³; KLL²; Killy; BBKL.

Reinhardt Habel

Morgenstern, *David,* Politiker, Fabrikant, * 7. 3. 1814 Büchenbach b. Erlangen, † 2. 11. 1882 Fürth. (isr.)

V Pfeifer (1779–1839), Geschäftsmann in B.; *M* Fanny Kohn (um 1780–1839); *B* Joseph (1818–78), seit 1873 Magistratsrat in F., übertrug M. 1858 seine Anteile an e. Zinnfolien-Fabrik in Forchheim; – ∞ Bamberg 1846 Regine (1826–1907), *T* d. Elkan Adlerstein, Kaufm. in Bamberg; 6 *S* (1 früh †), 8 *T,* u. a. Friedrich (* 1866), Dr. phil., seit 1889 in d. väterl. Fa., Mitgl. d. Stadtrats u. Finanzreferent in F. (s. Rhdb.), Heinrich (* 1869), seit 1895 Mitinh. d. väterl. Zinnfolien-Fabrik; *Schwieger-S* Isaak Stamm (* 1851), Kaufm. in F., seit 1879 Prokurist in M.s Fa.; *E* Max Süßheim (1875–1933), 1907–20 bayer. Landtagsabg. (s. L).

Nachdem im Revolutionsjahr 1848 die Zugehörigkeit zu einer christlichen Konfession als Voraussetzung für eine Kandidatur zur Kammer der Abgeordneten beseitigt worden war, wurde M. im November für den Wahlkreis Erlangen-Fürth als erster jüd. Abgeordneter in den bayer. Landtag gewählt. Bereits während der Studienzeit in Erlangen und Würzburg war seine entschieden demokratische Gesinnung hervorgetreten; er gehörte der liberalen Burschenschaft „Germania" (später „Corps Bavaria") an. 1849 rief er in Fürth einen radikal-demokratischen Volksverein ins Leben. Im Landtag profilierte sich M. als strikter Verteidiger der demokratischen Verfassungsrechte. Seine Spezialgebiete waren das Wahlrecht, der Staatshaushalt und die Justizgesetzgebung.

Während seiner Tätigkeit als Rechtspraktikant in der Bamberger Kanzlei des radikal-liberalen Anwalts Nikolaus Titus hatte M. 1846 eine an die bayer. Ständeversammlung gerichtete Petition des jüd. Gemeinden des mittelfränk. Kreises für die Gewährung der vollen bürgerlichen Rechte an die Juden verfaßt. Auch im Landtag setzte er sich wiederholt für die Emanzipation der Juden ein. Da dem promovierten Juristen wegen seiner kritischen Haltung gegenüber der Regierung eine Zulassung als Anwalt verweigert wurde, legte M. 1855 sein Mandat nieder und gab auch seine juristische Tätigkeit als Anwaltskonzipient in Fürth auf. Er trat zunächst in ein Nürnberger Bankhaus ein und wurde dann Teilhaber, schließlich Alleininhaber einer (1938 „arisierten") einträglichen Zinnfolienfabrik in Forchheim, blieb aber weiter politisch aktiv. In Fürth reaktivierte er den 1850 verbotenen demokratischen Volksverein und nahm als dessen Vertreter 1869 am Allgemeinen Deutschen Sozialdemokratischen Arbeiterkongreß in Eisenach teil. M. war Mitbegründer der bayer. Fortschrittspartei und Vorsitzender der demokratischen Volkspartei in Fürth. Als Gegner der preuß. Politik in der Schleswig-Holstein-Krise arbeitete er 1866 in Frankfurt am Entwurf einer demokratischen Verfassung für Deutschland mit. Von 1869 bis ein Jahr vor seinem Tode gehörte M. als Gemeindebevollmächtigter dem Fürther Stadtrat an.

L J. Fürst, in: Allg. Ztg. d. Judenthums 1868, S. 17–20; M. Süßheim, Die parlamentar. Thätigkeit Dr. jur. D. M.s, 1899 *(P);* A. Eckstein, Btrr. z. Gesch. d. Juden in Bayern I, Die bayer. Parlamentarier jüd. Glaubens, 1902; E. Hamburger, Juden im öffentl. Leben Dtld.s, 1968, S. 212 f.; H. Reichold, Dr. jur. D. M., Juden in d. Burschenschaft d. Vormärz, in: Nachrr. f. d. jüd. Bürger Fürths, Sept. 1983, S. 15–18 *(P);* Siehe, d. Stein schreit aus d. Mauer, Gesch. u. Kultur d. Juden in Bayern, Ausst.kat. Nürnberg 1988, S. 394 *(P);* I. Sponsel, Dr. jur. D. M. (1814–1882), d. erste jüd. Landtagsabg. in Bayern, in: M. Treml u. a. (Hrsg.), Gesch. u. Kultur d. Juden in Bayern, Lebensläufe, 1988, S. 129–34 *(P);* dies., Der erste jüd. Landtagsabg. in Bayern, in: Kleeblatt u. Davidstern, Aus 400 J. jüd. Vergangenheit in Fürth, hrsg. v. W. J. Heymann, 1990, S. 116–25 *(P).*

Falk Wiesemann

Morgenstern, *Carl,* Landschaftsmaler, * 25. 10. 1811 Frankfurt/Main, † 10. 1. 1893 ebenda. (ev.)

V Johann Friedrich (1777–1844), Maler, Radierer u. Lithograph (s. ADB 22; ThB), S d. Johann Ludwig Ernst (1738–1819), Maler, Radierer u. Bilderrestaurator (s. ADB 22; ThB); M Maria Magdalena Bansa; Ur-Gvv Johann Christoph (1697–1767), seit 1736 fürstl. Hofmaler in Rudolstadt; Gr-Ov Friedrich Wilhelm Christoph (1736–98), fürstl. Hof- u. Kabinettmaler in Rudolstadt (beide s. ThB); – ∞ 1845 Luise Marianne Cleophea (1824–1913), T d. August Christian Bansa (1792–1855), Bankier u. Weinhändler in F., u. d. Maria Cleophea Schmid (1793–1875), Schriftst. (s. Frankfurter Biogr.); 3 S, u. a. Friedrich Ernst (1853–1919), Landschafts- u. Marinemaler (s. DBJ II, Tl.; ThB), 1 T; N d. Ehefrau Victor Müller (1830–71), Maler (s. NDB 18).

M. besuchte bis 1827 die Musterschule seiner Vaterstadt und wurde anschließend von seinem Vater im Zeichnen und Malen unterrichtet. Die Ausbildung orientierte sich an der niederländ. Malerei des 17. Jh. und an Studien vor der Natur. Seit 1830 begann M. Bilder an Sammler und Kunsthändler zu veräußern und sich mit Erfolg an Kunstvereinsausstellungen zu beteiligen. 1832 ging er zum Weiterstudium nach München, wo er sich unabhängig von der Akademie im Kontakt mit den Freilichtmalern um Heinrich Bürkel fortbildete. Carl Rottmann und Christian Morgenstern berieten M. bei seiner Atelierarbeit und stellten ihm ihre eigenen Werke vor, wobei vor allem die großzügigen Landschaften des Namensvetters den Jüngeren beeindruckten.

Im Herbst 1834 bot sich eine Mitreisegelegenheit nach Rom. Im folgenden Sommer arbeitete M. einige Wochen in Tivoli, im Juli/August reiste er gemeinsam mit Malerfreunden über Pompeji, Neapel, Paestum und Amalfi nach Sizilien. 1836 folgte ein längerer Studienaufenthalt in Terracina sowie in den Sabiner und Albaner Bergen. Der Ausbruch der Cholera zwang M., Rom im Juli 1837 überstürzt zu verlassen; über Venedig und die oberital. Seen kehrte er 1837 nach Hause zurück. Die reiche Ausbeute dieser Jahre – fast 300 Zeichnungen und Ölstudien von einer neuen, lichten Farbigkeit und einer realistischen, gelegentlich nahezu impressionistischen Sicht- und Darstellungsweise – diente in den folgenden eineinhalb Jahrzehnten als Grundlage zahlreicher Atelierkompositionen. Diese ital. Landschaften, die Rhein- und Mainansichten sowie die späteren Schweizer Ansichten wurden vom Publikum besonders geschätzt. Die erfolgreichsten Motive nahm er daher immer wieder auf, wiederholte und variierte sie. Im Mai 1841 brach M. erneut zu einer größeren Studienfahrt nach Frankreich und an die franz. und ital. Riviera auf, von der er jedoch nur Zeichnungen mitbrachte. Vergeblich sucht man nach einem Niederschlag seines Parisbesuchs im Juli 1844 – wahrscheinlich sagte M. die anders geartete Landschaftsauffassung der franz. Maler nicht zu. 1846 zog es M. nochmals nach Venedig, in den Sommern 1849 und 1851 bereiste er die Schweiz. Mit den Auftragsbildern 1862 für die Sammlung des Grafen Schack in München war M. auf dem Höhepunkt seines Ruhmes angelangt. In den letzten 25 Schaffensjahren versiegte jedoch die Kraft, neue Anregungen aufzunehmen und zu verarbeiten. M. wurde von Depressionen und Krankheiten heimgesucht und mußte sich darauf beschränken, bewährte Motive zu wiederholen. Seine eigentliche künstlerische Leistung liegt in den kleinformatigen Ölstudien, die er während seiner Münchner Zeit und in Italien, der Schweiz und im Taunus angefertigt und zeitlebens nicht ausgestellt hatte. Für diese, teilweise sehr frei angelegten Studien war nach seiner Einschätzung die Zeit noch nicht reif gewesen – inzwischen haben sie Eingang in viele deutsche Museen gefunden. – Prof.titel (1866).

W über 400 *Ölgem.,* u. a. Capri b. Sonnenaufgang, 1836; Kapuzinerkloster b. Amalfi, 1840; Bucht v. Palermo, 1840; Schiffswerft v. Lerici, 1843; Ansicht Frankfurts v. d. Maininsel aus, 1850 (alle Priv.bes.); Bucht v. Villafranca; Haus d. Tasso in Sorrent; Ansicht v. Capri, 1862 (alle Schack-Gal., München). – *Ölstudien,* u. a. im Städel, Frankfurt; Kunsthallen Bremen, Karlsruhe, Hamburg; Nat.gal. Berlin; Kunstslg. Veste Coburg; Kunstmus. Riga; Priv.bes.

L ADB 52; I. Eichler, C. M., unter bes. Berücksichtigung seiner Schaffensphase von 1826–1846, 1976 *(W-Verz., L, P);* dies., Schweizer Landschaftsdarst. d. Frankfurter Malers C. M., in: Zs. f. Archäol. u. Kunstgesch. d. Schweiz 31, 1974, S. 258–74; dies., Die Auftragsgem. C. M.s f. d. Gf. Schack, in: Städel Jb. 5, 1975 (NF), S. 135–58; Die Frankfurter Malerfam. M. in fünf Generationen, hrsg. v. d. Museumsges. Kronberg, 1982; C. M., Ausst.kat. d. Kunsthandlung I. P. Schneider jr., Frankfurt, mit e. Vorwort v. K. u. C. Andreas, 1993 *(Abb. d. Ölstudien, L-Verz.);* Frankfurter Biogr. II *(P);* ThB.

Inge Eichler

Morgenstern, *Lina,* Gründerin der Berliner Volksküchen, Schriftstellerin, * 25. 11. 1830 Breslau, † 16. 12. 1909 Berlin. (isr.)

V Albert Bauer (1800–75), Möbel- u. Antiquitätenhändler in Breslau u. Berlin (s. L), S d. Wolfrath Hieronymus Wilhelm (1763–1822), Bes. d. Rittergutes Altwasser (Schlesien), u. d. Bella Betty Goldschmidt (1771–1851) aus Potsdam; M Fanny (1805–74), T d. Jacob Adler (1772–1850), Senator in Krakau, u. d. Anna Heumann; Schw Cäcilie (* 1828, ∞ Konstantin Adler, * 1828, aus Krakau, Om), Philanthropin, gründete d. Volksküche u. d. isr. Blindeninst. in Wien (s. L), Jenny (1832–1907, ∞ Siegismund Asch, 1825–1901, Dr. med., Geh. Sanitätsrat, Stadtverordneter, d. Ehepaar gründete in Breslau Volksküchen, s. NDB X*), Malerin, Mitbegründerin u. Vors. d. Breslauer Kindergarten-Ver. (s. L); – ∞ Breslau 1854 Theodor Morgenstern (1827–1910), Kaufm., pol. Flüchtling aus Wilna (Rußland), Inh. e. Commissions- u. Agentur-Geschäfts f. Lebensmittel in Berlin, 1872 Mitgründer d. „Vereinigten Oder-Werke f. Baubedarf u. Braunkohlen b. Schwedt / Oder, vorm. Frhr. v. Werthern", d. Fa. ging 1874 in Konkurs, 1878 Bevollmächtigter d. Berliner Hausfrauenver., Mitinh. d. Fa. Theodor Morgenstern & Co., Verlag d. Dt. Hausfrauen-Ztg. Berlin), S e. Kreisarztes in Kalisch; 2 S, 3 T, u. a. Clara (* 1855, ∞ Philipp Roth, Cellist), Übersetzerin u. Kunstgewerblerin, Olga (Ps. Rosa Morgan, 1859–1902, ev., ∞ Otto Arendt, 1854–1936, Politiker u. Nat.ökonom, s. NDB I), Rezitatorin, dramat. Lehrerin, lyr. Dichterin (s. W, L), Alfred (* 1865, ev.), Eisenbahn-Baurat, leitete d. Bau d. Harzbahn v. Wernigerode auf d. Brocken, d. Albula-Viadukts (Schweiz) u. d. Otavibahn in Dt.-Südwest-Afrika (s. Wi. 1905); N Robert Asch (1859–1929, ∞ Kaethe, T d. Adolph L'Arronge, 1838–1908, Bühnenschriftst., s. NDB I), Dr. med., Chefarzt e. Breslauer Krankenhauses (s. Fischer); Betty (∞ Karl Jaenicke, 1849–1903, 2. Bgm. v. Breslau, s. NDB X*); E Katharina (1894–1976, ∞ Bernhard Kühl, 1886–1946, Gen. d. Flieger); Gr-N Wolfgang Jaenicke (1881–1968, Botschafter, s. NDB X), Kaete Jaenicke (1889–1967, ∞ Edmund Nick, 1891–1974, Prof., Komp. u. Musikkritiker, s. Riemann), Konzertsängerin; Ur-Gr-N Dagmar Nick-Braun (* 1926), Schriftst. (s. Kürschner, Lit.kal. 1988), Fritz Stern (* 1926), Prof., Historiker (s. BHdE II).

Nach dem Besuch der Wernerschen höheren Töchterschule in Breslau erhielt M. weiteren Unterricht in Sprachen, Musik und Gesang und bildete sich durch Selbststudium in Literatur und Kunstgeschichte fort. Im Kreise ihrer Freundinnen gründete sie 1848 den Breslauer „Pfennigverein zur Unterstützung armer Schulkinder", der Schulbücher und Schreibmaterial beschaffte. Nach ihrer Heirat siedelte sie nach Berlin über. Hier entfaltete sie bald eine vielseitige Tätigkeit. Schon früh beschäftigte sie sich mit literarischen Versuchen. Im Geiste Fröbels schuf sie den ersten Berliner Kindergarten, 1859 war sie Mitbegründerin des Berliner Kindergartenvereins, 1862 des Kinderpflegerinnen-Instituts und Autorin des ersten deutschen Handbuches für Kindergärtnerinnen („Paradies der Kindheit", 1861, ⁷1905), das in viele Sprachen übersetzt wurde. Um nach dem Ausbruch des Krieges gegen Österreich den Versorgungsnotstand zu lindern, eröffnete sie am 9. 6. 1866 die erste Berliner Volksküche. Der Erfolg war so groß, daß diese Notküchen auch nach Beendigung des Krieges beibehalten und richtungsweisend für ähnliche Einrichtungen im In- und Ausland wurden (u. a. in Breslau, Warschau, Posen, Lemberg, Hamburg, Hannover, Wien, Pest und Stockholm). Kaiserin Augusta übernahm 1868 das Protektorat über die Berliner Volksküchen, im Volksmund erhielt M. den Ehrenspitznamen „Suppenlina". 1869 wurden aus den zehn über das Stadtgebiet verteilten Volksküchen täglich bis zu 10 000 Personen verpflegt. Die Volksküchen befanden sich durchweg in Kellern, Speisezeit war 11–13.30 Uhr. In der Regel gab es zwei Gerichte, eine leichte und eine schwerere Speise. Es entfaltete sich eine Diskussion, ob die Portionen zum Einstandspreis oder, wie augenscheinlich der Fall war, mit Gewinn ausgegeben werden sollten. M. wurde deswegen zeitweilig angefeindet, umstritten waren die Volksküchen auch im Gaststättengewerbe, das M. unlauteren Wettbewerb vorwarf. Um 1900 gab es in Berlin 15 Volksküchen, in denen man für 10 Pfg. Milchreis mit Zucker und Zimt oder für 20 Pfg. einen Napf Löffelerbsen bekam. In den Kriegsjahren 1870/71 war M. Vorsitzende des Komitees zur Verpflegung der Truppen, Verwundeten und Gefangenen, für Massenspeisungen ließ sie auf den Berliner Bahnhöfen große Speisebaracken errichten.

Aus Vorträgen im Volksküchenverein über Themen wie „Was vermögen die vereinigten Hausfrauen gegen die willkürliche Vertheuerung der Lebensmittel?" entstand der Impuls zur Gründung des Berliner Hausfrauenvereins (1873), dessen Leitung M. übernahm und dessen Organ, die „Deutsche Hausfrauen-Zeitung", sie seit 1874 zusammen mit Maria Gubitz herausgab. Viele Artikel in dieser damals weitverbreiteten Frauenzeitschrift, die bis 1907 erschien, schrieb sie selbst, 1883 übernahm ihr Mann den Verlag. Dem Hausfrauenverein angegliedert waren u. a. eine permanente Lebensmittelausstellung, ein Laboratorium zur Untersuchung von Lebensmitteln, eine Kochschule, ein Stellennachweis, eine Unterstützungskasse für Dienstmädchen sowie eine Verkaufsstelle auf konsumgenossenschaftlicher Grundlage. Beim Konkurs dieses Konsumvereins 1883 verloren M. und ihr Mann fast ihr gesamtes Vermögen. Im selben Jahr wurde in New York eine „Lina Morgenstern-Loge" zur Unterstützung für Arme und Kranke gegründet, die noch über M.s Tod hinaus bestand. Bei der Gründung des Bundes deutscher Frauenvereine 1894 kämpfte M. zusammen mit Lily Braun und Minna Cauer für die Aufnahme von Arbeiterinnenvereinen. 1895 wurde sie zum Vorstandsmitglied der deutschen Friedensgesellschaft gewählt, der sich auch Frauengruppen aus England und Frankreich angeschlossen hatten. Zusammen mit Minna Cauer organisierte sie 1896 den ersten internationalen Frauenkongreß in Berlin; vor 1800 Delegierten aus allen Teilen der Erde trat sie für die sozialen Belange der Frau ein.

M. arbeitete ohne Vorbilder, manche ihrer zahlreichen Gründungen hielten mit dem sozialökonomischen Strukturwandel nicht Schritt und wurden von anderen, denen sie ein Beispiel gegeben hatte, überflügelt. M. stand dem radikalen Flügel der bürgerlichen Frauenbewegung nahe. Ihre Bedeutung liegt in der Vielfalt ihrer Anregungen auf dem Gebiet der Wohlfahrtspflege und Frauenarbeit in der ersten Welle der Frauenbewegung vor der Jahrhundertwende. – Vorstandsmitgl. d. dt. Friedensges.

W u. a. Bienenkätchen, 1859, ²1867; Die Storchenstraße, Hundert Geschichten aus d. Kinderwelt, 1861, ⁵1918; Das Paradies d. Kindheit durch Spiel, Gesang u. Beschäftigung, Friedrich Fröbel's Spielbeschäftigungen ... nebst Erzählungen u. Liedern z. Spielanwendung, 1861, ⁷1905; Die Volksküchen, 1868, ⁴1882; Prakt. Stud. üb. Hauswirtsch. f. Frauen u. Jungfrauen, 1875 (P); Universal-Kochbuch f. Gesunde, Kranke, Genesende u. erstes Lehrb. f. Kochschulen, 1881, ⁷1898, als „Ill. Kochbuch" erweitert u. hrsg. v. M. Richter, ¹⁰1926, ¹¹1930; Die menschl. Ernährung u. d. culturhist. Entwicklung d. Kochkunst, 1882, ²1886; Friedrich Fröbel, sein Leben u. seine Werke, 1882; Ernährungslehre, Grundlage z. häusl. Gesundheitspflege, 1882, ⁵1903; Kochrezepte d. Berliner Volksküche, ⁴1883; Victoria, Kaiserin, Kgn. v. Preußen, Ein Lb., 1888; Die Berliner Volksküche, in: LIZ v. 26. 9. 1888, S. 211 f. (P); Die Frauen d. 19. Jh., 3 Bde., 1888–91; Der häusl. Beruf u. wirtsch. Erfahrungen ..., Hdb. f. Haushaltungs- u. Frauenberufsschulen, ³1889; FS 25j. Jubiläum d. Ver. d. Berliner Volksküchen 1866, 1891; Zuverlässiges Hilfsbuch z. Gründung, Leitung u. Controle v. Volksküchen u. a. gemeinnützigen Massen-Speiseanstalten, mit 15 Formeln z. Buchhalterei u. 66 Kochrezepten, 1892, ³1900; Der Schlüssel z. häusl. Glück, Tage-, Kassa- u. Haushaltungsbuch d. Hausfrau, 1892, ²1906; Frauenarbeit in Dtld., 1893 (autobiogr.). – Hrsg.: Allg. Frauenkal., 1885–1909; Für junge Mädchen, 1889–1909. – Zu Olga Arendt-Morgenstern: Gedichte, hrsg. v. L. M., 1902.

L M. Kayserling, Die jüd. Frauen in d. Gesch., Lit. u. Kunst, 1879, ³1991; G. Dahms (Hrsg.), Das Litterar. Berlin, 1895 (P); A. Kohut, Zum 70. Geb.tag v. L. M., in: LIZ v. 22. 11. 1900, S. 788 f. (P); O. Arendt-Morgenstern, Eine Sprechstunde b. L. M., Erinnerungsbl. an ihren 70. Geb.tag am 25. Nov. 1900 (Handdr.); E. Vely, L. M. u. d. Berliner Volksküchen, in: Die Frau, 8, 1900/01, S. 103–06 (P); H. Lange u. G. Bäumer (Hrsg.), Hdb. d. Frauenbewegung, 1901–06; E. Ichenhaeuser, Bilder v. internat. Frauenkongreß, 1904, S. 33 (P); A. Plothow, Die Begründerinnen d. dt. Frauenbewegung, 1907 (P); Voss. Ztg. v. 17. 12. 1909; Berliner Morgenpost v. 18. 12. 1909; Köln. Volksztg. v. 20. 12. 1909; LIZ v. 23. 12. 1909 (P); Allg. Ztg. d. Judentums 1909, S. 631 f. (P); Die 25j. Gesch. d. Berliner Hausfrauenver. 1873–99, o. J.; E. Haberland (Hrsg.), Biogrr. bedeutender Frauen, ²1912; Dt. Lyceums Klub (Hrsg.), Bahnbrechende Frauen, 1912 (P); C. Roth, in: Schles. Lb. I, 1922, S. 81–84; H. Lange, Kampfzeiten II, 1928; A. Heppner, Jüd. Persönlichkeiten in u. aus Breslau, 1931 (P) (auch zu Albert Bauer, Cäcilie Adler u. Jenny Asch); M. Twellmann, Die dt. Frauenbewegung, Qu. 1843–1889, 1972 (P); E. G. Lowenthal, Juden in Preußen, 1981 (P); D. Weiland, Gesch. d. Frauenemanzipation in Dtld. u. Österreich, 1983 (P); M. I. Fassmann, Die Mutter d. Volksküchen, in: Ch. Eiffert u. S. Rouette (Hrsg.), Unter allen Umständen, Frauengeschichte(n) in Berlin, 1986, S. 34–59 (P); W. Lohmeyer, Das Glück d. L. M., 1987 (Roman); I. Hildebrand, Zwischen Suppenküche u. Salon – 18 Berlinerinnen, 1987, S. 41–46 (P); BJ 14, Tl.; Brümmer; Jüd. Lex. (P); Kosch, Lit.-Lex.³; Enc. Jud. 1971 (P); Wininger IV, 1979 (P). – Qu.: Bundesarchiv, Abteilungen Potsdam (Nachlaß); Berliner Landesarchiv (Briefe); Leo Baeck Inst., New York (Slg. L. M.). – Zu Olga Arendt-Morgenstern: S. Pataky, Lex. dt. Frauen d. Feder, 1898; Kürschner, Lit.-Kal.; Brümmer; Wininger; The Universal Jewish Encyclopedia VII, 1948 (P); Lex. d. Frau II, 1953; L. M., Notizen zu Olga Arendt-Morgenstern, in: Staatsbibl. Stiftung Preuß. Kulturbes., Hss.-Abt. (Nachlaß Brümmer).

P Dt. Staatsbibl., Berlin, Porträtslg.; Bildarchiv Preuß. Kulturbes. (Hrsg.), Juden in Preußen, 1981.

Hans-Henning Zabel

Morgenstern, Oskar, Nationalökonom, * 24. 1. 1902 Görlitz, † 26. 7. 1977 Princeton (N. J., USA). (luth.)

V Wilhelm († v. 1929), Buchhalter, Kaufm. in G., dann in Straßberg (Kr. Lauban, Niederschlesien), S d. Leberecht (1831–v. 1901) aus Tautendorf u. d. Ottilie Döbbelin († n. 1901); M Margarete Teichler; ⚭ 1948 Dorothy Young, Architektin; 1 S Carl (* 1950), Mathematiker, 1 T.

M. wuchs in Wien auf, wo er 1925 mit einer Arbeit über Fragen der Verteilungstheorie mit besonderer Berücksichtigung der Theorie der Grenzproduktivität zum Dr. rer. pol. promovierte. Nach einem dreijährigen Auslandsaufenthalt als Rockefeller Fellow in den USA (Harvard und Columbia), aber auch den Universitäten London, Paris und Rom, habilitierte er sich 1929 an der Univ. Wien. Als Nachfolger von F. A. v. Hayek leitete M. 1931–38 das Österr. Institut für Konjunkturforschung. 1930–38 amtierte er zugleich als Schriftleiter der Zeitschrift für Nationalökonomie, die in dieser Zeit zur führenden wirtschaftswissenschaftlichen Zeitschrift im deutschsprachigen Raum wurde. Zum Zeitpunkt des nationalsozialistischen Einmarsches in Österreich befand sich M. auf einer Vortragsreise in den USA. Von der Univ. Wien – an der er zunächst als Privatdozent und seit 1935 als ao. Professor lehrte – als „politisch untragbar" entlassen, kehrte er nicht mehr nach Österreich zurück. Er akzeptierte ein Angebot aus Princeton, wo er von 1938 bis zu seiner Emeritierung 1970 Professor der Politischen Ökonomie und Mitglied des Institute for Advanced Study war. Von 1970 bis zu seinem Tode war er als Professor der Wirtschaftswissenschaften an der New York University tätig.

Als Nationalökonom stand M. in der Tradition der Österr. Schule, insbesondere Eugen v. Böhm-Bawerks und Carl Mengers. Als Mitglied des von Moritz Schlick geleiteten „Wiener Kreises" ist er zudem durch die Begegnung mit den herausragenden Mathematikern Kurt Gödel und Karl Menger geprägt worden. Die Möglichkeiten der Mathematik und der mathematischen Logik für die Wirtschaftstheorie beschäftigten M. zeitlebens. Dies führte ihn zur Zusammenarbeit mit Abraham Wald (1902–50) und vor allem mit dem Mathematiker John v. Neumann (1903–57), der entscheidenden wissenschaftlichen Begegnung seines Lebens.

M. wird vor allem als Koautor des mit John v. Neumann verfaßten Klassikers „Theory of Games and Economic Behavior" in Erinnerung bleiben. Erst in den Jahren 1939–43 kam es in Princeton zur langersehnten engen Zusammenarbeit mit dem aus Budapest stammenden Mathematiker, die in dem Werk kulminierte, mit dem die Spieltheorie in die Wirtschaftswissenschaft eingeführt wurde. Interessanterweise hatten beide Autoren unabhängig voneinander bereits 1928 entscheidende Vorarbeiten geleistet. Von Neumann hatte das für Zweipersonen-Nullsummenspiele fundamentale Minimax-Theorem bewiesen. M. seinerseits war in der Habilitationsschrift auf ein interessantes Paradoxon des Prognoseproblems gestoßen, das er sieben Jahre später in seinem wohl bekanntesten Aufsatz „Vollkommene Voraussicht und wirtschaftliches Gleichgewicht" (Zs. f. Nat.-ökonomie 6, 1935, S. 337–57) ins Zentrum rückte und das ihn in Richtung Spieltheorie führen sollte. Rational handelnde Wirtschaftssubjekte müssen nicht nur die Konsequenzen ihrer eigenen Entscheidungen kennen, sondern auch diejenigen der Entscheidungen aller anderen Individuen und die ihres eigenen künftigen Verhaltens auf das der anderen. Die wechselseitige Einbeziehung der Voraussicht vermutlichen fremden Verhaltens im Entscheidungsprozeß der Wirtschaftssubjekte – so M. – führe jedoch zu einem unauflösbaren Paradoxon. Wegen der Reflexe des eigenen Verhaltens in dem der anderen liege eine unendliche Kette von wechselseitig vermuteten Reaktionen und Gegenreaktionen vor, die nur durch einen Willkürakt abgebrochen werden könne, der jedoch auch wiederum von allen Beteiligten vorausgesehen werden müsse. Wirtschaftssubjekte können keine vollkommene Voraussicht haben, wenn diese die Voraussicht der Handlungen anderer Wirtschaftssubjekte beinhalten muß, die ihrerseits annahmegemäß vollkommene Voraussicht haben. M. zog hieraus ein vernichtendes Urteil für die elaborierteste Form ökonomischer Theorie, die Theorie des allgemeinen wirtschaftlichen Gleichgewichts: Sukzessive Anpassungen wie im walrasianischen Tâtonnement-Prozeß oder im Edgeworthschen Rekontrahierungsverfahren seien ebenso unvereinbar mit vollkommener Voraussicht wie allgemeines wirtschaftliches Gleichgewicht.

Das dem „Morgenstern-Paradoxon" zugrundeliegende Problem resultiert im Kern daraus, daß Wirtschaftssubjekte in ihren Entscheidungen nicht nur mit „toten", sondern auch mit „lebendigen" Variablen konfrontiert werden, d. h. solchen, die die Entscheidungen anderer sozialer Akteure reflektieren. M. illustriert das Problem optimaler Entscheidungen in Situationen mit zwei oder mehr Personen, die unabhängig voneinander agieren und zumindest teilweise konfligierende Interessen haben, anhand eines Beispiels aus den Detektivgeschichten von Sir Arthur Conan Doyle: der Flucht von Sherlock Holmes vor seinem Gegenspieler Professor Moriarty. M. und v. Neumann greifen dieses Beispiel wieder auf und zeigen die bestmögliche Strategie (und Wahrscheinlichkeit) für Holmes auf, zu entkommen. Durch präzise mathematische Formulierung in Form einer Auszahlungs(Nutzen)-Matrix vermeiden sie den infiniten Regreß des „er denkt – ich denke – er denkt ...".

Die Spieltheorie als Analyse rationalen strategischen Verhaltens in Situationen der Unsicherheit hat seit der Pionierstudie von v. Neumann und M. sowie dem von Nash (1950) entwickelten Gleichgewichtskonzept, welches auch auf Nichtnullsummenspiele angewandt werden kann, einen blühenden Aufschwung genommen und größere Teilbereiche der Wirtschafts- und anderer Sozialwissenschaften durchdrungen. Allerdings hat sie lange Zeit auch erhebliche Widerstände zu überwinden gehabt. Dazu haben ihre vor allem durch die Methoden und Entwicklungen in den Naturwissenschaften und der reinen Mathematik beeinflußten radikalen Ideen ebenso beigetragen wie der Tatbestand, daß M. bis zu seinem Lebensende ein Außenseiter der ökonomischen Zunft und einer der vehementesten Kritiker der herrschenden, anglo-amerikan. dominierten neoklassischen Wirtschaftstheorie blieb. Die Verleihung des Nobelpreises für Wirtschaftswissenschaften an John F. Nash (Princeton), John C. Harsanyi (Berkeley) und Reinhard Selten (Bonn) „für ihre grundlegende Analyse des Gleichgewichts in nicht-kooperativer Spieltheorie" im Herbst 1994 bedeutete jedoch die endgültige Anerkennung der bahnbrechenden Studie von M. und v. Neumann.

M.s wissenschaftliche und staatsbürgerliche Interessen reichten weit über die Spieltheorie hinaus. So beschäftigte er sich intensiv mit Fragen nationaler Verteidigung und war strategischer Berater des Weißen Hauses ebenso wie der US-Atomenergiekommission. Nach dem frühen Tod seines engsten Freundes v. Neumann widmete er einen Schwerpunkt seiner wissenschaftlichen Aktivitäten der Verallgemeinerung von dessen Wachstumsmodell. M. war Mitbegründer der erfolgreichen Consulting-Firma „Mathematica" und zusammen mit dem Soziologen Paul Lazarsfeld Initiator des Anfang der 60er Jahre gegründeten Instituts für Höhere Studien in Wien. – Dr. h. c. (Mannheim 1957, Basel 1960, Wien 1965); Distinguished Fellow d. American Economic Association (1976); Gr. Goldenes Ehrenzeichen d. Republik Österreich (1976); Ehrenmitgl. d. Hebräischen Univ. Jerusalem (1977).

Weitere W Wirtsch.prognose, Eine Unters. ihrer Voraussetzungen u. Möglichkeiten, 1928; Zur Theorie d. Produktionsperiode, in: Zs. f. Nat.ök. 6, 1935, S. 176–208; Theory of Games and Economic Behavior, 1944, ³1953, dt. u. d. T. Spieltheorie u. wirtsch. Verhalten, 1961, russ. 1970 (mit J. v. Neumann); The Question of National Defense, 1959, ²1961, dt. u. d. T. Strategie – Heute, 1962, japan. 1962; Thirteen Critical Points in Contemporary Economic Theory, in: Journal of Economic Literature 10, 1972, S. 1163–89; Mathematical Theory of Expanding and Contracting Economies, 1976 (mit G. L. Thompson); A. Schotter (Hrsg.), Selected Economic Writings of O. M., 1976 *(W-Verz.).*

L J. v. Neumann, Zur Theorie d. Gesellschaftsspiele, in: Math. Ann. 100, 1928, S. 295–320; J. F. Nash, Equilibrium Points in n-Person Games, in: Proceedings of the National Academy of Sciences of the USA 36, 1950, S. 48 f.; R. Henn u. O. Moeschlin (Hrsg.), Mathematical Economics and Game Theory, Essays in Honor of O. M., 1977 *(W-Verz.);* L. Silk, The Game Theorist, in: The New York Times v. 13. 2. 1977, S. 1 u. 9 *(P);* M. Shubik, in: Internat. Enc. of the Social Sciences 18, Biographical Suppl., 1979, S. 541–44; ders., in: J. Eatwell u. a. (Hrsg.), The New Palgrave, A Dictionary of Economics, III, 1987, S. 556; A. Schotter, On M., in: H. W. Spiegel u. W. Samuels (Hrsg), Contemporary Economists in Perspective, 1984, S. 395–406; M. Blaug, Great Economists since Keynes, 1985, S. 172–74 *(P);* U. Rellstab, Ökonomie u. Spiele, Die Entstehungsgesch. d. Spieltheorie aus d. Blickwinkel d. Ökonomen O. M., 1992; H. Hagemann u. C.-D. Krohn, Biogr. Hdb. d. dt. wirtsch.wiss. Emigration, 1996; Enc. Jud. 1971; BHdE II.

Harald Hagemann

Morgenstern, *Salomon Jakob,* preuß. Hofrat, ~ 23. 9. 1708 Pegau b. Leipzig, † 16. 11. 1785 Babelsberg b. Potsdam. (luth.)

V Johann Wilhelm, Bürger u. Krämer in P., *S* d. Gregor, Bürger u. Krämer in P.; *M* Johanna Sophia, *T* d. Johann Winkler († v. 1689), Mag., Archidiakon in Borna; ∞ Halle 1735 Helene Christiana, *T* d. Malers Theodor Konrad Guericke (1662–1732) aus Magdeburg u. d. Elisabeth Pischeln (1656–1732), *Wwe* d. Michael Ludolf Wilhelm, magdeburg. Hofporträtist (s. ThB).

Nach dem Besuch des Gymnasiums in Altenburg bezog M. 1726 die Univ. Jena, wechselte 1727 nach Leipzig, wo er 1732 Magister artium wurde, und hielt hier sowie seit 1734 in Halle mit geringem Erfolg vor allem geographische und historische Vorlesungen. Sein der Zarin Anna und ihren Ministern Ostermann und Münnich gewidmetes „Ius publicum Imperii Russorum" (1736) brachte ihm von seiten des russ. Gesandten in Berlin, Kasimir Christian Frhr. v. Brackel, eine Belohnung von 100 Rubel und die Aussicht auf eine Professorenstelle am Moskauer Gymnasium ein. Auf dem Weg dorthin hielt ihn jedoch Kg. Friedrich Wilhelm I. von Preußen in Potsdam fest und machte ihn als Nachfolger von Jakob Paul Frhr. v. Gundling und David Faßmann mit dem Hofratstitel, 500 Talern Gehalt und freier Wohnung zum Vorleser und Zeitungsreferenten in seinem Tabakskollegium. Von reichlich sonderbarem Aussehen, hatte er, wie seine Vorgänger, hier auch den Narren zu spielen und noch im selben Jahr 1736 an der Univ. Frankfurt/Oder seine „Vernünftigen Gedanken von der Narrheit und Narren" in einer gelehrten Disputation vor dem König zu verteidigen, was trotz des dabei von Friedrich Wilhelm arrangierten lächerlichen Theaters, dem sich Johann

Jakob Moser, damals Professor in Frankfurt/ Oder, nur mit einigen Schwierigkeiten zu entziehen wußte, nicht durchaus mißlang. Mit unter M.s Einfluß ist der Soldatenkönig in seinen letzten Lebensjahren auch noch ein bißchen zum „Professorenkönig" (Jochen Klepper) geworden. Versuchen, Christian Wolff nach Preußen zurückzuholen, blieb der Erfolg allerdings bis zu Friedrich Wilhelms Tod versagt, und behauptete diplomatische Aufträge M.s waren wohl nur Angeberei. Um seine Position unter dem Nachfolger zu retten, diente sich M. Friedrich d. Gr. für eine Verwendung in dem soeben eroberten Schlesien an, und Friedrich machte ihn tatsächlich, dem Feldkriegskommissariat attachiert, zum preuß. Agenten und Spion in Breslau und zwang die Breslauer Stadtkämmerei, M.s 500 Taler Pension auf den städtischen Haushalt zu übernehmen. M. bezog sie bis zu seinem Tod. Unter Geheimrat Karl Gottlieb v. Nüßler war er offenbar eine Zeitlang bei der Festlegung der schles. Grenzen gegenüber Polen und nach dem Breslauer Frieden von 1742 auch gegenüber Österreich beschäftigt. Intrigen und fragwürdige Geschäfte trugen nicht eben zu seiner Beliebtheit in Schlesien bei. 1756 kehrte M. nach Potsdam zurück, wo er vereinsamte und verwahrloste. Für Friedrich Nicolai, der ihn 1779 besuchte, hob er sich immerhin positiv von Friedrich Wilhelms übrigen „Hofgelehrten" ab. Seine in vielem wenig zuverlässige, aber lebendige und, da auf persönlichen Erlebnissen beruhend, nicht uninteressante Geschichte „Ueber Friedrich Wilhelm I." erschien erst 1793 (Neudr. 1978).

Weiteres W Neueste Staatsgeographie, wo jeden Landes natürl., pol., Kirchen- u. Schulenstand genau abgeschildert ist, 1. T., 1735.

L ADB 22; K. F. Flögel, Gesch. d. Hofnarren, 1789, S. 245–51; G. A. H. Stenzel, Gesch. d. preuß. Staats III, 1841, S. 503–06 *(L)*; C. Grünhagen, Zwei Demagogen im Dienste Friedrichs d. Gr., in: Abhh. d. Schles. Ges. f. vaterländ. Cultur, Phil.-hist. Abt. 1861, H. 1, S. 55–99 *(L)*; R. Leineweber, M., e. Biograph Friedrich Wilhelms I., in: Forschungen z. Brandenburg. u. Preuß. Gesch. XII/1, 1899, S. 111–61 (*L*, Neudr. 1978); E. Vehse, Preuß. Hofgeschichten II, hrsg. v. H. Conrad, 1913, S. 124–28; J. Klepper, Der Vater, Der Roman d. Soldatenkönigs, 1937, S. 771–80, 784–87, 829–35; H. Lüer, Hofrat S. J. M., in: Pegauer Heimatbll. Nr. 51, 1937; W. Venohr, Der Soldatenkönig, Revolutionär auf d. Thron, 1988; Meusel; Jöcher-Adelung; Brümmer.

P Kupf. v. J. Eckstein, Abb. in: Hist.-Geneal. Kal. auf d. Gemein-Jahr 1823, Nr. 12 mit S. 261–64.

Peter Fuchs

Morgenstern, *Soma,* Journalist, Romanschriftsteller, * 3. 5. 1890 Budzanow b. Tarnopol (Galizien), † 17. 4. 1976 New York (USA). (isr.)

V Abraham (1858–1908), Gutsverw. u. Kaufm., *S* d. Salomo († 1888) u. d. Elke N. N.; *M* Sara (1859–1942), *T* d. Israel Jakob Schwarz u. d. Liba N. N., ∞ Wien 1928 Ingeborg (1904–90, ev.), *T* d. Paul v. Klenau (1883–1946) aus Kopenhagen, Dirigent u. Komp. (s. MGG; Riemann; New Grove), u. d. Anna-Maria Simon (1878–1977); 1 *S* Dan Michael (* 1929), Musikschriftst. (s. BHdE II).

Einem streng orthodoxen jüd. Haus entstammend, in dem Jiddisch gesprochen wurde, erlernte M. die deutsche Sprache in Privatstunden und ging nach dem Besuch des Gymnasiums in Tarnopol 1912 nach Wien, um hier, dem Wunsch des Vaters folgend, Jura zu studieren. Im 1. Weltkrieg diente er als Soldat und wurde 1918 als Leutnant aus der Armee entlassen. Er setzte sein Studium fort und beendete es 1921 als Dr. iur. et rer. pol., ohne aber nachfolgend einen Beruf als Jurist auszuüben. M., dessen Interesse schon an der Universität mehr der Literatur und Philosophie gegolten hatte, versuchte sich zunächst als Übersetzer und Dramenautor, ehe er 1925 nach Berlin übersiedelte, wo er als Essayist sowie als Literatur- und Theaterkritiker, vornehmlich für die „Vossische Zeitung", tätig war. Seit 1927 schrieb er als ständiger Korrespondent der „Frankfurter Zeitung" in Wien Feuilletons und Skizzen über verschiedene Themen des gesellschaftlichen und kulturellen Lebens, in denen er in der Art eines Alfred Polgar anhand von scheinbaren Nebensächlichkeiten scharfsichtig die Entwicklungstendenzen der Zeit charakterisierte.

Als M. 1934 im Gefolge der nationalsozialistischen Machtergreifung seine Korrespondentenstelle entzogen wurde, wandte er sich einem bereits um 1930 konzipierten, umfänglichen Romanvorhaben zu, einer Trilogie, in der er – unter Annäherung an zionistische Positionen – die damals virulente Frage der jüd. Assimilation zugunsten eines Festhaltens an den Wurzeln des religiösen Judentums beantwortete. Der erste Teil, geschrieben überwiegend während eines halbjährigen Aufenthalts in Paris, konnte noch 1935 in Berlin (innerhalb des von den Behörden im Dritten Reich ghettoisierten jüd. Buchhandels) erscheinen; das Manuskript des zweiten Teils stellte M. bis 1938 fertig. Durch den „Anschluß" Österreichs an das Deutsche Reich zur Flucht gezwungen, hielt er sich 1938/39 wieder in Paris auf und gehörte dort zum engsten Freundeskreis Joseph Roths; nach Kriegsausbruch war er in mehreren franz. Lagern interniert, bis er sich 1941 über Casablanca und Lissabon in die USA retten konnte, wo er, zwei Jahre nach Kriegsende wieder mit seiner Familie vereint, in New York seinen Wohnsitz nahm. Ein privater Mäzen und die „Jewish Publication Society of America" ermöglichten ihm in diesen Jahren die Weiterarbeit an der Trilogie sowie nachfolgend die Veröffentlichung aller drei Teile in engl. Sprache. In seinem nächsten und letzten Roman „Die Blutsäule" griff M. im Rahmen einer ins Legendenhafte und Symbolische überhöhten Handlung das Thema der Massenvernichtung der Juden durch den Nationalsozialismus auf; das Werk gilt als ein bedeutender Versuch der literarischen Auseinandersetzung mit Antisemitismus und Holocaust. Im betonten Zurückgehen auf den jüd. Traditionshintergrund, auch in der detailreichen Schilderung jüd. Lebenspraxis und in der Einarbeitung jiddischer bzw. jüd.-hebräischer Sprach- und Literaturüberlieferung, behauptet das Romanwerk M.s seinen besonderen Rang innerhalb der deutsch-jüd. Kultursymbiose. Eine seit 1994 erscheinende kommentierte Werkausgabe macht darüber hinaus Erinnerungstexte, Kurzprosa und Essayistisches aus dem Nachlaß zugänglich.

W Der Sohn d. verlorenen Sohnes, 1935 (Roman, amerikan. 1946); In my Father's Pastures, 1947; The Testament of the Lost Son, 1950 (dt. gekürzt u. d. T. Der verlorene Sohn, 1963); The Third Pillar, 1953 (dt. u. d. T. Die Blutsäule, Zeichen u. Wunder am Sereth, 1964); Werke in Einzelbänden, hrsg. u. Nachwort v. Ingolf Schulte, 1994 ff. *(davon bereits erschienen:* Joseph Roths Flucht u. Ende, Erinnerungen, 1994; Alban Berg u. seine Idole, 1995).

L A. Frisé, Die Welt der galiz. Juden, Zum Tod v. S. M., in: FAZ v. 26. 4. 1976, S. 21; Hoelzel, S. M., in: J. M. Spalek u. J. Strelka (Hrsg.), Dt.sprachige Exillit. seit 1933, II, T. 1, 1989, S. 665–89; Joan Allen Smith, Schoenberg and his Circle, 1986, S. 280; BHdE II; Kosch, Lit.-Lex.³.

P Joseph Roth 1894–1939, Eine Ausst. d. Dt. Bibl., ²1979, S. 309.

Ernst Fischer

Morgenthaler, Geschlecht im Kanton Bern. (ref.)

1) *Walter,* Psychiater und Psychotherapeut, * 15. 4. 1882 Ursenbach Kt. Bern, † 1. 4. 1965 Muri Kt. Bern.

Aus d. Linie Hinteres Mösli; *V* Christian Niklaus (1853–1928), Geometer, Ing., Reg.rat u. Baudir. 1896–1905, Ständerat 1903–08, Dir. d. Emmental-bahn 1905–26, *S* d. Niklaus (1822–1902), Landwirt u. Gemeindeschreiber in U., u. d. Anna Barbara Zürcher (1826–1903); *M* Anna Barbara (1852–1908), *T* d. Samuel Wittwer (1824–86), Krämer in U., u. d. Anna Barbara Güdel (1833–1914); *B* Otto (s. 2), Ernst (s. 3); *Schwägerin* Sasha (s. 4); – ∞ Lenko Albert verw. Singeisen († 1958).

M. wuchs im Berner Oberland auf und erhielt in Kleindietwil die schulische Grundausbildung. 1897 übersiedelte die Familie nach Bern, wo M. das Progymnasium und das Gymnasium besuchte, bevor er dort 1902 mit dem Studium der Medizin begann. Den Winter 1905/06 verbrachte er in Wien, um an den Psychotherapie-Kollegien von S. Freud teilzunehmen. Anschließend setzte M. sein Studium in Bern fort (u. a. bei H. Sahli und Th. Kocher), obwohl ihn eine bleibende Gehörstörung behinderte. Das letzte Studienjahr verbrachte er in Zürich, wo der Psychiater E. Bleuler und der Hirnanatom C. v. Monakow zu seinen Lehrern gehörten. 1908 legte M. hier das medizinische Staatsexamen ab. Zunächst arbeitete M. als Assistenzarzt in der Irrenanstalt Waldau (1908–10) und promovierte dort mit einer Arbeit über sphygmomanometrische Blutdruckmessungen bei Geisteskranken. Anschließend besuchte er die psychiatrischen Kliniken in München und Berlin, wo er die Psychiater E. Kraepelin und H. Oppenheim kennenlernte. Seit 1910 arbeitete M. in der Heil- und Pflegeanstalt Friedmatt in Basel wieder als Assistenzarzt, seit 1912 in der Heilanstalt Münsingen bei Bern und 1913 als Oberarzt in der Anstalt Waldau. 1915 erschien seine geschichtliche Darstellung des Irrenwesens in Bern, anschließend habilitierte sich M. als Privatdozent für Psychiatrie an der Univ. Bern, wo er 1917–37 lehrte. Nachdem er als Chefarzt die Leitung der privaten Nervenheilanstalt Münchenbuchsee übernommen hatte (1920–25), eröffnete M. eine Privatpraxis für Psychotherapie und Eheberatung.

Weltweites Aufsehen erregte 1921 die Veröffentlichung der Krankengeschichte des schizophrenen Künstlers Adolf Wölfli. M. machte damit auf den Wert künstlerischer Beschäftigung als Heilmittel in der Betreuung von Geisteskranken aufmerksam. Außerdem setzte sich M. für die weitere Verbreitung der psychodiagnostischen Methode von H. Rorschach (Interpretation von Klecksbildern) ein und verhalf ihr zu weltweiter Anerkennung. Weitere Studien behandelten das „Unheilbarkeits-Dogma" der Schizophrenie und die seelische Stimmung von Selbstmördern vor ihrer Tat. M.s Hauptverdienst war jedoch sein lebenslanges Bemühen um eine Verbesserung der Pflegerausbildung im psychiatrischen Bereich. In mehr als 200 Veröffentlichungen propagierte er die Aus- und Weiterbildung der Pflegekräfte. Er setzte sich für die Einführung eines verbindlichen Lehrplanes sowie die bessere Bezahlung des Pflegepersonals ein. 1942 gründete M. die Schweizerische Gesellschaft für Psychologie und gab seit 1942 die Schweizerische Zeitschrift für Psychologie und ihre Anwendungen heraus. Seit 1940 lebte und arbeitete M. in Muri (Kt. Bern).

W Blutdruckmessungen an Geisteskranken, in: Allg. Zs. f. Psychiatrie u. psychiatr.-gerichtl. Med. 67, 1909 (Diss.); Bernisches Irrenwesen, 1915; Ein Geisteskranker als Künstler (Adolf Wölfli), 1921; Das Dogma v. d. Unheilbarkeit d. Schizophrenie, in: Zs. f. d. gesamte Neurol. u. Psychiatrie 100, 1926, S. 668–77; Die Pflege d. Gemüts- u. Geisteskrankheiten, 1930; Rorschachmethode-Rorschachbewegung, in: Schweizer. Zs. f. Psychol. 2, 1943 (1/2); Letzte Aufzeichnungen v. Selbstmördern, 1945; Geschlecht, Liebe, Ehe, 1953; Der Mensch Karl Marx, 1962; zahlr. Arbb. in: Kranken- u. Irrenpflege, 1–16, 1922–37.

L H. Balmer, W. M., in: Verhh. d. Schweizer. Naturforschenden Ges. 146, 1966, S. 225–46 *(W, P)*; H. Spreng u. a., in: Schweizer. Zs. f. Psychol. 6, 1952, S. 1–18; R. Meili, ebd. 21, 1962, S. 158; ders., O. L. Forel, ebd. 24, 1965, S. 111–13; M. Müller u. G. Schneider, in: Prakt. Psychiatrie 31, 1952, S. 61–73; H. Oprecht u. K. W. Bash, ebd. 44 (4, 7), 1965; W. Frey, in: Zofingia 105, 1965, S. 442; Schweizer. Biogr. Archiv 2, 1952, S. 86, 203 *(P)*; Neue Schweizer. Biogr., 1938, S. 363 *(P)*.

Eberhard J. Wormer

2) *Otto,* Bienenforscher, * 18. 10. 1886 Ursenbach Kt. Bern, † 26. 6. 1973 Bern-Liebefeld. (ref.)

B Walter (s. 1), Ernst (s. 3); *Schwägerin* Sasha (s. 4); – ∞ Bern 1916 Else, *T* d. Kaspar Zimmermann u. d. Ida Thoma; 2 *S*, 2 *T*; *N* Fritz (s. 5).

M. studierte nach der Matura 1905 in Bern Botanik, Zoologie und Geologie und erwarb 1907 das Sekundar-, 1910 das Gymnasiallehrerpatent. Seine Dissertation bei dem Botaniker Eduard Fischer betraf die Rostpilze (Uredineen). 1911–13 war er Assistent am Institut für Pflanzenkrankheiten in Halle/Saale; 1913–51 wirkte er an der Eidgenössischen Landwirtschaftlichen Versuchsanstalt in Liebefeld. Gefördert von dem Bakteriologen Robert Burri und dem Bienenforscher Fritz Leuenberger, baute er dort eine Abteilung für Bienenforschung auf, an der ausgezeichnete Fachleute tätig waren. M. studierte die Faul- und Sauerbrut der Larven und bekämpfte die Nosema- und Milbenseuche der erwachsenen Bienen. Er beobachtete die Verbreitungsart der Nosemakeime und gründete die Nosema-Hilfskasse für Imker. Besonders beschäftigte ihn die 1920 von der Insel Wight ausgehende Milbenmutante, die die Tracheen verstopfte und zu massenhaftem Bienensterben führte. 1922 erreichte die Seuche die Schweiz. M. entdeckte, daß gesunde Bienen am Körper Milben tragen, die nicht in die Tracheen wandern. Er ermittelte Unterscheidungsmerkmale und benannte die Arten nach ihren Aufenthaltsorten an Brustschild, Rückengrube oder Hinterleib. M. zeichnete Verbreitungskarten und erstattete Jahresberichte über Bienenkrankheiten. Deren jahreszeitliches Auftreten, Vergiftungen, die Abhängigkeit der Lebensdauer vom Futter und die Pollen in Honigen wurden untersucht.

M. schätzte den Umgang mit Züchtern und Forschern und hielt viele Vorträge. Er war 1930–32 Präsident der Naturforschenden Gesellschaft in Bern, 1936–45 Zentralpräsident des Vereins Deutschschweizer. Bienenfreunde, 1939 Präsident des XII. Internationalen Bienenzuchtkongresses, beteiligte sich 1935–50 an der Schriftleitung der Schweizer. Bienen-Zeitung und war 1949–57 Generalsekretär der Internationalen Bienenzüchtervereinigung Apimondia. 1938–56 dozierte er an der Veterinärmedizinischen Fakultät der Univ. Bern über Bienenkrankheiten. – Prof.-titel (1951).

W Über d. Bedingungen d. Teleutosporenbildung b. d. Uredineen, Diss. Bern 1910, in: Cbl. f. Bakteriol., Parasitenkde. u. Infektionskrankheiten, II. Abt., Bd. 27; 340 Btrr. in d. Schweizer. Bienen-Ztg. (1914–68), teilweise in franz. Übers. im Bulletin de la Société Romande d'Apiculture (seit 1950: Journal Suisse d'Apiculture); – *Hrsg.:* Beihh. z. Schweizer. Bienen-Ztg., H. 1–19, 1941 ff.

L R. Burri, O. M. z. 60. Geb.tag, in: Schweizer. Bienen-Ztg. 1946, S. 482–85 *(P)*; H. Balmer, in: Verhh. d. Schweizer. Naturforschenden Ges. 1973, S. 281–309 *(W, L, P)*.

Heinz Balmer

3) *Ernst,* Maler, Lithograph, * 11. 12. 1887 Kleindietwil Kt. Aargau, † 7. 9. 1962 Zürich.

B Walter (s. 1), Otto (s. 2); – ∞ Burgdorf 1916 Sasha v. Sinner (s. 4); 2 *S* Niklaus (* 1918), Architekt, Prof. in Chicago, 1964–71, Dir. d. Schule f. Gestaltung in Basel (s. Künstler Lex. d. Schweiz XX. Jh.), Fritz (s. 5), 1 *T*.

M. verbrachte eine glückliche Kindheit im Oberaargau und übersiedelte 1897 mit der Familie nach Bern, wo er das Gymnasium absolvierte. Nach einem Praktikum in einer Seidenspinnerei, zwei Jahren Seidenwebschule in Zürich und vier Jahren als kaufmännischer Angestellter in der Seidenfabrik von Thalwil begann er seine künstlerische Ausbildung. Seit 1912 nahm er Zeichenunterricht bei Eduard Stiefel in Zürich, verbrachte vier Monate in der Zeichenschule von Fritz Burger in Berlin und besuchte für ein Jahr die Kunstgewerbeschule in Zürich. Erste Aquarelle meist poetisch-märchenhaften Inhalts und sozialkritische Zeichnungen mit charakteristisch-skizzenhaftem Strich wurden als Karikaturen im „Nebelspalter" veröffentlicht. Seine eigentliche künstlerische Bestimmung fand M., als er 1914 Cuno Amiet kennenlernte und anderthalb Jahre als Schüler bei ihm in Oschwand verbrachte. Anschließend trat er in die Malschule von Heinrich Knirr in München ein, wo er mit Paul Klee verkehrte und seine spätere Frau Sasha v. Sinner wiedertraf, die er durch Amiet kannte. Nach der Heirat übersiedelte das Ehepaar 1916 nach Genf, wo M. Ferdinand Hodler besuchte, 1917 nach Hellsau und 1918 nach Oberhofen am Thunersee. 1920 ließ sich M. für längere Zeit in Zürich nieder, wo er seit 1914 wiederholt im Kunsthaus ausgestellt hatte. M. befreundete sich eng mit den Schriftstellern Hermann Hesse, Ernst Schibli und Robert Walser, mit den Malern und Bildhauern Wilfried Buchmann, Johann v. Tscharner, Karl Geiser, Hermann Haller, Hermann Hubacher und den Musikern Othmar Schoeck und Fritz Brun. In dieser Zeit unternahm er mehrere Reisen in den Süden: 1922 Italien, 1925 Südfrankreich, 1926 zum wiederholten Male Paris und 1928 Marokko. 1929 übersiedelte er mit seiner Familie nach Meudon bei Paris, 1932 kehrte er nach Zürich zurück.

In M.s Schaffen entstanden, unkonventionell und spontan, expressive Landschaften aus der nächsten Umgebung sowie Interieurs, die das subjektive Erlebnis des Malers farbigstimmungvoll wiedergeben, ebenso zahlreiche Porträts, darunter solche aus der eigenen Familie sowie Selbstporträts. Daneben schuf er dekorative Wandmalereien und Lithographien. Wegen seiner großen Produktivität und beträchtlichen Ausstellungstätigkeit sowie seiner künstlerischen, geistigen und gesellschaftlichen Aktivitäten galt er als einer der führenden Künstler seines Landes. Seine Arbeiten wurden vom Bund, von den Kunstvereinen und privaten Sammlern erworben. Während des 2. Weltkrieges leistete M. Militärdienst und war 1943 Leiter des Flüchtlingslagers Gattikon im Sihltal. Nach Kriegsende hielt er sich im Sommer 1945 sechs Wochen lang bei Hermann Hesse in Montagnola auf, um den Dichter zu porträtieren. 1948 bereiste er Südfrankreich, 1949 Algerien und Tunesien, 1953 Sizilien, 1958 Bangkok, Australien, New York und 1962 Sardinien. M. war auch ein humorvoller Erzähler und begehrter Vortragsredner. 1951–53 fungierte er als Präsident der Eidgenössischen Kunstkommission. Seine Werke sind in allen bedeutenden schweizer. Kunstsammlungen vertreten. – Kunstpreis d. Stadt Zürich (1952).

W Der Geiger, 1911; Junger Maler erhält Besuch v. Verwandten, 1914; Waldmärchen, 1916; Mondnacht am Thunersee, 1920; Hamo (Hans Morgenthaler), 1923; Familie, 1925; Vorfrühling in Küsnacht, 1927; Pappeln am See, 1928; Gartentor in Meudon, 1930; Frau v. Sinner, 1940; Winterabend mit Fuhrwerk, 1944; Hermann Hesse, 1945; Krieg, 1946; Primus Bon, 1957. – *Wandmalereien:* Bierschwemme d. Braustube Hürlimann in Zürich, 1933; Gießerei-Arbeiten, Maschinenfabrik Escher-Wyß, 1959. – *Lith.:* Internierte Soldaten (Mappenwerk), 1941. – *Ill. zu:* P. Valmigère, Die 7 Töchter d. Canigou, 1949; Thomas Mann, Die Betrogene, 1953; G. Verga, Sizilian. Novellen, 1954. – *Schrr.:* Eine Reise nach Südfrankreich, mit Zeichnungen u. 1 Lith., 1950; Aufzeichnungen zu e. Gesch. meiner Jugend (Vorwort v. H. Hesse), mit 40 Ill., 1957 *(P);* Ein Maler erzählt, Aufsätze, Reiseberr., Briefe, Vorwort v. H. Hesse, 1957 *(P);* Flug zu Barbara, mit 6 Ill., 1962.

L G. Jedlicka, E. M., 1933 *(P);* P. Mieg, Stud. z. modernen Aquarellmalerei in d. Schweiz, M. – Milliet – Epper, 1933; H. Hesse, E. M., 1936 *(P,* auch in: ders., Gedenkbll., 1962, S. 241–71); C. Amiet, Über Kunst u. Künstler, 1948; R. Wehrli, E. M., 1953 *(P);* NZZ v. 10. 9. 1962; Volksrecht v. 10. 9. 1962; H. Balmer, Aus d. Gesch. d. Fam. M., in: Jb. d. Oberaargaus 1972, S. 37–93 *(P);* R. Perret (Hrsg.), Der kuriose Dichter H. Morgenthaler, Briefwechsel mit E. M. u. H. Hesse, 1983 *(P);* S. Biffiger, E. M., Leben u. Werk, 1994 *(P);* Künstler Lex. d. Schweiz XX. Jh. *(W, L, Ausst.-Verz.);* Vollmer.

Dorothea Peters

4) *Sasha* (eigtl. *Mary Magdalena Sascha*) **M.-v. Sinner,** Kunstgewerblerin, Puppenherstellerin, * 30. 11. 1893 Schlößli b. Bern, † 18. 2. 1975 Zürich-Höngg.

V Eduard Frhr. v. Sinner (1834–94), *S* d. Rudolf (1800–80), auf Weißenstein u. Monrepos, u. d. Konstanze Gfn. v. Kirchberger (1805–49); *M* Marie (Mary) Borchardt (1867–1952, isr.) aus Berlin; *Schwager* Walter (s. 1), Otto (s. 2), – ∞ Burgdorf 1916 Ernst Morgenthaler (s. 3); 2 *S* Niklaus (*1918), Architekt, Fritz (s. 5), 1 *T.*

Im musikalisch-literarisch orientierten Haus der früh verwitweten Mutter war M.s Kindheit geprägt von der Aufbruchstimmung und den Reformbestrebungen der Jahrhundertwende. Paul Klee, der mit der Familie musizierte, erkannte die schöpferische Phantasie und Begabung der Neunjährigen. Mit seinem Beistand konnte sie 1909 das Literaturgymnasium in Bern verlassen und sich in Malerei und Bildhauerei ausbilden lassen. Bis 1913 studierte sie an der Genfer Kunstakademie, 1914 bei Cuno Amiet in Oschwand im Emmental und 1915 an der anti-akademischen Hollósy-Schule in München, wo sie auch Anatomie-Kurse besuchte. Durch Klee lernte sie die Künstler des „Blauen Reiters" und den Stefan George-Kreis kennen. Die ersten acht der über 50 Handpuppen Klees für seinen Sohn stattete M. 1916 mit Kostümen aus.

Nach ihrer Heirat lebte M. wieder in der Schweiz, wo sie sich bewußt ganz dem Kunstgewerbe zuwandte. 1922 stellte sie im Kunstverein Winterthur Stofftiere aus, textile Skulpturen von überzeugender Naturerfassung. Für ihre drei Kinder und neun Patenkinder begann sie um 1924 Puppen und Spieltiere zu fertigen, weil ihr die im Handel erhältlichen nicht zusagten. Unter dem Einfluß des befreundeten Bildhauers Karl Geiser fand sie zu ihrem unverwechselbaren Puppenstil, der dank einer kaum merklichen Asymmetrie aller Teile den Eindruck der Natürlichkeit zu wecken verstand. Auf empfindliche Prototypen mit Köpfen aus Wachs und Gips folgten lange Experimente mit dem spielgerechteren Werkstoff Kunstharz. Die beweglichen Puppenkörper waren anfangs aus Stoff, seit den 1940er Jahren ebenfalls aus Gießmasse. Eigenwillige Wege ging M. seit 1939 mit der Gestaltung von lebens- und überlebensgroßen Schaufensterpuppen und Marionetten für Modehäuser, Messen und Ausstellungen in Zürich, Basel und im Ausland. Sie waren aus Maschendraht geformt, mit Netzen überzogen oder trugen Cellophanhaare.

Die Liebe zu Kindern führte M. auch zu humanitärem Engagement. 1935 absolvierte sie eine Hebammen-Ausbildung in Basel, 1940 gründete sie den Frauen-Hülfstrupp in Zürich und betreute während des 2. Weltkriegs die Kinder-Flüchtlingstransporte durch die Schweiz. 1950 entstand ihr „Pro-Juventute-Wickelkind", eine Übungspuppe aus Gipsmaterial für den Säuglingspflege-Unterricht (ähnlich dem „Träumerchen" von Käthe Kruse). Seit 1943 baute sie ein Mitarbeiterteam auf, mit dem die Anfertigung ihrer Originalpuppen in gewerblichem Umfang möglich wurde (ca. 250, später 150 Exemplare jährlich). Wiederholte Studienreisen nach Nordafrika und seit 1958 mehrere Weltreisen brachten die Begegnung mit Kindern aller Nationen. M.s Puppen, darunter insbesondere die 1947 begonnenen „Kinder aus aller Welt", sind Reflexe des Erlebten.

Antrieb zur Gestaltung ihrer eigentümlich beseelten Figuren war nach M. „die Marotte im Kopf, daß Kinder durch gute Puppen zu größerer Menschlichkeit erzogen werden könnten". „Sasha"-Puppen haben einen nachdenklich-verträumten Gesichtsausdruck, in den das spielende Kind seine eigenen Stimmungen hineinlegen kann. Auf nur vier Varianten eines Modellkopfes basierend, entstanden in M.s Züricher Atelier lauter Individualitäten durch differenzierte Bemalung der Augen, Echthaarfrisuren und sorgfältig ausgewählte Kleidung. Diese handgefertigten Einzelstücke waren nur für wohlhabende Käufer erschwinglich; um ihre Puppen allen Kindern zugänglich zu machen, entschloß sich M. zur Serienherstellung. 1964–70 produzierte die Firma Franz Götz in Rödental (Oberfranken) „Sasha"-Puppen in Lizenz; konkurrierend dazu traten John und Sara Doggart (Frido Ltd., Trendon Ltd.) in Stockport bei Manchester 1966–86 mit „Sashas" aus Hartvinyl auf den Markt. 1995 konnte Götz mit neuer Lizenz der Familie M.s die Herstellung originalgetreuer „Sasha"-Puppen wiederaufnehmen.

L Ausst.kat. Winterthur 1922; Werk, Die Schweizer Mschr. f. Architektur, Kunst, künstler. Gewerbe 37, 1950, S. 246–49; S. Oswald, S. M. u. ihre Puppen, ebd. 40, 1953, S. 25–30; Puppenmus. Bärengasse Zürich, S. M., o. J. (um 1980, *P*); Doll Reader, H. 6/7, 1987, S. 126–30 *(P)*, H. 2/3, 1988, S. 155–59, H. 6/7, 1988, S. 113–16, 200, H. 5, 1995, S. 70–72 *(P)*; M. Guinard, Swiss Museum Preserves Sasha's Magic, in: Dolls, The Collector's Magazine, H. 9/10, 1988, S. 44–47; A. Votaw u. A. Barden, Sashas, The First Generation, ebd., H. 1, 1991, S. 64–72; B. Krafft (Bearb.), Traumwelt d. Puppen, Ausst.kat. München 1991, S. 280–82; R. Höckh (Hrsg.), Künstlerpuppen im 20. Jh., 1992, S. 26–29 *(P)*; U. Zeit, Künstler machen Puppen f. Kinder, 1992, S. 50–57; ThB; Vollmer (in beiden unter Ernst M.); Künstler Lex. d. Schweiz XX. Jh., 1963–67. – *Ausst.* u. a. Paris 1937; Winterthur 1963; Zürich 1964; Thun 1965; Paris 1970; Jerusalem 1974. – *Nachlaß* (Arbeitstisch, Skizzen, Dokumente, Puppen): Wohnmus., Zürich.

Barbara Krafft

5) *Fritz*, Psychoanalytiker, Maler, * 19. 7. 1919 Oberhofen / Thuner See Kt. Bern, † 26. 10. 1984 Addis Abeba (Äthiopien). (konfessionslos).

V Ernst (s. 3); *M* Sasha v. Sinner (s. 4); *Ov* Walter (s. 1), Otto (s. 2); – ∞ Ruth Mathis (* 1928), Graphikerin; 2 *S*, u. a. Marco (* 1958), Mitarbeiter M.s (s. *W*).

M. besuchte die Volksschule in Paris, absolvierte in Zürich das Gymnasium und bildete sich zunächst als Jongleur aus, um Artist zu werden, begann aber dann ein Medizinstudium, das er 1945 abschloß. 1946 war er Arzt an der Poliklinik Prijedor (Jugoslawien) im Rahmen der Nachkriegshilfe („Schweizerspende"), 1946–51 als Assistenzarzt an der Neurologischen Universitätspoliklinik Zürich tätig. Gleichzeitig ließ er sich bei Rudolf Brun zum Freudschen Psychoanalytiker ausbilden. Nach einer Tätigkeit als Assistenzarzt für Kardiologie in Paris (1951/52) ließ er sich 1952 als Psychoanalytiker in Zürich nieder.

M. war 1956–77 Vorstandsmitglied der Schweizer Gesellschaft für Psychoanalyse, leitete den Unterrichtsausschuß und gab deren „bulletin" heraus. Er war in dieser Funktion auch in der Leitung des 1958 von ihm mitbegründeten Psychoanalytischen Seminars Zürich. Nachdem sich dieses weitgehend über die Teilnehmerversammlung als wichtigstes Gremium demokratisiert hatte, wurde von der Schweizer Gesellschaft für Psychoanalyse eine nicht gewählte Leitung eingesetzt und in der Folge dem Seminar die Anerkennung entzogen. Es arbeitete daraufhin unabhängig. 1961–65 war M. Mitglied des „sponsoring committee" für Italien der Internationalen Psychoanalytischen Vereinigung. M. lehrte an verschiedenen Instituten über Traum- und Sexualtheorie und über Technik der Psychoanalyse, in den letzten Jahren vor allem in Bologna, Mailand, Turin, Parma und Bari. 1954–71 unternahm M., zusammen mit Paul Parin, Goldy Parin-Matthéy und seiner Frau, sechs ethnopsychoanalytische Forschungsreisen nach Westafrika, 1979/80 eine ins Sepik-Gebiet von Papua-Neuguinea zusammen mit dem Ethnologen Florence Weiss, Milan Stanek und seinem Sohn Marco. Seine Fertigkeiten als Jongleur dienten ihm dabei gelegentlich als Mittel der Kontaktaufnahme mit Einheimischen. M. war überdies künstlerisch tätig. Auf seinen Reisen in Nord- und Südindien, China, Australien, Indonesien, Mittel- und Südamerika entstanden zahlreiche Ölkreidezeichnungen und Aquarelle, in Zürich und in seinem Haus in Sardinien schuf er Ölbilder. Mit etwa einem Dutzend Ausstellungen u. a. in Rotterdam, Zürich, Basel und Berlin (West) erwarb er sich auch als Maler einen Namen.

M.s Beschäftigung mit Fragen der Sexualität und besonders der männlichen Homosexualität entwickelte sich in der psychoanalytischen Praxis. Die daraus gewonnenen Einsichten ergaben eine neue Orientierung nicht nur in der Therapie, sondern in der Auffassung sexuellen Verhaltens überhaupt und führten zu einer Weiterentwicklung der Freudschen Sexualtheorie. Das „Sexuelle" wird von der „Sexualität" unterschieden. Jenes unterliegt in seinen Äußerungsformen keinen Beschränkungen, während diese als das Ergebnis einer Entwicklung unter dem Einfluß der sozialen Umwelt und der sich bildenden Struktur des Individuums gesehen wird. Die verschiedenen Formen werden als gleichwertige Möglichkeiten der Sexualität anerkannt. M. hat diese Differenzierung theoretisch im Freudschen Strukturmodell (Es, Ich, Über-Ich) verankert. Seine in den Jahren 1961–83 entstandenen Arbeiten darüber wurden 1984 in dem Band „Homosexualität, Heterosexualität, Perversion" (engl. 1987) veröffentlicht. M.s Auffassung der Theorie der psychoanalytischen Technik resultiert aus seinen klinischen Erfahrungen und der Anwendung der psychoanalytischen Methode bei Angehörigen fremder Kulturen. Dabei studierte er besonders die emotionalen Bewegungen des Analytikers und des Analysanden und hob sie als Movens der Analyse hervor. Sein Bücher „Technik, Zur Dialektik der psychoanalytischen Praxis" (1978, ital. 1980) und „Der Traum, Fragmente zur Theorie und Technik der Traumdeutung" (1986) enthalten die Forschungen, die M. im Bereich der Theorie der psychoanalytischen Technik unternommen hat. – M. gehört zu den Pionieren der Ethnopsychoanalyse. Gemeinsam mit Paul Parin und Goldy Parin-Matthéy hat er erstenmals in der Geschichte der Anwendung der Psychoanalyse deren Technik als Methode der ethnologischen Feldforschung erprobt. Mit ihren Feldforschungen in den 50er und 60er Jahren bei den Dogon und Agni in Westafrika gelang ihnen der Nachweis, daß sich die Psychoanalyse praktisch und theoretisch eignet, Menschen einer fremden Ethnie zu verstehen.

Weitere W Die Weißen denken zuviel, Psychoanalyt. Unterss. b. den Dogon in Westafrika, 1963, ⁴1993, franz. 1966 (mit P. Parin u. G. Parin-Matthéy); Fürchte deinen Nächsten wie dich selbst, Psychoanalyse u. Ges. am Modell Agni in Westafrika, 1971, engl. 1980, ital. 1982 (mit dens.); Gespräche am sterbenden Fluß, Ethnopsychoanalyse b. den Iatmul in Papua-Neuguinea, 1984, franz. 1987 (mit F. Weiss u. Marco Morgenthaler). – *W-Verz.:* A. Grinstein, The Index of Psychoanalytic Writings, XII, 1973.

L H.-J. Heinrichs, Löwengrüße v. F. M., Er war e. d. bedeutendsten Psychoanalytiker d. nachfreud. Generation, in: Die Zeit v. 9. 11. 1984; P. Parin, F. M., in: R. Lautmann (Hrsg.), Homosexualität, 1993, S. 273–78; M. Erdheim, F. M. u. d. Entstehung d.

Ethnopsychoanalyse, in: F. M., Der Traum, 1986, S. 187–211; J. Reichmayr, Einf. in d. Ethnopsychoanalyse, Gesch., Theorie u. Methode, 1995; Luzifer-Amor, Zs. z. Gesch. d. Psychoanalyse, Das Psychoanalyt. Seminar Zürich 6, 1993, H. 12.

Johannes Reichmayr

6) *Hans* (Ps. *Hamo*), Schriftsteller, * 4. 6. 1890 Burgdorf Kt. Bern, † 16. 3. 1928 Bern.

Aus d. Linie Vorderes Mösli; *V* Otto (1861–1940), Rechtsanwalt u. Politiker in Burgdorf, Mitgl. d. Großen Rats 1902–22, Präs. 1910, *S* d. Jacob Andreas (1823–1901), Rechtsanwalt in Burgdorf, Mitgl. d. Großen Rats 1874–82, Präs. 1870–80; *M* Meta Luise Rau (1866–1902); *B* Max (s. 7); – ∞ N. N.; 2 *S*.

Nach dem Maturexamen 1909 immatrikulierte sich M. an der ETH Zürich. Das Studium der Botanik und Zoologie schloß er 1913 mit dem Lehrerexamen ab, 1914 beendete er seine Dissertation über die Birke (1915). 1911 war er dem akademischen Alpenclub beigetreten und hatte als begeisterter Bergsteiger zahlreiche Gipfel bestiegen, obgleich er anläßlich einer Besteigung des Tödi bereits im März 1911 schwere Erfrierungen erlitten hatte, die eine Amputation fast aller vorderen Fingerglieder nötig machten. Da er es ablehnte, als Lehrer zu arbeiten, gestaltete sich die Berufswahl schwierig. Während längerer Zeit arbeitslos, hielt er gelegentlich Vorträge über seine Bergtouren, woraus 1916 sein Buch „Ihr Berge" entstand. Er nahm schließlich in Bern ein Zweitstudium der Geologie auf und verfaßte „Studien über das Aarmassiv" (1920). 1917 gelang ihm der erwünschte Ausbruch: Er wurde von einer Prospektionsfirma mit geologischen Untersuchungen in Siam beauftragt. Die Jahre 1917–21 im tropischen Urwald waren die glücklichsten seines Lebens. Eine Malariaerkrankung zwang ihn zur Rückkehr. Dank einiger Ersparnisse konnte er sich in der folgenden Zeit, allerdings auf bescheidenem Niveau, ganz auf seine schriftstellerische Tätigkeit konzentrieren. Als er wieder die geliebten Berge aufsuchte, mußte er den einsetzenden Massentourismus zur Kenntnis nehmen: Angewidert versenkte er seine Bergausrüstung in einer Gletscherspalte und verzichtete fortan auf alpinistische Unternehmungen. 1920 und 1922 erschienen noch zwei wissenschaftliche Arbeiten, doch seine Hauptarbeit galt den Erinnerungsbüchern über seinen Tropenaufenthalt: „Matahari" erschien 1921, „Gatscha Puti" 1929 (postum). 1922 traf er mit Robert Walser zusammen, im Sommer besuchte er in Montagnola Hermann Hesse, den er in den folgenden Jahren wiederholt traf. Eine psychoanalytische Behandlung mißlang. Im Juli 1922 diagnostizierte man Tuberkulose. Auf einer Reihe von Kuraufenthalten suchte er bis zuletzt Erleichterung. Die Spuren einer kurzen Affäre mit Lizzy Quarles v. Ufford im April 1923 finden sich im Roman „Woly, Ein Sommer im Süden" (1924). Eine kurze Beziehung zu der Frau seines Kollegen Jakob Bührer, der Schriftstellerin Elisabeth Thommen, führte zu einer Verzweiflungstat: M. zertrümmerte deren Wohnung, worauf er zu seinem Onkel, dem Psychiater Walter Morgenthaler, floh, der ihn in die Klinik Waldau einwies. Anschließend machten sich bei ihm aufgrund unmäßigen Alkohol- und Nikotingenusses Schreibhemmungen bemerkbar. Eine Ablehnung zweier Manuskripte durch den Orell Füssli-Verlag traf ihn hart. Ein erneuter Nervenzusammenbruch mit anschließendem Selbstmordversuch machte eine Einweisung in die tessinische Klinik Casvegno nötig. Da nahm sich 1926 die ehemalige Frau seines Studien- und Bergfreundes Walter Burger, die Zahnärztin Marguerite Schmid, seiner an. Sie richtete ihm 1927 eine kleine Wohnung in Bern ein, doch die ständigen finanziellen Sorgen setzten ihm zu. Zuletzt malte und zeichnete er nur noch. Eine erneute psychoanalytische Behandlung schien einige Linderung zu versprechen, doch sein Gesundheitszustand verschlechterte sich unaufhaltsam.

Das schwierige Leben M.s spiegelt sich in der Disparität seines Werkes, das sich von den poetischen Beschreibungen des siames. Dschungellebens über die rückhaltlose Konfession des Romans „In der Stadt" bis zu den furios-zerstörerischen Selbstanklagen des verzweifelnden Briefschreibers erstreckt, den Hermann Hesse als wahlverwandten „Steppenwolf" anerkannte. M. zählt zu den „Dichtern im Abseits" (Fringeli), die erfolglos „jene behagliche und dennoch nicht bürgerliche Ruhe" suchten, aufgrund derer sie ihre Not „zu einem Kunstwerk formen könnten" („Woly"). In seiner Radikalität steht M. singulär da in der Schweizer Literatur jener Zeit.

W Ihr Berge, Stimmungsbilder aus e. Bergsteiger-Tagebuch, mit 35 Federzeichnungen d. Verf., 1916, ³1936; Matahari, Stimmungsbilder aus d. Malayisch-Siamesischen Dschungel, mit 24 Federzeichnungen v. Vf., 1921, 1923 (auch holländ. u. engl.); Ich selbst, Gefühle, 1923, 1931; Woly, Sommer im Süden, 1924, ²1934 (u. d. T. „Ein Mädchen will nicht Frau sein"), ³1981; Gatscha Puti, Ein Minenabenteuer, 1929 (franz. 1932); Das Ende v. Lied, Lyr. Testament e. Schwindsüchtigen, mit 4 Originallith. v. Ernst Morgenthaler, 1930; In der Stadt, Die Beichte d. Karl v. Allmen, Aus d. Nachlaß, hrsg. v. O. Zinniker, 1950, neu hrsg. v. R. Perret

1981; Totenjodel, hrsg. v. K. Marti, 1970 (Gedichtausw.); Ein H. (Hamo) M.-Brevier, mit 4 Lith. v. Vf., hrsg. v. G. Ammann, 1977; Hamo, der letzte fromme Europäer, Ein Lesebuch, hrsg. v. R. Perret, 1982; Der kuriose Dichter H. M., Briefwechsel mit E. Morgenthaler u. H. Hesse, hrsg. v. R. Perret, 1983 *(W-Verz., L, P)*.

L E. Thommen, in: Individualität 3, 1928, H. 1/2, S. 183–86; K. Marti, Die Schweiz u. ihre Schriftst. – d. Schriftst. u. ihre Schweiz, 1966, S. 9 f.; ders., Nachwort in: Totenjodel (s. *W*), S. 55–61; ders., H. M., in: Woly, Sommer im Süden, 1982, S. 198–220; D. Fringeli, Bekenntnisse e. Stadtwahnsinnigen od. d. Philos. d. Sichbescheidens, Zu H. M.s Vermächtnis, in: Dichter im Abseits, Schweizer Autoren v. Glauser bis Hohl, 1974, S. 79–88; F. Müller, Der Fluch d. Stadt, in: Schweizer Rdsch. 77, 1978, H. 8, S. 11–13 *(P)*; R. Perret, H. M., in: Helvet. Steckbriefe, 47 Schriftst. aus d. dt. Schweiz seit 1800, hrsg. v. W. Weber, 1981, S. 138–43; H. P. Gansner, Die Schuldberge, Versuch üb. H. M., in: Drehpunkt 14, 1982, Nr. 53, S. 39–48 *(P)*; R. Luck, Hermann Hesse u. H. M., Steppenwolf u. Maulwurf, in: H. Hesses literar. Zeitgenossen, 1982, S. 95–109; Ch. Siegrist, Vom armen H. M., gen. Hamo, in: Badener Tagbl. v. 29. 1. 1983; M. Zingg, Der letzte fromme Europäer, Zu H. M., in: Allmende, 1985, H. 10, S. 108–17; Kosch, Lit.-Lex³; Killy.

P Radierung v. G. Rabinovitch (1923), Abb. in: Der kuriose Dichter H. M. (s. *W*); Gem. u. Zeichnungen v. Ernst Morgenthaler (1925), Abb. ebd.; Holzschn. v. I. Epper (1924), Abb. ebd.; Kohlezeichnung v. dems., Abb. in: Du 8, 1948, H. 9, S. 21.

Christoph Siegrist

7) *Max*, Lebensmittelchemiker, Erfinder des Nescafés, * 20. 5. 1901 Burgdorf Kt. Bern, † 8. 9. 1980 Jongny Kt. Waadt.

B Hans (s. 6); – ∞ Ida Stauffer (1900–77); 2 *S*.

Nach dem Besuch des Gymnasiums in Burgdorf studierte M. seit 1917 am dortigen kantonalen Technikum Chemie und promovierte 1924 an der Univ. Bern bei Fritz Ephraim mit einer organisch-chemischen Arbeit. Nach Abschluß seines Studiums arbeitete er zunächst im eigenen Laboratorium über Edelmetalle. 1926–29 war er Volontärassistent in der Schweizer. Milchwirtschaftlichen und Bakteriologischen Anstalt Liebefeld. 1929 trat M. in die Firma Nestlé S. A. in Vevey ein und beschäftigte sich mit neuen Verfahren zur Prüfung von Milchprodukten, Kakao und Pflanzenextrakten. 1930 erhielt er – zusammen mit einem Expertenteam – die Aufgabe, eine haltbare Kaffeekonserve zu entwickeln. Anlaß dazu war eine Kaffee-Rekordernte in Brasilien, die wegen mangelnder Absatzmöglichkeiten zu einer schweren Wirtschaftskrise führte. Große Mengen Rohkaffee wurden verbrannt oder ins Meer geschüttet. Die Experten kamen nach vierjähriger Arbeit zu dem Ergebnis, daß es keine Lösung des Problems gebe, weil sich das Aroma beim Lagern nachteilig verändere. Die weitere Forschung wurde daraufhin gestoppt. M. arbeitete jedoch auf eigene Faust weiter und präsentierte 1936 dem Konzernvorstand einen durch Sprühtrocknung gewonnenen, haltbaren, heiß und kalt löslichen Pulverkaffee. Am 1. 4. 1938 kam das Produkt unter dem Warenzeichen „Nescafé" auf den Markt und hatte großen Erfolg, zunächst in den USA, nach dem 2. Weltkrieg auch in Europa. Für seine Erfindung wurde M. 1940 mit der Goldenen Verdienstmedaille des Nestlé-Konzerns geehrt.

Unterschiedliche Auffassungen über Qualitätsfragen führten nach 1948 zu einem Zerwürfnis mit dem Konzernvorstand. M. war der Auffassung, daß gemahlener Kaffee lediglich 25–28 % extrahierbare Bestandteile enthalte, der Rest sei Kaffeesatz. Der Entschluß der Firma Nestlé, das Extraktionsverfahren bei höheren Drücken und Temperaturen durchzuführen und auf diese Weise den Extraktanteil auf 40% zu erhöhen, betrachtete M. als unseriös sowie als Verfälschung des von ihm entwickelten Produkts. Untersuchungen des Zürcher Kantonslaboratoriums unterstützten ihn in seiner Haltung. 1955 führten die Auseinandersetzungen M.s mit der Firmenleitung zu seiner vorzeitigen Entlassung und einer finanziellen Abfindung. Die Ergebnisse von M.s Privatforschung fanden in zahlreichen Patenten ihren Niederschlag.

L Biogr. Lex. Verstorbener Schweizer, VIII, 1982, S. 67 *(P)*; J. Heer, Weltgeschehen 1866–1966, Ein Jh. Nestlé, 1966, S. 186 ff.; I. auf der Maur, in: Die Weltwoche Nr. 12, 1988, S. 27 *(P)*.

Ernst Schwenk

Morgner, *Irmtraud*, Schriftstellerin, * 22. 8. 1933 Chemnitz, † 6. 5. 1990 Berlin. (ev.)

V Johannes (* 1903) aus Reichenbach, Lokomotivführer, *S* d. Gustav (1866–1939), Schlosser u. Lokomotivführer in Ch., u. d. Clara Anke (* 1869) aus Dorfschellenberg b. Augustusburg (Sachsen); *M* Frieda Marie (* 1909), Schneiderin, *T* d. Paul Wilhelm Endig (1875–1949) aus Falkenau/Flöha, Zugführer in Plaue/Flöha, u. d. Selma Marie Uhlig (1878–1965) aus Grünberg b. Augustusburg; ∞ 1) Karl-Marx-Stadt (Chemnitz) 1954 (∞ 1971) Joachim Schreck, Verlagslektor, 2) 1971 (∞ um 1979) Paul Wiens (1922–82) aus Königsberg (Ostpreußen), Schriftst., Chefredakteur d. Zs. „Sinn u. Form" (s. Killy; Kürschner, Lit.-Kal. 1978); 1 *S*.

M. wuchs als Einzelkind in einem proletarischen Haushalt „ohne Bücher" auf. Sie machte 1952 in Karl-Marx-Stadt (Chemnitz) das Abitur und studierte 1952–56 an der Univ. Leipzig Literaturwissenschaft u. a. bei Hans Mayer und Ernst Bloch. 1956–58 war sie Redaktionsassistentin bei der vom DDR-Schriftstellerverband herausgegebenen Zeitschrift „Neue Deutsche Literatur" in Berlin, wo sie bis zu ihrem Tode als freie Schriftstellerin lebte.

Die erste Erzählung „Das Signal steht auf Fahrt" (1959) wie die folgenden zwei Prosaarbeiten sind sozialistisch-realistische Bilderbuchgeschichten mit gezielt lehrhaftem Pathos. 1964 schloß sie Freundschaft mit Sarah Kirsch und Karl Mickel. In den 60er Jahren bildete sich eine eigene Schreibweise heraus, z. T. in Romanen, die keine Druckerlaubnis erhielten, wie „Rumba auf einen Herbst" (das beim Verlag verschollene Typoskript letzter Fassung von 1965 hat R. Bußmann aus dem Nachlaß rekonstruiert und 1992 veröffentlicht), bzw. erst später gedruckt wurden, wie „Die wundersamen Reisen Gustav des Weltfahrers, Lügenhafter Roman mit Kommentaren" (1972). Im Roman „Hochzeit in Konstantinopel" (1968) präsentiert sich M.s Literatur schon unverwechselbar in den Inhalten (Veränderung der „Sitten" zwischen den Geschlechtern, Unbefangenheit in der Darstellung erotischer Sujets) und im Stil, einer Mischung aus märchenhafter Phantastik, groteskem Humor, sprachlichem Lakonismus und symbolisch-metaphorischer Verschlüsselung.

Anfang der 70er Jahre reiste M. jeweils mit Paul Wiens nach Paris, Rom und Moskau. Mit dem nach längerer Verzögerung erschienenen umfangreichen Roman „Leben und Abenteuer der Trobadora Beatriz nach Zeugnissen ihrer Spielfrau Laura" (1974) erreichte M. internationale Anerkennung; vor allem im Westen rühmte man sie als „Feministin der DDR". 1977 wurde M. ins Präsidium des Schriftstellerverbandes gewählt, aus dem andere bekannte Autoren wegen ihres Protests gegen die Biermann-Ausbürgerung ausgeschlossen wurden. Nach längerer Krankheit erschien 1983 der Roman „Amanda". Vorausgegangen waren eine mehrjährige Druckverzögerung und zahlreiche Änderungsauflagen. Dieser „Hexenroman", als zweiter Band einer „Salman-Trilogie" konzipiert, ist nicht mehr von der Heiterkeit und der utopischen Hoffnung des „Trobadora"-Textes bestimmt, sondern reflektiert poetisch die Spannung der Ost-West-Machtblöcke (Nachrüstungsbeschlüsse) und die Verschärfung der Situation innerhalb der DDR. Beide Salman-Romane handeln vom Eintritt der Frau in die Historie und führen eines der ersten Frauenpaare der Weltliteratur vor: Trobadora Beatriz de Día, die im 12. Jh. wirklich gelebt hat, praktiziert nach achthundertjährigem freiwilligem Zauberschlaf mit ihrer Spielfrau Laura Salman Frauen-Freundschaft und Solidarität. Im Roman von 1974 ist Beatriz Repräsentantin legendären weiblichen Geschichtsbewußtseins, große Poetin, aber auch liebende und leidende Frau, die vom Patriarchat in Paris und Ost-Berlin desillusioniert wird und ausgerechnet beim Fensterputzen zu Tode stürzt. In „Amanda" wird sie in einer phantastischen Metamorphose als Sirenengestalt wieder ins Leben zurückgebracht. Als solcher ist es ihr auferlegt, den Weltfrieden herbeizusingen. Sie wird jedoch von widrigen Mächten verfolgt, eingesperrt, ihrer Zunge (Stimme) und ihres Romans beraubt, dessen Konzeption Lauras durch M. sie korrigieren will. Aus der resoluten DDR-Bürgerin Salman wird im „Amanda"-Text ein dem Eulenspiegel verwandter „weiblicher Querkopf", der im Streit zwischen Oberteufel und Oberengel eine Teilung in zwei Hälften erleidet: in eine „brauchbare" Laura, die ihre zwei Schichten schafft, und eine „unbrauchbare" Amanda, die im Hörselberg Salonhure ist, aus Passion aber Hexe, die auf Umkehrung aller Verhältnisse sinnt. Drangsaliert von teuflischen und angelischen Instanzen (auch Sinnbilder für Staatssicherheit und Zensurbehörde), wissen sich beide Frauen aber zu behaupten. Sie sind, wie Beatriz, Ketzerinnen und haben als solche eine Potenz, die diese Welt zum Überleben braucht.

Nach dem Erscheinen der beiden Romane unternahm M. zahlreiche Lesereisen in die Bundesrepublik, Österreich und die Schweiz. 1984 reiste sie zusammen mit der Schriftstellerin Helga Schütz in die USA zu Lesungen an verschiedenen Universitäten. 1986 nahm sie am Hamburger Frauenfestival teil. Im Wintersemester 1987/88 war sie Gastdozentin am Deutschen Seminar der Univ. Zürich. – Aus dem umfangreichen Nachlaß zum 3. Band der Trilogie wurde 1991 die kleine Liebesgeschichte „Die Schöne und das Tier" veröffentlicht. – Heinrich-Mann-Preis (1975), DDR-Nationalpreis (1977), Roswitha-Gedenkmedaille d. Stadt Gandersheim (1985), Kasseler Literaturpreis f. grotesken Humor (1989).

Weitere W u. a. Ein Haus am Rand d. Stadt, 1962 (Roman); Notturno, Erz., in: Neue Texte, Alm. f. dt. Lit., 1964, S. 7–36; Gauklerlegende, Eine Spielfraungeschichte, 1970; Porträts v. Annemarie Auer,

Günter Kunert, Ludwig Turek, in: Liebes- u. a. Erklärungen, Schriftst. üb. Schriftst., hrsg v. A. Voigtländer, 1972; Spielzeit, Erz., in: Der Weltkutscher u. a. Geschichten f. Kinder u. große Leute, hrsg. v. F. Beer, 1973; Zeitgemäß unzeitgemäß: Hrosvit, Dankrede b. Empfang d. Lit.preises d. Stadt Gandersheim, in: Neue Dt. Lit., 1986, H. 2, S. 126–28.

L A. Auer, Trobadora unterwegs od. Schulung in Realismus, in: Sinn u. Form 1976, S. 1076–1106; P. A. Herminghouse, Die Frau u. d. Fantastische in d. neueren DDR-Lit., Der Fall I. M., in: Die Frau als Heldin u. Autorin, hrsg v. W. Paulsen, 1979, S. 248–66; E. Kaufmann, Der Hölle d. Zunge rausstrekken ..., Der Weg d. Erzählerin I. M., in: Weimarer Btrr. 30, 1984, S. 1514–32 *(P);* G. Brinker-Gabler (Hrsg.), Dt. Lit. v. Frauen, II, 1988, S. 428–32; W. Emmerich, Kleine Lit.gesch. d. DDR 1945–88, 1989, S. 285 ff., 355–58; I. M. – Texte, Daten, Bilder, hrsg. v. M. Gerhardt, 1990 *(W-Verz., L);* I. M.s hexische Weltfahrt, hrsg. v. K. v. Soden, 1991; G. Scherer, Zw. „Bitterfeld" u. „Orplid", Zum literar. Werk I. M.s, Diss. Zürich 1992; H. Puknus, in: Krit. Lex. z. dt.sprach. Gegenwartslit., 39. Nachlieferung *(W-Verz., L);* R. Bußmann, Der aus d. Rippen geschnittene Mann, I. M.s literar. Vermächtnis: in: NZZ v. 6. 5. 1994, Fernausg. Nr. 104, S. 39 f. *(P);* S. Clason, Der Faustroman Trobadora Beatriz, Zur Goethe-Rezeption I. M.s, 1994; Kosch, Lit.-Lex.[3]; Killy; KLL[2]; Gorzny; DLB 75.

P I. Ohlbaum, Fototermin, Gesichter d. dt. Lit., 1984.

Marie Luise Gansberg

Morgner, *Wilhelm,* Maler, Graphiker, * 27. 1. 1891 Soest (Westfalen), ✕ 16. 8. 1917 (vermißt b. Langemarck in Westflandern). (ev.)

V August (1859–92), Militärmusiker u. Eisenbahnschaffner aus Beerheide (Sachsen), *S* d. Webers Carl (1840–89) aus Rempesgrün (Vogtland) u. d. Pauline Mothes (1839–89) aus Beerheide; *M* Maria (1863–1954, kath.), Näherin in S., *T* d. Tischlers Heinrich Bals († v. 1898) u. d. Anna Wulf, beide in S.; ledig.

Nach Absolvierung des „Einjährigen" am Archigymnasium in Soest besuchte M. 1908/09 auf Anraten des gebürtigen Soesters Otto Modersohn die private Kunstschule von Georg Tappert in Worpswede. Seit 1909 arbeitete er mit wenigen Unterbrechungen überwiegend allein in Soest und entwickelte hier in der kurzen Zeit seines Schaffens bis 1913 sein eigenwilliges Werk, das ihn zum bedeutendsten Vertreter des deutschen Expressionismus in Westfalen machte. Von April bis Juni 1910 besuchte er erneut die nach Berlin übergewechselte Malschule seines früheren Lehrers Tappert, mit dem er bis zu seinem Tod in engem, kunsttheoretisch aufschlußreichem Briefwechsel stand. Nach naturalistischen Anfängen in der Tradition der Worpsweder Freilichtmalerei kam M. bald zu dem zentralen Thema seiner ersten Werkperiode bis 1911, dem Motiv des arbeitenden Menschen in der Landschaft. Auf häufig sehr großformatigen Bildern werden die Figuren von Bauern oder Landarbeitern als kraftvolle Silhouetten vor einen weiten Horizont gesetzt und dabei mit gestückeltem Farbauftrag in der Nachfolge van Goghs in einen strömenden Kreislauf der Farbe einbezogen. M. verstand dabei den Rhythmus der Farbe in der Landschaft als „Weiterschwingen meines Ichs", als subjektive Umformung der Naturerfahrung. Der momumentale Pointillismus seiner Bilder „Holzarbeiter" (Westfäl. Landesmus., Münster, gezeigt auf der 4. Ausstellung der Neuen Sezession Berlin, 1911) oder „Lehmarbeiter" (Kunstmus., Düsseldorf, gezeigt auf der 1. Juryfreien Ausstellung Berlin, 1911) fand das lebhafte Interesse der Zeitgenossen. Durch ein Zusammentreffen mit Franz Marc im Januar 1912 in Berlin kam M. in Kontakt mit der Künstlergruppe des „Blauen Reiters", auf deren 2. Ausstellung von Februar bis April 1912 in München 20 Zeichnungen von ihm gezeigt wurden. Eine davon wurde im Almanach „Der Blaue Reiter" abgebildet. Im selben Jahr war M. auf der großen „Sonderbund"-Ausstellung in Köln vertreten.

M.s Begegnung mit Werken von Kandinsky, Marc und Jawlensky wie auch sein eigenes Bestreben, in seinen Bildern dem „Leben" oder dem „Geist" unmittelbaren Ausdruck zu geben, führte 1912 zu einem entscheidenden Wandel in seiner Malerei. Neben den zahlreichen Farbexperimenten seiner „ornamentalen" oder „astralen", organisch-abstrakten Kompositionen in leuchtenden Farben und flammend-dynamischem Farbauftrag drangen nun zunehmend religiöse Motive wie Kreuzigungsdarstellungen oder Schöpfungssymbole in M.s Werk ein. Auch das Hauptwerk von 1912, die in der älteren Literatur irrtümlich „Einzug in Jerusalem" genannte „Komposition mit Akten" (Mus. am Ostwall, Dortmund) läßt ein Bemühen um die Darstellung des Immateriellen und „Geistigen in der Kunst" durch abstrahierte Farbmalerei erkennen, das M. in die Nähe der Künstler des „Blauen Reiters", besonders Kandinskys, bringt. Seine letzten Gemälde von 1913, etwa die „Figürliche Komposition mit Reiter" (Westfäl. Landesmus., Münster), schließen die halbgegenständlichen Darstellungen in die sakrale Aura einer Dreiecksform aus fluoreszierenden Farben ein. Daneben entstand ein breites zeichnerisches und druckgraphisches Werk, das vielfältigen Aufschluß über

M.s Motive und seine formale Entwicklung bietet. 1912/13 wurden insgesamt 11 seiner Holz- und Linolschnitte in Herwarth Waldens „Sturm" veröffentlicht, bis 1917 erschienen Zeichnungen in Franz Pfemferts Zeitschrift „Die Aktion". Im Herbst 1913 wurde M. zum Militärdienst nach Berlin eingezogen. Bei Kriegsausbruch 1914 nahm er zunächst an der Marne-Schlacht teil; 1915 kam er an die russ. Front und nach Pommern. Seit Sommer 1916 als Bataillonszeichner in Bulgarien und Serbien eingesetzt, hielt er Land und Leute in zahlreichen Zeichnungen und Aquarellen fest. Im Juni 1917 wurde M. wieder an die Westfront versetzt und fiel dort im August in der Schlacht bei Langemarck.

Weitere W Drei Korbmacher, 1909 (W.-M.-Haus, Soest); Kartoffelernte II, 1910 (ebd.); Frau mit brauner Schubkarre, 1911 (Westfäl. Landesmus., Münster); Ziegelbäcker, 1911 (W.-M.-Haus, Soest); „Ornamentale Komposition VI" u. „XI", 1912 (Westfäl. Landesmus., Münster); „Astrale Komposition XI", 1912 (Clemens-Sels-Mus., Neuss); Kreuzabnahme mit Mann im Frack, 1912 (W.-M.-Haus, Soest); Feldweg, 1912 (Mus. Bochum); „Große astrale Komposition II", 1913 (Westfäl. Landesmus., Münster). – *W-Verz.* v. G. Tappert, um 1918, unpubl. (W.-M.-Archiv, Soest); In memoriam W. M., Mappenwerk Gal. Alfred Flechtheim, Düsseldorf, 1920; Ch. Knupp-Uhlenhaut (Hrsg.), W. M., Briefe u. Zeichnungen, 1984.

L G. Tappert, W. M., Soest, in: Die schöne Rarität, ²1918, H. 5, S. 79; W. Frieg, W. M., Die Biogr. d. Künstlers, 1920; W. M. 1891–1917, Gemälde – Aquarell – Zeichnung – Graphik, Ausst.kat. Städt. Mus. Wuppertal, 1958; H. Seiler, W. M., 1958; W. M. 1891–1917, Ausst.kat. Westfäl. Kunstver. Münster/Württemberg. Kunstver. Stuttgart, 1967/68; E.-G. Güse, W. M., Bildhh. d. Westfäl. Landesmus. f. Kunst u. Kulturgesch., Nr. 20, 1983; W. M. 1891–1917, Zeichnungen u. Druckgraphik, Ausst.kat. Städt. Gal. Albstadt, 1988/89; W. M. 1891–1917, Gemälde, Zeichnungen, Druckgraphik, Ausst.kat. Westfäl. Landesmus. f. Kunst u. Kulturgesch., Münster/W.-M.-Haus, Soest/Städt. Gal. im Lenbachhaus München, 1991/92.

P Zahlr. Selbstbildnisse (Gem. u. Zeichnungen, W.-M.-Haus, Soest, u. Westfäl. Landesmus. f. Kunst u. Kulturgesch., Münster); Selbstbildnis VIII, 1912 (Von der Heydt-Mus., Wuppertal); Selbstbildnis X, als Pierrot, 1912 (Staatsgal., Stuttgart); Phot. (W.-M.-Archiv, Soest).

Annegret Hoberg

Morgott, *Franz von Paula,* kath. Theologe, Neuscholastiker, * 12. 6. 1829 Mühlheim b. Mörnsheim (Mittelfranken), † 3. 2. 1900 Eichstätt.

V Michael (1801–86), Lehrer in Mörnsheim, *S* d. Leonhard († 1833), Ludimagister in Mörnsheim, u. d. Theresia Haberle († 1835), Distriktshebamme; *M* Ludovika (1809–87), *T* d. Franz Borgias Hammel († 1846), Meyerbauer in Finstermühle b. Mühlheim, u. d. Victoria Mittl († 1838).

M. wurde als Schüler von dem Pädagogen und Musikhistoriker Raymund Schlecht betreut, der ihm „die Richtung für das spätere Leben" gab. 1843 in das von Joseph Ernst geleitete Bischöfl. Seminar Eichstätt aufgenommen, erhielt er auch seine philosophische und theologische Ausbildung in dem diesem Seminar eingegliederten Bischöfl. Lyzeum (1848–53). Er blieb nach der Priesterweihe im Mai 1853 im Seminar, wo er seine musische Begabung als Musikpräfekt (bis 1866) entfaltete; am Kgl. Gymnasium übernahm er eine Religionslehrerstelle. 1857 wurde er Professor am Lyzeum, zuerst für Philosophie, 1869 für Dogmatik (welche er schon 1862/63 zusätzlich vorgetragen hatte) als Nachfolger von J. Ernst. Die Theologische Fakultät der Univ. Würzburg promovierte ihn im Dezember 1864. Er behielt die Professur auch als Domkapitular (seit 1872), Defensor matrimonii (seit 1887) und als Domdekan (seit 1896) bis zu seinem Tod bei. Bischof Franz Leopold Frhr. v. Leonrod, der ihm von Jugend an freundschaftlich verbunden war, beriet sich mit ihm auch während des 1. Vatikanischen Konzils in Rom.

Mehr einer positiven als einer spekulativen Denkart zugewandt, hatte M. als Philosophieprofessor aufmerksam die Debatten um den Ontologismus verfolgt und aktuelle Entwicklungen der Philosophie registriert. Insbesondere die „unermeßliche geistige Revolution", die durch den Positivismus und seine faktische Rezeption in den empirischen Wissenschaften vonstatten gehe, bestärkte ihn in der Rückwendung zur Metaphysik. Angeregt durch H. E. Plaßmann, aber ohne dessen Engführung beizubehalten, anerkannte er doch als Anliegen der neuscholastischen Bewegung, die unvergänglichen Prinzipien der Alten mit den unzweifelhaften Errungenschaften der Neuzeit zu vermitteln und fortzubilden. Am Eichstätter Lyzeum fand durch seine, A. Stöckls, M. Schneids u. a. wissenschaftliche Tätigkeit die theologie- und philosophiegeschichtliche Forschung der Neuscholastik starke Förderung, zumal ihm als theologischer Ausbildungsstätte im preuß. Kulturkampf überdiözesane Bedeutung zukam. Das von Ernst eingebrachte ekklesiologische Gedankengut führte M. sorgsam, stärker christologisch gewichtet, in eine thomistische Gesamtkonzeption über. Eine breite Kenntnis der theologischen Traditionen bewahrt seine entschiedene Zuwendung zu

Thomas und dem älteren Thomismus vor Vereinseitigungen. In der Gnadenlehre wandte er sich von der molinistischen Auffassung seines Lehrers mehr der thomistischen Interpretation zu, anerkannte aber, daß auch in ihr dunkle Punkte zurückbleiben, und hielt das unfehlbare Wirken der Gnade in und mit dem freien Willen für ein striktes Glaubensgeheimnis. Die Schwierigkeiten, die Thomas mit der (inzwischen definierten) Lehre von der Unbefleckten Empfängnis Mariens hatte, suchte M. hermeneutisch zu lösen, hielt später aber nur fest, daß Thomas kein prinzipieller Gegner dieses Dogmas sei. Mit reichen literarhistorischen Kenntnissen weckte er Interesse für die Entwicklung des mittelalterlichen Denkens. Unter seinen Schülern ragt Martin Grabmann, der seine Intentionen aufnahm, hervor. – Ausw. Mitgl. d. Röm. Ak. d. hl. Thomas (1880), d. Phil.-med. Ak. in Rom (1874), Ehrenmitgl. d. Phil.-theol. Ak. d. hl. Thomas zu Neapel (1874).

W Geist u. Natur im Menschen, Die Lehre d. hl. Thomas üb. d. Grundfragen d. Psychol. in ihren Beziehungen z. Kirchenlehre u. z. neueren Wiss., 1860; Die Theorie d. Gefühle im Systeme d. hl. Thomas, 1864; Stud. üb. d. ital. Philos. d. Gegenwart (Artikelserie), in: Katholik 48–54, 1868–74; Die Feier d. sechsten Centenariums d. hl. Thomas in d. kath. Welt (Artikelserie), ebd. 54–57, 1874–77; Mariologie d. hl. Thomas v. Aquin, 1878 (ungar. 1881, franz. 1881, ital. 1881); Der Spender d. Sakramente nach d. Lehre d. hl. Thomas v. Aquin, 1886; Dogmatik (Lithograph. Drucke d. Vorlesungen). – *W-Verz.:* F. S. Romstöck, Personalstatistik u. Bibliogr. d. bischöfl. Lyceums in Eichstätt, 1894, S. 132–36, 263.

L M. Grabmann, Dr. F. v. P. M. als Thomist, Ein Btr. z. Theologiegesch. d. 19. Jh., in: Jb. f. Philos. u. spekulative Theol. 15, 1901, S. 46–79; ders., in: Ll. aus Franken IV, 1930, S. 295–300; L. Ott, Prof. F. v. P. M. als Lehrer u. Gelehrter, in: 400 J. Collegium Willibaldinum Eichstätt, 1964, S. 233–52 (P); E. Naab, Das eine große Sakrament d. Lebens, 1985, S. 252–67; ders., „Thomismus" am Eichstätter Lyzeum?, in: Veritati et Vitae, 150 J. Theol. Fak. Eichstätt, 1993, S. 73–103; H. Hurter, Nomenclator literarius theologiae catholicae, ³1903–13, V/2, S. 1872 f.; BJ V; LThK²; BBKL.

Erich Naab

Morhard *(Morhart).* (luth.)

1) *Ulrich,* Buchdrucker, * um 1490 (?) Augsburg, † v. 23. 5. 1554 Tübingen.

V Ulrich d. Ä. († 1501); *M* N. N.; ∞ 1) 1518 Barbara, *T* d. Secklers Michael Burger in Straßburg, 2) 1523 (?) Katharina (od. Anna) Zorn († 1525) aus Bulach, 3) Anna Reder aus Rottenburg, 4) Magdalena Kirsenmann († 1574, ∞ 1] Jakob Gruppenbach, Stadtschreiber in Dornstetten), führte M.s Offizin bis 1570 fort; *S* aus 2) Ulrich d. J. († 1567), seit 1557 selbständiger Drucker in T., 2 *S* aus 3), 4 *Stief-S* aus 4), u. a. Oswald Gruppenbach († 1571), Buchdrucker in Ulm u. T., Jakob Gruppenbach († 1605), Buchhändler in T., Georg Gruppenbach († 1610), führte d. Offizin M.s unter seinem Namen 1571–1605 fort (s. Benzing, Buchdrucker); *E* Johannes (s. 2).

M. erwarb 1518 durch Heirat das Bürgerrecht in Straßburg und ließ sich dort als selbständiger Drucker nieder. Als Erstling seiner Presse erschien im Januar 1519 eine Erasmusschrift; bis Ende 1522 brachte er mindestens 35 Druckwerke heraus, darunter das Neue Testament in der lat. Übersetzung des Erasmus, Vallas „Elegantiae", Ausgaben antiker Klassiker und, stets unfirmiert, Nachdrucke einiger Lutherschriften. Wahrscheinlich Anfang 1523 übersiedelte er aus unbekannten Gründen nach Tübingen, wo er mit der Mitgift seiner zweiten Frau ein Haus kaufte und eine Druckerei einrichtete. Nach der kurzen Tätigkeit Johann Otmars (1498–1501) und Thomas Anshelms (1511–16) war er der erste Drucker, der ständig in der württ. Universitätsstadt arbeitete. Als „impressor" wurden er und zwei Gehilfen am 20. 5. 1523 in die Tübinger Matrikel eingetragen. Bereits im Juni und Juli 1523 erschienen M.s früheste Tübinger Drucke, Kommentare Melanchthons zum Matthäus- und Johannes-Evangelium, im September 1523 erneut das Neue Testament in der Übertragung des Erasmus, in dessen Vorwort sich M. deutlich als Anhänger der reformatorischen Bewegung bekannte. Damit in Einklang stand, daß er auch in Tübingen nicht auf den geheimen Nachdruck von Lutherschriften verzichtete. Der kath. Richtung der Universität folgend, druckte M. jedoch bis 1534, damals als einziger Drucker im Südwesten Deutschlands, vorwiegend Traktate altkirchlicher Theologen, u. a. von K. Schatzger, J. Fabri, J. Dietenberger, J. Eck und J. Cochlaeus, aber auch historische Werke, wie die von Kaspar Churrer besorgte Editio princeps der Chronik des Lambert von Hersfeld (1525, Nachdr. 1533). Nach der Einführung der Reformation in Tübingen 1534/35 brachte er Schriften ev. Theologen und der Tübinger Professoren heraus, außerdem fast alle amtlichen Verlautbarungen der württ. Herzöge. Verkaufserfolge, die mehrere Auflagen erlebten, waren Alexander Huges „Rhetorica" (1528 und später) und Heinrich Bebels „Facetiae" (1542 und später). Mit M.s Namen verbunden ist auch der frühe Buchdruck in südslaw. Sprachen. 1550 druckte er – mit fingierter Druckadresse – die ersten Büchlein in slowen. Sprache, einen Katechismus und ein

Abecedarium aus der Feder des Reformators Primož Trubar, doch fällt die Blüte des slaw. Buchdrucks in Tübingen und Urach erst in die Zeit seiner Nachfolger. Mit über 200 bekannten Druckwerken aus den Jahren 1523–54 war M.s Offizin die führende Druckerei Württembergs in der Reformationszeit.

W *Nachweis v. 81 Druckwerken aus d. Jahren 1523–34*, in: K. Steiff, Der erste Buchdruck in Tübingen (1498–1534), 1881, bes. S. 26–35, 137–98 (Neudr. 1963 mit Nachträgen aus: Zbl. f. Bibliothekswesen 1887, 1889, 1896); *Nachweis v. 31 Druckwerken 1519–22*, in: J. Muller, Bibliogr. Strasbourgeoise, Bibliographie des ouvrages imprimés à Strasbourg au 16e siècle, II, 1985, S. 257–59.

L ADB 22; J. Haller, Die Anfänge d. Univ. Tübingen 1477–1537, 1923, S. 53 f., 316–20; F. Ritter, Histoire de l'imprimerie Alsacienne aux XVe et XVIe siècles, 1955, S. 306–08; B. Berčič, Das slowen. Wort in d. Drucken d. 16. Jh., in: Abhh. üb. d. slowen. Ref. 1968, S. 152–268, mit Anhang v. 84 S.; H. Widmann, Tübingen als Verlagsstadt, 1971, S. 47–64; M. Brecht u. H. Ehmer, Südwestdt. Ref.gesch., Zur Einf. d. Ref. im Hzgt. Württemberg 1534, 1984; Benzing, Buchdrucker, S. 441, 465.

Irmgard Bezzel

2) *Johannes,* Arzt und Chronist, * 3. 9. 1554 Tübingen, † 10. 3. 1631 Schwäbisch Hall.

V Ulrich d. J. († 1567), Drucker u. Verleger in T., S d. Ulrich (s. 1); M Katharina Kuhn (1526–97); *Stief-V* (seit 1568) Alexander Höck († 1610), Buchdrucker, führte d. Offizin Ulrichs d. J. fort; – ∞ 1) Schwäbisch Hall 1587 Anna Hiller (1565–1603), Wwe d. Dr. Josef Brenz († 1586), Stadtarzt in Schwäbisch Hall, 2) 1603 Barbara Koch (1580–1622), T e. Amtmanns in Mönchsrot, 3) Heilbronn 1622 Katharina († 1634), T d. Heilbronner Stadtschreibers N. N. Albert; *Schwieger-V d. 1. Ehefrau* Johannes Brenz (1499–1570), Reformator (s. NDB II; BBKL); 8 K aus 1), 8 K aus 2), 1 S, 2 T aus 3).

M. stammte aus ursprünglich begütertem Hause. Der Großvater hatte sich 1523 in Tübingen niedergelassen und in der Reformationszeit eine florierende Verlagsdruckerei aufgebaut, doch wurden seine Nachkommen von seiner Witwe und deren Söhnen aus einer früheren Ehe aus dem Geschäft gedrängt. M.s beengte Lage nach dem frühen Tod des Vaters zeigt sich darin, daß im 1572 das Tübinger Stipendium Martinianum, ein Heim für unbemittelte Studenten, aufnahm, nachdem der württ. Herzog seine Förderung abgelehnt und ihm den Druckerberuf nahegelegt hatte. 1576 begann M., seit 1569 an der Univ. Tübingen immatrikuliert und soeben Magister geworden, das Studium der Medizin und setzte es 1582 in Padua fort, wo er vom 16. 5. 1583 bis 30. 7. 1584 als einer der beiden Prokuratoren der deutschen Nation fungierte. Zuvor, von November 1581 bis September 1582, hielt er sich, vermutlich als Hauslehrer, bei den in der Nähe von Linz ansässigen Freiherren v. Volkersdorf auf, deren letzter Sproß Wolfgang Wilhelm (1567–1616) sich ebenfalls Ende Oktober 1582 in Padua inskribierte. Nach ausgedehnten Reisen in der ersten Hälfte des Jahres 1585, auf denen er Rom, Neapel, Mailand, Turin und Genua kennenlernte, kehrte M. Anfang September über Trient, Linz und Salzburg nach Tübingen zurück, wo er am 17. 11. den medizinischen Doktorgrad erwarb. 1586 zum Stadtarzt von Schwäbisch Hall berufen, trat M. Mitte August die Stelle an, auf der er 45 Jahre später sein Leben beschließen sollte. Getragen von einer tiefen, bibelfesten, aber nicht unbedingt orthodoxen Religiosität, in der eine ausgeprägte soziale Zuwendung gegenüber dem armen Nächsten wurzelte, erwarb er in seinem Beruf großes Ansehen. Der Einzugsbereich seiner freien Praxis, die ihm neben seinen Amtspflichten zu versehen erlaubt war, erstreckte sich offenbar bis nach Thüringen. Ein Angebot auf die Pforzheimer Stadtarztstelle 1604 lehnte er ab. Von eigenen Ambitionen ist nur seine vergebliche Bewerbung von 1599 um eine freie Medizinprofessur in Tübingen bekannt. Auch berichtet er 1606 von einem langen, ebenfalls durch eine Tübinger Lehrstuhlvakanz ausgelösten inneren Ringen. Seine Heimatuniversität gewährte ihm am 30. 1. 1603, wenn auch nicht ohne Prüfung seiner Rechtgläubigkeit, durch die erneute Aufnahme in ihr akademisches Bürgerrecht Unterschlupf, als er, in eine spektakuläre dogmatisch-politische Spaltung der Haller Bürgerschaft, die sog. Schneckschen Händel, verstrickt, vorübergehend seines Amtes enthoben und aus der Reichsstadt verbannt worden war.

Ein Teil dieser Daten ist nur in M.s eigenen Aufzeichnungen überliefert, der später so betitelten „Haller Haus-Chronik". Die Handschrift im griffigen Taschenbuchformat, die den Berichtszeitraum 1522–1630 umfaßt, stellt eine Mischung aus Diarium, familiärem Hausbüchlein und zeitgenössischer Chronik dar. Anfangs hauptsächlich autobiographischen Zuschnitts, weiten sich die – vor 1585/86 wohl retrospektiven – Notate allmählich über den eigenen Wahrnehmungskreis. Auch wenn M.s Chronik mangels Herkunftsangaben als Quelle zur Frühzeit der Pressegeschichte so gut wie ganz ausfällt, so stellt sie mit ihrer Fülle an Lokalereignissen, an Wetter- und Himmelsbeobachtungen, an Lebensmittelpreisen, an Nachrichten zum politischen Welt-, d. h. vorwiegend Kriegsgeschehen, an Skandalgeschichten und allen möglichen Unglücksfällen ein bemerkenswertes Dokument vor allem zur Kultur- und Mentalitätsgeschichte ihrer Zeit dar.

W Haller Haus-Chronik, hrsg. v. Hist. Ver. f. Württ. Franken (Transkription V. Schäfer), 1962.

L G. Wunder, in: Lb. aus Schwaben u. Franken IX, 1963, S. 40–46; dass., in: ders., Lebensläufe, 1988, S. 124–130. – Eigene Archivstud.

Volker Schäfer

Morhof *(Morhoff), Daniel Georg,* Sprach- und Literaturhistoriker, * 6. 2. 1639 Wismar (Mecklenburg), † 30. 7. 1691 Lübeck. (ev.)

V Joachim (1598/99–1675), aus brandenburg. Bauernfam., Notar, Magistratssekr. in W.; M Agnes († 1639), T d. Kaufm. Daniel Hintzen; Stief-M Anna Petersen geb. Tabberts; ∞ Lübeck 1671 Margarete (1649–87), T d. Caspar Degingk († 1680) aus Dortmund, Senator u. Bgm. in L., u. d. Margarete Middendorpp; 4 S (2 früh †), Caspar Daniel (* 1675), Friedrich, Hrsg. v. M.s „Opera Poetica Latina" u. „Orationes et Programmata"; Schwager d. Ehefrau Simon Heinrich Musäus (1655–1711), Jurist (s. Schleswig-Holstein. Biogr. Lex. IV, 1976; NDB 18*).

Nach dreijährigem Unterricht durch den Vater kam M. 1648 auf die Wismarer Gelehrtenschule, die er 1655 mit dem Pädagogium in Stettin vertauschte, wo Henricus Schaevius, ein typischer Vertreter polymatischer „Weltweisheit", sein wichtigster Lehrer wurde. Durch diesen, der ihm die Nachahmung des Statius empfahl, wurde er auch in der Anfertigung lat. und deutscher Gedichte unterwiesen. Im März 1657 immatrikulierte er sich an der Univ. Rostock, um auf Wunsch des Vaters Rechtswissenschaften zu studieren. Er wohnte bei dem Juristen Heinrich Rahnen, der ihn mit Andreas Tscherning bekanntmachte. Von diesem erhielt er bedeutendere poetische Anregungen. Zur gleichen Zeit befreundete er sich mit dem Dichter Johannes Röling. Nach Tschernings Tod erhielt M. 1660 dessen Professur für Beredsamkeit und Poesie an der Univ. Rostock. Vor Antritt seines Amtes unternahm er eine Studienreise nach Holland und England, während der er sich besonders in Leiden und Oxford aufhielt. Auf der Rückreise promovierte er in Franecker zum Dr. iur. Bei der Gründung der Univ. Kiel durch Hzg. Christian Albrecht 1665 wurde er als einer der ersten Professoren dorthin berufen. 1669 zum Rektor gewählt, versah er dieses Amt später noch dreimal. Im folgenden Jahr unternahm er eine zweite Reise nach Holland und England, auf der er in Utrecht Johann Georg Groev, im Haag Nicolaus Heinsius, Franziskus Junius, Constantin Hugenius und Marquard Gude, in Amsterdam Swammerdam, in England den Physiker Robert Boyle und den Philologen Isaac Vossius aufsuchte. 1673 übernahm er zusätzlich die Professur für Geschichte in Rostock, 1680 auch noch das Amt des Oberbibliothekars. Der Epigrammatiker Christian Wernicke war einer seiner begabtesten Schüler. M.s bis in die Goethezeit fortdauernder Gelehrtenruhm beruhte auf seinen beiden Hauptwerken, dem „Unterricht von der Teutschen Sprache und Poesie" (1682) und dem „Polyhistor" (1688–1708). In beiden Werken hatte die enzyklopädische Ausbreitung gesammelten Wissens Vorrang gegenüber Theoriebildung und Exemplifikation ahistorischer Normen. Der „Unterricht" gliedert sich in drei Teile: einen sprachgeschichtlichen, einen literaturgeschichtlichen und einen poetologischen. Das Hauptanliegen des 1. Teils ist der Versuch einer wissenschaftlichen Begründung des durch die deutsche Literatur des 17. Jh. neu erwachten nationalsprachlichen Selbstbewußtseins.

Auch M.s Literaturgeschichtsschreibung, die von bloß bibliographischer Aufarbeitung zu kritisch urteilender Betrachtungsweise voranschritt, wurde von einer apologetischen Tendenz zugunsten der deutschen Poesie geleitet. Er stellte einen Überblick über die anderen neueren europ. Literaturen voran, um der deutschen den ihr gebührenden Platz anweisen zu können. Aus diesem Grunde ist er häufig der früheste Historiker der Weltliteratur genannt worden. Ein Kapitel über die nord. Dichtung, die er, einschließlich der finn. und lappländ., überhaupt als erster berücksichtigte, fügte er der in drei Perioden gegliederten Geschichte der deutschen Poesie ein. Die erste rechnete er von den ältesten Zeiten der durch Tacitus bezeugten „carmina" bis auf Karl den Großen, die zweite ließ er althochdeutsche, mittelhochdeutsche und frühneuhochdeutsche Zeit umfassen, wobei er auch das Volkslied bereits im Sinne Herders, der sich später auf ihn berufen konnte, einbezog, die dritte begann für ihn mit Opitz und reichte bis zur eigenen Gegenwart. Unter den Dichtern des 17. Jh. galt ihm Fleming, den er ausführlich charakterisierte, als der bei weitem hervorragendste. Auch M.s Poetik verfuhr mehr deskriptiv als normativ. In seine systematischen Betrachtungen führte er das historische Element ein, auch hierin bei der Frage nach den Ursprüngen und den national-individuellen Entwicklungsbedingungen ein Vorläufer Herders. Auf diesem Wege brachte er vor allem den Roman als neuen

Gegenstand literarhistorischer Forschung zur Geltung.

M.s „Polyhistor" ist aus seiner akademischen Lehrtätigkeit hervorgegangen. Das Werk sollte gleichfalls drei Teile umfassen, einen „Polyhistor literarius", „philosophicus" und „practicus". M. selbst hat nur noch die beiden ersten Bücher des 1. Teils zum Druck bringen können, das 3. Buch gab 1692 Heinrich Muhle heraus, Buch 4–7 sowie die Teile 2 und 3 wurden in den folgenden Jahren auf Grund von Kollegienheften seiner Hörer zusammengestellt, wahrscheinlich auch ergänzt. Im 1. Kapitel „De Polymathia" entwickelte M. die Intention des ganzen Werkes: das Studium sowohl von fachlicher Verengung wie von weltanschaulich-theologischer Voreingenommenheit freizuhalten, enzyklopädische Breite zu sichern und zugleich die Anwendbarkeit des Wissens zu fördern. M. unterscheidet sich von seinen Vorgängern durch das Bemühen um Einführung neuer Sachkriterien und historischer Herleitungen, die über eine bloße Bestandsaufnahme hinaus auf eine „historia literaria" der Gelehrsamkeit und die Ausbildung des „iudicium" beim Leser gerichtet sind. Gegenüber der pansophischen Zielsetzung bei Comenius bzw. dem kombinatorisch-analogischen und sinnbildlich-emblematischen Denken der Barockzeit erscheint M.s historisch-kritische Betrachtungsweise weitgehend säkularisiert, frühaufklärerisch vernunftbedingt und praxisbezogen, was ihm, dem Christian Weise hierbei Vorbild war, die hohe Anerkennung des Thomasius und die jahrzehntelange Breitenwirkung seines Werkes eintrug.

W u. a. Unterricht v. d. Teutschen Sprache u. Poesie, deren Uhrsprung, Fortgang u. Lehrsätzen, 1682, ²1700, ³1718, Neudr. d. 2. Aufl., hrsg. v. H. Boetius, 1969 *(P)*; Teutsche Gedichte, 1682 (häufig d. „Unterricht" beigebunden); De Patavinitate Liviana, 1684; Polyhistor, sive De notitia auctorum et rerum commentarii, Quibus praeterea varia ad omnes disciplinas consilia et subsidia proponuntur, T. 1, Buch 1–2, 1688, ²1695, T. 1, Buch 3, 1692, ²1698, erste vollst. Gesamtausg., erweitert durch T. 1, Buch 4, u. T. 2–3, hrsg. v. J. Moller, 1708, ²1714, ³1732 hrsg. v. J. A. Fabricius, ⁴1747 hrsg. v. J. J. Schwabe, Faks.-Neudr. 1970 *(P);* Opera Poetica Latina, hrsg. v. F. Morhof, 1694; Opera Poetica, hrsg. v. H. Muhle, 1697; Orationes et Programmata, hrsg. v. C. D. Morhof, 1698; Dissertationes Academicae et Epistolicae... Accessit Autoris Vita, 1699. – *Auswahlen:* Auserlesene Gedichte v. J. Rist u. D. G. M., hrsg. v. W. Müller, 1826, S. 177–96; Texte z. Gesch. d. Poetik in Dtld., ausgew. v. H. G. Rötzer, 1982, S. 102–25.

L ADB 22; M. Kern, D. G. M., Diss. Freiburg (Breisgau) 1928; S. v. Lempicki, Gesch. d. dt. Lit.wiss. bis z. Ende d. 18. Jh., 1920, ²1968; B. Markwardt, Gesch. d. dt. Poetik, I, ³1964, S. 227–39; G. Fricke, D. G. M., in: FS z. 275j. Bestehen d. Univ. Kiel, 1940, S. 240–79; C. Wiedemann, Polyhistors Glück u. Ende, in: FS f. G. Weber, 1967, S. 215–35; D. Lohmeier, Das got. Evangelium u. d. cimbr. Heiden, D. G. M., J. D. Major u. d. Gotizismus, in: Lychnos, 1977/78, S. 54–70; K. Kiesant, Zur Rezeption spätma. Lit. im 17. Jh.: D. G. M., in: Dt. Lit. u. SpätMA., 1986, S. 376–85; E. Kunze, D. G. M. u. d. finn. Lit., in: ders., Dt.-finn. Lit.beziehungen, 1986, S. 107–15; Goedeke III; Schleswig-Holstein. Biogr. Lex. IV, 1976; Dünnhaupt II.

P Kupf. v. Ch. Fritzsch, Abb. in: Dt. Schriftsteller im Porträt, Das Za. d. Barock, hrsg. v. M. Bircher, 1979, S. 116.

Adalbert Elschenbroich †

Mori, *Gustav,* Buchdrucker, Schriftgußtechniker, Druckforscher, * 2. 6. 1872 Frankfurt/Main, † 22. 7. 1950 Neu-Isenburg (Hessen). (luth.)

V Georg Friedrich (1845–91), Tagelöhner, Ausläufer in F., *S* d. Emanuel (1819–90), Hirte in Biedenkopf/Lahn (Hessen), u. d. Auguste Katharina Margarethe Hosch (1823–78); *M* Anna Maria (1840–1908), *T* d. Ludwig Bayer (* 1812), Leineweber, Weinbauer in Alzey (Rheinhessen), u. d. Katharina Mayer (* 1808) aus Nierstein/Rhein; ∞ Frankfurt/Main 1897 Ida Henriette (1875–1964), *T* d. Georg Adam Albert (1832–77) aus Wertheim, Stadtsoldat in F., Musiklehrer in Bad Nauheim, u. d. Auguste Luise Walter (1845–1911); 4 *S* Emil Gustav (1898–1981), Prokurist in Ingolstadt, Eugen Ludwig (1901–45), Prokurist in F., Heinrich Georg (* 1904), Buchhändler in Leipzig, Karl Alexander (1905–54), Buchdrucker in F.

M. wuchs in der noch ganz von Handwerk und Kleinhandel geprägten Altstadt Frankfurts auf und brachte schon während der Schulzeit eine kleine Bibliothek von Klassikern und Geschichtswerken zusammen. Er erweiterte sie während seiner Buchdruckerlehre 1887–90 und begann zugleich mit dem Aufbau einer eigenen Sammlung zur Geschichte des Buchdrucks. In sein erstes Gesellenjahr fiel im Juni 1890 die 450-Jahrfeier der Erfindung der Buchdruckerkunst, die damit verbundene Ausstellung der Stadtbibliothek und die Begegnung mit der Inkunabelforschung. Die Gestalt Gutenbergs und die technische Seite der Erfindung des Buchdrucks beschäftigten ihn von da an für die Dauer seines Lebens. Als Buchdrucker war er 1892–94 in Andernach tätig, nach dem Militärdienst 1894–96 wieder in Frankfurt, zuerst als Schriftsetzer, 1898 in leitender Stellung, seit 1903 bei der Firma Minjon; von dort holte ihn David Stempel 1908 als Abteilungsleiter in seine noch junge Schriftgießerei. Ihr stand M. bis zu seinem Ruhestand 1945 vor. Als Autodidakt betrieb er daneben im Stadtarchiv und in der Stadtbibliothek Quellenstudien zur Geschichte des Buchdrucks. 1903 war er Mitbegründer der „Typographischen Gesellschaft Frankfurt"; aus diesem Jahr datiert auch seine erste Veröffentlichung. Seit 1916 war er Mitglied der 1901 in Mainz begründeten „Gutenberg-Gesellschaft" und 1921–49 in deren Vorstand; außerdem war er seit 1908 als Mitglied, seit 1930 im Vorstand des „Frankfurter Vereins für Geschichte und Landeskunde" tätig. M. wirkte am Ausbau des Gutenberg-Museums (gegr. 1900) mit, an der Abteilung Reproduktionstechnik des Deutschen Museums in München, 1914 an der Historischen Abteilung der Internationalen Buch- und Graphik-Ausstellung (BUGRA) in Leipzig, der Ibero-Amerikan. Ausstellung in Sevilla 1929, der Weltausstellung in Paris 1937, der „Gutenberg-Reichsausstellung" in Leipzig 1940 und weiteren drucktechnischen Veranstaltungen. Dem 1939 von ihm angeregten, 1940 eingerichteten, 1943 eingeweihten und schon 1944 zerstörten Frankfurter Schriftgießer-Museum im „Haus zum Alten Frosch" hatte er Teile seiner eigenen Sammlung übergeben. Aufsehen erregten die von ihm veranlaßten Typen-Neudrucke der Großen Psalter-Type (1913), einzelner Seiten der 42-zeiligen Bibel und des Psalters von 1457 (auf der BUGRA 1914), der ersten Psalter-Seite (1920), des Türkenkalenders auf das Jahr 1455 (1928) und des gesamten „Canon Missae" von 1457/58 (1940). Die damit verbundenen Veröffentlichungen fanden ein lebhaftes Echo, wenn auch nicht immer ungeteilte Zustimmung. – Ehrenmitgl. d. Gutenberg-Ges. (1947); Goethe-Plakette d. Stadt Frankfurt/Main (1947).

W Verz. d. v. G. M. veröff. Arbeiten üb. Schriftguß u. Buchdruck, hrsg. v. d. Gutenberg-Ges. in Mainz, 1942; Nochmals d. Typen-Neudr. d. ‚Canon missae' u. d. Sandguß, in: Gutenberg-Jb. 1942/43, S. 80–90. – *Autobiogr.:* Aus meinem Leben, in: F. Lübbecke, 500 J. Buchdruck in Frankfurt a. M., 1948, S. 7–10. – *Nachlaß:* Inst. f. Stadtgesch. Frankfurt/Main (Briefe, Mss., *P;* Findbuch mit Biogr. v. T. Picard, 1993, S. I-XII).

L G. M. – e. Sammler, Forscher u. Lehrer, in: Graph. Lehren u. Lernen, Beil. z. Fachzs. „Der Polygraph" 3 v. 5. 2. 1949; Frankfurter Biogr. II.

Peter Zahn

Morian, *Daniel,* Bergbau- und Metallindustrieller, * 9. 7. 1811 Hamborn b. Duisburg, † 12. 8. 1887 ebenda. (ev.)

V Johann Wilhelm (1783–1822), Gastwirt u. Brückengeldeinnehmer in H., *S* d. Johann Daniel (1760–1812) u. d. Anna Christina Heckhoff gen. Undereick; *M* Sibylla Gertrud (1780–1854), *T* d. Johann Wilhelm Lindgens (1734–1793), Mühlenbes. in H. u. Meiderich b. Duisburg, u. d. Charlotte N. N.; ∞ Meiderich 1840 Charlotte (1823–93), *T* d. Landwirts Wilhelm Kolkmann (1786–1833) u. d. Elisabeth Welschen; 7 *S,* 2 *T,* u. a. Carl (1845–1908), Fabrikbes. u. Beigeordneter in H., Max (1849–1926), Gewerke u. Beigeordneter in H., Eduard (1851–1904), KR, Industrieller in H., ermöglichte durch e. Stiftung den Bau e. Krankenhauses in H.; *Schwager* Wilhelm Grillo (1819–89), Industrieller (s. NDB VII).

Nach Aufgabe des ererbten Gasthofes an der Emscherbrücke in Hamborn-Neumühl (um 1848) widmete sich der vermutlich zum Kaufmann ausgebildete M. zunächst ausschließlich der Leitung des Landgutes, das er durch Zukäufe zu dem ursprünglichen Familienbesitz geschaffen hatte. Das Aufkommen von Bergbau und Industrie im Ruhr- und Emschermündungsgebiet und die Verbindung mit dem Kaufmann Wilhelm Grillo, seinem Schwager (seit 1843), weckten sein Interesse für die unternehmerische Tätigkeit. Mit Grillo gründete M. 1849 ein von der Wasserkraft der Emscher getriebenes Zinkwalzwerk, das 1863 in seinen Alleinbesitz überging und fortan zum Walzen von Kupfer und Eisen benutzt wurde. 1850 wandte sich M. dem Bergbau zu. Nach ersten Erfahrungen mit einem Zechenprojekt in Oberhausen nahm er 1856 die Erschließung der unter dem Hamborner Boden vermuteten Kohlevorkommen in Angriff. Er finanzierte erfolgreiche Probebohrungen und konsolidierte die von ihm eingelegten Mutungen zu zwei Kohlenfeldern, zu deren Ausbeute 1867 unter Beteiligung des Ruhrorter Unternehmers Franz Haniel die Gewerkschaften „Neumühl" und „Hamborn" gegründet wurden. Die Niederbringung von Schächten in einer Zeit rückläufiger Kohlenkonjunktur überstieg jedoch M.s finanzielle Möglichkeiten, weshalb er schon vor 1871 den größten Teil seines Kuxenbesitzes verkaufte. Während das Feld „Neumühl" nicht aufgeschlossen wurde, traten in der Gewerkschaft Hamborn – seit 1871 „Gewerkschaft Deutscher Kaiser" (GDK) – neben Haniel Essener und Mülheimer Gewerkenfamilien und das Kölner Bankhaus Oppenheim in den Vordergrund. Seit Januar 1872 teufte die GDK ihren ersten Schacht ab; 1876 begann die Förderung. Obwohl M.s Kuxenbesitz schon 1871 relativ gering war, blieb er durch das Vertrauen seiner Mitgewerken bis zu seinem Tode stellvertretender Vorsitzender des Grubenvorstandes. Seit 1885 brachte der Industrielle

August Thyssen, der für sein Mülheimer Stahl- und Walzwerk eine eigene Kohlebasis erstrebte und die Entwicklungsfähigkeit des Standortes Hamborn erkannt hatte, durch planmäßige Kuxenkäufe die Führung der GDK an sich.

M. war noch an weiteren Bergbauunternehmungen beteiligt; er gehörte 1856 zu den Gründern der Arenbergschen AG für Bergbau und Hüttenbetrieb, die im selben Jahr bei Bottrop ihren ersten Schacht niederbrachte. Zudem gründete M. in Hamborn mehrere metallverarbeitende Unternehmen, die als Familienbetriebe unter der Holding „D. Morian" zusammengefaßt waren und als Zulieferer von Industrie und Eisenbahnbau florierten. Diese Fabriken lagen im Umkreis des Bahnhofes Neumühl der 1875 eröffneten Emschertalbahn, auf deren Trassierung im Abschnitt Ruhrort-Sterkrade der an Verkehrsfragen stark interessierte M. Einfluß nahm. M.s unternehmerische Bedeutung liegt vor allem im Bergbaubereich. Er bereitete das Terrain, auf dem August Thyssen einen Montankonzern aufbauen konnte, der bis heute die wirtschaftlichen Geschicke des Duisburger Nordens bestimmt (Thyssen Stahl AG). Von 1867 bis zu seinem Tod war M. 1. Beigeordneter der Bürgermeistereien Holten bzw. (seit 1886) Beeck, außerdem 1874–82 Gemeindevorsteher von Hamborn. Er gehörte dem Hamborner Gemeinderat, der Bürgermeisterei-Versammlung und den Kreistagen von Duisburg, Mülheim (1873–87) und Ruhrort (1887) an.

L W. Treue, Die Feuer verlöschen nie, I, 1966; H.-G. Kraume, D. M., Wegbereiter d. Hamborner Industrie, in: Niederrheinkammer, Dez. 1984, S. 707, auch in: W. Burkhard (Hrsg.), Niederrhein. Unternehmer, 1990 *(P)*. – Eigene Archivstud.

Michael A. Kanther

Moriggl, *Josef,* Generalsekretär des Alpenvereins, * 12. 9. 1879 Sand in Taufers (Südtirol), † 2. 9. 1939 ebenda.

Die Fam. stammt aus d. Engadin; *V* Josef (um 1841–1908), Bildhauer, Lehrer an d. Kunstgewerbeschule Innsbruck (s. ThB); *M* Elise Mutschlechner († 1931) aus Sand; ∞ Wilten b. Innsbruck 1909 Olga (1878–1957), *T* d. Staatsbahnsinsp. Franz Berger aus Innsbruck u. d. Franziska Hollenstein; 1 *T*.

M. studierte an der Univ. Innsbruck Geschichte, Geographie und Geologie und wurde 1905 nach der Promotion zum Dr. phil. und der Staatsprüfung für das Lehramt an Mittelschulen Studienassessor an der Handelsschule Innsbruck. Die praktische Vereinsarbeit erlernte er im Ausschuß der Sektion Innsbruck des Deutschen und Österr. Alpenvereins (DOeAV); als Gebietskenner arbeitete M. die Bergführertarife für die meisten Tiroler Touren aus, nahm an etwa 20 Bergrettungen teil und lehrte in Innsbrucker Bergführerkursen. Der DOeAV berief ihn 1907 als 2. Vereinssekretär in die Zentralkanzlei; 1912 übernahm er das Amt des Generalsekretärs von seinem Vorgänger und Lehrer Johannes Emmer. M. war maßgeblich daran beteiligt, daß der weltweit größte Bergsteigerverein die ihm durch den 1. Weltkrieg zugefügten schweren personellen und finanziellen Schläge überwinden konnte, wie vor allem die Abtrennung der sudetendeutschen und Südtiroler Sektionen sowie den völligen Verlust der Hütten und Betreuungsgebiete in Südtirol und Krain. M.s kluge Amtsführung brachte den zwischenstaatlichen deutschen und österr. Verein sodann über die wirtschaftlichen Notjahre der Inflation und der Weltwirtschaftskrise sowie über die politischen Krisen (Grenzsperre, „Volkstums"-Kampf, Arierparagraph) Deutschlands und Österreichs zwischen den Kriegen hinweg. Nach Beginn der NS-Herrschaft in Deutschland hatte M. wesentlichen Anteil am Weiterbestand des unpolitischen und demokratischen „Fremdkörpers" Alpenvereins neben und außerhalb der NS-Reichssportorganisation. Ende 1935, noch vor der „Gleichschaltung" des DOeAV, trat der als „urteilsfreudig, aufrecht und grundehrlich" geltende M. in den Ruhestand.

M. kodifizierte die Handlungsanweisungen für die Vereinstätigkeit aller Sektionen und reorganisierte das für den Alpentourismus damals bedeutsame Bergführerwesen. Er schrieb die Vereinsgeschichte nieder und führte neue Publikationen ein. Im Auftrag des DOeAV verfaßte er grundlegende Leitfäden und Führer für die Praxis der Alpenwanderer. M.s mehrfach aufgelegtes Führerwerk „Von Hütte zu Hütte", sein „Ratgeber für Alpenwanderer" sowie das von ihm als „Alpenvereinskalender" gegründete jährliche „Taschenbuch für AV-Mitglieder" hatten erhebliche Bedeutung für die Entwicklung des Bergwanderns als Breitensport. Als Leiter des Kartenwesens gelang es ihm, die AV-Kartographie zur Weltgeltung zu führen, ohne den touristischen Informationsgehalt der Kartenblätter zu schmälern. Seine Gliederung der Ostalpen in Berggruppen liegt der „Alpenvereinseinteilung Ostalpen" heute noch zugrunde. Der vermittelnde Ausgleich zwischen der wissenschaftlich-kulturellen, der alpinsportlichen und der wandertouristischen Komponente des Bergsteigervereins ist weitgehend sein Verdienst.

W Anleitung z. Kartenlesen im Hochgebirge, 1909, ²1925; Gesch. d. Dt. u. Oesterr. Alpenver., in: Zs. d. DOeAV 1919 u. 1929; Ratgeber f. Alpenwanderer, 1924, ²1928; Alpines Rettungswesen d. Dt. u. Oesterr. A. V., 1926; Hdb. d. Vfg. u. Verw. d. Dt. u. Oesterr. A. V., ⁴1928; Schutzhüttenalbum d. AV., 1929; zahlr. Btrr. in d. Vereinzss. – *Hrsg.:* Alpenvereinskal., 1912–16; Von Hütte zu Hütte, 6 Bde., 1911–14, ²⁻³1922–29; Tirol, II, 1933.

L R. v. Klebelsberg, in: Mitt. d. DtOeAV 1936, S. 32–33; ders., Nachruf, ebd. 1939/40, S. 16 f.; G. Blab, in: Österr. Alpen-Ztg. 1939/40, S. 250; ÖBL.

Peter Grimm

Morin, *Germain* (Taufname *Léopold*), Benediktiner, Kirchenhistoriker, * 6. 11. 1861 Caen, † 12. 2. 1946 Orselina (Tessin), ☐ Kloster Einsiedeln.

V Frédéric; *M* Victorine Baudry.

M. besuchte die Knabenseminare von Vire und Villiers-le-Sec und studierte am Piesterseminar in Bayeux. Er wählte den Ordensstand und ließ sich – da die staatliche Aufhebung der heimatlichen Klöster drohte – vom belg., 1872 gegründeten und 1878 zur Abtei erhobenen Benediktinerkonvent Maredsous als Novize aufnehmen. Im August 1882 legte er hier die Profeß ab, im April 1886 empfing er die Priesterweihe. M. war zuerst Hilfslehrer am klösterlichen Gymnasium, gab aber nach kurzer Zeit diese Tätigkeit auf, um fortan als Zeremoniar und Gastpater zu wirken – Aufgaben, die ihm ausgedehnte wissenschaftliche Studien erlaubten. Er wurde Mitarbeiter der seit 1884 in Maredsous herausgegebenen „Revue bénédictine". Seine hauptsächlichen Interessengebiete fand er in der Geschichte des benediktinischen Mönchtums, in Patrologie und Hagiographie, in der antiken Liturgie und der altkirchlichen Literatur. Außerordentlich begabt bei der kritischen Beurteilung von Vätertexten, stellte M. eigene Forschungen an, und es gelang ihm, bisher nicht bekannte Autoren zu identifizieren und literarische Abhängigkeiten aufzudecken. Seit 1886 widmete er sich einem großen Einzelprojekt: Systematisch sammelte er die Werke des hl. Caesarius (um 470–542, seit 502 Bischof von Arles), um sie schließlich nach jahrzehntelanger Arbeit zu edieren. Darüber hinaus publizierte er zahlreiche, zum Teil selbst entdeckte Texte antiker und frühmittelalterlicher Autoren (unter ihnen Clemens von Rom, Augustinus, Hieronymus und Benedikt von Nursia).

Die Suche nach Manuskripten führte M. auf Reisen in alle bedeutenden Bibliotheken Europas. Zur Vereinfachung der Arbeit ließ er sich 1907 in München nieder, wo ihm die Abtei St. Bonifaz Aufnahme gewährte. Die Kriegsjahre 1914–18 (und auch 1939–45) verbrachte er im Couvent des Cordeliers in Freiburg (Schweiz). Eine Rückkehr nach Maredsous war ihm für immer unmöglich, weil er zusammen mit deutschen Intellektuellen in einer öffentlichen Erklärung zur Invasion von 1914 für die deutsche Seite Partei ergriffen hatte.

M.s Werk erwies sich für die Patristik als überaus fruchtbar; zu neuen Erkenntnissen führte insbesondere die von ihm angewandte „innere Kritik", d. h. die Analyse der Texte aufgrund von Wortwahl, Satzbau und Rhythmus. Die Ergebnisse seiner Forschungen veröffentlichte M. mit großer Akribie – allein in der „Revue bénédictine" erschienen 260 Aufsätze aus seiner Feder, weitere Beiträge wurden gesammelt in den von ihm selbst begründeten „Anecdota Maredsolana". Die Arbeit fand hohe Anerkennung: Papst Leo XIII. beglückwünschte M. 1896 zur Entdeckung von Hieronymus-Texten, und Pius XII. förderte durch eine finanzielle Zuwendung die Drucklegung von Band II der Caesarius-Edition. – Mitgl. d. Royal Society of London, d. Bayer. Ak. d. Wiss., d. Pontifica Accademia di Archeologia in Rom; Dr. h. c. (Oxford 1905, Budapest 1915, Zürich 1919, Freiburg/Br. 1926).

W u. a. Les véritables origines du chant grégorien, 1892, ³1912 (dt. 1892); Anecdota Maredsolana I, 1893 – III, 1903; L'idéal monastique et la vie chrétienne des premiers jours, 1921, ⁶1944 (dt. 1922, ital. 1927, auch engl., katalan., ungar., poln. u. niederländ.); Sancti Augustini Sermones post Maurinos reperti, 1930; Mein „Professeur de Poésie", in: Hochland 33, 1935, H. 2, S. 217–23; S. Caesarii Arelatensis episcopi opera omnia nunc primum in unum collecta I–II, 1937–1942.

L La Semaine catholique de la Suisse Romande 75, 1946, S. 111 f.; O. Perler, in: Zs. f. Schweizer. KG 40, 1946, S. 31–41 *(P);* F. Madoz, La carrera cientifica de Dom G. M., in: Estudios eclesiasticos 20, 1946, S. 487–507; P. Borella, in: Ephemerides Liturgicae 61, 1947, S. 55–76 *(W-Verz.);* M. Grabmann, in: Jb. d. Bayer. Ak. d. Wiss. 1944/48, 1948, S. 174–77; J. Spörl, in: Hist. Jb. 62–69, 1942–49, S. 961–67; G. Ghysens, P.-P. Verbraken, La carrière scientifique de D. G. M. 1861–1946, 1986 *(W-Verz.);* K. S. Frank, Dom G. M. OSB u. d. Freiburger Theol. Fak., in: Freiburger Diözesan-Archiv 106, 1986, S. 173–86; Enc. Catt.; LThK²; Dictionnaire de Spiritualité X, 1980; Catholicisme hier aujourd'hui demain IX, 1982; BBKL.

Markus Ries

Morinck (auch *Morin, Möringer, Morennd*), *Hans*, Bildhauer, * um 1555 Gorinchem (?) Gfsch. Holland, † 1616 Konstanz. (kath.)

V N. N.; *M* N. N.; ∞ 1) 1582 Effrasina Harreisein († 1591, s. *W*), Bürgers-*T* aus K., 2) 1595 Agnesa Langin († 1611) aus Marksdorf; 10 *K* (8 früh †).

Auf Empfehlung des Abtes wurde M. 1578 in Kloster Petershausen vor den Toren von Konstanz das Aufenthaltsrecht zugesprochen, 1582 wurde er Konstanzer Bürger und übersiedelte in die Stadt. Innerhalb weniger Jahre brachte er es zu Ansehen und Wohlstand. Seine in der ersten Hälfte des 1580er Jahre entstandenen frühen Werke weisen enge stilistische Verbindungen zu den Arbeiten des anonymen Bildhauers auf, der die umfangreiche Ausstattung des Rittersaals auf Schloß Heiligenberg Kr. Konstanz schuf. An der Ausführung der dortigen Kassettendecke und der beiden Monumentalkamine des Saales wird M. mitgearbeitet haben. Vermutlich sind Ausbildungsjahre beim „Meister des Heiligenberger Rittersaales" vorauszusetzen, an die sich eine nicht nachzuweisende, aber als sicher anzunehmende Italienreise anschloß.

M. arbeitete vorwiegend für die Ausstattung kath. Kirchen mit Altarretabeln, Sakramentshäusern etc. sowie für das städtische Patriziat in Konstanz und den Adel der Bodenseeregion bis hin zum Schwarzwald. Für diese Auftraggeber entstanden vorwiegend Grabmäler und Epitaphien. M.s bevorzugtes Material war der feinporige Öhninger Kalkschiefer, daneben arbeitete er auch in Holz. Der Anteil eigenhändiger Arbeiten aus M.s Werkstatt ist verhältnismäßig hoch; es kann nicht von einem sehr umfangreichen Werkstattbetrieb ausgegangen werden. Die zentralen Bildwerke der oft mehrteiligen Arbeiten waren in der Regel vielfigurige Reliefs. Entsprechend den Gepflogenheiten der Zeit griff M. für die Komposition dieser Bildtafeln auf die ital. beeinflußte niederländ. Druckgraphik des 16. Jh. zurück, jedoch nie in der Form getreuer Umsetzung, sondern stets in deutlicher Abwandlung der Vorlage. Meist wurden Motive aus unterschiedlichen graphischen Blättern zu einem neuen Ganzen zusammengefügt. Stilistisch vereint M.s Werk niederländ. Elemente, etwa der Schule des Cornelis Floris, mit der oberital. Formensprache des Kreises um Andrea und Jacopo Sansovino. Hiermit dürfte er sich während seiner Reise nach Italien vertraut gemacht haben. M.s Figurenauffassung verbindet die labilen Standmotive des Manierismus mit einer stark plastischen Formensprache, die den Körper seiner Figuren detailreich durchmodelliert und in Einzelheiten bereits das Anatomieverständnis des Barocks anklingen läßt.

Um 1600 war M. im Bodenseeraum unbestritten die führende Künstlerpersönlichkeit. Als Mittler der Skulptur der ital. Renaissance und des Manierismus kommt ihm für die Kunstgeschichte der Region eine Schlüsselstellung zu. Sein Werk gab hier den entscheidenden Anstoß zur Überwindung der noch von spätgotischen Vorstellungen bestimmten Arbeitsweise der einheimischen Künstler. Die Bildhauer der folgenden Generation, darunter so bedeutende wie Jörg Zürn in Überlingen, haben bei M. gelernt oder sich zumindest intensiv mit seinem Werk auseinandergesetzt.

W Epitaph d. Fam. v. Schellenberg, 1583/84 (St. Verena u. Gallus, Hüfingen); Anna-Altar, 1590 (Münster, Konstanz); Epitaph d. Effrasina Harreisein, 1592 (St. Stephan, ebd.); Sakramentstabernakel, 1594 (ebd.); Grabmal d. Helene v. Raitenau, 1595 (St. Petrus u. Paulus, Orsingen); Beweinung u. Hl. Dreifaltigkeit, 1596/97 (St. Sigismund, Hepbach); Hl. Dreifaltigkeit, 1598/99 (St. Stephan, Karlsruhe); Hl. Dreifaltigkeit, 1600/01 (Bad. Landesmus., ebd.); Grabmal v. Pappenheim, 1604 (Mariä Himmelfahrt, Engen); Hauszeichen „Zum Schafhirten", 1608 (Zollernstr. 6, Konstanz); Altar d. Abhebung Christi, 1610 (?) (Münster, ebd.); Pietà, 1612 (Bad. Landesmus., Karlsruhe).

L F. Hirsch, H. M., in: Rep. f. Kunstgesch. 20, 1897, S. 259–92; A. Geigges, in: Bodensee-Chronik, Bll. d. Unterhaltung u. d. Wissens, Beil. zu d. Konstanzer Nachrr. 8, 1914, Nr. 17–29; H. Hell, Forschungen z. schwäb. Plastik d. Zeit d. Gegenref., Diss. Tübingen 1948 *(ungedr.)*; H. Ricke, H. M., Ein Wegbereiter d. Barockskulptur am Bodensee, 1973.

Helmut Ricke

Morini, *Erica*, Geigerin, * 5. 1. 1905 Wien, † 1. 11. 1995 New York. (isr.)

V Oscar (Oiser, Oser, 1859–1953) aus Triest, Musikprof. in Czernowitz, Inh. e. privaten Musikschule in W. (s. *L*), *S* d. Moses Moritz u. d. Ester Rauchwerger; *M* Amalia (Malka) (1867–1950) aus Czernowitz, Klavierlehrerin, *T* d. Jakob Weissmann; ∞ 1938 Felice Siracusano (* 1901) aus Messina, Kunsthändler; kinderlos.

Unterrichtet zunächst durch ihren Vater, wurde M. mit acht Jahren als eine der ersten weiblichen Schülerinnen des Wiener Konservatoriums in die Meisterklasse des Violinpädagogen Otakar Ševčík aufgenommen. Zusätzlich ließ sie sich von Rosa Hochmann-Rosenfeld, einer Schülerin von Jakob Grün, ausbilden. Der Erfolg ihres ersten öffentlichen Auftretens in Wien brachte der jungen Geigerin eine Einladung Arthur Nikischs, unter dessen Leitung sie 1916 mit dem Leipziger Gewandhausorchester ihr deutsches Debüt gab. Seitdem als Wunderkind gefeiert, konzertierte M., vor allem in Deutschland und Österreich-Ungarn, bald mit allen großen Dirigenten ihrer Zeit. Ihr amerikan. Debüt erfolgte 1921 in New York unter Artur Bodansky mit Violinkonzerten von Mozart, Mendelssohn und Vieuxtemps. Im Anschluß an dieses von der Kritik mit Begeisterung aufgenommene Konzert wurde ihr die Guadagnini-Geige der ein Jahr zuvor verstorbenen amerikan. Geigerin Maud Powell überreicht, die testamentarisch festgelegt hatte, daß ihr Instrument der „nächsten großen Geigerin" übergeben werden solle. Bis zum 2. Weltkrieg unternahm M. sowohl in Amerika als auch in Europa zahlreiche Konzertreisen. 1937 emigrierte sie nach New York, wo sie 1943 die amerikan. Staatsbürgerschaft erhielt. In Europa verblaßte ihr Ruhm danach mehr und mehr, da sich ihre Konzerttätigkeit, vor allem in späteren Jahren, fast ausschließlich auf Amerika beschränkte. Dort jedoch blieb sie bis zu ihrem Rückzug aus dem Konzertleben eine gefeierte Künstlerin und bekleidete zahlreiche Ehrenämter an verschiedenen Musikinstituten. M.s Spiel wurde stets wegen eines besonders lyrischen und kantablen Tones gerühmt, dessen Ursprung man vor allem in dem auf elementar musikalischen Ausdruck ausgerichteten Unterricht durch Hochmann-Rosenfeld gesehen hat. Da M. zugleich durch die strenge Schule Ševčíks gegangen war, konnte sich ihre lebendige, wienerisch gesangsfreudige Musikalität auf dem Fundament technischer Sicherheit entwickeln. In ihren Interpretationen jedoch nahm sie die technisch-virtuose Komponente eines Werkes stets zugunsten eines intimen und verinnerlichten Spielens zurück. Der Schwerpunkt ihres ungewöhnlich großen Repertoires lag auf den Werken der Romantik, wobei sie immer auch um die Interpretation von Konzerten weniger oft gespielter Komponisten bemüht war, darunter sämtlicher Violinkonzerte Louis Spohrs. Ihr Spiel, das in begeisterten Formulierungen von vielen großen Musikern der Zeit beschrieben wurde, ist mit den wichtigsten Werken der romantischen Violinliteratur auf Schallplatte und CD dokumentiert. – Dr. mus. h. c. (Smith College, Northampton, Mass., 1955; New England Conservatory of Music, Boston, 1963); Goldmedaille d. Stadt New York (1976).

L J. W. Hartnack, Große Geiger unserer Zeit, 1977, S. 286 f.; M. Campbell, The Great Violinists, 1980 (P), dt. u. d. T. Die großen Geiger, e. Gesch. d. Violinspiels v. Antonio Vivaldi bis Pinchas Zukermann, 1982; Riemann; New Grove; BHdE II *(L)*; FAZ v. 6. 11. 1995. – *Zu Oscar:* The New York Times v. 12. 3. 1953.

Vera Baur

Moris, *Maximilian,* Opernregisseur und Theaterleiter, * 2. 2. 1864 Moskau, † 27. 3. 1946 Berlin. (kath.)

V Laurian (1819–82), Prof. Dr., Schriftst. in M. u. St. Petersburg (s. Brümmer; Kosch, Theater-Lex.), S d. Gerardus (* 1790), Pflasterer u. Straßenbauunternehmer, u. d. Susanne Lentz (* 1796); M Marie-Antoinette Franz (1837–1916); ∞ 1) 1891 (o/o um 1916) Klara Pählig (1865–1957), Opernsängerin, 2) 1923 Margarethe Schlemüller (1890–1967), Opernsängerin; 2 S, 2 T aus 1), u. a. Eugen (1895–1989), Violinvirtuose; E Dr. Werner Struve (* 1918), Lehrer, Heinz (* 1925), Dirigent.

M. wuchs in Moskau, Paris, Berlin und St. Petersburg auf. Neben dem Gymnasiumsbesuch erhielt er eine musikalische Ausbildung. Nach dramatischem Unterricht bei K. H. Jendersky 1879 in Moskau trat er zunächst in kleinen Rollen am dortigen deutschen Theater auf. In Paris ließ er sich zum Sänger ausbilden. In jährlich wechselnden Engagements wirkte er dann in Eisleben, Glauchau, Minden und Gera. Seit 1899 wurde er in Glogau, dann in Lübeck, Nürnberg, Trier, Chemnitz, Basel, Brünn und Linz neben der Tätigkeit als Sänger auch mit Regieaufgaben betraut. Seit 1900 war M. an der Dresdner Hofoper unter Generalmusikdirektor v. Schuch tätig. Seine Inszenierungen der Uraufführung der „Feuersnot" von Richard Strauss und der deutschen Erstaufführung von Puccinis „Tosca" fanden große Anerkennung. M. galt als einer der ersten, die die Prinzipien der modernen Schauspielregie auf das gesungene Drama anzuwenden versuchten.

Als Hans Gregor 1905 in Berlin die „Komische Oper" gründete, in der Absicht, eine Reform der Operndarstellung aus dem Geist des Schauspiels zu verwirklichen, engagierte er M. als Oberspielleiter. In den folgenden sechs Jahren schuf M. 29 der 44 Inszenierungen dieses Theaters. Bereits die Eröffnungsproduktion, J. Offenbachs „Hoffmanns Erzählungen" in der Übersetzung und Bearbeitung M.s, wurde ein triumphaler Erfolg und erlebte nahezu 600 Aufführungen. 1911 trugen die Besitzer der neu erbauten Kurfürsten-Oper in Berlin M. die Direktion an. Nach einer Spielzeit, die trotz der erfolgreichen Uraufführung von Ermanno Wolf-Ferraris „Schmuck der

Madonna" künstlerisch und finanziell hinter den Erwartungen zurückblieb, trat er von der Leitung zurück. In Hamburg wurde M. 1913 stellvertretender Direktor und Oberregisseur der Neuen Oper, deren Leitung er nach dem Konkurs im folgenden Jahr allein übernahm (1915 in „Hamburger Volksoper" umbenannt). 1916 trat er von der Direktion zurück und leitete ein deutsches Fronttheater im besetzten Belgien. Nach einer Reihe von Gastinszenierungen, auch im europ. Ausland und in den USA, wirkte M. 1923–28 als Oberspielleiter am Deutschen Nationaltheater Weimar. 1930 übernahm er in Berlin die Leitung der Opernschule am Sternschen Konservatorium, und 1934–39 inszenierte er Opernvorstellungen für das „Theater der Jugend" in Berlin.

In einer Zeit, in der auf der Opernbühne selbst an den führenden Theatern das dekorative Element dominierte, gehörte M. zu den wenigen Pionieren der Opernregie, die die Arbeit mit dem Darsteller in den Vordergrund zu rücken versuchten. Die von ihm erhaltenen Regie-Klavierauszüge belegen die sorgfältige Vorbereitung der Probenarbeit, die weit über das bis dahin übliche Arrangieren von Auftritten und statischen Positionen hinausging. M. war einer der ersten Opernregisseure, deren Arbeit in Rezensionen besprochen wurde. Seine Personenführung rief gelegentlich Kritik hervor, da sich die Charakterisierung der Figuren oft deutlich von der gewohnten Sehweise abhob. Während M. als Regisseur bei seinen Zeitgenossen hohes Ansehen genoß, erlitt er als Theaterleiter immer wieder Rückschläge. So stehen seine Leistungen bis heute im Schatten Hans Gregors, dessen Karriere als Operndirektor ohne M. kaum zu denken ist.

W Gedruckte Opernbearbeitungen: Halka (Musik v. S. Moniuszko), Übers. f. Posen, 1898; Hoffmanns Erzählungen (Musik v. J. Offenbach), Übers. u. Einrichtung f. d. Eröffnungsinszenierung d. Komischen Oper Berlin, 1905; *Libretto:* Robins Ende (Musik v. E. Künnecke), UA 1909.

L E. Limmer u. W. Baudissin, Hinter d. Coulissen d. Dresdener Hoftheater, 1902 *(P);* B. Wildberg, Das Dresdener Hoftheater in d. Gegenwart, Biogrr. u. Charakteristiken, 1902, S. 139–41; M. u. sein Werk, in: Das Theater 3, 1911/12, S. 82–86 *(P);* K. Pietschmann, Hans Gregor als Opernregisseur, Diss. Göttingen 1957 *(ungedr.),* S. 110 ff. *(Inszenierungsverz. d. Komischen Oper Berlin, 1905–11);* A. Langer, Die Eröffnungsinszenierung d. Komischen Oper Berlin (1905) im Kontext d. Editions- u. Aufführungsgesch. v. Jacques Offenbachs Contes d'Hoffmann im dt.sprachigen Raum, in: R. Franke (Hrsg.), Jacques Offenbach, Werk u. Wirkung *(im Druck);* Eisenberg; E. H. Müller, Dt. Musiker-Lex., 1929; Dt. Bühnen-Jb. 51, 1940, S. 86; Kürschners dt. Musiker-Kal., 1954; Kosch, Theater-Lex.

P Porträt- u. Rollenphotos (Slg. W. Unruh, Berlin).

Arne Langer

Moritz Prinz v. Anhalt-Dessau, preuß. Feldmarschall, * 31. 10. 1712 Dessau, † 11. 4. 1760 ebenda. (ref.)

V Fürst Leopold I. v. A.-D. (1676–1747), preuß. Feldherr (s. NDB 14); *M* Anna Louise (Reichsfürstin 1701, 1677–1745); 4 *B* Wilhelm Gustav (1699–1737), preuß. Gen.-Lt. (s. ADB I; Priesdorff I, S. 139 f.), Leopold II. (1700–51), preuß. GFM, seit 1747 regierender Fürst in A.-D. (s. ADB 18; Priesdorff I, S. 142–44; NDB 14*), Dietrich (1702–69), preuß. GFM, seit 1751 regierender Fürst in A.-D. (s. NDB III), Eugen (1705–81), preuß. Gen., seit 1746 in kursächs. Diensten, 1775 FM (s. ADB V, S. 175; Priesdorff I, S. 220–24); *N* Hzg. Leopold III. Friedrich Franz v. A.-D. (1740–1817), Garten- u. Landschaftsgestalter (s. NDB 14); *Vt 2. Grades* Friedrich Wilhelm I., Kg. in Preußen (1688–1740, s. NDB V); – ledig.

Als Liebling seines Vaters erhielt M. eine Ausbildung in Armeedienst, Verwaltung, Kolonisation und Ökonomie. Sein Mangel an Bildung rief den Spott von Kameraden hervor und drängte ihn, der von rauhem Charakter war, in eine gewisse Außenseiterrolle. Mit sechs Jahren übernahm er eine Kompanie; 1723 wurde er Adjutant seines Vaters und vier Jahre später Hauptmann und Bataillonschef. Als Musterbeispiel eines preuß. Offiziers errang er das Wohlwollen Kg. Friedrich Wilhelms I., der ihn 1731 zum Oberstleutnant beförderte und ihm die Dompropstei zu Brandenburg/Havel verlieh, die M. 1739 antrat. Im Poln. Erbfolgekrieg konnte M. vom hochbetagten Prinzen Eugen militärische Organisation lernen. 1736 avancierte er zum Obersten und Regimentskommandeur. In den ersten Schles. Kriegen stand M. meist unter dem Kommando seines Vaters oder eines seiner Brüder. Seit Juni 1741 war er in Schlesien, wo er an Aktionen gegen Breslau, Neiße und Glatz teilnahm. Zu Beginn des zweiten Schles. Krieges befehligte er als Generalmajor die Avantgarde beim Einfall in Böhmen und war an der Einnahme Prags 1744 beteiligt. Durch seine geschickte Führung des rechten Flügels bei Hohenfriedberg am 4. 6. 1745 trug er erstmals in einer großen Schlacht zu deren Erfolg bei. Im Dezember hatte er – inzwischen Generalleutnant der Infanterie – den wichtigsten Anteil am Sieg seines Vaters in der Schlacht bei Kesselsdorf.

Noch auf dem Schlachtfeld zeichnete ihn Friedrich II. mit dem Schwarzen Adlerorden aus.

In den folgenden Friedensjahren war M. Regimentskommandeur in Stargard, Gouverneur von Küstrin und Driesen und vor allem Leiter der Kolonisationsmaßnahmen in Pommern; hier konnte er seine in Anhalt-Dessau gewonnenen Kenntnisse in Agrikultur, Forstwirtschaft und besonders Wasserbaumaßnahmen, aber auch Handel, Verkehr und Gewerbe erfolgreich umsetzen. Gemeinsam mit der Kriegs- und Domänenkammer leitete M. die Regulierungs- und Eindeichungsarbeiten an der Oder, die Anlage von Ostseehäfen sowie die Gründung und Besiedlung von ca. 100 Dörfern mit über 1500 Familien.

Der Siebenjährige Krieg brachte Höhe- und Endpunkt seiner militärischen Laufbahn. 1756 besetzte M. die Festung Wittenberg und nahm an der Einschließung der sächs. Armee bei Pirna teil. Nach deren Kapitulation übertrug ihm Friedrich II. die Umformung der sächs. Regimenter zu preußischen. M. vollzog auch diese Tätigkeit zuverlässig und gewissenhaft, aber sein Mangel an Einfühlung und die Tatsache, daß es sich um einen Rechtsbruch handelte, verhinderten einen dauernden Erfolg. In der für Preußen verhängnisvollen Schlacht von Kolin am 18. 6. 1757 befehligte M. den linken Flügel. Sein Verhalten brachte ihm bei Zeitgenossen und Militärhistorikern scharfe Kritik und engagierte Verteidigung ein. Der König jedenfalls vertraute ihm das Kommando über den Rückzug und im Oktober den Entsatz von Berlin an. Der Reichshofrat hingegen forderte ihn vergeblich auf, die preuß. Armee bei Strafe der Enteignung zu verlassen. Erfolg brachte ihm die Führung des linken Flügels beim Sieg über Reichsarmee und Franzosen bei Roßbach. M. krönte seine Kriegstaten als Kommandeur des rechten Flügels in der Schlacht bei Leuthen am 5. 12. 1757. Sein Anteil war so wesentlich, daß ihn Friedrich II. auf dem Schlachtfeld zum Feldmarschall ernannte und bekannte, daß ihm noch nie jemand bei einem Sieg derartig geholfen habe. Auch in der Schlacht bei Zorndorf gegen die Russen bewährte sich M., wurde aber bei der preuß. Niederlage von Hochkirch 1758 verwundet, gefangengenommen und nach Dessau entlassen.

M. hatte seinen Grundbesitz ständig vermehrt, nicht nur in Anhalt-Dessau, sondern auch in Brandenburg, wo er Dörfer anlegte. – Triebfeder des Handelns dieses oft als ungelenk beschriebenen, aber pflichtbewußten und tapferen Soldaten war neben neidloser Verehrung für den überragenden Vater und dem Pflichtgefühl des preuß. Offiziers eine calvinistisch-prot., vom Pietismus beeinflußte Religiosität.

L ADB 22; H. Hesse, Die Kolonisationstätigkeit d. Prinzen M. v. Anhalt-Dessau in Pommern 1747–1754, 1910, vollst. in: Balt. Stud. NF XIV u. XVI; M. Preitz, Prinz M. v. Dessau im Siebenj. Kriege, 1912 (P); ders., Prinz M. v. Dessau, in: Mitt. d. Ver. f. anhalt. Gesch. u. Altertumskde., Bd. 12, S. 82–97; B. v. Knobelsdorff-Brenkenhoff, Anhalt-Dessau 1737–1762, Seine vier Fürsten u. Brenkenhoff, 1987 (P); R. Specht, Bibliogr. z. Gesch. v. Anhalt, 1930, Nachdr. 1991; ders., Bibliogr. z. Gesch. v. Anhalt, 2. Nachtrag f. d. Zeit 1936–80, Bearb. u. fortgeführt v. G. Ziegler, 1991; Priesdorff I, S. 254 f.

P E. v. Frankenberg u. Ludwigsdorf, Anhalt. Fürsten-Bildnisse, 1895.

Hartmut Ross

Moritz v. Sandizell, Bischof von Freising (seit 1559), * 1514, † 26. 2. 1567 Freising.

Aus e. d. ältesten bayer., b. Schrobenhausen ansässigen Ministerialengeschl., seit 1374 in d. bayer. Landschaft urkundl. belegt. – V Sigmund, S d. Moritz v. Sandizell zu Edelshausen; M Amalie, T d. Wolfgang v. Weichs u. d. Elisabeth v. Stein zu Ronsberg.

M. studierte zunächst in Ingolstadt, ehe er 1532 Aufnahme in das Freisinger Domkapitel fand. Seit 1546 Domkapitular, wurde er am 12. 6. 1559 unter dem Einfluß Hzg. Albrechts V. von Bayern zum Bischof von Freising gewählt und nach Einholung der päpstlichen Konfirmation am 2. 3. 1561 konsekriert. Als erste große Aufgabe wartete auf den neuen Oberhirten, über dessen Leben und Wirken sich kaum Nachrichten erhalten haben, die Durchführung der „Visitatio Bavarica" in seinem Bistum. Von Anfang September bis Ende Oktober 1560 versuchte eine aus bischöflichen und herzoglichen Bevollmächtigten zusammengesetzte Kommission, anhand eines umfangreichen Interrogatoriums einen möglichst detaillierten Einblick in die religiöse Situation nach den Wirren der Reformationszeit zu gewinnen. Dabei wurden – ähnlich wie in den anderen unter bayer. Landeshoheit stehenden Teilen des Erzbistums Salzburg und der Bistümer Passau und Regensburg – gravierende Mißstände aufgedeckt, vor allem hinsichtlich der Bildung und Lebensführung zahlreicher Kleriker. Um diese abzustellen und die seit Jahrzehnten, insbesondere von den Landesherrn geforderte Reform der bayer. Kirche endlich in die Wege zu leiten, fanden 1562 drei Kongregationstage in Salzburg statt. In ihrem Verlauf verständigte sich die geistliche und die weltliche Seite zwar auf einige konkrete Maßnahmen, u. a. ein scharfes Mandat gegen den Konkubinat der Kleriker, in der entscheidenden Frage, der Gewährung des Laienkelches, konnte jedoch keine Einigung erzielt werden. Der Freisinger Bischof nahm an den Salzburger Verhandlungen allerdings ebensowenig persönlich teil wie an dem seit Januar 1562 wieder in Trient tagenden Konzil. Hier hielt der bayer. Gesandte Dr. Augustin Paumgartner am 27. 6. 1562 eine vielbeachtete Rede, in der er unter Berufung auf die Ergebnisse der „Visitatio Bavarica" eine grundlegende Reform des Klerus, die Zulassung verheirateter Geistlicher und die Gewährung des Laienkelches forderte. Letzteres wurde tatsächlich im April 1564 von Papst Pius IV. bewilligt und in der Folgezeit auch im Salzburger Metropolitanverband eingeführt, jedoch schon 1571 wieder verboten. M., der als tüchtiger Finanz- und Verwaltungsmann galt, aber an seinen geistlichen Aufgaben offensichtlich wenig Interesse zeigte, spielte bei all diesen Maßnahmen keine entscheidende Rolle. Infolgedessen war es nur konsequent, daß Hzg. Albrecht V. bei dem Versuch, seinen Sohn Ernst auf einen Bischofsstuhl zu bringen, an das vor den Toren der Landeshauptstadt gelegene Freising dachte. Im Herbst 1565 gab der Bischof seine Resignation zugunsten des erst elfjährigen Prinzen bekannt; sie wurde im Dezember 1566 nach längeren Verhandlungen auch von Papst Pius V. genehmigt, und somit begann für das Bistum Freising eine neue, durch zwei Jahrhunderte sich hinziehende Reihe von geistlichen Fürsten aus dem Hause Wittelsbach.

L W. Hundt, Bayrisch Stammen-Buch, Bd. II, Ingolstadt 1586, S. 359; C. Meichelbeck, Historia Frisingensis, II/1, Augsburg 1729, S. 326–30; A. Baumgärtner, Meichelbeck's Gesch. d. Stadt Freising u. ihrer Bischöfe, 1854, S. 195–97; A. Landersdorfer, Das Bistum in d. Epoche d. Konzils v. Trient, in: G. Schwaiger (Hrsg.), Das Bistum Freising in d. Neuzeit, 1989, S. 93–152, bes. 100–14 *(L)*.

P Rotmarmor-Epitaph in d. Vorhalle d. Freisinger Domes, Abb. b. J. Schlecht, Monumentale Inschrr. im Freisinger Dome, in: 5. Sammelbl. d. Hist. Ver. Freising, VIII. u. IX. Jg., 1900, S. 15 ff.

Anton Landersdorfer

Moritz *der Gelehrte*, Landgraf von Hessen-Kassel, * 25. 5. 1572 Kassel, † 15. 3. 1632 Eschwege/Werra, □ Kassel, Martinskirche. (ref.)

V Wilhelm IV., Landgf. von Hessen-Kassel (1532–92, s. ADB 43), S d. Philipp I., Landgf. v. Hessen 1504–67, s. ADB 25), u. d. Christine, Hzgn. von Sachsen (1505–49, s. NDB VI*); M Sabine (1549–81), T d. Christoph, Hzg. von Württemberg (1515–68, s. NDB III), u. d. Anna Maria, Markgfn. v. Brandenburg-Ansbach (1526–89); 10 *Geschw* (7 früh †), u. a. Anna Maria (1567–1621, ∞ Ludwig, Gf. von Nassau-Saarbrücken, 1565–1627, s. NDB 15), Hedwig (1569–1644, ∞ Ernst, Gf. von Holstein-Schaumburg, 1569–1622), Christine (1578–1658, ∞ Johann Ernst, Hzg. von Sachsen-Eisenach, 1594–1622, dän. Gen.oberst, s. ADB 14; NDB II*); *Ov* Ludwig IV., Landgf. von Hessen-Marburg (1537–1604, s. NDB 15), Georg, Landgf. von Hessen-Darmstadt (1547–96, s. NDB VI); *Vt* Ludwig V., Landgf. von Hessen-Darmstadt (1577–1626, s. NDB 15); – ∞ 1) Kassel 1593 Agnes (1578–1602), T d. Johann Georg, Gf. von Solms-Laubach (1547–1600), u. d. Margaretha, Gfn. von Schönburg-Glauchau (1554–1606); 2) Dillenburg 1603 Juliane (1587–1643, s. *L*), T d. Johann VII., Gf. von Nassau-Siegen (1561–1623, s. NDB X), u. d. Magdalene, Gfn. von Waldeck-Wildungen (1558–99); 4 S, 2 T aus 1), u. a. Otto (1594–1617), Administrator d. Stifts Hersfeld, Wilhelm (1602–37), folgte nach M.s Abdankung 1627 als regierender Fürst, Elisabeth (1596–1625, ∞ Johann Albrecht II, Hzg. von Mecklenburg-Güstrow, 1590–1636, s. NDB III*, V*); 7 S, 7 T aus 2), u. a. Hermann (1607–58), zu Rotenburg, Friedrich (1617–56), zu Eschwege, Ernst (1623–98), zu Rheinfels.

M. erhielt von seinem Vater eine sehr gründliche Ausbildung, die in den Rechts- und Staatswissenschaften durch den Erzieher Tobias Homberg vermittelt wurde, in der Musik durch Georg Otto und in der Theologie durch Caspar Cruciger d. J. (1527–97), der wegen seines Widerstandes gegen das Konkordienwerk die Univ. Wittenberg hatte verlassen müssen. Vor der philosophischen und der theologischen Fakultät der Univ. Marburg legte M. 1587 ein glänzendes Examen ab. Naturwissenschaftliche Kenntnisse konnte er unmittelbar am Kasseler Hof, einem Zentrum astronomischer, mathematischer und botanischer Forschungen, erwerben. Schon früh trat auch seine ausgeprägte Neigung zu den schönen Künsten, zur Musik, zum Theater und zur Poetik hervor. M. besaß eine hervorragende Sprachbegabung, die ihm nicht nur die Lektüre der klassischen griech. und lat. Autoren sowie des modernen engl. Dramas und der franz. Literatur, sondern auch eigene poetische Versuche in diesen Sprachen ermöglichte.

Als er 1592 die Herrschaft antrat, schien er auf den von Wilhelm IV. gelegten Grundlagen als Friedensfürst weiterregieren zu können. Im Gegensatz zu seinem sparsamen Vater fühlte M. sich jedoch verpflichtet, seinem Hof einen besonderen Glanz zu verleihen.

Nach seiner Hochzeit 1593 boten vor allem die Tauffeste für seine Kinder Anlaß zu aufwendigen Veranstaltungen mit Turnieren, „Inventionen", Theateraufführungen und Balletten. Seit 1594 kamen hierfür wandernde engl. Komödianten und Tänzer; mit dem 1604–06 errichteten „Ottoneum" erhielt Kassel den ersten festen Theaterbau in Deutschland. In der Hofkapelle, wo auch der junge Heinrich Schütz seine Ausbildung erhielt, waren hervorragende ital. Sänger und Instrumentalisten angestellt. M. trat auch mit eigenen Dramenentwürfen und Kompositionen hervor. Der Aufenthalt von John Dowland am Hof blieb, trotz fürstlicher Besoldung, nur Episode.

Aus der 1598 von M. gegründeten Hofschule ging das „Collegium Mauritianum" hervor, um den Söhnen des Adels ebenso wie der bürgerlichen Beamtenschaft die erforderliche Bildung zu vermitteln. M. entwarf den Lehrplan und verfaßte Lehrbücher, u. a. Einführungen in die Philosophie und Ethik und einen Thesaurus linguae Latinae (Ms. 1603). Für den Druck der eigenen Werke und der Disputationen am Collegium wurde 1596 die erste Druckerei in Kassel eingerichtet. Dort erschien die auf M.s Anregung von Wilhelm Dilich verfaßte „Hessische Chronica" (1605).

M.s Hof war auch das Zentrum eines Kreises meist medizinisch ausgebildeter Alchemisten. Hermann Wolf, Jacob Mosanus, Johann Daniel Mylius und Johannes Hartmann standen unmittelbar in seinen Diensten, und Vertreter einer esoterischen Richtung wie Raphael Eglinus und Joachim Morsius pflegten eine intensive Korrespondenz mit ihm. Im Unterschied zu vielen seiner Standesgenossen war M. nicht ausschließlich an der Gewinnung von Gold interessiert; in ihm verband sich ein Interesse an metaphysischer Naturerkenntnis mit der Neigung zur Erforschung des praktischen Nutzens alchemisch konzipierter Medikamente und die Bereitschaft, auch unorthodoxe theologische und soziale Aspekte wie das Rosenkreuzertum zu akzeptieren. Aus seinem Verständnis der komplexen allegorisch-metaphorischen Züge leitete sich M.s Überzeugung ab, er sei als Fürst durch göttliche Gnade auch dazu prädestiniert, den mystischen Kern alchemischer Weisheit zu ergründen. M. hielt in der Tradition des Kasseler Hofs auch die Verbindung zu den namhaftesten Vertretern der Astronomie und der Mathematik seiner Zeit wie Tycho Brahe in Kopenhagen, Willibrord Snellius in Leiden und John Dee in London aufrecht. Die Arbeiten des Mathematikers und Instrumentenbauers Jost Bürgi wurden in Kassel von Benjamin Bramer fortgesetzt.

Sein Mäzenatentum, dazu die Kosten für Bauwerke, für die M. zahlreiche Entwürfe zeichnete, und vor allem seine aufwendige Hofhaltung mit Festen, Empfängen und zahlreichen Reisen überstiegen die Finanzkraft des kleinen Landes bei weitem. Versuche, in frühmerkantilistischem Geist durch die Ansiedlung engl. und niederländ. Tuchmacher (seit 1596), mit der Errichtung von Manufakturen und durch die Erschließung von Bodenschätzen neue Einnahmequellen zu schaffen, blieben erfolglos. Seit 1594 wiesen die Räte immer wieder auf den desolaten Zustand der Finanzen hin, der sich noch verschlimmerte, wenn politische und militärische Aktionen hinzutraten. In der Reichspolitik folgte M. einem durch Wilhelm IV. vorgezeichneten Mittelweg zwischen dem konservativen luth.-orthodoxen Kursachsen und der Kurpfalz, die durch eine unklare Stellung zur Augsburger Konfession und zum Religionsfrieden gekennzeichnet war. Während sein Vater Konfrontationen vermeiden konnte, war M. durch die seit dem Reichstag 1594 unruhigere Konfessionspolitik und durch die wachsende Gefahr eines Übergreifens der franz. und niederländ. Religionskriege auf das Reich zum Handeln gezwungen. Mit der Kurpfalz, der er aus konfessionellen Gründen zuneigte, führte er seit 1596 intensivere Verhandlungen, wollte sich aber dem geplanten Bündnis ohne einen gleichzeitigen Beitritt Kursachsens und Kurbrandenburgs nicht anschließen. Die Landgfsch. Hessen blieb der 1608 zustandegekommenen prot. Union daher zunächst fern und folgte erst, als Kurbrandenburg 1610 im Konflikt um die Jülicher Erbfolge beitrat.

M.s erster Versuch, politische Ziele mit militärischen Mitteln durchzusetzen, endete 1598 mit einem Fiasko. Nach dem Einfall der Spanier am Niederrhein hatte M. als Kreisobrister des Oberrhein. Kreises auf eigene Kosten ein Heer gegen die Festung Rees geführt, das sich nach glücklosen Operationen auflöste. Die aus den Erfahrungen des Feldzugs entwickelte Reform der hess. Kriegsverfassung, das von M. 1600/01 entworfene „Defensionswerk", mit dem das Söldnerwesen durch eine Art allgemeine Wehrpflicht ersetzt wurde, war nur in der Theorie zweckmäßig, hat sich in der Praxis aber nicht bewährt. Als M. das gewaltsam rekatholisierte Hochstift Paderborn 1604 durch eine Koadjutorie eines seiner Söhne für Hessen gewinnen wollte, mußte er das Landesaufgebot bereits nach wenigen Tagen wieder auflösen. Seine

Arrondierungspolitik hatte nur im Fall der Fürstabtei Hersfeld Erfolg. Das fast rein ev. Stift wurde mit der Einsetzung seines ältesten Sohnes Otto als Administrator (1606) faktisch der Landgrafschaft eingegliedert. Dagegen scheiterte der Versuch 1615 bzw. 1621, in der Lehnsgfsch. Waldeck die hess. Landesherrschaft mit Waffengewalt durchzusetzen.

Die Differenzen mit den benachbarten Territorien sowie die Hinwendung zum Calvinismus schwächten M.s Stellung in der Reichspolitik. Der fehlende Rückhalt am Kaiserhof wirkte sich verhängnisvoll aus im Kampf um die Marburger Erbschaft nach dem Tode Ludwigs IV. Zunächst besaß M. die besseren rechtlichen Argumente gegenüber seinem Miterben Ludwig V. in Darmstadt, doch veränderte er mit der Einführung der sog. Verbesserungspunkte 1605 den Bekenntnisstand in Oberhessen und verstieß damit gegen die klaren Bestimmungen des Testaments seines Oheims. Bereits 1603 hatte M. damit begonnen, gegen den Widerstand in der luth. Kirche Gebräuche, die ihm als Überreste des kath. Kultus erschienen, abzustellen. Das neu eingeführte Brotbrechen und das Bilderverbot galten als offensichtliche Hinwendung zum Calvinismus. Die theologische Rechtfertigung der Neuerungen wurde insbesondere von Gregor Schönfeld d. Ä. und Johannes Crocius durchgefochten; die reichsrechtliche Absicherung übernahm der einflußreiche Jurist Hermann Vultejus. 1618 nahmen hess. Theologen, darunter M.s Hofprediger Paul Stein, an der Synode zu Dordrecht, einer Generalkonferenz des calvinist. Europa, teil. Die konfessionspolitische Entscheidung des Landgrafen war nicht unbeeinflußt von seiner Ehe mit Gfn. Juliane von Nassau-Siegen, durch die M. in engste verwandtschaftliche Beziehungen zu diesem Grafenhaus eintrat, das eine entschieden ref. Politik im Reich verfolgte. Innenpolitisch wurde durch Juliane das Gewicht der calvinist. Partei in Kassel verstärkt und damit der Gegensatz des Landgrafen zur Ritterschaft, die schon wegen des Defensionswerks und vor allem wegen der Verbesserungspunkte unzufrieden war, verschärft. In der Reichspolitik galt die Landgfsch. Hessen-Kassel bald neben der Kurpfalz, das ebenfalls zur nassau. Verwandtschaft gehörte, als Protagonist der calvinist. Sache.

In dem von dem Darmstädter Vetter angestrengten Reichshofratsprozeß erging seit 1606 eine Reihe ungünstiger Entscheidungen. Diese konnten vorerst zwar nicht durchgesetzt werden, aber sie blieben eine ständige Bedrohung, die, verbunden mit der sich steigernden Krisenstimmung in der Dekade vor dem 30jährigen Krieg, in wachsender Unsicherheit, Gereiztheit und Schroffheit des Landgrafen sowie in einem wachsenden Mißtrauen gegenüber Verbündeten und selbst seiner engsten Umgebung ihren Ausdruck fand. M. hatte beim Regierungsantritt die alten Räte seines Vaters beibehalten; auch der 1605 eingerichtete Geheime Rat war anfangs überwiegend mit Angehörigen althess. Beamtenfamilien besetzt. Seit der Behördenreform 1609/10 jedoch berief M. zunehmend Fremde in die Ratsgremien und in Vertrauensstellungen, was bei der einheimischen Beamtenschaft Unzufriedenheit weckte.

Unheilvoll wirkten sich die gestörten Vertrauensverhältnisse aus, als am 11. 4. 1623 das Reichshofratsurteil erging, das dem Darmstädter die ganze Marburger Erbschaft und wenig später halb Niederhessen als Kostenpfand einräumte. Im Herbst erfolgte die Einquartierung der Ligatruppen unter Tilly in Hessen. M.s diplomatische Reisen zu den prot. Höfen Norddeutschlands trugen bei aller Hektik deutliche Züge von Eskapismus. Nicht nur die hess. Stände, auch Landgfn. Juliane warfen ihm offen vor, das Land in den Ruin geführt und dann im Stich gelassen zu haben. Als die Stände selbständig mit Tilly in Verhandlungen eintraten, um dem Abzug der Ligatruppen oder wenigstens eine Verringerung der Kriegslasten zu erreichen, wurden sie von M. des Landesverrats beschuldigt. Der damit eingetretene Bruch war endgültig. Die Stände, die Räte und vor allem die Landgräfin drängten M., die Regierung niederzulegen. Am 17. 3. 1627 mußte er den Verzicht zugunsten seines Sohnes Wilhelm erklären. Zuvor hatte Juliane noch durchgesetzt, daß mit dem Hausvertrag vom 12. 2. 1627 ihr und ihren Kindern ein Viertel von Niederhessen, die sog. Quart, zur Sicherung ihrer Einkünfte überlassen wurde.

In seinen letzten Lebensjahren fand der verbitterte M. kaum die erhoffte Muße zu wissenschaftlicher Arbeit. Zwischen seinen rastlosen Reisen versenkte er sich fast ausschließlich in alchemistische Studien. Mit seiner Frau stritt er sich um Geld, Hausrat und die Erziehung der Kinder. Landgf. Wilhelm V. mußte sich gegen Einmischungsversuche des Vaters wehren. In Eschwege, wo M. 1630 seinen dauernden Aufenthalt genommen hatte, starb er, nachdem er sich vorher mit seiner am Sterbebett versammelten Familie versöhnt hatte. Ein bleibendes Zeugnis dieser Versöhnung bildet das „Mausoleum Mauritianum" (1635), das 1638 zum „Monumentum sepulcrale" (^{2}1640) erweiterte Gedächtniswerk mit Leichenpredigten, Lebensbeschreibungen und Trauergedichten auf den toten Landgrafen. Trotz der panegyrischen Tendenz sind die darin enthaltenen Lebensbeschreibungen nicht unkritisch und erwähnen auch M.s Jähzorn und seinen Starrsinn. In der Literaturgeschichte gilt M. als bedeutender Anreger und Förderer vor allem des Theaters. Seine musikalischen Werke werden noch heute aufgeführt. Die Geschichtsschreibung des 19. Jh. sah überwiegend positive Züge in der Politik des Landgrafen und lastete sein Scheitern eher der Unzuverlässigkeit seiner Verbündeten und dem Egoismus der hess. Ritterschaft an. Dagegen wirft die neuere landesgeschichtliche Forschung M. mangelnde politische und militärische Fähigkeiten verbunden mit einer kompensierenden Überheblichkeit vor und bewertet das Ende seiner Regierung als einen Tiefpunkt der hess. Geschichte. Ein Wandel dieser Auffassung deutet sich in jüngsten Forschungsansätzen an, in denen M.s Scheitern weniger in seinen Charaktereigenschaften als in politischen und militärischen Zwängen gesehen wird. – Mitgl. d. Fruchtbringenden Ges. (1623, Ps. „Der Wohlgenannte").

W u. a. Encyclopaedia, 1597; Poetices methodice conformatae libri duo, 1598; Philosophia practica Mauritiana (fragm., 1604); Psalmen Davids..., nach A. Lobwasser, 1607; Lexique François-Allemant, 1631; E. Schröder, Ein dramat. Entwurf d. Landgf. v. Hessen, 1894. – *Verz. d. Schrr.:* Strieder IX, 1794, S. 176–200. – *Verz. d. Komp.:* C. Israel, Übersichtl. Kat. d. Musikalien d. Ständ. Landesbibl. zu Kassel, 1881.

Qu. E. Monings, The Landgrave of Hessen his princelie receiving of her Majesties Embassador, 1596; W. Dilich, Beschreibung u. Abriß dero Ritterspiel, 1598; Ch. v. Rommel (Hrsg.), Correspondance inédite de Henri IV., Roi de France et de Navarre, avec Maurice-le-Savant landgrave de Hesse, 1840; ders., Ungedr. Urkk. z. Gesch. d. Landgf. M. v. H., in: Zs. d. Ver. f. hess. Gesch. u. Landeskde. IV, 1847, S. 308–25. K. A. Eckhardt, Eschweger Vernehmungsprotokolle v. 1608 z. Ref. d. Landgf. M., 1968.

L ADB 22; Ch. v. Rommel, Gesch. v. Hessen, VI, 1837 u. VII, 1839; R. Helm, Bauprojekte d. Landgf. M., Zs. d. Ver. f. hess. Gesch. u. Landeskde., ebd. 75/76, 1964/65, S. 185–90; B. T. Moran, Der alchemist.-paracels. Kreis um d. Landgf. M. v. H.-K. (1572–1632), ebd. 92, 1987, S. 131–46; G. C. Adams, Das Ottoneum als Theater, ebd. 96, 1991, S. 73–120; I. Bolte, Schauspiele am Hofe d. Landgf. M. v. H., in: SB d. preuß. Ak. d. Wiss., Phil.-hist. Kl., 1931, S. 5–28; F. Blume (Hrsg.), Geistl. Musik am Hofe d. Landgf. M., 1931; H. Hartleb, Dtld.s erster Theaterbau, Eine Gesch. d. Theaterlebens u. d. engl. Komödianten unter Landgf. M. d. G. v. H.-K., 1936; Th. Griewank, Das „christliche Verbesserungswerk" d. Landgf. M. u. seine Bedeutung f. d. Bekenntnisentwicklung d. kurhess. Kirche, in: Jb. d. Hess. Kirchengeschichtl. Vereinigung 5, 1953, S. 38–73; G. A. Benrath, Die hess. Kirche u. d. Synode v. Dordrecht (1618/19), ebd. 20, 1969, S. 55–91; W. Maurer, Bekenntnisstand u. Bekenntnisentwicklung in Hessen, 1955; H. Kindermann, Theatergesch. Europas, III, 1959; Ch. Engelbrecht, Die Kasseler Hofkapelle im 17. Jh. u. ihre anonymen Musikhss. aus d. Kasseler Landesbibl., 1958; F. Blaich, Die Antimonopolpol. unter Langf. M., Hess. Jb. f. Landesgesch. 16, 1966, S. 121–46; O. Dascher, Das Textilgewerbe in Hessen-Kassel vom 16. bis 19. Jh., 1968; G. Thies, Territorialstaat u. Landesverteidigung, Das Landesdefensionswerk in Hessen-Kassel unter Landgf. M. 1592–1627, 1973; V. Press, Hessen im Za. d. Landesteilung (1567–1655), in: W. Heinemeyer (Hrsg.), Das Werden Hessens, 1986, S. 267–331; G. Menk, Die „Zweite Reformation" in Hessen-Kassel, Landgf. M. u. d. Einf. d. Verbesserungspunkte, in: H. Schilling (Hrsg.), Die ref. Konfessionalisierung in Dtld., 1986, S. 154–83; ders., Die Beziehungen zw. Hessen u. Waldeck v. d. Mitte d. 16. Jh. bis z. Westfäl. Frieden, in: Gesch.bll. f. Waldeck 75, 1987, S. 43–206; M. Rudersdorf, Ludwig IV. v. Hessen-Marburg 1537–1604, 1991; H. Th. Gräf, Konfession u. internat. System, Die Außenpol. Hessen-Kassels im konfessionellen Za., 1993; M. Lemberg, Juliane Landgfn. zu Hessen, 1995 *(P)*; MGG *(P)*; New Grove; Killy; BBKL. – Eigene Archivstud.

P Tonbüste v. W. Vernukken (?), um 1600 (Hess. Landesmus., Kassel); Wachsstatuette in ganzer Figur, n. 1603 (ebd.); Ölgem. v. Ch. Jobst, um 1617 (Univ. Marburg) u. A. Erich, 1626/28 (Fam.bild, Hess. Landesmus., Kassel); Kupf. v. W. Dilich, in: ders., Hess. Chronica, 1605, W. Wessel, in: Hess. Wappenbuch, 1623, u. J. v. Heyden, in: Monumentum sepulcrale 1638 u. ²1640.

Fritz Wolff

Moritz Graf von Nassau-Katzenelnbogen, Prinz von Oranien (seit 1618), Statthalter von Holland, Seeland, Geldern, Utrecht, Overijssel, Groningen und Drenthe, * 14. 11. 1567 Dillenburg, † 23. 4. 1625 Den Haag. (ref.)

V Wilhelm I. (1533–84), Gf. v. Nassau, Fürst v. Oranien, *S* d. Wilhelm (d. Reiche) (1487–1559), Gf. v. Nassau-Dillenburg (beide s. ADB 43; NDB 18, Fam.art. Nassau), u. d. Juliana (1506–80), Gfn. v. Stolberg (s. ADB 23; alle s. Nassau. Biogr.); *M* Anna (1544–77), *T* d. Moritz (1521–53), Hzg., seit 1547 Kf. v. Sachsen (s. NDB 18), u. d. Agnes (1527–55), Landgfn. v. Hessen; *Ov* Johann VI. (1536–1605), Gf. v. Nassau-Dillenburg (s. NDB 9), Ludwig (1538–74), Gf. v. Nassau-Dillenburg (s. NDB 15; beide s. Nassau. Biogr.); *Om* August (1526–86), Kf. v. Sachsen (s. NDB I); *Schw* Anna (1563–88, ∞ *Vt* Wilhelm Ludwig Gf. v. Nassau-Dillenburg, 1560–1620, studierte mit M. in Heidelberg, 1584 Statthalter in Friesland, Militärtheoretiker, s. ADB 43; Nassau. Biogr.); *Stief-B* Philipp Wilhelm (1554–1618, kath.), Prinz v. Oranien (s. ADB 26), Friedrich Heinrich (1584–1647), Prinz v. Oranien, Gen.statthalter

d. Niederlande (s. ADB VII), übernahm M.s Erbteil; *Vt* Philipp, Gf. v. Nassau-Dillenburg (1566–95), studierte mit M. in Heidelberg, Oberst (s. ADB 26); – ledig; *N* Henri de la Tour d'Auvergne, Vicomte de Turenne (1611–75), franz. Marschall.

Das große Familienfest anläßlich von M.s Taufe am 6. 1. 1568 im Dillenburger Exil wurde von seinem Vater und dessen Brüdern dazu genutzt, eine neuerliche militärische Intervention in den Niederlanden vorzubereiten. Doch die Möglichkeiten des nassauischen Familienverbandes reichten nicht aus, um dem dortigen Kriegsgeschehen eine entscheidende Wende zu geben. Prinz Wilhelm zog daraus die Konsequenz und ging in die Niederlande zurück, wo er zum unbestrittenen Führer des Aufstandes wurde. Seine Ehe mit Anna von Sachsen war zu diesem Zeitpunkt längst zerrüttet. Die Kinder lebten zunächst bei der Mutter in Köln, kamen dann aber in die Obhut ihres Onkels Johann VI. Zu diesem entwickelte M. eine enge emotionale Bindung, und dessen politische Ansichten haben ihn entscheidend geprägt.

Nach der Schulausbildung in Dillenburg studierte M. 1576 zusammen mit seinen Vettern Philipp und Wilhelm Ludwig in Heidelberg. Im folgenden Jahr holte Prinz Wilhelm seinen zweitältesten Sohn und potentiellen „Erben" in die Niederlande, wo er in Leiden auf Kosten der Staaten von Holland, Seeland und Utrecht sein Studium fortsetzte. Nach der Ermordung des Vaters erhielt M. den Vorsitz im neu eingerichteten Staatsrat und wurde 1584 Generaladmiral der Marine, 1585 Statthalter von Holland und Seeland, 1587 Generalkapitän der holländ. Armee, 1590 Statthalter von Utrecht und Overijssel und 1591 auch von Geldern. Sein wichtigster Förderer war der holländ. Landesadvokat Johann v. Oldenbarnevelt, der zunächst für viele Jahre sein Verbündeter blieb.

M. leitete seit 1587 alle militärischen Operationen, unterstand bei der Festlegung der Kriegsziele aber den Anweisungen der Generalstaaten. Er erfüllte das in ihn gesetzte Vertrauen und errang durch sein ausgesprochen planmäßiges Vorgehen glänzende Siege. Er befaßte sich sowohl mit den naturwissenschaftlichen Voraussetzungen der Belagerungstechnik als auch mit antiken Quellen zur Aufstellung, Bewegung und Kampftaktik großer Heeresverbände. Diese eingehenden theoretischen Studien bildeten die Grundlage der sog. nassau-oran. Heeresreformen, die bald in ganz Europa bewundert und nachgeahmt wurden. In deren Mittelpunkt standen neue Formen der soldatischen Ausbildung, insbesondere des Exerzierens, die auch in der Gfsch. Nassau bei den Landesdefensionstruppen mit Erfolg erprobt wurden und die M. von seinem Vetter Wilhelm Ludwig übernahm.

Während M. taktierte, um seine Truppen möglichst wenig in Gefahr zu bringen, wünschten die holländ. Regenten und ihr Sprecher Oldenbarnevelt wegen der enormen Kosten eine größere Risikobereitschaft. Die Erfolge gaben allerdings M. recht: Erobert wurden u. a. Breda (1590), Nimwegen (1591), Geertruidenberg (1593), Groningen (1594) – insgesamt 43 Städte und 45 Festungen. Bis 1598 wurden unter M.s Oberkommando alle span. Truppen aus den sieben nördlichen Provinzen verdrängt. Der Sieg von Nieuwpoort (1600) konnte jedoch politisch nicht genutzt werden. Nach der Jahrhundertwende stabilisierten sich die Fronten: 1605/06 gingen einige Städte und Festungen wie z. B. Lingen an die unter dem Oberbefehl von Ambrogio de Spinola wieder erfolgreicher operierenden Spanier verloren.

M., der nie die offene Feldschlacht gesucht hatte, plädierte dennoch entschieden für die Fortsetzung des Krieges. Er glaubte, der niederländ. Staat könne nur so seine Identität finden und bewahren. Diese von seinem Calvinismus geprägte Sicht des Freiheitskampfes unterschied M. von seinem Vater Wilhelm und entsprach eher den Vorstellungen seines Onkels Johann VI. Das Regentenpatriziat mit Oldenbarnevelt an der Spitze schloß hingegen 1609 einen zwölfjährigen Waffenstillstand. M. hielt dies zwar für einen großen Fehler, doch er widersetzte sich nicht.

Das folgende tiefe Zerwürfnis mit Oldenbarnevelt erklärt sich vor allem aus M.s spezifischen Erfahrungen: Seines Erachtens erforderte die niederländ. Staatsräson den permanenten Kampf gegen die Spanier und die unbedingte Vorrangstellung des Calvinismus. M. glaubte, Oldenbarnevelt werde mit seiner Politik die Republik auf Dauer an die Spanier ausliefern. Dieser sah dagegen – wohl ebenso fälschlich – den Statthalter nach der Alleinherrschaft streben. Da beide Einschätzungen die Grundlagen des niederländ. Staatswesens zentral betrafen und da sich zudem dieser Konflikt mit einem Konfessionsstreit überlagerte, wurden die Fronten immer starrer. Während die weit überwiegende Mehrheit des Volkes auf der Seite der entschiedenen Calvinisten stand, wollten Oldenbarnevelt und die holländ. Regenten den Konfessionskonflikt durch die Unterwerfung der Kirche unter ihre Obrigkeit beenden. Als sie hierzu eigene Söldner warben und von den Garnisonen unbedingten Gehorsam forderten, griff der lange zögernde Statthalter M. ein, um einen Bürgerkrieg zu verhindern.

1617 wurde der als Politiker gescheiterte Oldenbarnevelt auf M.s Betreiben hingerichtet. Dieses „Opfer", das immer wieder als „Justizmord" oder auch als „politischer Mord" charakterisiert wurde, wirft fraglos einen Schatten auf die sonst großen Verdienste des Statthalters. In seinen letzten Lebensjahren konnte M. nicht mehr an seine früheren militärischen Erfolge anknüpfen. Alle Bemühungen, die innerkirchliche Spaltung zu überwinden, blieben ebenso ergebnislos wie seine Kriegführung nach dem Ende des Waffenstillstandes 1621. Die stereotyp angewandte, hinhaltende und jedes Risiko scheuende Taktik wurde von Spinola durchschaut und konterkariert. M.s militärischer Ruhm überdauerte aber diesen letzten Lebensabschnitt, in dem er – ohne wirklich nach Macht zu streben – in politische und konfessionelle Konflikte verstrickt wurde. Es bleibt trotz der Kritik an seinem teilweise ungeschickten politischen Verhalten zu einem großen Teil M.s Verdienst, daß der niederländ. Aufstand erfolgreich verlief.

Qu. G. Groen van Prinsterer (Hrsg.), Archives ou Correspondance inédite de la Maison d'Orange-Nassau, Serie 2, Bde. 1–2, 1857/58.

L ADB 22; A. Hallema, Prins Maurits 1567–1625, 1949; J. den Tex, Oldenbarnevelt, 2 Bde., 1973 (P); W. Hahlweg (Bearb.), Die Heeresreform d. Oranier, 1973; A. T. van Deursen, M., in: C. A. Tamse (Hrsg.), Nassau u. Oranien, 1985, S. 85–110; J. G. Kikkert, Maurits van Nassau, 1985; G. E. Rothenberg, Maurice of Nassau, Gustavus Adolphus, Raimondo Montecuccoli, and the „Military Revolution" of the Seventeenth Century, in: Makers of Modern Strategy from Machiavelli to the Nuclear Age, hrsg. v. P. Paret, 1986, S. 32–63.

P Kupf. v. D. van den Queeckborn (1581), J. Saenredam (beide im Rijksprentenkabinet, Amsterdam), P. C. Soutman u. M. J. van Mierevelt (Mus. Boymans-Van Beuningen, Rotterdam).

Georg Schmidt

Moritz, Herzog von Sachsen, Kurfürst (seit 1547), * 21. 5. 1521 Freiberg, † 11. 7. 1553 b. Sievershausen, ☐ Freiberg. (ev.)

Aus d. Geschl. d. Wettiner; V Heinrich d. Fromme (1473–1541), Hzg. v. Sachsen (s. NDB VIII); M Katharina (1487–1561), Hzgn. v. Mecklenburg (s. NDB XI), T d. Magnus II. (1441–1503), Hzg. v. Mecklenburg (s. NDB 15); B August (1526–86), Kf. v. Sachsen (s. NDB I); Schw Sibylla (1515–92, ⚭ Franz I., 1510–81, Hzg. v. Sachsen-Lauenburg, s. NDB V*), Emilia (1516–91, ⚭ Georg d. Frommen, 1484–1543, Mgf. v. Brandenburg-Ansbach, s. NDB VI), Sidonia (1518–75, ⚭ Erich II., 1528–84, Hzg. v. Braunschweig-Lüneburg, s. NDB IV); – ⚭ Marburg 1541 Agnes (1527–55), T Philipps d. Großmütigen (1504–67), Landgf. v. Hessen, u. d. Christina v. Sachsen (1505–1549); Gvm d. Ehefrau (Ov M.s) Georg d. Bärtige (1471–1539), Hzg. v. Sachsen (s. NDB VI); 1 S, 1 T, u. a. Anna (1544–77, ⚭ 1561 ⟨⚭ 1574⟩ Wilhelm I., 1533–84, Gf. v. Nassau, Fürst v. Oranien, s. ADB 43); E Moritz v. Oranien (1567–1625), niederländ. Statthalter (s. NDB 18).

In den geistigen und politischen Auseinandersetzungen der frühen Reformationszeit aufgewachsen, gelang es dem seit 1541 regierenden M., nicht nur das albertin. Sachsen zu einem bestimmenden Machtfaktor im Reich werden zu lassen, sondern er schuf auch die Voraussetzungen für die Gleichberechtigung der Anhänger der Confessio Augustana auf Reichsebene, wie sie 1555 der Augsburger Religionsfrieden festschrieb. Seine ersten politischen Erfahrungen sammelte er im Mächtedreieck Dresden-Torgau/Weimar-Marburg. Die inneralbertin. und innerwettin. Gegensätze, das schließlich erfolglose Aufbäumen Hzg. Georgs gegen die von Wittenberg ausgehende reformatorische Erneuerung und die von Landgf. Philipp und Kf. Johann Friedrich vertretene offensive protestantische Reichspolitik prägten den ehrgeizigen und machtbewußten Fürsten.

Dem Schmalkaldischen Bund trat M. nicht bei, um seine politische Eigenständigkeit zu wahren. 1542 kämpfte er gegen die Türken, 1543 unterstützte er den Kaiser gegen Frankreich, und 1545 zog er mit dem Schmalkaldischen Bund gegen Hzg. Heinrich d. J. von Braunschweig. In den ersten Regierungsjahren bis 1546 stand M. außenpolitisch unter dem starken Einfluß Georgs v. Carlowitz als führendem Rat, der mit seinem Neffen Christoph die traditionelle Verbundenheit der Albertiner zu Habsburg so ausbaute, daß der Herzog im Schmalkaldischen Krieg Karl V. im Kampf gegen Johann Friedrich unterstützte. Die dabei errungene Kurwürde nutzte M., um sich in einem wechselvollen Prozeß vom Verbündeten des Kaisers (1546/50) zu dessen erfolgreichstem Gegner (1550/53) zu entwickeln. Dieser bereits für die Zeitgenossen spektakuläre und wenig verständliche Weg gefährdete zwar für kurze Zeit die luth. Reformation, ermöglichte es aber, die festgefahrenen Fronten im Religionsstreit zu überwinden. 1546–48 gelang es der kaiserl. Diplomatie, dem Albertiner ihr politisches Konzept aufzuzwingen. Der Fortbestand eines ernestin. Restterritoriums durch die Wittenberger Kapitulation 1547, die Gefangenschaft Philipps von Hessen und die rigorose Interimspolitik Karls V. enttäuschten M. Seine Weigerung im Mai 1548, das Augsburger Interim für das neue Kurfürstentum anzunehmen, wurde am kaiserl. Hof in ihrer Tragweite nicht wahrgenommen. M. erkannte zunehmend die innenpolitische Sprengkraft des Interims und die reichspolitischen Folgen – vor allem für die Reichsstände –, falls Karl V. sich durchsetzen würde. Das Bemühen, die durch die Allianz mit Habsburg gefährdete Stellung im eigenen Land zu stärken und die Integration der 1547 erworbenen Gebiete zu beschleunigen, sowie die Sorge vor einer proernestin. Restauration veranlaßten M. nicht nur zu einem Sonderweg in der Interimsfrage, sondern auch zu antikaiserl. Bündnisüberlegungen, deren Anfänge bereits in Gesprächen mit Mgf. Johann von Brandenburg-Küstrin im August 1548 zu suchen sind.

Die albertin. Interimspolitik 1548/49 wird umstritten bleiben; zu stark verbinden sich religionspolitische und theologische Interessen mit Pragmatik und Taktik deutscher Territorialpolitik. Mit Unterstützung der Wittenberger Theologen um Philipp Melanchthon wurde in aufwendigen Gesprächen eine eigene Konzeption entwickelt. Diese sollte einerseits dem kaiserl. Drängen nach Einführung des Interims entgegenwirken, andererseits auch einen tragbaren Kompromiß zwischen Kurfürst, Räten und Theologen erreichen, der die ev. Grundlagen der albertin. Landeskirche nicht in Frage stellte, aber vorlag, falls Karl V. die Übernahme seines Interims erzwingen würde. Die als „Leipziger Interim" angegriffene Beschlußvorlage für den Leipziger Landtag Ende 1548 und ein maßgeblich durch Fürst Georg von Anhalt bestimmter Agendenentwurf (Georgs-Agende) führten zu hartnäckigen innerprotestantischen Kontroversen und zum Vorwurf gegen M., er habe 1546/47 als „Judas von Meißen" Johann Friedrich und die Reformation insgesamt verraten. Schwere Vorwürfe richteten sich gegen die albertin. Theologen, die Melanchthon die kurfürstl. Religionspolitik mittrugen und die von M. 1551 beabsichtigte Beschickung des nach Trient berufenen Konzils ebenfalls unterstützten. Die dafür erarbeitete Confessio Saxonica aktualisierte die Augsburgische Konfession von 1530 und zog als gemeinsames Bekenntnis einen Schlußstrich unter die Interimsstreitigkeiten im albertin. Kursachsen. Im Konflikt um das Interim verbanden sich theologische Radikalität und dynastische ernestin. Wunschträume.

Die umfangreiche Flugschriftenpropaganda nahm noch zu, als M. Ende 1550 den Oberbefehl über die Reichstruppen übernahm, die Magdeburg belagerten, um an dem letzten Widerstandsnest aus dem Schmalkaldischen Krieg die 1547 ausgesprochene und 1549 erneuerte Reichsacht zu vollstrecken. Ganz offensichtlich vollzog sich seit 1550 das politische Handeln des Albertiners auf unterschiedlichen Ebenen. Nach außen wahrte er dabei die Treue zum Kaiser und ließ so Freunde und Gegner über seine eigentlichen Pläne im unklaren. Das Vorgehen gegen Magdeburg diente M. dazu, seinen politischen Einfluß innerhalb und außerhalb der Stadt zu behaupten und jeder anderen militärischen Einflußnahme zuvorzukommen. In gleichzeitigen Gesprächen mit Frankreich versuchte er, die Unterstützung Heinrichs II. für einen gegen den Kaiser gerichteten Bund zu erreichen. Weiterhin bemühte er sich, die Magdeburger zum Einlenken zu bewegen, wobei er den vom Reich Geächteten ausdrücklich eine ungehinderte Glaubensausübung nach der Augsburgischen Konfession zusagte. Magdeburg kapitulierte jedoch erst am 7. 11. 1551, nachdem der Kaiser seine Forderungen ermäßigt hatte. Mit dem Anfang Oktober in Lochau ausgehandelten Vertrag zwischen M., Hzg. Johann Albrecht von Mecklenburg, Landgf. Wilhelm IV. von Hessen und Frankreich – Kg. Heinrich II. unterzeichnete ihn am 15. 1. 1552 in Chambord – entschied sich M. für den aktiven Kampf gegen Karl V. Er trat endgültig und zielbewußt an die Spitze einer Opposition, die sich aus territorialen und ständischen Interessen heraus dem absolutistischen Machtstreben des Kaisers, der „viehischen span. Servitut", widersetzte und im Frühjahr 1552 den Fürstenkrieg gegen Karl V. eröffnete. Dessen Niederlagen gegen die „Kriegsfürsten" und Heinrich II. führten zum endgültigen Zusammenbruch der verfassungs- und religionspolitischen Pläne Karls V. für das Reich. Sie bezeichnen einen Wendepunkt in der Reichsgeschichte. Der Passauer Kompromiß zwischen M., Ferdinand I. und neutralen Reichsfürsten – von Karl V. nur widerwillig ratifiziert – stabilisierte die Machtstrukturen im Reich und bestätigte den Einfluß der Territorialstaaten. Im jahrelangen Ringen zwischen Kaiser und Reichsständen wurde M. zur Schlüsselfigur. Die von ihm als Teil des Vertrages von Chambord mitzuverantwortende Übergabe von Cambrai, Toul, Verdun und Metz an Frankreich hatte gravierende reichspolitische Folgen. Nach dem Ausgleich von Passau, der Johann Friedrich und Philipp die Freiheit brachte, bemühte sich der Albertiner, das Ergebnis politisch umzusetzen. Diesem Zweck dienten schwierige Verhandlungen mit den

Ernestinern und Bündnisüberlegungen, die im Mai 1553 im Egerer Bund konkrete Gestalt erhielten. Der zielbewußte Kampf gegen Albrecht Alkibiades galt dem Gegner der Passauer Vereinbarung, dem Gewalttäter, der den Ausgleich in Frage stellte und den Reichsfrieden bedrohte.

Wenn sich auch die Schwerpunkte der albertin. Politik nach 1548 immer mehr auf die Außenpolitik verlagerten und M. seine Territorien wirtschaftlich überforderte, sind seine innenpolitischen Leistungen jedoch nicht zu übersehen. An die allgemeine Landesordnung (1543) knüpfte die Kanzleiordnung (1547) an, die einen Hofrat als kollegiale Zentralbehörde und als Verwaltungseinheiten den Kurkreis, den Thüringer, Leipziger, Gebirgischen und Meißnischen Kreis vorsah. Die 1539 begonnene Einführung der Reformation wurde weitgehend abgeschlossen. Konsistorien entstanden in Merseburg (seit 1550 in Leipzig) und Meißen. Der Streit um das Interim verhinderte die Ausarbeitung einer allgemeinen Kirchenordnung. Das verheißungsvolle Merseburger Episkopalexperiment mit Hzg. August als Administrator und Georg von Anhalt als Koadjutor in geistlichen Dingen mußte 1548 unter kaiserl. Druck abgebrochen werden. Die von der Reformation getragene Schul- und Universitätsreform führte 1543 zur Gründung der fürstlichen Schulen in Meißen und Schulpforta, zu denen 1550 Grimma hinzutrat, sowie zur Neufundation und Umstrukturierung der Univ. Leipzig (mit C. Borner, Melanchthon und J. Camerarius). Der Ausbau der Städte Dresden und Leipzig schritt voran.

Der frühe Tod M.s nach der Schlacht bei Sievershausen veränderte erneut das politische Kräftegefüge im Reich, doch das im Kampf gegen den Kaiser Erreichte war nicht mehr umkehrbar. Die von M. vertretene pragmatische Politik durchkreuzte die universal-absolutistischen Pläne Karls V. und bereitete den Ausgleich in der Religions- und Verfassungsfrage vor. Die Territorien konnten sich endgültig zu frühmodernen Staaten innerhalb des Reiches entwickeln. M. gehört damit zu den Vätern einer Reichsordnung, die trotz fundamentaler Probleme im 17. Jh. sich bis 1806 bewähren sollte.

L ADB 22; Pol. Korr. d. Hzg. u. Kf. M. v. S., I u. II, hrsg. v. E. Brandenburg, 1900–04 (Nachdr. 1982/83), III u. IV, bearb. v. J. Herrmann u. G. Wartenberg, 1978–92, V u. VI in Vorbereitung; F. A. v. Langenn, M., Hzg. u. Churfürst zu S., 2 T., 1841; G. Voigt, M. v. S. 1541–47, 1876; E. Brandenburg, M. v. S., I, 1898; E. Sehling, Die Kirchengesetzgebung unter M. v. S. 1544–49 u. Georg v. Anhalt, 1899; O. A. Hecker, Kf. M. v. S. nach d. Briefen an seine Frau, in: Neue Jbb. f. d. klass. Altertum, Gesch. u. dt. Lit. 25, 1910, S. 343–60; H. Bornkamm, Kf. M. v. S. zw. Ref. u. Staatsräson, in: ders., Das Jh. d. Ref., ²1966, S. 225–42, 362 f.; R. Kötzschke, Die Landesverw.reform im Kurstaat Sachsen unter Kf. M. 1547/48, in: Zs. d. Ver. f. Thüring. Gesch. NF 34, 1940, S. 191–217; H. Helbig, Die Ref. d. Univ. Leipzig im 16. Jh., 1953; Ch. Hülm, Kf. M. v. S., Wandel d. Urteils üb. seine Politik, Diss. Leipzig 1961; J. Herrmann, Augsburg – Leipzig – Passau, Das Leipziger Interim nach Akten d. Landeshauptarchivs Dresden 1547–52, Diss. Leipzig 1962; K. E. Born, M. v. S. u. d. Fürstenverschwörung gegen Karl V., in: HZ 191, 1966, S. 18–66 (Neudr. 1972); H. Jung, Kf. M. v. S., 1966; Th. Freudenberger, Papst u. Konzil in d. Kirchenpol. d. Kf. M. v. S., in: Konzil u. Papst, hrsg. v. G. Schwaiger, 1975, S. 303–41; K. Blaschke, M. v. S., 1983; S. Ißleib, Aufsätze u. Bttr. zu. Kf. M. v. S. (1877–1907), hrsg. v. R. Groß, 2 Bde., 1989; G. Wartenberg, Landesherrschaft u. Ref., M. v. S. u. d. albertin. Kirchenpol. bis 1546, 1988; ders., M. v. S., in: Europ. Herrscher, hrsg. v. G. Vogler, 1988, S. 106–22; ders., Kf. M. v. S., in: Kaiser, König, Kardinal, hrsg. v. R. Straubel u. U. Weiß, 1991, S. 106–14; ders., M. v. S. als Wegbereiter d. Augsburger Rel.friedens, in: Staat u. Kirche, hrsg. v. St. Rhein, 1992, S. 25–34; ders., in: TRE 23, 1994, S. 302–11; BBKL. – *Bibliogrr.:* Bibliogr. z. sächs. Gesch., hrsg. v. R. Bemmánn, I/1, 1918, S. 189–203; Schottenloher Nr. 33243a-33361b, 51423 f., 61839–61841a.

P Gem. v. L. Cranach d. J., um 1547 (Gem.gal., Dresden); Holzschn. dess., um 1553 (u. a. Hzg. Anton-Ulrich-Mus., Braunschweig); Singer, Nr. 25154–25167.

Günther Wartenberg

Moritz Graf von Sachsen, franz. Feldherr, * 28. 10. 1696 Goslar, † 30. 11. 1750 Chambord, □ Straßburg, St. Thomas. (luth.)

Natürl. V Friedrich August I. (1670–1733), Kf. v. Sachsen, Kg. v. Polen (s. NDB V); M Maria Aurora Gfn. v. Königsmarck (1662–1728, s. NDB XII); ∞ Moritzburg 1714 (∞ 1721) Johanna Victoria Tugendreich (1699–1747), T d. Ferdinand Adolf v. Loeben († 1705) u. d. Martha Catharina Elisabeth v. Loeben (1665–1724); 1 S (* u. † 1715); 1 *illegitime* T Marie-Aurore (seit 1766 de Saxe) (1748–1821) aus Verbindung mit Marie Rinteau (de Verrières) (1728–75); Ur-E George Sand (1804–76, eigtl. Aurore Dupin), Schriftst.

1709 ins sächs. Heer eingetreten, sammelte der 1711 legitimierte natürliche Sohn Augusts des Starken im Kampf gegen Franzosen, Schweden und konföderierte Polen erste militärische Erfahrungen. 1716/17 nahm er als Volontär am 1. Türkenkrieg Kaiser Karls VI. teil und wechselte später mit dem Rang eines „maréchal de camp" (7. 8. 1720) in franz. Dienste über. Intensive Kontakte zu Sachsen-Polen blieben weiterhin bestehen. So designierten die kurländ. Stände M. Ende Juni 1726 zum Nachfolger des regierenden kinderlosen Herzogs Ferdinand, um der für den Fall des endgültigen Erlöschens der Linie Kettler befürchteten förmlichen Vereinigung Kurlands mit Polen vorzubeugen. Gegen den Widerstand Polens und Rußlands – der Vater war unter poln. Druck außerstande, offen für ihn einzutreten – konnte er sich nicht behaupten, wurde schließlich vom poln. Reichstag im November 1726 geächtet und, von einer russ. Armee in die Enge getrieben, zur Flucht genötigt (August 1727). M. hielt seine Ansprüche auf das Hzgt. Kurland aufrecht, wiederholten Restaurationsbemühungen war freilich kein Erfolg beschieden.

Den Poln. Thronfolgekrieg machte er – am 1. 8. 1734 zum „lieutenant général" befördert – in der franz. Rheinarmee mit. Während des Österr. Erbfolgekrieges kämpfte M. 1741–43 im Verband der „Hilfstruppen", die Kg. Ludwig XV. von Frankreich Karl (VII.) Albrecht gegen Maria Theresia zur Verfügung stellte. Im Januar 1744 erhielt er den Befehl über ein in Dünkirchen zusammengezogenes Expeditionskorps, dessen Landung in England die Restauration des Hauses Stuart ermöglichen sollte. Das Projekt wurde zwar fallengelassen (März 1744), M. selbst aber zum Marschall von Frankreich ernannt (26. 3. 1744) und anschließend auf dem niederländ. Kriegsschauplatz eingesetzt. Hier gelangen ihm mit den Siegen von Fontenoy (11. 5. 1745), Rocourt (11. 10. 1746) und Laaffelt (2. 7. 1747) und der Eroberung der wichtigsten Plätze (darunter im Mai 1748 Maastricht) entscheidende erfolge gegen die Verbündeten. Nach Kriegsende zog sich der im April 1746 naturalisierte, mit Ehrungen und Würden („maréchal-général des camps et armées", 12. 1. 1747; „commandant général des Pays-Bas", 12. 1. 1748) reich bedachte „maréchal de Saxe" ins Privatleben zurück und verbrachte seine letzten Lebensjahre vorwiegend in Chambord, das ihm Ludwig XV. 1745 überlassen hatte.

Auf militärtheoretischem Gebiet leistete M., einer der bedeutendsten Feldherren des 18. Jh., mit den Ende 1732 entstandenen „Rêveries" (1756 von Z. de Pazzi de Bonneville erstmals herausgebracht) einen wesentlichen, die fernere kriegswissenschaftliche Diskussion befruchtenden Beitrag. Durch ausschweifende Lebensart und zahlreiche galante Abenteuer sicherte er sich auch in der Chronique scandaleuse seiner Zeit einen prominenten Platz.

W Les rêveries, ou mémoires sur l'art de la guerre, 1756 u. ö. (dt. 1757 u. ö., dazu auch M. Jähns, Gesch. d. Kriegswissensch. II, 1890, S. 1500–10); Lettres et mémoires choisis parmi les papiers originaux du maréchal de Saxe, 5 Bde., 1794; „Mémoires autographes" (1696–1709), abgedr. b. Vitzthum d'Eckstaedt (s. L), S. 267–311.

L ADB 22; M. Ranft, Leben u. Thaten d. Weltberühmten Gf. Mauritii v. Sachsen, 1746 u. ö. (P); L.-B. Néel, Histoire de Maurice comte de Saxe, 3 Bde., 1752 u. ö. (P); A.-L. Thomas, Eloge de Maurice comte de Saxe, 1759 u. ö.; Baron d'Espagnac, Histoire de Maurice comte de Saxe, 2 Bde., 1773 u. ö. (P, dt. 1774, 2 Bde.); K. v. Weber, M. Gf. v. Sachsen, Marschall v. Frankreich, 1863, ²1870 (P); C. F. Vitzthum d'Eckstaedt, Maurice, comte de Saxe, et Marie-Josèphe de Saxe, dauphine de France, 1867; Gen. v. Weltzien, Kurzer Lebensabriß d. Marschalls M. v. S., 1867; Saint-René Taillandier, Maurice de Saxe, ²1870; Duc de Broglie, Maurice de Saxe et le marquis d'Argenson, 2 Bde., 1893; J. Colin, Les campagnes du maréchal de Saxe, 3 Bde., 1901–06; H. Pichat, La campagne du maréchal de Saxe dans les Flandres, 1909; Marquis d'Argenson, Deux prétendants au XVIIIe siècle, Maurice de Saxe et le Prince Charles-Edouard, 1928; J. Castelnau, Le maréchal de Saxe, Amours et batailles, 1937; J. M. White, Marshal of France, The Life and Times of Maurice, comte de Saxe, 1962 (dt. 1964, P); Duc de Castries, Maurice de Saxe, 1963; E. Düsterwald, M. v. S., Marschall v. Frankreich, 1972 (P); F. Hulot, Le Maréchal de Saxe, 1989 (P); J.-P. Bois, Maurice de Saxe, 1992.

P Ölgem. v. J.-M. Nattier, 1720 (Dresden, Staatl. Kunstslgg.); Pastelle v. M. Quentin de La Tour, 1747/48 (Dresden, Staatl. Kunstslgg.; Paris, Louvre u. Musée Carnavalet; Saint-Quentin, Musée A. Lécuyer); Pastelle v. J.-E. Liotard, 1746/49 (Amsterdam, Rijksmus.; Dresden, Staatl. Kunstslgg.); Ölgem. v. A. Couder, 1834 (Musée de Versailles); Büste v. L. Delvaux, 1749 (Dresden, Staatl. Kunstslgg.); Büste v. L.-Ph. Mouchy, 1778/79 (Musée de Versailles); Statue v. F. Rude, 1836 (Paris, Louvre). – Grabmal v. J.-B. Pigalle, 1777 (Straßburg, St. Thomas).

Michael Hochedlinger

Moritz Adolph Herzog zu Sachsen-Zeitz-Neustadt, Bischof von Königgrätz, dann von Leitmeritz, * 1. 12. 1702 Neustadt/Orla (Thüringen), † 20. 6. 1759 (St.) Pöltenberg b. Znaim (Mähren), □ ebenda, Kirche d. Kreuzherrenpropstei.

V Hzg. Friedrich Heinrich zu S.-Z.-N. (1668–1713), S d. Hzg. Moritz zu S.-Z. (1619–81), Administrator d. Hochstifts Naumburg (1622), Begründer d. wettin. Seitenlinie Sachsen-Zeitz (1657), u. d. Dorothea Maria zu Sachsen-Weimar (1641–75); M Anna Friederike Philippine (1665–1748), T d. Hzg. Philipp Ludwig zu Holstein-Sonderburg-Wiesenburg (1620–89) u. d. Anna Margareta v. Hessen-Homburg (1629–86); Ur-Gvv Johann Georg I. (1585–1656), Kf. v. Sachsen (s. NDB X); Ov Hzg. Moritz Wilhelm zu S.-Z.-N. (1664–1718), Hzg. Christian August zu

S.-Z. (1666–1725, seit 1689 kath.), 1706 Kardinal, 1707 EB v. Gran u. Fürstprimas v. Ungarn, 1716 kaiserl. Prinzipalkommissar auf d. Immerwährenden Reichstag zu Regensburg (s. ADB IV).

M. konvertierte nach dem Tode seines Vaters gegen den Widerstand seiner Mutter am 30. 3. 1716 im Kloster der Pauliner-Eremiten von Marienthal (Oberlausitz) zum Katholizismus. Entscheidend war dabei der Einfluß seines Oheims und Taufpaten Christian August, der selbst 1689 in Paris konvertiert war. Im Mai 1716 zu Wien gefirmt, wobei Kaiser Karl VI. die Patenstelle einnahm, erhielt M. 1718 die niederen Weihen durch seinen Onkel in Regensburg. 1719 wurde er Domherr und im folgenden Jahr Kanoniker bei St. Gereon in Köln. Der Versuch, 1720/22 in Osnabrück Koadjutor des ev. Fürstbischofs Ernst August II. von Braunschweig-Lüneburg zu werden, schlug allerdings fehl. 1722 wurde er Domherr in Osnabrück und in Nachfolge von Clemens August v. Bayern Propst des Kollegiatstiftes Altötting (Oberbayern). Damit wollte sich Clemens August für die Unterstützung von M.s Onkel bei seiner Bewerbung um das Erzstift Köln bedanken. Seit 1723 Subdiakon, folgte M. im September 1725 seinem Onkel als Dekan des Kollegiatkapitels von St. Gereon in Köln nach und wurde in Dresden, wo er seit seines Onkels Ableben (23. 8. 1725) wohnte, zum Priester geweiht. Damals empfing er das Großkreuz des Johanniterordens, war jedoch nie Großbailli und Reichsfürst zu Heitersheim. Seit 1729 Domherr in Lüttich, wurde er am 8. 2. 1730 vom Papst zum Titular-Erzbischof von Pharsalos ernannt und am 27. 8. 1730 in Prag durch Erzbischof Franz Ferdinand v. Kuenburg konsekriert. Seit 1730 gehörte der unbedingte Anhänger des Hauses Habsburg auch dem Kölner Domkapitel an. Im Oktober 1731 erfolgte die kaiserl. Nomination für das vakante Prager Suffraganbistum Königgrätz, am 3. 3. 1732 die päpstl. Konfirmation hierfür, bereits am 1. 10. 1733 jedoch für den benachbarten Bischofsstuhl von Leitmeritz. Hier hielt sich M. nur selten auf, vollendete aber den Dom St. Stephan (1664–81) und vermittelte dem Domkapitel den Gebrauch der violetten Cappa und das Pontifikalienrecht für den Dekan und den Senior des Domkapitels. Sein aufwendiger Lebensstil brachte 1746 das Bistum zum Konkurs. M.s dadurch dezimierte Einkünfte wurden 1748 durch ein von Kaiser Franz I. vermitteltes Kanonikat in Eichstätt aufgebessert. Hier hielt M. 1750/51 erste Residenz und stiftete für das Marienbild am Hochaltar des Domes eine vergoldete Strahlengloriole. Im Mai 1752 unterfertigte er ein Notariatsinstrument über seine Resignation auf Leitmeritz. Bei Ausbruch des Siebenjährigen Krieges zog er sich auf Wunsch der Wiener Behörden nach Südmähren zurück und nahm in der Kreuzherren-Propstei auf dem St. Pöltenberg bei Znaim Wohnung. Dort ereilte ihn der Tod. Seine Schulden in Höhe von 14 000 fl. sowie die Begräbniskosten mußte der kursächs. Hof begleichen, da des Bischofs Hinterlassenschaft hierfür nicht ausreichte. Mit M. erlosch die Seitenlinie Sachsen-Zeitz.

L A. Theiner, Gesch. d. Zurückkehr d. regierenden Häuser v. Braunschweig u. Sachsen in d. Schooss d. Kath. Kirche im 18. Jh. u. d. Wiederherstellung d. Kath. Religion in diesen Staaten, 1843, S. 214–17 u. (UB) S. 139 f., Nr. 107; A. Räß, Die Convertiten seit d. Ref. nach ihrem Leben u. aus ihren Schriften dargest., 9: 1700–47, 1869, S. 324–29; A. Frind, Kurze Gesch. d. Bischöfe v. Leitmeritz, 1868, S. 13–17; H. H. Kurth, Das köln. Domkapitel im 18. Jh., Diss. Bonn 1953; J. Ch. Nattermann, Die goldenen Heiligen, Gesch. d. Stiftes St. Gereon zu Köln, 1960, S. 544; M. Braubach, Kölner Domherren d. 18. Jh., in: Zur Gesch. u. Kunst im Erzbistum Köln, FS f. W. Neuss, hrsg. v. R. Haaß u. J. Hoster, 1960, S. 247; M. Domarus, Marquard Wilhelm Gf. v. Schönborn, Dompropst zu Bamberg u. Eichstätt (1683–1770), in: Sammelbl. d. Hist. Ver. Eichstätt 58, 1943/60, 1961, S. 71–84; R. Reinhardt, Die Reichskirchenpol. Papst Klemens' XII. (1730–40), in: Zs. f. KG 70, 1967, S. 282–91; ders., Konvertiten u. deren Nachkommen in d. Reichskirche d. frühen Neuzeit, in: Rottenburger Jb. f. KG 8, 1989, S. 25–30; F. Keinemann, Sächs. Bemühungen um d. Hochstift Osnabrück (1720–22), in: Osnabrücker Mitt. 75, 1968, S. 272–75; R. Renger, Spekulationen d. Kardinals Christian August u. seines Neffen M. A. v. Sachsen-Zeitz um d. Hochstift Osnabrück (1720–22), ebd. 76, 1969, S. 182–87; P. Hersche, Die dt. Domkapitel im 17. u. 18. Jh., I, 1984, S. 269; H. A. Braun, Das Domkapitel zu Eichstätt, 1991, S. 431–33, Nr. 222; Gatz II *(P)*. – Eigene Archivstud.

P Kupf. v. J. Ch. Sysang, Abb. in: Gatz, S. 318.

Alfred A. Strnad

Moritz, baltische Familie. (ev.)

Die ursprünglich in der Altmark ansässige Familie verzweigte sich über Magdeburg und Berlin weiter nach Livland und Rußland, wo – neben Lehrern, Künstlern und Ingenieuren – sechs Mitglieder als Pastoren, fünf als Ärzte und drei als Juristen tätig waren. Der erste näher bekannte Vertreter der Familie ist *Georg* († 1726) aus Ziegenhagen bei Stendal, Schneider und seit 1706 Magdeburger Bürger. Während sein ältester Sohn *Johann Gottfried* (1711–90) Kantor am Friedrichswerderschen Gymnasium wurde, amtierte der jüngste, *Johann Andreas* (1721–94), als Pfarrer in Fahrland bei Potsdam, wo er die durch Fontanes „Wanderungen" bekannte „Fahrlander Chronik" schrieb. *Johann Christian Friedrich* (1741–95) kam 1766 als Konrektor der Stadtschule nach Dorpat und heiratete hier die Schwester des Dichters Jakob Michael Reinhold Lenz. Später war er Pastor livländ. Gemeinden, u. a. bei St. Jakobi in Riga, 1780–89 zugleich Rektor des kaiserl. Lyzeums. Sein Sohn *Friedrich Gottlieb* (1769–1833) befaßte sich intensiv mit Sprache und Kultur der Esten und Letten. Als Pastor und Propst in Anzen war er 1838 maßgeblich an der Gründung der Gelehrten Estnischen Gesellschaft beteiligt, in der sein Bruder *Ludwig* (1777–1830) das Amt des Sekretärs übernahm. Dieser wirkte als Pastor der estn. Marienkirche und war zudem 1817–23 Lektor der estn. Sprache an der Universität. Mehrere Söhne Friedrich Gottliebs gingen nach Rußland: *Karl* (1799–1870, russ. Adel), Dr. med., praktizierte seit 1832 als Arzt der Gewehrfabrik und des Kadettenkorps in Tula, zuletzt in Moskau (s. Qu.). 1838 wechselte *Friedrich* (1803–57) aus einem livländ. Pfarrort an die dt. St. Annen-Gemeinde nach St. Petersburg. In nachhaltigen Bemühungen initiierte er soziale Einrichtungen wie das in Ovcyno untergebrachte Marien-Asyl (1844) und die Predigerwitwenkasse. *Julius* (1808–86), seit 1845 ebenfalls als Arzt in St. Petersburg, ermöglichte seinem jüngeren Bruder *Arnold* (1821–1902, s. Pogg. II–IV; BJ VII, Tl.) ein Mathematikstudium in Dorpat. Dieser wurde 1849 Gründungsdirektor des Meteorologisch-magnetischen Observatoriums in Tiflis (Georgien). *Rudolf* (1809–57), ein Sohn des Ludwig, unterrichtete an staatl. Gymnasien in St. Petersburg Geschichte und ev. Religion. Zur vierten livländ. Generation gehören Kinder des Petersburger Pastors Friedrich und ein Sohn des Meteorologen Arnold. *Emanuel* (1836–1908, s. BLÄ), Dr. med., war 1884–1906 der erste Leiter des Alexander-Hospitals der Angehörigen des Dt. Reiches, wo auch seine Schwester *Elise* (1838–1919) als Oberin tätig war, sowie langjähriger Redakteur der „St. Petersburger Medicin. Wochenschrift", Präses des „Vereins St. Petersburger Ärzte" und des „Deutschen Ärztl. Vereins". Er führte die antiseptische Wundbehandlung nach J. Lister in St. Petersburg ein. Als Wirkl. Staatsrat erreichte er, ebenso wie einst Karl, den erblichen Adelsstand. Einer seiner Söhne, *Otto* (1873–1920), arbeitete gleichfalls als Arzt am Alexander-Hospital, seit 1918 auch als dessen Direktor, während ein anderer, *Friedrich* (1866–1947, s. ThB), nach einer Ausbildung u. a. in Düsseldorf, München, Wien und Paris am Polytechnikum in Riga lehrte und dann in Berlin als Porträtmaler Erfolg hatte. In Livland war noch *Erwin* (1842–1907), Sohn des Pastors Friedrich, als Rechtsanwalt, Stadtverordneter und Syndikus der Stadt Riga ansässig; er hatte für die Balt. konstitutionelle Partei, deren Präses er war, einen Sitz in der Reichs-Duma. Von seinen Söhnen war *Burchard* (1867–1934) Chemiker und Fabrikdirektor in Reval, *Erwin* (1873–1940) ebenso wie sein Vater Rechtsanwalt und Stadtverordneter in Riga. *Julius* (1846–1920), ein weiterer Sohn des Petersburger Pastors Friedrich, erwarb sich als Pomologe in Karlsruhe, Geisenheim, am Reichsgesundheitsamt und schließlich an der Biologischen Reichsanstalt Verdienste bei der Erforschung und Bekämpfung der Reblaus. Der Sohn des Meteorologen Arnold, *Alexander* (1861–1936), wurde nach einem Physikstudium in Dorpat und dem Besuch der Kriegsakademie 1899 Oberst im russ. Generalstab. Er führte eine Kavallerie-Division in Samara, nahm an den Kämpfen in Polen 1916 teil und emigrierte während der russ. Revolution.

L Balt. fam.geschichtl. Mitt. 6, 1936, Nr. 1; Revaler Ztg. v. 18. 8. 1936; Balt. Ahnen- u. Stammtafeln 28, 1986, S. 5–26; Dt.balt. Biogr. Lex. – Qu. Dienstliste f. Dr. Karl M., 1832, in: Militärhist. Archiv Moskau, Fonds 943, Rep. 1, Sache 337.

Erik Amburger

Moritz, Blasinstrumentenmacher. (ev.)

Johann Gottfried (1777–1840), der 1799 in Leipzig als „Instrumentmachergeselle in die Zahl derer Schutzzeddelleute" aufgenommen wurde, siedelte 1805 nach Dresden über, zog aber weiter nach Berlin, wo er 1808 eine Werkstatt gründete und 1810 einen Bürger-Brief als „Blaß-Instrumentenverfertiger" erhielt. 1819 wurde er zum Hofinstrumentenmacher ernannt, 1835 wurde ihm der Titel „akademischer Künstler" verliehen. Im selben Jahr übernahm *Carl Wilhelm* (1810–55) den väterlichen Betrieb, in dem er 1822–26 seine Lehrzeit verbracht hatte. Dort sah man sich durch die von Blühmel und Stölzel 1818 zum Patent angemeldete Ventilmechanik, die den Blechblasinstrumenten in ihrem jeweiligen Tonbereich die volle Ausnutzung der chromatischen Skala ermöglichte, vor neue Aufgaben gestellt. Johann Gottfried hatte durch die Konstruktion neuartiger Stechbüchsenventile, der sog. Berliner Pumpen (1833), bereits eine Verbesserung erzielt, mit der er die Erweiterung des Blasinstrumentariums begann. Zusammen mit dem Reorganisator der preuß. Militärmusik, Wilhelm Friedrich Wieprecht, konstruierte er die Baß-tuba (1835), die in den folgenden Jahren große Verbreitung fand. Carl Wilhelm, der bereits hierbei mitgewirkt hatte, konnte mit den Erstkonstruktionen der Tenortuba (1838), des B-Kornetts (1841) und des hoch Es-Pikkolo-Kornetts (1842) die Blasmusik um weitere Instrumente bereichern. Ein Klaviaturkontrafagott, das er 1855 patentieren ließ, hat sich nicht durchgesetzt. Wie sein Vater wurde auch Carl Wilhelm 1840 zum Hofinstrumentenmacher ernannt und später ebenfalls mit der Würde eines „akademischen Künstlers" ausgezeichnet.

Nach dem frühen Tod von Carl Wilhelm wurde die Werkstatt unter dem Firmennamen C. W. Moritz, mit dem auch alle dort hergestellten Musikinstrumente signiert wurden, zunächst von seiner Witwe, Sophie Dorothee geb. Blankenburg, dann von seinen beiden Söhnen *Carl Wilhelm Theodor* (1837–72) und *Johann Carl Albert* (1839–97) weitergeführt. Dieser hatte seit 1861 die technische Leitung inne und setzte die Reihe der Neukonstruktionen und Verbesserungen erfolgreich fort. Dazu gehörten die auf Anregung Richard Wagners gebaute Baß-Trompete, die Kontrabaß-Zugposaune in B (1866) sowie eine Neukonstruktion der Waldhorntuben, bekannter als „Wagner-Tuben", für den „Ring des Nibelungen" (1877). Auch Johann Carl Albert wurde 1862 zum Hofinstrumentenmacher ernannt. Er erweiterte den Betrieb mit der Herstellung von Holzblasinstrumenten und Trommeln, wozu er ebenfalls neue Ideen einbrachte. Seine beiden Söhne *Carl Willy Hermann* (1873–1931) und *Camillo Walter Arthur* (1877–1946, s. W) übernahmen 1897/98 die Firma und führten sie gemeinsam weiter. Der Sohn des letzteren, *Camillo Willy Hans* (1906–68) war seit 1925 ihr Mitarbeiter. Da er den im 2. Weltkrieg schwer getroffenen Betrieb nicht wiederaufbauen und die Produktion aufnehmen konnte, mußte er 1959 die Firma C. W. Moritz nach 150jährigem Bestehen liquidieren.

W C. W. A. Moritz, Die Orchester-Instrumente in akust. u. techn. Betrachtung, 1942. – Nachlaß (Konstruktionszeichnungen, Geschäftspapiere, Fam.-dokumente u. Phot.): Musikinstrumenten-Mus. d. Staatl. Inst. f. Musikforschung Preuß. Kulturbes., Berlin.

L J. P. Schmidt, Ueber d. chromat. Baß-Tuba u. d. neu erfundene Holz-Baß-Blas-Instrument, gen. Bathyphon, in: Allg. Musikal. Ztg. 42, 1840, Nr. 51, Sp. 1041 f.; Nachr. auf J. C. A. M., in: Zs. f. Instrumentenbau 18, 1898, Nr. 10, S. 248 f.; W. Altenburg, Zur 100jahrfeier d. Musikinstrumenten-Fabrik C. W. M. in Berlin, ebd., 28, 1908, Nr. 19, S. 634–36; Zur Hundertjahrfeier d. Musikinstrumenten-Fabrik C. W. M., Hoflieferant, Berlin, 1908; G. Haase, Der Berliner Blasinstrumentenbau, in: Handwerk im Dienste d. Musik, 1987 *(P)*; Riemann, Erg.bd.

P Zu Johann Gottfried: Ölgem. v. Ebert, 1833. – *Zu Camillo Walter Arthur:* Ölgem. v. H. Leiten, 1932 (beide Musikinstrumenten-Mus., Berlin).

Alfred Berner

Moritz, *Andreas* (bis 1938 *Moritz Max*), Gold- und Silberschmied, * 16. 5. 1901 Halle/Saale, † 15. 2. 1983 Würzburg. (ev.)

V Robert (1873–1963), Graphiker u. Lithograph, unehel. S d. Robert Krasel (1849–88), Horndrechsler in Plagwitz, u. d. Marie Moritz (1850–1937); M Hedwig (1877–1960), T d. Schiffers Bernhard Heine u. d. Antonie Grabe; ∞ Hinterzarten (Schwarzwald) 1944 Berta (1912–89), Dr. phil., Prof. f. engl. Philol. in Würzburg (s. G. Haenicke, Th. Finkenstaedt, Anglistenlex. 1825–1990, 1992), T d. Richard Siebeck (1883–1965), Dr. med., Prof. f. Innere Med. in Bonn, Berlin u. Heidelberg (s. D. Drüll, Heidelberger Gel.lex. 1803–1932, 1986), u. d. Agnes Müller (1885–1922); Gvm d. Ehefrau Karl Müller (1852–1940), ev. Kirchenhistoriker (s. NDB 18).

M. verbrachte seine Kindheit und frühe Jugend in Halle/Saale, Berlin und Aarau (Schweiz). 1916 begann er in Karlsruhe eine Werkzeugmacherlehre, nach der Gesellenprüfung studierte er seit 1919 am Badischen Staatstechnikum in Karlsruhe Maschinenbau. 1922 wechselte er an die hallesche Kunstgewerbeschule Burg Giebichenstein, wo er bei Erich Lenné und Karl Müller eine Ausbildung zum Gürtler und Silberschmied absolvierte. Für seine künstlerische Entwicklung war vor allem die Begegnung mit dem Leiter der Schule, dem Architekten Paul Thiersch, bestimmend, dessen dem George-Kreis nahestehende Auffassung von der Würde handwerklicher Arbeit für M. lebenslang verpflichtend blieb. 1922/23 verbrachte er vier Monate bei Heinrich Vogeler in Worpswede, 1924 wurde er von Ewald Dülberg als Lehrer für Metallbearbeitung an die Kunstakademie in Kassel geholt. Seit 1925 setzte er sein Studium an den von Bruno Paul geleiteten „Vereinigten Staatsschulen für Freie und Angewandte Kunst" in Berlin fort. Hier beschäftigte er sich vor allem unter Ludwig Gies mit Bildhauerei, 1928 half er Georg Kolbe bei der Ausführung des Rathenau-Brunnens. Aus den frühen 30er Jahren haben sich einige Bronzebüsten in Privatbesitz erhalten, 1957 entstanden Grabmäler für Victor v. Weizsäcker und Ernst Robert Curtius.

Den Nationalsozialisten entzog sich M. zunächst durch ausgedehnte Reisen nach England, Holland, Belgien, Dänemark und Griechenland. 1936 war er Gastschüler der Londoner „Central School of Arts and Crafts" und arbeitete für verschiedene Auftraggeber, dabei entstand ein Altarkreuz für St. Margaret's Church in West Hoathly (Sussex). Sein Schaffen wurde durch den Kriegsdienst unterbrochen, 1942 fielen zahlreiche Arbeiten der Bombardierung Berlins zum Opfer. Als franz. Kriegsgefangener wurde M. 1946 als Kunsterzieher an die Schule Birklehof in Hinterzarten beurlaubt. Nach seiner Entlassung aus der Gefangenschaft konnte er dort 1947 wieder eine eigene Werkstatt einrichten. 1952 wurde er als Leiter der Klasse für Gold- und Silberschmiede an die Akademie der Bildenden Künste in Nürnberg berufen, 1954 zum Professor ernannt. Hier prägte er eine ganze Generation deutscher Silberschmiede, darunter Annette und Christoph Diemer, Wilfried Moll und Christina Weck. Nach seiner Emeritierung übersiedelte M. 1969 nach Würzburg. In den letzten Lebensjahren entwarf er Steingefäße, die in Idar-Oberstein ausgeführt wurden.

Mit äußerster Präzision hat M. in Abkehr von der Ornamentfreude des Jugendstils und der 20er Jahre strenge, schmucklose Formen geschaffen, die auch auf das Zurschaustellen der Handarbeit durch sichtbare Werkspuren verzichten. Seine silbernen Gefäße weisen eine makellose Oberfläche auf und leben von der Ausgewogenheit und Spannung der Form. Dunkle Hölzer als Griffe oder Unterlagen unterstreichen gelegentlich kontrastierend den hellen Glanz des Metalls. Die gleiche klare Formensprache kennzeichnet auch M.s Schmuckstücke, die vor allem während seiner Nürnberger Zeit, oft unter Assistenz seiner Studenten, entstanden. Dabei bevorzugte er meist großflächig facettierte und farbenprächtige Steine in strenger Anordnung. – Bronzemedaille d. 10. Triennale Milano (1954); Korr. Mitgl. d. Bayer. Ak. d. Schönen Künste (1976).

Weitere W Kelch mit Patene (St. Francis' Church, Clifton, Nottingham); Tabernakel (Marienkapelle d. Weltfriedenskirche, Hiroshima); Abendmahlsgerät (Ev. Christuskirche, Karlsruhe); Siebenarmiger Leuchter (Dom, Würzburg); Schale z. 90. Geb.tag v. P. Thiersch, 1969. – *In Museen:* Staatl. Museen Preuß. Kulturbes., Kunstgewerbemus., Berlin; Mus. f. Kunst u. Gewerbe, Hamburg; Bad. Landesmus., Karlsruhe; Mus. f. angew. Kunst, Köln; Neue Slg., München; Metropolitan Mus., Mus. of Modern Art, New York; German. Nat.mus., Nürnberg; – *Schrr.:* Liturg. Gerät, in: Kirche u. Kunst 38, 1960, S. 2–8; A. M. u. seine Schule, Ausst.kat. München 1961, S. 5 ff.; Essays zur Kunst, ausgew. v. A. M., Privatdrucke, 1966–77. – *Nachlaß:* German. Nat.mus., Nürnberg.

L Schmuck u. Gerät 1959–1984, Ausst.kat. München 1984; A. B. Chadour u. R. Joppien, Schmuck, 1985, I, S. 151, Nr. 37, II, S. 294 ff. *(ältere L);* H. Bühl u. B. Moritz (Hrsg.), A. M., o. J. (1986, *L, P);* Ch. Weber, Schmuck d. 20er u. 30er Jahre in Dtld., 1989, S. 262; W. Nauhaus, Die Burg Giebichenstein, ²1992, S. 31; K. Schneider, Burg Giebichenstein, 1992, I, S. 270 f., II, S. 242, Nr. 174.1; Burg Giebichenstein, Ausst.kat. Halle/Karlsruhe, 1993, S. 175, Nr. 142, S. 528; Vollmer.

Peter Schmitt

Moritz, *Bernhard,* Orientalist, * 13. 9. 1859 Guben, † 22. 9. 1939 Berlin.

V N. N.; *M* N. N.; ledig; 1 *Pflege-K.*

Nach seinem Studium in Berlin und der Promotion 1882 über die Scholien des Barhebräus zum Buch der Kleinen Propheten bereiste M. als Stipendiat des Kaiserl. Archäologischen Instituts 1883–85 Syrien und Mesopotamien. Nach kurzer Beschäftigung als Hilfsarbeiter in der ägypt. Abteilung des Museums zu Berlin schloß er sich Robert Koldewey an und beteiligte sich an den Ausgrabungen von Surghul und al Hiba in Mesopotamien. Seit 1887 wirkte er wieder in Berlin am neugegründeten Seminar für Oriental. Sprachen als kommissarischer Sekretär, Bibliothekar und Lehrer des Arabischen, ehe er 1896 als Nachfolger von Karl Vollers die Leitung der Khedivial-Bibliothek in Kairo übernahm. Von hier aus unternahm er mehrere Forschungsreisen in den Sinai und den Hedschaz. Von 1911 bis zu seiner Pensionierung 1924 leitete M. in Berlin die Bibliothek am Seminar für Oriental. Sprachen, an dem er regelmäßig landeskundliche Vorlesungen hielt. Anschließend übernahm er eine beratende Tätigkeit am Auswärtigen Amt.

M. gehört zu der kleinen Zahl deutscher Erforscher des Vorderen Orients, in deren Schriften sich ausgedehnte, auf zahlreichen Reisen gewonnene geographische und archäologische Kenntnisse mit einer gediegenen philologisch-historischen Ausbildung verbinden. Für sein wichtigstes Werk „Arabic Palaeography, A Collection of Arabic Texts from the First Century of the Hidjra till the Year 1000" (1905, Nachdr. 1986) konnte M. auf den reichen Handschriftenfundus der Kairiner Bibliothek zurückgreifen. Linguistisch wie historisch nach wie vor von Bedeutung ist seine „Sammlung arab. Schriftstücke aus Zanzibar und Oman" (1892). Ebenso bleibt sein Buch „Arabien, Studien zur physikalischen und historischen Geographie des Landes" (1923) wertvoll als Ergebnis mehrerer Reisen nach Arabien. Allerdings konnte M. nicht mehr die während seiner Hedschaz-Expedition 1914 gesammelten umfangreichen Materialien verwerten, da diese 1914 von den engl. Behörden beschlagnahmt, verkauft und z. T. vernichtet wurden. M.s besonderes Interesse für die Geschichte des Sinai dokumentieren seine beiden Abhandlungen über den Sinaikult (1917) und das Sinaikloster (1918). – Geh. Reg.rat (1911); Prof.titel (vor 1918).

Weitere W Zur antiken Topogr. d. Palmyrene, 1889; Ausflüge in d. Arabia Petraea, in: Mélanges de la Faculté Orientale, Beyrouth, 3, 1908, S. 387–436; Syr. Inschrr., in: M. v. Oppenheim, Inschr. aus Syrien, Mesopotamien u. Kleinasien, II, 1913; Wie Ägypten englisch wurde, 1915; Bilder aus Palästina, Nord-Arabien u. d. Sinai, 1916; Der Sinaikult in heidnischer Zeit, in: Abhh. d. Ges. d. Wiss. zu Göttingen, Phil.-hist. Kl., NF 16/2, 1917; Btrr. z. Gesch. d. Sinaiklosters im MA nach arab. Quellen, in: Abhh d. Preuß. Ak. d. Wiss., 1918, Phil.-hist. Kl., Nr. 4; Die Sinai-Expedition im Frühjahr 1914, in: SB d. Preuß. Ak. d. Wiss., Phil.-hist. Kl., 1926, S. 26–34 (mit C. Schmidt).

L H. Scheel, in: FF 15, 1939, S. 391 f.; J. Fück, Die arab. Stud. in Europa, 1955, S. 316; Kürschner, Gel.-Kal. 1931.

Hartmut Bobzin

Moritz (eigtl. *Mürrenberg, Mürenberg*), *Heinrich*, Schauspieler und Regisseur, * 9. 12. 1800 Leipzig, † 5. 5. 1868 Wien. (ev.)

Aus sächs. Bauernfam.; *V* Johann Heinrich Wilhelm Mürrenberg, Perückenmacher aus Gera; *M* Christiana Elisabeth (* 1761) aus L., *T* d. Lohgerbergesellen Johann Christoph Süße u. d. Johanna Justina Lindemuth; ∞ 1) (∞ 1845) N. N. Baronin Schluditzka, aus Prag, später auf Gut Strassoldo (?) in d. Gfsch. Görz, 2) angebl. N. N. Röckel, Hofopernsängerin in Schwerin, verließ M. nach wenigen Jahren; 1 *T* aus 2) Marie († n. 1878, ∞ Karl Thomas Richter, 1837/38–78, Prof. d. pol. Ökonomie an d. Univ. Prag, s. ADB 28; BLBL), Schausp.

Nach dem Besuch der Thomasschule in Leipzig begann M. an der Univ. Leipzig mit dem Studium der Rechte und wechselte dann zur Medizin. Nach der Ermordung Kotzebues sah er sich als Burschenschafter gezwungen, Leipzig zu verlassen und einen neuen Namen anzunehmen. Nachdem er bereits am Leipziger Theater aufgetreten war, sammelte er weitere schauspielerische Erfahrungen bei kleineren Schauspielgesellschaften in Schlesien und Böhmen, wo der Schauspieler F. Reizenberg sein Lehrer wurde. 1821 wurde M. als 2. jugendlicher Liebhaber nach Brünn, 1823 als 1. jugendlicher Liebhaber an das Isartortheater in München und 1824 an das dortige Kgl. Hoftheater engagiert. 1825 unternahm er seine erste Gastspielreise, die 1826 zu einem Engagement als jugendlicher Liebhaber in Prag in der Nachfolge L. Löwes führte. Mit Darstellungen wie der des Ferdinand in Schillers „Kabale und Liebe" wurde er rasch zum Publikumsliebling. 1833 ging er an das Württ. Hoftheater in Stuttgart. Hier spielte er in den folgenden Jahren viele der klassischen Helden (z. B. den Prinz in „Emilia Galotti", Hamlet, Don Carlos, Romeo, Karl Moor, Fiesko) mit großem Erfolg. Über Stuttgart hinaus bekannt wurde er allerdings durch seine unübertroffenen Darstellungen im Lustspiel und im „Salonstück". Gastspielreisen führten ihn u. a. durch Deutschland, Holland, Oberitalien und nach London, Paris und Wien. 1835 wurde M. zum Regisseur des Schauspiels, 1838 zum Oberregisseur am Stuttgarter Hoftheater ernannt. Als Förderer junger deutscher Autoren spielte er, manchmal gegen höchsten Widerstand, vermehrt deutsche Originalstücke und weniger Übersetzungen franz. Stücke. So brachte er H. Laubes „Monaldeschi" und „Rokoko", aber auch Stücke von K. Gutzkow und F. Hackländer, mit denen er befreundet war, heraus. Auch als Regisseur leistete M. Bedeutendes. A. Lewald sagte von ihm, er habe „die Kunst der Regie erst zur Kunst gemacht". Neben seiner Gestaltung der Massenszenen und den raschen, durchdachten Verwandlungen waren es vor allem seine Inszenierungen im Kammerspiel-Stil, die Aufsehen erregten. Wie H. Laube verwendete er dafür geschlossene Zimmerdekorationen. F. Dingelstedt, mit dem er ebenfalls befreundet war, empfing von M. wichtige Anregungen für seine eigene Regietätigkeit. Intrigen führten dazu, daß man ihm 1846 das Amt des Oberregisseurs entzog. Nachdem M. 1851 pensioniert worden war, verließ er Stuttgart und zog nach Wien zu seiner Tochter, bei der er, an einem Rückenmarksleiden schwer erkrankt, bis zu seinem Tode lebte.

L ADB 52; Korsinsky, Album d. Kgl. Württ. Hoftheaters, 1843, S. 13–18 *(P)*; H. M., in: Ill. Theaterztg. Leipzig, 1846, Nr. 29; K. Th. R., H. M., in: Neue Freie Presse v. 8. u. 9. 5. 1868; H. Meynert, H. M., in: Wiener Ztg., 1968, Nr. 111; Wurzbach 19; Kosch, Theater-Lex.

Edith Marktl

Moritz, *Carl Philipp,* Schriftsteller, * 15. 9. 1756 Hameln, † 26. 6. 1793 Berlin. (luth.)

V Johann Gottlieb (1724–88, Quietist), hann. Unteroffz., Militärmusiker, später Lizentschreiber, *S* d. preuß. Soldaten Albrecht u. d. Anne Rosine Rassen; *M* Dorothee Henriette König (um 1721–83, luth.); ∞ Berlin 1792 (o/o 1792, erneut ∞ 1793) Christiane Friedrike (* um 1776), *T* d. Lotteriekollekteurs Karl Friedrich Matzdorff; *Schwager* Karl Matzdorff, Verleger.

M.s Jugend war bestimmt von Armut, Krankheit (skrofulöses Fußleiden, Lungentuberkulose) und seelischen Nöten, bedingt vor allem durch den Glaubenszwist zwischen dem separatistischen Vater und der orthodoxen Mutter. Nach dem Ende des Siebenjährigen Krieges 1763 zog die Familie nach Hannover, wo M. privaten Elementarunterricht erhielt. Im Herbst 1768 begann M. eine Lehre bei dem quietistischen Hutmacher Johann Simon Lobenstein in Braunschweig, wo er nach mannigfachen körperlichen Entbehrungen und seelischen Demütigungen im Frühjahr 1770 einen Selbstmordversuch unternahm. Die Begeisterung für das Predigtamt weckte jedoch M.s intellektuelle Kräfte, woraufhin der Garnisonsprediger Gebhard Heinrich Marquard dem Mittellosen durch ein kleines Stipendium des Landesfürsten und private Freitische des Besuch des Gymnasiums in Hannover ermöglichte (Ostern 1771–Sommer 1776). M., der bereits selbständig Englisch gelernt hatte, begann die Hauptwerke der engl.-deutschen Aufklärung und Empfindsamkeit sowie des Sturm und Drang zu lesen, insbesondere Goethes „Werther". Ausgedehnte Lektüre und zahlreiche Theatererlebnisse ließen die Schauspielerei zum Wunschberuf werden. Im Juli 1776 ging M. von der Schule ab, um sich in Gotha Conrad Ekhofs Wanderbühne anzuschließen. Als dies fehlschlug, begann er in Erfurt ein Theologiestudium, brach es aber nach dem endgültigen Scheitern seiner Theaterpläne im Februar 1777 ebenfalls ab. Auf Drängen der Herrnhuter Brüdergemeine in Barby, wo M. um Aufnahme gebeten hatte, immatrikulierte er sich kurzzeitig in Wittenberg (Februar 1777–Frühjahr 1778). Eine Anstellung an Johann Bernhard Basedows Philanthropin in Dessau wurde durch Krankheit verhindert. Die Hoffnung auf eine Feldpredigerstelle führte M. nach Potsdam, wo er am 23. 7. 1778 als Informator im Waisenhaus unterkam. Auf Empfehlung Wilhelm Abraham Tellers erhielt er im November desselben Jahres die Vokation zum zweiten Lehrer an der unteren Schule des Berliner Gymnasiums zum Grauen Kloster.

Die Übersiedelung nach Berlin hatte in den äußeren Lebensumständen eine relative Beruhigung zur Folge. Nach dem Erwerb des Magistergrades in Wittenberg (30. 4. 1779) wurde M. im Oktober 1779 zum Konrektor ernannt; er trat im folgenden Monat der freimaurerischen St. Johannis-Loge zur Beständigkeit bei (Geselle 1781, Meister 1784, Bruder Redner 1789, Erster Aufseher 1791/92) und begann seine schriftstellerische Tätigkeit. Neben verstreuten Gedichten dominierten zunächst pädagogisch-moralphilosophische Schriften deistischer Orientierung (Predigten, Exempelerzählungen für Joachim Heinrich Campes „Kleine Kinderbibliothek"). M.s erste größere Publikation („Unterhaltungen mit meinen Schülern", 1779/80, ²1783) orientiert sich an Rousseau und Herder und versucht, den Schülern physikotheologische Gotteserfahrungen zu vermitteln. Die Tagebuch-Fragmente der „Beiträge zur Philosophie des Lebens" (1780, ³1791) sowie verschiedene Abhandlungen zu Grammatikproblemen (u. a. „Kleine Schriften, die deutsche Sprache betreffend", 1781, ²1792) verschafften M. Zugang zu den Berliner Popularphilosophen (Moses Mendelssohn, Marcus Herz), die seine weiteren Arbeiten in hohem Maße prägten. Dies gilt vor allem für die erste psychologische Zeitschrift in Deutschland: „ΓΝΩΘΙΣΑΥΤΟΝ oder Magazin zur Erfahrungsseelenkunde" (10 Bde., 1783–93, ²1785–1805; Neudr. 1978/79). M., der das „Magazin" als Sammelbecken für empirisches Material verstand, formulierte darin ein strikt individualistisches Konzept von Seelengesundheit bzw. -krankheit, das auch seinem bekanntesten Werk zugrunde liegt: Der als „psychologischer Roman" gekennzeichnete „Anton Reiser" (4 T., 1785–90; zuletzt 1991) analysiert M.s eigene Kindheit und Jugend in ihrer psychischen Kausalität. Die empfindsame Beschreibung einer Fußreise durch England (Mai-August 1782) hatte M. zu einem Erfolgsautor gemacht („Reisen eines Deutschen in England im Jahr 1782", 1783, ²1785 mit Porträtkupfer von D. Chodowiecki, engl. 1795). Nach öffentlichen Vorlesungen über Sprache und Kunst (seit 1782) wurde er Anfang 1784 zum Gymnasialprofessor befördert und übernahm im September 1784 für knapp ein Jahr die Redaktion der „Vossischen Zeitung" („Ideal einer vollkommnen Zeitung", 1784). Im Sommer 1785 durchwanderte M. mit seinem Schüler, Wohnungsgenossen (seit 1783) und späteren Biographen Carl Friedrich Klischnig weite Teile Deutschlands und veröffentlichte den symbolisch-ironischen Roman „Andreas Hartknopf, Eine Allegorie" (1785). Der „Versuch einer kleinen praktischen Kinderlogik" (1786, ³1805), der sich inhaltlich mit den „Denkwürdigkeiten, aufgezeichnet zur Beförderung des Edlen und Schönen" (2 Bde., 1786–88) überschneidet, resümiert M.s moralphilosophische Überzeugungen, seinen Glauben an den Fortschritt durch die Entwicklung der Vernunft, sein Eintreten für die Selbstbestimmung des Individuums und die Ablehnung einer Zwei-Klassen-Gesellschaft von Gebildeten und Ungebildeten. In diesem Zusammenhang formulierte M. den ersten Entwurf zu seiner Ästhetik, die das Kunstschöne von der herkömmlichen Verpflichtung auf gesellschaftliche Nützlichkeit freispricht und die Kunstauffassung der Weimarer Klassik vorbereitet („Versuch einer Vereinigung aller schönen Künste und Wissenschaften unter dem Begriff des in sich selbst Vollendeten", 1785).

Vertieft wurde diese radikale Autonomie-Ästhetik während der gut zweijährigen Italienreise (August 1786–Dezember 1788), die den entscheidenden Wendepunkt in M.s Leben und literarischer Tätigkeit brachte und den Verzicht auf den Lehrerberuf zugunsten der Schriftstellerei zur Folge hatte („Reisen eines Deutschen in Italien in den Jahren 1786 bis 1788", 3 T., 1792/93). In Rom, wo M. hauptsächlich unter deutschen Künstlern lebte, schloß er im November 1786 enge Freundschaft mit Goethe, der ihn im Tagebuch (14. 12. 1786) als seinen jüngeren Bruder bezeichnete: „von derselben Art, nur da vom Schicksal verwahrlost und beschädigt, wo ich begünstigt und vorgezogen bin". M. ermutigte Goethe in Rom zur Jambenfassung der „Iphigenie auf Tauris" („Versuch einer deutschen Prosodie", 1786, ²1815); gleichzeitig entstand seine wichtigste Schrift zur Kunsttheorie („Über die bildende Nachamung des Schönen", 1788), die M. im Spätherbst 1788 in Rom noch mit Herder besprach. Nach der Rückkehr aus Italien hielt sich M. zunächst als Goethes Gast in Weimar auf (4. 12. 1788–31. 1. 1789); im Februar 1789 wurde er auf Betreiben Goethes und Hzg. Carl Augusts Professor der Theorie der schönen Künste an der Berliner Akademie. M.s Vorlesungen (Kunsttheorie, Altertumskunde und Mythologie), die gemeinsam mit Aloys Hirt herausgegebene Zeitschrift „Italien und Deutschland in Rücksicht auf Sitten, Gebräuche, Litteratur und Kunst" (2 Bde., 1789–92) sowie seine zahlreichen Bücher und Aufsätze übten in der Folgezeit großen Einfluß auf A. v. Humboldt, W. H. Wackenroder und L. Tieck aus und prägten durch ihre Betonung der autonomen Phantasie, die strikte Dilettantismuskritik und die Ablehnung der Allegorie die frühromantische Kunstauffassung („Götterlehre oder mythologische Dichtungen der Alten", 1791, ¹⁰1861, engl. 1830; „ΑΝΘΟΥΣΑ oder Roms Alterthümer, Erster Theil, 1791, ²1797). M., der in Berlin als Gefolgsmann Goethes galt, wurde im Oktober 1791 auf Empfehlung des aufklärungsfeindlichen Ministers Johann Christoph v. Wöllner zum Mitglied der Philosophischen Klasse der Akademie der Wissenschaften ernannt. Als der junge Jean Paul M. im Juni 1792 das Manuskript der „Unsichtbaren Loge" übersandte, besorgte dieser umgehend die Publikation und begründete damit die Karriere des künftigen Erfolgsschriftstellers. In dieser Zeit veröffentlichte M. seine „Vorlesungen über den Styl oder praktische Anweisungen zu einer guten Schreibart" (1793/94, ³1808), eine Sammlung von größtenteils älteren Aufsätzen und Freimaurerreden („Die große Loge", 1793, postum erweitert als „Launen und Phantasien", 1796) sowie die „Vorbegriffe zu einer Theorie der Ornamente" (1793).

Nach einer kurzen Studienreise zur Dresdener Gemälde-Galerie erlag M. in Berlin seinem chronischen Lungenleiden. Sein umfangreiches Werk, das viele Selbstplagiate enthält, geriet schnell in Vergessenheit, ausgenommen die „Götterlehre" und der „Allgemeine deutsche Briefsteller" (1793, ¹⁰1832). Das nach 1960 neu erwachte Interesse an M. verdankt sich zum großen Teil Arno Schmidt und konzentriert sich auf den „Anton Reiser", neuerdings auch auf das „Magazin zur Erfahrungsseelenkunde".

Weitere W u. a. Blunt od. d. Gast, Ein Schauspiel in e. Aufzuge, 1781; Sechs dt. Gedichte, d. Könige v. Preußen gewidmet, 1781, ²1781; Dt. Sprachlehre f. d. Damen, 1782, ⁴1806; Engl. Sprachlehre f. d. Deutschen, 1784, ⁵1801; Fragmente aus d. Tagebuche e. Geistersehers, 1787; Über e. Schrift d. Herrn Schulrath Campe, u. üb. d. Rechte d. Schriftst. u. Buchhändlers, 1789; Andreas Hartknopfs Predigerjahre, 1790; Neues A. B. C. Buch, 1790 (franz. 1793); Italiän. Sprachlehre, 1791; Lesebuch f. Kinder, 1792; Die neue Cecilia, 1794; Mytholog. Wb. z. Gebrauch f. Schulen, 1794 *(P).* – Werke u. Briefe, 2 Bde., hrsg. v. H. Hollmer u. Albert Meier, 1996.

L ADB 22; C. F. Klischnig, Erinnerungen aus d. zehn letzten Lebensj. meines Freundes Anton Reiser, 1794, Neudr. 1993 *(P);* H. Eybisch, Anton Reiser, Unterss. z. Lebensgesch. v. K. Ph. M. u. z. Kritik seiner Autobiogr., 1909 *(mit Briefen u. Bibliogr.);* Th. P. Saine, Die ästhet. Theodizee, K. Ph. M. u. d. Philos. d. 18. Jh., 1971; H. J. Schrimpf, K. Ph. M., 1980 *(W, L);* P. Rau, Identitätserinnerung u. ästhet. Rekonstruktion, Stud. z. Werk v. K. Ph. M., 1983; R. Bezold, Popularphilos. u. Erfahrungsseelenkunde im Werk v. K. Ph. M., 1984; Lothar Müller, Die kranke Seele u. d. Licht d. Erkenntnis, 1987; H. L. Arnold (Hrsg.), K. Ph. M., 1993; Albert Meier, Sprachphilos. in religionskrit. Absicht, K. Ph. M.s „Kinderlogik" in ihrem ideengeschichtl. Zusammenhang, in: DVjS 67, 1993, S.252–66; Kosch, Lit.-Lex.³; Killy; BBKL; DLB 94.

P Anonymer Scherenschnitt, ca. 1784 (Düsseldorf, Slg. Kippenberg), Abb. in: Insel Almanach auf d. J. 1959; Olla Potrida, 1784 (anonymes Titelkupf. z. 3. Stück), Abb. in Dt. Schriftst. im Porträt III, 1980; Gem. v. Ch. F. Rehberg, um 1790 (Berlin, Ak. d. Künste), Abb. in Werke, hrsg. v. H. Günther, I, 1981; Büste v. T. L. Major (Berlin, Ak. d. Künste), Abb. ebd. II; Kupf. v. P. Haas, um 1794, Abb. ebd. III; Gem. v. K. F. J. H. Schumann, 1791 (Halberstadt, Gleim-Haus), Abb. b. Wilpert; kolorierter Punktierstich v. H. Sintzenich, 1793 (Weimar, Goethe-Nat.-mus.); anonymes Titelkupf. zu Mytholog. Wb., 1794.

Albert Meier

Morlacchi, *Francesco,* Komponist, Kapellmeister, * 14. 6. 1784 Perugia, † 28. 10. 1841 Innsbruck. (kath.)

V Alessandro (1760–1818), Salz- u. Tabakmagazin-Verwalter, Violinist an d. Kathedrale v. P., S d. Francesco Antonio (* 1705) u. d. Francesca di Pascuccio Miniconi (* 1734); M Virginia Terenzi (1766–1834); ∞ um 1808 Anna Fabrizi († 1855); 3 S.

Nach früher musikalischer Unterweisung in Perugia studierte M. 1803/04 in Loreto bei N. Zingarelli und 1805 in Bologna bei Padre Mattei am Liceo Filarmonico Komposition. Sein Diplom zum Studienabschluß erhielt er aufgrund einer Kantate zur Krönung Napoleons als König von Italien. Aufgenommen in die Bologneser Akademie, dehnte er seine Kompositionstätigkeit 1807 auf die Oper aus und errang fortan regelmäßig Opernerfolge, zunächst in Florenz, Bologna, Parma, Verona, Livorno und Rom. Dank der Bemühungen der Sängerin Maria Marcolini, einer Nichte des Hofrats und Ministers bei Kg. Friedrich August von Sachsen Camillo Marcolini, wurde M. 1810 an die Italienische Oper nach Dresden berufen, zunächst als Assistent des Kapellmeisters Josef Schuster. Ein Jahr später wurde er Kapellmeister auf Lebenszeit. Nach der Aufführung seines Oratoriums „La Passione" in Perugia 1816 wurde M. von Papst Pius VII. mit dem Titel eines „Conte Palatino e Lateranense" zum „Cavaliere dello Sperone d'Oro" ernannt. Mit der Spaltung der Dresdner Hofoper (1817) in eine weiterhin von M. geführte ital. und eine neue, von C. M. v. Weber geleitete deutsche Oper begann eine in der Literatur zuweilen überzeichnete Phase des Rivalisierens und Befehdens zwischen M. und Weber, die sich allerdings nach dem Ausscheiden des Opernintendanten H. Gf. Vitzthum v. Eckstädt 1819 grundsätzlich zugunsten eines freundschaftlichen Verhältnisses beider Kapellmeister wandelte. In den 1826 begründeten Palmsonntagskonzerten der Hofkapelle zugunsten der Pensionskasse für Witwen und Waisen der Kapellmitglieder führte M. Oratorien in großer Besetzung auf, darunter bereits 1833 Bachs „Matthäuspassion" und 1834 Händels „Messias". 1832 fusionierten die ital. und die deutsche Oper des sächs. Hofes, und es gab fortan nur noch deutsche Opernvorstellungen. M. blieb dennoch bis zu seinem Tode Kapellmeister und dirigierte weiter eigene Opern und solche anderer ital. Komponisten, die allerdings nun in deutscher Sprache aufgeführt wurden. Nach den Dresdner Hofakten galt M. als „ein Zögling der Bologneser Jesuitenschule, ... ein feiner, elegant aussehender Italiener von viel Talent für das Machwerk, großem Fleiße, bedeutender Kenntnis der äußeren Technik seiner Kunst".

Mit seinen zahlreichen Opern führte M. die ältere ital. Tradition der Opera buffa und der Opera seria in der Nachfolge des von ihm hochgeschätzten Paisiello nahezu ungebrochen fort, obwohl seine ital. Zeitgenossen (Rossini, Donizetti, Bellini) bereits einen neuen Operntypus vorbereiten halfen. Abgesehen von dramatischen Zuspitzungen, die mit effektvollen musikalischen Mitteln zum Ausdruck gebracht werden, vermochten M.s Opern und Kirchenmusikwerke, deren partielle Opernhaftigkeit sie wenigstens sporadisch vor flachem Gleichmaß bewahrt, nicht die kompositorischen Entwicklungen seiner Zeit zu beeinflussen. M.s historisch bedeutsame Leistung liegt weniger auf dem Gebiet der Komposition als in seiner Kapellmeistertätigkeit begründet (sein Dresdner Nachfolger wurde 1842 Richard Wagner). Hier erwarb er sich Verdienste durch eine breite Repertoire-Auswahl, die erfolgreiche wie auch unbekannte Opern einbezog, sowie durch repräsentative Konzertprojekte. Daß die über einhundertjährige Glanzzeit der ital. Oper am Dresdner Hof in seiner Amtszeit zu Ende ging, lag im Trend der Zeit und zeichnete sich analog auch an anderen deutschen Höfen ab.

W-Verz. Verz. sämtl. Compositionen d. Kapellmeisters Rr. M. bis 1822, in: Allg. musikal. Ztg. 5, 1823; A. Mezzanotte, Catalogo delle Opere musicali del celebre Maestro Cavaliere M. perugino, 1843; B. Brumana, G. Ciliberti u. N. Guidobaldi, Catalogo delle composizioni musicali di F. M., 1987.

L ADB 22; G. B. Rossi-Scotti, Della vita e delle opere del Cav. F. M., 1860; Max M. v. Weber, Carl M. v. Weber, e. Lb., 1862; H. Schnoor, Dresden, 400 J. Dt. Musikkultur, 1949; In Memoriam F. M. (mit Nachruf v. W. Fischer), 1952; G. Ricci des Ferres-Cancani, F. M., un maestro italiano alla Corte di

Sassonia, 1956 *(P)*; W. Becker, Die dt. Oper in Dresden unter d. Leitung v. C. M. v. Weber, 1817–1826, 1962; R. Sabatini, F. M., 1977 *(P)*; B. Brumana u. G. Ciliberti, F. M. e la musica del suo tempo, 1986; G. Stefan u. H. John (Hrsg.), Die ital. Oper in Dresden v. J. A. Hasse bis F. M., 1989; MGG IX *(P);* New Grove.

P Zeichnung v. M. Rigotti; Zeichnung v. R. Pasterini di Reggio; Porträt v. B. Piceller, 1810 (Perugia, Konservatorium); Lith. v. C. Brand (Dresden, Dt. Fototkek); Porträt v. C. Vogel v. Vogelstein, um 1825; Kupf. v. G. Bernardoni, 1829; Grabdenkmal mit Halbrelief (Perugia, Kathedrale S. Lorenzo); Büste (Perugia, Konservatorium); Büste in gr. Medaillon v. R. Angelotti (Perugia, Teatro omonimo).

Michael Märker

Mornauer, *Alexander,* Stadtschreiber von Landshut, * 1438 / 39 (?) Landshut, † um 1490 Rattenberg (Tirol). (kath.)

V Paulus v. Mornaw (Mornauer) († 1470), Stadtschreiber in L. 1437 / 39–64, verfaßte e. Ratschronik v. 1439–64 u. e. Codex d. gültigen Stadtrechte, 1464–70 als Spitalmeister nachweisbar; *M* Anna Pucher aus Buch am Erlbach b. L.; *B* Achaz († um 1500), 1462 Kleriker, 1468 Domherr in Brixen, 1469 Kanzler d. Erzhzg. Sigismund v. Tirol, Mathäus, Goldschmied, 1487–1508 Bürger v. L.; *Halb-B* N. N., Kanoniker u. Stifter d. 1513/15 v. Hans Leinberger geschaffenen Pestvotivs in d. Kastuluskirche in Moosburg (mit Donatorbildnis); – ∞ Magdalena Heidenreich aus L.; 3 *S*, 1 *T*, u. a. Ambros († 1534?), Kammerrat u. Hüttenmeister zu R., wurde 1524 in d. Tiroler Landtafel aufgenommen u. besaß d. zu e. Hofmark vereinigten Schlösser Lichtenwert u. Münster am Eingang d. Zillertals; *E* Wolfgang Joseph († 1549), kaiserl. Rat u. Pfleger zu Kufstein.

M. erhielt, vermutlich im Unterschied zu seinem Vater, wohl eine akademische Ausbildung. 1464 trat er dessen Nachfolge als Stadtschreiber von Landshut an und übte dieses Amt bis 1488 aus. Während dieser Zeit führte er neben den Rechnungsbüchern, Steuerlisten und sonstigen Aufzeichnungen den laufenden Schriftwechsel der Stadt und verfaßte Rechtssätze und Handwerksordnungen. Von den letzteren hat sich eine Schreiberordnung in einer Überlieferung des 16. Jh. erhalten. Die vom Vater begonnenen Ratslisten setzte M. fort, bereicherte seine Aufzeichnungen aber noch um Nachrichten über aktuelle Tagesereignisse.

1488 schied M. aus unbekannten Gründen aus dem Dienst aus; denkbar wäre ein entsprechendes Angebot des Herzogs. Nachfolger M.s war für über ein Jahr Georg Walhan; dessen Sohn Absolon heiratete die Witwe M.s. Nachfolger Walhans wurde 1490 Hans Vetter, der die Ratschronik bis 1504 weiterführte. Nach ihm wurde sie fälschlich oft „Vettersche Stadtchronik" genannt, obgleich als Verfasser des größeren Anteils M. und sein Vater gelten müssen. Nach der Aufgabe des Stadtschreiberamts in Landshut war M. als Bergmeister Hzg. Georgs des Reichen in den zu Bayern-Landshut gehörigen Gerichten Tirols Kufstein, Rattenberg und Kitzbühel tätig. Seiner Vielseitigkeit und seiner Erscheinung nach verkörpert er bereits den tatkräftigen Beamtentyp der beginnenden Renaissancezeit.

L H. Buchheit, Ein Bildnis d. Landshuter Stadtschreibers A. M., in: Kal. Bayer. u. Schwäb. Kunst 1917, S. 12 ff.; ders., in: Münchner Jb. 1919, S. 119; K. Th. Heigel, Landshuter Ratschronik (Die Chroniken d. dt. Städte 15), 1878, S. 245–366; Th. Herzog, Der Landshuter Stadtschreiber A. M. u. sein Geschl., in: Verhh. d. Hist. Ver. f. Niederbayern 81, 1955, S. 89–112; V. Liedke, Hans Wertinger u. Sigmund Gleismüller, zwei Hauptvertreter d. Altlandshuter Malschule, in: Ars Bavaria 1, 1973, S. 50–83; H. Inama-Sternegg, Das Nachlaßinventar d. Ambros Mornauer von Lichtenwert 1550, in: Festgabe f. E. Egg, 1985, S. 39–59; S. Foister, The portrait of A. M., in: The Burlington Magazine 133, 1991, S. 613–18. – Eigene Archivstud.

P Ölgem., süddt. Meister (National Gallery, London).

Georg Spitzlberger

Moro, v. (österr. Adel 1816), Textilfabrikanten. (kath.)

Namensträger (del Mor) lassen sich schon im 15. Jh. im Bergdorf Ligosullo (Friaul) nachweisen. Söhne und Enkel *Andrea* Moros begründeten Ende des 18. Jh. die Kärntner Linien der Familie. Der zweite Sohn *Christoph* (1743–1823) ließ sich nach seiner Heirat mit Josefa Foregger v. Greifenthurn 1785 in Klagenfurt nieder, begann im Wispelhofe nahe der Stadt eine Tuchfabrikation, wobei ihn ein Einfuhrverbot Josephs II. begünstigte. 1788 ersteigerte er zusammen mit seinem Bruder *Johannes* (1753–1816) einen Teil des aufgelassenen Klosters Viktring. Beide richteten dort unter Anwendung eigener technischer Verbesserungen und mit Hilfe niederländ. Fachkräfte eine später florierende Tuchfabrik ein. Wegen ihrer Verdienste um die Textilerzeugung und für ihr humanitäres Wirken wurden sie 1816 in den Adelsstand erhoben und Christoph 1820 auch in den Ritterstand. Seine Kinder verschwägerten sich mit dem Kärntner Adel: *Andreas* (1780–1855), Gesellschafter der Firma „Gebr. Moro", heiratete in erster Ehe Maria, eine Tochter des Gutsbesitzers und Hammergewerken Jakob Schwerer v. Schwerenfeld, in zweiter Ehe Maria Bogner

v. Stainburg. *Anton* (1785–1870) leitete die Fabrik „Walk" an der Glan bei Klagenfurt und war mit Cölestine, einer Tochter des Guts- und Fabrikbesitzers Franz Paul Frhr. v. Herbert vermählt. *Thomas* (1786–1871) trat nach einer Lehrzeit bei Großhändlern in Marseille und Odessa in den Familienbetrieb ein, interessierte sich aber besonders für Fragen der Landwirtschaft. Er bemühte sich um die Herstellung von Rübenzucker, förderte Versuche zur Hebung der Seidenraupenzucht, verwaltete die von der Familie erworbene Herrschaft Mageregg und wurde 1835 Direktor der von ihm mitbegründeten Kärntner Sparkasse; verehelicht war er mit Barbara, einer Tochter des Franz Michael Frhr. v. Herbert, des Gründers der Bleiweiß- und Salpeterfabrik in Klagenfurt. *Ferdinand* (1790–1846) richtete in Klagenfurt eine Fabrik für Militärtuche ein, war landwirtschaftlich und technisch sehr interessiert und überdies ein talentierter Maler. *Franz* (1782–1866) wurde für das Wirken im Familienunternehmen ausgebildet, übernahm nach dem Tode des Vaters die Leitung der Tuchfabrik und führte sie zu ihrer Blüte. Er galt als Autorität auf dem Gebiet der Schafwollverarbeitung und nutzte das junge Ausstellungswesen (u. a. Berlin 1844), um die Qualitätsprodukte des Unternehmens auch international zu präsentieren. 1850 wurde er zum Bürgermeister von Viktring gewählt und gehörte der Kärntner Handelskammer von der Gründung bis 1861 an. Verheiratet mit Franziska Vigetter, war er Begründer der jüngeren Linie der Familie. Sein Sohn *Max* (1817–99) studierte in Wien Jus, war dann am Appellationsgerichtshof in Klagenfurt tätig und wechselte nach dem Tode seines älteren Bruders *Rudolf* (1813–43) in die Leitung der Tuchfabrik über. Verdienste erwarb er sich auch als Historiker. Er war Direktor des Geschichtsvereins für Kärnten, ergriff die Initiative zur Errichtung des Museumsgebäudes in Klagenfurt (1878) durch die Kärntner Sparkasse, deren Vizepräsident er seit 1873 war, und verfaßte etliche Abhandlungen zur Geschichte Kärntens. Sein jüngerer Bruder *Leopold* (1826–1900), Besitzer der Herrschaft Mageregg, war Gesellschafter des Familienunternehmens, Präsident der Kärntner Handels- und Gewerbekammer sowie Landtags- und Reichsratsabgeordneter als Vertreter des Kärntner Großgrundbesitzes.

L A. M. Hildebrandt, J. Siebmachers grosses u. allg. Wappenbuch IV, 8. Abt., 1879, S. 181 ff.; Genealog. Taschenbuch d. adeligen Häuser Österreichs, 1. Jg., 1905, S. 454 ff.; J. Slokar, Gesch. d. österr. Industrie u. ihrer Förderung unter Franz I., 1914, S. 355 f., 602 f., 608; Carinthia I, Jg. 61, 1871, S. 315 ff., Jg. 89, 1899, S. 98 ff.; Jg. 107, 1917, S. 86 f.; F. Putz, Die österr. Wirtsch.aristokratie 1815–1859, Diss. Wien 1975; Wurzbach 19; ÖBL.

Josef Mentschl

Morone, *Giovanni,* päpstl. Diplomat, Kardinal, * 25. 1. 1509 Mailand, † 1. 12. 1580 Rom.

V Girolamo († 1529), Kanzler d. Hzg. v. Mailand, 1525 wegen Verschwörung gegen Habsburg angeklagt u. inhaftiert, erwarb sich 1527 Verdienste um d. Aussöhnung zw. Kaiser Karl V. u. Papst Clemens VII.; M Amabilia Fisiraga.

M. verbrachte seine Kindheit in Modena, da die Familie durch die Franzosen aus Mailand verbannt worden war. Nach Rechtsstudien in Padua trat er bereits mit 20 Jahren in den Dienst der Kurie und erhielt – in Anerkennung der Verdienste seines Vaters – von Papst Clemens VII. das Bistum Modena. Unter dem Pontifikat Pauls III. schloß sich M. jener Gruppe von Reformkardinälen (Gasparo Contarini, Reginald Pole) an, die durch eine innerkath. Erneuerung dem Protestantismus begegnen wollten. 50 Jahre hindurch waren sowohl sein Wirken auf Diözesanebene (Bischof von Modena 1529–50, erneut 1564–71; Bischof von Novara 1552–60; Bischof von Ostia und Dekan des Kardinalskollegs 1570–80) als auch seine diplomatischen Missionen von dem Gedanken der kath. Reform getragen. Von tiefer persönlicher Frömmigkeit erfüllt, verteidigte er nicht nur die politischen Interessen und den Autoritätsanspruch des Heiligen Stuhls, sondern verstand sich als Garant für die Glaubwürdigkeit der Reformabsichten des Papsttums. 1536–42 hielt sich M. vorwiegend in Deutschland auf (ordentlicher Nuntius bei Kg. Ferdinand I. 1536–38, 1539–41; bei Kaiser Karl V. März-September 1541; außerordentlicher Nuntius auf dem Speyrer Reichstag 1542). Er erlebte die Fehlschläge der päpstl. Konzilseinberufungen (1536–39) mit und warnte die Kurie vor der kaiserl. Reunionspolitik bei den Religionsgesprächen von Hagenau, Worms und Regensburg (1540/41). Dabei entwickelte er sich zum profunden Kenner der politischen Verhältnisse und der kirchlichen Mißstände in Deutschland. Auf dem Speyrer Reichstag 1542 konnte er einerseits einen Konsens für Trient als Konzilsort erreichen, andererseits legte er den Grundstein für die deutsche Kirchenreform und brachte die ersten Jesuiten ins Land. Seiner Erhebung zum Kardinal (2. 6. 1542) folgte die Entsendung als Konzilslegat nach Trient, wo es zu einer Verschiebung des Konzils kam.

Nach einer vergeblichen Mission bei Karl V. in der Konzilsfrage (1544) wirkte M. die nächsten zehn Jahre vor allem in Italien. 1544–48 war er Legat in Bologna. Als Mitglied der röm. Inquisition (seit 1550) förderte er den Jesuitenorden und die Gründung des Collegium Germanicum (1552). 1553–55 setzte er sich in Rom als Sachbearbeiter der engl. Legation seines Freundes Kardinal Reginald Pole für die Reunion der engl. Kirche mit Rom ein. Einen ähnlichen Erfolg wie in England (kath. Restauration 1554) konnte der 1555 als Kardinallegat auf den Augsburger Reichstag entsandte M. für die Kurie in Deutschland nicht erreichen. Der geringe Glaube des Papstes und des Legaten an die Erfolgschancen dieser Mission, die verspätete Ankunft M.s in Augsburg sowie seine durch den Tod Papst Julius' III. bedingte frühzeitige Rückkehr nach Rom verminderten die Einflußnahme des Kardinals auf das Reichstagsgeschehen. Die reichsrechtliche Sicherung des Protestantismus im Religionsfrieden von 1555 konnte von der Kurie nicht verhindert werden. Nach der Wiederherstellung der anglikan. Kirche durch Elisabeth I. (seit 1559) warnte M. die Kurie im Interesse der engl. Katholiken mehrmals vor einem Bruch mit der Königin. Unter Paul IV. erfuhr die diplomatische Laufbahn M.s eine Unterbrechung: Am 31. 5. 1557 wurde er wegen Häresieverdachtes festgenommen, vor das Inquisitionsgericht gestellt und bis zum Tod des Papstes (1559) in der Engelsburg festgehalten. Nach seiner völligen Rehabilitierung lehnte er die ihm von Papst Pius IV. 1560 angebotene Stelle eines Konzilslegaten ab. Erst bei der Krise des Konzils im Frühjahr 1563 übernahm er dessen Führung. Als Konzilspräsident genoß er das Vertrauen Kaiser Ferdinands I., überzeugte diesen vom Reformwillen der Kurie und führte das Reformwerk unter Bewahrung der Autonomie des Konzils zu Ende. In seinem letzten Lebensjahrzehnt wurde M. mit der Türkengefahr und den Problemen Osteuropas konfrontiert und hatte maßgeblichen Anteil am Zustandekommen der Lepantoliga von 1571. Anläßlich von Verfassungswirren zwischen den alten und neuen Adligen in Genua versuchte Kg. Philipp II. von Spanien die Oberherrschaft über Genua zu gewinnen. Papst Gregor XIII. schaltete sich als Vermittler ein und entsandte 1575 M. als Legaten nach Genua. Die Mission endete mit einem Kompromiß zwischen den Streitparteien. Nach seiner Rückkehr aus Genua wurde M. zum Legaten auf dem Regensburger Reichstag 1576 ernannt. Als einflußreiches Mitglied der Congregatio Germanica (Kardinalskommission für deutsche Fragen) bemühte er sich in Regensburg abermals um eine allgemeine Liga gegen die Türken und pflegte Kontakte zu Polen (Königsfrage) und Rußland. Auf Grund seiner Bedeutung für die kath. Reformbewegung und seiner überragenden diplomatischen Verdienste galt M. bei mehreren Konklaven als „papabile", doch wirkte sich das Inquisitionsverfahren belastend aus.

W *Nuntiaturberr.:* Nuntiaturberr. aus Dtld., 1. Abt. (1533–59), 2. Bd., bearb. v. W. Friedensburg, 1892, Nachdr. 1968 (1536–38); 4. Bd., v. dems., 1893, Nachdr. 1968 (1539); 5. Bd., bearb. v. L. Cardauns, 1909, Nachdr. 1968 (1539–40); 6. Bd., v. dems., 1910, Nachdr. 1968 (1540–41); 7. Bd., v. dems., 1912, Nachdr. 1968 (1541–42); 15. Bd., bearb. v. H. Lutz, 1981 (Korr. M.s z. engl. Legation R. Poles 1553–55); 17. Bd., bearb. v. H. Goetz, 1970 (Reichstag Augsburg 1555); 3. Abt. (1572–85), 2. Bd., bearb. v. J. Hansen, 1894 (Reichstag Regensburg 1576); H. Laemmer, Monumenta Vaticana historiam ecclesiasticam saeculi XVI illustrantia, 1861 (Einzelberr. 1536–42). – *Verteidigungsschr. (Difesa)* v. 1557: C. Cantù, Gli eretici d'Italia, 2. Bd., 1866, S. 176–90. – *Berr. aus Trient:* G. Constant, La légation du Cardinal M. près l'empereur et le concile de Trente 1563, 1922.

L N. Bernabei, Vita del Cardinale G. M., 1885 *(W-Verz). – Biogr. Abrisse:* Constant (s. *W*), S. IX-LVII; Einleitungen d. Nuntiaturberr.: Friedensburg, 2. Bd. (s. *W*), S. 7–18; Goetz (s. *W*), S. XV-XXIII *(L);* Hansen (s. *W*), S. 6–10. – *Zu d. versch. Missionen:* L. Pastor, Gesch. d. Päpste seit d. Ausgang d. MA, IV–IX, 1906–23; H. Jedin, Gesch. d. Konzils v. Trient, I–IV, 1949–75; ders., Der Abschluß d. Trienter Konzils 1562/63, 1963; J. Grisar, Die Sendung d. Kardinals M. als Legat z. Reichstag v. Augsburg 1555, in: Zs. d. Hist. Ver. f. Schwaben 61, 1955, S. 341–87; H. Lutz, Christianitas afflicta, Europa, d. Reich u. d. päpstl. Pol. im Niedergang d. Hegemonie Kaiser Karls V. (1552–1556), 1964; ders., Kardinal M., Reform, Konzil u. europ. Staatenwelt, in: Il Concilio di Trento e la riforma tridentina, Atti del Convegno storico internazionale Trento 1963, 1965, S. 363–81; S. Schweinzer, Das Ringen um Konzil u. Kirchenreform, Die Mission Nuntius G. M. auf d. Speyrer Reichstag 1542, in: Reichstage u. Kirche, hrsg. v. E. Meuthen, 1991, S. 137–89. – *Zum Inquisitionsprozeß:* M. Firpo u. D. Marcatto (Hrsg.), Il processo inquisitoriale del cardinal G. M., 5 Bde., 1981–89; M. Firpo, Inquisizione Romana e Controriformo, Studi sul cardinal G. M. e il suo processo d'eresia, 1992. – Enc. Catt.; New Catholic Encyclopedia; Encyclopedic Dictionary of Religion; LThK²; TRE.

P Zeitgenöss. Medaille M.s (Medagliere d. Vatikan. Bibl.), Abb. in: A. Haidacher, Gesch. d. Päpste in Bildern, 1965, S. 399.

Silvia Schweinzer

Morre, *Karl,* Schriftsteller, Politiker, * 8. 11. 1832 Klagenfurt, † 21. 2. 1897 Graz. (kath.)

V Peter (um 1802–n. 1857), Kaufm. in K., später Gastwirt in Völkermarkt, S d. Anton (1777–1831),

Früchtehändler in K., u. d. Helena Kraschowitz; *M* Aloisia Zuedrum (Zudrun, Zutrum) aus Mürzhofen (Steiermark); ∞ Bruck/Mur 1857 Magdalene (1829–1903) aus Graz, *T* d. Wirtes Johann Pongratz († 1857) u. d. Magdalena Wichner († 1857); kinderlos.

M. besuchte seit 1843 das Gymnasium in Klagenfurt, seit 1848 in Graz und studierte anschließend, ohne eine Reifeprüfung abgelegt zu haben, ein Jahr an der dortigen chirurgischen Lehranstalt. 1855 wurde er Amtspraktikant bei der k. k. Cameral-Bezirks-Verwaltung in Graz. Seit 1857 war er Kanzlei-Assistent in Bruck/Mur. 1868 aus organisatorischen Gründen in den Ruhestand versetzt, wirkte er dort anschließend als Sekretär der Bezirksvertretung und als Verwalter eines Hammerwerks in Turnau. Seit 1875 war er wieder im Staatsdienst als Offizial der Finanzdirektion in Graz tätig. Wegen eines Augenleidens trat er 1883 vorzeitig in den Ruhestand und lebte seither in Feldkirchen bei Graz. 1886 wurde er als Abgeordneter des Bezirks Leibnitz in den steir. Landtag gewählt, dem er bis 1896 angehörte, 1891 als Mitglied der deutschnationalen Partei auch in den Reichsrat. Sein Engagement für die sozialen Probleme der Landbevölkerung bekundete er in seiner Schrift „Die Arbeiter-Partei und der Bauernstand, Ein ernstes Wort in ernster Zeit" (1890, ²1893). Der Appell an das soziale Gewissen, eine Altersversorgung für ländliche Dienstboten und Kleinbauern einzuführen, war auch eine an die Besitzenden gerichtete ideologische Warnung vor der Sozialdemokratie, die M.s philanthropische Vorschläge guthieß, darin aber im Gegensatz zu M. keine Lösung der „Agrarfrage" erkennen wollte.

M. begann erst spät zu schreiben. Seit 1871 verfaßte er neben Gelegenheits- und Dialektgedichten vor allem Schwänke und Possen, Charakter- und Sittenbilder, meist „mit Gesang". In ihnen ist er dem Vorbild Nestroys, Friedrich Kaisers und Anzengrubers verpflichtet. Die Mehrzahl wurde an fast allen Bühnen Österreichs, einige auch in Deutschland aufgeführt. Sein erfolgreichstes, bis in die 1960er Jahre auf Provinzbühnen immer wieder aufgeführtes und als Inbegriff des Genres geltendes Werk „s'Nullerl, Volksstück mit Gesang" (1885) erschien mit einer Vorrede Peter Roseggers, der mit ihm befreundet war. Dieser würdigte das soziale Mitgefühl in der Darstellung des Elends eines greisen, der bäuerlichen Willkür ausgelieferten Einlegers und versuchte mit seinen eigenen publizistischen Arbeiten M.s ebenso eindringlichem wie sentimentalem Drama zu sozialpolitischer Wirkung zu verhelfen. Die Verwirklichung dieser Absicht hat der zuletzt resignierte und schwerkranke M. nicht erlebt. – Denkmäler in Bruck, Eggenberg, Graz u. Leibnitz.

Weitere W u. a. Durch d. Presse, Posse mit Gesang, 1871; Schörl, Schwank, 1879; Familie Schneck, Volksstück, 1881; Statuten d. Ehe, od. Silberpappel u. Korkstoppel, Lebensbild, 1881; Dreidrittel, Posse mit Gesang, 1882; Die Frau Räthin, Lebensbild, 1884; Der Glückselige, Posse mit Gesang, 1886; Gedichte u. humorist. Vorträge, hrsg. v. L. Harand, 1899.

L ADB 52; R. Dürnwirth, Der Dichter C. M., in: Carinthia 87, 1897, S. 84–90; M. Besozzi, Dem Andenken K. M.s, 1905; K. Hubatschek, C. M., Der Dichter u. Volksfreund, 1932; H. Schluga, in: Kärntner Tagbl. v. 5. 11. 1932, S. 2 f. *(P)*; L. Klingenböck, Das Schaffen K. M.s mit bes. Berücksichtigung seiner Volksstücke, Charakterbilder u. Possen, Diss. Wien 1949 *(ungedr., W, L)*; E. Nußbaumer, Geistiges Kärnten, 1956, S. 409 f.; H. Himmel, Die Lit. in d. Steiermark, Ausst.kat. Graz 1976; W. Schmidt-Dengler, Die Unbedeutenden werden bedeutend, Anm. z. Volksstück nach Nestroys Tod: Kaiser, Anzengruber u. M., in: Die Andere Welt, FS f. H. Himmel, 1979, S. 133–46; J. Hein (Hrsg.), Volksstück, Vom Hanswurstspiel z. soz. Drama d. Gegenwart, 1989, S. 188–91; Brümmer; BJ IV, Tl.; ÖBL; Kosch, Lit.-Lex³; Killy.

P Phot. (Bildarchiv d. Österr. Nat.bibl., Wien); Phot. in: P. Rosegger, Gute Kameraden, 1893.

Karl Wagner

Morris, *Max,* Literarhistoriker, * 18. 10. 1859 Berlin, † 25. 8. 1918 ebenda. (isr.)

V Joseph († 1870), aus Danzig, Fremdsprachenlehrer in B.; *M* Helene Jacoby († 1875), aus d. Anhaltischen; *Schw* Mathilde, führte M.s Haushalt; – vermutl. ledig.

M. besuchte als Pflegling der Auerbachschen Waisen- und Erziehungsanstalt das Sophien- und das Friedrichsgymnasium in Berlin. Seit 1878 studierte er an der Univ. Berlin Medizin. 1882 wurde er aufgrund der Dissertation „Über die Behandlung der febries intermittens mit Salicylsäure" promoviert. 1883 erfolgte die Approbation. Danach war er 15 Jahre lang im Südosten Berlins als Arzt tätig. Im Sommer 1897 besuchte er als ärztlicher Begleiter des Forschungsreisenden Alfred Maaß die Mentawai-Insel Sikobo (Sumatra). Er erlernte die Sprache der Eingeborenen und zeichnete Märchen, Sagen und Rätsel in Lautschrift mit einer Sprachskizze und Wörterverzeichnissen auf; 1900 publizierte er das wissenschaftlich bearbeitete Material unter dem Titel „Die Mentawai-Sprache". Neben seiner ärztlichen Praxis widmete er sich Literaturstudien. Ein beginnendes Nervenleiden, das zu anhaltenden Schlafstörungen führte und den Arzt-Beruf erschwerte, aber auch eine ausgeprägte, durch die Jugendfreunde Richard Moritz Meyer und Otto Pniower befestigte Neigung zur Literatur bewirkten den Wechsel zur Literaturwissenschaft, die er sich fortan zur Lebensaufgabe machte. Eine besondere Vorliebe ließ Goethe zum Schwerpunkt seiner Forschungen werden. Die 1897 publizierten „Goethe-Studien" (2 Bde., ²1902), die er Erich Schmidt und Pniower widmete, bilden den Kern seines literarhistorischen Werkes. Charakteristisch war die Aufmerksamkeit für Fragmente, Vorstufen und Paralipomena des „Faust", die neben dem Text selbst im Zentrum seines analytischen Interesses standen. Umstritten wie folgenreich waren die mehrfach umgearbeiteten, stilistisch orientierten Untersuchungen zu „Goethes und Herders Anteil am Jahrgang 1772 der Frankfurter Gelehrten Anzeigen" (1909), der zentralen theoretischen Zeitschrift des Sturm und Drang. Eine maßstabsetzende Edition legte M. mit der Neuausgabe von Michael Bernays' „Der junge Goethe" (6 Bde., 1909–12) vor. Neben der Edition zahlreicher neuaufgefundener Texte eröffnete die gemeinsame Darbietung zeitlich zusammengehöriger poetischer Werke aller Gattungen mit zeitgleichen Briefen, Gesprächen und Lebensdokumenten einen neuartigen historischen Zugang zu Werk und Persönlichkeit Goethes vor der Weimarer Zeit.

1905–09 war M. gemeinsam mit Hans Gerhard Gräf, Carl Schüddekopf, Julius Wahl und Max Hecker Herausgeber der Briefabteilung der Weimarer Ausgabe von Goethes Werken; vorher hatte er mit Bd. 39 (1905) und 40 (1907) den Nachtrag zu Goethes naturwissenschaftlichen Schriften vorgelegt. M. lebte in diesen Jahren zeitweise in Weimar; den Weimarer Kollegen übergab er später seinen literaturwissenschaftlichen Nachlaß. Einzelnen Autoren der klassisch-romantischen Periode (Kleist, Arnim, Brentano) sind Werkausgaben bzw. Aufsätze gewidmet, die vor allem im „Goethe-Jahrbuch" und in der „Chronik des Wiener Goethe-Vereins" publiziert wurden. M.s vielfältige Rezensententätigkeit konzentrierte sich auf wissenschaftliche Periodika wie die „Jahresberichte für neuere deutsche Literatur" und „Euphorion". Während des 1. Weltkrieges arbeitete M. als Militärarzt. Sein Aufsatz „Vom genesenden Soldaten" (in: „Therapie der Gegenwart", Jg. 1915) fixierte Kriegsbegeisterung und -erfahrungen. In den letzten Lebensjahren verstärkten sich die körperlichen und psychischen Leiden. – Goethe-Medaille (1910); Dr. phil. h. c. (Leipzig 1915).

Weitere W u. a. Heinrich v. Kleists Reise nach Würzburg, 1899. – *Hrsg.:* C. v. Brentano, Romanzen v. Rosenkranz, 1903; ders., Ausgew. Werke, 4 Bde., 1904; Goethes Schweizer Reise 1775, hrsg. v. K. Koetschau u. M. M., 1907; Ludwig Achim v. Arnims ausgew. Werke, 4 Bde., 1916.

L J. Fränkel, Ein Goethe-Philologe (1918), in: ders., Dichtung u. Wiss., 1954, S. 233–38; H. G. Gräf, M. M. z. Gedächtnis, 1919, wieder in: ders., Goethe, 1924, S. 388–430; H. Bräuning-Oktavio, Hrsg. u. Mitarbeiter d. „Frankfurter Gelehrten Anzeigen", 1966, S. 529 ff.; Sandoz AG (Hrsg.), Dr. med. M. M., Arzt u. Literarhistoriker, o. J. *(P);* Dt. Zeitgenossenlex., hrsg. v. F. Neubert, 1905; Goedeke IV, 2–4; DBJ II, Tl.; Kosch, Lit.-Lex.³.

P F. Behrend, Gesch. d. dt. Philol. in Bildern, 1927, S. 66.

Peter Müller

Morsbach, *Lorenz,* Anglist, * 6. 1. 1850 Bonn, † 12. 2. 1945 Göttingen. (konfessionslos)

V Theodor (kath., seit 1870 altkath.), nach mehrjährigem Aufenthalt in England u. Frankreich Dir. e. Privatlehrinst. f. junge Ausländer in B.; *M* Luise Kipp (kath., seit 1870 altkath.); ∞ 1878 Mathilde Becker; 1 *S* (⚔), 3 *T.*

M. stammte aus einem mit modernen Fremdsprachen ungewöhnlich gut vertrauten Elternhaus. Zunächst studierte er 1869–74 jedoch die traditionellen und beruflich aussichtsreicheren Fächer der klassischen Philologie und Geschichte, daneben Sanskrit und vergleichende Sprachwissenschaft. 1874 promovierte er bei Franz Bücheler mit einer Arbeit zum Dialekt des Theokrit, bevor er am Institut seines Vaters zu unterrichten begann. Nach der Einrichtung des ersten neuphilologischen Lehrstuhls in Bonn 1876 studierte M. nebenbei bei Wendelin Foerster Neuphilologie und legte das Staatsexamen ab, dem eine fünfjährige Lehrtätigkeit am Gymnasium in Trarbach folgte. Nach dem Tod seines Vaters übernahm M. mit seiner Frau dessen Privatschule und habilitierte sich 1884 in Bonn bei Moritz Trautmann mit einer Arbeit zur neuengl. Schriftsprache. In den folgenden Jahren gab M. sukzessive die Privatschule auf und übernahm 1889 an der Univ. Bonn die Stelle des engl. Lektors und wurde 1892 zum ao. Professor ernannt. Ein Jahr später erhielt er den Ruf als Ordinarius nach Göttingen und führte sogleich neben dem Seminar für Engl. Philologie das erste Proseminar an einer deutschen Universität ein. Im Auftrag des preuß. Unterrichtsministeriums lehrte er

1910 als Austauschprofessor an den Universities of Chicago, Wisconsin und Ann Arbor. Im Zusammenhang mit dem Kriegseintritt der USA begründete er 1917 den „Englischamerikan. Kulturkreis Göttingen", um die weltpolitische Bildung der Studenten und die Zusammenarbeit mit engl. und amerikan. Universitäten zu fördern, was nach dem 1. Weltkrieg zu einem umfangreichen Studentenaustausch führte. M.s Bedeutung beruht auf den von ihm z. T. erstmals aufgegriffenen Forschungsthemen, vor allem aber auf seiner Lehre, die – inhaltlich konservativ – durch ihre innere Konsequenz und Kontinuität Göttingen neben Berlin zu einem Schwerpunkt der Anglistik werden ließ. – Geh. Reg.rat (1910); o. Mitgl. d. Ges. d. Wiss. Göttingen (1902), Ehrenmitgl. d. Modern Language Association of America, d. Linguistic Society of America u. d. Philological Society (England); Goethe-Medaille f. Kunst u. Wiss. (1940).

Weitere W u. a. Ueber d. Ursprung d. neuengl. Schriftsprache, 1888; Mittelengl. Grammatik I, 1896; Grammat. u. psycholog. Geschlecht im Englischen, 1913; Der Weg zu Shakespeare u. d. Hamlet-Drama, 1922; Mittelengl. Originalurkk. v. d. Chaucer-Zeit bis z. Mitte d. 15. Jh., 1923; Shakespeares Caesarbild, 1935; Shakespeares dramat. Kunst u. ihre Voraussetzungen, 1940. – *Hrsg. u. Mithrsg.:* Stud. z. engl. Philologie, 1–96, 1897–1939; Alt- u. mittelengl. Texte, I–XI, 1901–26; – *Autobiogr.:* Geschäftl. Mitt. d. Kgl. Ges. d. Wiss. Göttingen 4, 1923, H. 2, S. 33–38; Meine Lehrtätigkeit an d. Univ. Göttingen in d. J. 1892–1922, in: Engl. Stud. 58, 1924, S. 230–34. – *Nachlaß:* Stadt- u. Univ.bibl. Göttingen.

L FS L. M., Stud. z. engl. Philologie 50, 1913 *(P);* F. Roeder, in: Engl. Stud. 54, 1920, S. 1–14; Anglia 64, 1940, S. 3–9 *(W-Verz.);* Wi. 1935; W. Ebel, Catalogus Professorum Goettingensium 1734–1962, 1962; G. Haenicke, in: dies. u. Th. Finkenstaedt, Anglistenlex., 1825–1990, 1992, S. 222 f. – Eigene Archivstud.

Gunta Haenicke

Morsheim *(Morschheim), Johann* v. (Ritter 1509), Hofbeamter und Schriftsteller, * Morschheim b. Kirchheimbolanden (?), † 25. 1. 1516 Worms.

Aus um 1221 nachweisbarer mittelrhein. Adelsfam. mit Sitz in M.; *V* Heinrich, Beisitzer d. pfälz. Hofgerichts († 1477); *M* Mechthild v. Bettendorf († 1473); ∞ 1) 1477 Margarethe Horneck v. Heppenheim († 1488), 2) 1490 Ursula v. Heusenstamm; 7 *K* aus 1), 9 *K* aus 2); *E* Ludwig, würzburg. Oberhofmarschall, Hptm. im Wormsgau; *Urur-E* Hans Heinrich († 1640), letzter männl. Nachkomme.

Seit 1460 studierte M. an der Basler Artistenfakultät, 1473 wurde er als Baccalaureus artium in Heidelberg vermerkt. 1474 kehrte M. nach Basel zurück und beendete sein dortiges Studium im Dezember als Magister artium. Vermutlich 1477 trat er in den Dienst des Pfalzgf. Johann I. von Pfalz-Simmern. 1483 wurde er Hofmeister am Simmerschen Hof, 1485 Rat des pfälz. Kurfürsten Philipp, der ihn in der Folge mehrfach mit wichtigen Missionen betraute. 1487–93 war M. Vogt von Germersheim und 1494–97 Burggraf von Alzey. Im Zuge der sog. „Händel mit dem Kloster Weißenburg" stand er seit etwa 1491 im Kirchenbann. 1500 wurde M. Hofmeister des pfälz. Kurprinzen Ludwig, 1502 pfälz. Rat und 1505 Großhofmeister. Als solcher schickte ihn Ludwig 1509 nach Prag, wo er am 9. 12. zum Ritter geschlagen wurde. Im selben Jahr war M. Zeuge der Verhandlungen zwischen der Kurpfalz und Bayern in Worms und Ingolstadt. 1510 besuchte er im Gefolge Ludwigs den Reichstag in Augsburg. 1512 erscheint er in den Akten als ein Bürgermeister von Oppenheim, 1513 als Assessor beim Reichskammergericht. M. starb hochgeachtet als Kaiserlicher Rat.

Nachdem er als Burggraf von Alzey abgelöst worden war, verfaßte M. 1497 seinen „Spiegel des Regiments". Gedruckt wurde diese Mischung aus allegorischem Fürstenspiegel und Moralsatire erst 1515 in Oppenheim, was sich aus dem Inhalt und der Stellung des Verfassers erklärt. Das Werk wurde achtmal gedruckt. Es ist eine bissige Satire in 997 Versen über das Hofleben seiner Zeit. Das Geschehen spielt am Hof der satanischen, vom Himmel gestürzten „Untreue". Beraten vom Unheilsboten Saturn und seinen Kindern, hat sie nach dem menschlichen Sündenfall die Herrschaft auf der Erde an sich gerissen. Ihr von Intrigen, Bestechungen und Falschheit strotzender Staat stellt das höfische Ideal auf den Kopf. Vor allem der erste Teil des „Spiegels" ist aus heutiger Sicht bemerkenswert. M.s Erfahrungen am pfälz. Hof haben hier wohl ihren Niederschlag gefunden. Am Ende des Werks (ab Vers 513) steht ein Aufruf des Autors, in dem er die Fürsten bittet, unter ihrer Herrschaft andere Zustände zu schaffen und gerecht zu regieren. Die Satire gründet auf mittelalterliche Tradition. M. entlehnte Teile u. a. dem „Schachzabelbuch" Konrads von Ammenhausen, dem „Renner" Hugos von Trimberg und dem „Narrenschiff" Sebastian Brants.

W Spiegel d. Regiments v. J. v. M., hrsg. v. K. Goedeke, 1856; Faks. d. Ausg. Erfurt 1516, mit Versnachdichtung u. Kommentar, hrsg. v. H. Zirnbauer, 1966. – *Verz. d. Drucke* s. VD 16, Bd. 14, M6389–M6393.

L ADB 22; F. Kessler, J. v. M.s Spiegel d. Regiments, 1921; K. Baumann, J. v. Morschheim († 1516), in: Pfälzer Lb. II, 1970, S. 51–80 *(L);* Goedeke I, S. 392 f.; Verf.-Lex. d. MA² IV, Sp. 683–85; Kosch, Lit.-Lex.³ VIII, Sp. 626 f.

Joachim Knape, Ursula Kocher

Morstein Marx, *Fritz* (eigtl. *Friedrich Wilhelm Julius),* Verwaltungswissenschaftler, * 23. 2. 1900 Hamburg, † 9. 10. 1969 Baden-Baden.

V Ludwig (1868–n. 1932, luth.) aus Altona, Volksschulrektor in H., S d. Wilhelm Nicolaus Jürgen Marx, Kaufm. in Altona, u. d. Emma Margaretha Südhölter; M Amanda (1867–1947, luth.), T d. Friedrich Wilhelm Julius Plumhof (* um 1839) u. d. Amanda Caroline Henriette Möller; ∞ 1) Hamburg 1932 Barbara Spencer Spackman (1905–47) aus Ardmore (Pennsylvania, USA), 2) Virginia Fisher; 5 K aus 1), 2 K aus 2).

M. wuchs in einem ländlichen Vorort Hamburgs auf. Nach kurzer Militärzeit studierte er 1919–22 in Hamburg, Freiburg (Breisgau) und München Rechtswissenschaft. 1922 promovierte er in Hamburg, trat nach Ablegung der beiden juristischen Staatsprüfungen in den Dienst der Freien und Hansestadt Hamburg ein und wurde dort Regierungsrat. Schon in dieser Zeit machte er sich durch Publikationen auf dem Gebiet des öffentlichen Rechts einen Namen. 1930/31 ging M. als Rockefeller Research Fellow in die USA. 1933 schied er aus dem hamburg. Staatsdienst aus und siedelte in die Vereinigten Staaten über, wo er sowohl in der akademischen Lehre und Forschung als auch in Ämtern der Verwaltung wirkte. 1934–39 war M. Lehrbeauftragter an der Princeton University und Assistant Professor an der Harvard University, 1939–42 Professor am Queens College in New York, 1942–60 Angehöriger des Bureau of the Budget des amerikan. Präsidenten. Daneben lehrte und forschte er an zahlreichen Universitäten, zuletzt seit 1958 als Research Professor an der Princeton University. 1960–62 war er Dekan am Hunter College in New York. Schon bald nach Kriegsende nahm M. die Beziehung zur Wissenschaft in Deutschland wieder auf und folgte 1962 einem Ruf auf den Lehrstuhl für Vergleichende Verwaltungswissenschaft und Öffentliches Recht an der Hochschule für Verwaltungswissenschaften in Speyer. Auch nach seiner Emeritierung 1968 setzte er seine Lehrtätigkeit fort. M. kann zu den Mitbegründern einer nach 1945 erneuerten Verwaltungswissenschaft gezählt werden. 1946 gab er in den USA mit dem Sammelband „Elements of Public Administration" das erste einschlägige Lehrbuch nach dem 2. Weltkrieg heraus, in dem er Autoren zusammenführte, die sich durch wissenschaftlichen Rang wie praktische Erfahrung auszeichneten. Mit der Übernahme des ersten, spezifisch der Verwaltungswissenschaft gewidmeten Lehrstuhls im Nachkriegsdeutschland entfaltete er durch zahlreiche Veröffentlichungen und wissenschaftliche Tagungen eine in der europ. Fachwelt stark beachtete Wirksamkeit. Das von ihm mit Speyerer Kollegen 1965 als erste neue Gesamtdarstellung herausgebene Lehrbuch „Verwaltung" und der Tagungsband „Verwaltungswissenschaften in europ. Ländern" (1969) sind Belege dafür.

M. war im doppelten Sinne Bürger zweier Welten: Er lebte in Deutschland und Amerika; er war Wissenschaftler an namhaften Hochschulen und Praktiker in herausragender Position. Kennzeichnend ist sein 1957 in den USA erschienenes Buch „The Administrative State – An Introduction to Bureaucracy" (dt. u. d. T. „Einführung in die Bürokratie – eine vergleichende Untersuchung über das Beamtentum", 1959). Für die amerikan. Fachwelt war sein kontinental-europ. Hintergrundwissen lehrreich; die Europäer lernten aus seinen amerikan. Verwaltungserfahrungen. Angesichts des Aufschwunges von „Public Administration" in der akademischen Welt Amerikas suchte er entsprechende Entwicklungen auch in Deutschland und Europa anzuregen. Darüber geben sein Buch „Amerikan. Verwaltung" (1963) und ein sehr persönliches Werk, „Das Dilemma des Verwaltungsmannes" (1965), Auskunft. Der Mitherausgeber bekannter Fachzeitschriften und vielseitige Autor machte auf mannigfache verwaltungswissenschaftliche Gegenstände bis hin zur Entwicklungspolitik aufmerksam. Publikationen wie der von ihm herausgegebene Tagungsband „Die Staatskanzlei: Aufgaben, Organisation und Arbeitsweise auf vergleichender Grundlage" (1967) zeigen, wie er Aktuelles mit Zeitlosem zu verbinden verstand.

M. hatte sich in den USA der Politischen Wissenschaft zugewandt. Diesem Fach blieb er auch als Honorarprofessor an der Juristischen Fakultät der Univ. Heidelberg verbunden. Im Grunde war sein Erkenntnisinteresse vom Gegenstand der öffentlichen Verwaltung angeleitet, der, zurückgekehrt nach Deutschland, durch eine umfangreiche Beratungstätigkeit zugeneigt blieb. Einsichten der Jurisprudenz, der Politischen Wissenschaft, der Soziologie, der Geschichtswissenschaft trug er auf der Grundlage reicher praktischer Erfahrung zusammen und gewann daraus eine eigene Qualität verwaltungswissenschaftlicher Erkenntnis.

Weitere W Variationen üb. richterl. Zuständigkeit z. Prüfung d. Rechtmäßigkeit d. Gesetze, 1927; Government in the 3rd Reich, 1937; Foreign Governments: The Dynamics of Politics Abroad, 1952; Zum Ursprung d. Staatsbegriffs in d. Vereinigten Staaten: Zuwanderung u. Anpassung, 1968; Gegenwartsaufgaben d. öffentl. Verw., 1968. – *Hrsg.:* Public Administration Review, 1949–51. – *Mithrsg.:* American Political Science Review, 1945–50; Verw.archiv, 1963–69.

L R. Schnur, in: Verw.archiv 61, 1970, S. 114; Kürschner, Gel.-Kal. 1970; BHdE II.

Klaus König

Mortensen, *Hans,* Geograph, Siedlungsforscher, * 17. 1. 1894 Berlin, † 27. 5. 1964 Göttingen.

V Christian (1856–1927) aus Süderseiersleff (Nordschleswig), Landmesser u. Stadtbaumeister in B., *S* d. Sören (1826–92) aus Jütland, Schiffskapitän, zuletzt in Westerland (Sylt), u. d. Karoline Aarss (1833–1918) aus Tondern; *M* Martha (* 1862) aus Bahrendorf b. Magdeburg, *T* d. Eduard Steinkrauss (1831–91) aus Potsdam, Prokurist in Greppin b. Wolfen (Prov. Sachsen), u. d. Johanna Strübig (1840–1918) aus Hochstüblau b. Marienwerder; ⚭ 1922 Gertrud (* 1892) aus Rucken (Ostpreußen), Historikerin (s. *W*), *T* d. Paul Heinrich (1865–1909) aus Klein Kryssahnen b. Seckenburg (Ostpreußen), Gutsbes. in Schlesien, u. d. Martha Buske (* 1867) aus Ziegelberg (Ostpreußen).

M. setzte sein 1912 begonnenes Studium der Geographie und Geschichte nach Teilnahme am 1. Weltkrieg in Königsberg fort. 1920 erfolgte die Promotion über die Morphologie der samländ. Steilküste und 1922 die Habilitation über „Siedlungsgeographie des Samlandes", beides in Königsberg. 1923 wurde M. zur Umhabilitation nach Göttingen eingeladen und 1927 dort zum apl. Professor ernannt. 1929/30 vertrat er in Marburg einen beurlaubten Ordinarius, anschließend ging er für ein Semester als Austauschprofessor an die Herder-Universität nach Riga. 1931 wurde er zum Ordinarius für Geographie nach Freiburg (Breisgau) berufen, 1935 kehrte er – wiederum als Ordinarius – nach Göttingen zurück, wo er, mit Unterbrechung während der Kriegsjahre, auch nach seiner Emeritierung (1959) blieb.

Ein Schwerpunkt von M.s Forschungen lag auf dem Gebiet der Morphologie, wo ihn besonders die klimatischen Komponenten der geographischen Formgebung interessierten.

Forschungsreisen nach Südamerika (1925) und Spitzbergen (1926) dienten diesem Thema. M.s Thesen zur sog. „Klimatischen Morphologie" stießen in Fachkreisen auf Widerstand und erfuhren mannigfaltige Modifikationen, bedingt u. a. durch die Schwierigkeiten, die verschiedenen Wirkungsfaktoren genau zu definieren. Ein weiteres Arbeitsgebiet M.s war die ländliche Siedlungsgeographie, die er aus den historischen Quellen heraus entwickelte. Ostpreußen, Litauen und später auch Niedersachsen waren hier die bevorzugten Untersuchungsgebiete. Von Göttingen aus befaßte er sich auch mit der Erforschung von agrarischen Siedlungen, die im Mittelalter nur vorübergehend bestanden hatten, sog. Wüstungen. Zusammen mit einem seiner Schüler, Kurt Scharlau, entwickelte er eine Methode, durch Pflügen hervorgerufene Verformungen von Äckern, sog. Wölbäcker, im Waldboden zu erkennen. Zahlreiche Arbeiten über die historische Siedlungsgeographie Ostpreußens entstanden im Zusammenwirken mit seiner Frau, die auch zum Herausgebergremium des „Historisch-geographischen Atlas des Preußenlandes" gehörte, den M. noch kurz vor seinem Tode mit initiiert hatte. Bei M.s landeskundlichen Arbeiten stehen ebenfalls Ostpreußen und Litauen im Mittelpunkt. Hierher gehören Untersuchungen über „Kants Herkunft und die Umwelt seiner Ahnen," über die Entstehung der Kulturlandschaft und über Landesplanung. – o. Mitgl. d. Ak. d. Wiss. Göttingen (1935) u. d. Leopoldina (1939); Dr. h. c. (FU Berlin 1964); Gr. Bundesverdienstkreuz (1964).

W Siedlungsgeogr. d. Samlandes, 1923; Der Formenschatz d. nordchilen. Wüste, Ein Btr. z. Gesetz d. Wüstenbildung, 1927; Über d. klimat. Verhältnisse d. Eisfjords (Spitzbergen), in: Chemie d. Erde, 1928; Die Besiedlung d. nordöstl. Ostpreußens bis z. Beginn d. 17. Jh., 2 Bde., 1937/38, 3. Bd. ungedr. (mit Gertrud Mortensen); Der siedlungskundl. Wert d. Kartierung v. Wüstungsfluren, in: Nachrr. d. Ak. d. Wiss. Göttingen, Phil.-hist. Kl., 1949, S. 303–31 (mit K. Scharlau). – *W-Verz.* in: H. M.-Gedenksitzung am 25. 5. 1965, Göttinger Geogr. Abhh., H. 34, 1965, S. 32–38. – *Hrsg:* Zs. f. Geomorphol. (seit 1957); Göttinger Geogr. Abhh. – *Mithrsg.:* Die Erdkunde; Zs. f. Agrargesch. u. Agrarsoziol.

L Ergebnisse u. Probleme moderner geogr. Forschung, H. M. z. 60. Geb.tag, 1954 (*W-Verz.*, *P*, darin u. a.: H. Poser, H. M., S. 9–17; K. Brüning, H. M.s Btr. z. Geogr. v. Niedersachsen, S. 19–22); Jb. d. Ak. d. Wiss. Göttingen 1964, S. 135–42; J. Hövermann, H. M. z. 70. Geb.tag, in: Zs. f. Geomorphol., Sonderh. z. 70. Geb.tag. Hrsg. Prof. Dr. H. M., 1964, S. 3 f.; P. Macar, Préface, in: Fortschritte d. internat. Hangforschung, ebd., Suppl.bd. V, 1964, S. V f.; J. Hövermann, J. M. in memoriam, ebd., NF

9, 1965, S. 1–15; W. Hubatsch, in: Preußenland, Juni 1964; Nachruf d. Georg-August-Univ. Göttingen v. 4. 7. 1964; H. Poser, in: Jb. d. Ak. d. Wiss. Göttingen 1964, S. 135–42; H. Jäger, H. M. als Siedlungsforscher, in: Zs. f. Agrargesch. u. Agrarsoziol. 13, 1965, S. 1–8; J. Tricart, in: Revue de Géomorphologie Dynamique 15, 1965, Nr. 7–9, S. 127; J. P. Bakker, in: Tijdschr. Kon. Nederl. Aardrijkskundig Genootschap 82, 1965, S. 93; Altpr. Biogr. III; Pogg. VII a.

Uta Lindgren

Morton, *Friedrich,* Botaniker, Heimatforscher, * 1. 11. 1890 Görz (Friaul), † 10. 7. 1969 Hallstatt (Oberösterreich). (kath.)

V Friedrich Edler v. M., k. k. Offz.; M N. N. aus Triest; ∞ 1) 1917 Emanuela Harrer († 1952), Hauptschullehrerin, 2) 1952 Margarete Zenker († wohl n. 1989), Dr., Fachschullehrerin; 1 S aus 1) (früh †).

M. maturierte in Klagenfurt und studierte seit 1909 in Wien Botanik bei Fritz v. Wettstein und Hans Molisch sowie Zoologie bei Karl Grobben. 1914 promovierte er zum Dr. phil. („Pflanzengeographische Monographie der Inselgruppe Arbe") und legte die Lehramtsprüfungen in Naturgeschichte und Mathematik ab. Anschließend unterrichtete er mit forschungsbedingten Unterbrechungen in Wien, 1926–45 am Albertiner Gymnasium. Auf zahlreichen Exkursionen nach Nordafrika 1913/14 und 1931/32, in die Schweizer Alpen 1923 sowie nach Süd- und Mittelamerika 1927–32 führte er pflanzensoziologische Studien durch. Grundlagenforschungen leistete er auch zur Pflanzengeographie des Dachsteingebirges und des Salzkammergutes, zur Hydrobiologie des Hallstätter Sees und zur Speläologie bzw. -botanik. 1918 entdeckte er die nach ihm benannte Höhle bei Obertraun, 1921/22 war er Verwalter der Dachsteinhöhlen und bis 1945 im Beirat der Bundeshöhlenkommission.

M.s Wirken ist eng mit Hallstatt verbunden, wo er 1925 die Botanische Station gründete und gleichzeitig als Kustos des Prähistorischen Museums autodidaktisch mit Forschungen zur Urgeschichte begann, bei denen er anfangs mit Adolf Mahr zusammenarbeitete. Als Kustos und Konservator des Bundesdenkmalamtes entdeckte M. 1936/37 Reste von eisenzeitlichen Wohn- und Betriebsstätten, 1937–39 legte er 62 Gräber der für die Hallstatt-Kultur namengebenden Nekropole frei, 1940/41 und 1947 barg er auch röm. Siedlungs- und Grabfunde. Durch seine intensive Öffentlichkeitsarbeit weckte M. bei einem breiten Publikum ein nachhaltiges Interesse für Hallstatt. 1945 wurde das NSDAP-Mitglied von seinen Ämtern suspendiert, 1948 erfolgte seine Pensionierung. M.s umfangreiches Gesamtwerk spannte sich über naturwissenschaftliche und historische Themen bis zur Volkskunde. Neben meist kurzen Fachberichten schrieb er auch Jugendromane, Reise- und Wanderbücher. Seine musealen Rekonstruktionen und Dioramen waren für die damalige Ausstellungstechnik vorbildlich. Von bleibendem Wert sind M.s Funde, die während des Bergwerksbetriebs zutage traten, seine Photodokumentationen, sein Herbarium und sein Einsatz für die Bewahrung des Ortsbilds von Hallstatt. – Reg.rat (1929); Ital. Kronenorden (1937); korr. Mitgl. d. Dt. Dendrolog. Ges. (1940); Ehrenmitgl. d. Univ. Innsbruck (1951) u. d. Ak. f. Kunst u. Wiss. in Triest (1953); korr. Mitgl. d. Zentralanstalt f. Meteorologie u. Geodynamik in Wien (1951), d. Geograph. Ges. in Wien (1952), d. Naturwiss. Ver. f. Kärnten (1952) Ehrenkustos d. Mus. Hallstatt (1955–67); Silbernes Ehrenzeichen für Verdienste um die Republik Österreich (1957); Ehrenkonsulent d. oberösterr. Landesreg. (1959); Ehrenzeichen f. Wiss. u. Kunst d. Republik Österreich, 1. Kl. (1966); Festveranstaltung in Hallstatt (1990).

W, *34 Monogrr., ca. 650 Aufsätze u. mehr als 1000 Ztg.berr., u. a.* Wanderungen im Salzkammergut, 1919, ²1921; Die Blütenpflanzen, 1921; Von der Natur erlauscht, 2 Bde., 1923/24 (mit H. Scherzer); Ökologie d. assimilierenden Höhlenpflanzen, in: Fortschritte d. naturwiss. Forschung 12, 1927, S. 151–234; Der prähist. Salzbergbau auf d. Hallstätter Salzberge, in: Wiener Prähist. Zs. 15, 1928, S. 82–101; Monografia fitogeografica delle voragini delle Grotte del Timavo presso San Canciano, 1935; Die röm. Niederlassung in Hallstatt, in: Jb. d. oberösterr. Musealver. 91, 1944, S. 293–351 (mit E. Polaschek); Hallstatt, Kultur u. Natur einer 4500j. Salzstätte, Bd. 1–3, 1953–56; 4500 J. Hallstatt im Bilde, 1959; Der urzeitl. Salzbergbau in Hallstatt, 1963.

L R. Paulsen, in: Der Schlern 29, 1955, S. 354–58; F. Lipp, in: Jb. d. oberösterr. Musealver. 114/2, 1969, S. 8–15 *(P)*; K. Dobat, in: Die Höhle 20, 1969, 132–141 *(P; W-Verz.)*; R. Pittioni, in: Archaeologia Austriaca 47, 1970, S. 67–71 *(W-Verz.)*; K. H. Wirobal, 150 J. Mus. Hallstatt – 110 J. Musealver. Hallstatt, 1994 *(P)*; Teichl; Biogr. Lex. v. Oberösterreich, 1. Lfg., 1955 *(W-Verz.)*. – *Dokumentarfilm:* W. Kiener u. D. Matzka, Robinson aus Österreich, 1988.

Otto H. Urban

Morwitz. (isr.)

1) *Eduard (Edward),* Arzt, Verleger, * 11. 6. 1815 Danzig, † 13. 12. 1893 Philadelphia (Pennsylvania, USA).

V Wolf David (seit 1814 Morwitz) (1779–1848), Kaufm. in D.; M Rebecca Salomon, aus Rabbinerfam. in Schlawe; *Halb-B* Jakob (1807–70, s. Gen. 2); ⚭ Marianne (Mirjam) Semon aus D.; 1 *S* Joseph, Verleger in Berlin; *E d. Halb-B* Ernst (s. 2).

Nach dem Besuch der Grundschule in Danzig, verschiedener Internate in Pommern und weiteren Gymnasialstudien in Danzig nahm M. 1837 in Berlin das Medizinstudium auf. Vorübergehenden Aufenthalten in Halle und Leipzig folgten im Juli 1841 in Berlin das Staatsexamen und die Promotion mit einer Arbeit über Gesichtsfeldausfälle (De scotomatibus). Anschließend arbeitete M. zwei Jahre als Assistenzarzt an der früheren Klinik Ch. W. Hufelands und ließ sich danach als Arzt im westpreuß. Konitz nieder. In diesen Jahren entstanden verschiedene medizinische Abhandlungen sowie eine zweibändige „Geschichte der Medicin" (1848/49). Als überzeugter Demokrat engagierte sich M. in den politischen Debatten jener Jahre. Nach dem Scheitern der 1848er Revolution bemühte er sich seit 1850 in England und den USA zunächst vergeblich um den Verkauf eines von ihm erfundenen Lademechanismus für Feldgewehre und emigrierte schließlich 1852 endgültig in die USA, wo er sich als praktischer Arzt in Philadelphia niederließ. Durch journalistische Mitarbeit und bald auch die finanzielle Beteiligung am 1838 gegründeten „Philadelphia Demokrat", der ältesten deutschsprachigen Zeitung der USA, begann M. eine höchst erfolgreiche Karriere, die ihn zu einer führenden Figur im deutschsprachigen Pressewesen von Pennsylvania machte. Seit 1855 brachte er die „Vereinigte Staaten Zeitung" heraus, bald darauf auch ein literarisches Sonntagsblatt „Die neue Welt". Vorübergehend waren auch die „Abendpost", „The Age" und der demokratische „Pennsylvanian" in seiner Hand. 1885 soll er schließlich fast 300 deutsch- und englischsprachige Presseorgane besessen oder kontrolliert haben, darunter 8 Tageszeitungen. Große Verkaufszahlen erzielten auch seine deutschengl. bzw. deutsch-amerikan. Wörterbücher. „Morwitz & Co.'s Amerikanischer Dolmetscher, der unfehlbare Rathgeber für Einwanderer und Eingewanderte" war 1884 bei der 40. Auflage angelangt, das „New American Pocket Dictionary of the English and German Languages" (1883) erreichte 1911 die 47. Auflage. Auch „Uncle Sam's Almanac", seit 1873 jährlich herausgebracht, fand zahlreiche Käufer.

Seinen wachsenden Einfluß machte M. auch politisch geltend, in der Kommunalpolitik von Philadelphia und bei der Mobilisierung der deutschstämmigen Wählerschaft für den demokratischen Präsidentschaftskandidaten Buchanan. Im Bürgerkrieg trat er für die Sache der Nordstaaten ein, wobei er sich besonders für seine eigenen Landsleute einsetzte und sich um die medizinische Versorgung armer deutscher Familien kümmerte. Die von M. 1862 ins Leben gerufene German Press Association nahm neben Verlegern und Herausgebern auch Lehrer und Pfarrer auf und setzte sich die Erhaltung deutscher Schulen und Kirchen und die Verbreitung deutscher Sprache, Literatur und Kultur zum Ziel. Im Deutsch-Französischen Krieg leitete er eine große Kampagne zur Spendensammlung für deutsche Kriegsverwundete ein, die zahlreiche Nachahmer fand und schließlich 600 000 $ aufbrachte. Seine Aktivitäten in der regen jüd. Gemeinde der Stadt blieben dagegen vergleichsweise bescheiden. Er war Mitglied der Knesseth Israel Congregation und gründete 1875 mit dem „Jewish Record" eine eigene jüdische Zeitschrift, die er 11 Jahre lang leitete.

L I. Thomas, The History of Printing in America, with a Biography of Printers, and an Account of Newspapers, 2 Bde., 1874 (Neudr. 1970/75); A Biographical Album of Prominent Pennsylvanians, Serie 1–3, 1888–90 *(P)*; H. S. Morais, The Jews of Philadelphia, Their History from the Earliest Settlements to the Present Time, 1894, S. 197, 338–40; C. Wittke, The German Language Press in America, 1957; K. J. R. Arndt u. M. E. Olson, Die dt.sprachige Presse Amerikas, I, ³1976, S. 67 f., III, 1980; Dict. Am. Biogr.; Enc. Jud. 1971; Altpreuß. Biogr. IV.

Michael Stolberg

2) *Ernst,* Schriftsteller, Übersetzer, * 13. 9. 1887 Danzig, † 20. 9. 1971 Muralto b. Locarno.

V Wilhelm (1850–1902), Kaufm. in D., *S* d. Jakob (1807–70); *M* Rosalie (1850–1927), aus Lautenburg b. Strasburg (Westpreußen), *T* d. Marcus Aaronsohn (1815–80) u. d. Paula Baruch (1814–1902); *Halb-B d. Gvv* Eduard (s. 1); 2 *Halb-Schw* Ella (1869–1942), Käte (1879–1942), beide Opfer d. nat.soz. Judenverfolgung; – ledig.

M. studierte nach der Reifeprüfung 1906 am Kaiserin Augusta-Gymnasium, Charlottenburg, in Freiburg (Breisgau), Heidelberg und Berlin Rechtswissenschaft. Das Referendarexamen legte er 1909 in Berlin ab. 1910 promovierte er in Heidelberg zum Dr. iur. 1914 wurde er Gerichtsassessor, 1921 Landgerichtsrat in Fürstenwalde. Von 1930 bis zu seiner Zwangspensionierung als Jude 1935 war M. Kammergerichtsrat und Senatspräsident in Berlin. 1938 emigrierte er in die USA, wo er zunächst als Deutschlehrer für die amerikan. Armee, nach Kriegsende als Lecturer für deutsche Literatur an der University of North Carolina in Chapel Hill tätig war. Seit 1947 war M. amerikan. Staatsbürger. In der Bundesrepublik wurde er 1952 rückwirkend ab 1940 zum Senatspräsidenten ernannt. 1956 wurde M. als Universitätslehrer pensioniert und zog nach New York. Bis zu seinem Tod reiste er nun für längere Aufenthalte immer wieder nach Europa, obwohl er eigentlich nie mehr nach Deutschland hatte zurückkehren wollen.

M.s Leben, sein literaturwissenschaftliches und sein literarisches Werk waren aufs engste mit Stefan George verbunden, mit dem ein erster brieflicher Kontakt schon 1905 zustande kam, als M. ihm ein Gedicht zusandte. Für George war M. „der Nächste Liebste" („An die Kinder des Meeres"), obwohl M. eine unkritische mimetische Nachfolge Georges ablehnte und dies auch äußerlich durch Kleidung und Kurzhaarschnitt zeigte. Tendenzen im George-Kreis zum Ordens- und Sektenartigen stand M. ebenso skeptisch gegenüber. M. begleitete George auf Reisen. So war er 1908 als Zwanzigjähriger mit ihm in Paris, wo er Rodin kennenlernte (vgl. M.s Gedicht „Der Abend von Meudon"). 1909–19 publizierte M. in den „Blättern für die Kunst", dem poetischen Organ des George-Kreises.

Im 1. Weltkrieg war M. Angehöriger eines freiwilligen Sanitätstrupps. Dabei lernte er eine Gruppe expressionistischer Maler kennen: Max Beckmann, Otto Mueller, Karl Schmidt-Rottluff und vor allem Erich Heckel, mit dem er bis zu dessen Tod 1970 befreundet blieb. Das große Interesse an der bildenden Kunst war für den umfassend gebildeten M. überhaupt charakteristisch. So schloß er Bekanntschaft mit James Ensor, auf den George und sein Kreis wohl schon vor der Jahrhundertwende durch Ensors Freund Paul Gérardy aufmerksam geworden waren. 1933 überbrachte M. Georges briefliche Absage an den preuß. Kultusminister Rust (NSDAP), der George das Amt des Präsidenten der Preuß. Akademie der Dichtung angetragen hatte. Dieser Brief selbst ist gewiß alles andere als ein provokatorischer Akt gegenüber den Nationalsozialisten. Eher schon war es ein solcher, daß der Jude M. den Brief überbrachte (Teile abgedr. bei E. Zeller, Oberst Claus v. Stauffenberg, 1994). – Nach dem 2. Weltkrieg stand M. bis zu seinem Tod in enger Verbindung mit Wolfgang Frommel und dem 1950 gegründeten „Castrum Peregrini" in Amsterdam, das dem Werk Georges verpflichtet ist.

M.s literarhistorische Bedeutung liegt in der Kommentierung und in der Vermittlung des Werkes von George im anglo-amerikan. Raum durch Übersetzungen ins Englische. Eine erste zusammenhängende Deutung, die noch von diesem selbst korrigiert wurde, erschien 1934 (tatsächl. 1933). Die aus enger Vertrautheit mit George entstandenen, das gesamte poetische Werk erläuternden Kommentarbände, die auch eine Fülle biographischen und anekdotischen Materials bieten und einen Einblick geben in den Bildungshorizont des Dichters, sind bis heute unentbehrlich. Sie verstehen sich auf eine sehr sachliche, unpathetische Weise als Dienst am „Meister". Wie sehr M. sich ihm verbunden fühlte, zeigt symbolisch noch sein Tod: M. starb im selben Krankenhaus, in dem schon George 1933 gestorben war.

W Literar. Schrr.: Einzelne Gedichte in d. „Bll. f. d. Kunst" 8, 1908/09 bis 11/12, 1919; Gedichte, 1911; Gedichte in Ausw., 1974. – *Wiss. Schrr.:* Über d. Frage, ob u. die Beschluß, durch den d. Trunksuchtsentmündigung wieder aufgehoben wird, außer Kraft gesetzt werden kann, Diss. Heidelberg 1910; Die Dichtung Stefan Georges, 1934; Kommentar zu d. Werk Stefan Georges, 1969 (zuerst 1960); Kommentar zu d. Prosa-, Drama- u. Jugenddichtungen Stefan Georges, 1962. – *Übersss.:* Sappho, Dichtung, Griech. u. dt., Eingel. v. C. M. Bowra, 1936, erweitert ²1938; Sappho's Poems, in: Quarterly Review of Literature, 1944, S. 165–74 (mit C. North Valhope, eigtl. Olga Marx); Karl Wolfskehl: 1933, A Poem Sequence, 1947 (mit ders.); Stefan George, Poems, 1967 (zuerst 1943; mit ders.); Poems of Alcman, Sappho and Ibicus, 1945 (mit ders.); The Works of Stefan George, ²1974 (zuerst 1949; mit ders.); Gustav Schwab, Gods & Heroes, Myths and Epics of Ancient Greece, 1974 (zuerst 1946; mit ders., Einl. v. W. Jaeger).

L L. Helbing (eigtl. W. Frommel), Stefan George u. E. M., Die Dichtung u. d. Kommentar, 1967; R. Boehringer, Mein Bild v. Stefan George, 2 Bde., ²1968; O. Marx, Meine Zusammenarbeit mit E. M., in: Castrum Peregrini, 1976/77, H. 121/122, S. 31–47; R. Goldschmidt, E. M. im Gespräch mit W. Frommel, Aufzeichnungen u. Erinnerungen, ebd. 1994, H. 213, S. 7–46; H. Kohtz, in: Allg. jüd. Wochenztg. v. 9. 9. 1988; M. Landmann, E. M., in: ders., Figuren um Stefan George, II, 1988, S. 74–79; M. H. Göppinger, Juristen jüd. Abstammung in „Dritten Reich", ²1990; Kosch, Lit.-Lex.³; Ostdt. Gedenktage, 1987, S. 131–33 *(P);* Altpreuß. Biogr. IV. – Mitt. d. Erben D. v. Bothmer, New York.

Wolfgang Braungart

Mosbacher, *Peter,* Schauspieler und Regisseur, * 17. 2. 1914 Mannheim, † 9. 10. 1977 Kempfenhausen/Starnberger See.

V Heinrich, Bahnbeamter; *M* Theresa Burkard; ∞ Berlin-Charlottenburg 1943 Edith (* 1923),

Schausp., Synchronsprecherin (s. Kosch, Theater-Lex.), T d. Carl Schneider in Bochum u. d. Gerta N. N.; 1 S Manuel (* 1950), Synchronregisseur in München.

Nach der Mittleren Reife besuchte M. in Frankfurt die Schauspielschule und erhielt Engagements in Gießen, Darmstadt und Düsseldorf. 1941–44 war er am Deutschen Theater Berlin engagiert und spielte hier u. a. den Franz Moor in „Die Räuber". 1946–49 gehörte er dem Thalia-Theater in Hamburg an, wo er die großen Heldenrollen, etwa Don Carlos, Prinz von Homburg, Jago und Mephisto, verkörperte. 1949–57 war er in Berlin am Schloßpark- und Schillertheater und gab in „Maria Stuart" einen heißblütigen und kraftvollen Mortimer. Doch vor allem erschloß sich M. hier die Rollen der jungen Dramatik, von Anouilh, Giraudoux und Tennessee Williams. Er faszinierte mit „sensibler wie brutaler Männlichkeit" (Ritter) als Kowalski in „Endstation Sehnsucht" (1950) und als verzweifelter Alkoholiker in der Rolle des Brick in „Die Katze auf dem heißen Blechdach" (1955, Düsseldorf). Sein etwas schleppender Gang, die gestaute Vitalität, das melancholische Gesicht mit dem zweifelnden Blick prädestinierten ihn für die Verkörperung der um die eigene Identität ringenden Männer in der späten Nachkriegszeit (so noch in Williams' „Die Nacht des Leguan", 1963 Berlin, Renaissance-Theater). 1964 bündelte er diese Rollenerfahrungen als Marat in der Uraufführung von Peter Weiss' „Marat/Sade" an der Berliner Freien Volksbühne.

M. hat sich auch dem Boulevard- und Tourneetheater nie verschlossen. Er verkörperte den Figaro in Beaumarchais' „Ein toller Tag" (1951) ebenso wie die Titelrolle in Anouilhs „Cher Antoine" (1970), den er mit fröhlicher Verschlagenheit aus dem Grab zu seinen Verwandten sprechen ließ. Seit 1943 wirkte er in mehr als 65 Filmen mit. Populär wurde er als liebevoller Vater in „Das doppelte Lottchen" (1950), als hartgesottener Zollbeamter in „Sündige Grenze" (1951) sowie in den beiden „Peter Voß"-Filmen (1958/59). Auch seine Fernsehrollen waren vielfältig. So gab er den geheimnisvollen Mörder in dem dreiteiligen Durbridge-Krimi „Das Messer" (1971) ebenso wie die Titelfigur in der Klassiker-Adaption „Heinrich IV." (1975) oder den Cassius in „Das Trauerspiel von Julius Cäsar" (1969). In den 70er Jahren begann er, auch am Theater zu inszenieren, etwa G. Hauptmanns „Die Ratten" und O. Flakes „Quintett". 1976 stand M. im Münchener Cuvilliéstheater als Figaro zum letzten Mal auf der Bühne.

L P. M., Mein Leben in Bildern, in: TV Hören u. Sehen v. 8. 10. 1977, S. 46 f. *(P)*; H. Ritter, Mann mit Hintergrund, in: Der Abend v. 12. 10. 1977; S. Wirsing, Verführer u. Draufgänger, in: FAZ v. 12. 10. 1977; B. Lubowski, Ein sensibler Charakterkopf f. jede Gelegenheit, in: Berliner Morgenpost v. 12. 10. 1977 *(P)*; Dt. Bühnenjb. 87, 1978, S. 708; Gorzny.

Jürgen Kasten

Moschel, *Wilhelm,* Chemiker, * 17. 9. 1896 Hochspeyer (Pfalz), † 3. 11. 1954 Wuppertal-Barmen. (ev.)

V Oskar (1863–1956), kaufm. Angestellter, *S* d. Oskar (1835–1926) u. d. Maria Barbara Ottmann (1835–1923); *M* Henriette (1868–1948), *T* d. Wilhelm Raetz (1833–1914) u. d. Helene Söller (1830–1908); ⚭ Kusel (Pfalz) 1923 Hedwig (1900–92), *T* d. Julius Gilcher (1869–1950), Maschinenfabr. in Kusel, u. d. Philippine Meyer (1876–1948); 1 *S* Albrecht (* 1931), Dr., Dipl.-Chemiker in Kelkheim (Taunus), 2 *T* Brigitte Carstensen (* 1924), Dipl.-Chemikerin in Bad Soden, Renate Gierhake (* 1925), Dr. med. in Gießen.

Nach dem Schulbesuch in Ludwigshafen begann M. 1914 das Chemiestudium in Heidelberg, das er nach Beendigung des 1. Weltkriegs, an dem er als Offizier teilnahm, fortsetzte. 1921 promovierte er mit einer physikalisch-chemischen Arbeit. 1922 trat M. in das wissenschaftliche Labor der Firma Griesheim-Elektron ein, wo er sich zunächst mit Arbeiten über die elektrolytische Gewinnung von Hypochlorit befaßte. Schon bald jedoch fand er zu seinem eigentlichen Betätigungsfeld, der Magnesiumchemie. Bereits 1908 hatte Gustav Pistor auf die vielfältigen technischen Verwendungsmöglichkeiten des Leichtmetalls Magnesium hingewiesen, es fehlte jedoch ein großtechnisch brauchbares kostengünstiges Herstellungsverfahren. Anfang der 20er Jahre war noch das erstmals 1886 von der Aluminium-Magnesium-Fabrik Hemmelingen verwendete Verfahren der Carnallit-Schmelzflußelektrolyse gebräuchlich. Carnallit, ein hydratisiertes Kalium-Magnesiumchlorid, ließ sich im Gegensatz zu den reinen Magnesiumchloridhydraten relativ leicht entwässern und stellte somit einen brauchbaren Elektrolyten dar. Nachteilig waren die hohen Rohstoffkosten, schlechte Stromausbeuten, die Chlorvernichtungskosten sowie die Tatsache, daß der Kaliumanteil eine intermittierende Elektrolyse erforderte. M. gelang es, ausgehend von Magnesit wasserfreies Magnesiumchlorid zu erhalten, indem er die bereits von Haber und Moldenhauer untersuchte Reaktion von Magnesiumoxid mit Chlor bei Gegenwart von Kohlenstoff so steuerte, daß das gebildete Magnesiumchlorid ständig abfloß und ein Zusammensintern unvollständig chlorierten Oxids verhindert wurde. Damit war ein technisch und wirtschaftlich brauchbares Verfahren zur Erzeugung eines besseren Ausgangsprodukts der Schmelzflußelektrolyse gefunden. Diese entscheidenden Arbeiten führte M. im Werk Bitterfeld der I. G. Farbenindustrie durch, wohin er 1925 mit der Arbeitsgruppe Pistors gegangen war. 1928 wurde dort eine Anlage errichtet, die in zwei Chlorieröfen monatlich 300 Tonnen wasserfreies Magnesiumchlorid produzierte.

Parallel zu den Arbeiten zur Erzeugung des Magnesiumchlorids lief die Entwicklung einer geeigneten Elektrolyseapparatur. Die beim Carnallit-Verfahren benutzten Zellen eigneten sich für den Magnesiumchloridprozeß nicht. M. gelang durch die Entwicklung einer speziell konstruierten Diaphragma-Zelle die vollständige Trennung der in Anoden- und Kathodenraum abgeschiedenen Produkte (Chlor und Magnesium). Gleichzeitig konnten die Arbeitsstromstärken auf 15 000 (später bis 32 000) Ampere erhöht werden (bis dahin waren 8000 A üblich). Die Stromausbeute stieg auf über 90%, d. h. ein Kilogramm Magnesium konnte nun mit einem Aufwand von 18 kWh erzeugt werden, während beim Carnallit-Verfahren 30–35 kWh erforderlich waren. Das Chlor fiel hochkonzentriert an und konnte daher in einem Kreisprozeß ständig wiederverwendet werden. Das von M. entwickelte Magnesiumverfahren wurde seit 1933 in Frankreich und Großbritannien in Lizenz der I. G. Farben praktiziert. Während des Krieges wurde in Nevada eine der größten Magnesiumfabriken der Welt (50 000 t / a) errichtet, die eine Lizenz der brit. Magnesium Electron Ltd. nutzte.

1929 wurde M. neben der Leitung der Magnesiumerzeugung in Bitterfeld auch der Chlorat-Betrieb übertragen, 1936 übernahm er mit der Ernennung zum Direktor die Leitung aller anorganischen Betriebe der Werksgruppe Bitterfeld sowie sämtlicher Magnesiumwerke der I. G. Farben. 1940 wurde M. mit dem Vorstandsvorsitz der Nordisk Lettmetall und der Nordag betraut. Er hatte unter sehr schwierigen Umständen den Aufbau der Aluminium- und Magnesiumindustrie im besetzten Norwegen zu leiten. Aufgrund des Kriegsverlaufs kam M. 1943 zurück nach Bitterfeld und übernahm dort die Leitung des wissenschaftlichen Labors. Nach Kriegsende konnte er seine Tätigkeit in der chemischen Industrie zunächst nicht fortsetzen. 1948 übernahm er die Leitung des anorganischen Forschungslabors der Bayer AG in Leverkusen. Hier befaßte er sich u. a. mit der Entwicklung von Fluor- und Siliciumverbindungen für technische Anwendungen und mit der Erforschung eines thermischen Magnesiumverfahrens. – Liebig-Gedenkmünze d. Ges. Dt. Chemiker (1953).

W u. a. Ullmanns Enc. d. Techn. Chemie, 1951–54 (Mithrsg.); Btrr. üb. Magnesiumerzeugung, in: A. Beck (Hrsg.), Magnesium u. seine Legierungen, 1939, S. 1–17; dass., in: K. Winnacker u. E. Weingärtner (Hrsg.), Chem. Technol. V, 1953, S. 102–64; Zur Technik d. Magnesiumherstellung, in: Angew. Chemie 63, 1951, S. 385–95; zahlr. Patente.

L K. Winnacker u. E. Bauer, Zur Entwicklung d. Magnesium-Herstellung in d. letzten 30 J., W. M. z. Gedächtnis, in: Chemie-Ing.-Technik 27, 1955, S. 177–80 *(P);* Pogg. VII a.

Claus Priesner

Moscheles, *Ignaz* (eigtl. *Isack*), Komponist, Pianist und Dirigent, * 23. 5. (30. 5. nach M.s Tagebuch) 1794 Prag, † 10. 3. 1870 Leipzig. (isr.)

V Joachim Moses (1766–1805), Tuchhändler in P., *S* d. Wolf (1744–1812), Händler, Antiquar in P., u. d. N. N. († 1815); *M* Clarissa († 1842), *T* d. Katz Popper u. d. Maria N. N.; ∞ 1825 Charlotte (1805–89, s. *L*), *T* d. Adolph Embden (* v. 1789), Kaufm. in Hamburg, u. d. Serina Dellevie; 2 *S* (1 früh †), 3 *T,* u. a. Serena (* 1830, ∞ Dr. Georg Rosen, 1820–91, preuß. Gesandter in Konstantinopel, 1853 Konsul in Jerusalem, Gen.konsul d. Dt. Reichs in Belgrad, Orientalist), Felix (1833–1917), Maler, Patenkind Felix Mendelssohn Bartholdys (s. ThB; *L*), Clara (1836–84, ∞ Dr. iur. Adolar Gerhard, 1825–97, Advokat, Notar u. Schriftst. in L., s. BJ II, S. 320 f.); *Ov d. Ehefrau* Moritz Embden (1789–1876, ∞ Charlotte Heine, 1800–99, *Schw* Heinrich Heines, s. BJ IV, Tl.), Kaufm. in Hamburg (s. NDB VIII*); *E* Friedrich Rosen (1856–1931), Dr., Orientalist, Diplomat, Reichsminister d. Äußeren (s. Kürschner, Gel.-Kal. 1931; Westfäl. Lb. VIII, 1931).

Nach frühen, durch den Vater vermittelten Erfahrungen mit Musik erhielt M. 1804–08 am Prager Konservatorium Klavierunterricht durch Dionys Weber und trat 1807 erstmals öffentlich auf. 1808 übersiedelte er für zwölf Jahre nach Wien, um seine musiktheoretischen und kompositionstechnischen Kenntnisse bei Salieri und Albrechtsberger zu erweitern. Bald hatte er sich durch seine Konzerte einen Namen gemacht und schloß Bekanntschaft mit den wichtigsten Zeitgenossen: Clementi, Meyerbeer, Spohr, vor allem jedoch mit Beethoven, zu dessen Oper „Fidelio" er den Klavierauszug erstellte.

Nach seinen Wiener Jahren reiste M. bis 1825 durch die europ. Metropolen, wo ihm sein elegantes Klavierspiel viel Bewunderung eintrug. In Berlin traf er den 15jährigen Felix Mendelssohn Bartholdy, wurde kurzzeitig dessen Klavierlehrer, fand in dem Jüngeren aber vor allem einen Freund, der ihn gut zwei Jahrzehnte später an das neugegründete Leipziger Konservatorium berief.

1825 übersiedelte M. mit seiner Frau nach London, wo er bereits mehrfach als Pianist und Dirigent aufgetreten war, und trat die Klavier-Professur an der „Royal Academy of Music" an. 1832 wurde er Co-Direktor der „Royal Philharmonic Society". Zu den wichtigsten Ereignissen seiner bis 1846 andauernden Londoner Dirigententätigkeit zählt die engl. Erstaufführung von Beethovens „Missa Solemnis" (1832). Nach weiteren glänzenden Erfolgen als Interpret nahm M. 1846 das Angebot Mendelssohns, seine vortreffliche Klaviertechnik in Leipzig an Schüler weiterzugeben, an. Nach dessen Tod im November 1847 betrachtete es M. als seine vordringliche Aufgabe, den erreichten Standard am Konservatorium zu halten und im Sinne des Verstorbenen weiterzuwirken.

Als Pianist erschien M., zumal in den späteren Jahren seiner bis 1840 währenden Karriere, als ein Konservativer, welcher die klaviertechnischen Neuerungen Schumanns, Chopins und Liszts bewunderte, ohne ihnen nacheifern zu wollen. Es war besonders das klaviertechnische Vermögen der nachfolgenden Pianistengeneration, welches der durch seine Virtuosität bekanntgewordene M. schätzte. Hingegen konnte oder wollte er den rein musikalischen Wert etwa der Chopinschen Etüden nicht wahrhaben (auch wenn er sie seinen eigenen Schülern zur Erweiterung ihrer Klaviertechnik vorlegte). M.s eigenes Repertoire umspannte Werke von Bach bis Mendelssohn. An seinem Spiel rühmten die Zeitgenossen Klarheit, Präzision und Eleganz sowie den Verzicht auf selbstherrliche Interpretenwillkür. In seinem kompositorischen Schaffen nehmen Werke für das Pianoforte zentralen Raum ein. Von der brillanten Salonpièce reicht die Spanne über Charakterstücke, pädagogische, häufig „Studien" genannte Opera, Bearbeitungen, Variationen und Sonaten, darunter die am bekanntesten gewordene und von Schumann gerühmte „Sonate mélancholique" op. 49, bis zu Kammermusikwerken und Klavierkonzerten. Unter diesen hat sich allein Nr. 3 op. 58 im Repertoire erhalten. Später wandte sich M. verstärkt der Liedkomposition zu, wobei eine Rücknahme der früheren Brillanz bei gleichzeitiger Neigung zum idyllischen Tonfall hervortritt.

W u. a. 42 Werke mit Opuszahl, üb. 100 weitere ohne Opuszahl, u. a. Symphonie op. 81, 1829; Ouvertüre „Jeanne d'Arc" nach Schiller op. 91, 1835; 8 Konzerte f. Pianoforte mit Orch.begleitung; 8 weitere Werke f. Soloinstrument (in d. Regel Pianoforte) u. Orch.; Kammermusik f. diverse Besetzungen; „Drei erot. Lieder" nach E. Ludwig op. 3; 6 Lieder op. 131. – *Klavierwerke:* zwei- u. vierhändige Pianoforte-Sonaten, u. a. „Sonate caractéristique" zu zwei Händen op. 27; „Grande Sonate" zu vier Händen op. 47; Variationen, u. a. üb. Themen v. Händel (op. 29) u. Weber (vierhändig, op. 102); „Studien" op. 70; „Charakterist. Studien" op. 95; Beethovens „Egmont"-Ouvertüre f. Klavierquartett. – *W-Verz.:* Themat. Verz. im Druck ersch. Compositionen v. I. M., 1885 (Nachdr. 1966).

L ADB 22; Ch. Moscheles (Hrsg.), Aus M.'s Leben, 2 Bde., 1872/73 *(P)*; A. Kullak, Die Aesthetik d. Klavierspiels, 1876; F. Hiller, Erinnerungsbll., 1884; F. Moscheles (Hrsg.), Briefe v. F. Mendelssohn Bartholdy an I. u. Ch. M., 1888; H. Engel, Die Entwicklung d. dt. Klavierkonzertes v. Mozart bis Liszt, 1927; P. Egert, Die Klavier-Sonate im Za. d. Romantik, 1934; I. Heussner, I. M. in seinen Klavier-Sonaten, -kammermusikwerken u. -konzerten, Diss. Marburg 1963; C. D. Gresham, I. M., An Illustrious Musician in the Nineteenth Century, 1980; W. Konold, F. Mendelssohn Bartholdy u. seine Zeit, 1984 *(P)*; E. F. Smidak, I. I. M., The Life of the Composer and His Encounters with Beethoven, Liszt, Chopin and Mendelssohn, 1988; Enc. Jud. 1971 *(P)*; ÖBL; BLBL; MGG; New Grove.

P Lith. v. M. Gauci, 1824 (Bildarchiv Preuß. Kulturbes., Berlin), Abb. b. Konold (s. *L*); Lith. v. Ch. Baugniert, 1846, Abb. in MGG u. New Grove.

Matthias Wiegandt

Moscherosch, *Johann Michael* (Ps. *Philander von Sittewald, Der Träumende*), Dichter, * 7. 3. 1601 Willstätt (Ortenau), † 4. 4. 1669 Worms.

V Michael (1578 ?-1636), Landwirt u. Kirchenschaffner in W.; *M* Veronika (1580–1656), T d. Amts- u. Kirchenschaffners Quirin Beck (Becker) in W.; ∞ 1) Worms 1628 Esther (1602–32, ref.), T d. Juweliers Johann Ackermann u. d. Maria Liessfeld in Frankenthal, 2) Kriechingen (Créhange) 1633 Maria Barbara (1615–35, kath.), T d. Amtmannes Daniel Paniel u. d. Katharina Crantzecker, 3) Finstingen (Fénétrange) 1636 Anna Maria (1615–94), T d. Finstinger Amtschreibers Johann Kilburg u. d. Franziska Orth; 3 S, 1 T aus 1), 5 S, 5 T aus 3).

M. entstammt einer nordelsäß. Familie, verbrachte seine Kindheit in Willstätt in der Gfsch. Hanau-Lichtenberg und ging elfjährig nach Straßburg auf das Gymnasium, dessen hohes philosophisch-rhetorisches Niveau auf ihn einwirkte. Während der Schulzeit las er weit über die Schulanforderungen hinaus lat., deutsche und franz. Schriftsteller. Sein anschließendes Studium an der Straßburger Humanistenfakultät, das er 1624 als Magister abschloß, wurde durch die Poetik-Professoren Kaspar Brülow und Johann Paul Crusius (1588–1629), vor allem aber durch Matthias Berneggers geschichts- und staatstheoretische Vorstellungen geprägt. Eine zweijährige Studienreise führte M. u. a. nach Genf, Savoyen und Paris, bis er 1626 ein Jurastudium aufnahm, das er nicht abschloß. Im Spätsommer 1626 in Straßburg wurde er Hofmeister der beiden Söhne des Gf. Johann Philipp II. von Leiningen-Dagsburg; wegen seines Jähzorns verlor er das Amt zwei Jahre später. Als Hof- und Rentmeister in Kriechingen (seit 1630) geriet er mehr und mehr in die Not des Krieges. In diesen Jahren entstanden die ersten seiner satirisch-moralischen und politischen Epigramme, für die er John Owen als Vorbild wählte, und seine Reflexionen unter dem Titel „Patientia". Sein Hauptwerk, die Prosasatiren „Wunderliche Gesichte", begann er, als er 1636 im lothring. Finstingen Amtmann des Hzg. Ernst Bogislav von Croy-Arschot wurde. Von dort hielt er mit Hilfe seines Straßburger Verlegers Mülb Kontakt zu literarischen Neuerscheinungen; er setzte seine Epigramme fort und schrieb das Erziehungs- und Hausvaterbuch „Insomnis cura parentum", das 1643 in Straßburg erschien.

Die sechs ersten Kapitel der „Gesichte" folgen relativ eng der Vorlage des Spaniers Don Francisco Gomez de Quevedo y Villegas (1580–1645) „Sueños", die M. mit Hilfe von La Genestes franz. Übersetzung von 1633 benutzte. M.s Prosasatire läßt sich als spezielle Zeitkritik der zweiten Hälfte des Dreißigjährigen Krieges und zugleich als allgemeine Warnung vor dem Verlust von moralischen Werten und von kultureller Identität auffassen; es läßt sich wegen der vielen teils zitierten, teils selbstverfaßten Sentenzen als deutsches Gegenstück der „Essays" von Montaigne nutzen oder wegen der erkenntnisfördernden Wirklichkeitsverzerrung als menippeische Satire verstehen. Der ersten Auflage von 1640, die sieben Kapitel umfaßte, ließ M. erweiterte Auflagen folgen, an denen er in der Zeit seines beruflichen Aufstiegs in Straßburg (seit 1641) schrieb. M. führt, seiner Satireauffassung gemäß, von der angenehmen Hülle der erheiternden, gewitzten Erzählform zum bitteren Kern der Aussage und überläßt es dessen Wirkung, Heilsverlangen und Heilsfindung folgen zu lassen. Mit Traum, Vision oder „Gesicht" wird aus der Perspektive eines bisher noch Unzulänglichen, nämlich des Autors wie des Lesers besserungsfähigen zweiten Ichs Philander, eine Weltsicht ermöglicht, die dem Leser ein kritisches Urteil erlaubt und ihm die Revision von Vorurteilen nahelegt. Der moralische Standpunkt, von dem M. die implizite Lehre annehmbar macht, konkretisiert sich in partiellen utopischen Situationen, zu denen auch eudämonologische Inhalte gehören, doch ergeben sie insgesamt keinen systematischen Gegenentwurf zu einer illusionären, heillosen Gegenwart. M. übernimmt von Quevedo das Muster der menippeischen Reise, die er aber mit vielen deutschen oder dem deutschsprachigen Leser vorstellbaren realen Orten durchzieht, um die Übertragbarkeit der Satire ins Leben zu verdeutlichen. Damit erfährt Philander, wie eine Fremdorientierung zum Verlust eigener Sprache, Denkweise, Kleidung und Gebärde und damit eigener kultureller Identität führt. Für die Vermittlung dieser Erkenntnis werden alle rhetorischen Mittel der Satire, der Schelt- und der Mahnrede, der Mischung von Sprachen und Stilebenen eingesetzt. In M.s Hof- und Ständekritik bleibt kaum ein Lebensbereich ausgespart. Der Elsässer M., der die franz. Kultur kannte und ehrte, wandte sich mit seiner Kulturkritik nicht gegen „Welsches", er sorgte sich vielmehr um die Identität der deutschen Kultur. Wo seine Kritik die persönliche Moral miteinbezieht, zielt sie, wie sein Lebenslauf zeigt, auch auf den Autor selbst. M. verlor 1656 sein Amt im Straßburger Polizei- und Justizwesen (seit 1645), als er einen Verdacht auf Ehebruch nicht widerlegen konnte. Der Satiriker, der im Polizeidienst eine strenge Sittenzucht nicht zuletzt gegenüber den Straßburger Studenten – u. a. gegen deren modische Kleidung – hatte durchsetzen wollen, hatte sich viele Feinde gemacht. Unglück im Amt verfolgte ihn auch, als er 1656–60 in Hanau als Regierungsrat tätig war; die heikle Finanzpolitik seines Landesherrn Friedrich Casimir brachte auch M. in Schwierigkeiten und M.s nepotische Versuche waren wohl ausschlaggebend für seinen Sturz. 1662 verlor er sein Straßburger Bürgerrecht. Bewerbungen um neue Stellen waren meist vergeblich; seit 1667 diente er als Oberamtmann in Dhaun. Der Zugang zur gelehrten Welt wie zu fürstlicher, adeliger oder bürgerlicher Herrschaft führte M. nicht zu verläßlichem Aufstieg oder Ansehen. In seiner literarischen Satirikerrolle war M. seinem persönlichen Handeln überlegen. Wie in der Prosasatire vermochte M. auch als Lyriker ein breites Spektrum von Formen und Themen zu entfalten; neben dem Epigramm beherrschte er die bukolische Lyrik und das katechetischmoralische Lied. Der Literat M. wurde 1645 als „der Träumende" in die Fruchtbringende Gesellschaft aufgenommen. M.s „Philander" blieb eines der wirkungsreichsten Werke der deutschen Literatur des 17. Jh. In Privatbibliotheken des 17./18. Jh. ist er ungewöhnlich häufig vertreten; rezipiert wurde er u. a. von Johann Rist, Christian Thomasius, Achim v. Arnim und Karl Julius Weber. Er bedurfte nicht erst der Neuentdeckung durch die Barockforschung des 20. Jh.

Weitere W u. a. Les visiones de Don Francisco de Qvevedo Villegas, Oder Wunderbahre Satyrische gesichte Verteutscht durch Philander v. Sittewalt, 1640, Nachdr. d. Ausg. 1642/43, 1974; Die Patientia, hrsg. v. L. Pariser, 1897, Nachdr. 1976.

L ADB 22; G. K. Schmelzeisen, Rechtliches in M.s Gesichten, FS f. N. Grass, I, 1974, S. 145–59; J. M. M., Barockautor am Oberrhein, Satiriker u. Moralist, 1981 (Ausst.kat., *P*); W. E. Schäfer, J. M. M., Staatsmann, Satiriker u. Pädagoge im Barockza., 1982; ders., Die Lyrik J. M. M.s, ebd., S. 277–302; W. Harms, Nachwort z. Auswahl: Wunderliche u. Wahrhaffte Gesichte ..., 1986, S. 245–69; ders., Hic et nunc, Satirische Funktionen lokalisierter Handlung in M.s „Philander" u. in Grimmelshausens „Simplicissimus", in: Études Germaniques 46, 1991, S. 79–94; ders., Moral u. Satire, 1992, S. 30–196; W. Kühlmann, M. u. d. Sprachgesellschaften d. 17. Jh., in: Bibl. u. Wiss. 16, 1982, S. 68–84; ders., J. M. M. in d. J. 1648–51: Die Briefe an Johann Valentin Andreae, in: Daphnis 14, 1985, S. 245–76; ders. u. W. E. Schäfer, Frühbarocke Stadtkultur am Oberrhein, Stud. z. literar. Werdegang J. M. M.s (1601–1669), 1983; M. Schilling, Unbekannte Gedichte M.s zu Kupferstichen Peter Aubrys d. J., in: Euphorion 78, 1984, S. 303–24; K. Haberkamm, J. M. M., in: Dt. Dichter d. 17. Jh., hrsg. v. H. Steinhagen u. B. v. Wiese, 1984, S. 185–207; A. Bechtold, Krit. Verz. d. Schrr. J. M. M.s, 1922; Kosch, Lit.-Lex.³; Dünnhaupt; Killy.

P Kupf. v. P. Aubry, 1652, Abb. in: M. Bircher, Dt. Schriftst. im Porträt, Das Za. d. Barock, 1979; anonymes Kupf. z. 6. Kap. d. 2. T. d. 6. rechtmäßigen Ausg. d. „Philander", 1665; anonymes Kupf. (nach 1662?), Abb. in: Ausst.kat., 1981, S. 91.

Wolfgang Harms

Moschkau, *Alfred,* Philatelist, Schriftsteller, * 24. 1. 1848 Löbau (Oberlausitz), † 27. 5. 1912 Oybin b. Zittau (Oberlausitz). (freireligiös)

V Karl August (1809–67), Hufschmied u. Tierarzt in L.; *M* Laura Juliane Beichling (1814–62), Schausp.; ∞ 1868 Frieda Ernestine Pfeifer aus Oberkunnersdorf (Oberlausitz).

Als M. 1859 in der Korrespondenz seines Vaters fünf ungebrauchte rote Dreipfennigmarken von Sachsen entdeckte, begann er mit dem Aufbau seiner ersten Briefmarkensammlung. Seit 1865 besuchte er die Handelsschule in Leipzig und nahm dort 1867 ein Studium auf. 1868 übersiedelte er nach Dresden und versuchte sich u. a. als Kaufmann, homöopathischer Arzt, Photograph, Schriftsteller und Briefmarkenhändler. Er veranstaltete eine erste interne Ausstellung seiner Sammlung im Verein für Erdkunde in Dresden und schrieb seit 1869 Beiträge für die philatelistische Fachpresse. Bis 1870 stellte er mit über 5000 Marken die damals größte Briefmarkensammlung in Deutschland zusammen, in der nur fünf Marken aller bis dahin erfolgten Ausgaben gefehlt haben sollen. 1870/71 war M. Redakteur der von Gustav Bauschke („Schaubek") in Dresden gegründeten „Deutschen Briefmarken-Zeitung". 1871 erschien in Leipzig der „Katalog aller seit dem Jahre 1840 bis auf die neueste Zeit ausgegebenen Briefmarken, nach der A. M.schen Sammlung bearbeitet und herausgegeben von G. Schaubek". Der Katalog zeigt, daß M.s Sammlung die seltensten Stücke enthalten haben muß und auch Farbunterschiede, Wasserzeichen, Ganzsachen etc. berücksichtigte. 1871 organisierte M. eine öffentliche Ausstellung seiner Sammlung in Dresden – die erste deutsche Briefmarken-Ausstellung überhaupt – zu Gunsten der Feldpostbeamten im Deutsch-Franz. Krieg. Im Mai 1871 gehörte M. zu den Gründern des „Vereins Deutscher Philatelisten" und wurde dessen Präsident. Er gab eine eigene Fachzeitschrift („A. Moschkau's Magazin für den Markensammler") heraus, die bis Juni 1872 erschien. 1871–77 bestand eine von M. errichtete erste Markenprüfstelle, doch mußte M. seinen Kampf gegen Markenfälscher wegen der unsicheren Rechtslage einstellen, nachdem er bei Prozessen einen großen Teil seines Vermögens verloren hatte.

1873 erwarb M. als freier Student in Leipzig den Grad eines Dr. phil. Anschließend arbeitete er als Redakteur oder Herausgeber philatelistischer Fachblätter sowie medizinischer und heimatkundlicher Zeitschriften, u. a. der von ihm gegründeten kurzlebigen „Saxonia". 1876–81 war er verantwortlicher Redakteur von „Senf's Illustriertem Briefmarken-Journal". 1877 wurde unter seiner Mitwirkung in Dresden der „Internationale Philatelisten-Verein" gegründet. 1879 eröffnete M. auf Burg Oybin ein Heimatmuseum. 1881/82 war er als Redakteur der „Weltpost" in Wien tätig. Dort wurde er mit der Organisation der „1. Öffentlichen Ausstellung von Postwertzeichen aller Länder" betraut, der später weltbekannten „Wiener Internationalen Postwertzeichen-Ausstellung" (WIPA). Bei dieser Ausstellung (13.–20. 11. 1881) zeigte M. seine „Kontrast-Sammlung" zum Deutsch-Franz. Krieg 1870/71 mit deutschen und franz. Postmarken, Feldpostbriefen und Karten, Sondermarken für das besetzte Elsaß, Ballonbriefen und Taubenpostdepeschen aus dem belagerten Paris, Privatpost-Ausgaben aus der Zeit der Pariser Kommune, den ersten Marken der franz. Republik, Essai-Drucken der Monarchisten, den ersten deutschen Reichspostmarken etc. 1882 kehrte M. in seine Heimat zurück und nahm seinen Wohnsitz auf Burg Oybin. Seit 1883 gab er die „Germania – Allgemeine deutsche Philatelisten-Zeitung" heraus, war 1884–87 verantwortlicher Redakteur des „Illustrierten Briefmarken-Journals" und 1888–92 Chefredakteur der neugegründeten „Illustrierten Briefmarken-Zeitung".

M. war der erste nach systematischen Gesichtspunkten sammelnde Philatelist in Deutschland. Er machte die Briefmarkenkunde zu einem Zweig der Post- und Verkehrsgeschichte. Wie kein anderer hat er die Philatelie in Deutschland in den ersten Jahrzehnten ihrer Entwicklung als Anreger und Organisator gefördert. Auf seinem weiteren Lebensweg geriet er bald in Vergessenheit. Seine einmalige Sammlung wurde in der Inflationszeit von seiner Witwe veräußert und später aufgelöst. Das von M. gegründete Museum auf Burg Oybin wurde 1937 von der Stadt Zittau übernommen. – Österr. Franz-Joseph-Orden, russ. Stanislaus-Orden.

W Frühlingsblüthen (Gedichte), 1868; Die Wasserzeichen auf Briefmarken, Couverts, Postkarten etc., 1871 (4 Aufll.); Hdb. f. Essais-Sammler, 1875; Hdb. f. Postmarken-Sammler, 1876; Schiller in Gohlis, 1877; Goethe u. Karl August auf d. Oybin, 1878; Zur Gesch. d. Philatelie, Ges. Btrr., 1879. – Hrsg.: Dt. Briefmarken-Album, 1876; Dr. A. M.s Permanent-Album f. Postmarken, 1879.

L R. Schmidt, Dr. A. M., 1877 (als Ms. gedr., P); G. Reitz Edler v. Bollheim, Das Haupt d. dt. Philatelisten, 1882 (Separatdr.); The Philatelic Record, 1908, S. 228 f.; O. H. Metzger, Dr. A. M., 1915; Die Briefmarke 13, 1965, Nr. 83; A. Köth u. Ch. Springer, Dr. phil. A. M., e. Leben f. d. Philatelie, 1983 (L, P); dies., Ausst.ber. üb. „Die erste öffentl. Ausst. d. Postwertzeichen aller Länder zu Wien v. 15.-20. Nov. 1881", 1987; C. Brühl, Gesch. d. Philatelie I, 1985; Brümmer; Kosch, Lit.-Lex. – Persönl. Aufzeichnungen v. Dr. Rudolf Moschkau (N).

Christian Springer

Moschner, *Gerhard,* kath. Jugendseelsorger, * 15. 9. 1907 Breslau, † 12. 8. 1966 Köln.

V Adolf (1867–1921), Bgm. in Wartha (Schlesien), später in Glatz, S d. Josef (1821–81), Brauereibes. in Neurode Kr. Glatz, u. d. Auguste Gersch (1833–79) aus Ludwigsdorf b. Neurode; M Elisabeth (1878–1946), T d. Clemens Josef Ortmeyer (1844–1918), Kaufm. in Schwedt, u. d. Anna Therese Josephine Donnerberg (1851–1917) aus Kletzke; Schw Elisabeth-Anna (* 1913), Kunsthandwerkerin in K.

Nach dem Abitur 1926 in Glatz studierte M. in Breslau und München Philosophie und Theologie. 1931 empfing er in Breslau die Priesterweihe. Als Kaplan in Friedland widmete er sich der Jugendseelsorge; er war Bezirkspräses des Kath. Jungmännerverbandes im Waldenburger Industriegebiet. 1934 wurde M. als Domvikar an die Kathedrale in Breslau berufen, wo er neben seiner Tätigkeit als Vizekantor, Zeremoniar und Domprediger das Amt des Diözesanpräses der Jugend- und Jungmännervereine und des Kreispräses der Deutschen Jugendkraft (DJK) übernahm. Von der Jugendbewegung (Quickborn) geprägt, bemühte sich M. unter den veränderten Bedingungen nationalsozialistischer Herrschaft, die Ideale dieser Bewegung im Rahmen der Bestimmungen des Reichskonkordats zu verwirklichen. Dabei geriet er in Konflikt mit der Geheimen Staatspolizei; im Januar 1936 wurde er vor ein Sondergericht in Ratibor gestellt und zu einer Geldstrafe von 600 RM verurteilt. Kardinal Bertram schuf 1937 als erster Bischof im Deutschen Reich ein eigenes Seelsorgeamt für die Jugendarbeit und berief M. zum Diözesanjugendseelsorger sowie zum Mitarbeiter im Diözesanjugendseelsorgeamt, später zu dessen Direktor. Gleichzeitig Geschäftsführer der Diözesanschriftenstelle und Leiter der Diözesanbildstelle, wirkte M. gegen die antikirchliche Propaganda der Nationalsozialisten. 1942 wurde er zusätzlich zum Diözesanmännerseelsorger ernannt, der vor allem die großen Wallfahrten als Demonstrationen gegen die Nazi-Herrschaft organisierte und die Feierlichkeiten zur 700. Wiederkehr des Todestages der hl. Hedwig koordinierte. Als Breslau im Januar 1945 zur Festung erklärt wurde, mußte M. die Stadt verlassen; er nahm Wohnsitz in Bad Salzbrunn. Als Vertreter des Pfarrers von Weißstein Kr. Waldenburg, der zum Militärdienst eingezogen war, versah er weiterhin das Amt des Direktors des Diözesanjugendseelsorgeamtes und des Leiters des Erzbischöflichen Seelsorgeamtes. 1946 wurde er von der poln. Regierung aus Schlesien ausgewiesen.

Prälat Ludwig Wolker berief M. an die Bischöfliche Hauptstelle für Jugendseelsorge in Altenberg bei Köln, wo ihm die Referate für die Landjugend, für die heimatvertriebene Jugend und für die Jugendseelsorge in der Sowjet. Besatzungszone übertragen wurden. 1953 wurde er Mitarbeiter, 1957 Geschäftsführer der Kath. Arbeitsstelle (Nord) für Heimatvertriebene in Köln (unter der Leitung von Oskar Golombek). Seine Aufgabengebiete waren die Betreuung der „Aktion junges Schlesien", einer landsmannschaftlichen Gliederung im Bund der kath. Jugend, die Organisation von Jugendtagungen und Treffen schles. Priester und Theologiestudenten, die Durchführung von Werkwochen und Wallfahrten. In dieser Funktion erwies sich M. als der große Inspirator und Organisator. Auf seine Initiative geht die Gründung des „Arbeitskreises für schles. Musik" (1955), eines „Bildarchivs schles. Kunst" (heute in Münster) und die Herausgabe des „Schlesischen Priesterjahrbuches" zurück. Er war Mitbegründer des „Schlesischen Priesterwerkes e. V." mit Sitz in Königstein/Taunus (1957). 1960 regte er einen Dachverband schles. Katholiken an, das „Heimatwerk schles. Katholiken", in dem er die Geschäftsführung des Präsidiums übernahm. Zu seinen Aufgaben gehörten u. a. die Organisation der kirchlichen Veranstaltungen auf den Deutschlandtreffen der Schlesier 1959, 1961, 1963 und 1965, die Planung und Durchführung der Veranstaltungen der Vertriebenen im Rahmen der Deutschen Katholikentage und die Planung und Gestaltung der Rom-Wallfahrten des „Heimatwerkes schles. Katholiken". – Päpstl. Geheimkämmerer (1963); Ehren- u. Conventual-Kaplan d. Malteser-Ritter-Ordens (1965).

W u. a. Kloster Grüssau u. d. schles. Jugend, in: Grüssauer Gedenkbuch, hrsg. v. A. Rose, 1949, S. 164–69. – *Aufsätze* in: Beil. „Aktion junges Schlesien" zu „Schles. Katholik" 2–15, 1953–66, u. in: „Schles. Priesterjb." I–VI, 1960–65; Breslau, in: Bilder d. Erinnerung Köln-Breslau, hrsg. v. d. Verw. f. Schulwesen d. Stadt Köln, 1962. – *Hrsg.*: Wir vertrauen auf Gott, Hirtenbriefe u. Hirtenworte v. Bischof Dr. Ferdinand Piontek, Kapitelvikar d. Erzdiözese Breslau, 1959; Schles. Priesterjb. I–VI, 1960–65; Nachrr. d. schles. Priesterwerkes, 1963–65; Hl. Hedwig, bitte f. uns, 1964; St. Anna voll d. Gnaden, 1964.

L H. Thienel, in: Der Schles. Katholik 2, 1956, Nr. 2, S. 5; ebd. 15, 1966, Nr. 10, S. 1–3; J. Gottschalk, in: Schles. Priesterbilder, V, 1967, S. 30–35; Heimatbrief d. Katholiken d. Erzbistums Breslau 7, 1982, Nr. 4, S. 60; Um d. Gottesreich in dt. Jugend, Diözesanpräses G. M. vor d. Sondergericht in Ratibor 1936, Dokumente u. Akten, hrsg. v. J. Köhler, in: Archiv f. schles. KG 41, 1983, S. 1–66 (u. a. Ansprache M.s am 5. 6. 1935 in Ratibor: „Um d. Gottesreich in dt. Jugend", S. 3–12; Prozeßakten, S. 13–61; Versch. Zeugnisse d. J. 1940–46, S. 61–66, *P*).

Joachim Köhler

Mosellanus (eigtl. *Schade*), *Petrus* (auch *Protegensis*), Humanist, * 1493 Bruttig b. Cochem/Mosel, † 19. 4. 1524 Leipzig.

V Johannes Schade, Winzer in B., S d. Johann in Cochem; M Katharina N. N.; 13 *Geschw.*

Als armer vagierender Scholar besuchte der an Statur kleine, dunkle M., ein „ingenium praecox", „von ganz außerordentlichen Gaben für die Wissenschaft" (Melanchthon), nach seiner Heimatschule zu Beilstein die Lateinschulen zu Luxemburg, Limburg und Trier, wo er Chorknabe am Dom war. 1512 konnte er sich an der Univ. Köln „ad artes" einschreiben lassen, wo Johann Caesarius, dem er sein Griechisch verdankte, Hermann von dem Busch und Jacob Sobius lehrten. Von dort zog er im Winter 1513/14 mit seinem Freund Caspar Borner, dem späteren Rektor der Leipziger Universität und der Thomasschule, über Mainz nach dessen sächs. Heimat. Von Leipzig ging er nach Freiberg als Lehrer an die von Johann Rhagius Aesticampian geleitete Schule. Am 25. 4. 1515 in Leipzig immatrikuliert, vervollkommnete sich M. im Griechischen bei Richard Crocus, einem Engländer, wurde dessen Lieblingsschüler und erhielt 1517 als dessen Nachfolger die Professur der griech. Sprache. 1518 setzte er sich mit Begeisterung für Reuchlin ein; auf Befehl Hzg. Georgs eröffnete er Ende Juni 1519 mit einer richtungsweisenden Rede die Leipziger Disputation. Im Herbst 1519 sah er seine mosselländische Heimat wieder. 1520 holte M. den Magister artium nach, wurde Mitglied des Professorenkollegiums und erwarb den theologischen Baccalaureus. Das Rektorat der Universität versah er 1520 und 1523. Vom Luthertum ließ sich M. nicht gewinnen, blieb vielmehr ausgesprochener Erasmianer und Gegner aller Streittheologie, was ihm Anfeindungen von beiden Seiten eintrug. Seinem Herzog und der Univ. Leipzig hielt er die Treue und lehnte eine Einladung nach England und Rufe nach Trier, Mainz und Erfurt ab. Daß er in seinem 31. Lebensjahr verstarb, traf die in Konkurrenz mit Wittenberg stehende Univ. Leipzig schwer. M.s große Bedeutung war humanistisch-pädagogischer Art und lag in seiner Lehrtätigkeit, in der er den Auf- und Ausbau des griech. Unterrichts und einen gereinigten und vereinfachenden Grammatikbetrieb mit der Behandlung der alten Schriftsteller als Stilmuster in formal-klassizistischem Sinne verband. Neben der Grammatiklehre pflegte er eine lebendige Interpretation der griech. und lat. Autoren, von denen er Catull, Tibull und Martial verwarf. Außer einigen kleinen programmatischen Schriften brachte er parallel dazu zahlreiche Texte, Übersetzungen und Erklärungen antiken und frühchristlichen Schriftgutes heraus. An der Spitze seines literarischen Werkes steht seine weitverbreitete, an Terenz angelehnte „Paedologia" (35+2 Scholarendialoge), die bis zum Ende des 16. Jh. 65 Ausgaben erlebte. Seine eigenen bitteren Erlebnisse als Scholar spiegeln sich in den Klagen der von Hunger und Kälte geplagten Knaben des Gesprächsbüchleins wider. Zu M.s Schülerkreis gehörten neben dem Vermittlungstheologen Julius v. Pflugk auch Joachim Camerarius, Caspar Cruciger und Valentin Trotzendorf. Sein Briefwechsel mit Erasmus, Hutten, Pirckheimer u. a. dokumentiert, daß M. mit Recht den Beinamen „Leipzigs Melanchthon" verdient, insoweit sich dieser auf die rein wissenschaftliche Leistung bezog.

W Tabulae de schematibus et tropis, 1516; De variarum linguarum cognitione, 1518 (Antrittsvorlesung v. 1517); Paedologia P. M. P. in puerorum usum conscripta, 1518 (Proctor 11 371), Neuausgg. v. H. Michel, 1906, sowie: Renaissance Student Life, The Paedologia of P. M., übers. v. R. F. Seybolt, 1927; De ratione disputandi praesertim in re theologica oratio, 1519 (Proctor 11 558, Rede z. Leipziger Disputation, 27. 6. 1519); P. M.s Brieff v. d. Leipziger Colloquio zw. Carlstadt, Luthern u. Eccio an Julius Pflug A(nno) 1519, in: Unschuldige Nachr. v. alten u. neuen theol. Sachen, 1702, S. 72–80, 107–12; Oratio de concordia, praesertim in scholis publicis litterarum professoribus tuenda, 1520 (Erwiderung an Heinrich Stromer-Auerbach); Praeceptiuncula de tempore studiis impartiendo, 1521; Schottenloher 48 346. – Hrsg.: Aristophanes, Plutos, 1517 (griech. Text, mit Vorwort v. J. Caesarius); Übers. e. Weihnachtspredigt d. Gregor v. Nazianz, 1518; Rede d. Isokrates üb. d. Vermeidung d. Krieges u. Erhaltung d. Friedens, 1518; 2 Dialoge d. Lucian: Charon, Tysanus, interprete P. M., 1518; Die v. Priscianus Caesariensis besorgte Übers. d. Erdbeschreibung d. Dionysius v. Corinth, verbessert u. mit Randglossen versehen, 1518; Agapetus an Kaiser Justinian üb. d. Pflichten e. guten Fürsten, 1520; Hymnen d. Aurelius Prudentius auf bestimmte Tage u. Tageszeiten, 1522; Ausgg. v. Basilius u. Theokrits Idyllen.

L ADB 22; P. Svavenius, Apologia pro M. P. praeceptore contra Ioh. Cellarium, o. J. (1519); J. Micyllus, Epicedia in P. M., 1524; Heinrich Schultz, Ausführl. Lebensbeschreibung P. M.s, 1724; J. H. Wyttenbach, Biogr. d. P. Schade, in: Treviris 2, 1835; K. E. Förstemann, Über Julius v. Pflug oratio funebris in mortem P. M., in: Neue Mitt. aus d. Gebiet d. hist.-antiquar. Forschungen, 1838/40, S. 177–79; Vlr. Hutteni Opera, ed. E. Böcking, Suppl. II, 1864, S. 200, 276; O. G. Schmidt, P. M., Ein Btr. z. Gesch. d. Humanismus in Sachsen, 1867; K. u. W. Krafft, Über P. M.s Studium in Köln 1512–14, in: dies., Briefe u. Dokumente aus d. Zeit d. Ref., 1875, S. 118–201; O. Clemen, M. contra Cellarius, in: Btrr. z. sächs. KG 26, 1902, S. 431–35; A. Bömer, Die lat. Schülergespräche d. Humanisten, 1897, S. 95–107 u. ö.; G. Wustmann, Der Wirt in Auerbachs Keller Dr. Heinrich Stromer v. Auerbach, 1902; H. Helbig, Die Ref. d. Univ. Leipzig im 16. Jh., 1953; R. Weier, Die Rede d. P. M. „Über d. rechte Weise, theol. zu disputieren, in: Trierer Theol. Zs. 83, 1974, S. 232–45; U. M. Kremer, M., Humanist zw. Kirche u. Ref., in: Archiv f. Ref.gesch. 73, 1982, S. 20–34; R. Schober, P. M. (1493–1524) – e. vergessener Moselhumanist, 1979; R. Schommers, P. M. aus Bruttig – z. 500. Geb.tag, in: Kreis Heimat-Jb. Cochem-Zell, 1993; Schottenloher 13 024, 13 740, 35 759 a, 35 843 a, 41 335, 43 740; Kosch, Lit.-Lex.³; Killy; BBKL.

Heinrich Grimm †

Mosen (bis 1844 *Moses*), *Julius,* Dichter, Dramaturg, * 8. 7. 1803 Marieney (Vogtland), † 10. 10. 1867 Oldenburg. (ev.)

Die ursprüngl. jüd. Fam. findet sich Mitte d. 16. Jh. in Prag, dann längere Zeit im Vogtland. – V Johannes Gottlob (1778–1823), Kantor u. Schulmeister in M., S d. Johann Gottlob, Kantor in Arnoldsgrün, u. d. Christiane Sophie Ludwig; M Sophia Magdalena (1779–1859), T d. Johann Christoph Enigklein, Tuchmachermeister in Ölsnitz, u. d. Anna Margaretha Roßbach aus Ölsnitz; B Gustav (1821–95), Gymnasialprof. in Zwickau (s. Brümmer; Kosch, Lit.-Lex.); – ∞ Dresden 1841 Wilhelmina (Minna) (1808–80), T d. Landgerichtsdir. N. N. Jungwirth in Wittenberg; 2 S, u. a. Reinhard (1843–1907), Dr. phil., Geh. Reg.rat, Oberbibliothekar an d. Großhzgl. Landesbibl. in O., Schriftst., Vf. e. biogr. Skizze über M., Hrsg. d. Gesamtausg. v. dessen Werken (s. L).

M. besuchte das Gymnasium in Plauen und studierte seit 1822 Jurisprudenz und Philosophie in Jena, wo er der Burschenschaft beitrat. Ein Gelegenheitsgedicht zum 50. Regierungsjahr des Ghzg. Karl August von Sachsen-Weimar gewann dem Studenten die Anerkennung Goethes und eine Geldprämie, die ihm eine dreijährige Italienreise zu bestreiten half. Weitere Mittel brachte die Herausgabe der Gedichte von G. L. Th. Kosegarten (1824). Nach seiner Rückkehr 1826 nahm er das Studium wieder auf und schloß es 1828 mit dem juristischen Examen ab. Danach versuchte sich M. in Leipzig als Advokat und wurde 1831 Gerichtsaktuar in Kohren bei Leipzig. 1834 eröffnete er eine erfolgreiche Rechtsanwaltpraxis in Dresden, wo er Verbindung zu Literaten- und Künstlerkreisen der Stadt knüpfte, namentlich zu Ludwig Tieck, Ernst Theodor Echtermeyer, Arnold Ruge, Ernst Friedrich August Rietschel und Gottfried Semper. Auswärtige Gäste wie Ludwig Uhland, Heinrich Hoffmann von Fallersleben, Karl Gutzkow, Alfred Meißner, Georg Herwegh stellten sich im Hause des inzwischen auch literarisch bekannten Advokaten ein; vornehmlich waren es Vertreter einer engagierten Poesie aus dem liberalen und linken politischen Lager. Für M.s eigene literarische Produktion war es eine fruchtbare Zeit. Er gab 1836 seine gesammelten Gedichte heraus (erweitert 1843), darunter solche, die ihn seinerzeit populär gemacht haben und noch heute bekannt sind wie „Andreas Hofer" („Zu Mantua in Banden...") oder die polenfreundliche Ballade „Die letzten Zehn vom vierten Regiment". Er schrieb die umfangreiche Novelle „Georg Venlot" (1831) und das Oratorium „Hiob" (1835). Dem philosophischen Epos „Das Lied vom Ritter Wahn" (1831), der Geschichte von einem, der immer leben will, folgte als Gegenstück 1838 das Versepos „Ahasver", die Erzählung von einem, der nicht sterben kann. 1842 erschien „Der Congress von Verona", ein zweibändiger Roman über die griech. Erhebung gegen die Türken und die internationale Konferenz, zu der sich die Großmächte angesichts der europ. Freiheitsbewegungen 1822 versammelten. Den größten Ehrgeiz setzte M. in seine Schauspiele, ernste, meist tragische historische Dramen aus der deutschen („Heinrich der Finkler", 1836; „Otto III.", 1839) oder europ., vor allem span.-habsburg. und ital., Geschichte. Seine Tragödie über Katte, den Jugendfreund des Kronprinzen Friedrich von Preußen („Der Sohn des Fürsten", 1842) veranlaßte den Ghzg. Paul Friedrich August von Oldenburg, M. als Dramaturg ans Hoftheater seiner Residenz zu berufen; der Dichter übersiedelte mit seiner Familie im Mai 1844 und wurde oldenburg. Hofrat. Die zeitgenössische Kritik, vor allem die „Theaterschau" des Oldenburger Freundes Adolf Stahr, lobt M.s „Nathan"- und „Faust"-Inszenierungen von 1845 und 1846, auch die Präsentation eigener Stücke des Dichters. Die erfolgreich aufgenommene Theaterarbeit wurde jedoch durch ein 1846 beginnendes Lähmungsleiden gehemmt, das sich stetig verschlimmerte bis zu quälender Unbeweglichkeit und Sprachunfähigkeit. Er erlebte noch die Ausgabe seiner Werke, die Freunde für ihn besorgten.

Lesenswert geblieben sind nicht M.s allzu konventionelle Gedichte, nicht seine Versepen und die jambischen Historiendramen, denen Spannung und scharfe Charakterzeichnung mangelt. Aber der politisch scharfsichtige Verona-Roman lohnt noch heute die Lektüre, ebenso die 1848 verfaßten, atmosphärisch gelungenen „Erinnerungen" an die Kinderzeit. – Dr. phil. h. c. (Jena 1840).

W Sämmtl. Werke, 8 Bde., 1863/64, vermehrte Aufl., 6 Bde., 1880. – *Nachlaß:* Weimar, Goethe- u. Schiller-Archiv.

L ADB 22; P. Heuss, Btrr. z. Kenntnis v. M.s Jugendentwicklung, Diss. München 1903; L. Geiger, M. als Dramatiker, in: Bühne u. Welt 5, 1903; W. Mahrholz, M.s Prosa, 1912 (Neudr. 1978); A. Hertenberger, M. als Dramatiker, Diss. Wien 1923; F. Wittmer, Stud. zu M.s Lyrik, Diss. München 1924; A. J. F. Ziegelschmid, Die Volksliedelemente in M.s Lyrik, in: Philological Quarterly 10, 1931; F. A. Zimmer, J. M., 1938; F. Welsch, J. M., 1953; Goedeke VIII, S. 130–41; Kosch, Lit.-Lex.³; Biogr. Hdb. z. Gesch. d. Landes Oldenburg, 1992 *(P)*. – *Zu Reinhard:* BJ XII, Tl.; Kosch, Lit.-Lex.; Biogr. Hdb. z. Gesch. d. Landes Oldenburg, 1992 *(P)*.

P Zeichnung v. C. F. Naumann (Dresden, Staatl. Kupf.kab.), Abb. in: A. Graefe (Hrsg.), Sächs. Köpfe im zeitgenöss. Bild, 1938.

Hans-Wolf Jäger

Mosengel *(Mosengeil), Johann Josua,* Orgelbauer, * 16. 9. 1663 Stolzenau/Weser od. bei Eisenach (?), † 18. 1. 1731 Königsberg (Preußen). (ev.)

V N. N., ev. Pfarrer (?); *M* N. N.; ∞ Königsberg 1699 Dorothea, *T* d. Gerichtsverwandten Heinrich Schau; 6 *K* (z. T. früh †), u. a. Heinrich Josua (1700–37), Dr. med., Anna Catharina (1706–nach 1769), ∞ Georg Sigismund Caspari, 1693–1741, Orgelbauer, Mitarbeiter M.s seit 1721, übernahm 1731 d. Werkstatt u. baute u. a. 1732 d. Orgel d. Schloßkirche v. K.; ihm folgte 1741 dessen Vetter 2. Grades Adam Gottlob Casparini, 1715–88, d. 43 Neubauten in Ostpreußen u. Litauen schuf, u. a. in Wilna, Hl. Geist, s. *L);* *Gr-Ov* d. *Schwiegersohns* Eugen Casparini (1623–1706), Orgelbauer (s. NDB III).

M., über dessen Herkunft und Lehrzeit nichts sicheres bekannt ist, erlernte den Orgelbau vermutlich bei Johann Tobias Gottfried Trost und Martin Vater. Mit selbständigen Arbeiten zunächst im Raum Hannover nachweisbar (1695 Neubau in Bissendorf), wurde er 1695 als „Churfürstl. Hannoverscher Orgelbauer" privilegiert. Mit einem Privileg als „Churfürstl. Brandenburg.-Preuß. Hoforgelmacher" ließ er sich 1698 in Königsberg nieder (seit 1701 „Kgl.-Preuß. Hoforgelbauer"). Seine erste bedeutende Arbeit dort war die Orgel für die ev. Kirche im Stadtteil Löbenicht von 1698 (1764 verbrannt), wobei das von M. „neu erfundene gelinde doch gravitätische Register Sordun 16'" besonders gerühmt wurde (Mattheson). Insgesamt gingen aus M.s Werkstatt rund 40 neue Orgeln sowie 20 Umbauten älterer Orgeln hervor. Bei seinen Neubauten verwendete M. teilweise Pfeifenwerk aus den Vorgängerorgeln der Instrumentenbauer Zickermann (16. Jh.), z. B. bei der

Domorgel in Königsberg. Die Disposition M.s von 1718 enthält 62 Register auf 3 Manualen und Pedal (III/62) und weist dieses Werk als eines der größten der damaligen Zeit aus. Bemerkenswert war das in 2 Rückpositiven untergebrachte Kleinpedal, mit einer vertikalen Feldtrompete 8' in den Prospekten. Der aus 7 Türmen und 22 Feldern bestehende Prospekt war bis 1944/45 erhalten. Bewegliche Prospektengel und der preuß. Adler, dessen Flügel bewegt werden konnten, gehörten auch zu den Ausstattungen anderer Orgeln M.s.

Kleine Orgeln mit I/9–13 Registern disponierte M. in der Regel nicht ohne Bordun 16', Quinte 2 2/3', Terz 1 3/5' und Trompete 8'. Schon ein Pedalwerk mit nur 3 Stimmen war cantus-firmus-fähig (z. B. Bissendorf: Subbaß 16', Trompete 8', Oktave 4'). Streicher waren nur in M.s großen Orgeln zu finden, selten eine Unda maris. Für Dorfkirchen mit geringer Höhe über der Empore hatte M. ein zweitürmiges Brüstungspositiv mit 4'-Prospekt entwickelt; über das mittlere, niedrige Pfeifenfeld hinweg konnte der an der Rückseite sitzende Spieler den Altar sehen. Die Windlade lag auf dem Fußboden und wurde über eine Wellenbrett-Stechermechanik mit durchgestemmten Wellenärmchen angespielt (z. B. Almenhausen/Uderwangen I/14, 1711, und Stockheim I/7, 1714). Zweimanualige Orgeln baute M. zunächst meist als Hauptwerk und Rückpositiv, in späteren Jahren vorwiegend mit einem Oberwerk über dem Hauptwerk. Viele Orgeln M.s wurden zwischen 1885 und 1930 umgebaut. Die bis 1944/45 noch erhalten gebliebenen Werke zeugten von einer hohen Qualität und erlaubten den Vergleich mit den Orgeln des norddeutschen Zeitgenossen Arp Schnitger. M.s Instrumente standen überwiegend im heute russ. Teil Ostpreußens; sie wurden Ende des 2. Weltkriegs zerstört oder ausgeplündert. Von M.s äußerst reich dekorierten Gehäusen waren bis 1944/45 noch 26 erhalten; nach dem Krieg blieben nur zwei im heute poln. Teil Ostpreußens übrig (Heiligelinde/poln. Święta Lipka, Ermland; Passenheim/Pasym, Masuren).

Weitere W u. a. Medenau I/15, 1694; Kumehnen I/16, 1695/1715; Allenburg II/22, 1699; Alt-Lappienen, 1701; Landsberg II/26 (?), 1701; Brandenburg/Haff I/16, 1702; Pörschken I/10, 1702; Domnau I/12, 1704; Kreuzburg II/30, 1704 (Umbau); Sorquitten, 1706; Königsberg-Sackheim I/14, 1707 (1764 verbrannt); Königsberg-Tragheim, 1710 (?) (1783 verbrannt); Memel, Dt. Kirche, 1711 (1784 verbrannt); Gerdauen, 1712; Schönbruch I/16, 1714; Eisenberg I/9, 1715; Neuhausen, 1716 (Umbau); Finckenstein, Schloßkirche I/8, 1717; Bladiau, 1720; Königsberg-Haberberg II/32, 1720 (?) (Umbau, 1747 verbrannt); Kaukehmen I/11, 1722; Friedland II/31, 1724; Braunsberg II/30 (?), 1726; Pobethen II/16, 1726; Goldap I/10, 1726.

L J. Mattheson, Slg. v. Orgeldispositionen, in: F. E. Niedtens Musical. Handleitung anderer Theil, 1721; A. R. Gebser u. E. A. Hagen, Der Dom zu Königsberg in Preußen, 1833/35, S. 326–39; A. Ulbrich, Gesch. d. Bildhauerkunst in Ostpreußen, 1926/29 *(Abb.)*; F. Buchholz, Der Bau d. Heiligelinder Orgel, in: Zs. f. d. Gesch. u. Altertumskde. Ermlands 27, 1941, S. 437–44; E. Flade, Der Orgelbauer G. Silbermann, ²1953, S. 3; J. Sianko, Barokowe organy z XVIII w. na terenie diecezji warm., in: Studia warmińskie VIII, 1971, S. 49 ff.; J. Gołos, Polskie organy i muzyka organowa, 1972; L. Burgemeister, Der Orgelbau in Schlesien, ²1973; W. Renkewitz u. J. Janca, Gesch. d. Orgelbaukunst in Ost- u. Westpreußen v. 1333 bis 1944, I, 1984, II in Vorbereitung (Hier weist Janca nach, daß d. v. Flade, s. o., aufgestellten 2 verschiedenen Orgelbauer Adam Gottlieb Casparini u. ein dritter namens Johann Gottlob C., s. NDB III, sämtl. identisch sind. Es handelt sich stets um Adam Gottlob C., 1715–88. Auch d. in d. poln. Lit. aufgeführte Dominik Adam C. ist als identisch mit Adam Gottlob C. anzusehen.); E. Smulikowska, Prospekty organowe w Polsce, 1989; Altpreuß. Biogr. II.

Jan Janca

Mosenthal, *Salomon Hermann* v. (Ps. *Friedrich Lehner,* österr. Ritter 1871), Schriftsteller, * 14. 1. 1821 Kassel, † 17. 2. 1877 Wien. (isr.)

V N. N. († 1850), Kaufm., Inh. e. 1821 fallierten Handelshauses in K., später Buchführer; *M* N. N. Weil (1796–1868), sorgte nach d. Bankrott ihres Mannes durch Betrieb e. Putzmacherladens f. d. Unterhalt d. Fam.; ∞ 1851 Lina († 1862), *T* d. Karl v. Weil (1806–78, österr. Rr. 1864), Dr. phil., Publizist (s. Wurzbach 54), u. d. Esther Engelmann; *Schwager* Heinrich v. Weil (* 1834), Dr. med., Leiter d. orthopäd. Heilinst. in Döbling b. W.; kinderlos.

M. wuchs im Kassel der Napoleonischen Ära unter Kg. Jérôme in beengten Verhältnissen auf. Trotz seiner jüd. Abstammung setzte die Mutter, die ihm auch erste literarische Erfahrungen vermittelte, seine Aufnahme ins Lyceum Fridericianum durch, wo 1836 Franz Dingelstedt sein Lehrer war. M. begann Gedichte und Erzählungen zu schreiben, die anonym in Dingelstedts „Salon" und August Lewalds Zeitschrift „Europa" erschienen. Durch Vermittlung seines Onkels Dr. Carl Weil trat M. 1840 eine Ausbildung am Polytechnikum in Karlsruhe an, deren praktischer Teil (Fabrikarbeit) ihn aber überforderte. In seiner freien Zeit besuchte er auf Wanderungen Justinus Kerner, Gustav Schwab, Nicolaus Lenau und Alexander von Württemberg.

1842 brachte ihn die Berufung zum Hauslehrer der beiden Söhne von Moritz Goldschmidt, Prokurist der Firma Rothschild, nach Wien, wo er durch Bekanntschaft mit dem Dichter Otto Prechtler und die Aufnahme in die Künstlergesellschaft „Konkordia" binnen kurzer Zeit umfang- und einflußreiche Verbindungen herstellen konnte. Prechtler überließ ihm Stoff und Plan seines erfolgreichsten Dramas: Aus dessen 1842/43 aufgeführter Oper „Mara" bearbeitete M. 1848/49, nach einer kurzen revolutionären Episode in der Bürgerwehr, sein Bauernstück „Deborah" (1848), eines der ersten Werke über den Judenhaß, das an die christliche Einsicht appelliert. Es wurde zuerst in Hamburg aufgeführt, fand eine für deutsche Theaterstücke beispiellose Verbreitung in Europa und wurde auch in Amerika, ja sogar in Australien aufgeführt. Dieser Erfolg und einflußreiche Fürsprache bahnten M. eine für einen Juden ungewöhnliche Laufbahn. 1850 trat er als Official in ein Hilfsamt des Ministeriums für Kultus und Unterricht ein, 1864 avancierte er zum Vorstand der Bibliothek dieses Ministeriums. M. übernahm eine Vielzahl von Ämtern und ehrenamtlichen Funktionen. So hatte er 1868–71 die Direktion der seit 1812 bestehenden Gesellschaft der Musikfreunde Wiens inne, er engagierte sich bei der Reorganisation des Konservatoriums, das neben der Opernschule 1874 noch eine Schule für das rezitierende Schauspiel erhielt und binnen 6 Jahren die Schülerzahl verdoppelte.

Die Dramen M.s sind durchwegs regelmäßig und übersichtlich gebaut. Seine größten Erfolge errang er mit Bauernstücken, zuerst mit „Deborah", dann mit „Der Sonnwendhof" (1854) und „Der Schulz von Altenbüren" (1867). Die extremen Charaktere und die gelegentlich sentimentale Handlung dieser Stücke bewirkten höchst effektvolle Szenen, aber auch das Abgleiten in Klischees. M.s Dramatisierungen von Stoffen aus der Literaturgeschichte, „Ein deutsches Dichterleben" (1850), das G. A. Bürgers problematische Stellung zwischen zwei Schwestern behandelt, sowie das der Entstehung des deutschsprachigen Schauspiels im 18. Jh. gewidmete Stück „Die deutschen Komödianten" (1862) sind ganz dem Bildungshorizont der Zeit verhaftet und leiden an der Beschränktheit deutschnationaler Sichtweise. Die Gruppe der in der ital. Renaissance spielenden Tragödien („Pietra", 1864; „Parisina", 1875; „Isabella Orsini", 1868) verdankt die Stoffwahl vor allem dramaturgischem Kalkül: Für das nachmittelalterliche Italien brauchten cholerische Charaktere, monströse Taten und Emotionen psychologisch nur mit geringem Aufwand motiviert zu werden, sie wurden als typisch vorgestellt und hingenommen. Diese Stücke zeigen in der Nachfolge der bürgerlichen Dramatik des 18. Jh. die traurigen Folgen von Mißverständnissen, Übereilungen und individueller Schwäche. Sie werden im Stil der zeitgenössischen ital. Oper mit Haupt- und Staatsaktionen verbunden, um auf den großen Hofbühnen den Schauspielern pathetisch-sentimentale Darstellung und dem Publikum affektive Teilnahme zu ermöglichen. Die Operntexte wurden von Komponisten wie Friedrich v. Flotow und Heinrich Marschner vertont, denen M. in seinen „Miniaturen" (Ges. Werke I) ein literarisches Denkmal setzte. „Die lustigen Weiber von Windsor" sind mit Otto Nicolais Musik noch bis in die Gegenwart bühnenwirksam. Wie kaum ein anderer deutscher Librettist des 19. Jh. verfügte M. über eine ausgeprägte Musikalität, die unmittelbar Eingang in Sprache und Diktion der Texte fand.

M. blieb als eine zentrale Gestalt des Wiener Kulturlebens im zweiten Drittel des 19. Jh. von gehässigen Angriffen nicht verschont, die immer wieder auch auf seine jüd. Abstammung zielten. Angesichts sinkender Produktivität beendete er 1875 seine Arbeit als Dramatiker und publizierte nur noch einige Prosa-Erzählungen aus dem jüd. Milieu seiner hess. Heimat. Er blieb der international erfolgreichste deutsche Dramatiker des 19. Jh. „Deborah" wurde in 12 Sprachen übersetzt (in ital. und engl. Fassung für Adelaide Ristori und Sarah Bernard) und jahrelang in der ganzen Welt aufgeführt; „Der Sonnwendhof", „Die Königin von Saba" und „Das goldene Kreuz" konnten an diesen Erfolg anknüpfen, „Die lustigen Weiber von Windsor" wurden bis in die Gegenwart in zahlreichen Sprachen gedruckt. – Dr. phil. h. c. (Marburg 1842 ?); Kaiserl. Rat (1867); Franz-Joseph-Orden (1868).

W Ausgg.: Gedichte, 1845, erweitert [5]1856 u. d. T. Primulae veris; Dramen, 1853 *(P);* Ges. Werke, hrsg. v. J. Weilen, 6 Bde., 1878 (Biogr. in VI); Stories of Jewish Home Life, 1907, dt. u. d. T. Tante Guttraud, Bilder aus d. jüd. Fam.leben, 1908, Neudr. 1912 u. 1913.

L ADB 22; H. Laube, Das Burgtheater, 1868, in: ders., Schrr. üb. d. Theater, 1959, S. 335–38; Ch. L. Kenney, The New Actress and the New Play at the Adelphi Theatre, 1863; W. Goldbaum, L. Kompert, S. H. M., K. E. Franzos, 1878; ders., Literar., Physiognomien, 1884, S. 185–95; E. Isolani, Der Dichter d. Deborah, in: Dt. Bühne 13, 1921; F. Horch, Das Burgtheater unter H. Laube u. A. Wilbrandt, 1925; F. Kostjak, H. S. M. als Dramatiker, Diss. Wien 1929 *(ungedr.);* K. Schug, S. H. M., Leben u. Werk in d. Zeit, Diss. Wien 1967 *(ungedr.);* Ch. L. Lea, Emancipation, Assimilation and Stereotype, The Image of the Jew in German and Austrian Drama (1800–50), 1978; R. Klüger, „Die Ödnis d. entlarvten Landes", Antisemitismus im Werk jüd.-österr. Autoren, in: dies., Katastrophen, 1994, S. 59–82, bes. 59–64; Wurzbach 19; Brümmer; MGG; Enc. Jud. 1971; ÖBL; Killy; The New Grove Dictionary of Opera, ed. by S. Sadié, III, 1992, S. 480.

Reinhart Meyer

Moser v. Filseck (Reichsadel 1573). (ev.)

Die Familie geht zurück auf den württ. Stallmeister und Kriegsrat *Balthasar* M. gen. Marstaller (um 1400). Dessen Enkel *Balthasar* (1487–1552) gilt als einer der ersten modernen Verwaltungsbeamten in Württemberg. 1520 Vogt in Herrenberg, seit 1525 Kammermeister der württ. Landschaft, wurde er 1538 von Hzg. Ulrich gefangengesetzt, drei Jahre später jedoch rehabilitiert. Seit 1546 Vogt in Schorndorf, dann Rentkammerrat in Stuttgart, war er 1549 an der Durchführung der Polizeiverordnung und 1550 an der Reorganisation der Rentkammer beteiligt. Den Urbaren und Lagerbüchern legte er das Formular der österr. Regierung zugrunde. Seine Söhne *Valentin* (1520–76), Vogt in Herrenberg, und *Balthasar* (1525–95), württ. Rentkammerrat, wurden am 4. 3. 1573 in den Reichsadelsstand erhoben mit dem Recht, sich nach den Schlössern Filseck und Weilerberg (bei Göppingen) zu nennen. 1568–1717 waren einzelne Familienmitglieder bei der Schwäb. Reichsritterschaft (Kt. Kocher und Kt. Kraichgau) immatrikuliert.

Nachfahren Valentins sind der Reichspublizist *Johann Jakob* (1701–85, s. 1) und dessen Söhne *Friedrich Carl* (1723–98, s. 2) und *Wilhelm Gottfried* (1729–93, s. 3). Balthasars Enkel *Wilhelm* (1600–82) war Syndikus der Univ. Tübingen, *Friedrich* (1605–71) württ. General und Kriegsratspräsident. Wilhelms Enkel *Christoph* (1655–1723), württ. Kammerrat, und *Johann* (1665–1729), württ. Rentkammerrat, begründeten die beiden Linien der Familie.

Wolfgang Heinrich v. M. (1745–80), Dr. med., Stadtphysikus in Cannstatt, war Nachfahre Christophs. Sein Sohn *Georg Christoph Heinrich* (1775–1857), Kaufmann und württ. Konsul in Neapel und Lissabon, begründete den portug. (kath.) Ast der Familie. Seine beiden Söhne, *Hermann Friedrich* v. M. (1807–1901) und *Eduard* Conde de M. (1816–93), waren Bankiers; *Pauline* (1813–79) heiratete Christian Klingelhöfer (1807–73), Bankier in Rio de Janeiro. Sein Enkel *Heinrich* Conde de M. (1857–1923) war Bankier und Direktor der portug. Staatseisenbahnen. Die folgenden Generationen nannten sich meist „Hofacker de Moser".

In der 2. Linie begründeten Johanns Urenkel *Karl* (1772–1825), württ. Obertribunalprokurator, und *Gottlob* M. (1796–1871), Dekan in Backnang, jeweils einen Familienast. Karls Sohn *Rudolf* (1803–62) war württ. Finanzrat und Geheimsekretär der Kgn. Pauline. Dessen Sohn *Rudolf* (1840–1909) war württ. Staatsrat sowie 1890–94 Gesandter in Berlin und Bevollmächtigter zum Reichsrat, *Alexander* (1841–1903) Bankier. Rudolfs Sohn *Carl* (1869–1949), 1906–33 württ. Gesandter in München, trat als kritischer Beobachter der Politik jener Jahre hervor (s. L). Alexanders Tochter *Marie* (1875–1960) heiratete 1901 den späteren Reichsminister des Auswärtigen Konstantin Frhr. v. Neurath (1873–1956).

L F. Bauser, Gesch. d. M. v. F., 1911. – *Zu Balthasar* († 1552): O. Herding, Das Urbar als orts- u. zeitgeschichtl. Qu., bes. im Hzgt. Württemberg, in: Zs. f. württ. Landesgesch. 10, 1951; P.-J. Schuler, Notare Südwestdtld.s, 1987, Nr. 900. – *Zu Carl* († 1949): W. Benz (Hrsg.), Pol. in Bayern 1919–33, Berr. d. württ. Gesandten C. M. v. F., 1971.

Franz Menges

1) *Johann Jakob* **Moser**, Reichspublizist, * 18. 1. 1701 Stuttgart, † 30. 9. 1785 ebenda.

V Johann Jakob (1660–1717), württ. Rentkammerrat, Rechnungs- u. Ökonomierat d. Schwäb. Kreises, S d. Johann Jakob (1620–66), Rentkammersekr., u. d. Anna Rosine Hauff; M Helena Katharina (1672–1741), T d. Johann Hartmann Misler (1642–98), Rektor zu Worms, dann Domprediger u. Konsistorialassessor zu Stade, Sup. d. Hzgt. Verden (s. ADB 22), u. d. Anna Kunigunde Rühle (1646–1700); 9 Geschw; – ∞ Stuttgart 1722 Friederike Rosine (1703–62), T d. Dr. iur. Johann Jakob Vischer (1647–1705), württ. Oberratspräs., u. d. Marie Jakobine Schmid (1661–1713); 3 S, 5 T, u. a. Friedrich Carl Frhr. (s. 2), Wilhelmine Louise (1726–62, ∞ Gottfried Achenwall, 1719–72, Statistiker, Historiker, s. NDB I), Wilhelm Gottfried (s. 3), Marie Dorothea (1733–88, ∞ Christian Friedrich Mögling, 1726–97, Mag., Spezialsup. zu Brackenheim, s. Jöcher-Adelung), Christiana (1735–1809, ∞ Gottlob Mohl, 1727–1812, GHR in St.), Christian Benjamin (1746–74, bad. u. hess. Hofrat; E Benjamin Ferdinand v. Mohl (1767–1845), württ. Politiker (s. ADB 22); Ur-E Robert v. Mohl (1799–1875), Staatsgelehrter, Hugo v. Mohl (1805–72), Botaniker, Moriz Mohl (1802–88), Nat.ökonom (alle s. NDB 17).

M. begann 1717 das Studium der Rechte in Tübingen, das er 1720 mit dem Lizentiat abschloß. Noch im selben Jahr wurde er zum ao. Professor an der Univ. Tübingen und zum württ. Regierungsrat ohne Bezahlung ernannt. 1721 begab er sich nach Wien, wo er das Vertrauen und die Protektion des Reichsvizekanzlers Friedrich Karl Gf. Schönborn gewann. Nach kurzem Aufenthalt in Stuttgart kehrte er 1724 nach Wien zurück, wo ihm Schönborn die gut bezahlte Stellung eines Schreibers bei Reichshofrat v. Nostiz verschaffte, der sich schon bald ganz auf M. verließ. Zudem gewann er das Vertrauen der Reichshofratspräsidenten Ernst Friedrich Gf. Windisch-Graetz und Johann Wilhelm Gf. Wurmbrand, das er sich über viele Jahre hinweg erhielt. Die ihm angebotene Stelle eines Reichshofratsagenten sowie eine Reihe anderer ehrenvoller Angebote lehnte er ab, weil sie mit der Forderung nach einem Konfessionswechsel verbunden waren. 1726 verließ er Wien und wurde Wirkl. Regierungsrat in Stuttgart. Da er mit der Politik des kath. Hzg. Eberhard Ludwig nicht übereinstimmte, verließ er dieses Amt bereits nach einem Jahr. Seit 1729 war er Titularprofessor am Collegium illustre in Tübingen. Als erster deutscher Professor hielt er auch Vorlesungen über positives europ. Völkerrecht. Von der streng absolutistischen Regierungsart des Hzg. Karl Alexander abgestoßen, quittierte er 1733 den württ. Dienst und folgte einem Ruf als Professor Juris Primus Ordinarius und Universitätsdirektor an die heruntergekommene preuß. Univ. Frankfurt/Oder. M. konnte sich in der gelehrtenfeindlichen Stimmung in Preußen unter Friedrich Wilhelm I. nicht entfalten. Nur mit Mühe gelang es ihm, sich der primitiven Atmosphäre des Tabakskollegiums zu entziehen. Nach sechs Jahren kam er 1739 um seine Entlassung ein, die ihm „in Gnaden" gewährt wurde.

Er zog sich, inzwischen ein überall anerkannter Fachmann für das Reichsrecht, mit seiner zahlreichen Familie in eine pietistische Gemeinde nach Ebersdorf (Vogtland) zurück. In den acht Jahren dort, die M. in seinen Erinnerungen als die glücklichsten seines Lebens bezeichnete, entstand sein Hauptwerk „Das Teutsche Staatsrecht" (50 Teile und 2 Teile Zusätze, 1737-54). Ein zweites großes Werk, das er 1739 in Angriff nahm, eine zusammenfassende und systematische Bearbeitung des gesamten deutschen Territorialstaatsrechts, konnte er wegen erheblicher Widerstände, insbesondere des württ. Hofes, nicht zu Ende führen. Seine Erfahrungen mit dem Reichshofrat legte er in einer vielbändigen Sammlung von Reichshofratsvoten, in einer „Einleitung zum Reichshofratsprozeß" (4 Bde., 1731-37) und in den „Grundsätzen der Reichshofratspraxis" (1743) nieder. Die Verbindung, die er in Wien zum Reichsvizekanzler geknüpft hatte, und sein Ansehen als Reichspublizist führten dazu, daß ihn dessen Bruder, Kurfürst Franz Georg v. Schönborn, 1741/42 in die kurtrier. Gesandtschaft zur Wahl Kaiser Karls VII. aufnahm. An der Abfassung und Neugliederung der Wahlkapitulation und des kurfürstl. Kollegialschreibens war er maßgeblich beteiligt. Ein Angebot, in den Reichshofrat Karls VII. einzutreten, lehnte er ab. 1745 gehörte er zur kurhann. Wahlgesandtschaft bei der Wahl Kaiser Franz' I. In dieser Zeit schloß er sich der pietistisch geprägten Gemeinde um die Grafen Reuß an, von der er sich wieder trennte, als sie sich mit der Herrnhuter Bewegung des Grafen Zinzendorf vereinigte. Seine tief empfundene Religiosität blieb jedoch pietistisch geprägt. M. verfaßte eine Reihe theologischer und erbaulicher Schriften sowie geistliche Lieder.

1748 nahm M. die Stelle eines Geheimen Rates und Chefs der Kanzlei des Landgrafen von Hessen-Homburg an, die er aber, als seine Reformvorschläge unbeachtet blieben, rasch wieder verließ. Wenige Jahre leitete er die private Staats- und Kanzleiakademie in Hanau. Er gab dieses Amt auf, als an ihn 1751 der Ruf erging, Konsulent, d. h. wissenschaftlicher Berater, der württ. Landstände zu werden. 20 Jahre lang, bis 1771, blieb er über viele Schwierigkeiten hinweg in dieser Stellung. M. erwies sich auch hier als kein bequemer Mann. Durch seine Reformvorschläge für den ständischen Ausschuß kam er mit diesem so in Konflikt, daß er 1757 von den Beratungen ausgeschlossen wurde. Gegenüber den Geldforderungen des Herzogs zur Gestellung und Ausrüstung eines württ. Kontingents zur Reichsarmee im Reichskrieg gegen Preußen wurde der im selben Jahr wieder in Gnaden aufgenommene M. zum Haupt des ständischen Widerstands gegen den Herzog. Am 12. 7. 1759 verhaftet, verbrachte er über 5 Jahre in Einzelhaft auf dem Hohentwiel und wurde so zum Märtyrer der landständischen Idee. Trotzdem gelang es dem unbequemen Mann nach seiner Entlassung nicht, seinen alten Einfluß als Ratskonsulent wieder zur Geltung zu bringen. Seine Kritik an der Tätigkeit des Landschaftsausschusses, 1770 in einer Denkschrift für den Landtag allzu freimütig geäußert, führte zu seiner Entlassung. Er zog sich zurück. In diesen Jahren entstand sein zweites Hauptwerk „Neues Teutsches Staatsrecht" (20 Teile, 1766-75).

M., dessen Werk über 100 000 Seiten umfaßt, war einer der produktivsten Autoren der Weltgeschichte. Das Verzeichnis seiner gedruckten selbständigen Werke enthält 331 Titel, von denen einige weit mehr als 1000 Seiten umfassen. Dazu kommt eine riesige Zahl ungedruckter Gutachten und Schriften. Sein Stil war sachbezogen und ohne literarischen Glanz; er schrieb für die Praxis. Den Inhalt seiner Schriften erschloß er durch vorbildlich gestaltete Register. Niemand, der sich mit der Geschichte des Heiligen Römischen Reiches befaßt, kann sich seinem Werk entziehen. Darin liegt seine bis heute nachwirkende Bedeutung, aber auch die Gefahr, die Geschichte des Reiches mit M.s Augen zu sehen. Mit seinem monumentalen Werk begann eine neue Phase der Reichspublizistik. Was Leibniz mit seinem „Fürstenerius" begonnen und Johann Jakob Mascov fortgesetzt hatte, vollendete M. mit seinem „Teutschen Staatsrecht" und seinem „Neuen Teutschen Staatsrecht": ein von allen konfessionellen Vorurteilen und historischen Schuldzuweisungen freies Staatsrecht. In diesem Sinne unterschieden schon Zeitgenossen eine Epoche vor und nach M. In einer Zeit, in der das Reich durch den österr.-preuß. Gegensatz zerrissen zu werden drohte, schuf M. durch sein Werk eine gemeinsame ideelle Basis. So sehr er sich auch bemühte, die Verfassungswirklichkeit des Reiches darzustellen, so wenig verschloß er seine Augen vor den Gebrechen der Reichsverfassung. Bei aller Kritik sah er in ihr jedoch eine Garantie für die Existenz kleinerer Reichsstände und für die Wahrung der Rechte der Untertanen gegenüber den Tendenzen mancher Landesherren, in ihren Ländern ein absolutistisches Regime einzuführen. Wie J. Möser setzte er den Absolutismus gleich mit der Zerstörung historisch gewachsener Lebenswelten. M.s Darstellung des Reichsstaatsrechtes wurde von beiden Konfessionsparteien als grundlegend anerkannt.

Mit seinen Schriften zum Völkerrecht wurde M. zum Begründer des auf Erfahrung gegründeten positiven Völkerrechts. So sehr er sich in seinen staatsrechtlichen Schriften auch um Sachlichkeit und Neutralität bemühte, in seinen vielen Darstellungen von Tagesereignissen verschmähte er keineswegs eine herzhafte Polemik. In diesen Schriften galten seine Sympathien dem ev. Reichsteil und dem Corpus evangelicorum. Er war überzeugt, daß die Protestanten durch die Übermacht der Katholiken im Reich und insbesondere vom kath. Kaiserhaus in ihrer Existenz bedroht waren. Als er in seinem Neuesten Reichsstaatshandbuch (2 T., 1768/69) den Standpunkt vertrat, die ev. Assessoren am Reichskammergericht sollten vor ihrer Präsentation einen Revers unterschreiben, daß sie sich in ihren Urteilen in Religionsangelegenheiten an das Votum des Corpus evangelicorum hielten und diesen Vorschlag hartnäckig in mehreren Schriften verteidigte, handelte es sich 1777–79 einen Fiskalprozeß vor dem Reichskammergericht ein. Ihm wurde vorgeworfen, er untergrabe damit das oberstrichterliche Amt des Kaisers und die Unabhängigkeit der Richter. Das Verfahren wurde nach einer Intervention des Corpus evangelicorum eingestellt, in der auf die großen Verdienste M.s hingewiesen wurde. M. sah darin „eine Ehre, die noch keinem teutschen Rechtsgelehrten widerfahren ist". In Preußen, dessen Absolutismus und militärische Struktur er scharf verurteilte, sah er eine Garantie für das Fortleben des Protestantismus im Reich. Diese Tendenz, die sich in manchen Schriften auch in Fehlurteilen äußern konnte, verband er mit guten Beziehungen zu kath. Reichsständen und insbesondere zu dem das kath. Deutschland beherrschenden Haus Schönborn. Niemals bezweifelte er die Existenzberechtigung geistlicher Staaten. Bis zuletzt besaß er gute Beziehungen zum Wiener Hof und erfreute sich dort einer steigenden Wertschätzung. M. war durch sein Werk zu einer Institution geworden.

Weitere W u. a. Allg. Einl. in d. Lehre d. bes. Staats-Rechts aller einzelnen Stände d. hl. Röm. Reichs, 1739. – *Schrr.* üb. d. Reichsstädte Aachen, Zell/Harmersbach (alle 1740), Nürnberg (1741), d. geistl. Stifte Baindt, Constanz mit d. Abtei Reichenau, Trier mit d. Abtei Prüm u. St. Maximin (alle 1740), d. gfl. Häuser v. der Leyen, v. Plettenberg u. v. Virmont (1744), Sayn (1749), d. Fürsten v. Anhalt (1741) sowie d. Kurfürstentümer Bayern (1754), Mainz (1755), Braunschweig (1755), Pfalz (1762) sowie d. Mgfsch. Baden (1772). – Grund-Säze d. jezt-übl. Europäischen Voelcker-Rechts in Fridens-Zeiten, 1750 (Neuausg. 1959 mit e. Nachwort v. E. Wolf); Grund-Säze d. jetzt-übl. Europäischen Völcker-Rechts in Kriegs-Zeiten ... seit d. Tode Kaiser Karls VI., 10 T, 1777–80; Nord-America nach d. Friedensschlüssen v. J. 1783, 3 Bde., 1784/85; Lebens-Gesch. J. J. M.s, v. ihme selbst beschrieben, 3 T., 1777, 4. T., 1783.

L ADB 22; A. Schmid, Das Leben J. J. M.s, Aus seiner Selbstbiogr. u. Fam.papieren, 1868; A. E. Adam, J. J. M. als württ. Landschaftskonsulent 1751–1771, 1887; A. Verdross, J. J. M.s Programm e. Völkerrechtswiss. d. Erfahrung, in: Zs. f. öff. Recht 3, 1922; M. Frölich, J. J. M. in seinem Verhältnis z. Rationalismus u. Pietismus, 1925; L. Becher, J. J. M. u. seine Bedeutung f. d. Völkerrecht, 1927; W. Grube, Der Stuttgarter Landtag, 1957 *(P);* K. S. Bader, J. J. M., Staatsrechtslehrer u. Landschaftskonsulent, in: Lb. aus Schwaben u. Franken, VII,

1960, S. 92–121 *(P);* ders., J. J. M. u. d. Reichsstädte, in: Esslinger Stud. 4, 1958; R. Rürup, J. J. M., Pietismus u. Reform, 1965 *(W, P);* E. Schömbs, Das Staatsrecht J. J. M.s (1701–83), 1968 *(vollst. W-Verz.);* M. Walker, J. J. M. and the Holy Roman Empire of the German Nation, 1981; G. Haug-Moritz, Württ. Ständekonflikt u. dt. Dualismus, 1992; A. Laufs, J. J. M., in: Staatsdenker im 17. u. 18. Jh., hrsg. v. M. Stolleis, 1987, S. 184–93; ders., in: Staatsdenker in d. frühen Neuzeit, hrsg. v. M. Stolleis, 1995; M. Stolleis, Gesch. d. öff. Rechts in Dtld. I, 1988; ders., in: Juristen, Ein biogr. Lex., 1995, S. 442 f.; Nassau. Biogr.; BBKL.

Karl Otmar Frhr. v. Aretin

2) *Friedrich Carl* Frhr. v. (Reichsfrhr. 1769), Staatsmann und Reichspublizist, * 18. 12. 1723 Stuttgart, † 10. 11. 1798 Ludwigsburg.

V Johann Jakob (s. 1); M Friederike Rosine Vischer; B Wilhelm Gottfried (s. 3); – ∞ 1) Homburg v. d. H. 1749 Ernestine (1715–70), Wwe d. N. N. v. Rottenhoff, T d. Ernst Sigmund v. Her(d)t, waldeck. Hofrat, u. d. N. N., 2) 1779 Luise, darmstädt. Hofdame, T d. Jacob Reinhard Frhr. Wurmser v. Vendenheim u. d. Maria Benigne Waldner v. Freundstein; kinderlos.

Die ersten drei Jahrzehnte seines Lebens verbrachte M. mehr oder weniger im Schatten seines Ort und Dienstverhältnis wiederholt wechselnden Vaters. In Ebersdorf (Vogtland), wo der Vater seit etwa 1730 der Herrnhuter Brüdergemeine nahestand, dann während des Schulbesuchs in Kloster Bergen bei Magdeburg, wurde M. vom Pietismus nachhaltig beeinflußt. Seit 1739 oder 1740 studierte er Jurisprudenz in Jena, daneben auch Anatomie. M. blieb von dem durch Empfindsamkeit und Weltschmerz geprägten Klima der Jenaer Hohen Schule nicht unberührt. Eine erste Einführung in Theorie und Praxis der Staatsgeschäfte hat der junge M. wohl noch durch seinen Vater in Ebersdorf erfahren, den er auch auf wichtigen diplomatischen Missionen begleitete. Seit 1745 war er bei dem Niederlausitzer Oberamtshauptmann Graf Gersdorff sowie als Sekretär bei dem regierenden Grafen Reuß in Ebersdorf beschäftigt.

Die Berufung seines Vaters nach Homburg v. d. H. führte auch M. 1747 in die Dienste der Landgrafen von Hessen-Homburg – zunächst als Kanzleisekretär, seit 1749 als Hofrat. Damit nahmen die sich über Jahrzehnte erstreckenden dienstlichen Beziehungen zu den verschiedenen Zweigen der hess. Dynastie ihren Anfang. Er gewann das Vertrauen der Landgfn. Luise Ulrike und hatte maßgeblichen Anteil an der Berufung von Alexander Adam Sinclair zum Erzieher des Erbprinzen Friedrich Ludwig. Nach zweijähriger Unterbrechung – M. war 1749 seinem Vater an die von diesem in Hanau gegründete, bereits 1751 wieder geschlossene „Staats- und Cantzley-Akademie" gefolgt, hatte auch 1751 eine Berufung an die Univ. Göttingen ausgeschlagen – trat er erneut in hessen-homburg. Dienste und machte sich um das Zustandekommen des „Hauptvergleichs" mit Hessen-Darmstadt 1752 verdient.

Schon 1753 mit dem Titel eines darmstädt. Hofrats versehen, 1754 zum Legationsrat und Vertreter Darmstadts bei der Reichsstadt Frankfurt/Main ernannt, erfolgte 1756 der formelle Eintritt M.s in die Dienste Landgf. Ludwigs VIII. 1759–63 wirkte er als „Substitut" des darmstädt. Gesandten beim Oberrhein. Reichskreis in Frankfurt/Main, legte diese Aufgabe aber wegen politischer Differenzen zu seinem pro-österreichisch eingestellten Dienstherrn nieder. Zu den Erfolgen M.s in darmstädt. Dienst zählt das Zustandebringen des Celler Vergleichs zwischen Hessen-Darmstadt und Hessen-Kassel in der Frage des hanau. Erbes, vor allem der Herrschaft Babenhausen, 1762.

1763 wurde M. zum hessen-kassel. Rat „von Haus aus" berufen. Schon 1761 mit der Wahrung der Interessen Hessen-Kassels beim Oberrhein. Reichskreis betraut, hatte er an dem 1764 vollzogenen Wiedereintritt der Landgrafschaft in den Oberrhein. Reichskreis maßgeblichen Anteil; 1764–67 wirkte er als offizieller Kreisgesandter, vertrat daneben auch verschiedene kleinere Reichsstände. 1765–67 war er außerdem an den Höfen von Kurpfalz, Kurmainz und Kurtrier akkreditiert und wurde verschiedentlich zu Gesandtschaftsreisen verwendet, so 1765 nach dem Tod Franz' I. nach Wien, wo er von Joseph II. für seinen fürstlichen Herrn die Thronbelehnung entgegennahm. Die Annäherung an den Kaiser legte schließlich den Keim für die Auflösung des Dienstverhältnisses 1767.

Beziehungen zum kaiserl. Hof hatte M. schon bei der Römischen Königswahl 1764 knüpfen können, wo man sein Abrücken von Friedrich II. von Preußen, für den er in „Der Herr und der Diener" noch deutlich Partei genommen hatte, registrierte. Nach der Thronbesteigung Josephs II. gelang es dem Wiener Hof, M. nicht allein dafür zu gewinnen, gegen eine jährliche Pension von 1500 Gulden „künftig durch seine Schriftstellerei kaisertreue Stimmung im Reich zu erzeugen", sondern auch „in Frankfurt für Wien als Zuträger von Nachrichten zu dienen" (Eckardt). Durch seine sechsbändige Sammlung von Reichshofratsgutachten (1752–69) und durch die anonym erschienenen Schriften „Von dem deutschen Nationalgeist" (1765) und „Was ist: gut kayserlich? und: nicht gut kayserlich" (1766) im Sinne des kaiserlichen Hofes ausgewiesen, wurde er 1767 zum Reichshofrat auf der gelehrten Bank ernannt. 1769 erfolgte die Erhebung in den Reichsfreiherrenstand, nachdem bereits 1763 der vom Vater ererbte Adel erneuert worden war. Der pietistisch gestimmte M. fühlte sich jedoch in Wien nicht wohl und erbat bereits nach zwei Jahren seine Entlassung, die ihm der Kaiser in der ehrenvollsten Weise unter Beibehaltung des Titels und der Bezüge als Reichshofrat gewährte. Joseph II. übertrug ihm die Verwaltung der über Franz Stephan von Lothringen an Habsburg gekommenen Gfsch. Falkenstein in der Pfalz.

Sein Amtssitz Winnweiler führte ihn in räumliche Nähe zu dem in Pirmasens residierenden Ludwig IX. von Hessen-Darmstadt; schon zu dessen Zeit als Erbprinz hatte sich ein engeres, allerdings 1764 vorübergehend abgebrochenes Vertrauensverhältnis zwischen den beiden ausgebildet. Daß dieser – in Einlösung einer bereits früher gegebenen Zusage – M. im Frühjahr 1772 zum Ersten Staatsminister, Präsidenten sämtlicher Landeskollegien und Kanzler ernannte, war in erster Linie durch den bevorstehenden Staatsbankrott, verbunden mit der Drohung einer kaiserl. Debitkommission über das u. a. wegen der Soldatenspielerei des Landgrafen hochverschuldeten Landes bedingt. Die acht Jahre von M.s Tätigkeit in Darmstadt (1772–80) waren eine Zeit umfassender Reformen, die teilweise erst in der Rheinbundzeit verwirklicht wurden. Priorität hatte die Sanierung der desperaten Staatsfinanzen durch zwei Schuldenvergleiche (1772/79). Im Zuge der Reform von Justiz und Verwaltung wurde 1775 je ein eigener Regierungs- und Justizsenat geschaffen; das Oberappellationsgericht erhielt 1777 eine neue, seine Kompetenzen beschneidende Ordnung. Die Vereinheitlichung von Münze, Maß und Gewicht, die Gründung einer Brandversicherungskasse und die Anlage von Staatsstraßen gehen auf ihn zurück. Die vom Landgrafen selbst angeregte „Landkommission" sollte in die Gemeindehaushalte Ordnung bringen, durch Anlage von Statistiken Übersicht gewinnen, aber auch zur Förderung und Rationalisierung der Landwirtschaft beitragen. Propagiert wurden die Reformideen der Regierung durch eine 1777 begründete, von Matthias Claudius redigierte „Landzeitung". Die Gründung einer ökonomischen Fakultät an der Univ. Gießen sollte für den neuen Kurs die nötige wissenschaftliche Basis bereitstellen und war für ihre Zeit darüber hinaus eine Pionierleistung. Auch die Berufung Helfrich Bernhard Wencks, des Begründers der hess. Landesgeschichte, zum Hofhistoriographen und -bibliothekar ist M.s Verdienst.

Von Anfang an hatte M. in Darmstadt gegen die Intrigen der alteingesessenen Beamtenfamilien, besonders des Hofkriegsrats Johann Heinrich Merck, zu kämpfen. 1780 kam es zum Bruch mit dem Landgrafen, als M. es wagte, die von diesem aus Mitteln des von M. eben abgeschafften Lottos in Aussicht genommene Aufstellung eines neuen Regiments zu verhindern. Vorausgegangen war ein langer Entfremdungsprozeß zwischen dem selbstherrlich auftretenden, jähzornigen und sarkastischen Minister und Ludwig IX., der sich vornehmlich in seinem „pfälzischen Miniaturpotsdam" (Gunzert) aufhielt und sich um die Regierungsgeschäfte wenig kümmerte. Schließlich hatte nicht zum wenigsten der Tod der Landgräfin (1774) dazu beigetragen, M.s Position zu untergraben, war dieser doch auf Drängen Caroline Henriettes 1772 in darmstädt. Dienste getreten und hatte sich auch als Ehestifter für deren Töchter Amalie und Luise – bei Karl Ludwig von Baden bzw. Carl August von Weimar – um die Interessen des landgräfl. Hauses verdient gemacht. Die Dienstentlassung M.s hatte ein juristisches Nachspiel, das sich über ein Jahrzehnt hinzog und in dessen Folge die leitenden Beamten M. der despotischen, eigenmächtigen Amtsausübung und der Illoyalität gegenüber dem Landesherrn bezichtigten. 1782 wurde er des Landes verwiesen, ebenso sein bereits zwei Jahre zuvor aus dem Amt eines Kammerpräsidenten geschiedener Bruder. Zwei Reisen nach Wien 1781/82 dienten der Rechtfertigung vor dem Kaiser, der M. erneut als Reichshofrat annahm. Auf eine Klage vor dem Reichshofrat hin wurde der Landgraf aufgefordert, M. zu rehabilitieren; dieser antwortete jedoch 1784 mit der Einsetzung einer Untersuchungskommission, auf deren Ergebnis hin die juristische Fakultät der Univ. Frankfurt/Oder für eine sechsjährige Festungshaft plädierte. Das entsprechende Urteil wurde vom Reichshofrat aufgehoben und wäre ohnehin nicht vollstreckbar gewesen, da M., der sich 1780 zunächst auf sein Gut in Zwingenberg zurückgezogen hatte, nach dessen Veräußerung 1782 in Mannheim seinen Wohnsitz genommen hatte. Erst der Tod Landgf. Ludwigs IX. 1790 machte den Weg für eine Rehabilitierung frei. M. wurde eine Pension von 3000 Gulden zuerkannt. Noch im selben Jahr ließ sich M. in Ludwigsburg nieder. Hier verbrachte er, von Hzg. Carl Eugen anfänglich nur widerstrebend geduldet und zunehmend von körperlicher Schwäche und Krankheit heimgesucht, die letzten Lebensjahre.

M.s bleibende Bedeutung liegt auf dem Gebiet der Publizistik. Raschen und nachhaltigen Ruhm gewann er durch seine Schrift „Der Herr und der Diener" (1759, franz. 1761, russ. 1766). Er weist hierin auf die Notwendigkeit einer Verbesserung des Regierungsmechanismus durch eine sorgfältige Erziehung der Erbprinzen und eine Koordinierung der Regierungsarbeit durch einen mit Bedacht ausgewählten „Ersten Minister" hin. Ähnlich wie die Werke seines Vaters sind M.s Aktenausgaben – wie die „Crayß-Abschiede" (3 Teile, 1747 f.) und die „Sammlung der Reichs-Hofraths-Gutachten" (6 Teile, 1752–69) – noch heute unentbehrlich. Die „Kleinen Schriften zur Erläuterung des Staats- und Völker-Rechts" (12 Bde., 1751–62) zeigen ihn als intimen Kenner des zeitgenössischen Gesandtschafts- und Zeremonialwesens. Die Konfessionsproblematik der Zeit findet in einer Reihe von M.s Schriften ihren Reflex, so die Religionsirrungen in der 1704 an Kurmainz gelangten Gfsch. Kronberg oder der spektakuläre Übertritt des Hessen-Kasseler Erbprinzen Friedrich zum Katholizismus, die Diskussion über die päpstlichen Nuntiaturen und vor allem über die Existenzberechtigung der geistlichen Staaten. Bei einem entsprechenden Preisausschreiben des Fuldaer Domherrn Philipp Anton v. Bibra beteiligte sich M. mit der Schrift „Über die Regierung der geistlichen Staaten von Deutschland" (1787). Mit seinem Vorschlag, die geistlichen Staaten als Wahlrepubliken des Adels ohne geistliches Amt aufzufassen, wollte er ein Gegengewicht gegen die absolutistischen Fürstenstaaten schaffen und die Diskussion um die Säkularisation aus der Sphäre aufgeklärter Kirchenfeindlichkeit führen.

Wenn M. auch der Reichspolitik Josephs II. in den 80er Jahren skeptisch gegenüberstand, so ist doch unstrittig, daß er nicht nur die Stellung des Kaisers im Reich verteidigte, sondern nach 1765 eine zentrale Rolle in der vom Wiener Hof gesteuerten Agitation für eine umfassende Reichsreform im kaiserlichen Sinne spielte. Es ging ihm, der die Franz. Revolution ablehnte, um eine Reform von innen unter Aufrechterhaltung der bestehenden Staats- und Gesellschaftsordnung. Das von M. herausgegebene „Patriotische Archiv für Deutschland" (12 Bde., 1784–90) konnte zwar nie die Bedeutung des „Staatsanzeigers" (1782–93) von August Ludwig Schlözer erreichen, zählte aber zu den damals am meisten gelesenen Periodika. Neben Schlözer und Carl Friedrich Häberlin gehört M. zu jenen Reichspublizisten, die den Absolutismus im Sinne der Aufklärung an Gesetze binden und die Macht der Fürsten durch eigenverantwortliche Ratgeber beschränken wollten. Sein Einfluß auf die Reichspublizistik der folgenden Jahrzehnte war weit größer als bisher angenommen. M.s pietistische Grundauffassung – in den Frankfurter Jahren stand er dem Kreis um Susanne v. Klettenberg nahe, und noch in den späten Ludwigsburger Tagen beschäftigte er sich mit den Schriften von Bengel, Oetinger und Andreä – und ein gewisser moralischer Rigorismus schlugen immer wieder auch auf sein literarisches Schaffen durch. – Hessen-homburg. Wirkl. Hofrat u. darmstädt. Hofrat (1753); hessen-kassel. Orden vom Goldenen Löwen (1770).

Weitere W u. a. Teutsches Hofrecht, 2 T., 1754; Diplomat. u. hist. Belustigungen, 7 T., 1753–64; Von d. Recht e. Souverains u. freyen Staats, den andern wegen seiner Handlungen z. Rede zu stellen, 1758; Ges. moral. u. pol. Schrr., 2 T., 1763 f.; Btrr. z. Staats- u. Völkerrecht u. d. Gesch., 4 Bde., 1764–72; Über Regenten, Regierung u. Ministers, Schutt z. Wege-Besserung d. kommenden Jh., 1784; Über d. Diensthandel dt. Fürsten, 1786; Gesch. d. päpstl. Nuntien in Dtld., 2 Bde., 1788 (anonym); Betrachtungen üb. alle Theile d. landesfürstl. u. obrigkeitl. Steuerregulierung, 1789; Neues patriot. Archiv f. Dtld., 2 Bde., 1792/94 (anonym). – Pol. Wahrheiten, 2 T., 1796; Mannichfaltigkeiten, 2 T., 1796; Actenmäßige Gesch. d. Waldenser..., 1798.

L ADB 22; E. v. Georgii, in: Biogr.-Geneal. Bll. aus u. üb. Schwaben, 1879, S. 589–621; K. Witzel, F. C. v. M., Ein Btr. zur hessen-darmstädt. Finanz- u. Wirtsch.gesch. am Ausgang d. 18. Jh., 1929; H.-H. Kaufmann, F. C. v. M. als Politiker u. Publizist (vornehmlich in d. J. 1750–1779), 1931; K. Stoye, Die pol. u. religiösen Anschauungen d. Frhr. F. K. v. M. (1723–1798) u. sein Versuch e. Regeneration d. Reiches, Ein Btr. z. Gesch. d. Reichspatriotismus im 18. Jh., Diss. Graz 1959 *(ungedr.);* W. Gunzert, Ein dt. Michel, Schicksal u. Charakter d. Frhr. F. C. v. M., Mit e. Auswahl seiner Briefe an Christian Gottlob Voigt in Weimar, in: FS f. Willy Andreas, hrsg. v. F. Facius u. a., 1962, S. 78–119; ders., F. C. v. M., Reichshofrat, Präs. u. Kanzler in Darmstadt, dt. Publizist u. Freund Goethes 1723–1798, in: Lb. aus Franken u. Schwaben 11, 1969, S. 82–117 *(W, L, P);* N. Hammerstein, Das pol. Denken F. C. v. M.s, in: HZ 212, 1971, S. 316–38; K. Eckstein, F. C. v. M. (1723–1798), Rechts- u. staatstheoret. Denken zw. Naturrecht u. Positivismus, Diss. Gießen 1973 *(W, L);* A. Stirken, Der Herr u. d. Diener, F. C. v. M. u. d. Beamtenwesen seiner Zeit, 1984 *(W, L);* W. Burgdorf, Der Reichsreformdiskurs v. 1640 bis 1806, Diss. Bochum 1995; BBKL.

P Silhouette, Abb. in: Silhouetten d. Goethezeit, hrsg. v. C. Grünstein, 1909, Tafel XXII; Gem. v. H.

Kohl, nach Zeichnung v. H. Hessel u. Kupf. v. C. W. Bock (Darmstadt, Reg.präsidium), Abb. b. Gunzert, 1969 (s. L).

Günter Christ

3) *Wilhelm Gottfried*, Forstmann, * 27. 11. 1729 Tübingen, † 31. 1. 1793 Ulm.

V Johann Jakob (s. 1); *M* Friederike Rosina Vischer; *B* Friedrich Carl (s. 2); – ∞ Friederica Maria, *T* d. N. N. Georgii, Oberamtmann in Urach (Württemberg); 3 *S*, 2 *T*.

Nach dem Studium der Rechts- und Staatswissenschaften in Tübingen und Halle trat M. als Kanzlist in württ. Dienste. Mit 21 Jahren wurde er Kammersekretär in der Gfsch. Stolberg-Wernigerode. Hier lernte er im Leiter der dortigen Forstverwaltung H. D. v. Zanthier, einen der bedeutendsten Forstmänner seiner Zeit kennen und kam, anläßlich einer Reise in den Harz auch mit dessen berühmtem Vorgänger J. G. v. Langen in engen Kontakt. Beide haben die forstlichen Kenntnisse M.s wesentlich geprägt. 1757 ging er als Expeditionsrat in der Kirchengutsverwaltung erneut nach Württemberg; 1759 erhielt er seine Entlassung infolge seines Einspruchs gegen einen herzoglichen Eingriff in die Kirchengutskasse. Mit dem Eintritt in die Dienste des Erbprinzen von Hessen-Darmstadt (seit 1768 als Ludwig IX. regierender Fürst) im Jahr 1762 verknüpfte er seinen Lebens- und Berufsweg eng mit dem seines Bruders Friedrich Carl, der damals Legationsrat und später Präsident der Regierung von Hessen-Darmstadt war.

Alle Maßnahmen, die M. in leitenden Positionen (Forstrat, 1764 Oberforstmeister, 1768 Berufung in die neu gegründete oberste Forstbehörde mit dem Titel Jägermeister, seit 1776 deren Leiter) durchführte, dienten dem Zweck, Forstwirtschaft „ökonomisch" und unter kameralistischen Gesichtspunkten zu betreiben. Seine Verordnungen lagen schwerpunktmäßig auf administrativem Gebiet (u. a. Forststrafordnung, Holznutzungsanordnung mit Einführung einheitlicher Holzmaße und Stücklohnsätze). Als überzeugter Vertreter der Forsthoheit versuchte M., auch die Bewirtschaftung der Gemeinde- und Privatwälder zu beeinflussen und zu reglementieren. Daneben übte M., gefördert von seinem Bruder und der Gunst des Landesherrn, weitere hohe Ämter aus. 1776 wurde er Präsident der Rentkammer, er war Mitglied des Geh. Rates, Leiter der Steuerdeputation und des Kriegskommissariats. Zu dieser Ämterhäufung kamen noch zahlreiche Sonderaufgaben, u. a. die praktische Durchführung der Babenhäuser Teilung und die Leitung einer Landesvisitationskommission mit dem Auftrag, Möglichkeiten zur Sanierung des Staatswesens und zur Förderung der Landwirtschaft zu eruieren. Schwierigkeiten bei der Durchsetzung der Forststrafordnung und Mißgunst der Beamtenschaft ließen ihn, wie seinen Bruder, in Ungnade fallen, beider Vermögen wurden beschlagnahmt, der Entlassung folgte 1782 die Landesverweisung. 1786 fand M. eine neue Anstellung in der Thurn und Taxis'schen Verwaltung. Er vertrat die Herrschaft als Kreisgesandter in Ulm und erledigte kommissarische Aufträge im Grundstücksverkehr und bei der Forsteinrichtung. Er starb in ärmlichen Verhältnissen.

M.s bleibendes Verdienst ist die Gründung und Herausgabe einer der ältesten forstlichen Zeitschriften, für die er auch (meist unsignierte) Aufsätze schrieb, und vor allem die Veröffentlichung des zweibändigen Werkes „Grundsätze der Forstökonomie" (1757). Diese erste forstliche Betriebswirtschaftslehre beschreibt systematisch in geschlossener Darstellung die gesamte Forstwirtschaft unter Betonung der Nachhaltigkeit und unter privatwirtschaflichen Aspekten. Damit hat M. „eine wesentliche Voraussetzung für die Anerkennung der Forstwirtschaft als selbständigen merkantilen Wirtschaftszweig im 18. Jh. geschaffen" (Mantel / Pacher).

Weitere W Gedanken v. Holzmangel in Dtld., in: Ökonom. Nachrr., 1762, S. 628–83; Von d. Streumachen in Nadel-Waldungen, Ein Streit zw. zwey Forstmännern, in: Forst-Archiv 15, 1794, S. 3–27. – Hrsg.: Forst-Archiv z. Erweiterung d. Forst- u. Jagd-Wiss. u. d. Forst- u. Jagd-Lit., 1788–96 *(erschien auch nach M.s Tod noch einige Jahre lang unter seinem Namen).*

L ADB 22; R. Heß, Lb. hervorragender Forstmänner u. um d. Forstwesen verdienter Mathematiker, Naturforscher u. Nationalökonomen, 1885, S. 244 f.; K. Mantel, M.s Forstökonomie, 1757, in: Forstwiss. Centralbl. 76, 1957, S. 360–63; ders. u. J. Pacher, Forstl. Biogr. v. 14. Jh. bis z. Gegenwart, I, 1976, S. 88–92; G. Heinemann, Biogrr. bedeutender hess. Forstleute, 1990, S. 493–99 *(P).*

Dorothea Hauff †

Moser. (ev.)

1) *Heinrich*, Uhrenindustrieller und Wirtschaftspionier, * 12. 12. 1805 Schaffhausen, † 23. 10. 1874 Badenweiler.

Aus alter Schaffhauser Handwerkerfam.; *V* Erhard (1760–1829), Stadtuhrmacher in Sch., *S* d. Uhrmachers Johannes u. d. Maria Magdalena Schalch; M Dorothea (1771–1839), T d. Goldarbeiters Johann Georg Müller u. d. Esther Schalch; ⚭ 1) St. Petersburg 1831 Charlotte Iwanowna († 1850), T d. Mechanikers Franz Mayu aus Amsterdam u. d. Babette Balabrega, 2) 1870 Fanny Louise (1848–1925), ging als Patientin S. Freuds unter d. Pseudonym „Emmy v. N." in d. psychoanalyt. Lit. ein (s. L), T d. Heinrich Frhr. v. Sulzer-Wart (1805–87), Gutsbes. in Wart Kt. Zürich, bayer. Kämmerer, Gen.konsul u. Salzhandlungskommissär in Winterthur, u. d. Catharina Elisabetha Peter (1809–64); 1 S, 4 T aus 1), u. a. Henri (Georg Heinrich) (s. 2), Emma (1835–1916), ⚭ Georg Neher, 1826–85, Fabr. in Neuhausen), Sophie (1839–1920), ⚭ Benedikt Gf. Mikes v. Zabola, 1819–78), 2 T aus 2) Fanny (1872–1953), ⚭ Jaroslav Hoppe, † 1927, tschech. Komponist), Zoologin u. Parapsychologin, Mentona (1874–1971), Sozialarbeiterin in London u. Zürich, Frauenrechtskämpferin, Mitgl. d. Kommunist. Partei, gründete 1928 e. internat. Kinderheim in d. Nähe v. Moskau, Ehrenbürgerin d. DDR (1950) (s. W); E Charlotte Neher (1855–1929, ⚭ Gustave Naville, 1848–1929, Ing., Industrieller).

In der väterlichen Werkstatt erlernte M. das Uhrmacherhandwerk und begab sich anschließend auf die Wanderschaft. Seine ersten Gesellenjahre verbrachte er 1824–27 in Le Locle, dem schweizer. Zentrum der Uhrmacherei, wo er seine beruflichen Kenntnisse vervollkommnete. 1827 zog er nach Rußland und stieg dort in erstaunlich kurzer Zeit vom einfachen Handwerksgesellen zum erfolgreichen Uhrenindustriellen auf. Schon 1828 eröffnete er in St. Petersburg ein eigenes Verkaufshaus, und nur ein Jahr später gründete er – als Zweigbetrieb des russ. Hauptgeschäftes – eine Fabrikationsstätte in Le Locle; weitere Verkaufsfilialen in Moskau, Kiew und Nischnij Nowgorod folgten. Schließlich beherrschte er mit seinen in der Schweiz hergestellten Uhren den gesamten russ. Markt bis an die Grenzen Chinas. 1848 kehrte er mit seiner Familie als schwerreicher Geschäftsmann in die Heimat zurück; seine Firmen in Rußland wurden von Stellvertretern weitergeführt und trugen noch bis zur allgemeinen Verstaatlichung von 1918 den Namen des Gründers.

M.s erklärtes Lebensziel bestand fortan darin, der damals in einer argen Krise steckenden Schaffhauser Wirtschaft durch innovative Maßnahmen wieder aufzuhelfen und damit den Wohlstand seiner Vaterstadt zu heben. So gründete er hier mit der ihm eigenen Tatkraft und seinen fast unerschöpflichen finanziellen Mitteln eine Reihe von Handels- und Industrieunternehmungen, darunter die Schweizerische Waggons-Fabrik (heute Schweizerische Industrie-Gesellschaft) in Neuhausen am Rheinfall, die er 1853 zusammen mit Friedrich Peyer im Hof und Johann Conrad Neher ins Leben rief. Auch gehörte er zu den engagiertesten Förderern der neuen Eisenbahnlinie nach Winterthur, der sog. Rheinfallbahn, durch die Schaffhausen 1857 den direkten Anschluß an das schweizer. Bahnnetz erhielt. Die eigentliche Krönung seiner Gründertätigkeit bildete jedoch der trotz mancherlei Schwierigkeiten und Widerständen verwirklichte Bau eines großen flußüberquerenden Wasserkraftwerkes im Rhein bei Schaffhausen in den Jahren 1863–66. Mit dieser hinsichtlich Größe und technischer Ausführung damals einzigartigen Anlage schuf M. die wichtigste Voraussetzung für die Ansiedelung verschiedenster Industriebetriebe und leitete auf diese Weise in seiner Heimatstadt eine neue wirtschaftliche Epoche ein. M. gehörte zu den erfolgreichsten schweizer. Unternehmern des 19. Jh.

W zu Fanny († 1953): Die Siphonophoren d. dt. Südpolar-Expedition, 1925; Okkultismus, Täuschungen u. Tatsachen, 2 Bde., 1935. – *Zu Mentona:* Unter d. Dächern v. Morcote *(Autobiogr.)*, 1985.

L ADB 22; A. Pfaff, H. M., Ein Lb., 1875 *(P)*; K. Ritter, in: H. Günther, Pioniere d. Technik, 1920, S. 91–111 *(P)*; K. Schib, H. M., in: Schaffhauser Btr. z. vaterländ. Gesch. 33, 1956, S. 301–10 *(P)*; ders., H. M., Briefe in Auswahl, 1972 *(P)*; U. Rauber, Schweizer Industrie in Rußland, 1985, S. 79–83; P.-G. Franke u. A. Kleinschroth, Kurzbiogrr. Hydraulik u. Wasserbau, 1991, S. 156 *(P)*; HBLS; Schweizer Lex. *(P)*. – *Zu Fanny († 1925):* H.-F. Ellenberger, L'histoire d'»Emmy v. N.«, in: L'Évolution psychiatrique 42, 1977, S. 519–40. – *Zu Fanny († 1953):* O. Wanner, in: Schaffhauser Btr. z. Gesch. 58, 1981, S. 163–72. – *Zu Mentona:* R. N. Balsiger, ebd., S. 179–92.

Hans Ulrich Wipf

2) *Henri (Georg Heinrich)* **M.** *Charlottenfels,* Forschungsreisender, Sammler, Diplomat, * 13. 5. 1844 St. Petersburg, † 15. 7. 1923 Vevey (Schweiz).

V Heinrich (s. 1); ⚭ Jestetten (Baden) 1887 Margaretha (1862–1929, *N*), T d. Bankiers Armin Schoch (1831–86) aus Herisau u. d. Henriette Moser; 1 S Benjamin Henri (* 1898, früh †).

M. verlebte eine unstete Jugend, nachdem er seine Mutter als Sechsjähriger verloren hatte und der strenge Vater seine Ausbildung allzu einseitig auf die Übernahme des Geschäfts ausrichtete. 1865 trat er in den Moserschen Fabrikationsbetrieb in Le Locle ein und unternahm bereits ein Jahr später eine ausgedehnte Geschäftsreise nach Rußland. Erste Erfolge machten ihn leichtsinnig und arrogant, und als er nach seiner Rückkehr 1867 wegen eines kritischen Zeitungsartikels über ihn den vermeintlichen Autor, einen Lehrer, vor dessen Schulklasse mit der Peitsche schlug, war der Skandal perfekt. Der Vater versetzte M. zunächst zum Hauptsitz seines Unternehmens nach St. Petersburg, brach aber 1868 mit ihm und entließ ihn.

M. unternahm nun eine erste Abenteuerreise durch Turkestan und wollte Indien erreichen, was aber mißlang. 1869/70 folgte eine zweite Zentralasienreise mit den Stationen Turkestan, Taschkent, Samarkand, Buchara, während der er sich auf ein Großgeschäft zur Lieferung von Seidenraupeneiern nach Italien einließ, was aber mit einem finanziellen Fiasko endete. M. zog sich nun nach Siebenbürgen zu seiner Schwester Sophie Gfn. Mikes v. Zabola zurück und widmete sich vornehmlich der Bärenjagd. 1873 verpflichtete ihn der schweizerische Bundesrat, den Staatsbesuch des pers. Schahs Nasir ed-Din zu organisieren. Im selben Jahr fand der Versuch einer Annäherung an seinen Vater und eines Wiedereintritts ins Geschäft statt. Der Vater starb jedoch 1874, und dessen zweite Gemahlin erbte das Uhrenimperium in Rußland. Auf seinen Reisen begann M. frühzeitig, Orientalia zu sammeln. Einige Raritäten stellte er erstmals 1876 in Schaffhausen aus. 1883 trat er seine größte und wichtigste Reise nach Zentralasien an, auf der er durch den Emir von Buchara, den Khan von Khiva und den Schah von Persien empfangen wurde und seine orientalische Sammlung erweitern konnte. M. publizierte seine Reiseeindrücke und veranstaltete Wanderausstellungen in der Schweiz. Nach seiner Heirat unternahm er mit seiner Frau und dem russ. General Annenkoff eine weitere Reise durch Zentralasien durchquerte dabei die Karakum-Wüste, erreichte Buchara, Samarkand, Tschylek, Khodjent und Taschkent und führte Bewässerungsstudien im Serafschan-Tal durch.

1893 wurde M. vom österr. Finanzminister Benjamin Baron Kallay zum Generalkommissär für Bosnien und Herzegowina ernannt. In dieser Funktion gestaltete er u. a. die Pavillons für Bosnien-Herzegowina auf den Weltausstellungen in Brüssel (1897) und Paris (1900). 1907 erlangte er nach vielen gescheiterten Unternehmungen durch eine erfolgreiche Spekulation in Kupferminenaktien ein großes Vermögen. Er konnte nun das Familienschloß „Charlottenfels" oberhalb von Neuhausen am Rheinfall, das er und seine Geschwister 1889 aus finanziellen Gründen hatten veräußern müssen, zurückkaufen und seine orientalische Sammlung katalogisieren

und dort unterbringen. 1909 vermachte M. „Schaffhausen" (ohne zu stipulieren, ob dem Kanton oder der Stadt) das Schloßgut, welches als Schenkung schließlich nach mancherlei Diskussion um den Anspruch an den Kanton ging. 1910 wollte er vermittels einer Reise nach Indien noch das Geheimnis der Damaststahlherstellung ergründen, erkrankte jedoch in Ceylon an Dysenterie und mußte die Rückkehr antreten. Als sich Schaffhausen nicht bereit erklärte, seine inzwischen unschätzbar gewordene Sammlung zu beherbergen, stiftete er diese 1914 dem Bernischen Historischen Museum (BHM). 1915 wirkte M. kurze Zeit als Etappenkommissar für Kriegsflüchtlinge. – Nach der Fertigstellung des „Moser-Anbaus" wurde die permanente orientalische Sammlung 1922, ein Jahr vor M.s Tod, in Bern feierlich eröffnet. 1969 wurde die Sammlung „vorübergehend" geschlossen, und es dauerte über 20 Jahre, bis sie – neu gestaltet – wieder der Öffentlichkeit zugänglich gemacht werden konnte.

Anfangs ein Tunichtgut und Schwerenöter, erbrachte M. später im Laufe seines bewegten Lebens als Forschungsreisender und Diplomat bedeutende Leistungen. Seine orientalische Sammlung in Bern ist wahrscheinlich die weltweit größte dieser Epoche aus privater Hand. 1914, zum Zeitpunkt der Übergabe an das BHM, umfaßte sie annähernd 4000 Objekte, davon etwa ein Drittel Prunkwaffen und Rüstungen, daneben Textilien, Manuskripte, Miniaturen, Keramik, Münzen und kunstgewerbliche Gegenstände sowie das dem Museum maßstabgetreu eingebaute persische Empfangszimmer („Fumoir") aus dem Familienschloß Charlottenfels. – Rr. der Ehrenlegion; Dr. phil. h. c. (Univ. Bern); Ehrenbürger v. Bern (1914).

W A travers l'Asie centrale, 1885; Durch Central-Asien, 1888; L'irrigation en Asie centrale, 1894; L'Orient inédit, Bosnie et Herzégovine, 1895; La Bosnie-Herzégovine, 1900; Collection H. M. Ch., Armes et armures orientales, 1912 (auch dt. u. engl.). – *Ungedr.:* Tagebücher („Journaux"), 1867–1900, 1907–15, 3 Bde., Archiv d. BHM; Souvenirs, 6 Bde., ebd.

L Marguerite Moser, Une vie, H. M. Ch., 1929 *(P)*; P. Lichtenhahn, Dr. h. c. H. M., 1944; R. Zeller u. E. F. Rohrer, Oriental. Slg. H. M. Ch., Beschreibender Kat. d. Waffenslg., 1955 *(P)*; R. Pfaff, H. M., in: Schaffhauser Btrr. z. vaterländ. Gesch. 46, 1969, S. 212–22; ders., H. M. Ch. u. seine Oriental. Slg., ebd. 62, 1985, S. 117–56; Mentona Moser, Ich habe gelebt (Nachwort v. R. N. Balsiger u. Kurzbiogr. v. H. M. Ch.), 1986 *(P)*; R. N. Balsiger, Referat üb. d. Fam.zweige anläßl. d. Treffens d. Nachkommen aus d. Stamme Heinrich Moser in Schaffhausen u. auf

Charlottenfels, 1990 *(als Ms. gedr., P)*; ders. u. E. J. Kläy, Bei Schah, Emir u. Khan, H. M.-Ch. (1844–1923), 1992 *(P)*; E. J. Kläy, Oriental. Slg. H. M. Ch. (dt., engl., franz.), 1991 *(P)*; HBLS *(P)*.

P Phot. (als österr. Diplomat) im Bes. d. Vf.

Roger Nicholas Balsiger

Moser.

1) *Hans*, Volkskundler, * 11. 4. 1903 München, † 24. 10. 1990 Göttingen. (kath.)

V Johann Alois (1868–1936), Ladermeister in M., S d. Bauern Sebastian (1822–87) u. d. Therese Eichschmid (1830–1906); M Maria Theresia (1875–1928), T d. Ladermeisters Johann Leberle u. d. Maria Löffler; ∞ 1) Maria Philtsou († 1981) aus Saloniki (Griechenland), 2) Innsbruck 1955 Elfriede Rath (s. 2); 1 T aus 2) Susanne Moser-Bülck (* 1960), Sonderschullehrerin in M.

Trotz schwieriger wirtschaftlicher Bedingungen studierte M. 1922–27 Germanistik, Bayer. Landesgeschichte, Kunstgeschichte und Theaterwissenschaft in München und promovierte 1927 bei Arthur Kutscher und Karl Alexander v. Müller über das Volksschauspiel von Kiefersfelden (Teildr. in: Oberbayer. Archiv 66, 1928, S. 117–208). Bei der Inventarisierung deutscher Handschriften des Mittelalters durch die Preuß. Akademie der Wissenschaften war er 1927–31 als wissenschaftlicher Hilfsarbeiter tätig und wurde 1932–37 als Stipendiat der Notgemeinschaft der deutschen Wissenschaft mit der systematischen Auswertung serieller Archivquellen für die Brauchforschung betraut. Nach der Rückkehr aus Kriegsdienst und langer sowjet. Kriegsgefangenschaft (1950) leitete er bis 1964 als wissenschaftlicher Angestellter des Landesvereins für Heimatpflege (seit 1938) den Aufbau der „Bayerischen Landesstelle für Volkskunde", die 1962 in ein Institut der Bayer. Akademie der Wissenschaften umgewandelt wurde. M. galt, auch wenn er keine akademische Beamtenstelle erlangte, als eine der wenigen wissenschaftlichen Autoritäten der Volkskunde nach dem 2. Weltkrieg. Seine theoretisch fundierten und an historischen Methoden orientierten Forschungen zur Brauchgeschichte bilden eine wesentliche Grundlage für die modernen Bemühungen in diesem Feld. Für neuzeitliche Erfindungen von Traditionen prägte M. den zum Fachterminus gewordenen Begriff „Folklorismus". Zur Wissenschaftsgeschichte, vor allem in Bayern seit der Aufklärung, lieferte M. materialreiche Studien und erschloß völlig neue Quellenbereiche. In seinen intensiven Reflexionen zur Theorie- und Fachgeschichte stellte er der älteren Vorstellung von uralten Kontinuitäten mythischen Denkens eine Geschichtsschreibung entgegen, wie sich Volksleben und Alltagskultur seit dem 15. Jh. entwickelt und gewandelt haben. Deshalb trat er sowohl alten wie neuen monokausalen Entstehungsthesen zur Fastnacht energisch entgegen. – Ehrenmitgl. d. Dt. Ges. f. Volkskde. (1975); Bayer. Verdienstorden (1978); Dr. phil. h. c. (Würzburg 1982).

W u. a. Volksschauspiel, in: Dt. Volkstum in Volksschauspiel u. Volkstanz, 1938, S. 3–136; Gedanken z. heutigen Volkskde., in: Bayer. Jb. f. Volkskde. 1954, S. 208–34, Neudr. in: H. Gerndt (Hrsg.), Fach u. Begriff „Volkskde." in d. Diskussion, 1988, S. 92–157; Chron. v. Kiefersfelden, 1959; Variationen um e. Thema vermeintl. Brauchgesch., Das „Weberschiff v. Saint-Trond", in: Volkskultur u. Gesch., Festgabe f. J. Dünninger z. 65. Geb.tag, hrsg. v. D. Harmening u. a., 1970, S. 236–66, Neudr. in: M. Scharfe (Hrsg.), Brauchforschung, 1991, S. 256–98; Jungfernkranz u. Strohkranz, in: Das Recht d. kleinen Leute, FS f. K.-S. Kramer z. 60. Geb.tag, 1976, S. 140–161, Neudr. in: Scharfe, ebd., S. 321–50; Mein Weg z. Volkskde., in: Schönere Heimat 71, 1982, S. 475–84 *(Autobiogr.)*; Volksbräuche im geschichtl. Wandel, 1985; Volksschauspiel im Spiegel v. Archivalien, hrsg. v. E. Harvolk u. H. Schuhladen, 1991. – *Hrsg.:* Bayer. Hh. f. Volkskde., 1938–42; Bayer. Jb. f. Volkskde., 1952–62. – *Nachlaß:* Inst. f. Volkskde., München.

L Kontinuität? Geschichtlichkeit u. Dauer als volkskundl. Problem, FS z. 65. Geb.tag, hrsg. v. H. Bausinger u. W. Brückner, 1969; Bayer. Bll. f. Volkskde. 5, 1978, S. 3–37 *(Bibliogr.)*; N. Schindler, Brauchforschung zw. Volkskde. u. Gesch., ebd. 12, 1985, S. 81–95; H. Alzheimer, Volkskde. in Bayern, 1991, S. 185–87 *(L)*.

P Phot., Abb. in: Bayer. Jb. f. Volkskde., 1991 (Frontispiz).

Wolfgang Brückner

2) *Elfriede* M.-Rath, Volkskundlerin, * 3. 2. 1926 Wien, † 1. 11. 1993 Unterhaching b. München. (ev.)

V Rudolf Rath (1887–1966), Wirtsch.jurist, Rechtssekr. in W., S d. Emmerich, Apotheker in Stronsdorf (Niederösterreich), u. d. Emilie Seeböck; M Gertrude (1903–89) aus W., T d. N. N. Höfer u. d. Carolina v. Boog (1873–1952); ∞ Innsbruck 1955 Hans Moser (s. 1); 1 T.

In Wien studierte M. seit dem Wintersemester 1945 / 46 Germanistik und Anglistik, seit 1947 im Hauptfach Volkskunde bei Leopold Schmidt und wurde mit einer Dissertation über die Sammlung obersteir. Volksmärchen des Benediktiner-Paters Romuald Pramberger 1949 promoviert. Der damals in der volkskundlichen Erzählforschung gängigen Ansicht von der Dominanz mündlicher Überlieferungen im Erzählgut begegnete sie hier bereits mit Skepsis und stellte ihr den hohen Stellenwert literarischer Einflüsse auf das Erzählen entgegen. Nach einem Aufenthalt in England absolvierte sie 1951/52 ein Volontariat am Österr. Museum für Volkskunde in Wien, wo sie 1952–55 als Assistentin arbeitete. Von nachhaltigem Einfluß auf ihr späteres Werk war die Auseinandersetzung mit den Schriften des Prager Erzählforschers Albert Wesselski, dessen teilweise nach Wien gelangte Bibliothek M. am Museum für Volkskunde betreute. Seither für Fragestellungen historischer Erzählforschung sensibilisiert, widmete sich M. in zahlreichen Veröffentlichungen den Instanzen der Vermittlung von Literatur an ein zumeist nicht leseerfahrenes oder lesefähiges Publikum, besonders zur Zeit des Barock. 1955 zog M. nach München, wo sie die gegenreformatorische Predigtliteratur der Zeit von 1650 bis 1750 auf das darin enthaltene Erzählgut auswertete. Ihre Untersuchung „Predigtmärlein der Barockzeit" (1964), die ihr internationale Anerkennung brachte, dokumentiert die Tradierung mittelalterlicher und frühneuzeitlicher Erzählmaterialien durch die Kanzelredner und zeigt exemplarisch, daß Erzählüberlieferung auf vielfältigen kommunikativen Beziehungen zwischen unterschiedlichen gesellschaftlichen Gruppierungen beruht. Im Rahmen der Vorbereitungen für das Editionsprojekt „Enzyklopädie des Märchens" (hrsg. v. K. Ranke u. a., 1977 ff.), deren Redaktion sie seit Beginn angehörte und für die sie mehr als 80 Artikel verfaßte, erhielt M. 1963–69 einen Auftrag der Deutschen Forschungsgemeinschaft zur Durchsicht der Schwankliteratur des 17. und 18. Jh., aus dem zunächst ein Archiv mit 22 000 Texten hervorging. 1969 trat M. eine Assistentenstelle am Seminar für Volkskunde der Univ. Göttingen an, wurde dort Akademische Rätin und Oberrätin und schließlich 1982 bis zu ihrem Ruhestand 1987 Professorin.

In ihrem programmatischen Aufsatz „Gedanken zur historischen Erzählforschung" (1973, Nachdr. 1994) beschrieb M. Dokumentations-, Vermittlungs- und Funktionsaspekte im Bereich mündlicher und schriftlicher Erzählliteratur; ihre Gedanken zum Verhältnis von Erzählgut und historischer Realität wurden für die Erzählforschung wegweisend. Aus M.s Analyse von 80 barocken Witz- und Schwanksammlungen entstand die umfassende Studie „Lustige Gesellschaft" (1984). M. geht darin den unterschiedlichen Gebrauchsweisen dieser Unterhaltungsbüchlein nach, zeigt Verbindungslinien zu den Schwankstoffen des Mittelalters und des Humanismus auf, stellt die Texte in ihren kultur- und sozialgeschichtlichen Kontext und zeichnet so ein differenziertes Bild der barockzeitlichen Gesellschaft. Mit „Dem Kirchenvolk die Leviten gelesen" (1991), einer Darstellung barockzeitlichen Alltags im Spiegel süddeutscher Predigten, erschien ihr letztes Buch. Durch ihre grundlegenden Arbeiten zu verschiedenen Quellenbereichen, Gattungen und Themen der populären Literatur sowie ihre weit über hundert Artikel in wissenschaftlichen Nachschlagewerken gilt M. als eine der bedeutendsten Forscherpersönlichkeiten der Volkskunde. – Mitgl. d. Dt. Ges. f. Volkskde. (1964) u. d. International Society for Folk Narrative Research (1969).

Weitere W Zahlr. Art. in Meyers Enzyklopäd. Lex., 1971 ff. u. KLL; Kleine Schr. z. populären Lit. d. Barock, hrsg. v. U. Marzolph u. I. Tomkowiak, 1994 *(enthält 22 Aufsätze d. J. 1957–88).*

L H. Alzheimer, Frauen in d. Volkskde., Ein Btr. z. Wiss.gesch., in: Volkskultur – Gesch. – Rel., FS f. W. Brückner, 1990, S. 257–85; Fabula 32, 1991 (Zum 65. Geb.tag von E. M.-R.), hrsg. v. R. W. Brednich u. H.-J. Uther *(W-Verz.; P);* R. Schenda, „Schertz u. Ernst beysammen", E. M.-R. zu ihrem 65. Geb.tag, in: Bayer. Jb. f. Volkskde. 1991, S. 147–49 *(W-Verz.);* H. Gerndt, Beispielhafte Erzählforschung in Bayern, Zum Tod v. E. M.-R., ebd. 1994, S. 206 f.; W. Brückner, Zum Tode v. E. M.-R., in: Bayer. Bll. f. Volkskde. 1, 1994, S. 52–54; I. Tomkowiak, in: Fabula 35, 1994, S. 125–27; S. Ude-Koeller, in: Volkskde. in Niedersachsen 11, 1994, S. 46 f.; H.-J. Uther, in: Zs. f. Volkskde. 90, 1994, S. 90–93.

Ingrid Tomkowiak

Moser, *Christian,* Versicherungsmathematiker, * 28. 10. 1861 Arni b. Biglen Kt. Bern, † 8. 7. 1935 Bern. (ref.)

V Bendicht (1831–72), Landwirt, *S* d. Christian (1799–1867) u. d. Anna Lehmann (1802–68); *M* Elisabeth (1838–1909), *T* d. Christian Fankhauser aus Eggiwil Kt. Bern; ∞ Bern 1890 Anna Maria (1874–1953) aus Landiswil Kt. Bern, *T* d. Ulrich Wyss aus A. u. d. Anna Maria Schweizer; 4 *S,* 2 *T,* u. a. Eduard Christian (1900–49), Farmer in Kalifornien, Hans Friedrich (1903–78), Dr. iur., Fürsprecher in Bern, Alfred Bernhard (1906–87), Dr. med., Zahnarzt in Bern, Emma Maria (1897–1981), Dr. med., Ärztin in Bern.

M. wurde zum Schullehrer ausgebildet und erwarb 1880 das Primarlehrerpatent. Den Lehrerberuf übte er zwei Jahre in Bramberg b. Laupen Kt. Bern aus. Anschließend begann er ein Studium der Mathematik und der Naturwissenschaften. Seine Lehrer an der Univ. Bern waren L. Schläfli, G. Sidler und J. J. Schönholzer. Nachdem er 1884 das Sekundarlehrerpatent und 1885 das Gymnasiallehrerpatent erworben hatte, studierte er ein Semester in Berlin. 1886 promovierte er bei Schläfli mit einer Arbeit „Über Gebilde, welche durch Fixation einer sphärischen Curve und Fortbewegung des Projectionszentrums entstehen". Danach setzte er sein Studium in Paris fort, wo er sich insbesondere für die Astronomie interessierte. 1887 erfolgte die Habilitation in Mathematik und Physik in Bern.

Entscheidend für seine Laufbahn war 1891 seine Wahl zum Mathematiker des Eidgenössischen Industriedepartements, wo er die Unfall- und Krankenversicherung mathematisch bearbeiten sollte. In den folgenden Jahren wurde M. zu einem international anerkannten Experten dieses Versicherungszweiges. Als Delegierter des schweizer. Bundesrates nahm er an den ersten internationalen Versicherungskongressen (Brüssel 1895, London 1898, Paris 1900, New York 1902, Berlin 1906) teil. Er legte Denkschriften zur Hilfskasse des eidgenössischen Personals (1901), zur Schaffung einer Instruktorenversicherung (1902) und über Militärpensionen (1903) vor. Neben dieser Tätigkeit lehrte er weiterhin an der Univ. Bern. Aufgrund seines wissenschaftlichen Ansehens wurde er 1901 zum Extraordinarius ernannt und gründete 1902 das Mathematisch-Versicherungswissenschaftliche Seminar der Univ. Bern. M. war 1905 Gründungsmitglied der Vereinigung Schweizer. Versicherungsmathematiker, in deren Vorstand er bis 1935 tätig war.

1904 wurde M. zum Direktor des Eidgenössischen Versicherungsamts gewählt. Als er 1915 zum Ordinarius der Versicherungswissenschaften an der Univ. Bern berufen wurde (1916/17 Rektor), reichte er seine Demission als Direktor der Versicherungsamts beim Bundesrat ein, da die Doppelbelastung aus gesundheitlichen Gründen nicht mehr ratsam erschien. Seine Entlassung erfolgte allerdings erst Ende 1915. Er setzte sich weiterhin für das Versicherungswesen ein und gründete mit J. J. Graf eine Witwen-, Waisen- und Alterskasse für Professoren. Gleiches leistete er auch bei anderen Versicherungskassen, sowohl bei Alterskassen, bei Personalfürsorgekassen wie auch bei Krankenkassen. 1895-1931 gehörte M. dem Zentralvorstand der Krankenkasse des Kantons Bern an und arbeitete 1921–29 als Experte für den Völkerbund. 1931 trat er in den Ruhestand. – Dr. h. c. (Lausanne 1931).

W Theoret. Arbeiten, Denkschrr. u. Gutachten versicherungswiss. Inhalts; Die Intensität d. Sterblichkeit u. d. Intensitätsfunktion, 1906; Der Zeichenwechselsatz, 1914; Über sich erneuernde Gesamtheiten, 1926.

L Festgabe M. z. 70. Geb.tag, 1931; W. Lorey, in: Bll. f. Versicherungs-Math. 3, 1935, S. 304–18; W. Friedli, in: Mitt. d. Naturforschenden Ges. Bern, 1935, S. 95–97; ders., in: Mitt. d. Vereinigung schweizer. Versicherungsmathematiker 30, 1935, S. 33–76 *(W-Verz.)*; H. Schmid, Die Vorlesungen v. Prof. Dr. Ch. M. 1891–1931 an d. Univ. Bern, ebd. 86, 1986, S. 153–88; Schweizer. Zeitgenossen-Lex. ²1932, S. 624 f.; Pogg. IV, VI, VII a.

Jürg Hüsler

Moser, *Daniel* v. (österr. Ritter 1606), Bürgermeister von Wien, * 30. 10. 1570 Wien (?), † 23. 10. 1639 ebenda. (kath.)

V Ruprecht Moser († 1597), städt. Mautner an d. Schlagbrücke üb. d. Donaukanal in W.; M Ursula N. N.; ∞ 1) Wien 1598 Katharina (1582–1621), T d. Georg Wankher, Ratsfreund in Bruck/Leitha, u. d. N. N., 2) 1622 (?) Katharina Haag zu Stamberg (um 1582–1644, ∞ 1] Georg v. Gürtner, Oberdreißiger in Ungar.-Altenburg); 9 K aus 1), u. a. Johanna (1599–1636, ∞ Dr. Johann Widmer, † 1636, Syndicus d. Stadt W.), Maria Magdalena (1600–28, ∞ Veit Schinderl v. Immendorf, kaiserl. Vizedom), Rosina (1602–79, ∞ 1] Paul Wiedemann, 1579–1650, Ratsherr, 1623–25 Bgm. v. W., 2] Daniel Lazarus Springer, um 1614–87, 1670–73 u. 1678/79 Bgm. v. W.), Ursula (* 1603, ∞ Lucas Stepano v. Ehrenstein, kaiserl. Rat), Katharina (1605–35, ∞ Johann Bartholomäus Schölharden, kaiserl. Hofkammerrat), 1 T aus 2) Katharina (* 1623, ∞ Dr. Johann Gabriel v. Selb, Wirkl. Hofkammerrat, Dekan d. jurid. Fak. d. Univ. Wien).

Nach einem Studium der freien Künste kämpfte M. im Regiment des Hans Frhr. v. Breuner in Frankreich und in den Niederlanden und zeichnete sich 1596 gegen die Türken aus. 1597 kehrte er nach Wien zurück und erwarb 1599 das Bürgerrecht. Er trat als Steuereinnehmer in städtische Dienste und wurde 1600 zum Äußeren Rat gewählt. 1604 vertrat er den kaiserlichen Standpunkt auf dem ungar. Landtag und wurde 1606 Stadtrichter in Wien. Als konsequenter Vorkämpfer der Gegenreformation unterstützte er Bischof Melchior Khlesl bei der Ansiedlung neuer kath. Orden in Wien und blieb ein loyaler Gefolgsmann der Habsburger, insbesondere Ferdinands II. Bereits in seiner 1. Amtsperiode als Bürgermeister (1609–13) griff M. hart gegen die Protestanten durch und ließ 1610 eine Untersuchung gegen jene durchführen, die mit den ev. Ständen zu Verhandlungen mit den Ungarn nach Preßburg gereist waren. Nach kurzer Tätigkeit im Inneren Rat (1614/15) wurde er erneut Bürgermeister (1616–22). Als die Protestanten 1619 Ferdinand II. mit einer „Sturmpetition" in der Hofburg bedrängten, rettete M. die Situation, indem er den Dampierreschen Kürassieren das Fischertor öffnete. In seiner 3. Amtsperiode (1626–37) verfügte M. 1626 die Anlage des städtischen Wappenbuchs und wies 1627 die prot. Prediger aus. Außerdem hatte er die Schäden eines verheerenden Stadtbrands zu beheben. 1629 exekutierte er das von Ferdinand II. erlassene „Restitutionsedikt", das die Protestanten zur Rückgabe kath. Güter verpflichtete. 1628 bewarb er sich um die Aufnahme in die Landstände von Österreich unter der Enns. In Anerkennung seiner Leistungen beschloß der Stadtrat 1634, M. auf Lebenszeit an jedem Neujahrstag 600 Gulden zu überreichen. 1637 erhielt er Sitz und Stimme im niederösterr. Landtag, 1638 wurde er Landrechtsbeisitzer. Nach Beendigung seiner politischen Laufbahn kaufte M. 1639 von seinem Schwiegersohn Veit Schinderl die Herrschaft Ebreichsdorf (Niederösterreich) sowie einen von den Zeitgenossen gerühmten Ziergarten in der Wiener Vorstadt Roßau, wo er ein Lustschlößchen bauen ließ. – Kaiserl. Rat (1613).

L G. Frhr. v. Suttner, Der dreimalig Bgm. d. Stadt Wien gewesene D. Rr. v. M. u. dessen Garten in d. Roßau, in: Alt-Wien 7, 1898, S. 176 f.; J. Bergmann, Medaillen auf berühmte u. ausgezeichnete Männer, 1858; J. Pradel, Die Wiener Bgm. d. 1. Hälfte d. 17. Jh., in: Wiener Gesch.bll. 26, 1971, S. 178 ff.; F. Czeike, Wien u. seine Bgm., 1974, S. 171 ff.; Hdb. d. Stadt Wien 98, 1983/84, II/225 (Qu.-Verz.); Wurzbach 19; Hist. Lex. Wien IV, 1994. – Qu. Hofkammerarchiv Wien, Fam.akten M/204.

Felix Czeike

Moser, *Georg,* Bischof von Rottenburg-Stuttgart, * 10. 6. 1923 Leutkirch (Allgäu), † 9. 5. 1988 Stuttgart.

V Alois (1884–1964), Schmiedemeister in L., S d. Johann Baptist (1855–1929) aus Herlazhofen b. L. u. d. Sofia Waizenegger (1853–1928) aus Herlazhofen; ; M Marie Anna (1887–1944) aus Unterzeil b. L., T d. Matthias Miller (1846–99) aus Baniswald b. Aitrach (Württemberg) u. d. Pauline Prestel (1847–1925); 10 Geschw.

Nach dem Abitur in Wangen studierte M. kath. Theologie in Tübingen. 1943 wurde er als Sanitätssoldat einberufen, wegen eines Nierenleidens aber bereits 1944 wieder entlassen. Trotz der Krankheit setzte er im Wintersemester 1944 das Studium fort, das er 1947 beendete. Im März 1948 wurde M. zum Priester geweiht. Anschließend war er in der Pfarrseelsorge tätig, zunächst in Ludwigsburg und seit Juni 1948 in Stuttgart (St. Georg). Im Mai 1950 wurde er Präfekt am Bischöflichen Knabenseminar „Josefinum" in Ehingen/Donau. Seit Anfang 1953 wirkte er als Studentenseelsorger in Tübingen, gleichzeitig als Rundfunk- und Fernsehbeauftragter der Diözese beim Südwestfunk (bis 1970), daneben war er als Religionslehrer an Tübinger Gymnasien tätig (bis 1960) mit einem Auftrag als Fachleiter am Staatlichen Seminar für Studienreferendare (bis 1970). Als Leiter der Diözesanakademie in Stuttgart-Hohenheim 1960–70 hat M. das „Fenster der Kirche zur Welt" geöffnet und die Akademie zu einem Ort der Begegnung von Glaube und Welt gemacht. 1963 wurde M. in Tübingen bei Franz Xaver Arnold auf Grund der Arbeit „Die Eschatologie in der katechetischen Unterweisung" promoviert. Das Programm der Tübinger Theologie, Kirchlichkeit, Wissenschaftlichkeit und Offenheit für die Probleme der Zeit, war für M. ein tragendes Motiv seines Wirkens. So forderte er 16 Jahre später, als unter Johannes Paul II. dem Tübinger Theologen Hans Küng die „missio" entzogen werden sollte, den direkten und offenen Dialog „bis zur Erschöpfung".

Mit der Ernennung zum Titularbischof von Tiges und Weihbischof von Rottenburg durch Paul VI. im Okt. 1970 wurde M. auch in das Domkapitel von Rottenburg aufgenommen und zum Bischofsvikar bestellt. In dieser Funktion war er vor allem mit der Öffentlichkeitsarbeit betraut sowie mit Aufgaben im Bereich des diözesanen Sozialwesens. Im Rahmen der Deutschen Bischofskonferenz wurde er zum Vorsitzenden der Kommission „Hochschule und Wissenschaft" bestellt. 1972–81 war er Präsident der deutschen Sektion von „Pax Christi". Nach der Resignation von Carl Joseph Leiprecht im Juni 1974 wurde M. im Februar 1975 zum Nachfolger gewählt. Durch Paul VI. bestätigt, übernahm er im März 1975 die Leitung der Diözese. Auf Initiative M.s wurde aus Anlaß des Diözesanjubiläums 1978 die Stuttgarter Hauptkirche St. Eberhard zur Konkathedrale erhoben und der Name der Diözese zu Rottenburg-Stuttgart erweitert. Eine von M. vorbereitete Diözesansynode fand im Oktober 1985 und im Februar 1986 in Rottenburg statt. Sie war die erste in der Bundesrepublik Deutschland nach Einführung des neuen Kirchenrechts. Unter den Delegierten waren erstmals neben 2 Diakonen, 12 Ordensschwestern und 166 Priestern auch 121 Laien, darunter 39 Frauen. – Eine seit längerem sich verschlechternde Nierenerkrankung erforderte im August 1986 eine Operation, die allerdings keine Besserung herbeiführte.

M., der in vielen überregionalen kirchlichen Gremien mitwirkte, hat auch eine Anzahl Stiftungen angeregt, die der kirchengeschichtlichen Forschung sowie sozialen Zwecken dienen sollten, u. a. die Johann-Sebastian-Drey-Stiftung" zur Förderung der Theologischen Quartalschrift (1977) sowie die Stiftung „Lebensraum Familie" zur Beschaffung angemessener Wohnungen für kinderreiche Familien. M. war ein Bischof im Geiste des Zweiten Vatikanischen Konzils, der die christliche Botschaft in einer theologisch verantworteten, auf die Erfordernisse der Zeit und die Nöte der Menschen bezogenen Weise bezeugen wollte. – Päpstl. Geheimkämmerer (1965), Großkreuz d. Verdienstordens d. Malteser-Ritter-Ordens (1983), Media-Preis d. Süddt. Rundfunks Stuttgart (1989).

W Die Botschaft v. d. Vollendung, Eine materialkerygmat. Unters. üb. Begründung, Gestaltwandel u. Erneuerung in d. Eschatologie-Katechese, 1963; Stille im Lärm, Meditationen u. Anregungen, 1972, ⁹1978; Ich bin geborgen, Worte d. Zuversicht, 1975, ¹⁰1980; Was die Welt verändert, 1980. – *Hrsg.:* Gottes Ja – unsere Hoffnung, 150 J. Diözese Rottenburg – 1828–1978, Ansprachen u. Predigten im Jubiläumsj., 1979.

L Bischof Dr. G. M. 1923–1988, Ein Lb., hrsg. v. Bischöfl. Ordinariat d. Diözese Rottenburg-Stuttgart, 1988 *(P);* H. Gläsgen u. H. Trompert (Hrsg.), Zeitgespräch, Kirche u. Medien, 1988; Theol. Quartalschr. 168, 1988, S. 177 f.

P Bronzebüste v. H. Schorp-Pflum, 1989 (Rottenburg, Sülchen-Kirche); Bronzeplastik (Ganzfigur) v. G. Tagwerker, 1995 (Stuttgart, Bischof-M.-Haus, Innenhof).

Joachim Köhler

Moser, *Gustav* v., Lustspiel- und Schwankdichter, * 11. 5. 1825 Spandau, † 23. 10. 1903 Görlitz. (ev.)

V Johann Georg Karl David Friedrich Theodor (1786–1842, preuß. Adel 1837), Hptm. d. Ing.inspektion, Garnisonbaudir., *S* d. Johann Georg M. (* 1763) aus Eutin (Holstein), preuß. Oberhofbaurat in Berlin; *M* Auguste Juliane v. Möllendorf (1800–33) aus Berlin; *B* Eduard (* 1826), preuß. Lt., Schausp. – ∞ 1856 Agnes Mathilde (* 1836) aus Sorau, *T* d. Karl Frhr. v. Reibnitz (1803–56), preuß. Geh. Reg.rat, Zolldir. d. Ghzgt. Luxemburg, u. d. Antonie Hentschel v. Gilgenheimb (1805–77); *Schwager* Paul Frhr. v. Reibnitz (1838–1900), kaiserl. Vizeadmiral (s. BJ V); 4 *S,* u. a. Maximilian (1865–1922), preuß. Rittmeister, Hans (1867–1938), Dr. med. dent., Kurdir. in Rostock (s. *W*), 3 *T.*

Bereits in seiner Kindheit kam M., dessen Vater ein passionierter Theaterbesucher war, häufig mit der Bühne in Kontakt. Er wurde im Berliner Kadettencorps erzogen. Im September 1843 trat er als Leutnant ins Garde-Schützen-Bataillon von Berlin ein. Nach 13 Jahren Militärdienst, in denen er u. a. 1848 bei der Niederschlagung von Aufständen in Schleswig-Holstein sowie im Krieg Preußens gegen Dänemark eingesetzt war, wurde er zum Oberleutnant befördert und nach Görlitz versetzt. Dort war 1854 oder 1855 sein erstes Lustspiel „Ein weiblicher Husar" aufgeführt worden, das später zu dem Stück „Eine Frau, die in Paris war" umgearbeitet wurde. 1856 nahm M. seinen Abschied und widmete sich nach dem Tod seines Schwiegervaters im selben Jahr der Landwirtschaft auf dessen Gut in Holzkirch bei Lauban. Von zwei dort verfaßten Einaktern („Schach und matt"; „Er soll dein Herr sein") fiel der erste am Berliner Wallner-Theater durch, der andere fand hingegen große Anerkennung. In schneller Abfolge verfaßte M. weitere Einakter. „Die Novizen", nach einer Novelle von Levin Schükking, wurde im Juni 1862 am Kgl. Theater Berlin aufgeführt.

Bis 1862 stellte er, um sich ganz um das Gut zu kümmern, sein dramatisches Schaffen ein. Danach entstanden rasch weitere Einakter. Zwar scheiterte eine Kooperation mit dem Lustspieldichter Roderich Benedix, M. beendete das mit diesem begonnene Stück „Das Stiftungsfest" (1872) jedoch allein und erhielt einen von Heinrich Laube ausgesetzten, mit 100 Dukaten dotierten Preis für das erfolgreichste Lustspiel des Jahres. M. etablierte damit in Berlin die Gattung des Schwanks, in der die eigentliche Handlung gestrafft und die – meist platten – komischen Situationen besonders herausgestellt wurden. Als das Stück „Ultimo" (1874) vom Kgl. Theater abgelehnt wurde, verpflichtete M. sich gänzlich dem Wallner-Theater, dessen Repertoire er fortan dominierte. 1875 hatte dort „Der Veilchenfresser", sein erster Militärschwank, Premiere, nachdem er, wie viele seiner Werke, zunächst an den Provinzbühnen von Görlitz, Bad Warmbrunn oder Lauban erprobt worden war. Das Stück machte rasch Furore und festigte M.s Ruhm, der durch die seit der Reichsgründung herrschende patriotische Stimmung und durch die entsprechende Gestaltung der Spielpläne begünstigt wurde.

1880 kam „Krieg im Frieden" (mit F. v. Schönthan), M.s zweites großes Erfolgsstück, gleichzeitig in Berlin und Frankfurt/Main heraus und wurde sofort von vielen Bühnen übernommen. Mit 1066 Aufführungen an 79 Theatern allein in der ersten Spielzeit wurde es zu einem der publikumswirksamsten Stücke der deutschen Theatergeschichte überhaupt. M. ließ 1882 mit „Reif-Reiflingen" eine nicht minder beliebte Fortsetzung folgen. Er feierte fortan große Erfolge nicht nur an den inländischen Bühnen, sondern auch am Wiener Burgtheater, in der Schweiz, in Italien und sogar am New Yorker Germania-Theater. Noch Jahre nach seinem Tod gehörte er zu den meistgespielten deutschen Autoren. Erst um 1914 klang die Aufführungsfrequenz von M.s Stücken langsam ab. Um 1933 erfuhren sie eine kleine Renaissance. M.s militärische Vergangenheit trug das ihrige zum Ruhm des Verfassers und zum Flair der Stücke bei. Milieukenntnis ist dagegen kaum in sie eingegangen: Beschränkt sich die Charakterschilderung auf standardisierte Typen, so setzt die Handlung vorwiegend auf Situationskomik und Liebeshändel. Der spezifisch militärische Alltag bleibt ausgespart. Sozialhistorisch gesehen begleiteten M.s Werke die zunehmende Präsenz des Militärs im Alltagsleben und machten sich dessen Akzeptanz zunutze, indem sie bürgerliche mit soldatischen Klischees verschmolzen. Der Soldat erschien als Bürger, wie umgekehrt dem Bürger militärische Tugenden nahegelegt wurden. Mit problemlosen Handlungen befriedigten die Stücke das Unterhaltungsbedürfnis eines vorwiegend weiblichen Publikums. Von Theodor Fontane wurden sie gattungsbezogen gewürdigt, von dem Naturalisten Otto Brahm dagegen heftig kritisiert.

Viele der Stücke M.s entstanden in Kooperation mit anderen Autoren. Dieses sog. literarische Kompagnie-Geschäft war eine aus Amerika importierte Praxis, die sich rasch durchsetzte. Er arbeitete u. a. zusammen mit Adolph L'Arronge, Hugo Otto Girndt (1835–1911), Hugo Lubliner, Robert Misch (1860–1929), Franz v. Schönthan (1849–1913) und Thilo v. Trotha (1851–1905). Auch sein Verfahren, die Stücke erst an Provinztheatern auf ihre Bühnentauglichkeit zu erproben, fand unmittelbare Nachahmung. Autoren der nächsten Generation, z. B. Schönthan, Gustav Kadelburg und Wilhelm Jacoby (1855–1925), führten M.s dramaturgische Verfahren fort. – Denkmal v. H. Magnussen (Görlitz 1908, 1942 eingeschmolzen), Abb. in: „Vom Leutnant zum Lustspieldichter", s. W).

Weitere W u. a. Wie denken Sie üb. Rußland, 1861; Die Versucherin, 1876 (Lustspiel); Der Bibliothekar, 1878 (Schwank); Der Hypochonder, 1878; Der Salontyroler, 1885 (Lustspiel, mit F. v. Schönthan; Die schöne Sünderin, 1900 (Schauspiel, mit Th. v. Trotha). – *Ausgg.:* Lustspiele, Bd. 1, 1862; Lustspiele, 22 Bde., 1872–97; Lustspiele u. Schwänke, 4 Bde., 1902–06. – *Autobiogr.:* Vom Leutnant z. Lustspieldichter, Lebenserinnerungen v. G. v. M., Mit e. Vorworte v. P. Lindau, hrsg. v. H. v. Moser, 1908 *(P).* – *W-Verz.:* Wilpert-Gühring.

L P. Lindenberg, G. v. M., in: Nord u. Süd 40, 1887; ders., G. v. M., in: ders., Es lohnte sich, gelebt zu haben, 1941; Th. Fontane, Ges. Werke, Bd. 22, ³1964, S. 224; A. Kohut, G. v. M., in: Bühne u. Leben, 1, 1893; O. Brahm, Krit. Schrr. I, 1915; K. Holl, Gesch. d. dt. Lustspiels, 1923; M. Kirchner, Das Görlitzer Stadttheater 1851–1898, 1960; R. Flatz, Krieg im Frieden, Das aktuelle Militärstück auf d. Theater d. Kaiserreichs, 1976; A. Michel, Der Militärschwank im kaiserl. Dtld., 1982; BJ VIII, Tl.; Kosch, Lit.-Lex³.; Killy.

P Frontispiz in: G. v. M., Vom Leutnant z. Lustspieldichter (s. *W*); Neuer Theateralm. 16, 1903, S. 169; Ill. Ztg. 121, 1903, S. 643.

Uwe C. Steiner

Moser, *Hans* (eigtl. *Johann Julier*), Schauspieler, * 6. 8. 1880 Wien, † 19. 6. 1964 Wien. (kath.)

V Franz (Ferenc) Julier (1838–98), aus Pápa (Ungarn), akadem. Bildhauer in Wien, *S* d. Gastwirts Ferenc Julier u. d. Katharina Strobl; *M* Serafine (1852–1912), *T* d. Franz Pöschl, k. k. Steuereinnehmer in W., u. d. Anna Batta; ⚭ Wien 1911 Blanca (1890–1974) *T* d. Kaufmanns Heinrich Leopold Hirschler u. d. Charlotte Holzer; 1 *T* Margarethe (Grit) *(* 1913,* ⚭ Martin Hasdeu, Industrieller in Bukarest), Schausp., emigrierte 1941 üb. Paris nach Argentinien.

Nach dem Wunsch des Vaters sollte M. Bildhauer werden. Da ihm aber Interesse und Begabung hierzu fehlten, besuchte er die Handelsschule und arbeitete anschließend in einer Lederwarenhandlung. Daneben war er ein begeisterter Stehplatzbesucher der Wiener Theater. Nach Schauspielunterricht in der Theaterschule Otto und bei dem Hofschauspieler Josef Moser, dessen Nachnamen er als Künstlernamen wählte, erhielt M. sein erstes Engagement 1897 in Fridek-Mistek/Ostrawitza. In den folgenden Jahren war er Darsteller kleiner Rollen, Chorist und Statist, aber auch Kulissenschieber an Provinztheatern (Laibach, Czernowitz, Cilli) und bei Wandertruppen. Nachdem ihn ein Agent Josef Jarnos in Reichenberg gesehen hatte, trat er im Januar 1903 ein Engagement am Theater in der Josefstadt in Wien an. Von Jarno als schüchterner Liebhaber und jugendlicher Bonvivant fehlbesetzt, konnte er nicht überzeugen. Mangels Beschäftigung verließ M.

1907 das Josefstädter Theater. Bis 1910 trat er wieder mit Wandertruppen in Krain, Böhmen, Mähren und Ungarn auf. Nach seiner Heirat spielte er in volkstümlichen Possen an Wiener Kleinkunstbühnen, wie dem Intimen Theater und dem „Max und Moritz". 1912–14 war er am Budapester Orpheum engagiert, wo er in Schwänken auftrat. 1915–18 diente er als Ersatz-Reserve-Infanterist in Italien, Polen und Rußland. Nach dem 1. Weltkrieg trat er als Conférencier und Liedsänger auf. Sketches wie „Der Patient", vor allem aber „Der Dienstmann" und „Der Pompefunèbrer" in Karl Farkas' Ausstattungsrevue „Wien gib acht!" 1923 im Wiener Ronacher brachten die ersten Erfolge. 1924–26 am Theater an der Wien als sog. „Dritter-Akt-Komiker" in der Operette in eigens für ihn geschriebenen Rollen (z. B. der Kammerdiener Penizek in E. Kalmans „Gräfin Mariza") schaffte M. – bereits Mitte Vierzig – seinen endgültigen Durchbruch. 1925 holte ihn Max Reinhardt an seine Bühnen in Wien und Berlin und zu den Salzburger Festspielen und ermöglichte ihm so die Entwicklung zum großen Charakterdarsteller. M. spielte u. a. den Zettel in Shakespeares „Sommernachtstraum" in Salzburg, den Diener Vincenz in Hofmannsthals „Der Schwierige", den Polizeikommissär in Langers „Peripherie" im Theater in der Josefstadt in Wien und den Frosch in der „Fledermaus" in verschiedensten Inszenierungen. Zu den schauspielerischen Höhepunkten dieser Jahre zählte auch der Zauberkönig in der Uraufführung von Ödön v. Horvaths „Geschichten aus dem Wiener Wald" 1931 am Deutschen Theater in Berlin. Seine erste Nestroy-Rolle, den Melchior in „Einen Jux will er sich machen", spielte er 1934 unter der Regie von O. L. Preminger am Theater in der Josefstadt; ein Jahr später folgte, ebenfalls an der Josefstadt, der Fortunatus Wurzel in F. Raimunds „Bauer als Millionär". Trat M. auch während und nach dem 2. Weltkrieg wegen seiner Filmtätigkeit immer seltener am Theater auf, so fallen doch seine reifsten und beeindruckendsten Theaterdarstellungen in seine letzten zehn Lebensjahre, u. a. 1954 der alte Weiring in Schnitzlers „Liebelei" am Wiener Akademietheater, 1959 der Melchior in Nestroys „Jux" an den Münchener Kammerspielen, 1961 der Flickschuster Pfrim in Nestroys „Höllenangst" am Theater in der Josefstadt und 1963 der Polizeikonzipient in Molnárs „Liliom" am Wiener Burgtheater.

Seine Laufbahn als Filmschauspieler begann M. 1921 mit kleinen Rollen im Stummfilm, 1930 folgte der erste Tonfilm („Geld auf der Straße", Regie G. Jacoby). Bis zu seinem letzten Film („Kaiser Joseph und die Bahnwärterstochter", Regie A. Corti, 1963) wirkte er in rund 140 Filmen mit. Zu seinen größten künstlerischen Leistungen zählen die beiden Willi Forst-Filme „Maskerade" (1934) und „Burgtheater" (1936). M. war vor allem in Unterhaltungsfilmen zu sehen (oft mit Paul Hörbiger als Partner), durch die auch seine unnachahmlichen Wienerlied-Interpretationen überliefert sind. M. war einer der größten Charakterkomiker und Volksschauspieler, vor allem aber Menschendarsteller seiner Zeit. Wie kaum ein anderer verstand er es, die sog. „kleinen Leute" lebensecht und überzeugend zu verkörpern, mit ihren Alltagssorgen und bescheidenen Freuden, ihrem Nörgeln über die Ungerechtigkeiten des Lebens aber auch mit ihrem Humor. M.s unverwechselbare Sprache mit ihrem berühmten „Nuscheln", dem raunzenden Tonfall, dem Stottern und Verschlucken von Silben wurde zum unverkennbaren Gestaltungsmittel seiner Komik. Ebenso einzigartig war seine Körpersprache, seine unkontrolliert wirkenden Bewegungen, das scheinbar ungeschickte Stolpern, die blitzschnelle Drehung um die eigene Achse, der meist eilige knieweiche Gang und der eingezogene oder schief gelegte Kopf. – Ehrenring d. Stadt Wien (1950), Josef-Kainz-Medaille u. ö. österr. Ehrenkreuz f. Kunst u. Wiss. I. Kl. (1961), Filmband in Gold (1962); Kammerschausp. (1963).

L H. Ihering, Von Josef Kainz bis Paula Wessely, 1942; (Anonym), Ein kleiner großer Mann, H. M., Der Lebensweg d. Menschen u. d. Künstlers, 1946; O. M. Fontana, H. M., Volkskomiker u. Menschendarsteller, 1965 *(P)*; P. Köppler, Filmkomik aus Österreich, Diss. Wien 1976; P. Hörbiger, Ich hab f. Euch gespielt, Erinnerungen, 1979; G. Markus (Hrsg.), H. M., Ich trag im Herzen drin e. Stück v. alten Wien, 1980, ²1988 *(P)*; ders., H. M., Der Nachlaß, 1989 *(P)*; H. Schulz, H. M., Der große Volksschauspieler, wie er lebte u. spielte, 1980 *(P)*; K. Wichmann, H. M., Seine Filme – sein Leben, 1980 *(Filmographie, P)*; W. Eser, H. M., „Habe die Ehre", Sein Leben, seine Filme, 1981; H. Veigl, Lachen im Keller, Kabarett u. Kleinkunst in Wien, 1986; E. Fuhrich u. G. Prossnitz, H. M., Im Leben – auf d. Bühne u. im Film, Ausst.kat. d. Max Reinhardt-Forschungsstätte Salzburg 1988 *(P)*; F. Weissensteiner, Publikumslieblinge, Von Hans Albers bis Paula Wessely, 1993; ders., H. M., 1993; A. Mantler, P. Hörbiger, H. M., Zwei Wiener Schauspiel-Legenden, Ausst.kat. d. Wiener Stadt- u. Landesbibl. 1994 *(P)*; D. Kresse u. M. Horvath, Nur e. Komödiant? H. M. in d. J. 1938 bis 1945, 1994 *(P)*; Das gr. Buch d. Österreicher, hrsg. v. W. Kleindel, 1987; Glenzdorfs Internat. Filmlex., 1961 NÖB *(P)*; CineGraph. – *Nachlaß:* Stadt- u. Landesbibl. Wien.

Edith Marktl

Moser, *Hans* (Johann) *Albrecht,* Schriftsteller, * 7. 9. 1882 Görz, † 27. 11. 1978 Bern.

V Johann Adolf (1840–1916), Bürger v. Herzogenbuchsee Kt. Bern, Fabr., S d. Johann (1804–80) u. d. Barbara Straub; M Amalie Ottilie Louise (1848–1908), T d. Wilhelm Heinrich Ebell u. d. Louise Binder; ∞ Bern 1928 Helene Christine (1896–1982) aus Lenzburg Kt. Aargau, T d. Arnold Sebastian Dürst u. d. Pauline Eichenberger; kinderlos.

Seine früheste Kindheit verbrachte M. im Dreiländereck zwischen Österreich, Italien und Slowenien. Vielfältige gesellschaftliche und kulturelle Anregungen förderten sein ausgesprochen kosmopolitisches Bewußtsein. 1897 übersiedelte die Familie in die Nähe von Bern, wo sie auf einem weitläufigen Landsitz lebte, bis ihr Reichtum während der Inflation 1923 zunichte wurde. 1901 begann M. ein Musikstudium in Basel; weitere Stationen seiner Ausbildung waren Köln und Berlin. In der Berufswahl noch schwankend zwischen Musiker und Schriftsteller, machte er ausgedehnte Reisen quer durch Europa. Erste Schreibversuche fallen in jene Zeit der beruflichen und geistigen Orientierung. 1911 entschied er sich für den Beruf des Klavierlehrers und ließ sich in Bern nieder. 1926 debütierte er mit dem Prosaband „Die Komödie des Lebens", worin sich M.s von O. Spengler, L. Klages, H. Bergson, aber auch von Schopenhauer und Nietzsche geprägtes Gedankenuniversum andeutete: existentielle Ungläubigkeit, philosophischer Zweifel, Lebenspessimismus, tiefe Abneigung gegenüber jedem Versuch, das Denken in Systeme zu fassen. Das Leben verstand er als zynisches Tun-als-ob, als gesellschaftlich bedingtes Rollenspiel. Dem offenen „Möglichkeitsmenschen" stellt M. den rollenbehafteten „Wirklichkeitsmenschen" gegenüber; er selbst versteht sich dabei als „zweckloser Weltenbummler". Stilistisches Merkmal ist die Vielfalt der Darstellungsmittel in jedem seiner Werke: Binnengeschichte, Rahmenhandlung, Vorwort, Erzählung, Aphorismus, lexikalischer Anhang dienen weniger einem ästhetischen Zweck als vielmehr der Forderung nach absoluter Wahrhaftigkeit seiner literarischen Botschaft.

M.s dreiteiliges Opus magnum „Vineta, Ein Gegenwartsroman aus künftiger Sicht" (1955, Neudr. 1985) bildet einen utopischen Gegenentwurf zur vinetischen Gegenwart, einer dem Untergang geweihten Welt. Ein jüngerer Journalist Saremo (= A. Moser) erzählt einem älteren Schriftsteller (Prätorius) sein Leben. Dieser überläßt ihm im Gegenzug jeweils für einen Lebensabschnitt seine literarischen Abfälle („Papierkörbe") in Form von Aphorismen. Nach dem Tod des Schriftstellers findet Saremo in dessen Nachlaß den „Entwurf zu einem Roman", den zweiten Teil von „Vineta". Den dritten Teil bildet ein lexikalischer Anhang mit Begriffserläuterungen zu den vorangehenden Teilen. M.s Vision von einem „Homo novus" konkretisiert sich in der Figur des 23jährigen Oswald, dem Urtypus eines Musilschen „Mannes ohne Eigenschaften", der sich dem Szenenverlauf des Lebens nicht unterwirft und damit die Angst der Vineter evoziert. Schließlich wird er als Ketzer, Aufwiegler und kommunistischer Agent von einem Standgericht zum Tode verurteilt. Sein Tod fällt unmittelbar in die Zeit der allgemeinen Auflösung Vinetas. – Trotz persönlicher Förderung durch die Literaturwissenschaftler Emil Staiger und Karl Fehr an der Univ. Zürich und trotz öffentlicher Anerkennung seines literarischen Ranges durch den Literaturpreis der Stadt Bern (1971) blieb dem Werk M.s eine eigentliche Breitenwirkung versagt.

Weitere W Geschichten e. eingeschneiten Tafelrunde, 1935; Das Gästebuch, 1935 (Prosa, Aphorismen); Der Kleiderhändler, 1938 (Erz.); Der Alleingänger, 1943 (Tagebücher, Erz.); Über d. Kunst d. Klavierspiels, 1947; Aus d. Tagebuch e. Weltungläubigen, 1954; Regenbogen d. Liebe, 1959 (Erz.); Ich u. der andere, 1962 (Tagebuch); Erinnerungen e. Reaktionärs, 1965; Dem Ende zu, 1969 (Erz.); Thomas Zweifel, 1968 (Erz.); Aus meinem Nachlaß u. anderes, 1971; Der Fremde, Tagebuch e. aphorist. Lebens, 1973; Auf d. Suche, Betrachtungen u. Erinnerungen, 1975; 10 Tage Spital od. Gesunde Zivilisation, 1980. – *Feuilleton:* Nachdenkl. Reise in aufgeregter Zeit, in: NZZ 1939, Nr. 159, 166, 172; Der rostige Nagel, ebd. 1941, Nr. 343, 349, 355. – *Nachlaß:* Bern, Schweizer. Lit.archiv.

L J. Steiner, H. A. M., Zur Struktur seines dichter. Werks, Diss. Zürich 1966; E. Zeiter, Ziel u. Methode d. Utopischen im Werk H. A. M.s, Diss. Zürich 1975; R. Straßmann-Stöckli, Das Bild d. Menschen im Schaffen H. A. M.s, Diss. Zürich 1977; M.-A. Manz-Kunz, Gedanken z. Aphoristik v. H. A. M., 1992; Kürschner, Lit.-Kal. 1978; Kosch, Lit.-Lex.³; Killy; Schweizer Lex. *(P).*

Erich Zeiter

Moser, *Hans Joachim,* Musikwissenschaftler, * 25. 5. 1889 Berlin, † 14. 8. 1967 ebenda. (ev.)

V Andreas (1859–1925) aus Semlin/Donau, Violinpädagoge an d. Musikhochschule Berlin, 1900 Prof. ebda., Dr. phil. h. c. (s. MGG), S d. Selchers u. Winzers Franz aus Oberbergern b. Krems u. d. Antonie Spatz; M Edda Elcho (1868–1930) aus Williamsburg (New York, USA), T d. Rudolf Ewh (später: Elcho) (1839–1923), Romancier, Feuilletonchef

d. Berliner Volksztg. (s. DBJ V), u. d. Anna Wedemeyer aus Hannover; ∞ 1) 1916 Clara Topp (* 1889), 2) 1935 Dorothea (Dorle) Duffing, 3) Hanna (* 1910), Studiendir., *T* d. Alfred Walch (1871–1912), Prof. an d. Baugewerkschule in Höxter, u. d. Julie Schumann (1874–1955), Musiklehrerin; *Ur-Gvm d. 3. Ehefrau* Robert Schumann (1810–56), Komp. u. Musikschriftst.; *Ur-Gmm d. 3. Ehefrau* Clara Schumann (1819–96), Pianistin u. Komp.; – 1 *S*, 1 *T* aus 1); 4 *K* aus 2), u. a. Edda (* 1941), Sängerin (s. Riemann; New Grove), 2 *S* aus 3) Dietz-Rüdiger (* 1939), Prof. f. bayer. Lit.gesch. in München (s. Kürschner, Gel.-Kal. 1992), Wolf-Hildebrand (* 1943), Sänger.

Das geistig und musikalisch rege Elternhaus sowie eine gute humanistische Schulbildung haben die vielseitigen Neigungen M.s in besonderem Maße gefördert. Seit dem 15. Lebensjahr erhielt er Kompositionsunterricht bei Heinrich van Eyken, später bei Karl Rosner, Carl Krebs und Robert Kahn. Nach dem Abitur 1907 studierte er in Marburg, Berlin und Leipzig Musikwissenschaft bei Gustav Jenner, Ludwig Schiedermair, Hugo Riemann, Arnold Schering, Hermann Kretzschmar und Johannes Wolf, daneben Philosophie, Germanistik und Geschichte, wie auch Gesang bei Oskar Noë und Felix Schmidt. 1910 promovierte M. an der Univ. Rostock zum Dr. phil. mit einer Dissertation über „Die Musikergenossenschaften im deutschen Mittelalter" (Nachdr. 1972). Seit 1913 wirkte er als Sänger (Baß). 1914–18 war er im Kriegsdienst. 1919 habilitierte er sich bei Hermann Abert in Halle mit einer Arbeit über das Streichinstrumentenspiel im Mittelalter. Er wurde dort Privatdozent und erhielt 1922 eine ao. Professur. Seit 1925 lehrte er an der Univ. Heidelberg. 1927 folgte er dem Ruf als Direktor der Akademie für Kirchen- und Schulmusik in Berlin, wurde Mitglied des Senats der Akademie der Künste und war gleichzeitig als Universitätslehrer tätig. 1933 wurde er in den Ruhestand versetzt und mußte 1934 auch seine Lehrtätigkeit aufgeben sowie seine vielfältigen Ämter in musikwissenschaftlich und -pädagogisch orientierten Vereinigungen niederlegen. Fortan arbeitete er als freier wissenschaftlicher Schriftsteller und Sänger. Finanzielle Not, dazu die Verpflichtung, für den Unterhalt einer wachsenden Familie zu sorgen, zwangen ihn schließlich, der NDSAP beizutreten. 1940 wurde ihm daraufhin als Dramaturg die Leitung der Reichsstelle für Musikbearbeitungen im Reichsministerium für Volksaufklärung und Propaganda übertragen, die er bis 1945 innehatte. Nach Kriegsende lebte er als Freischaffender in Berlin. 1947 lehrte er für acht Wochen an der Univ. Jena, gleichzeitig an der Musikhochschule in Weimar, wo er bis 1949, wiederum freischaffend, tätig blieb. 1950 kehrte er nach Berlin zurück und übernahm die Leitung des Städtischen (vormals Stern'schen) Konservatoriums. Zwei Jahre später wurde er von Friedrich Blume und Hans Albrecht wieder in die Musikgeschichtliche Kommission berufen und somit als Musikwissenschaftler rehabilitiert. 1961 trat er in den Ruhestand. Seine letzten Lebensjahre wurden durch die Auswirkungen eines Schlaganfalls überschattet, dennoch blieb er bis zum Tode unermüdlich tätig.

M. war Musiker und Wissenschaftler zugleich. Außergewöhnliche Merkfähigkeit, archivalischer Spürsinn und großes Organisationstalent verbanden sich bei ihm mit unglaublicher Produktivität. M. hat mehr als 1500 Veröffentlichungen unterschiedlichster Art vorgelegt, darunter zusammenfassende Darstellungen – im besonderen zur deutschen Musikgeschichte, der ev. Kirchenmusik und des deutschen Liedes. Hier hat M. ebenso Grundlegendes geleistet wie auf dem Gebiet der musikalischen Biographie mit seinen Arbeiten über Paul Hofhaimer und Heinrich Schütz. Als Kenner des deutschen Liedes besorgte M. viele Neuausgaben. Daneben entstanden Belletristik, Hör- und Schauspiele, Libretti und zahlreiche Kompositionen. Nicht alles, was oft erstaunlich rasch aus seiner Feder floß, ist den Standardwerken zuzurechnen. Dennoch gehört M. zu den herausragenden Persönlichkeiten der Musikwissenschaft im 20. Jh. – D. theol. (Königsberg, 1931); Mozartmedaille d. Stadt Wien (1963).

W u. a. Das Streichinstrumentenspiel im MA (Habil.schr.), in: A. Moser, Gesch. d. Violinspiels, ²1966/67, S. 1–34; Gesch. d. dt. Musik, 3 Bde., 1920/24, versch. Aufl. 1928/30, Nachdr. mit Ergg. 1968; Paul Hofhaimer, e. Lied- u. Orgelmeister d. dt. Humanismus, 1929, ²1966; Die mehrstimmige Vertonung d. Evangeliums, Geschichtl. Darst., Bd. 1, 1931, ²1968; Corydon, das ist: Gesch. d. mehrstimmigen Generalbassliedes u. d. Quodlibets im dt. Barock, 2 Bde., 1933, Nachdr. 1966; Musik-Lex., 1935, Neuausg. mit Erg.bd. A-Z, ⁴1963; Heinrich Schütz, sein Leben u. Werk, 1936, ²1954 (amerikan. 1959); Lehrb. d. Musikgesch., 1936, ¹⁴1967; Das dt. Lied seit Mozart, 2 Bde., 1937, ²1968; Musikgesch. in hundert Lb., 1952, Lizenzausg. 1979; Die ev. Kirchenmusik in Dtld., 1954, Nachdr. 1978; Selbstber. d. Forschers u. Schriftst., in: Festgabe f. H. J. M. z. 65. Geb.tag, 1954, S. 111–57; Luther als Musiker, in: Speculum musicae artis, FS f. H. Husmann, 1970, S. 229–44. – *Editionen:* Gassenhawerlin u. Reutterliedlin, Zu Franckenfurt am Meyn, b. Christian Egenolf 1535, 1927, Nachdr. 1970; Neuaufl. d. Denkmäler Dt. Tonkunst, 65 Bde., 1957–61. – *Nachlaß:* Musikabt. d. Staatsbibl. Berlin, Preuß. Kulturbes.

L Festgabe f. H. J. M. z. 65. Geb.tag, hrsg. v. e. Freundeskreis, 1954 (*ausführl. W-Verz.*, bearb. v. H. Wegener, *P*); Ch. Engelbrecht, in: Der Kirchenmusiker, 1959, S. 77 f.; dies., in: Musik im Unterricht, 1959, S. 156 f.; H. Fischer, in: Kontakte, 1959, S. 120 f.; O. Riemer, in: Musica 13, 1959, S. 335 f.; W. Vetter, Gedanken z. musikal. Biogr., in: Die Musikforschung XII, 1959, S. 132–42; E. Werba, in: Musikerziehung 12, 1959, S. 216 f.; A. A. Abert, in: Acta Musicologica 40, 1968, S. 91 f.; F. Oberborbeck, in: Lied u. Chor 59, 1967, S. 218; O. Söhngen, in: Die Musikforschung 21, 1968, S. 154–57; MGG mit Suppl.bd.; Riemann mit Erg.bd.; New Grove. – *Zu Julie:* D.-R. Moser (Hrsg.), Mein liebes Julchen, Briefe v. Clara Schumann an ihre Enkeltochter Julie, 1990.

Dagmar Droysen-Reber

Moser, *Helmut,* Physiker, * 17. 8. 1903 Heidelberg, † 28. 9. 1991 Braunschweig. (kath.)

V Alfred (1870–1956) aus Vöhrenbach (Schwarzwald), Gewerbelehrer in H., *S* d. Hermann (1814–91), Kaufm. aus Unterkirnach (Schwarzwald), u. d. Klara Beyle (1836–1910) aus Gengenbach (Schwarzwald); *M* Emilie (1876–1956), *T* d. Kaufm. Gottlieb Hepting (1836–um 1910) u. d. Hortensia Hummel (1842–um 1920), beide aus Furtwangen (Schwarzwald); ∞ Schwetzingen 1930 Maria (1904–82), *T* d. Wilhelm Westermann (1853–1920) aus Neibsheim (Kraichgau), Gewerbelehrer in Schwetzingen, u. d. Elisabeth Weißhaar (1863–1935) aus Mingolsheim (Kraichgau); 1 *S*, 1 *T*, Volker (* 1934), Dipl.-Ing. in Buchloe (Bayer.-Schwaben).

Nach dem Abitur in Heidelberg 1922 studierte M. bis 1926 Physik an der Univ. Heidelberg und wurde bei Philipp Lenard mit der Dissertation „Absolutwert der Oberflächenspannung des reinen Wassers nach der Reflexions- und Bugelmethode und seine Abhängigkeit von der Temperatur" zum Dr. phil. promoviert. Nach dieser ihn prägenden Ausbildung war M. zunächst Assistent am Radiologischen Institut der Univ. Heidelberg und trat dann im Februar 1928 in das Laboratorium für allgemeine Thermometrie und Kalorimetrie der Physikalisch-Technischen Reichsanstalt (PTR) in Berlin ein, welches Forschungen zur Realisierung einer Temperaturskala, zur Bestimmung thermodynamischer Temperaturen sowie kalorische Untersuchungen betrieb. Mit seiner ersten wissenschaftlichen Arbeit über die Verwendbarkeit des Platinwiderstandsthermometers noch im Bereich der Glühtemperaturen schloß er sich seinen Vorbildern und Lehrern an der PTR, u. a. W. Heuse und F. Henning, an. Noch im Jahr 1928 konnte M. nachweisen, daß die Tripelpunktstemperatur des reinen Wassers etwa 50mal sicherer als dessen Eispunkt realisiert werden kann und als Fixpunkt der Temperaturskala diesem vorzuziehen ist. Später gelang es ihm, durch Verbesserung der üblichen Methoden die Siedetemperatur des Wassers genauer zu bestimmen. Neben der Präzisierung der Temperaturmeßtechnik beschäftigte sich M. seit 1930 mit der Entwicklung eines adiabatischen Metallkalorimeters zur Bestimmung der wahren spezifischen Wärmen fester und flüssiger Stoffe bei Temperaturen bis 700° C. Die von ihm publizierten Werte zählen noch heute zu den vertrauenswürdigsten. Sein Quecksilber-Thallium-Thermometer, das noch 20° C unterhalb des Erstarrungspunktes des Quecksilbers verwendbar ist, fand Eingang in die Wetterkunde.

1935 wurde M. zum Regierungsrat ernannt und 1937 zum Leiter des Laboratoriums für Kalorimetrie berufen. Zu seinen Aufgaben gehörten nunmehr auch die Normung von Heizwertmessungen und die Berechnung von Wärmeverlusten. Seine Vielseitigkeit bewies er 1932 mit der Veröffentlichung seiner „Statischen Methode für präzise Dampfdruckmessungen bei höheren Temperaturen". In den folgenden Kriegsjahren wurde M. als Meteorologe abgeordnet. Gegen Ende des Krieges gelang es dem Präsidenten der PTR, Abraham Esau, neben zahlreichen anderen PTR-Wissenschaftlern, auch M. noch im Februar 1945 vom Kriegsdienst für die Arbeit in der nach Weida (Thüringen) verlegten Dienststelle freistellen zu lassen. Nach Kriegsende schlug sich M. zu seiner nach Heidelberg geflüchteten Familie durch und folgte 1947 dem Ruf der wieder im Entstehen begriffenen „Nachkriegs-Reichsanstalt" nach Braunschweig, wo er zunächst unter schwierigen Bedingungen mit dem Wiederaufbau dieses „Metrologischen Staatsinstituts" und besonders der Abteilung „Wärme" sowie der Eingliederung eines aus der ehemaligen Chemisch-Technischen Reichsanstalt übernommenen Arbeitsgebietes, der Physikalischen Sicherheitstechnik, befaßt war. Seit 1951 war er Leiter und Direktor dieser Abteilung. Das Amt des Vizepräsidenten wurde ihm 1958 übertragen, welches er nach Verlängerung seiner regulären Dienstzeit bis Ende 1979 innehatte. In dieser Zeit nahm er zweimal das Amt des Präsidenten wahr. Als Abteilungsleiter war er ex officio, nach seiner Pensionierung bis 1979 berufenes Mitglied des Kuratoriums der Physikalisch-Technischen Bundesanstalt (PTB).

Nach dem 2. Weltkrieg konzentrierte sich das wissenschaftliche Interesse M.s auf die Weiterentwicklung einer amtlichen Temperaturskala. Seine Arbeit „Der Tripelpunkt des Wassers als Fixpunkt der Temperaturskala" bewog die 10. Generalkonferenz für Maß und Gewicht 1954, diesen als Fundamentalpunkt festzulegen. Mit dem von ihm entwickelten Gasthermometer konstanter Gefäßtemperatur führte er im Bereich höherer Temperaturen umfangreiche Untersuchungen zur Neubestimmung der thermodynamischen Temperaturen der definierenden Fixpunkte aus. Sein Wert der Gleichgewichtstemperatur zwischen festem und flüssigem Gold bildete eine Grundlage der neuen „Internationalen Praktischen Temperaturskala" (IPTS) von 1968. Mit seinem Namen ist auch ein von ihm entwickeltes, verbreitetes Vakuummeter verbunden. Im Rahmen der Meterkonvention war M. der deutsche Vertreter im „Comité Consultatif de Thermométrie". Er war ferner Mitglied im Komitee der Internationalen Organisation für Gesetzliches Meßwesen (OIML) und gehörte deren Präsidialrat an, in dem er stets um eine Verständigung zwischen Ost und West bemüht war. – Gr. Bundesverdienstkreuz (1969).

W u. a. Der Tripelpunkt d. Wassers als Fixpunkt d. Temperaturskala, in: Ann. d. Physik 1, 1929, S. 341–60; Über d. Temperaturmessung mit d. Platinwiderstandsthermometer bis 1100°, ebd. 6, 1930, S. 852–74; Eine stat. Methode f. präzise Dampfdruckmessungen b. höheren Temperaturen u. ihre Anwendung z. Sicherung d. Hundertpunktes d. Temperaturskala, ebd. 14, 1932, S. 790–808; Messung d. wahren spezif. Wärme v. Silber, Nickel, Messing, Quarzkristall u. Quarzglas zw. + 50 u. 700° C nach e. verfeinerten Methode, in: Physikal. Zs. 37, 1936, S. 737–55; Über Quecksilber-Thallium-Legierungen u. d. Verwendung f. thermometr. Zwecke, ebd., S. 885 f.; Sättigungsdruck v. Wasserdampf zw. 73 u. 130° C, ebd. 40, 1939, S. 221–29 u. 412 (mit A. Zmaczynski); Gasthermometr. Messungen b. hohen Temperaturen, I-IV, in: Zs. f. Physik 147, 1957, S. 59 f., 76 f.; ebd. 175, 1963, S. 327; ebd. 206, 1967, S. 223 (alle mit J. Otto u. W. Thomas). – *Hrsg.:* Forschung u. Prüfung, 75 J. Physikal.-Techn. Bundes-/Reichsanstalt, 1962. – *Neuausg.:* F. Henning, Temperaturmessung, ³1977.

L Comité Consultatif de Thermométrie, 1967, Annexe 17, T. 91; Comptes Rendus de la 13. Conférence Générale des Poids et Mesures, 1967/68, Annexe 2, S. A 1-A 24; PTB-Mitt. 83, 1973, S. 290; ebd. 88, 1978, S. 299; ebd. 93, 1983, S. 217–34; ebd. 98, 1988, S. 253; Pogg. VI, VII a.

Heinrich-Hans Kirchner

Moser, *Hugo,* Germanist, * 19. 6. 1909 Esslingen / Neckar, † 22. 3. 1989 Bonn. (kath.)

V Leonhard Emmert († 1908), Postbeamter in Stuttgart, *S* d. Carl Friedrich aus Überlingen / Bodensee; *M* Luise (1883–1962), Köchin, *T* d. Karl Friedrich Moser (1851–1923), Bürstenmacher in E., u. d. Margaretha Christiane Eitel (1854–1938), *Stief-V* (seit 1913) Josef Friedrich (1885–1914, GF), Fräser, *S* d. Gustav Hablitzel, Bürstenmacher in E., u. d. Maria Schubizell; – ∞ Stuttgart 1937 Hildegard (1910–88) aus Colmar, *T* d. Realschullehrers Julius Jopp; kinderlos.

M. besuchte zuerst die Oberrealschule in Esslingen, wechselte dann auf das humanistische Gymnasium über und machte 1927 das Abitur. Anschließend nahm er in Tübingen das Studium der Philosophie, Germanistik, Romanistik und Anglistik auf und schloß – nach Auslandssemestern in England und Frankreich (Sorbonne) – 1932 mit der Doktorprüfung aufgrund einer Dissertation über „Schwäb. Mundart und Sitte in Sathmar", 1933 mit dem Staatsexamen ab. In der Dissertation und in den damit verbundenen Arbeiten, wie einem Band „Volkslieder, zusammengestellt für die Sathmarer Schwabensiedlung in Rumänien" (1931, 1943, erweitert 1953), zeigt sich die tiefe menschliche Verbundenheit M.s mit dem Auslandsdeutschtum; sie wurde nach 1933 in einem ungewollten Sinne aktuell, so daß es nun durch die parteiamtlichen Vertreter einer völkischen Kulturpolitik erschwert wurde, die Beziehungen zu den Auslandsschwaben in altem unbefangenem Sinne aufrechtzuerhalten. Nach dem Examen war M. Gymnasiallehrer in Stuttgart und gab dort auch Unterricht an der Höheren Handelsschule. Krieg und Gefangenschaft (1939–46) ließen erst spät eine wissenschaftliche Laufbahn zu.

Sie begann – von Hermann Schneider gefördert – mit einer Habilitation in Tübingen 1947 und führte über einen Lehrauftrag an der TH Stuttgart auf Ordinariate in Nimwegen (1954), Saarbrücken (1956) und Bonn (1959), wo er am längsten als Hochschullehrer und in akademischen Ämtern tätig war (Rektor 1964). M. war erster und langjähriger Präsident des von ihm 1964 mitbegründeten „Instituts für deutsche Sprache" (IdS) in Mannheim, das er zu einem international angesehenen, für die Erforschung der deutschen Gegenwartssprache wichtigen Forschungsinstitut ausbaute.

M. vertrat sein Fach noch in voller Breite, im Bereich der deutschen Sprach- und Literaturwissenschaft, der Volkskunde sowie der Wissenschaftsgeschichte. Zu seinen Hauptwerken gehören Schriften über Ludwig Uhland und Karl Simrock, über Necknamen und andere Zeugnisse des schwäb. Volkshumors und vor allem eine vielbeachtete deutsche Sprachgeschichte, die eine neue Periodisierung plausibel machte, soziologische Gesichtspunkte einbezog und Sprachschichten, also die wechselnde sozialgeographische Gliederung des Deutschen modellhaft darzustellen versuchte. Hinzu kommen zahlreiche Veröffentlichungen über Fragen der deutschen Gegenwartssprache, über Normverschiebungen, Besonderheiten der deutschen Schriftsprache im Ausland, Folgen der Umsiedlungen und der zeitweiligen politischen Teilung Deutschlands und über Rechtschreibreform. Bemerkenswert sind auch seine Bemühungen um die Erneuerung oder Fortsetzung von Grundwerken der Germanistik, darunter die Neuausgabe von „Des Minnesangs Frühling", die mittelhochdeutsche Grammatik von Hermann Paul, die frühneuhochdeutsche Grammatik von Virgil Moser, Schulz-Baslers Fremdwörterbuch sowie das Aussprachewörterbuch von Theodor Siebs. Als Anreger vieler Arbeiten, Organisator und Herausgeber zahlreicher Zeitschriften, Schriftenreihen und Sammelwerke gehört M. zu den herausragenden und nachhaltig wirkenden Persönlichkeiten der deutschen Germanistik nach 1945. – Konrad Duden-Preis d. Stadt Mannheim (1964); Vors. d. Dt. Germanistenverbandes (1962–64), Korr. Mitgl. d. Akademien in Lund (1972) u. Gent (1973); Gr. Bundesverdienstkreuz (1975), Verdienstmedaille d. Landes Baden-Württemberg (1986); Dr. phil. h. c. (Innsbruck 1974, Lund 1976, Jyväskylä 1984).

W u. a. Schwäb. Mundart u. Sitte in Sathmar, 1937; Volkslieder d. Sathmarer Schwaben mit ihren Weisen, 1943; Uhlands „Schwäbische Sagenkunde" u. d. germanist.-volkskundl. Forschung d. Romantik, 1950; Schwäb. Volkshumor, 1950, ²1981; Dt. Sprachgesch. 1950, ⁶1969 (japan. 1965, korean. 1972); Ann. d. dt. Sprache v. d. Anfängen bis z. Gegenwart, 1961, ⁴1972; Sprachl. Folgen d. pol. Teilung Dtld.s, 1962; Vermehrte Großschreibung – e. Weg z. Vereinfachung d. Rechtschreibung? 1963; Sprache u. Rel., 1964; Mythos u. Epos, 1965; Sprache – Freiheit od. Lenkung? Zum Verhältnis v. Sprachnorm, Sprachwandel, Sprachpflege, 1967 (mit J. Müller-Blattau); Dt. Lieder d. MA, 1968; Karl Simrock, Universitätslehrer u. Poet, Germanist u. Erneuerer v. „Volkspoesie" u. älterer „Nationalliteratur", 1976; Kl. Schrr. I, Stud. zu Raum- u. Sozialformen d. dt. Sprache in Gesch. u. Gegenwart, 1979; dass., II, Stud. z. dt. Dichtung d. MA. u. d. Romantik, 1984. – *Nachlaß:* Bonn, Univ.-Bibl.

L Festschrr: z. 60. Geb.tag, hrsg. v. U. Engel, P. Grebe, H. Rupp, 1969; z. 65. Geb.tag, hrsg. v. W. Besch, G. Jungbluth, G. Meissburger, E. Nellmann, 1974 *(P);* z. 70. Geb.tag, ZDP, Sonderh. 98, 1979 *(P).* – Aspekte d. Gegenwartssprache, hrsg. v. M. W. Hellmann, in: Muttersprache 100, 1990, H. 2/3 (Gedenkh.), S. 97–286; J. Erben, H. M. als Germanist, in: ZDP 109, 1990, S. 1–11; Verz. d. Veröff. H. M.s, bearb. u. ergänzt v. G. Krämer, ebd., S. 12–33.

Johannes Erben

Moser, *Joseph,* Apotheker, * 7. 7. 1779 Wien-Liechtenthal, † 15. 6. 1836 Wien-Josefstadt. (kath.)

V Matthias (1742–1809), Bes. d. Apotheke „Zum Goldenen Löwen" in W.; *M* Margaretha Ötner (1754–1838); ∞ 1811 Maria, *T* d. Friedrich Wilhelm Ziegler († 1827), k. k. Hofschausp., dramat. Dichter (s. ADB 45); *K,* u. a. Herrmann (1797–1826), Chemiker u. Pharmazeut (s. *L*).

M. besuchte die Schule der Piaristen im Wiener Vorort Josefstadt. Seine praktische Ausbildung erhielt er in der väterlichen Apotheke. An der medizinischen Fakultät der Univ. Wien hörte er zwei Jahre lang Vorlesungen über Botanik, Chemie und Materia medica, legte 1796 das pharmazeutische Examen ab und erhielt das Apothekerdiplom. Danach arbeitete er in der Apotheke seines Vaters, schloß sich aber 1797 freiwillig dem Aufgebot zum Kampf gegen die Franzosen als Feldapotheker an. Nach dem Frieden von Campo Formio (1797) ging M. zunächst zurück in die väterliche Apotheke, trat aber 1804 eine mehr als vierjährige Bildungsreise an, während der er zwei Jahre in einer Berliner Apotheke tätig war und bei M. H. Klaproth Chemievorlesungen hörte. Anschließend praktizierte M. in verschiedenen nord- und westdeutschen Apotheken und besuchte naturwissenschaftliche Vorlesungen in Jena, Leipzig, Halle und Heidelberg. Einige Wochen war er in der Apotheke J. B. Trommsdorfs in Erfurt und in dessen Apothekerschule beschäftigt. Über die Schweiz und Italien gelangte M. nach Paris, wo er sich gründliche Kenntnisse in der Lavoisierschen Chemie erwarb. Anfang 1808 kehrte er in die väterliche Apotheke zurück, die ihm 1809 übertragen wurde. Aufgrund seines energischen Einsatzes bei der Lösung verschiedener Standesfragen wurde M. 1816 zu einem der beiden Vorsteher des Wiener Apothekergremiums gewählt, ein Amt, das er bis zu seinem Tode immer wieder bekleidete. 1825 wurde er Grundrichter des Vorortes Josefstadt.

M. wurde durch seine chemischen Entdeckungen und durch seine Gutachtertätigkeit einer breiten Öffentlichkeit in Wien bekannt. Über seine wissenschaftlichen Arbeiten berichtete er zwar in Vorträgen, doch veröffentlichte er darüber nichts; daher fehlen heute nähere Kenntnisse über seine Untersuchungen. Bekannt ist lediglich, daß M. vielfach Gutachten über Schießpulver und Sprengstoffe erstellte und auch bei vermuteten Vergiftungen herangezogen wurde. 1816 installierte M. in seiner Apotheke eine der ersten Gasbeleuchtungen Wiens; das Leuchtgas erzeugte er nach einer Reihe von Experimenten aus mähr. Steinkohle. Auch war er der erste, der das 1786 von Claude Louis Berthollet entdeckte Kaliumchlorat unter der Bezeichnung „chemisches Zündpulver" in Wien kommerziell herstellte. 1802 gründete er für die angestellten Apotheker Wiens eine chemisch-pharmazeutische Lesegesellschaft, deren Sammlung von Büchern und Zeitschriften 1814 in den Besitz des Wiener Apotheker-Gremiums überging. Seit 1948 als Bibliothek der Österr. Apothekerkammer weitergeführt, entwickelte sich daraus eine der größten pharmazeutischen Bibliotheken im deutschen Sprachraum.

L J. M., in: Der Wanderer (Wien) v. 26. 6. 1836, S. 1; L. Hochberger u. J. Noggler, Gesch. d. Wiener Apotheken, 1919, S. 166–68; L. Hochberger, Gesch. d. Wiener Apotheker-Hauptgremiums, 1930, S. 44, 46, 257 f.; F. Czeike, Gremialvorsteher J. M. (1779–1836), in: Österr. Apothekerztg. 11, 1957, S. 533–37; J. Pospischil, Ein Btr. z. Lebensgesch. d. Gremialvorstehers J. M., ebd. 26, 1972, S. 690–92; O. Nowotny, Zur Gesch. d. Bibl. d. Österr. Apothekerkammer, ebd. 28, 1974, S. 735–39; ders., Die Bibl. d. Österr. Apothekerkammer, ebd. 43, 1989, S. 276–81; G. Englisch, in: Dt. Apotheker-Biogr. II, S. 447; ÖBL. – Eigene Archivstud. – *Zu Herrmann:* NND; Pogg. II; Wurzbach; Dt. Apotheker-Biogr. II.

P Büste im Bibl.saal d. Österr. Apothekerkammer.

Otto Nowotny

Moser, *Karl,* Architekt, * 10. 8. 1860 Baden Kt. Aargau, † 8. 2. 1936 Zürich. (kath.)

V Robert (1833–1901), Architekt in B., erhielt 1893 d. Silbermedaille b. d. Architekturausst. in Baltimore (s. HBLS), S d. Johann (1798–1855), Steinmetz, Baumeister in B.; M Julia Gubler († 1903); ∞ Basel 1887 Euphemie Lorenz († 1945); 1 S, 4 T, u. a. Werner Max (* 1896, ref.), Architekt, Prof. an d. ETH Zürich, Ehrenmitgl. d. Royal Inst. of British Architects, ao. Mitgl. d. Ak. d. Künste in Berlin (s. Wi. 1970); E Lorenz (* 1924), Architekt in Z.; Ur-E Elias (* 1955), Architekt in New York.

M. studierte am Eidgenössischen Polytechnikum Architektur und diplomierte bei dem Semper-Schüler A. F. Bluntschli. 1883/84 verbrachte er als Student von J. C. Pascal an der Ecole des Beaux-Arts in Paris und arbeitete nebenbei im Atelier von Reboul. Es folgte eine längere Praxis im Architekturbüro Lang in Wiesbaden, wo er den aus St. Gallen stammenden Architekten Robert Curjel (1859–1925) kennenlernte. Auf Reisen 1912 und 1913 durch Italien skizzierte und aquarellierte M. Der Architektur, Plastik und Malerei von Antike und Renaissance galt sein hauptsächliches Interesse.

Seit 1888 arbeiteten Curjel und M. in Karlsruhe in einer Architektengemeinschaft zusammen. Wettbewerbserfolge führten in Südwestdeutschland und der Deutschschweiz zu zahlreichen herausragenden Bauten. Ihre akademische Ausbildung, ihre regionalen und objektbezogenen Künstlerkontakte, die Lehrmeinungen an der Karlsruher Hochschule und nationale Debatten bildeten in unterschiedlicher Intensität die Grundlagen ihrer Arbeiten. Stilistisch tragen ihre Bauten gattungsbezogen die Merkmale der zeitgenössischen Architektur. Volumetrisch führte ihr Weg zunächst von einer architektonisch stark gegliederten Raumordnung (kath. Kirche, Wettingen Kt. Aargau, 1894–99; ev. Christuskirche, Karlsruhe, 1896–1900; Villen, Baden Kt. Aargau, u. a. Villa Boveri, 1895–97, Villa Langmatt, 1899–1901, 1905/06, Villa Baumann, 1904/05) zu einer Minimierung des Detailschmuckes auf flächige, körperbetonende Reliefs (Wohnhäuser Eisenlohrstraße, 1897, Lutherkirche, 1905–07, Geschäftshäuser, 1898–1900, alle Karlsruhe; ev. Pauluskirche, Basel, 1897–1901). Später reduzierte sich die Grundform auf den einfachen, städtebaulich klar ordnenden Körper. Die Fassaden wurden nun nach klassischen Ordnungen gegliedert und zeigten Neuinterpretationen zum Teil regional geprägter klassizistischer Attribute (Ausstellungsgebäude u. Konzerthaus, Karlsruhe, 1913–15; Wohnhaus Moser, 1915, ev. Kirche, Fluntern, 1914–20, beide Zürich). Die Berufung M.s als Professor für Baukunst an die ETH Zürich führte 1915 zur Trennung der Partner. Curjel arbeitete anschließend als beratender Architekt in Karlsruhe. 1915–28 lehrte M. an der ETH. Seit 1923/24 entstand die Basler Antoniuskirche, die erste Sichtbetonkirche in der Schweiz. Städtebaulich setzte sie einen neuen räumlichen Schwerpunkt, typologisch ist sie der Tradition verpflichtet. Neue Materialien und Konstruktionsweisen bestimmten den architektonischen Ausdruck. M.s letzte Bauten seit Mitte der 20er Jahre reflektierten „moderne" Themen: körperhafte Volumen, klare Strukturen, funktional disponierte, lichtdurchflutete Räume, neue (sichtbare) Materialien (u. a. Erweiterungsbau Schweizer. Bankgesellschaft, Zürich). M.s Tendenz zum Einfachen, Wesentlichen und die Debatten im Umfeld junger Architekten, namentlich Le Corbusier, führten zu einem eigenen Resultat. Sein radikaler Vorschlag zur Sanierung des Zürcher Niederdorfes (1933) – M. ersetzte die mittelalterliche Bausubstanz bis auf wenige Monumente durch klare, kubische Neubauten – entstand vor diesem Hintergrund. Beim internationalen

Wettbewerb für den „Palais des Nations" in Genf (1927) exponierte sich M. als Preisrichter für das – abgelehnte – Projekt von Le Corbusier und P. Jeanneret. Den 1928 gegründeten Congrès Internationaux d'Architecture Moderne (CIAM) stand er bis 1930 als erster Präsident vor.

M. war um und nach 1900 der bedeutendste Schweizer Architekt. Mit seiner Kompetenz verhalf er der modernen Gesinnung zum Durchbruch und der Architektur in diesem Kulturraum zu breiter Akzeptanz. Durch seine Reorganisation der Architektenausbildung in der Schweiz und seine unermüdliche Förderung junger Talente entwickelte sich bald eine eigenständige, international beachtete Schweizer Architektur. – Bad. Prof.titel (1907); Dr. phil. h. c. (Univ. Zürich 1914).

Eigene W Kosthaus Bally, Schönenwerd, 1917–20; kath. Antoniuskirche, Basel, 1923–27; Erweiterungsbau Schweizer. Bankges., Zürich, 1928–30 (1957 abgebrochen); Post am Bahnhofplatz, Baden Kt. Aargau, 1926–31; Erweiterungsbau Georg Fischer AG, Schaffhausen, 1929–32. – *Arbb. d. Architektengemeinschaft:* Villa Brown („Römerburg"), Baden Kt. Aargau, 1898–1900 (1957 abgebrochen); Bankhaus Homburger, 1898–1901, Wohn- u. Geschäftshäuser „Weiss & Kölsch" u. „Sexauer", 1898–1900, Villa Koelle, 1900–02 (zerstört), alle Karlsruhe; Kunsthaus, Zürich, 1904–10, 1919–24; Univ. Zürich, 1908–14; Bad. Bahnhof, Basel, 1908–13. – *Schrr.:* Neue holländ. Architektur, Bauten v. W. M. Dudok, Hilversum, in: Das Werk, Nr. II, 1922, S. 205–14. – *Nachlaß:* Archiv d. Inst. f. Gesch. u. Theorie d. Architektur, ETH Zürich; Bad. Gen.landesarchiv, Karlsruhe.

L H. Kienzle, K. M., Neuj.bl. d. Zürcher Kunstges., 1937; H. Curjel, in: Biogr. Lex. d. Kt. Aargau 1803–1957, 1958 *(ausführl. Biogr., L);* U. Jehle Schulte-Strathaus, Das Zürcher Kunsthaus, e. Mus.bau u. K. M., 1982; St. v. Moos, K. M. u. d. moderne Architektur, in: Fünf Punkte in d. Architekturgesch., 1985, S. 248–75; E. Strebel, K. M.s neuklassizist. Architektur, ebd., S. 230–47; W. Rössling, Curjel + M., Architekten in Karlsruhe, e. Werkkat. f. d. Zeitspanne v. 1888 bis 1915 unter bes. Berücksichtigung v. zwei Kirchen in Karlsruhe *(ausführl. L-Verz.),* 1986; ders. (Red.), Curjel + M., Städtebaul. Akzente um 1900 in Karlsruhe, 1987 *(P);* D. Huber (Red.), Die Antoniuskirche in Basel, 1991; ThB; Vollmer; Künstler Lex. d. Schweiz XX. Jh.; Schweizer Lex. *(P).*

Ernst Strebel

Moser, *Carl,* Maler und Holzschneider, * 29. 1. 1873 Bozen, † 23. 7. 1939 ebenda. (kath.)

V Carl Vincenz (1818–82), Rotgerber u. Maler in B. (s. ThB; ÖBL), *S* d. Carl Sigmund (1790–1865), Rotgerber u. Krippenbauer in B.; *M* Rosina Mayer (1848–1910) aus Innsbruck; *B* Josef (1882–1956), Maler; *Schw* Franziska (Fanny) (1878–1974, ∞ Carl Dallago, 1869–1949, Schriftst. u. Philosoph, Mitarb. d. Zs. „Der Brenner", s. ÖBL); *Vt* Josef (1868–1941), Bildhauer; – ledig.

Nach Absolvierung der Handelsakademie Dresden (1891–93) war M. als Kaufmann in seiner Heimatstadt tätig. Franz v. Defregger wurde auf die künstlerische Begabung M.s aufmerksam und riet zum Studium. 1896–1901 studierte M. an der Akademie der Bildenden Künste in München bei Karl Raupp, Gabriel v. Hackl und seit 1898 bei Ludwig Herterich. Studienreisen führten ihn 1901 durch Deutschland, Italien, Korsika und Frankreich. Ein zunächst für kurze Zeit gedachter Parisaufenthalt wurde für ihn entscheidend. M. blieb 1901–07 in Paris und setzte sein Studium an der Académie Julian fort. Die Sommermonate verbrachte er in der Bretagne, vor allem in Douarnenez und Concarneau, wo er 1902 dem Maler und Mitbegründer der Wiener Secession Max Kurzweil (1867–1916) begegnete. Dieser regte zur Beschäftigung mit dem Farbholzschnitt an und vermittelte ihm jene technischen Kenntnisse, des Holzschneidens und Druckens, die ihm sein Freund Emil Orlik nach seiner Rückkehr 1901 aus Japan weitergegeben hatte. Dadurch erreichte M. bereits in seinen ersten Farbholzschnitten Ergebnisse von erstaunlicher technischer Qualität. Dies sowie die freie künstlerische Verarbeitung japan. Vorbilder, vor allem des Holzschnitts, in der franz. Kunst jener Zeit („Japonismus") wurden für ihn zum entscheidenden Erlebnis. Anders als fast alle franz. Künstler der Zeit (mit Ausnahme etwa Henri Rivières, dessen Farbholzschnitte aus der Bretagne ihn beeindruckten) vollzog M. seine Auseinandersetzung mit der Kunst der Japaner in deren ureigenstem Metier, dem Holzschnitt. Das Beispiel der „Schule von Pont Aven" befruchtete ihn künstlerisch und wirkte lange, auch nach seiner Rückkehr nach Bozen, nach. Seit 1905 stand M. in Kontakt mit dem Künstlerkreis um das Pariser Café du Dôme, vor allem mit Jules Pascin und Albert Weisgerber. Thematisch beschäftigten ihn während der Zeit in Frankreich Darstellungen aus dem Leben der Fischer und Bauern der Bretagne, die breton. Landschaft, einzelne Tierdarstellungen (Pfau) und Pariser Stadtmotive (Canal Saint-Martin).

1907 war M., da sein Erbteil verzehrt war, gezwungen, nach Südtirol zu seiner Familie zurückzukehren. In Bozen entstanden noch viele Jahre lang Farbholzschnitte und Ölgemälde, in denen das Erlebnis der Bretagne verarbeitet wurde, daneben Trachtenfiguren und Landschaften aus dem heimatlichen Bereich (Schloß Runkelstein, Seiser Alm) und aus Oberitalien (Parona di Valpolicella, Venedig, Trient). Seit 1910 fand M.s künstlerische und technisch meisterliche Beherrschung des Farbholzschnitts internationale Beachtung (Ausstellungen u. a. in Hamburg, Wien, Rom, Zürich, Leipzig, Venedig, Mailand, Turin, Brüssel). Seine Blätter gelangten in großer Zahl in öffentliche und private Sammlungen, besonders in das Museum für Moderne Kunst in Bozen, in die Graphische Sammlung Albertina in Wien und in das Tiroler Landesmuseum Ferdinandeum in Innsbruck. M. druckte meist von 6 bis 10 Platten, die (nach japan. Vorbild) ihrerseits wieder in nicht benachbarten Teilen verschieden eingefärbt wurden, so daß oft 16 bis 18 Druckfarben zu unterscheiden sind. Die Drucke sind von Abzug zu Abzug stark variiert, so daß aus M.s bester Zeit (bis etwa Ende der 20er Jahre) kaum gleiche Drucke bestehen. Auch die Druckplatten wurden ständig verändert, ausgetauscht, bereichert oder vereinfacht. Der Katalog der Holzschnitte umfaßt mit Varianten 115, der der Gemälde 110 Werke. Noch zu seinen Lebzeiten geriet M., zuletzt verarmt und isoliert, in Vergessenheit. Erst 1973 wurde mit Ausstellungen in Bozen, Wien und Innsbruck wieder auf sein Werk aufmerksam gemacht. Gesamtausstellungen 1978 und 1989 in Bozen und Innsbruck machten Bedeutung und Umfang von M.s Werk vollends deutlich.

L K. Kuzmany, Jüngere österr. Graphiker II (Holzschnitt), in: Die graph. Künste 31, 1908; V. Pica, in: L'odierna Arte del bianco e nero, Ausst.kat. Mailand 1923; ders., in: Emporium 56, 1922, Nr. 5; E. Fussenegger, Holzschneider C. M., 1930; W. Kirschl, Malerei u. Graphik in Tirol 1900–40, Ausst.kat. Wien u. Innsbruck 1973; ders., C. M., Das graph. Werk, Ausst.kat. Innsbruck 1978 *(W, L, P);* ders., C. M. 1873–1939 *(W, L, P),* 1989.

Wilfried Kirschl

Moser, *Koloman (Kolo),* Maler und Graphiker, * 30. 3. 1868 Wien, † 18. 10. 1918 ebenda. (kath., seit 1905 ev.)

V Josef (1828–88), Kanzlist, Hausökonom im Theresianum in W., *S* d. Josef (1771–1851) aus Stetten b. Korneuburg (Niederösterreich), Bedienter, Portier im Theresianum, u. d. Antonia Theresia Silfa (Silva, Silbner) (1794–1862); *M* Theresia (1841–1926), *T* d. Leopold Hirsch († v. 1865), Weinhauer in Preßburg, u. d. Barbara Doleysal († v. 1865); ∞ Wien 1905 Edith (Ditha) (1883–1969), *T* d. Karl Rr. Mautner v. Markhof (1834–96), Industrieller, KR (s. NDB 16*), u. d. Edith Freiin Sunstenau v. Schützenthal (1846–1918), Philanthropin (beide s. ÖBL); *Gvv d. Ehefrau* Adolf Ignaz Rr. Mautner v. Markhof (1801–89), Industrieller (s. NDB 16); 2 *S.*

Von den Eltern für eine kaufmännische Laufbahn bestimmt, besuchte M. zunächst die Gewerbeschule. Sein ganzes Interesse galt aber seit seiner Kindheit der handwerklichen Tätigkeit und der Kunst. 1885 schrieb er sich an der Wiener Akademie der bildenden Künste ein. Unzufrieden mit den akademischen Unterrichtsmethoden seiner Lehrer, der Maler F. Rumpler, Ch. Griepenkerl und M. Trenkwald, wechselte er 1892 an die Kunstgewerbeschule des Museums für Kunst und Industrie über und wurde Schüler von F. v. Matsch. Seit dem Tod seines Vaters verdiente M. seinen Lebensunterhalt durch Illustrationen in Modezeitschriften und humoristischen Blättern, in denen sich bereits seine dekorative Begabung offenbarte.

Noch als Kunststudent wurde M. Mitglied des sog. „Siebnerclubs", der sich um 1894 aus einer Stammtisch- zu einer Diskussionsrunde entwickelte und junge, mit der Kunstsituation in Wien unzufriedene Talente vereinigte. Die meisten aus diesem Klub – darunter J. M. Olbrich, J. Hoffmann und G. Klimt – gehörten zusammen mit M. 1897 zu den Gründungsmitgliedern der Vereinigung der bildenden Künstler Österreichs (bekannt als „Wiener Secession"), die sich um den Anschluß an die moderne europ. Kunstentwicklung bemühte und Wien bald zu einem bedeutenden Zentrum der Jugendstilbewegung machte.

M. war eine der treibenden Kräfte dieser Vereinigung. Er beteiligte sich 1898 an der Ausschmückung des von Olbrich entworfenen Secessionsgebäudes, hatte wesentlichen Anteil an der graphischen Gestaltung der 1898 gegründeten Vereinszeitschrift „Ver Sacrum" und realisierte eine ganze Reihe von bedeutenden Kunstausstellungen der Vereinigung, an denen sich oft auch prominente ausländische Künstler beteiligten. Auf diesen vielbeachteten Veranstaltungen wurden auch die ersten kunstgewerblichen Arbeiten M.s einem breiten Publikum präsentiert, die er noch vor der Jahrhundertwende für namhafte Wiener Firmen zu entwerfen begann. Seine Tätigkeit auf diesem Gebiet war von erstaunlicher Vielseitigkeit; neben Werken aus Keramik, Porzellan und Glas entwarf er Textilien, Möbel sowie Gebrauchsgraphik und verfertigte Musterbücher. Die Orientierung auf das Kunsthandwerk verstärkte sich noch, als M. 1899 an der Kunstgewerbeschule zu unterrichten begann und hier 1900 zum Professor ernannt wurde.

M.s phantasiereiche und anregende Entwurfstätigkeit übte auf die Entstehung des charakteristischen Stils der Wiener Secession, der sich schon bald nach 1900 vom florealen Jugendstil emanzipierte und flächenhafte, geometrische Ornamentik auf kubischen Körpern bevorzugte, nachhaltigen Einfluß aus. Nach dem frühen Weggang Olbrichs aus Wien waren M. und sein Kollege an der Kunstgewerbeschule, der Architekt J. Hoffmann, die führenden Künstler, die das Streben nach einem modernen Gesamtkunstwerk in der Wiener Secession wesentlich prägten. Dabei war M. stets der das Neue suchende Anreger, während Hoffmann sich um die konsequente Weiterbildung der neuen Gedanken und um ihre Integration in einem breiteren architektonischen Rahmen bemühte. Das Interesse beider am Kunstgewerbe und ihre enge Zusammenarbeit führte sie 1903 – zusammen mit dem Industriellen Fritz Wärndorfer – zur Gründung der „Wiener Werkstätte", einer „Produktionsgenossenschaft von Kunsthandwerkern in Wien", die sie gemeinsam künstlerisch leiteten. 1905 kam es zur Spaltung innerhalb der Wiener Secession; M. trat zusammen mit der sog. Klimt-Gruppe aus der Vereinigung aus. 1908 beteiligte er sich mit einer umfangreichen Kollektion von kunstgewerblichen Arbeiten an der sog. „Kunstschau" dieser Gruppe und nahm auch 1909 an deren letzter gemeinsamer Ausstellung teil. Zu dieser Zeit gehörte er allerdings nicht mehr der Wiener Werkstätte an; bereits 1907 war er – unzufrieden mit der kaufmännischen Leitung Wärndorfers – ausgeschieden. In den darauffolgenden Jahren widmete sich M. immer mehr der Malerei, zunächst vor allem Landschaftsdarstellungen, später überwogen figurale Kompositionen. Ihre symbolische Formensprache ist stark von Ferdinand Hodler beeinflußt, mit dem er erstmals 1903/04 bei der Vorbereitung von dessen Ausstellung in der Wiener Secession in Kontakt gekommen war. Eine weiteres Treffen fand 1913 in Genf statt. Daneben befaßte sich M. mit dem Studium der Beziehungen von Licht und Farbe, aufbauend auf Goethes Abhandlung „Zur Farbenlehre". Großen Erfolg hatte er während dieser Jahre auch mit Entwürfen für Briefmarken und Arbeiten für das Theater. So schuf er phantasievolle Kostüme für Tänzerinnen und szenische Entwürfe. Schon um 1901 hatte er Bühnenbilder entworfen, die z. T. wegweisende Bedeutung erlangten, etwa durch die Einführung von Vorhängen anstelle fester Kulissen.

– M.s letzte Jahre waren gezeichnet von schwerer Krankheit (Kehlkopfkrebs). – Franz-Joseph-Orden (1907).

W Mitgestaltung d. meisten Ausst. d. Wiener Secession, 1897–1904, bes. XIII. Ausst. 1902 (Plakate), XIV. Ausst. (mit Klingers Beethovenstatue) 1902, XVIII. Ausst. (Werke v. G. Klimt) 1903, XIX. Ausst. (Werke v. F. Hodler) 1904; graph. Gestaltung d. Zs. „Ver Sacrum", 1898–1903; Glasfenster u. Bauornamentik f. d. Secessionsgebäude, Wien 1898; Entwürfe f. Porzellan f. d. Porzellanmanufaktur Josef Bock, f. Gebrauchs- u. Zierglas f. d. Firmen Bakalowits & Söhne u. Joh. Loetz-Witwe, f. Teppiche u. Dekorationsstoffe d. Firma Backhausen & Co., f. Möbel (Buffetschrank „Der reiche Fischzug", 1900), Bugholzmöbel f. d. Firma Jakob & Joseph Kohn, Korbmöbel f. d. Rudniker Korbwarenfabrik 1899–1903; Glasfenster f. d. Hotel Bristol, Warschau, um 1901; Mappenwerk „Flächenschmuck v. K. M.", 1901; Buchill. zu Arno Holz, Die Blechschmiede, 1901; Entwürfe f. d. Wiener Werkstätte, bes. f. Metallgegenstände (sog. Gitterobjekte), Möbel (Schreibschrank mit einschiebbarem Stuhl, sog. „Kistenmöbel"), Beleuchtungskörper, Schmuck, Damenkleider, 1903–07; Inneneinrichtung d. Modesalons Flöge u. d. Sanatoriums in Purkersdorf, 1904 (mit J. Hoffmann); mehrere Glasfenster, Entwürfe f. d. Hochaltar u. f. Seitenaltäre (nicht ausgeführt) f. d. Kirche Am Steinhof, Wien 1905/06; Entwürfe f. Banknoten u. Briefmarken (Bosnien-Herzegovina 1906, Kaiser Franz Joseph Jubiläumsmarken 1908, Kriegsmarken 1914/16); Innendekoration (nicht ausgeführt) f. d. Hl. Geist-Kirche, Düsseldorf 1907/09; Mitgestaltung d. „Kunstschau" 1908 (Klimt-Raum). – *Bühnenentwürfe u. Kostüme:* Szenengestaltung f. Hebbels „Genoveva" 1908 (nicht realisiert); „Der Musikant", 1910; „Der Bergsee", 1911 (beide Opern v. J. Bittner, f. d. Wiener Hofoper); Kostümentwürfe bes. f. Solotänzerinnen (u. a. f. Gertrude Barrison, 1908). – *Gem.:* Früchtestilleben, 1910; Semmeringlandschaft, 1913; Wolfgangsee, um 1913; Das Licht 1913/15; Drei kauernde Frauen, um 1914; Allegor. Figur (Faust), 1913/15; Der Wanderer, um 1916. – *Autobiogr.:* Mein Werdegang, in: Velhagen & Klasings Mhh. 21, 1916/17, H. 2, S. 254–62.

Selbständige Ausst.: Gal. Miethke (Gem.), Wien 1911; Gal. Wolfrum u. „Kunstschau 1920" (Gedächtnisausst.); Österr. Mus. f. Kunst u. Industrie, Wien 1927; Joanneum, Graz 1969; Hochschule f. angewandte Kunst u. Österr. Mus. f. angewandte Kunst, Wien 1979; Gal. Metropol, Wien/New York, 1982/83; Padiglione d'Arte Contemporanea, Mailand 1984; Musée d'Orsay, Paris 1989/90.

L H. Ankwicz-Kleehoven, Hodler u. Wien, 1950; K. M., Gem., Graphik, Briefmarken (hrsg. v. d. Österr. Post- u. Telegraphenverw.), 1964; W. Fenz, K. M. 1868–1918, Gem. – Graphik, Ausst.kat. Graz 1969; ders., K. M. u. d. Zs. „Ver Sacrum", in: Alte u. moderne Kunst 15, 1970, H. 108, S. 28–32; O. Oberhuber u. J. Hummel (Hrsg.), K. M. 1868–1918, Ausst.kat. Wien 1979; Ch. Meyer, K. M., Painter and Designer, 1868–1918, Ausst.kat. Wien/New York 1982; W. J. Schweiger, Wiener Werkstätte, Kunst u. Handwerk, 1903–1932, 1982 *(P);* R. Waissenberger (Hrsg.), Ver Sacrum, Die Zs. d. Wiener Secession, 1898–1903, Ausst.kat. Wien 1982; W. Fenz, K. M., Graphik, Kunstgewerbe, Malerei, 1984; D. Baroni u. A. D'Auria, K. M., Grafico e designer, Ausst.kat. Mailand 1984; M. Bascou, K. M., Un créateur d'avant-garde à Vienne (1897–1907), Ausst.kat. Paris 1989; ThB; ÖBL.

Maria Pötzl-Malikova

Moser, *Ludwig,* Glasgraveur und -fabrikant, * 18. 6. 1833 Karlsbad (Böhmen), † 27. 9. 1916 ebenda. (isr.)

V Lazar (1807–1912), Restaurateur in K., *S* d. Moses Maier (auch: Mayer-Kriegshaber) († 1831), um 1770 aus Fürth (Bayern) nach Lichtenstadt b. K. zugewandert, u. d. Pauline Moser (1772–1875); *M* Henriette Becher (1800–86) aus Kuttenplan b. Marienbad; ∞ 1) 1858 Lotti Benedikt († 1869), 2) Karlsbad 1870 Julie (1848–1922), *T* d. Arztes David Maier (1814–94) u. d. Marie Becher (1825–98); 4 *S*, 1 *T* aus 1), 4 *S* aus 2).

Nach Volksschulbesuch in Karlsbad absolvierte M. vier Realschulklassen bei den Piaristen in Wien und kehrte 1847 nach Karlsbad zurück, um dort den Schulbesuch abzuschließen. Die Familienverhältnisse zwangen ihn, 1848 als Lehrling in die Glasgravurwerkstätte von Andreas Mattoni einzutreten. Gleichzeitig nahm er bis 1850 Unterricht bei dem Maler Ernst Anton, anschließend wanderte er auf der Suche nach Arbeit über Prag und Kolin nach Polisch Kirchen und kehrte Ende 1850 erfolglos nach Karlsbad zurück. Dort war er bis 1851 als Graveur bei Mattoni tätig und anschließend in Prag, wo er auch die Kunstakademie besuchte, um sich im Zeichnen auszubilden. Nach einem erneuten Aufenthalt in Karlsbad 1853 ging M. über Zwickau nach Leipzig und Berlin, wo er einige Monate lang in einer Werkstatt arbeitete und mit seinen Jagd- und Ornamentgravuren Beifall fand. Seit 1855 wieder in Karlsbad, wirkte er selbständig als Graveur von Monogrammen, Schriften, Wappen und Ornamenten auf Brunnenbechern und anderen Gläsern, gelegentlich auch auf Halbedelsteinen. Im März 1857 konnte er sich dort endgültig beruflich etablieren. Die zunehmende Nachfrage nach seinen Gravuren und Steinschnitten machte bald die Verlegung des „Glasgeschäfts Ludwig Moser" in eine bessere Lage der Stadt möglich. Das Rohglas bezog M. aus den besten südböhm. Glashütten (u. a. Meyr's Neffe, Wilhelm Kralik, Johann Lötz Witwe). Um 1870 wurde ein eigener Betrieb in Meistersdorf b. Steinschönau mit Gravur- und Schleifereiwerkstätten sowie einer Malerei eröffnet. Gute Graveure wie Hoffmann (Jagdgravuren), Sacher und Novak (Figuralmotive und Ornamentik) wurden herangezogen. Neue Absatzmöglichkeiten erschloß M. durch die Beteiligung an Ausstellungen u. a. in Linz, Graz und Wien (1872), wo er später zum „Hoflieferanten" ernannt wurde, sowie in Glasgow und Edinburgh.

Im Spätherbst 1891 machte eine Hochwasserkatastrophe, die das gesamte zentrale Kur- und Geschäftsviertel von Karlsbad in Mitleidenschaft zog, die Verlegung des Betriebes in neue, moderne Geschäftsräume notwendig. Der häufige Mangel an Rohglas führte bei M. zu dem Entschluß, eine moderne Glasfabrik mit allen Zweigen der Glasveredelung in dem nur 3 km von Karlsbad entfernten Ort Meierhöfen zu erbauen. Mit seinen Söhnen gründete er um 1890 die neue Firma „Karlsbader Glasindustrie-Gesellschaft Ludwig Moser & Söhne AG". Der Bau moderner Arbeiterhäuser mit freier Wohnung und Beheizung ermöglichte M. die Anwerbung der besten Spezialarbeiter aus allen Teilen Böhmens. Das ständig zunehmende Geschäft veranlaßte M. zur Eröffnung von Niederlassungen im In- und Ausland, so 1897 in Paris (Boulevard des Italiens), 1903 in Marienbad, 1905 in Franzensbad und Mailand (Galleria Vittorio Emmanuele). Das nunmehr weltbekannte Unternehmen lieferte u. a. Tafelservice an die Herrscherhäuser von Großbritannien, Norwegen, Bulgarien, Spanien und Persien. 1908 erhielt M. das „Special Appointment of Glass Manufacture to H. M. the King Edward VII."

Der Ausbruch des 1. Weltkriegs im Sommer 1914 brachte einen schweren Rückschlag. Der Verlust ausländischer Niederlassungen, der Niedergang der böhm. Kurorte und die Einziehung vieler Arbeiter zum Militärdienst bedeutete eine Schrumpfung von Produktion und Absatz auf ein Minimum, der M.s Sohn Leo durch eine Umstellung vom Detail-Selbstvertrieb auf Engros-Export zu begegnen versuchte. Seit etwa 1916 – M.s Todesjahr – zeichnete sich eine Konsolidierung des Unternehmens ab. – Vorstand der jüd. Gemeinde in Karlsbad; Franz-Joseph-Orden (1908).

L G. E. Pazaurek, Gläser d. Empire- u. Biedermeierzeit, 1923, S. 123 f., 2. Aufl., bearb. v. E. Philippovich, 1976, S. 121; Egerländer Biogr. Lex. I, 1985; BLBL; ThB.

Leo Moser †

Moser, *Ludwig,* Chemiker, * 10. oder 30. 3. 1879 Wien, † (Unfall) 26. 9. 1930 Zell am See. (kath.)

V Ludwig, Fabr. u. Hausbes.; *M* Leopoldine Breunig; *B* Ernst (* 1884), Ing. in W.; – ∞ 1921 Margarete Zerline († 1930), *T* d. N. N. Ullrich u. d. Louise N. N.; 1 *T* Erika (* 1923), Apothekerin in W.

M. studierte 1899–1903 an der TH Wien Chemie und nahm nach kurzer Tätigkeit als Privatassistent 1904 eine Stelle bei den Farbwerken Hoechst an. Noch im selben Jahr kehrte er an die TH Wien zurück und wurde zum Doktor der technischen Wissenschaften promoviert. Nach seiner Habilitation für anorganische und analytische Chemie 1908 arbeitete er als Privatdozent an der TH Wien. Während des 1. Weltkrieges, als alle kriegswichtigen Betriebe in Österreich unter Militärkontrolle standen, war M. zwei Jahre als Offizier in der Pulverfabrik Blumau eingesetzt. In den letzten beiden Kriegsjahren hatte er einen Lehrauftrag für chemische Technologie an der Militärakademie in Mödling bei Wien inne, zugleich arbeitete er an der TH Wien als Referent des Kriegsministeriums an der Entzifferung von Geheimschriften. Einen 1918 ergangenen Ruf an die Deutsche TH Prag lehnte M. ab. 1919 wurde er zum ao. Professor für anorganische und analytische Chemie und 1921 zum o. Professor für analytische Chemie an der TH Wien berufen.

M. war ein hervorragender Vertreter der traditionsreichen Wiener analytischen Schule. Auf der Grundlage umfassender Kenntnisse der anorganischen und physikalischen Chemie arbeitete er zahlreiche neue quantitative Bestimmungsverfahren aus, die Eingang in die analytische Praxis fanden. Zur Trennung heterogener Systeme entwickelte er die Methode der zeitlichen Hydrolyse: Durch verschiedene Zusätze zum Reaktionssystem erreichte er, daß sich die Neigung des zu hydrolisierenden Ions zur Adsorption von Fremdionen und zur Hydrosolbildung verringerte. Damit konnte M. eine vollständige Trennung bestimmter Ionen von anderen, unter den spezifischen Bedingungen nicht hydrolisierbaren Ionen, erzielen. Außerdem erarbeitete er Methoden zur Bildung schwerlöslicher Metalladsorptionsverbindungen, insbesondere von Metallhydroxid-Tanninverbindungen, die wegen ihrer großen Empfindlichkeit hervorragend für die quantitative Analyse geeignet waren. Die genannten Verfahren wurden von M. und seinen Mitarbeitern mit besonderem Erfolg bei der Analyse seltener Elemente (Beryllium, Titan, Zirkonium, Vanadium, Wolfram, Uran u. a.) eingesetzt. Darüber hinaus arbeitete M. neue Verfahren für die quantitative Bestimmung und die Reinigung von Gasen aus, die allgemeine Anerkennung fanden. Als Hochschullehrer machte sich M. vor allem um die Reorganisation des Instituts für analytische Chemie an der TH Wien verdient. Seine Arbeiten an einem umfangreichen Lehrbuch der analytischen Chemie konnte er nicht mehr vollenden. – Haitinger-Preis d. Ak. d. Wiss. Wien (1925); Ehrenmitgl. d. Society of Public Analysts, London (1930); Präs. d. Vereinigung Österr. Chemiker.

W Die Bestimmungsmethoden d. Wismuts u. seine Trennung von d. anderen Elementen, in: B. M. Margosches, Die chem. Analyse, Bd. 10, 1909; Die Reindarstellung v. Gasen, 1920.

L A. Brukl, in: Österr. Chemiker-Ztg. 33, 1930, S. 188–91 *(W, P)*; W. J. Müller, in: Berr. d. Dt. Chem. Ges. 63, 1930, S. 165–67; F. Böck, in: Zs. f. angew. Chemie 43, 1930, S. 1001–02; R. Wegscheider, in: Mitt. d. staatl. techn. Versuchsamtes (Wien) 19, 1930, S. 23–25; Pogg. V, VI; ÖBL.

Bettina Löser

Moser, *Lucas,* Maler, tätig um 1432 in Schwaben.

Trotz der Inschrift: „+ schri · kvnst · schri · vnd · klag · dich · ser · din · begert · iecz · niemen · mer · so · o · we · 1432 · / + LVCAS · MOSER · MALER · VON · WIL · MAISTER · DEZ · WERX · BIT · GOT · VIR · IN ·" auf den vertikalen Schriftbändern, die das Mittelbild des Maria-Magdalenen-Retabels in der Pfarrkirche in Tiefenbronn Kr. Pforzheim rahmen, gelang bisher keine überzeugende Identifizierung des herausragenden Künstlers mit einer archivalisch belegbaren Persönlichkeit. Der Vorname könnte auf eine Familientradition des Malerhandwerks verweisen, war der hl. Lukas doch Patron der Maler. Möglich, doch nicht beweisbar ist eine Verbindung zu dem in Ulm zwischen 1407 und 1442 urkundlich faßbaren Maler Hans Moser. Ungeklärt bleibt weiter, welcher Ort mit „wil" gemeint ist; Weil der Stadt und Rottweil kämen unter anderen in Frage.

Die Wappen der Eheleute Bernhard v. Stein zu Steinegg und Agnes Maiser v. Berg auf der Predella weisen das Altarwerk als lokale Stiftung aus. Offen bleibt allerdings der Stiftungszusammenhang mit der aufgemalten Ablaßformel. Auch die Dedikationsinschrift auf den horizontalen Schriftbändern läßt sich nicht gänzlich mit den überlieferten Patrozinien der Tiefenbronner Kirche in Einklang bringen. Dennoch kann davon ausgegangen werden, daß sich das Maria-Magdalenen-Retabel noch heute an seinem ursprünglichen Platz befindet, nachdem die 1969 von G. Piccard vorgebrachten Zweifel an der Originalität der Inschriften durch materialtechnische Untersuchungen ausgeräumt werden konnten. Zwar wurden sämtliche Inschriften (mit Ausnahme der Nimbeninschriften auf den Innenseiten der Flügel) überarbeitet, doch kam es nicht zu bestandsverändernden Eingriffen. Die Untersuchungen bestätigten außerdem die Ursprünglichkeit der so ungewöhnlichen Spitzbogenform des Retabels: M. hielt sich offenbar genau an die Form des um 1400 entstandenen Altarfreskos, vor dem sein Retabel aufgestellt wurde. Veränderungen wurden allerdings am Mittelschrein vorgenommen, der ehemals noch stärker in das Rahmensystem der Schriftbänder eingepaßt war. Gegen 1520 wurde er vergrößert, was auch Anstückungen der beweglichen Flügel zur Folge hatte, um die größere Schnitzgruppe der von Engeln erhobenen Maria Magdalena aufzunehmen, die sich noch heute dort befindet. Trotz dieser, vor allem bei geöffneten Flügeln wahrnehmbaren Veränderungen erwiesen sich die Gemäldefelder auch dank ihrer hervorragenden technischen Qualität als ausgezeichnet erhalten. Alle bemalten Seiten der Eichenholztafeln sind in einer aufwendigen Technik mit Pergament überzogen und dann mit ungewöhnlich hohem materiellen Aufwand und Einsatz der besten Werkstoffe (Vergolderarbeiten, Punzierungen, Lüstertechnik) geradezu verschwenderisch ausgeführt. M. beherrschte nicht nur die technischen Ausdrucksmöglichkeiten seiner Zeit, sondern meisterte ebenso auch alle künstlerischen Herausforderungen. So gelang es ihm, die drei Szenen der Maria-Magdalenen-Legende (Schiffahrt, Ankunft in Marseille, Letzte Kommunion der Heiligen) in der Mittelzone des geschlossenen Retabels in einen durchgängigen Landschafts- bzw. Architekturprospekt einzubetten, wofür es nur in der Kunst des in Tournai tätigen Robert Campin Vorbilder gibt. Bestens bekannt mit der zeitgenössischen frankofläm. Kunst, vor allem der Buchmalerei, deutete und verarbeitete M. deren Bildmotive außerordentlich selbständig. Für die detailreiche Schilderung der Hafenlandschaft könnten Anklänge an die Topographie von Marseille eingeflossen sein. In Süddeutschland jedenfalls gehört M., ebenso wie Konrad Witz und Hans Multscher, zu den frühesten Vertretern des aufkommenden Naturalismus westlicher Prägung. Sicherlich bedingt durch den spärlichen Materialbestand, lassen sich, abgesehen von einem fraglichen Fragment im Basler Museum, keine weiteren Werke für M. beanspruchen. Eine Tätigkeit als Buchmaler kann nur erwogen werden. Wohl nicht von ihm stammen die Entwürfe für die Glasgemälde der Bessererkapelle am Ulmer Münster; sie liefern lediglich ein weiteres Zeugnis für die frühe Aufnahme niederländ. Einflüsse im schwäb. Raum.

L ADB 22; Schwäb. Lb. I, 1940; K. Bauch, Der Tiefenbronner Altar d. L. M., 1940; W. Boeck, Der Tiefenbronner Altar v. L. M., 1951; H. May, L. M., 1967; G. Piccard, Der Magdalenenaltar d. „L. M." in Tiefenbronn, Ein Btr. z. europ. Kunstgesch., mit e. Unters. „Die Tiefenbronner Patrozinien u. ihre Herkunft" v. W. Irtenkauf, 1969; A. Stange, Die dt. Tafelbilder vor Dürer, Krit. Verz., II, 1970, Nr. 553 (L); R. Haussherr, Der Magdalenenaltar in Tiefenbronn, Ber. üb. d. wiss. Tagung am 9. u. 10. 3. 1971 im Zentralinst. f. Kunstgesch. in München, in: Kunstchronik, 24. Jg., 1971, H. 7, S. 177–212; W. Köhler, Rez. v. G. Piccard, Der Magdalenenaltar d. „L. M." in Tiefenbronn, in: Zs. f. Kunstgesch. 35, 1972, S. 228–49; C. Sterling, Observations on Moser's Tiefenbronn altarpiece, in: Pantheon 30, 1972, S. 19–32; R. E. Straub u. a., Der Magdalenenaltar d. L. M., Eine techn. Studie, in: H. Althöfer, R. E. Straub, E. Willemsen, Btrr. z. Unters. u. Konservierung ma. Kunstwerke, 1974, S. 9–46; P. Strieder, schri kunst schri, Kunst u. Künstler an d. Wende v. MA z. Renaissance, in: Anz. d. German. Nat.mus., 1983, S. 19–26; R. Neumüllers-Klauser, Die Inschrr. d. Enzkreises bis 1650, 1983, S. 34–36, Nr. 65; C. Reisinger, Flandern in Ulm, Glasmalerei u. Buchmalerei, Die Verglasung d. Bessererkapelle am Ulmer Münster, 1985; M. Pfister-Burkhalter, Die hl. Witwe v. L. M., Fragment e. Altarflügels mit d. hl. Brigitta v. Schweden, in: Zs. f. schweizer. Archäol. u. Kunstgesch. 43, H. 2, S. 187–94; H. Scholz, Tradition u. Avantgarde, Die Farbverglasung d. Bessererkapelle als Arbeit e. Ulmer „Werkstatt-Kooperative", Dt. Glasmalerei d. MA, 1992; ThB; KML.

Isolde Lübbeke

Moser, *Moses,* Philanthrop, * 29. 9. 1797 Lippehne (Mark Brandenburg), † 15. 8. 1838 ebenda. (isr.)

V Jaeckel (eigtl. Jaeckel Moses), Kaufm. in L.; *M* N. N.

Als Angestellter der Bank Moses Friedländers besuchte M. philosophische und historische Vorlesungen an der Univ. Berlin, vor allem bei Franz Bopp (Sanskrit), Friedrich August Wolf (Homer) und seit 1818 bei Hegel. Hier lernte er u. a. Eduard Gans und Leopold Zunz kennen, mit denen er am 7. 11. 1819 den „Verein für Cultur und Wissenschaft der Juden" mit dem Ziel gründete, die jüd. Kultur zu pflegen und gleichzeitig Brücken zum Deutschtum zu schlagen. Ihre Thesen publizierten die Mitglieder in der „Vereins-Zeitschrift für die Wissenschaft des Judentums". Während jedoch Vereinspräsident Gans und andere als Konsequenz der Assimilation die

Konversion zum Christentum vollzogen, hielten Zunz und M., der das Amt des Sekretärs und Schatzmeisters bekleidete, am Judentum fest. Nach der Auflösung des Vereins 1824 pflegte er, der von Heine als „Seele" des Vereins bezeichnet worden war, weiterhin die Verbindung zu dessen ehemaligen Mitgliedern, besonders zu Zunz, der die Idee von der „Wissenschaft des Judentums" weiterverfolgte, und zu Immanuel Wohlwill, seit 1823 Lehrer an der Hamburger Freischule. Ebenfalls 1819 trat M. mit einigen Freunden der 1792 von David Friedländer und Abraham Mendelssohn gegründeten „Gesellschaft der Freunde" bei, der er, inzwischen Teilhaber von Friedländers Bank, 1836-38 als Präsident vorstand. In die Literaturgeschichte ist M. durch seine Freundschaft mit Heinrich Heine eingegangen, der ihm in seinem Essay „Ludwig Marcus" ein Denkmal gesetzt hat.

W Zahlr. Aufsätze in d. „Vereins-Zs. f. d. Wiss. d. Judentums", 1819-24. – Briefwechsel (bes. mit I. Wohlwill, 1823-34) im Archiv d. Leo Baeck Institute, New York.

L Briefe v. Heinrich Heine an seinen Freund M. M., 1862; A. H. Friedlander, The Verein f. Cultur u. Wiss. d. Juden, Diss. Cincinnati 1952; ders., The Wohlwill-M. Correspondence, in: Leo Baeck Institute Year Book XI, 1966, S. 262-99 (P); H. G. Reissner, ebd. II, 1957, S. 189 f.; ders., Eduard Gans, 1965; Die Judenbürgerbücher d. Stadt Berlin 1809-1851, bearb. u. hrsg. v. J. Jacobsen, 1962, S. 249 f.; N. N. Glatzer (Hrsg.), Leopold Zunz, 1964; I. Schorsch, Breakthrough into the Past: The Verein f. Cultur u. Wiss. d. Juden, in: Leo Baeck Institute, Yearbook 33, 1988, S. 3-28; Enc. Jud. 1971.

Franz Menges

Moser, *Robert,* Eisenbahningenieur, Geologe, * 4. 4. 1838 Herzogenbuchsee Kt. Bern, † 20. 1. 1918 Zürich. (ref.)

V Samuel Friedrich (1808-91), Kaufm., Mitinh. e. 1720 gegründeten Seidenbandweberei, Landwirt, Präs. d. Gemeinderats in H. (s. HBLS), S d. Johannes (1777-1821), Textilfabr., Politiker, u. d. Barbara Schneeberger; M Verena Amalia (1808-81), T d. Johann Friedrich Gugelmann (1755-1815), Arzt in Langenthal; 11 *Geschw.* u. a. Emil (1837-1913), Kaufm., eidgenöss. Oberst, Nationalrat, Amélie M.-Moser (1839-1925), Vorkämpferin f. Volksgesundheit u. Volksbildung; – ∞ 1874 Henriette Dorothea Cleophea (1847-1922), T d. Johann Heinrich Blass (1798-1866), ref. Pfarrer in Leipzig, u. d. Karoline Dorothea Bergemann (1814-67); 4 S, 4 T, u. a. Paul Friedrich (1887-1958), Obering. d. Schweizer. Ver. v. Dampfkesselbesitzern; E Hans Peter (* 1920), Dr. iur., Dr. iur. h. c., Präs. d. Verw.gerichts d. Kt. Zürich, Konrad Bleuler (1912-92), Dr. math., Prof. d. Theoret. Physik in Bonn.

M. besuchte die obere Industrieschule (math.-naturwiss. Gymnasium) in Zürich, studierte 1856-58 am Eidgenössischen Polytechnikum in Zürich (der späteren ETH) und erwarb das Diplom als Zivilingenieur. Nach einer Praxis im Technischen Bureau der Stadt Basel wirkte M. 1860-65 als Bauleiter im Dienst der bern. Staatsbahnen. 1865/66 bearbeitete er Eisenbahnprojekte im Kgr. Württemberg, 1867/68 war er Kantonsingenieur in Solothurn. Nach Studien für den Bau einer Bahn von Passau nach Böhmen trat er in den Dienst der Kaschau-Oderberg-Bahn. 1872 wurde er als Oberingenieur der Schweizerischen Nordostbahn (N.O.B.) berufen, und leitete den Bau zahlreicher Strecken, u. a. der linksufrigen Zürichseebahn sowie der Linien Wintherthur-Koblenz, Wädenswil-Einsiedeln und Glarus-Linthal. Nach dem Rücktritt von diesem Amt war er 1879-88 Teilhaber und leitender Ingenieur eines Konsortiums für den Bau der Gotthard-Nordrampe Flüelen-Göschenen. 1888 kehrte er als Oberingenieur zur N.O.B. zurück, baute u. a. die rechtsufrige Zürichseebahn sowie die Linien Thalwil-Zug und Eglisau-Schaffhausen, trat aber aufgrund von Meinungsverschiedenheiten 1896 von dieser Stelle zurück und entfaltete fortan als selbständiger Ingenieur eine äußerst fruchtbare und vielseitige Tätigkeit bei der Projektierung von Eisenbahnlinien (u. a. Rhätische Bahn, insbesondere Albula-Linie; Bodensee-Toggenburg-Bahn), Eisenbahnbrücken (Aarebrücke Koblenz, Rheinbrücke Eglisau, Oerlikoner Viadukt Zürich, Lorrainebrücke Bern), als Gutachter und als Berater von Behörden, so des Schweizerischen Bundesrates. Wenn bei Bahn- und Tunnelbauten (z. B. Lötschberg und Simplon) besondere Schwierigkeiten auftraten, wurde sein Rat eingeholt. Etwa 1500 km Eisenbahnstrecken wurden nach seinen Plänen gebaut; rund 450 km führte er selbst als leitender Ingenieur aus. M., der seit der Gründung der Schweizerischen Bundesbahnen deren Verwaltungsrat angehörte, galt seinen Zeitgenossen als der bedeutendste Eisenbahningenieur der Schweiz.

Er verdankte seinen Ruf seiner gründlichen, stets auf den Schutz der Natur bedachten Arbeitsweise: eingehende geologische Voruntersuchungen – vielfach zusammen mit Albert Heim (1849-1937), Professor am Eidgenössischen Polytechnikum –, Berücksichtigung der Bedürfnisse der Bevölkerung und der lokalen Wirtschaft sowie der überregionalen Verkehrszusammenhänge, straffe Organisation der Baumaßnahmen, schonungsvoller Umgang mit der Landschaft, kunstvolle Gestaltung der Bauwerke (Brücken) unter Bevorzugung einheimischer Materialien. M. verfaßte mehr als 50 wissenschaftliche Abhandlungen, hauptsächlich zu geologischen und geotechnischen, verkehrstechnischen, städtebaulichen und architektonischen Fragen. Von besonderer Bedeutung waren seine Mitarbeit an den „Beiträgen zur Geologie der Schweiz, Geotechnische Serie" sowie seine Schrift „Die Katastrophe von Zug am 5. Juli 1887" (1888), eine Untersuchung über Rutschungen, in der er zu heute noch gültigen erdbaumechanischen Erkenntnissen gelangte. – Dr. phil. h. c. (Univ. Zürich 1905).

Weitere W Haupt- u. Nebenbahnen, in: FS z. Feier d. fünfzigjähr. Bestandes d. Eidgenöss. Polytechnikums II (Die bauliche Entwicklung Zürichs), 1905, S. 209–39; Die schweizer. Tonlager, Volkswirtsch. Teil, in: Btrr. z. Geol. d. Schweiz, Geotechn. Serie IV, hrsg. v. d. Geotechn. Komm. d. Schweizer. Naturforschenden Ges., 1907; Die natürl. Bausteine u. Dachschiefer d. Schweiz, Volkswirtsch. Teil, ebd. V, 1915, S. 318–410.

L U. Grubemann, in: Verhh. d. Schweizer. Naturforschenden Ges., 1918, S. 126–32 *(W-Verz.);* A. Jegher, in: Schweizer. Bauztg. 81, Nr. 5, v. 2. 2. 1918; M. Waser, in: Die Schweiz 22, Nr. 2, Febr. 1918, S. 110 ff.; A. Bühler, Die Brückenbauten d. SBB, in: Internat. Kongress f. Brücken- u. Hochbau, Zürich 1926; E. Mathys, Männer d. Schiene, ²1955; Schweizer Lex.

Hans Peter Moser

Moser, *Simon,* Philosoph, * 15. 3. 1901 Jenbach (Tirol), † 22. 7. 1988 Mils b. Hall (Tirol). (kath.)

V Simon (1873–1953), Postamtsdir., *S* d. Simon; *M* Rosa Wiedenhofer (1870–1954); ∞ Jenbach 1939 Eva (1910–69) aus Saarbrücken, *T* d. Heinrich Sieberg u. d. Theresa Schlitz (1880–1954); 2 *S,* Michael (* 1940), Prof. f. angew. Geol. an d. Univ. Erlangen-Nürnberg, Stefan (* 1941), Dr., Verfahrenstechniker in Hannover.

M. besuchte 1911–19 das Gymnasium der Franziskaner in Hall (Tirol). 1919 begann er in Innsbruck ein Jurastudium, das er 1921 mit dem ersten Staatsexamen abschloß. 1920 absolvierte er die Handelsakademie in Innsbruck. 1922 nahm er das Studium der Philosophie, Nationalökonomie, Altphilologie und Mathematik in Berlin auf und setzte es in Marburg/Lahn und Freiburg (Breisgau) fort. M. erwarb 1921 in Innsbruck den Dr. phil. scholasticus, seine zweite Promotion schloß er 1932 im Fach Philosophie in Freiburg aufgrund der Dissertation „Die ‚Summulae in Libros physicorum' des Wilhelm von Ockham" ab. Im Mai 1935 habilitierte er sich in Innsbruck für Geschichte der Philosophie und systematische Philosophie mit der Schrift „Zur Lehre von der Definition bei Aristoteles". Anschließend war er Privatdozent an den Universitäten Innsbruck und Wien, bis er 1940–45 seinen Militärdienst in Österreich, Italien und Jugoslawien leistete. Im Sommer 1945 gründete er zusammen mit Otto Molden das Österreichische Colleg in Wien, dessen Internationale Hochschulwochen in Alpbach er leitete. Zunächst lehrte er weiter als Privatdozent an der Univ. Innsbruck (ao. Prof. 1948). Im Oktober 1952 folgte er dem Ruf an die TH Karlsruhe, wo er 1955 zum ao., 1962 zum o. Professor ernannt wurde. 1962 übernahm er die organisatorische Leitung des Studium Generale, die er bis 1977 innehatte. Im März 1968 wurde M. emeritiert. Als begeisterter Bergsteiger veröffentlichte M. auch photographische Bildbände über das Alpbachtal und die Tiroler Bergwelt. M.s denkerische Entwicklung nimmt ihren Ausgang von einer gründlichen Beschäftigung mit der aristotelisch-scholastischen Tradition. Während seiner Studienzeit in Marburg und Freiburg studierte er bei Heidegger, dessen fundamentalontologischer Ansatz und dessen Neuinterpretation der antiken Philosophie ihn stark beinflußten. Während seiner Tätigkeit in Karlsruhe wandte sich M. dann zunehmend den philosophischen Herausforderungen zu, die sich aus den neuzeitlichen Naturwissenschaften und der Technikentwicklung ergaben. In seiner Schrift „Metaphysik einst und jetzt" setzt sich M. mit den Grundproblemen auseinander, die sich aus dem Verhältnis von Philosophie und positiven Wissenschaften ergeben. Seine Untersuchung stellt in einem kritischen Durchgang die Entwicklung und den Bedeutungswandel der Paradigmen der Metaphysik vor. Dabei versucht er zu zeigen, daß die Philosophie, wenn sie auf naturwissenschaftliche Grundlagenfragen antworten will, naturwissenschaftliche Methoden aufnehmen und sich selbst auf der Basis eines analytischen Wissenschaftsverständnisses etablieren muß. Nur dann könne die traditionelle und seines Erachtens fortschrittshemmende Trennung von Geistes- und Naturwissenschaften überwunden und ein gemeinsamer Forschungsfortschritt ermöglicht werden. Auch M.s spätere Arbeiten verfolgten das Ziel, die Denkmuster der europ. Metaphysik und die Modellvorstellungen der modernen Wissenschaften zu konfrontieren, um ihre Bezugsmöglichkeiten aufzuzeigen. Seine starke interdisziplinäre Ausrichtung prägte vor allem die Programme der seit 1945 jährlich stattfindenden Internationalen Hochschulwochen des „Europ. Forums Alpbach / Tirol". Fast 30 Jahre lang war M. wissenschaftlicher Leiter des Forums und initiierte Kongresse mit den führenden Wissenschaftlern der verschiedensten Disziplinen. – Gr. Ehrenzeichen d. Republik Österreich (1959), Verdienstkreuz d. Landes Tirol (1969), Ehrenplakette d. Univ. Karlsruhe (1981).

W Grundbegriffe d. Naturphilos. b. Wilhelm v. Ockham, Krit. Vergleich d. ‚Summulae in libris physicorum' mit d. Philos. d. Aristoteles, in: „Philos. u. Grenzwiss.", IV, 1932, H. 2/3; Zur Lehre v. d. Definition b. Aristoteles, ebd., VI, 1935, H. 2; Philos. u. Antike, in: Ewiger Humanismus, Schrr.reihe d. Österr. Humanist. Ges., Nr. 5, 1946; Metaphysik einst u. jetzt, Krit. Unterss. zu Begriff u. Ansatz d. Ontol., 1958; Philos. u. Gegenwart, Vorträge, 1960; Zw. Antike u. Gegenwart, Phil. Vorträge u. Abhh., hrsg. v. H. Lenk u. M. Maring, 1986 (W-Verz.).

L E. Oldemeyer (Hrsg.), Die Philos. u. d. Wiss., S. M. z. 65. Geb.tag, 1967 (P); O. Molden, Der andere Zauberberg, Das Phänomen Alpbach, 1981; Zs. f. phil. Forschung 22, 1966, H. 2, S. 327–30 (W-Verz.); Kürschner, Gel.-Kal. 1987.

P Versch. Phot., Abb. in: W. Pfaundler, Das ist Alpbach, 1964.

Andrea Esser

Moses, *Julius,* Sozialpolitiker, * 2. 7. 1868 Posen, † 24. 9. 1942 KZ Theresienstadt. (isr.)

V Isidor (1837–92) aus Schubin b. Bromberg, Schneider in P.; M Pauline (1843–1907) aus Obersitzko (Prov. Posen); ∞ 1896 Gertrud Moritz (1874–1942, KZ Theresienstadt); *Lebensgefährtin* Elfriede (1893–1979), T d. N. N. Nemitz u. d. Anna Voigt (1873–1962) aus Bromberg, Schneiderin, 1922–33 Reichstagsabg. (USPD, dann SPD; s. Schumacher; L); 3 S Erwin (1897–1976), Prokurist in Tel Aviv, Rudi (1898–1979), Dr. med., Arzt in Brisbane (Australien), Kurt Nemitz (* 1925), Dr. rer. pol., Prof., 1965–76 Senatsdir. in Bremen, 1976–92 Präs. d. dortigen Landeszentralbank (s. Wi. 1990; L), 1 T Wera (1899–1942, KZ Theresienstadt).

Nach dem Besuch des Gymnasiums und der Univ. Greifswald ließ sich M. 1893 als praktischer Arzt in Berlin nieder. Zunächst bei den Freisinnigen politisch aktiv, entfaltete er eine rege Tätigkeit als Teilnehmer an Veranstaltungen und politischen Diskussionszirkeln. Dabei standen für rund ein Jahrzehnt jüd. Angelegenheiten, die Frage nach der kulturellen und nationalen Identität des Judentums und die Auseinandersetzung mit dem Zionismus und dem Antisemitismus im Vordergrund. Daneben erschloß sich dem Arbeiterarzt bald die Einsicht in den engen Zusammenhang zwischen Gesundheit und sozialen Lebensbedingungen. Die hieraus resultierende zunehmende Schwerpunktverlagerung seines Engagements auf das Feld der Gesundheitspolitik führte zu Konsequenzen: M. verließ 1910 die von ihm seit 1902 herausgegebene Zeitschrift „Generalanzeiger für die gesamten Interessen des Judentums", um sich der Herausgabe medizinischer Fachzeitschriften – u. a. „Der Hausarzt" und „Der Kassenarzt" (1924–33) – zu widmen, und schloß sich der Sozialdemokratie an.

Einen ersten Höhepunkt in der politischen Karriere M.s stellte die „Gebärstreikdebatte" 1912/13 dar, in der M. den Zusammenhang von Kinderreichtum und sozialer Not der Arbeiterschaft und – gegen die eigene Parteiführung – die Forderung nach Geburtenbeschränkung propagierte und sich so einer breiten Öffentlichkeit als fachkundiger und überzeugungsstarker Redner bekanntmachte. 1919 wurde M. Vorstandsmitglied der USPD, dann der SPD, gehörte 1920–32 dem Reichstag an (u. a. als gesundheitspolitischer Sprecher seiner Fraktion) und war Mitglied des Reichsgesundheitsrates. Nicht zuletzt dank seiner Vorliebe für Witz und Ironie zählte er zu den profiliertesten Abgeordneten. Seine Beiträge und Initiativen – etwa zur Rolle der Sozialversicherung, zur vorbeugenden Gesundheitspflege, zur Bekämpfung von Berufskrankheiten, Alkoholismus und Geschlechtskrankheiten, zum § 218, zur Auswirkung von Arbeitslosigkeit auf die Gesundheit oder seine Forderung nach Schaffung eines Reichsgesundheitsministeriums (1921) – waren prägend für die gesundheitspolitischen Debatten in der Weimarer Republik. Nach seiner Definition (1931) war Sozialhygiene alles, „was sich in volksgesundheitlicher Beziehung auswirkt. Zur Sozialhygiene gehört nicht nur die Sozialpolitik als solche, sondern auch die Lohn-, Wohn- und Finanzpolitik und selbst die Kulturpolitik". – 1933 blieb M. trotz seiner doppelten Gefährdung als Jude und Sozialdemokrat in Berlin. 1938 verlor er seine Zulassung als Arzt. Im Juli 1942 wurde er, 74jährig, nach Theresienstadt deportiert, wo er bald darauf starb.

W u. a. Das Handwerk unter d. Juden, 1902; Die Lösung d. Judenfrage, 1907; Gesundheitspflege d. arbeitenden Jugend, 1922; Der Kampf um d. Kurierfreiheit, 1930; Der Totentanz v. Lübeck, 1930; Arbeitslosigkeit – e. Problem d. Volksgesundheit, 1931. – W-Verz.: K. Nemitz, J. M. – Nachlaß u. Bibliogr., in: Internat. wiss. Korr. z. Gesch. d. dt. Arbeiterbewegung 10, 1974, S. 219–41. – *Nachlaß:* Prof. Dr. Kurt Nemitz, Bremen.

L K. Nemitz, J. M. u. d. Gebärstreik-Debatte 1913, in: Jb. d. Inst. f. Dt. Gesch. d. Univ. Tel Aviv II,

1973, S. 321–35; ders., J. M.s Weg z. Sozialdemokratie, ebd. Beiheft 2, 1977, S. 165–83; ders., Die Bemühungen z. Schaffung e. Reichsgesundheitsministeriums in d. ersten Phase d. Weimarer Republik 1918–22, in: Medizinhist. Journal 16, H. 4, 1981, S. 424–45 *(P)*; ders., J. M., in: Bulletin d. Leo Baeck Institute 71, 1985, S. 21–33; ders., Anna Nemitz, Bll. d. Erinnerung, 1988 *(P)*; ders., Ein Pionier fortschrittl. Gesundheitspol., J. M. z. Gedenken, in: Soz. Sicherheit 37, H. 8/9, 1988, S. 246 f.; ders., in: Das Parlament v. 16. 12. 1988 *(P)*; ders., Weimarer Profile – J. M., in: Die Neue Ges./Frankfurter Hh. 38, H. 5, 1991, S. 451–56 *(P)*; D. S. Nadav, J. M. – seine „jüd. Epoche", in: Arbeiterbewegung u. Gesch., 1983, S. 82–100; ders., J. M. u. d. Pol. d. Sozialhygiene in Dtld., 1985 *(P*, vgl. dazu d. Rez. v. Th. Möller in: Das Parlament v. 29. 11. 1986); S. Hahn, Rev. d. Heilkunst, in: Der Wert d. Menschen, 1989, S. 71–85; D. Fricke, Jüd. Leben in Berlin u. Tel Aviv 1933–39, Der Briefwechsel d. ehem. Reichstagsabg. Dr. J. M., Diss. Bremen 1994; Ärztelex., hrsg. v. W. U. Eckart u. Ch. Gradmann, 1995.

P Phot. im Archiv d. soz. Demokratie, Bonn; Juden in Preußen, Ausst.kat. Berlin 1981, S. 215 u. 298 f.

Holger Feldmann-Marth

Moses, *Siegfried,* zionistischer Funktionär, israel. Staatskontrolleur, * 3. 5. 1887 Lautenburg (Westpreußen), † 14. 1. 1974 Tel Aviv. (isr.)

V Julius; *M* Hedwig Grätz; ∞ 1921 Margarete Orthal (* 1890); 2 *S*, Eli (* 1923), Speditions- u. Verschiffungsberater, Rafael (* 1924), Dr. med., Psychiater, 1973–77 Präs. d. Israel. Psychoanalyt. Ges. in Jerusalem.

M. wuchs weitgehend ohne religiöse Bildung und Kenntnisse in einer akkulturierten deutsch-jüdischen Familie auf. Schon zur Gymnasialzeit interessierte er sich für den Zionismus. Diese Hinwendung muß auch vor dem Hintergrund der wilhelminischen Jugendsubkultur („Wandervogel") verstanden werden und war nicht untypisch für einen Teil der jungen deutsch-jüdischen Intelligenz. M. studierte Jura in Berlin und promovierte 1908 in Heidelberg. Im Wintersemester 1904/05 trat er der Berliner Sektion des „Bundes Jüdischer Corporationen" bei, der später im (zionistischen) Kartell Jüdischer Verbindungen (KJV) aufging. 1908–11 wirkte er als Herausgeber der Zeitschrift „Der jüdische Student", seit 1912 mit Unterbrechungen bis 1937 als Rechtsanwalt und Notar. 1917–19 arbeitete er im Kriegsernährungsamt Danzig, 1919/20 wurde er zum stellvertretenden Direktor des deutschen Städtetages in Berlin ernannt. 1921–23 wandte er sich der Jüdischen Arbeiterhilfe als geschäftsführender Vorsitzender zu. Sein soziales Engagement wurde vom Einsatz für die Gleichberechtigung der Ostjuden in den deutsch-jüdischen Gemeinden begleitet. 1923–29 war M. als Direktor des Kaufhauses der Gebr. Schocken in Zwickau tätig. 1931–36 wirkte er in der Repräsentanz der Jüdischen Gemeinde zu Berlin, 1933–37 als Präsident der Zionistischen Vereinigung für Deutschland und Mitglied der „Reichsvertretung der Juden in Deutschland". M. und die deutschen Zionisten unterschieden sich politisch-kulturell stark von den damals in Palästina dominanten osteuropäischen Gesinnungsgenossen. In dieser Zeit war M. auch an der Realisierung des Transfer-Abkommens mit den NS-Behörden beteiligt. Dieses erlaubte deutschen Juden, wenigstens einen Teil ihres Besitzes nach Palästina zu retten.

Im November 1937 emigrierte M. und verdiente seinen Lebensunterhalt im brit. Palästina als Buchhalter und Steuerberater. 1949–61 war er erster Staatskontrolleur (im Range eines Ministers) in Israel; dieses Amt übten auch künftig meist Juden deutscher Herkunft aus. 1953 stand er an der Spitze der Organisation der deutsch-jüdischen Landsmannschaft Israels („Hitachduth Olej Germania", später „Irgun Olej Merkaz Europa") und war Exponent der von ihr getragenen Partei („Alijah Chadaschah"). 1956–74 stand M. als Präsident dem „Council of Jews from Germany" vor und war damit die maßgebliche Persönlichkeit der deutsch-jüdischen Emigration. Schon 1944 hatte er ein Buch über „Die jüdischen Nachkriegsforderungen" verfaßt und war danach im Gegensatz zu Teilen der israel. Öffentlichkeit ein Befürworter von Verhandlungen mit der Bundesrepublik Deutschland über Entschädigungszahlungen zugunsten jüdischer Verfolgter („Wiedergutmachung"). 1955 zählte er zu den Mitbegründern des Leo Baeck Institute, das sich der Erforschung der Geschichte und Kultur der deutschsprachigen Juden widmet. – M.s Persönlichkeit war von Nüchternheit, Phrasenlosigkeit und Objektivität gekennzeichnet (G. Herlitz).

Weitere W u. a. Über unwirksamen Beitritt zu e. GmbH, Diss. Heidelberg 1908; Salman Schocken, in: Leo Baeck Institute Year Book 5, 1960, S. 73–110, s. a. ebd. 10, 1965, S. IX–XV. – *Nachlaß:* Teile im Leo Baeck Institute, New York, u. im Institute for Contemporary Jewry, The Hebrew University, Jerusalem.

L H. Tramer (Hrsg.), In zwei Welten, S. M. z. 75. Geb.tag, 1962 (bes. d. Art. v. H. Tramer, G. Herlitz u. R. Weltsch, *P*); R. Weltsch, End of an Epoch, in: Leo Baeck Institute Year Book 19, 1974, S. VII–XI; W. Feilchenfeld u. a., Haavara-Transfer nach Palästina u. Einwanderung d. dt. Juden 1933–39, 1972

(Einl. v. S. M., S. 9–12); J. Eloni, Zionismus in Dtld., 1987; H. Göppinger, Juristen jüd. Abstammung im „Dritten Reich", ²1990; Enc. Jud. 1971 *(P)*; BHdE I; Altpreuß. Biogr. IV.

P Leo Baeck Institute Year Book XII, 1967.

Uri Robert Kaufmann

Moses Reinganum, *Lemle* (d. h. Lämmlein oder hebr. Ascher), kurpfälzischer Hoffaktor, * um 1660/66 Rheingönheim (heute Ludwigshafen), † 25. 3. 1724 Mannheim. (isr.)

V Moses, Kaufm. in R.; *M* Süßche; ∞ Fromet († 1728), *T* d. Maier Hess; kinderlos.

Durch den Handel mit Pferden sowie mit Getreide, Honig und Häuten gelang M. und seinem Vater Ende des 17. Jh. der soziale Aufstieg aus einfachen ländlichen Verhältnissen. Um 1687/88 wurde M. Schutzjude in Mannheim, das er nach dessen Zerstörung durch die Franzosen 1689 vorübergehend wieder verlassen mußte. Zusammen mit Isaak Ber, einem Bankier aus Frankfurt, pachtete er 1698 für 120 000 Gulden jährlich das Salzregal der Kurpfalz und begründete damit seinen Reichtum. Von Kf. Johann Wilhelm zum Hoffaktor ernannt, vertrat er u. a. 1703 die Interessen der Wiener Hoffaktorenfamilie Oppenheimer. Möglicherweise hat M. jüd. Landarbeiter schon im Sinne der Berufsumschichtungsideologie eines Christian Wilhelm v. Dohm angestellt. 1712 erhielt M. in Mannheim die Konzession zum Bau eines Landhauses mit Stallungen, Orangerie und Garten. Auf der Mannheimer Flur Mühlau richtete er ein Mustergut mit Gestüt und eine Tapetenmanufaktur ein; dort ließ er die Geschichte des Stammvaters Jakob und seiner Söhne bildlich darstellen, was für einen deutschen Juden jener Zeit ungewöhnlich war. Außerdem besaß M. 1714 an der Breiten Straße in Mannheim ein prächtiges steinernes Haus sowie in Frankfurt mehrere Grundstücke. Dies alles war ihm nur in seiner Eigenschaft als privilegierter Hoffaktor möglich. Er vermittelte Darlehen für seinen Schutzherrn, den Kurfürsten von der Pfalz, sowie für die Höfe zu Erbach, Darmstadt und Wien.

Aufgrund seiner Stellung war M. Fürsprecher der pfälz. Juden beim Kurfürsten. Zeitweise Vorsteher der jüd. Gemeinde zu Mannheim, unterstützte er Arme und Waisen sowie die jüd. Gemeinden im Lande Israel. Seine bedeutendste Leistung stellte 1708 die Errichtung eines Lehrhauses, einer sog. „Klaus", in Mannheim dar, an der zehn Rabbiner unterrichten sollten. Das Stiftungsvermögen betrug 100 000 Gulden. In seinem Testament von 1722 erließ M. genaue Vorschriften über die Arbeit und das Verhalten der Rabbiner sowie der Studenten. Zwischen Armen und Reichen sollte kein Unterschied gemacht werden. Stipendien sollten Kindern mittelloser Eltern ein Studium am Lehrhaus ermöglichen. Diese Stiftung hatte Vorbildwirkung für die späteren Lehrhäuser in Worms und Mainz. Sie war bis zu Beginn des 19. Jh. von der Mannheimer Gemeinde vollkommen unabhängig und die Synagoge existierte bis zur Deportation 1940. An der stiftungseigenen Synagoge wirkten im 18. Jh. bedeutende Rabbiner, wie Lazarus Naftali Hirsch Katzenellenbogen. Eine besondere Blüte erlebte die Klaus, bis zuletzt ein Hort der Orthodoxie, 1825–36 unter ihrem „Primator" Jacob Aaron Ettlinger (1798–1871), der anschließend als Oberrabbiner nach Altona ging und zu einer der führenden Persönlichkeiten der deutsch-jüd. Neo-Orthodoxie wurde.

L L. Löwenstein, Gesch. d. Juden in d. Kurpfalz, 1895, S. 170–73; I. Unna, Die Lemle Moses Klausstiftung in Mannheim, 2 Bde., 1908/09; ders., Die Verordnungen f. d. Lemle Moses Klausstiftung in Mannheim, in: Jb. d. jüd.-literar. Ges. 17, 1925, S. 133–45; L. Göller, L. M., in: Kurpfälzer Jb. 1927, S. 103–10; Selma Stern, The Court Jew, 1950; H. Schnee, Die Hoffinanz u. d. moderne Staat IV, 1963, S. 180 f. (NS-Autor); K. O. Watzinger, Gesch. d. Juden in Mannheim 1650–1945, 1984, S. 128–30; H. Wassermann, Mannheim, in: Pinkas Hakehillot, Germany II, 1986, S. 375; B. H. Gerlach, Bibliogr. z. Gesch. d. Juden in d. Pfalz, in: A. H. Kuby (Hrsg.), Juden in d. Provinz, ²1989, S. 310. – Eigene Archivstud.

Uri Robert Kaufmann

Mosetig *Ritter v. Moorhof* (österr. Ritter 1872), *Albert,* Chirurg, * 26. 1. 1838 Triest, verschollen 25. 4. 1907 Wien. (kath.)

V Giuseppe, Staatsbeamter; *M* Anna Nipp; ledig.

Nach Beendigung der Gymnasialzeit in Triest 1855 studierte M. in Wien Medizin, wofür ihm von seiner Heimatstadt ein Stipendium bewilligt worden war. Zu seinen Lehrern gehörten Joseph Hyrtl, Theodor Brücke, Carl Rokitansky sowie vor allem der Chirurg Johann Dumreicher, bei dem M. nach der Promotion zum Doktor der Medizin und der Chirurgie und zum Magister der Geburtshilfe (1861) vorerst als Schüler und bis 1870 als Assistent blieb. Während dieser Zeit an der II. Chirurgischen Klinik habilitierte er sich an der Wiener Universität mit einer Arbeit über „Anomalien eingeklemmter Brüche mit vorzugsweiser Rücksicht auf ihre operative Behandlung" (1866). Im selben Jahr begann er auch seine später so bedeutende Tätigkeit als Kriegschirug, indem er Dumreicher an den Kriegsschauplatz der österr. Nord-Armee im preuß.-österr. Krieg begleitete. 1870/71 nahm M. als leitender Chirurg, Zivilarzt und Delegierter des Wiener patriotischen Hilfsvereins vom Roten Kreuz auf seiten der Franzosen am deutsch-franz. Krieg teil und arbeitete 1878 als Kriegschirurg anläßlich der Okkupation Bosniens und der Herzegowina. Aufgrund dieser besonderen Verdienste wurde M. im Alter von 33 Jahren in den Adelsstand erhoben. 1871 trat er seine erste Stelle als Primararzt in der k. k. Rudolfsstiftung, dem heutigen Rudolfsspital in Wien, an, wechselte aber schon nach einem Jahr an das Krankenhaus Wieden über, wo er 20 Jahre lang tätig war. Aufgrund seines hervorragenden Rufes wurde M. 1874 von dem in Österreich im Exil lebenden Kg. Georg V. von Hannover als Leibchirug verpflichtet und behielt diese Stellung bei der Cumberlandschen Familie auch nach dem Tod des Königs.

Obwohl M. die unterschiedlichsten chirurgischen Eingriffe durchführte, bevorzugte er Knochen- und Gelenksoperationen. Seit 1879 befaßte er sich besonders mit dem Studium des Jodoforms und seiner Wirkungen auf Wunden, speziell auf tuberkulöse Prozesse, und entwickelte neben Jodoformpulver, -gaze und -emulsion auch die sog. Jodoformknochenplombe (1899). Dabei handelt es sich um eine Mischung, die zum Ausfüllen von Knochenlücken nach Operationen diente und viel Beachtung in Fachkreisen fand. Neben seiner Tätigkeit im Krankenhaus und im Feld war M. auch in beratender Funktion bei Weltausstellungen sehr geschätzt. So wurde er 1872 für die Weltausstellung in Wien (1873) zum Chefarzt bestimmt, 1876 reiste er im Auftrag des Deutschen Ordens zur Ausstellung nach Brüssel, und 1877 wählte man ihn in die Zentralkomisssion für die Weltausstellung in Paris (1878). 1875 erhielt M. den Titel eines ao. Universitätsprofessors, 1882 bestellte ihn die neugegründete Wiener freiwillige Rettungsgesellschaft zum Chefchirurgen. 1885 wählte die Serbisch-Fremdländische Gesellschaft der Ärzte in Belgrad M. zum Präsidenten, und 1886 wurde er auch General-Chefarzt des Deutschen Ordens. 1898 wurde M. ao. Professor mit dem Titel eines o. Professors an der Univ. Wien. 1891–1906, also bis zu seiner Versetzung in den Ruhestand, leitete er die II. Chirurgische Abteilung des Wiener Allgemeinen Krankenhauses, wohin er auf eigenen Wunsch versetzt worden war und

wo er 1899 ein chirurgisches Laboratorium einrichtete. Obwohl M. 1903 auch noch der Titel eines Hofrats verliehen wurde, war er Berichten zufolge verbittert, da er trotz seiner vielen wissenschaftlichen Arbeiten, seiner vielgelobten operativen Fähigkeiten und seiner großen Kenntnisse auf dem Gebiet der Chirurgie niemals eine Lehrkanzel erhalten hatte. Am 25. 4. 1907 wurde M. – angeblich am Ufer der Donau in Wien – das letzte Mal gesehen. – Komtur d. Franz-Joseph-Ordens (1886), Ehrenlegion (1871), Ritterkreuz d. Eisernen Krone (1871).

Weitere W u. a. Der Jodoformverband, in: Slg. klin. Vorträge, hrsg. v. R. Volkmann, Serie 8, H. 1, Nr. 211, 1882; Die Jodoformknochenplombe, in: Dt. Zs. f. Chirurgie 71, 1904.

L A. v. M.-M., in: HMW-Jb. 1952, 1952 *(P)*; N. Damianos, Biogr. Skizze d. ... A. v. M.-M., 1950 *(W-Verz.)*; A. Fraenkel, in: Die feierl. Inauguration d. Rectors ... f. d. Stud.j. 1907/08, 1907; ders., in: Wiener klin. Wschr. 20, 1907; Mack-Magazin 1983, H. 3, 1983 *(P)*; E. Lesky, Die Wiener Med. Schule im 19. Jh., 1965; H. Wyklicky, in: Die Furche, 1964; Wiener Med. Presse 37, 1896, Nr. 4, Sp. 156; Pagel; BJ XII, Tl.; BLÄ; ÖBL.

P Phot. (Inst. f. Gesch. d. Med. d. Univ. Wien; Österr. Nat.bibl., Bildarchiv).

Judith Bauer

Moshammer *Ritter v. Mosham, Franz Xaver,* Kameralist, * 12. 11. 1756 Burghausen, † 27. 9. 1826 Penzing b. Wasserburg. (kath.)

V Franz M. (bayer. erbl. Adel 1789), Weinwirt, 1775–91 Bgm. in B.; *M* Maria Franziska Steininger; ⚭ N. N.; 1 *S* Friedrich August, Dr. iur., Landger.assessor in Augsburg, 1 *T* Cajetana Josepha († 1854, ⚭ Johann Nepomuk Buchinger, 1781–1870, Prof. f. Territorial- u. Staatsrecht in Würzburg u. München, s. ADB III).

M. absolvierte ein Studium der Kameral- und Polizeiwissenschaften bei den seinerzeit angesehensten Lehrern dieser Disziplin: bis ca. 1777 bei Joseph v. Sonnenfels in Wien, anschließend etwa zwei Jahre bei Johann Beckmann in Göttingen. Als sich in Bayern Pläne zur Errichtung einer Kameralschule in Burghausen oder Ingolstadt zerschlugen, es aber immerhin zur Einrichtung einer Professur für „Cameral und Oeconomie" an der Landesuniversität Ingolstadt kam, wurde M. 1780 zunächst als ao., 1783 als o. Professor angestellt. M., der neben den kameralwissenschaftlichen auch juristische Vorlesungen hielt, gehörte dem Lehrkörper der 1800 nach Landshut verlegten Hohen Schule bis 1826 an; 1807 wurde er zu deren Senator perpetuus ernannt. Kurz vor der Übersiedlung der Universität nach München schied er aus dem Professorenkollegium aus.

Vor allem von Sonnenfels beeinflußt, dessen Werke er einem 1787 erschienenen und für den Vorlesungsbetrieb bestimmten Leitfaden zugrundelegte, trat M. kaum durch originäre wissenschaftliche Leistungen hervor. Bedeutung kommt ihm hauptsächlich als Wegbereiter bei der Institutionalisierung der sich etablierenden Kameralwissenschaften in Bayern zu. Nachdem er bereits frühzeitig mit einer Denkschrift „Gedanken und Vorschläge über die neuesten Anstalten teutscher Fürsten, die Cameralwissenschaften auf hohen Schulen in Flor zu bringen" (1782) hervorgetreten war, mündeten die wissenschaftsorganisatorischen Bestrebungen M.s 1799 in die Gründung eines Kameralinstitutes an der Univ. Ingolstadt ein, dessen Lehrpersonal aus der juristischen, medizinischen und philosophischen Fakultät rekrutiert wurde. 1804 wurde das Institut in den Rang einer Sektion für Staatswirtschaftliche Kenntnisse erhoben, um dann nach der erneuten Verlegung der Universität nach München 1826 endgültig den Fakultätsstatus zugesprochen zu bekommen.

Weitere W Slg. d. neuesten Instruktionen f. d. kurbayer. Dikasterien in Bayern, 1783; Einl. in d. gemeine u. bayr. Wechselrecht, 1784.

L ADB 22; C. v. Prantl, Gesch. d. Ludwig-Maximilians-Univ. in Ingolstadt, Landshut, München, 2 Bde., 1872 (Nachdr. 1968); H. v. Pechmann, Gesch. d. Staatswirtsch. Fak., in: L. Boehm u. J. Spörl (Hrsg.), Die Ludwig-Maximilians-Univ. in ihren Fakultäten, I, 1972, S. 127–83; W. Müller, Univ. u. Orden, Die bayer. Landesuniv. Ingolstadt zw. d. Aufhebung d. Jesuitenordens u. d. Säkularisation 1773–1803, 1986.

P Gem. in Schloß Penzing.

Winfried Müller

Mosheim, *Grete,* Schauspielerin, * 8. 1. 1905 Berlin, † 29. 12. 1986 New York. (isr.)

V Markus, Dr. med., Sanitätsrat in B.; *M* Clara N. N. (1875–1970); ∞ 1) (∞ 1933), Oscar (1898–1978) aus Wien, Schausp. (s. Kosch, Theater-Lex.; BHdE II), *S* d. Heinrich Homolka u. d. Anna Handl, 2) 1937 (∞ 1946/47) Howard Gould (1871–1959), Industrieller, 3) 1951 Herbert Cooper, Journalist.

M.s Begabung zeigte sich schon früh, weshalb ihr der Vater schon während der Schulzeit eine Schauspielausbildung ermöglichte. Begeisterte sie sich zunächst für das Ballett, so entschied sie sich doch bald, spätestens nach einer Begegnung mit Max Reinhardt, für das Theater und besuchte die Schauspielschule des Deutschen Theaters. An dieser Bühne debütierte sie als Siebzehnjährige und blieb hier 1922–31 engagiert. Sie spielte neben anderen Rollen die Bonny in Waters/Hopkins „Artisten" (1928) und die Fanny Norman in Hamsuns „Vom Teufel geholt" (1929, Regie jeweils Reinhardt). Danach sah das Berliner Publikum sie als Eliza Doolittle in der Komödie „Pygmalion" von G. B. Shaw (1932, Metropol-Theater) und als Gretchen neben Werner Krauss in Goethes „Faust" (1932, Deutsches Künstlertheater). 1933 verließ M. Deutschland, da sie als „Halbjüdin" diffamiert, Verfolgung fürchten mußte. Zunächst spielte sie in Klagenfurt, emigrierte 1934 nach Großbritannien, ließ sich in London nieder und spielte mit großem Erfolg in Alice Campbells „Two Share a Dwelling". 1938 übersiedelte M. mit ihrem zweiten Mann in die USA und zog sich völlig von der Bühne zurück.

Umso überraschender war ihr Comeback 1952, nach Scheidung und erneuter Heirat. Boleslaw Barlog holte sie nach Berlin. Im Schloßparktheater feierte sie einen Triumph in J. v. Drutens Komödie „Ich bin eine Kamera". Von nun an arbeitete sie wieder regelmäßig, trat in Berlin und New York auf und spezialisierte sich auf die fragilen Frauenrollen des modernen Theaters. Vor allem ihre Mary Cavan Tyrone in Eugene O'Neills „Eines langen Tages Reise in die Nacht" wurde zu einem Welterfolg; sie spielte diese Rolle in London, New York und Berlin (1956, Freie Volksbühne Berlin). Weitere wichtige Rollen waren: Claire Zachanassian in F. Dürrenmatts „Der Besuch der alten Dame" (1962, Frankfurt/Main), Winnie in Becketts „Glückliche Tage" (1951, Köln), Hannah in T. Williams „Die Nacht des Leguan" (1962, Köln), Tante Abby in J. Kesselrings Komödie „Arsen und Spitzenhäubchen" (1969, Münchner Kammerspiele, mit Th. Giehse als Tante Marthe), die Witwe in Albees „Alles vorbei" (1972, ebenda). Im selben Jahr gab M. ihr Regiedebut, inszenierte nicht ohne Erfolg im Berliner Renaissance-Theater F. Marcus' Komödie „Notizen über eine Liebesgeschichte". 1977, nach fünfjähriger Pause, stand sie dann wieder als Schauspielerin auf der Bühne und gab der Titelrolle in H. Langes „Frau von Kauenhofen" Präsenz, demonstrierte noch einmal Grazie, Charme und klirrende Kälte. Es war ihr letzter Auftritt.

Indessen war Deutschland M. nach dem Krieg keineswegs wieder zur Heimat geworden. Ihr Tod in New York bedeutete für das deutschsprachige Schauspiel gleichwohl den Abschied von einem Schauspielertypus. M. war (vergleichbar Elisabeth Bergner) die Vertreterin eines „kulturellen Großbürgertums" (J. Kaiser). In ihrem Spiel, das sie in Gestus und Ton zu einem Mosheim-Stil vervollkommnete, mischte sich jüd. Selbstbewußtsein mit einer berückenden, sehr kindlichen Naivität und einer durchaus erdverbundenen, aber doch immer ironisch gebrochenen Realitätsnähe. Dabei kam es in den letzten Auftritten gewiß zu Manierismen; allein M. bewies immer, daß sie mit großer Ernsthaftigkeit daran arbeitete, Literatur mit allen verfügbaren Mitteln, mit analytischem Verstand, mit Worten, Mimik und Gestik lebendig zu machen. – Theaterpreis d. Verbandes Dt. Kritiker (1963), Bundesfilmpreis, Filmband in Gold (1971); Gr. Bundesverdienstkreuz (1974).

L Kosch, Theater-Lex.; Ch. Trilse, K. Hammer, R. Kabel, Theaterlex., 1977; A. Kerr, Mit Schleuder u. Harfe, Theaterkritiken aus drei J.zehnten, hrsg. v. H. Fetting, 1982, S. 426, 489; H. Rischbieter (Hrsg.), Theater-Lex., 1983 *(P);* J. Kaiser, in: SZ v. 31. 12. 1986; Dt. Bühnen-Jb., 1988, S. 630 f. *(P);* BHdE II; CineGraph.

C. Bernd Sucher

Mosheim, *Johann Lorenz* v. (preuß. Adel 1748), luth. Theologe, Historiker, * 9. 10. 1693 Lübeck, † 9. 9. 1755 Göttingen.

V Ferdinand Sigismund v. M., Offz. u. Zeremonienmeister; *M* N. N.; ∞ 1) 1723 Ilsate Margarete († 1732), *T* d. Albert zum Felde (1675–1720), Prof. d. Theol. u. Pastor an St. Nicolai in Kiel (s. ADB VI), 2) 1733 Elisabeth Dorothea v. Haselhorst († 1740), 3) 1742 Elisabeth Henrica Amalia v. Voigts; 2 *S*, 1 *T* aus 1) Dorothea Augusta (1726–61, ∞ Christian Ernst v. Windheim, 1722–66, Prof. d. Theol. in Erlangen, s. ADB 43), 1 *T* aus 3).

M. besuchte 1707–10/11 das Catharineum in Lübeck und war anschließend Hauslehrer. 1716 begann er ein Studium „Sacrarum et elegantiorum litterarum" in Kiel. Bereits 1719 erhielt er dort einen entsprechenden Lehrauftrag. 1721 war er Professor designatus. Im Februar 1723 erhielt er einen Ruf als o. Professor für Kontroverstheologie an die Julius-Univ. Helmstedt, seit April 1725 war er dort Professor für Kirchengeschichte. 1726 wurde er zum braunschweig. Konsistorialrat ernannt. Im selben Jahr verpflichtete er sich schriftlich, keinen auswärtigen Ruf anzunehmen. Seit 1727 war er Abt der Klöster Marien-

tal und Michelstein. Seit Februar 1729 wirkte M. auch als Generalschulinspektor im Hzgt. Braunschweig-Wolfenbüttel. 1732 wurde er Präsident der 1697 gegründeten „Deutschen Gesellschaft" (Societas Philoteutonico Poetica). Rufe an die Theol. Fakultäten in Wittenberg (1725) und Göttingen (1734) mußte er ablehnen, wirkte aber dennoch von Helmstedt aus an der Planung der Akademie der Wissenschaften in Göttingen und an dem Entwurf der Statuten der Theol. Fakultät mit. Seit 1739 war er Senior der Theol. Fakultät in Helmstedt. Von seiner Verpflichtung entbunden, konnte er im August 1747 eine Berufung an die Georg-August-Univ. Göttingen als Kanzler, Konsistorialrat und o. Professor an der Theol. Fakultät annehmen.

M. gilt als Begründer der sog. pragmatischen Kirchengeschichtsschreibung. In ihr wird der metaphysische Dualismus der Kirchengeschichtsschreibung, bei dem die Geschichte der Kirche von dem Kampf des Göttlichen mit dem Widergöttlichen her gedeutet wird, durch einen anthropologischen Ansatz überwunden. Die Kirche ist für M., analog zu der naturrechtlichen Auffassung vom Wesen des Staates, eine durch Vertrag gegründete, vereinsähnliche Gesellschaft, die durch eine verantwortliche Hierarchie und eigene Ordnungen (Gesetze) regiert wird. Ihre Geschichte wird durch menschliches Handeln bestimmt, die Erkenntnis der Geschichte führt daher zu einer vertieften Erkenntnis des Menschen. In der Methode bemühte M. sich um die Freiheit des Forschers von dogmatischen Vorgaben, um eine strenge Bindung der Forschung an die historischen Quellen, um eine bewußte Quellenkritik und um die Beschreibung der menschlichen Ursachen für geschichtliche Phänomene. Bei der Darstellung des kirchengeschichtlichen Stoffes bediente sich M. einer Gliederung in vier Epochen. Dabei ordnete er das Material einer inneren Geschichte der Kirche (Lehre, Ordnung, Kult, aber auch Ketzerei und Häresie) und einer äußeren Geschichte der Kirche (Ausbreitung des Christentums, Auseinandersetzung der Kirche mit anderen gesellschaftlichen Kräften und Organismen) zu und unterschied jeweils zwischen den „glücklichen" und den „widrigen" Schicksalen. Durch diesen Schematismus leidet die Schilderung der genetischen Entwicklung. In der Homiletik gilt M. als bedeutendster Prediger seiner Zeit. Die von ihm entwickelte Zielsetzung, durch Aufklärung und Erweckung zu einer aus der Glaubensüberzeugung erwachsenden christlichen Ethik anzuleiten, ist bis in die Moderne verbindlich geblieben.

W *Kirchengeschichte:* Vindiciae antiquae Christianorum disciplinae, adversus celeberrimi viri Joh. Tolandi Hiberni, Nazarenum, 1720; Observationum sacrarum et historico-criticarum liber primus, 1721; De concilio Dordraceno, magno concordiae sacrae impedimento, 1724; Institutiones historiae ecclesiasticae Novi Testamenti, 1726 (neue Ausg. 1737); Historia Michaelis Serveti, 1726; Syntagma Dissertationum ad Historiam Ecclesiasticam pertinentium, 1731 (ges. Aufsätze z. KG); Institutiones historiae Christianae maiores, Saeculum primum, 1739; Historia Tartarorum ecclesiastica, 1741; Institutiones historiae Christianae recentioris, 1741; Dissertationum ad historiam ecclesiasticam pertinentium, Vol. II, 1743 (ges. Aufsätze z. KG); Origines Vorsteher d. christl. Schule zu Alexandrien acht Bücher v. d. Wahrheit d. christl. Rel. wider d. Weltweisen Celsus, 1745; Versuch e. unpartheyischen u. gründl. Ketzergesch. 1746; Anderweitiger Versuch e. vollst. u. unpartheyischen Ketzergesch., 1748; Beschreibung d. neuesten Chines. KG, 1748; De rebus Christianorum ante Constantinum Magnum Commentarii, 1753; Institutiones historiae ecclesiasticae antiquae et recentiores, 1755. – *Dogmatik u. Ethik:* Radulphi Cudworthi Systema intellectuale huius universi, 1733 (Hrsg., Übers.); Dissertationum ad sanctiores disciplinas pertinentium syntagma, 1733 (ges. Aufsätze); Sittenlehre d. Hl. Schrift, I-V, 1735–53; Elementa theologiae dogmaticae, hrsg. v. Ch. E. Windheim, 1758. – *Exegese:* Cogitationes in Novum Testamentum selectiores, I u. II, 1726/31; Erklärung d. ersten Briefes d. hl. Apostels Pauli an d. Gemeinde zu Corinthus, 1741; Erklärung d. beiden Briefe d. Apostels Pauli an d. Thimotheum, 1755. – *Homiletik:* Hl. Reden üb. wichtige Wahrheiten d. Lehre Jesu Christi, I–VI, 1725 ff.; Pastoral-Theol. v. denen Pflichten u. Lehramt e. Dieners d. Evangelii, 1754; Anweisung erbaul. zu predigen, hrsg. v. Ch. E. v. Windheim, 1763. – *W-Verz.:* Meusel, Verstorb. Schriftst. IX, S. 347–64.

L ADB 22; N. Bonwetsch, J. L. v. M. als Kirchenhistoriker, in: FS d. Göttinger Ges. d. Wiss., Bttr. z. Gelehrtengesch., 1901, S. 235–61; Die KGschreibung J. L. v. M.s, 1903; K. Heussi, J. L. v. M., Ein Btr. z. KG d. 18 Jh., 1906; M. Peters, Der Bahnbrecher d. modernen Predigt J. L. M. in seinen homilet. Anschauungen dargest. u. gewürdigt, 1910; W. Nigg, Die KGschreibung, Grundzüge ihrer hist. Entwicklung, 1934, S. 98–118; E. Hirsch, Gesch. d. neueren ev. Theol., II, 1951, S. 354–70; A. Dahm, Weitherzige Milde u. Gewissensfreiheit – Ein Lb., in: Schleswig-Holstein. Mhh. f. Heimat u. Volkstum 6, 1954, S. 318 f.; S. Körsgen, Das Bild d. Ref. in d. KGschreibung M.s, 1966; E. P. Meijerin, M. in the Difference between Christianity and Platonism, in: Vigiliae Christianae 31, 1977, S. 68–73; P. Meinhold, Gesch. d. kirchl. Historiographie, II, 1967, S. 11–30; W. Schütz, Gesch. d. christl. Predigt, 1972, S. 160–62; K.-V. Selge, Einf. in d. Studium d. KG, 1982, S. 20 f.; K. Wetzel, Theol. KGschreibung im dt. Protestantismus 1660–1760, 1983, S. 371–81; J. L. M. (1693–1755), Theologe, Historiker, Philosoph u. Philologe, hrsg. v. M. Mulsow, R. Häfner u. a. (in Vorbereitung); BBKL; TRE.

P Kupf. v. J. M. Bernigeroth, 1742, n. Gem. v. J. G. Fröling; Kupf. v. G. D. Heumann, 1750, Abb. in: M. Voit (Hrsg.), Bildnisse Göttinger Professoren aus 2 Jhh., 1937.

Gernot Wießner

Mosle, *Johann Ludwig,* Politiker, General, * 2. 1. 1794 Varel (Oldenburg), † 24. 10. 1877 Oldenburg. (ev.)

V Alexander (1762–1833), Advokat, Bentinckscher Kanzleirat, S d. Jean Charles des Rosiers de Moncelet (1736–67), franz. Dragoneroffz., u. d. Catharina Elisabeth Köhler (1741–n. 1803); M Dorothea Catharina (1769–1849), T d. Kaufm. Georg Rudolf Rendorff (1741–1816) u. d. Sophie Louise Hemken (1746–1810); B Georg Rudolph (1796–1870), Kaufm. in Bremen (s. L); – ∞ 1824 Friederike (1802–84), T d. Gutsbes. Carl Friedrich v. Jägersfeld (1771–1847) u. d. Octavia Bellina Grosse; kinderlos; N Alexander Georg (1827–82), Großkaufm., brem. Gen.konsul in Rio de Janeiro, 1871–81 MdR (nat.liberal, s. L), Wilhelm v. Amann (1839–1928), Gen. (s. DBJ X, Tl.; L).

Nach dem Besuch des Gymnasiums in Oldenburg begann M. 1811 zunächst ein Jurastudium in Straßburg. Mitgerissen von der nationalpatriotischen Begeisterung, trat er im Mai 1813 als freiwilliger Jäger in die preuß. Armee ein und wurde 1814 als Fähnrich zum neugebildeten oldenburg. Infanterieregiment transferiert. Während des Feldzuges 1815 entschloß er sich, Berufsoffizier zu werden. Unter Ghzg. Paul Friedrich August von Oldenburg wurde M. 1830 Hauptmann, Adjutant des Großherzogs und Vorstand der Militärkanzlei, 1834 Major, 1839 Oberstleutnant und Kommandeur des 2. oldenburg. Infanterieregiments, 1843 schließlich Oberst. Vielseitig interessiert und begabt, beteiligte er sich intensiv am geistigen und gesellschaftlichen Leben Oldenburgs; von ihm kam der Anstoß zum Bau des wirtschaftlich wichtigen Hunte-Ems-Kanals. In Vorträgen und Zeitungsartikeln setzte er sich mit aktuellen Fragen der Zeit auseinander und erwarb sich den Ruf eines gemäßigten Liberalen. Nach Ausbruch der Revolution wurde er daher im April 1848 zum Gesandten beim Deutschen Bundestag und danach bei der provisorischen Zentralgewalt ernannt, im Juli 1848 war er kurze Zeit als oldenburg. Ministerpräsident vorgesehen. Er entzog sich jedoch dieser Aufgabe, da er offenbar hoffte, in Frankfurt – eventuell als Reichskriegsminister – eine bedeutendere Rolle spielen zu können. Im Auftrag der Reichsregierung führte er im April und im Oktober 1848 diplomatische Sondermissionen in Wien durch, die allerdings von vornherein keine Aussicht auf Erfolg hatten.

In den folgenden Monaten setzte sich M., bestärkt durch seine österr. Erfahrungen, für die kleindeutsche Lösung unter preuß. Führung ein. Nach dem Scheitern der Paulskirchenverfassung drängte er die zögernde oldenburg. Regierung zum Anschluß an die Politik Preußens. Im Juli konnte er in Berlin den Beitrittsvertrag Oldenburgs zum Dreikönigsbündnis zwischen Preußen, Sachsen und Hannover unterzeichnen, das den Kern der Union bilden sollte. Vom Juli bis Dezember 1849 leitete M. das Departement des Äußeren im oldenburg. Staatsministerium und verteidigte seine außenpolitische Linie gegen die aus großdeutschen Katholiken und Demokraten bestehende Landtagsmehrheit. Danach wurde er zum Gesandten in Berlin sowie zum oldenburg. Vertreter im Verwaltungsrat des Bündnisses und beim Erfurter Unionsparlament ernannt. Als die oldenburg. Regierung angesichts des allmählichen Zerfalls des Bündnisses eine temporisierende Haltung einzunehmen begann, reichte M. im März 1850 seine Demission ein, die der Großherzog jedoch nicht annahm. Nach dem endgültigen Scheitern der preuß. Unionspläne zog er sich resigniert aus der Politik zurück und übernahm im Dezember 1851 das Kommando des oldenburg. Infanterieregiments. 1857 wurde er auf eigenes Ansuchen mit dem Charakter als Generalmajor verabschiedet. Nach seiner Pensionierung setzte sich M. in Aufsätzen weiterhin als Anhänger der Gothaer und später des Nationalvereins für die kleindeutsche Lösung unter preuß. Führung ein, wobei er allerdings eine Liberalisierung Preußens für notwendig erklärte.

W u. a. Zwei Reden gegen d. Branntwein v. e. Mitgl. d. oldenburg. Mäßigkeitsvereins, 1840, ²1845; Vehn-Kolonien u. Hunte-Ems-Kanal, 1845; Grundzüge e. Wehrvfg. nach d. Bedürfnissen d. Zeit, 1848; Oldenburg vor 50 J., Eine Gedenkfeier f. d. Jubelj. 1813, 1863; Aus d. Leben d. Gen. Wardenburg, 1863; Paul Friedrich August, Ghzg. v. Oldenburg, Ein biogr. Versuch, 1865; Aus d. literar. Nachlasse v. J. L. M., hrsg. v. O. Lasius, o. J. (1879).

L ADB 22; Alexander Georg Mosle (Hrsg.), Die Fam. Mosle, 1912; W. v. Amann, J. L. M., Ein Lb., 1912; K. Lampe, Oldenburg u. Preußen 1815–1871, 1972; M. Wegmann-Fetsch, Die Rev. v. 1848 im Ghzgt. Oldenburg, 1974; B. Ph. Schröder, Die Generalität d. dt. Mittelstaaten 1815–1870, II, 1984; H. Friedl u. a. (Hrsg.), Biogr. Hdb. z. Gesch. d. Landes Oldenburg, 1992 *(W, L, P). – Zu Georg Rudolph:* F. Peters, Über brem. Firmengründungen in d. ersten Hälfte d. 19. Jh. (1814–1847), in: Brem. Jb. 36, 1936, S. 345.

P Stadtmus. Oldenburg, Slg. Stalling; StA Oldenburg.

Hans Friedl

Mosler, *Eduard,* Bankier, * 25. 7. 1873 Straßburg, † 22. 8. 1939 Berlin. (ev.)

V Christian (1839–95), Geh. Oberreg.rat im preuß. Min. f. Handel u. Gewerbe, S d. Heinrich Franz (1801–64), Hofkonditor u. Rentier in Köln, u. d. Katharina Johanna Haßlacher (1809–74); M Katharina (* 1848), T d. Heinrich v. Friedberg (1813–95), preuß. Justizmin. (s. NDB V), u. d. Amalie Dann (1819–1901); Vt 2. Grades Jakob Haßlacher (1869–1940), Stahlindustrieller (s. NDB VIII); – ∞ Else (1896–1955), T d. sayn-wittgenstein. Kammer- u. Forstdir. Hermann Rhein u. d. Agnes Plessing; kinderlos.

Nach dem Studium der Rechtswissenschaften in Berlin und Bonn, das er 1895 mit der Promotion zum Dr. iur. abschloß, trat M. zunächst in den höheren Justizdienst ein. 1899 wurde er Gerichtsassessor. 1902 begann seine Tätigkeit im Bankgewerbe, als er als Syndikus in die Berliner Handels-Gesellschaft eintrat. Bereits zwei Jahre später stieg er in die Leitung der Bank auf und blieb dort bis 1910 Geschäftsinhaber. Während dieser Zeit trat M. vor allem in der langjährigen Auseinandersetzung mit dem preuß. Staat um die Verstaatlichung der Bergwerksgesellschaft Hibernia AG hervor. Seit 1904 hatte Preußen versucht, in den Besitz der Aktienmehrheit des Unternehmens zu gelangen. Daß dieser Versuch erst 1916 unter den veränderten Rahmenbedingungen der Kriegswirtschaft gelang, ist im wesentlichen M. zu verdanken, der in diesem juristisch ausgetragenen Konflikt eine Allianz aus fünf anderen Großbanken und führenden Unternehmen der Montanindustrie gegen das Land Preußen anführte. Im April 1911 wechselte er, ebenfalls als persönlich haftender Gesellschafter, zur Direktion der Disconto-Gesellschaft über. Bei der Fusion von 1929 fiel ihm die Aufgabe zu, für die Disconto-Gesellschaft die Vorverhandlungen mit der Deutschen Bank zu führen. Er wurde Mitglied des Vorstandes der zum größten deutschen Bankinstitut aufgestiegenen „Deutschen Bank und Disconto-Gesellschaft" (seit 1937 Deutsche Bank AG). Als Dienstältester übernahm er 1933 nach dem durch das neue Regime erzwungenen Ausscheiden von Oscar Wassermann und dem Überwechseln von Georg Solmssen in den Aufsichtsrat die Rolle des Sprechers der Bank. Geschickt verstand er es, die anfängliche Kritik des Nationalsozialismus an den Großbanken abzuwehren, mußte jedoch zunehmende Einschränkungen der geschäftlichen Freiheit seines Instituts hinnehmen. Im April 1939 trat er den Vorstandsvorsitz ab und übernahm den Vorsitz im Aufsichtsrat der Bank.

Schon früh trat M. in Gremien ein, denen es um die Gesamtinteressen des privaten Bankgewerbes ging. Seit 1911 stand er der sog. Stempel-Vereinigung vor, einem Zusammenschluß der großen Berliner Banken zur Absprache gemeinsamer Konditionen. Diese Vereinigung konnte er zu einem wirksamen Instrument der Bankpolitik ausbauen. So gelang es ihm, von Berlin ausgehend, eine Vereinheitlichung der Geschäftsbedingungen aller Banken in den „Allgemeinen Abmachungen" von 1913 herbeizuführen. Ebenso war er Vorsitzender des Reichsverbandes der Bankleitungen und in dieser Funktion Mitschöpfer der Reichstarifvertrages für das Bankgewerbe. Auf Grund seiner Erfahrungen im Börsen- und Emissionsgeschäft hatte er seit 1930 den Posten des Vorsitzenden der Berliner Börse inne. Darüber hinaus gehörte er der Berliner Industrie- und Handelskammer, dem Centralverband des deutschen Bank- und Bankiergewerbes, dem Zentralausschuß der Reichsbank sowie der Zulassungsstelle der Berliner Börse an.

L Ernst W. Schmidt, Männer d. Dt. Bank u. d. Disconto-Ges., 1957, S. 64 f. *(P);* Dt. Bank (Hrsg.), E. M. u. Oskar Schlitter z. Gedächtnis, 1939 *(P);* F. Seidenzahl, 100 J. Dt. Bank, 1970 *(P);* F. W. Euler, Bankherren u. Großbankleiter, in: H. H. Hofmann (Hrsg.), Bankherren u. Bankiers, 1978, S. 108 f.; L. Gall u. a., Die Dt. Bank 1870–1995, 1995 *(P);* Berliner Börsen-Ztg. v. 23. 8. 1939; Frankfurter Ztg. v. 24. 8. 1939; Köln. Ztg. v. 25. 8. 1939; Rhdb. *(P).*

Elisabeth Komar

Mosse (bis etwa 1828 *Moses).* (isr.)

1) *Rudolf,* Verleger, * 8. 5. 1843 Grätz b. Wollstein (Prov. Posen), † 8. 9. 1920 Gut Schenkendorf b. Königswusterhausen (Mark).

Die Fam. stammt aus Märkisch-Friedland, wo Isaac Moses um 1700 als Schutzjude ansässig war. – *V* Marcus (eigtl. Moses) (1808–65), Dr. med., Arzt in G., wegen Beteiligung an d. poln. Erhebung 1848 inhaftiert, Ehrenbürger v. G. (s. Enc. Jud. 1971), *S* d. Salomon Moses (1768–1811), Großkfm., sächs. Schutzjude in Friedland (Niederlausitz), u. d. Henriette Fuchs (Jüttel) († 1847); *M* Ulrike Wolff (1816/17–88) aus Unruhstadt b. Bomst (Westpreußen); *Om* Adolf Wolff (1819–93) aus Grünberg (Schlesien), Textilgroßhändler in Berlin; 13 *Geschw,* u. a. Salomon (1837–1903), Inh. e. Wäschehandlung in Berlin, Albert (s. 2), Emil (1854–1911), 1884–1909 Mitinh. d. Verlags (s. BJ 16, Tl.), Eleonore (1841–1909, ∞ Emil Cohn, 1832–1905, Rittergutsbes., 1867–84 in d. Leitung d. Verlags); *Vt* Theodor Wolff (1868–1943), pol. Publizist, 1906–33 Chefredakteur d. Berliner Tagebl. (s. Rhdb.; BHdE I); – ∞ Trier 1873 Emilie (1851–1924), Gründerin d. Berliner Mädchenhortes, *T* d. Benjamin Loewenstein, Kaufm. in Aachen; 1 *Adoptiv-T (natürl. T)* Felicia Marx (1888–1972, ∞ 1911 ⟨∞ 1938⟩ Hans Lachmann, 1885–1944, Bankkaufm., Gesellschafter, seit 1920 Gen.bevollmächtigter, s. Rhdb.; BHdE I), Alleinerbin u. Nachf. M.s im Unternehmen, Vorstand d. Berliner Mädchenhorts; *N* Max (1873–1936), Titular-Prof., Internist u. Sozialmediziner in Berlin, 1913 Mithrsg. d. Sammelwerks „Krankheit u. soz. Lage", Martin Carbe (eigtl. Cohn, 1872–1933), Dr. iur., 1907–30 Gen.bevollmächtigter d. R.-M.-Verlags (s. Rhdb.), Johanna Litthauer (1873–1942, ∞ Alfred Blaschko, 1858–1922, Hautarzt, s. NDB II), Margarethe Litthauer (1879–1956, ∞ Hermann Ullstein, 1875–1943, Verleger, s. Rhdb.; BHdE I), Anselm Hartog († n. 1926), holländ. Verlagskaufm., Geschäftsführer d. R.-M.-Buchdruckerei, Martin Bloch (1883–1954), Maler u. Graphiker (s. Vollmer; Enc. Jud. 1971), Walter (1886–1973), Rechtsanwalt, Dir. b. Reichskommissar f. d. Kohleverteilung (s. Wenzel); *E* George L. (* 1918, eigtl. Gerhard Lachmann-M.), Prof. f. Zeitgesch. an d. Univ. v. Madison (Wisconsin) u. d. Hebr. Univ. in Jerusalem (s. BHdE II; *L*); *Gr-N* Hermann Blaschko (* 1900), Prof. f. Pharmakol. an d. Univ. Oxford (s. Kürschner, Gel.-Kal. 1992), Hildegard Litthauer (* 1918, ∞ Freddy Himmelweit, 1902–77, Virologe, Forschungsdir. an d. Univ. London), Prof. f. Sozialpsychol. (s. BHdE II), Werner E. (* 1918), Prof. f. Europ. Gesch. an d. Univ. Norwich (s. BHdE II; *L*).

Weil die Mittel des Vaters nicht ausreichten, konnte M. nur bis zum 15. Lebensjahr das Gymnasium in Lissa besuchen, dann kam er nach Posen in eine Buchhändlerlehre. 1861 ging er zu seinem Bruder Salomon nach Berlin, war in dessen Wäschegeschäft tätig und arbeitete kurze Zeit als Buchhandlungsgehilfe. Anschließend versuchte er sich im Verlagsgeschäft, wechselte mehrfach die Stelle, arbeitete in der Geschäftsleitung des satirischen Wochenblattes „Kladderadatsch", bis er Ende 1864 zu Robert Apitsch nach Leipzig kam, der die „Gartenlaube" herausgab. M. erkannte bald die wachsende Bedeutung der illustrierten Zeitschriften als Werbeträger, die bisher weder von Verlegern noch von Werbetreibenden beachtet worden war. Er bewog Apitsch, dem redaktionellen Teil der „Gartenlaube" eine Annoncenbeilage anzufügen, und reiste bald als Verlagsvertreter durch ganz Deutschland, Österreich und die Schweiz, um Anzeigen zu akquirieren. Damit war er der erste Akquisiteur, der gezielt auch bei auswärtigen Kunden warb. Der Geschäftserfolg übertraf alle Erwartungen. Apitsch bot M. an, sein Teilhaber zu werden, doch dieser lehnte selbstbewußt ab und wagte den Schritt in die unternehmerische Selbständigkeit.

Wieder in Berlin, eröffnete er mit geliehenem Startkapital am 1. 1. 1867 eine „Zeitungs-Annoncen-Expedition". Damit gab er mit einer glücklichen Wortschöpfung dem Gewerbe den Namen, den es bis 1933 tragen sollte. Die Organisation des Anzeigengeschäfts steht am Anfang der Wirtschaftswerbung („Reklame") in Deutschland. Ein epochaler Umstrukturierungsprozeß mit neuen technischen Mitteln der Werbung bei der Herstellung großer Serien für einen anonymen Markt führte in jener Zeit zu einer wesentlichen Vergrößerung des Anzeigenteils der Zeitungen. Zahl und Auflage der Presseorgane stiegen sprunghaft, die erhöhten Herstellungskosten erforderten zusätzliche Einnahmen durch den Verkauf von „Anzeigenraum". Die Funktion der Annoncen-Expedition bestand darin, auf dem sich neu entwickelnden Markt Angebot und Nachfrage zusammenzuführen. Von den Verlagen erhielten die Expeditionen Vergütungen in Form eines Nachlasses auf die Anzeigenpreise. M. erkannte, welche Möglichkeiten sich auftaten, seine Kunden bei der Placierung der Anzeigen fachmännisch zu beraten. Mit diesem Konzept stieß er in einen noch offenen Markt, sein Unternehmen erlebte eine geradezu sprunghafte Entwicklung. Zeitungsverleger übertrugen ihm häufig den gesamten Anzeigenteil ihrer Organe. Zeitweilig hatte M. 100 Blätter fest in der Hand. Für Deutschland wurde er damit zum Begründer des sog. „Pachtsystems" im Anzeigengeschäft.

Während M. zielstrebig Geschäfte aufspürte und binnen weniger Jahre ein weitgespanntes Netz von Zweig- und Geschäftsstellen entwickelte, das Deutschland, Österreich-Ungarn und die Schweiz überzog (1917 hatte er 18 selbständige Zweigstellen und 280 Agenturen im In- und Ausland), war sein Schwager und Mitgesellschafter Emil Cohn für die innere Organisation des weitgehend dezentralisierten Unternehmens verantwortlich. Trotz des erstaunlichen Wachstums seines Konzerns, der 1916 3110 Angestellte hatte, verlor M. nie die Übersicht. Ältere Konkurrenten wie die 1855 gegründete erste deutsche „Agentur für Zeitungsinserate" Haasenstein & Vogler und G. L. Daube ließ M. in den 90er Jahren hinter sich. Mit einem „Atelier für Inseratgestaltung" und einer hauseigenen „Untersuchungsstelle für Marktanalyse" schlug er Wege ein, die schon eine Entwicklung zur Werbeagentur andeuteten. Sein Einfluß wurde um so stärker, als er es im Laufe der Zeit vermochte, neben seiner Annoncen-Expedition einen der größten deutschen Zeitungs- und Zeitschriftenverlage aufzubauen.

Triebfeder der eigenen Verlagsgründung dürften Schwierigkeiten bei den Verhandlungen mit etablierten Zeitungsverlagen, aber auch die Idee gewesen sein, eine Anzeigenvermittlung und eine Zeitung als „Inseratenplantage" nebeneinander zu führen, ein Betriebstyp, der in Deutschland noch unbekannt war. Seit 1871 erschien das „Berliner Tageblatt" (B. T.), ursprünglich eine „Berliner Lokalzeitung mit umfassendem Handelsteil", später eine Zeitung großen Stils mit moderner Note. Innerhalb weniger Jahre konnte es seine Abonnentenzahl vervielfachen und begann um 1880, die damals auflagenstärkste Zeitung im Deutschen Reich, die „Kölnische Zeitung", zu überflügeln. Das B. T. erschien zunächst siebenmal, seit 1878 zwölfmal wöchentlich, schon 1872 kam die humoristische Zeitschrift „Ulk" hinzu. 1874 entstand das stattliche Stammhaus in der Jerusalemer Straße mit hauseigener Druckerei. Mit einer Auflage von über 300 000 in seiner Glanzzeit war das B. T. bis 1933 die größte liberale Zeitung Deutschlands und zählte zu den meistgelesenen deutschen Blättern im Ausland.

Geistig-politisch trat M.s Verlag vor allem durch die publizistische Linie des B. T. in Erscheinung, nach E. Dovifat eine der führenden deutschen „Gesinnungszeitungen", die vor allem vom progressiv denkenden Bürgertum gelesen wurde. Heinrich Mann ging so weit, M. und das B. T. als „Staat im Staate" zu bezeichnen. Das B. T. trat ein für Meinungs- und Pressefreiheit, Trennung von Kirche und Staat, Freihandel, Steuerreform, begrenzte Abrüstung, Ersetzung der konstitutionellen Monarchie durch eine parlamentarische Republik. Abgelehnt wurden Chauvinismus, Nationalismus und eine forcierte Flotten- und Rüstungspolitik. Während des 1. Weltkriegs propagierte das B. T. einen europ. Verständigungsfrieden, weshalb es mehrfach verboten wurde. Mit der Wochenschrift „Deutsches Reichsblatt" (1881), der „Berliner Morgen-Zeitung" (1889) und der „Berliner Volkszeitung" (1852 von F. Duncker gegründet, 1904 von Emil Cohn erworben) suchte M. auch breite Volksschichten anzusprechen. Die „Mosse-Blätter" galten bei Hof und in Offizierskreisen als links bis rot. In M.s Verlag erschienen außerdem etwa 130 Fachzeitschriften, dazu kam ein eigener Buchverlag, dessen Programm von Bestsellern bis zu Klassikern und luxuriösen Kunstbänden reichte. Ebenso wie August Scherl und Rudolf Ullstein beschritt M. mit Großauflagen den Weg zur modernen Massenpresse. Neben Scherl war er der erste Berliner Zeitungsverleger, der Sonderkorrespondenten an Brennpunkten des politischen Geschehens engagierte und einen eigenen Depeschendienst aufbaute; daher kann er als „Vater der Sensationspresse" gelten. Wichtigste Umsatz- und Gewinnquelle blieb aber das angestammte Geschäft, „Annoncenraum" wurde „als Ware produziert, die durch den redaktionellen Teil absetzbar wird" (K. Bücher).

Auch im Marketing ging M. neue Wege; der Wettbewerbsvorsprung seines Hauses beruhte auf neuartigen Serviceleistungen für spezielle Kundengruppen. Maßgeblich beeinflußt durch seinen Bruder Emil, betrieb M. 1869-1914 für fast 200 Ausstellungen Öffentlichkeitsarbeit. Pionierdienste leistete er seit 1882 mit seinem Bäder-Almanach für die Fremdenverkehrswerbung. Er erfand für die Anzeigenkunden den „Normalzeilenmesser" zur Bestimmung der Zeilenzahl, welche eine Anzeige in einer beliebigen Zeitung einnahm (1893). Ein bis dahin in Deutschland fehlendes Nachschlagewerk schuf er 1897 mit dem „Deutschen Reichs-Adreßbuch für Industrie, Gewerbe, Handel" (D. R. A.). Die erste Ausgabe umfaßte 4500 Seiten im Lexikonformat, ein Umfang, der in den folgenden Jahren erheblich überschritten wurde.

In ausgeprägter Weise verband M. kaufmännischen Instinkt und scharfen Kalkül mit schöpferischer Initiative und Durchsetzungsvermögen. Seit den Anfängen seiner Karriere wurden immer wieder Vorwürfe gegen sein Geschäftsgebaren erhoben. Ihm wurden – bisweilen zu Recht, oft aber auch aus antisemitischen Motiven – rücksichtsloses Expansionsstreben, Machtmißbrauch, wettbewerbsverzerrende Praktiken und unerlaubte Einflußnahme auf den Zeitungsinhalt unterstellt. Nach tiefgreifenden Konflikten brach der Ullstein Verlag die Geschäftsbeziehungen zu M. ab, der den größten wirtschaftlich-politischen Machtblock im deutschen Zeitungswesen kontrollierte. M. gehörte zu der Generation von Unternehmern, für die ein patriarchalischer Führungsstil selbstverständlich war. Er hatte kaum gesellschaftliche Ambitionen, lehnte die ihm vom Kaiser angebotene Nobilitierung ab, ließ sich aber in die Berliner Handelskammer wählen. Außerdem war er Vorsteher der jüdischen Reformgemeinde in Berlin.

Die steigenden Erträge von M.s Unternehmungen bildeten den Grundstock für ein großes Privatvermögen (u. a. drei Rittergüter). M. war passionierter Förderer, Stifter und Sammler, in Deutsch-Wilmersdorf gründete er die „Emilie- und Rudolf Mosse-Stiftung", ein Erziehungsheim für Waisenkinder, später ein Lehrlingsheim. Er kaufte die wertvolle Erich-Schmidt-Bibliothek der Germanistik und stellte sie der Wissenschaft zur Verfügung. Damals einzigartig im deutschen Zeitungswesen war die 1892 von ihm gegründete Pensionskasse für seine Angestellten, die noch um 1960 bestand. Für seine Wohltätigkeit und seine Stiftungen erhielt er 1917 den Dr. phil. h. c. der Univ. Heidelberg verliehen. Das Mosse-Palais am Leipziger Platz in Berlin enthielt eine erlesene Kunstsammlung (Achenbach, Böcklin, Corinth, Feuerbach, Leibl, Leistikow, Lenbach, Liebermann, Menzel, Spitzweg, Thoma, Uhde). Das Palais wurde später vom nationalsozialistischen Regime enteignet und beherbergte 1936-43 Hans Franks „Akademie für deutsches Recht". Den Kunstbesitz ließ die „Mosse-Treuhandverwaltungs-GmbH" 1934 versteigern.

Nach der Revolution von 1918, die auch die Besetzung des Verlagshauses mit sich brachte, zog sich M. von der Geschäftsleitung zurück. Sein Vermögen erbte seine Adoptivtochter Felicia, die ihren Ehemann Hans Lachmann mit der Wahrnehmung ihrer Interessen beauftragte. Gemeinsam mit M.s Neffen Martin Carbe übernahm Lachmann die Leitung der M.schen Unternehmen. Er beauftragte Erich Mendelsohn mit der Neugestaltung des Berliner Verlagshauses (1923). Lachmann und Carbe führten 1922 den „Rudolf Mosse Code" (R. M. C.) ein, für längere Zeit das einzige Hilfsmittel des Telegrammverkehrs im deutschsprachigen Raum, das später zu einem internationalen Code ausgebaut wurde. M.s Verlagsimperium wurde zunächst erfolgreich weitergeführt, obwohl in Hugenbergs kapitalkräftiger ALA, die u. a. das deutsche Filialnetz von Haasenstein & Vogler und G. L. Daube & Co. übernommen hatte, eine ernsthafte Konkurrenz entstanden war. Es kam aber zunehmend zu Dissonanzen zwischen dem eigenwilligen Lachmann und Carbe, der 1930 zum Ullstein-Verlag wechselte.

Seit 1929/30 geriet der Konzern in eine finanziell angespannte Lage. Die Verlagsgruppe war in einer rezessiven wirtschaftlichen Entwicklung durch spekulative Investitionen wie die Errichtung weiterer Zweigstellen im Ausland, größere Neubauten und den Ankauf des „Acht-Uhr-Abendblattes" zunehmend unter Ertragsdruck geraten. Im Herbst 1932 beantragte Lachmann die Einleitung eines Konkursverfahrens. Noch bevor die Liquidation durchgeführt werden konnte, wurde Hitler Reichskanzler. Am 13. 7. 1933 wurde ein Vergleichsverfahren eröffnet, das Haus Mosse unter Konkursverwaltung gestellt und von der Liste der im Verein der Zeitungsverleger anerkannten Anzeigenagenturen gestrichen.

Der Presse- und Verlagsbereich ging 1934 in einer reichseigenen „Berliner Druck- und Zeitungsbetriebe AG" und einer „Buch- und Tiefdruck GmbH" auf. Max Winkler, Finanztechniker der Gleichschaltung, besorgte über seine mit Reichsmitteln finanzierte „Cautio Treuhand GmbH" die Abwicklung der Liquidation. Hans Lachmann-Mosse war Anfang 1933 in die Schweiz emigriert und hatte am 9. 4. die Geschäftsführung niedergelegt, der Chefredakteur Theodor Wolff war im März 1933 über Österreich und die Schweiz nach Frankreich geflüchtet. Am 31. 1. 1939 stellte das B. T., inzwischen zu einem reizlosen Blatt degeneriert, sein Erscheinen ein.

Die Besitzverhältnisse der ausländischen Unternehmungen und Tochtergesellschaften des Konzerns wurden durch die Ereignisse in Deutschland nicht berührt. Die Aktien der seit 1929 juristisch selbständigen Firma „Mosse Annoncen AG" in Zürich gingen 1939 in die Hände einer schweizer. Interessengruppe über. Nach dem 2. Weltkrieg versuchten in den USA lebende Nachkommen M.s in der Bundesrepublik einen Neuanfang. Mit einem Mosse Code II und der Neuherausgabe des „Deutschen Reichs-Adreßbuches für Wirtschaft und Verkehr" trat 1953/54 in München die neugegründete Rudolf Mosse GmbH & Co. KG an die Öffentlichkeit. Da sich beide Projekte als Fehlschläge erwiesen, mußte dieser Verlag 1960 Konkurs beantragen.

W Protest d. dt. Juden gegen d. Kommunismus, 1919 (mit H. Herzog, W. Rathenau u. a.).

L O. Kanngießer u. F. Engel (Hrsg.), FS z. 25j. Bestehen d. Fa. R. M., 1882 *(P);* A. Kohut, Berühmte israel. Männer u. Frauen II, 1901 *(P);* R. Schmidt, Dt. Buchhändler, Dt. Buchdrucker, 1902, Nachdr. 1979; A. Heppner u. J. Herzberg, Aus Vergangenheit u. Gegenwart d. Juden u. jüd. Gemeinden in d. Posener Landen, I, 1909; Ph. Stauff, Semi-Kürschner, 1913; R. M. 1867–1917, FS z. Feier d. 50j. Bestehens d. Annoncen-Expedition, 1917 *(P);* E. Dombrowski, Köpfe d. Gegenwart, 1920, S. 201–11; J. Fischart, R. M., in: Europ. Staats- u. Wirtsch.-Ztg. v. 15. 9. 1920, S. 463–68; A. Herold, Die Sünden d. Berliner Tagebl.; 1920; E. Sorg, Die dt. Zeitungskonzerne d. Gegenwart mit Einschluß d. Nachrr.- u. Anzeigengewerbes, 1924; E. Neckarsulmer, Der alte u. d. neue Reichtum, 1925 *(P);* K. Wenkel, R. M. – e. Schöpfer d. dt. Zeitungswesens, in: Zs. f. Handelswiss. u. Handelspraxis, Beibl., Jg. 19, 1926, H. 6, S. 41–45 *(P);* R. Hamburger, Zeitungsverlag u. Annoncen-Expedition R. M. Berlin, 1928; Berlins Aufstieg z. Weltstadt, hrsg. v. Ver. Berliner Kaufleute u. Industrieller, 1929 *(P);* F. Kaufmann, Erfolgreiche dt. Wirtsch.führer, 1931; Dr. Lr., Zur Insolvenz R. M.s, in: Dt. Oekonomist v. 21. 7. 1933, S. 942 f.; Auflösung d. Annoncen-Expedition R. M., in: Zeitungs-Verlag 34, Nr. 30 v. 29. 7. 1933, S. 489; R. Lepke's Kunst- u. Auktionshaus (Hrsg.), Kunstslg. R. M., 1934; G. Malbeck, Der Einfluß d. Judentums auf d. Berliner Presse, 1935; J. Klippel, Gesch. d. „Berliner Tagebl." (1872–1880), 1935; Abschied v. M., in: Der Patriot (Lippstädter Tagebl.) v. 7. 2. 1935; F. Heuer, Entwicklung d. Annoncen-Expeditionen in Dtld., 1937; ders., 100 J. Annoncen-Expeditionen in Dtld., in: Die Anzeige 31, 1955, S. 330 ff. *(P);* H. Dominik, Vom Schraubstock z. Schreibtisch, 1942; G. Pionteck, Die schweizer. Annoncen-Expeditionen, Diss. Zürich 1956, S. 77 f.; 75 J. Mosse 1883–1958, 1958; P. de Mendelssohn, Zeitungsstadt Berlin, 1959, ²1982 *(P);* W. E. Mosse, R. M. and the House of Mosse 1867–1920, in: Leo Baeck Institute Year Book IV, 1959 *(P);* ders. (Hrsg.), Juden im Wilhelmin. Dtld., 1976; ders., Jüd. Unternehmer in Dtld. im 19. u. 20. Jh., 1992; M. Boveri, Wir lügen alle, Eine Hauptstadtztg. unter Hitler, 1965 *(z. T. unrichtige Angaben);* H. Wallenberg (Hrsg.), Berlin Kochstraße, 1966 *(P);* K. Koszyk, Dt. Presse im 19. Jh., 1966; ders., Dt. Presse 1914–1945, III, 1972; W. Görlitz, Von d. „Gartenlaube" z. „Berliner Tageblatt", in: Die Welt v. 4. 5. 1968 *(P);* Mosse-Annoncen AG, Zürich-Schweiz, in: Verband Schweizer. Werbeges. 1919–1969, 1969; W. Scharf, R. M., in: H.-D. Fischer (Hrsg.), Presseverleger d. 18. bis 20. Jh., 1975; W. G. Oschilewski, Ztg. in Berlin, Im Spiegel d. Jhh., 1975; M. Ekstein, The German Democratic Press and the Collapse of Weimar Democracy, 1975; G. L. Mosse, Ich bleibe Emigrant, 1991; D. Reinhardt, Von d. Reklame z. Marketing, Gesch. d. Wirtsch.werbung in Dtld., 1993; B. Rollka u. V. Spiess (Hrsg.), Berliner Biogr. Lex., 1993 *(P);* DBJ II, Tl.; Jüd. Lex. IV *(P);* Wininger; Enc. Jud. 1971. – *Qu.* Bundesarchiv Koblenz; Landesarchiv Berlin STA Rep 61; Mitt. d. Fam. Mosse. – *Nachlaß:* Leo Baeck Institute, New York. – *Zur Fam.:* O. Neumann, R. M.s Ahnen, in: Jüd. Fam.-Forschung 11, 1935, S. 665 ff., 685 ff.; E. Kraus, Gesch. d. jüd. Bürgerfam. Mosse v. Beginn d. 19. Jh. bis in d. heutige Zeit, Habil.schr. München *(in Vorbereitung).*

P Gem. v. F. v. Lenbach, 1898 (im Bes. v. George L. Mosse); Bildarchiv Preuß. Kulturbes., Berlin; Marmorbüste v. L. Manzel u. Ölgem. v. K. Stauffer-Bern, 1882, Abb. in: FS z. Feier d. 50jähr. Bestehens d. Annoncen-Expedition R. M., 1917; Radierung v. E. Wolffsfeld, 1920, Abb. in: Mosse Alm., 1921.

Hans-Henning Zabel

2) *Albert,* Jurist, * 1. 10. 1846 Grätz b. Wollstein (Prov. Posen), † 30. 5. 1925 Berlin.

B Rudolf (s. 1); – ∞ 1883 Caroline (1859–1934) aus B., *T* d. Justizrats N. N. Meyer; 3 *S,* 2 *T,* Walter (1886–1973), Rechtsanwalt u. Justitiar in B., Schriftst., emigrierte 1933, Doz. an d. Theol. Fakultäten in Yale u. Princeton, Hans (1888–1916, ✕), Jurist, Erich (Eric) (1891–1963), Dr. med., Psychologe u. expressionist. Schriftst. (Ps. Peter Flamm), Dramatu am Lessing-Theater in B., emigrierte 1933, Psychiater in New York (s. BHdE II), Martha (1884–1977), Dr. iur, bis 1933 Polizeirätin, dann in d. jüd. Gemeinde in B. tätig, wurde durch Intervention d. japan. Botschaft vor d. Deportation in e. Vernichtungslager gerettet u. überlebte im KZ Theresienstadt (1943–45), 1948–53 Oberreg.rätin b. d. Kriminalpolizei in B. (s. *L*), Dorothea (1885–1965, ∞ Erwin Panofsky, 1892–1968, Kunsthistoriker, s. BHdE II); *Gr-N* Wolfgang Panofsky (* 1919), Prof. d. Physik in Stanford (Kalifornien, USA).

Nach dem Besuch des Gymnasiums in Lissa und Guben studierte M. – finanziell unterstützt von seinen älteren Brüdern Salomo und Theodor – seit 1865 Rechtswissenschaft in Berlin, bestand 1868 die Referendarprüfung, trat als Gerichtsauskultator in den Staatsdienst ein. Am Krieg 1870/71 nahm er als Freiwilliger teil. 1873 legte er das Assessorexamen ab, war zunächst beim Stadtgericht und seit 1875 als Hilfsrichter beim Kreisgericht in Berlin beschäftigt, wurde 1876 Kreisrichter in Spandau, 1879 Stadtrichter in Berlin, noch im selben Jahr Amtsrichter, 1886 Landrichter und 1888 Landgerichtsrat, die bis dahin höchste für einen ungetauften Juden erreichbare Stellung im preuß. Justizdienst.

Schon als junger Jurist hatte M. auf Empfehlung seines Lehrers Rudolf Gneist Kontakte zur japan. Gesandtschaft geknüpft. Während seiner Zeit als Richter in Berlin hielt er regelmäßige Vorträge über deutsches öffentliches Recht vor japan. Juristen und Diplomaten. Seit 1886 war er – zunächst mit einem Dreijahresvertrag – als juristischer Berater für die japan. Regierung tätig, die sich nach einer längeren Amerika- und Europareise des Staatsrats Fürst Ito (1882–84) entschlossen hatte, ihr Rechtssystem nach deutsch-preuß. Vorbild zu modernisieren. Auf Einladung von Ito, der 1885 Ministerpräsident geworden war, und Innenminister Yamagata, dessen Berater Hirata ein Gneist-Schüler war, hielt sich M. von Mai 1886 bis März 1890 mit seiner Familie in Tokio auf. Er war dort maßgeblich an den Vorbereitungen für eine moderne Verfassung beteiligt und wirkte mit bei der Ausarbeitung einer Anzahl wichtiger Gesetze über die Selbstverwaltung der Provinzen, Kreise und Gemeinden, die sich an die preuß. Reformgesetze die von Ito bewunderten Frhr. vom Stein anlehnten. Seit Januar 1887 wurden alle damit zusammenhängenden Fragen auf der Grundlage eines von M. vorgelegten Entwurfs in einem von Yamagata geleiteten Ausschuß beraten, im April 1888 wurde das neue Gesetz über „Organisation der Verwaltung von Städten und Dörfern" offiziell verkündet.

M. hielt auch wöchentliche Vorträge am Kaiserhof und beriet die japan. Regierung bei der Revision ihrer internationalen Verträge. Als Kenner einer Vielzahl von Rechtsmaterien verstand er es geschickt, die für eine Übernahme in die japan. Rechtsordnung am besten geeigneten deutschen und preuß. Gesetzesregelungen auszuwählen und anzupassen. M., der fast alle japan. Minister, darunter den von ihm hochgeschätzten Außenminister Aoki, juristisch beriet (u. a. zu Fragen des Post- und des Presserechts, der Ausländergerichtsbarkeit und des Strafrechts), war der einflußreichste europ. Jurist in einer entscheidenden Phase der Neugestaltung der japan. Rechtsordnung. Nach der Verkündung der japan. Verfassung (1889) wurde er auf Anregung des deutschen Gesandten in Tokio, Theodor v. Holleben, wegen seiner Verdienste um die Gestaltung der „Grundzüge des japan. Staatslebens nach deutschem Muster" 1890 als erster jüdischer Jurist im Deutschen Reich zum Oberlandesgerichtsrat ernannt.

Nach seiner Rückkehr nach Deutschland war M. seit Ende 1890 am Oberlandesgericht in Königsberg tätig und wirkte hier seit 1904 auch als o. Honorarprofessor für Zivilprozeß- und Handelsrecht an der Universität. Als Neubearbeiter des vielbenutzten Kommentars zum Handelsgesetzbuch von F. Litthauer (13.–17. Aufl., 1905–27) genoß er großes wissenschaftliches Ansehen, bemühte sich jedoch trotz hervorragender Beurteilungen vergeblich um eine Versetzung in ein höheres Richteramt. 1907 kam er um seine Pensionierung ein, kehrte nach Berlin zurück und widmete sich dort seit 1908 als unbesoldeter Stadtrat und Stadtältester kommunalpolitischer Tätigkeit, insbesondere der Feuersozietät und der Verkehrs- und Hochbaudeputation. Als Verkehrsdezernent und juristischer Berater der Stadtverwaltung gestaltete er wichtige Verträge über Eingemeindungen, das Straßenbahnwesen (1911) und die Elektrizitätsversorgung Berlins. Seit 1914 organisierte er eine Kriegshilfs- und Kriegskreditkasse. M. wurde 1919 zum Stadtältesten ernannt und gehörte dem Vorstand des Deutschen Städtetages an. Er war Vizepräsident des Verbands deutscher Juden sowie Vorsitzender des Kuratoriums der Hochschule für die Wissenschaft des Judentums in Berlin. – Geh. Justizrat (1901); Dr. iur. h. c. (Königsberg 1903).

W A. u. Lina M., Fast wie mein eigen Vaterland, Briefe aus Japan 1886–89, 1995.

L Allg. Ztg. d. Judentums 1916, S. 475 f. *(P);* Dt. Juristen-Ztg. 30, 1925, S. 954 f.; L. Baeck, Gedenkrede auf A. M., in: 44. Ber. d. Hochschule f. d. Wiss. d. Judentums in Berlin, 1927, S. 25 ff.; S. Kaznelson, Juden im dt. Kulturbereich, 1959; E. Hamburger, Jews in Public Service under the German Monarchy, in: Leo Baeck Institute Yearbook IX, 1964, S. 206–38 *(P);* ders., Juden im öffentl. Leben Dtld.s 1848–1918, 1968; R. F. Hackett, Yamagata Aritomo in the Rise of Modern Japan, 1838–1922, 1971, S. 107–13; E. G. Lowenthal, Juden in Preußen, 1981; W. E. Mosse, A. M., A Jewish Judge in Imperial Germany, in: Leo Baeck Institute Yearbook 28, 1983, S. 169–84 *(P);* Wininger; Enc. Jud. 1971; Altpr. Biogr. IV. – *Qu.* Gedenkbuch d. Ältesten d. Stadt Berlin seit Einführung d. Städteordnung v. 19. 11. 1808, Nr. 73 (Landesarchiv Berlin). – *Nachlaß:* Leo Baeck Institute, New York. – Zu *Martha:* H. Göppinger, Juristen jüd. Abstammung im „Dritten Reich", ²1990, S. 105, 352; R. Hilberg, The Destruction of the European Jews, II, 1985, S. 460 ff.; ders., Täter, Opfer, Zuschauer, 1992.

P Bildarchiv Preuß. Kulturbes. (Hrsg.), Juden in Preußen, 1981.

Hans Jaeger †

Most, *Johann,* sozialistischer Politiker, * 5. 2. 1846 Augsburg, † 17. 3. 1906 Cincinnati (USA).

V Joseph (1822–82), Kanzleischreiber, Kirchhofsverwalter; M Viktoria Hinterhuber († 1856), Gouvernante; ∞ 1) 1873 (o/o 1880) Clara Hänsch († 1882), 2) n. 1882 Helene N. N.

Nach der Buchbinderlehre 1858–63 ging M. bis 1868 auf Wanderschaft, auch in das benachbarte Ausland. 1867 schloß er sich in Le Locle, 1868 in Zürich und in Wien einem Arbeiterverein an. Hier entwickelte sich M. zu einem leidenschaftlichen Agitator für die Rechte der Arbeiterklasse. Auf einer Rede im Mai 1869 geißelte er heftig das sog. Bürgerministerium Giskras. Dies kostete ihn seine Stellung und brachte ihm einen Monat strengen Arrests ein. Nach dem Vorwurf der „Rädelsführerschaft" anläßlich einer Massenkundgebung in Wien im selben Jahr verurteilte man M. 1870 wegen Hochverrats zu 5 Jahren schwerem Kerker. Während dieser Zeit dichtete M. das später oft gesungene Lied „Wer schafft das Gold zu Tage ...". Nach seiner Amnestie 1871 setzte er seine Agitationsreisen fort, so daß er im selben Jahr als lästiger Ausländer ausgewiesen wurde. Nach Deutschland zurückgekehrt, wurde M. Mitglied der Sozialdemokratischen Arbeiterpartei (SDAP) und übernahm die Redaktion der Chemnitzer „Freien Presse", deren Redakteure im Gefängnis saßen. Gleichzeitig setzte er sich vehement für die durch den Krieg gelähmte Partei- und Gewerkschaftsbewegung ein. Seine aufrührerische Argumentation in Wort und Schrift brachte ihm innerhalb eines Jahres über 40 Strafverfahren ein, doch M.s Eifer und Eloquenz fanden innerhalb der Arbeiterschaft allenthalben Beachtung. Auf dem 4. Kongreß der „Eisenacher" wurde M. 1872 in Mainz aufgrund seiner Anti-Sedanrede in Chemnitz wiederum verhaftet und zu 8 Monaten Gefängnis verurteilt. In der Haft schrieb er eine leicht verständliche Kurzfassung des „Kapitals" von Karl Marx unter dem Titel „Kapital und Arbeit". Aus Chemnitz verwiesen, folgte er dem Ruf seiner Mainzer Freunde und übernahm dort die Redaktion der „Süddeutschen Volksstimme". 1874 gewann er den Wahlkreis 16 (Chemnitz) mit 10 000 gegen 7 000 Stimmen. Kurz darauf mußte M. wegen seiner Verteidigungsrede für die Pariser Commune eine 26monatige Gefängnisstrafe antreten. Nach seiner Entlassung im Juni 1876 trat er in die Redaktion der „Berliner Freien Presse" ein. 1877 wurde er erneut in den Reichstag gewählt, doch das sog. Sozialistengesetz setzte seinem Mandat im Juli 1878 ein Ende; im Dezember wurde er aus Berlin verwiesen.

M. emigrierte nach England und gab dort die „Freiheit" heraus, mit der er die politische Linie der Parteileitung hintertrieb. Spätestens seit dieser Zeit verfocht er extreme anarchistische Tendenzen. Scharfe Kritik an der deutschen Sozialdemokratie bis hin zu deren Verleumdung ließen ihn bald jeglichen Kontakt zu ihr verlieren. 1880 wurde M. aus der Partei ausgeschlossen, kurz darauf erschien sein offen gegen diese gerichtetes Pamphlet „Taktik contra Freiheit". Mit seiner anarchistischen Einstellung und der „Propaganda der Tat" verleitete er seine wenigen Anhänger zu sinnlosem Aktionismus, der mit hohen Zuchthausstrafen geahndet wurde und für die Polizei Anlaß war, verschärft gegen die Sozialdemokratie vorzugehen. In England verurteilte man M. wegen der Verherrlichung des Attentats auf Zar Alexander II. zu 16 Monaten Zwangsarbeit, nach deren Verbüßung er 1882 nach New York emigrierte. Dort setzte er die Herausgabe der „Freiheit" fort. Es gelang ihm 1883, verschiedene anarchistische Gruppen zur International Working People's Association zusammenzuschließen. Während der folgenden Jahre wurde M. wegen seines revolutionären und anarchistischen Eifers dauernd verfolgt und häufig inhaftiert. Tief erschüttere ihn die Hinrichtung der deutsch-amerikan. Anarcho-Syndikalisten als Folge des Haymarket-Attentats im Mai 1886. Dies leitete das Ende des Anarchismus in den USA ein. Unermüdlich, aber vergeblich hatte M. versucht, auch die nordamerikan. Arbeiter aufzurütteln, doch er scheiterte letztlich an deren indifferenter Haltung und Gleichgültigkeit; die „Revolutionierung der Massen" blieb aus. Unerwartet starb M.

1906 auf einer seiner Agitationsreisen in Cincinnati.

Weitere W Kapital u. Arbeit, 1873; Revolutionäre Kriegswiss., 1885. – *Autobiographien:* Acht Jahre hinter Schloß u. Riegel, Skizzen aus d. Leben J. M.s, 1886; Memoiren – Erlebtes, Erforschtes u. Erdachtes, 4 Bde., 1903–07; Dokumente e. sozialdemokrat. Agitators, hrsg. v. V. Szmula, 4 Bde., 1988–92. – Zahlr. Zeitungsartikel, Aufsätze, Berr. u. veröff. Reden.

L R. Rocker, M., Das Leben e. Rebellen, 1924, Neudr. 1973; E. Drahn, J. M., Eine Bio-Bibliogr., 1925 *(W, L);* U. Riemerschmidt, Der revolutionäre Buchbindergeselle J. M., in: K. Schleucher (Hrsg.), Pioniere u. Außenseiter, 1968, S. 354–83; U. Linse, Organisierter Anarchismus im Dt. Kaiserreich v. 1871, 1969; J. M., e. Sozialist in Dtld., hrsg. v. D. Kühn, 1974; H. Marx, Deutsche in d. Neuen Welt, 1983, S. 354 f.; R. R. Doerries, Iren u. Deutsche in d. Neuen Welt, 1986; BJ XI, Tl.; Dict. Am. Biogr.; Augsburger Stadtlex., 1985.

Horst-Peter Schulz

Most, *Otto,* Wirtschaftspolitiker, * 13. 9. 1881 Markranstädt b. Leipzig, † 17. 12. 1971 Duisburg. (ev.)

V Otto (1840–1918), Fabr. in M., dann Braunkohlenhändler, *S* d. Landschafts- u. Porträtmalers Ludwig (1807–83, s. ThB) u. d. Karoline Krugner (1805–40); *M* Helene (1842–1912), *T* d. Dr. med. Carl Heyner (1809–67), Abg. d. Sächs. 2. Kammer, u. d. Augusta Wenk (1818–85); ∞ Altenburg b. Nienburg 1906 Gertrud (1880–1963), *T* d. Ludwig Parrey (1842–1911), Pastor in Altenburg, u. d. Helene Starke (1847–1918); 2 *S,* u. a. Rolf (1911–41, ⚔), Historiker (s. *L*).

Nach der Reifeprüfung an der Lateinischen Hauptschule der Franckeschen Stiftungen zu Halle studierte M. seit 1899 Nationalökonomie und Geschichte vornehmlich an der Univ. Halle, an der er 1903 zum Dr. phil. promoviert wurde. Nach kürzerer Tätigkeit bei zwei Handelskammern und am Kaiserl. Statistischen Amt in Berlin wurde er 1905 Direktor des Statistischen Amtes der Stadt Posen und ging 1907 in gleicher Eigenschaft nach Düsseldorf. 1910 habilitierte er sich an der Univ. Bonn. In Düsseldorf wurde er 1911 zum besoldeten Beigeordneten mit den Aufgabenbereichen Statistik, Sozialpolitik und außerschulisches Bildungswesen gewählt. In den ersten Kriegsjahren oblag ihm auch die Verteilung der Mehlvorräte im Regierungsbezirk Düsseldorf; sein Vorschlag, Berechtigungsausweise auszustellen, brachte ihm den Namen „Vater der Brotkarte" ein. Anfang 1916 wurde er Bürgermeister (später Oberbürgermeister) in Sterkrade.

1920 übernahm M. als Syndikus die Hauptgeschäftsführung der Niederrhein. Handelskammmer (seit 1923 Industrie- und Handelskammer) Duisburg-Wesel, die er innehatte, bis ihn die Umorganisation der Kammern zu Gauwirtschaftskammern veranlaßte, 1944 vorzeitig in den Ruhestand zu treten. Die Charakteristika der Stadt Duisburg – bedeutender Standort der Montanindustrie und größter deutscher Binnenhafen – machten Verkehrsfragen zum wichtigsten Aufgabenbereich von M., der vor allem die Rheinschiffahrt förderte. Als Vorsitzender des Eisenbahn- und Kraftwagenausschusses des Deutschen Industrie- und Handelstages (DIHT) leitete er die Untersuchungen, auf denen das Güterfernverkehrsgesetz von 1935 basierte und die eine Rolle bei Planung und Bau des Reichsautobahnnetzes spielten. Weiterhin war er Mitglied des DIHT-Ausschusses „Post – Eisenbahn". Zehn Jahre lang war M. Mitglied der Internationalen Handelskammer Paris und leitete dort den Sonderausschuß Route et Rail sowie die Commission Permanente de la Navigation Intérieure. Er war beteiligt an der Gründung der Luftverkehrsgesellschaft Ruhrgebiet AG und Mitglied des Aufsichtsrats der Deutschen Lufthansa AG. Auch nach der Pensionierung beschäftigte sich M. mit Fragen der Verkehrspolitik. 1949 wurde er in den Wissenschaftlichen Beirat des Bundesverkehrsministeriums berufen und zum Präsidenten des Zentral-Vereins für deutsche Binnenschiffahrt (seit 1961 Ehrenpräsident) gewählt. 1952–62 gehörte er dem Verwaltungsrat der Deutschen Bundesbahn an.

M. war seit 1917 Mitglied des Rheinischen Provinziallandtags. Im Dezember 1918 kandidierte er für die neugegründete Deutsche Volkspartei (DVP) und wurde im Wahlkreis Düsseldorf West sowohl in die Nationalversammlung als auch 1920 in den Reichstag gewählt, dem er bis 1928 angehörte. Stresemann bot ihm zweimal an, als Staatssekretär Chef der Reichskanzlei zu werden. Als Freimaurer und konservativ-liberal eingestellt, dem Spätidealismus Rudolf Euckens zuneigend, stand M. dem Nationalsozialismus innerlich fern, trat allerdings 1933 in die NSDAP ein. 1934 wurde er aus der Partei ausgeschlossen, jedoch wurde der Ausschluß 1939 zurückgenommen.

M. las 1927–36 und 1940–43, erst als Privatdozent, seit 1929 als Honorarprofessor, Statistik und Verkehrswissenschaft in Münster. 1943 berief ihn die Univ. Heidelberg, an der er ein Verkehrswissenschaftliches Institut aufbauen sollte, das jedoch über erste Anfänge nicht hinauskam und nach dem Krieg nicht wiedergegründet wurde. An der Univ. Mainz wirkte M. 1947–58 als Honorarprofessor. Die Gründung der Volkswirtschaftlichen (später Volks- und Betriebswirtschaftlichen) Vereinigung im Rheinisch-Westfäl. Industriegebiet, die seit 1922 zahlreiche wissenschaftliche Publikationen herausgegeben hat, geht mit auf seine Initiative zurück. Bereits M.s Dissertation war stark von statistischen Überlegungen geprägt. Von kammerpolitischen Veröffentlichungen abgesehen, blieb die Statistik die Basis aller seiner Publikationen. In zahlreichen Büchern, Denkschriften und Aufsätzen setzte er sich für die Selbstverwaltung zunächst der Gemeinden, später insbesondere der Wirtschaft, und für eine sinnvoll liberalisierte Wirtschafts- und Verkehrspolitik ein, die der Privatinitiative ihre Möglichkeiten beließ. – Dr. rer. pol. h. c. (Mainz 1955); Karmarsch-Medaille (TH Hannover 1962); Gr. Bundesverdienstkreuz mit Stern (1956); Mercator-Plakette d. Stadt Duisburg (1956).

W u. a. Der Nebenerwerb in seiner volkswirtsch. Bedeutung, 1903; Grundzüge d. Wirtsch.geogr., 1908; Die Schuldenwirtsch. d. dt. Städte, 1909; Bevölkerungswiss., 1913, ²1927; Die dt. Stadt u. ihre Verwaltung, 1912, ²1926; Gesch. d. Stadt Düsseldorf II, 1921; Handelskammer u. Wirtsch. am Niederrhein, 1931; Zur Verkehrspol. im Dritten Reich, 1934; Bevölkerungspol., o. J. (1936); Seehafenausnahmetarife, 1937; Binnenwasserstraßen u. dt. Wasserstraßensystem, 1938; Allg. Statistik, 1948, ⁷1962; Verw.reform, 1949; Handelskammern u. Mitbestimmungsrecht, 1950; Der Seehafen Emden, 1953; Soz. Marktwirtsch. u. Verkehr, 1954; Drei J.zehnte an Niederrhein, Ruhr u. Spree, 1969 (Autobiogr.). – *Mithrsg.:* Heimat- u. Wirtsch.kde. f. Rheinland u. Westfalen, 1914; Hdwb. d. Kommunalwiss., 1914 ff.; Kommunales Jb., NF, 1927 ff.; Die dt. Rheinschiffahrt, 1930; Wirtsch.kde. f. Rheinland u. Westfalen, 1931; Verkehrswiss. Forschungen an d. Verkehrs-Seminar an d. Univ. Münster, 1936 ff.; Dt. Zs. f. Wirtsch.kde., 1936 ff; Die dt. Binnenschiffahrt, 1957.

L Verkehr u. Wirtsch., FS f. O. M., 1961; B. Gerstein, Lb. aus d. Rhein.-Westfäl. Industriegebiet, 1968–72, 1980, S. 106–10 *(P);* W. Burkhard, in: Niederrhein. Unternehmer, 111 Persönlichkeiten u. ihr Werk, 1990, S. 262 f. *(P);* Wirtsch. Nachr. v. Rhein u. Ruhr, Rhein u. Rhein, Mitt. d. IHK Duisburg, Niederrheinkammer, 1920 ff.; Rhdb. *(P);* Schumacher, M. d. R.; H. Romeyk, Die leitenden staatl. u. kommunalen Verw.beamten d. Rheinprov. 1816–1945, 1994. – Eigene Archivstud. – *Zu Rolf:* H. Heimpel, in: DA 5, 1942, S. 511–13; ders., in: HZ 166, 1942, S. 215.

P Gem. v. A. Hackenbroich, 1925 (Niederrhein. IHK Duisburg).

Carl-Friedrich Baumann

Mostar, *Gerhart Herrmann* (eigtl. *Gerhart Herrmann*), Journalist, Schriftsteller, * 8. 9. 1901 Gerbitz b. Bernburg (Anhalt), † 8. 9. 1973 München. (ev.)

V Max Herrmann, Lehrer, Kirchenmusikdir.; *M* Luise Hansen; ∞ 5) 1949 Katharina Strohbach.

Wegen Aufsässigkeit von den Realgymnasien in Bernburg und Hamburg verwiesen, erreichte M. nur den Mittelschulabschluß, der ihn zum Besuch des Lehrerseminars in Barby/Elbe und Quedlinburg berechtigte. Auch hier gab es Ärger, dem er durch ein Redaktionsvolontariat auswich, ehe er in Aschersleben das Lehrerexamen bestand. 1921 wurde er Volksschullehrer in Bernburg und studierte nebenbei in Halle Philosophie und Vergleichende Sprachwissenschaft. Beruf und Studium gab M. 1922 endgültig auf, um Journalist zu werden. Stationen der Redaktionsarbeit waren Lokalzeitungen in Bernburg, Bochum und Nauen. Über ein in nur vier Ausgaben erschienenes Witzblatt „Radiofimmel" – der Hörfunk nahm schon im Oktober 1923 seine Sendungen auf – landete M. bei den „Meggendorfer Blättern" in München, die Theodor Haecker redigierte. Bald wieder entlassen, vagabundierte M. 1924 auf dem Balkan, wo er sich das Pseudonym „Mostar" zulegte. Malaria- und Tbc-krank ging er 1925 nach Berlin, um sich auszukurieren. „Sendespiele" verschafften ihm 1927/28 erste Erfolge. 1928 schrieb er „Im Netz", seine erste Gerichtsreportage, in der er die Verantwortung der Gesellschaft für jugendliche Straftäter thematisierte. 1929 behandelte der Roman „Der Aufruhr des schiefen Calm" das Schicksal eines jüdischen 1848ers in Bernburg. M. arbeitete an Berliner Zeitungen mit, darunter dem „Vorwärts", der 1930 den Roman in Fortsetzungen veröffentlichte und 1932/33 einen Teil der Marx-Biographie unter dem Tarntitel „Der schwarze Ritter", die bald verboten und vernichtet wurde (Buchausgabe 1946).

Im März 1933 mußte M. Deutschland verlassen. Er publizierte im 1. Jahrgang der von Max Braun (1892–1945) in Saarbrücken bzw. Straßburg herausgegebenen sozialistischen Exilzeitung „Deutsche Freiheit" sowie in der von Paul Hertz (1888–1961) in Brünn veröffentlichten „Sozialistischen Aktion". Anfangs in der Schweiz, dann in Wien, wo die „Arbeiter-Zeitung" Texte von M. annahm, mußte er nach dem Februaraufstand 1934 in die Schweiz ausweichen, durfte dort aber nicht arbeiten. Abermals in Wien, wirkte er am Kabarett „Der liebe Augustin" mit und verfaßte sein erstes Stück „Putsch in Paris" (gedr. 1947), das am Beispiel Napoleons auf Hitler anspielte. Seit April 1938 in Belgrad, vertrieb M. eine „Jugoslaw. Korrespondenz" und lieferte Beiträge für das „Prager Tagblatt".

Vor den Deutschen wich M. 1941 nach Bulgarien und Rumänien aus und gab, zur Tarnung unter seinem Namen Herrmann, eine „Bulgarische" bzw. „Rumänische Rundschau" heraus. Anfang 1945 festgenommen und in eine Strafkompanie gesteckt, wurde er wegen seiner ausgeheilten Tbc bald demobilisiert. Das Kriegsende erlebte er in Bad Reichenhall. Die Erfahrungen der Nachkriegszeit verarbeitete er in humoristischen und satirischen Texten für die von Herbert Sandberg (* 1908) und Günther Weisenborn (1902–69) herausgegebene Zeitschrift „Ulenspiegel" und für das gemeinsam mit Heinz Hartwig (* 1907) gegründete Kabarett „Die Hinterbliebenen".

Mit geringem Erfolg versuchte sich M. als Theaterautor (Meier Helmbrecht, 1947; Die Geburt, 1946 u. 1947; Der Zimmerherr, 1946 u. 1947; Bis der Schnee schmilzt, 1948). „Einfache Lieder" veröffentlichte er 1947. Danach wurde er vor allem als Verfasser von kritischen Gerichtsreportagen bekannt, die zuerst als Serien in der „Stuttgarter Zeitung" erschienen, auch vom Süddeutschen Rundfunk gesendet wurden und dann in Buchform weite Verbreitung fanden. Sie wurden ins Niederländische, Italienische und Japanische übersetzt. Die Gesamtauflage der Bücher soll nach Angaben von M. 1945–65 eine halbe Million Exemplare erreicht haben. Am besten gelang M. die leichte Form des Feuilletons und der historischen Anekdote, die er 1956 mit seiner fünften Frau Katinka in der Rezeptsammlung „Was gleich nach der Liebe kommt" verarbeitete. M. lebte bis 1965 in Leonberg, zuletzt in München. – Weinkulturpreis (1965).

Weitere W u. a. Schicksal im Sand, ca. 1948; Im Namen d. Gesetzes, 1950; Das Recht auf Güte, 1951; Verlassen, Verloren, Verdammt, 1952; Der schles. Schwan, Friederike Kempner, 1953; Und schenke uns allen e. fröhl. Herz, 1954; Weltgesch. – höchst privat, 1954; Aberglaube f. Verliebte, 1955; Bis d. Götter vergehn, 1955; Richter sind auch Menschen, 1955; Unschuldig verurteilt, 1956; In diesem Sinn Dein Onkel Franz, 1956; Nehmen Sie d. Urteil an …?, 1957; In diesem Sinn d. Großmama, 1958; Die Arche Mostar, 1959; Das Wein- u: Venusbuch v. Rhein, 1960; In diesem Sinn ihr Knigge II, 1961; Liebe vor Gericht, 1961; Das kleine Buch v. großen Durst, 1963; In diesem Sinn wie Salomo, 1965; Liebe, latsch u. Weltgesch., 1966; In diesem Sinn ihr H. M., 1966; Dreimal darfst Du raten, 1968. – *Hrsg.:* Der Neue Pitaval, 1963 (mit R. A. Stemmle), neu bearb. u. d. T. Justitia, sensationelle Kriminalfälle, 1967.

L W. Samelson, G. H. M., 1966; Th. Troll, in: Hans Jürgen Schultz (Hrsg.), Journalisten üb. Journalisten, 1980, S. 283–94 *(W)*; BHdE II; Kosch, Lit.-Lex³; Killy.

P Phot. in: Ullstein-Archiv, Berlin; Inst. f. Ztg.forschung, Dortmund.

Kurt Koszyk

Mosterts, *Carl,* kath. Jugendseelsorger, * 28. 10. 1874 Goch, † 25. 8. 1926 Lausanne.

V Wilhelm (1834–88) aus Rees, Dr. med., prakt. Arzt in G., Provisor d. Bruderschaft zu unserer lieben Frau; *M* Magdalena (* 1843), *T* d. Peter Anton Hellen (1799–1880) aus G. u. d. Anna Maria Wilhelmine Kuetgens (um 1804–62) vermutl. aus Aachen.

M. besuchte das Jesuitengymnasium in Düsseldorf. Als Mitglied der Marianischen Schülerkongregation fand er hier den Nährboden für sein gesamtes geistliches Leben. Seit Herbst 1887 besuchte er das Jesuitenkolleg „Stella Matutina" in Feldkirch (Vorarlberg). 1892 nahm er an der Theologischen Fakultät Freiburg (Breisgau) sein Studium auf, das er 1893 in Innsbruck und Bonn fortsetzte. 1900 wurde er zum Priester geweiht. Anschließend wirkte er 7 Jahre als Kaplan in St. Maximilian, später in St. Lambertus in Düsseldorf. Als Jugendseelsorger wollte er junge Christen zur „Kerntruppe der Kirche" heranbilden, die ihre soziale Verantwortung in Beruf und Freizeit erkennen und wahrnehmen sollten.

Der 1896 gegründete „Verband der kath. Jugend- und Jungmännervereine Deutschlands" wählte ihn 1907 zum Generalsekretär, 1913 zum Generalpräses. In Düsseldorf richtete M. das Generalsekretariat für 4 400 Vereine mit 400 000 Mitgliedern ein und gab zahlreiche Zeitschriften heraus. Gemeinsam mit der sozialistischen Arbeiterjugend konstituierte er den „Reichsausschuß der Jugendverbände", dessen erster Vorsitzender er wurde. An der Gründung des Weltbundes der kath. Jugendverbände „Catholica Juventus" 1921 in Rom war er maßgeblich beteiligt. 1913 wurde M. Generalpräses des Verbands. Im selben Jahr rief er in Bonn den „Zentralausschuß für das Turn-, Spiel- und Wanderwesen in den kath. Jugendvereinen" ins Leben und gab erstmalig die Zeitschrift „Jugendkraft" heraus. Die Gründung der „Deutschen Jugendkraft, Reichsverband für Leibesübungen in kath. Vereinen" (DJK) erfolgte am 16. 9. 1920 beim Katholikentag in Würzburg. Der Verband, der u. a. die Sportabteilungen der Stammverbände der kath. Jugend, der Gesellenvereine, des Schülerbundes Neudeutschland, und des Kolpingwerks umfaßte, sollte nach M.s Vorstellung im Rahmen kath. Erziehungsziele der „Pflege geordneter Leibesübungen, der Kräftigung des Körpers, der Stählung des Geistes" dienen. M. führte 1920 die DJK in den „Reichsausschuß für Leibesübungen" und in den „Reichsbeirat für Leibesübungen beim Reichsminister des Innern". In Düsseldorf initiierte er 1921 das „1. Reichstreffen der DJK" und in Köln 1926 die „Deutschen Kampfspiele". – Monsignore (1920).

W u. a. Was wir wollen, in: Dt. Jugendkraft, 1925, H. 1, S. 2; Unser Ziel – das kath. Menschentum, in: Seelsorger d. Jugend, 1963, S. 17–20. – *Hrsg.:* Btrr. f. d. Jünglingspäd. u. Jugendpflege, 1912; Jugendheime, 1913; Das Laienapostolat d. Marian. Kongregationen, 1914; Die Heimat, 1914; Heim ins neue Dtld., 1918; Jünglingsseelsorge, 1920. – *Hrsg. d. Zss.:* Korr.bl. f. d. Jugendpräsides, 1908 ff.; Bunte Hefte f. d. männl. Jugend, 1909; Der Jugendverein, 1909 ff.; Vorstandshh., 1910; Die Wacht, 1912 ff.; Jugendkraft, 1913/14, 1920 ff. u. d. T. Dt. Jugendkraft; Jugendführung, 1914 ff.; Am Scheideweg, 1915 ff.; Jungwacht, 1919 ff.; Stimmen d. Jugend, 1920 ff.

L J. Mosmann, C. M. u. sein Werk, in: Jugendführung 13, 1926, S. 162–71; P. Nießen, Der Gründer d. Dt. Jugendkraft, ebd., S. 184–86; J. Sampels, Vor 25 J. starb C. M., in: Dt. Jugendkraft 20, 1951, S. 110; G. Wagner, Unserem Generalpräses, in: Die Wacht 22, 1926, S. 194–96 *(P);* L. Wolker, Führer d. Jugend, in: Seelsorger d. Jugend, 1963, S. 12–16; F. J. Wothe, C. M., Ein Leben f. d. Jugend, 1959; LThK².

Klaus Bischops

Moszkowski, *Moritz (Maurycy),* Komponist, Pianist, * 23. 8. 1854 Breslau, † 4. 3. 1925 Paris. (isr.)

V N. N., Privatier poln. Abstammung; *M* N. N.; *B* Alexander (1851–1934), Musikkritiker, humorist. Schriftst. (s. MGG; Riemann; Rhdb.).

M. erhielt seinen ersten Klavierunterricht in Breslau und, nachdem die Familie 1865 nach Dresden übersiedelt war, am dortigen Konservatorium. Seit 1868 erfolgte die künstlerische Ausbildung in Berlin, zunächst am Sternschen Konservatorium bei F. Kiel und E. Franck (Klavier), später an Th. Kullaks „Neuer Akademie der Tonkunst" bei R. F. Wüerst (Komposition) und Kullak (Klavier). Nach Abschluß seiner Studien wurde M. selbst Lehrer an dieser Anstalt. 1873 gab er in Berlin sein erstes, sehr erfolgreiches Konzert. In der Folge gastierte er wiederholt u. a. in Warschau, Rotterdam und Paris mit eigenen Kompositionen oder Werken von F. Chopin. Seit 1886 trat er bei den Philharmonischen Konzerten in London als Solist und Dirigent hervor. Wegen einer Nervenkrankheit, die zeitweise den Gebrauch der Arme behinderte, trat er später nur noch als Dirigent seiner Kompositionen öffentlich auf, letztmalig 1908 in London. Schon 1897 hatte er seinen Wohnsitz nach Paris verlegt, wo er vergessen und verarmt starb.

Seine ersten großen Erfolge errang M. mit den Klavierwerken „Trois moments musicales", op. 7, und den „Span. Tänzen", op. 12, letztere erschienen sowohl als Klavierduette als auch in der Bearbeitung für ein Klavier. Mit der vielgespielten Orchestersuite „Aus aller Herren Länder", op. 23, ursprünglich für Klavier zu vier Händen, versuchte er, nationale Tanzformen wiederzugeben. Von der großen Oper „Boabdil, der letzte Maurenkönig" (1892) im Stil Meyerbeers und Wagners, die in Berlin, Prag und New York gespielt wurde, hielt sich nur die Ballettmusik in den Konzertprogrammen. Eine Mischung aus absoluter Musik und Programmusik, beeinflußt von Liszt, ist die symphonische Dichtung „Jeanne d'Arc", op. 19 (1879), die in allen internationalen Konzertsälen aufgeführt wurde. M. wurde von den Zeitgenossen als Pianist und begabter Komponist neudeutscher Richtung außerordentlich geschätzt. In seinen Klavierwerken, die bis 1914 zu den beliebtesten Stücken der Salonmusik gehörten, bewies er Routine und Raffinement. M. war einer der begehrtesten Klavierlehrer in Deutschland; seine „Schule der Doppelgrifftechnik" (1910) wurde zum unentbehrlichen Rüstzeug jedes Pianisten. Zu seinen Klavier- und Kompositionsschülern zählten u. a. F. H. Damrosch, G. Ernest, J. C. Hofmann und J. Rolón. – Mitgl. d. Berliner Ak. d. Künste (1899).

Weitere W u. a. Bühnenwerke: Laurin (Ballett), 1896; 6 Orchesterstücke zu „Don Juan" u. „Faust", op. 56. – Versch. *Liederzyklen,* u. a. „Thränen" (Chamisso). – *Orchesterwerke:* Serenata, op. 15; Violinkonzert in C–Dur, op. 30; 2 Orchestersuiten, op. 39, op. 47; Klavierkonzert in E-Dur, op. 59, 1898; „Phantast. Zug" f. Instrumentalsolisten u. Orchester; Prélude et fugue f. Streichorchester, op. 85. – *Kammermusik:* 3 Stücke f. Violoncello u. Klavier, op. 29; Scherzo f. Violine u. Klavier; 2 Conzertstücke f. Violine u. Klavier. – *Klaviermusik* (2-hdg. u. 4-hdg.): 5 Walzer, op. 5; Span. Tänze, op. 12; Album espagnol, op. 21; 3 Concert Studies, op. 24; Dt. Reigen, op. 25; Barcarolle, op. 27; Miniatures, op. 28; Caprice espagnol, op. 37; 3 Morceaux poétiques, op. 42; Suite, op. 50; Poln. Volkstänze, op. 55; Neue Span. Tänze, op. 65; Valse de Concert, op. 69; Paraphrasen f. Klavier n. Werken v. R. Wagner u. J. Offenbach; Bearbb. versch. Klavierwerke v. Beethoven, Chopin, Czerny u. Liszt.

L K. Berner, Schles. Landsleute, 1901; A. Prosniz, Hdb. d. Klavierlit. 2, 1907, S. 72 f. *(W)*; B. Pollak, in: Berliner Tagebl. v. 14. 3. 1925; P. A. Scholes, The Oxford Companion to Music 7, 1947, S. 590 *(P)*; A. Gishford, Hans v. Bülow and Richard Strauss: Correspondence, 1953, S. 11; R. M. Longyear, Schiller, M. and Strauss, Joan of Arc's „Death and Transfiguration", in: Music Review 28, 1967; J. C. Haddow, M. M. and his Piano Music, Diss. Washington, D. C., 1981; MGG; Riemann; New Grove; Wininger.

Christa Harten

Mothes, *Kurt,* Botaniker, Pharmakognost, Biochemiker, * 3. 11. 1900 Plauen (Vogtland), † 12. 2. 1983 Ribnitz-Damgarten (Mecklenburg). (luth.)

V Alwin (1867–1947), Sparkassenangestellter, dann Oberverw.insp. in P., *S* d. Hermann (1828–1896), Webermeister in P., u. d. Auguste Reißmann (1827–1900); *M* Anna (1866–1905), *T* d. Gottlieb Gemeinhardt (1834–1896), Webermeister in Schönbach b. Greiz (Thüringen), u. d. Christiane Schimmel (1836–1884); *Stief-M* N. N. Gemeinhardt, *Tante-m*); ∞ 1929 Hilda (1899–1992), Dr. phil., Germanistin, *T* d. Ludwig Eilts (1866–1919) aus Geestendorf b. Bremerhaven, Prokurist in P., u. d. Camilla Kühn (1876–1947) aus Wittgensdorf b. Chemnitz; 3 *S*, 1 *T*.

Nach dem Besuch der Schule in Plauen legte M. im Januar 1918 die Notreifeprüfung ab und absolvierte nach Kriegsende eine Lehre als Apotheker-Gehilfe in Plauen. Die Stiefmutter erkannte seine Begabung und förderte die universitäre Ausbildung trotz der wirtschaftlichen Schwierigkeiten der Familie. Der Vater weckte sein Interesse an der Natur, besonders an der Biologie und Geologie, durch Wanderungen in der vogtländ. Heimat und machte ihn mit Musikern und Malern bekannt. Bereits als Schüler war M. in der Jugendbewegung („Wandervogel", später „Deutsche Freischar") aktiv. 1921–25 studierte er an der Univ. Leipzig Pharmakognosie und Chemie, 1925 promovierte er bei dem Pflanzenphysiologen W. Ruhland mit dem Thema „Ein Beitrag zur Kenntnis des Stickstoffwechsels höherer Pflanzen" und ging danach zu G. Karsten als apl. Assistent an das Botanische Institut der Univ. Halle-Wittenberg. 1928 habilitierte er sich über „Physiologische Untersuchungen über das Asparagin und das Arginin in Coniferen". Während der Leipziger Studienzeit gründete er die studentische Sozialorganisation „Helferschaft", die eine leistungsfähige Mensa, Wohnungsvermittlung, Leihbücherei u. a. für Studenten organisierte. 1934 wurde er als kommissarischer Leiter und 1935 als o. Professor für Botanik und Pharmakognosie (Nachfolger von C. Mez) an die Univ. Königsberg berufen. Bomben zerstörten 1944 das Institut, und M. wurden bis Kriegsende verantwortliche Aufgaben als Lazarett-Pharmazeut übertragen. 1945–49 war er in sowjet. Kriegsgefangenschaft. 1950–57 leitete er die chemisch-physiologische Abteilung des Instituts für Kulturpflanzenforschung der Akademie der Wissenschaften zu Berlin in Gatersleben; zusätzlich übernahm er 1951–62 auch den Lehrstuhl für Pharmakognosie mit dazugehörigem Institut an der Univ. Halle. Sein Hauptwirkungsort aber wurde 1958–66 der Lehrstuhl für Allgemeine Botanik (Nachfolger von J. Buder). Zudem hatte er das Direktorat der Botanischen Anstalten inne. Weitere wichtige Aufgaben waren Gründung, Bau und Leitung (1958–67) des Instituts für Biochemie der Pflanzen der Deutschen Akademie der Wissenschaften zu Berlin am Weinberg in Halle. 1963 inaugurierte er in Halle die Gründung des ersten Lehrstuhls für Biochemie der Pflanzen im deutschsprachigen Raum.

M. ist nicht nur der Nestor der Pflanzenbiochemie und -pharmakognosie, er beeinflußte auch mit seinem geradlinigen, mutigen Charakter – oft konträr zur offiziellen staatspolitischen Meinung der DDR, aber ohne seine Loyalität gegenüber dem seine Arbeit fördernden Staat in Zweifel zu setzen – die Wissenschaftsethik und -politik seiner Zeit durch seine Reden als Leopoldina-Präsident und engagierter Hochschullehrer. Er mahnte zur Freiheit der Wissenschaft ohne politische Doktrinen und galt als spiritus rector gleichgesinnter Wissenschaftler der DDR.

M.s wissenschaftliches Lebenswerk umfaßt bis auf wenige Ausnahmen Arbeiten zur Physiologie und Biochemie des pflanzlichen Stoffwechsels. „Er verband die aus der Physiologie stammende dynamische Betrachtungsweise mit der statischen analytisch-chemischen Methodik zu einer Einheit, die heute als selbstverständlich gilt, in der Mitte der zwanziger Jahre aber noch weitgehend Neuland war" (Parthier). In seiner Königsberger Zeit beschäftigte sich M. mit ökologisch-physiologischen und pollenanalytischen Arbeiten, später interessierten ihn besonders das Problem des Stickstoff-Stoffwechsels und die Ammoniakentgiftung in Pflanzen sowie die Biochemie der Alkaloide, z. B. Pionierarbeiten zum Nikotin im Stoffwechsel der Tabakpflanze (seit 1928), Biosynthese der Mutterkorn-Alkaloide (seit 1952), Klärung phylogenetischer Beziehungen zwischen den Pflanzenfamilien mit Hilfe biogenetischer Analysen (seit 1965). M. beschäftigte sich aber auch immer mit der Analyse von Arzneipflanzen, z. B. rauschgiftfreier Mohn – Papaver bracteatum (seit 1958), und legte großen Wert auf die Verbindung von Wissenschaft und pharmazeutischer Praxis. In den 60er Jahren kamen Arbeiten zur Physiologie der Eiweißsynthese – Erscheinungen des Alterns und der Verjüngung pflanzlicher Organe – sowie zur Physiologie der Pflanzenhormone hinzu. Das Manuskript eines dreibändigen Lehrbuchs „Pflanzenphysiologie" (mit E. Bünning u. F. v. Wettstein) ging in den Kriegswirren verloren. – Dr. h. c. (Halle-Wittenberg 1960, 1965; Kiel 1960; Wien 1965; Szeged 1971; Greifswald 1975); Mitgl. d. Leopoldina (1940, 1954–74 Präs.); Nat.preis d. DDR (1953); Cothenius-Medaille d. Leopoldina (1960), Carl-Mannich-Medaille (1965), Döbereiner-Medaille, Otto-Warburg-Medaille, Gregor-Mendel-Medaille (1974); Friedensklasse d. Ordens Pour le mérite (1968); Ehrenzeichen f. Wiss. u. Kunst d. Bundesrepublik Österreich (1975); Orden Stern d. Völkerfreundschaft d. DDR (1981).

W u. a. Ein Btr. z. Kenntnis d. N-Stoffwechsels höherer Pflanzen, in: Planta 1, 1926, S. 472–552; Pflanzenphysiolog. Unterss. üb. d. Alkaloide, 1. Das Nikotin im Stoffwechsel d. Tabakpflanze, ebd. 5, 1927, S. 563–615; Zur Kenntnis d. N-Stoffwechsels höherer Pflanzen, 3. Btr. (unter bes. Berücksichtigung d. Blattalters u. d. Wasserhaushaltes), ebd. 12, 1931, S. 686–731; Über d. Schwefelstoffwechsel d. Pflanzen II, ebd. 29, 1938, S. 67–109; Die Wirkung d. Wassermangels auf d. Eiweißumsatz in höheren Pflanzen, in: Berr. d. Dt. Botan. Ges. 46, 1928, S. 59–67; Die natürl. Regulation d. pflanzl. Eiweißstoffwechsels, ebd. 51, 1933, S. 31–46; Begrüßungsansprache d. Präs. d. Dt. Botaniker-Tages, ebd. 74, 1961, S. 1–4; Die Wurzel d. Pflanzen, e. chem. Werkstatt bes. Art, in: Wiss. Ann. 5, 1956, S. 1–24; Stoffl. Beziehungen zw. Wurzeln u. Sproß, in: Angew. Botanik 30, 1956, S. 125–28; The Metabolism of Urea and Ureides, in: Canadian Journal of Botany 39, 1961, S. 1785–1807; Der rauschgiftfreie Mohn Papaver bracteatum Halle III, in: SB d. Ak. d. Wiss. d. DDR 1975, 1975, S. 17–24; Präsidialreden anläßl. d. Jahresverslgg. d. Leopoldina, in: Nova Acta Leopoldina (NAL) NF 17, 19, 21, 28, 31, 33, 35, 37, 42, 43. – *Mit anderen:* Die Tabakwurzel als Bildungsstätte d. Nikotins, in: Naturwiss. 31, 1943; Über d. Alkaloidsynthese in isolierten Lupinenwurzeln, ebd. 33, 1946, S. 26; Unterss. üb. d. Zusammenhang zw. Nukleinsäure- u. Eiweißstoffwechsel in grünen Blättern, ebd. 45, 1958, S. 316; Über Allantoinsäure u. Allantoin, I: Ihre Rolle als Wanderform d. Stickstoffs u. ihre Beziehungen z. Eiweißstoffwechsel d. Ahorns, in: Flora 139, 1952, S. 586–616; Über d. Wirkungen d. Kinetins auf Stickstoffverteilung u. Eiweißsynthese in isolierten Blättern, ebd. 147, 1959, S. 445–64; Über d. Variabilität d. Mutterkorns, in: FF 28, 1954, S. 101–04; Zur Züchtung e. Arzneimohns (Papaver somniferum), in: Pharmazie 13, 1958, S. 357–60; Die Biosynthese v. Alkaloiden, I u. II, in: Angew. Chemie 75, 1963,
S. 265–81, 357–74; Über Stoffwechselaktivität im Latex v. Papaver somniferum L. 7, Mitt. z. Biochemie d. Milchsaftes, in: Phytochemistry 3, 1964, S. 1–6; etwa 400 weitere wiss. Publikationen. – *Hrsg.:* Nova Acta Leopoldina (NAL); Pharmazie; Flora; Biochemie u. Physiol. d. Pflanzen (BPP).

L K. M. z. 3. 11. 1980, hrsg. v. Präsidium d. Dt. Ak. d. Naturforscher Leopoldina, 1980 *(P)*; B. Parthier, K. M. (1900–1983) – Leben u. Werk, in: BPP 178, 1983, S. 9 *(fast vollst. W-Verz., L)*; ders., Der Wissenschaftler K. M., in: Leopoldina (R. 3) 29, 1983; F. Jacob, Der Hochschullehrer K. M., ebd.; H. Ziegler, in: Jb. d. Bayer. Ak. d. Wiss. 1983, S. 212–16 *(P)*; Dt. Apotheker-Ztg. v. 24. 2. 1983 *(P)*; Orden Pour le mérite f. Wiss. u. Künste, Reden u. Gedenkworte, Bd. 20, 1984, S. 17–26 *(P)*; A. Butenandt, in: Das Parlament v. 21. 7. 1984 *(P)*; Namen u. Daten wichtiger Personen d. DDR, ³1982; U. Deichmann, Biologen unter Hitler, 1992; H.-R. Schütte u. B. Parthier, in: Dt. Apotheker-Ztg. 135, 1995, H. 35, S. 31–39; dies., in: Jb. d. Albertus-Univ. 1994, 1995, S. 629–40; B. Parthier, in: SBAk zu Leipzig, math.-naturwiss. Kl. 125, H. 7, 1996 *(P)*; Pogg. VII a.

P Ölgem. v. C. Felixmüller, 1969 (Leopoldina), Abb. in: NAL NF 36, 1970, Nr. 198; Bronze-Reliefplatte v. G. Lichtenfeld, 1974, 2 Fassungen (Fam.-bes. u. Leopoldina), Abb. in: NAL NF 43, 1975, Nr. 222; mehrere Phot. (Leopoldina-Archiv).

Erna Lämmel

Mothes, *Oscar,* Architekt und Kunsthistoriker, * 27. 12. 1828 Leipzig, † 4. 10. 1903 Dresden. (luth.)

Die Fam. stammt aus d. Erzgebirge u. ist hier seit d. Mitte d. 16. Jh. nachweisbar. Zu ihr gehören *Johann Christian* (1704–82), kursächs. Blaufarbenwerkskommunfaktor, Vf. e. Gesch. d. Blaufarbenwerke bis 1711 (Hs. im HStA Dresden), *Gottlob Friedrich* (1766–n. 1818), Markscheider in span. Dienst in Südamerika (s. *L*), u. Josef (* 1784), preuß. Geh. Hofrat, Landesbestaller in d. Niederlausitz, Gründer d. niederlausitz. Provinzialsparkasse in Lübben. – *V* August Ludwig (1794–1856), Dr. iur., Gerichtsdir., Konsulent d. Kramer-Innung in L., *S* d. Christian Gottlieb (1758–1816), Ratsherr u. Bgm., Geleits- u. Landakziseeinnehmer in Werdau, u. d. Christiane Caroline Klotz aus Werdau; *M* Therese (1805–69), *T* d. Adolph Samuel Richter (1756–1807), Kauf- u. Handelsherr, Kramermeister in L., u. d. Johanne Caroline Riccius (1772–1842) aus L.; *Vt* Ernst Julius Meier (1828–97), Sup. u. Oberhofprediger in D., Vizepräs. d. Landeskonsistoriums (s. ADB 52); – ∞ Dresden-Neustadt 1854 Juliane Caroline (1825–85), *T* d. Polizeiwachtmeisters Johann August Wohlgeth in L., u. d. Juliane Knepper; 1 *S*, 2 *T*.

M. genoß eine sorgfältige Erziehung. 1845 nahm er als „Atelierjüngster" Gottfried Sempers das Studium der Architektur in Dresden auf. Dieser zog ihn bald zu Entwurfsaufgaben für die Hamburger Nikolaikirche heran. 1847, ein Jahr vor Beendigung seiner Studien bei

Semper, erhielt M. den ersten selbständigen Auftrag für Entwurf und Bau der Dorfkirche (heute Christuskirche) in Rüdigsdorf (Kohren-Sahlis, Reg.-Bez. Leipzig). 1848/49 ausgeführt, gehört sie zu den frühen Zeugnissen der Neugotik in Sachsen. 1849 trat M. in den Dienst der sächs. Armee und nahm an den Straßenkämpfen in Dresden teil. Nach Reisen durch Italien und Spanien 1851/52 ließ er sich 1853 als Architekt in Leipzig nieder. Während der folgenden beiden Jahrzehnte war er vor allem mit Neu- und Umbauten von Schlössern und Villen beschäftigt; seit dem Ende der 70er Jahre wandte er sich verstärkt dem Bau und der Erhaltung von Kirchen zu. Mit Vorliebe errichtete er seine Bauten im gotischen Stil, doch verwendete er gelegentlich auch romanische Formelemente. 1884 nahm M. seinen ständigen Wohnsitz in Zwickau, wo er bis 1891 die Restaurierung des Doms St. Marien und die Neubauten der Kirchen in Reinsdorf (1889–91, neugotisch) und Wilkau-Haßlau (1890/91, neuromanisch) leitete.

Neben einer Reihe umfassender Werke zur frühchristlichen und mittelalterlichen Architektur veröffentlichte M. mehrere Sachwörterbücher und Handbücher für die Praxis. Intensiv beteiligte er sich an der seit dem Wiederaufbau der Hamburger Nikolaikirche 1844/45 geführten Diskussion um die liturgisch und symbolisch angemessene Gestalt des prot. Kirchenbaus. In dem nach 1891 entstandenen Streit zwischen den Vertretern des Eisenacher Regulativs von 1861 (neuluth.-konservativ) und des Wiesbadener Programms von 1891 (liberal-protestantisch) vertrat M. eine durch die Tradition legitimierte, für Erneuerung offene, eigenständige Position. Sein „Handbuch des evangelisch-christlichen Kirchenbaues" (1898) war zugleich ein Gegenentwurf zu dem von der Vereinigung Berliner Architekten 1893 herausgegebenen Werk „Der Kirchenbau des Protestantismus von der Reformation bis zur Gegenwart", dem er jedoch die Wertschätzung nicht versagte. – M. hatte u. a. den Vorsitz des von ihm 1867 mitgegründeten Vereins für die Geschichte Leipzigs inne (1869–82) und regte hier die Sammlung „historischer Altertümer" an, die heute den Grundstock des Leipziger Stadtgeschichtlichen Museums bilden. Er war Ehrenmitglied des Leipziger Kunstvereins (seit 1876) und Vorsitzender des Leipziger Bildungsvereins (1861–62). – Ehrenmitgl. d. „Sociedad Científica" v. Murcia.

W Insgesamt mehr als 70 Neu- und Umbauten; *Profanbauten u. a.:* Schloß Püchau, Innenräume, nach 1853; Schloß Lützschena (Umbau), n. 1856; Schloß Sahlis (Umbau), 1858; Schloß Altenhain, 1859; Schloß Großzschocher (Umbau), um 1860; Leipzig, Villa Keil, 1860/61; Schloß Wiesenburg (Umbau), 1864–66; Leipzig, Villa zur Julburg, 1873/74. – *Kirchenneubauten (z. T. unter Verwendung älterer Mauerwerks):* Lützschena b. Leipzig, Schloßkirche, 1855 (vollst. äußerer u. innerer Umbau unter Hinzufügung e. Turms u. d. Westseite, neugot.); Karlsbad, anglo-amerikan. Kirche, 1876/77 (jetzt ev.-methodist., „Early-english"); Leipzig, anglo-amerikan. Kirche, 1884/85 („im Styl des Überganges vom Anglo-normannischen zum Early-english", 1943 zerstört); Herrmannsgrün-Mohlsdorf b. Greiz, 1877–89 (neugot.); Greiz-Pohlitz, 1892/94 (neuroman.). – *Restaurierungen:* Leipzig, Matthäikirche, 1877/80 (umfassende Außen- u. Innenrestaurierung mit freier Rekonstruktion d. Chores, in neugot. Formen, 1943 zerstört); Annaberg-Buchholz, St. Annenkirche, 1882–84 (umfassende neugot. Innenerneuerung). – *Schrr.:* Allg. dt. Bauwörterbuch, 1858/59; Gesch. d. Baukunst u. Bildhauerei Venedigs, 2 Bde., 1859/60; Die Basilikenform b. d. Christen d. ersten Jhh., ihre Vorbilder u. ihre Entwicklung, 1865 (²1876); Ill. Bau-Lex., 1874, 4 Bde., ⁴1881–83; Hdb. f. Hausbes. u. Baulustige, 1883; Die Baukunst d. MA in Italien, 5 T., 1882–83, 1884; Ev.-kirchl. Kunst u. ihre Widersacher, 1889; Ill. archäolog. Wörterbuch d. Kunst, 2 Bde., 1874–77, 1878 (mit H. A. Müller); Restaurierung an u. in Kirchen, in: Christl. Kunstbl. f. Kirche, Schule u. Haus, Nr. 6, Nr. 8, Jg. 1895, S. 83 ff., 117 ff.

L O. M., Der Gründer d. Ver. f. d. Gesch. Leipzigs, in: Der Leipziger, 1919, S. 140 *(P);* H. Mai, Der Kirchenbau d. 19. u. frühen 20. Jh. in Thüringen, in: Laudate Dominum, Thüringer kirchl. Stud. III, 1976, S. 183–204 (mit Abb.); W. Hocquél, O. M., in: Baumeister u. Bauten, 1990, S. 238–39 *(P);* H. Magirius, Gesch. d. Denkmalpflege, Sachsen, 1989; ders. u. H. Mai, Dorfkirchen in Sachsen, ²1990; H. Mai, Kirchen in Sachsen, 1992; W. Fellmann, 125 J. Leipziger Gesch.ver.: 1867–1992, 1992; Die Bau- u. Kunstdenkmäler v. Sachsen, hrsg. v. Landesamt f. Denkmalpflege Sachsen, Stadt Leipzig, Die Sakralbauten, 1995; ThB. – *Zur Familie:* K. Steinmüller, Ahnentafel Wiede, 1940. – *Zu Gottlob Friedrich:* R. Gicklhorn, in: Der Anschnitt 17, 1965, S. 28–33.

P Hochrelief am Schlußstein d. Portals d. Schlosses Wiesenburg, Abb. b. Hocquél, s. L, S. 239.

Katharina Flügel, Hartmut Mai

Motta, *Giuseppe,* Schweizer Staatsmann, * 29. 12. 1871 Airolo (Tessin), † 23. 1. 1940 Bern. (kath.)

V Sigismondo (1839–83), Posthalter u. Gastwirt, Abg. z. Gr. Rat in A., S d. Giovanni (1810–88), Posthalter u. Gastwirt, Gemeinderat in A., u. d. Josepha Gerig (1808–87) aus Wassen Kt. Uri; M Paolina (1848–1921), T d. Weinhändlers Camillo Dazzoni aus Chironico (Leventina), Bgm. in Faido (Leventina), u. d. Luigia Fruzzini aus Brig Kt. Wallis; *Ov*

Benvenuto (1848–99), 1886–93 Reg.kommissär in Bellinzona; *Schw* Camilla (Maria Carmela) (1869–1923), seit 1908 Ordensoberin d. Hl.-Kreuz-Schwesternkongregation in Menzingen, stiftete in Fribourg d. Ak. d. hl. Kreuzes (beide s. HBLS); ∞ Dongio Kt. Tessin 1899 Agostina (1876–1959), *T* d. Carlo Domenico Stefano Andreazzi, Kaufm. u. Reg.kommissär, u. d. Emilia Gatti; 3 *S* Sigismondo (1900–77), Vizesekr. d. Eidgenöss. Amtes f. geistiges Eigentum in B., Riccardo (1902–76), Dr. iur., Dir. d. Schweizer Nat.bank in B., Cristoforo (* 1910), Dr. iur., Jurist in Lausanne, 7 *T*, u. a. Stefania (1904–72), Ordensoberin d. Hl.-Kreuz-Schwesternkongregation in Menzingen.

M. studierte seit 1889 Jura in Fribourg, München und Heidelberg, wo er 1893 „summa cum laude" promoviert wurde. 1895–1911 wirkte er als Rechtsanwalt und Notar in seiner Heimatstadt. 1895 zog er als kath.-konservativer Abgeordneter in den Großrat von Tessin, 1899 in den Nationalrat, im Dezember 1911 schließlich in den Bundesrat ein. Bis zu seinem Tod gehörte M. nun der Regierung an, anfangs mit der Leitung des Finanz- und Zolldepartements betraut. 1915, 1920, 1927, 1932 und 1937 bekleidete er das Amt des Bundespräsidenten. Nach dem Generalstreik vom November 1918 verteidigte er eine Sozialpolitik, die die Revolution ablehnt, ohne gleichzeitig der Reaktion zuzuneigen. 1920 übernahm M. das politische Departement und prägte während der nächsten 20 Jahre die Schweizer Außenpolitik. Er setzte sich für die Mitarbeit der Schweiz im Völkerbund ein, in den er große Hoffnungen setzte. Die Londoner Deklaration vom 13. 2. 1920 empfand er als großen Erfolg, da der Völkerbundsrat die Schweiz von der Verpflichtung befreit hatte, sich an militärischen Sanktionen zu beteiligen. M.s Einfluß war es auch zu verdanken, daß die Schweizer am 16. 5. 1920 einem Beitritt in den Völkerbund zustimmten. 1920 und 1924 präsidierte er der Völkerbundsversammlung, 1926 leitete er die Kommission, die sich mit der Zusammensetzung des Völkerbundsrates befaßte. Er befürwortete die Zulassung Deutschlands zum Völkerbund und den Abschluß eines Schieds- und Vergleichsvertrags zwischen der Schweiz und Deutschland (1921). Mit der Sowjetunion waren nach dem Generalstreik vom November 1918 die diplomatischen Beziehungen abgebrochen worden. Trotz seiner antikommunistischen Haltung befürwortete M. deren Wiederaufnahme. 1934 wurde er allerdings vom Bundesrat verpflichtet, gegen eine Aufnahme der UdSSR in den Völkerbund zu stimmen.

Wegen seiner Verbundenheit mit der ital. Kultur war M. an guten Beziehungen zu Italien gelegen. Obwohl er die Diktatur prinzipiell ablehnte, hütete er sich, den ital. Faschismus öffentlich zu kritisieren und an Mussolinis Freundschaftsbekundungen Zweifel aufkommen zu lassen. Nach der Besetzung Äthiopiens im Oktober 1935 beteiligte sich die Schweiz praktisch nicht am Votum des Völkerbundes, Sanktionen gegen den ital. Aggressor zu verhängen. Vielmehr erkannte die Schweizer Regierung im Dezember 1936 auf M.s Anraten die ital. Herrschaft in Afrika an. Damit war die Schweiz der erste neutrale Staat, der sich zu diesem Schritt entschlossen hatte.

Die Beziehungen zum Deutschen Reich waren für die Schweiz von größter Wichtigkeit wegen der engen wirtschaftlichen Verflechtungen und der bedeutenden Schweizer Investitionen in Deutschland, die allerdings 1933 eingestellt wurden. Als 1935 der Journalist B. Jacob-Salomon von der Gestapo in Basel entführt worden war, gelang es M., unter Berufung auf den deutsch-schweizer. Vertrag dessen Freilassung zu erreichen. Nachdem W. Gustloff, der Landesleiter Schweiz der NSDAP, im Februar 1936 in Davos ermordet worden war, verwehrte der Bundesrat die Ernennung eines Nachfolgers durch Berlin, duldete jedoch weiterhin nationalsozialistische Organisationen auf Schweizer Boden. M. drängte die deutsche Regierung, in einer offiziellen Erklärung die Schweizer Unabhängigkeit anzuerkennen und ermutigte im Februar 1937 seinen früheren Kollegen Schulthess, mit Hitler zu konferieren. Im Dezember 1938 bezog er öffentlich Stellung gegen die deutsche Presse, die von der öffentlichen Meinung in der Schweiz eine Art „totalitäre" Neutralität erwartete. Nachdem Italien im Dezember 1937 den Völkerbund verlassen hatte, knüpfte M. an jene Entwicklung an, die die Schweiz zur integralen Neutralität, die 1920 aufgegeben worden war, zurückführen sollte. Kurz nach dem „Anschluß" Österreichs nahm der Völkerbundsrat im Mai 1938 eine Resolution an, die die Schweiz von jeglichem Zwang zu Sanktionen befreite.

W Testimonia Temporum, Discorsi e scritti scelti (1911–1940), 3 Bde., 1931–41.

L J. R. v. Salis, G. M., 30 J. eidgenöss. Pol., 1941; Diplomat. Dokumente d. Schweiz VI–XIII (1914–40), 1979–94; M. Cerutti, Le Tessin, la Suisse et l'Italie de Mussolini, 1988; ders., in: Die Schweizer Bundesräte, Ein biogr. Lex., hrsg. v. U. Altermatt, 1991, ²1992, S. 306–11 *(W, L, P)*; HBLS V *(P)*; Biogr. Lex. verstorbener Schweizer I, 1947, S. 7 f. *(P)*; Brockhaus 15, 1991 *(P)*. – Zur Fam.: Schweizer. Fam.buch, hrsg. v. J. P. Zwicky v. Gauen, I, 1945, S. 182–88.

Mauro Cerutti

Motte Fouqué, *Heinrich August* Frhr. de la (preuß. Adel u. Frhr. 1751), preuß. General, * 4. 2. 1698 Den Haag (Holland), † 3. 5. 1774 Brandenburg/Havel. (ev.)

V Charles de la M. F. (1625–1701), verließ Frankreich aus konfessionellen Gründen; *M* Suzanne de Robillard (1670–1740); ∞ Halle 1733 (durch nachträgl. Konsens) Susanne Henriette Friederike Mason (1705–53); 5 *S* (3 früh †), Heinrich (1727–96) auf Sakrow (Havelland), preuß. Lt., Domherr zu Brandenburg u. Halberstadt, Heinrich August Friedrich Louis (1731–92), Kapitän im Füsilierrgt. Nr. 33, 3 *T* (2 früh †); *E* Friedrich (1777–1843), Dichter (s. NDB V; *L*).

Als Page bei Fürst Leopold von Anhalt-Dessau nahm M. 1715 an der Belagerung Stralsunds teil. In dessen Regiment rückte er zum Kompaniechef auf und gewann die Aufmerksamkeit Kg. Friedrich Wilhelms I., der ihn zum militärischen Gesellschafter des Kronprinzen Friedrich berief. In dem Bayard-Orden, den dieser in Rheinsberg stiftete, fungierte M. als Großmeister. Im 1. Schles. Krieg zeichnete er sich als Truppenführer aus und wurde 1743 zum Kommandanten der Festung Glatz ernannt. 1745 erhielt er rückwirkend das Patent als Generalmajor. Im September 1756 übernahm er das Kommando über das in Schlesien kantonierende Korps unter dem Oberbefehl des Generalfeldmarschalls von Schwerin und führte nach dessen Tod in der Schlacht bei Prag (1757) die dort stehenden preuß. Truppen. 1760 mußte er eine Stellung bei Landeshut beziehen, um das Festungsviereck Glatz-Neiße-Breslau-Schweidnitz gegen die Österreicher zu verteidigen. Angesichts der feindlichen Übermacht gab M. den Befehl zum Rückzug über den Bober, wo er eine Niederlage erlitt und gefangengenommen wurde. Vergeblich versuchte Friedrich II., die Auslösung seines Freundes zu erreichen, dessen Tat er mit der des Leonidas bei den Thermopylen verglich. Erst kurz nach dem Hubertusburger Frieden erhielt M. die Freiheit wieder und wurde vom König, der ihn bereits 1759 zum General der Infanterie ernannt hatte, durch Einladungen zur Tafelrunde in Sanssouci geehrt. – Pour le mérite (1740); Schwarzer Adlerorden (1751).

W Mémoires du Baron de la M. F., général d'infanterie prussienne, 2 Bde., hrsg. v. G. F. Büttner, 1788.

L ADB VII; F. de la Motte Fouqué, Lebensbeschreibung d. preuß. Gen. d. Inf. Baron de la M. F., 1824; Laube u. Klützow, Die Katastrophe v. Landeshut in Schlesien am 23. 6. 1760, 1861; E. v. Sodenstern, Der Feldzug d. kgl. preuß. Gen. d. Inf. H. A. de la M. F. in Schlesien 1760, 1862; A. Bach, Die Gfsch. Glatz unter d. Gouvernement de Gen. H. A. de la M. F., 1885; Priesdorff I, S. 286–89 *(P);* Rößler-Franz (unter Fouqué).

Stefan Hartmann

Mottl, *Felix,* Dirigent und Komponist, * 24. 8. 1856 Unter-St. Veit b. Wien, † 2. 7. 1911 München. (kath.)

V Peter (1812–85), Rentenverwalter, Haushofmeister d. Fürsten Palm, *S* d. Johann Adam (1775–1815), Bauer in Grün b. Eisenstein (Böhmen), u. d. Eva Maria Hirsch (1778–1859); *M* Anna (1818–97), *T* d. Josef Jurschitschek (1773–1825), Schullehrer in Kierling b. Klosterneuburg, u. d. Maria Hascher; ∞ 1) Wien 1892 (∞ 1910) Henriette (1866–1933), Opern- u. Konzertsängerin (s. ÖBL), *T* d. Heinrich Standthartner, liechtenstein. Registraturdir., u. d. Julie Märkel, 2) München 1911 Zdenka Faßbender (1879–1954, ∞ 2] Edgar Hanfstaengl, 1883–1958, Lithograph, Verleger u. Stadtrat in M., s. NDB VII*), Kammersängerin, 1906–24 an d. Hofoper in M. (s. BLBL); 1 *S* aus 1) Wolfgang (1894–1962), Güterdir. d. Frhr. v. Zwehl in Sandizell b. Schrobenhausen (Oberbayern); *E* Felix (* 1925), Dr. iur., Oberstaatsanwalt, Präs. d. Dt. Verkehrswacht.

Als Knabe Sopranist der k. k. Hofkapelle im Löwenburgschen Konvikt in Wien, studierte M. 1870–75 am Konservatorium u. a. bei Anton Bruckner und Otto Dessoff. Anschließend war er als Korrepetitor an der Hofoper und Dirigent des von ihm 1872 mitgegründeten Wiener Wagner-Vereins tätig. Durch Hans Richter kam er nach Bayreuth, wo er als Mitglied der „Nibelungenkanzlei" in engstem Kontakt mit Richard Wagner stand und an der Vorbereitung der ersten Festspiele 1876 mitwirkte. 1878 war er für kurze Zeit Kapellmeister an der Wiener Komischen Oper. Gefördert durch Franz Liszt, konnte er seinen Opernerstling „Agnes Bernauer" 1880 in Weimar selbst zur Uraufführung bringen. 1880–1903 war M. Hofkapellmeister in Karlsruhe, zugleich bis 1892 auch Dirigent des Philharmonischen Vereins, 1893 wurde er Generalmusikdirektor. 1886–1906 dirigierte er häufig in Bayreuth, 1894–1900 mehrmals in Paris, Brüssel und London (dort u. a. Wagners „Ring des Nibelungen"). Von November 1903 bis April 1904 war er Gastdirigent an der Metropolitan Opera in New York und in anderen amerikan. Städten, ohne sich jedoch an der „Parsifal"-Erstaufführung in den USA zu beteiligen. 1904–11 wirkte M. als Hofkapellmeister und Generalmusikdirektor, seit 1907 als Hofoperndirektor sowie als Leiter der Musikalischen Akademie und der Akademie der Tonkunst in München. Wie zuvor schon in Karlsruhe erlebte die Oper nun auch hier eine glanzvolle Zeit. 1890 hatte er zum erstenmal „Les Troyens" von Berlioz vollständig aufgeführt, in München leitete er u. a. die Uraufführungen von Wolf-Ferraris „Die vier Grobiane" (1906) und „Susannens Geheimnis" (1909) sowie Pfitzners „Christ-Elflein" (1906). Bei seiner 100. Aufführung von Wagners „Tristan" am 21. 6. 1911 erlitt er einen schweren Herzanfall, der nach kurzem Krankenhausaufenthalt zum Tode führte.

M. war einer der bedeutendsten Dirigenten seiner Zeit. Sein Einsatz galt vor allem Wagner, Liszt und Berlioz, während er Brahms entschieden ablehnte und zur Musik von Strauss und Reger nur ein distanziertes Verhältnis fand. Als temperamentvoller Orchesterleiter mit Sinn für Melodie und Rhythmus neigte er in seinen späten Jahren dazu, auf die Gunst des Augenblicks zu vertrauen und zu improvisieren. In seinen Kompositionen, die überwiegend vor 1880 entstanden, konnte M., wiewohl gewandter Instrumentator, kein eigenes Profil entwickeln, doch sind von seinen zahlreichen Bearbeitungen mehrere Instrumentierungen von Klavierliedern bis heute im Repertoire geblieben. – GHR; bayer. Verdienstorden v. hl. Michael 2. Kl. (1907).

W u. a. 2 Messen; Werke f. Soli, Chor u. Orchester; Männerchöre; mehr als 50 Lieder; Festkompositionen f. Karlsruhe; 2 Sinfonien; Wolfgang-Idyll, 1894; 2 Streichquartette (Nr. 2 fis-moll, ed. 1901); Österr. Tänze f. Klavier zu 4 Händen (ed. 1898). – *Bühnenwerke:* Eberstein (n. G. Putzlitz), 1882; Fürst u. Sänger (J. V. Widmann), 1893; Rama, 1894 *(nicht aufgeführt);* Pan im Busch, Tanzspiel (O. J. Bierbaum), 1900. – *Zahlr. Bearbb., z. T. gedr.:* J. S. Bach, Bellini, Cornelius (u. a. Barbier v. Bagdad), Donizetti, Händel, Glinka, Gluck, Mozart, Rameau, Schubert, Strauss (Ständchen op. 17/2), Wagner (Wesendonck-Lieder, 2. Sinfonie E-Dur), C. M. v. Weber. – *Musikal. Nachlaß:* Bayer. Staatsbibl., München.

L E. Istel, in: Die Musik 40, 1910/11, S. 118 f.; W. Krienitz, in: Richard-Wagner-Jb. IV, 1912, S. 202–09; ders., F. M.s Tagebuch-Aufzeichnungen 1873–1976, in: Wagner-Forschungen I, 1943, S. 167–239; E. Voss, Die Dirigenten d. Bayreuther Festspiele, 1976, S. 110, 115; R. Wagner, M.s erste Münchner Zeit im Spiegel seiner Tagebuchaufzeichnungen, in: Jugendstil-Musik? Münchner Musikleben 1890–1918, 1987, S. 76–91; Bad. Biogrr., NF III, 1990, S. 190–92; R. Münster, Musik im Spiegel d. Tagebuchaufzeichnungen F. M.s, in: FS Hubert Unverricht z. 65. Geb.tag, 1992, S. 181–92; BJ 16, S. 72–78 u. Tl.; Kosch, Theater-Lex.; MGG; Riemann mit Erg.bd.; New Grove. – *Zur Fam.:* H. Schöny, F. M., Dirigent u. Komp., in: Genealogie 17, 1984, S. 273–76.

P Gem. v. C. Korzendörfer, Abb. b. A. Lenz u. H. Huber, Die Portrait-Gal. im Nat.theater (München), 1900, S. 27.

Robert Münster

Motz, v. (Reichsadel 1780). (ev.)

1) *Friedrich*, preuß. Finanzminister, * 18. 11. 1775 Kassel, † 30. 6. 1830 Berlin.

V Justin (Reichsadel 1780, 1733–1813), auf Oberurff, kurhess. WGR u. Präs. d. Oberappellationsger. in K., *S* d. Christian Heinrich M. (1687–1751), auf Oberurff usw., hess. GR u. Reg.vizekanzler in K., u. d. Marie Amalie Göddäus (* 1710), Erbin v. Oberurff u. Bodenhausen; *M* Johanna (1744–1818), *T* d. Johann Philipp Rieß (1693–1768), hess. GR, Reg.- u. Lehnssekr. in K., u. d. Anna Magdalena Müller; *Ov* Johann Heinrich (1729–1803), hess. GR, Reg.präs. zu Rinteln, Friedrich (1732–1817), kurhess. GR, Präs. d. Rentkammer zu Hanau, Karl Heinrich (1741–1823), kurhess. Gen.major; *Vt* Philipp (1766–1846), sachsen-weimar. WGR, Oberhofmeister, Kurator d. Univ. Jena, Friedrich Christian (1768–1833), kurhess. GR, Präs. d. Finanzkammer, Gerhard Heinrich (s. 2); – ∞ Halberstadt 1799 Albertine (1779–1852), Erbin v. Vollenborn u. Rehungen, *T* d. Karl v. Hagen (1756–1804), auf Neinburg, Landrat zu Halberstadt, u. d. Henriette Gfn. v. Schlitz gen. v. Görtz u. v. Wrisberg; 5 überlebende *K*.

M. bezog im April 1792 die Univ. Marburg, wo er sieben Semester Rechts- und Staatswissenschaften studierte und eine enge Freundschaft mit Ludwig v. Vincke, dem späteren Oberpräsidenten der Provinz Westfalen, schloß. Unter Vinckes Einfluß entschied er sich, in den preuß. Staatsdienst einzutreten, der ihm aussichtsreicher als der hess. in seiner kleinstaatlichen Enge erschien. Hinzu kam sicherlich seine Bewunderung des friderizianischen Staatsgedankens, der sich in seiner Fortschrittlichkeit vom despotischen Regiment des hess. Landesfürsten abhob. Seine erste Anstellung erhielt M. 1795 als Auskultator bei der preuß. Regierung in Halberstadt. Er zeichnete sich in verschiedenen Stellungen so aus, daß ihn 1801 die Landstände des Fürstentums Halberstadt zu ihrem Landrat wählten. Damals geriet er – wohl inspiriert von Vincke – unter den Einfluß der Lehren Adam Smiths, was für seine spätere Finanz- und Zollpolitik nicht ohne Folgen bleiben sollte. Der Erwerb des Gutes Vollenborn aus dem Nachlaß seiner Schwiegermutter bewog M., 1803 den Posten eines Landrats des Untereichsfeldes mit dem Sitz in Duderstadt zu übernehmen. Hier sah er sich besonders schwierigen Aufgaben gegenüber, die in der Eingliederung dieses wirtschaftlich armen, überwiegend katholischen Gebietes in den preuß. Staat bestanden.

Der Zusammenbruch des Hohenzollernstaats 1806/07 beendete M.s Landratstätigkeit im Eichsfeld. Obwohl er der franz. Fremdherrschaft ablehnend gegenüberstand, veranlaßte ihn vor allem die Rücksicht auf seine stark anwachsende Familie, 1808 als Direktor der direkten Steuern im Harzdepartement in den Dienst des von Napoleon geschaffenen Kgr. Westphalen zu treten. Die hier gewonnenen Erfahrungen mit dem franz. Präfektursystem suchte er später der preuß. Verwaltung nutzbar zu machen. Nach der Völkerschlacht bei Leipzig finden wir M. beim preuß. Gouvernement in Halberstadt, wo er u. a. mit der Bildung der Landwehr und der Organisation des Landsturms betraut war. Dann wurde er zum Direktor einer innerhalb des Gouvernements neu zu bildenden Finanzkommission ernannt. Als auf dem Wiener Kongreß 1815 der größte Teil des früheren Fürstbistums Fulda Preußen zugesprochen wurde, wurde M. zum Gouverneur dieses Gebietes ernannt mit dem Auftrag, Grenz- und Austauschfragen mit dem Kurfürstentum Hessen zu regeln. Mit seiner ganzen Energie widersetzte er sich den Plänen Berlins, Fulda an Kurhessen abzutreten, und sah sich darin von seinem engsten Mitarbeiter, dem Geh. Finanzrat Johannes Menz, bestärkt. In einer Eingabe an Hardenberg bemerkte er, der Besitz von Fulda sei eine wesentliche Voraussetzung zur Schließung der Lücke zwischen den beiden voneinander getrennten preuß. Landesteilen. Auch in späteren Denkschriften von M. wird deutlich, daß er die auf dem Wiener Kongreß erfolgte Zerreißung Preußens in zwei ungleiche Hälften als unnatürlich, ja sogar als „große Schwäche" empfand. Er sah darüber hinaus in diesem Zustand eine „Zersplitterung und Isolierung der deutschen Volkskraft" und eine „Verhinderung aller Einheit". In diesen Äußerungen kündigte sich die zur Gründung des deutschen Zollvereins führende Politik des künftigen preuß. Finanzministers schon an. M. traf jedoch mit seinen Bedenken auf kein Gehör und mußte Anfang 1816 Fulda an Kurhessen übergeben. Als mißlich erwies sich dabei für ihn die Durchführung des sich bis 1820 hinziehenden Abrechnungsgeschäftes mit den früheren und gegenwärtigen Besitzern. Inzwischen war M. als Regierungsvizepräsident nach Erfurt gerufen worden – ein Jahr später wurde er zum Regierungspräsidenten ernannt —, wo die Verhältnisse besonders verwickelt waren. Der Erfurter Bezirk stellte das buntscheckigste und zerrissenste Gebilde im Hohenzollernstaat dar. Außer der Gfsch. Hohenstein gehörte dazu kein älteres preuß. Gebiet. Der Praktiker M. vereinfachte und vereinheitlichte den Geschäftsbetrieb in den Landratsämtern, verbesserte die Bodenbewirtschaftung und befürwortete die Einrichtung einer allgemeinen ständischen Repräsentation, weil sie das beste Mittel sei, „um diesen Länderfetzen das Gefühl der Zugehörigkeit zu einem großen Staatswesen zu geben". Eine Straffung der Verwaltung ließ sich nach seiner Meinung durch die Einführung des franz. Präfektursystems und die Beseitigung der kollegialen Struktur der Zentral- und Mittelbehörden erreichen. Besonders am Herzen lag M. die Reform des Finanzwesens, die nur durch die Vereinheitlichung des zersplitterten Kassenwesens zu erlangen war. Weitere Aufmerksamkeit richtete er auf die Einführung der Steinschen Städteordnung, die Ausarbeitung eines umfassenden Kommunalgesetzes und die zeitgemäße Organisation der Justiz.

M. sah sich in seinen Ansichten durch das preuß. Gesetz vom 26. 5. 1818 „über den Zoll und die Verbrauchsteuer von ausländischen Waren und über den Verkehr zwischen den Provinzen des Staats", als dessen Verfasser Karl Georg Maaßen gilt, bestätigt. Es schaffte die bisherigen unzähligen Binnenzölle ab und ersetzte sie durch ein einheitliches Grenzzollsystem. Maßstab für die Zollerhebung war nicht – wie in vielen anderen Staaten – der Wert der Ware, sondern Gewicht, Maß oder Stückzahl. Die Durchführung dieses Gesetzes erwies sich vor allem im Regierungsbezirk Erfurt, der von zahlreichen thür. Kleinstaaten umgeben war, als schwierig, und M. hatte mehrfach Ursache, über „den Souveränitätsschwindel der kleinen deutschen Fürsten", die auf ihre Rechte pochten, zu klagen. 1821 wurde der Tätigkeitsbereich von M. durch die Übertragung der Verwaltung des Regierungsbezirks Magdeburg und des Oberpräsidiums der Provinz Sachsen – drei Jahre später wurde er zum dortigen Oberpräsidenten ernannt – beträchtlich erweitert.

M. sah in jenen Jahren seine Hauptaufgaben in der Unterstützung der durch das Sinken der Getreidepreise in Not geratenen Landbevölkerung, der Förderung der Textilindustrie und in der Anlage von Kunststraßen oder Chausseen, die neben den Flüssen im Voreisenbahnzeitalter die wichtigsten Verkehrsverbindungen waren. Wie groß das Vertrauen Friedrich Wilhelms III. in seine Fähigkeiten war, zeigte sich in M.s Abordnung an den Kasseler Hof, wo er in den höchst unerquicklichen Eheverhältnissen des Kurfürsten und seiner Gemahlin, einer Schwester des preuß. Königs, vermitteln sollte, eine Mission, die allerdings fehlschlug.

1825 wurde M. als Nachfolger von Wilhelm v. Klewitz zum preuß. Finanzminister ernannt. Diese Berufung stellte den Gipfelpunkt seiner Karriere dar. M. übernahm die

Finanzverwaltung zu einem Zeitpunkt, in dem die wirtschaftliche Lage Preußens besonders ungünstig war. Die vor allem in Ost- und Westpreußen herrschende Agrarkrise hatte zum Bankrott zahlreicher Gutsbesitzer geführt. Die Überflutung durch ausländische, besonders britische Erzeugnisse schädigte die sich langsam entwickelnde preuß. Industrie. Hinzu kam die restriktive Handelspolitik Rußlands, die den Absatz preuß. Waren im Zarenreich weitgehend unterband und die Wirtschaft in zahlreichen Provinzen des Hohenzollernstaats, u. a. in Schlesien, nachhaltig beeinträchtigte. M. erkannte deshalb in der Schaffung eines einheitlichen deutschen Grenzzollsystems ein dringliches Erfordernis. Beharrlich verfolgte er das schon in seiner Fuldaer Zeit angestrebte Ziel weiter, die Ost- und Westhälfte Preußens zollpolitisch miteinander zu verbinden. Ein wichtiges Ergebnis seiner Bemühungen war 1828 der Abschluß eines Vertrages mit Hessen-Darmstadt, der den Anschluß dieses Großherzogtums an das preuß. Zollsystem brachte. Gemeinsam mit dem darmstädt. Minister du Thil stellte M. die Weichen für eine Entwicklung, die schließlich 1834 zur Gründung des deutschen Zollvereins führte. Das Abkommen mit Darmstadt versetzte der Front der handelspolitischen Gegner Preußens und der Politik des österr. Staatskanzlers Metternich einen schweren Schlag. Ihrem Versuch, den Ausbau der handelspolitischen Vormachtstellung Preußens durch die Bildung des Mitteldeutschen Handelsvereins, dem neben Hannover, Kurhessen und Sachsen mehrere Kleinstaaten angehörten, aufzuhalten, war kein Erfolg beschieden. Ein weiterer Erfolg der Politik M.s war 1829 der Handelsvertrag zwischen dem preuß. und dem bayer.-württ. Zollbund, an dessen Zustandekommen der Verleger Cotta maßgeblich beteiligt war. M. schuf mit diesen Verträgen die Grundlage, auf der sein Nachfolger Maaßen weiterbauen konnte.

Gleichzeitig mit der nach außen gerichteten Zollpolitik M.s verlief die von ihm betriebene Konsolidierung des preuß. Finanzwesens. Dazu gehörten die einheitliche Organisation des Etats- und Kassenwesens, die Abschaffung der Generalkontrolle und radikale Reformen des Steuerwesens durch Einrichtung einer übersichtlichen Verwaltung, Vereinfachung des Geschäftsgangs, Ersparnis von Verwaltungskosten und prompte und sachgemäße Einziehung der Rückstände. Eine wichtige von M. durchgesetzte Neuorganisation war die Wiedervereinigung der Verwaltung des Handels-, Fabrik- und Bauwesens mit dem Ressort des Finanzministeriums, wodurch dessen Stellung in der preuß. Administration bedeutend verstärkt wurde. Da M. nach persönlicher Anschauung urteilen wollte, unternahm er 1826/27 Besichtigungsreisen in die einzelnen Teile der Monarchie. Es spricht für den Weitblick M.s, daß er in seiner Amtszeit den Bau von Eisenbahnen befürwortete. Auch an der Regelung der Rheinschiffahrt hatte er Anteil. Als M. starb, waren viele seiner Ziele noch nicht erreicht. Seine von praktischen Erwägungen bestimmte Politik schuf indes die Voraussetzungen für die zoll- und handelspolitische Einigung Deutschlands unter der Vorherrschaft Preußens auf der Grundlage des Deutschen Zollvereins.

W Zahlr. Denkschrr. z. Handels-, Finanz- u. Zollpol., u. a. Gedanken üb. d. Notwendigkeit u. Ausführbarkeit e. geogr. Verbindung d. Ost- mit d. Westhälfte d. preuß. Staats, 1818; Denkschr. z. preuß. Verw.organisation, 1818; Denkschr. üb. d. Krondomänen, 1823; Denkschr. gegen d. Generalkontrolle, 1825; Denkschr. z. Handelsvertrag zw. d. preuß.-hess. u. bayer.-württ. Zollver., 1829.

L ADB 22; W. Oncken, Der preuß.-hess. Zollvertrag v. 14. 2. 1828, 1878; A. Ucke, Die Agrarkrisis in Preußen während d. 20er J. dieses Jh., 1887; H. v. Petersdorff, F. v. M., 2 Bde., 1913 *(P)*; C. Brinkmann, Die preuß. Handelspol. vor d. Zollver. u. d. Wiederaufbau vor 100 J., 1922; A. Hasenclever, in: Mitteldt. Lb. II, 1927, S. 92–106 *(P)*; W. v. Eisenhart u. A. Ritthaler, Vorgesch. u. Begründung d. Dt. Zollver., I-III, 1934; W. Mommsen, in: Lb. aus Kurhessen u. Waldeck 1830–1930 II, 1940, S. 267–81 *(P)*; L. Schröder, F. M., d. Wegbereiter d. dt. Zollver., in: Hess. Heimat 11, 1961, H. 4, S. 23 ff.; T. Ohnishi, Zolltarifpol. Preußens bis z. Gründung d. dt. Zollver., 1973; H. W. Hahn, Wirtsch. Integration im 19. Jh., Die hess. Staaten u. d. Dt. Zollver., 1982; ders., Gesch. d. Dt. Zollver., 1984; St. Hartmann, Als d. Schranken fielen, Der Dt. Zollver., Ausst.kat. 1984.

P Zeichnung v. F. Krüger, vor 1834, danach Lith. v. A. Gentili, Abb. b. Hasenclever u. Mommsen (s. *L*); Bronzestandbild v. E. Hertner, 1893.

Stefan Hartmann

2) *Gerhard Heinrich*, kurhess. Finanzminister, * 4. 12. 1776 Hanau, † 3. 9. 1868 Bodenhausen b. Kassel.

V Friedrich Ludwig (1732–1817, Reichsadel 1780), kurhess. GR, Präs. d. Rentkammer H., *S* d. Christian Heinrich M. (1687–1751, s. Gen. 1); *M* Emilie Elisabeth Wilhelmine Bernard-Strantz (1738–93), *T* d. Straßburger Bankiers Johann Christoph Bernard (1707–94), Bankier in Straßburg, u. d. Helena du Fay (1716–80); *Vt* Friedrich (s. 1); – ∞ 1) Stolzenau/Weser 1805 Amalie (1782–1822), *T* d. Georg v. Alten (1754–1821), auf Stolzenau u. Bodenhausen, seit 1793 auf Dunau, u. d. Catherine

Marie Gertrud v. Borries (1760–1843), 2) Hanau 1823 Elisabeth Luise Oktavie (1800–68), T d. Peter Friedrich Frhr. v. Stockum (1759–1834), hess. Geh. Kriegsrat, u. d. Susanne Marie du Faye (1763–1838); 1 T aus 2) Helene (1825–1912, ∞ Karl v. u. zu Mansbach, 1830–90, norweg. Kammerherr u. Ministerresident), Erbin v. Bodenhausen.

M. trat nach dem Studium in Marburg 1798 als Assessor in den Dienst der Landgfsch. Hessen-Kassel. Er arbeitete bei der Regierung in Hanau, wo er auch nach dem Ende des 1803 zum Kurfürstentum erhobenen kurhess. Staates zunächst in franz. Diensten und dann in jenen des Großhzgt. Frankfurt tätig blieb. Ein Jahr nach der Wiedererrichtung des Kurfürstentums Hessen wurde M. Direktor des Hof- und Ehegerichts in Hanau. 1821 wurde er zum Vortragenden Ministerialrat der Justiz im Kasseler Staatsministerium berufen, wo er an den Beratungen über das Organisationsedikt von 1821 teilnahm. Nach wenigen Monaten kehrte er jedoch auf seine alte Stelle in Hanau zurück.

Die mit den kurhess. Unruhen vom Herbst 1830 eingeleitete innenpolitische Wende wurde zu einem entscheidenden Einschnitt in M.s Laufbahn. Am 13. 4. 1831 wurde er zum Finanzminister des Kurfürstentums Hessen berufen. Eine seiner ersten großen Aufgaben betraf die Zollpolitik. Auf diesem Felde hatte sein 1830 verstorbener Vetter Friedrich v. Motz als preuß. Finanzminister seit 1828 neue Akzente gesetzt. Während das Großhzgt. Hessen 1828 einen Zollvereinsvertrag mit Preußen geschlossen hatte, war das Kurfürstentum Hessen dem antipreuß. Mitteldeutschen Handelsverein beigetreten und widersetzte sich entschieden einer Verständigung mit Preußen. Die aus der Zollpolitik resultierenden wirtschaftlichen Schwierigkeiten waren eine der Hauptursachen für die Unruhen des Jahres 1830. M. trug als neuer Finanzminister maßgeblich dazu bei, daß das Kurfürstentum schließlich gegen Widerstände des Monarchen die Verständigung mit Preußen suchte. Am 25. 8. 1831 wurde der Beitrittsvertrag zum preuß. geführten Zollverein abgeschlossen, der eine wichtige Etappe auf dem Weg zum Deutschen Zollverein darstellte. Zum einen erhielt Preußen die lange angestrebte zollpolitische Verbindung zwischen seinen östlichen und westlichen Provinzen. Zum anderen beschleunigte sich nun der Zerfall des Mitteldeutschen Handelsvereins.

In der kurhess. Politik spielte der gemäßigt konservative M. bis zur Revolution von 1848 eine wichtige Rolle. Er behielt auch unter der im Herbst 1831 beginnenden Regierung des Kurprinzen und Mitregenten Friedrich Wilhelm das Amt des Finanzministers und fungierte zeitweise auch als Justiz- und Außenminister. In den heftigen Auseinandersetzungen, die 1832 mit der Berufung des Justiz- und Innenministers Hassenpflug zwischen Regierung und Landtag einsetzten, bemühte sich M. um eine ausgleichende Politik. Er war kein Anhänger des Liberalismus, wollte aber auf dem Boden der 1831 vereinbarten Verfassung bleiben und geriet dadurch nicht selten in Konflikt mit dem eigenwilligen Kurprinzen. Eine wichtige Stütze waren dabei die vielfältigen Beziehungen, die M. zu Preußen unterhielt. Trotz der um Ausgleich bemühten Grundhaltung und trotz seiner relativ erfolgreichen Finanzpolitik geriet M. als einer der wichtigen Repräsentanten des herrschenden Systems mehrfach mit dem Landtag in Konflikt. Während der Unruhen vom Frühjahr 1848 richtete sich der Unmut des Volkes auch gegen M., der am 10. 3. 1848 auf eigenen Wunsch in den Ruhestand versetzt wurde.

L K. W. Wippermann, Kurhessen seit d. Freiheitskriege, 1850; Ph. Losch, Gesch. d. Kurfürstentums Hessen 1803 bis 1866, 1922; M. Bullik, Staat u. Ges. im hess. Vormärz, Wahlrecht, Wahlen u. öffentl. Meinung in Kurhessen 1830–1848, 1971; H. Höffner, Kurhessens Ministerialvorstände d. Verfassungszeit 1831–66, Diss. Gießen 1981; H. Seier (Hrsg.), Akten u. Briefe aus d. Anfängen d. kurhess. Verfassungszeit 1830–37, 1992. – Zur Fam.: Die Fam. v. M., in: Hess. Bll. 19, 1887, Nr. 1381.

Hans Werner Hahn

Motzkin, *Theodor(e) Samuel,* Mathematiker, * 26. 3. 1908 Berlin, † 15. 12. 1970 Los Angeles. (isr.)

V Leo (1867–1933) aus Czernigow (Brovary) b. Kiew, Präs. d. zionist. Aktionskomitees in B. (s. Enc. Jud. 1971); *M* Pauline Rosenblum (1872–1950); – ∞ Jerusalem 1933 Naomi Orenstein (* 1915) aus Warschau; 3 S, Leo (* 1937), Philosoph, Joseph J. Elhanan (* 1939), Mathematiker u. Kunsthistoriker, Gabriel (* 1945), Historiker u. Philosoph.

Nach dem Besuch des Humboldt-Gymnasiums in Berlin studierte M. an den Universitäten Göttingen und Paris sowie in Berlin bei I. Schur Mathematik. Nach einem Aufenthalt in Jerusalem (1930–32) schloß er sein Studium 1933 mit der Dissertation „Beiträge zur Theorie der linearen Ungleichungen" (1936) bei A. Ostrowski in Basel ab. 1934–48 arbeitete er als akademischer Lehrer an der Hebrew University in Jerusalem; hier wirkte er wesentlich an der Schaffung einer mathematischen Terminologie in der hebr. Sprache mit. Zu seinem 1938 nach Jerusalem emigrierten Lehrer Schur stand er bis zu dessen Tod 1941 in engem Kontakt. Während der Kriegszeit arbeitete M. auch als Kryptograph für die brit. Verwaltung in Palästina. Nach einem Aufenthalt als Gastforscher an der Harvard University und am Boston College (1948-50) war er am Institute for Numerical Analysis der Universität von Kalifornien in Los Angeles tätig. 1960 wurde er zum Professor für Mathematik an dieser Universität ernannt.

Schon mit seiner Doktorarbeit über lineare Ungleichungen hatte M. einen wesentlichen Beitrag zur Herausbildung der Linearen Programmierung geliefert, der jedoch erst um 1951 späte Anerkennung durch Übersetzungen in die engl. Sprache fand. Auch in der Folge spielten Fragen dieser Theorie im Werk M.s eine bestimmende Rolle. So war er eine treibende Kraft bei der Vorbereitung des 1953 durch das National Bureau of Standards veröffentlichten Berichtes zur Klassifikation von Methoden zur Lösung linearer Gleichungssysteme. Bis in die mathematische Wirtschaftstheorie hinein gehen seine Beiträge in diesem Bereich; sie erstrecken sich auch auf die Entwicklung von Algorithmen. In so verschiedenen Gebieten wie Approximationstheorie, Kombinatorik, Graphentheorie, numerischer Analysis, algebraischer Geometrie, Zahlentheorie und Algebra hat M. Publikationen vorgelegt, die einen spürbaren Einfluß auf die Entwicklung ausgeübt haben. Als Beispiel sei die 1949 veröffentlichte Arbeit über den Euklidischen Algorithmus angeführt, in der die Existenz von gewissen Zahlbereichen (genauer: Hauptidealringen), die nicht die Anwendung dieses Algorithmus bezüglich irgendeiner Norm zulassen, gezeigt wird. M.s mathematische Arbeiten sind meist durch einen geometrisch motivierten Zugang gekennzeichnet und von ungewöhnlicher Klarheit der Gedankenführung. Ihre Themenvielfalt spiegelt die Breite seiner mathematischen Bildung wider.

Weitere W Th. S. M., Selected Papers, 1983 (W-Verz., P).

L Eigene Archivstud.

Joachim Schwermer

Moufang, *Christoph,* kath. Theologe und Politiker, * 12. od. 17. 2. 1817 Mainz, † 27. 2. 1890 ebenda.

V Wilhelm (1779-1845), Kaufm. in M.; *M* Katharina Wilhelmine, *T* d. Kaufm. N. N. Lennig; *O m* Friedrich Lennig (1796-1838), Dichter (s. Hess. Biogrr. I, 1918), Adam Franz Lennig (1803-66), Domdekan, Generalvikar in M. (s. ADB 18; Gatz I; L); *N* Edmund Hardy (1852-1904), kath. Rel.historiker u. Indologe (s. NDB VII), Katharina Wilhelmine (∞ Josef Adolf Nicola Racke, 1847-1908, Weinhändler, 1884-90 MdR, s. BJ 13, Tl.).

M. entstammte einem streng kath., dem Mainzer Reformkreis um Bischof Joseph Ludwig Colmar und Leopold Liebermann verbundenen Elternhaus. Er besuchte 1826-29 das Bischöfliche Gymnasium in Mainz, nach dessen Schließung 1829-34 das dortige Ghzgl. Gymnasium, begann anschließend in Bonn Medizin zu studieren, wechselte aber 1835, wohl unter dem Einfluß seines Bonner Freundes Friedrich Windischmann und des aus der Mainzer Schule hervorgegangenen Dogmatikers Heinrich Klee, zur Theologie über. Dieses Studium führte ihn 1837/38 nach München, wo er u. a. Kontakte zu Joseph Görres und Ignaz Döllinger sowie vermutlich auch schon zur Münchener Nuntiatur knüpfte. 1839 legte er an der hess. Landesuniv. Gießen das theologische Staatsexamen ab; noch im selben Jahr wurde er zum Priester geweiht. Zusammen mit seinem 1845 ins Mainzer Domkapitel berufenen Onkel F. Lennig hatte M. im Revolutionsjahr 1848 maßgeblichen Anteil an der Gründung des Mainzer „Pius-Vereins", die in allen Teilen Deutschlands sofort Nachahmung fand. In dem Bestreben, die entstehenden „Pius-Vereine" zur einheitlichen Willensbildung der Katholiken Deutschlands national zusammenzuschließen, organisierte Lennig mit M. im Herbst desselben Jahres in Mainz die „Erste Versammlung des kath. Vereins Deutschlands": den ersten „Deutschen Katholikentag", mit dem ein gewichtiges politisches Repräsentationsorgan und Sprachrohr der deutschen Katholiken geschaffen wurde. Nach der überraschenden Wahl des bei den Ultramontanen als „liberal" geltenden Gießener Theologieprofessors Leopold Schmid zum Bischof von Mainz 1849 nützte M. als Parteigänger seines Onkels seine Kontakte zum Münchener Nuntius, um über ihn und den Wiener Nuntius die päpstliche Bestätigung der Wahl Schmids zu verhindern und an seiner Stelle die Ernennung des Berliner Propstes Wilhelm Emmanuel Frhr. v. Ketteler durchzusetzen (1850). Dieser eröffnete 1851 im Mainzer Priesterseminar wieder den, 1830 staatlicherseits eingestellten, philosophisch-theologischen Lehrbetrieb und berief M. zum Regens und Professor für Moral- und Pastoraltheologie. Unter M.s Leitung entwickelte sich das Mainzer Priesterseminar zu einer auch von anderen Bistümern beschickten

"Musterstätte kirchlicher Priesterbildung" streng ultramontaner und neuscholastischer Ausrichtung. M., den Ketteler als einen seiner vertrautesten Mitarbeiter 1854 auch in sein Domkapitel berief, leitete das Mainzer Priesterseminar bis zu dessen Schließung im Kulturkampf (1877) und nach der Wiedereröffnung (1887) nochmals zwei Jahre. Doch profilierte er sich weit weniger als wissenschaftlicher Theologe denn als Kirchenpolitiker. Kirchenpolitischer Thematik vor allem galt auch seine publizistische Tätigkeit zumal in der Monatsschrift „Der Katholik", die er 1850–90 mit seinem Mainzer Kollegen und Freund Johann Baptist Heinrich redigierte und zu einem wissenschaftlichen Sammelblatt des deutschen Ultramontanismus machte.

Als engagierter Verfechter eines zentralistisch-römischen Kirchenverständnisses kämpfte M. im Auftrag Kettelers, seit 1862 als dessen Vertreter in der hess. Ersten Kammer, für die Ziele der kath. Bewegung, u. a. für die Verankerung der 1848–50 in Preußen gewährten kirchlichen Freiheiten auch in der hess. Verfassung. Er plädierte ferner für die großdeutsche Lösung der deutschen Frage und für die Gründung einer kath. Universität, für die Priesterausbildung im geschlossenen Seminar und für die Verbindlichkeit der Scholastik im theologischen Lehrbetrieb. Diese Auffassung von Theologie und Priesterbildung sowie Döllingers in M.s Augen „unzeitgemäße" Stellungnahme zur damals schwelenden Kirchenstaatsfrage (1861) führte zwischen beiden Männern zur Entfremdung, die auf der von Döllinger initiierten Versammlung kath. Gelehrter 1863 in München offen zutage trat. Jedoch verkannte M. nicht die positive Bedeutung der, vor allem von Döllinger repräsentierten, deutschen Theologenschule und hob sich durch sein maßvolles Urteil und seine Verständigungsbereitschaft von der Vielzahl ultramontaner Eiferer wohltuend ab.

Auf Empfehlung Kettelers wurde er zum Konsultor für die Vorbereitung des Ersten Vatikanums ernannt. Als Mitglied der kirchenpolitischen Kommission erarbeitete er 1869 mehrere Voten, u. a. zur Kirchenfreiheit und zur sozialen Frage, die allerdings im Konzil nicht mehr behandelt wurden. Eine Dogmatisierung der päpstlichen Unfehlbarkeit hielt er für inopportun, jedoch nahm er die Entscheidung des Konzils in dieser Frage, wie Ketteler auch, ohne Zögern an. 1871–77 und 1878–90 gehörte M. als Zentrumsabgeordneter dem Reichstag an, in dem er sich auf der Grundlage der aus der thomistischen Naturrechtslehre entwickelten Sozialforderungen Kettelers für ein Freiheit, Recht und Gerechtigkeit des Handwerker- und Arbeiterstandes garantierendes sozialpolitisches Programm einsetzte. 1874 wählte ihn der Reichstag zum Vorsitzenden der Arbeiterschutzkommission. Daneben hat M. als Kirchenpolitiker im Reichstag für die Selbstbestimmung der Kirche und gegen die Kulturkampfgesetze gekämpft, die preuß. Bischöfe im Kulturkampf beraten und auf ihre Entscheidungen Einfluß genommen sowie auf Versammlungen und Katholikentagen die Menge für die „Kirchenfreiheit" zu begeistern gewußt.

Nach Kettelers Tod (1877) wählte das Mainzer Domkapitel M. zum Kapitularvikar. Da er jedoch eine „positive Mitwirkung" bei der Durchführung der kulturkämpferischen hess. Gesetze vom April 1875 ablehnte, verweigerte ihm das Ministerium die Anerkennung. Dennoch übernahm er kraft päpstlichen Auftrags im geheimen die interimistische Bistumsleitung, während offiziell das Domkapitel als „Ordinariat" fungierte. Als nach Beilegung des Kulturkampfs 1886 die Mainzer Kathedra endlich wiederbesetzt werden konnte, wurde M. von Leo XIII. übergangen. M. vermochte seine tiefe Enttäuschung darüber nicht zu verbergen. Doch trat er trotz angegriffener Gesundheit nochmals an die Spitze des wiedereröffneten Seminars, dessen Leitung er aber infolge fortschreitenden Kräfteverfalls Ende 1889 niederzulegen gezwungen war. – Dr. theol. h. c. (Würzburg 1864).

W Officium divinum, Ein kath. Gebetbuch, lat. u. dt., z. Gebrauche b. öff. Gottesdienst u. z. Privat-Andacht, 1851, ¹⁹1905; Grundlinien d. kath. Moral, Als Ms. gedr. – z. Gebrauch b. Vorlesungen, o. J.; Die Kirche u. d. Versammlung kath. Gelehrter, Eine Erwiderung d. Schr. d. Dr. Michelis: Kirche od. Partei, 1864; Aktenstücke betreffend d. Jesuiten in Dtld., Ges. u. mit Erll. versehen, 1872; Die Mainzer Katechismen v. Erfindung d. Buchdruckerkunst bis z. Ende d. 18. Jh., 1877; Kath. Katechismen d. 16. Jh. in dt. Sprache, 1881.

L ADB 52; L. Lenhart, Das Mainzer Priesterseminar als Brücke v. d. alten z. neuen Mainzer Univ., 1947; ders. (Hrsg.), Idee, Gestalt u. Gestalter d. 1. dt. Katholikentages in Mainz 1848, 1948; ders., Regens M. u. d. Vaticanum, in: Jb. f. d. Bistum Mainz 5, 1950, S. 400–41; ders., M.s Briefwechsel mit Bischof Ketteler u. Domdekan Heinrich aus d. Zeit seines röm. Aufenthaltes z. Vorbereitung d. Vatican. Konzils, in: Archiv f. mittelrhein. KG 3, 1951, S. 323–54; ders., Die erste Mainzer Theologenschule d. 19. Jh. (1805–1830), Die elsäss. Theologenkolonie in Mainz, 1956; ders., Regens M. v. Mainz als Konsultor z. Vorbereitung d. Vaticanums im Lichte seines röm. Tagebuches, in: Archiv f. mittelrhein. KG 9, 1957, S. 227–56; ders., M.s Ablehnung als

Kapitelsvikar durch d. hess. Staat u. d. dadurch verursachte Mainzer Sedisvakanz v. 1877–1886, ebd. 19, 1967, S. 157–91; G. May, Ch. M. (1817–1890), ebd. 22, 1970, S. 227–36; C. Stoll, Bischof Ketteler u. d. Röm. Kurie, Die Behandlung d. Mainz-Darmstädter Konvention v. 1854 in Rom nach vatikan. Dokumenten u. Briefen A. F. Lennigs an seinen Neffen Ch. M., ebd. 29, 1977, S. 193–252; F. Hainbuch, Zur Bischofswahl W. E. v. Kettelers im J. 1850, ebd. 34, 1982, S. 355–72, ebd. 35, 1983, S. 285 f.; J. Rivinius, Vorgänge um d. Mainzer Bischofswahl v. 1849/50, ebd. 38, 1986, S. 281–324; L. Berg, Ch. M. als Moraltheologe, in: Jb. f. d. Bistum Mainz 4, 1949, S. 101–14; R. Fischer-Wolpert, Kettelers Sorge u. Kampf um d. Mainzer Priesterseminar, ebd. 7, 1955–57, S. 131–53; E. Filthaut, Dt. Katholikentage u. soz. Frage (1848–1958), 1960; K. Buchheim, Ultramontanismus u. Demokratie, Der Weg d. dt. Katholiken im 19. Jh., 1963; J. Götten, Ch. M., Theologe u. Politiker, 1969 *(W-Verz., L);* E. Iserloh (Hrsg.), W. E. Frhr. v. Ketteler, Sämtl. Werke u. Briefe, 1977 ff.; Priesterseminar Mainz (Hrsg.), Augustinerstraße 34, 175 J. Bischöfl. Priesterseminar Mainz, 1980; W. Balzer, Mainz – Persönlichkeiten d. Stadtgesch. I, 1985 *(P);* H.-J. Brandt, Eine kath. Univ. in Dtld.? Das Ringen d. Katholiken in Dtld. um e. Univ.bildung im 19. Jh., 1981; E. Gatz (Hrsg.), Priesterausbildungsstätten d. dt.sprach. Länder zw. Aufklärung u. 2. Vatikan. Konzil, 1994; LThK²; Gatz I *(P).*

Manfred Weitlauff

Moufang, *Ruth,* Mathematikerin, * 10. 1. 1905 Darmstadt, † 26. 11. 1977 Frankfurt/Main. (ev.)

V Eduard (1874–1941) aus Palermo, Dr., techn.-wiss. Berater im Braugewerbe, S d. Friedrich Carl (1848–85) aus Mainz, Kaufm. in F., u. d. Elisabeth v. Moers (1846–1927) aus Mainz; M Else (* 1876) aus Pforzheim, T d. Alexander Fecht (1848–1913) aus Kehl, Oberlt. a. D., Inst.bes. in Karlsruhe, u. d. Ella Scholtz (1847–1921) aus Tilsit; ledig.

Nach dem Besuch des Realgymnasiums in Bad Kreuznach studierte M. seit 1925 an der Univ. Frankfurt/Main Mathematik und legte dort 1929 das Staatsexamen ab. 1930 promovierte sie bei dem Hilbert-Schüler Max Dehn mit einer Dissertation über die Struktur projektiver Ebenen. Nach einem Gastaufenthalt in Rom (1931/32) erhielt sie aufgrund einer Empfehlung von Kurt Reidemeister 1932/33 einen Lehrauftrag an der Univ. Königsberg. Seit 1934 war sie Lehrbeauftragte an der Univ. Frankfurt/Main. M. war 1937 die dritte Frau in Deutschland, die sich in Mathematik habilitieren konnte, wurde jedoch angesichts der fast rein männlichen Studentenschaft nicht zur Privatdozentin ernannt. Daher war sie 1937–46 am Forschungsinstitut der Firma Krupp in Essen tätig. Erst dann erhielt sie in Frankfurt die venia legendi. (Dez. 1947 apl. Prof., 1951 ao. Prof., 1957 o. Prof, 1970 emeritiert.)

1931–34 entstanden M.s bekanntesten Arbeiten, auf Grund derer sie als Begründerin eines neuen geometrischen Forschungsgebietes gilt – die Untersuchung der projektiven Ebenen, d. h. der durch unendlich ferne Elemente ergänzten affinen Ebenen. Außerdem hat M. die systematische Erforschung der nicht-desarguesschen Ebenen eingeleitet. Formal werden die projektiven Ebenen durch Inzidenzaxiome beschrieben, die David Hilbert in seinem maßgebenden Werk „Grundlagen der Geometrie" 1899 aufgestellt hat. Bereits Hilbert hatte auf die Bedeutung der Schnittpunktsätze von Desargues bzw. Pascal für die Koordinatisierung der Ebene (d.h. für das Assoziativ- bzw. Kommutativgesetz der Multiplikation) hingewiesen und damit auf die enge Verbindung geometrischer und algebraischer Strukturen aufmerksam gemacht. M. begann 1931 mit der Untersuchung der logischen Beziehung zwischen diesen Sätzen und den weiteren Schnittpunktsätzen bezüglich der Struktur der projektiven Ebene. Sie zeigte im Falle eines aus vier frei wählbaren Punkten erzeugten Möbiusschen Netzes, daß alle Schnittpunktsätze dieser Ebene aus einem Spezialfall des Desarguesschen Satzes, bei dem die Ecken eines Dreiecks auf den Seiten des anderen liegen, folgen. 1932 bewies M. in der durch fünf Punkte erzeugten Ebene die Äquivalenz eines weiteren Spezialfalls des Desarguesschen Satzes mit dem Satz vom vollständigen Vierseit. 1933 löste sie das bereits länger bestehende Problem der Aufstellung einer nicht-desarguesschen harmonischen Geometrie, indem sie zeigte, daß der Satz vom vollständigen Vierseit dann und nur dann gilt, wenn die projektive Ebene über einem Alternativkörper (d.i. ein Schiefkörper, in dem das Assoziativgesetz abgeschwächt wurde) koordinatisiert werden kann. Derartige projektive Ebenen werden heute „Moufang-Ebenen" genannt. Für sie gilt zugleich der kleine Satz von Desargues in projektiver Form. Damit wurden auch Moufang-Ebenen einer algebraischen Behandlung zugänglich. Die Frage nach dem Doppelverhältnis für Moufang-Ebenen wurde in den Jahrzehnten seit 1955 intensiver untersucht. Während der Tätigkeit im Forschungsinstitut von Krupp erschienen von M. Arbeiten über angewandte Elastizitätstheorie.

W u. a. Zur Struktur d. projektiven Geometrie d. Ebene, in: Mathemat. Ann. 105, 1931, S. 536–601; Ein Satz über d. Schnittpunktsätze d. allgem. Fünfecksnetzes, ebd. 107, 1932, S. 124–139; Alternativkörper u. d. Satz vom vollständigen Vierseit, in: Abhh. aus d. Mathemat. Seminar d. Hamburg. Univ. 9, 1933, S. 207–22.

L B. Srinivasan, in: The Mathematical Intelligencer 6, Nr. 2, 1984, S. 51–55; H. Mehrtens, in: Biogr. Dict. of Mathematicians, III, 1991, S. 1763 f.; M. Toepell (Hrsg.), Mitgliedergesamtverz. d. Dt. Mathematiker-Vereinigung 1890–1990, 1991, S. 262.

Michael Toepell

Mourek, *Václav Emanuel*, Philologe, * 20. 8. 1846 Luh b. Přibram (Böhmen), † 24. 10. 1911 Prag. (kath.)

V Václav Maurek (1818–66) aus Blatná (Südböhmen), Sägemüller, *S* d. Axtmachers Martin aus Lhotka b. Lnáře u. d. Markéta Kyrbis aus Vlachovo Březí; *M* Johanna (* 1823), *T* d. Scheithauers Mathias Schuster aus Antonihütte (Böhmerwald) u. d. Maria Mandl; ∞ 1868/72 Jane Loudon (* 1846), aus schott. Fam. in Nordirland; 1 *T* (früh †).

Nach der Matura am Gymnasium in Klattau (1867) und einem Studium der klassischen und deutschen Philologie an der Karl-Ferdinand-Univ. in Prag (1867–71) war M. zunächst als Gymnasialprofessor in Budweis (1871–83) und am Akademischen Gymnasium in Prag (1883–88) tätig. Während dieser Zeit verfaßte er Lehrbücher der deutschen und der engl. Sprache sowie das erste engl.-tschech. und tschech.-engl. Wörterbuch (2 Bde., 1879–82). 1876 wurde sein Entwurf eines verbindlichen Lehrplans für Deutsch an Mittelschulen in Böhmen vom Ministerium für Kultus und Unterricht in Wien genehmigt.

M. war der erste Repräsentant der wissenschaftlichen Germanistik in Böhmen. Er gründete das Germanistische Seminar an der Philosophischen Fakultät der Tschech. Universität und war Initiator bei der Gründung des Engl. Seminars. 1883 zum Dr. phil. promoviert, lehrte er seit 1884 als Privatdozent an der Philosophischen Fakultät, bevor er 1889 als ao. und 1894 als o. Professor der deutschen Philologie berufen wurde. Er hielt zahlreiche Vorträge in der kgl. Böhm. Gesellschaft der Wissenschaften, deren o. Mitglied er seit 1894 war (Generalsekretär seit 1896), und in der Tschech. Akademie der Wissenschaften, Literatur und Künste. Seit 1907 war M. außerdem Geschäftsführer des Museums des Kgr. Böhmen.

Von bleibendem Wert sind seine Werke zur Syntax der german. Sprachen in „Věstník královské české společnosti nauk" (1887–1905). Seine Analysen wurden prinzipiell aufgrund des möglichst vollständigen Materials durchgeführt. Zur germanistischen Diskussion seiner Zeit hat er durch seine Untersuchung der traditionell angenommenen „consecutio modorum" (Oskar Erdmann, Ernst Bernhardt) beigetragen. Es gelang M. nachzuweisen, daß der Einfluß des Modus im Hauptsatz auf den Modus des Nebensatzes „minimal und höchstens auf die assimilierende Kraft des vorausgehenden Konjunktivs beschränkt" sei (Über den Einfluß des Hauptsatzes auf den Modus des Nebensatzes im Gothischen, 1892–95; Syntax des mehrfachen Satzes im Gothischen, tschech. mit dt. Auszug 1893; Zur Syntax des Konjunktivs im Beowulf, 1908). Die Unabhängigkeit Ulfilas von der griech. Vorlage bewies M. u. a. in seiner Monographie „Syntaxis gótskych předložek" (1890, Zur Syntax der griech. Präpositionen). Im Unterschied zur vorherrschenden Meinung stellte er fest, daß Perfektivität in got. Präfixen nur spurenhaft ausgedrückt wird. M. fand Jan Gebauers Theorie der qualitativen und quantitativen Negation auch in german. Sprachen bestätigt (Über die Negation im Mittelhochdeutschen, 1902; Zur Negation im Germanischen, 1903; Zur altgerman. Negation, Die Negation in der älteren Edda, 1905). In seinen deutsch-tschech. Studien „Zur Syntax des althochdeutschen Tatian" (SB d. kgl. Böhm. Ges. d. Wiss., 1895) vergleicht er den althochdeutschen Text mit der Kralitzer Bibelübersetzung. „Tandariuš a Floribella" (1887) bringt den Nachweis einer sekundären Entstehung des tschech. Textes als Übersetzung des Pleiers. – Dr. h. c. (Glasgow 1901).

Weitere W Die ahdt. Glossen im St. Galler Codex Nr. 292 u. in d. aus St. Peter stammenden Codex zu Karlsruhe, 1873; Syntaxis sloveso v Ulfilově gothském překladě evangelia sv. Lukáše (Zur Syntax d. Zeitwörter im Evangelium d. Hl. Lukas in d. got. Übers. v. Ulfila, Habil.schr. 1884, Ms. Germanist. Seminar d. Univ. Prag); Berr. üb. Hss.bruchstücke aus Böhmen, u. a.: Prager Bruchstück e. Pergamenths. d. Klage, 1888; Abriß d. engl. Lit.gesch., 1890 (auch tschech.); Krumauer altdt. Perikopen v. J. 1388, 1891; Beziehungen zw. tschech. u. dt. Lit. v. d. Anfängen bis z. 16. Jh., 1895; Zum Prager Deutsch d. XIV. Jh., 1901; Zur Syntax d. mhdt. Konjunktivs, Mit Belegen aus Wolframs Parcival, 1910; – Hrsg.: Dalimil, nach d. Cambridger Hs., 1910; *Btrr. z. engl. u. skandinav. Lit.; Überss. aus d. Engl., Dän. u. Schwed.*

L J. Janko, in: Časopis pro moderní filologii II, 1912, S. 27–35, 126–35; ders., in: Alm. České Akad. 22, 1912, S. 127–41 *(P)*; B. Trnka, Die tschech. Germanistik u. Anglistik, in: Slav. Rdsch. IV, 1932, S. 323–29; Ottův slovník naučný 17, 1901; Wi. 1905–11; Masarykův slovník naučný IV, 1929; Ottův slovník naučný nové doby IV, 1936; ÖBL; BLBL.

Alena Šimečková

Mouson, Parfümerie-Industrielle. (ref.)

Der Ahn der deutschen Hugenottenfamilie, *Abraham* (1641–1709), kam nach der Aufhebung des Edikts von Nantes (1685) mit seiner Familie aus Metz nach Berlin und übte dort den Beruf eines Gärtners aus, dem auch sein Sohn nachging. Der Enkel *Daniel* (1709–55) war Beuteltuchmacher, der Urenkel *Paul* (1734–1808) Ofenmeister in der Berliner Kgl. Porzellanmanufaktur.

Pauls Sohn *August Friedrich* (1768–1837), ein gelernter Seifensieder und Lichterzieher, kam 1791 als Wandergeselle nach Frankfurt/Main und fand dort im Betrieb einer Witwe Arbeit. Im Laufe der Jahre stieg er zum Betriebsleiter auf und konnte schließlich 1798 nach Erlangung der Feuergerechtigkeit – der Erlaubnis zum Betrieb einer mit Feuer arbeitenden Werkstatt – und auf Grund seiner Verlobung mit der Bürgerstochter Anna Maria Elisabeth Margarethe Neeff (1774–1838) das Geschäft auf eigene Rechnung übernehmen und nach der Eheschließung das Bürgerrecht der Reichsstadt erwerben. In fast vier Jahrzehnten baute er den Betrieb zu einem angesehenen Unternehmen aus. Dabei trat die Produktion von Talgkerzen immer mehr zurück, während die Seifensiederei durch die Herstellung von Feinseifen ausgebaut wurde. August Friedrichs Sohn *Johann Georg* (1812–94) agitierte im Zeitalter der Reaktion für die demokratische Bewegung und kam mit Heidelberger Burschenschaften in Verbindung, die 1833 einen Anschlag auf den in Frankfurt tagenden Deutschen Bundestag planten. Das dilettantisch vorbereitete Unternehmen scheiterte nach der Besetzung eines Wachlokals, als alarmierte Bundestruppen die Tore der Stadt besetzten und herbeieilende Helfer aus den Landgemeinden abfingen. Johann Georg wurde gefangen und auf der Konstabler Wache festgesetzt. Dort verstand er es, das Wachpersonal abzulenken und dadurch seinen Mithäftlingen Gelegenheit zur Flucht zu verschaffen. Dies brachte ihm sieben Jahre Festungshaft ein, die er auf dem Mainzer Fort Hardenberg in der Gesellschaft mitverurteilter Akademiker verbrachte, ein Umstand, dem der angehende Seifenfabrikant eine umfassende Bildung verdankte. Als er endlich frei kam, war sein Vater schon über zwei Jahre tot und der Betrieb von einem Teilhaber weitergeführt worden.

In den folgenden fünf Jahrzehnten hat Johann Georg, der sich politisch nicht mehr betätigte, die Firma J. G. Mouson & Cie zu einem Großunternehmen der Branche entwickelt und ihr durch die Aufnahme der Parfümherstellung die entscheidende Ausrichtung auf einen gehobenen Verbraucherkreis gegeben. 1878 nahm er zwei Söhne seines nach Amerika ausgewanderten Bruders *Johann Caspar* (1804–52) in die Firma auf. Von diesen trat *Johann Daniel* (1839–1909) auch politisch in die Fußstapfen seines Onkels. Als Vertreter der Demokratischen Partei wurde er 1882 Mitglied der Stadtverordnetenversammlung, die ihn 1891 zum ehrenamtlichen Magistratsmitglied wählte. Im Magistrat des Oberbürgermeisters Franz Adickes war er ein geschätzter Fachmann in Wirtschaftsfragen. Insbesondere hat er den Bau des Frankfurter Osthafens nachdrücklich gefördert. Sein Bruder *Johann Jacques* (1837–1915) widmete sich ganz der Leitung des Familienunternehmens, das bei der Weltausstellung in Paris 1900 für seine Parfümerieerzeugnisse mit einer Goldmedaille ausgezeichnet wurde. Er erwarb sich auch besondere Verdienste um das Frankfurter Versicherungsgewerbe und schuf für die Mitarbeiter der Firma ein Erholungsheim in Dornholzhausen (Taunus).

Johann Daniels Tochter *Helene* heiratete den Automobilindustriellen Carl v. Opel (1869–1927). Ihr Bruder *August Friedrich* (1874–1958) erhielt eine gründliche Ausbildung als Seifensieder und Parfümeur und arbeitete dann einige Jahre im angesehenen Laboratorium Fresenius in Wiesbaden. 1904 wurde er Teilhaber des Unternehmens und leitete vier Jahrzehnte lang als Chefparfümeur die Produktion. Gleichzeitig mit ihm trat *Johann Georg* (1872–1911), der ältere Sohn von Johann Jacques, ein promovierter Chemiker, in die Firma ein. Die beiden Vettern spezialisierten die Produktion auf ausgesprochene Qualitätserzeugnisse und stellten die Werbung auf den Geschmack einer anspruchsvollen Kundschaft um. In der Folgezeit erwarb sich das über 100jährige Unternehmen unter Betonung seiner Tradition als „Haus der Postkutsche", ein um die Jahrhundertwende von den damaligen Geschäftsinhabern eingeführter Werbetitel, eine führende Stellung innerhalb der Branche. Nach Johann Georgs frühem Tod trat sein jüngerer Bruder *Fritz* (1884–1926) an seine Stelle, der an der TH Darmstadt Bauwesen studiert und als junger Diplomingenieur bei Opel in Rüsselsheim praktische Erfahrungen erworben hatte. 1912 wurde er Teilhaber des Familienunternehmens und übernahm den technischen Ausbau des Betriebes. Er schuf einen modernen Maschinenpark und rationalisierte die Produktion. Nach dem 1. Weltkrieg gelang es ihm rasch, die Firma zur früheren Geltung zurückzuführen. In den Jahren 1923-25 errichtete er eine neue Fabrikanlage mit dem ersten Hochhaus in Frankfurt, dem achtstöckigen „Mousonturm".

Edgar Bieber (1893-1939), ein Enkel von Johann Jacques, verband mit gründlicher Auslandserfahrung, die ihm wertvolle Geschäftsverbindungen eingebracht hatte, einen besonderen Sinn für psychologisch abgestimmte Werbung. Er verstand es, breite Verbraucherschichten für die Erzeugnisse seines Unternehmens zu gewinnen. Als Konsul seines Geburtslandes Haiti genoß er großes gesellschaftliches Ansehen, besaß eine Hochseeyacht und nahm als begeisterter Automobilsportler an Langstreckenfahrten und Bergrennen teil. Nach seinem Tode rückte die 5. Generation in die Leitung des Familienunternehmens ein. *Johann Daniel (Hans)* (1904-43), ein Sohn von August Friedrich, hatte in San Sebastian (Spanien) die Seifensiederei erlernt und sich in Grasse die Grundlagen der Parfümerie angeeignet. In Paris und New York lernte er dann in führenden Kosmetikhäusern die Praxis des internationalen Geschäfts kennen. 1939 trat er als Teilhaber an die Seite seines Vaters. Seine Hauptaufgabe sah er in der Entwicklung und Einführung neuer Produkte, die er in systematischen Versuchsreihen erprobte, mußte aber unter den wirtschaftlichen Restriktionen des 2. Weltkrieges schließlich seine ganze Energie der Erhaltung des Unternehmens widmen. Nach seinem frühen Tod wurde sein Schwager, der Jurist Dr. Max Wellenstein (1905-50) Teilhaber. Wenig später vernichteten Fliegerbomben die Produktionsstätten der Firma fast völlig. Unmittelbar nach Kriegsende konnte aber mit der Stammbelegschaft der Wiederaufbau eingeleitet werden. Als Wellenstein ebenfalls früh starb, übernahm ein nicht mehr der Familie angehörendes Management die Leitung. Die 6. Generation der Nachkommen des Gründers veräußerte 1972 angesichts der notwendig gewordenen Verlagerung der Produktion aus dem Wohngebiet Frankfurts und des damit verbundenen hohen Investitionsbedarfs die längst wieder florierende Firma an einen Konkurrenten. Den „Mousonturm" erwarb die Stadt Frankfurt und schuf darin ein Zentrum für junge Künstler.

L J. G. Mouson & Cie, 1798-1898, 1898; F. Lerner, Diener d. Schönheit, 1948 (zahlr. P); M. Heil de Brentani, Alte Frankfurter Familien, 1950, S. 33 ff.; FAZ v. 4. 11. 1972, S. 20; Frankfurter Biogr. II.

Franz Lerner †

Moy de Sons, Kraft Karl *Ernst* Frhr. v., Rechtshistoriker, Kanonist, * 10. 8. 1799 München, † 1. 8. 1867 Mühlau b. Innsbruck. (kath.)

Aus adeliger Fam. d. Picardie; *V* Karl Anton (Charles Antoine) Rr. v. M. (1769-1836) aus Brières, Département des Ardennes, emigrierte 1789 aus Frankreich, Kaufm. in München; *M* Elisabeth (1780-1833), *T* d. Erwin Pestel, Kaufm., Geschäftsträger b. Kf. v. Mainz, u. d. Wilhelmine Lindig; ∞ 1) München 1823 Carolina (1797-1842), *T* d. Josef Borzaga, Kaufm., Salinenrendant in München, u. d. Maria Anna Weitinger, 2) Bozen 1845 Maria (1814-94), *T* d. Joseph Frhr. v. Giovanelli zu Gerstburg u. Hörtenberg (1784-1845), Kanzler d. Merkantilmagistrats in Bozen, u. d. Antonia Freiin v. Müller zu Mülegg (1787-1856); 3 *S,* 5 *T* aus 1) (2 *S,* 2 *T* früh †), u. a. Karl (1827-94, bayer. Gf. 1868), bayer. Oberstzeremonienmeister u. Kämmerer, 3 *S,* 1 *T* aus 2) (1 *S,* 1 *T* früh †), u. a. Ernst (1852-1922), Sektionschef in Innsbruck u. Wien; *E* Ernst (1860-1922), bayer. Oberstzeremonienmeister (s. DBJ IV, Tl.), Maximilian (1862-1933), bayer. Oberstzeremonienmeister u. Oberhofmarschall, Präs. d. Kunstver. in München (s. Wi. 1928), Karl Maria (1863-1932), bayer. Diplomat (s. Kosch, Biogr. Staatshdb.; Schärl); *Ur-E* Johannes (1902-95), Dr. phil., Dr. h. c., Schriftst. (s. Kürschner, Lit.-Kal. 1988).

Nach Abschluß seiner rechtswissenschaftlichen Studien in Landshut, Würzburg, und Erlangen trat M. als Auditor ins bayer. Kriegsministerium in München ein. 1827 promovierte er in Erlangen zum Dr. iur. und habilitierte sich noch im selben Jahr in München, wo er als Privatdozent lehrte und seit 1830 eine Advokatur ausübte. 1832 erhielt er eine o. Professur für Staatsrecht, Bundesstaatsrecht und Völkerrecht in Würzburg und kehrte 1837 als o. Professor für Staatsrecht nach München zurück. Hier vollendete er „Das Eherecht der Christen in der morgenländischen und abendländischen Kirche bis zur Zeit Karls d. Gr. aus den Quellen dargestellt" (1838, Neudr. 1970), das als seine bedeutendste kirchenrechtliche Arbeit gilt (Schulte). Bald folgte das „Lehrbuch des bayer. Staatsrechts" (4 Bde., 1840-46). In München war M. dem Görres-Kreis beigetreten, dem u. a. George Phillips und Joseph Frhr. v. Giovanelli, das Haupt der Konservativen in Südtirol, angehörten.

Im Zusammenhang mit der Lola-Montez-Affäre verlor M. 1847 die Professur; er wurde als überzähliger Appellationsgerichtsrat nach Neuburg / Donau versetzt, nahm jedoch 1848 Urlaub und ging nach Innsbruck, wo er Beziehungen zur konservativen Partei knüpfte und seit 1849 die „Tiroler Zeitung" leitete. Nach seinem Austritt aus dem bayer. Staatsdienst (1851) erhielt M. im Zuge der Thunschen Hochschulreform die nach Phillips' Abgang nach Wien freigewordene Lehrkanzel für Kirchenrecht und Deutsche Reichs- und Rechtsgeschichte in Innsbruck. Nach Julius Fickers Übertritt von der Philosophischen in die Juristenfakultät (1863) übernahm dieser die Deutsche Rechtsgeschichte, während M. in den letzten Jahren seiner Lehrtätigkeit das Kirchenrecht betreute. Als streng konservativer Denker war er dem Minister Leo Gf. Thun geistesverwandt und gehörte gemeinsam mit Phillips während der ersten Hälfte der 50er Jahre zu dessen wichtigsten Beratern. Im Auftrag Thuns schrieb er seine „Grundlinien einer Philosophie des Rechts vom kath. Standpunkt" (2 Bde., 1854/57), die Kardinal Joseph Otmar v. Rauscher gewidmet sind und geradezu die offiziöse Rechtsphilosophie der Ära Thun darstellen. Ein besonderes Verdienst erwarb sich M. durch die Gründung des „Archivs für kath. Kirchenrecht" (1857), das noch heute besteht. – Präs. d. 16. Dt. Katholikentages in Würzburg (1864).

Weitere W Einige Gedanken üb. d. Gesetzgebung im Fache d. Polizei, 1825; Die Ehe u. d. Stellung d. kath. Kirche in Dtld., 1830; Die weltl. Herrschaft d. Papstes u. d. rechtl. Ordnung in Europa, 1860.

L ADB 22; K. Werner, Gesch. d. kath. Theol. seit d. Trienter Konzil, 1867; Archiv f. kath. Kirchenrecht 18, 1867, S. 181 f.; J. F. v. Schulte, Gesch. d. Qu. u. Lit. d. Kirchenrechts III/1, 1880, S. 369 f.; Stintzing-Landsberg III/2, S. 665, 668, Notenband, S. 355; Staatslex. d. Görres-Ges., ⁵1929; N. Grass, Innsbrucker Kirchenrechtslehrer, 1951, bes. S. 277 ff. (wieder in: Österr. Kirchenrechtslehrer d. Neuzeit, 1989, S. 277–79); ders., J. v. Görres u. Tirol, in: Hist. Jb. 96, 1976, S. 214–36; H. Lentze, Die Univ.reform d. Min. Gf. Leo Thun-Hohenstein, SB d. Österr. Ak. d. Wiss., Phil.-hist. Kl. 239, 2. Abh., 1962, S. 120 f., 128, 144 f., 263, 265, 280 f.; P. Leisching, Aus d. Zeit d. Aufstieges d. österr. Kirchenrechtswiss., in: FS N. Grass z. 70. Geb.tag, 1986, S. 303–26; Wurzbach 19; Kosch, Biogr. Staatshdb.; LThK²; ÖBL. – *Zu Maximilian:* W. Zils (Hrsg.), Geistiges u. künstler. München in Selbstbiogrr., 1913.

Nikolaus Grass

Mozart, Komponisten. (kath.)

1) *Leopold,* * 14. 11. 1719 Augsburg, † 28. 5. 1787 Salzburg.

V Johann Georg (1679–1736), Buchbindermeister in A., *S* d. Franz (1649–94), Fuggerscher Stiftungsmaurermeister in A. (s. ThB), u. d. Anna Härrer (Hairer, Hainrich) (1656–1715) aus Buch am Buchrain (Oberbayern); *M* Anna Maria (1696–1766), *T* d. Christian Sulzer (um 1663–1744), Webermeister in A., u. d. Maria Dorothea Baur (1672–1742); *Ur-Gvv* David d. J. (um 1620/22–85), Baumeister in A. (s. ThB); *Gr-Ov* Hans Georg (1647–1719), Maurermeister d. Domkap. in A. (s. ThB); – ∞ Salzburg 1747 Anna Maria Walburga (1720–78), *T* d. Wolfgang Nikolaus Pertl (1667–1724), Jurist, wirkl. Hofkammersekr. in S., Gerichtspfleger in St. Gilgen, u. d. Eva Rosina Barbara Altmann, verw. Puxbaumer (1681–1755); 3 *S* (2 früh †), Wolfgang Amadeus (s. 2), 4 *T* (3 früh †), Maria Anna (Nannerl) (1751–1829), ∞ Johann Baptist Franz Frhr. Berchtold v. Sonnenburg, 1736–1801), Pianistin (s. ÖBL; New Grove); *Verwandter* Anton (1573–1625), Maler in A. (s. ThB).

M. besuchte 1727–35 das Gymnasium und anschließend bis 1736 das Lyzeum der renommierten Augsburger Jesuitenschule zu St. Salvator. Nach dem Tode des Vaters verließ er die Schule mit dem Abgangszeugnis der Rhetorenklasse. In der Erwartung, er werde sich für den geistlichen Stand entscheiden, ermöglichten ihm Gönner der Familie ein Universitätsstudium. 1737 immatrikulierte er sich an der Salzburger Benediktiner-Universität, wo er das Fach Philosophie belegte und nebenher auch Mathematik und Geschichte hörte. 1738 erwarb er den akademischen Grad eines Baccalaureus der Philosophie (mit öffentlicher Belobigung); im September 1739 wurde er – wegen ungenügenden Vorlesungsbesuches – von der Universität relegiert: ein offenbar mit Absicht provozierter Abgang. Danach fand er sein Auskommen als Kammerdiener des Salzburger Kanonikus und Präsidenten des fürsterzbischöfl. Konsistoriums, Johann Baptist Gf. v. Thurn-Valsássina und Taxis, dem er sich 1740 mit der Dedikation seines eigenhändig gestochenen op. 1, der 6 Triosonaten ‚per chiesa e da camera', erkenntlich zeigte. Mit Unterstützung seines neuen Dienstherren konnte er sich als Komponist profilieren: seit 1741 entstanden etliche Passionsmusiken (Oratorien), geistliche Kantaten und lat. Schulopern, von denen aber nur die gedruckten Libretti erhalten sind. Die offenbar von Beginn an erstrebte Anstellung bei der Salzburger Hofkapelle glückte nur auf Umwegen; erst im Juni 1747 wurde M. eine endgültige und voll besoldete Stelle als Violinist zugesprochen, womit seine materielle Existenz gesichert war. Zusätzlich zu seinen Verpflichtungen in der Hofkapelle hatte er den Violin- und seit 1777 auch den Klavierunterricht der Sängerknaben des Kapellchores zu übernehmen, 1757 erfolgte seine Ernennung zum „Hof- und Cammer-Componisten", ein Jahr später rückte er auf den Posten des 2. Violinisten vor. Mit dem Aufstieg zum Vizekapellmeister 1763 hatte er den Endpunkt seiner Laufbahn am Salzburger Hof erreicht.

1756 war M.s pädagogisch-theoretisches Hauptwerk, der „Versuch einer gründlichen

Violinschule", erschienen, der seinen bleibenden Ruhm begründete. Bereits 1755 hatte Lorenz Mizler – allerdings erfolglos – M.s Aufnahme in die Leipziger „Sozietät der Musicalischen Wissenschaften" betrieben; auch der einflußreiche Berliner Musiktheoretiker Friedrich Wilhelm Marpurg suchte seine aktive Mitarbeit. Mit hoher Wahrscheinlichkeit stammt die anonyme „Nachricht von dem gegenwärtigen Zustande der Music ... zu Salzburg" im dritten Band der „Historisch-kritischen Beyträge" Marpurgs (1757) aus M.s Feder. Um 1760 stand M. auf der Höhe seines Schaffens. Kurze Zeit später jedoch gab er, wie seine Tochter Maria Anna in ihren Aufzeichnungen für Friedrich Schlichtegroll schrieb, „die Unterweisung auf der Violin und das Componiren ganz auf, um alle von seinem Dienste freye Zeit auf die musikalische Erziehung dieser zwey Kinder zu wenden". Die späteste datierte Komposition ist die Sinfonie in D-Dur Nr. 25 von 1771; in den Breitkopf-Katalogen wurden Werke M.s letztmals 1775 angeboten. Ein „Spätwerk" existiert nicht.

Die Wende in M.s Leben trat ein, als die geniale Begabung seines Sohnes Wolfgang Amadeus erkennbar wurde. Das „Wunder..., welches Gott in Salzburg hat lassen gebohren werden" (Brief an Hagenauer, 30. 7. 1768), bedurfte nicht allein der sorgsamsten Pflege und Erziehung, es mußte einer ungläubigen Welt geradezu verkündigt werden. „Ich bin diese Handlung dem allmächtigen Gott schuldig, sonst wäre ich die undanckbarste Creatur", schreibt er in demselben Brief. So dienten die zahlreichen Kunst- und Bildungsreisen, die M. seit 1762 teils mit der ganzen Familie, teils mit Wolfgang allein unternahm, zugleich auch diesem Ziel. Sie waren finanziell riskant und stellten, je länger je mehr, die Geduld des fürstlichen Dienstherren auf eine harte Probe. Sicherlich werden sie auch mit dazu beigetragen haben, Wolfgangs Gesundheit zu schwächen – wie andererseits die künstlerische Entwicklung des Wunderkindes ohne diese Reisen kaum vorstellbar ist.

Der zweite Lebensabschnitt M.s kann nicht mehr aus sich selber heraus, sondern nur in Verbindung mit und in Bezug auf die Biographie Wolfgangs verstanden werden. Es war, als hätte der Vater sein eigenes autonomes Leben aufgegeben, um nunmehr als dienende Figur in das seines Sohnes zu treten. Sein gleichwie geartetet Anteil am Frühwerk Wolfgangs bis in die zweite Hälfte der 1760er Jahre ist beträchtlich, auch wenn er nicht immer so deutlich in die Augen fällt wie im Autograph der ersten Sinfonie KV 16 (1764) oder des „Gallimathias Musicum" KV 32 (1766). Seine Rolle als Korrektor, Redaktor und Kopist ist nicht leicht zu überschätzen. Es gibt kaum ein Autograph Wolfgangs aus diesen frühen Jahren ohne Änderungen oder Zusätze von der Hand des Vaters, und auch noch in späterer Zeit erscheinen häufig Autoren- und Datierungsvermerke als nachträgliche Zusätze von M.s Hand: Die Salzburger Autographe des Sohnes wurden offenbar in peinlicher Ordnung aufbewahrt (was man von den Werken M.s nicht sagen kann) und 1768 in einem ersten Werk-Verzeichnis erfaßt. Je nach Erfordernis übernahm M. die Rolle des Lehrers, Erziehers und Privatsekretärs und fungierte als Kammerdiener, Impresario oder Reisemanager. Und schließlich war es immer wieder der diplomatische M., der zwischen Wolfgang und dem Fürsterzbischof Colloredo, der eine zunehmende Aversion gegen beide Mozarts entwickelte, gütlich zu vermitteln wußte – sei es auch um den Preis eigener Zurücksetzung. Das spätere Leben M.s war nicht frei von Tragik und Verbitterung. Hilflos mußte er in Salzburg aus der Ferne miterleben, wie die Reise nach Mannheim und Paris, zu der Wolfgang 1778 in Begleitung der Mutter aufbrach, zu einem Fiasko wurde, wie der Sohn außer Kontrolle zu geraten drohte, wie die Gattin in Paris erkrankte und starb. Er konnte nicht mehr eingreifen, als es 1781 in Wien zum endgültigen Bruch mit Colloredo kam. Die Hochzeit Wolfgangs mit Constanze Weber 1782 – in den Augen M.s eine schlimme Mesalliance – mußte er ohnmächtig geschehen lassen. Am Ende waren all seine ehrgeizigen Pläne gescheitert: Wolfgang hat nie die glänzende Anstellung erhalten, die M. für ihn erträumte. Im Frühjahr 1785 zu Besuch in Wien, erlebte er immerhin die Triumphe seines Sohnes mit, sah – nicht ohne Mißtrauen – den Wohlstand des Haushalts und hörte mit Stolz und Genugtuung die berühmten Lobesworte Joseph Haydns. Wolfgangs finanzielle Katastrophe mitzuerleben, blieb ihm erspart. Vereinsamt und zurückgezogen starb M. 1787 an der „Auszehrung".

Seit den 1960er Jahren ist eine unverkennbare Neuorientierung innerhalb der Forschung zu beobachten. Aufgrund eingehender Handschriften- und Echtheitsuntersuchungen begann sich die Erkenntnis durchzusetzen, daß M. kein „mediokrer" sondern in Wirklichkeit ein bedeutender Komponist war, der allerdings auf sehr unterschiedlichem Niveau komponierte, je nach Anlaß und Besteller. So konnte es letzlich auch nicht überraschen, daß eine Anzahl von ehedem Wolfgang zugeschriebenen Werken sich als Kompositionen des Vaters entpuppten – z. B. die Messen (Fragmente) KV 116 (90 a) + KV⁶ Anh. A 18–19 und KV 115 (166 d), die Lieder KV 149–151 (125 d–f), das Menuett KV 64 und manche andere Kleinigkeiten aus dem autographen Nachlaß M.s, der durch Schriftverwechslung in die Überlieferung der Werke Wolfgangs geraten war. Zu fragen wäre auch, ob die Sinfonie KV 81 (731) nicht doch von M. stammen könnte (D-Dur Nr. 14), ebenso wie die Sinfonie KV 76/42 a. Neben dieser entschiedenen Aufwertung der kompositorischen Leistungen M.s beginnt man immer mehr auch die Vielseitigkeit seiner Begabungen auf literarischem und philosophischen Gebiet zu entdecken.

W Eigenhändiges Verz. um 1755/56, in: F. W. Marpurg, Hist.-krit. Beyträge z. Aufnahme d. Musik, III, 1757, S. 183; Versuch e. gründl. Violinschule, 1756, ²1769/70, erw. ³1787, ⁴1800, niederländ. 1766, franz. 1770, zahlr. weitere unautorisierte Ausgg. u. Überss. – *Ausführl. Verz.* in: New Grove; für d. Sinfonien ferner C. Eisen, The Symphonies of L. M. and their Relationship to the Early Symphonies of W. A. Mozart, Diss. Cornell Univ. 1986 *(mit themat. Verz.);* ders., Vorwort zu: L. M., Ausgew. Werke I: Sinfonien, 1990 *(mit themat. Verz.);* von d. v. M. 1757 erwähnten u. später verschollenen 5 Flötenkonzerten ist jüngst d. dritte in G-Dur wiederaufgefunden worden (Klavierauszug Ricordi 1994, ed. N. Delius). – *Briefe, Reisenotizen:* Gesamtausg., ges. v. W. A. Bauer u. O. E. Deutsch, erl. v. J. H. Eibl, 1962–75.

L ADB 22; F. Schlichtegroll, Nekr. auf d. J. 1791, 2. Jg., 2. Bd., 1793, S. 82–112; M. Seiffert, Ausgew. Werke v. L. M., DTB Jg. 9/2, 1908 (Vorrede grundlegend, im einzelnen überholt); E. F. Schmid, L. M., in: Lb. aus d. Bayer. Schwaben III, 1954, S. 346–68; W. Plath, Btrr. z. Mozart-Autographie I: Die Hs. L. M.s, in: Mozart-Jb. 1960/61, S. 82–117; ders., Zur Echtheitsfrage b. M., ebd. 1971/72, S. 19–36; ders., L. M.s Notenbuch f. Wolfgang (1762) – e. Fälschung?, ebd., S. 337–41; ders., L. M. 1987, in: L. M. u. Augsburg, 1987, S. 11–25 (alle Btrr. wieder in: ders., Mozart-Schrr., hrsg. v. M. Danckwardt, 1991); ders., L. M.s Pastoralmesse: unecht?, in: Acta Mozartiana 21, 1974, S. 16–18; A. A. Abert, Methoden d. Mozartforschung, in: Mozart-Jb. 1964, S. 22–27 (zu d. „Lambacher" Sinfonien v. L. M. u. W. A. M.); dies., Stilist. Befund u. Qu.lage, Zu M.s Lambacher Sinfonie KV Anhang 221 = 45a, in: FS H. Engel, 1964, S. 43–56; R. Münster, Wer ist d. Komp. d. „Kindersinfonie"?, in: Acta Mozartiana 16, 1969, S. 76–82; W. Senn, Das wiedergefundene Autograph d. Sakramentslitanei in D v. L. M., in: Mozart-Jb. 1971/72, S. 197–216; A. Weinmann, Neue Ergebnisse d. RISM-Quellenforschung, in: Österr. Musikzs. 29, 1974, S. 440–42 (z. großen D-Dur-Serenade); J. Mančal, Neues üb. L. M., ebd. 42, 1987, S. 282–91; ders., L. M. (1719–1787), in: L. M. z. 200. Todestag, Ausst.kat. Augsburg 1987; ders., M., Zum Verhältnis L. M.s zu Wolfgang „Amadé" M., in: Zs. d. Hist. Ver. f. Schwaben 84, 1991, S. 191–245, 85, 1992, S. 233–71; ders. u. W. Plath (Hrsg.), L. M. – Auf d. Wege zu e. Verständnis, 1994; A. Rosenthal, L. M.s „Violinschule" Annotated by the Author, in: Mozart Studies, ed. C. Eisen, 1991, S. 83–99; C. Eisen, The Mozart's Salzburg Copyists, ebd., S. 253–307; P. Eder OSB, Nannerl Mozarts Notenbuch v. 1759 u. bisher unbeachtete Parallelüberlieferungen, in: Mozart Stud. 3, hrsg. v. Manfred Hermann Schmid, 1993, S. 37–67; MGG; Riemann mit Erg.bd.; New Grove. – *Zur Fam.:* H. Schuler, W. A. M., Vorfahren u. Verwandte, 1980. – *Zu Anna († 1715):* ders., Anna Mozart, 1984.

P Kupf. v. J. A. Fridrich n. M. G. Eichler, in d. 1. Aufl. d. Violinschule 1756, Abb. in MGG; Gem. v. P. A. Lorenzoni (?), um 1765 (Mozart Mus., Salzburg), Abb. in New Grove.

Wolfgang Plath †

2) *Wolfgang Amadeus* (*Amadé*, eigtl. *Joannes Chrysostomus Wolfgangus Theophilus*), * 27. 1. 1756 Salzburg, † 5. 12. 1791 Wien, ☐ ebenda, St. Marxer Friedhof.

V Leopold (s. 1); – ∞ Wien 1782 Constantia (Konstanze) (1762–1842, ∞ 2] Georg Nicolai v. Nissen, 1761–1826, 1820 österr. Adel, dän. Dipl., s. ADB 23), Sängerin, Hrsg. d. v. ihrem 2. Ehemann verfaßten Biogr. M.s (s. ÖBL; New Grove), *T* d. Franz Fridolin Weber (um 1733–79), Amtmann d. freiherrl. Schönauischen Herrschaft zu Zell im Wiesental, später Souffleur, Hofsänger u. Kopist in Mannheim, u. d. Maria Caecilia Stamm (1727–93); *Vt* d. *Ehefrau* Carl Maria v. Weber (1786–1826), Komp. (s. ADB 41); *Schwägerin* Aloysia (1758/62–1839, ∞ Joseph Lange, 1751–1831, Schausp., Maler, s. NDB 13), Sängerin (s. ÖBL); 4 *S* (2 früh †), u. a. Carl (1784–1858), Übersetzer b. d. k. k. Buchhaltungsdirektion in Mailand (s. *L*), Franz Xaver (1791–1844), Pianist u. Komp. in Lemberg u. W. (s. ÖBL; New Grove), 2 *T* (früh †).

Tagebucheinträge des Wiener Hofbeamten Karl Gf. v. Zinzendorf vom Oktober 1762 dürften die frühesten Zeugnisse der außerordentlichen und sogleich als „Wunder" charakterisierten Wirkung sein, die der Klaviervortrag des damals sechseinhalbjährigen M. in der Öffentlichkeit – hier der Wiener Adelshäuser – ausübte. Bereits in den ersten Lebensjahren M.s hatte sein Vater Leopold die außergewöhnliche musikalische Begabung erkannt und ihn, wie aus dem 1759 angelegten Notenbuch für die Schwester Maria Anna („Nannerl") hervorgeht, seit dem 4. Lebensjahr im Klavierspiel, seit dem 6. in der Komposition unterrichtet. Ihm war es offenbar eine Verpflichtung, das außergewöhnliche Talent seines Sohnes systematisch, umfassend und ohne Rücksicht auf finanzielle und gesundheitliche Risiken auszubilden. So begab er sich im Sommer 1763 mit seiner Familie für dreieinhalb Jahre auf eine Reise in die bedeutendsten europ. Musikzentren. Daß Leopold seinen Sohn zuerst und vor allem in Paris und London einführte (der endgültige Entschluß zur Reise nach London wurde allerdings erst in Paris gefaßt, ursprünglich war noch an Aufenthalte in Mailand und Venedig gedacht), erweist ihn als einen Kenner des aktuellen Musiklebens. Die überlieferten Dokumente berichten von den ungewöhnlichen Fertigkeiten M.s als Pianist (dem Prima vista-Spiel schwierigster Stücke und dem Spiel auf verdeckter Klaviatur), nicht weniger enthusiastisch aber auch von seinem kompositorischen Können, wobei die perfekte Beherrschung des Tonsatzes und eine stupende Improvisationskunst wohl die größte Bewunderung hervorriefen. Für M.s Bildungsweg bedeutender als diese Zurschaustellung seiner musikalischen Begabung war indes die Begegnung mit den führenden Komponisten der damaligen Zeit, deren Werke Leopold zudem gezielt sammelte (u. a. von Johann Christian Bach und Christian Cannabich), mit einer ihm unbekannten Vielfalt eines auch öffentlichen Konzertwesens und einer das gesamte Kulturleben prägenden kosmopolitischen Haltung. Wie sonst, wenn nicht auf diese Weise, hätte er die Fülle der kompositorischen Stile, die sog. „goûts", kennenlernen und sich befähigen können, über diese „frei" zu verfügen, so wie dies auch als ästhetisches Postulat formuliert worden war?

Bereits im Mai 1764 berichtete Leopold aus London, daß M. im Vortrag wie in der Komposition Fortschritte gemacht habe, die „alle Einbildungskraft" überstiegen. Daß „Gott täglich neue Wunder an diesem Kinde wirket", wird gleichsam zum Topos der Reisebriefe und festigte bis zur Obsession Leopolds Überzeugung, die Jugend der Kinder – Nannerl erregte am Klavier kaum weniger Aufsehen als M. – zur Finanzierung dieser Reisen zu nutzen. Vor allem als „Credit" für Italien ließ er den damals 12jährigen auf Anregung Kaiser Josephs II. eine Oper komponieren („La finta semplice"). Daß Mitglieder des Hoftheaters die Aufführung dieser Oper mit Erfolg hintertrieben, konnte er nur schwer verwinden, sah darin einen Angriff auf seine und M.s „Ehre", ja einen gotteslästerlichen Akt. Während seiner insgesamt drei Italienreisen in der Zeit von Dezember 1769 bis März 1773 vervollständigte M. seine Kenntnisse der ital. Musik und des Gesangs, in den er von dem Kastraten Giovanni Manzuoli in London eingeführt worden war, und schrieb drei Opern für das Teatro Regio Ducale in Mailand, die Drammi per musica „Mitridate re di Ponto" und „Lucio Silla", ferner die Festa teatrale „Ascanio in Alba" aus Anlaß der Hochzeit Erzhzg. Ferdinands mit Maria Beatrix von Este. Bereits in London war Leopold zu der Einsicht gekommen, sein Sohn werde nach der Rückkehr „Hofdienste" verrichten können. In der Salzburger Fürsterzbischöfl. Kapelle, in der Leopold 1763 zum Vizekapellmeister ernannt worden war, erhielt M. 1769 eine unbesoldete Stelle als 3., 1772 eine besoldete Stelle als 2. Konzertmeister. Wohl aus diesem Grund, ermutigt auch durch M.s Erfolge und außergewöhnliche Ehrungen (1770 verlieh ihm Papst Clemens XIV. das Kreuz des Ordens vom Goldenen Sporn, noch im selben Jahr wurde er unter die „magistros compositores" der Accademia Filarmonica in Bologna, 1771 als „maestro di cappella" in die Accademia Filarmonica in Verona aufgenommen), bemühte sich Leopold, ihm eine feste Anstellung in Italien zu verschaffen. Diese Versuche waren indes ebenso vergeblich wie M.s eigene Anstrengungen während seiner Reise von September 1777 bis Januar 1779 nach München, Mannheim und Paris; letztere war nach allgemeiner Auffassung die einzige Stadt, in der man zu Ansehen und Einnahmen kommen konnte.

M. hatte schon frühzeitig ein Gespür für seine Außerordentlichkeit entwickelt und sein „Genie" auch unverhohlen so benannt. Greifbar wird dies etwa in der brieflichen Äußerung gegenüber dem Vater aus Paris, er sei „ein Mensch von superieuren Talent" und müsse im Unterschied zu mittelmäßig Begabten mindestens alle zwei Jahre reisen, so 1778 seine Bedingung für die Rückkehr in die Fürstbischöfl. Kapelle. Es stellt sich mithin die Frage, ob M., wie Johann Adolf Hasse schon Jahre zuvor befürchtet hatte, durch die Vergötterung seines Vaters „verdorben" war oder ob es an seiner Selbstüberschätzung lag bzw., wie Friedrich Melchior v. Grimm 1778 annahm, an menschlicher Unreife und mangelnder Diplomatie, daß es ihm nicht gelang, „einen dienst" zu bekommen oder „geld zu erwerben". Vieles spricht dafür, daß M. an einer Position als Kirchen- oder Kammermusiker in höfischem Dienst nicht ernsthaft interessiert war. Einer solchen beruflichen Orientierung stand vor allem der die Korrespondenz dieser Jahre wie ein Leitmotiv durchziehende Wunsch entgegen, eine Oper zu komponieren. Da M. seine künstlerischen Pläne nicht realisieren konnte (vergeblich hatte er gehofft, von der in den späten 70er Jahren einsetzenden Förderung „teutscher

Opern" an den Hoftheatern in München, Mannheim und Wien zu profitieren), komponierte er in dieser Zeit gleichsam als Ersatz „Konzertarien", darunter die Aloysia Weber „auf den Leib" geschriebenen Werke „Alcandro lo confesso! ... Non so, d'onde viene" (KV 294) und „Popoli di Tessaglia ... Io non chiedo, eterni Dei" (KV 316). M. selbst hatte eine hohe Meinung von diesen Arien, deren melodischem Duktus eine Spannkraft eigen ist, die Aloysia Weber mit ihrer perfekten Beherrschung der Portamento-Technik (des gleitenden Ansingens der Intervallschritte) ohne Zweifel noch erhöhte. Vor allem die Aufenthalte in Mannheim und Paris waren für M. äußerst erträgreich, hatte er doch erneut Gelegenheit, an führenden Institutionen spezifische „goûts" kennenzulernen, die zumindest einige der Werke aus dieser Zeit deutlich prägen. Dies gilt zumal für die Klaviersonate C-Dur (KV 309), deren motivische Faktur und dynamische Kontrastbildungen auf Mannheim und Kapellmeister Cannabich verweisen.

Einen ersten Höhepunkt, gleichsam eine Summe seiner ungewöhnlich breiten musikalischen Bildung, bedeutete das Dramma per musica „Idomeneo". Dieses Werk lehrt nun aber auch, daß die Eigenart von M.s kompositorischem Œuvre mit den Mitteln der von der neueren Musikwissenschaft praktizierten „Einflußphilologie", die an die Stelle der vor allem im 19. Jh. verbreiteten „Genie-Prosa" getreten ist, wohl kaum zufriedenstellend erfaßt werden kann. Dabei ist es gar keine Frage, daß M. aufgrund seiner vielfältigen Erfahrungen wie kaum ein zweiter den wohl im Sommer 1780 an ihn gegangenen Kompositionsauftrag angemessen zu erfüllen vermochte: eine ital. Oper, die entsprechend der in Mannheim und an anderen deutschen Höfen üblichen Tradition mit der Wahl mythologischer Stoffe, der Integration von Chor- und Tanzszenen (Divertissements) sowie der Tendenz zu szenenübergreifender Vertonung eine Orientierung an der Tragédie lyrique suchte. Die aus den Briefen an den Vater hervorgehenden ästhetischen Intentionen, die M. bei der Komposition des Werkes leiteten, berühren indes die Gattungsfrage nur am Rande. Entscheidend für ihn waren Kürze und Natürlichkeit, mithin Kriterien, die einerseits auf die Verdichtung des musikalischen Satzes zielten, andererseits auf eine stärkere Verknüpfung von Komposition und Bühnenereignis, d. h. von Handlungsgeschehen und Disposition der musikalischen „Zeit". Vor allem die auf allen Ebenen des Satzes realisierte kompositorische Verdichtung, als deren Mittel harmonische Überraschungseffekte, die Differenzierung des Klangspektrums etwa durch Abspaltung der Bläser, ferner eine im Sinne des Wortes originelle melodische Erfindung sowie eine ungewohnt reiche instrumentale Begleitung hervortreten, sollte auch weiterhin für M.s Kompositionen bestimmend bleiben und ihnen ein unverwechselbares Gesicht verleihen.

Nach der im Blick auf eine Anstellung mißglückten Mannheim/Paris-Reise hatte M. im Januar 1779 noch einmal eine Stelle in der Fürsterzbischöfl. Kapelle übernommen, und zwar die des Hoforganisten in der Nachfolge Anton Kajetan Adlgassers. Der Münchner „Idomeneo"-Erfolg und erste Eindrücke über eine berufliche Zukunft in Wien, wo er sich als Mitglied der Fürsterzbischöfl. Kapelle auf Weisung Fürsterzbischofs Hieronymus Gf. v. Colloredo-Waldsee seit März 1781 aufhielt, führten jedoch schon bald zu der festen Absicht, sich aus diesem für seine künstlerischen Möglichkeiten als einengend empfundenen Dienst zu befreien. Bereits im Mai reichte er sein Entlassungsgesuch ein. Ausschlaggebend hierfür dürfte weniger die Hoffnung auf eine führende Position in der kaiserlichen Kapelle gewesen sein (hier war alles besetzt), vielmehr die Überzeugung, in Wien, seiner Meinung nach „das Clavierland" schlechthin, ein Auskommen als freischaffender Pianist, Komponist und Klavierlehrer zu finden. Das von M. in den Vordergrund gestellte Argument der schlechten Behandlung durch den Fürsterzbischof dürfte eher der Legitimation vor dem Vater gedient haben, der über M.s Schritt äußerst beunruhigt war.

Zwar hatte M. seine Zukunftsperspektive im Konzertbereich und auch als Lehrer zunächst überschätzt, doch hatte er insgesamt einen guten Start, nicht zuletzt durch den vom Hof erteilten Auftrag, für das 1778 gegründete „Nationalsingspiel" das Bühnenwerk „Die Entführung aus dem Serail" (UA 1782) zu komponieren. Auch hierbei wird deutlich, daß M. von Anfang an danach trachtete, die Möglichkeiten dieser wesentlich von den gesprochenen Dialogen geprägten Gattung zu erweitern, deren musikalische Ereignisse (Arien, Genrechöre und wenige Ensembles) bislang eher „Einlage"-Charakter besaßen. Getreu seiner Devise, daß „untaugliche Musick" das Resultat sei, würde er als Komponist „immer so getreu unsern Regeln" folgen, veranlaßte er den Textdichter Johann Gottlieb Stephanie d. J. zu einer grundlegenden Umarbeitung des Librettos, so daß er seine kompositorischen Vorstellungen vollkommen realisieren konnte: eine wesentlich auch von der Musik getragene Dramaturgie, darüber hinaus die Verknüpfung von Person und musikdramatischem Idiom, wobei er sich auf seine umfassenden Kenntnisse des europ. Musiktheaters zu stützen vermochte. Noch vor der Uraufführung der „Entführung" hatte M. im Dezember 1781 auf Einladung Josephs II. Gelegenheit gehabt, sich bei Hof als Pianist zu präsentieren, und zwar im Wettspiel mit Muzio Clementi. M. erwog in den folgenden Jahren durchaus nicht selten, Wien zu verlassen und eine Zukunft als Pianist und Komponist in Paris oder England zu suchen. Gleichwohl hatte er sich binnen kurzer Zeit in Wien beruflich nicht nur konsolidiert, sondern es zu beträchtlichem Wohlstand gebracht. Grundlegend hierfür waren die Honorare seiner Schüler, Einkünfte aus Subskriptionskonzerten, Akademien im Burgtheater, Konzerten in Adelshäusern sowie aus der Publikation zahlreicher seiner Werke.

Die umfangreichen Konzertverpflichtungen und Aufträge prägten in diesen Jahren ganz entscheidend auch das kompositorische Œuvre. Dies gilt zumal von Februar 1784 bis März 1786. In dieser Zeit, so läßt sich M.s Anfang Februar 1784 angelegtem „Verzeichnüß aller meiner Werke" entnehmen, entstanden 11 Klavierkonzerte, zahlreiche kammermusikalische Kompositionen, darunter das von M. hochgelobte „Quintett für Klavier, Oboe, Klarinette, Horn und Fagott" (KV 452), darüber hinaus verschiedene Werke für Klavier. Anläßlich der Akademie im Burgtheater am 1. 4. 1784 wurden von M. das genannte Quintett, ein Klavierkonzert (KV 450 oder 451) und drei Sinfonien aufgeführt. Besonders die Klavierkonzerte gelten als ein Höhepunkt dieser Schaffensphase. Mit ihrer subtilen Gegenüberstellung und Verknüpfung von Solo- und Orchesterpassagen bezeugen sie zum einen M.s höchst kreativen Umgang mit der erst wenige Jahrzehnte alten Gattung und sind zum anderen Dokumente eines souveränen Ausschöpfens aller zur Verfügung stehenden, zu beispielloser Vielfalt und Dichte der musikalischen Ereignisse führenden kompositorischen Mittel. Hervorzuheben sind hier vor allem die Koppelung harmonischer Effekte mit einer auf differenzierte Klangfarbigkeit zielenden Instrumentation, die Kombination verschiedener Satztechniken – darunter kontrapunktische und andere dem „stile antico" verpflichtete –, eine auf Affektvergegenwärtigung gerichtete Melodik und nicht zuletzt die aus dem Geläufigkeitsspiel hervorgehende Virtuosität des Klavierparts.

Während dieser ersten Wiener Jahre, die durch eine ausgiebige Konzerttätigkeit, zeitraubenden Unterricht und im Blick auf das kompositorische Œuvre eher kammermusikalisch geprägt waren, bewahrte M. ein starkes Interesse für das Musiktheater. Zwar erhielt er unmittelbar nach der „Entführung" keine neuen Opernaufträge, doch versuchte er nach der im April 1783 erfolgten offiziellen Wiedereröffnung der ital. Oper beim Nationaltheater (im März war das Experiment mit dem deutschen Nationalsingspiel endgültig abgebrochen worden), von dem unmittelbar zuvor als Theaterdichter verpflichteten Lorenzo Da Ponte ein „büchel" zu bekommen, und bereitete durch Lektüre zahlreicher älterer Libretti auch selbst ein solches Projekt vor. Wer sich hinter den von M. mehrmals als „meine Feinde" titulierten Personen an der Hofoper verbarg und wie groß ihr Einfluß auf M.s Karriere am Burgtheater tatsächlich war, läßt sich auf der Basis der überlieferten Quellen nicht exakt ermitteln. Nur umrißhaft zeichnet sich ein Dissens zwischen dem Intendanten Fürst Franz Xaver Rosenberg-Orsini, der ebenso wie Hofkapellmeister Antonio Salieri den Textdichter Giambattista Casti unterstützte, auf der einen und Da Ponte und M. auf der anderen Seite ab. M. erfuhr heftige Kritik, als er im Juni 1783 für eine Einstudierung von Pasquale Anfossis Dramma giocoso „Il curioso indiscreto" in die Partitur eingriff und für seine Schwägerin Aloysia Lange und Valentin Adamberger drei Einlagearien komponierte. Fest steht, daß sich Fürst Rosenberg-Orsini gegen M. langfristig nicht durchsetzen und, wenn er dies jemals intendiert haben sollte, auch die Aufführung von „Le nozze di Figaro" (UA 1786), M.s und Da Pontes erster gemeinsamer Oper, nicht verhindern konnte. Daß nach der Uraufführung von Joseph II. der Befehl erlassen wurde, bei einer Aufführung „kein aus mehr als aus einer Singstimme bestehendes Stück" zu wiederholen, um die Vorstellung nicht zu sehr in die Länge zu ziehen, ist ein eindeutiges Indiz für den allgemeinen Erfolg des Werks. Dessen musikalischer „Gedankenreichtum" hatte das Wiener Publikum ebenso frappiert wie die offen artikulierte Gesellschaftskritik, die gegenüber der Textvorlage, Pierre Augustin Caron de Beaumarchais' Komödie „La Folle journée ou Le Mariage de Figaro", kaum zurückgenommen worden war.

Daß M.s Musik reich an Gedanken sei – Joseph Haydn benannte als Eigenart seiner Kunst „geschmack, und über das die größte Compositionswissenschaft" –, entwickelte sich in dieser Zeit gleichsam zum Topos und war offensichtlich mit dafür ausschlaggebend, ihm schon zu Lebzeiten eine Sonderstellung unter den zeitgenössischen Komponisten einzuräumen. Noch bis in die jüngste Zeit wurde die intellektuelle Komponente seines Schaffens indes grundlegend verkannt. Zu stark ließ sich die wissenschaftliche und erst recht die an ein breiteres Publikum gerichtete Musikliteratur von der Künstlerbiographik des 19. Jh. prägen, mithin von der Vorstellung, M.s Musik entspringe einem spontanen, material rasch gefestigten „Phantasiestrom" (Norbert Elias). Diese Sicht wurde biographisch vor allem über die Behauptung vermittelt, M. habe seine Kompositionen in kürzester Zeit erdacht und in einem Zuge fehlerfrei niedergeschrieben. Historiographisch entbehrt diese Darstellung jeglicher Grundlage und erfährt eine Korrektur nicht zuletzt durch die überlieferten Skizzen, deren Auswertung M.s kompositorische Schaffensweise als im Gegenteil abwägend und reflektiert erwies. Und völlig im Einklang mit diesem Forschungsergebnis steht M.s Vorgehen bei der dramaturgischen Konzeption seiner Opern. Zwar läßt sich sein Anteil an den Libretti nicht im Detail bestimmen, doch deuten eine briefliche Äußerung Leopolds über das „Figaro"-Projekt („das wird ihm eben vieles Lauffen und disputirn kosten, bis er das Buch so eingerichtet bekommt, wie er es zu seiner Absicht zu haben wünschet") und vor allem eine je werkspezifische, von den Gattungsmodellen einschneidend abweichende Dramaturgie auf eine konzeptionelle Mitarbeit auch bei den Libretti der Da Ponte-Opern hin.

Schon früh wurden in der M.-Biographik Kunst und Leben dichotomisch aufgespalten, so daß dem Komponisten als metaphysischer Lichtgestalt der Mensch in Metaphern des Versagens und/oder Verkanntseins gegenübertrat: M. sei zumindest in Wien nicht anerkannt worden, sei am Ende seines Lebens wirtschaftlich und zunehmend auch gesundheitlich ruiniert gewesen, bis er, ungeliebt und von aller Welt verlassen, im Armengrab endete. In der neuesten Literatur, zumindest der wissenschaftlicher Methodik verpflichteten (z. B. Andrew Steptoe), werden M.s letzte Lebensjahre weitaus differenzierter gezeichnet bzw. wird dargelegt, daß sich sichere Aussagen etwa über die Vermögensverhältnisse kaum treffen lassen. Fest steht, daß M. seit Juni 1788 von seinem Logenbruder Michael Puchberg regelmäßig Geld lieh (M. war 1784 in die Freimaurerloge „Zur Wolthätigkeit" aufgenommen worden), gleichwohl über Einnahmen verfügte (darunter das Gehalt des k. k. Kammerkomponisten, zu dem er gegen nur geringe Verpflichtungen von Joseph II. im Dezember 1787 ernannt worden war), die einen gehobenen Lebensstandard erlaubten. Fest steht ebenfalls, daß M. seine berufliche Situation als unbefriedigend empfand, sich 1787 erneut mit dem Gedanken trug, nach England zu gehen, um diese Zeit Verdienstmöglichkeiten außerhalb Wiens suchte und fand, bis er sich im Oktober 1790 dazu entschloß, in Wien „fleissig" zu arbeiten und Schüler zu nehmen, es sei denn, so seine Einschränkung, „ein gutes Engagement irgend an einem Hofe" bringe ihn davon ab. Offensichtlich hatte sich in den späten 80er Jahren die berufliche Situation für einen freischaffenden Künstler und damit auch für M. infolge politischer Unruhen, darunter des Türkenkriegs, und wirtschaftlicher Instabilität schwierig gestaltet. Daraus jedoch Schlüsse über M.s Stellung und die Rezeption seiner Werke in Wien ziehen zu wollen, erscheint angesichts der Überlieferung nur vereinzelter Dokumente nicht möglich.

Eindeutig große Anerkennung wurde M. jedenfalls in Prag zuteil. Dort existierte seit 1724 an wechselnden Häusern eine von einem Impresario geleitete öffentliche Bühne für Musiktheater nach ital. Vorbild und mit von Wien unabhängigen Kontakten zu den bedeutenden Opernzentren. Dies führte zu einer überaus raschen Rezeption der neuesten ital. Opern und ihrer Stoffe, unter denen sich die Geschichte Don Juans besonders großer Beliebtheit erfreute. Seit der Eröffnung des Gfl. Nostitzschen Nationaltheaters 1783 waren auch M.s Wiener Opern in Prag aufgeführt worden: bereits 1783 die „Entführung", in der Saison 1786/87 „Le nozze di Figaro". Der außerordentliche Erfolg von „Le nozze" gab den Anlaß zu M.s erster Reise nach Prag im Januar/Februar 1787, anläßlich derer er eine Aufführung selbst dirigierte, eine Akademie mit der Aufführung u. a. der Sinfonie D-Dur (KV 504) gab und den Auftrag für „Don Giovanni" erhielt, dessen Sujet wohl von dem Prager Sänger Domenico Guardasoni, seit 1787 Kodirektor, nach 1789 Impresario des Nostitzschen Theaters, vorgeschlagen worden war. Möglicherweise lag es an diesen für M. so überaus günstigen Voraussetzungen, daß er sich „frei" fühlte und zusammen mit Da Ponte eine Opera buffa schuf, die mit ihrer dramaturgischen Stringenz, der musikalisch-szenischen Disposition der Finali und der idiomatischen Ausdifferenzierung der „caratteri" weit über die Konventionen der Gattung und ihre musikdramatischen Mittel hinauswies.

Die in Wien wirtschaftlich schwierige Zeit (im Sommer 1788 hatte Joseph II. sogar erwogen, die defizitäre ital. Oper vorübergehend zu schließen) spiegelt sich in M.s Vita u. a. darin, daß sich für die im April 1788 zur Publikation vorgesehenen drei Quintette für Streicher (KV 515, 516 und 516 b) nur wenige Subskribenten fanden und er Konzertreisen nach Berlin mit Stationen in Dresden und Leipzig (April bis Juni 1789) sowie nach Frankfurt/Main (September bis November 1790; Aufführung u. a. einer Sinfonie und zweier Klavierkonzerte) unternahm. Doch auch in Wien erhielt M. in diesen Jahren interessante Aufträge, so die Bearbeitung einiger Kompositionen Georg Friedrich Händels (1788 „Acis und Galathea", 1789 „Messias", 1790 „Alexanderfest" und „Ode auf den St. Cäcilientag") für die „Gesellschaft der associirten Cavaliers", eine 1786 von Gottfried van Swieten, Präses der Studien- und Bücherzensur-Hofkommission, gegründete Institution u. a. zur Förderung der Musik Händels. Einen zentralen Stellenwert nimmt in dieser Zeit auch das symphonische Schaffen ein, dessen extreme Spannweite zumindest seit dem Paris-Aufenthalt 1778 (Symphonie D-Dur, KV 297) auf eine kreative Auseinandersetzung mit den vielfältigen Erscheinungsformen dieser vor allem zyklisch noch kaum gefestigten Gattung hindeutet. Ob die im Sommer 1788 in rascher Folge komponierten Sinfonien in Es-Dur (KV 543), g-Moll (KV 550) und C-Dur (KV 551) zu Lebzeiten M.s aufgeführt worden sind, läßt sich anhand der überlieferten Quellen nicht sicher klären. Denkbar ist, daß M. sie für eine im Juni 1788 geplante, jedoch nicht zustande gekommene „Academie im Casino" komponiert hatte. Im Januar 1790 wurde im Burgtheater „Così fan tutte", M.s dritte und letzte Opera buffa auf einen Text Da Pontes, uraufgeführt, welche mit ihrer subtilen musikdramatischen Vergegenwärtigung eines alten „Buffa"-Sujets, der Prüfung von Liebes- und Treueschwur, unter den zeitgenössischen Opern ebenso eine Sonderstellung einnahm wie „Le nozze di Figaro" und „Don Giovanni".

War M. in Wien 1790 kaum an die Öffentlichkeit getreten (die im Frühjahr 1789 bzw. 1790 komponierten Streichquartette D-Dur KV 575 und B-Dur KV 589 führte er privat auf), gestaltete sich seine Lage im letzten Lebensjahr weitaus günstiger. Im März spielte er sein Klavierkonzert in B-Dur (KV 595) im Saal des Ignaz Jahn, im April dirigierte Salieri anläßlich eines Konzerts der Tonkünstler-Societät „eine neue grose Simphonie" von ihm (höchstwahrscheinlich KV 550 in der revidierten Fassung mit zwei Klarinetten), im August wurde im Kärntnertortheater sein „Adagio und Rondo" für Glasharmonika, Flöte, Oboe, Viola und Violoncello (KV 617) aufgeführt. Im Zentrum dieser letzten Schaffensphase M.s standen jedoch seine im September uraufgeführten letzten beiden Opern: die von den böhm. Ständen bei dem Impresario des Prager Nationaltheaters aus Anlaß der Krönung Leopolds II. in Auftrag gegebene Opera seria „La clemenza di Tito" und das Singspiel „Die Zauberflöte" auf einen Text von Emanuel Schikaneder, dem Leiter des Wiener Freihaustheaters auf der Wieden. Diese beiden Werke dokumentieren noch einmal eindrucksvoll die Vielfalt und den Reichtum kompositorischer „Schreibarten", über die M. uneingeschränkt verfügte. Sie waren zum einen Ausweis seines „Genies", seines einzigartigen Talents, zum anderen seiner wesentlich vom Vater geprägten kosmopolitischen musikalischen Bildung, nicht zuletzt aber auch das Ergebnis eines vor allem in Krisenzeiten wohl unfreiwillig geübten Verzichts auf ein Amt mit spezifischen Aufgaben und damit weitgehender Festlegung zumindest der Werkgattungen. Die Phantasie, die M. bei der Disposition der unterschiedlichen musikalischen Idiome zur Vergegenwärtigung der divergierenden Sphären der „Zauberflöte" aufbrachte, war außerordentlich, vor allem ungewöhnlich im Rahmen einer Maschinenkomödie, in deren Kontext das Werk ungeachtet der einzigartigen Vertonung der Gesänge steht. Möglicherweise beruht sein Reiz auf dieser Verknüpfung von Traditionen des sog. Volkstheaters aufgreifenden Elementen mit stilistisch überaus vielfältigen, oft nur im Einzelfall auf bestimmte Gattungen des Musiktheaters (Singspiel, Opera seria, Opern Glucks etc.) beziehbaren Kompositionen. Mit dem auch bühnentechnisch überaus aufwendig realisierten Singspiel spielten Schikaneder und M. zudem auf die in Wien zu dieser Zeit äußerst populäre Freimaurerei an und nahmen auch geschickt Bezug auf die im Juli ebenfalls in Wien erfolgte, als Sensation gefeierte Ballonfahrt François Blanchards.

Daß M.s zum Tod führende Krankheit wenige Monate nach diesem außergewöhnlichen öffentlichen Erfolg mit der Arbeit an einem Requiem zusammenfiel, für das er im Sommer 1791 schriftlich und unter Wahrung der Anonymität des Bestellers (Franz Gf. v. Walsegg-Stuppach) über einen Mittelsmann den Auftrag erhalten hatte und das er als Fragment hinterließ (vollendet wurde es – nach Zwischenstationen – im Februar 1792 von seinem Schüler Franz Xaver Süßmayr), trug zu den zahlreichen Legenden bei, die sich schon bald nach M.s Tod um sein Ableben rankten und in der Behauptung eines unnatürlichen Endes gipfelten. Daß sich diese und andere M.s Biographie wie Werke verdunkelnde, ja entstellende Sichtweisen als so außerordentlich zählebig erwiesen, daß es die Musikphilologen und Werkinterpreten, zumal solche, die sich um eine auch historische Deutung des Œuvres bemühen, noch immer bemerkenswert schwer haben, ihre wissenschaftlichen Einsichten gegenüber Darstellungen in der Art von Wolfgang Hildesheimers „Mozart" oder Peter Shaffers „Amadeus" zu behaupten, zählt zu den erklärungsbedürftigen Phänomenen der modernen Musikgeschichtsschreibung.

W L. Rr. v. Köchel, Chronol.-themat. Verz. sämtl. Tonwerke W. A. M.s, bearb. v. F. Giegling, A. Weinmann u. G. Sievers, [6]1964, Nachdr. [7]1965; Korrekturen u. Erg. v. P. van Reijen, in: Mozart-Jb. 1971–72, S. 340–401. – Edition: W. A. M., Neue Ausg. sämtl. Werke, 105 Bde., 1955–91. – Briefe: M., Briefe u. Aufzeichnungen, Gesamtausg., bearb. v. W. A. Bauer, O. E. Deutsch u. J. H. Eibl, 1962–75; dazu Nachträge v. J. H. Eibl, in: Mozart-Jb. 1976–77, 1978, S. 289–302, u. dass. 1980–83, 1983, S. 318–52. – Dokumente: M., Die Dokumente seines Lebens, bearb. v. O. E. Deutsch, 1961; dass., Addenda u. Corrigenda, bearb. v. J. H. Eibl, 1987; C. Eisen, New M. Documents, A Supplement to O. E. Deutsch's Documentary Biography, 1991.

L ADB 22; O. Jahn, W. A. M., 4 Bde., 1856–59, [2]1867, [3]1889–91 u. [4]1905–07 v. H. Deiters, engl. 1882; A. Einstein, M., Sein Charakter, sein Werk, 1953; H. Abert, W. A. M., Neubearb. u. erw. Ausg. v. O. Jahns M., 2 T., [7]1955–56; G. Croll (Hrsg.), W. A. M., 1977; J. H. Eibl (Hrsg.), W. A. M., Chronik seines Lebens, [2]1977; W. Hildesheimer, M., 1977, [2]1979; P. Shaffer, Amadeus, 1980, dt. 1982; V. Braunbehrens, M. in Wien, 1988; G. Gruber, M. verstehen, Ein Versuch, 1990; K. Küster, M., Eine musikal. Biogr., 1990; N. Elias, M., Zur Soziol. e. Genies, hrsg. v. M. Schröter, 1991; G. Knepler, W. Amadé M., Annäherungen, 1991; H. C. R. Landon, Das M.-Kompendium, Sein Leben – seine Musik, 1991 (darin u. a. d. Btrr. v. A. Steptoe); D. Leonhart, M., Liebe u. Geld, Ein Versuch zu seiner Person, 1991; H. J. Kreutzer, Der Mozart d. Dichter, Über Wechselwirkungen v. Lit. u. Musik im 19. Jh., in: ders., Obertöne, Lit. u. Musik, 1994, S. 103–29. – *Bibliogrr.*: R. Angermüller u. O. Schneider, M.-Bibliogr. (bis 1970), 1976; dass. (1971–75 mit Nachträgen), 1978; dass. (1976–80 mit Nachträgen), 1982; dass. (1981–85 mit Nachträgen), 1987; ders. u. J. Senigl, M.-Bibliogr. (1986–91 mit Nachträgen zur M.-Bibliogr. bis 1985), 1992; MGG mit Suppl.bd.; Riemann mit Erg.bd.; New Grove. – *Zu Carl:* A. Engelmann, Das Leben Carl M.s in Mailand, in: Genealogie 40, 1991, S. 661–66; New Grove.

P Gem. d. Fam. M. v. J. N. della Croce, um 1780 (Mozart-Mus., Salzburg), Abb. in New Grove, S. 697; Silberstiftzeichnung v. Doris (Johanna Dorothea) Stock, 1789 (Musikbibl. d. Stadt Leipzig), Abb. u. a. in MGG.

Sabine Henze-Döhring

Mozer *(Mozser), Alfred,* Politiker, * 15. 3. 1905 München, † 12. 8. 1979 Arnheim. (kath.)

V Franz (1875–1948) aus Tóvaros (Ungarn), Weißgerber; *M* Johanna Wagner (* 1879) aus Mering b. Augsburg, Näherin; ∞ 1) Hersfeld 1930 (∞∞ 1937) Aenne André (* 1904) aus Hersfeld, 2) Rotterdam 1948 Aaltje Ebbinge (* 1915, s. *L*) aus Groningen; 1 *S* aus 1), 1 *S* aus 2).

Nach dem Besuch der Volksschule und einer Lehre in einer Textilfabrik kam M. auf der Wanderschaft 1924 nach Kassel, wo er zunächst in seinem Beruf arbeitete, dann aber als Redakteur beim sozialdemokratischen „Kassler Volksblatt" und für einige Monate auch als Sekretär bei Oberbürgermeister Philipp Scheidemann. 1928 ging er als hauptamtlicher Redakteur zum sozialdemokratischen „Volksboten" nach Ostfriesland. Dort engagierte er sich für die SPD und wurde bei den Kommunalwahlen 1933 in Emden in das Bürgervorsteherkollegium gewählt. Nach der Machtergreifung der Nationalsozialisten politisch verfolgt, emigrierte er noch im selben Jahr in die Niederlande. Dort war M. intensiv in der Flüchtlingsarbeit tätig, hielt Kontakte mit in Deutschland verbliebenen Sozialdemokraten und war u. a. Redakteur eines Wochenblattes für deutsche Emigranten und Sekretär des Vorsitzenden der niederländ. Sozialdemokratie Koos Vorrink. Nach der Besetzung der Niederlande durch deutsche Truppen floh er nach Frankreich, kehrte dann aber illegal in die Niederlande zurück, um sich dem Widerstand anzuschließen. 1945 erhielt M. ehrenhalber die niederländ. Staatsbürgerschaft und arbeitete als Redakteur für die Parteizeitung „Paraat". Nach Jahren der Tätigkeit für die „Partij van de Arbeid", zuletzt als Auslandssekretär, wurde M. 1958 zum Kabinettschef des für Landwirtschaft zuständigen Vizepräsidenten der Kommission der neugegründeten Europäischen Wirtschafts-Gemeinschaft Sicco Mansholt nach Brüssel berufen, wo er bis zu seiner Pensionierung 1970 blieb.

In der Zeit nach 1945 liegt M.s eigentliche Lebensleistung: das Engagement in der Europapolitik. Schon bald nach dem Ende des Krieges wurde er mit einigen anderen Emissären von der niederländ. Regierung ins besetzte Deutschland geschickt, um dort in Gesprächen mit Kurt Schumacher, Konrad Adenauer, Karl Barth und Kardinal Frings die Stimmungslage in bezug auf die Europaidee zu ermitteln. Als Mitglied der „Europeesche Actie", einer bereits vor der Befreiung in den Niederlanden gegründeten Organisation zur Förderung der europ. Einigung, fuhr M. 1946 zum ersten großen Treffen europ. Föderalisten nach Hertenstein, wo er maßgeblich an der Formulierung des „Hertensteiner Programms", des Grundmanifests der europ.-föderalistischen Verbände mitwirkte. In der wenige Wochen später gegründeten „Union Européenne des Fédéralistes" Mitglied des Vorstands, beteiligte er sich an der Organisation des 1948 in Den Haag stattfindenden Kongresses der Europäischen Bewegung, wo die deutsche Delegation mit Adenauer und Walter Hallstein erstmals als vollwertiges Mitglied erschien. Höhepunkt von M.s politischem Wirken war seine zwölfjährige Amtszeit als Kabinettschef des Vizepräsidenten der EWG-Kommission Sicco Mansholt. In unzähligen Vorträgen, Reden, Gesprächen und Artikeln warb er für die Idee „Europa" und kritisierte den seiner Ansicht nach zu langsamen Prozeß der europ. Einigung. Nach seiner Pensionierung setzte M. seine europapolitischen Aktivitäten, die auch einen engeren Zusammenschluß der sozialistischen Parteien Europas umfaßten, fort. Sein besonderes Augenmerk galt in jenen Jahren der praktischen grenzübergreifenden Zusammenarbeit, die er als Vorsitzender der nach ihm benannten „Euregio-Mozer-Kommission" zu fördern suchte. Noch kurz vor seinem Tode engagierte er sich für die erste Direktwahl zum Europäischen Parlament. – Gr. Bundesverdienstkreuz; Ehrenmitgl. d. Europese Beweging in Nederland.

W u. a. Europa 1970, Pol. u. gesellschaftspol. Folgen d. wirtsch. Integration, 1967 (mit H. Kuby u. a.); Landwirtsch. im Umbruch, 1970.

L L. A. V. Metzemaekers, A. M., 1970; W. Lipgens, Die Anfänge d. europ. Einigungspol. 1945–50, 1. T., 1977; A. Mozer-Ebbinge u. R. Cohen (Hrsg.), A. M., Portrait e. Europäers, 1981 *(P)*; W. Vahlenkamp, Zur Erinnerung an A. M., in: Ostfriesland 1986, H. 1, S. 27–29; Documents on the History of European Integration, III, hrsg. v. W. Lipgens u. W. Loth, 1988, S. 367, Anm. 1; F. Wielenga, A. M., Europeaan en democrat, in: Het twaalfde jaarboek voor het democratisch socialisme, 1991, S. 135–64; D. v. Reeken, Ostfriesland zw. Weimar u. Bonn, 1991; ders., in: Biogr. Lex. f. Ostfriesland I, hrsg. v. Martin Tielke, 1993; BHdE I; BWN IV.

Dietmar v. Reeken

Mras, *Karl,* klassischer Philologe, * 6. 6. 1877 Wien, † 7. 7. 1962 ebenda. (kath.)

V Johann (1842–1903) aus Poppitz (Mähren), städt. Oberlehrer in W.; *M* Emilia Jaich (1842–1921) aus W., deren Vorfahren Hofgürtler in W. waren; ⚭ 1902 Adelheid Judex (1875–1961) aus Neumühlen (Österreich), zu deren Vorfahren u. a. Siegfried Gotthelf Koch (eigtl. Eckardt) (1754–1831), Hofschausp. (s. NDB XII; *W*) zählt; – kinderlos.

Nach der Reifeprüfung studierte M. 1896–1901 an der Wiener Universität klassische Philologie, daneben auch Archäologie sowie Sanskrit und Vergleichende Sprachwissenschaft. In seinem Hauptfach waren Friedrich Marx, Karl Schenkl, Edmund Hauler und Hans v. Arnim seine Lehrer. 1901 promovierte er zum Dr. phil., 1902 legte er die Lehramtsprüfung für Mittelschulen in Latein und Griechisch ab. Als Gymnasiallehrer war er 1902–06 in Znaim, 1906–21 in Wien tätig. 1904/05 konnte er mit Hilfe eines Stipendiums der Kommission für den Betrieb archäologischer und philologischer Studien im Ausland die antiken Stätten Italiens, Griechenlands und Kleinasiens besuchen und nutzte den Italien-Aufenthalt auch zur Kollation von Handschriften der Kirchenväter und des Lukian. Zusätzlich beschäftigte er sich intensiv mit den romanischen Sprachen und mit dem Spät- und Vulgärlatein. 1912 habilitierte sich M. für klassische Philologie an der Wiener Universität und wirkte dort seit dem Wintersemester 1912/13 als Privatdozent, seit 1920 als ao. Prof. Zum Sommersemester 1921 wurde er als Extraordinarius an die Univ. Graz berufen. 1925–34 unternahm er mehrere Bibliotheksreisen nach Italien, Frankreich und Spanien, 1928 besuchte er Algier und Tunis. 1933 folgte er dem Ruf auf einen ordentlichen Lehrstuhl seines Faches in Wien. 1938 wurde er wegen seiner offen bekundeten Abneigung gegen den Nationalsozialismus in den Ruhestand versetzt. 1945 nahm er seine Tätigkeit an der Wiener Universität wieder auf und wirkte dort bis zur Emeritierung 1952/53. Seit 1947 war M. Hauptherausgeber der Wiener Studien.

M. war ein Gelehrter, der die klassische Philologie in ihrer ganzen Breite beherrschte. Historische, kultur- und religionsgeschichtliche Problemstellungen waren ihm ebenso vertraut wie Sprachwissenschaft, Grammatik und Metrik. In der Nachfolge seiner Lehrer Marx und Hauler standen für M. jedoch Textkritik und Editionstätigkeit im Vordergrund. Den Arbeitsschwerpunkt bildete dabei die griech. und latein. Literatur der nachklassischen Epoche.

M.s Hauptleistung war die Herausgabe der Praeparatio Evangelica des Eusebius in dem von der Deutschen Akademie der Wissenschaften herausgegebenen Corpus „Die griech. Schriftsteller der ersten Jahrhunderte" (1954–56). M. sichtete dafür das umfangreiche, auf seinen Bibliotheksreisen zusammengetragene Handschriftenmaterial. Für das „Corpus scriptorum ecclesiasticorum Latinorum" übernahm er noch in hohem Alter die Fertigstellung des von Vincenzo Ussani bearbeiteten Bandes der Historiae des Hegesippus (CSEL 66/2, 1960). Durch Hinzufügen der grundlegenden Praefatio und ausführlicher Indices führte er den Band der lange erwarteten Veröffentlichung zu. Seit der Herausgabe von „Der Traum oder Lucians Lebensgang und Ikaromenipp" (1904) galt M.s Interesse kontinuierlich auch dem Satiriker Lukian. Die Habilitationsschrift befaßte sich mit der „Überlieferung Lucians" (SB d. Wiener Ak. d. Wiss., Phil.-hist. Kl. 167/7, 1911). Weitere Publikationen in dieser Richtung sind die „Dialogi meretricii" (1930) und die zweisprachige Ausgabe von Lukians Hauptschriften in der Tusculum-Bücherei (1954). M.s bedeutendster Beitrag zur Latinistik war die Untersuchung zum Kommentar des Macrobius zu Ciceros Somnium Scipionis (SB d. Preuß. Ak. d. Wiss., Phil.-hist. Kl. 1933, H. 6, S. 232–86). – Mitgl. d. Österr. Ak. d. Wiss. (1946 korr., 1947 wirkl.); korr. Mitgl. d. Dt. Ak. d. Wiss. (1956).

Weitere W u. a. Eine neuentdeckte Sibyllen-Theosophie, in: Wiener Stud. 28, 1906, S. 43–83; Platos Phaedrus u. d. Rhetorik, ebd. 36, 1914, S. 295–319, 37, 1915, S. 88–117; Die Personennamen in Lucians Hetärengesprächen, ebd. 38, 1916, S. 308–42; Sprachl. u. textkrit. Bemerkungen z. spätlat. Übers. d. Hippokrat. Schrift v. d. Siebenzahl, ebd. 41, 1919, S. 61–74, 181–92; Assibilierung u. Palatalisierung im späteren Latein, ebd., 63, 1948, S. 86–102; Lukian u. d. neue Komödie, in: Wiener Eranos 1909, S. 77–88; Varros menippeische Satiren u. d. Philos., in: Neue Jbb. f. d. klass. Altertum 33, 1914, S. 390–420; Apollodoros v. Karystos als Neuerer, in: Anz. d. Österr. Ak. d. Wiss., Phil.-hist. Kl. 85, 1948, S. 184–203; Apuleius' Florida im Rahmen ähnlicher Lit., ebd., 86, 1949, 205–23; Das Stammbuch d. Hofschausp. S. G. Eckardt, gen. Koch (1754–1831), ebd. 96, 1959, S. 115–26; Vergils Culex, in: Das Altertum 7, 1961, S. 207–13.

L W. Kraus, in: Anz. f. d. Altertumswiss. 5, 1952, S. 66; FS f. K. M., Wiener Stud. 70, 1957 *(W-Verz.);* R. Meister, K. M. z. 85. Geb.tag, in: FF 36, 1962, S. 189 f.; ders., in: Alm. d. Österr. Ak. d. Wiss. 112, 1962, S. 356–67 *(W-Verz., P);* E. Sachers, Prof. Dr. K. M. †, in: Zs. f. Altertumswiss. 15, 1962, S. 127;

O. Eißfeldt, in: Jb. d. Dt. Ak. d. Wiss. zu Berlin 1963, S. 210 f.; R. Hanslik, in: Gnomon 35, 1963, S. 107–10; Wi. 1922–35; Teichl; Kürschner, Gel.-Kal. 1925–66.

Wolfhart Unte

Mrongovius, *Christoph Coelestin* (auch: *Krzysztof Celestyn Mrongowiusz*), Polonist, Lexikograph, * 19. 7. 1764 Hohenstein (Ostpreußen), † 3. 6. 1855 Danzig. (ev.)

V Bartholomäus, Pfarrer in Marwalde, Rektor in H.; *M* Julianna Esther Weber († 1804) aus Rastenburg; ∞ Luise Wilhelmine (* 1761) aus Rudau (Kr. Fischhausen, Ostpreußen), *T* d. Pfarrers N. N. Parmann; *E* Gustav AmEnde, Stadt- u. Kreisrichter.

Seit 1782 studierte M. in Königsberg, wo er auch Vorlesungen von Kant hörte, Theologie und Philologie; seit 1790 war er Gymnasiallehrer für Polnisch und Griechisch in Königsberg, 1797 wechselte er als Sprachlehrer und polnischsprachiger Prediger an die St. Annen-Kirche nach Danzig, wo er 1798 zum Pastor berufen wurde. Neben seinen seelsorgerischen Aufgaben verfaßte er hier auch zahlreiche poln. Schriften für den ev. Gottesdienst. M., der von Jugend an mit der in Masuren gesprochenen poln. Sprache vertraut war, verfaßte 1794 sein mehrfach aufgelegtes „Polnisches Lesebuch, Lexicon und Sprachlehre", das primär auf der Lektüre als Grundlage zur Erschließung von Wortschatz und Grammatik aufbaute. Aufgrund seines hierdurch begründeten Rufs als Sprachforscher erhielt M. durch den russ. Kanzler und Außenminister Gf. Nikolái Petrówitsch Rumjánzew ein Stipendium von 200 Rubeln, um die kaschubischen Sprachreste in Westpreußen aufzuzeichnen. Durch die Darstellung von Dialektismen und Synonymen des Polnischen und des Kaschubischen brachten seine deutsch-poln. und poln.-deutschen Wörterbücher (1822 bzw. 1835), die ebenfalls mehrere Auflagen erfuhren, einen maßgeblichen lexikographischen Fortschritt. M.s reichhaltige und wertvolle Bibliothek, die er im Zuge seiner Sprachstudien aufgebaut hatte, wurde 1864 von seinem Enkel der Danziger Stadtbibliothek übereignet. – Mitgl. d. Kgl. Ges. d. Freunde d. Wiss. u. d. Ges. f. pomm. Gesch. u. Altertumskde.

W u. a. Kurzgefaßte poln. Sprachlehre f. Deutsche, 1794; Poln. Sprachlehre f. Deutsche, 1805; Słowo Xenofonta o wyprawie woienney Cyrusa, 1831; Ausführl. Grammatik d. poln. Sprache, 1837.

L W. Recke, in: Mitt. d. Westpreuß. Gesch.ver. 21, 1922, S. 50–52; K. C. M. 1764–1855, 1933 *(P;*

W-Verz.); J. Zeller, in: Slawistik in Dtld. v. d. Anfängen bis 1945, 1993, S. 274; Altpreuß. Biogr. II; Polski Słownik Biograficzny.

Gerhart Schröter, Ernst Eichler

Much.

1) *Matthäus* (Mathias) J., Heimat- und Vorgeschichtsforscher, * 18. 10. 1832 Göpfritz/Wild (Niederösterreich), † 17. 12. 1909 Wien. (kath.)

V Franz (1795–1859), Oberamtmann in Petschau (Böhmen), *S* d. Sebastian (1746–1843), Lehrer in Gösing am Wagram, u. d. Theresia Zeiner (1771–1858) aus Altpölla (Niederösterreich); *M* Franziska (1800–90), *T* d. Leopold Fidler (* 1766), Bäckermeister in Geras (Niederösterreich), u. d. Magdalena Maurer (* 1773); ∞ Wien 1860 Marie (1837–1919), *natürl. T* d. Anton Kiendl (1816–71) aus Mittenwald (Bayern), Geigenbauer u. Zitherfabr. in W. (s. ÖBL), u. d. Maria Hornsteiner (* 1812) aus Mittenwald; 1 *S* Rudolf (s. 2), 2 *T* (1 früh †).

Nach der Matura 1851 am Theresianum studierte M. in Wien Jus, wobei sich seine Interessen gleichzeitig auch auf die Altgermanistik und die Naturwissenschaften richteten. Unter anderem hörte er Vorlesungen von Friedrich Simony, der 1850 über Funde aus Hallstatt publiziert hatte. Zunächst ging M. als Finanzbeamter nach Temesvár, 1858 promovierte er in Graz zum Doktor der Rechte und übernahm nach seiner Eheschließung die Leitung der Zitherfabrik seines Schwiegervaters in Wien. Die Sammelleidenschaft des seither finanziell unabhängigen M. führte in den 70er Jahren zu umfangreichen Grabungen. So entdeckte er 1874 am Mondsee, wo er ein Haus besaß, eine Pfahlbausiedlung und ließ diese freilegen. Er öffnete hallstättische Tumuli und führte Testschnitte in zahlreichen Wehranlagen Niederösterreichs durch. 1877 wandte er sich dem alpinen Kupferbergbau zu und publizierte die von Johann Rudolf Pirchl entdeckten Funde vom Mitterberg. In Kommission verkaufte M. für den dän. Altertumshändler Henriquez prähistorische Funde. 1877 wurde M. aufgrund seiner umfangreichen Grabungsaktivitäten zum Mitglied der k. k. Zentralkommission zur Erforschung und Erhaltung der Kunst- und der historischen Denkmale ernannt, wo er in der Sektion für prähistorische Funde und antike Kunst sowie im Komitee für Denkmalschutzgesetzgebung wirkte. Seine Hauptverdienste liegen in der Feldforschung. Dagegen erschienen viele seiner Interpretationen, besonders der Tumuli und Wehranlagen, bereits seinen Zeitgenossen germanophil. M. führte den Terminus „Kupferzeit" in Österreich ein. Einige seiner Ideen waren richtungweisend: die Gründung eines niederösterr. Landesmuseums, der gesetzliche Schutz für Bodendenkmale und die Information über diese sowie über Prähistorie bereits in den Schulen. Durch seine Paläolithforschungen sowie die sorgsame Aufbewahrung auch von organischen Fundresten wird sein Interesse für die Umwelt des prähistorischen Menschen deutlich. Sein Vorschlag eines „Staatl. Untersuchungsamtes in physikalisch-chemischer Richtung" (1892) zur Analyse von Bodenfunden blieb unerfüllt. Von bleibendem Wert ist seine Sammlung; sie bildet seit 1912 den Grundstock der Studiensammlung des heutigen Instituts für Ur- und Frühgeschichte der Univ. Wien. Galt er lange als „Nestor der Urgeschichte Österreichs", wird M. heute eher nüchterner betrachtet: Er war Autodidakt und fand – persönlich wie in seinen Theorien – kaum Aufnahme in akademische Kreise. Doch dank seines immensen Fleißes entdeckte er zahlreiche prähistorische Fundstätten und beschrieb viele von diesen erstmals. – Ausschußmitgl. d. Anthropolog. Ges. in Wien (1871, 1876–82 Sekr., 1903–09 Vizepräs.), Ehrenmitgl. d. Ges. f. Salzburger Landeskde. (1881), d. Ver. f. Landeskde. in Niederösterreich (1908) u. d. Altertums-Ver. in Wien (1902–08 Vizepräs.); Reg.rat (1895).

W u. a. Die Frauen in d. Urgesch., 1883; Die Kupferzeit in Europa, 1886, ²1893; Slg. v. Abb. vorgeschichtl. (...) Funde, in: Kunsthist. Atlas, 1889; Tafel: Vor- u. frühgeschichtl. Denkmäler aus Österreich u. Ungarn (Aquarelle v. L. H. Fischer), 1894; Die Heimat d. Indogermanen im Lichte d. urgeschichtl. Forschung, ²1904; Die Trugspiegelung oriental. Kultur in d. vorgeschichtl. Za. Nord- u. Mitteleuropas, 1907. – *Aufsätze in:* Mitt. d. Anthropolog. Ges. in Wien I, 1871, S. 131–39, 159–67, II, 1872, S. 322–24, V, 1875, S. 37–93, XI, 1882, S. 18–54; Mitt. d. Central-Commission z. Erforschung (...) hist. Denkmale, NF IV, 1878, S. CXLVI–CLII, V, 1879, S. XVIII–XXXVI, IX, 1883, S. CLV–CLVIII, 23, 1897, S. 179–82; Helferts österr. Jb. VIII, 1884, S. 40–112; Gesch. d. Stadt Wien, I, 1897, S. 27–36.

L A. Mayer, in: Monatsbll. d. Ver. f. Landeskde. Niederösterreichs V, 1910/11, S. 8–10; H. Schmidt, in: Prähist. Zs. I, 1909, S. 430–32 *(W, P)*; J. Szombathy, in: Mitt. d. Anthropolog. Ges. in Wien 40, 1910, S. 48–50; H. Widmann, in: Mitt. d. Ges. f. Salzburger Landeskde. 50, 1910, S. 77–79; O. Menghin, Die Neuaufstellung d. Slg. Much, in: Urania VI, 1913, S. 601–04; R. Pittioni, Bibliogr. z. Urgesch. Österreichs, 1931 *(W-Verz.)*; L. Franz, in: NÖB 13, 1959, S. 64–69 *(P)*; F. Felgenhauer, Gesch. d. prähist.-archäol. Erforschung v. Stillfried, in: Forschungen in Stillfried I, 1974, S. 7–20; Wi. 1905–09; BJ 14, Tl.; ÖBL.

Otto H. Urban

2) *Rudolf,* Germanist, Philologe, * 7. 10. 1862 Wien, † 8. 3. 1936 ebenda. (kath., seit 1893 ev.)

V Matthäus (s. 1); M Marie Kiendl; ∞ 1) Salzburg 1893 (o/o 1903) Agnes (* 1872, ev.), T d. Carl Gagstatter, Privatier in Salzburg, u. d. Agnes Skaupi, 2) Stralsund 1905 Elisabeth (1881–1926), T d. Gustav Schmidt (* 1842), preuß. Postdir. in Stralsund, u. d. Margarete Bergemann (* 1835) aus Stettin, 3) Wien 1927 Cornelie (1880–1963), Turnpädagogin, Gymnasialdir., T d. Friedrich Otto Benndorf (1838–1907), Archäologe (s. NDB II; ÖBL); 3 S, 2 T, u. a. Wolf Isebrand (1908–43, ✕), Dr. phil., Germanist, Mitarbeiter am Bayr.-österr. Wörterbuch d. Österr. Ak. d. Wiss., Horand (1914–43), Dr. med., aus pol. Gründen in Berlin hingerichtet; Ur-E Michael Torsten (* 1955), Dr. phil., Indologe u. Tibetologe in Wien.

M. belegte an der Univ. Wien zuerst klassische Philologie und deutsche Philologie; Richard Heinzel lenkte seine Aufmerksamkeit auf die nordische Philologie. Bei diesem promovierte er 1887 mit der Dissertation „Zur Vorgeschichte Deutschlands". Es folgten ein längerer Studienaufenthalt in Dänemark (1888) und mehrere Reisen nach Schweden, Norwegen, Großbritannien und Irland (1904). Neben Heinzel hatte M. auch beim Geographiehistoriker W. Tomaschek studiert, dessen Interesse für die Heimat der german. Stämme er teilte, was sich auch in seiner Habilitationsschrift „Deutsche Stammsitze" (1893; Venia für „German. Sprachgeschichte und Altertumskunde") niederschlug (1901 Titel eines ao. Prof., 1904 ao. Prof.). 1906 erhielt er den Lehrstuhl für Germanische Altertumskunde und Sprachgeschichte an der Univ. Wien, welchen er bis zu seiner Emeritierung 1932 innehatte.

Schon während des Studiums zeigte M. Interesse an den großdeutschen Bestrebungen Georg v. Schönerers, Rufe an das Museum für Völkerkunde in Berlin und an die Univ. Berlin lehnte er allerdings ab. Die Volkskunde beschäftigte ihn Zeit seines Lebens. M.s deutschnationale Sympathien lassen sich an Hand von Senatsprotokollen und Dokumenten aus den Jahren 1928/29 belegen, als er nicht nur für die Abhaltung der sog. Reichsgründungsfeier eintrat, sondern auch den Ehrenschutz für den „3. Vaterländischen Festabend" übernahm. Schon in den 20er Jahren war M. Mitglied der seit 1919 bestehenden geheimbundartigen „Deutschen Gemeinschaft", welche neben deutschnationalen allerdings auch kath. Kreise erfaßte (Arthur Seyss-Inquart, Kardinal Friedrich Piffl); aus M.s Schule kamen die illegalen Nationalsozialisten Siegfried Gutenbrunner und Walter Steinhauser. M., der 1932 emeritiert wurde und nur noch ein weiteres Semester unterrichtete, entging dadurch allerdings den bald ausbrechenden innerunivesitären Kämpfen zwischen dem christlich-vaterländischen und dem national-großdeutschen Lager. Bezeichnend für M.s Haltung ist allerdings sein Widerstand gegen die Berufung von Josef Nadler 1931, den er nicht nur wegen seiner kath. Ausrichtung, sondern auch wegen mangelnder kritischer Wissenschaftlichkeit bekämpfte. Die wissenschaftliche Wertung hatte bei M. Vorrang gegenüber der politischen, wobei er auch auf die vielfältigen unwissenschaftlichen Schriften zu Germanentum und german. Mythologie ein wachsames Auge hatte. Als Beispiele dafür können seine Rezensionen gelten, die bei aller Höflichkeit oft vernichtende Urteile über die Wissenschaftlichkeit von Werken zur Geschichte der Germanen abgeben.

M.s eigene Arbeiten betreffen im wesentlichen die Gebiete german. Religionsgeschichte und Mythologie, german. Stammesgeschichte, Sprachgeschichte, Volkskunde und Rechtsgeschichte, und er kann wohl mit Recht als Begründer der german. Altertumskunde im heutigen Sinn gesehen werden. Er bezog immer auch die skandinav. Quellen mit ein, denen er eine ganze Reihe von Spezialabhandlungen widmete, wenn auch nie wie sein Lehrer Heinzel die nordische Literatur als solche betrachtete. Für M. war sie immer eine Quelle der Sagen- oder Religionsgeschichte, der literarhistorische Aspekt interessierte ihn weniger, ebenso wie in der älteren deutschen Literatur, wo er kaum Forschungen vorlegte, und wenn, dann ebenfalls nur als Quelle für historische Geographie, Mythologie oder Sprachgeschichte. In der Sprachgeschichte vertiefte sich M. vor allem in die german. Völkernamen oder aber in den Grenzbereich zwischen Sprachwissenschaft und Religionsgeschichte sowie in die Namenkunde allgemein, wobei er sich schon bald der kulturkundlich orientierten Richtung der Etymologie anschloß, die sich programmatisch mit „Wörtern und Sachen" befaßte. M. war auch Mitherausgeber der Zeitschrift „Wörter und Sachen". Neben der anfänglichen Faszination durch die Archäologie, die sich später nur selten in Publikationen niederschlug, galt seine eigentliche Liebe der german. Stammeskunde. M.s Hauptwerk jedoch, das bis heute Gültigkeit behalten hat und als Summe seiner Forschungen, die sich auch in über 260 Artikeln zu J. Hoops' „Reallexikon der Germanischen Altertumskunde" (1911–19) findet, gelten kann, ist sein – erst

1937 postum erschienener – Kommentar zur „Germania" des Tacitus (³1967). – Mitgl. d. Ak. d. Wiss. in Wien (korr. 1907, wirkl. 1912), München (1928), Uppsala; Ehrenpräs. d. Wiener Anthropolog. Ges.; Obmann d. Prähist. Komm., Obmann-Stellvertreter d. Komm. f. d. Bayer.-österr. Wb. d. Österr. Ak. d. Wiss. (1911).

W u. a. Zu skandinav. Qu.: Eddica, in: ZDA 37, 1893; Der Sagenstoff d. Grimnismál, in: ZDA 46, 1902; Zur Rigsthula, in: Prager Dt. Stud. 8, 1908; Helgakvi.a Hj.rvar.ssonar 8, in: ZDA 66, 1929. – *Sagen- u. Rel.gesch.:* Orendel, in: Wörter u. Sachen 4, 1912; Rüdiger v. Pechlarn, in: Alm. d. Kaiserl. Ak. d. Wiss., 1913; Der german. Himmelsgott, 1898. – *Sprachgesch.:* Der Name Sveben, in: ZDA 32, 1888; Der Name der Semnonen, ebd. 36, 1892; Zur Ligurerfrage, in: Mitt. d. Anthropolog. Ges. Wien 34, 1904; Die Venetorfrage, ebd. 43, 1913; Der Name Germanen, in: SB d. Ak. d. Wiss. in Wien 195, 2, 1920; Baiwarii, in: Neues Archiv d. Ges. f. ältere dt. Gesch.kde. 46, 1926; Der Volksname Wikinger, in: Petermanns Geogr. Mitt. 7/8, 1928; Die Eruler, in: Dt.-nord. Zs., Festnr. 1929; German. Matronennamen, in: ZDA 35, 1891; Harimalla-Harimella, in: ZDA 63, 1926; Baudihillia u. Friagabis, in: FS f. M. H. Jellinek, 1928. – *Wörter u. Sachen:* Das Zeitverhältnis sprachgeschichtl. u. urgeschichtl. Erscheinungen, in: Corr.-Bl. d. Dt. Anthropolog. Ges. 11/12, 1904; Etter, Gatter, Gitter, in: Zs. d. Allg. Dt. Sprachver. 21, 1906; Holz u. Mensch, in: Wörter u. Sachen 1, 1909; Maikäfer, Maiblume u. Löwenzahn, in: Mhh. f. dt. Erziehung 5, 1927. – *Zur Archäologie:* Über d. Anfertigung d. Steingeräte, in: Mitt. d. Anthropolog. Ges. Wien 12, 1882; Steingeräte aus d. Býčiskála-Höhle in Mähren, ebd. 15, 1885; Konnten d. Germanen Erdwälle bauen? in: Wiener Prähist. Zs. 12, 1925; Waren unsere Pfahlbauten Wassersiedlungen? in: FF 3, 1927. – *Stammeskde.:* Dt. Stammessitze, in: PBB 17, 1892; Dt. Stammeskde., 1900, ³1920.

L D. v. Kralik u. A. Pfalz, Verz. d. Schrr. v. R. M., Als Festgabe an seinem 70. Geb.tag, dargebracht v. Freunden, Kollegen u. Schülern, 1932; D. v. Kralik, in: Univ. in Wien, Ber. üb. d. Studienj. 1935/36, S. 32–35; ders., in: Ak. d. Wiss. in Wien, Alm. f. d. J. 1936, S. 285–318; C. v. Kraus, in: Jb. d. Bayer. Ak. d. Wiss., 1935/36, S. 34–38; O. Höfler, in: Wörter u. Sachen 18, 1937 (Neudr. 1975), S. VII–XV; ders., in: Arkiv für Nordisk Filologi 53, 1937, S. 296–98; L. Schmidt, Gesch. d. österr. Volkskde., 1951, S. 137; L. Franz, in: NÖB XIII, 1959, S. 64–69 *(L, P)*; F. Kadrnoska (Hrsg.), Aufbruch u. Untergang, Österr. Kultur zw. 1918 u. 1938, 1981, S. 183–88; ÖBL; Kosch, Lit.-Lex³.

P Denkmal v. F. Pixina, 1952 (Univ.arkaden, Wien); Zeichnung v. H. Schweiger 1933, Abb. in: Ak. d. Wiss. in Wien, Alm. f. d. J. 1936.

Rudolf Simek

Much, *Hans,* Arzt, Immunologe und Schriftsteller, * 24. 3. 1880 Zechlin Kr. Neuruppin, † 28. 11. 1932 Hamburg. (ev.)

V Karl (1847–1925), Pfarrer in Zossen Kr. Teltow, 1879 in Z., 1882 in Löwenberg, *S* d. Christian, Landwirt in Großwoltersdorf, u. d. Caroline Ullrich; *M* Martha Lindner (um 1855–83) aus Riedebeck Kr. Luckau; ∞ 1912 Marie (1884–1969), *T* d. Hermann Lenhartz (1854–1910), Prof. d. Med., 1901–10 Dir. d. Allg. Krankenhauses Eppendorf in H. (s. Wi. 1908; *L*), u. d. Johanna Wagner; 1 *T.*

Nach Gymnasialzeit und Abitur (1898) in Neustrelitz studierte M. in Marburg, Kiel, Berlin und Würzburg Medizin. Auf Approbation und Promotion (1903) folgte eine Anstellung als Assistent (bis 1905), danach als Abteilungsvorsteher (bis 1907) bei Emil v. Behring am Hygienischen Institut in Marburg. Sein vorrangiges Interesse galt fortan der Immunität, speziell der Tuberkuloseimmunität. In die Zeit bei Behring fällt die Entdeckung der sog. „Muchschen Granula" (gelegentlich in tuberkulösem Untersuchungsmaterial auftretende, durch modifizierte Gramfärbung positiv darstellbare Körnchen von noch vor unklarer Herkunft). Im Herbst 1907 holte Hermann Lenhartz M. ans Eppendorfer Krankenhaus in Hamburg und übertrug ihm die Leitung der neugegründeten Abteilung für Serologie und experimentelle Therapie. 1913 wurde ihm dort auch die Leitung des neuen Tuberkulose-Forschungsinstituts übertragen. 1913/14 unternahm er zwei Reisen nach Jerusalem zur Erforschung und Bekämpfung der Tuberkulose. Den 1. Weltkrieg verbrachte M. großenteils als Korpshygieniker in Osteuropa (Ukraine, Galizien). Mit der Gründung der Hamburgischen Univ. (1919) wurde ihm eine ao. Professur für Serologie übertragen. In den 20er Jahren führten ihn Vortragsreisen nach Palermo, Konstantinopel, Budapest, Zagreb, Madrid, Barcelona, Genua, Paris, Uppsala und Stockholm. Auf dem Gebiet der Tuberkuloseforschung widmete sich M. vor allem der „Aufschließung" (Zerlegung) des Tuberkelbazillus (Lipoidforschung, Partigenlehre). Er stellte die Bedeutung der unspezifischen Immunität weit über die der spezifischen Abwehrkräfte des Menschen. Von diesem Standpunkt aus entwickelte er das unabgestimmte Reizmittel Omnadin, dessen Wirkung umstritten blieb.

Neben zahlreichen fachmedizinischen, vor allem immunologischen und mikrobiologischen Veröffentlichungen schrieb M. eine Reihe medizintheoretischer Abhandlungen über Grundfragen seiner Disziplin und publizierte ferner eine große Zahl von Büchern, Aufsätzen, historischen Romanen, Erzählungen, Gedichten, Reisebriefen und -beschreibungen, in denen er sich mit philosophischen, religiösen und kulturhistorischen Fragen auseinandersetzte. Dabei widmete er sich insbesondere dem Buddhismus und der norddeutschen Gotik. Außerdem nahm er sich der Pflege der niederdeutschen Mundart an und veröffentlichte auch einige plattdeutsche Gedichtbände und Aufsätze. M. war ein äußerst kreativer Forscher und ein vielseitiger, ungewöhnlich produktiver Schriftsteller, der gleichermaßen stürmisch verehrt und vehement bekämpft wurde. Unentwegt mit der Schulmedizin im Konflikt, oftmals auch zweifelhafte Positionen vertretend, leidenschaftlich und keinen Widerspruch duldend, war M. eine streitbare und umstrittene Persönlichkeit. Als 1930 in Lübeck nach einer TBC-Schutzimpfung mehr als 70 Kinder starben, kritisierte M. in massiver Form den BCG-Impfstoff des franz. Bakteriologen Albert Calmette und vertrat diese Haltung auch als Sachverständiger in einem Gerichtsverfahren („Calmette-Prozeß"). Es stellte sich jedoch heraus, daß ein Laborfehler die Ursache des Unglücks war, und M. geriet durch seine Stellungnahmen ins Abseits. Die Bedeutung seiner Leistungen auf dem Gebiet der Immunologie sowie seines medizinphilosophischen Werks wird in der neueren Fachliteratur eher zurückhaltend beurteilt. – Prof.titel (1914); Prof. h. c. (Türkei 1926); Mitgl. d. Schwed. Ärzteges. (1929); Ehrenmitgl. d. Biblioteca filosofica, Palermo (1924).

W Die patholog. Biol. (Immunitätswiss.), Eine kurzgefaßte Übersicht üb. d. biolog. Heil- u. Erkenntnisverfahren f. Studierende u. Ärzte, 1922 (4./5., völlig umgearbeitete Aufl. von: Die Immunitätswiss., Eine kurzgefaßte Übersicht üb. d. biolog. Therapie u. Diagnostik f. prakt. Ärzte u. Studierende, 1911); Die Kinder-Tuberkulose, ihre Erkennung u. Behandlung, Ein Taschenbuch f. prakt. Ärzte, ³⁻⁵1923 (¹1920); Die Partigengesetze u. ihre Allgemeingültigkeit, Erkenntnisse, Ergebnisse, Ersternisse, 1921; Das Wesen d. Heilkunst, Grundlagen e. Philos. d. Med., 1928; Btr. in: Hdb. d. Tuberkulose, hrsg. v. L. Brauer, G. Schröder u. F. Blumenfeld, Bd. 1, ³1923: Der Erreger, S. 209–71 (erstmals 1914); Die Ansteckungswege d. Tuberkulose, ebd., S. 272–324; Immunität, ebd., S. 325–410 (erstmals 1914). – Hrsg.: Moderne Biol. (Bd. 1: Über d. unspezif. Immunität, 1921; Bd. 2/3: Spezif. u. unspezif. Reiztherapie, 1922); Hansische Welt (Bd. 1: Norddt. Backsteingotik, 1915; Bd. 2: Norddt. got. Plastik, 1924; Bd. 4: Niederdt. got. Kunsthandwerk, 1923); Niederdt. Flugschr. – Autobiogr.: L. R. Grote (Hrsg.), Die Med. d. Gegenwart in Selbstdarst., Bd. 4, 1925, S. 189–226 (P); Arzt u. Mensch, Das Lebensbuch e. Forschers u. Helfers, ²1932.

L F. Guggenheim, H. M., Leben u. Wirken, 1922 (P); H. Lenhartz, H. M., Eine biogr. Skizze, in: H. M., Vermächtnis, Bekenntnisse v. e. Arzt u. Menschen, 1933, S. 9–38 (P); I. Goltz, H. M., Med.-wiss. Veröff., med. Diss. Marburg 1947 (ungedr.); R. Bochalli, Die „Behringschüler" Paul Römer u. H. M., in: Med. Mschr. 15, 1961, S. 691–95; R. Wirtz, Leben u. Werk d. Hamburger Arztes, Forschers u. Schriftst. H. M. (1880–1932) unter bes. Berücksichtigung seiner med.theoret. Schrr., med. Diss. Aachen 1991; R. Schulze-Rath, H. M. (1880–1932), Bakteriologe u. Schriftst., med. Diss. Mainz 1993 (W-Verz.); BLÄ; Wi. 1928; Rhdb. (P). – Eigene Archivstud.

Stefan Wulf

Muche, *Georg,* Maler, Zeichner, * 8. 5. 1895 Querfurt, † 26. 3. 1987 Lindau. (ev., seit 1922 kath.)

V Felix (1868–1947), Rentmeister u. Sonntagsmaler (Ps. Felix Ramholz, s. Vollmer), S d. Christian (1831–1914), Gendarmerie-Wachtmeister in Qu., u. d. Maria Hamel (1839–1932); M Clara (1866–1950), T d. Franz Julius Marcus (1810–81), Holzhändler u. Sägewerksbes. in Bad Dürrenberg, u. d. Therese Emilie Krueger (1825–1908); ∞ Weimar 1922 Elsa (El) (1901–80), Bauhaus-Schülerin, T d. Robert Felix Franke, Gasanstaltsdir. in Eickel, u. d. Alma Landskröner; kinderlos.

Aufgewachsen in Ramholz (Rhön), verließ M. 1913 vorzeitig das Gymnasium, um an der Azbé-Schule in München Malerei und Graphik zu studieren. 1914 übersiedelte er nach Berlin, wo er noch unter dem Eindruck der Begegnung mit dem „Blauen Reiter" seine ersten abstrakten Bilder malte. Drei davon konnte er 1915 in der „Sturm"-Ausstellung „Neue Kunst" zeigen; 1916 war er in der Ausstellung „Max Ernst und G. M." mit 22 Bildern vertreten. Seit 1916 arbeitete er auch als Assistent bei Herwarth Walden und gleichzeitig als Lehrer für Malerei an der Kunstschule des „Sturm"; dabei schloß er Bekanntschaft und Freundschaft mit Oskar Schlemmer, Fritz Stuckenberg, Johannes Molzahn und Johannes Itten. 1917 zeigte er in der „Sturm"-Ausstellung „Paul Klee – G. M." 30 seiner Bilder. Im selben Jahr zum Kriegsdienst eingezogen, nahm M. 1918 an der Somme-Offensive teil und leitete zeitweise ein Militärlazarett. 1919 berief ihn Walter Gropius ans Bauhaus nach Weimar, wo er 1920/21 als Formmeister der Holzbildhauerei und bis 1927 als Formmeister der Weberei tätig war. Daneben leitete er abwechselnd mit Itten den Bauhaus-"Vorkurs". Zu seinen Pioniertaten als Architekt zählen das von ihm entworfene, 1923 fertiggestellte „Haus am Horn" in Weimar und das 1926 aus vorgefertigten Stahlplatten in Dessau errichtete „Stahlhaus". Nach kritischen Anmerkungen zum Progamm des Bauhauses, die er 1926 in der Bauhaus-Zeitschrift Nr. 1 veröffentlicht hatte, verließ er das Bauhaus im Juni 1927 endgültig und ging an die private Kunstschule Ittens nach Berlin.

Schon seit Anfang der 20er Jahre hatte sich M., der mit abstrakten Arbeiten begonnen hatte, einer – teilweise surrealen – Gegenständlichkeit zugewandt. 1931 wurde er als Nachfolger Otto Muellers (gegen die Konkurrenz von Willi Baumeister) an die Staatl. Akademie für Kunst und Kunstgewerbe Breslau berufen, wo er sich u. a. mit Hans Scharoun befreundete. 1933 von den Nationalsozialisten entlassen, war M. bis 1938 an der von Hugo Häring geleiteten Schule „Kunst und Werk" in Berlin tätig und daneben fast ausschließlich mit der Technik der Freskomalerei beschäftigt. Im Rahmen der Aktion „Entartete Kunst" waren 1937 bereits 13 seiner Gemälde und Graphiken aus öffentlichem Besitz beschlagnahmt worden; M. selbst entging knapp einem Malverbot. 1939–58 leitete er eine von ihm gegründete Meisterklasse für Textilkunst an der Textilingenieurschule Krefeld, wodurch er sich einen gewissen Freiraum erhalten konnte. Mit Schlemmer, Baumeister und anderen arbeitete er 1942 am „Institut für Malstoffkunde" in Wuppertal an der Freskierung eines Raumes, der kurz darauf kriegszerstört wurde. Im Jahr darauf fielen mit seiner Wohnung in Krefeld auch zahlreiche Gemälde und Zeichnungen den Bomben zum Opfer.

Nach dem Krieg äußerte M. in dem vielbeachteten Vortrag „Die Kunst stirbt nicht an der Technik" (1954) die Überzeugung, die Malerei würde im Zeitalter der Photographie immer „eine Verlockung zu Abenteuern der Stille und der Tiefe" bieten. Um sich diesen ganz widmen zu können, übersiedelte er 1958/60 an den Bodensee, wo mit gegenständlichen Bildern voll Poesie und hell leuchtender Farbigkeit ein reiches Spätwerk entstand. Daneben schuf er durch Experimente mit sog. Vario-Klischographen die Mappenwerke „Nemisee – Auge der Diana" (1965) und „Totentänze" (1967) und vermittelte so der Druckgraphik neue Impulse. Als friedenstiftender Grenzgänger im geteilten Deutschland entschloß er sich schon in den frühen 70er Jahren zu einer Rückführung seiner Gemälde aus der Bauhauszeit an die Orte ihrer Entstehung. Die „Tafeln der Schuld" (1935–73) schenkte er 1973 an die Graphische Sammlung der Staatl. Museen in Ostberlin. – Diploma d'onore d. Mailänder Triennale (1951); Goethe-Medaille, Frankfurt/Main (1955); Ehrengast d. Villa Massimo, Rom (1963); Dr.-Ing. E. h. (Hochschule f. Architektur u. Bauwesen, Weimar, 1979); Lovis Corinth-Preis (1979).

Weitere W u. a. Bild XVIII, Nell Walden gewidmet, 1915 (Nat.gal., Berlin); Raumflächen Komp., 1916 (Wilhelm Lehmbruck-Mus., Duisburg); Komp. mit schwarzer u. grüner Form, 1920 (Städt. Kunstslgg., Bonn); Der zerrissene Vorhang – Verhängnis, 1933; Vor der Tür – Selbstporträt, 1934 (beide Bauhaus-Archiv, Berlin); Freskenzyklus, 1946 (Haus d. Seidenind., Krefeld); Für immer geteilt – es bleibt d. Gespräch, Fresko, 1949 (LTgebäude, Düsseldorf); Tautropfen, 1964 (Priv.-bes.). – *Gemäldereihen:* Maler, 1952–82; Span. Interieurs, 1957–63; Spieler, 1952–65 (überwiegend Bauhaus-Archiv, Berlin). – *Schrr.:* Buon Fresco – Briefe aus Italien üb. Handwerk u. Stil d. echten Freskenmalerei, 1938, ²1950; Bilder – Fresken – Zeichnungen, 1950; Blickpunkt Sturm – Dada – Bauhaus – Gegenwart, 1961, ²1965 (Textslg. mit 35 Erstdrucken u. 22 Nachdrucken, *P);* Der alte Maler, Briefe v. G. M. 1945–84, hrsg. v. Bauhaus-Archiv in Berlin, 1992 *(P). – Nachlaß:* Bauhaus-Archiv, Berlin.

L H. Richter, G. M., 1960; G. M., Gemälde, Zeichnungen, Graphik, Ausst.kat. München 1965; P. H. Schiller, G. M., Das druckgraf. Werk, 1970; G. M., Zeichnungen u. Druckgraphik aus d. J. 1912–73, Ausst.kat. Freiburg (Br.) 1973 *(Verz. d. Schrr.);* G. M., Tafeln d. Schuld u. Gem., 1915–63, Ausst.kat. Berlin 1974; G. M., Der Zeichner, Ausst.kat. Stuttgart 1977; G. M., Das künstler. Werk 1912–27, Ausst.kat. Berlin 1980 *(P);* G. M., Slg. Ludwig Steinfeld, Ausst.kat. Fulda 1981; G. M., Das maler. Werk 1928–82, Ausst.kat. Berlin 1983 *(Verz. d. Schrr., P);* G. Linder, G. M., Die J.zehnte am Bodensee, Das Spätwerk, 1983 *(P);* L. Busch, G. M., Dokumentation z. maler. Werk d. J. 1915 bis 1920, 1984 *(Bibliogr.);* G. M., Leise sagen – Gem. aus d. Spätwerk u. graph. Arbeiten, Ausst.kat. Kassel 1986 *(P);* H. Kinkel, in: FAZ v. 27. 3. 1987 *(P);* L. Busch, in: SZ v. 28./29. 3. 1987 *(P);* Ch. Biundo u. A. Haus (Hrsg.), BauhausIdeen 1919–1994, 1994; ThB; Vollmer; KML; Gorzny.

Gisela Linder

Muchow, *Martha,* Pädagogin, * 25. 9. 1892 Hamburg, † (Freitod) 29. 9. 1933 ebd. (luth.)

V Johannes (* 1864), Zollinsp., *S* d. Hans Heinrich (1819–74), Schuhmachermeister in Grevesmühlen (Mecklenburg), u. d. Caroline Elisabeth Dorothea Janzen (1821–90); *M* Dorothee (1868–1933) aus Kogel (b. Zarrentin, Mecklenburg od. b. Malchow, Mecklenburg), *T* d. Arbeiters Johann Jochen Korff (1836–91) u. d. Johanne Catharine Sophie Müller (1836–1910); *B* Hans Heinrich (* 1900), Gymnasiallehrer u. Leiter e. Erziehungsberatungsstelle in H., Vf. jugendpsycholog. u. -päd. Schrr. (s. *L);* – ledig.

M. absolvierte nach dem am Oberlyzeum in Altona abgelegten Abitur (1912) ebendort die Lehramtsprüfung (1913). 1913–15 arbeitete sie als Lehrerin an der Alexandrinenschule (Lyzeum) in Tondern und 1916–19 an verschiedenen Volksschulen in Hamburg. Seit 1916 war M. am von William Stern geleiteten

Philosophischen Seminar des Allgemeinen Vorlesungswesens, dem Vorläufer der 1919 gegründeten Universität, tätig, zuerst als freie Mitarbeiterin, 1920–30 als wissenschaftliche Hilfsarbeiterin (Assistentin) und 1930–33 als Wissenschaftlicher Rat. 1919–24 studierte sie an der Hamburger Univ. Psychologie, Philosophie und Germanistik. 1923 promovierte sie bei Stern mit dem Thema „Studien zur Psychologie des Erziehers, Methodologische Grundlegung einer Untersuchung der erzieherischen Begabung". M.s Forschungsschwerpunkte lagen in der Entwicklungspsychologie des Kindes- und Jugendalters und der pädagogischen Psychologie. Beeinflußt wurde sie zum einen durch die internationale pädagogische Reformbewegung, als aktives Mitglied des „Weltbundes für die Erneuerung der Erziehung" (New Education Fellowship) und der Hamburger Schulreform- und Volksheimbewegung, zum anderen durch William Stern, sowie Eduard Spranger und Edmund Husserl, die ihr eine Verbindung von induktiver Empirie mit deduktiven Konzepten aus den Geisteswissenschaften nahelegten. Innerhalb des genannten Bereichs widmete sich M. besonders der psychologischen Begründung vorschulischer Erziehung. Hierzu legte sie zwei bemerkenswerte Arbeiten vor: eine kritische Analyse der frühpädagogischen Ansätze von Friedrich Fröbel und Maria Montessori (1927) und eine international vergleichende Studie über „Psychologische Probleme der frühen Erziehung" (1929). Sodann sind ihre Arbeiten zur „geistigen Hygiene" von Schulkindern bemerkenswert, in denen sie an die Arbeiten Ernst Meumanns, des Vorgängers von Stern am Psychologischen Laboratorium und Philosophischen Seminar in Hamburg anknüpfte. Wie dieser kooperierte M. eng mit dem Hamburger Lehrerverein „Gesellschaft der Freunde des vaterländischen Schul- und Erziehungswesens". Innerhalb dieses Themenkreises beschäftigte sie sich auch mit der psychologischen Analyse sozialpädagogischer Interventionen in Jugendfürsorge und Heimerziehung.

In den letzten Lebensjahren widmete sich M. hauptsächlich milieu-, kultur- und epochaltypologischen Themen. In „Der Lebensraum des Großstadtkindes" (1935, mit H. H. Muchow, Neudr. 1978) untersuchte sie die Umwelt-Person-Interaktion unter dem Leitbegriff der „personalen Welt" des Kindes. Dabei griff sie auf Konzepte Jakob v. Uexkülls und seiner biologischen Umweltlehre sowie auf Sterns Personwissenschaft (Personalistik) zurück. Mit diesem Ansatz hat M. zu einer wesentlichen Weiterentwicklung der von Stern in Deutschland begründeten Differentiellen Psychologie beigetragen. Diese postum erschienene, von ihrem Bruder herausgegebene Monographie wird heute als originelles und frühes Beispiel einer ökologischen Psychologie gewertet. In der von M. betreuten Schriftenreihe „Hamburger Untersuchungen zur Jugend- und Sozialpsychologie" wurde diese Forschungsrichtung auf familienpsychologische Fragestellungen angewandt. – M.s Werk mußte ein Fragment bleiben. Als ein maßgebliches Motiv für ihren Freitod dürfte die Verzweiflung der demokratisch gesinnten Wissenschaftlerin über die politische Lage, die bereits erfolgte Suspendierung ihres Lehrers Stern und ihre bevorstehende eigene Entlassung aus dem Universitätsdienst anzusehen sein.

Weitere W Das Montessori-System u. d. Erziehungsgedanken Friedrich Fröbels, in: H. Hecker u. M. M., Friedrich Fröbel u. Maria Montessori, 1927, S. 57–198; Zur Frage e. lebensraum- u. epochaltypolog. Entwicklungspsychol. d. Kindes u. Jugendlichen, in: FS f. W. Stern, 1931, S. 185–202; Aus d. Welt d. Kindes, Btrr. z. Verständnis d. Kindergarten- u. Grundschulalters, hrsg. v. H. H. Muchow, 1949. – *Zu Hans Heinrich:* Flegeljahre, Btrr. z. Psychol. u. Päd. d. „Vorpubertät", 1950, verm. ²1953; Sexualreife u. Sozialstruktur d. Jugend, 1959; Jugend u. Zeitgeist, 1962.

L E. Strnad, M. M. in ihrer Bedeutung f. d. sozialpäd. Arbeit, in: M. M., Aus d. Welt d. Kindes, 1949, S. 7–20 (s. *W*); J. Zinnecker, Recherchen z. Lebensraum d. Großstadtkindes, Eine Reise in verschüttete Lebenswelten u. Wiss.traditionen, in: M. M. u. H. H. Muchow, Der Lebensraum d. Großstadtkindes, 1978, S. 10–52 (Neudr. d. Ausg. v. 1935); P. Probst, Die Anfänge d. akadem. Psychol. in Hamburg, E. Meumann u. d. Schulreformbewegung, in: A. Schorr u. E. G. Wehner (Hrsg.), Psychologiegesch. heute, 1990, S. 149–63; ders., Bibliogr. E. Meumann, Mit e. Einl. z. Biogr., 1991 *(P);* H. Moser, Zur Entwicklung d. akadem. Psychol. in Hamburg bis 1945, Eine Kontrast-Skizze als Würdigung d. vergessenen Erbes v. W. Stern, in: E. Krause u. a. (Hrsg.), Hochschulalltag im „Dritten Reich", Die Hamburger Univ. 1933–45, T. II, 1991, S. 483–518; M. M. Fries, Mütterlichkeit u. Kinderseele, Zum Zusammenhang v. bürgerl. Frauenbewegung, Sozialpäd. u. Kinderpsychol. zw. 1899 u. 1933, e. Btr. z. Würdigung M. M.s, Diss. Leipzig 1993 *(P);* R. Miller, M. M., in: H. E. Lück u. R. Miller (Hrsg.), Ill. Gesch. d. Psychol., 1993, S. 191–93 *(P);* Lex. d. Päd. III, 1954. – Eigene Archivstud. (HStA Hamburg).

Paul Probst

Muck, *Fritz,* Chemiker, Begründer der Steinkohlen-Chemie, * 7. 3. 1837 Dentlein am Forst (Mittelfranken), † 22. 1. 1891 Bochum. (ev.)

V Georg (1795–1879), Pfarrer in D., Heilsbronn u. Poppenreuth b. Fürth, Geschichtsforscher (s. Ll. aus Franken VI), S d. Johann Friedrich Albrecht (1763–1839), Dekan u. Kirchenrat in Rothenburg/ Tauber, Komp. (s. ADB 22; Riemann), u. d. Charlotte Schlez (1766–1837) aus Ippesheim; M Paulina, T d. Appellationsrats Zenker aus Ansbach u. d. Justine Schlez; Gr-Ov Johann Ferdinand Schlez (1759–1839), ev. Pfarrer u. Pädagoge (s. ADB 31; Hess. Biogrr. I; Ll. aus Franken VI); – ∞ 1868 Wilhelmine, T d. Berginsp. Münster aus Limburg/ Lahn; 2 S, 2 T.

Nach der Schulausbildung im Elternhaus besuchte M. 1851–54 die Höhere Gewerbeschule in Darmstadt und begann im selben Jahr das Chemiestudium an der Univ. München. Schon als Student verfaßte er wissenschaftliche Abhandlungen über die Herstellung und Untersuchung anorganischer und organischer Präparate. 1859 erhielt M., der unterdessen zahlreiche Hochschul- und andere Laboratorien, darunter das von Fresenius in Wiesbaden, kennengelernt hatte, eine Anstellung als Chemiker und Techniker bei einer Ockergrube an der Lahn, wo er sich u. a. mit neuen Verfahren der Ockerveredlung beschäftigte. Nach dreijähriger Tätigkeit im Farbenfabrikationsgewerbe ließ sich M. 1862 in Bonn als montanistischer Chemiker nieder. Er richtete ein technisch-analytisches Privatlabor ein und erteilte Studierenden des Berg- und Hüttenfachs, der Chemie, Pharmazie und Medizin Unterricht in Experimentalchemie und Mineralanalyse. Daneben übernahm er Mineralanalysen für zahlreiche Gruben aus den westdeutschen Bergbaubezirken. 1865 promovierte M. in Rostock mit der Arbeit „Die Constitution einer aus geschmolzenem Roheisen sich ausscheidenden Substanz". In seinen Bonner Jahren entfaltete er eine rege wissenschaftliche Publikationstätigkeit, die in zahlreichen naturwissenschaftlich-technischen Zeitschriften, vor allem im „Journal für praktische Chemie", ihren Niederschlag fand. Die 1864 gegründete Westfäl. Berggewerkschaftskasse in Bochum, eine Gemeinschaftsorganisation des Ruhrbergbaus zur Durchführung wissenschaftlicher und sicherheitstechnischer Untersuchungen und Trägerin des bergbaulichen Schulwesens, entschloß sich 1869 zur Einrichtung eines chemischen Laboratoriums und einer „Kohlenversuchsstation". Hauptaufgabe des neuen Instituts sollten Untersuchungen der chemischen Beschaffenheit und des Heizwertes der Steinkohle sein. Im Oktober 1870 wurde die Leitung des „Berggewerkschaftlichen Laboratoriums" – nicht zuletzt auf Empfehlung des Bonner Chemieprofessors August Kekulé – M. übertragen. Neben dieser Tätigkeit übernahm er den Chemieunterricht an der Oberklasse der Bochumer Bergschule. M. analysierte Steinkohle, Kohleneisenstein, Koks, Grubenwasser und Erze. Erfolgreich verliefen auch seine Untersuchungen zur Ermittlung des Aschegehalts der Kohle. In den folgenden Jahren berücksichtigte M. immer stärker wissenschaftliche Fragestellungen. Zur möglichst genauen Bestimmung der flüchtigen Stoffe von Kohle entwickelte er die „Mucksche" oder „Bochumer" Tiegelprobe. Seine Monographie „Grundzüge und Ziele der Steinkohlenchemie" (1881) ist die erste auf eigenen Versuchen basierende Gesamtdarstellung eines neuen Wissenschaftszweiges, der Kohlechemie.

Hatte sich die traditionelle chemische Betrachtungsweise bisher der Kohle als Ganzes gewidmet, ging M. systematisch dazu über, diese in ihren makroskopischen Gemengeteilen näher zu analysieren. So kam er zu der bis heute wichtigen Einteilung in „Kohlenarten" und „Kohlensorten" (Kohlengattungen). M. wies auch als erster nach, daß Schwefel in der Kohle als Schwefelkies, Sulfat oder in organischen Verbindungen vorkommt. Sein Vorschlag, in seinem Laboratorium eine Untersuchungsstelle für Grubenwetter („Gaszimmer") einzurichten, wurde 1882 aufgegriffen, als die vom preuß. Ministerium für öffentliche Arbeit ins Leben gerufene Schlagwetterkommission ihre Tätigkeit aufnahm.

W Chem. Aphorismen üb. Steinkohlen, 1873; Chem. Btrr. z. Kenntnis d. Steinkohlen, 1876; Ueber Steinkohlenasche hinsichtlich deren Bestimmung u. d. sich dabei ergebenden Differenzen, 1878; Grundzüge u. Ziele d. Steinkohlenchemie, 1881, u. d. T. Die Chemie d. Steinkohle, ²1891.

L P. G. Lameck, Dr. F. M., Der Begründer d. Steinkohlen-Chemie im Ruhrgebiet, 1937 (W-Verz.); ders., in: Rhein.-Westfäl. Wirtschaftsbiogrr. IV, 1941, S. 133–51 (L, P); F. Schunder, Lehre u. Forschung im Dienste d. Ruhrbergbaus, Westfäl. Berggewerkschaftskasse 1864–1964, 1964.

Evelyn Kroker

Muck, *Carl,* Dirigent, * 22. 10. 1859 Würzburg, † 3. 3. 1940 Stuttgart. (kath.)

V Jacob (1824–91), Dr. iur., Sekr. am Bez.gericht in W., Komp., 1858/59 Leiter d. Stadttheaters in Brünn, etwa seit 1870 Schweizer Staatsbürger, S d. Christian Eugen († 1858), Dr. med., Augenarzt in W.; M Anna Sibylle Hofmann (1834–71); *Stief-M* Emilie Starker; ∞ Graz 1887 Anna Katharina (Anita), T d. Ferdinand Portugall (1837–1901), Dr. iur., Bgm. in Graz (s. ÖBL), u. d. Anna Ott (1843–1924) aus Ilz (Steiermark).

Nach Gymnasium und erster musikalischer Ausbildung in Würzburg (Klavier bei C. Kissner, Geige bei Hussla, Theorie bei Müller) studierte M. klassische Philologie, zunächst in Heidelberg, dann seit 1878 in Leipzig, wo er zum Dr. phil. promoviert wurde (Promotion und Dissertation nicht nachgewiesen). Zugleich besuchte er das Leipziger Konservatorium, wo C. Reinecke (Klavier), E. F. Richter (Theorie) und O. Paul (Musikwissenschaft) seine Lehrer waren. Seine außergewöhnliche pianistische Begabung stellte er bei seinem Debüt im Gewandhaus 1880 unter Beweis. Als Dirigent arbeitete er nacheinander in Zürich (1880/81), Salzburg (1881/82), Brünn (1882–84, 1. Kapellmeister), Graz (1884–86, Kapellmeister und Leiter des Steiermärk. Musikvereins) und Prag (1886–92 Deutsches Landestheater, unter Angelo Neumann). 1892 wurde er als 1. Kapellmeister an die Hofoper Berlin berufen (1909 Generalmusikdirektor); 1912–18 leitete er das Boston Symphony Orchestra, mit dem er schon 1906–08 gearbeitet hatte, und 1922–33 die Hamburger Philharmonie. Daneben war er 1893 Stellvertreter Hans v. Bülows in Hamburg, 1894–1911 Leiter der Schlesischen Musikfeste in Görlitz, 1903/04 Dirigent des deutschen Opernrepertoires an Covent Garden London und 1904–06 bei den Wiener Philharmonikern; 1920–25 leitete er als Stellvertreter Willem Mengelbergs das Concertgebouw-Orchester Amsterdam. 1892 war M. erstmals bei den Bayreuther Festspielen, als Dirigent von Proben, tätig. 1901–30 leitete er nahezu sämtliche Bayreuther „Parsifal"-Aufführungen, 1909 zudem „Lohengrin", 1925 „Die Meistersinger von Nürnberg". Daß M. nicht die Virtuosenlaufbahn einschlug, ist vermutlich seiner ausgeprägten Abneigung gegen jede Form der Selbstdarstellung zuzuschreiben; er war das Gegenteil eines Stardirigenten und verstand sich stets als Diener am Werk. Sparsamste Zeichengebung und Konzentration auf die Sache kennzeichneten seine Art zu dirigieren. Als vorzüglicher Orchesterleiter war er nicht zufällig über nahezu 30 Jahre für das Bayreuther Festspielorchester verantwortlich; er benutzte seine Stellung aber auch dazu, das Ensemble im Sinne seiner deutsch-nationalen und ausgeprägt antisemitischen Weltanschauung zu beeinflussen. Dies dürfte mit dazu beigetragen haben, daß er 1918 unter dem Vorwurf der Spionage in Boston verhaftet und für mehr als ein Jahr in einem Internierungslager festgehalten wurde.

M. pflegte das gesamte Repertoire bis hin zur Moderne (u. a. amerikan. Erstaufführung von A. Schönbergs Fünf Orchesterstücken op. 16), stand der Neuen Musik jedoch insgesamt distanziert gegenüber. Seine besondere Liebe galt Wagner und Bruckner, dessen 7. Sinfonie er 1886 in Graz zur österr. Erstaufführung gebracht hatte. Nach dem Tode von Felix Mottl (1911) und Hans Richter (1916) galt er als der maßgebliche Wagnerdirigent der Zeit; er repräsentierte den Bayreuther Stil der Generation nach Wagner. Dessen Willen gemäß dirigierte er „Parsifal" nie außerhalb Bayreuths, war aber der erste bedeutende Wagnerdirigent, der Schallplattenaufnahmen hinterließ.

W Aufnahmen: Tschaikowsky, 4. Sinfonie, Finale, 1. Suite, Miniaturmarsch; Wagner, Lohengrin, Vorspiel zum 3. Akt (1917, mit Boston Symphony, Victor); Wagner, Götterdämmerung, Siegfrieds Rheinfahrt, Trauermarsch, Die Meistersinger v. Nürnberg, Vorspiel, Parsifal, Vorspiel (1927); Wagner, Der fliegende Holländer, Ouvertüre, Parsifal, 3. Aufzug (leicht gekürzt), Tannhäuser, Ouvertüre, Tristan u. Isolde, Vorspiel (1928); Siegfried-Idyll (1929, jeweils mit Solisten, Chor u. Orchester d. Staatsoper Berlin, Electrola); Wagner, Parsifal, Auszüge aus d. 1. u. 2. Aufzug (1927, mit Chor u. Orchester d. Bayreuther Festspiele, Columbia); diverse Wiederveröff. auf LP u. CD.

L W. Zinne, K. M., in: Die Musik XVII, 9, 1924/25, S. 669–73; S. Wagner, Zu Dr. K. M.s 70. Geb.tag, in: Bayreuther Festspielführer 1930, S. 96 ff. *(P)*; F. Pfohl, K. M., d. dt. Dirigent, ebd. 1931, S. 43–51; L. Lowen, L'affaire M., in: Musicology I, 1947; J. J. Badal, The Strange Case of Dr. K. M., who was torpedoed by „The Star-Spangled Banner" during World-War I, in: High Fidelity Magazine, Okt. 1970, S. 55–60; E. Voss, Die Dirigenten d. Bayreuther Festspiele, 1976 *(P)*; K. M., in: Oper u. Konzert, Febr. 1985, S. 28 ff.; Rhdb. *(P)*; MGG; Riemann mit Erg.bd.; New Grove *(P)*.

Egon Voss

Mucke, *Ernst* (auch: *Arnošt Muka*), Slawist, * 10. 3. 1854 Großhänchen b. Bischofswerda (Sachsen), † 10. 10. 1932 Bautzen. (ev.)

V Johann Georg (Jan Jurij) (1824–75), Rittergutsbes.; *M* Maria Mitasch (Mitašec) (1832–94); ∞ 1909 Loska *T* d. A. J. Irmler, Ing., k. k. Berg- u. Hüttendir., u. d. Elisabeth v. Zonfalý aus Prag.

M. legte 1874 in Bautzen das Abitur ab und studierte 1874–79 alte Sprachen und Slawistik in Leipzig. Nach der Promotion (1878) war er zunächst Hilfslehrer in Zittau (1879/80), dann Gymnasiallehrer in Bautzen (1881–83), Chemnitz (1883–87) und schließlich in Freiberg (Sachsen) (1887–1916). Neben seiner Lehrtätigkeit erforschte M., selbst aus dem obersorbischen Gebiet stammend, in zahlreichen Aufsätzen die Sprachgeschichte, die Gegenwartssprache, die Volkskultur und das Brauchtum der Sorben. Aufgrund der Methode der Junggrammatischen Schule widmete er dem bislang wenig beachteten Niedersorbisch eine gründliche phonetische und morphologische Studie „Historische und vergleichende Laut- und Formenlehre der niedersorbischen (niederlausitzisch-wendischen) Sprache" (1891), die nach Förderung und Befürwortung durch A. Leskien von der Jablonowskischen Gesellschaft preisgekrönt wurde. Darüber hinaus verfaßte M. ein niedersorbisches Wörterbuch „Słownik dolnoserbskeje rěcy a jeje narěcow" (1911–28) mit semantischen und phraseologischen Erläuterungen.

Durch umfangreiche statistische Erhebungen und Befragungen ermittelte M. die Verbreitung der sorbischen Bevölkerungsteile in der damaligen preuß. und sächs. Lausitz und wies nach, daß es um 1880 etwa 185 000 Sorben gab. Deren soziologische, konfessionelle und andere Merkmale beschrieb er in seiner „Statistika Serbow" (in: „Časopis Maćicy Serbskeje" 1884–86). Durch die Herausgabe von Werken sorbischer Schriftsteller trug M. maßgeblich zur Förderung der sorbischen Literatur bei. – Serb. St.-Sava-Orden (1893); russ. St.-Stanislaus-Orden (1900) u. St.-Annen-Orden III. Kl. (1914); montenegr. Danilo-Orden (1906); sächs. Albrechts-Orden I. Kl. (1916); Mitgl. d. Ak. d. Wiss. in Krakau (1895), Agram (1896), Prag (1897), Belgrad (1903), St. Petersburg (1919) u. Warschau (1925), d. Ges. d. Wiss. in Prag (1903) u. d. russ. Archäolog. Ges. (1911).

Weitere W Bausteine z. Heimatkde. d. Kreises Luckau (1918); *Hrsg.:* „Łužica" (1882–1907), „Časopis Maćicy Serbskeje" (1884–1932).

L O. Wićaz, Dr. A. M., 1924; E. Eichler u. G. Schröter, Der Briefwechsel zw. Franz Miklosich u. E. M., in: Lětopis, J.schr. d. Inst. f. sorb. Volksforschung, A 28, 1981, S. 94–100; Wi. 1928; Nowy biografiski słownik k stawiznam a kulturje Serbow (Neues biogr. Lex. z. Gesch. u. Kultur d. Sorben), 1984, S. 400 f. *(P);* J. Petr, in: E. Eichler u. a. (Hrsg.), Slawistik in Dtld. v. d. Anfängen bis 1945, 1993, S. 275–77 *(P).*

Gerhart Schröter

Muckermann. (kath.)

1) *Hermann,* Eugeniker, kath. Theologe
* 30. 8. 1877 Bückeburg (Schaumburg-Lippe),
† 27. 10. 1962 Berlin-Frohnau.

V Hermann (1851–1922), Feldwebel in B., Schuhmachermeister u. Kaufm., *S* e. Bauern in Ostenfelde b. Ölde (Westfalen); *M* Anna Rüther (1856–1944) aus Wormeln b. Warburg (Westfalen), *T* e. Kettenschmieds; 10 *Geschw,* u. a. Friedrich (s. 2), Marie-Therese (1889–1967), bis 1936 Lehrerin, Schriftst. in Rom, Richard (1891–1981), Journalist, seit 1946 Chefredakteur d. Rhein-Ruhr-Ztg., 1949–61 Mitgl. d. Dt. Bundestages (CDU), seit 1952 Mitgl. d. Landtags v. Nordrhein-Westfalen (s. Kosch, Biogr. Staatshdb.), Ludwig (1899–1976), Schuhgroßhändler in B., mußte wegen seiner engen Beziehungen zu seinem Bruder Friedrich 1940 d. Geschäft aufgeben u. emigrierte 1941 nach Italien, seit 1952 im Auswärtigen Dienst d. Bundesrep. Dtld. (s. BHdE I).

M. trat 1896 nach Absolvierung des Gymnasiums als Novize in den Jesuitenorden in Blijenbeck (Niederlande) ein und studierte dort und in Wisconsin (USA) Theologie, Philosophie und Naturwissenschaften. 1902 wurde er zum Dr. phil. promoviert und unterrichtete anschließend bis 1907 Mathematik und Naturwissenschaften an verschiedenen Ordenshochschulen. 1909 empfing er die Priesterweihe. 1910–13 widmete er sich einem Studium der Zoologie in Löwen (Belgien). Anschließend war er Herausgeber und Leiter der jesuitischen Zeitschrift „Stimmen der Zeit". Nachdem sein Interesse schon seit seiner Studienzeit der Biologie und Erbforschung gegolten hatte, begann er unter dem Einfluß von Alfred Ploetz und unter dem Eindruck des 1. Weltkriegs seit 1917 Aufsätze über Bevölkerungsfragen und Rassenhygiene zu schreiben. Mit seinem Werk „Kind und Volk" (1919, [10]1922) wurde er einer breiten Öffentlichkeit bekannt. In den folgenden Jahren warb er in populären Schriften und mit Vorträgen, die oftmals über tausend Zuhörer anlockten, für die eugenische Bewegung, vor allem in kath. Bevölkerungskreisen. 1921–34 war er Schriftleiter und Mitherausgeber der neuen Zeitschrift „Das kommende Geschlecht". Um seinen wissenschaftlichen und publizistischen Interessen möglichst uneingeschränkt nachgehen zu können, bat er um die Entbindung von seinen Ordensgelübden, die ihm 1926 gewährt wurde. Sein Priesteramt behielt M. jedoch bei. 1927 übernahm er am Kaiser-Wilhelm-Institut für Anthropologie, menschliche Erblehre und Eugenik in Berlin, dessen Gründung er angeregt hatte, die Leitung der Abteilung für Eugenik. Die Nationalsozialisten entließen ihn im Juli 1933 aus dieser Stellung. Auch mußte er wie die anderen Vorstandsmitglieder der Deutschen Gesellschaft für Rassenhygiene sein Amt zur Verfügung stellen. Schließlich erhielt er Rede- und Publikationsverbot. Nach dem Krieg konnte M. seine Tätigkeit auf dem Gebiet der Anthropologie und Eugenik wieder aufnehmen. 1948 folgte er einem Ruf auf den Lehrstuhl für Angewandte Anthropologie und Sozialethik an der TH Berlin. Ein

Jahr darauf wurde unter seinem Direktorat das Max-Planck-Institut für natur- und geisteswissenschaftliche Anthropologie errichtet, das er nach seiner Emeritierung 1954 noch weitere sieben Jahre leitete.

M. versuchte, die Eugenik mit der christlich-kath. Moralauffassung zu vereinbaren. Kristallisationspunkt dieser Bestrebungen war die Familie, die für ihn nicht nur eine sittliche Institution darstellt, sondern auch für die Weitergabe körperlicher und geistiger Erbmerkmale verantwortlich ist. Die mit den biologischen und ethischen Gesetzen in Einklang stehende Familie galt ihm als Keimzelle des Volkes. M. glaubte jedoch die Familie durch die moderne Industriegesellschaft in ihrer Existenz bedroht. Die stärkere Fortpflanzung der Minderbegabten, die Vermischung mit Fremdrassigen, die Ausbreitung von Tuberkulose, Geschlechtskrankheiten und Alkoholismus betrachtete er als Folgen der Lebensweise in der Industriegesellschaft, die zur Entartung und damit zum Untergang von Familie und Volk führen müßten. Vor diesem Schicksal bewahre die Eugenik, sofern ihre Forderungen, die in der Verknüpfung biologischer und christlich-ethischer Weltordnung begründet seien, Beachtung fänden. M. nahm in der Eugenik zuerst eine sehr gemäßigte Position ein, rückte davon aber nach und nach ab. So trat er für die freiwillige Sterilisierung ein, nachdem er zuvor aus ethischen Gründen jede Unfruchtbarmachung abgelehnt hatte. In den Jahren 1932/33 ist eine Annäherung M.s an nationalsozialistisches Denken unverkennbar. Er akzeptierte ideologische Grundpositionen wie die nordische Rassentheorie und den Antisemitismus. Die nordische Rasse beschrieb M. als führendes Element im deutschen Volk und forderte die Abschottung der europiden Rassen gegen fremdrassige Einflüsse. Dieses Verlangen richtete sich zunächst gegen Farbige, seit 1933 aber hauptsächlich gegen die Juden. In Detailfragen äußerte M. Vorbehalte, so verfocht er den unbedingten Gehorsam gegenüber der Papstenzyklika „Casti Connubii", die Zwangssterilisationen ablehnte, und wollte die Familien jüdischer Teilnehmer am 1. Weltkrieg von Verfolgungsmaßnahmen ausnehmen. Dies war indes nicht der Grund für die Vorgehensweise der Nationalsozialisten gegen ihn; diesen erschien vielmehr ein kath. Priester als Abteilungsleiter im einzigen nationalen Institut für Anthropologie und Eugenik als politisch untragbar. Daher selbst von den Nationalsozialisten bedrängt, half M. Verfolgten des Regimes bei der Flucht aus Deutschland. – Gr. BVK (1952).

W The Essential Difference between the Human and Animal Soul Proved from their Specific Activities, 1906; Biolog. Grundlagen d. Bevölkerungsfrage, in: Des dt. Volkes Wille z. Leben, hrsg. v. M. Faßbender, 1917, S. 101–38; Die Erblichkeitsforschung u. Wiedergeburt v. Fam. u. Volk, in: Stimmen d. Zeit 97, 1919, S. 115–32; Um d. Leben d. Ungeborenen, 1920, ⁴1925; Rassenforschung u. Volk d. Zukunft, 1928, ³1934; Vererbung, Biolog. Grundlagen d. Eugenik, 1931, ²1932; Grundriß d. Rassenkde., 1934, ²1935; Die Rel. u. d. Gegenwart, 1934; Vererbung u. Entwicklung, 1937, ²1947; Der Sinn d. Ehe, biolog., eth., übernatürlich, 1938, ³1952; Die Fam., 1946, ²1952; Feiertag u. Feierabend, Ein religiöses Hausbuch im Anschluß an d. Kirchenj., 1952; Vom Sein u. Sollen des Menschen, 1954. – Hrsg.: Neues Leben 1–4, 1921–26; Die Fam. 1–6, 1927–30; Stud. aus d. Inst. f. natur- u. geisteswiss. Anthropol. 1–6, 1952–57; Humanismus u. Technik 1–8, 1953–61/63.

L G. Wundrig, H. M., in: Niedersächs. Lb. VII, 1971, S. 157–66 (P); H. Ebert, H. M., Profil e. Theologen, Widerstandskämpfers u. Hochschullehrers d. TU Berlin, in: Humanismus u. Technik 20, 1976, S. 29–40 (P); D. Grosch-Obenauer, H. M. u. d. Eugenik, med. Diss. Mainz 1986; N. Frei (Hrsg.), Med. u. Gesundheitspol. in d. NS-Zeit, 1991; Kosch, Kath. Dtld.; Wi. 1935; Rhdb. (P); BBKL.

Georg Lilienthal

2) *Friedrich* (Ps. *Friedrich am Sunde, Frederic de Ruyter*), Jesuit, Publizist, * 17. 8. 1883 Bückeburg (Schaumburg-Lippe), † 2. 4. 1946 Montreux (Schweiz).

B Hermann (s. 1).

M. besuchte Gymnasien in Bückeburg und Paderborn und trat 1899 zu Blijenbeck (Holland) in die Gesellschaft Jesu ein. Nach dem Juniorat in Exaeten und einem Philosophiestudium in Valkenburg unterrichtete er seit 1907 an Ordensschulen in Feldkirch (Österreich) und Ordrupshoj (Dänemark). Daneben studierte er seit 1909 in Kopenhagen Germanistik und Pädagogik, erwarb dort 1912 seinen Magister Artium und kehrte anschließend für sein Theologiestudium nach Valkenburg zurück, wo er 1914 zum Priester geweiht wurde. Bei Ausbruch des 1. Weltkrieges einem Maltesertrupp an der Westfront zugeteilt, wurde er Ende 1914 als Feldgeistlicher an die Ostfront abkommandiert. Im Februar 1919 geriet M. in Wilna in bolschewistische Gefangenschaft, aus der er im Dezember 1919 im Rahmen eines Gefangenenaustausches freikam.

Noch während er seine Ordensausbildung in Valkenburg zum Abschluß brachte (1920), engagierte er sich für die literarische Zeitschrift „Der Gral, Monatsschrift für Dichtung und Leben", deren alleiniger Herausgeber er 1925 wurde. Unter M. wandelte sie sich von einer kath.-literarischen Revue des Wiener Kralik-Kreises (Integralisten) zu einer Zeitschrift, die die kath. Weltliteratur widerspiegeln und zugleich zu brennenden gesellschaftspolitischen Fragen Stellung nehmen sollte. In zahllosen Artikeln suchte er in diesem und anderen Organen nicht nur den Zeitgeist zu entlarven, sondern zugleich seinen Mitmenschen Wege für die Zukunft zu weisen. Dies geschah vor allem auch durch die Auseinandersetzung mit den Großen der Geistesgeschichte, allen voran Goethe und Wladimir Solowjew. Bedingt durch seine Gefangenschaft, galt M.s Interesse in den 20er Jahren dem Bolschewismus. Weit davon entfernt, in ihm eine singuläre russ. Erscheinung zu sehen, erkannte er in den drängenden sozialen Fragen ein Hauptsymptom der politischen und gesellschaftlichen Krise seiner Zeit. Besondere Aufmerksamkeit widmete er daher dem Problem, wie das Christentum den Herausforderungen der modernen Welt begegnen konnte. Daß der deutsche Katholizismus hier in Teilbereichen versagt hatte, war nach M.s Dafürhalten einer der Gründe für die gesellschaftspolitische Fehlentwicklung der Weimarer Republik. Als Herausgeber der „Katholischen Korrespondenz" hatte M. 1933 eine wichtige Stellung. Kardinal Faulhaber trug sich im Herbst desselben Jahres mit dem Gedanken, nach dem Vorbild von M.s Korrespondenz eine zentrale kath. Pressestelle in Berlin aufzubauen, die gegen Verleumdungen seitens der Nationalsozialisten auftreten sollte. Ein auf der Herbsttagung der Bischöfe in Fulda eingebrachter Vorschlag fand aber keine Zustimmung, vermutlich weil M.s Einstellung zu bestimmten Sachverhalten mißbilligt wurde. Auch wenn sich M. vor 1933 kurzfristig über die wahren Absichten Hitlers täuschen ließ – so hielt er es noch Anfang 1932 für möglich, „diese große Reformbewegung, in der so viele ideal gesinnte Leute vorhanden sind ... zu einer wahren Reformbewegung zu gestalten" —, gehörte er doch zu denen, die den totalitären und pseudoreligiösen Charakter des Nationalsozialismus bald durchschauten und ihn kompromißlos bekämpften. Als Folge mußte er im Juli 1934 nach Holland emigrieren. Dort setzte er den Kampf gegen das NS-Regime mit Vorträgen und seinem neuen Blatt „Der Deutsche Weg" fort, in dem er nicht nur die geistesgeschichtlichen Wurzeln des Nationalsozialismus offenlegte, sondern auch die Menschen im „Dritten Reich" ermutigte, der nationalsozialistischen Vereinnahmung zu widerstehen. M.s offene Aktivitäten zwangen seinen Orden jedoch, ihn 1935 nach Rom abzuberufen, wo er seit 1936 Schriftleiter der „Lettres de Rome" wurde, einer Zeitschrift, die über die Gefahren totalitärer und atheistischer Bewegungen aufklären sollte. 1937 übersiedelte er nach Wien, wo er mit Billigung der österr. Regierung auf Vortragsreisen vor dem Nationalsozialismus warnte. Den Anschluß Österreichs im März 1938 erlebte er in der Schweiz, von wo er nach Paris weiterreiste, um dort unterzutauchen. Im selben Jahr erkannten ihm die deutschen Behörden die Staatsbürgerschaft ab, ein Jahr später wurden seine Schriften verboten. Dennoch schrieb M. weiterhin Artikel für den „Deutschen Weg" und andere Emigrantenblätter. Seit November 1939 richtete er seine Stimme auch über einen franz. Rundfunksender an die Menschen in Deutschland. Im Juni 1940 flüchtete er in das unbesetzte Frankreich, wo er, als holländ. Priester getarnt, anfangs eine abgelegene Pfarrei betreute. Dort schrieb er auch seine umfangreichen Lebenserinnerungen nieder. Einer drohenden Verhaftung durch die Gestapo entkam er im März 1943 durch die Flucht in die Schweiz, wo er bis zu seinem Tode als politischer Flüchtling lebte. Hier entstand auch sein letztes großes Werk über Solowjew.

Mit einer visionären Schau der Dinge ebenso ausgestattet wie mit analytischer Schärfe in der Durchdringung komplexer Themenbereiche, beschäftigte er sich mit nahezu allen kulturellen, gesellschaftlichen und politischen Strömungen seiner Zeit. Auch im eigenen Lager stieß er gleichwohl nicht immer auf ungeteilte Zustimmung wegen unterschiedlicher Standpunkte in der Arbeiter- und Gewerkschaftsfrage, beim Eigentumsrecht, in Fragen der „Kath. Aktion" sowie aufgrund seiner Deutung von Goethe als Erzieher, seiner Teilnahme am Tänzerkongreß 1931 in München und seiner Haltung in der Emigration. – Goethe-Medaille d. Stadt Frankfurt (1932).

W u. a. Wollt ihr das auch? Wie ich d. Bolschewismus in Rußland erlebte, 1920; Tragikomisches von d. Ruhr, 1923; Kath. Aktion, mit e. Geleitwort v. Nuntius Pacelli, 1928; Der Bolschewismus droht, 1931; Goethe, 1931; Das Los d. Arbeiters in Sowjet-Rußland, 1932; Das Los d. Bauern in Sowjet-Rußland, 1932; Der Mönch tritt üb. d. Schwelle, 1932; Vom Rätsel d. Zeit, 1933; Deutschland ... wohin?, 1934; Hl. Frühling, 1935; Es spricht d. span. Seele, 1937; Rev. d. Herzen, 1937; Vorträge F. M.s in d. Domkirche zu Klagenfurt, 1937; Der Mensch im Za. d. Technik, 1945; Wladimir Solowjew, Zur Begegnung zw. Rußland u. d. Abendland, 1945; Der Dt. Weg, 1946; Frohe Botschaft in d. Zeit, hrsg. v. M. Th. Muckermann, 1948; Im Kampf zw. zwei Epochen, Lebenserinnerungen, bearb. u. eingel. v. N. Junk SJ, 1973, ³1985. – *Zahlr. Btrr. u. a. in:* Stimmen d. Zeit (1913–34), Der Gral (1920–37), Schönere Zukunft (1927–34), Essener Volks-Ztg. (1926–35), Der Deutsche Weg (1934–40).

L Ch. Reinert, Erinnerungen an e. großen Kämpfer, in: Der Sonntag, Nr. 17 v. 28. 4. 1946; N. Herbermann, In Memoriam P. F. M. SJ, 1948; dies. (Hrsg.), F. M., 1953; H. Muckermann, F. M. SJ, in: Dt. Rdsch. 71, 1948, S. 112–17; P. Faure, Pater F. M.s Flucht in d. Schweiz, in: Mitt. aus d. Provinz 5, 1974, S. 92–96; F. Kroos, in: Zeitgesch. in Lb. II, 1975, S. 48–63 *(P);* D. Kaufmann, Ein Warner gegen d. Mächte d. Finsternis, Pater F. M.s Kampf gegen Bolschewismus u. Nat.sozialismus in Münster 1924–1934, in: H.-G. Thien (Hrsg.), Überwältigte Vergangenheit – Erinnerungsscherben, Faschismus u. Nachkriegszeit in Münster, 1985; H. Hürten, Der Dt. Weg, Kath. Exilpublizistik u. Auslandsdeutschtum, ein Hinweis auf F. M., in: Exilforschung, Ein internat. Jb., IV, 1986, S. 115–29; H. Gruber, F. M. SJ, Ein kath. Publizist in d. Auseinandersetzung mit d. Zeitgeist, 1993 *(W-Verz., L);* Rhdb; LThK²; BHdE I; Staatslex.; Kosch, Lit.-Lex.³

Hubert Gruber

Mudra, *Bruno* v. (preuß. Adel 1913), General, * 1. 4. 1851 (Bad) Muskau (Oberlausitz), † 21. 11. 1931 Zippendorf (Mecklenburg-Schwerin). (ev.)

V Matthäus M. (1820–81), Zimmermeister in M., *S* d. Matthäus, Zimmermeister in Schleife b. Liegnitz; *M* Johanna Caroline Bertha (1826–95), *T* d. Carl Gottlob Reinicke, Tischlermeister in M., u. d. Henriette Caroline Auguste Grunau; ∞ Rheydt (Rheinland) 1886 Pauline Wilhelmine (1859–1937), *T* d. Hermann Schött, Kaufm. in Rheydt, u. d. Sophie Wilhelmine Jansen (* 1820); 1 *S,* 1 *T,* Herbert (1887–1945), Oberst.

Der aus einfachen Verhältnissen stammende M. trat nach dem Abitur 1870 als Freiwilliger in die preuß. Armee ein, und zwar in die aufstrebende Truppe der Pioniere. Nach der üblichen Laufbahn des Generalstabsoffiziers begann 1899 mit der Berufung zum Chef des Stabes des Ingenieur- und Pionier-Corps unter Colmar Frhr. v. der Goltz das weitreichende Wirken beider Offiziere für die Pioniere, indem sie diese aus der Isolierung herausführten und zu enger Zusammenarbeit mit anderen Waffengattungen veranlaßten. Goltz' Forderung nach umfassendem Ausbau dieser Truppe brachte ihn in Gegensatz zum Kriegsministerium, so daß er 1902 als Kommandierender General nach Königsberg versetzt wurde, während M. ein Jahr später als Inspekteur der 2. Pionier-Inspektion nach Mainz ging. Bis zum Generalleutnant aufgestiegen, wurde er 1907 Kommandeur der 39. Division in Kolmar, 1910 Gouverneur von Metz und im folgenden Jahr Chef des Ingenieur- und des Pionier-Corps, als welcher er sich um eine kriegsnahe Ausbildung und Ausrüstung der Pioniere kümmerte. Seit 1911 General der Infanterie, wurde er zwei Jahre später Kommandierender General des XVI. Armeekorps in Metz. Mit diesem zog M. in Begleitung des greisen Generalfeldmarschalls Gottlieb Gf. v. Haeseler in den Krieg und machte sich als „Argonnen-General" einen Namen, weil er hier nach der Marneschlacht zusammen mit seinen Chefs des Stabes, zunächst Rudolf v. Borries und seit April 1915 Friedrich Frhr. v. Esebeck, noch partiell Erfolge verbuchte. Dennoch schonte er seine Soldaten soweit als möglich, indem er sich mehrfach gegen unsinnige Angriffsbefehle aussprach. Auf dem Schlachtfeld westlich von Verdun kamen Kampfmethoden und Kampfmittel zum Einsatz, die später allgemein üblich wurden, wie etwa die Stoßtrupptaktik (Sturmbataillon Rohr), die Stielhandgranaten oder die Trennung der Artillerie in Infanterie- und Fernkampfgruppen. Am 17. 10. 1916 erhielt M. als 32. Soldat das Eichenlaub zum Pour le mérite, der ihm bereits am 13. 1. 1915 in Anerkennung seiner Verdienste während der Argonnen-Kämpfe verliehen worden war. Nun führte M. für wenige Wochen die 8. Armee an der ruhigeren Ostfront, kehrte aber Anfang 1917 an die Westfront zurück. Ende Oktober 1918 sprach er sich auf der Sitzung der Staatssekretäre in Berlin für die Fortsetzung des Kampfes aus.

Nach dem Krieg ließ sich M., der 1918 à la suite des Königs-Infanterie-Regiments (6. Lothringisches) Nr. 145 gestellt worden war, in Wiesbaden nieder. Die franz. Besatzungsmacht unterwarf ihn vom 21. bis 24. 3. 1923 einer politisch motivierten Untersuchungshaft; nach der Ausweisung zog er nach Schwerin. Als Mitglied der Deutschnationalen Volkspartei wertete M. den Zusammenbruch 1918 als Folge „des sozialistischen Dolchstoßes in den Rücken unserer vom Feinde nicht zu erschütternden Front" und befürwortete einen neuen Waffengang gegen den „Westen zu endgültiger Abrechnung mit dem Erbfeinde". – Kasernen der Wehrmacht (Karlsruhe-Knielingen), der Bundeswehr (Köln), aber auch der Bereitschaftspolizei (Mainz-Kastel) tragen seinen Namen, und der Waffenring Deutscher Pioniere, dessen Ehrenschirmherr er war, verleiht seit 1983 alljährlich an den besten Offizieranwärter der Pioniertruppe den General-v.-Mudra-Preis. – Ehrenbürger v. Muskau.

W Zuchthaus-Erinnerungen aus d. besetzten Gebiet, 1924; GFM Colmar Frhr. v. der Goltz, in: Colmar Frhr. v. der Goltz, Das Volk in Waffen, Ein Buch üb. Heerwesen u. Kriegführung unserer Zeit, 6. Aufl. d. alten Werkes, zugleich 1. Aufl. d. auf Grund d. Erfahrungen d. Weltkrieges durchgeführten Neubearb. v. Friedrich Frhr. v. der Goltz, 1925 (teilw. Wiederabdr. in: Im Gedenken an Colmar Frhr. v. der Goltz, 1936); GFM Colmar Frhr. v. d. Goltz. u. seine Bedeutung als Chef d. Ingenieur- u. Pionierkorps u. Generalinspekteur d. Festungen, in: Das Ehrenbuch d. Dt. Pioniere, hrsg. v. P. Heinrici, 1932, S. 25–32. – *Nachlaß:* Militärarchiv, Freiburg.

L Der Weltkrieg 1914 bis 1918, hrsg. v. Reichsarchiv, 17 Bde., 1925–30; Ernst Schmidt, Argonnen, 1927 *(P)*; E. Buchfinck, Feldmarschall Graf v. Haeseler, 1929; Schultheis, Die Bedeutung d. Gen. d. Inf. v. M. für d. Kgl. Preuß. Ingenieur- u. Pionierkorps, in: Das Ehrenbuch d. Dt. Pioniere, hrsg. v. P. Heinrici, 1932, S. 41–54 *(P)*; Gesch. d. Ritter d. Ordens „pour le mérite" im Weltkrieg, hrsg. v. Hanns Möller, Bd. 2, 1935, S. 59–62; W. Hausen, Gen. d. Inf. B. v. M., in: Dt. Soldatenjb. 1981, S. 212–15 *(P)*.

P Dt. Pionier-Ztg. v. 1. 12. 1931, S. 225; Dt. Soldatenjb. 1964, S. 148; R. Stratz, Der Weltkrieg, 1933, S. 288/89.

Karl-Heinz Lutz

Müchler, *Karl Friedrich,* Unterhaltungsschriftsteller, * 2. 9. 1763 Stargard (Pommern), † 12. 1. 1857 Berlin.

V Johann Georg (Philipp) (1724–1819), Prof. d. lat. Sprache u. Poesie, Waisenhausinsp. (s. ADB 52).

Seine Kindheit verbrachte M. zunächst in Stargard, seit 1773 in Berlin, wo er auch Jura studierte. Seit 1783 hatte er verschiedene Verwaltungsposten inne, wurde 1794 zum Kriegsrat ernannt, verlor aber 1806 nach der Niederlage Preußens seine Stellung. 1814 kehrte er noch einmal als Polizeidirektor beim Generalgouvernement in Dresden (1815 in Merseburg) in den preuß. Staatsdienst zurück. Sein Pamphlet „Rechtfertigung des aus königl. Sächs. in Preuss. Dienste übergetretenen Rathes N." (1815, Abdr. b. Czygan) führte Ende 1815 zu seiner Entlassung, denn hier hatte ein preuß. Beamter anonym eine offensichtlich prosächsische Schrift verfaßt, um die in den preuß. Staatsdienst (Hzgt. Sachsen) übergetretenen sächs. Beamten als politisch unzuverlässig erscheinen zu lassen. Diese publizistische Intrige, welche Hardenbergs Bemühungen unterlief, die neugewonnenen Untertanen zu integrieren, blieb als Akt der politischen Meinungsmanipulation unverstanden. Man stellte sie als Folge einer „früheren Geisteszerrüttung" hin („Das gesamte Ministerium an den König", 25. 2. 1816). Nach diesem Desaster widmete sich M. nur noch unpolitischer Schriftstellerei. „Das gelehrte Berlin" von 1825 bzw. 1845 nennt ihn als Autor oder Herausgeber von über 100 Titeln. Vom Zaren erhielt er seit November 1814 bis zu seinem Tod eine jährliche Pension von 100 Dukaten.

M. gehört zum Typus des freien Schriftstellers, der den sich etablierenden Verwaltungsstaat wie den literarischen Markt zum eigenen Vorteil zu nutzen suchte. Mit sicherem Gespür für den sich abzeichnenden Strukturwandel – in der „Rechtfertigung" bezeichnete er selbstbewußt die Staatsbeamten und nicht den Adel als die gesellschaftlich führende Macht – stellte er sich vor seiner Entlassung freiwillig als politischer Publizist in den Dienst Preußens, lange bevor dieses selbst die Möglichkeit öffentlicher Meinungsbildung nutzte. Seine Schrift „Ueber Volks-Despotismus" (1793), seine patriotische Lyrik („Gedichte, niedergelegt auf dem Altar des Vaterlandes", 1813), darunter das verbreitete Gedicht „Der Eroberer" („Mag die Welt in thörigtem Erstaunen", 1806), und nicht zuletzt die geschickt die Wende in der preuß. Frankreichpolitik mitvollziehende Zeitschrift „Das erwachte Europa" (1814) belegen seinen preuß. Patriotismus, aber auch sein Festhalten an der absolutistischen Staatsordnung.

Als Literat orientierte sich M. ganz an den wachsenden Anforderungen des literarischen Marktes. Dem Bemühen der Spätaufklärer um das weibliche Publikum schloß er sich noch während seines Studiums an („Taschenbuch für Frauenzimmer", 1779–84). Das Interesse an didaktischer Literatur für die Jugend während der Biedermeierzeit befriedigte er mit zahlreichen Erzählungen, Märchen und Parabeln (u. a. „Sittenbilder in Fabeln und Erzählungen für die Jugend", 1829). Er popularisierte die literarischen Standards der jeweiligen Epoche, wobei er sich ganz auf ein Publikum fixierte, das von Literatur kaum mehr als Unterhaltung, Lebenshilfe und Brauchbarkeit im geselligen Umgang erwartete. Seinen Anekdotensammlungen („Anekdotenalmanach", 35 Bde., 1808–13, 1815, 1817–45) lag der aufklärerische Impetus zugrunde, Menschenkunde durch wahre Geschichten zu vermitteln. Mit seinen volkspädagogisch ausgerichteten und empfindsam-erzählerisch aufbereiteten dokumentarischen Verbrecherporträts („Criminal-Geschichten", 1792; „Kriminalgeschichten, Ein Beitrag zur Erfahrungslehre", 1828–32) kam er einem aktuellen Interesse an psychologischen und sozialgeschichtlichen Erklärungen im Rahmen einer „Erfahrungsseelenkunde", wie sie von C. Ph. Moritz und C. H. Spieß vertreten wurde, entgegen. Indem er mittels Anthologien europ. Literatur zum verfügbaren Bildungsbesitz aufbereitete, trivialisierte er den Bildungsbegriff der deutschen Klassik („Vergißmeinnicht", 1808/09; „Schatzkästlein für deutsche Jünglinge", 1818, ²1820). Aufklärerischer wie biedermeierlicher Geselligkeitskultur stellte er Sammlungen mit Denksprüchen und Scherzen („Scherzhafte Denksprüche, Zum Gebrauch für Stammbücher", 1817) bzw. mit Gedichten und dramatischen Szenen („Zu Familienfesten", 1823) zur Verfügung. Trotz hoher Produktivität war M. bald ein vergessener Autor. Von seiner überwiegend an Anakreontik und Empfindsamkeit geschulten Lyrik („Gedichte", 1782, 1786, 1802) hat nur das Trinklied „Im kühlen Keller sitz ich hier" in Kommersbüchern überdauert. – Russ. Wladimir-Orden (1814).

L ADB 22; P. Czygan, Zur Gesch. d. Tageslit. während d. Freiheitskriege, 1909–11; E. Weber, Lyrik d. Befreiungskriege (1812–15), 1991; Brümmer; Doderer; Kosch, Lit-Lex.³; Killy.

Ernst Weber

Mücke, *Hellmuth* v., Seeoffizier, Schriftsteller, Politiker, * 25. 6. 1881 Zwickau (Sachsen), † 30. 7. 1957 Ahrensburg (Schleswig-Holstein). (ev.)

V Curt (1851–86), sächs. Hauptmann, S d. Alexander (1815–83), sächs. Oberlandesgerichtsdir., u. d. Anna Adele v. Querfurth (1822–87); M Luise (1854–1940), T d. Heinrich Friedrich Alberti, Großkaufm. in Baltimore (USA), u. d. Luise Charlotte Wehrkamp; ∞ Bremen 1915 Carry (Carla) (* 1894), T d. Ing. u. Schiffsbaumeisters Thorbjörn Hammeraas aus Norwegen u. d. Anna Rebecca Berry aus Washington, Adoptiv-T d. Kaufm. Karl Finke u. d. Jenny Geyer aus Bremen; 3 S, 3 T.

M. trat 1900 in die Kaiserl. Marine ein. Den Ausbruch des 1. Weltkrieges erlebte der Kapitänleutnant als Erster Offizier auf dem Kleinen Kreuzer „Emden" in Ostasien. 1916 war er Führer der Flußabteilung auf dem Euphrat, 1917 Chef der deutschen Donau-Halbflottille. Nach Kriegsende wurde er als Korvettenkapitän verabschiedet.

Berühmt wurde M. als Führer des Landungszuges der „Emden" (3 Offiziere, 44 Mann) nach der Zerstörung der brit. Funkstation auf Direction Island (Cocos-Inseln im Indischen Ozean). Während der Landungszug seinen Auftrag am 9. 11. 1914 ausführte, wurde die „Emden" vom austral. Kreuzer „Sydney" kampfunfähig geschossen. Dem Landungszug war es nicht mehr gelungen, rechtzeitig an Bord zurückzukehren. M. ließ daraufhin den im Hafen der Insel liegenden, nur wenig seetüchtigen brit. Dreimast-Schoner „Ayesha" besetzen und als deutsches Hilfskriegsschiff in Dienst stellen. Noch am 9. November abends versuchte er mit dem Landungszug an Bord des viel zu kleinen Schiffes dem Gegner und der drohenden Gefangenschaft zu entgehen. Trotz Fehlens genauer Seekarten erreichte er am 27. 11. Padang (Sumatra). Am 14. 12. stieg die Besatzung auf den größeren deutschen Küstendampfer „Choising" über, der durch geschickte Nachrichtenübermittlung geordert wurde. Am 8. 1. 1915 erreichte der Dampfer, der den franz. Überwachungsstreitkräften ausgewichen war, den türk. Hafen Hodeida an der arab. Küste des Roten Meeres. Nach einer abenteuerlichen Odyssee, mehrmals in schwere Gefechte mit aufständischen Beduinen verwickelt, gelangte die Besatzung auf dem Landwege, teilweise auch auf Segelbooten längs der Ostküste des Roten Meeres, am 6. 5. nach El Ula und von dort mit der Hedschas-Bahn am 23. 5. nach Konstantinopel. Durch die energische und seemännisch-militärisch überaus sachkundige Führung M.s erreichte der Landungszug als einziger Teil des Kreuzergeschwaders die heimatliche Front.

Nach dem Kriege widmete sich M. der Schriftstellerei und der Politik. Er setzte sich für eine nationale Sammlungsbewegung aller Bevölkerungsschichten ein und trat der Deutschnationalen Volkspartei bei, von der er sich bereits 1919 wieder trennte. Er gründete den Mücke-Bund, der in der Inflationszeit unterging. Ende 1919 trat er der NSDAP bei und wurde auf deren Liste im November 1926 in den sächs. Landtag gewählt. Bereits nach einem Jahr legte er sein Landtagsmandat nieder. Nach den sächs. Wahlen Anfang 1929 richtete er zur Bildung einer gemeinsamen Regierung ein Bündnisangebot an Sozialdemokraten und Kommunisten. Das Angebot wurde von beiden Seiten abgelehnt. Die NSDAP erklärte, daß M. nicht autorisiert gehandelt und die Partei nichts mit diesem Angebot zu tun habe. Hierauf trat er aus der NSDAP aus. Wegen seiner kompromißlosen Haltung geriet der Kriegsheld M., der mit den Verhältnissen der Nachkriegszeit nicht zurechtkam, immer mehr ins politische Abseits. Er zog sich nach Wyk auf Föhr zurück, um von hier aus als Publizist auf die Politik einzuwirken. Von drei geplanten Bänden eines

Werks mit dem Titel „Linie" erschien 1931 nur der 1. Band über die Revolution, den Nationalsozialismus und das Bürgertum. Darin versuchte M. einen „Rückblick persönlicher und politischer Art auf das letzte Jahrzwölft der Republik". Ziel seiner politischen Vorstellungen war eine aufrechte patriotische Linie, die er bei den politischen Kräften damals vermißte, die ihn aber wegen seiner leidenschaftlichen Einseitigkeit immer mehr zwischen alle Fronten geraten ließ. In der Zeit des Nationalsozialismus galten seine Ansichten als nationalbolschewistisch und damit staatsfeindlich. Er wurde zeitweise inhaftiert. Seit 1950 betätigte sich M. im Rahmen der kommunistischen Weltfriedenspropaganda und wandte sich gegen eine „Remilitarisierung" der Bundesrepublik. – Eisernes Kreuz I. Kl. (1915), Ritterkreuz d. sächs. Militär-St. Heinrichs-Ordens (1915).

Weitere W Ayesha, Berlin 1915 *(P)*, ²1927 (holländ. 1917); Emden, 1915 (engl. 1917, holländ. 1917); Die Abenteuer d. „Emden"-Mannschaft, 1921; Emden-Ayesha, in: Unsere Marine im Weltkrieg 1914–1918, hrsg. v. E. v. Mantey, 1927, S. 95–112; Das Schicksal d. Landungszuges S. M. S. „Emden", in: E. Raeder, Der Kreuzerkrieg in d. ausländ. Gewässern II, 1923, S. 107–21.

L E. Ludwig, Die Fahrten d. Emden u. d. Ayesha, 1915; E. Raeder, Der Kreuzerkrieg in d. ausländ. Gewässern II, 1923; R. K. Lochner, Die Kaperfahrten d. Kl. Kreuzers Emden, 1979; H. Hildebrand, Die dt. Kriegsschiffe II, 1980; G. Koop, Emden, 1983; Wi. 1928; Rhdb. *(P).*

Hans-Heinrich Fleischer

Müelich *(Muelich, Mielich), Hans,* Maler, * 1516 München, † (10. 3. ?) 1573 ebd. (kath.)

V Wolfgang (Wolf) d. J. († 1563/64), Maler, arbeitete u. a. 1529–46 in Kloster Beuerberg/Loisach, *S* d. Wolfgang (Wolf) d. Ä. († 1541), seit 1515 in M. nachweisbar, seit 1522 in d. Nachfolge Jan Pollaks u. Lienhardt Eschelburgers als Stadtmaler tätig, sein Beiname „Zentz (Vinzenz) maler" wurde auch auf d. Sohn u. d. Enkel übertragen; *M* Ainpet(h) N. N.; ∞ um 1539 Elisabeth Schrenkmair († 1601); 3 *T,* u. a. Anna (∞ Johann Federl, 1550–1626, Reichsadel 1598, auf Pirk b. Weiden/Oberpfalz, Dr. iur. utr., leuchtenberg. Kanzler).

Es kann als gesichert gelten, daß M. seine erste Ausbildung bei seinem Großvater erhielt. In dessen Werkstatt, in der 1528 auch Ludwig Refinger arbeitete, wurde M. mit den Traditionen der Altmünchner Tafelmalerei vertraut; daneben blieb das Werk seines Regensburger Lehrers Albrecht Altdorfer, als dessen „leer Junger und lieber Diener" M. im Testament des Meisters von 1538 erwähnt wird, bis in seine Spätzeit stilistisch prägend. M.s Figuren- und Landschaftsauffassung, seine Architekturdarstellungen, sein leuchtender Farbstil sowie der skizzenhafte Duktus zahlreicher Zeichnungen und Malereien reflektieren den Spätstil Altdorfers und das Vorbild der „Donauschule", Stilmerkmale, die vor allem im Miniaturenwerk der 1560er Jahre noch einmal eindrucksvoll zur Entfaltung gebracht werden. Als Vermittler der Dürerschule und später auch erster ital. Einflüsse dürfte Barthel Beham, der seit 1528 im Mielich-Haus in München wohnte, eine wichtige Rolle gespielt haben.

Unter den frühesten erhaltenen Werken M.s, die alle 1536 zu datieren sind, dokumentieren mehrere seinen Aufenthalt in Regensburg in diesem Jahr (darunter Sitzung des Regensburger Inneren Rates, unter den Ratsherren auch Altdorfer, Miniatur im Freiheitenbuch der Stadt, Stadtarchiv, Regensburg; Memento-mori-Bild mit schlafendem Putto, im Hintergrund St. Emmeram, Städt. Mus., Regensburg). Altdorfers Tod dürfte M. zur Rückkehr nach München veranlaßt haben. Deutlich vom späten Altdorfer beeinflußt zeigt sich noch die 1539 entstandene vielfigurige Kreuzigung Christi (Academia de S. Fernando, Madrid). Im Meisterstück von 1543 dagegen (Grabtragung und Verspottung Christi, beidseitig bemalte Tafel, 1632 aus der hzgl. Kunstkammer nach Schweden entführt, dort in das Epitaph des Hans Goldberg integriert, Kirche von Solna b. Stockholm) dominieren ital. Reminiszenzen im Figurenstil, die die Kenntnis oberital. Malerei (Mantegna, Pordenone, Savoldo, Moretto da Brescia) voraussetzen. Eine erste Italienreise M.s (möglicherweise als Nachfolger Barthel Behams, der vermutlich 1534–37 im Auftrag Hzg. Ludwigs und nochmals nach 1537 von Hzg. Wilhelm IV. „der Kunst wegen" dorthin geschickt worden war, jedoch 1540 in Mailand verstarb) wäre am ehesten in der Zeit um 1540/42 denkbar. In der Folgezeit erhielt M. repräsentative Aufträge aus dem Münchner Patriziat (Epitaph des Ehepaars Ligsalz: Bekehrung des Paulus, triumphierender Christus der Auferstehung, Hl. Martin, nach 1545–50, Frauenkirche, München; Epitaph des Kanzlers Wilhelms IV., Leonhard v. Eck, oberer Teil nach Michelangelos Jüngstem Gericht, 1554, Diözesanmus., Freising, Leihgabe d. Bayer. Nat.mus., München; Kreuzigung Christi, Christus in d. Vorhölle, wohl Epitaph, um 1558/59, Nat. Gallery, Washington). Die Kopie nach Michelangelo im Eckschen Epitaph, die wiederholt als Beweis eines Romaufenthalts genannt wurde, rechtfertigt diese Annahme nicht: bis 1554 existierten Reproduktionen in Stich und Malerei, die M. zur Verfügung standen, zumal da er zu dieser Zeit bereits für den hzgl. Hof arbeitete und von dessen intensiven Kunstbeziehungen nach Oberitalien und Rom profitieren konnte.

Ansehen als Porträtist erlangte M. seit 1539 durch zahlreiche Bildnisaufträge aus Bürgertum und Patriziat. Als solcher erhielt er auch erste Aufträge vom hzgl. Hof (u. a. Bildnis des Thronfolgers Albrecht V., 1545, Bayer. Staatsgem.slgg., München; Totenporträt Hzg. Wilhelms IV., 1550, Bayer. Nat.mus., München). Bislang unpubliziert ist ein kleinformatiges Deckfarbenbildnis Hzg. Albrechts V. in Dreiviertelfigur (n. 1560, Staatl. Graph. Slg., München), ähnlich dem Ganzfigurenbildnis des Herzogs von 1555 (Bayer. Staatsgem.slgg., München). Insgesamt umfaßt das gesicherte Œuvre bis 1559 etwa 35, meist halbfigurige Bildnisse, darunter einige, die zu den besten Leistungen der deutschen Porträtkunst der Zeit um 1540-70 zählen (u. a. Bildnis des Ladislaus v. Fraunberg, Gf. zu Haag, 1557, Slgg. d. Fürsten v. Liechtenstein, Vaduz).

Die in der Werkstatt Altdorfers gesammelten Erfahrungen in der Miniaturmalerei spiegeln die nach der Mitte der 1540er Jahre im Auftrag Albrechts V. entstandenen Einzelblätter und Buchmalereien wider. Den Anfang markieren, von nicht erhaltenen kleineren Gebetbuchilluminationen abgesehen, zwei Bildinventare der hzgl. Kleinodiensammlung (Schmucksachenblätter, 1546-55, Bayer. Nat.mus. u. Staatl. Graph. Slg., München; Kleinodienbuch d. Hzgn. Anna, 1552-55, Bayer. Staatsbibl., München). Nach 1557 wurde der kunstsinnige und musikliebende Fürst zum Hauptauftraggeber M.s, ohne ihn jedoch zum Hofmaler zu ernennen. Als Kenner und Liebhaber von Preziosen und erlesenem Kunsthandwerk erkannte und förderte Albrecht V. M.s besondere Begabung für das kleine Format, in welchem sich dieser als lebendiger, geistreicher und zugleich volkstümlicher Erzähler wie auch als Meister der dekorativen Malerei erwies. In den beiden repräsentativen musikalischen Prachthandschriften, dem Chorbuch mit Motetten des Cyprian de Rore (ca. 1557-59, mit Hinzufügung einzelner, später gemalter Seiten zu dem bis 1564 noch ungebundenen Werk) und dem zweibändigen Chorbuch der „Septem Psalmi Poenitentiales" des Orlando di Lasso (1558-70, mit Werkstattbeteiligung) beeindruckt M. durch eine brillante Farbigkeit und den gestalterischen Reichtum der manieristischen Rahmenarchitekturen, in denen er das Rollwerk der zeitgenössischen niederländ. Ornamentvorlagen selbständig weiterentwickelte. Ein in den Miniaturen des Motettenbandes ablesbarer erneuter Stilwandel, bei dem an die Stelle einer vom niederländ. Romanismus beeinflußten, relativ groben Figurenbehandlung und grell-lebhaften Farbigkeit ausgewogenere Proportionen, eine beruhigte Palette von klarer Leuchtkraft sowie italianisierende Architekturkulissen treten, legt eine zweite, kurze Reise M.s nach Oberitalien (Venedig) um 1558 und eine intensive Auseinandersetzung mit dem Werk Tizians und Tintorettos nahe. Der häufige Gebrauch von Vorlagen erweist sich insbesondere im Bußpsalmenwerk als konzeptionell intendiert, die systematische Kompilation ital., niederländ. und deutscher Bild- und Ornamentgraphik verleiht der „Kopie" als „Zitat" in neuem Kontext eine ganz eigene Qualität. Das Gesamtkonzept wie auch das komplexe humanistisch-theologische Bildprogramm dieses in der abendländischen Buchmalerei einzigartigen Unternehmens (über 400 illuminierte Seiten) gehen im wesentlichen auf den Humanisten Samuel Quicchelberg (1527-67) zurück, der auch die Kommentarbände zu den Miniaturen verfaßt hat (Bayer. Staatsbibl., München). An der Realisierung der beiden großen Miniaturenprojekte war von Beginn an M.s Werkstatt beteiligt: Auch in dem von der bisherigen Forschung als ausschließlich eigenhändige Arbeit beurteilten Motettenband läßt sich mit Sicherheit eine weitere Hand nachweisen, die in den Folgejahren, zusammen mit einem zweiten, unbedeutenderen Werkstattmitglied, einen beträchtlichen Anteil der Miniaturen in den Psalmenbänden lieferte. Während der Beschäftigung mit den Miniaturenbänden trat die großformatige Malerei in den Hintergrund. Zum großen Teil als Werkstattarbeit müssen die nach Entwürfen M.s ausgeführten Malereien des Ingolstädter Hochaltars (Auftragserteilung zum Universitätsjubiläum um 1560, Detailplanung und Ausführung um 1567-72, Ingolstadt, Münster) bezeichnet werden, die von M. jedoch abschließend vielfach übergangen wurden. Im Vergleich mit den Arbeiten der späten 1550er Jahre zeigen die eigenhändigen Malereien M.s erstarrenden Altersstil. Innerhalb der Werkstatt scheint eine gewisse Spezialisierung stattgefunden zu haben, da sich personelle Überschneidungen der mit den Miniaturen bzw. der mit dem Ingolstädter Altarwerk befaßten Mitarbeiter nur in wenigen Fällen belegen bzw. vermuten lassen.

Charakteristisch für M.s Gesamtwerk ist zum einen die Synthese verschiedener Stilrichtungen, wobei die Adaption fremder Einflüsse mehrfach einen tiefgreifenden Stilwandel bewirkte, zum anderen eine ausgeprägte Neigung zur Kopie sowie zur kompilierenden, dabei jedoch individuellen Verarbeitung von Vorlagen aus Malerei oder Druckgraphik. Hinsichtlich Vielseitigkeit und Erfindungsreichtum ist M.s malerischem Œuvre in der süddeutschen Kunst der Mitte des 16. Jh. kaum Vergleichbares an die Seite zu stellen. Mit seinen Tafelwerken zählt er neben Wolf Huber, Matthias Gerung, Jakob Seisenegger, Christoph Amberger und Hans Bocksberger d. Ä. zweifellos zu den wichtigsten Repräsentanten der süddeutschen Tafelmalerei in der Jahrhundertmitte, seine buchmalerischen Hauptwerke begründeten bereits zu Lebzeiten M.s Ruhm als Meister der Miniaturmalerei.

Weitere W Kreuzabnahme, 1536 (wohl Votiv- od. Epitaphbild für d. Regensburger Kanoniker Carolus Montani) (Musée Marmottan, Paris); Vera Icon, 1536 (Kunstslgg. d. Fürsten Thurn u. Taxis, Regensburg); Kreuzigung Christi, 1536 (Niedersächs. Landesgal., Hannover); Büßender Hl. Hieronymus, 1536 (Städt. Mus., Regensburg, Leihgabe d. Bayer. Staatsgem.slgg., München); Epitaph d. Kanonikus Urban Prunner, um 1544 (Alte Kapelle, Regensburg); Belagerung Ingolstadts, 1546, Holzschnittentwurf; Frontispiz d. „Bairische(n) Lanndtsordnung", 1553, mit d. Darst. d. thronenden Hzg. Albrecht V., Holzschnittentwurf (nicht in d. Lit.); Vier Stimmbücher d. Prophetiae Sibyllarum, 1558/60 (Österr. Nat.bibl., Wien, mit *P* Lassos); Christus als Kinderfreund, 1561; Speisung d. Fünftausend, um 1565/70; Verklärung Christi, 1565/70, mit Werkstattbeteiligung (alle Diözesanmus., Freising).

L ADB 22; B. Röttger, Der Maler H. M., 1925 *(ältere L, Abb.);* dazu Rez. v. O. Hartig, Zur Biogr. d. Malers H. M. v. München, in: HJB 45, 1925, S. 317–21; ders., Die Kunsttätigkeit in München unter Wilhelm IV. u. Albrecht V., 1520–1579, in: Münchner Jb. f. bildende Kunst NF 10, 1933, S. 147–225; L. Schütz, H. M.s Illustrationen zu d. Bußpsalmen d. Orlando di Lasso, Diss. München 1966; H. Geissler, Der Hochaltar im Münster zu Ingolstadt u. H. M.s Entwürfe, in: Ingolstadt, II, 1974, S. 145–78; S. Hofmann, Der Hochaltar im Münster z. Schönen Unserer Lieben Frau in Ingolstadt, in: Ars Bavarica 10, 1978, S. 1–18; J. A. Owens, An Illuminated Manuscript of Motets by Cipriano de Rore, Diss. Princeton 1978; Liechtenstein – The Princely Collections, Ausst.kat. New York 1985, Nr. 153, S. 241–43; J. Rapp, Das Ligsalz-Epitaph d. Münchner Renaissancemalers H. M., in: Anz. d. German. Nat.mus., 1987, S. 161–93; J. Rapp, Kreuzigung u. Höllenfahrt Christi, Zwei Gem. v. H. M. in d. National Gallery of Art, Washington, ebd., 1990, S. 65–96; W. Pfeiffer, Wie sah Albrecht Altdorfer aus?, in: Pantheon 46, 1988, S. 60–62; ders., Eine Altdorfer-Kopie v. H. M., ebd. 50, 1992, S. 28–31; K. Urch, Ein Kaiser im Sorgenstuhl seiner Macht?, ebd. 49, 1991, S. 100–20; dies., Das Bußpsalmenwerk f. Hzg. Albrecht V., in: Orlando di Lasso, Prachtss. u. Qu.überlieferung, hrsg. v. H. Leuchtmann u. H. Schaefer, 1994, S. 19–25; dies., Diss. üb. d. Bußpsalmenminiaturen (in Vorbereitung, *L*); ThB; KML *(W, L).*

P Selbstporträts: Motettenband, 1559, S. 303, Abb. b. Röttger (s. *L*), S. 34; Bußpsalmen, 1. Bd., 1565, S. 222, Abb. b. Orlando di Lasso, 1994 (s. *L*), Tafel 3; Bußpsalmen, 2. Bd., 1570, S. 189, Abb. b. Röttger (s. *L*), S. 42.

Katharina Urch

Müffling, gen. Weiß, Freiherren v. (ev.)

Die adlige Familie v. M. ist bereits im 13. Jh. nachweisbar. Erster bezeugter Namensträger ist *Meinhard* (* um 1300). Die mit dem Ritter Hans Georg Weiß vermählte Tochter *Alexanders* ist die Stammutter des Geschlechtes M., gen. Weiß. *Hans* (* 1530) auf Krümmenfels ist der Stifter der älteren Linie, die jüngere Linie geht auf *Ulrich* (* 1532) auf Traußnitz zurück. Der reiche Grundbesitz in Bayern und in der Oberpfalz gelangte im Lauf der Zeit in fremde Hände.

Ihre größte Bedeutung erlangte die Familie, die 1878 in Preußen die Genehmigung zur Weiterführung des Freiherrentitels erhielt, durch ihre Tätigkeit im preuß. Militär. *Johann Friedrich Wilhelm* (1742–1808) war wie sein Vater, der Major und Ritter des Johanniterordens *Karl Friedrich* (1707–80), zunächst in gotha. Dienste eingetreten, doch 1758 wechselte er als Junker im Infanterieregiment Anhalt-Bernburg in preuß. Dienste und nahm am Siebenjährigen Krieg teil. Für seinen Einsatz im Gefecht bei Amstelveen (Holland) 1787 erhielt er den Orden Pour le mérite. 1797 wurde ihm die Amtshauptmannschaft von Spandau verliehen. Als Generalmajor erlitt er 1806 in der Schlacht bei Jena eine schwere Verwundung (s. Priesdorff III, S. 109 f.).

Seine Söhne *Wilhelm* (1778–1858) und *Karl* (s. u.) kämpften 1792–95 gegen Frankreich. Wilhelm wurde 1806 bei Auerstedt verwundet, 1813/14 führte er ein Garderegiment und erhielt ebenfalls den Orden Pour le mérite (1814). 1816 war er Kommandeur der preuß. Truppen in den Bundesfestungen Mainz und Luxemburg, 1821–39 Kommandant und Vizegouverneur von Mainz, dessen Befestigungen er ausbaute. 1839 wurde er zum Gouverneur von Koblenz und Ehrenbreitstein ernannt (s. Priesdorff IV, S. 364–68; W. Balzer, Mainz – Persönlichkeiten d. Stadtgesch., 1985).

L v. Heyder, Fam.gesch. d. v. M, sonst Weiß gen., 1908; Zur Gesch. d. Frhr. v. M., in: Frankfurter Bll. f. Fam.gesch., 1913; GHdA Freiherrl. Häuser A XII, 1980, S. 251–60.

Stefan Hartmann

Karl, preuß. General, Militärschriftsteller, * 12. 6. 1775 Halle/Saale, † 16. 1. 1851 Erfurt.

V Johann Friedrich Wilhelm (s. Einl.), *S* d. Karl Friedrich u. d. Anna Dorothea v. Selzer a. d. H. Eckstedt; *M* Christiane Charlotte Wilhelmine v. Borschitten; ⚭ Osnabrück 1799 Wilhelmine (1775–1836), *T* d. Ludwig Clamor Frhr. v. Schele (1741–1825), Droste u. Gutsbes., u. d. Clara Freiin v. Münster-Surenberg (* 1799); 1 *S*, 3 *T*.

M. trat mit 13 Jahren in die Armee ein, wurde 1790 zum Sekondeleutnant befördert und nahm an den Feldzügen 1792/93 teil. Seine mathematische Begabung wie auch gute franz. Sprachkenntnisse verschafften ihm trotz mangelnder Schulbildung Zugang zum Generalquartiermeisterstab. Grundlage für die Ausbildung zum Generalstabsdienst bildete die Landesvermessung, an der M. 1796–1803 in Westfalen und Thüringen beschäftigt war. Auch in den folgenden Jahrzehnten machte er sich um die Landesaufnahme verdient. 1803 gehörte er zu jenen 29 Offizieren, die bei der Neuaufstellung des preuß. Generalstabes Verwendung fanden. Im selben Jahre wurde er Mitglied der Militärischen Gesellschaft in Berlin, die unter dem maßgebenden Einfluß von Scharnhorst das geistige Forum für die Erneuerungsbemühungen der Armee war. 1804 zum Stabskapitän und Quartiermeisterleutnant im Generalstab befördert, gelangte M. 1805 in den Stab Blüchers, bei Beginn des Feldzuges 1806 zwischenzeitlich in jenen Hohenlohes.

Seit März 1807 stand M. als Vizepräsident des Landeskollegiums in weimar. Diensten. Auf Verwendung Scharnhorsts im April 1813 als Oberstleutnant im Generalstabe des Blücherschen Hauptquartiers eingestellt, wurde er zunächst mit der Abfassung der amtlichen Kriegsberichte betraut. Sein Einfluß als Oberquartiermeister der Schles. Armee wuchs nach dem Tode Scharnhorsts, da Gneisenaus mangelnde Erfahrung in der höheren Truppenführung sowie seine geringe operative Schulung ihn von dem erfahrenen Generalstabsoffizier abhängig machten (1813 Generalmajor und Generalquartiermeister). Im Feldzug 1815 wurde M. in das Hauptquartier Wellingtons kommandiert, um die Koordination der preuß.-brit. Armeen zu gewährleisten. 1814 kurzfristig Gouverneur von Paris, blieb er bis 1818 im Stabe Wellingtons, der das Oberkommando über die verbündeten Truppen in Frankreich innehatte. 1817–20 leitete er jeweils während der Sommermonate die Vermessungsarbeiten für die Generalstabskarte der Rheinprovinz, wofür ihm 1820 die Leitung aller Vermessungsarbeiten übertragen wurde (1818 Generalleutnant). Bereits 1819 regte M. die Einführung eines optischen Telegraphen für den Heeresdienst an.

Am 11. 1. 1821 erfolgte seine Ernennung zum Chef des Generalstabes der Armee. Unter M. erfolgte eine systematische Schulung der Offiziere, so u. a. durch Sandkasten-Planspiele, die bereits durch Wilhelm v. Grolman eingeführten Übungsreisen wurden intensiviert, die kriegsgeschichtliche Schulung der Generalstabsoffiziere gefördert. Die Einführung eines besonderen Generalstabsdienstweges, der einen unmittelbaren Bericht an den Chef ermöglichte, sollte der Einheitlichkeit der taktischen und operativen Grundvorstellungen dienen. 1829 ging M. als Sondergesandter nach Konstantinopel, um den Sultan zum Friedensschluß mit Rußland zu bewegen, und erhielt anschließend das langersehnte Truppenkommando als Kommandierender General des VII. Armee-Korps in Münster, welches er bis 1838 innehatte (1832 General d. Inf.). 1837 erfolgte seine kommissarische Ernennung zum Präsidenten des preuß. Staatsrates, dem er bereits seit Ende 1821 angehörte. Am 30. 3. 1838 wurde er in diesem Amte bestätigt und zugleich zum Gouverneur von Berlin ernannt. Seine Gabe, komplizierte Sachverhalte auf das wesentlichen Kern zu reduzieren, sein sicheres und maßvolles Urteil, seine breite Bildung wie auch der Sinn für das politisch Mögliche und seine Zivilcourage befähigten ihn für dieses Amt. 1847 wurde er aus Altersgründen unter Ernennung zum Generalfeldmarschall verabschiedet. Die nach seinem Tode veröffentlichten Erinnerungen sind nicht vollständig; wesentliche Teile seiner Kritik an der Kriegführung 1813/15 wurden nicht gedruckt. – Ehrenmitgl. d. preuß. Ak. d. Wiss. (1823); Ehrenbürger v. Berlin (1842); Chef d. 27. Inf.-Rgt. (1842); Orden pour le mérite (1814), engl. Bath-Orden (1815), Schwarzer Adler-Orden (1829), russ. Wladimir-Orden (1829), Alexander-Newsky-Orden (1830).

W Operationsplan d. preuß. u. sächs. Armee im J. 1806, Schlacht v. Auerstädt u. Rückzug bis Lübeck, 1807 (auch franz.); Marginalien z. d. Grundsätzen d. höheren Kriegskunst f. d. Generale d. österr. Armee, 1808, ²1810; Die preuß.-russ. Campagne im J. 1813, von d. Eröffnung bis z. Waffenstillstand vom

5ten Juni 1813, 1813; Gesch. d. Feldzuges d. engl.-hanövr.-niederländ.-braunschweig. Armee unter Hzg. Wellington u. d. preuß. Armee unter d. Fürsten Blücher v. Wahlstadt im J. 1815, 1817 (auch franz. u. engl.); Zum Gebrauch d. Officiere d. Gen.-Stabs b. jährl. Übungsreisen, 1822; Zur Kriegsgesch. d. J. 1813 u. 1814, Die Feldzüge d. schles. Armee unter d. FM Blücher v. d. Beendigung d. Waffenstillstandes bis zur Eroberung v. Paris, 1824, ²1827; Betrachtungen üb. d. großen Operationen u. Schlachten d. Feldzüge v. 1813 u. 1814, 1825; Napoleon's Strategie 1813, von d. Schlacht v. Groß-Görschen bis z. Schlacht b. Leipzig, 1827; Ueber Römerstraßen am rechten Ufer d. Nieder-Rheins v. d. Winterlager Vetera ausgehend zur Veste Aliso üb. d. pontes longi zu den Marsen u. zu d. niederen Weser, 1834; Denkschr., d. Antrag d. achten Provinzial-Landtages d. Prov. Preußen, d. Vermehrung d. Wehrhaftigkeit d. Volkes betr., 1848; Aus meinem Leben, 1851, ²1853; Auszug d. hinterlassenen Papieren, 1855; Gen. M. üb. d. Landwehr, in: HZ 70, 1893, S. 281 ff. (Denkschr. v. 1821 an d. Prinzen August v. Preußen). – *Nachlaß:* Preuß. Kulturbes., Geh. StA Berlin.

L ADB 22; E. Weniger, Goethe u. d. Generale, 1943, ³1959; W. Görlitz, Der dt. Gen.stab, Gesch. u. Gestalt 1657–1945, 1950; H. Schneider, Der preuß. Staatsrat 1817–1918, 1952; G. Ritter, Staatskunst u. Kriegshandwerk, Das Problem d. „Militarismus" in Dtld., I: Die altpreuß. Tradition (1740–1890), 1970; R. Schmidt, Die Kartenaufnahme d. Rheinlande durch Tranchot u. v. M. 1801–1828, T. 1: Gesch. d. Kartenwerkes u. vermessungstechn. Arbeiten, 1973; M. Messerschmidt, Die pol. Gesch. d. preuß.-dt. Armee, 1975; O. Albrecht, Gen. Frhr. v. M. u. d. Kartenaufnahme d. Rheinlande 1814–1828, 1980; W.-K. Junk u. S. Kessemeier, Westfalen in Landkarten 1780–1860, 1986 *(P);* W. Bußmann, Zwischen Preußen u. Dtld., Friedrich Wilhelm IV., 1990; C. v. Clausewitz, Schrr. – Aufsätze – Stud. – Briefe, hrsg. v. W. Hahlweg, Bd. 2, 1990; Priesdorff IV, S. 308–22 *(P).*

Joachim Niemeyer

Mügge. (ev.)

1) *Otto,* Mineraloge, * 4. 3. 1858 Hannover, † 9. 6. 1932 Göttingen.

V Ratje, Hauptlehrer; *M* Marie Temps; ⚭ Elisabeth Storck (* 1861) aus Münster (Westfalen); 2 *S,* u. a. Ratje (s. 2).

Nach Absolvierung des Realgymnasiums in Hannover studierte M. 1875–79 Mathematik, Mineralogie, Chemie und Botanik an der TH Hannover und an der Univ. Göttingen. Seine Promotion fand 1879 mit der von C. Klein betreuten Dissertation „Kristallographische Untersuchung einiger organischer Verbindungen" und sein Staatsexamen für das höhere Lehramt 1880 in Göttingen statt. 1879–92 hatte er eine Assistentenstelle bei H. Rosenbusch am Mineralogisch-Geologischen Institut der Univ. Heidelberg inne. M. bezeichnete Rosenbusch, der um die Jahrhundertwende zu den führenden Petrographen gehörte, als seinen Lehrer. 1882–86 war er Kustos der mineralogisch-geologischen Abteilung des Naturhistorischen Museums in Hamburg. 1886 wurde er als ao. Professor an die damalige Kgl. Akademie in Münster (Westfalen) und 1896 als o. Professor und Nachfolger des Kristallphysikers Theodor Liebisch an die Univ. Königsberg berufen (1903/04 Dekan der Phil. Fakultät). Im April 1908 folgte er einem Ruf nach Göttingen. 1926 wurde er emeritiert.

M. publizierte 152 Arbeiten, die sich hauptsächlich mit der Zwillingsbildung und Translation von Kristallen durch mechanische Verformung (u. a. wichtig für metallische Werkstoffe, Gebirgsverformung und das Fließen von Eis), der gesetzmäßigen Verwachsung unterschiedlicher Mineralarten, der Bildungstemperatur von Quarz- und Plagioklaszwillingen, der Deutung pleochroitischer Höfe in Mineralen durch radioaktive Strahlung und der Petrographie ausgewählter Gesteinskomplexe in Westfalen, Hessen und dem Harz befaßten (vorwiegend in: Neues Jb. bzw. Cbl. f. Mineral., Geol., Paläontol. u. Zs. f. Kristallographie). – Mitgl. d. Ges. d. Wiss. Göttingen (1909); Geh. Bergrat.

W u. a. Über Translationen u. verwandte Erscheinungen in Kristallen, in: Neues Jb. f. Mineral. AI, 1898, S. 71–158; Die regelmäßigen Verwachsungen v. Mineralien versch. Art, ebd. BB, 1903, S. 335–475; Über d. Lage d. rhomb. Schnitts im Anorthit u. seine Benutzung als geolog. Thermometer, in: Zs. f. Kristallogr. 75, 1930, S. 337–44.

L H. Rose, Zu O. M.s Gedächtnis, in: Cbl. f. Mineral. A, 1932, S. 401–25 *(W-Verz.);* V. M. Goldschmidt, in: Jb. d. Ges. d. Wiss. Göttingen, 1933, S. 42–46; Festbd. z. 70. Geb.tag v. O. M., Neues Jb. f. Mineral. 57 BB, 1928 *(P);* Pogg. III-VI; Altpr. Biogr. IV.

K. Hans Wedepohl

2) *Ratje,* Geophysiker, Meteorologe, * 3. 7. 1896 Königsberg (Preußen), † 15. 1. 1975 Königstein (Taunus).

V Otto (s. 1); ⚭ Wiesbaden 1935 Elisabeth Luise (* 1897) aus Wiesbaden, *T* d. Paul Wagner (* 1852) aus Reichenbach, GR, u. d. Minna Jansen (* 1862) aus Glückstadt (Schlesien); 1 *T.*

Den größeren Teil der Schuljahre verbrachte M. in Göttingen, wohin sein Vater berufen worden war. Das Studium der Geophysik in Göttingen, das durch den Kriegsdienst unterbrochen wurde, schloß er 1921 mit einer rein meteorologischen Promotion ab, die die Arbeit des Münchener Physikers R. Emden über den Strahlungshaushalt der Atmosphäre weiterentwickelte und auf synoptische Probleme warmer Hochdruckgebiete anwandte. Anschließend war M. bei der Firma Seismos, Gesellschaft für Lagerstättenforschung, in der angewandten Geophysik tätig. 1926 ging er an die mit dem Meteorologischen Universitätsinstitut verbundene Flugwetterwarte in Frankfurt/Main. Dort konnte er sich der bisher mehr als Liebhaberei gepflegten Wetterbeobachtung widmen. In der Wettervorhersage, die damals viel Intuition erforderte, galt M. als Meister.

Nach einigen Jahren trat er von der Wetterwarte in das Meteorologische Universitätsinstitut über und habilitierte sich dort mit einer Untersuchung über die terrestrische Strahlung, wie sie von irdischen Körpern wie Erdoberfläche und Atmosphäre ausgesandt wird. Es begann eine sehr fruchtbare und glückliche Zeit enger Zusammenarbeit mit G. Stüve über dynamisch-synoptische Probleme und mit F. Möller über die terrestrische Strahlung insbesondere der Atmosphäre, die 1935 durch die Versetzung Stüves an das Reichsamt für Wetterdienst und nach Stüves baldigem Tod durch die Nachfolge Möllers an die gleiche Stelle ein Ende fand. M. wurde Observator am Institut und schuf in dieser Zeit eindrucksvolle Zeitrafferfilme der Serie „Wolken in Bewegung". 1938 wurde er als Leiter des Instituts für Flugmeteorologie an die TH Darmstadt berufen, jedoch unterbrach der Ausbruch des 2. Weltkrieges bald wieder die Aufbauarbeit. Den Krieg verbrachte M. zum größten Teil als Meteorologe an der Wetterwarte des Luftgaues Wiesbaden, wo er in zahlreichen Fortbildungskursen für Meteorologen und Wetterdiensttechniker seine pädagogische Begabung nutzen konnte. Im letzten Kriegsjahr wurde sein Institut in Darmstadt vollständig vernichtet.

M. wurde aber bald mit der Leitung des Frankfurter Instituts beauftragt, so daß er einige Jahre hindurch an beiden Hochschulen unterrichtete, bis er 1948 endgültig nach Frankfurt berufen wurde, wo er sich in den schwierigen Nachkriegsjahren um die Erhaltung und Entwicklung seines Faches bemühte und tüchtige Mitarbeiter um sich sammeln konnte. Der Aufbau einer geophysikalischen Abteilung am Institut, die schließlich bei seiner Emeritierung 1963 zur Schaffung eines eigenen Lehrstuhls für Physik des festen Erdkörpers führte, ist sein bleibendes Verdienst. Auch nach seiner Emeritierung hatte er noch viele Jahre wesentlichen Anteil an den Lehrveranstaltungen des Instituts, in denen er mit der ihm eigenen Begeisterung für das Wettergeschehen die Studenten in die Beobachtung und Deutung atmosphärischer Vorgänge einführte.

W u. a. Zur Entstehung d. Tromben, in: Meteorolog. Zs. 44, 1927, S. 411–13; Synopt. Bearbeitungen d. Wetterdienststelle Frankfurt/Main, Nr. 1, 1932; Zur Berechnung v. Strahlungsströmen u. Temperaturänderungen in Atmosphären v. beliebigem Aufbau, in: Zs. f. Geophysik 8, 1932, S. 53–64 (mit F. Möller); Energetik d. Wetters, in: Btrr. z. Physik d. freien Atmosphäre 22, 1935, S. 206–48; Beihh. zu d. Hochschulfilmen „Stabiles Gleiten" u. „Castellatuswolken, Feuchtlabiles Gleiten", in: Veröff. d. Reichsstelle f. d. Unterrichtsfilm, 1937; Das Wetter, 7. T. d. 5. Aufl. v. Hann-Süring, Lehrb. d. Meteorol., 1940, S. 672 ff.; Wetterkde. u. Wettervorhersage, 1940; Meteorol. u. Physik d. Atmosphäre, 1948.

L K. Keil, Hdwb. d. Meteorol., 1950, S. 362; Meteorolog. Rdsch. 19, 1966, S. 127; Pogg. VI, VII a; Nassau. Biogr.; Altpreuß. Biogr. IV.

Gustav Hofmann

Mügge, *Theodor,* Schriftsteller, * 8. 11. 1802 Berlin, † 18. 2. 1861 ebenda. (ev.)

V Johann Leberecht Mücke (1754–1814), Kaufm. b. e. Material- u. Spezereihandlung in B.; *M* Sophia Schultz (1767–1832); ∞ 1) Berlin 1832 Wilhelmine (1797–1842), Operntänzerin, *T* d. Kammerdieners Ernst Friedrich Martin Reiff u. d. Johanna Friderica Kuntz, 2) 1846 Mathilde Pauline (1823–wohl n. 1874), *T* d. Hofrats u. Provinzial-Steuerrendanten Gustav Carl Kalisch; 4 *T* aus 2).

Schon als Zehnjähriger versuchte M. der häuslichen Enge in Richtung Rußland zu entfliehen, wurde aber wieder nach Hause gebracht, besuchte vorübergehend das Gymnasium und absolvierte eine Lehre als Kaufmannsgehilfe. Nach einer Ausbildung in der Kadetten- und Artillerieschule Erfurt, doch vor dem Offiziersexamen, machte sich M. 1825 auf den Weg nach Südamerika, um sich dem peruan. Freiheitskampf gegen die Spanier zur Verfügung zu stellen; in London erfuhr er, daß Bolivar bereits gesiegt hatte, und kehrte über Paris nach Berlin zurück. Er holte das Abitur nach und nahm 1828 in Berlin das Studium der Philosophie, Geschichte und Naturwissenschaften auf, das er 1832 in Jena mit der Promotion abschloß. Er strebte in den akademischen Staatsdienst, verdarb sich dies aber mit zwei politischen Broschüren von liberalem Geist, „Frankreich und die letzten Bourbonen" (1831), „England und die Reform in ihren umwälzenden Folgen" (1831), welche die preuß. Behörden konfiszierten. M., der seine Zukunft nunmehr in freier Schriftstellerei und Journalismus sah, knüpfte in Berlin Verbindungen zu Karl Gutzkow, Theodor Mundt und dessen Frau Luise Mühlbach, zu Fanny Lewald und Max Ring – Literaten aus dem Umfeld des Jungen Deutschland also, dem ihn ältere Literaturgeschichten selbst zurechneten, zumal er auch regelmäßig an der „Zeitung für die elegante Welt" mitarbeitete. 1848 wurde M. Mitgründer und Feuilletonleiter der „Nationalzeitung". Er geriet zunehmend in Konflikte mit Polizei und Gerichten, die ihn seit seinen freimütigen Schriften – eine weitere war 1845 unter dem Titel „Die Censurverhältnisse in Preußen" hinzugekommen – streng beobachteten.

So konzentrierte er sich in der Folge zunehmend auf Roman- und Reiseschriftstellerei. Vor allem eine Schweiz- und einige Skandinavienreisen wurden mehrfach in Buchform verwertet, nicht nach subjektiv impressionistischer Art, sondern getragen von fleißiger sozial- und wirtschaftsgeschichtlicher wie auch präziser erdkundlicher Information über die fremden Verhältnisse. Nie fehlte das politische, stets für nationale und ethnische Freiheitsrechte sprechende Urteil des Verfassers. Dieselben Prinzipien prägten auch M.s reiches novellistisches Schaffen. Lesbar und lehrreich sind heute noch die Romane „Toussaint" (1840), dem schwarzen Befreier der Antillen und späteren Gegenspieler Napoleons gewidmet; „Der Voigt von Silt" (1851), die Bestrebungen der deutschen Schleswiger gegen die dän. Hegemonie im 19. Jh., „Erich Randal" (1856), den kriegerischen Widerstand der Finnen gegen Annexionspläne Rußlands im Jahr 1808 darstellend. Am bedeutendsten ist sicher die breit ausgesponnene Erzählung „Afraja" (1854), die den Zusammenstoß norweg. Nordlandkolonisten mit der ganz anderen Kultur der lappischen Ureinwohner im 18. Jh. zum Gegenstand hat und zeigt, wie im Streit zwischen den schlauen und habgierigen Christen auf der einen, dem dämonischen Lappenhäuptling Afraja auf der anderen Seite menschliche Einzelleben zerrieben werden; mögen manche Charaktere nicht ganz eindeutig gezeichnet, mancher Geschehenszug nicht zureichend motiviert sein, so entschädigen dafür die großangelegte Komposition des Romans und die menschenfreundliche Gesinnung des Autors – nicht zuletzt aber die mit erstaunlicher Meisterschaft gemalte Kulisse der Lofotenlandschaft am nördlichen Polarkreis. M. hat hier, und das ist nicht sein geringstes Verdienst, die nordische Natur für die deutsche Dichtung erschlossen.

W Novellen u. Erzz., 3 Bde., 1836; Novellen u. Skizzen, 3 Bde., 1838; Ges. Novellen, 6 Bde., 1842/43; Neue Novellen, 6 Bde., 1845/46; Romane, 33 Bde., 1862–67.

L ADB 22; H. Willich, Th. M., e. Btr. z. Gesch. d. dt. Romans im 19. Jh., Diss. Göttingen 1923 (ungedr.); R. Glöckel, Th. M.s Novellentechnik, Ein Beispiel z. Formproblem d. Epik, Diss. München 1927; M.-M. Rabsahl, Die skandinav. Landschaft in d. Werken v. Th. M. u. in d. Reisebeschreibungen u. Romanen bis z. Mitte d. 19. Jh., Diss. Breslau 1941 (ungedr.); M. Ring, Th. M., e. dt. Schriftstellerleben, in: Westermanns Ill. Mhh. XIV, 1963, S. 364–72; B. Steinbrink, Abenteuerlit. d. 19. Jh. in Dtld., 1983; W. Griep, Die Rev. v. Saint Domingue als ethnograph. Erzählstoff: Th. M.s „Toussaint", in: Gal. d. Welt, hrsg. v. A. Maler, 1988, S. 33–47; Brümmer; Wilpert-Gühring; Kosch, Lit.-Lex.[3]

Hans-Wolf Jäger

Mühlbach, *Luise* (eigtl. *Clara Müller,* seit 1839 *Mundt*), Schriftstellerin, * 2. 1. 1814 Neubrandenburg (Mecklenburg), † 26. 9. 1873 Berlin. (ev.)

V Friedrich Andreas Müller (1784–1830), 1816 Bgm. in N., Hofrat, S d. Christoph Ludwig (*1754), Präpositus in Penzlin, u. d. Anna Regina Pfuhl (1767–1845) aus Penzlin; M Friderica, T d. Adolph Friedrich Georg Strübing, Landsyndikus u. Hofrat, u. d. Maria Dorothea Henriette Jacobi; ∞ 1839 Theodor Mundt (1808–61), Schriftst. (s. NDB 18); 2 T Theodora (*1847), Schausp., Therese (Thea) Ebersberger (s. W).

M.s Elternhaus war ein gesellschaftliches Zentrum, in dem sich Verwandte und Freunde sowie Vertreter des Hofes, Politiker und Beamte regelmäßig zu politischem Meinungsaustausch, gemeinsamer Lektüre und musikalischen Veranstaltungen trafen. Die 13jährige M. ging bei einem Nagelschmied und einem Leineweber in die Lehre. Nach dem frühen Tod des Vaters begann sie zu reisen, u. a. in die Schweiz und nach Italien, und erste Texte zu schreiben. Sie befreundete sich mit der 10 Jahre älteren Gfn. Ida Hahn, suchte den Kontakt mit bekannten Dichtern (Ludwig Tieck) und begeisterte sich für die Werke der Jungdeutschen. Seit 1834 korrespondierte sie mit ihrem späteren Ehemann Theodor Mundt, dem sie eigene Manuskripte und Entwürfe zur Beurteilung schickte. Zunächst in Breslau (1848–50), später in Berlin (seit 1851), führte M. einen Salon, in dem sich zahlreiche Schriftsteller, darunter Friedrich Hebbel, Karl August Varnhagen v. Ense, Adolf Glassbrenner, Moritz Gottlieb Saphir, Karl Gutzkow, Berthold Auerbach, Karl v.

Holtei, der Komponist Giacomo Meyerbeer, prominente Schauspieler und Sänger, der Gelehrte Adolf Stahr sowie Vertreter der geistig interessierten Aristokratie trafen.

1838 debütierte M. mit dem Roman „Erste und letzte Liebe". In ihrem dem Vormärz zuzuordnenden Werk (1838–49) überwiegt die Kritik an der Situation der Frau: Sie greift Themen wie Mädchenerziehung, Konvenienzehe, Scheidung und weibliche Berufstätigkeit auf (z. B. in „Eva, Ein Roman aus Berlin", 1844) und wendet sich gegen Prostitution, soziale Ächtung lediger Mütter sowie die Ausbeutung weiblicher Arbeitskraft (Das Mädchen, in: „Frauenschicksal, Erster Theil", 1839). Zeitgenossen bezeichneten sie deshalb als „deutsche George Sand". Das 1849 erschienene dreibändige Porträt der ersten engl. Berufsschriftstellerin, Aphra Behn (1640–89), beschreibt den Aufstieg einer selbständigen, den Konventionen von Ehe und Familie sich verweigernden Frau zur literarischen Attraktion der höfischen Gesellschaft. Seit 1850 schrieb M. vor allem Geschichtsromane, die sie auf mehrere Bände anzulegen und damit zu sicheren Leihbibliothekserfolgen zu machen wußte. Zahlreiche Übersetzungen beweisen ihre Popularität. Ihre Stoffauswahl orientierte sich an patriotischen Höhepunkten der preuß. und österr. Geschichte des 17. und 18. Jh. („Von Solferino bis Königgrätz", 3 T., 1869/70) sowie an aktuellen politischen Ereignissen, etwa dem Kulturkampf („Protestantische Jesuiten", 6 Bde., 1874). Im Mittelpunkt ihrer Romane und Erzählungen stehen u. a. die hohenzollerschen Regenten („Friedrich der Große und sein Hof", 1855; „Kaiser Wilhelm und seine Zeitgenossen", 1873) und bedeutende Frauen der Weltgeschichte („Die letzten Lebenstage Katharinas II.", Hist. Novelle, 1859; „Marie-Antoinette und ihr Sohn", Hist. Roman, 6 Bde., 1867).

Im Vorwort zur Porträtsammlung „Deutschland in Sturm und Drang" (17 Bde., 1867/68) verteidigt M. ihre Konzeption des historischen Romans mit dem Verweis auf das Unterhaltungsbedürfnis der Leser. Für ihre umfangreichen Vorarbeiten zog sie stets zahlreiche Quellen heran, verwertete eigene Erfahrungen als Gesellschafterin einer Gräfin und nutzte ihre vielfältigen Kontakte zum preuß. Hof und zum Adel, um intime Details und Anekdotisches zu verarbeiten. Auf Einladung des Vizekönigs hielt sie sich 1869 zur Eröffnung des Suezkanals und im Winter 1870/71 in Ägypten auf. Ihre in Briefform gehaltenen Reisebeschreibungen, die als Vorabdruck in der „Wiener Tagespresse" erschienen, schildern touristische Höhepunkte einer Orientreise aus der Perspektive der kulturell überlegenen Europäerin. Im Frühjahr 1873 reiste M. als Berichterstatterin des New York Herald für die Weltausstellung nach Wien. Für die amerikan. Zeitung verfaßte sie Porträts von Moltke, Bismarck, Kaiser Wilhelm I., Pius IX., die als Grundlage für spätere Nekrologe dienen sollten.

Weitere W Nach d. Hochzeit, 4 Novellen, 2 T., 1844; Hofgeschichten, Hist. Roman, 1862; Maria Theresia u. d. Pandurenobrist Trenck, Hist. Roman, 2 Bde., 1861/62; Der Große Kurfürst u. seine Zeit, 1865/66; Kaiserin Claudia, Prinzessin v. Tirol, Hist. Roman in 3 Bden., 1867; Reisebriefe aus Ägypten, 2 Bde., 1871; Mohammed Ali, d. morgenländ. Bonaparte, 8 Bde., 1872; Der Dreißigjährige Krieg, 6 Bde., 1873. – *Ausgg.:* Kleine Romane, 21 Bde., 1860–66; Ausgew. Werke, 15 Bde., 1867–69. – Th. Ebersberger (Hrsg.), Erinnerungsbll. aus d. Leben L. M.s, 1902 *(P)*.

L ADB 22; R. Möhrmann, Die andere Frau, Emanzipationsansätze dt. Schriftstellerinnen im Vorfeld d. 48er Rev., 1977; W. H. McClain u. L. E. Kurth-Voigt, C. Mundts Briefe an H. Costenoble, Zu L. M.s hist. Romanen, in: Archiv f. Gesch. d. Buchwesens 22, 1981, Sp. 917–1250; dieselben, L. M.s Historical Novel, The American Reception, in: Internat. Archiv f. Soz.gesch. d. dt. Lit. 6, 1981, S. 52–77; A. Schweitzer u. S. Sitte, Tugend – Opfer – Rebellion, in: H. Gnüg u. R. Möhrmann (Hrsg.), Frauen Lit. Gesch., 1985, S. 144–65; A. Pelz, Europäerinnen u. Orientalismus, in: dies., M. Schuller, I. Stephan, S. Weigel, K. Wilhelms (Hrsg.), Frauen – Lit. – Politik, 1988, S. 205–18; C. Lausch-Jäger, Eine Dame besichtigt d. Orient, L. M. 1814–73, in: L. Potts (Hrsg.), Aufbruch u. Abenteuer, Frauen-Reisen um d. Welt ab 1785, 1988, S. 65–79; Brümmer; Kosch, Lit.-Lex.[3]; G. Brinker-Gabler u. a., Lex. d. dt.sprach. Schriftstellerinnen 1800–1945, 1986; Killy.

Lydia Schieth

Mühlbacher, *Engelbert,* Historiker, Augustinerchorherr, * 4. 10. 1843 Gresten (Niederösterreich), † 17. 7. 1903 Wien.

V Georg, aus Traunkirchen (Oberösterreich), wo d. Fam. e. kleinen Eisenhammer besaß, Gastwirt u. Pfannenschmied; *M* Magdalena Leibmüller, aus Schwertberg (Oberösterreich).

M. besuchte bis 1862 das Gymnasium in Linz und trat unmittelbar danach in das Augustinerchorherrenstift St. Florian ein. 1866 legte er seine Gelübde als Chorherr ab, 1867 empfing er die Priesterweihe und wurde sofort in der Seelsorge eingesetzt. Das Interesse für Geschichte – sicherlich gefördert durch den namhaften Historiker und damaligen Propst Jodok Stülz – führte ihn schließlich an die

Univ. Innsbruck zum Fachstudium; Julius Ficker war hier sein wichtigster akademischer Lehrer. 1874 promovierte M. zum Dr. phil. Im selben Jahr wechselte er nach Wien über, zwei Jahre später nach Innsbruck, wo er sich 1878 über die Urkunden Lothars I. und Karls III. habilitierte; 1881 wurde er ao. Professor für Geschichte des Mittelalters und Historische Hilfswissenschaften an der Univ. Wien und 1896 Ordinarius.

Neben der Universität war es in ganz besonderer Weise das „Institut für Österreichische Geschichtsforschung", dem M.s Einsatz galt. Er war Mitbegründer der „Mitteilungen des Instituts für Österreichische Geschichtsforschung" (1879/80) und führte die Redaktion der Zeitschrift von ihrem ersten Jahrgang an bis zu seinem Tod, seit 1896 dabei von O. Redlich unterstützt. Zu zahlreichen Bänden steuerte er selbst Artikel, Rezensionen und Nachrufe bei. Hatte er seine ersten Arbeiten noch der oberösterr. Landesgeschichte gewidmet, so konzentrierte er sich schon in den Innsbrucker Jahren immer mehr auf die Erforschung der Karolingerzeit. Seine Neubearbeitung der karoling. Regesten, deren 1. Band 1880 erschien, kann als sein Hauptwerk und als „Klassiker der neueren Regestenliteratur" (M. Tangl) gelten. Im Rahmen der MGH übernahm er 1892 die Bearbeitung der Karolingerdiplome, zeitweise unterstützt von A. Dopsch, M. Tangl und J. Lechner. 1891 wurde er als einer der beiden Vertreter der Wiener Akademie in die Zentraldirektion der MGH gewählt, 1892 übernahm er die Leitung der Diplomata-Abteilung. In der Nachfolge seines Lehrers Ficker wurde ihm 1895 auch die Leitung der „Regesta Imperii" übertragen. Freilich konnte er das Erscheinen des Urkundenbandes, den er im Manuskript noch fertiggestellt hatte, nicht mehr erleben.

1896 wurde M. als Nachfolger Heinrich v. Zeißbergs zum Vorstand des Instituts für Österreichische Geschichtsforschung ernannt. Seine Amtszeit macht wesentlich die „Glanzzeit des Institutes" (A. Lhotsky) aus. Die Zahl der Hörer stieg beständig an; Institut wie Vorstand gelangten zu internationalem Ansehen. Dabei beschränkte sich M.s Arbeitsfeld nicht auf die Mediävistik. Er wurde Geschäftsleiter der Kommission für die Herausgabe der Akten und Korrespondenzen zur neueren Geschichte Österreichs, förderte die Herausgabe des Historischen Atlas für die österr. Alpenländer und regte auch die Edition der österr. Urbare und der mittelalterlichen Bibliothekskataloge an. 1896 veröffentlichte er seine bekannteste Arbeit, die „Deutsche Geschichte unter den Karolingern"

(^{2}1959, hrsg. v. H. Steinacker), die – wie die übrigen Arbeiten M.s zur Geschichte der Karolinger – bis auf den heutigen Tag von grundlegender Bedeutung geblieben sind. – Korr. Mitgl. (1885), wirkl. Mitgl. d. Kaiserl. Ak. d. Wiss., Wien (1891), korr. Mitgl. d. Bayer. Ak. d. Wiss. (1896); Dr. h. c. (Bern 1903).

W Gerhochi Reichersbergensis ad Cardinales de schismate Epistola, in: Archiv f. Österr. Gesch. 47, 1871, S. 355–82; Die streitige Papstwahl d. J. 1130, Diss. Innsbruck 1876, Neudr. 1966; Die Datirung d. Urkk. Lothars I., in: SB d. phil.-hist. Cl. d. Ak. d. Wiss. Wien 85, 1877, S. 463–544; Die Urkk. Karls III., ebd. 92, 1878, S. 331–516 (Habil.schr. zus. mit d. vorgen. Titel); Die Regg. d. Kaiserreiches unter d. Karolingern 751–918, nach J. F. Böhmer neu bearb., 1880–1889 (^{2}1899–1904); Kaiser Lothar I., Kg. Lothar II., Kaiser Ludwig II., Kg. Ludwig d. Deutsche, Kg. Ludwig III., Kg. Ludwig IV. (das Kind), alle in: ADB 19, 1884; Kaiser-Urk. u. Papst-Urk., in: MIÖG Erg.bd. 4, 1893, S. 499–518; Die Treuepflicht in d. Urkk. Karls d. Gr., in: MIÖG Erg.bd. 6, 1901, S. 871–83; Die lit. Leistungen d. Stiftes St. Florian bis z. Mitte d. 19. Jh., hrsg. v. O. Redlich, 1905; Die Urkk. Pippins, Karlmanns u. Karls d. Gr., hrsg. mit A. Dopsch, J. Lechner u. M. Tangl (MGH DD Karol. I), 1906 (Nachdr. 1979); Arbb. üb. Arnold v. Brescia u. Abälard *(ungedr.)*. – *Nachlaß:* Inst. f. Österr. Gesch.forschung, Wien.

L W. Dannerbauer, Hundertjähriger Gen.-Schematismus d. geistl. Personalstandes d. Diözese Linz v. J. 1785 bis 1885, I, 1887, S. 618; O. Redlich, E. M., in: MIÖG 25, 1904, S. 201–07 *(P)*; M. Tangl, E. M., in: NA 29, 1904, S. 266–74; B. O. Černik, Die Schriftst. d. noch bestehenden Augustiner-Chorherrenstifte Österreichs v. 1600 bis auf d. heutigen Tag, 1905, S. 160–64 *(W-Verz.);* H. Bresslau, Gesch. d. MGH, 1921; A. Lhotsky, Gesch. d. Inst. f. Österr. Gesch.forschung 1854–1954, 1954 *(P)*; K. Rehberger, Die St. Florianer Historikerschule, 100 J. Gesch.schreibung, in: Ostbair. Grenzmarken 21, 1979, S. 144–54, S. 151 f.; W. Weber, Biogr. Lex. z. Gesch.wiss., ^{2}1987; BJ VIII; LThK^2; ÖBL.

Martin Ruf OSB

Mühlberg, *Friedrich Christoph (Fritz),* Geologe, * 10. 4. 1840 Aarau, † 25. 5. 1915 ebenda. (konfessionslos)

V August (1800–81), Färberei-Unternehmer aus Breslau, eingebürgert in Muri u. A.; *M* N. N. aus d. Schwarzwald; ∞ 1) Marie Emma Codognari (1847–85), 2) Emilie Sophie Sutermeister (1858–1922); 2 *S,* 3 *T,* u. a. Max (1873–1947), Dr., Geologe, 1927–30 Präs. d. Aargau. Naturforschenden Ges. (s. *L*).

Nach Absolvierung der Kantonsschule in Aarau studierte M. am Polytechnikum Zürich Naturwissenschaften und promovierte zum Dr. phil. 1866 berief ihn August Keller zum Professor für Naturwissenschaften an die

Aargauische Kantonsschule in Aarau, wo er bis 1911 in Biologie, Mineralogie, Geologie, Mathematik und Chemie unterrichtete. Als Reformer des naturwissenschaftlichen Unterrichts trug M. zum hohen Ansehen der Kantonsschule maßgeblich bei. Seine bahnbrechende Pädagogik setzte das Objekt an die Stelle von Lehrbüchern.

M. war ein von Darwin, Haeckel und den Schweizer Geologen A. Escher und B. Studer geprägter Aufklärer und Anreger. Fast ein halbes Jahrhundert stand er im Zentrum der Aargauischen Naturforschenden Gesellschaft, ebenso lange wirkte er als Konservator des Naturhistorischen Museums. Das 1922 eröffnete Natur-Museum in Aarau birgt M.s außerordentlich reichhaltige naturkundliche Sammlungen. M. verfaßte zahlreiche zoologische, botanische und naturwissenschaftlich-pädagogische Schriften. Weitaus die meisten Arbeiten aber sind geologischen Inhalts. M.s Stärken lagen in der Beobachtung, Deutung und praktischen Nutzanwendung. Hauptstudien betrafen die geologische Erforschung des Aargaus und weiterer Teile des Juragebirges im Auftrag der Schweizer. Geologischen Kommission. Er erstattete Gutachten für Private, Gemeinden und Kantone und half dadurch mit bei der Erstellung von Wasserversorgungen, Flußkorrektionen und Entwässerungen, beim Bau von Straßen, Bahnen und Tunneln und beim Kampf gegen Erdrutsche. Die auf zahlreichen Exkursionen gesammelten Beobachtungen fanden ihren Niederschlag in sieben geologischen Karten (1:25 000), die sich durch äußerste Genauigkeit und Klarheit auszeichnen. Wegweisend war auch die Schaffung der „Quellenkarte des Aargaus" mit Quellenheften aller 233 Gemeinden des Kantons mit vollständigen Angaben über gefaßte und ungefaßte Quellen, laufende Brunnen, Wasserlöcher, Sode und über die Versorgung der Bevölkerung mit Wasser. Zeitlebens beschäftigte ihn auch die Erforschung der Eiszeiten, wobei er 1896 fünf Eiszeiten nachweisen konnte. Damit schuf M. als erster wissenschaftlicher Bearbeiter die systematischen Grundlagen zum Verständnis des eiszeitlichen Geschehens nördlich des Alpenhauptkamms. Gleichzeitig stellte er den regionalen Zusammenhang mit der im bayer. Alpenvorland begründeten traditionellen Abfolge eiszeitlicher Phasen her.

W u. a. Ueber d. errat. Bildungen im Aargau, 1869, FS z. 500. Sitzung d. Aargau. Naturforschenden Ges., 1869; Flora d. Aargaus, Standorte u. Trivialnamen d. Gefässkryptogamen d. Aargaus, 1880; Der Boden v. Aarau, Eine geolog. Skizze, 1896; Die Wasserverhältnisse v. Aarau, 1896; FS z. Einweihung d. neuen Kt.schule, 1896; Der Boden d. Kt. Aargau, 1896; Sechs geolog. Karten mit Erläuterungen u. zwei Profiltafeln, 1901–15; Berr. üb d. aargau. Naturhist. Mus. in d. Jberr. d. Kt.schule, 1878–1913; Präsidialberr. üb d. Aargau. Naturforschende Ges. in deren Mitt., 1878–1913.

L M. Muehlberg, in: Verhh. d. Schweizer. Naturschenden Ges., 1915; A. Hartmann, in: Jber. d. Aargau. Kt.schule, 1915/16; NZZ 1915, Nr. 657 u. 663; E. Bürkner, in: Zs. f. Gletscherkde. 10, 1916/17; Lb. aus d. Aargau 1803–1953, 1953, S. 387–91 *(P)*; Biogr. Lex. d. Aargaus 1803–1957, 1958; Pogg. III, IV. – *Zu Max:* Verhh. d. Schweizer. Naturforschenden Ges.. 127, 1947, S. 260–64; Mitt. d. Aargau. Naturforschenden Ges. 23, 1950, S. 49–55; Biogr. Lex. d. Aargaus 1803–1957, 1958.

P Sandstein-Büste v. Trudel (Park d. Kt.schule Aarau).

Hans Peter Müller

Mühlberger, *Josef,* Schriftsteller, * 3. 4. 1905 Trautenau (Nordböhmen), † 2. 7. 1985 Eislingen b. Göppingen. (kath.)

Aus Fam. mit dt. u. tschech. Vorfahren; *V* Josef (* 1866) aus Marschendorf (Böhmen), Postbeamter in T.; *M* Anna Irzing (* 1869); *B* Alois (1891–1965), Dr. phil., Lehrer, Schulreformer (s. BLBL); – ledig.

Nach der Matura studierte M. in Prag Germanistik bei August Sauer und Erich Gierach, Slawistik bei Franz Spina und Gerhard Gesemann. Er promovierte 1926, verbrachte ein Studienjahr in Uppsala und erweiterte dort seine Dissertation zu einem Buch, das 1929 unter dem Titel „Die Dichtung der Sudetendeutschen in den letzten fünfzig Jahren" erschien. Gemeinsam mit Johannes Stauda gab er 1928–29 und 1931 die Kunst- und Literaturzeitschrift „Witiko" heraus. 1934 hatte er mit der Erzählung „Die Knaben und der Fluß" einen ersten literarischen Erfolg. Im selben Jahr gewann er den Dramenwettbewerb der Stadt Eger, der anläßlich des Wallenstein-Jubiläums ausgeschrieben worden war. In den folgenden Jahren wurde M. zusehends zur Zielscheibe der nationalsozialistischen Kräfte seines Landes. Denunziert als „intimer Freund Prager jüdisch-literarischer Kreise" und als Sudetendeutscher, der die Geschichte „tschech. Jungen aus innertschech. Landschaft" thematisiere, ging er halbherzige Kompromisse ein, zunächst mit der Sudetendeutschen Partei, nach 1938 mit den neuen Machthabern. Er wurde jedoch wegen Homosexualität verhaftet und meldete sich schließlich freiwillig zum Militär. M. war bis zum Kriegsende Soldat. Entlassen aus der amerikan. Gefangenschaft, kehrte er nach Trautenau zurück und verließ seine Heimat im

August 1946 mit einem sog. „Transport von Antifaschisten". Bis zu seinem Tod wohnte M. in Württemberg, zuletzt in Eislingen, tätig als Schriftsteller und als Feuilletonredakteur bei der Esslinger Zeitung. Zehn Jahre war er überdies Vorsitzender der Künstlergilde Esslingen.

M.s Buch über die Dichtung der Sudetendeutschen stellt den Versuch dar, die deutsche Literatur Böhmens und Mährens ohne Abgrenzung und Vorurteile zu behandeln. Die Darstellung reicht bis zu den Schriften von Franz Kafka, die M. in ihrer Bedeutung erkennt und eingehend würdigt. Tonfall und Programmatik wiederholen sich in der Kunst- und Literaturzeitschrift „Witiko". In ihr wurden in diesem Sinne Neuerscheinungen der sudetendeutschen und der tschech. Literatur vorgestellt. Erstveröffentlichungen von Kafka und Max Brod stehen neben solchen von Erwin Guido Kolbenheyer, Bruno Brehm und Johannes Urzidil. Die Erzählung „Die Knaben und der Fluß" vermittelte Gerhard v. Mutius, der 1934 als deutscher Gesandter in Bukarest lebte, an den Leipziger Insel-Verlag. Die Erzählung, die in der slaw. Umwelt Mährens spielt, schildert die Freundschaft zweier Knaben und ihre gemeinsame Liebe zu einem Mädchen, die so stark ist, daß einer der beiden den Konflikt nur zu lösen vermag, indem er in den Tod geht. Hermann Hesse war von dem Werk so angetan, daß er es in der Neuen Zürcher Zeitung als „schönste und einfachste junge Dichtung" bezeichnete, die er seit langem gelesen habe.

Nach dem Krieg bemühte sich M., die Erfahrung des Nationalsozialismus und der Vertreibung literarisch zu verarbeiten. In „Verhängnis und Verheißung, Roman einer Familie" (1952) schildert er die Veränderung des Klimas in einer österr. Kleinstadt unmittelbar vor dem Anschluß an das Dritte Reich. In „Bogumil, Das schuldlose Leben und schlimme Ende des Edvard Klima" (1980) verarbeitet er die deutsch-tschech. Gegensätze bis in die Zeit der NS-Okkupation. „Der Galgen im Weinberg" (1950) erzählt von dem Leiden Deutscher in Theresienstadt nach der Befreiung der Juden, wofür Dürers Holzschnitt vom Brudermord als Metapher dient. Die Versöhnung zwischen Kain und Abel ist eines der Hauptanliegen des weiteren Werkes. M. übersetzte tschech. Romane und Gedichte, er schrieb eine „Tschechische Literaturgeschichte" (1970) und eine Kulturgeschichte der „Zwei Völker in Böhmen" (1973). Daneben befaßte er sich mit dem Geschlecht der Hohenstaufen und mit der Geschichte des Mittelmeerraumes. – Herderpreis (1938), Adalbert-Stifter-Preis (1951), Andreas-Gryphius-Preis (1965), Sudetendt. Kulturpreis (1968), Eichendorff-Lit.preis (1973); Prof.titel (1977).

Weitere W u. a. Huss im Konzil, Roman, 1931 (auch tschech.); Wallenstein, Ein Schauspiel in fünf Akten, 1934; Pastorale, Geschichte u. Geschichten e. Sommers, 1950; Die schwarze Perle, Tagebuch e. Kriegskameradschaft, 1954; Das Paradies d. Herzens, Eine Kindheit in Böhmen, 1959; Griech. Oktober, Reiseber., 1960; Herbstbll., Gedanken u. Gestalten, 1963; Linde u. Mohn, Tschech. Lyrik aus 100 J., Übertragen, eingel. u. erl., 1964; J. Neruda, Kleinseitner Geschichten, 1966 (Übers.); Gesch. d. dt. Lit. in Böhmen 1900–39, 1981; Die Hohenstaufen, Ein Symbol dt. Gesch., 1984. – *Nachlaß:* R. Wieland, Ostwürtt. Schriftgutarchiv, Heubach-Lautern.

L Adalbert Schmidt, Die sudetendt. Dichtung d. Gegenwart, 1938, S. 63–65; E. Schremmer, J. M. – Sudetendt. Kulturpreisträger 1968, in: Sudetenland 10, 1968, S. 122–26; F. Lennartz, Dt. Schriftst. d. Gegenwart, 1978, S. 540–42; M. Brod, Der Prager Kreis, 1979, S. 213–15; ders., Streitbares Leben, Autobiogr. 1884–1968, 1979, S. 143; D. Pierron, La domination nazie dans l'oeuvre de J. M., Diss. Nancy, 1979; J. Serke, Böhm. Dörfer, Wanderungen durch e. verlassene literar. Landschaft, 1987, S. 415–21 *(P);* P. Becher (Hrsg.), J. M., Btrr. d. Münchner Kolloquiums, 1989 *(P);* M. Berger, J. M., sein Leben u. Prosaschaffen bis 1939, Ein Btr. z. Gesch. d. dt.böhm. Lit. in d. 20er u. 30er J. d. 20. Jh., Diss. Berlin (Ost) 1989; Kosch, Lit.-Lex.³; Killy.

Peter Becher

Mühldorfer (auch *Mühldörfer,* eigtl. *Mellendorf), Josef,* Theatermaschinist und -dekorationsmaler, * 10. 4. 1800 Meersburg (Baden), † 8. 3. 1863 Mannheim. (kath.)

V Jakob, Waffenmeister, zuletzt bayer. Kanzlist in München; *M* Maria Catharina Wagner aus München; ∞ Mannheim 1834 Augusta (1811–82, ev.), *T* d. Johann Wirth, Stadtrat zu Sinsheim u. d. Anna Götz; 1 *S,* 2 *T,* u. a. Wilhelm (1835–67), Theaterdekorationsmaler, Begründer d. späteren Ateliers Lütkemeyer in Coburg, Marie (* 1836, ∞ Emil Heckel, 1831–1908, Musikverleger, s. NDB VIII); *E* Karl Heckel (1858–1923), Schriftst. (s. *L*).

In kleinbürgerlichen Verhältnissen in München aufgewachsen, fand M. früh Kontakt zum Theater als Chorknabe und Rollenausschreiber. Bereits als Kind bastelte er Theaterdekorationen und Bühnenmodelle, richtete als 14jähriger ein Marionettentheater ein und half zwei Jahre später, das Münchener Sommertheater in der Isarvorstadt (Schweigersches Theater) in Gang zu setzen. Bei derartigen Betätigungen dürfte er die Theatermaler Quaglio und den Theatermaschinisten Adolph Hölzl kennengelernt haben. 1818/19 war er am Opernhaus in Bayreuth und seit 1822 am Stadttheater Nürnberg tätig. Im Oktober 1826 wurde M. städtischer Theatermaschinist und -maler in Aachen, wo er als erstes die erst ein Jahr alte, aber unbrauchbare Bühnenmaschinerie umbaute. 1828/29 richtete er von Aachen aus auch im neuen Theater in Köln die Bühne ein und stattete sie mit Dekorationen aus. Gastspiele des Aachener Ensembles mit eigenen Dekorationen führten ihn 1829/30 mit den deutschen romantischen Opern nach Paris an die Opéra Comique. 1832 erhielt M. einen Vertrag auf Lebenszeit als Dekorateur und Maschinist am Hof- und Nationaltheater Mannheim, das unter seiner Leitung zweimal vollständig umgebaut wurde. Dort entstanden auch für andere Theater in Deutschland und den Nachbarländern Dekorationsentwürfe und Maschinenkonstruktionen. Am Tage seiner Beisetzung blieb das Mannheimer Theater geschlossen, eine Ehrung, die sonst nur Mitgliedern der fürstl. Familie zukam.

M.s Wirken war vor allem wegen seiner durchgreifenden Veränderungen der Bühnenmaschinerie bedeutsam. Er führte in Deutschland die Wandeldekoration ein (Aachen 1830 für „Oberon"), beseitigte die Neigung des Bühnenbodens (Dresden 1841) und ersetzte die kleinen Personen- durch Plateauversenkungen in Gassenbreite und -tiefe, die so gekoppelt werden konnten, daß sich große Teile des Bühnenbodens gleichzeitig heben und senken ließen. M. konstruierte ein Gegengewichtssystem, durch das die Versenkungen und die Laststangen der Obermaschinerie schnell, leise und leicht bewegt werden konnten. Schließlich erhöhte er das Bühnenhaus, um die Prospekte ungefaltet nach oben ziehen zu können (Mannheim 1853/55). In seinen Bühnenbildentwürfen lehnte sich M. eng an bekannte Vorbilder (Galli-Bibiena, Quaglio, Schinkel) an, steigerte deren Wirkung aber durch illusionistische Einzeleffekte von besonderer Naturähnlichkeit (Wasserfall für „Freischütz", Feuer und Wasser für „Zauberflöte", Brückeneinsturz und Wasserschwall für „Dinorah", Schiffbruch für „Belagerung von Corinth"). Sein Rat als Praktiker war geschätzt. Lortzing legte ihm das Szenarium für „Undine" vor, Meyerbeer zog ihn für die technisch schwierige Einrichtung der „Dinorah" zur Uraufführung in Paris heran. Daß Richard Wagner ihm den Text zum „Ring der Nibelungen" vorgelegt hat, läßt sich nicht belegen. – Orden vom Zähringer Löwen; Goldmedaille f. Kunst u. Wiss. d. Kgr. Hannover.

W Bühnenbildentwürfe (Theatermus. München; Theaterslg. d. Städt. Reiß-Mus. Mannheim; Nat.-bibl. Wien).

L Bad. Biogrr. II, 1875, S. 93 f.; A. Pichler, Chron. d. Ghzgl. Hof- u. Nat.-Theaters in Mannheim, 1879, S. 242 u. pass.; F. Walter, Zu J. M.s 100. Geb.tag, in: Mannheimer Gesch.bll. 1, 1900, Sp. 94 ff.; K. Heckel, Art. Heckel, in: Schrr. d. Fam.geschichtl. Vereinigung Mannheim, 2. T., 1922, S. 29; A. Fritz, Die Aachener Lehrj. J. M.s, 1924; F. Kranich, Bühnentechnik d. Gegenwart I, 1929, S. 13 f. *(P);* E. L. Stahl, Das Mannheimer Nat.theater, 1929, S. 22 ff.; G. Jacob, Das Theatermus. d. Stadt Mannheim, 1936, S. 55 ff. *(P);* ders., Erinnerungen an J. M., in: Mannheimer Hh., 1963, S. 25 ff. *(P);* Kosch, Theater-Lex.

Carl-Friedrich Baumann

Mühleisen, *Richard,* Physiker, * 15. 3. 1913 Esslingen/Neckar, † 18. 10. 1988 Tübingen. (luth.)

V Paul (1881–1967), Obering. in E., S d. Georg (1827–1902) u. d. Karoline Krauter (1843–1910); M Berta (1891–1980), T d. Johann Georg Bürgin (1852–1922) u. d. Bertha Killy (1863–1937); ∞ 1) Elsbeth Mayer, 2) 1957 Gisela Grauerholz, Wwe d. N. N. Pommeranz; 1 S, 3 T aus 1), 1 Stief-S aus 2).

M. legte 1931 am Realgymnasium Esslingen die Reifeprüfung ab und studierte 1931–37 Physik an der TH Stuttgart, wo er anschließend Assistent am Physikalischen Institut bei E. Regener wurde. Während des Krieges diente er bei der Luftwaffe, war aber 1940/41 bei wissenschaftlichen Arbeiten eingesetzt und seit Januar 1944 Mitarbeiter an der Forschungsanstalt Graf Zeppelin in Stuttgart-Ruit. Im Oktober 1944 wurde er mit einer Arbeit „Schallausbreitung von bewegten Körpern" an der TH Stuttgart promoviert. Nach Kriegsende war M. wiederum bei Regener am Physikalischen Institut der TH Stuttgart tätig, wo er sich seit 1949 vorzugsweise mit Problemen der Physik der Atmosphäre beschäftigte und sich 1953 mit einer Arbeit „Untersuchungen über den Tagesgang luftelektrischer Elemente im Großstadtbereich" für Physik der Atmosphäre habilitierte. Vorzugsweise über diese Gebiete hielt er bis 1959 an der TH Stuttgart (1959 apl. Professor) und seit 1960 an der Univ. Tübingen Vorlesungen. Dabei versuchte er dem wissenschaftlichen Nachwuchs zu vermitteln, daß nur ein präzises Hinterfragen der Natur und eine kritische Analyse ihrer Antworten zu fundierten Erkenntnissen führen können.

1953–59 war M. wiederum bei Regener tätig, jetzt am Max-Planck-Institut für Physik der Stratosphäre in Weißenau bei Ravensburg, das nach Regeners Tod von J. Bartels geleitet wurde, anschließend bis zur Versetzung in den Ruhestand 1978 am Astronomischen Institut der Univ. Tübingen bei H. Siedentopf. Während er in Stuttgart vorwiegend den Einfluß anthropogener Faktoren auf das elektrische Feld am Boden untersuchte, wandte er sich in Weißenau bald der Erforschung des Feldes in der freien Atmosphäre zu. Sein Verdienst ist die Entwicklung einer speziellen Technik für Ballonaufstiege mit Radiosonden für luftelektrische Messungen. Als Resultat von über 500 Aufstiegen konnte er nachweisen, wie mannigfaltig und empfindlich luftelektrische Größen auf meteorologische Parameter ansprechen. Auch über dem Meer führte M. Radiosondenmessungen durch. Seine Expeditionen mit dem Forschungsschiff „Meteor" führten zur Entdeckung und Deutung des sog. Elektrodeneffektes, der theoretisch schon lange vermutet, bei den bis dahin nur über Land durchgeführten Messungen aber nie überzeugend nachgewiesen worden war. Großen Raum nahm die Beschäftigung mit der Gewitterelektrizität ein. Wertvolle Beiträge leistete er zur Erforschung der Ladung in den Cumulonimben, sowie zur Physik der Blitzentladungen und sonstiger elektromagnetischer Erscheinungen in der Atmosphäre (Atmospherics). Eng damit verbunden waren immer wieder Anstrengungen, Antworten auf die Frage nach dem Ausmaß und den Variationen der Weltgewittertätigkeit zu finden.

M.s Arbeiten, die ihren Niederschlag in über 200 Publikationen fanden, waren Grundlage seiner Anerkennung als internationale Kapazität auf seinem Fachgebiet. Ein Beweis dafür sind die Einladungen zu Forschungsarbeiten in Europa (u. a. über Ladungsbildung an Eisteilchen am Imperial College, London), den USA, Japan und Nigeria sowie der jahrelange Vorsitz in zahlreichen Gremien des Internationalen und des Deutschen Komitees für Atmosphärische Elektrizität. M. hat sich aber nicht nur auf sein engeres Fachgebiet beschränkt. Als Beispiel seien seine Untersuchungen der Eigenschwingung des Bodensees genannt, die er in Zusammenarbeit mit den meteorologischen Diensten der Anrainerstaaten durchführte. Mit denselben Gremien arbeitete er intensiv an physikalischen Problemen des Rheintalföhns. Zu nennen sind noch seine Untersuchungen über die Entstehung des Hagels und die Vermeidung der Hagelbildung sowie über die Entstehung von Kammeis.

W Zur Methodik d. luftelektr. Potentialmessungen, in: Zs. f. Naturforschung 6 a, 1951, S. 667; Elektr. Aufladung fallender Wassertropfen, in: Geofisica pura e applicata 25, 1953, S. 61 (mit W. Holl); Die Sonnenfinsternisexpedition 1954 d. Max-Planck-Institutes in Weißenau, in: Die Sterne, 31, 1955, S. 11 (mit H. K. Paetzold); Atmosphär. Elektrizität, in: Hdb. d. Physik, 1956; Die luftelektr. Verhältnisse im Küstenaerosol, in: Archiv f. Meteorol., Geophysik u. Bioklimatol. A 11, 1959, S. 93, A 12, 1962, S. 435; Die Bedeutung d. Luftelektrizität in d. Meteorol., in: Berr. d. Dt. Wetterdienstes 91, 1964, S. 136; Das luftelektr. Feld in d. bodennahen Schicht, I/II, 1967/68 (mit H. J. Fischer); Neuere Unterss. z. Entstehung v. Kammeis (Haareis), in: Meteorolog. Rdsch. 28, 1975, S. 55 (mit A. Lämmle).

L Mitt. d. Dt. Meteorolog. Ges., 1989, H. 2, S. 38; Pogg. VII a.

P Phot., 1978 (im Bes. d. Redaktion).

Gustav Hofmann

zur Mühlen, v. (Reichsadel 1792), baltische Familie. (ev.)

Die Stammreihe beginnt mit dem aus Niedersachsen stammenden, seit 1532 in Reval nachweisbaren *Hermen* thor Mölen (Molen), später Ratsherr und Bürgermeister zu Narva, der 1558 nach Einnahme der Stadt durch Zar Iwan IV. über Reval nach Lübeck zog und im folgenden Jahr in Amsterdam starb (s. *L*). Seine Nachfahren waren zum Großteil Kaufleute in Reval, so sein Sohn *Blasius* (1545–1605), der nach Reval zurückkehrte, und dessen gleichnamiger Sohn (1575–1628), während *Evert* († 1615) Jurist in Lübeck und *Helmold* (1590–1649) Pastor und Propst zu Kegel und Goldenbeck (Estland) war. Auch *Simon* (1609–82), *Paul* (1613–57) und *Hermann* (1625–90), die Söhne des jüngeren Blasius, waren Kaufleute in Reval, Simon zusätzlich Ältester der Großen Gilde und Hermann Ratsherr. Auch Simons Söhne trieben Handel, darunter *Heinrich* (1649–1710), Erkorener Ältester der Schwarzenhäupter-Bruderschaft, während Simons Enkel *Evert* (1692–1763) Ältermann der Kompanie der Nürnberger Krämer war. Hermanns gleichnamiger Sohn (um 1651–1708) war Kaufmann und Ältermann der Großen Gilde, *Thomas* (1649–1709), Kaufmann und Reeder sowie Bürgermeister zu Reval; er wurde durch seine erste Ehe Pfandherr auf Seinigal und Kandel und erwarb Sprinkdahl bei Reval. *Heinrich* (1653–1708) fiel als Rittmeister und Leibtrabant Karls XII. in der Ukraine. Auch Thomas' Sohn *Konrad* (1677–1741) wurde schwed.

Offizier, seine Brüder *Kaspar* (1678–1710), *Hinrich* (1686–1750) und *Ernst* (1692–1750), Ältermann der Großen Gilde, wirkten als Kaufleute in Reval, Hinrich, Herr auf Morras, Kandel und Sprinkdahl, auch als Bürgermeister. Ernsts Sohn *Thomas* (1726–72) war Erkorener Ältester der Schwarzenhäupter, sein weiterer Sohn *Kaspar* (1741–1810) stand als Brigadier in russ. Diensten.

Alle vier Söhne Hinrichs trieben Handel. *Thomas* (1714–72) wanderte nach Amsterdam aus; er wurde zum Begründer der holländ. Linie der Familie, die bis heute dem Handel treu geblieben ist. *Hermann Johann* (1719–89) importierte Seidenstoffe; er wurde Ratsherr und Bürgermeister. Die Firma des früh verstorbenen *Cornelius* (1721–56) wurde von seiner Witwe *Agneta* (geb. Gebauer, 1731–81) zu hoher Blüte gebracht. *Heinrich* (1718–50) genoß als Erkorener Ältester der Schwarzenhäupter hohes Ansehen. Hermann Johann und Cornelius begründeten die beiden Linien der Familie in Livland und Estland.

1792 wurden die sechs Söhne Hermann Johanns, *Berend* (1751–1826), *Hermann* (1758–1827), *Heinrich* (1762–1802), *Kaspar* (1763–1817), *Karl* (1764–1837) und *Friedrich* (1768–98) sowie Cornelius' gleichnamiger Sohn (1756–1815) in den Reichsadelsstand erhoben. Ihre Nachkommen wurden bei den Ritterschaften Liv-, Est- und Kurlands sowie Ösels immatrikuliert. Von Hermann Johanns Söhnen – außer Karl – leiten sich die fünf Äste der livländ. Linie ab.

Berend, auf Eigstfer (Livland), war Seidenhändler in Reval und Mitbegründer der Firma „zur Mühlen & Riesenkampff" (später „zur Mühlen & Co."). Seine Nachkommen lebten als Gutsbesitzer und Landwirte in Livland und Estland oder standen als Offiziere in russ. Diensten. Nur *Oskar* (1843–77) wirkte als Musiker und Komponist, während sein Vetter *Max* (1850–1918) sich nach dem Studium der Zoologie in Dorpat der Fischzucht und Teichwirtschaft in den Ostseeprovinzen widmete. Er war Dirigent des Balt. Fischereidistrikts und seit 1889 Sekretär der livländ. Abteilung der russ. Gesellschaft für Fischzucht und Fischfang. Seit 1908 gab er das „Jahrbuch der Fischereivereine Liv-, Est- und Kurlands" heraus (s. Dt.balt. Biogr. Lex.). Sein Sohn *Werner* (1878–1931), Direktor der Sparkasse zu Pernau, betätigte sich als Familiengenealoge. *Arthur* (1885–1958) war Landwirt und Kaufmann, *Leo* (1888–1953) Geologe (s. u.), *Paul* (1897–1979), Forstwirt, wanderte nach Österreich und später nach Kanada aus. Werners Sohn *Heinrich* (1908–94), Dr. phil., war Referent im Bonner Vertriebenenministerium. Sein Sohn *Rainer* (* 1943) gründete eine Unternehmensberatung in Bonn. Arthurs Sohn *Max* (* 1932) war leitender Mitarbeiter im Statistischen Bundesamt von Kanada in Ottawa und hat jetzt einen Lehrauftrag in Riga. Sein Zwillingsbruder *Bengt* ist Gründer und Geschäftsführer der Chronos-Film GmbH in Berlin. *Victor* (1879–1950), vom Familienzweig Woiseck (Livland), unterhielt auf Eigstfer eine Vollblutzucht und einen Rennstall. 1905 schlug er mit einem Freiwilligenkorps bei Kappel ein vielfach überlegenes Aufgebot von Revolutionären. Im 1. Weltkrieg russ. Stabsrittmeister, schuf er 1918 erneut eine Selbstschutzgruppe und war in den beiden folgenden Jahren Stabschef des Baltenregiments. Seit 1934 Vorsitzender der Deutschbalt. Partei, suchte er die Deutschen in Estland zur Loyalität gegenüber dem Staat zu verpflichten. Nach der Umsiedlung und Flucht in die sowjet. Besatzungszone 1945 wurde er drei Jahre später wegen angeblicher Spionage zu 25 Jahren Zwangsarbeit verurteilt; er starb im Zuchthaus Bautzen (s. *L*). Seine geschiedene Frau *Hermine* (geb. Gfn. Folliot de Creuneville-Poutet, 1883–1951) machte sich nach dem 1. Weltkrieg als Schriftstellerin (Hermynia zur Mühlen) einen Namen. Sein Bruder *Egolf* (1881–1942), Dipl.-Ing., war Direktor der Loksa Werke AG, *Moritz* (1885–1945), auf Kerro (Livland), Direktor der von ihm gegründeten Handelsfirma Tormolen & Co. in Reval und Posen. Sein Neffe *Heiner* (1912–64, nannte sich später Hans Tormolen), Fliegeroffizier, wanderte nach dem Krieg nach Texas aus, wo er sich als Fluglehrer und Maler betätigte.

Hermann, der Stammvater des 2. Familienastes, war Ratsherr zu Reval. Sein gleichnamiger Sohn (1801–56), Dr. med., war russ. Wirkl. Staatsrat in St. Petersburg, sein Enkel *Hermann* (1836–1910) studierte hier Naturwissenschaften. Seit 1869 Besitzer von Koiküll (Ösel), wurde er 1876 Konventsdeputierter und 1880 Landrat, später daneben auch Oberkirchenvorsteher und Präsident des Provinzialschulkollegiums. Er ließ sämtliche Privatgüter auf Ösel vermessen und sorgte für die Streulegung der Bauernhöfe (s. Dt.balt. Biogr. Lex.).

Heinrich, auf den der 3. Ast zurückgeht, war Kaufmann und Ältester der Großen Gilde zu Reval. Sein Sohn *Heinrich (Andrej)* (1794–1864) trat in russ. Dienste. Er kommandierte 1847–82 als Generalmajor, seit 1852 als Generalleutnant, das Garde- und Grenadier-Korps

(s. Dt.balt. Biogr. Lex.). Seine Nachkommen wurden orthodox getauft; sie dienten zum größten Teil als Offiziere in der russ. Armee. Heinrichs Bruder *Georg* (1798–1877), auf Arrohof (Livland), begründete einen eigenen Familienzweig. Von seinen Söhnen war *Friedrich* (1828–1907), Dr. med., Wirkl. Staatsrat und Leibarzt der Großfürstin Helene Pawlowna, während *Rudolph* (1845–1913) nach einer Ausbildung in Düsseldorf, Antwerpen und München in Dorpat als Porträt- und Landschaftsmaler sowie als Zeichenlehrer wirkte, bevor er 1908 die Bewirtschaftung von Arrohof übernahm (s. L). Auch Rudolphs Töchter *Elise* (1884–1924) und *Wanda* (1886–1962) ließen sich in München (u. a. bei Franz Marc) als Malerinnen ausbilden.

Kaspar, der Begründer des 4. Astes, livländ. Landrichter, erwarb Güter in Livland. Sein Sohn *Karl* (1811–81) war Direktor der Livländ. Adeligen Güterkreditsozietät und *Hermann* (1814–72) Kreisdeputierter. Kaspars Enkel *Robert* (1835–99), Dr. med., sammelte „Baltische Gesänge" (7 Bde., verschollen). Zur nächsten Generation gehören der Bankdirektor und langjährige Vorsitzende des Familienverbandes *Alfred* (1865–1945), *Michael* (1866–1922), Gründer und Leiter einer Gesangschule in Brüssel, der russ. Staatsrat und Medizinalinspekteur *Richard* (1864–1935), Dr. med., und der Pastor von Hapsal *Ralph* (1873–1947). *Dagmar* (1891–1971) war Gesangspädagogin in Berlin. Alfreds Sohn *Bernt* (1912–95), Dr. phil., war Direktor des Landesamts für Vorgeschichte in Posen, nach dem Krieg Inhaber einer Baubedarfsfirma in Nieder-Ramstadt; er gründete und leitete die Deutsch-Balt. Genealogische Gesellschaft in Darmstadt. – Beachtung verdienen sodann Roberts Vettern *Ernst* (1851–1912) als Direktor der Livländ. Gegenseitigen Feuerversicherung und *Arthur* (1854–1928) als Förderer der Landwirtschaft und Viehzucht sowie Initiator des Düna-Aa-Kanals (s. Dt.balt. Biogr. Lex.). – Zwei Söhne des Kreisdeputierten Hermann zog es zur Musik: *Oswald* (1849–1901) und *Raimund* (1854–1931). Letzterer studierte in Berlin und Münster, in Paris und in Italien Gesang. In ganz Europa gab er mit großem Erfolg Konzerte. 1905–25 erfreute er sich als Gesangspädagoge in London eines internat. Rufes (s. L). Seine Nichte *Edith* (1886–1977) lebte als Malerin in Rom.

Wilhelm (1792–1847), russ. Generalmajor, und *Thomas* (1793–1833), Börsenmakler und Fabrikdirektor, sind Söhne des Stammvaters des 5. Astes, Friedrich, auf Sellie (Estland). In der nächsten Generation begab sich eine Reihe von Familienmitgliedern in russ. Dienste, u. a. *Friedrich* (1827–97), Generalmajor. Dessen Neffen *Alexander* (1865–1955) und *Friedrich* (1867–1934) studierten Medizin; der eine praktizierte als Hals-Nasen-Ohren-Arzt in Riga, später in Göttingen, der andere (Frauenarzt) war Dozent und Wirkl. Staatsrat in St. Petersburg. Alexanders Sohn *Heinrich* (* 1909) wurde Landwirtschaftsberater, sein gleichnamiger Sohn (* 1936) ist Ordinarius für Innere Medizin in Hannover. Friedrichs Sohn *Roland* (* 1904) war Anwalt in Narva, nach 1939 Dolmetscher für Russisch im Auswärtigen Amt. Sein Sohn *Frederik* (* 1934) ist Oberstaatsanwalt in München. Alexanders und Friedrichs Neffe *Erich* (1894–1940) war Rechtsanwalt in Dorpat, sein Bruder *Oskar* (1904–90) ging als Chemiker nach Hamburg. Erichs Sohn *Arist* (* 1924), Diplomkaufmann, gründete in Paris die Firmen „Service-France" und „Industrie-Service-France". Sein Bruder *Manfred* (1926–79), Dr. iur., war Gesellschafter des Bankhauses Donner in Hamburg.

Die II. Linie (Piersal), die auf Cornelius zur M. und seinen geadelten gleichnamigen Sohn, beide Kaufleute zu Reval, zurückgeht, umfaßt vergleichsweise wenige Mitglieder, reicht aber wie die I. Linie bis in die Gegenwart herein. *Ferdinand* (1788–1837), russ. Oberstleutnant und Kreisdeputierter, war der Sohn des jüngeren Cornelius. Seine beiden Söhne *Arthur* (1820–1900) und *Ferdinand* (1828–1906) spielten in Estland als liberale Politiker eine Rolle. Arthur war 1865–99 estländ. Landrat und seit 1892 Präsident des Landratskollegiums (s. Dt.balt. Biogr. Lex.), Ferdinand seit 1861 Kreisdeputierter und seit 1887 Präsident der Estländ. Adeligen Kreditkasse; 1899 folgte er seinem Bruder als Landrat nach (s. Dt.balt. Biogr. Lex.). Sein Neffe *Konrad* (1868–1945) wirkte seit 1909 als Pastor an der St. Nikolai-Kirche zu Reval. Aus Sibirien zurückgekehrt, wohin er 1915–17 verbannt und 1918 verschleppt worden war, wurde er Propst der deutschen ev. Gemeinden in Estland und Herausgeber des Deutschen Kirchenblatts (s. Dt.balt. Biogr. Lex.). Sein Bruder *Hellmut* (1870–1924) war Direktor der Estländ. Arbeiter-Unfall-Versicherungsgesellschaft. Von Konrads zehn Kindern war *Bernt* (1903–84) Pastor in Berlin, *Walter* (1905–90), Dr. phil., Geophysiker an der Geologischen Landesanstalt in Celle, seit 1956 bei der „Petrobras" in Brasilien, *Werner* (1912–89) Lehrer für Orgel am Konservatorium in Reval, nach dem Kriege Kirchenmusikdirektor in Bochum, *Heinz* (Heinrich) (* 1914), Dr. phil., Leitender Regierungsdirektor und Historiker, Vorstandsmitglied der

Balt. Historischen Kommission, Mitglied des Hansischen Geschichtsvereins und der Deutschbalt. Genealogischen Gesellschaft (s. *W, L*). Bernts Sohn *Ture* (* 1939) ist Dozent an der Schule für Buchhandel in Frankfurt/Main, *Patrik* (* 1942), Dr. phil., Historiker, ist Mitarbeiter der Friedrich-Ebert-Stiftung in Bonn (s. *W*).

W zu Heinz (Heinrich): Deutsch u. undeutsch im ma. Reval, 1973 (mit P. Johansen). – Hrsg.: Balt. Hist. Ortslex., I (Estland), 1985, II (Lettland), 1990. – *Zu Patrik:* Zw. Hakenkreuz u. Sowjetstern, 1971; Rassenideologien, 1977; Sozialdemokratie in Europa, 1980; Fluchtziel Lateinamerika, 1988; Fluchtweg Spanien-Portugal, 1992.

L Werner v. zur Mühlen, Stammtafeln d. Fam. v. zur M., 1911; Konrad v. zur Mühlen, Die Fam. v. zur M. (Piersal'sche Linie), 1938; Heinz (Heinrich) v. zur Mühlen, Die Fam. v. zur M. in sozial- u. kulturgeschichtl. Sicht, in: Genealogie 26, 1977, S. 529–45; ders., Die Fam. v. zur M., 1981; ders., Reval v. 16. bis z. 18. Jh., Gestalten u. Generationen e. Ratsgeschl., 1984; GHdA AB VI, 1964, XV, 1984 *(mehrere P).* – *Zu Hermen thor Molen:* Heinz v. zur M., Zur Herkunft d. Bgm. v. Narva Hermen thor Molen, in: Ostdt. Fam.kde 22, 1974, S. 76–80; ders., Handel u. Pol. in Livland in d. Mitte d. 16. Jh. ..., in: Zs. f. Ostforschung 4, 1975. – *Zu Victor:* W. Baron Wrangell, Gesch. d. Balten-Rgt., 1928; Dt.balt. Biogr. Lex. – *Zu Rudolph* († 1913): Dt.balt. Biogr. Lex.; ThB. – *Zu Raimund:* M. Hunnius, Mein Weg z. Kunst, 1925; D. v. zur Mühlen, Der Sänger R. v. zur Mühlen, 1969; Riemann (unter „Zur Mühlen"); Dt.balt. Biogr. Lex.

Franz Menges

Leo, Geologe, * 29. 7. 1888 Dorpat, † 21. 12. 1953 Moskau.

V Max (1850–1918), Ichthyologe, Fischereidir. v. Liv-, Est- u. Kurland (s. Einl.), *S* d. Moritz (1812–83), auf Mühlenhof u. Dalčin, russ. Stabskapitän, u. d. Clara Zoege v. Manteuffel (1816–56), Erbin v. Gut Woiseck (Livland); *M* Marie (1855–1928) aus Groß-Köppo (Livland), *T* d. August v. Dehn (1823–89), Kreisrichter, Dir. d. Estn. Bezirksverw. u. Stadtverordneter in D., Ehrenmitgl. d. Livländ. Gemeinnützigen u. Ökonom. Ges. (s. Dt.balt. Biogr. Lex.), u. d. Marie Schneider (1831–71) aus Hallist (Livland); ∞ Gehlsdorf (Mecklenburg) 1920 Auguste (1894–1967) aus Hillersdorf Kr. Jägerndorf, *T* d. August v. Naumann u. d. Bertha Schmidt; 1 *T*.

Nach dem Besuch der Gymnasien in Dorpat und Pernau legte M. 1908 das Abitur ab und studierte an der Univ. Dorpat 1908–13 Naturwissenschaften. Für eine geologische Preisschrift erhielt er eine Goldmedaille der Universität. An der Univ. Freiburg (Breisgau) wurde er 1914 zum Dr. phil. nat. promoviert. Bereits 1910 beteiligte er sich an einer Expedition in den Kaukasus und veröffentlichte Arbeiten zur Limnologie und Geologie Estlands in den Sitzungsberichten der Naturforschenden Gesellschaft in Dorpat. 1915 arbeitete er an der Moorversuchsanstalt in Jönköping (Schweden) und bis 1916 als Assistent an der Schwed. Geologischen Landesanstalt. 1916–34 wirkte M. zunächst als Assistent und bald als Bezirksgeologe in der Preuß. Geologischen Landesanstalt Berlin. Er war an der geologischen Kartierung Schlesiens maßgeblich beteiligt (Blätter Ingramsdorf, Mörschelwitz, Striegau) und veröffentlichte darüber im Jahrbuch der Preuß. Geologischen Landesanstalt 1920–25. In weiteren Arbeiten beschäftigte sich M. mit der Geologie Pommerns und Ost-Mecklenburgs sowie den dortigen Tonerdelagern. Viele seiner Publikationen befassen sich mit geologischen Untersuchungen in Sowjetrußland. Besondere Aufmerksamkeit fanden dabei der Ural und dessen Lagerstätten von Bunt- und Edelmetallen, Uran, Ölschiefer, Erdöl, Kali und anderen nutzbaren Rohstoffen. Dabei galt bergwirtschaftlichen Fragen seine besondere Aufmerksamkeit. 1928 bereiste er Turkmenistan, den Alai und den West-Tienschan. 1930/31 war er an einer geologisch-lagerstättenkundlichen Expedition nach Äthiopien beteiligt.

Nach seiner Habilitation 1925 für Geologie und Lagerstättenkunde war M. zunächst Privatdozent und 1934–45 ao. Professor an der Abteilung für Bergbau der TH Berlin-Charlottenburg. 1937–42 war er gleichzeitig Dekan der Fakultät für Bergbau und Hüttenwesen der TH und 1937 Vorsitzender der Deutschen Vereinigung für angewandte Geologie. Neben seinen umfangreichen Lehrverpflichtungen leitete er 1937 eine deutsch-ital. Expedition zur Suche und Erschließung von Vorkommen nutzbarer Bodenschätze in Äthiopien. 1947 von den Sowjets in Halle/Saale verhaftet, wurde M. nach Sibirien verbracht und war 1952/53 in dem berüchtigten Arbeitslager Workuta interniert. Über seinen sonstigen Verbleib nach seiner Verhaftung ist nichts bekannt. Unter nicht näher geklärten Umständen gelangte M. 1953 nach Moskau, wo er verstarb.

W u. a. Die Lagerstätten v. Wolfram, Zinn u. Molybdän in Rußland, 1926; Im Banne d. Äthiop. Hochlandes, ²1936; Grundzüge d. geolog. Baus d. Hochlandes v. Wollega u. d. Dabussteppe in Westabessinien, in: Zs. d. Dt. Geol. Ges., 1936.

L H. Strunz, Von d. Bergakademie z. TU Berlin, 1770–1970, 1970, S. 59; Dt.balt. Biogr. Lex.; Kürschner, Gel.-Kal. 1940/41; GHdA AB VI, 1964 *(P).*

Martin Guntau

Mühlenberg *(Muhlenberg).* (luth.)

1) *Heinrich (Henry)* Melchior, Gründer d. luth. Kirche in Pennsylvania, * 6. 9. 1711 Einbeck/Leine, † 7. 10. 1787 Providence (Pennsylvania).

V Nicolaus Melchior (1660/66–1723/29), Schuhmachermeister, Mitgl. d. Brauerzunft, Ger.beamter in E.; *M* Anna Maria (1675–1747), *T* d. Anton Reinhold Kleinschmid (1637/38–1703), Offz. u. Kaufm. in E.; ∞ Tulpehocken (Pennsylvania) 1745 Anna Maria (1727–1802), *T* d. Johann Conrad Weiser (1696–1760) aus Affstätt b. Herrenberg (Württemberg), Politiker, pennsylvan. Oberst, bevollmächtigter Vermittler zw. Indianern u. Weißen in Pennsylvania (s. *L*), u. d. Anna Eva Feck (1704/05–81); 6 *S*, 5 *T*, u. a. Peter (s. 2), Friedrich August (s. 3), Heinrich (s. 4), Eva Elisabeth (1748–1808, ∞ Christoph Emanuel Schultze, 1740–1809, Pfarrer, Mitarbeiter M.s), Margretha Henrietta (1751–1831, ∞ Johann Christoph Kunze, 1744–1807, Pfarrer, Mitarbeiter M.s, s. Dict. Am. Biogr.); *E* John Andrew Melchior Schultze (1775–1852), Gouverneur v. Pennsylvania.

M.s Vater, der ein Laienamt in der Kirche bekleidete, bestimmte seinen jüngsten Sohn für eine höhere Schulbildung. Nach dem Tod des Vaters mußte M. zum Unterhalt der Familie beitragen, verfolgte daneben jedoch weiterhin seine Ausbildung. Er ließ sich im Orgelspielen sowie im Rechnen, in Latein und Griechisch unterweisen. 1733/34 besuchte er das Lyzeum in Clausthal, wo er so viel Anerkennung gewann, daß er für ein einjähriges Stipendium seiner Vaterstadt zum Besuch der neuen Univ. Göttingen ausgewählt wurde (1735/36). Joachim Oporin war hier sein maßvoll pietistischer Lehrer. Der pragmatische und effiziente Mittelweg zwischen Orthodoxie, Pietismus und Aufklärung in Göttingen sollte M. später bei seiner Pionierarbeit in Amerika zustatten kommen. Er fand Anschluß an pietistische Kreise und in den Grafen Heinrich XXIV. Reuß-Köstritz und Erdmann Heinrich v. Henckel-Pölzig adelige Gönner, die ihn 1738 als Informator zu den Franckeschen Stiftungen in Halle schickten. 1739 vermittelten sie seine Berufung als zweiter Prediger und Inspektor über das Waisenhaus nach Großhennersdorf (Niederlausitz) an Henriette Sophie v. Gersdorff, eine Tante des Grafen Nikolaus v. Zinzendorf. Ordiniert wurde M. 1739 in Leipzig. Während sein ursprünglicher Wunsch, in der Halleschen Mission in Indien eingesetzt zu werden, kein Gehör fand, vermittelte ihm Gotthilf August Francke an seinem 30. Geburtstag die Berufung in die Gemeinden Philadelphia, Providence und New Hanover in Pennsylvania.

Nach einem sechswöchigen Aufenthalt bei Friedrich Michael Ziegenhagen, dem luth. Hofprediger in London, reiste M. nach Amerika und kam – nach einem Zwischenaufenthalt bei den Salzburger Emigranten in Georgia – Ende 1742 in Philadelphia an. Es gelang ihm, den herrnhutischen Führungsanspruch Zinzendorfs zurückzuweisen wie auch Hochstapler aus ihrem angemaßten Amt zu verdrängen. Er initiierte den Bau von Kirchen und Schulen und dehnte bald seine Arbeit über die Grenzen von Pennsylvania nach New York (1751/52) und New Jersey (1758/59) aus. Diese Gründungsphase kam zu Beginn der 1770er Jahre mit dem Wirken seiner Söhne und fähiger jüngerer Kollegen wie Christoph Emanuel Schultze, Johann Christoph Kunze, Justus Heinrich Christian Helmuth und Johann Friedrich Schmidt zu einem gewissen Abschluß. Auch die personelle Unterstützung aus Halle fand damit ihr Ende.

Erfolge auf dem Weg zu einer Ordnung der Gemeinden waren 1748 die erste Zusammenkunft des Ev.-Luth. Ministeriums von Pennsylvania, die Einführung einer Kirchenordnung 1762 in Philadelphia, die Vorbild für andere Gemeinden wurde, weiterhin die Erhebung des Kirchenrats in Philadelphia zur rechtsfähigen Körperschaft 1765 (1767 auch in New Jersey) sowie 1784 die Vereinigung der beiden Stadtgemeinden von New York und 1786 die Gründung eines Ev.-Luth. Ministeriums durch Kunze in New York. Mit einem Schlichtungsauftrag war M. 1774/75 nach Georgia gereist und hatte auf dem Weg die Gemeinde in Charleston (South Carolina) geordnet. Virginia und Maryland waren dem pennsylvan. Ministerium angeschlossen. Mit den Gemeinden in Boston und Lunenburg (Nova Scotia) stand er in Kontakt, so daß sein Wirken die gesamte Ostküste des nordamerikan. Kontinents umfaßte. Mit den schwed. Lutheranern arbeitete M. eng zusammen, besonders mit Carl Magnus v. Wrangel. Den reformierten Predigern Michael Schlatter und Johann Joachim Zübly fühlte er sich freundschaftlich verbunden. In den Anglikanern Richard Peters und William Smith fand er wohlwollende Förderer, vor allem Rückhalt in politischen Dingen, in denen er sich persönlich zurückhielt. 1776 zog er sich aus Philadelphia zurück und überließ Jüngeren die Verantwortung. Sein Einfluß blieb jedoch wirksam. Unter M.s Mitwirkung veröffentlichte das Ministerium 1786 ein traditionsbildendes Gesangbuch und eine Kirchenagende. M. selbst hat einige Gelegenheitsschriften drucken lassen, bedeutender sind allerdings seine Tagebücher und Briefe.

Neben seelsorgerlichen und organisatorischen Qualitäten verfügte M. über beachtliche musikalische und medizinische Fähigkeiten, Rechts- und Sprachkenntnisse. Der „Vater des amerikan. Luthertums" löste sich nie ganz von Europa. Gerade nach dem Unabhängigkeitskrieg suchte M. die transatlantische Bindung strukturell zu festigen. Den Übergang des Ministeriums von einer brüderlichen Vereinigung Hallenser Prediger zu einem selbständigen Organ kirchenamtlicher Autorität in Nordamerika hat M. allenfalls zögernd vollzogen. So ließ er sich in seinem berechtigten Drängen nach einer amerikan. Predigerausbildung allzu lange von Halle abweisen. Sein großes Verdienst bleibt – zwischen separatistischen und unionistischen Bestrebungen im pennsylvan. Pluralismus – der Aufbau eines eigenständigen und überlebensfähigen Luthertums. – D. theol. (Univ. of Pennsylvania 1784).

W u. a. Erbaul. Lieder-Slg., Zum Gottesdienstl. Gebrauch in d. Vereinigten Ev. Luth. Gemeinen in Nord-America, Gesamlet, eingerichtet u. z. Druck befördert durch d. gesamten Glieder d. hiesigen Vereinigten Ev. Luth. Ministeriums, 1786; Kirchen-Agende d. Ev.-Luth. Vereinigten Gemeinen in Nord-America, 1786; H. M. M., Patriarch d. Luth. Kirche Nordamerika's, Selbstbiogr., Aus d. Missionsarchive d. Franckeschen Stiftungen zu Halle, Mit Zusätzen u. Erll. versehen v. W. Germann, 1881 *(P);* The Journals of H. M. M., hrsg. v. Th. G. Tappert u. J. W. Doberstein, 3 Bde., 1942–58 *(P,* Neudr. 1982 mit neuem Material in Bd. 2, S. 773–808, v. H. T. Lehmann u. J. W. Kleiner, *P*); Die Korr. H. M. M.s, Aus d. Anfangszeit d. dt. Luthertums in Nordamerika, I/II, hrsg. v. K. Aland, 1986/87, III/IV hrsg. v. K. Aland in Verbindung mit B. Köster u. K.-O. Strohmidel, 1990/93 (V in Vorbereitung); The Correspondence of H. M. M., I, hrsg. u. übers. v. J. W. Kleiner and H. T. Lehmann, 1993.

L ADB 22; W. J. Mann, Life and Times of H. M. M., 1887, ²1888, dt. 1891 *(P);* F. Reichmann, The Muhlenberg Family, A Bibliography Compiled from the Subject Union Catalog Americana-Germanica of the Carl Schurz Memorial Foundation, 1943; Th. G. Tappert, H. M. M. and the American Revolution, in: Church History 11, 1942, S. 284–301; P. A. W. Wallace, The Muhlenbergs of Pennsylvania, 1950 *(P);* R. F. Scholz, Was M. a Pietist? in: Concordia Historical Institute Quarterly 52, 1979, S. 50–65; ders., The Confessional Stance of H. M. M. and the Early Pennsylvania Ministerium, in: Lutheran Quarterly 1, 1987, S. 439–55; H. L. Nelson, A Critical Study of H. M. M.s Means of Maintaining His Lutheranism, 1980; L. R. Riforgiato, Missionary of Moderation, H. M. M. and the Lutheran Church in English America, 1980 *(P);* Ch. H. Glatfelter, Pastors and People, German Lutheran and Reformed Churches in the Pennsylvania Field, 1717–1793, 2 Bde., 1980/81 *(P);* J. W. Kleiner, H. M. M. and Pietism, in: Consensus, A Canadian Lutheran Journal of Theology 16, 1990, S. 71–89; K.-O. Strohmidel, H. M. M.s European Heritage, in: Lutheran Quarterly 6, 1992, S. 5–34; ders., Turning Confessionalist, H. M. M. u. d. Luthertum im pluralist. Pennsylvania, in: Amerikastud./American Studies 38, 1993, S. 383–98; P. A. Baglyos, M. in the American Lutheran Imagination, in: Lutheran Quarterly 6, 1992, S. 35–50; H. T. Lehmann u. J. W. Savacool, M.s Ministry of Healing, in: ebd., S. 51–68; Thomas J. Müller, Kirche zw. zwei Welten, Die Obrigkeitsproblematik b. H. M. M. u. d. Kirchengründung d. dt. Lutheraner in Pennsylvania, 1994; PRE; RGG³; BBKL; Dict. Am. Biogr. – *Zu Conrad Weiser:* P. A. W. Wallace, C. W., 1696–1760, 1945; F. S. Weiser, The Weiser Family, 1960; Dict. Am. Biogr.

P Gem. v. Ch. W. Peale, um 1784 (Privatbes.), Abb. in Glatfelter, II, S. 98 (s. *L*); Kupf. v. J. W. Steel, Abb. in Journals (s. *W*), Wallace u. Riforgiato (s. *L*), u. e. unbek. Künstlers, Abb. in J. H. Ch. Helmuth, Denkmal d. Liebe u. Achtung, 1788; Statue v. S. Wanlass, 1992 (Muhlenberg College, Allentown, Pennsylvania).

Karl-Otto Strohmidel

2) Johann (John) *Peter* Gabriel, General, Politiker, * 1. 10. 1746 Providence (Pennsylvania), † 1. 10. 1807 Gray's Ferry/Philadelphia (Pennsylvania).

V Heinrich (s. 1); *B* Friedrich August (s. 3), Heinrich (s. 4); ∞ Philadelphia 1770 Anna Barbara (1751–1806), *T* d. Matthias Meyer († 1775/76) aus Philadelphia, u. d. Esther N. N. († n. 1787); 4 *S,* 3 *T,* u. a. Hester (1785–1872, ∞ Isaac Hiester, 1785–1855, Arzt, erster Präs. d. Berks County Medical Society); *E* William Muhlenberg Hiester (1818–78), Rechtsanwalt, Politiker, Pennsylvania State Senator.

M. wurde zwar in Deutsch, Englisch und in der luth. Lehre unterrichtet, doch die formale Erziehung des aufgeweckten Knaben von unbändigem Temperament wurde vernachlässigt. Ende 1761 besuchte er die Akademie (Lateinschule) in Philadelphia und reiste im Frühjahr 1763 mit seinen Brüdern Friedrich August und Heinrich zur weiteren Ausbildung nach Halle. Für die Schulbildung zu alt, trat er im Oktober desselben Jahres eine Lehrstelle bei einem Lübecker Drogisten an, der ihn schamlos ausnutzte. Im August 1766 floh er und ließ sich bei einem für Amerika bestimmten engl. Regiment anwerben. Als Sekretär eines Offiziers gelangte er in seine Heimat zurück.

Zunächst lernte M. Buchhaltung, ließ sich vom schwed. Propst Carl Magnus v. Wrangel zum Katecheten ausbilden und übernahm im Februar 1769 die Vertretung seines Vaters in

Bedminster und New Germantown (New Jersey). 1771 nahm er eine Berufung an die deutsche luth. Gemeinde in Woodstock (Virginia) an und reiste im Frühjahr 1772 nach London, um die zur Amtsausübung notwendige anglikan. Ordination zu empfangen. Während seines Wirkens als Seelsorger für Lutheraner und Anglikaner betätigte sich M. zunehmend politisch. Anfang 1776 wählte er den Soldatenstand und rekrutierte als Oberst das 8. virginische Regiment. M. zeichnete sich während des Unabhängigkeitskrieges durch Entschlossenheit, Mut und Besonnenheit aus. Das Jahr 1776 brachte ihm die ersten Kampfhandlungen (Sullivan's Island), 1777 die Ernennung zum Brigadegeneral (Februar) und die Schlachten von Brandywine und Germantown sowie das anschließende Winterlager von Valley Forge. In der kriegsentscheidenden Schlacht von Yorktown im Oktober 1781 trat M. besonders hervor. Er wurde mit Land im Westen, vor allem in Ohio, entschädigt, das er für sich und andere (u. a. Friedrich Wilhelm v. Steuben) mühevoll erkundete. Nach seinem Ausscheiden aus dem Militärdienst 1783 im Rang eines Generalmajors zog er nach Philadelphia, wo er eine politische Laufbahn einschlug.

1784 wurde M. in den obersten Exekutivrat von Pennsylvania gewählt. Mit Benjamin Franklin als Präsident war er 1785–88 Vizepräsident von Pennsylvania, für das er 1789–91 dem ersten Kongreß angehörte. Anfangs stand er den Föderalisten nahe, doch wandte er sich 1788 Thomas Jefferson und dessen Republikanischer Partei zu. 1793–95 und 1799–1801 vertrat er Montgomery County im Kongreß. 1788 und 1801–07 wirkte M. als Präsident der German Society of Pennsylvania, 1790 im pennsylvan. Verfassungskonvent. Den 1801 erlangten Sitz im Senat legte er bald nieder, um die Ernennung zum Supervisor of the Federal Revenue für Pennsylvania anzunehmen. Seit 1802 bekleidete er für Philadelphia den Posten eines Collector of Customs. – Ein County im Westen Kentuckys ist nach M. benannt.

W u. a. Journal of Rev. P. M. in London, 1772, ed. by J. Fry, in: Lutheran Church Review 4, 1885, S. 294–300; Orderly Book of Gen. J. P. G. M., March 26–December 20, 1777, in: Pennsylvania Magazine of History and Biography 33, 1909, S. 257–78, 454–74; ebd. 34, 1910, S. 21–40, 166–89, 336–60, 438–77; ebd. 35, 1911, S. 59–89, 156–87, 290–303.

L ADB 22; H. A. Muhlenberg, The Life of Major-Gen. P. M. of the Revolutionary Army, 1849 *(P)*; W. Germann, Jugendleben d. Gen. P. M., in: Dt.-Amerikan. Mag., Okt. 1886, S. 43–47, Jan. 1887, S. 186–201, April 1887, S. 334–44 (engl. in: Pennsylvania Magazine of History and Biography 37, 1913, S. 298–329, 450–70); E. W. Hocker, The Fighting Parson of the American Revolution, A Biography of General P. M., Lutheran Clergyman, Military Chieftain, and Political Leader, 1936; P. A. W. Wallace, The Muhlenbergs of Pennsylvania, 1950 *(P)*; G. M. Smith, The Reverend P. M., A Symbiotic Adventure in Virginia, 1772–1783, in: Report, Society for the History of the Germans in Maryland 36, 1975, S. 51–65; Ch. H. Glatfelter, Pastors and People, German Lutheran and Reformed Churches in the Pennsylvania Field, 1717–1793, 2 Bde., 1980/81 *(P)*; Dict. Am. Biogr.

P Gem. e. unbek. Künstlers (Privatbes.), Abb. in Muhlenberg, Wallace u. Glatfelter (s. *L*); Gem. v. J. Trumbull „Surrender of Lord Cornwallis at Yorktown", 1820 (Yale University Art Gallery, New Haven, Connecticut); Marmorskulptur v. B. Nevin, 1884 (United States Capitol, Washington, D. C.); Statuen in Philadelphia, 1910 (City Hall) u. Allentown, Pennsylvania, 1942 (Muhlenberg College).

Karl-Otto Strohmidel

3) *Friedrich August (Frederick Augustus),* Politiker, * 2. 1. 1750 Providence (Pennsylvania), † 4. 6. 1801 Lancaster (Pennsylvania).

V Heinrich (s. 1); *B* Peter (s. 2), Heinrich (s. 4); ∞ Philadelphia 1771 Catharina (1750–1835), *T* d. David Schaefer (1719–87), Zuckersieder in Philadelphia; 3 *S*, 4 *T; E* William Augustus (1796–1877), Prediger d. Episkopalkirche, seit 1846 Vorsteher d. Church of the Holy Communion in New York, Gründer zahlr. Schulen, Kranken- u. Waisenhäuser (s. Dict. Am. Biogr.).

M. hatte von den drei Geschwistern, die 1763 zur Erziehung nach Halle kamen, die ausgeglichenste Gemütsverfassung. Mit Vorkenntnissen von der Akademie (Lateinschule) in Philadelphia durchlief er die Lateinschule der Franckeschen Stiftungen, entwickelte eine Neigung zu Medizin und Theologie und studierte ein Jahr lang an der Univ. Halle, bevor er 1770 mit seinem jüngeren Bruder Heinrich und seinem künftigen Schwager Johann Christoph Kunze nach Amerika zurückkehrte, um seinen Vater beim Aufbau der luth. Kirche zu unterstützen.

1770 erhielt M. in Reading (Pennsylvania) die Ordination und versorgte bis 1773 mehrere Landgemeinden von Schaefferstown (Pennsylvania) aus. Briefe an seinen Vater aus dieser Zeit sind lebhafte Zeugnisse vom Alltag an der Siedlungsgrenze. 1773 nahm M. die Berufung an die deutschsprachige Gemeinde (Christ Church) in New York an. Vor den Kriegsereignissen 1776 floh er mit seiner Familie nach Pennsylvania. Er verrichtete seinen Predigerdienst von New Hanover aus und verdiente seinen Lebensunterhalt als Kaufmann. 1779 fand M., durch seine Schwiegereltern ermutigt, als Befürworter der Kolonialinteressen zur Politik. Im März 1779 wurde er in den Kontinentalkongreß gewählt. 1780–83 war er Mitglied und Sprecher der pennsylvan. Landesversammlung. Weitere Ämter folgten: M. wurde Präsident des Council of Censors (1783/84), Friedensrichter (1784–89), Präsident des pennsylvan. Konvents zur Ratifizierung der Bundesverfassung (1787) sowie Mitglied und Sprecher des Repräsentantenhauses im ersten Kongreß (1789–91). Bis 1797 blieb M. Kongreßabgeordneter, 1793–95 wieder als Sprecher. Mehrfach kandidierte er erfolglos für das Amt des Gouverneurs von Pennsylvania. Seine entscheidende Stimmabgabe für die Ratifizierung des Jay Treaty (1796) kostete ihn seinen politischen Rückhalt. Als Präsident der German Society of Pennsylvania trat M. 1797 nach acht Jahren zurück. Zuletzt war er Leiter des Pennsylvania Land Office. Wie sein Bruder Peter begann M. als Föderalist und wandelte sich zum Anhänger Jeffersons. Sein besonderes Augenmerk schenkte er der Verfassungsgebung.

W u. a. Diary of F. A. M. from the Day of His Ordination, October 25, 1770, until August, 1774, übers. v. J. W. Early, in: Lutheran Church Review 24, 1905, S. 127–37, 388–90, 562–71, 682–94, 25, 1906, S. 134–47, 345–56; Briefe u. Berr. an seine Eltern in d. Korr. seines Vaters, Bd. 4, Nr. 562, 574, 599, 626, 631.

L P. A. W. Wallace, The Muhlenbergs of Pennsylvania, 1950 *(P)*; Ch. H. Glatfelter, Pastors and People, German Lutheran and Reformed Churches in the Pennsylvania Field, 1717–93, 2 Bde., 1980/81 *(P)*; K.-O. Strohmidel, The Educating of F. A. and Henry Ernest Muhlenberg, in: Lutheran Quarterly 7, 1993, S. 369–71; Dict. Am. Biogr.

P Gem. v. J. Wright, 1790 (National Portrait Gallery, Smithsonian Institution, Washington, D. C.), danach Kopien v. J. Eichholtz, 1838 (?), M. u. A. Rosenthal sowie S. B. Waugh, 1881 (United States Capitol, Washington, D. C.).

Karl-Otto Strohmidel

4) Gotthilf *Heinrich (Henry)* Ernst, Naturforscher, luth. Geistlicher, * 17. 11. 1753 Trappe (Pennsylvania), † 23. 5. 1815 Lancaster (Pennsylvania).

V Heinrich (s. 1); *B* Peter (s. 2), Friedrich August (s. 3); – ∞ Philadelphia 1774 Mary Catherine Hall (1756–1841); 4 *S*, 4 *T*, u. a. Henry Augustus Philip (1782–1844), luth. Theologe, Politiker u. Dipl., erster amerikan. Botschafter in Österreich (s. Dict. Am. Biogr.); *E* Frederick Augustus (1818–1901), luth. Theologe, 1850–67 Prof. f. Alte Sprachen am Pennsylvania College, seit 1867 erster Präs. d. Muhlenberg College in Allentown (s. Dict. Am. Biogr.).

Gemeinsam mit seinen älteren Brüdern erhielt M. ersten Unterricht am Halleschen Waisenhaus durch den Nachfolger Gotthilf August Franckes, den Arzt Friedrich Christian Juncker (1730–70). Nach einjährigem Theologiestudium in Halle kehrte M. nach Pennsylvania zurück, legte vor der Synode in Reading die Predigerprüfung ab und unterstützte seinen Vater in dessen Pfarre. 1774 berief man M. als dritten Prediger nach Philadelphia. Nach kriegsbedingten Unterbrechungen seiner Predigertätigkeit erhielt M. 1779 eine Pfarrstelle in New Hanover und im Jahr darauf in Lancaster, wo er bis zu seinem Tode wirkte.

M. war der erste in Nordamerika gebürtige Botaniker, der die Flora seiner Heimat systematisch erforschte. Auf Anregung des deutschen Naturkundlers Johann David Schoepf (1752–1800) eröffnete er eine rege Korrespondenz mit deutschen und nordamerikan. Botanikern und Zoologen, die ihm 1791 die Mitgliedschaft in der Kaiserl. Akademie der Naturforscher (Leopoldina) einbrachte. Ein Besuch Alexander v. Humboldts mag M. auf den Berliner Apotheker und Botaniker Karl Ludwig Willdenow (1765–1812) aufmerksam gemacht haben, mit dem er 1799–1809 Briefe wissenschaftlich-botanischen Inhalts wechselte. M.s botanische Arbeiten waren von taxonomischen Interessen bestimmt, die ihren Niederschlag in seinen Hauptwerken, dem „Catalogus Plantarum Americae Septentrionalis ... or a Catalogue of the Hitherto Known Native and Naturalized Plants of North America" (1813) und der „Descriptio uberior plantarum graminum et plantarum calamarum Americae Septentrionalis" (1817, ²1818) fanden, die postum von seinem Sohn Friedrich August herausgegeben wurden. Einige Neubeschreibungen und Neubestimmungen nordamerikan. Pflanzen nach dem Linnéschen System gehen auf M. zurück. Willdenow ehrte ihn durch die Benennung der Gramineen-Gattung „Muhlenbergia". Außerdem erschien 1900–15 in den USA eine botanische Zeitschrift unter dem Titel „Muhlenbergia".

Weitere W u. a. Index Florae Lancastrensis, in: Transactions of the American Philosophical Society 3, 1793, S. 157–84; Kurze Bemerkungen üb. d. in d. Gegend v. Lancaster in Nord-Amerika wachsenden Arten d. Gattungen Juglans, Fraxinus u. Quercus, in: Neue Schrr. d. Ges. Naturforschender Freunde Berlin 3, 1801, S. 387–402; Ueber d. nordamerican. Weiden, ebd. 4, 1803, S. 233–42.

L J. M. Maisch, M. als Botaniker, in: Pharmaceut. Rdsch. 4, New York 1886; W. J. Youmans (Hrsg.), Pioneers of Science in America, 1896, S. 58–70; J. W. Harshberger, The Botanists of Philadelphia and their Work, 1899, S. 92–97; H. M. M. Richards, in: The Pennsylvanian German 3, 1902, S. 147–55; E. D. Merril u. Shiu-Ying Hu, Work and Publications of H. M., with Special Attention to Unrecorded or Incorrectly Recorded Binominals, in: Bartonia 25, 1949, S. 1–66; P. A. W. Wallace, The Muhlenbergs of Pennsylvania, 1950; C. E. Smith, Jr., H. M. – Botanical Pioneer, in: Proceedings of the American Philosophical Society 106, 1962, S. 443–60; W.-D. Müller-Jahncke, Der „Linnaeus Americanus" u. seine Beziehungen zu dt. Botanikern: G. H. E. M., in: Dt. Apotheker-Ztg. 117, 1977, S. 1323–29; F. Encke, G. Buchheim u. S. Seybold, Hdwb. d. Pflanzennamen, ¹²1980, S. 793; Dict. Am. Biogr.

P Gem. v. J. Eichholtz (The North Museum, Lancaster, Pennsylvania).

Wolf-Dieter Müller-Jahncke

Mühlenbruch, *Christian Friedrich,* Jurist, * 3. 10. 1785 Rostock (?), † 17. 7. 1843 Göttingen. (ev.)

V Gottlieb († 1826), 1771 Bürger in R. u. Chirurg, 1784–1802 Ältester d. Barbieramtes in R.; M Dorothea Wendt; B Caspar Friedrich (* 1776), Gutsbes. in Gerdshagen b. Kröpelin (Mecklenburg); – ∞ 1) N. N. († 1834), 2) 1835/36 N. N. († 1889).

Nach Schulbesuch in Güstrow und Rostock begann M. sein Studium der Rechte 1800 in Rostock und setzte es in Greifswald, Göttingen und Heidelberg fort, wo er 1805 promoviert wurde. Im Herbst desselben Jahres habilitierte er sich in Rostock. Hier nahm er eine Tätigkeit als Advokat auf, hielt aber gleichzeitig Vorlesungen über Methodologie, wofür er ein Lehrbuch verfaßte. Für die historische Methode dieses Werkes berief er sich auf St. Pütter und die Göttinger historische Schule. Daneben hielt er auch Vorlesungen über römisches Recht und deutsches Privatrecht. 1808 wurde M. in den Rat der Stadt Rostock gewählt, aber schon 1810 ließ er sich auf Grund des Vorschlagsrechtes, das der Rat besaß, eine Professur übertragen. 1815 nahm er einen Ruf nach Greifswald an.

In den Rostocker Jahren verfaßte M. lediglich eine kleine Schrift über die Zession. Darin trug er bereits die Grundthese seiner späteren großen Monographie vor, daß nämlich die dem Zessionar gewährte „actio utilis" nicht das volle Recht auf die Forderung übertrage, sondern der Erwerber nur das Recht gebe, die Forderung als „procurator in rem suam" im eigenen Interesse geltend zu machen. Anders glaubte M. nicht erklären zu können,

daß der von der Abtretung nicht formell benachrichtigte Schuldner nach den Regeln des römischen Rechts noch mit befreiender Wirkung Zahlungen an den abtretenden Gläubiger leisten konnte. M. hatte bei dieser Arbeit also ein durchaus praktisches Ziel vor Augen, das er aber mit dem vollständigen theoretischen Aufwand einer historisch-philologischen Methode aus den Quellen des römischen Rechts erarbeitete. Er sah darin die ideale Verbindung von Theorie und Praxis, die seit dem 18. Jh. eines der großen Themen der Juristen war. M. gehörte zu den Autoren, deren Stimmen in der Auseinandersetzung um Theorie und Praxis, Auslegungslehre und Aufgabe des Richters erhebliches Gewicht hatten. Nach seiner Meinung sollte trotz der Ausrichtung auf die Praxis, deren Vernachlässigung er der historischen Schule vorwarf, nie die „egoistische Politik" eines Billigkeitsgefühls an die Stelle des Gesetzes treten. Das Gesetz aber war nach wie vor in erster Linie das römische Recht. Moderne Kodifizierungen konnten allenfalls Einzelheiten regeln. Die Prinzipien waren, wie die Arbeiten über die Zession zeigen, dem römischen Recht zu entnehmen. M. hat aber sein Ziel nicht ganz erreicht. Gerade seiner Zessionslehre wurde später lebensfremder Dogmatismus vorgeworfen. Diese Lehre wurde nämlich ungeachtet ihrer primär praktischen Ziele zum Ausgangspunkt einer jahrzehntelangen Kontroverse über die Übertragbarkeit von Forderungen. Den Schlußpunkt der Diskussion bildeten erst B. Windscheids Schrift über die „Actio" und Th. Muthers Entgegnung darauf.

1818 ließ sich M. von der Regierung nach Königsberg versetzen und im Jahr darauf nach Halle. Dort entfaltete er eine fruchtbare Vorlesungstätigkeit (Institutionen und Pandekten, Zivilprozeß und Deutsches Privatrecht – das Privatrecht des preuß. Allgemeinen Landrechts von 1794 gehörte offensichtlich nicht zum Lehrprogramm der Fakultät – und auch damals noch wenig bekannte Übungen mit schriftlichen Arbeiten), publizierte erfolgreiche Bücher, leitete als Vizeordinarius für den erblindeten Ordinarius Schmelzer die Spruchfakultät und fungierte als Herausgeber der „Hallischen Literaturzeitung" und des „Archivs für die civilistische Praxis". Aus seiner Tätigkeit in der Spruchfakultät ging 1828 die „Rechtliche Beurtheilung des Städel'schen Beerbungsfalles" hervor. In diesem wohl meistdiskutierten Rechtsfall des 19. Jh. entschied sich M. seinem Programm getreu aus Gehorsam gegenüber dem Gesetz und seinen logischen Konsequenzen, wie M. in der viel beachteten Einleitung zu der Schrift ausführte, gegen die Interessen der Kunst für die Nichtigkeit des umstrittenen Testamentes, worin eine noch nicht genehmigte Stiftung zum Erben eingesetzt worden war.

1833 ging M., obwohl er sich mit seiner Liebe zur Musik in der hallischen Gesellschaft wohl fühlte, nach Göttingen. Den größten Teil seiner Arbeitskraft widmete er hier der Fortsetzung des Pandekten-Kommentars von C. F. Glück, wovon er 1832–43 die das Testamentsrecht behandelnden Bände 35–43 verfaßte. Für M. war es eine Konsequenz der strengen Bindung an das Gesetz, daß er 1837 die Protestaktion der Göttinger Sieben gegen die Suspension der Verfassung als illegitim und für die Universität schädlich bezeichnete. Das trug ihm von Seiten J. Grimms das Prädikat „treffliches Bauernpferd" ein. Landsberg rechnete M. dem Positivismus in der Frühblüte der historischen Schule zu. Jedenfalls nahm M. die Forderung ernst, jeden positiven Stoff von der historischen Wurzel her zu erarbeiten. Seine Arbeitsweise ist für heutige Begriffe mehr am Gesetz und seinen Begriffen orientiert als am praktischen Einzelfall.

W Lehrb. d. Encyklopädie u. Methodol. d. positiven in Dtld. geltenden Rechts, z. Gebrauch academ. Vorlesungen, 1807; De iure eius cui actionibus cessit creditor, 1813; Die Lehre v. d. Cession d. Forderungsrechte nach d. Grundsätzen d. röm. Rechts, 1817, ³1836; Doctrina Pandectarum, 3 Bde., 1823–25, ³1838; Entwurf d. gemeinrechtl. u. preuß. Civilprozesses, 1827, ²1838; Ausführl. Erl. d. Pandecten nach Hellfeld, e. Commentar v. C. F. Glück, fortgesetzt v. C. F. M., 35.–43. T., 1832–43; Lehrb. d. Pandectenrechts nach d. Doctrina Pandectarum, 3 Bde., 1835, ⁴1844, hrsg. v. Madai.

L ADB 22; E. Döhring, Gesch. d. dt. Rechtspflege seit 1500, 1953, S. 336, 426 f.; K. Luig, Zur Gesch. d. Zessionslehre, 1967, S. 47; Gesch. d. Univ. Rostock 1419–1969, I, 1969, S. 103, 136 (P); J. Rückert, August Ludwig Reyschers Leben u. Rechtstheorie, 1974, S. 233; J. Schröder, Wissenschaftstheorie u. Lehre d. „prakt. Jurisprudenz", 1979; H. Kiefner, Das Städel'sche Kunstinst., Zugleich zu Ch. F. M.s Beurteilung e. berühmten Rechtsfalls, in: Quaderni fiorentini 11/12, 1983, S. 339 ff.; H. J. Becker, Der Städel-Paragraph (§ 84 BGB), in: FS f. H. Hübner, 1984, S. 21 ff.; M. Kriechbaum, Dogmatik u. Rechtsgesch. b. Ernst Immanuel Bekker, 1984, S. 77 ff.; R. Ogorek, Richterkönig od. Subsumtionsautomat? 1986; Stintzing-Landsberg III/2, S. 375.

P Lith. v. P. Rohrbach, Abb. in M. Voit, Bildnisse Göttinger Professoren aus 2 Jhh., 1937.

Klaus Luig

Mühlengasse, *von der (die Weisen),* Kölner Patriziergeschlecht.

Die M. gehörten seit ihrem ersten Auftreten in den Quellen des ausgehenden 12. Jh. zur politischen Führungsgruppe der Kölner Bürgerschaft und rechneten sich seit dem frühen 13. Jh. zu den „edlen Bürgern". Als Ministerialen des Erzbischofs von Köln lassen sie sich nicht nachweisen. Der Dichter Gottfried Hagen bezeichnete sie um 1270 in seiner Chronik als eines der ältesten Geschlechter der Stadt. Ihr erster bekannter Vertreter war ein *Dietrich* († n. 1205), der sich nach seinem Wohnsitz im Kirchspiel St. Brigiden „von der Mühlengasse" nannte. Er war Schöffe des Kölner Hochgerichts und um 1185 Bürgermeister der Patrizierbruderschaft der Richerzeche. In der nächsten Generation führte Dietrichs Sohn *Ludwig* († n. 1237) die Hauptlinie fort. Ludwigs Bruder *Dietrich* († v. 1245) begründete durch Einheirat in eine angesehene Familie des Kirchspiels Niederich die Linie „vom Niederich", nach dem Stammhaus auch „von der Pforte" genannt.

In den Jahren des deutschen Thronstreits seit 1198 gehörten die M. wohl zu der kleinen Gruppe einflußreicher Geschlechter, die im Gegensatz zur Mehrheit der Kölner Bürgerschaft staufisch gesinnt war. Den Höhepunkt ihrer politischen Geltung in der Stadt erreichten sie in der dritten Generation mit den Brüdern *Heinrich* (Rufus), *Dietrich* (Sapiens) († 1259/60) und *Ludwig.* Begünstigt durch lange Lebensdauer und mit Hilfe einer geschickten Bündnispolitik gelang es ihnen, um 1231 die Verfügung über etwa ein Viertel der Schöffenämter zu erlangen. Gegen diese Machtkonzentration, deren weitere Zunahme drohte, formierte sich Widerstand unter der Führung Hermanns von der Kornpforte. Ende 1236 wurde bei einer innerstädtischen Auseinandersetzung ein Gegner der M. umgebracht. Erzbischof Heinrich v. Müllenark ächtete daraufhin die der Tat beschuldigten M.; sie mußten Köln verlassen und ihre Häuser wurden geschleift, doch mit Hilfe Kaiser Friedrichs II. konnten sie ihre frühere Stellung wiedererlangen. Die Schmach der Vertreibung aus der Stadt wurde aber später zu einem Schlüsselereignis stilisiert. 1247 wechselten Dietrich und Heinrich M. die Partei und wandten sich nach der Kreuzzugspredigt Innozenz' IV. gegen Friedrich II. Der Papst vereitelte ihre erneute Vertreibung aus Köln. 1259 entsetzte Erzbischof Konrad v. Hochstaden im Kampf um die Stadtherrschaft 16 Schöffen, darunter sechs Vertreter der M., neben den genannten drei Brüdern auch die beiden Söhne Dietrichs, *Ludwig* (Sapiens) und *Hermann,* sowie *Johannes* (de Porta) ihrer Ämter; fünf verfielen der Acht und mußten aus der Stadt fliehen.

Nach der Wiederherstellung der Geschlechterherrschaft 1262 verloren die M. an Einfluß, weil der Kölner Rat, zu dem sie keinen Zugang fanden, seine Macht auf Kosten des Schöffenkollegs vergrößern konnte. Als Protagonisten der neuen Ordnung profilierten sich nun die Overstolzen. Um ihre Position zu stärken, gingen die M. 1267 ein Bündnis mit Erzbischof Engelbert v. Falkenburg ein. Am 10. 1. 1268 erlitten sie eine vernichtende Niederlage. Ihr letzter Versuch, in die Stadt zurückzukehren, scheiterte am 14. 10. 1268 in der Schlacht an der Ulrepforte. Einzelne Mitglieder der Familie ließen sich in Neuss, Frankfurt und Mainz nieder, wo sich ihre Spuren schnell verlieren. Nur der Zweig von der Pforte konnte sich, allerdings politisch bedeutungslos, in Köln halten.

Die M., neben dem Dr. decretorum Ludwig, dem mutmaßlichen Autor einer in Fragmenten überlieferten lat. Reimchronik, vor allem Dietrich (Sapiens), der die lat. und franz. Sprache beherrscht und juristische Kenntnisse besessen haben soll, entwickelten ein für deutsche Verhältnisse bemerkenswert frühes Interesse des Patriziats an gelehrter Bildung. Am Erwerb des Rittertitels zeigten die M. – im Gegensatz zu anderen Kölner Geschlechtern – kein Interesse. Kaufmännische Aktivitäten werden ihnen zugeschrieben, lassen sich aber nicht nachweisen. Die Übersiedlung der dritten Generation in große Stadthöfe im marktfernen Kirchspiel St. Kolumba deutet jedenfalls auf einen Rückzug vom Handel hin. Bezeugt ist jedoch umfangreicher Hausbesitz in Köln mit Verkaufsständen, Mühlen, Backhäusern und Werkstätten sowie ländlicher Grundbesitz.

L Chronica regia Coloniensis, hrsg. v. G. Waitz (MGH SS rer. Germ.), 1880, S. 303 ff.; Die Chroniken d. dt. Städte XII, hrsg. v. H. Cardauns, 1875, S. 1–223 (G. Hagen, Verschronik); F. Lau, Das Kölner Patriziat bis z. J. 1325, III, in: Mitt. aus d. Stadtarchiv v. Köln 26, 1895, S. 126 ff.; L. v. Winterfeld, Handel, Kapital u. Patriziat in Köln bis 1400, Pfingstbll. d. Hans. Gesch.ver. 16, 1925, S. 35 ff.; M. Groten, Zu d. Fälschungen d. Kölner Burggrafenschiedes ..., in: Rhein. Vj.bll. 46, 1982, S. 48–80; ders., Köln im 13. Jh., Gesellschaftl. Wandel u. Vfg.entwicklung, 1995.

Manfred Groten

Mühlens, *Peter,* Tropenmediziner und -hygieniker, * 12. 5. 1874 Bonn, † 7. 6. 1943 Hamburg. (kath.)

V Peter (1844–1901), Weinhändler in B., S d. Peter Mühlenz, Faßbinder in Röttgen b. B., u. d. Anna Maria Amend; M Agnes (1843–1917), T d. Heinrich Hunold, Ackerer in Beuel, u. d. Anna Gertrud Claser; ∞ Charlotte Wagner; 3 T.

M. studierte 1893–98 Medizin in Bonn. Nach Promotion und Approbation war er zwölf Jahre lang in der Kaiserl. Marine tätig. Auslandskommandos führten ihn 1900/01 nach China (Boxer-Aufstand) und 1903/04 nach Australien, in die Südsee und nach Ostasien, wissenschaftliche Kommandos wiederholt an das Hamburger Tropeninstitut und das Institut für Infektionskrankheiten „Robert Koch" in Berlin. 1906 gelang es M., die erste Spirochäten-Reinkultur (Spir. dentium) zu züchten. Es folgte 1909 die Züchtung des Syphiliserregers (Spir. pallida) in Reinkulturen. Für seine wissenschaftlichen Leistungen, insbesondere seine Malariastudien, verlieh ihm das preuß. Kultusministerium 1909 den Professortitel. 1911 schied M. aus dem aktiven Marinedienst aus und wurde Mitarbeiter Bernhard Nochts am Hamburger Tropeninstitut. 1912–14 war er mehrfach zur Erforschung und Bekämpfung der Malaria in Palästina. Als Armeehygieniker zunächst der türk., 1915–18 der bulgar. Armee verbrachte er den größten Teil des 1. Weltkriegs auf dem Balkan. Nach der Niederlage Deutschlands und dem Versailler Friedensschluß setzte sich M. nachdrücklich für das Ansehen des Deutschen Reichs und der deutschen Wissenschaft ein und suchte ihrer internationalen Isolation entgegenzuwirken. 1921/22 leitete er die Hilfsexpedition des Deutschen Roten Kreuzes in die Hunger- und Seuchengebiete Rußlands. Im März 1922 nahm er als deutscher Delegierter an der Europäischen Sanitätskonferenz in Warschau teil. Im selben und im darauffolgenden Jahr hielt er sich auch zur Malariabekämpfung in Dalmatien auf. 1924–31 unternahm er drei längere Forschungs- und Vortragsreisen nach Süd- und Mittelamerika. Als Leiter der Klinischen Abteilung des Hamburger Tropeninstituts führte M. 1921 das neue Trypanosomenmittel Bayer 205/"Germanin" (gegen die afrikan. Schlafkrankheit) und die Amöbenruhrbehandlung mit Yatren 105 in die therapeutische Praxis ein. Er war darüber hinaus maßgeblich an der klinischen Erprobung der Malariapräparate Plasmochin und Atebrin beteiligt.

M. war ein international anerkannter Malariaexperte und zeitweilig Mitarbeiter der Malariakommission des Genfer Völkerbundes. Auch nach Ende der Weimarer Republik blieb er eine wichtige Figur deutscher auswärtiger Kulturpolitik. 1933 führte ihn eine mehrmonatige Studien- und Vortragsreise nach China und Japan. Weitere Vortragsreisen unternahm er 1934 nach Spanien, 1935 nach Portugal und 1936 nach Bulgarien. Im Mai 1939 war M. Führer der Reichsdelegation bei den Jubiläumsfeierlichkeiten der Univ. Sofia. Mit der Übernahme der Leitung des Hamburger Tropeninstituts im Mai 1934 (kommissarisch im September 1933) wurde ihm das Ordinariat für Tropenmedizin übertragen, nachdem er seit 1925 als Honorarprofessor und zuvor als Privatdozent der Hamburgischen Universität gelehrt hatte (1938–40 Dekan der Med. Fakultät). Seit 1936 hatte M. den Vorsitz der Deutschen Tropenmedizinischen Gesellschaft inne. Er verknüpfte seine wissenschaftliche Arbeit mit dem politischen Ziel der Wiedererlangung der ehemaligen deutschen Kolonien in Afrika. 1938 unternahm er eine Studienreise nach Westafrika, vor allem nach Kamerun. M. war Vorsitzender des Ausschusses für Tropenmedizin und Medizinalwesen im Reichskolonialrat. In seiner Person manifestiert sich auf idealtypische Weise die Kontinuität vom Kolonialismus des Kaiserreichs zum Expansionsstreben des „Dritten Reichs". Vor 1933 einige Jahre Mitglied der DVP und seit 1937 der NSDAP, arrangierte sich M. nicht nur mit dem nationalsozialistischen Staat, sondern war sehr bemüht, sich und sein Institut im „Dritten Reich" zu profilieren. Er arbeitete mehrfach mit führenden Hygienikern der Waffen-SS zusammen. Während des 2. Weltkriegs war M. – im Range eines Flottenarztes z. V. – Beratender Hygieniker des Sanitätschefs der Kriegsmarine und hygienischer Berater der bulgar. Armee. Bis zu seinem Tod war er regelmäßig zur Seuchenbekämpfung auf dem Balkan tätig (Bulgarien, Thrazien, Mazedonien). – Prof. E. h. (Nat.univ. Mexiko); Ehrenmitgl. d. Ak. d. Univ. San Salvador u. d. Med. Ak. Madrid; Mitgl. d. Leopoldina (1935); Dr. med. h. c. (Sofia).

W Krankheiten u. Hygiene d. warmen Länder, Ein Lehrb. f. d. Praxis (mit E. Nauck, H. Vogel u. H. Ruge), 5., völlig neu bearb. Aufl., 1942, türk. 1945 (^{2}1925; ^{1}1912: R. Ruge u. M. zur Verth, Tropenkrankheiten u. Tropenhygiene); Die Plasmodien (Die Malariaerreger u. d. Plasmodien d. Tiere), in: Hdb. d. Pathogenen Protozoen, hrsg. v. S. v. Prowazek, fortgef. v. W. Nöller, III, 1921, S. 1421–1636; Rückfallfieber, in: Hdb. d. pathogenen Mikroorganismen, begr. v. W. Kolle u. A. v. Wassermann, hrsg. v. W. Kolle, R. Kraus, u. P. Uhlenhuth, VII/1, 1929, S. 383–486; Verschiedene als pathogen angesehene Spirochäten, ebd. VII/2, 1930, S. 753–812; mehr als 250 weitere med. Fachartikel, kultur- u. kolonialpropagandist. Publikationen. – W-Verz.

bis 1939: Archiv d. Bernhard-Nocht-Inst. f. Tropenmed., Hamburg.

L Dt. Koloniallex. II, 1920; G. Olpp, Hervorragende Tropenärzte in Wort u. Bild, 1932, S. 285 f. *(P)*; A. Hauer, in: Dt. med. Wschr. 69, 1943, S. 549 f. *(P)*; H. Lippelt, in: Dt. Ärztebl. 73, 1943, S. 172 *(P)*; W. Mohr, in: FF 1943, S. 271 f.; F. Weyer, in: Zs. f. hygien. Zool. u. Schädlingsbekämpfung 35, 1943, S. 153–57 *(P)*; ders., in: Zs. f. Tropenmed. u. Parasitol. 5, 1954, S. 273–75; S. Wulf, Das Hamburger Tropeninst. 1919–1945, Auswärtige Kulturpol. u. Kolonialrevisionismus nach Versailles, 1994 *(P)*; BLÄ *(fehlerhaft)*; Rhdb. *(P)*. – Eigene Archivstud.

P Phot. im Archiv d. Bernhard-Nocht-Inst. f. Tropenmed., Hamburg.

Stefan Wulf

Mühler, v. (ev.)

1) *Heinrich* Gottlob (preuß. Adel 1851), preuß. Justizminister, * 23. 6. 1780 Louisenhof b. Pleß (Schlesien), † 15. 1. 1857 Berlin.

V Heinrich Mühler (1747–1810), Kammerrat d. anhalt-pless. Rentei in L., S d. Heinrich (um 1677–1751), gfl. hochberg. Hofspitalverwalter in P., u. d. Magdalene Elisabeth Pusch; M Johanne Eich (1758–92) aus Wernigerode; ∞ 1) Brieg 1807 Luise Boenisch († 1808), 2) Brieg 1810 Ulrike Hoffmann (1793–1873) aus Brieg; 1 T aus 1) Luise (1808–55, ∞ Friedrich v. Merckel, 1802–75, auf Ober-Thomaswaldau, preuß. Reg.rat), 3 S, 3 T aus 2) Heinrich (s. 2), Karl (1820–81), preuß. Geh. Justizrat, Senatspräs. b. Kammerger., Ferdinand (1820–70), preuß. Geh. Kabinettsrat, Chef d. Zivilkabinetts, Henriette (1811–89, ∞ Wilhelm v. Merckel, 1803–61, preuß. Kammerger.rat, s. NDB 17*), Sophie (1816–77, ∞ Gustav v. Goßler, 1810–85, Dr. iur., Kanzler d. Kgr. Preußen, Oberlandesger.präs. in Königsberg, Preußen, s. Altpr. Biogr. I), Auguste (1833–1906), Stiftsdame in Kapsdorf (Schlesien); E Gustav v. Goßler (1838–1902), preuß. Staatsmin., Oberpräs. d. Prov. Westpreußen (s. Altpr. Biogr. I; NDB VI).

M. besuchte zunächst die Stadtschule zu Pleß, seit 1796 das Friedrichs-Gymnasium in Breslau. 1798–1801 studierte er Rechtswissenschaften an der Univ. Halle (1801 Auskultator, 1802 Referendar). Nach dem Assessorexamen (1804) erfolgte 1810 die Ernennung zum Oberlandesgerichtsrat in Brieg und 1815 die Versetzung an das Kammergericht in Berlin. 1818 wurde er Direktor des Berliner Vormundschaftsgerichts, 1819 zusätzlich Geh. Revisionsrat am Rhein. Revisions- und Kassationshof. 1822–24 Vizepräsident des Oberlandesgerichts (OLG) Halberstadt, übernahm er vom Herbst 1824 bis 1831 die Leitung des OLG Breslau. Von Februar 1832 bis September 1844 war M. Justizverwaltungsminister, zunächst unter Ausschluß der Rheinprovinz.

Im Herbst 1838 wurde ihm auch die Verwaltung dieser Provinz unter Mithilfe des Kölner Generalprokurators Karl Ferdinand Ruppenthal (1777–1851) übertragen. 1845–54 war M. Präsident des Geh. Obertribunals in Berlin, mit dem 1852/53 der Rhein. Revisions- und Kassationshof vereinigt wurde. Bis März 1848 hatte M. Sitz und Stimme im preuß. Staatsministerium, 1849 übernahm er das Präsidium des Disziplinarhofs für die nicht richterlichen Beamten. 1851 wurde er auf Lebenszeit ins Herrenhaus berufen.

M. hat als Justizverwaltungsminister in Zusammenarbeit mit Karl v. Kamptz (Minister der Gesetzrevision) insbesondere die preuß. Ziviljustiz nach einer 30jährigen Stagnation behutsam modernisiert. Vier Prozeßrechtsnovellen in den Jahren 1833/34 dienten u. a. der Beschleunigung des Verfahrens. Zu nennen sind weiter das Gesetz von 1838 über die Verkürzung der Verjährungsfristen sowie Gesetze von 1839 über die Reform der Nichtigkeitsbeschwerde und die Begründung des Justizministerialblatts. Schon früh war er als Mitglied des Rhein. Revisions- und Kassationshofs und der Rhein. Justiz-Organisations-Kommission (1818/19) sowie der Rhein. Revisionskommission in Berlin (1827) mit der Problematik befaßt, inwieweit das rhein.-franz. Zivil- und Strafrecht beibehalten werden sollte oder nicht. Als Mitglied der strafrechtlichen Staatsratskommission (1839–42) nahm er Einfluß auf die Strafrechtsreform. 1839 befürwortete er die Einführung des rhein. Strafverfahrens in Gesamtpreußen. Savignys umfassenden Reformplänen insbesondere auf dem Gebiet des Zivilprozesses stand er reserviert gegenüber (Gutachten vom April 1844), wenn er sie auch nicht so massiv behinderte wie sein Nachfolger Karl v. Uhden. Die von ihm durchgeführte Reorganisation des Obertribunals nach der Revolution von 1848 konnte den Ansehensverlust, den die preuß. Justiz insgesamt 1848/50 erlitten hatte, nicht mehr rückgängig machen. Wegen seiner Amtsführung angegriffen, stellte er die in der Vormärzzeit erreichten Fortschritte heraus. Zeitlebens ein gemäßigter Neuerer, der allerdings sein Reformmodell wegen der Widerstände im Staatsministerium nur in Ansätzen verwirklichen konnte, stand M. den justizpolitischen Forderungen der Revolution im ganzen ablehnend gegenüber. – Schwarzer Adlerorden (1851).

L ADB 22; F. H. Sonnenschmidt, Gesch. d. Kgl. Obertribunals zu Berlin, 1879, S. 220 ff., 268 ff., 303 ff., 447; W. Schubert, Qu. z. preuß. Gesetzgebung d. 19. Jh., Gesetzesrevision (1825–1848), II. Abt., bes. Bd. 11, 1991; Kosch, Biogr. Staatshdb.

Werner Schubert

2) *Heinrich*, preuß. Kultusminister, * 4. 11. 1813 Brieg, † 2. 4. 1874 Potsdam.

V Heinrich (s. 1); M Ulrike Hoffmann; ∞ Berlin 1841 Adelheid (1821–1901), T d. Conrad v. Goßler (1769–1842, westfäl. Adel u. Rr. 1813), westfäl. Gen.staatsanwalt in Kassel, preuß. Wirkl. Geh. Oberjustizrat im Justizmin. (s. NDB VI*), u. d. Henriette Charlotte v. Rumohr (1786–1845); 3 T, u. a. Charlotte (1847–1925, ∞ Heinrich Gf. v. Schwerin, 1836–88, Gen.-Landschaftsdir. v. Pommern); *Schwager* Gustav v. Goßler († 1885, s. Gen. 1).

M. studierte in Berlin und Breslau Jura und promovierte 1835 zum Dr. iur. Er verkehrte im Literaturkreis „Tunnel über der Spree", dem Schriftsteller wie Strachwitz und Fontane sowie Politiker wie der mit ihm befreundete spätere Justizminister Heinrich v. Friedberg angehörten, und verfaßte Balladen und gefühlvolle Gedichte (1841, ²1879). Eigentlich wollte sich M. in Berlin habilitieren. 1840 folgte er jedoch einem Ruf des Ministers Friedrich v. Eichhorn ins Kultusministerium. Hier beschäftigte er sich vorwiegend mit der Weiterentwicklung der Kirchenverfassung und schrieb „Die Geschichte der ev. Kirchenverfassung in der Mark Brandenburg" (1846). Als 1850 zur Verwaltung des preuß. Kirchenwesens der Ev. Oberkirchenrat gegründet wurde, wechselte M. in diese direkt dem König unterstellte Behörde über und prägte deren Aufbau wesentlich mit. Durch seinen Einsatz für die Innere Mission trat er in freundschaftliche Beziehungen zu Johann Heinrich Wichern. Im März 1862 wurde Oberkonsistorialrat M. auf Empfehlung des mit ihm befreundeten Kultusministers Moritz August v. Bethmann Hollweg zu dessen Nachfolger im kurzlebigen Kabinett des Prinzen Adolf zu Hohenlohe-Ingelfingen ernannt. Da der neue „Minister der geistlichen, Unterrichts- und Medizinalangelegenheiten" Bismarcks Haltung im Heereskonflikt offen unterstützte, übernahm ihn dieser im Sommer desselben Jahres in seine Regierung. Während seiner zehnjährigen Amtszeit war M., der unter dem starken Einfluß seiner ehrgeizigen, frommen Frau zum Pietismus neigte, um ein friedliches Verhältnis zwischen Staat und Kirche bemüht. Wegen seiner wohlwollenden Rücksicht auf die Kirchen geriet er bald in Widerspruch sowohl zu den Liberalen als auch zu Bismarck, der ein härteres Vorgehen gerade gegen die kath. Kirche forderte. Wie sehr M. dem Vatikan entgegenkam, zeigte sich insbesondere bei der Wiederbesetzung des mit dem Titel „Primas Poloniae" verbundenen Gnesen-Posener Erzbischofsstuhles 1865/66. Trotz energischen Einspruchs des Posener Oberpräsidenten Karl v. Horn entschied er sich für den gewandten poln. Grafen Mieczyslaw Ledóchowski, den Kandidaten des Papstes. Meinungsverschiedenheiten gab es aber auch mit seinem erzkonservativen Gesinnungsfreund Hans v. Kleist-Retzow, dem Vertreter der prot. Orthodoxie, über die Organisation des Synodalwesens sowie mit dem König über die Präsidentschaft im Ev. Oberkirchenrat und die Organisation der kirchlichen Verwaltung in den 1866 neuerworbenen Provinzen. Obwohl der König die Union in der gesamten Monarchie durchgeführt wissen wollte, gab M. den partikularistischen Bestrebungen der neuen Provinzen nach und ließ eigene Landeskirchen zu.

Hauptangriffspunkt der Liberalen, deren Unterstützung Bismarck seit 1866 suchte, war M.s kirchlich ausgerichtete Schulpolitik. Sie beruhte auf den von Anton Stiehl im Geiste der Restauration verfaßten und noch unter Kultusminister Karl v. Raumer 1854 erlassenen „Regulativen". Kritisiert wurden insbesondere M.s ungenügende Bereitschaft, die finanzielle Lage der Volksschullehrer zu verbessern, sowie sein Festhalten an der Konfessionalität auch der höheren Schulen. Die massiven Angriffe der Liberalen gegen „einen Kultusminister, der seinen Beruf verfehlt hat" - so der Titel einer fünfzehnmal aufgelegten Schmähschrift (1871) des Abgeordneten Ludolf Parisius - kränkten M. tief. Wilhelm I. und Bismarck hielten noch bis 1872 an ihrem glücklosen Kultusminister fest, obwohl diesem sowohl diplomatisches Geschick als auch jegliches Durchsetzungsvermögen fehlten. In die letzten Monate seiner Amtszeit fielen bereits die ersten Kulturkampfmaßnahmen, die M. wegen seiner irenischen religiösen Einstellung nur halbherzig durchführte: die Aufhebung der kath. Abteilung des Kultusministeriums im Juli und der Kanzelparagraph im Dezember 1871, der den Geistlichen politische Agitation untersagte. Im selben Monat konnte er im Abgeordnetenhaus noch den Entwurf eines Schulaufsichtsgesetzes einbringen, das die kirchliche durch die staatliche Schulaufsicht ersetzte, doch dessen Beratung sollte er als Minister nicht mehr erleben. Eine neuerliche, von seiner Frau angeregte Ungeschicklichkeit bei der Besetzung von Stellen in seinem Ministerium gab den Anlaß zu seinem Sturz. Am 17. 1. 1872 reichte M. sein Entlassungsgesuch ein. - Während seines Ruhestandes in Potsdam widmete er sich wieder seinen schriftstellerischen Neigungen. Recht behalten hat M. mit seiner Warnung vor dem Kulturkampf, dessen unheilvolle Folgen er vorausgesehen hatte.

Weitere W Grundlinien e. Philos. d. Staats- u. Rechtslehre nach ev. Prinzipien, 1873; Wahlsprüche d. Hohenzollern, zusammengestellt u. hist. erläutert, 1883; Gedichte, hrsg. v. W. Rothbarth, 1913.

L ADB 22; H. v. Petersdorff, in: Schles. Lb. III, 1928, Nachdr. 1985 *(P);* W. Reichle, Zw. Staat u. Kirche, Das Leben u. Wirken d. preuß. Kultusministers H. v. M., 1938; G. Besier, Preuß. Kirchenpol. in d. Bismarckära, 1980; H. Neubach, Parteien u. Politiker in Schlesien, 1988; Brümmer; RGG; BBKL.

Helmut Neubach

Mühlestein, *Hans,* Kulturhistoriker, * 15. 3. 1887 Biel Kt. Bern, † 25. 5. 1969 Zürich. (ev., später konfessionslos).

V Christian Emil (1859–1933), Uhrmacher in B., *S* d. Christian (1826–79) u. d. Louise Keller (1828–86) aus B.; *M* Elisabeth (1860–1944), *T* d. Johannes Pulver (1831–88), Tierarzt in Aarberg, u. d. Elisabeth Nobs (1831–96); *B* Emil (1886–1972), Dr. phil., Chemiker, Gymnasiallehrer (s. Pogg. VII a); – ∞ 1) München 1913 (∞) Alice, *Wwe* d. N. N. Wachsmuth, *T* d. Bankiers u. Landwirts Otto Harlan u. d. Berta Bienert; 2) Celerina 1924 Anna (Anita) Pidermann (1900–94) aus Celerina Kt. Graubünden; *Schwager* Walter Harlan (1867–1931), Dr. iur., Schriftst. (s. Rhdb.; Kürschner, Lit.kal., Nekr.1936); kinderlos; *N* Hugo (* 1916), Prof. f. klass. Philol. in Fribourg, Genf u. Neuchâtel (s. Kürschner, Gel.kal. 1992); *N d. 1. Ehefrau* Veit Harlan (1899–1964), Schriftst., Regisseur.

Nach der Ausbildung zum Primarlehrer in Bern arbeitete M. als Hauslehrer und Privatsekretär in Jena, Berlin, Göttingen und Frankfurt/Main. Seit 1905 schrieb er Rezensionen u. a. für den „Berner Bund" und die „Neue Zürcher Zeitung". Während des 1. Weltkrieges schloß er sich der Antikriegsbewegung des Neokantianers Leonard Nelson an und wurde 1918 Rätedeputierter in Göttingen und Berlin. 1919 aus Preußen ausgewiesen, kehrte er in die Schweiz zurück. Seit 1920 spezialisierte sich M. bei regelmäßigen mehrmonatigen Italienaufenthalten auf die Etruskologie und promovierte 1928, unterstützt von der Spelman-Rockefeller-Stiftung, bei Otto Waser mit der Dissertation „Über die Ursprungsepoche der etrusk. Kunst". Beeinflußt von J. J. Bachofen, verstand M. die Etrusker als ein Volk, das die ursprüngliche „mutterrechtliche" Tradition der Mittelmeerländer, die mit der Niederlage gegen die Römer untergegangen sei, bewahrt habe. 1929 erhielt er einen Lehrauftrag an der Univ. Frankfurt/Main für „Vorgeschichte der Kultur der Menschheit". 1932 veranlaßte die politische Entwicklung in Deutschland M., der öffentlich gegen nationalsozialistische Gewaltakte an der Universität protestierte, zur Rückkehr in die Schweiz, wo ihm aber ein Lehrstuhl versagt blieb. Hier verfaßte er mehrere Dramen, zahlreiche Gedichte und einen Roman („Aurora", 1935); für sein Stück „Menschen ohne Gott", in dem er ein kritisches Bild Stalins zeichnete, erhielt er 1933 den Berner Dramenpreis. In der Schweiz engagierte sich M. in Hilfsorganisationen für emigrierte Intellektuelle und beteiligte sich an der linken Opposition des Schweizer Schriftstellerverbands. In Bildungseinrichtungen der Schweizer Arbeiterbewegung entfaltete er eine rege Vortragstätigkeit mit kulturellen und politischen Themen. Im Dezember 1936 wurde der für die span. Republik engagierte M. als erster Schweizer wegen „Schwächung der Wehrkraft" zu einer Gefängnisstrafe verurteilt. Daraufhin schlug ihm die Leitung der Kommunistischen Partei der Schweiz, seines propagandistischen Nutzens bewußt, eine Zusammenarbeit vor und übertrug ihm die Leitung ihrer Kulturzeitschrift „Heute und Morgen" (1938/39). Ende 1937 wurde er zu einem Vortrag über die „Geschichtsbedeutung der Etruskerfrage" vor der Akademie der Wiss. der Sowjetunion eingeladen. M. trat 1938 der KP der Schweiz bei, brach aber mit ihr nach dem Krieg. 1948 wurde er zum o. Professor für Kulturgeschichte an der Univ. Leipzig ernannt. Ein Jahr später mußte die Ernennung allerdings widerrufen werden, da er kein Einreisevisum erhielt.

Während der politisch aktiven Phase nach 1933 lebte M. vor allem von Übersetzungen aus dem Französischen, Italienischen und Englischen, daneben widmete er sich historisch-belletristischen Arbeiten wie „Gottfried Keller und der poln. Freiheitskampf 1863–1865" (1937) und „Der große Schweizer. Bauernkrieg" (1942, Nachdr. 1977). Schließlich wandte er sich mit einer Hodler-Biographie, die er gemeinsam mit Georg Schmidt, dem Direktor des Basler Kunstmuseums, verfaßte, erneut der Kunstgeschichte zu. Hierzu gehört auch sein letztes, postum erschienenes Werk „Die Etrusker im Spiegel ihrer Kunst" (1969). M. gilt als einer der vielfältigsten und anregendsten Schweizer Intellektuellen des 20. Jh., dessen Rezeption allerdings durch sein Pathos und seine unzureichende Systematik erschwert ist.

Weitere W u. a. Europ. Ref., Philos. Betrachtungen üb. d. moral. Ursprung d. pol. Krisis Europas, o. J. (1924); Rußland u. d. Psychomachie Europas, Versuch üb. d. Zusammenhang d. rel. u. d. pol. Weltkrise, 1925; Die Geburt d. Abendlandes, 1928; Quos Ego, 1932; Die verhüllten Götter, Neue Genesis d. ital. Renaissance, 1957. – *Überss. u. a.* Dante, Vittoria Colonna, Michelangelo, Shakespeare. – *Nachlaß:* Zentralbibl. Zürich.

L Helvet. Steckbriefe, bearb. v. Zürcher Seminar f. Lit.kritik u. W. Weber, 1981, S. 144–49 *(W; P);* G. Huonker, Lit.szene Zürich, Menschen, Geschichten u. Bilder 1914 bis 1945, 1985, S. 146 *(P);* R. Kuster, H. M., Btrr. zu seiner Biogr. u. zum Roman „Aurora", 1984; S. Howald, in: Tages-Anz. v. 4. 4. 1987; Kürschner, Gel.-Kal. 1931 u. 1950; Schweizer. Zeitgenossen-Lex., ²1932; HBLS; Who is who in Switzerland, 1952; Kürschner, Lit.kal., Nekr. 1936–70, 1973.

P Ölgem. v. F. Hodler, 1917, Abb. in: Der große Schweiz. Bauernkrieg, 1977, u. Helvet. Steckbriefe, 1981 (s. *L*); Phot. v. H. Staub, Abb. in Huonker, Lit.szene Zürich, S. 147 (s. *L*).

Brigitte Studer

Mühlhäuser, *Eberhard,* Kolonialoffizier, Sammler, * 12. 9. 1869 Bayreuth, † 27. 3. 1943 Lindau/Bodensee,☐Schwabach, Waldfriedhof. (ev.)

V Heinrich (1835–84), Obermeister e. Weberei in B., *S* d. Johann Leonhardt (1798–1867), Webermeister in B., u. d. Christiana Maria Rosina Kaiser (1808–64) aus Bischofsgrün; *M* Catharina (1836–um 1870, kath.), *T* d. Heinrich Stöcker in Unterlangenstadt, u. d. Margaretha Wittfeld; – ∞ Oberschleißheim (Bayern) 1903 Anna (1882–1963), *T* d. Aufschlagverw. Johann Strunz u. d. Anna Hechelmann; 3 *T,* u. a. Franziska (∞ Wendelin Niggl, * 1915, Oberstlt.), Erbin d. Slg.

M., der 1889 die militärische Laufbahn einschlug und 1897 in die Kaiserl. Schutztruppe aufgenommen wurde, absolvierte eine Ausbildung zum Zahlmeister sowie eine solche für den Kolonialdienst am Freiburger Tropeninstitut, am Reichskolonialamt in Berlin und am dortigen Seminar für oriental. Sprachen (Studium v. a. des Suaheli). 1889–1906 war er als Zahlmeister in Deutsch-Ostafrika stationiert, jeweils drei Jahre in Bukoba/Viktoria-See, in Moschi/Kilimandscharo und in Usumbura/Tanganjikasee. Dabei gehörte zu seinem Aufgabenbereich auch die ökonomische und soziale Betreuung der Eingeborenen. Aufgrund dieser Kontakte erwarb M. kontinuierlich und systematisch völkerkundliche Objekte vor allem von den Bantu- und Massai-Stämmen. Vieles kaufte und tauschte er auch abseits der Militärstandorte auf seinen zahlreichen Expeditionen. Dabei bestieg er 1901 als einer der ersten auch den Kilimandscharo. 1906 quittierte M. aus gesundheitlichen Gründen den Kolonialdienst, schied 1907 aus der Schutztruppe aus und ließ sich mit seiner Familie in Lindau-Aeschach nieder. Im 1. Weltkrieg stellte er sich freiwillig zum Kriegseinsatz zur Verfügung. Nach 1919 führte M. die „Einwohnerwehr" in Lindau und im Unterallgäu. Bis zu seinem Tod befaßte er sich kontinuierlich mit seiner Sammlung und hielt Vorträge über Afrika. M. war kein völkerkundlich ausgebildeter Forscher mit wissenschaftlichem Programm. Seine gezielte Sammeltätigkeit und die akribische Beschreibung der einzelnen Objekte zeigen jedoch ein dokumentarisches Interesse und eine vorbildliche Genauigkeit. Die Sammlung enthält vor allem Speere, Schwerter, Dolche, Pfeile, Gefäße, Kleidung und Schmuck der Massai, insgesamt ca. 1000 Einzelstücke, außerdem mehrere Tagebücher, ca. 300 Briefe und ergänzendes Schriftmaterial. Seit 1960 befindet sie sich als Leihgabe im Stadtmuseum Schwabach und bildet eine der wenigen deutschen Privatsammlungen aus der Kolonialzeit, die in fast vollständiger Geschlossenheit erhalten blieb.

L Die Slg. Mühlhäuser, Völkerkundl. Objekte aus d. ehem. Dt.-Ostafrika, Ausst.kat. d. Stadtmus. Schwabach, 1995 *(P)*.

Sabine Weigand-Karg

Mühlig, Glasindustrielle. (ev.)

1) *Max,* * 23. 12. 1835 Leipzig, † 11. 6. 1915 Teplitz-Schönau (Böhmen).

V Ludwig Ernst (1802–88), Kaufm. in L., *S* d. Kaufm. Johann Ernst (1773–1850) in L., dann in Unter-Reichenau Bez. Falkenau/Eger, u. d. Juliane Friederike Baumgärtner (1767–1842) aus Schneeberg (Sachsen); *M* Therese (1806–77), *T* d. Christian Gottlob Vollsack (1764–1814), Kaufm. in L., u. d. Dorothea Karoline Wüstemann; ⚭ Eger 1873 Maria (1850–1932), *T* d. Ignaz Anton Schmieger (1812–87, kath.), Tuchfabr. in Zwodau, u. d. Aloisia Lenhart (1811–65) aus Schlaggenwald Bez. Falkenau; 2 *S* Josef (s. 2), Anton (s. Gen. 2); *Verwandter* Johann Anton Frhr. v. Starck (1808–83, Frhr. 1874), Montan-, Chemie- u. Glasindustrieller (s. *L*).

M. kam mit den Eltern 1842 nach Falkenau/ Eger. Er studierte am Polytechnikum in Dresden und an der Bergakademie in Freiberg (Sachsen) Hüttenwesen. Nach praktischer Tätigkeit wurde er 1872 Inspektor, dann Betriebsingenieur und Leiter der einem Verwandten, Johann Anton v. Starck, gehörenden Hütten- und Montanwerke, chemischen Fabriken und Glashütten in Unterreichenau, Břas Bez. Rokytzan und Třemoschna Bez. Pilsen. Hier erlebte er den wichtigen Übergang von der Holz- bzw. Kohlefeuerung zur Gasfeuerung. In Unterreichenau entwickelte M. ein Verfahren zur Verbesserung der Sicherheit von Förderkörben, das in den USA patentiert wurde.

Nach dem Tode v. Starcks trat M. aus der Firma aus und gründete mit Friedrich Schüller aus Böhmisch Leipa, einem Bankierssohn, die Firma Mühlig & Schüller. Diese erwarb 1883 die Glashütte „Ascherlhütte" in Klein Augezd Bez. Teplitz-Schönau und 1884 die „Sofienhütte", in der Fensterglas (Solinglas) nach einem belg. Verfahren erzeugt wurde. 1889 trennte sich M. von Schüller, erwarb Gelände in Settenz Bez. Teplitz-Schönau und legte den Grundstein zur „Marienhütte". Seine Firma, die Glashüttenwerke Max Mühlig, baute er zur größten und modernsten Fensterglasfabrik Österreich-Ungarns aus. In der Nähe der Glashütte errichtete er Wohnhäuser für 90 Familien. 1898 beschäftigte das Werk in Teplitz-Schönau 250 Personen. Mit modernsten Maschinen wurde eine Vielzahl von Glastypen hergestellt. Seit 1895 bestand eine Zweigniederlassung in Wien. 1899 erwarb M. die Glashütte in Hostomitz Bez. Dux zur Erzeugung von Flaschen und Fensterglas, 1904 von seinem ehemaligem Partner Schüller die „Sofienhütte", 1907 umfangreichen Aktienbesitz der seit 1872 bestehenden Österr. Glashüttenwerke AG in Aussig/Elbe. Bis zu seinem Tode blieb M. neben seinen Söhnen Josef und Anton an der Leitung seines Unternehmens beteiligt.

W US-Patent 173 325 v. 1876 (Improvement in Safety Hoisting-Cages).

L R. Lahmer, Glasgeschichtliches u. Böhmens Glashütten, in: Mitt. d. Nordböhm. Exkursions-Klubs, Böhm. Leipa, 13, 1890, S. 183; Die Großindustrie Österreichs II, 1898, S. 179; Dt. Ztg. Bohemia, Prag, Morgen-Ausg. v. 13. 6. 1915; Dt. Volkswacht, Teplitz Schönau, v. 14. 6. 1915; Teplitzer Volksbl. v. 16. 6. 1915; Sudetendt. Fam.forschung 4, 1931, S. 84 f.; F. X. Böhm, Persönlichkeiten aus Stadt u. Kreis Falkenau a.d. Eger, 1984, S. 64; J. Weinmann, Egerländer Biogr. Lex. I, 1985; BLBL. – *Zu J. A. v. Starck:* Sudetendt. Lb., hrsg. v. E. Gierach, 1930, S. 300–02.

P Denkmal in Teplitz-Schönau; Phot. (Sudetendt. Bildarchiv, München).

Erhard Marschner †

2) *Josef,* * 8. 1. 1874 Unterreichenau Bez. Falkenau/Eger, † 27. 2. 1954 Teplitz-Schönau.

V Max (s. 1); B Anton (1876–1951), Glasindustrieller, seit 1899 kaufmänn. Leiter d. väterl. Unternehmens, seit 1906 Leiter d. Handelsges. d. Vereinigten Österr. Tafelglasfabriken in Prag, gründete 1908 d. europ. Flaschenglasverband u. 1920 d. Tafelglassyndikat in Prag, seit 1918 Vizepräs. d. Österr. Glashütten-Ges. in Aussig; ∞ Holoubkau Bez. Rokytzan 1907 Maria Margarethe Babette (1885–1971), T d. Maximilian Hopfengärtner (1842–1918) aus Nürnberg, Gründer d. Zbirower Eisenwerke AG in Holoubkau, u. d. Wilhelmine Hüttemann (1847–1929) aus Hinsel b. Essen; Adoptiv-S (seit 1941) Friedrich Rudolf Richard Mühlig-Versen (1905–82), Dipl.-Ing., Dir. u. Vorstandsmitgl. d. Mühlig-Union Glasindustrie AG, stellv. Vors. d. Prager Glasindustrie AG in Prag; N Peter Paul Maximilian Josef (1915–41, ✕), Glastechniker, Marianne (1909–57, ∞ 2] Friedrich Max Karl Scholz Edler v. Rarancze, 1896–1944, ✕, Generallt. d. Waffen-SS, Kommandeur d. 11. Panzergrenadierdivision „Nordland"), Magdalena Maria Christine Wilhelmine (* 1912, ∞ Friedrich Rudolf Richard Versen, seit 1941 Mühlig-Versen, s. o.).

M. besuchte bis 1889 die Realschule und dann bis Herbst 1892 die Höhere Gewerbeschule in Chemnitz. Nach dem Abschluß als Ingenieur der chemischen Technik trat er Ende 1892 in das väterliche Unternehmen ein. 1915, nach dem Tode des Vaters, wurde er dessen technischer Leiter, während sein Bruder Anton die kaufmännische Leitung übernahm. Insbesondere beschäftigte M. das Problem der Mechanisierung der Fensterglaserzeugung, durch die das gesundheitsschädliche Mundblasverfahren ersetzt werden sollte. Die Glasmacher erzeugten dabei mit Hilfe langer, schwerer Rohre aus zähflüssigen Glaskugeln Zylinder mit Durchmessern von bis zu mehr als 40 cm und Längen bis zu 3 Metern. Die Zylinder wurden in kaltem Zustand aufgeschlitzt, in einem Streckofen wieder vorgewärmt, im erweichten Zustand ausgebügelt und dann in einem Kühlkanal abgekühlt. 1910 unternahm M. eine Studienreise nach USA und knüpfte Verbindungen zur American Window Glass Company in Pittsburgh.

Während des 1. Weltkriegs begann sich M. für das seit 1902 patentierte, aber noch nicht ausgereifte Verfahren des belg. Glastechnikers Emile Fourcault zur maschinellen Erzeugung von Fensterglas zu interessieren. Hierbei wird aus zähflüssiger Glasmasse mittels Düsen ein Glasband erzeugt, vorgeformt und in unterschiedlicher Breite ausgewalzt. Die seit 1912 arbeitende Fourcaultsche Fabrik bei Dampremy in der Nähe von Charleroi hatte 1914 nach der deutschen Besetzung die Produktion eingestellt. M. erwirkte vom deutschen Generalgouverneur v. Bissing 1916 die Genehmigung, das Tafelglaswerk wieder in Betrieb zu setzen. Bis 1918 wurde die gesamte Produktion von der Österr. Handelsgesellschaft Vereinigter Tafelglasfabriken übernommen. 1919 nahm M. in seinem Werk Hostomitz sieben Fourcault-Maschinen in Betrieb und verwendete damit als erster nach dem Erfinder dieses Verfahren, an dessen Verbesserung er bis ins hohe Alter arbeitete. Als erster in Österreich-Ungarn führte M. auch die amerikan. vollautomatischen Owens-Maschinen zur Flaschenerzeugung ein. 1926 liefen in Aussig und Hostomitz sechs solcher Maschinen.

Zusammen mit seinem Bruder Anton gründete M. 1908 in Salgótarján, Komitat Nográd (Ungarn), eine Tafelglasfabrik, 1924 schloß er seine Glashüttenwerke mit der Union-Glashütten AG in Aussig zur Mühlig-Union Glasindustrie AG zusammen, die seit 1926 ihren Sitz in Settenz Bez. Teplitz-Schönau hatte und in kurzer Zeit Weltruf erlangte. 1931 erwarb die Gesellschaft sämtliche Aktien der Helmstedter Glasindustrie AG in Helmstedt b. Braunschweig, 1940 übernahm sie die Fischmann Söhne AG in Teplitz-Schönau, die Stangenglas für die Gablonzer Schmuckindustrie und Glasbausteine herstellte. Die Mühlig-Union AG erzeugte Flachglas, Matt- und Eisglas, Flaschen und Ballons, nichtsplitterndes Sicherheits-Hart- und Verbundglas (seit 1934), wärmedämmende Doppelfenster, Transparentglas, Weiß-, Hohl-, Verpackungs- und Wandbekleidungsglas. M.s Unternehmen galten in österr. wie der tschechoslowak. Zeit als soziale Musterbetriebe. Von 1945 bis zu seinem Tode war M. in den nun tschechoslowak. Verwaltung unterstellten Glaswerken als Berater tätig.

M. war seit 1929 Leiter, seit 1932 Präsident des Hauptverbandes der deutschen Industrie in der Tschechoslowakei, Vizepräsident des Zentralverbandes der tschechoslowak. Industriellen, Vorsitzender des Nationalkomitees der tschechoslowak. Glasindustrie in Prag, Vorsitzender des Vereins der Freunde der Deutschen TH in Prag und Aufsichtsrat zahlreicher Unternehmen. – Orden d. Eisernen Krone III. Kl. (1917); Dr. techn. h. c. (Dt. TH Prag 1926); Ehrenpräs. d. 2. Internat. Kongresses f. Glas in London (1936); Ehrenmitgl. d. Dt. Glastechn. Ges. (1944).

W Aufsätze u. Vorträge, 1942 (P); Lebenserinnerungen 1874–1932 (Ms., Kopie im Bes. v. Frau R. Ungermann).

L Dt. Ztg. Bohemia v. 24. 9. 1917 u. 5. 1. 1934 (P); Köpfe d. Pol., Wirtsch., Kunst u. Wiss. (Tschechoslowak. Republik), 1936, S. 174 (P); O. Frankl, Der dt. Rundfunk in d. Tschechoslowak. Republik,

1937, S. 130 *(P);* Die Zeit (Reichenberg) v. 22. 3. 1942 *(P);* Teplitz-Schönauer Anz. v. 20. 1. 1954 *(P)* u. 5. 3. 1954 *(P);* Sudetendt. Ztg. v. 30. 1. 1954 *(P);* Glastechn. Berr. 27, 1954, H. 2, S. 65 *(P);* Glas-Forum 1954, H. 2, S. 36; F. X. Böhm, Persönlichkeiten aus Stadt u. Kreis Falkenau an d. Eger, 1984, S. 64; J. Weinmann, Egerländer Biogr. Lex. I, 1985; BLBL. – Mitt. v. Frau R. Ungermann

P Büste v. R. Schmidt, 1943 (Dt. Glastechn. Ges., Frankfurt/M.); Aquarell v. F. Plischke, 1937 (Fam.bes.); Phot. (Sudetendt. Bildarchiv, München).

Erhard Marschner †

Mühlmann, *Wilhelm Emil,* Soziologe, Ethnologe, * 1. 10. 1904 Düsseldorf, † 11. 5. 1988 Wiesbaden. (ev.)

V Emil; *M* Emilie Wehmeyer; ∞ 1934 Annemarie (1905–89), Dr. med., Kinderärztin, *T* d. Dr. Hans Dormann, Studienrat in W.; kinderlos.

M. studierte 1925–31 Biologie, Zoologie, Anthropologie und Humangenetik u. a. bei Eugen Fischer, Friedrich Lenz und Walter Scheidt in Freiburg (Breisgau) und Hamburg sowie anschließend Sozialanthropologie, Ethnologie, Soziologie und Philosophie an den Universitäten München, Hamburg und Berlin u. a. bei Edmund Husserl, Alfred Vierkandt und Richard Thurnwald. Seine Promotion zum Dr. phil. 1932 in Berlin bei Thurnwald erlangte er mit der völkerkundlichen Arbeit „Die geheimen Gesellschaften der Arioi, Eine Studie über polynes. Geheimbünde, mit besonderer Berücksichtigung der Siebungs- und Auslesevorgänge in Alt-Tahiti" (Internat. Archiv f. Ethnographie 32, 1932, S. 1–92). 1931–33 war M. Redakteur und stellvertretender Herausgeber der „Zeitschrift für Völkerpsychologie und Soziologie", die er 1927 mitbegründet hatte (später: „Sociologus", 1933 eingestellt). Seit 1934 arbeitete er im ethnographischen Museumsdienst in Berlin-Dahlem, 1935/36 leitete er die indo-ozeanische Abteilung des Museums für Völkerkunde in Hamburg, wo ein erster Habilitationsversuch scheiterte, 1937 die ethnographischen Sammlungen der Univ. Breslau. 1937 stellte M. einen Antrag auf Mitgliedschaft in der NSDAP und wurde 1938 aufgenommen. Im selben Jahr wurde er mit einer Arbeit über „Staatsbildung und Amphiktyonien in Polynesien" an der Univ. Berlin habilitiert; er bekleidete dort 1939–45 eine Dozentur für Ethnologie und Völkerpsychologie. M. nahm aktiv am Krieg teil, war aber zeitweilig zur „Fortsetzung einer vordringlichen kolonialpolitischen Arbeit" freigestellt. 1945–49 arbeitete er als freier wissenschaftlicher Schriftsteller, 1948 bekleidete er das Amt des Generalsekretärs der Deutschen Gesellschaft für Anthropologie, Ethnologie und Urgeschichte. Seit 1950 war M. apl. Professor für Soziologie und Völkerkunde an der Univ. Mainz und, nach dem Tode von Adolf Friedrich, 1957–60 dort o. Professor für Ethnologie und Soziologie sowie Direktor des Ethnologischen Instituts. 1960 folgte M. einem Ruf nach Heidelberg, wo er bis zu seiner Emeritierung 1970 Ordinarius für Soziologie und Ethnologie und Leiter des von ihm begründeten gleichnamigen Instituts war. M. unternahm zahlreiche Forschungsreisen nach Indien und Südostasien, seit 1963 richtete er sein besonderes Forschungsinteresse auf Sizilien.

Die Themen der Arbeiten M.s umspannen vor allem Fragestellungen der Humangenetik, Eugenik und Soziobiologie, der Ethnologie und Kulturanthropologie sowie der Kultur- und Religionssoziologie, Sozialpsychologie und politischen Soziologie. Die Pluralität seiner Interessensgebiete zeigte sich in der interdisziplinären Ausrichtung seiner Forschungen, bei denen er um bewußte Überschreitung fachwissenschaftlicher Horizonte und tradierter akademischer Grenzen, um die „menschliche Selbsterkenntnis durch Weltgewinnung" bemüht war. M. überwand die traditionellen Ansätze der Völkerkunde, indem er die moderne Ethnologie gegen Kulturkunde, Kulturmorphologie und Kulturanthropologie abgrenzte und als „soziologische Theorie der interethnischen Systeme" neu definierte. Die Verbindung von Völkerkunde und Soziologie zur „Ethnosoziologie" institutionalisierte sich mit seiner Gründung des Instituts für Soziologie und Ethnologie der Univ. Heidelberg.

Die Bedeutung M.s liegt vor allem in den Ergebnissen seiner Erforschung der Herrschafts- und Staatsbildung im pazifischen Raum, seinen ethnologischen Analysen der Prozesse des Kulturwandels unter europ. Einfluß und seinen Untersuchungen zu einer „Theorie der Elite", die gesellschaftlich-politische Machtphänomene graduell differenzierend unter den Aspekten sozialen Wandels und sozialer Mobilität in geschlossenen und offenen Gesellschaften erfaßt. Als Ergebnis seiner Forschungen über „Ethnische Assimilation und Ethnogenese" ergänzte M. die herkömmliche Ethnozentrismustheorie durch eine „Theorie der ethnischen Entfremdung" aufgrund von Identifikation mit anderen, „höheren" ethnischen Gruppen. Bei Untersuchungen über den Nationalismus bei außereurop. Völkern entdeckte er unterhalb des eigentlichen ideologischen Nationalismus sozialpsychologische Infrastrukturen, die in den sog. „nativistischen" Bewegungen ihren Ausdruck fanden. – Ungeachtet seiner Verdienste um die Integration von Ethnologie und Soziologie bleibt festzuhalten, daß sowohl die Themen von M.s empirischer und theoretischer Forschung als auch seine Einordnung der von ihm untersuchten Entwicklungsprozesse in engem Zusammenhang mit einer rassistisch gefärbten Ethnologie und Soziologie standen, die ihren Beitrag zur „völkischen Selbstabgrenzung und Selbstbehauptung" zu leisten bemüht waren.

Weitere W Rassen- u. Völkerkde., 1936; Methodik d. Völkerkde., 1938; Krieg u. Frieden, Ein Leitfaden d. pol. Ethnol., 1940; Assimilation, Umvolkung, Volkwerdung, 1944; Die Völker d. Erde, 1945; Gesch. d. Anthropol., 1948, ³1984; Mahatma Gandhi, 1950; Arioi u. Mamaia, 1955; Chiliasmus u. Nativismus, 1961, ²1964; Homo Creator, 1962; Rassen, Ethnien, Kulturen, 1964; Max Weber u. d. rationale Soziol., 1964; Metamorphose d. Frau, Weibl. Schamanismus u. Dichtung, 1972; Bestand u. Rev. in d. Lit., 1973; Strummula Siciliana, 1973 (mit R. J. Llaryora); zahlr. Aufsätze in Fachzss. – *Hrsg.:* Archiv f. Anthropol. u. Völkerforschung (mit R. Thurnwald u. D. Westermann); Heidelberger Sociologica (mit H. Reimann u. E. Topitsch); Studia Ethnologica (mit E. W. Müller u. L. G. Löffler); Stud. z. Soziol. d. Revolutionen (1961 ff.). – *Bibliogr.:* H. Reimann u. K. Kiefer, W. E. M., Bibliogr. 1928–1964, 1964 *(P);* H. Reimann, W. E. M., Bibliogr. 1965–1984, 1984.

L H. Reimann u. E. W. Müller (Hrsg.), Entwicklung u. Fortschritt, Soziolog. u. ethnolog. Aspekte d. soziokulturellen Wandels, FS W. E. M. z. 65. Geb.tag, 1969; H. Reimann, H. E. M. z. 80. Geb.tag, in: Kölner Zs. f. Soziol. u. Sozialpsychol. 37, 1985, S. 178–81; ders., In memoriam W. E. M., ebd. 40, 1988, S. 611 f.; ders. (Hrsg.), Soziol. u. Ethnol., Zur Interaktion zw. zwei Disziplinen, Btrr. z. e. Symposium aus Anlaß d. 80. Geb.tages v. W. E. M., 1986; U. Michel, Ethnol. u. Nat.sozialismus am Beispiel W. E. M.s, Mag.arbeit Univ. Hamburg 1986 *(unveröff.);* E. W. Müller, W. E. M., in: Zs. f. Ethnol. 114, 1989, S. 1–15; G. Hauck, Konzepte e. aristokrat. Ges.theorie, ebd. 117, 1993, S. 71–87; J. Becher, W. E. M. (1904–88), Die Integration e. Völkerkundlers in d. Wiss.betrieb d. Berliner Univ. während d. NS-Zeit, in: Gesch. d. Völkerkde. u. Volkskde. an d. Berliner Univ., 1991, S. 46–52; Wb. d. Soziol., hrsg. v. G. Hartfiel u. K.-H. Hillmann, ³1982; Internat. Soziologenlex., hrsg. v. W. Bernsdorf u. H. Knospe, ³1985; Nassau. Biogr.

Dirk Käsler

Muehlon, *Johann Wilhelm,* Unternehmer, Diplomat, Publizist, * 31. 10. 1878 Karlstadt/Main, † 5. 2. 1944 Klosters-Serneus (Graubünden). (kath.)

V Johann, Gastwirt; *M* Margarethe Roman (Rohmann); *B* Karl (* 1877), Brauer in Karlstadt, seit 1920 in Amerika; –∞ Hildegard (* 1885), wahrsch. *T* d. Emil Ehrensberger (1858–1940) aus Babenhausen (Schwaben), Dr.-Ing. E. h., Dr. phil. h. c., Chemiker, Dir. u. Vorstandsmitgl. d. Fa. Krupp in Essen (s. *L*), u. d. Pauline Freiin Bachofen v. Echt (1862–1942); 2 *S,* 1 *T.*

Nach dem Studium der Rechts- und Staatswissenschaften in München, Berlin und Würzburg (Promotion 1904) und kurzer Tätigkeit als Anwalt kam M. 1907 als Anwärter für den konsularischen Dienst ins Auswärtige Amt. 1908 wurde er als Direktionsassistent zur Firma Krupp beurlaubt, knapp 35jährig stieg er 1913 zum Direktor der Abteilung für Kriegsmaterial auf; Ende 1914 schied er auf eigenen Wunsch aus der Firma aus. 1915 wurde er vom Auswärtigen Amt beauftragt, als „Besonderer Kommissar der Reichsverwaltung für die Balkanstaaten" in Bukarest, Sofia, Wien und Budapest über Getreide- und Erdöllieferungen zu verhandeln. Um unabhängig zu bleiben, hatte M. den Posten des Gesandten in Rumänien abgelehnt, ebenso weigerte er sich, im Oktober 1916 die deutschen Friedensvorschläge offiziell in Bukarest zu vertreten. Liberal und demokratisch gesinnt, aber parteipolitisch unabhängig, stand M. der Politik des Deutschen Reiches kritisch gegenüber. Trotz seiner Ablehnung der annexionistischen Kriegsziele war er aber bereit, seine Kräfte in den Dienst des Vaterlands zu stellen, so lange er an die Chancen von Wilsons Vermittlungsbemühungen glaubte. Im Herbst 1916 war er in die Schweiz übersiedelt, wo er bei der deutschen Gesandtschaft in Bern informell mitarbeitete. Nach der Ankündigung des uneingeschränkten U-Bootkrieges brach er dann jeden Verkehr mit amtlichen deutschen Stellen ab. Im August 1917 verfaßte M. ein Memorandum über die Julikrise 1914; obwohl nur für deutsche Parlamentarier bestimmt, kam es ebenso wie ein Brief an Reichskanzler Bethmann Hollweg vom Mai 1917 in die Öffentlichkeit und wurde zur Sensation. M. berichtete darin über Gespräche mit Karl Helfferich und Gustav Krupp v. Bohlen und Halbach im Juli 1914, aus denen hervorging, daß sich Kaiser und Reichsregierung gegenüber Österreich-Ungarn schon vor dem Ultimatum an Serbien kriegswillig gezeigt hatten. Das Dokument wurde im Ausland als Beweis deutscher Kriegsschuld publiziert. Weil M. im Reichstag und in der deutschen Presse als pathologisch diffamiert wurde, publizierte er im Frühjahr 1918 in Zürich sein Tagebuch aus den ersten Kriegsmonaten unter dem Titel

"Die Verheerung Europas". Die Wirkung in Deutschland war gering, im Ausland dagegen galt der Autor als „der erste Europäer in Deutschland". In der Schweiz war M. Mittelpunkt eines Kreises deutscher Pazifisten, Republikaner und Demokraten wie Alfred Fried, Friedrich Wilhelm Foerster, Prinz Alexander v. Hohenlohe, Maximilian Gf. v. Montgelas und Hermann Staudinger; Verbindungen gab es auch zu Eduard Bernstein und Ludwig Quidde, zum Kreis der von Hugo Ball und Ernst Bloch angeführten Radikaldemokraten um die „Freie Zeitung" in Bern und zu Schriftstellern wie Leonhard Frank, Annette Kolb, Rilke, Hesse und Schickele. Zweimal, Ende 1917 und Anfang 1918, war M. an Friedenskontakten beteiligt, die prominente Österreicher wie Julius Meinl und Heinrich Lammasch in der Schweiz über den Amerikaner George D. Herron einleiteten. Erst nach dem Krieg fand M.s „Wahrheitsoffensive" auch Resonanz bei einer Minderheit in Deutschland. Nach der Ermordung Kurt Eisners im Februar 1919 wurde u. a. M. als neuer bayer. Ministerpräsident in Erwägung gezogen; er verweigerte jedoch die aktive Teilnahme an der Politik und blieb als Privatmann in der Schweiz. Sein finanzielles Engagement bei der kath.-pazifistischen Rhein-Main.-Volkszeitung brachte ihn 1933 anläßlich der vom NS-Staat gegen sie geführten Kampagne noch einmal als „Landesverräter" in die Schlagzeilen.

W Die Verheerung Europas, Aufzeichnungen aus d. ersten Kriegsmonaten, 1918 (engl. u. franz. 1918); Ein Fremder im eigenen Land, Erinnerungen u. Aufzeichnungen e. Krupp-Dir. 1908–1914, hrsg. u. eingel. v. W. Benz, 1989; Tagebuch d. Kriegsjahre 1940–44, hrsg. u. eingel. v. J. Heisterkamp, 1992. – *Nachlaß:* Inst. f. Zeitgesch., München.

L W. Benz, Der „Fall M.", Bürgerl. Opposition im Obrigkeitsstaat während d. Ersten Weltkrieges, in: VfZ 18, 1970, S. 343–65. – *Zu Emil Ehrensberger:* Stahl u. Eisen 60, 1940, S. 608; F. Pudor, Nekr. aus d. rhein.-westfäl. Industriegebiet 1939–1951, 1955, S. 27 f.; Pogg. VI.

Wolfgang Benz

Mühlpfort *(Mühlpforth),* Heinrich, Dichter, * 10. 7. 1639 Breslau, † 1. 7. 1681 ebenda. (luth.)

V Heinrich (1608–47), Kaufmannsältester in B., S d. Herrmann († 1609/10), Kaufm. in B., u. d. Ursula Woyssel; M Susanna Breiter († 1664) aus B.; ∞ Leipzig 1659 Maria Sophia, Wwe d. Dr. iur. Friedrich Berlich, Assessor in Leipzig, T d. Dr. iur. Johann Zabel († 1638), Assessor am sächs. Oberhofger., Bgm. in Leipzig (s. Jöcher), u. d. Maria Cordes; 6 K (5 früh †); *Verwandter* Heinrich (Mylphort) (1577–1626), Kreisphysikus, Schriftst. in Oels (Niederschlesien) (s. Kosch, Lit.-Lex.).

M. erhielt zunächst Malunterricht bei dem in Breslau ansässigen poln. Hofmaler Ezechiel Paricius und begann eine Apothekerlehre, bevor er am Magdalenen-, seit 1656 am Elisabeth-Gymnasium seiner Heimatstadt eine umfassende humanistisch-rhetorische Bildung erwarb. Der Rektor Elias Major, der sich auch um das Breslauer Schultheater verdient machte, unterrichtete ihn in der „Beredsamkeit und in der Vernunfftkunst". Seine literarischen Interessen förderte maßgeblich der Konrektor und Geschichtslehrer Christoph Köler, ein Freund von Opitz und selbst Dichter, zu dessen Schülern auch Scultetus, Scheffler, Hofmannswaldau und Titz zählten. Da Schlesien keine eigene Universität besaß, bezog M., mit Stipendien der Breslauer Kaufmannsinnung und des Rates der Stadt ausgestattet, 1657 die Leipziger Universität, um Medizin zu studieren. Er trat in freundschaftliche Beziehungen zu dem Dichter und Privatgelehrten Caspar v. Barth. Wohl schon 1658 nahm M. ein Jurastudium auf und wurde 1662 zum Magister pomoviert. Im selben Jahr verlieh ihm die Wittenberger Universität aufgrund einer Dissertation („De iure sepulturae") den Titel eines Doktors beider Rechte. Ob M. auch in Wittenberg studierte, ist unklar. Kurze Zeit diente er in Sachsen als Hauslehrer, ehe er eine Stelle als Registrator und Sekretär an der Breslauer Ratskanzlei erhielt, die er bis zu seinem Tod bekleidete. M. trat vornehmlich als Autor von Kasuallyrik hervor. Der größte Teil seiner Dichtung entstand anläßlich von Geburtstagen, Hochzeiten und Begräbnissen Breslauer Bürger und schles. Adeliger. Diese meist auf Bestellung verfaßten Gelegenheitsgedichte dienten mit ihrer antik-mythologischen Allegorik der poetischen Überhöhung des jeweiligen Anlasses und trugen dem Repräsentationsbedürfnis der Adressaten Rechung. An die Heroiden Hofmannswaldaus erinnern drei „Wechselbriefe" zwischen Brautleuten. Allerdings gelingt M. des öfteren – vor allem in seinen Leichengedichten – eine bemerkenswerte individuelle Gestaltung unter Verzicht auf den mythologischen Apparat. Unter den lat. „Poemata" finden sich ein Epicedium auf Hofmannswaldau als Breslauer Ratspräses und ein umfangreiches Lobgedicht auf seine Heimatstadt („Vratislavia"). Die nicht anlaßgebundene Lyrik enthält neben Übertragungen (Ovid, Martial, Horaz, Seneca) auch Nachdichtungen Petrarcas und Scaligers sowie geistliche Gedichte (u. a. nach H. Hugos

"Pia Desideria"). Eine längere poetische Gestaltung des Buches Hiob ist nur in Teilen überliefert. M. gilt als Vertreter des marinistisch-galanten Stils der sog. zweiten schles. Schule; vor allem seine Liebeslyrik („Verliebte Gedancken") zeigt sich – oft mit satirisch-parodistischer Tendenz – von Hofmannswaldau beeinflußt. Mit einigen seiner frühen Sonette, Gesellschafts- und Liebeslieder aus der Leipziger Zeit steht er jedoch Dichtern wie Fleming und Günther näher. Abgesehen von Einzeldrucken seiner Kasualgedichte erschien M.s Lyrik postum (u. a. in der Neukirchschen Sammlung). Als Herausgeber der „Teutschen Gedichte" wird der Breslauer Georg Kamper angenommen.

W Poemata (lat.), 1686; Teutsche Gedichte, 1686 (P); Poetischer Gedichte Ander Theil, 1687; Teutsche Gedichte, 1698 (P); Gedichte, in: B. Neukirch (Hrsg.), Herrn v. Hoffmannswaldau u. anderer Deutschen ... Gedichte, I-III, V, 1695 ff. (Neudr. 1961 ff.).

L ADB 22; S. John, Parnassi Silesiaci cent. I, 1728, S. 149 f.; A. Kahlert, H. M., in: Weimar. Jb. 2, 1855, S. 304–19; K. Hofmann, H. M. u. d. Einfluss d. Hohen Liedes auf d. zweite schles. Schule, 1893 (W-Verz.); A. Hübscher, Die Dichter d. Neukirch'schen Slg., in: Euphorion 24, 1922, S. 20; H. Heckel, Gesch. d. dt. Lit. in Schlesien, 1929, S. 315 f.; H. de Boor u. R. Newald, Gesch. d. dt. Lit. V, ⁶1967, S. 323; F. Heiduk, Die Dichter d. galanten Lyrik, 1971, S. 92–95; Zedler; Jöcher; Jöcher-Adelung; Goedeke III; Neumeister/Heiduk, De Poetis Germanicis, 1978, S. 71 f., 209 f., 420; Kosch, Lit.-Lex.³; Killy.

Thomas Diecks

Mühr, Alfred (Ps. *Friedrich Gontard*), Intendant und Schriftsteller, * 16. 1. 1903 Berlin, † 11. 12. 1981 Zusmarshausen b. Augsburg. (ev.)

V Alfred (1877–1959), preuß. Amtmann, S d. Kassendieners Christoph (1840–88) u. d. Bertha Bergann (1840–1919); M Frieda (1877–1945), T d. Schlossers Karl Gielow (1851–91) u. d. Marie Wuerz (1844–1901); ∞ 1) Berlin 1929 Alice († 1938), T d. Ernst Schneider (1874–1974) aus Würzburg, Gartenbaudir. in Gemünd/Eifel, u. d. Hedwig Winkes (1886–1982) aus Neuss, 2) Berlin 1939 Anneliese Schneider (* 1912) aus Görlitz; kinderlos.

M. entschied sich, nachdem er am Berliner Reform-Realgymnasium beim Abitur gescheitert war, für die journalistische Laufbahn. Nach dem Volontariat wurde er 1924 Feuilletonredakteur der „Deutschen Zeitung". In seinen Theater- und Kunstkritiken warf er dem etablierten Bürgertum „Kulturbankrott" vor; er erhoffte sich eine neue kulturelle Blüte durch die Nationalsozialisten. Mit deren Hilfe wurde M. 1934 Schauspieldirektor und stellvertretender Generalintendant der Preuß. Staatstheater und Dozent an der angegliederten Schauspielschule. Bis 1945 blieb er in diesen Funktionen die „rechte Hand" von Gustaf Gründgens. Daneben schrieb er Aufsätze und Bücher, verfaßte Hörspiele und drehte einen Film („Die Warschauer Zitadelle", 1937). – Wegen seiner nationalsozialistischen Gesinnung gebrandmarkt, lebte M. nach dem Krieg als freier Schriftsteller zurückgezogen in Bayern. Er schrieb Novellen und Romane, Jugend- und Sachbücher, unter seinem Pseudonym auch einige antikirchliche Werke. Von bleibendem Wert sind M.s Darstellungen zur Geschichte des Theaters, vor allem seine Monographien über Werner Krauß und Gustaf Gründgens.

Weitere W u. a.: Die Welt d. Schausp. Werner Krauß, 1927; Kulturbankrott d. Bürgertums, Wolfgang Goetz, Erwin Piscator, Heinrich George, 1928 (Essays); Nationalsozialismus, Eine Diskussion üb. d. Kulturbankrott d. Bürgertums, 1930 (mit E. Toller); Kulturwaffen d. neuen Reiches, Briefe an Führer, Volk u. Jugend, 1933 (mit R. Bie); Werner Krauß, 1933; Gustaf Gründgens, 1944; Großes Theater, Begegnungen mit Gustaf Gründgens, 1950; Rund um d. Gendarmenmarkt, Von Iffland bis Gründgens, 200 J. musisches Berlin, 1965; Das Kab. Gottes, Pol. in d. Wandelgängen d. Vatikan, 1971 (erweitert u. d. T.: Herrscher in Purpur, Die Gesch. d. Kardinäle, 1977); Dtld., deine Söhne, Zeitgeschichtl. Begegnungen v. Toller, Gropius bis Beckmann u. Gründgens, 1976; Mephisto ohne Maske, Gustaf Gründgens, Legende u. Wahrheit, 1981.

L Kosch, Lit.lex.; Kosch, Theater-Lex. (L); Kürschner, Lit.-Kal. 1981.

Rolf Badenhausen †

Mühry, *Adolf,* Bioklimatologe, * 4. 9. 1810 Hannover, † 13. 6. 1888 Göttingen. (ev.)

V Georg Friedrich (1773–1848), Hofmedicus, Stadtphysicus u. Obermed.rat in H. (s. ADB 22), S d. Heinrich Andreas (1738–1816) aus Mehrum, Chirurg in H., u. d. Marie Eleonore Kellermann (1782–88); M Anna Eleonore Beckedorf (1782–1819); B Karl (1806–40), Dr. med., Hofmedicus, Badearzt (s. ADB 22), Ernst Friedrich (1807–43), Justizrat in Celle; – ledig.

M. studierte 1829–33 an der Univ. Göttingen Medizin, der er auch die folgenden 18 Jahre widmete, davon sechs als Wundarzt im Militärdienst. 1844 veröffentlichte er eine der Naturforscher-Versammlung in Bremen gewidmete Schrift „Über die historische Unwandelbarkeit der Natur und der Krankheitsformen", welche eigentlich schon die Einleitung zu seinen späteren Forschungen bildete. Eine Berufung an die Univ. Jena lehnte M. ab, ging aber 1854 nach Göttingen, wo er als Privatgelehrter eine Reihe von Arbeiten schrieb, in denen er zu erkennen versuchte, ob in der Verteilung der Krankheitsformen auf der Erde ein ähnliches System besteht wie bei der Verteilung der klimatischen Verhältnisse. Ein erster Ansatz dazu wurde 1856 in „Die geographischen Verhältnisse der Krankheiten, oder Grundlage der Noso-Geographie" dargestellt. Verbunden damit waren Erkenntnisse für die Lehre von Ursachen, Vermeidung (Hygiene) und Heilung von Krankheiten (klimatische Therapie), die auch praktische Bedeutung gewannen, zumal sich damals Europäer zunehmend in fremden Erdteilen niederließen. So fand M., daß die in den Tropenländern weitverbreitete Malaria mit gewissen Bodenstellen angehörenden Mikroorganismen zusammenhängt und daß die Absenz der Lungenschwindsucht in genügender Höhe zur heilsamen Benutzung von Höhenklimaten im Gebirge dienen könne.

In Fortsetzung dieser Forschungen entfernte sich M. später mehr und mehr vom medizinischen Gebiet, auf welchem er seine Untersuchungen als abgeschlossen ansah, und wandte sich rein naturwissenschaftlichen Aufgaben und Problemen zu, wie etwa der allgemeinen Klimatologie und der Gebirgsklimatologie, aber auch der Lehre von den Meeresströmungen. Schließlich versuchte er, aus dem Ganzen seiner Lebensstudien, welche von jeher durch die Ausrichtung auf das Übersichtliche und Allgemeine charakterisiert waren, die Summe zu ziehen, und veröffentlichte sein wissenschaftliches Glaubensbekenntnis „Über die exakte Naturphilosophie, Ein Beitrag zu der in der Gegenwart auf naturwissenschaftlichem Grunde sich vollführenden neuen Constituirung der Philosophie" (5 Teile, 1877–82). Die Lebenseinstellung M.s, der die letzten 34 Lebensjahre in selbstgewählter Isolierung in Göttingen verbrachte, kann man aus einem Brief von 1884 ersehen, worin er von dem Glück spricht, in Zurückgezogenheit und Muße zu leben und zu arbeiten. Diese Lebensweise zog M. einem „fremden Störungen ausgesetzten Leben im Menschengewimmel" vor – hier fand er die Grundlage einer persönlichen Entwicklung, die ihn, wie er sich ausdrückte, „nicht nur theoretisch, sondern auch praktisch zum Philosophen" werden ließ. – Sanitätsrat (1849); Verdienstkreuz d. Ernestin. Hausordens (1865).

Weitere W Die geogr. Verteilung d. Regens auf d. Erde, in: Petermanns Mitt. 1850; Die meteorolog. Verhältnisse d. Hochalpen, ebd. 1863; Die geogr. Verbreitung d. atmosphär. Electricität, ebd. 1873; Das Klima v. Dtld., in: Krit. Bll. f. Forst- u. Jagdwiss. 24, 1857; Btrr. z. Geo-Physik u. Klimatographie 1–3, 1863; Über d. Wind- u. Regenverhältnisse in Arabien, in: Zs. f. Meteorol. 1, 1866, S. 17–21; Über d. Föhnwind, ebd. 2, 1867, S. 385–97; Über d. Meteoration in d. Alpen unterhalb d. Schneelinie im Winter u. im Sommer, ebd. 3, 1868, S. 186–91; Die Temperaturdifferenz als Ursache d. latitudinalen ocean. Cirkulation, ebd. 9, 1874, S. 279–83; Unterss. üb. d. Theorie u. d. allg. geogr. System d. Winde, Ein Btr. z. Begründung e. rationellen Lehre v. d. Luftströmen f. d. Gebrauch d. Klimatol. u. d. Nautik, 1869; Über d. Lehre v. d. Meeresströmungen, 1869.

L G. Hellmann, in: Rep. d. dt. Meteorol., 1883, S. 340; Meteorolog. Zs. 5, 1888, S. 410–12; Pogg. III, IV; BLÄ.

Gustav Hofmann

Mühsam, *Erich* (Ps. *Jolly*), anarchistischer Schriftsteller, * 6. 4. 1878 Berlin, † (ermordet) 10. 7. 1934 KZ Oranienburg. (bis 1926 isr.)

V Siegfried Seligmann (1838–1915) aus Landsberg (Oberschlesien), Apotheker in Lübeck, Mitgl. d. Bürgerschaft (s. W), *S* d. Moritz u. d. Charlotte Schweitzer; *M* Rosalie Cohn (1849–99) aus B.; *Ov* Samuel, Oberrabbiner in d. Steiermark; *Vt* Paul (1876–1960), Rechtsanwalt u. Notar in Görlitz, emigrierte nach Palästina (s.BHdE II); – ∞ Kreszentia (1884–1962, s. *L*), *T* d. Gastwirts Augustin Elfinger in Haslach (Niederbayern) u. d. Creszentia N. N.; 1 *Stief-S* Siegfried Elfinger (1902–69), Maler, Graphiker (s. *P*).

M. wuchs als drittes von vier Kindern in Lübeck auf. Wegen „sozialistischer Umtriebe" wurde er 1896 vom Gymnasium verwiesen; im selben Jahr schloß er die Untersekunda in Parchim (Mecklenburg) ab und begann eine Apothekerlehre. 1900 arbeitete er als Apothekengehilfe in Lübeck, Blomberg (Lippe) und Berlin. 1901 ließ sich M. als freier Schriftsteller in Berlin nieder, wo er Anschluß an Bohemezirkel fand und sich mit Gustav Landauer befreundete. Rasch entwickelte er sich zum markantesten und literarisch fruchtbarsten Vertreter des deutschen Anarchismus. Seine Anschauungen verschmolzen Postulate anarchistischer Theoretiker (Proudhon, Bakunin, Kropotkin, Landauer) mit Elementen des bürgerlichen Individualismus (Stirner, Nietzsche) zu einem theoretisch kaum reflektierten „Gefühlsanarchismus", der vor allem vom Autoritätshaß und durch tief empfundene Verbundenheit mit den sozial Benachteiligten belebt wurde.

M. versuchte, der Bohemekultur einen politischen Inhalt zu geben und sie durch eine betont antibürgerliche, vitalistische Lebensführung mit seiner anarchistischen Mission zu vereinigen. Seine heftige Kritik am Reformismus und Legalismus in der SPD führte ihn zur pauschalen Ablehnung des Marxismus und schürte romantische Hoffnungen auf eine Revolte des Subproletariats. „Wanderjahre" führten ihn 1904–08 nach Zürich, Ascona (Monte Verità), Norditalien, München, Wien und Paris; seit 1909 in München ansässig, wurde M. zu einer Zentralfigur der Schwabinger Boheme. Er war u. a. befreundet mit Heinrich Mann, Frank Wedekind und Lion Feuchtwanger. 1909 gründete er die „Gruppe Tat" zwecks Agitation des Subproletariats für den Anarchismus. Seine Verhaftung und Anklage wegen Geheimbündelei im folgenden Jahr endete mit Freispruch. Nach Ausbruch des 1. Weltkriegs versuchte M., einen internationalen Bund der Kriegsgegner zu gründen. Seit 1916 sympathisierte er mit der Spartakusgruppe. Er gehörte zu den Organisatoren von Protesten und Streiks gegen den Krieg. Nach dem Sieg der Bolschewiki in Rußland trat M. in linke Opposition zur Münchener USPD um Kurt Eisner. Im März 1918 wurde er in Traunstein interniert.

Am 7. 11. 1918 war M., ein radikaler Verfechter des Rätesystems, führend an der Revolution in München beteiligt. Als populäre Leitfigur prägte er den Verlauf der Ereignisse bis zur bayer. Räterepublik mit. Am 13. 4. 1919 wurde M. verhaftet und zu 15 Jahren Festungshaft (Ebrach, Ansbach, Niederschönenfeld) verurteilt. Nachdem er im Herbst für einige Wochen Mitglied der KPD war, entwarf er ein proletarisch-revolutionäres Einigungsprogramm „links von den Parteien". Nach seiner Amnestierung am 21. 12. 1924 wurde M. in Berlin ansässig. Als Mitglied der „Roten Hilfe Deutschland" setzte er sich mit Reden, Aufsätzen und Aktionen für Strafgefangene ein. 1925 wurde er wegen seiner Nähe zur KPD aus der Föderation Kommunistischer Anarchisten Deutschlands ausgeschlossen. Als Wortführer der „Anarchistischen Vereinigung" arbeitete er in vielen linken Organisationen mit; 1927/28 gehörte er dem künstlerischen Beirat der Piscator-Bühne Berlin an. Die Spaltung und politische Ohnmacht der Linken einerseits und das Erstarken des Nationalsozialismus andererseits verbitterten ihn zunehmend. 1931 wurde M. aus dem Schutzverband Deutscher Schriftsteller ausgeschlossen. Als einer der eindringlichsten und frühesten Warner vor dem Nationalsozialismus wurde er am 28. 2. 1933 verhaftet und im Gefängnis Lehrter Straße, KZ Sonnenburg, Gefängnis Plötzensee, Zuchthaus Brandenburg und seit Januar 1934 im KZ Oranienburg inhaftiert und gefoltert. In der Nacht zum 10. 7. 34 wurde er von SS-Männern ermordet.

M.s zahlreiche Aufsätze und Gedichte seit 1898 finden sich vorwiegend in linken Zeitschriften. Autonomieanspruch und Sendungsbewußtsein verbanden sich bei ihm mit vielfältigen Begabungen, z. B. als Dramatiker, Kritiker, Redner, Kabarettist und Zeichner. Während seine frühe Lyrik Einsamkeit und Weltekel in krassen, wenngleich konventionellen Bildern artikulierte, trat M. in satirischen „Tendenzgedichten" (u. a. in „Der wahre Jacob", 1904/06) als scharfer Kritiker des Wilhelminismus und als „Tatpropagandist" hervor. In „Krater" (1909) und „Wüste – Krater – Wolken" (1914) näherten sich lyrisches und politisches Bekenntnis einander an. Vor allem von Naturalismus und Nachnaturalismus beeinflußt (Arno Holz, Hermann Conradi, Frank Wedekind, Richard Dehmel), stand M. dem Expressionismus fern. Er blieb einer zweckhaften Poetik verbunden, die in Dichtung eher Mittel als Gegenstand geformten Ausdrucks sah. Bildhafte Drastik, Witz und polemische Treffsicherheit verbanden sich mit populären Sujets und liedhaften Formen zu einem unverwechselbaren Stil (z. B. „Der Reveluzzer", 1907). M. war Herausgeber und Alleinautor der Monatsschrift „Kain, Zeitschrift für Menschlichkeit" (1911/14 u. 1918/19, Neudr. 1978), in der er zur Verbrüderung der künstlerischen Intelligenz mit dem Subproletariat aufrief und der Bohemekultur einen politisch oppositionellen Inhalt geben wollte. Während des 1. Weltkrigs ohne Publikationsmöglichkeiten, vertraute er seine Zeitkritik vor allem den Tagebüchern (1910–24, Ausw. 1994) an. M.s Gedichte während des Krieges („Brennende Erde", 1920) wenden sich von der verzweifelten Anklage zur Propagierung der bewaffneten Aktion gegen den Krieg („Soldatenlied", entstanden 1916). Die Kampflieder greifen auf den Gestus der Vormärzdichtung zurück und fassen das Wirken von Geschichtskräften in eine naturhafte Symbolik. Mündlich und auf Flugblättern verbreitet, trugen sie bedeutend zur Kriegsgegnerschaft und Proteststimmung unter Arbeitern und Soldaten bei. „Judas, Ein Arbeiterdrama" (1921) gestaltet einen revolutionären Streik, in dessen Verlauf der Protagonist, statt sich auf die Massen zu stützen, zur Intrige greift und wider Willen zum Verräter wird. Das Romanfragment „Ein Mann des Volkes" (entstanden 1921–23, in: „Streitschriften/Literarischer Nachlaß", 1984) verbindet mit der satirischen Entlarvung eines Karrieresozialisten die an alle Linkskräfte gerichtete Warnung vor Korruption, Machtmißbrauch und organisatorischer Erstarrung. M.s literarische und politische Aktivitäten nach 1918 waren dem Ziel gewidmet, die zersplitterte Linke von der Bindung an Parteien und Gewerkschaften zu lösen und zur revolutionären Bewegung zu formen. Sein lyrisches Schaffen beschränkte sich auf satirische und Kampfdichtung, die z. T. in den nachrevolutionären Unruhen große Verbreitung fand (z. B. „Max-Hoelz-Marsch", entstanden 1920, in: „Revolution, Kampf-, Marsch- u. Spottlieder", 1925). Doch machte sich zunehmend Enttäuschung über das Ausbleiben der Revolution in einem Gestus der Beschwörung und der Schelte bemerkbar (z. B. „Mahnung der Gefallenen", in: „Alarm, Manifeste aus 20 Jahren", 1925). Die Broschüre „Gerechtigkeit für Max Hoelz!" (1926) war ein leidenschaftliches und faktenreiches Plädoyer für den politischen Gefangenen Hoelz. Die Monatsschrift „Fanal" (1926–31, Neudr. 1973) spiegelte mit überwiegend eigenen Beiträgen die zunehmende Verhärtung seines anarchistischen Revolutionskonzepts und eine entsprechende politische Isolierung wider, die auch seinen meisterhaften Analysen des Verfalls der Weimarer Demokratie die Breitenwirkung entzog. „Unpolitische Erinnerungen" (in: Vossische Ztg., 1927–29, Privatdr. 1931, u. d. T. „Namen u. Menschen", 1949) bieten einen memoirenhaften und atmosphärisch dichten Rückblick auf die Bohemekultur nach der Jahrhundertwende. Das Dokumentarstück „Staatsräson, Ein Denkmal für Sacco und Vanzetti" (1928), verfaßt für die Piscator-Bühne, versuchte mit beträchtlichem Erfolg, die Empörung über die US-amerikan. Justizmorde gegen die Weimarer Justiz zu mobilisieren. M.s letzte Kampfschrift „Die Befreiung der Gesellschaft vom Staat" (in: Die Internationale, 1932, H. 6–8) entwirft ein anarchistisches Weltbild und Gesellschaftsmodell, bleibt aber weitgehend den Aporien des „Gefühlsanarchismus" verhaftet. Der schriftliche Nachlaß M.s (Werkmanuskripte, Tagebücher, Briefe) gelangte 1935 auf Betreiben des sowjet. NKWD nach Moskau und wurde (unvollständig) im Maxim-Gorki-Institut Moskau archiviert. Die Akademie der Künste der DDR erhielt 1956 Mikrofilmkopien des verbliebenen Archivguts.

Weitere W Die Homosexualität, 1903; Die Wüste, 1904 (Gedichte); Ascona, 1905; Die Hochstapler, 1906 (Drama); Die Jagd auf Harden, 1908; Die Freivermählten, 1914 (Drama); Die Einigung d. revolutionären Proletariats im Bolschewismus, 1921/22 (Abh. in: „Die Aktion"); Das Standrecht in Bayern, 1923; Slg. 1898–1928, 1928 (Gedichte u. Prosa). – *Ausgg.*: Choix de poésies, hrsg. v. T. Rémy, 1924; Gedichte, Eine Auswahl, hrsg. v. F. A. Hünich, 1958; Eine Ausw. aus seinen Werken, hrsg. v. N. Pawlowa, 1960; Gedichte, Drama, Prosa, hrsg. v. D. Schiller, 1961 (Ausw.); Ausgew. Werke, hrsg. v. Ch. Hirte u. a., 2 Bde., 1978 *(P);* Gesamtausg., hrsg. v. G. Emig, 5 Bde., 1978 ff.; Handzeichnungen u. Gedichte, hrsg. v. L. Hirsch, 1984; In meiner Posaune muß e. Sandkorn sein, Briefe 1900–1934, hrsg. v. G. W. Jungblut, 2 Bde., 1984 *(P);* Tagebücher 1910–1924, hrsg. v. Ch. Hirte, 1994 *(P)*. – *Zu Siegfried:* Die Killeberger, 1904 (Novelle).

L Kreszentia Mühsam, Der Leidensweg E. M.s, 1935, Neudr. 1994; N. Pavlova, Tvorčestvo Ericha Mjusama, 1965; H. Hug, E. M., Unterss. zu Leben u. Werk, 1974 *(P);* Färbt e. weißes Blütenblatt sich rot …, E. M., Ein Leben in Zeugnissen u. Selbstzeugnissen, hrsg. v. W. Teichmann, 1978; W. Haug, E. M., Schriftst. d. Rev., 1979, erweitert 1989; L. Baron, E. M.s Jewish Identity, in: Leo Baeck Inst., Year Book 25, 1980, S. 269–84 *(P);* R. Kauffeldt, E. M., Lit. u. Anarchie, 1983; Ch. Hirte, E. M., Ihr seht mich nicht feige, 1985 *(P);* Schrr. d. E.-M.-Ges., 1989 ff. – *Bibliogrr.:* H. Hug u. G. W. Jungblut, E. M., Bibliogr., 1991; H. van den Berg, E. M., Bibliogr. d. Lit. zu seinem Leben u. Werk, 1992. – *Zur Fam.:* S. Mühsam, Gesch. d. Namens Mühsam, 1912.

P Aquarell v. E. Johannson, 1925; Gem. v. F. Rumler-Siuchninski, 1926/27; Slg. v. Phot. (Stiftung Archiv d. Ak. d. Künste, Berlin, Nachlaß E. M.); Aquarell v. S. Elfinger, ca. 1956 (Bildarchiv Preuß. Kulturbes., Berlin); Bleistiftzeichnung v. B. F. Dolbin, 1928 (Dt. Lit.archiv, Marbach, Bildabt.); 2 Phot. v. A. Sander (August Sander Archiv, Köln); Radierung v. H. Janssen, 1989 (Archiv d. E.-M.-Ges., Lübeck).

Chris Hirte

Mülbe, v. der.

Der Name der in Westpreußen ansässigen Familie leitet sich her von einem 1290 erstmals erwähnten Ort Mylwe (Meleue, Melwe, Milwen, heute Milewo) bei Neuenburg an der Grenze zwischen Schwetzer und Marienwerder Kreis. Nach dem Wappen wird eine gemeinsame Abstammung mit den Herren von Konopat und Heselecht vermutet. Die Stammreihe beginnt mit *Nikolaus* v. d. Milbe (erw. 1376). Er wird als Vater des *Dietrich* angesehen, der 1402 als Landritter des Dirschauschen Gebietes genannt ist. Wohl sein Sohn „her *Dyterich* von der Mylwe" wird 1453 in einem Treueeid erwähnt. Dessen Sohn *Jakob* erscheint 1469, 1480 und 1498 als Herr auf Milwen und Woplauken. Von seinen beiden Söhnen wurde *Bartholomäus* (erw. 1507/23) Stifter der riesenburg. Linie, deren Vertreter vorwiegend in braunschweig.

Diensten standen. Hierzu gehören u. a. der westfäl. Tribunalspräsident *Christian* (1754–1812) und dessen Sohn, der preuß. Landgerichtsrat *Hermann* (1810–49, s. NND). *Dietrich* (erw. 1519/47), der die rastenburg. Linie begründete, war Erbherr auf Milwen, Woplauken, Bäslack. Er wurde mit Hengst und Harnisch zum Rastenburg bestellt, um unter Dietrich v. Schlieben am Krieg gegen Polen teilzunehmen, und 1520 vom Herzog mit freier Fischerei auf dem See Mogen im Amt Rastenburg beliehen. Der preuß. Kapitän *Adam Gottfried* († 1716), Erbherr auf Mickelnick, besaß wohl als letzter das Gut. Sein Sohn *Christoph Ludwig* (1709–80) stand 53 Jahre im preuß. Militärdienst und brachte es 1776 zum Generalmajor (s. Priesdorff II, S. 94 f.). Dessen Sohn *Hans Christoph* (1748–1811) wurde als General im Siebenjährigen Krieg mit dem Orden Pour le mérite ausgezeichnet (s. Priesdorff III, S. 267). Zu den Nachkommen seines ersten Sohnes, Oberst *Ludwig* (1793–1877), zählen der Generalmajor und Kommandant von Danzig, *Otto* (1829–1916, s. Priesdorff IX, S. 251 f.), und dessen Bruder *Wilhelm* (1834–1909), der 1866 und 1870/71 als Hauptmann diente (s. BJ 14, Tl.). *Gustav* (1831–1917) erhielt als Generalmajor den Roten Adler-Orden II. Kl. mit Eichenlaub und Schwertern (s. Priesdorff X, S. 50 f.). Ein jüngerer Sohn Hans Christophs, *Otto* (1801–91), war während der Straßenkämpfe in Berlin 1848 Major. Im Krieg gegen Österreich 1866 wurde er zum Militärgouverneur des Kgr. Sachsen ernannt und erhielt als General der Infanterie seinen Abschied (s. Priesdorff VI, S. 470–73). Auch sein Sohn *Franz* (1840–1915), 1866 als Regimentsadjutant an dem erfolgreichen Gefecht von Soor und an der Schlacht von Königgrätz beteiligt, avancierte nach dem Krieg gegen Frankreich zum General der Infanterie. Sein Sohn Dr. phil. *Wolf Heinrich* (1879–1965) verzichtete als erster in der Familie auf eine militärische Laufbahn; 1905 wurde er Privatdozent für Kunstgeschichte an der TH Hannover, 1912 in Heidelberg, seit 1915 lebte er als Privatgelehrter, freier Schriftsteller und Übersetzer in München. Neben Lyrik und kunsthistorischen Schriften verfaßte er den mehrfach aufgelegten phantastischen Roman „Die Zauberlaterne" (1937) und fertigte zahlreiche Übersetzungen aus dem Norwegischen, Dänischen, Französischen, Italienischen und Englischen (s. L). Ein Enkel Ottos († 1891) Dr. iur. *Otto* (1894–1962) befaßte sich eingehend mit der Familiengeschichte.

L Hs. Aufzeichnungen z. Fam.gesch. bis 1776 (Abschr. in Priv.bes.); Btrr. z. Preuß. Fam.kde., in: Zs. d. Hist. Ver. f. d. Reg.-Bez. Marienwerder, H. 22, 1888; GHdA Adelige Häuser A XV, 1979, S. 343–51. – Zu *Wolf-Heinrich:* Catalogus professorum, FS d. TH Hannover 1831–1981, II, 1981; Kürschner, Lit.-Kal. Nekr. 1936–70.

Wolf-Christian v. der Mülbe

Mülhens, Fabrikanten von Kölnisch Wasser. (kath.)

Die Familie stammt aus der Gegend von (Niederkassel-)Rheidt im Rheinland. Der Name weist auf eine Tätigkeit im Mühlengewerbe hin. Ein weiterer Zweig ist in der Gegend um Walberberg auf der linken Rheinseite beheimatet. Der Großvater väterlicherseits des späteren Firmengründers, *Heinrich* (1688–1776), war Halbwinner auf dem Pohlhof in Eschmar. Sein Sohn *Jacob* (s. Gen. 1) wurde Verwalter der Burg Wissem und später Schöffe in Troisdorf, wo er einen eigenen Hof bewirtschaftete und zu den wohlhabenden Bürgern zählte. Vier seiner Söhne zogen nach Köln, wo sie als Kaufleute und in Geldgeschäften tätig wurden. Zwei Söhne gründeten 1798 in Frankfurt/Main ein Bankhaus. *Wilhelm* (s. 1) nahm in Köln die Herstellung von Kölnisch Wasser auf, dessen Ursprung bei Giovanni Paolo Feminis liegt, der Ende des 17. Jh. sein „aqua mirabilis" in Köln anbot. Seit 1709 produzierte die Firma Johann Maria Farina erfolgreich ihr Kölnisch Wasser. Ihr Name wurde zum Synonym für Kölnisch Wasser, das im 18. Jh. auch als Heilmittel galt. Im 19. Jh. bestanden zeitweise über 50 Farina-Unternehmen in Köln.

L E. Rosenbohm, Kölnisch Wasser, 1951; 160 J. 4711, 1792–1952, 1952 *(P v. allen Firmeninh.);* R. Steimel, Mit Köln versippt, I, 1955, Tafel 128; Oh! De Cologne, hrsg. v. W. Schäfke, 1985; Muelhens, Cologne – Paris – New York, The Culture of Beauty, Zweihundert J. 4711, Mit Btrr. v. K. M. Armer u. U. Kaltwasser, 1992 *(P v. allen Firmeninh.);* 4711, Eine Zahl hat Jubiläum, 175 J. Kulturgesch., o. J.; W. Treue, Die Gesch. d. Hauses 4711, unveröff. Ms. – Eigene Archivstud. (Muelhens-Archiv, Slg. zu d. Firmeninhabern, Chronik d. Fam. M.; Rhein-Westfäl. Wirtsch.archiv Köln, Firmen- u. Personendokumentationen).

1) *Wilhelm,* * 25. 6. 1762 Troisdorf, † 6. 3. 1841 Köln.

V Jacob (1722–1806), Burgverwalter u. Schöffe, S d. Heinrich (s. Einl.) u. d. Margarete Schmitz; M Maria Anna Gertrud Volberg (1730–1816); B Franz Wolfgang (1751–1835), Kaufm. u. Bankier in K., Heinrich (1758–1838), Bankier in Koblenz u. Frankfurt/Main, Johann Theodor (1761–1837, ∞ Margarete Schaaffhausen), Bankier in K., Koblenz u. Frankfurt/Main (s. Frankfurter Biogr. II); – ⚭ Köln 1792 Catharina Josephina (1774–1841), T d. Notars u. Kaiserl. Rates Carl Joseph Moers u. d. Sibylla Catharina Wintgens; 4 S (2 früh †), 3 T, u. a. Peter Joseph (s. 2).

M., über dessen Jugend und Ausbildung sich keine Quellen erhalten haben, kam vermutlich kurz nach seiner Heirat nach Köln, wo sich schon seine älteren Brüder niedergelassen hatten und u. a. als Transportunternehmer für die franz. Armee tätig waren. 1796 erwarb M. das Bürgerrecht, nachdem er im selben Jahr ein Haus in der Glockengasse gekauft hatte. In diesem Jahr erhielt das Haus nach einem Beschluß des Rates, alle Häuser zu numerieren, die Nummer „4711". M. war zunächst in „Speculations-Geschäften" tätig, 1800 wird er erstmalig als Fabrikant von Kölnisch Wasser genannt. Am Tag seiner Heirat soll er, so die Firmenlegende, von dem Kartäusermönch Franz Carl Maria Farina das Geheimrezept zur Herstellung von „Echt Kölnisch Wasser" als Hochzeitsgeschenk erhalten haben.

M. betrieb die Kölnisch Wasser-Produktion anfänglich neben seinen ursprünglichen Geschäften – ohne Angestellte und mit geringer Produktionsmenge. Erst allmählich wurde die Herstellung des Kölnischen Wassers zur Hauptaufgabe. Rohstoffe sicherte sich M. in Grasse, dem Hauptlieferort für Parfümeriepflanzen. 1803 schloß M. mit einem Carl Franz Maria Farina aus der Düsseldorfer Linie dieser Familie einen Societätsvertrag, der ihm erlaubte, sein Kölnisch Wasser unter dem Namen „Farina" zu verkaufen. Napoleon ordnete 1810 in einem Dekret die Veröffentlichung aller Rezepte von Heilmitteln an. Da die Fabrikanten des „Eau de Cologne" ihre Rezepte, die als Geheimnisse streng gehütet wurden, nicht zugänglich machen wollten, verkauften sie nun ihr Produkt als Duftwasser. Bereits 1807 diente die Hausnummer „4711" in einer Zeitungsannonce als Erkennungsmerkmal. 1804 schloß M. seinen ersten Vertretungsvertrag mit einer Weinhandelsfirma in Frankfurt/Main. 1811 entstand die erste „ausländische" Vertretung in Paris, der weitere in Frankreich folgten. Insbesondere die franz. Offiziere, die aus dem Rheinland in die Heimat zurückkehrten, sorgten für die Verbreitung des Rufes. 1814 verlieh Ludwig XVIII. M. ein Hoflieferantendiplom. Mit einer Vertretung im schwed. Stralsund (1812) unterlief M. die Kontinentalsperre. Nach Beendigung der Napoleonischen Kriege folgten weitere Vertretungen in Rußland und England. Entscheidend begünstigt hat den Aufschwung auch eine Neuerung auf dem Gebiet der Chemie, die von Tobias Lowitz entwickelte Reinigung von Spiritus mittels Aktivkohle. Dies machte die Fabrikanten des Kölnisch Wassers von der Einfuhr franz. Weingeists unabhängig. 1821 übergab M. die Führung der Geschäfte an seinen Sohn Peter Joseph. 1832 verlor M. einen Prozeß wegen unberechtigter Führung des Namens Farina, den die drei Farina-Firmen gegen ihn angestrengt hatten. Durch die Aufnahme eines Franz Maria Farina aus Mailand als Geschäftspartner durch Peter Joseph war eine Revision gegen dieses Urteil erfolgreich. Um 1836 zog sich M. endgültig aus der Firma zurück. 1833 erwarb er ein kleines Gut bei (Bonn-)Kessenich, wo er zeitweise lebte.

L s. Einl.; K. Ossendorf, Troisdorfer gründete Duftimperium, in: Troisdorfer Jahreshh., 17. Jg., 1987, S. 95–105. – Qu. Rhein.-Westfäl. Wirtsch.archiv, Köln, Abt. 33 (Johann Maria Farina gegenüber d. Jülichsplatz).

2) *Peter Joseph,* * 4. 5. 1801 Köln, † 23. 9. 1873 ebenda.

V Wilhelm (s. 1); ⚭ Frankfurt/Main 1840 Emily (1820–59), T d. Ferdinand Ries (1784–1838), Komp. u. Pianist, Dir. d. Cäcilienver. in Frankfurt/Main, mehrfach Leiter d. Niederrhein. Musikfeste (s. MGG; Riemann), u. d. Harriet Mangeon (1797–1863); 2 S, 8 T, u. a. Ferdinand (s. 3), Caroline (1848–1926, ⚭ Ernst Michels, 1844–1918), Julius (1851–1910), 1883–89 Teilh. d. Unternehmens.

M. absolvierte eine kaufmännische Ausbildung in einem Kölner Handelsgeschäft. Nach der Übernahme der väterlichen Firma im Jahr 1821 unternahm er einige in- und ausländische Reisen, um den Absatzmarkt auszudehnen. Vermutlich erbrachte das Geschäft mit Kölnisch Wasser keine ausreichende Rendite, da M. anfangs auch noch mit anderen Waren handelte, u. a. mit Wein und Mineralwasser. Um sich von der stärker werdenden Konkurrenz abzusetzen, versuchte der technisch und künstlerisch begabte M., die Besonderheit des eigenen Produkts herauszustellen. Diese Entwicklung begann mit der Einführung der charakteristischen sog. „Kropf-Molanus-Flasche". 1839 wurde erstmals ein farbiges Etikett für eine Kölnisch Wasser-Flasche gedruckt, das M. entworfen hatte. Bis in die 90er Jahre wurde es als „Gothisches Grüngold-Etikett", danach als „Blaugold" bezeichnet. M. nahm auch die Bourbonen-Lilien in das Etikett auf, die auf das dem Vater verliehene Diplom des franz. Königshauses zurückgingen. Die Vertreter erhielten zum Aushang in ihren Geschäftslokalen ein Zertifikat mit einem über Köln schwebenden Engel, der die Zahl 4711 aus einer Tuba hinausblies. Die Unsicherheit des Marktes und die starke Konkurrenz veranlaßten M., zusätzliche wirtschaftliche Aktivitäten aufzunehmen. Im benachbarten Ehrenfeld errichtete er eine Gold- und Politurleistenfabrik. In den 50er Jahren nahm der Export zu. Insbesondere in Indien und Niederländisch-Indien, allerdings unter dem Namen der jeweiligen Vertriebsfirmen, wurde nun Kölnisch Wasser abgesetzt. Eine Beteiligung an einem Unternehmen in Grasse diente der Versorgung mit Rohstoffen. In Ost- und Südosteuropa erschloß M. neue Märkte. In Köln errichtete er 1854 neben dem Stammhaus ein größeres Geschäftshaus als neuen Hauptsitz der Firma. Wegen des stärker umworbenen Marktes nahm die Konkurrenz der Hersteller von Kölnisch Wasser zu. M., dessen Unternehmen noch immer unter dem Traditionsnamen „Farina" produzierte, mußte sich diversen Prozessen stellen. Bis zum Reichsoberhandelsgericht wurde um den Namen prozessiert, von dem man glaubte, er sei Garant für den Erfolg. 1862 ließ M. seine Firma unter „Franz Maria Farina in der Glockengasse 4711 der Post gegenüber" in das Handelsregister eintragen.

Anfang der 40er Jahre zählte M. zu den Aktionären der liberalen „Rheinischen Zeitung", deren leitender Redakteur seit Ende 1842 Karl Marx war. Nach einem Jahr wurde die Zeitung von der Zensur verboten. M., der als Vertreter des neuen Bürgertums verstärkt ökonomische Interessen verfolgte, investierte in großem Umfang in die neu entstehenden Industrien, vor allem Verkehrsunternehmen, Bergbaugesellschaften und Versicherungen. Seit 1837 setzte er sich besonders für die Vollendung der Eisenbahnstrecke Bonn-Köln ein, die 1844 eröffnet wurde. Er stand zunächst dem provisorischen Komitee vor und wurde dann, neben Ludolf Camphausen und Heinrich v. Wittgenstein, einer der Direktoren der Bonn-Kölner Eisenbahngesellschaft. Auch in der Direktion der Kölnischen Dampfschlepp-Schiffahrtsgesellschaft und im Verwaltungsrat der Kölnischen Rückversicherungsgesellschaft vertrat M. die Interessen der Anteilseigner.

M., der 1841–72 mit Ausnahme einer sechsjährigen Unterbrechung Mitglied der Handelskammer zu Köln war, gehörte von 1852 bis zu seinem Tod auch der Kölner Stadtverordnetenversammlung an. Seine Interessen galten hier vor allem der Schul- und Armenverwaltung. Er war auch im Verwaltungsausschuß des Zentral-Dombauvereins tätig und gehörte dem Komitee der Niederrhein. Musikfeste an. Seine Vorliebe galt dem Kölner Karneval, der seit 1823 eine Renaissance erlebte. M. wurde in den „Kleinen Rat" gewählt, der für die Organisation des Maskenumzuges verantwortlich war. 1827 wurde er Sekretär der Großen Karnevalsgesellschaft. Auch Karnevalslieder stammten aus seiner Feder. 1840 kaufte M. den Wintermühlenhof bei Königswinter und baute diesen mit der Zeit zu einem ansehnlichen Hofgut aus.

L s. Einl.; B.-C. Padtberg, Rhein. Liberalismus in Köln während d. pol. Reaktion in Preußen nach 1848/49, 1985. – Qu. Rhein.-Westfäl. Wirtsch.-archiv, Köln, Slg. Arndt.

3) *Ferdinand,* * 23. 12. 1844 Köln, † 15. 1. 1928 Königswinter.

V Peter Joseph (s. 2); ∞ Ehrenfeld 1877 Maria (1849–1877), T d. Franz Riedl, Amtsschreiber v. St. Pölten, u. d. Theresia Hammerliedl; 2 S, u. a. Peter Paul (s. 4), 1 T.

M. wurde 1872 von seinem Vater zum Teilhaber und 1873 per Testament zum alleinigen Inhaber der Firma ernannt. Sein jüngerer Bruder Julius war später zeitweilig Teilhaber, die zahlreichen Schwestern sollten abgefunden werden. Da sich die Geschwister nicht einigen konnten, folgten zehnjährige Erbauseinandersetzungen. Die Mutter seiner Kinder heiratete M. erst wenige Tage vor ihrem Tod.

M.s herausragende Leistungen für die Fortentwicklung des Unternehmens waren die Ausweitung der Produktpalette und die Aufnahme der Werbung. Neben der Goldleistenfabrik errichtete er eine Seifenfabrik, in der auch andere Parfümerieartikel hergestellt wurden. Als erster der Kölnisch Wasser-Fabrikanten erweiterte M. das Angebot seines Unternehmens um Körperpflege und Düfte. Blumenextrakte, Toilettenwässer, Pomaden und Öle wurden in der damals vor den Toren Kölns gelegenen Fabrik hergestellt. Die Kölnisch Wasser-Fabrikation verblieb in der Glockengasse. Erst gegen Ende des 19. Jh. begann man mit dem Ausbau von „4711" zum Massenprodukt. Das Exportgeschäft erhielt wesentlichen Auftrieb durch die Gründung von Niederlassungen in New York (1875) und Riga (1880). Der Nahe Osten und Ostasien wurden als Absatzmärkte neu gewonnen.

Einen vom Haus Roger & Gallet in Paris geführten Prozeß gegen die dortige Niederlassung von M., die dieser nach dem gewonnenen Krieg gegen Frankreich neu einrichtete, betreffend die Verwendung des Namens Farina, verlor M. Seit 1878 firmierte die Firma in Frankreich deshalb nur noch unter

"No. 4711 Eau de Cologne". Damit begann der Siegeszug einer Zahl als Markennamen. Auch in Deutschland brachte wenig später ein verlorener Prozeß eine Änderung im Firmennamen. Unter „Eau de Cologne- & Parfümeriefabrik Glockengasse No. 4711 gegenüber der Pferdepost von Ferd. Mülhens" wurde die Firma nun im Handelsregister eingetragen. 1900 übergab M. die Leitung des Geschäfts an seinen Sohn Peter Paul mit Ausnahme der Filialen in New York, Riga und Wien, die er noch einige Jahre unter seiner Oberaufsicht behielt.

M. legte seine Gewinne vor allem in Immobilien an. In Köln errichtete er in unmittelbarer Nachbarschaft des Domes das „Savoy-Hotel Großer Kurfürst", das 1893 eröffnet wurde. Auf dem vom Vater gekauften Wintermühlenhof betrieb er neben Forst- und Landwirtschaft auch Weinbau. 1911 erstand M. einen Teil des Petersberges im Siebengebirge, auf dem er ein Hotel errichten ließ. Als Naturfreund förderte er die Einrichtung von Gärten und Parkanlagen. Der Verkehrsentwicklung diente die Anlage von Straßen und der Erwerb der Zahnradbahnen vom Petersberg und zum Drachenfels. Mit seinen Aktivitäten trug M. maßgeblich zur Entwicklung Königswinters und des Siebengebirges als Fremdenverkehrsgebiet bei. In Königswinter war er einige Zeit Stadtverordneter. – Ehrenbürger v. Königswinter (1922).

L s. Einl.; W. Treue, F. M. (1844 bis 1928), in: Rhein.-Westfäl. Wirtsch.biogrr. XII, 1986, S. 158–80.

4) *Peter Paul,* * 6. 8. 1875 Köln, † 5. 8. 1945 auf d. Weg v. Hofgastein nach Röttgen.

V Ferdinand (s. 3); ∞ Deutsch-Wilmersdorf 1909 Maria Walburga (1881–1959), *T* d. Kaufm. Julius Emil Stockhausen u. d. Agathe Bermbach aus Krefeld (∞ 1] Ferdinand van der Zypen, 1875–1914, Kaufm., Mitinh. d. Fa. van der Zypen & Charlier in K.); 2 *S* († v. 1945), 2 *T,* u. a. Maria (1912–85, ∞ Rudi Mehl, 1902–80, Versicherungsunternehmer, s. Wi. 1973), Leiterin d. Gestüts Röttgen (s. Gorzny); *E* Ferdinand (* 1937), Nachf. in d. Unternehmensleitung 1962–90.

M. absolvierte seine Lehrzeit im väterlichen Unternehmen und bei einem Lieferanten von Duftpflanzen und Essenzen in Grasse. Anschließend wurde er auf Reisen geschickt, wobei ein erfahrener Handlungsreisender des Unternehmens ihn begleitete. An einen längeren Aufenthalt in Grasse schloß sich eine Lehrzeit in New York an. 1900 wurde M. vom Vater als Teilhaber aufgenommen, wobei die Geschäftsführung ihm gänzlich übertragen wurde.

Aus Amerika brachte er neben zwei dampfgetriebenen Automobilen eine Vorliebe für Technik mit. Neben der Einführung neuer Bürotechnik bemühte er sich um die Verbesserung der Produktionsabläufe. Er schuf eine Absatzorganisation unter Ausschaltung des Großhandels, die die Endverkäufer direkt ab Werk belieferte. Während im 19. Jh. besonders Blumennamen für Parfüms gewählt wurden, ging M. nun zu Phantasiebezeichnungen über. Teilweise haben diese Produkte über Jahrzehnte hohe Marktanteile erreichen können, wie z. B. die Matt-Creme oder Sparta. 1921 führte M. als neue Marke „Tosca" ein, 1935 folgte mit „Sir" eine erfolgreiche Herrenpflegeserie. Nach dem 1. Weltkrieg mußte M. die ausländischen Kunden- und Lieferantenbeziehungen erneut aufbauen. Für das stark exportabhängige Geschäft war dies der Lebensnerv. M. konnte schon nach wenigen Jahren wieder den Vorkriegsstand erreichen. Während der Besatzungszeit mußte ein Teil der Produktion nach Berlin ausgelagert werden. Die zunehmende Konsumbereitschaft der Massen brachte auch Änderungen in der Werbung mit sich. M. baute eine eigene Werbeabteilung mit Grafikern und Textern auf. Mit Künstlern verhandelte er persönlich über die Gestaltung von Anzeigen und Plakaten. Als weiteres Werbemittel wurden schon früh Stummfilme eingesetzt.

1909 pachtete M. den Herrensitz Röttgen in der Bürgermeisterei Heumar, den er zehn Jahre später erwarb. Als Beigeordneter, Gemeinderats- und Kreistagsmitglied nahm er für die Gemeinde öffentliche Aufgaben wahr. Die Familie förderte verschiedene soziale und öffentliche Einrichtungen. 1924 errichtete M. auf Röttgen ein Gestüt, das in der Vollblutzucht und im Rennsport bald erfolgreich war (1932 Sieg beim Deutschen Derby). 1933 stiftete M. den „Preis von 4711" auf der Kölner Rennbahn.

Die Familie stand dem Nationalsozialismus ablehnend gegenüber. Jüdische Angestellte im Ausland wurden nicht, wie verlangt, entlassen, und Maria Mülhens hielt die Beziehungen zu einer jüdischen Schwägerin aufrecht. Um den Druck auf das Unternehmen bzgl. der Personal- und Absatzpolitik zu mindern, trat M. 1937 in die NSDAP ein. Im 2. Weltkrieg wurden das Geschäftshaus in der Glockengasse und die Ehrenfelder Produktionsanlagen vollständig zerstört. Der Betrieb wurde teilweise in Not- und Ausweichquartieren aufrecht erhalten. Da M. seine beiden

Söhne überlebte, übernahm 1945 seine Witwe, unterstützt von zwei langjährigen Direktoren, die Leitung der Geschäfte. Erfolgreich konnte sie das seit der Firmengründung nur den Inhabern bekannte Geheimrezept des Kölnisch Wassers gegenüber brit. Übernahmeversuchen verteidigen. Nach der Wiederaufbauphase konnte die marktbeherrschende Position im Kölnisch Wasser-Geschäft weiter ausgebaut werden. 1962–90 leitete M.s Enkel Ferdinand das Unternehmen, das seinen Namen 1990 in „Muelhens KG" änderte und sich heute mehrheitlich im Besitz der Wella AG, Darmstadt, befindet.

L s. Einl.; J. Huck, Röttgen u. Fam. Mülhens, in: Rechtsrhein. Köln, II, S. 159–74.

Ulrich S. Soénius

Mülich, *Hektor,* Chronist, * um 1420 Augsburg, † zw. Oktober 1489 und Oktober 1490 ebenda.

V Jörg († 1462), 1434–47 Vertr. d. Kramerzunft im Inneren Rat in A., S d. Johann († 1420), Mitgl. d. Kramerzunft u. Ratsherr in A., u. d. Elisabeth Kochner aus Bopfingen; M Anna, T d. Konrad Peutinger, Goldschmied in A.; B Jörg († um 1501/02), Kaufm. in A. (s. Vf.-Lex. d. MA; L); – ∞ 1) um 1460 Ottilia († 1466/73), T d. Peter Conzelmann, Ratsherr in A., 2) 1468 Anna (1444–85), T d. Jakob Fugger, Kaufm. († 1469, s. NDB V*); *Schwager* Jakob Fugger (1459–1525), Kaufm. (s. NDB V); *Schwager d. 2. Ehefrau* Wilhelm Rem (1462–1528/29), Chronist (s. ADB 53); mindestens 5 S, davon 4 Faktoren im Unternehmen d. Fugger.

Wie seine Vorfahren beteiligte sich M. als wohlhabender Kaufmann und Ratsherr aktiv am Fernhandel und versteuerte 1486 ein Vermögen von 6000 Gulden. Damit stand er an 39. Stelle der Augsburger Steuerzahler. 1465–85 ist er als Ratsherr nachweisbar, 1466 erstmals als Zunftmeister der Kramer. In den 1470er Jahren bekleidete er mehrere wichtige Ratsämter und kann als einer der führenden Politiker Augsburgs gelten.

Bereits M.s Großvater war literarisch interessiert. Zusammen mit seinem Bruder Jörg, der einen Bericht über seine Pilgerreise nach Jerusalem 1449 verfaßte, schrieb M. einige noch erhaltene deutschsprachige Handschriften ab und versah einen Teil davon eigenhändig mit Illustrationen. Seiner 1457 datierten Abschrift der deutschen Fassung der frühhumanistischen „Augsburger Chronik" Sigmund Meisterlins schloß M. seine erste historiographische Arbeit an, eine Fortsetzung für den Zeitraum 1348–1456. Ebenfalls in direktem zeitlichen Anschluß an Meisterlins Werk erstellte er danach seine umfangreiche, bis 1487 reichende Chronik. Bis etwa 1440 von älteren Vorlagen, u. a. der Chronik des mit ihm entfernt verwandten Erhard Wahraus abhängig, ist sie für die von M. selbst erlebte Zeit eine hervorragende Quelle. In nüchternem Stil notierte M. denkwürdige Ereignisse in Stadt, Region, Reich und europ. Nachbarländern, wobei ihm das Nachrichtenwesen der Kaufmannschaft und der Zugang zu amtlichen Unterlagen zugute kamen. Bei der Darstellung der kriegerischen Konflikte und Fehden, in welche die Reichsstädte und Augsburg verwickelt waren, läßt M. eine dezidiert städtische Sichtweise erkennen. Sein materialreiches Werk übte großen Einfluß auf die Augsburger Historiographie in der ersten Hälfte des 16. Jh. aus. Konrad Peutinger und Clemens Sender benutzten es, Georg Demer, Matthias Manlich, Marx Walther und Wilhelm Rem setzten es fort.

W Chron. d. H. M. 1348–1487, hrsg. v. F. Roth (Die Chroniken d. dt. Städte, Bd. 22), 1892; Meisterlin-Forts., hrsg. v. D. Weber (s. L), S. 263–73.

L ADB 22; F. Roth (s. W); P. Joachimsohn, Ges. Aufsätze, hrsg. v. N. Hammerstein, Bd. 2, 1983, S. 206–12, 244–74; H. Lehmann-Haupt, Schwäb. Federzeichnungen, 1929, S. 34–39, 49–59; D. Weber, Gesch.schreibung in Augsburg, H. M. u. d. reichsstädt. Chronistik d. Spätma., 1984; Augsburger Stadtlex., hrsg. v. W. Baer, 1985; 450 J. Staats- u. Stadtbibl. Augsburg, 1987, S. 20 f.; Jörg Mülich, Beschreibung d. hl. Stätten zu Jerusalem u. Pilgerreise nach Jerusalem, hrsg. v. U. Seelbach, 1993, S. 64–66; ThB; Vf.-Lex. d. MA.

Klaus Graf

Mülinen, v. (ref.)

Das aargauische Ritter- und habsburgische Ministerialengeschlecht der M. ist traditionsgemäß seßhaft in den Landschaften March und Gaster und mit *Peter,* dem Schultheißen von Brugg (erw. bis 1281), erstmals nachweisbar. Sein Enkel *Albrecht,* Herr zu Rauchenstein, in Jerusalem zum Johanniterritter geschlagen, wurde 1343 Kirchherr zu Neuenburg/Rhein, sein Bruder *Egbrecht* (Egli) († 1370, 1339 Ritter), Herr zu Kestelen und Rauchenstein, übte seit 1366 das Amt des Hofmeisters in Königsfelden aus. Von seinen drei Söhnen fiel *Albrecht* († 1386), Rat des Hzg. Leopold III. von Österreich, in der Schlacht von Sempach. Der zweite Sohn, *Egbrecht* († 1400), gen. Truchseß, begründete die Tiroler Linie. 1434 wurde von Kaiser Sigismund die Reichsunmittelbarkeit seiner Söhne *Egbrecht* und *Hans Wilhelm* († 1449), Chorherr des 1411 säkularisierten Stiftes Beromünster und Rat des 1415 geächteten Hzg. Friedrich, anerkannt. Der dritte Sohn, *Henmann* († 1421), Ritter und Hofmeister zu Königsfelden, erwarb 1407 das Bürgerrecht von Bern. Sein Sohn *Hans Albrecht* († 1507) nahm 1464 an der Schlacht von Héricourt, 1476 an jener von Grandson teil und erhielt im selben Jahr vor Murten den Ritterschlag. Von seinen vier Söhnen, führten zwei die Linie weiter: *Hans Albrecht* († 1517), Herr zu Kastelen und Rauchenstein, 1491 Herr zu Wildenstein, 1467 Bürger von Bern, heiratete Dorothea, Tochter des Berner Schultheißen Adrian v. Bubenberg. Er erhielt zusammen mit seinem Bruder *Hans Friedrich* († 1491), Herrn zu Brandis, Kastvogt der Klöster Trueb und Rüegsau, bischöfl.-basler. Meyer (Verwalter) in Biel, ebenfalls den Ritterschlag in Murten. Sein Sohn *Hans Albrecht* (1480–1544), Deutschordensritter und Freund Zwinglis, verwaltete seit 1532 die Komturei Köniz. Hans Friedrichs Nachfahren erscheinen in franz. Urkunden öfters als „de Mellunes". Sein bedeutender Sohn *Kaspar* (1481–1538) war Großrat (1500) und Schultheiß von Burgdorf; 1506 wurde er in Jerusalem zum Ritter des Hl. Grabs geschlagen. 1509 zum Landvogt in Grandson, 1510 zum Landvogt von Echallens und Orbe gewählt, trat er 1516 in den Dienst des Hzg. Ulrich von Württemberg. 1517 Kleinrat, reiste er 1524 als eidgenöss. Gesandter zu Verhandlungen nach Savoyen, Ferrara und Monferrat. Als Gegner der Reformation verlor er 1527 seinen Sitz im Rat (s. ADB 22; Bern. Biogrr. III, 1898, S. 615–62; L). Er hinterließ drei Söhne: *Johann Rudolf*, der 1522 in der Schlacht von Biccoca fiel, und *Christoph* (1515–50), 1536 Großrat, 1540 Schultheiß von Murten und 1550 Kleinrat, den die Pest dahinraffte. Dessen Enkel *Nikolaus* (1570–1620, s. ADB 22), 1596 Großrat, 1603 Vogt von Aarwangen, 1613 Kleinrat, erprobt als Diplomat und im Kriegsdienst gegen die Türken, fiel als Oberbefehlshaber der bern. Truppen bei Tirano. Berühmtester Sohn von Kaspar war *Beat Ludwig* (1521–97); er wurde 1542 zum Großrat, 1543 zum Schultheiß von Burgdorf, 1552 in den Kleinen Rat und zum Landvogt von Gex gewählt, verhandelte als Gesandter in Lyon und Savoyen über die Rückgabe von Gex und Chablais 1567. Als Schultheiß (1568–97) führte er 1575 und 1586 die Berner Gesandtschaft zu König Heinrich III. von Frankreich an und schloß den Frieden von Nyon mit Savoyen (s. ADB 22; HBLS; Schweizer Lex.). Seine Urenkel, der in Aarau wohnende *Wolfgang* (1609–79), tauschte Schöftland gegen die Löwenburg bei Murten, war seit 1645 Großrat, seit 1639 Landvogt von Arberg, 1648 von Baden und Hofmeister in Königsfelden seit 1650 und verfaßte alchemistische Arbeiten. *Beat Ludwig* (1612–74) kämpfte 1632 in schwed. Diensten bei Lützen, diente seit 1634 in der Leibgarde des Prinzen Friedrich Heinrich von Oranien, später unter Johann Moritz von Nassau-Siegen in Brasilien bis 1642, war 1653 Kommandant von Aarburg, Landvogt in Landshut seit 1654, Oberst des Regiments im Oberland und Kriegsrat seit 1665. Von seinen Söhnen standen *Albrecht* (1649–1705, s. Bern. Biogrr. IV, 1902, S. 308–22) und *Wolfgang* (1665–1735) in franz. Kriegsdiensten. Albrecht wurde 1691 Großrat, 1697 Vogt von Nyon, 1703 Oberkommandant in der Waadt, 1705 Kleinrat und dann Oberst in Holland. Wolfgang war 1711 Großrat, befehligte im 2. Villmergerkrieg 1712 die bern. Truppen, übernahm 1717 die Landvogtei Fraubrunnen, 1725 das Kleinratsmandat und 1728 jenes des Venners zu Schmieden. Nach ihm teilte sich die Familie in zwei Zweige.

Aus erster Ehe mit Anna Manuel stammte *Niklaus* (1699–1748), der Stammvater der älteren Linie, Großrat seit 1735, Rathausammann 1741 und Landvogt von Granson 1745. Sein Sohn *Hans Rudolf* (1746–1801), Generaladjutant in piemontes. Diensten, wurde 1785 Großrat, 1793 Oberst des Regiments Oberland und 1794 Landvogt von Oron. Sein Sohn *Bernhard* (1788–1851) kämpfte als württ. Kavallerieoffizier mit den Rheinbundtruppen 1807 gegen Preußen und Russen, wirkte 1808–11 als Diplomat in Kassel und St. Petersburg, war im russ. Feldzug 1812 württ. Kammerherr, nahm 1814/15 am Wiener Kongreß teil, blieb 1820–38 als Gesandter Württembergs in Paris akkreditiert, gab 1842 sein Berner Bürgerrecht auf und wurde mit seinem Vetter *Niklaus Friedrich* (1760–1833) 1816 in den österr. Grafenstand erhoben (s. 1). Sein Sohn *Wilhelm Paul Dionys* (1824–63) war Offizier in österr. Diensten, danach franz. Diplomat in Rio de Janeiro, sein Bruder *Rudolf* (1828–98), k. u. k. Kammerherr, als Attaché 1855 an der österr. Gesandtschaft in Florenz, danach in Paris, Stockholm und Im Haag akkreditiert, starb in Graz ohne Nachkommen (s. Kosch, Biogr. Staatsdb.). Mit dem Sohn von Wilhelm Paul Dionys, *Paul Heinrich Rudolf* (1852–1934), Dr. iur. in Klagenfurt, erlosch die ältere Linie.

Aus der zweiten Ehe Wolfgangs († 1735) mit Esther v. Diesbach entstand die jüngere Linie: *Friedrich* (1706–69), Großrat 1745, Landvogt von Buchsee 1753, Kleinrat 1756, Bauherr 1759, Venner 1762, mehrfach Tagsatzungsgesandter in Baden, gründete die Familienbibliothek in Bern. Sein Sohn *Albrecht* (1732–1807), Großrat 1764, Vogt von Laupen 1769, Kleinrat 1774, Geleitsherr 1776, Gesandter an die Tagsatzungen 1777–1797, Venner zu Schmieden 1778, Welschseckelmeister 1783, Schultheiß 1791 wurde 1798 von den Franzosen als Geisel nach Straßburg verschleppt (s. HBLS; Schweizer Lex.). Sein Sohn Gf. *Niklaus Friedrich* (s. 1) war Gründer und Präsident der Schweizer Geschichtsforschenden Gesellschaft. Sein Enkel Dr. phil. *Egbert Friedrich* (1817–87) machte sich ebenfalls um die bern. Geschichte und Heimatkunde verdient. Von seinen Kindern kämpfte *Helene* (s. 2) für das Frauenstimmrecht, *Eberhard Friedrich* (1861–1927) machte sich nach einer Diplomatenkarriere in preuß. Diensten in der Türkei und in Palästina durch zahlreiche Aufsätze als Orientalist einen Namen (s. HBLS; Kosch, Biogr. Staatshdb.), *Eleonore* (1893–1967) fand als Bildhauerin Beachtung, *Wolfgang Friedrich* (1863–1917, s. *L*) war seit 1896 ao. Professor der Geschichte und Burgerrat, 1900 Oberbibliothekar der Stadt- und Universitätsbibliothek in Bern; er verkaufte zusammen mit seinem Vetter Wolfgang Friedrich die bedeutende Sammlung von Handschriften und die Bibliothek der Familie an die Burgergemeinde Bern (heute in der Burgerbibliothek). Sein Sohn *Henmann Egbert Friedrich* (1896–1976), Elektroingenieur arbeitete als Ingenieur bei Brown-Boveri in Baden, dessen Sohn *Frédéric* (* 1928), lic. iur., ist als Militärberater beim IKRK tätig.

L Fam.buch Kaspar v. Mülinens (15. Jh., Ms. in d. Burgerbibl. Bern); Wurzbach; HBLS; Genealog. Hdb. d. Adels, Gräfl. Häuser A VII, 1973, S. 288–91. – *Zu Wolfgang († 1679):* Ch. Holliger, Schöftland, 1992. – *Zu Wolfgang Friedrich:* Zur Erinnerung an W. F. v. M., in: Bll. f. bern. Gesch., Kunst u. Altertumskde. 12, 1917, S. 1–55; DBJ II, Tl.; J. Arndt, Biogr. Lex. d. Heraldiker, 1992.

P zu Kaspar († 1538): Gem. v. N. Manuel, 1520 (Kunstmus. Bern), Abb. in: H. B. de Fischer, Le Portrait Bernois, II, 1921, S. 11. – *Zu Beat Ludwig († 1597):* Kopie v. F. Oelenhainz, 18. Jh. ? (Burgerbibl. Bern), Abb. in: F. Thormann, Die Schultheissenbilder d. Berner Stadtbibl., 1925, Tafel 11).

Barbara Braun-Bucher

1) *Nikolaus Friedrich* Graf v. (österr. Graf 1816), Staatsmann und Historiker, * 1. 3. 1760 Bern, † 15. 1. 1833 Bächigut b. Thun.

V Albrecht Frhr. (1732–1807), Schultheiß (s. Einl.), *S* d. Bezirksdkt. Friedrich (1706–69, s. Einl.) u. d. Anna v. Muralt (1711–97); *M* Caroline († 1783), *T* d. Niklaus Theodor Frhr. v. Goumoens (1694–1767), holländ. Oberst, u. d. Elisabeth N. N. (1701–88); ⚭ Bern 1783 Marie Elisabeth (1766–1838), *T* d. Appellationsrichters Niklaus Frhr. v. Wattenwyl (1724–66) u. d. Maria Knecht (1742–72); 4 S, 5 T; Ur-E Helene (s. 2).

M., dem ein ausgeprägtes Standesbewußtsein und die Liebe zur Geschichte vermittelt worden war, empfing im väterlichen Hause und dann auf der Univ. Göttingen eine vielseitige Bildung. In der berühmten, von seinem Großvater und seinem Vater aufgebauten Bibliothek vertiefte er sein Wissen und betrieb im bern. Archiv historische Forschungen. Entscheidend für seine Hinwendung zur Historie wurde die Bekanntschaft mit Johannes v. Müller, der 1785 in Bern Vorträge hielt. Eine Bildungsreise führte ihn durch Frankreich, England, Holland und das Rheinland. Heimgekehrt, wandte sich M. dem Militär- und Staatsdienst zu. Er kommandierte als Hauptmann eine Grenadierkompagnie und wurde 1795 in den Großen Rat gewählt. Gegenüber den waadtländ. Revolutionären, welche Berns Herrschaft über die Waadt anfochten, verteidigte er die Rechte Berns in seinen „Recherches sur les anciennes assemblées du Pays de Vaud" (1797). Der Umsturz 1798 unterbrach seine öffentliche Laufbahn. Er focht gegen die einrückenden Franzosen auf dem Schlachtfeld von Gümmenen und eilte hierauf ins Oberland, um von hier aus den Kampf gegen die Invasoren fortzusetzen. Als entschiedener Gegner der Helvetik half er 1802 den Widerstand organisieren und trat zu Beginn der Mediation 1803 als Schultheiß an die Spitze Berns. M. führte seinen Kanton aus der durch die franz. Okkupation verursachten Not. Auf seine Anregung hin fand 1805 das Älplerfest in Unspunnen bei Interlaken als schweizer. Nationalfeier als Manifestation der Rückbesinnung auf das Bodenständige und die Sittenstrenge der Ahnen statt. In Abkehr vom aristokratischen Absolutismus setzte er sich nunmehr für eine Beteiligung der Landleute an den Staatsgeschäften ein. Mußte er 1806 sein Amt aus gesundheitlichen Gründen ablegen, wurde er nach dem Umsturz 1813 zusammen mit seinem Freund Rudolf v. Wattenwyl wieder in seine alte Würde eingesetzt. 1814/15 ging er als Gesandter Berns an die Höfe der verbündeten Monarchen und zum Abschluß des neuen Bundesvertrages nach Zürich. 1818 und 1824 leitete er als Landammann der Schweiz die Tagsatzung.

Neben den Staatsgeschäften fand M. stets Zeit für seine wissenschaftlichen Interessen. Um das Studium der vaterländischen Geschichte zu fördern, gründete er 1811 die Schweizer. Geschichtforschende Gesellschaft. Er hoffte,

„daß das bei manchem Schweizer durch den Geist der Zeit eingeschläferte Hochgefühl für Nationalsinn, Nationalfreiheit und Nationalehre wieder geweckt werden" könne. Die Aufgabe der Geschichte, schrieb er, liege darin, die Gegenwart aus der Vergangenheit verständlich zu machen, weil ein Einzelleben zu kurz sei, um die Summe der Erfahrung zu ziehen. Daher sollten als Nährboden für die Geschichtsforschung die Zeugnisse schweizer. Vergangenheit gesammelt und veröffentlicht werden. Auf seine Anregung hin entstand als Forum der Gesellschaft die Zeitschrift „Der schweizer. Geschichtforscher". In seinem „Versuch einer diplomatischen Geschichte der Reichsfreiherren von Weißenburg im Bernischen Oberland", mit dem er 1812 die neue Zeitschrift eröffnete, verklärte er das Mittelalter und machte damit Schule in der Schweiz. Insgesamt hat M. jedoch als Historiker weniger durch eigene Schriften gewirkt als vielmehr durch seine Anregungen. – M. war zu seiner Zeit der bekannteste Berner. Er unterhielt einen ausgedehnten Briefwechsel mit Geistesgrößen des In- und Auslandes. Fürsten und Politiker, Wissenschaftler und Literaten genossen seine Gastfreundschaft auf dem Bächigut bei Thun. Gegen Ende der Restaurationsepoche trat M. 1827 aus Gesundheitsgründen vom Schultheißenamt und als Mitglied des Kleinen Rates zurück. Mit Sorge verfolgte er in seinen letzten Lebensjahren die Rückwirkungen der franz. Julirevolution 1830 auf die Schweiz.

L ADB 22 u. 24; J. N. Wurstemberger, Lebensgesch. d. Schultheißen N. F. v. M., in: Schweizer. Geschichtforscher 9, 1837; G. v. Wyss, N. F. v. M. in: Slg. Bern. Biogrr. II, 1896, S. 631–40 *(W, P);* H. G. Keller, La Chartreuse, Der Landsitz d. Schultheißen N. F. v. M., 1941; 100 J. Allg. Gesch.forschende Ges. d. Schweiz 1841–1941, 1941; W. Gresky, N. F. v. M., Göttinger Student, Schweizer Politiker u. Gesch.forscher 1760–1833, in: Göttinger Jb. 1972, S. 133–61; R. Feller u. E. Bonjour, Gesch.schreibung d. Schweiz II, ²1979, S. 605 ff.; HBLS *(P);* Kosch, Biogr. Staatshdb.; Schweizer Lex.

P Gem. v. F. Oelenhainz, Priv.bes., Abb. in: R. v. Fischer, Schätze d. Burgerbibl. Bern 1953, Tafel 17.

Edgar Bonjour †

2) *Helene,* Frauenrechtlerin, * 27. 11. 1850 Bern, † 11. 3. 1924 ebenda.

V Egbert Friedrich (1817–87), Historiker (s. Einl.), S d. Gottfried (1790–1840), Oberamtmann zu Nidau; M Charlotte v. Mutach (1828–1901); *Ur-Gvv* Nikolaus Friedrich (s. 1); *Ov* Rudolf (1805–79), preuß. Kammerherr u. Gutsbes.; *B* Hans (1858–1936), ∞ Alice de Bary, * 1868, Dichterin), bern. Forstmeister, Eberhard (1861–1927), preuß. Diplomat, Wolfgang (1863–1917), Historiker (beide s. Einl.); – ledig.

Das konservative Elternhaus ließ der hochgabten Tochter eine sorgfältige Ausbildung angedeihen, verwehrte ihr jedoch ein Theologiestudium. M. konnte daher nur als Hörerin in den 1880er Jahren theologische und philosophische Vorlesungen an der Univ. Bern besuchen. Zeitlebens pflegte sie einen regen Austausch mit dem 1888 nach Greifswald berufenen Berner Theologen Adolf Schlatter (1852–1938). 1890 lernte M. anläßlich eines Klinikaufenthalts – sie litt an Tuberkulose und mußte sich einer schweren Tumoroperation unterziehen – ihre spätere Lebensgefährtin und Mitarbeiterin, die Medizinstudentin Emma Pieczynska-Reichenbach, kennen. Nun setzte ein fruchtbares Engagement auf verschiedenen Ebenen der Frauenbewegung ein. Gemeinsam mit der Engländerin Josephine Butler, der Begründerin der „Fédération abolitioniste", rief sie die Berner Frauenkonferenzen sowie das Frauenheim und -restaurant „Daheim" ins Leben. Mit Emma Pieczynska-Reichenbach gründete sie die „Soziale Käuferliga", deren wichtigstes Anliegen die Schaffung gesunder Arbeitsbedingungen war. 1896 organisierte M. – ebenfalls mit Pieczynska-Reichenbach sowie mit Julie Ryff – in Genf den 1. Schweizerischen Kongreß für die Interessen der Frau. M.s Wirksamkeit verlagerte sich zusehends von der sozialen auf die politische Ebene. Sie wollte durch den Zusammenschluß aller lokalen Frauenvereine zu einer schweizer. Dachorganisation den Anliegen der Frauen Gehör verschaffen und ihre Umsetzung auf politischer Ebene vorantreiben. 1900 erfolgte die Gründung des „Bundes Schweizer. Frauenvereine" (BSF), welchem M. bis 1904 präsidierte und dessen Vorstand sie bis 1920 angehörte. Anläßlich der Ausarbeitung des Schweizer. Zivilgesetzbuches nahm M. zu Fragen des ehelichen Güterrechts Stellung. Obwohl ihren Postulaten betreffend einzelner diskriminierender Paragraphen kein Erfolg beschieden war, erreichte sie immerhin – in der Person des Privatrechtlers Max Gmür – die Delegation einer Frauenvertretung in die vorberatende Kommission. Seit 1908 wurde M. zur vehementen Verfechterin des Frauenstimmrechts in der Schweiz.

M.s Frauenideal war eng verknüpft mit ihrer religiös-sozialen Grundhaltung; es leitete sich von der in kritischer Auseinandersetzung mit der Bibel gewonnenen Vorstellung her, wonach Frauen eine in Gesellschaft und

Kirche aktive Rolle zukommt. An die Stelle des Geschlechterdualismus setzte sie die auf gemeinsame Entwicklung angelegte Geschlechterdifferenz. Obwohl sich M. intensiv um die Integration aller Frauenorganisationen, auch jener der Sozialdemokratie, bemühte, fußten ihre politischen Überzeugungen letztlich auf den bürgerlich-konservativen Idealen ihres Elternhauses.

W Die Stellung d. Frau z. soz. Aufgabe (Vortrag), 1897; Die Bedeutung d. internat. Frauenkongresses, in: Mschr. f. christl. Sozialreform, H. 8 f., 1903; Frauenbewegung, in: Hdwb. d. Schweizer. Volkswirtsch., Sozialpol. u. Verw. II, hrsg. v. N. Reichesberg, 1903; L' Alliance Nationale des Sociétés Féminines Suisses, Travail présenté à l' Assemblée du Relèvement moral à Lausanne, le 1er juin 1904, 1904; La Femme et l' Evangile, 1904; Die Erziehung d. Frau z. Bürgerin, 1907; Frauenstimmrecht, 1908; Die Ziele d. Frauenbewegung (Vortrag), 1909; Was d. Frauenbewegung v. Christentum erwartet (Vortrag), 1910.

L E. Zellweger, Dem Bund Schweizer. Frauenvereine z. 25j. Jubiläum seines Bestehens, in: Jb. d. Schweizer Frauen 1924, S. 62–82; dies., in: Schweizer Frauen d. Tat, II, 1929, S. 274–92; dies., Die Mutter d. Schweizer. Frauenbewegung, H. v. M., in: Frauen d. Tat 1850–1950, Sonderausg. d. Jb. d. Schweizer Frauen, 1951, S. 7–16; S. Woodtli, in: Reformatio 23, 1974, S. 208–23; Th. Egger, „Reich d. Verlorenen d. rettende Hand", H. v. M., d. schweizer. Frauenbewegung u. ihre Haltung in d. Prostitutionsfrage im ausgehenden 19. Jh., Proseminar-Arbeit an d. Univ. Bern, 1992; D. Brodbeck, in: Neue Wege 88, 1994, S. 356–61; Schweizer Zeitgenossenlex.; HBLS; Schweizer Lex. *(L, P)*

Annelies Hüssy

Müllenheim *(Mullenheim, Mùlnheim),* v., elsässische Familie.

Die M. gehörten seit dem Spätmittelalter zu den angesehensten Familien des Straßburger Patriziats. Der erste bekannte Vertreter der Familie ist *Johann,* um 1225 bischöfl. Weinmesser in Straßburg. Auf *Burkhard,* 1284 „hospes" Kg. Rudolfs I., dessen Enkel Ritter waren, und auf den schon 1290 als Ritter bezeichneten *Walter,* 1284–87 Schaffner des Bischofs von Straßburg, gehen alle Zweige des Geschlechts zurück.

Indem die M. den Königen, den Bischöfen von Straßburg und dem elsäss. Adel große Summen vorstreckten, erwarben sie Renten, Pfandschaften und Lehen und eröffneten sich somit den Zugang zum Adel. *Heinrich* († 1336), Sohn Burkhards, pachtete den bischöfl. Zoll in Straßburg; 1314 lieh er den Habsburgern 3500 Silbermark und erhielt als Pfand u. a. die Burg Ortenberg, die seinen Nachkommen bis 1551 als Gemeinherrschaft gehörte. 1327 stiftete er in Straßburg das Bethaus Allerheiligen als Grablege und Memorialkirche der M. Seit 1295 saßen die M. im Rat und waren, nach den rivalisierenden Zorn, im ersten Drittel des 14. Jh. die mächtigste Familie der Stadt. Die Spannungen zwischen beiden Familien entluden sich in einem Straßenkampf und hatten 1332 die Einführung der Zunftverfassung in Straßburg zur Folge. Auch nach 1332 saßen die M. bis 1419 171mal im Rat, u. a. 39mal als Stettmeister. Als der Einfluß der Patrizier, die vorerst noch Wehrwesen und Diplomatie beherrschten, zu Beginn des 15. Jh. weiter schwand, verließen viele von ihnen aus Protest 1419 Straßburg und verbündeten sich mit dem Bischof gegen das reichsstädtische Regiment. Während des sog. Dachsteiner Krieges öffnete *Hans* den Auszügern das Städtchen Dachstein, *Burkhard,* 1411–25 Reichsschultheiß von Hagenau, war ihr Wortführer. Ein Teil der M. kehrte in die Stadt zurück und saß, wie 1424 *Heinrich* v. M.-Landsberg, auch wieder im Rat, während ein anderer Teil Straßburg auf Dauer den Rücken kehrte und sich vollends dem Landadel assimilierte. Einzelne M. waren auch im 15. Jh. noch in der Lage, große Geldsummen zu verleihen, z. B. 17 100 fl. an Kurpfalz 1427, während andere landesherrliche Ämter übernahmen. *Walter* war 1383–94 Stiftspropst von Rheinau, zugleich Vogt von Reichenweier 1388–92 und 1391 Statthalter des Landvogts im Breisgau. *Hans* war 1429–32 Hofmeister des Markgrafen von Baden und 1446–48 Oberschultheiß von Zabern. Kirchliche Laufbahnen an den Straßburger Stiften und Klöstern wählten *Sigelin I.* und *Sigelin II.* als Pröpste von St. Thomas in Straßburg (1314–20 bzw. 1332–43). *Burkhard* veranlaßte als Abt von St. Walburg (1430–79) den Neubau des Kirchenchors mit seinen Glasfenstern. *Conrad,* 1500–07 Abt von Gengenbach, wurde 1506 von seinen Mönchen gefangengesetzt. Die M. schlossen sich überwiegend der Reformation an, einige, wie *Heinrich,* 1558–61 Abt von St. Pantaleon in Köln, blieben jedoch katholisch.

Im Straßburger Rat nahm die Beteiligung der M. bis 1490 allmählich ab, stabilisierte sich auf niedrigem Niveau und setzte 1578–1637 völlig aus. Nach zahlreichen Lehnsaufnahmen hatten sich die einzelnen Zweige der M. im 14. und 15. Jh. auf dem Land niedergelassen, vornehmlich im Unterelsaß und in der Ortenau. Im 16. Jh. residierten sie in Westhoffen, Mutzig, Rosheim, Schlettstadt, Dambach, Hüttenheim und Mittelweier und gingen im wesentlichen im Landadel auf. Die politisch-ökonomische Krise des 17. Jh. verringerte zwar ihren Besitz, aber dank der Mitgliedschaft im Direktorium der unterelsäss. Ritterschaft blieb ihr Prestige erhalten. Als die Linie M.-Westhoffen (bzw. v. Rosenburg) 1684 ausstarb, verblieben allein die heute noch blühenden M.-Rechberg. Diese wiederum teilten sich im 17. Jh. in einen elsäss.-franz. und einen elsäss.-preuß. (ev. gebliebenen) Zweig. Letzterer wurde von *Gebhard* (1599-1673, s. L) begründet, der 1625 nach Polen emigrierte, nachdem er zunächst als Oberjägermeister in Wien in kaiserl. Dienste getreten war, dann aber als Kammerherr und Starost an den poln. Königshof wechselte. 1625 erhielt er das poln. Indigenat und erwarb große Güterkomplexe in Litauen und Ostpreußen.

Nach der Annexion des Elsaß (1648) kehrten die M. nach Straßburg zurück, wo einzelne Mitglieder das unter franz. Herrschaft bedeutungslos gewordene Stettmeisteramt bekleideten. *Ludwig Heinrich* (1668-1723) konvertierte zum Katholizismus und trat in die franz. Armee ein. Dieser neuen politisch-konfessionellen Linie folgten weitere Familienmitglieder, denen Ludwig XV. 1773 ebenso wie den anderen Mitgliedern der unterelsäss. Ritterschaft die Berechtigung zuerkannte, sich künftig Baron zu nennen. Obwohl sich die M. nach außen hin franz. assimiliert gaben, kamen Heiratsverbindungen nur mit alteingesessenen elsäss. Adelsfamilien (Wurmser v. Vendenheim, Zorn v. Plobsheim, Bock v. Blaesheim, Truchsess v. Rheinfelden), in Ausnahmefällen mit neuadligen Familien (Klinglin und Glaubitz) zustande, und die Töchter traten als Kanonissinnen in die Damenstifte Andlau und Ottmarsheim ein. Zu Beginn der Revolution emigrierte *Anton Ludwig Ferdinand* (1724-1823), vormals Großjägermeister des Bistums Straßburg und Mitglied der elsäss. Provinzialversammlung von 1787, nach Ettenheim, wo er als bad. Kammerherr blieb. Sein jüngerer Bruder *Franz Jakob Ferdinand (1746-1814)* wanderte nach Santo Domingo aus. Er kehrte erst unter der Restauration 1814 nach Frankreich zurück und starb ohne Nachkommen in Bordeaux. Obwohl die M. inzwischen alle ihre elsäss. Einkünfte und Besitzungen verloren hatten, ging sein Neffe *Louis Maria Eduard* (1784-1867) nach einem zweijährigen Intermezzo im bad. Offiziersdienst 1809 wieder nach Frankreich und trat in die kaiserl. Armee ein, wo er die Feldzüge Napoleons nach Spanien, Portugal, Pommern und Rußland mitmachte. 1830 ließ er sich in Stotzheim auf das neu erworbene Schloß Grünstein nieder, wo seine Nachkommen heute noch residieren.

Zu der prot. Linie der M. in Preußen gehören *Adolf* (1798-1872), der als Offizier bei einem westfäl. Dragonerregiment für seinen Einsatz während der Befreiungskriege mehrere Orden erhielt und zuletzt Steuerrat in Lübben (Niederlausitz) war, sowie *Hermann* (1845-1903), Platzmajor in Straßburg, der durch zahlreiche Veröffentlichungen einen Beitrag zur elsäss. Geschichtsforschung leistete. *Burkard* (* 1910) war 1952-75 im höheren Auswärtigen Dienst der Bundesrepublik Deutschland, meist als Botschafter in Entwicklungsländern tätig (s. W).

W zu Burkard: Schlachtschiff Bismarck, Ber. e. Überlebenden (1980, 1987 u. d. T. „Ein Überlebender in seiner Zeit", zahlr. Aufll. u. Überss.)

L UB d. Stadt Straßburg, 7 Bde., 1879-1900; J. Kindler v. Knobloch, Das Goldene Buch v. Straßburg, 1886, S. 208-15 *(mit Stammtafeln);* ders., Oberbad. Geschlechterbuch III, 1919, S. 129-47; Hermann v. Müllenheim-Rechberg, Fam.buch d. Frhr. v. M.-Rechberg, 3 Bde., 1896-1915 *(mit Vorsicht zu gebrauchen);* E. v. Borries, Das Geschl. v. M., in: ZGORh 63, 1909, S. 445-71; G. Weill, Le patriciat de Strasbourg à la fin du moyen-âge, Diss. masch. Paris, 1963; ders., Origine du patriciat strasbourgeois aux XIIIe et XIVe siècles, Les lignages Zorn et M., in: Actes du 92e Congrès National des Sociétés Savantes, Bull. philologique et historique du Comité de Travaux historiques, 1967, 1969, I, S. 257-302; P. Greissler, La classe politique dirigeante à Strasbourg, 1650-1750; 1987; M. Alioth, Gruppen an der Macht, Zünfte u. Patriziat in Straßburg im 14. u. 15. Jh., 2 Bde., 1988; B. Metz, Inventaire analytique des archives de la famille de M., 1988; ders., in: Nouveau Dict. de biogr. Alsacienne *(im Druck).* – *Zu Gebhard:* H. Rocholl, Der kgl. Poln. Oberjägermeister u. Kämmerer Herr Gebhard v. M.-Rechberg (aus d. Elsaß) 1599-1673, 1881. – *Qu.* Stadtarchiv Straßburg; Gen.landesarchiv Karlsruhe.

Bernhard Metz, Erich Pelzer,
Burkard Frhr. v. Müllenheim-Rechberg

Müllenhoff. (ev.)

1) *Karl* Victor, Philologe, * 8. 9. 1818 Marne (Dithmarschen), † 19. 2. 1884 Berlin.

V Johann Anthon (1793-1857), Kaufm. in M., *S* d. Johann Karl Franz (1763-1815), Leinwandhändler u. Kaufm., u. d. Maria Victoria Klinger aus Itzehoe; *M* Anna (1800-25), *T* d. Peter Oselich Peters (1762-1813), Hausmann u. Kirchenältester in Oldenswort, u. d. Anna Catharina Greve (1773-1859); *Stief-M* (seit 1826) Juliane Friederike Messner (1805-36), (seit 1837) Jacobine Maassen (1808-1905); 6 *Geschw;* 15 *Halbgeschw;* – ∞ 1) Kronprinzenkoog

1846 Henriette (* 1873), T d. Bauern Claus Harms Thaden u. d. Betty Janssen, 2) Berlin (?) 1875 Ferdinande, T d. Johann Georg Helmsdörfer, Realschullehrer in Offenbach, u. d. Sophie Becker (1807–71), vermutl. 3) Anna Pelmann aus Oldenswort b. Eiderstedt; 3 S, 1 T aus 1), K aus 2), u. a. Adolf (s. 2).

M. begann 1837 in Kiel ein Studium der Philologie bei Gregor Wilhelm Nitzsch, das er 1839 in Leipzig bei Gottfried Hermann und Moriz Haupt, schließlich 1839–41 in Berlin bei Karl Lachmann, Wilhelm Grimm und Friedrich Ranke fortsetzte. Seit Herbst 1841 wieder in Kiel, erwarb er dort den Doktorgrad aufgrund einer Dissertation über die Theologie des Sophokles. Nach einer Tätigkeit als Hauslehrer in Meldorf wechselte M. an die Universitätsbibliothek in Kiel und habilitierte sich an der Universität. Dort lehrte er deutsche Sprache, Literatur und Mythologie und wurde 1846 zum ao. Professor ernannt. In diese Zeit fällt die Herausgabe einer Sammlung „Sagen, Märchen und Lieder der Herzogtümer Schleswig, Holstein und Lauenburg" (1845), erwachsen aus gemeinsamer Arbeit mit den Freunden Theodor Mommsen und Theodor Storm. Gleichsam eine Fortführung dieser Interessen zeigt sich in M.s Freundschaft zu Klaus Groth, dessen volkstümliche Dichtung „Quickborn" (1854) er in späteren Auflagen mit einem Glossar, einer Einleitung und einer Übersetzung versah. Wie diese Arbeiten den Grimms verpflichtet waren, so griff auch die zweite Edition der Kieler Zeit auf Anregungen der Berliner Studienjahre zurück. „Kudrun, die echten Teile des Gedichtes" (1845) versuchte eine Textkritik im Sinne der Nibelungenstudien Lachmanns. 1854 erhielt M. die Ernennung zum o. Professor.

1858 wurde M. als Nachfolger Friedrich Heinrich v. der Hagens an die Berliner Universität berufen und 1864 – als Nachfolger Jacob Grimms – in die Preuß. Akademie der Wissenschaften gewählt. Anders als in Kiel konnte M. in Berlin eine Reihe von Schülern gewinnen, die – wie Wilhelm Scherer und Elias v. Steinmeyer – für die weitere Entwicklung der Germanistik bedeutsam wurden. Die wissenschaftliche Arbeit M.s kreiste bis zu seinem Tod um das große Projekt einer „Deutschen Altertumskunde", von der allerdings zu seinen Lebzeiten nur der 1. Band (1870) und die erste Hälfte des 5. Bandes (1883) erscheinen konnten. M. wollte, ausgehend von Untersuchungen zur Besiedelung Europas, die Mythologie, die Religions- und Staatsformen sowie die literarische Überlieferung (besonders die Heldensage) der germanischen Stämme beschreiben. M.s ausgreifende Arbeiten bewiesen akribische Kenntnisse der germanischen und klassischen Sprachen; die methodischen Verfahren der klassischen Philologie, insbesondere seines Lehrers Lachmann, blieben ihm unverzichtbare Voraussetzung ernsthafter Wissenschaft. Der Versuch einer Revision dieser Position im sog. „Nibelungenstreit" wurde von M. mit scharfer Polemik gegen Kollegen wie Adolf Holtzmann und Friedrich Zarncke zurückgewiesen.

Weitere W u. a.: Zur Runenlehre, 1852 (mit R. v. Liliencron); Zur Gesch. d. Nibelunge Not, 1855; Altdt. Sprachproben, 1864, ⁴1885, Neudr. 1964; Denkmäler dt. Poesie u. Prosa aus d. 8.-12. Jh., 1864, ⁴1964 (mit W. Scherer); Dt. Heldenbuch, 5 Bde., 1866–73, Neudr. 1963–68; Laurin, 1874; Beovolf, Unterss. üb. d. angelsächs. Epos u. d. älteste Gesch. d. german. Seevölker, hrsg. v. H. Lübke, 1889. – *Hrsg.:* Zs. f. dt. Altertum, 1874–84 (mit E. v. Steinmeyer u. W. Scherer). – Briefwechsel zw. K. M. u. W. Scherer, hrsg. v. A. Leitzmann, Mit e. Einf. v. E. Schröder, 1937; Um d. Quickborn, Briefwechsel zw. K. Groth u. K. M., 1938.

L ADB 22; W. Scherer, K. M., Ein Lb., 1896; H. Staack, Die mütterl. Vorfahren d. Germanisten K. v. M., in: Jb. f. d. Schleswigsche Geest 12, 1964, S. 151–75 *(P);* R. Kolk, Berlin od. Leipzig? Eine Stud. z. soz. Organisation d. Germanistik im „Nibelungenstreit", 1990; Kosch, Lit.-Lex.³; Killy.

P F. Behrend, Gesch. d. dt. Philol. in Bildern, 1927, S. 36, 73; Bildnisse berühmter Mitgll. d. Dt. Ak. d. Wiss. zu Berlin, 1950.

Rainer Kolk

2) *Adolf,* Bauingenieur, * 14. 3. 1876 Berlin, † 5. 3. 1954 Lübeck.

V Karl (s. 1); *M* Ferdinande Helmsdörfer; ∞ Hadersleben (Schleswig) 1920 Mathilde Berta (1888–1965), Wwe d. N. N. Bresslau, T d. Oberlehrers Ludwig Siemonsen (* 1855) u. d. Anna Petersen (* 1855); 1 T.

M. studierte an den Technischen Hochschulen Darmstadt und Berlin-Charlottenburg Bauingenieurwesen. Widrige wirtschaftliche Verhältnisse zwangen ihn zum Abbruch seines Studiums und zum vorzeitigen Eintritt ins Berufsleben. Nach einer Anfangstätigkeit als Statiker und Konstrukteur in einem mitteldeutschen Stahlbauunternehmen ging er für einige Jahre in die USA, wo er im Stahlhoch- und Brückenbau arbeitete. Die damaligen großartigen Leistungen der amerikan. Ingenieure, insbesondere beim Bau weitgespannter Brücken, prägten seine weitere fachliche Entwicklung nachhaltig. 1907 kehrte M. nach Deutschland zurück und trat nach einigen Wanderjahren in die Gutehoffnungshütte in Oberhausen-Sterkrade, eine der bedeutendsten deutschen Stahlbauanstalten, als Bürovorstand ein. Unter seiner Leitung entstanden eine Reihe bedeutender Hoch- und Brückenbauten. Erst 1921 legte er im Alter von 45 Jahren an der TH Berlin-Charlottenburg die Diplomprüfung als Bauingenieur ab. Seine langjährige erfolgreiche, das gesamte Gebiet des Stahlbaues umfassende Tätigkeit war 1923 Veranlassung für seine Berufung auf den Lehrstuhl für Statik der Hochbaukonstruktionen und Stahlbau der TH Aachen (Dekan 1941). Dort wirkte M. bis 1944, als die Kampfhandlungen vor Aachen zur Einstellung der Lehr- und Forschungstätigkeit zwangen. Durch Kriegseinwirkung verlor er seine gesamte Bibliothek und seine in jahrzehntelanger Arbeit zusammengetragenen Aufzeichnungen. Nach dem Kriege kehrte M., der inzwischen die Altersgrenze überschritten hatte, nicht mehr nach Aachen zurück. Er lebte bis zu seinem Tode in Lübeck. M.s stets dem neuesten Stand der Erkenntnis angepaßte Vorlesungen stellten eine wahre Fundgrube des Fachwissens im Stahlbau dar. Als technisch-wissenschaftlicher Berater und als Gutachter hielt er in seiner Aachener Zeit stets die Verbindung zur Praxis aufrecht. Seiner Neigung entsprechend war M. in erster Linie Konstrukteur. In seinen Veröffentlichungen behandelte er vorzugsweise aktuelle Fragen der Praxis. Zeitlebens verfolgte er mit besonderem Interesse die amerikan. Literatur, aus der er die deutsche Fachwelt in zahlreichen Aufsätzen mit bedeutenden Stahlbauwerken, darunter auch den großen Hängebrücken, bekanntmachte. Sein Erfahrungsschatz sowie seine Aufgeschlossenheit gegenüber Werken der mittelalterlichen Baukunst waren die Grundlage für die Mitarbeit bei der Restaurierung alter Kirchen in der Köln-Aachener Gegend und später bei Wiederherstellungsarbeiten in der Umgebung von Lübeck.

W Der Brückenbau d. letzten 50 J., in: Der Bauing. 6, 1925, H. 1, S. 22 f.; Versuche d. amerikan. Bureau of Standards an großen Säulen mit H-Querschnitt, ebd. 10, 1929, H. 1, S. 75–79, H. 6, S. 98–102, H. 10, S. 341; Zur Berechnung unsymmetr. Querschnitte auf Biegung, ebd. 12, 1931, H. 3, S. 48 f.; 14, 1933, H. 11/12, S. 149; Berechnung, baul. Durchbildung u. Ausführung geschweißter Eisenbahnbrücken, ebd. 12, 1931, H. 18/19, S. 33–35; Hängebrücke üb. d. Ohio in Portsmouth/Ohio, in: Die Bautechnik 6, 1928, H. 9, S. 108–12, H. 20, S. 267–69; Versuche an Armco-Eisen, ebd. 7, 1929, H. 20, S. 338–40, H. 44, S. 700; Durchlaufträger mit Gelenkvierecken a. d. Stützen, in: Der Stahlbau 6, 1933, H. 25, S. 193–96; Brückenbau d. neuesten Zeit, in: VDI-Ztg. 65, 1921, S. 815–20, 844–47; Rüstungsbau, 2 Bde., ²1951 (mit H. Kirchner). – *Hrsg.:* Das Cross'sche Verfahren z. schrittweisen Berechnung durchlaufender Träger, ²1948 (mit W. Dernedde).

L H. Pfannmüller, in: Der Stahlbau 23, 1954, H. 10, S. 248; P. Stein, in: Der Bauing. 29, 1954, H. 4, S. 156; Pogg. VII a.

Georg Knittel

Müllensiefen. (ev.)

1) *Peter Eberhard,* Fabrikant, Politiker, * 7. 3. 1766 Ründeroth (Bergisches Land), † 10. 4. 1847 Crengeldanz b. Witten/Ruhr.

Die Fam. ist seit 1634 in Müllensiefen b. R. nachweisbar, wo sie d. Landwirtsch. nachging. – *V* Johann Peter (1729–1804), Beamter, *S* d. Michael (1681–1754) u. d. Katharina König (1686–1759); *M* Anna Maria († 1770), *T* d. Johann Eberhard Birkenbach in Strombach u. d. Anna Christina Heuser; *Stief-M* (seit 1772) Magdalena, *T* d. Peter Nörrenberg in Neustadt/Haardt u. d. Anna Katharina Pamphus aus Eckenhagen; ∞ 1) 1794 Henriette Wilhelmine Elisabeth (1775–97), *T* d. Johann Caspar Rumpe (1748–1833), Kaufm. in Altena, u. d. Henriette Wilhelmine Maste (1748–1803), 2) 1798 Wilhelmina (1777–1814), *T* d. Johann Gisbert Riedel (1737–85), Kaufm. in Iserlohn, u. d. Christina Maria Middendorf (1744–93); 5 *S*, 5 *T*, u. a. Gustav (1799–1874), Glasfabr., seit 1825 kaufmänn. Leiter d. Glasfabr. in C., seit 1865 alleiniger Inh., Bergwerksbes., wesentl. beteiligt an d. Entwicklung d. Ruhrkohlenbergbaus, seit 1856 1. Vors. d. neugegründeten IHK Bochum, Theodor (s. 2), Julius (1811–93), Theologe in Berlin, Luise Wilhelmine (1797–1884, ∞ Johann Ferdinand Franz v. Oppeln-Bronikowski, 1791–1851, Orientalist); *E* Hermann (1837–97), 1890–93 nat.liberaler Reichstagsabg. (s. BJ IV, Tl.), Theodor (1845–1926), KR, beide Glasindustrielle in C., Hans Hermann v. Oppeln-Bronikowski (1826–1902), Gen.lt. (s. Priesdorff VIII, S. 148 f.).

Mit 13 Jahren verließ M., der nur über eine Grundschulbildung verfügte, seine oberberg. Heimat, um bei Johann Caspar Rumpe in Altena eine Handelslehre zu beginnen. Er begleitete Rumpes Aufstieg zu einem der bedeutendsten Unternehmer der Gfsch. Mark, half ihm, den span. Markt für Altenaer Draht zu erschließen, und wurde später sein Sozius und Schwiegersohn. Zeitweilig hatte M. den Plan, eine Weinflaschenfabrik für den Export nach Spanien zu gründen. 1783 errichtete er gemeinsam mit Rumpe eine Nähnadelmanufaktur, erprobte neue Produktionsmethoden und war maßgeblich an der Einführung engl. Technologien in der Herstellung von Stahlnadeln beteiligt. Nach dem Tode seiner ersten Frau überwarf er sich mit seinem Schwiegervater und gründete 1800 gemeinsam mit seinem Schwager Johann Hermann Altgeld eine eigene Manufaktur in Iserlohn. Die Firma Müllensiefen & Altgeld vertrieb

Nähnadeln und andere Iserlohner Metallwaren und ging frühzeitig systematisch vom Messe- zum Fabrikantenhandel über, d. h. man konzentrierte sich auf den Direktabsatz durch Reisende in ganz Nord- und Westeuropa. Das Unternehmen hatte aber mit den Handelshemmnissen durch die Napoleonischen Kriege zu kämpfen. 1817 schied M. aus der Firma aus. Seit 1825 beriet und unterstützte er seine Söhne Gustav und Theodor bei der Gründung ihrer Glasfabrik in Crengeldanz.

Erfolgreicher als in seinen Unternehmungen war M. als Politiker und preuß. Beamter. Er wurde bald nach 1800 gemeinsam mit Friedrich v. Scheibler Sprecher der Iserlohner Kaufmannschaft und bekleidete auch zahlreiche kirchliche und kommunale Ehrenämter. In der Franzosenzeit plädierte er als glühender Verehrer Napoleons noch 1811/12 für einen Anschluß des Ghzgt. Berg an Frankreich, um handelspolitische Nachteile auszugleichen. 1813 votierte er um so nachdrücklicher für Preußen, für das er eine konstitutionelle Monarchie erhoffte. Nach der Einrichtung der Landkreise in der neuen preuß. Provinz Westfalen wurde M. 1816 erster Landrat im gewerbereichen Kreis Iserlohn. Als einziger westfäl. Landrat mit kaufmännischer Erfahrung beriet er den Oberpräsidenten v. Vincke als Gutachter in zahlreichen Fragen von Handel und Gewerbe und verfaßte mehrere wichtige Stellungnahmen zur Kinderarbeit, zur Gewerbefreiheit in den westlichen Provinzen Preußens und zum Außenhandel. 1835 schied er aus dem Staatsdienst aus und verbrachte den Lebensabend bei seinen Kindern in Crengeldanz. M. war Mitglied der Literarischen Gesellschaft für die Gfsch. Mark und selbst schriftstellerisch tätig. In jungen Jahren von Rousseau und später von Hegel beeinflußt, wurde er im Alter Anhänger der pietistisch-spiritistischen Swedenborg-Sekte. Seine postum veröffentlichte Autobiographie ist eine der wichtigsten Quellen zur Frühindustrialisierung Westfalens.

W Ein dt. Bürgerleben vor 100 J., Selbstbiogr. d. P. E. M., hrsg. v. F. v. Oppeln-Bronikowski, 1931 (P).

L E. Lülff, Landrat P. E. M., 1963; D. Wegmann, Die leitenden staatl. Verw.beamten d. Prov. Westfalen 1815–1918, 1969; C. Wischermann, Handlungsspielräume d. frühindustriellen Unternehmerschaft zw. Paternalismus u. Liberalismus, in: W. Köllmann, W. Reininghaus u. K. Teppe (Hrsg.), Bürgerlichkeit zw. gewerbl. u. industrieller Wirtsch., 1994, S. 89 f.; W. Reininghaus, Die Stadt Iserlohn u. ihre Kaufleute 1700–1815, 1995.

Wilfried Reininghaus

2) *Theodor*, Glasindustrieller, * 9. 9. 1802 Iserlohn, † 26. 5. 1879 Theodorshof b. Rheinfelden (Schweiz).

V Peter Eberhard (s. 1); M Wilhelmina Riedel; B Gustav (s. Gen. 1). – ledig.

Finanzielle Schwierigkeiten der Familie ermöglichten M. lediglich eine Elementarschulausbildung. Krankheiten in der Jugend förderten seine geistige Isolierung und religiöse Neigungen. M., der seinen Militärdienst bei den in Dortmund stationierten Ulanen ableistete, wollte zunächst Landwirt werden, fand aber in diesem Beruf keine Befriedigung. So ging er als noch nicht Zwanzigjähriger auf den Vorschlag seines Bruders Gustav zur Gründung einer Glashütte im aufstrebenden westfäl. Gewerbegebiet ein. Zunächst mußten die jungen Unternehmer eigene technische Kenntnisse in der Glasherstellung erwerben. Diese sollte sich der für die technische Leitung der Fabrik vorgesehene M. aneignen. 1822–25 durchwanderte er unter großen Entbehrungen Europa und besichtigte Glashütten in Stolberg, Saarlouis, Saarbrücken, Sulzbach, Friedrichsthal, Lauffen und Goldenberg (Schweiz), Mailand, Bologna und Rom sowie weitere Produktionsstätten in Bayern, Böhmen und Schlesien. Er arbeitete selbst als Glasmacher u. a. in einer Fensterglasfabrik in der Schweiz, wo damals schon der Versuch gemacht wurde, Braunkohle zum Schmelzen des Glases zu verwenden. In anschaulichen Berichten an den Bruder und in Briefen an den Vater gab er bemerkenswerte Einblicke in die Betriebsverhältnisse der damaligen Glasindustrie Deutschlands und umliegender Staaten.

Aufgrund seiner Erfahrung entschied sich M. bei der geplanten Gründung der Glashütte statt der bisher üblichen Holzfeuerung für die Steinkohlenfeuerung. Er sah wohl die Entwicklung des in den Anfängen steckenden Steinkohlenbergbaus an der Ruhr voraus. Für 4400 Taler, die aus der Familie und von Geldgebern aus dem bergisch-märkischen Gewerbe kamen, erwarben die Brüder mit Unterstützung des Vaters das Rittergut Crengeldanz bei Witten an der Ruhr. An der 1825 gegründeten Firma war kurze Zeit Johann Caspar Post aus Eilpe bei Hagen beteiligt. Nach dessen Ausscheiden firmierte das Unternehmen seit Ende 1826 als „Gebr. Müllensiefen". Anfängliche Finanzierungsprobleme besserten sich in den 30er Jahren durch Kapitaleinlagen des Wuppertaler Fabrikanten Julius Möller. Wegen Differenzen in technischen Fragen trennte man sich aber bald wieder. Die Beziehungen zum Schaaffhausenschen Bankverein, die auf familiärer Grundlage beruhten, erwiesen sich als dauerhafter. 1841 waren die Schulden bei Möller abgetragen.

In der Anfangszeit hatte M. mit Verfahrensproblemen zu kämpfen. Die Ruhrkohle war zur Feuerung beim Strecken und Blasen nicht geeignet. M. hatte auf weiteren Reisen die Fabriken in Manchester kennengelernt und war auch in Frankreich und Belgien gewesen. Einen direkten Erfolg brachten die Verbindungen mit ausländischen Glasfabriken nicht. M. konstruierte einen neuen Streckofen, der sich aber noch nicht durchsetzte. Erst in den 30er Jahren konnte er den Grundstein für den Erfolg des Crengeldanzer Glases legen, das sich nun bewährte und regen Absatz fand. Zunächst wurden Glaskugeln und Säureballons hergestellt, dann Fensterglas – speziell besonders große Scheiben für repräsentative Neubauten – und Bilderglas. Die Produktionsverfahren wurden modernisiert und qualifizierte Arbeiter ausgebildet. Die Geschäftsbeziehungen reichten bis Königsberg und Amsterdam. Mit seinen Qualitätsprodukten konnte das Unternehmen auch in Krisenzeiten der wachsenden Konkurrenz standhalten. In den 60er Jahren errichtete die Firma den vierten und fünften Ofen, nachdem durch Umbau der älteren Öfen schon Menge und Qualität des Fensterglases verbessert worden waren. Die unternehmerische Leistung M.s liegt in der Einführung der industriellen Tafelglasherstellung in Westfalen. Daneben förderten die Brüder mit allen eben entbehrlichen Kapitalien die Gründung von Zechen an der Ruhr.

Nach der Lösung der technischen und finanziellen Probleme in der Fabrik widmete sich M. vermehrt seinen politischen Interessen. Aus religiöser Überzeugung trat er für politische Freiheiten sowie Sittlichkeit und Wahrhaftigkeit in der Politik ein. Er engagierte sich mit vorbildlichen sozialen Einrichtungen für seine Mitarbeiter. Im Mai 1848 entsandte ihn der Wahlkreis Bochum in die Verfassunggebende Preuß. Nationalversammlung. Von Liberalität, aber auch von Königstreue geprägt, trat er für die konstitutionelle Monarchie ein und lehnte die Revolution strikt ab. Erst die Ablehnung der Kaiserkrone durch Friedrich Wilhelm IV., die Auflösung der Zweiten Kammer und die Einführung des Dreiklassenwahlrechts im Mai 1849, die er als eine Rechtsverletzung ansah, bewirkten einen Umschwung in seinen Ansichten. Bei den Neuwahlen desselben Jahres kandidierte er nicht mehr. Seit 1859 betätigte er sich als Ausschußmitglied aktiv im Deutschen Nationalverein. 1860–62 kehrte er für den Wahlkreis Dortmund-Bochum in das Preuß. Abgeordnetenhauses zurück und schloß sich der neugegründeten Deutschen Fortschrittspartei an, deren Zentralkomitee er angehörte. Ein Brief an den Kronprinzen wegen des Verfassungskonflikts um die Heeresreform soll eine für M. verletzende Reaktion erbracht haben, die ihn veranlaßte, aus dem politischen Leben ganz auszuscheiden. 1865 trat er auch von der Leitung der Glasfabrik zurück, die fortan von seinem Bruder und später von dessen Söhnen und Enkeln geführt und 1930 in eine AG umgewandelt wurde. M. erwarb ein Gut bei Rheinfelden (Schweiz), wo er in den ihm verbleibenden 13 Jahren Landwirtschaft betrieb und zu Stiftungen beitrug.

W Das allg. Wahlrecht vom rel. u. pol. Standpunkt aus betrachtet, 1850.

L 50 J. IHK Bochum, 1906; 75 J. IHK Bochum, 1932; Gebr. Müllensiefen, Glasfabr. Crengeldanz, 1825–1925, 1925; P. H. Mertes, Th. M., in: Rhein.-westfäl. Wirtsch.biogrr. II, 1937, S. 238–53 *(L, P)*; M. Schumacher, Auslandsreisen dt. Unternehmer unter bes. Berücksichtigung v. Rheinland u. Westfalen, 1968; H. Vollmerhaus, Reiseberr. e. westfäl. Glasindustriellen, 1971. – Eigene Archivstud. (Westfäl. Wirtsch.archiv, Dortmund).

Barbara Gerstein

Müller. (ev.)

1) *Jacob,* Mediziner, Mathematiker, * 11. 3. 1594 Torgau (Sachsen), † 10. 4. 1637 Meißen.

V Fabian, Ratsherr in T.; *M* Anne Bornitius, *Wwe* d. Georg Horst, Baumeister in T.; *Stief-B* Gregor Horst (1578–1636), Prof. d. Med. in Gießen (s. Jöcher; Strieder); -∞ 1619 Elisabeth (1597–1670), T d. hess. Oberzollschultheißen u. hess. Ger.schultheißen Johann Becker in Lohra b. Marburg; 7 *S,* u. a. Christoph Helfrich (1621–91), Ing. u. Baumeister zu Gießen (s. ThB), Ernst (1627–81), hess. Hofstaats- u. Rgt.prediger, Assessor d. Konsistoriums in Gießen (s. Strieder; Jöcher-Adelung), 6 *T*; *Schwieger-S* Georg Wenthen (1614–61), Lehrer d. Math., Prediger in Kirdorf (s. Strieder); *E* Johann Ernst (1653–1723), Baumeister (s. ThB); *Nachfahre* Johann Helfrich v. M. (s. 2).

M. besuchte seit 1609 das Pädagogium in Gießen. 1614 wurde er in Wittenberg immatrikuliert. Dort und an der Univ. Gießen studierte er Mathematik und Medizin. 1617 wurde er mit einer Arbeit „De natura motus animalis ... ex principiis physicis, medicis, geometricis et architectonicis deducta" in Gießen promoviert. 1618 übernahm er dort die Professur für Mathematik. Als 1625 die Universität nach Marburg verlegt wurde, erhielt M. die

Stelle eines Professors der Medizin und Mathematik (1635 Rektor). 1631 begleitete M. den Prinzen Friedrich, Bruder des Landgf. Georg II. von Hessen-Darmstadt, als Leibarzt nach Frankreich und Italien. Als Hessen-Darmstadt 1637 Truppen nach Sachsen schickte, machte M. den Feldzug als Kriegsrat und Artilleriedirektor mit, starb dabei aber an einer fiebrigen Erkrankung.

Neben seiner Universitätstätigkeit bekleidete M. die Stelle eines Kammerrats und hessendarmstädt. Oberbaumeisters. U. a. geht der Kanzleibau der Darmstädter Residenz für Landgf. Georg II. (1629, 1715 abgebrannt) im wesentlichen auf M.s Pläne zurück. Als Baumeister der Landgrafen entwarf er ein Brunnen- und Pumpwerk zur Wasserversorgung der Residenz. Ebenso sollte Schloß Waldeck bei Bad Wildungen mit einer Wasserleitung versehen werden, wobei ein Höhenunterschied von 120 Metern mittels eines Druckbehälters und eines Pumpwerks überwunden werden mußte. Die bereits begonnenen Arbeiten wurden infolge des 30jährigen Krieges nicht zuende geführt. M. war auch Zeichner und Kupferstecher; 57 Kupferstiche veröffentlichte sein Schwiegersohn Georg Wentenius („Selbst erfundene unnd mit eygner Hand gegrabene Emblemata", 1640). M.s Vielseitigkeit spiegelt sich in seinen Schriften: In seiner Dissertation erklärt er das Wesen der Bewegung der Lebewesen aus physikalischen, medizinischen, geometrischen und architektonischen Prinzipien. Neben medizinischen Werken verfaßte er eine „Disputatio physico astronomica de Cometis" (1630) und Handbücher zur Geometrie („Compendium geometricum", 1619) und Arithmetik („Arithmetices compendium", 1631). In der „Praxis Geometrica Universalis" (1621), die auch eine Sinus-, Tangens- und Sekans-Tafel enthält, lehrt M. die Berechnung von Drei- und Vierecken mit Hilfe der Trigonometrie und wendet dieses Wissen dann auf die Vermessungspraxis an (Bestimmung von Höhen und Abständen; Triangulation). Die „Sciographia solis" (1618) beschreibt ausführlich die Herstellung und den Gebrauch der Sonnenuhren und geht auf den Sonnenlauf und die Zeitmessung ein.

L Jöcher; Jöcher-Adelung; Strieder; W. Diehl, Der Kanzleibau Georgs II. am Darmstädter Residenzschloß, e. Werk d. Prof. d. Med. u. Math., auch Artilleriedir. J. M., in: Hess. Chron. 7, 1918, S. 129–36; P.-G. Franke u. A. Kleinschroth, in: Hydraulik u. Wasserbau, 1991, S. 34 *(P);* Pogg. II; ThB.

Menso Folkerts

2) *Johann Helfrich* v. M. (hess. Adel 1810), Architekt, Ingenieur, Erfinder, * 16. 1. 1746 Cleve, † 12. 6. 1830 Darmstadt.

V Lorenz Friedrich M. (1715–96), Architekt u. Ing. in hess. u. preuß. Diensten, seit 1760 Oberbaudir. d. Landgfsch. Hessen-Darmstadt (s. ThB), S d. Helfrich (1686–1759), Architekt, Oberbaudir. d. Landgfsch. Hessen-Darmstadt (s. ThB), u. d. Juliane Hegel (1692–1760); M Maria Magdalena Josepha (1726–1800), T d. Johann Gottfried Hambloch (1692–1764), Dr. iur., kurpfälz. Rat in Düsseldorf, u. d. Anna Gertrudis Fehr (1703–47/48); 12 jüngere *Geschw,* u. a. Franz v. M. (hess. Adel 1810), brit. Oberstlt.; *Vt* Helfrich Peter Sturz (Stürz) (1736–79), Journalist, Schriftst. (s. ADB 37); – ∞ Dauernheim (Oberhessen) 1781 Johanetta Catharina (1761–1830), T d. Gutsbes. Esaias Fabrice v. Westerfeld (1709–79) auf Westerfeld, u. d. Elisabeth Katharine Schröder (1724–65); 3 S, 2 T (1 jung †), u. a. Friederike (1784–1841, ∞ Ludwig Frhr. v. Gall, 1769–1815, hessen-darmstädt. Gen.major, s. NDB VI*); E Louise Freiin v. Gall (1815–55, ∞ Levin Schücking, 1814–83, Romanautor, s. ADB 32), Schriftst. (s. *L*); *Vorfahre* Jacob (s. 1).

M. besuchte das Darmstädter Pädagog, wo er den wenige Jahre älteren Georg Christoph Lichtenberg kennenlernte. 1762 wurde er Artilleriekadett in Gießen und hörte daneben an der Universität, u. a. den Mathematiker und Christian Wolff-Schüler Andreas Böhm. Auf Wunsch des Vaters brach M. die wissenschaftliche Ausbildung ab und machte sich, z. T. im Selbststudium, mit der Baukunst vertraut. 1769 übernahm er eine Ingenieurstelle bei Prinz Georg Wilhelm, Bruder von Landgf. Ludwig IX. 1774 wechselte er in die Dienste des regierenden Fürsten und war bis zur Pensionierung 1820 für die Landgrafschaft, das spätere Ghzgt. Hessen-Darmstadt, tätig, zuletzt als Direktor des Oberbaukollegs. Seit 1790 leitete M. die westliche Stadterweiterung von Darmstadt, bei der ein Klassizismus Berliner Prägung Anwendung fand; die Arbeiten wurden später von Georg Moller fortgesetzt. Von seinen Werken existiert in Darmstadt nur noch der Marktbrunnen.

Seit den 1770er Jahren befaßte sich M. mit diversen Erfindungen (u. a. Brennspiegel, Luftpumpe, Luftpistole, Entfernungsmesser, Barometer), von denen er einige publizierte. 1793 konstruierte er eine transportable Waage für schwere Lasten, die sich in der Praxis bewährte. 1813 fertigte der Hofmechaniker Hector Rößler nach seinen Plänen eine äquatoriale Sonnenuhr (Hess. Landesmus., Darmstadt). Bis ins hohe Alter grübelte M. über ein perpetuum mobile nach. Seine bedeutendste Entwicklung ist eine trommelförmige Rechenmaschine für die vier Grundrechenarten (Hess. Landesmus.). Sie wurde nach seinen Entwürfen angefertigt und am 24./25. 6. 1784 in Anwesenheit Lichtenbergs der Gesellschaft der Wissenschaften in Göttingen vorgeführt. Ob M. das von ihm realisierte Staffelwalzen-Konzept Philipp Matthäus Hahn verdankt, selbst erfand oder vielleicht über den Weg Leibniz-Wolff-Böhm erhielt, ist ungeklärt. Mit seiner Maschine, die dank auswechselbarer Anzeigescheiben in mehreren Zahlensystemen arbeitete, erstellte M. forstwirtschaftliche Rechentafeln (1788), das vermutlich erste mathematische Werk, das mit mechanischer Hilfe zustandekam. In Briefen an Lichtenberg und den Göttinger Mathematiker Albrecht Meister aus dem „annus mirabilis" 1784 finden sich Ideen für eine druckende Addiermaschine und für eine Differenzmaschine zur halbautomatischen Produktion mathematischer Tafeln. M. scheint auch an die Stereotypie für den Druck von Tafeln gedacht zu haben.

In seinen Werken und Schriften tritt M. als fleißiger, kreativer und praktisch begabter Mann hervor, der in der überschaubaren Gesellschaft Hessen-Darmstadts trotz fehlenden akademischen Grades die Chance zum Aufstieg nutzte. Stets spürbare ständische Barrieren und persönliche Schicksalsschläge – die drei erwachsenen Söhne und der Schwiegersohn starben vor ihm – verdüsterten jedoch sein Leben. Mit seinen bürgerlichen Tugenden, seiner moralischen Integrität und seinem Fortschrittsglauben nahm M. das Ingenieurideal späterer Jahrzehnte vorweg; manche seiner mathematischen Ideen waren ihrer Zeit weit voraus und weisen bereits in die Epoche des Computers.

W J. H. M.s Beschreibung seiner neu erfundenen Rechenmaschine, nach ihrer Gestalt, ihrem Gebrauch u. Nutzen, hrsg. v. Ph. E. Klipstein, 1786; Neue Tafeln, welche d. cub. Gehalt u. Werth d. runden, beschlagenen u. geschnittenen Bau- u. Werkholzes enthalten, 1788; Lebensbeschreibung d. Obristen u. Oberbaudir., auch Dir. d. Oberbaukollegs J. H. v. M., mitgeteilt v. W. Diehl, in: Hess. Chronik 17, 1930, S. 1–21. – Unveröff.: Zwei Mss. üb. Rechenmaschinen (Hess. Landesmus., Darmstadt); Geneal.-autobiogr. Ms. (Fam.bes.).

L O. Weber, Ein „Computer" d. 18. Jh., in: Photorin 3, 1980, S. 13–36; R. Bülow, Ein Entwurf f. e. Differenzmaschine aus d. J. 1784, in: Sudhoffs Archiv 73, 1989, S. 219–22; M. Lindgren, Glory and Failure, The Difference Engines of J. M., Charles Babbage and Georg and Edvard Scheutz, 1990 (P); Strieder; ThB; Pogg. II. – Zu Louise v. Gall: NDB VI*; H. Powell, Louise v. Gall, Her World and Work, 1993; DLB.

Ralf Bülow

Müller, Trierer Familie. (kath.)

1) *Sanderad* (Taufname: *Thomas,*) Benediktiner, Bibliothekar der Abtei St. Maximin in Trier, * 13. 5. 1748 Trier, † 14. 6. 1819 ebenda.

Die Fam. war seit etwa 1650 in Trier ansässig; V Johann Thomas (1712–90), Buchbinder, Kaufm., Träger d. Stadtbanners in T., S d. Thomas Müller-Zinndorf (* 1686) aus T.; M Maria Theresia Claudia (um 1727–93) aus Cochem, Wwe d. Kaufm. N. N. Cils, T d. Kaufm. N. N. Driesch; B Ludwig (1750–1813), Priv.gel., Meteorologe, Franz Tobias (1752–1827), Pfarrer, Historiker (beide s. ADB 22), Franz Joseph (s. 2).

M.s Vater ließ alle sieben Kinder in Malerei und Instrumentalmusik ausbilden, zwei Töchter besuchten Internate in Trier und Luxemburg, vier Söhne die Universität. M. trat nach einem Studium der Philosophie, Jura und Theologie 1770 in das Kloster St. Maximin in Trier ein, wo er sich mit Mathematik, Physik, Astronomie, Ballistik und Pyrotechnik befaßte. Nach der Priesterweihe 1773 vertraute ihm Abt Willibrord Wittmann 1777 die besonders an Handschriften reiche Bibliothek an. Eine Bildungsreise 1779/80 führte M. nach Rom, Neapel, Venedig und Wien. Seit 1782 lehrte er Mathematik in der Abtei. Vor den franz. Revolutionstruppen brachte er die wertvollsten Urkunden und Handschriften ins rechtsrhein. Deutschland in Sicherheit. Nach 1801 lebte M. als Privatgelehrter in Trier; als Mitglied der Gesellschaft für nützliche Forschungen (gegr. 1801) und Konservator ihrer Altertümersammlung bemühte er sich um Erwerb, Erhaltung und Inventarisierung des antiken Erbes in Trier und steht damit am Anfang der Denkmalpflege seiner Heimatstadt. – Ehrenmitgl. d. Ges. naturforschender Freunde in Berlin (1818).

W Beschreibung u. Meinung v. Vulkan Vesuv u. d. Schwefelthale od. d. sog. Solfatara, 1785; Nachtgedanken üb. d. Blendtod u. d. Beerdigung, 1802; Freundl. Vortrag üb. d. Mißhandlung d. Alterthümer, Kunstwerke u. wiss. Gegenstände, 1808; Blikke auf d. Enthauptungsmaschine in Hinsicht ihrer Verbesserung, 1808; Les Antiquités de la Porte neuve à Trèves, in: Trier. Kronik 6, 1821, S. 133–37.

L ADB 22 (W-Verz.); Litteraturztg. f. kath. Rel.lehrer, 10, 1819, Bd. 3, S. 417–22; Trier. Kronik 5, 1820, S. 69–72; G. Groß, Das Schicksal d. Klosterbibl. v. St. Maximin zu Trier in d. J. 1794–1818, in: Trierer Zs. 21, 1952, S. 369–79; ders., P. S. M. OSB (1748–1819), Ein Lb. d. letzten Bibliothekars v. St. Maximin u. ersten Konservators in Trier, in: Kurtrier. Jb. 16, 1976, S. 43–61; ders., Gedanken z. Humanisierung v. Tod u. Hinrichtung zu Beginn d. 19. Jh., in: Neues Trier. Jb. 1992, S. 52–72; ders. (Hrsg.), Von Ancona nach Loreto, Aus d. Beschreibung d. Italienreise in d. J. 1779/80 d. P. S. M. aus

St. Maximin zu Trier, in: Kurtrier. Jb. 32, 1992, S. 131–64; Pogg. II.

P Scherenschnitt, Abb. b. Groß, Von Ancona (s. *L*), S. 133.

Guido Groß

2) Michael *Franz Joseph,* Historiker, * 4. 10. 1762 Trier, † 26. 10. 1848 ebenda. (kath.)

B Sanderad (s. 1); – ∞ 1) Echternach 1789 Maria Anna Franziska Didier (1761–95) aus Echternach, 2) Echternach 1798 Anna Christina Tschiderer (1766–1819) aus Echternach; 2 S, 1 T aus 1).

M. studierte 1779–86 in Trier Philosophie, Theologie und Jura. Nach einem Jahr Verwaltungspraxis im kurfürstl. Amt Pfalzel vollendete er 1787/88 in Mainz seine Studien in Jura und Kameralistik. Nachdem sein Angebot, an der Univ. Trier unentgeltlich Vorlesungen in Staats-Polizei-Wissenschaft zu halten, 1789 vom kurfürstl. Hof abgelehnt worden war, ernannte ihn der Abt von Echternach, E. Limpach, 1791 zum Hochgerichtsschöffen. Im folgenden Jahr wurde er zum Deputierten der Stadt Echternach in die Landstände des Hzgt. Luxemburg entsandt. Unter franz. Herrschaft war er seit 1795 als Friedensrichter für den Kt. Echternach tätig und wurde 1812 zum Staatsprokurator ernannt. Nach dem Sturz Napoleons berief ihn Justus Gruner nach Trier an das Appellationsgericht. Bei dessen Verlegung nach Köln blieb M. auf eigenen Wunsch in Trier, wo er von 1820 bis zur Pensionierung 1827 als Landgerichtsrat amtierte.

Unter dem Einfluß der historischen Schriften des Weihbischofs N. v. Hontheim und seines Lehrers für Reichsgeschichte und Staatsrecht P. A. Frhr. v. Frank befaßte sich M. bereits als Student mit der trier. Geschichte. Dabei bezog er die Geographie, Klimatologie, Bevölkerungsstatistik, Staatsverfassung und Religion mit ein und nutzte für seine zahlreichen Publikationen die im Zuge der Säkularisation vermehrten Bestände der Stadtbibliothek. Sein volkspädagogisches Bildungsbemühen, das im Utilitarismus des 18. Jh. wurzelte, fand in dem Bibliothekar und Gymnasialdirektor J. H. Wyttenbach einen Mitstreiter. Ihre Zusammenarbeit führte zur Herausgabe der „Gesta Treverorum" (3 Bde., 1836–39), die im wesentlichen durch eine kritische Neuedition der MGH ersetzt ist. Nur der von M. aus Tagebüchern zusammengestellte, bis 1794 fortgeführte 3. Teil ist bis heute eine wichtige Quellenschrift, ebenso wie manche seiner 172 Abhandlungen, 36 selbständigen Schriften und die hinterlassenen Manuskripte. Als Anreger und Förderer der trier. Geschichtsschreibung nach 1800 und durch seine geographisch-statistischen und historischen Untersuchungen über Echternach, das Sauertal und das Hzgt. Luxemburg hat er Bedeutung für die dortige Landeskunde. – Mitgl. d. Hist. u. archäolog. Ges. in Wetzlar (1845).

W-Verz.: G. Groß, Das Gesamtwerk d. Trierer Historiker J. H. Wyttenbach u. M. F. J. M., in: Kurtrier. Jb. 8, 1968, S. 186–205.

L ADB 22; G. Groß, Trierer Geistesleben unter d. Einfluß v. Aufklärung u. Romantik, 1956; ders., Geistiges Streben in e. Trierer Bürgerfam., in: Aufklärung u. Tradition, Kurfürstentum u. Stadt Trier im 18. Jh., Ausst.kat. 1988, S. 189–94; ders., Frühe Ansätze zu e. Kurtrier. Landeskde., in: Btrr. z. Kultur- u. Regionalgeogr., FS f. R. Jätzold, 1993, S. 121–31; A. Neyen, Biogr. Luxembourgeoise, 1860, Neudr. 1972; J. Mersch, in: Biogr. Nationale du Pays de Luxembourg, X, 1960 *(P).*

P Ölgem. v. V. Maissonet, 1793 (Privatbes.); Scherenschnitt, beide Abb. b. Mersch (s. *L*).

Guido Groß

Müller. (ref.)

1) *Johannes* v. (eigtl. *M. v. Sylvelden*, Reichsadel 1791), Historiker, Staatsmann, * 3. 1. 1752 Schaffhausen, † 29. 5. 1809 Kassel.

Die Fam. geht zurück auf d. 1560 in Sch. eingebürgerten Gerber Michael M. aus Rheinau. – *V* Johann Georg M. (1722–79), Diakon in Neunkirch, Kt. Schaffhausen, seit 1760 Pfarrer in Neuhausen, Konrektor an d. Lateinschule in Sch., *S* d. Zuckerbäckers Hans Georg (1697–1766) u. d. Pfarrers-*T* Dorothea Ammann (1694–1768); *M* Anna Maria (1724–90), *T* d. Johannes Schoop (1696–1757), Pfarrer in Neunkirch u. Sch., u. d. Magdalena Elisabetha v. Waldkirch (1698–1742); *B* Georg (s. 2); – ledig.

Von seinem Vater für den Beruf des Predigers bestimmt, studierte M. 1769–71 Theologie in Göttingen, wandte sich aber schon bald der Geschichte zu und hörte bei August Ludwig Schlözer, daneben klassische Philologie bei Christian Gottlob Heyne. 1772–74 wirkte M. als Griechischlehrer am Collegium humanitatis in Schaffhausen. Hier vollendete er seine Dissertation („Bellum Cimbricum", 1772) und schrieb Rezensionen für die „Allgemeine Deutsche Bibliothek" in Berlin. Während dieser Zeit schloß er Freundschaft mit Joh. Heinr. Füssli und Karl Viktor v. Bonstetten. Eine Reise durch die Innerschweiz führte M. 1774–80 nach Genf, wo er 1774/75 eine Anstellung als Hauslehrer bei Staatsrat Jacquin

Tronchin-Calandrini fand. Inspiriert vom Geist der franz. Aufklärung, von der Lektüre der Schriften Montesquieus und den Begegnungen mit Voltaire, schrieb er 1776/77 die „Allgemeine Aussicht über die Bundesrepublik im Schweizerland". 1780 erschien in Bern M.s „Die Geschichten der Schweizer", wegen der politischen Zensur unter dem fingierten Druckort Boston. Die durch Gleim genährte Hoffnung, eine Anstellung in Berlin zu finden, zerschlug sich nach einer Audienz bei Friedrich d. Gr. am 11. 2. 1781, ebenso die Aussicht auf Lessings Nachfolge in Wolfenbüttel. Doch erhielt M. auf Empfehlung des Staatsministers Martin Ernst v. Schlieffen eine Professur für Statistik am Collegium Carolinum in Kassel, wo er 1781–83 historische Vorlesungen hielt. Unter dem Eindruck der Begegnung mit Herder 1782 in Weimar wandte sich M. von der Aufklärung ab und fand zu einer religiös fundierten Geschichtsbetrachtung. Anläßlich der Reise Pius' VI. nach Wien 1782 verfaßte er die „Reisen der Päpste". Darin würdigte er das Mittelalter als Epoche von eigenem Rang, die Religion als positive geschichtsmächtige Kraft, die päpstliche Autorität als dem Herrschaftsanspruch des Kaisers übergeordnet; das Reich erscheint in stark idealisierten Zügen.

1783–86 wieder in der Schweiz, hielt M. zuletzt Vorlesungen zur Weltgeschichte in Bern. Anfang 1786 folgte er einem Ruf als Bibliothekar an den Hof des Mainzer Erzbischofs Friedrich Karl v. Erthal, der ihn im März zum Hofrat ernannte. M. wohnte im Haus der Nichte und Vertrauten des Kurfürsten, Gfn. Sophie v. Coudenhove, und trat in engen Kontakt zu dem Mainzer Gelehrten- und Literatenkreis um Niklas Vogt, Samuel Thomas Soemmerring, Wilhelm Heinse und Georg Forster. 1786 erschien in Winterthur das erste und zweite Buch der „Geschichten schweizer. Eidgenossenschaft", die Neubearbeitung der Schweizergeschichte von 1780; die erste Abteilung des dritten Buches folgte 1788. Am Hof des Reichserzkanzlers kam M. mit der Reichspolitik in unmittelbare Berührung. Die hochfliegenden Pläne Erthals, der als einziger kath. Reichsfürst dem von Friedrich II. 1785 gegründeten Deutschen Fürstenbund beigetreten war, unterstützte M. mit aufsehenerregenden Schriften: „Zweierlei Freiheit" (in: Teutsches Museum, Juni 1786), „Darstellung des Fürstenbundes" und „Teutschlands Erwartungen vom Fürstenbunde" (anonym, 1787 bzw. 1788). Sie begründeten M.s Ruhm als politischer Publizist. Er sah mit einer Gruppe reichspatriotisch gesinnter Geister im Fürstenbund eine Reichsreformbewegung. Erthal beteiligte M. seit Herbst 1787 an der Reichspolitik, ernannte ihn im April 1788 zum Wirklichen Geheimen Legationsrat und bald darauf zum Geh. Konferenzrat und Mitglied der Staatskonferenz, 1791 zum Geh. Staatsrat. Im Zusammenspiel mit Sophie v. Coudenhove und deren heimlichem Verlobten, dem preuß. Gesandten Johann Friedrich vom Stein, gestaltete M. die Kurmainzer Reichspolitik maßgebend mit. Den episkopalistischen Bestrebungen am Mainzer Hof wirkte M. entgegen. Da die Stellung Carl Theodor v. Dalbergs zum Fürstenbund nach seiner Wahl zum Koadjutor von Mainz zweifelhaft war, begab sich M. im April 1787 nach Rom. Zusammen mit dem preuß. Gesandten Girolamo Lucchesini erreichte er bei Papst Pius VI., daß in das „breve eligibilitatis" die Bedingung aufgenommen wurde, Dalberg müsse dem Fürstenbund beitreten. M. stand den Reichsreformplänen Dalbergs und des Hzg. Carl August von Weimar nahe, die diese einem Kongreß als Anträge des Fürstenbundes vorlegen wollten. Als Preußen dieses Vorhaben verhinderte und klar wurde, daß der Fürstenbund in den Augen des preuß. Ministeriums keine Reichsreformbewegung war, sondern ein Instrument zur Zerstörung des österr. Einflusses im Reich, wandte sich M. enttäuscht vom Fürstenbund ab. Er befürwortete nun an der Seite des neuberufenen Hofkanzlers Franz Josef v. Albini eine auf Wien gestützte Reichspolitik.

M.s Kontakte mit den Wahlbotschaftern der Wiener Hofburg anläßlich der Kaiserwahl Leopolds II. führten im Oktober 1792, nach der Eroberung von Mainz durch die Franzosen, zu seiner Berufung nach Wien. Seit April 1793 wirkte M. als Hofrat an der Haus-, Hof- und Staatskanzlei. Dort umfing ihn die von Revolutionsangst bestimmte Wiener Atmosphäre. Die verschärfte Zensur und M.s Weigerung, zu konvertieren, ließen ihm kaum Entfaltungsmöglichkeiten. Seine Hauptbeschäftigung war die Ausarbeitung seiner weltgeschichtlichen Vorlesungen, die erst nach seinem Tod im Druck erschienen („Vier und zwanzig Bücher Allgemeiner Geschichten bes. der Europäischen Menschheit", in: Sämtl. Werke, Bde. 1–3, 1810). Im Auftrag des Außenministers Thugut verfaßte M. Flugschriften gegen den preuß.-franz. Sonderfrieden zu Basel 1795 und für die Fortführung von Österreichs Kampf gegen das revolutionäre Frankreich. Nach dem Frieden von Campoformio galt sein Einsatz der Rettung seines von Frankreich bedrohten Vaterlandes. Von Juli bis Dezember 1797 hielt sich M. in der

Schweiz auf, um im Auftrag Thuguts die Stimmung in den Kantonen zu erkunden. Dabei begegnete er in Zürich Goethe, Pestalozzi, Mallet du Pan und Karl Ludwig v. Haller. Die von Napoleon 1798 oktroyierte Verfassung hielt er für ein Verhängnis, die Helvetik von 1803 dagegen begrüßte er.

1800 wechselte M. von der Staatskanzlei auf die erste Kustosstelle an der kaiserl. Hofbibliothek, fand jedoch kein Vertrauensverhältnis zu dem Hofbibliothekspräfekten Gottfried van Swieten, einer der Säulen der josephin. Aufklärung. Die Nachfolge auf dessen Stelle blieb ihm 1803 wegen seines ref. Bekenntnisses verwehrt. M. vermittelte in Wien zwischen franz.-schweizer. (Montesquieu, Voltaire, Bonnet) und norddeutsch-prot. (Möser, Lessing, Herder) Geistesleben. Aus allen Teilen Deutschlands und der Schweiz liefen bei ihm Manuskripte mit der Bitte um Empfehlung an Verleger oder zur Weitergabe an Wiener Gelehrte ein. Zu M.s Umgang in Wien gehörten zahlreiche Repräsentanten von Wissenschaft und Literatur, wie der Gelehrte Johann Melchior v. Birckenstock, die Dichter Gottlieb Leon, János Batsányi und Heinrich Joseph v. Collin; zu seinen Schülern zählten Joseph v. Hammer(-Purgstall), Joseph v. Hormayr und Erzherzog Johann, der sich von M. in die schweizer. Geschichte einführen ließ. Mit jener von Goethes „Werther" vergleichbar war die Wirkung, die das Erscheinen der „Briefe eines jungen Gelehrten an seinen Freund" (1802), der frühen Briefe M.s an Bonstetten, mit ihrem Freundschaftspathos auf die deutschen Frühromantiker ausübte, doch wurde ihm sein Freundschaftskult zum Verhängnis. 1803 wurde er das Opfer einer Betrugsaffäre, die ihn in große Schulden stürzte. Die Wiener Minister Colloredo und Cobenzl nutzten seine Notlage aus, um ihn zur Übernahme einer geheimen Mission zu zwingen. Sie führte ihn Anfang 1804 nach Dresden zu Emmanuel Gf. d'Antraigues, einem mit M. befreundeten franz. Emigranten, der als russ. Geheimagent großen Einfluß auf die Entscheidungen des Zaren besaß, dann weiter nach Weimar und Berlin, wo M. die Chancen für eine neue Koalition gegen Napoleon sondierte. In Weimar führte er politische Gespräche mit Hzg. Carl August. Er sichtete den Nachlaß des gerade verstorbenen Herder und traf sich mit Goethe und Schiller, der sich bei der Arbeit am „Wilhelm Tell" auch auf M.s Schweizergeschichte stützte, sowie mit Benjamin Constant und Germaine de Staël.

Auf Vorschlag des Kabinettsrats Beyme, der für die geplante Universitätsgründung in Berlin renommierte Gelehrte zu gewinnen suchte, ernannte Friedrich Wilhelm III. M. 1804 zum Mitglied der Akademie der Wissenschaften und zum preuß. Hofhistoriographen. Friedrich Gentz, 1802 von Berlin nach Wien berufen, sollte M.s gewandte Feder in Wien ersetzen. Beide führten 1804–07 einen politischen Briefwechsel, der wie kein anderer die Krisenstimmung in Wien und Berlin vor und nach dem 3. Koalitionskrieg widerspiegelt. M. gewann in Berlin seine geistige Freiheit zurück. Er stand in Briefwechsel mit den Geistesgrößen seiner Zeit, in täglichem Gespräch mit den politischen, literarischen und gelehrten Kreisen Berlins, war befreundet mit Alexander v. Humboldt, Karl Gustav v. Brinkmann und dem Minister Friedrich Leopold v. Schrötter und förderte junge Talente. Er betreute die Edition der historischen Abteilung der Werke Herders (Tübingen 1805 ff.) und konnte die „Schweizergeschichte" fortsetzen (4. Buch, 1805). Er begann mit Forschungen zu einer Biographie Friedrichs d. Gr., der er zwei Vorlesungen in der Akademie der Wissenschaften vorausschickte (1805/07). Darin trat er der Kritik der Romantiker am König und seinem „Maschinenstaat" entgegen. In der Akademie regte M. eine textkritische Edition der deutschen Geschichtsquellen, der „Scriptores rerum Germanicarum" an, ein Unternehmen, das mit Gründung der „Monumenta Germaniae Historica" 1819 ins Leben trat. Kronprinz Ludwig von Bayern suchte seinen Rat für den Bau der „Walhalla", deren Name auf M.s Vorschlag zurückgeht. Friedrich Wilhelm III. bediente sich seiner als geheimen Beraters unter Umgehung des Kabinetts. Die patriotische Opposition um den Prinzen Louis Ferdinand und den Minister vom Stein, die den König für den Kampf an der Seite Österreichs und Rußlands gegen Napoleon zu gewinnen suchte, zog ihn in ihren Kreis. M. sah seine Hauptaufgabe darin, einer preuß.-österr. Verständigung den Weg zu bahnen, worüber er mit Gentz und Erzhzg. Johann in Wien korrespondierte.

Die Niederlage Preußens in der Schlacht bei Jena und Auerstedt Ende 1806 empfand M. als eine Zeitenwende, die er in apokalyptischen Bildern beschrieb. Die schärfste Zäsur seines Lebens stellte die Audienz bei Napoleon am 30. 11. 1806 im Berliner Schloß dar. Sie führte zu M.s Wendung auf die Seite des Korsen, in dem er das Werkzeug Gottes zur Errichtung einer neuen Weltordnung erkennen wollte. Im Rheinbund sah er die Möglichkeit, die föderative Ordnung Deutschlands zu bewahren und das Reich in veränderter Gestalt in ein neues Zeitalter hinüberzuretten.

Auf Befehl Napoleons wurde M. am 17. 11. 1807 Minister-Staatssekretär am Hof König Jérômes in Kassel, geriet aber schon bald in Gegensatz zu diesem und erbat seine Entlassung als Regierungschef. Im Februar 1808 wurde er zum Generaldirektor des Unterrichtswesens ernannt. Er kämpfte für den Erhalt der Universitäten Göttingen, Helmstedt, Marburg, Rinteln und Halle.

In der kleindeutschen Geschichtsschreibung wirkte Gentz' Verdikt nach, der M. wegen seiner Parteinahme für Napoleon des Opportunismus bezichtigt hatte. Tatsächlich hat M. seine Grundsätze nie geändert. Als Geschichtsschreiber schlug er die Brücke zwischen der Aufklärung und der Geschichtswissenschaft des 19. Jh. Wie sein Vorbild Montesquieu verstand er Geschichte und Politik als Einheit. Dem Beruf des Geschichtsschreibers und des Politikers fühlte er sich gleichermaßen verbunden. Kritisches Quellenstudium, wie es Schlözer forderte, verband er mit einfühlendem Verständnis in die Vergangenheit im Sinne Herders. Als größter Geschichtsschreiber der Goethezeit gerühmt, wirkte M., obwohl er nie ein akademisches Lehramt innehatte, durch einen großen Schülerkreis (darunter Friedrich v. Raumer und Heinrich Luden) weit ins 19. Jh. hinein. Die „Reisen der Päpste" und die farbenprächtige Schilderung der mittelalterlichen Lebenswelt in der „Schweizergeschichte" haben dem Geschichtsverständnis der Frühromantiker den Weg bereitet. M.s Rezensionen der Ausgaben des Nibelungenliedes, von Veldekes „Eineide" und Wolframs „Parcival" (in: Götting. Gel. Anz., 1783–85) wirkten stark auf die Erforschung der mittelhochdeutschen Dichtung nach 1800. Der junge Ranke stand im Bann von M.s Forscherfleiß und Sprachkraft. Das Erscheinen von M.s Sämtlichen Werken unmittelbar nach seinem Tod verstärkte die Wirkung seiner Schriften, die von größter Bedeutung für die Entwicklung eines schweizer. Nationalbewußtseins wurden.

W Sämmtl. Werke, hrsg. v. J. G. Müller, 27 T., 1810–19, Neudr. in veränderter Anordnung, 40 T. in 20 Bänden, 1831–35 (hier auch Autobiogr. v. 1806, Flugschrr., Akademiereden, Rezensionen, Briefe); Geschichten schweizer. Eidgenossenschaft, ausgew. u. eingel. v. F. Gundolf, 1923; Schrr. in Auswahl (mit M.s Autobiogr.), hrsg. v. E. Bonjour, 1953, erweitert ²1955; Vue Générale de la République Fédérative des Suisses, Version Française 1776/77 / Allg. Aussicht üb. d. Bundesrep. im Schweizerland, dt. Fassung 1776/77, 2 Bde., hrsg. v. D. u. P. Walser-Wilhelm, 1991; – *Briefe u. a.*: J. v. M.s Briefe an C. V. v. Bonstetten, 1773–1809, 3 Bde., 1835; Briefe zw. Gleim, Wilhelm Heinse u. J. v. M., hrsg. v. W. Körte, 1806; Briefe an J. v. M., hrsg. v. J. H. Maurer-Constant, 6 Bde., 1839/40; J. H. Maurer-Constant (Hrsg.), Btrr. z. Gesch. Dtld.s in d. J. 1805–1809 aus briefl. Mitt. Friedrich Perthes', J. v. M.s, Gen. Frhr. v. Armfelt's u. d. Gf. d'Antraigues, 1843; Briefwechsel zw. Gentz u. J. v. M., mit e. Anhang vermischter Briefe, hrsg. v. G. Schlesier, 1840; 48 Briefe Sr. Kaiserl. Hoheit d. Herrn Erzhzg. Johann v. Oesterreich an J. v. M., 1848; Der Briefwechsel d. Brüder J. Georg Müller u. J. v. M. 1789–1809, hrsg v. E. Haug, 2 T., 1893; J. v. M., Briefwechsel mit J. G. Herder u. Caroline v. Herder 1782–1808, hrsg v. K. E. Hoffmann, 1952; J. v. M., Briefe in Auswahl, hrsg. v. E. Bonjour, 1953, ²1954. – *Nachlaß* mit M.s Exzerpten, Vorlesungsmitschrr., Hss. zu d. Werken u. ca. 20 000 Briefen von u. an M. (nur teilweise katalogisiert) sowie M.s Bibl. (6000 Bde.) in d. Stadtbibl. Schaffhausen; K. Henking, Verz. d. handschriftl. Nachlasses v. J. v. M., in: Verz. d. Inkunabeln u. Hss. d. Schaffhauser Stadtbibl. (Nebst e. Verz. d. handschriftl. Nachlasses v. J. v. M., 1903, S. 111–57); Nachweise v. Briefen von u. an M. in europ. Archiven u. Bibl. b. M. Pape, J. v. M., Seine geistige u. pol. Umwelt in Wien u. Berlin 1793–1806, 1989 *(L, P)*.

L ADB 22; E. Schellenberg, J. v. M.-Bibliogr., in: Schaffhauser Btrr. z. vaterländ. Gesch. 29, 1952, S. 161–216 *(P)*; Nachtrag, ebd. 37, 1960, S. 227–68; K. Henking, J. v. M., 2 Bde., 1909–28 *(P)*; L. Wittmer, Le prince de Ligne, Jean de Muller, Frédéric de Gentz et l'Autriche, 1925; P. Requadt, J. v. M. u. d. Frühhistorismus, 1929; A. Leitzmann, Goethes Beziehungen z. J. v. M. (mit ungedr. Briefen M.s an Goethe), in: HZ 152, 1935, S. 481–518; E. Bonjour, Stud. z. J. v. M., 1957 *(P)*; ders. in: Gesch.schreibung d. Schweiz, hrsg. v. R. Feller u. E. Bonjour, II, ²1979, S. 545–69 *(P)*; K. Schib, J. v. M. 1752–1809, 1967 *(P)*; Ch. Jamme, Hegel als Leser J. v. M.s, in: Hegel-Stud. 16, 1981, S. 9–40; W. Kirchner, J. v. M. üb. d. Fürstenbund, in: DVjS 55, 1981, S. 419–56; M. Haller-Dirr, J. v. M. u. d. Reich, Stud. z. Kurmainzer Fürstenbundspol., in: Mainzer Zs. 77/78, 1982/83, S. 1–86, 79/80, 1984/85, S. 87–154; W. Dotzauer, J. v. M. u. Georg Forster im Mainz d. Erthal-Zeit, in: Mainz – „Centralort d. Reiches", hrsg. v. Ch. Jamme u. O. Pöggeler, 1986, S. 198–235; J. v. M. – Gesch.schreiber d. Goethezeit, hrsg. v. dens., 1986; M. Pape, Goethe u. J. v. M. im Briefwechsel, Zur Gründungsgesch. d. Jenaischen Allg. Lit.-Ztg., in: Jb. d. Freien Dt. Hochstifts 1986, S. 155–78; ders., J. v. M.s Rezensionen in d. Allg. Lit.-Ztg., in: Schaffhauser Btrr. z. Gesch. 67, 1990, S. 289–320; W. L. Federlin, Kirchl. Volksbildung u. bürgerl. Ges., 1993; M. Gottlob, Gesch.schreibung zw. Aufklärung u. Historismus, J. v. M. u. Friedrich Christoph Schlosser, 1993; ders., Friedrich Schiller u. J. M., in: Schiller als Historiker, hrsg. v. O. Dann u. a., 1995.

P Gem. v. A. W. Tischbein, 1787 (Gleim-Haus, Halberstadt); Marmorbüste v. J. G. Schadow, 1807 (Walhalla b. Regensburg).

Matthias Pape

2) Johann *Georg*, ref. Theologe, Schriftsteller,
* 3. 9. 1759 Neunkirch Kt. Schaffhausen,
† 20. 11. 1819 Schaffhausen.

B Johannes M. v. Sylvelden (s. 1); ∞ Osterfingen
1788 Maria Catharina (1768–1819), T d. Kaufm.
Eberhard Gaupp (1734–96) u. d. Maria Catharina
Ammann (1728–96); kinderlos; 1 *Pflege-S.*

In der Absicht, Theologie zu studieren, zog
M. im Frühling 1779 zunächst für ein Jahr
nach Zürich, wo er stark von Johann Caspar
Lavater beeinflußt wurde. Anschließend
wechselte er für anderthalb Jahre an die Univ.
Göttingen, deren rationalistisch-nüchterner
Geist ihm jedoch weitgehend fremd blieb.
Seine eigentliche geistige Befreiung erfuhr M.
erst durch die Begegnungen mit Johann Gottfried Herder, den er erstmals im Oktober
1780 in Weimar aufsuchte und bei dem er
während des Winterhalbjahres 1781/82 Aufnahme und nachhaltige Förderung fand. Der
briefliche Verkehr mit Herder, der seinen
Schüler als „liebenswürdigen Engelsmenschen" bezeichnete, dauerte bis zu dessen
Tod. Im Frühjahr 1782 nach Schaffhausen
zurückgekehrt, legte M. dort die üblichen
theologischen Examen ab. Seine erste öffentliche Stelle erhielt er allerdings erst 1788, als
er in seiner Heimatstadt mit der bescheidenen Aufgabe eines Katecheten der Beisassen
betraut wurde. So wandte er sich zunächst
ganz dem Studium der klassischen Literatur
zu, führte einen ausgedehnten Briefwechsel
mit bedeutenden Zeitgenossen und versuchte sich mit ersten schriftstellerischen Arbeiten. 1794 wurde er als Professor der griech.
und hebr. Sprache an das Collegium humanitatis, die Schaffhauser Vorbereitungsschule
für die Universität, berufen. 1804, nach einer
von ihm eingeleiteten Reorganisation des Instituts, erhielt er die beiden neugeschaffenen
Professuren der Enzyklopädie und Methodologie sowie der Ästhetik, die er bis 1815 innehatte.

Der Ausbruch der Franz. Revolution schreckte den sensiblen Gelehrten unvermittelt aus
seinem stillen Kreise auf. Die wachsende Bedrohung der Eidgenossenschaft von innen
und von außen und der sich ankündigende
Sturz der alten Staatsordnung erfüllten M.
mit größter Besorgnis. Nach mancherlei Bedenken ließ er sich schließlich 1798 dazu bewegen, den geistlichen Stand aufzugeben
und in die Politik einzutreten. Einhellig
wählte ihn die Schaffhauser Landbevölkerung zu ihrem Repräsentanten in die als
Übergangsregierung eingesetzte Nationalversammlung, wo er sich speziell Kirchen- und
Schulfragen widmete (März/April 1798).

Während der Helvetik (1798–1803) amtierte
er als einflußreiches Mitglied der Verwaltungskammer (April/Mai 1798, April-Juli
1799, Mai 1800) und als Unterstatthalter für
den Distrikt Schaffhausen (Mai 1798-April
1799). 1798–1814 arbeitete er maßgeblich an
sechs verschiedenen Verfassungsänderungen mit. Als Mitglied des Kirchen- und
Schulrates und bis zuletzt als Oberschulherr
erwarb er sich besondere Verdienste um die
Neuordnung und den Ausbau des heimischen Schulwesens.

Nach 1803 wandte sich M. wieder vermehrt
der wissenschaftlichen Tätigkeit zu. Neben
kirchengeschichtlichen Publikationen gab er
1805–10 sämtliche Werke Herders (12 Bde.)
und 1810–19 diejenigen seines Bruders Johannes (27 Bde.) heraus, mit dem er zeitlebens in engem Kontakte stand; der intensive,
von 1778 bis 1809 dauernde Briefwechsel
zwischen beiden bildet eine Geschichtsquelle von hohem Rang. Den umfangreichen
Nachlaß des Bruders vermochte M. für die
Schaffhauser Stadtbibliothek zu sichern, die
er 1800–19 als Bibliothekar leitete. Einen Ruf
nach Heidelberg als Professor der Kirchengeschichte und der Literaturgeschichte sowie
als weltlicher Kirchenrat schlug er aus
(1805). – D. theol. h. c. (Tübingen u. Jena
1817).

W u. a. Phil. Aufsätze, 1789; Bekenntnisse merkwürdiger Männer v. sich selbst (Hrsg.), I–III, 1791–
95; Unterhaltungen mit Serena moral. Inhaltes, I–
II, 1793, ³1834, III, 1835, hrsg. v. J. Kirchhofer; Briefe üb. d. Studium d. Wiss., bes. d. Gesch., an
Schweizer Jünglinge, d. sich d. Staate zu widmen
gedenken, 1798, ²1817; Ueber e. Wort, das Franz I.
v. d. Folgen d. Ref. gesagt haben soll, 1800; Theophil, Unterhaltungen üb. d. christl. Religion mit
Jünglingen v. reiferm Alter, 1801; Reliquien alter
Zeiten, Sitten u. Meinungen, I–IV, 1803–06; Kurzer
Begriff d. christl. Glaubens, 1804, ⁶1832; Von d.
christl. Religionsunterricht, 1809, ³1827; Vom
Glauben d. Christen, I–II, 1815, ²1823. – *W-Verz.:*
C(arl) M(ägis), Die Schaffhauser Schriftst. v. d. Ref.
bis z. Gegenwart, 1869, S. 57–60. – *Nachlaß:* Stadtbibl. Schaffhausen, Verz. in: E. Zsindely, Kat. d. J.
G. M.-Nachlasses d. Ministerialbibl. Schaffhausen,
1968.

L ADB 22; K. Stokar, J. G. M., Doktor d. Theol.,
Prof. u. Oberschulherr zu Schaffhausen, 1885 *(P);*
E. Haug, Der Briefwechsel d. Brüder J. G. u. Johannes v. Müller 1789–1809, 1893; P. Wernle, Der
schweizer. Protestantismus im 18. Jh., III, 1925, S.
369–88; K. Schib, J. G. M., in: Schaffhauser Btrr. z.
vaterländ. Gesch. 33, 1956, S. 134–44 *(P);* ebd. 37,
1960 (Sonderbd. z. 200. Geb.tag v. J. G. M., *P);* W.
L. Federlin, Rel. u. Kultur, J. G. M.s Frauenbildungsprogramm, ebd. 60, 1983, S. 93–112; A. Rüttimann, J. G. M., Engagierter Berichterstatter üb. d.
Helvetik, ebd. 72, 1995, S. 103–35; Kosch, Biogr.

Staatshdb.; Kosch, Lit.-Lex.³; Biogr. Lex. z. Gesch. d. demokrat. u. liberalen Bewegungen in Mitteleuropa, I, 1992, S. 215 f.

P Stich v. J. M. Esslinger, Abb. in: Schaffhauser Btrr. z. vaterländ. Gesch. 37, 1960 (s. *L*); Gipsrelief v. A. Curiger, 1808 (Mus. zu Allerheiligen, Schaffhausen), Abb. ebd.; Elfenbeinrelief v. J. M. Christen, 1810 (ebd.), Abb. ebd.; Gem. v. F. J. Menteler, 1813 (Priv.bes.), Abb. ebd.

Hans Ulrich Wipf

Müller. (ev.)

1) *Wilhelm,* Dichter, * 7. 10. 1794 Dessau, † 1. 10. 1827 ebenda.

V Christian Leopold (1752–1820), Schneidermeister in D., *S* d. Schneiders Gottfried (um 1718–75) u. d. Agnes Emmerich (um 1713–99); *M* Maria Leopoldina (1751–1808), *T* d. Johann Ephraim Zellarius (1701–73), Hofschlosser u. Kleinschmied in D., u. d. Henriette Lemmel (um 1716–70); ∞ Dessau 1821 Adelheid (1800–83), *T* d. Ludwig v. Basedow (1774–1835), anhalt. Adel 1833), anhalt. WGR u. Reg.präs. in D. (s. NDB I*), u. d. Johanna Wilhelmine Mauritiane Krüger († 1837); *Gvv* d. Ehefrau Johann Bernhard Basedow (1724–90), Pädagoge (s. NDB I; Killy); 1 *S* Max (s. 2), 1 *T*.

M., der als einziges von sechs Kindern überlebte, verlor schon früh die Mutter. Die Wiederverheiratung des Vaters mit einer wohlhabenden Witwe erleichterte den schulischen und universitären Weg des Sohnes. Am Dessauer Gymnasium zeichnete er sich in den sprachlichen Fächern aus, übte sich auch schon in kleineren Poesien. 1812 begann M. in Berlin das Studium der Philologie und Geschichte u. a. bei den Philologen Friedrich August Wolf und August Boeckh sowie dem Philosophen Karl Wilhelm Solger. Als Freiwilliger rückte er im Februar 1813 gegen Napoleon ins Feld, erhielt den Rang eines Leutnants und kämpfte mit bei Lützen, Bautzen, Haynau und Kulm; später fand er Verwendung in der deutschen Kommandantur zu Brüssel. Im Winter 1814/15 nahm er das Studium in Berlin wieder auf, hörte bei dem Germanisten August Zeune, der ihm das „Nibelungenlied" nahebrachte, kam auch mit „Turnvater" Friedrich Jahn in Verbindung und schloß sich der „Gesellschaft für deutsche Sprache" an. 1816 gab er eine „Blumenlese aus den Minnesingern" heraus und beteiligte sich an einem poetischen Sammelband mit dem Titel „Bundesblüthen", zusammengestellt von einem literarischen Zirkel, dem neben M. die Grafen Friedrich v. Kalckreuth und Georg v. Blankensee sowie der Maler Wilhelm Hensel angehörten. 1816 und 1817 wurde er auch bekannt mit Fouqué, Karl v. Holtei, Elisa v. der Recke und seinem späteren Biographen, dem auf Besuch in Berlin weilenden Gustav Schwab. Der Gedichtzyklus „Die schöne Müllerin" entstand, zunächst als Liederspiel mit verteilten Rollen in geselliger Runde im Haus des Staatsrats August Stägemann improvisiert, ebenso eine Übersetzung von Christopher Marlowes „Doctor Faustus", welche 1818 mit einer Vorrede Achim v. Arnims erschien. M.s Tagebuch notiert für diese Berliner Jahre kleine Drangsalierungen durch Polizei und Zensur.

Im Sommer 1817 wählte der preuß. Kammerherr Albert Gf. v. Sack auf Empfehlung der Berliner Akademie der Wissenschaften den jungen Philologen zum Begleiter für eine geplante Griechenland-, Kleinasien- und Ägyptenreise, bei der antike Inschriften und Kunstwerke gesammelt werden sollten. Während mehrerer Wochen Aufenthalt in Wien kam M. mit griech. Emigranten zusammen und lernte Neugriechisch. Die in Konstantinopel ausbrechende Pest nötigte die Reisenden schließlich zum Weg über Italien. Dort trennte sich M. an Ostern 1818 von Sack, um Rom, Neapel und Florenz kennenzulernen. Er pflegte Umgang mit den deutsch-römischen Malern Joseph Anton Koch und Julius Schnorr v. Carolsfeld, der ihn porträtierte, auch mit dem preuß. Gesandten Barthold Niebuhr, dem Malermäzen und Kunstschriftsteller Carl Friedrich v. Rumohr, mit Friedrich Rückert, den M. vor dem Ertrinken rettete, und dem schwed. Dichter Per Daniel Atterbom. Frucht dieses Jahres war das 1820 erscheinende, in fingierten Briefen abgefaßte Italienbuch „Rom, Römer und Römerinnen". Es widmet sich nicht den antiquarischen oder landschaftlichen Sensationen des beliebten Reiselandes, sondern will volkskundlich belehren über das Tagewerk, die Mode, den Liedschatz, über Erzählgut und Feste im jährlichen Ablauf; nicht die tote, sondern die vom einfachen Volk gelebte Antike als Gegenbild zu städtisch-aufgeklärtem Bürgerwesen oder aristokratischer Lebensform wird ausgemalt und gelobt; es ist, trotz Kritik an der in Italien herrschenden Bevormundung durch die Kirche, auch ein verklärendes Gegenbild zu restaurativen Tendenzen in Deutschland, wohin M. nicht ohne ängstliche Gefühle Ende 1818 wieder zurückkehrte. Für 300 Taler jährlich fand er zunächst am Gymnasium seiner Geburtsstadt eine Anstellung als „Gehülfslehrer" für Latein, Griechisch und Geschichte. 1820 übernahm er die Verwaltung der Bibliothek des Hzg. Leopold Friedrich von Anhalt-Dessau. Schon 1819 nahm M. eine rege Rezensententätigkeit für Brockhaus auf, zunächst für Friedrich Arnold, nach dessen Tod führte er sie für den Sohn Heinrich in den verschiedenen Verlagsorganen weiter. Diese Arbeit hielt ihn im abgelegenen Dessau in Kontakt mit der literarischen Welt und trug – ebenso wie die kritisch-wissenschaftliche Tätigkeit für Cottas „Morgenblatt", für die „Zeitung für die elegante Welt" und das „Conversations-Lexikon" oder die redaktionelle Arbeit an der „Encyklopädie von Ersch und Gruber" – zur Besserung seiner Finanzlage bei. M. besprach neben deutscher (Platen, Rückert) auch ausländische, vor allem engl. Poesie und verfaßte für den „Hermes" die erste räsonierende Bibliographie deutschsprachiger Italienliteratur (1820/21 in 4 Folgen). Heraus ragt der Aufsatz „Lord Byron" (1822 in „Urania"), der den freiheitlichen Geist des engl. Dichters preist und damit indirekt gegen Metternichs Restaurations- und Überwachungssystem argumentiert; der Aufsatz begründete in Deutschland die politische Rezeption Byrons. Wie zu erwarten, trat nun die Zensur auf den Plan. Zusammen mit dem politischen Byronismus darf M. auch als Prophet des deutschen „Philhellenismus" gelten, seine zehn „Lieder der Griechen" (1821), von sechs weiteren ähnlichen Sammlungen gefolgt und alsbald in andere Sprachen übersetzt, riefen geradezu eine Mode ins Leben und trugen ihrem Autor europ. Berühmtheit und den Namen „Griechenmüller" ein. Die elegisch-pathetischen Gedichte in häufig der Nibelungenstrophe angenäherten Langzeilen wirkten bis zur engagierten Vormärzlyrik.

Neben Literaturgeschichte und -kritik widmete sich M. editorischen Unternehmungen. Er gab ein Jahr lang eine eigene literarisch-kritische Zeitschrift mit dem Titel „Askania" (1820/21) heraus, dazu eine „Bibliothek deutscher Dichter des siebzehnten Jahrhunderts" (10 Bde., 1822–27), mit Texten u. a. von Opitz, Fleming, Gryphius, Harsdörffer und Günther. Das Jahr 1823 brachte eine Bearbeitung des Gryphiusschen „Peter Squenz" und das eigene dramatische Fragment „Leo, Admiral von Cypern". In den nächsten Jahren folgten die „Homerische Vorschule", worin M. die Thesen seines Lehrers Wolf über den Dichter von „Ilias" und „Odyssee" popularisierte, eine Übersetzung neugriech. Volkslieder (1825), die Schicksalsnovelle „Der Dreizehnte" (1825) und die autobiographische Erzählung „Debora" (1827). Auf kleineren Reisen machte M. Bekanntschaft mit Ludwig Tieck und Carl Maria v. Weber.

Aus den lyrischen Texten, die M. durch die gesamten 20er Jahre in reicher Zahl veröffentlichte, heben sich „Sieben und siebzig Gedichte aus den hinterlassenen Papieren eines reisenden Waldhornisten" (1820, datiert auf 1821, Neuaufl. 1826) und ihre Fortsetzung (1824) heraus, vorwiegend kleinere Rollenlieder in einem am „Wunderhorn" geschulten Volksliedton, der einige davon zum Volksgut werden ließ und nicht wenige Poeten zur Nachahmung gereizt hat. Den „reinen Klang und die wahre Einfachheit, wonach ich immer strebte", bestätigte dem Verfasser Heinrich Heine, der „keinen Liederdichter außer Goethe so sehr lieb(t)e". In der Tat wurde niemand neben Goethe und Heine bis ins 20. Jh. häufiger als M. vertont, mehr als 30 Komponisten stimulierte die innere Musikalität seiner Verse. Es wäre ungerecht, die Erinnerungen an M. auf seine Leistung als Textlieferant für bedeutende Liedkompositionen zu begrenzen, u. a. die von Franz Schubert vertonten Zyklen „Die schöne Müllerin" und „Die Winterreise", beide aus den „Waldhornisten"-Gedichten von 1821 bzw. 1824. Die Zyklen sind Sprachkunstwerke von schön kalkulierter Empfindung und Naivität, durch Pro- und Epilog zart ironisiert – so der erste – oder, wie die „Winterreise", mit den topischen Bildern von Dunkelheit, Eis, Fremde, bellenden Hunden und dem zum Selbstmord einladenden Lindenbaum ein ergreifendes Zeugnis enttäuschter politischer Hoffnungen im Deutschland der 20er Jahre, dessen Düsternis M. in Brief und Tagebuch häufig beklagt hat.

Im Sommer 1827 unternahm der von seiner schriftstellerischen Arbeit und durch editorische, rezensorische und bibliothekarische Pflichten abgespannte M. mit seiner Frau eine „Rheinreise"; sie führte ihn über Frankfurt, Heidelberg, Karlsruhe und Straßburg, auch nach Stuttgart und Weinsberg, wo die Bekanntschaft mit Schwab erneuert und in Uhland, Menzel, Hauff und Kerner neue Freunde gewonnen wurden. Auf der Rückreise besuchte das Paar in Weimar Goethe, in Leipzig Brockhaus. Gut gelaunt langte M. zu Hause an, wenige Tage danach starb er an einem Schlaganfall. – Hofrat (1824).

W Ausgg.: Vermischte Schrr. v. W. M., 5 Bde., hrsg. v. G. Schwab, 1830 *(mit Biogr.);* Werke, Tagebücher, Briefe, 5 Bde., hrsg. v. M.-V. Leistner u. B. Leistner, 1994. – Diary and Letters of W. M., hrsg. v. P. S. Allen, J. T. Hatfield, 1903; Gedichte v. W. M., Vollst. krit. Ausg., 1906; Rom, Römer u. Römerinnen, hrsg. v. C. M. Schröder, 1956; dass., hrsg. v. W. Kirsten, 1978.

L ADB 22; W. Alexis, Erinnerungen, hrsg. v. M. Ewert, 1900; P. S. Allen, W. M. and the German Volkslied, 1901; H. Lohre, W. M. als Kritiker u. Erzähler, 1927; O. Hachtmann, in: Mitteldt. Lb. II, 1927, S. 151–70 *(W, L, P)*; H. Brandenburg, Die „Winterreise" als Dichtung, in: Aurora 18, 1958, S. 57–62; K. G. Just, M.s Liederzyklen „Die schöne Müllerin" u. „Die Winterreise", in: ZDP 83, 1964, S. 452–71; N. Reeves, The Art of Simplicity, H. Heine and W. M., in: Oxford German Studies 5, 1970, S. 48–66; E. Staiger, Müller-Schubert: „Die Winterreise", in: ders., Musik u. Dichtung, 1980; C. C. Baumann, M., The Poet of the Schubert Song-Cycles, His Life and Works, 1981; S. Oswald, Italienbilder, Btrr. z. Wandlung d. dt. Italienauffassung 1770–1840, 1985; G. Blaicher, W. M. and the Political Reception of Byron in Nineteenth Century Germany, in: Archiv f. d. Studium d. neueren Sprachen u. Literaturen, 223, 1986, S. 1–16; M.-V. Leistner, Zu W. M.s lit.krit. Btrr. in d. Zss. d. Verlages F. A. Brockhaus, in: Germanistica Wratislaviensia 1988, H. 67, S. 113–22; S. Youens, Schubert, „Die schöne Müllerin", 1992; W. M., Eine Lebensreise, Zum 200. Geb.tag d. Dichters, Ausst.kat. d. Anhalt. Gem.gal. Dessau, hrsg. v. N. Michels, 1994 *(W, L, P)*; U. Bredemeyer u. Ch. Lange (Hrsg.), Kunst kann d. Zeit nicht formen, Dokumentation zur 1. internat. wiss. Konferenz aus Anlaß d. 200. Geb.tages von W. M., 1996; Goedeke VIII, S. 255–78; MGG IX; Kosch, Lit.-Lex[3]; Killy.

P Zeichnung v. C. Ph. Fohr, Abb. in: Brockhaus 1971; Gem. v. W. Hensel, Abb. in: Könnecke; ders., Zeichnung, 1821, Abb. in: W. M., Eine Lebensreise (s. *L*); F. Kühlen, Zeichnung, 1826, Abb. ebd.

Hans-Wolf Jäger

2) Friedrich *Max*, Indologe, Sprach- und Religionswissenschaftler, * 6. 12. 1823 Dessau, † 28. 10. 1900 Oxford.

V Wilhelm (s. 1); ∞ Bray/Themse (Gfsch. Berkshire) 1859 Georgina (1831–1916, s. *W*), *T* d. Riversdale Grenfell in Ray Lodge b. Maidenhead; 1 *S*, 3 *T*, u. a. William, brit. Diplomat.

M. besuchte 1836–41 die Nikolaischule in Leipzig, legte aber sein Abitur in Zerbst ab, um ein Stipendium von der Anhalter Regierung zu erhalten. Seit 1841 studierte er an der Univ. Leipzig klassische Philologie und Philosophie sowie oriental. Sprachen, darunter Sanskrit bei Hermann Brockhaus, und wurde 1843 mit einer Dissertation über das 3. Buch der Ethik Spinozas zum Dr. phil. promoviert. 1844 ging M. an die Univ. Berlin, wo er Philosophie bei Friedrich v. Schelling, Persisch bei Friedrich Rückert und Vergleichende Sprachwissenschaft bei Franz Bopp studierte. Im März 1845 übersiedelte er nach Paris, wo er als Schüler von Eugène Burnouf Sanskrit-Handschriften abschrieb und kollationierte. Burnouf regte ihn zur Edition des Ṛgveda mit dem Kommentar des Sāyaṇa an.

Im Juni 1846 ging M. nach London, wo er die Veda-Handschriften des East India House studierte. Er wurde gefördert durch den preuß. Gesandten Karl v. Bunsen, der die Direktoren der East India Company zur Finanzierung dieser editio princeps gewann (1849–74, 6 Bde., [2]1890–92, 4 Bde.). Im Mai 1848 übersiedelte M. nach Oxford, um den Druck zu überwachen. Seit 1850 las er hier über neuere europ. Sprachen und Literaturen (seit 1854 als Taylorian Professor) und wurde 1858 zum Fellow des All Souls' College ernannt. 1860 unterlag er M. Monier-Williams bei der Bewerbung um die Boden-Sanskritprofessur, 1868 erhielt er die für ihn geschaffene Professur für „Comparative Philology", ließ sich aber schon 1876 emeritieren. Im Sommersemester 1872 las er als Gastprofessor in Straßburg, lehnte aber einen Ruf dorthin ab.

Wie kein zweiter popularisierte M. die Vergleichende Sprach- und Religionswissenschaft. Viele seiner Bücher sind aus Vorträgen erwachsen, darunter „Lectures on the Science of Language" (1861/63), „Chips from a German Workshop" (1867–75, dt. 1869–76), „On the Origin and Growth of Religion" (Hibbert Lectures, 1878, dt. 1880). In den Gifford Lectures an der Univ. Glasgow unterschied er „Natural Religion" (1889), „Physical Religion" (1891), „Anthropological Religion" (1892) und „Theosophy or Psychological Religion" (1893, dt. 1890–95). Als Ursprung der Religion erkannte M. die „Wahrnehmung des Unendlichen" durch den Menschen. Seine Interpretationen der vedischen Religion und der mythologischen Vergleiche beruhen nicht selten auf falschen Etymologien und wurden früh kritisiert. Bis heute verwendet wird hingegen seine Wortprägung „Henotheismus" für die Eigenart der vedischen Hymnen, den jeweils angerufenen Gott als höchsten zu verehren. Sein christlicher Standpunkt näherte sich dem des Brahmo Samaj von einer monotheistischen Universalreligion und dem Monismus des Vedānta („Three Lectures on the Vedanta Philosophy", 1894; „Ramakrishna", 1898). Seine „History of Ancient Sanskrit Literature" (1859) widmet sich vor allem den vedischen und nachvedischen Texten. Vorlesungen in Cambridge vor Kandidaten des Indian Civil Service („India, what it can teach us") erschienen 1882. Hier warnte M. vor Vorurteilen und schilderte den hohen Stand der ind. Kultur, entwickelte aber auch die früh widerlegte Theorie von einer „Renaissance der Sanskritliteratur" nach einer „leeren" Zeit zwischen 100 v. und 300 n. Chr. Aus dem

Sanskrit übersetzte M. 1844 den Hitopadeśa und 1847 den Meghadūta ins Deutsche. Als Grundlage der Vergleichenden Religionswissenschaft und zum genaueren Verständnis der orientalischen Religionen initiierte er die epochale Übersetzungssammlung der „Sacred Books of the East" (50 Bde., 1879 ff.). Hierin stammen von M. engl. Übersetzungen von vedischen Hymnen (Bd. 32), von Upanischaden (Bd. 1 u. 15), des Dhammapada (Bd. 10), der Yajñaparibhāṣāsūtras des Āpastamba (in Bd. 30), von Mahāyānasūtras (in Bd. 49). In „Anecdota Oxoniensia" (I–V, 1881–85) gab er Sanskrittexte des Mahāyāna-Buddhismus mit Bunyiu Nanjio heraus, wobei er Handschriften aus Japan, China und Nepal zugrundelegte (V, 1885, „Dharma-Saṃgraha", enthält ein Verzeichnis buddhistischer Termini). Sein letztes größeres Werk „The Six Systems of Indian Philosophy" (1899) förderte die Kenntnis der Hindu-Philosophie.

M., der selbst nie nach Indien kam, leistete viel für das Verständnis der ind. Kultur im Westen und trug dazu bei, daß der Eigenwert der östlichen Religionen anerkannt wurde. Wegen seiner Ausgabe des Ṛgveda und der „Sacred Books of the East" gilt er für viele Inder als verdienstvollster Deutscher. Das Goethe-Institut in Indien führt seit 1957 den Namen „Max Mueller Bhavan". M. bemühte sich auch um eine deutsch-engl. Annäherung. So gab er das Lesebuch „The German Classics ..." (1858) heraus und übersetzte Kant (Critique of Pure Reason, 1881). Im deutsch-dän. Krieg 1864 und im deutsch-franz. Krieg 1870/71 warb er für den deutschen Standpunkt (Briefe an die „Times" und an W. Gladstone), im Burenkrieg für den englischen (Dt. Revue, 1900). – Orden Pour le mérite f. Wiss. u. Künste (1874); Privy Councillor (1896); Dr. h. c. (u. a. Dublin u. Edinburgh); Ehrenmitgl. d. Dt. Morgenländ. Ges.; Mitgl. d. Kgl. Sardin. Ak. (1865), d. Ac. des Inscriptions et Belles Lettres (1869), d. Preuß. Ak. d. Wiss. u. d. Bayer. Ak. d. Wiss.

Weitere W A Sanskrit Grammar, 1866 (dt. 1868); Rig-Veda-Prātiśākhya, 1869; Schillers Briefwechsel mit d. Hzg. Friedrich Christian v. Schleswig-Holstein-Augustenburg, 1875; Science of Thought, 1887 (dt. 1888); Contributions to the Science of Mythology, 1896/97 (dt. 1898/99); Georgina Müller (Hrsg.), Life and Religion, 1905. – *Biogr. Schrr.:* Auld Lang Syne, 2 Bde., 1898/99 (dt.: Alte Zeiten, alte Freunde, 1901); My Autobiography, A Fragment, 1901 (dt.: Aus meinem Leben, 1902). – *Briefe:* Georgina Müller (Hrsg.), The Life and Letters of ... M. M., 2 Bde., 1902. – *Nachlaß:* Bodleian Library, Oxford.

L The Times v. 29. 10. 1900; E. Windisch, Gesch. d. Sanskritphilol. II, 1920, S. 270–304; J. H. Voigt, F. M. M., The Man and his Ideas, 1967 *(P)*, ²1981; ders., F. M. M., in: Schleswig-Holstein. Biogr. Lex. IV, 1976, S. 166–68; N. C. Chaudhuri, Scholar Extraordinary, 1974 *(P);* H. Rau (Hrsg.), F. M. M. – What he can teach us, 1974 *(W-Verz., P);* R. N. Dandekar, M. M., A Tribute, in: Max Mueller Bhavan, New Delhi, Yearbook 1977; G. W. Trompf, F. M. M. as a Theorist of Comparative Religion, 1978; R. W. Neufeldt, M. M. and the Ṛg-Veda, 1980; C. Camporesi, M. M., La malattia del linguaggio e la malattia del pensiero, 1989; J. Irmscher, M. M., d. Biograph Wilh. Müllers, in: Kunst kann d. Zeit nicht formen, hrsg. v. U. Bredemeyer u. Ch. Lange, 1996, S. 231–35; V. Stache-Rosen, German Indologists, 1981, S. 66–68; RGG²; LThK³; Bursian-BJ 115, S. 7; BJ V; TRE.

P Stahlstich in: Orden Pour le mérite f. Wiss. u. Künste, Die Mitgll. d. Ordens, I, 1975, S. 335; Gem. v. G. F. Watts, 1894 (Nat. Gallery, London), Abb. in: Die gr. Deutschen im Bild, 1937, S. 387; Gem. v. H. v. Herkomer (All Souls' College, Oxford); Statue (Fam.bes., London).

Friedrich Wilhelm

Müller. (ev.)

1) Karl *Otfried* (bis 1818 nur Taufname *Karl*), Altertumsforscher, * 28. 8. 1797 Brieg (Schlesien), † 1. 8. 1840 Athen, ☐ ebenda, Kolonos Agoraios nahe d. Platon. Akademie.

V Karl Daniel (1773–1858), Feldprediger, Pfarrer in B., später Sup. in Ohlau (s. K. G. Nowack, Schles. Schriftst.lex., 1836/43), *S* d. Daniel (1728–1801) aus Teschendorf (Siebenbürgen), Kantor in B., u. d. Helene Runge (1735–85); *M* Juliane (1774–1858), *T* d. George Heinrich Linke (1728–94) aus Herrenlauersitz, Pfarrer, u. d. Beate Strodt (1740–1818) aus Kreiseritz; *B* Julius (s. 2), Eduard (1804–75), Dr. phil., Dir. d. Gymnasiums in Liegnitz (s. ADB 22; F. Heiduk, Oberschles. Lit.-Lex. II, 1993); – ∞ Göttingen 1824 Pauline (1804–47), *T* d. Gustav Hugo (1764–1844), Jurist (s. NDB X), u. d. Sophie Julie Mylius (1777–1821); *Gvm d. Ehefrau* August Mylius, Verleger in Berlin (s. NDB X*); 2 *S* (1 früh †), u. a. Carl Hugo (s. Gen. 3), 3 *T* (1 früh †), u. a. Agnes (1828–1915), ∞ Karl Frhr. v. Waechter-Spittler, 1823–61, württ. Reg.rat); *E* Paula M.-Otfried (s. 3); *Gr-N* Otto Mueller (s. 4).

M. besuchte seit 1806 das Gymnasium seiner Geburtsstadt und studierte seit 1814 in Breslau neben klass. Philologie und Philosophie auch neuere Geschichte, oriental. Sprachen (Hebräisch, Syrisch), Mathematik und Botanik. Die Entscheidung für die Altertumswissenschaften fiel mit der durch seinen Lehrer Ludwig Friedrich Heindorf vermittelten Lektüre von Barthold Georg Niebuhrs „Römischer Geschichte" (1811/12). Daraus ging M.s erste wiss. Arbeit über den mythischen röm. König Numa hervor. 1816 wechselte er an die Univ. Berlin, wo er besonders bei

August Boeckh studierte und nach drei Semestern mit den beiden ersten Kapiteln seines „Aegineticorum liber" (1817) promoviert wurde. Die Dissertation zeigt bereits die für seine späteren Arbeiten charakteristische Berücksichtigung aller Bereiche antiken Lebens. Nach dem Studium unterrichtete M. für anderthalb Jahre am Magdaleneum in Breslau; hier verfaßte er das Buch „Orchomenos und die Minyer" (1820, ²1844, Nachdr. 1969), in dem er versuchte, einen prähistorischen Volksstamm aus der mythischen Überlieferung für die griech. Geschichte zurückzugewinnen. Mit diesem Werk, das als erster Teil einer auf viele Bände geplanten „Geschichte hellen. Stämme und Städte" gedacht war, wollte M. sich in Breslau habilitieren, doch erhielt er schon 1819 einen durch A. Boeckh vermittelten Ruf als Extraordinarius an die Univ. Göttingen. Da zu seinen Lehraufgaben neben der alten Philologie, Mythologie und Altertumskunde auch die Archäologie gehörte, worin M. aber noch keine Erfahrung besaß, gewährte ihm die hann. Regierung einen Aufenthalt von 2½ Monaten zum Studium der Antikensammlung in Dresden. Hier lernte er u. a. Johann Samuel Ersch kennen, für dessen „Allgemeine Encyclopädie der Wissenschaften und Künste" er zahlreiche Beiträge verfaßte. M. lehrte in Göttingen vom Wintersemester 1819/20 bis zum Sommersemester 1839; nur im Sommer 1822 war er für eine Forschungsreise nach Holland, England und Frankreich beurlaubt. Er las in unregelmäßiger Folge über antike Autoren, griech. Altertümer sowie griech. und lat. Sprache; am erfolgreichsten war seine in jedem Sommersemester gehaltene Archäologie-Vorlesung.

In dichter Folge verfaßte M. seit 1820 mehr als 450 Bücher, Abhandlungen und Rezensionen: „Die Dorier" (1824, ²1844, engl. 1830, Nachdr. 1969 u. 1989) und „Über die Wohnsitze, die Abstammung und ältere Geschichte des Makedonischen Volkes" (1825) waren die Fortsetzung der mit dem Orchomenos-Buch begonnenen Geschichte griech. Stämme. In den „Prolegomena zu einer wissenschaftlichen Mythologie" (1825, engl. 1844, Teilnachdr. 1970) versuchte M., seine Verwendung der Mythologie systematisch zu rechtfertigen. „Die Etrusker" (1828, ²1877, Nachdr. 1965) bildet die erste zusammenfassende Behandlung der Kultur dieses Volkes. Das grundlegende „Handbuch der Archäologie der Kunst" (1830, ²1835, ³1848, engl. 1847, 1850 u. 1852, franz. 1841/42) wurde ergänzt durch den Bildband „Denkmäler der alten Kunst" (1832, ²1835, franz. 1835), den der befreundete Maler Carl Oesterley illustrierte. „Aischylos Eumeniden, griech. und deutsch, mit erläuternden Abhandlungen über die äußere Darstellung und den Inhalt und die Composition dieser Tragödie" (1833) enthält einige selbstbewußte, gegen Gottfried Hermann und seine Schule gerichtete Sätze und evozierte den berühmten „Eumenidenstreit". In den Textausgaben „M. Terenti Varronis de lingua Latina" (1833) und „Sexti Pompei Festi de verborum significatione quae supersunt cum Pauli epitome" (1839) setzte M. die in seinem Etrusker-Buch begonnenen sprachgeschichtlichen Untersuchungen fort. Postum erschien – zunächst auf englisch – „A History of Literature of Ancient Greece" (1840, dt. 1841, ²1857, ital. 1858, franz. 1866).

1823 wurde das Extraordinariat an der Univ. Göttingen in ein Ordinariat umgewandelt, 1824 erhielt M. einen Ruf nach Berlin, dem er nicht folgte, 1825 wurde er Aufseher der von Christian Gottlob Heyne begonnenen Sammlung von Gipsabgüssen in der Bibliothek in Göttingen, 1831 Mitglied des Akademischen Senats und Dirigent der wissenschaftlichen Prüfungskommission im Kgr. Hannover, seit 1835 war er an der Planung und Ausgestaltung der neuen Aula maßgeblich beteiligt. Als Professor eloquentiae et poeseos hielt er 1837 bei der Einweihung die Festrede zur Hundertjahrfeier der Universität. Das Bildprogramm des Sitzungszimmers der heutigen Akademie der Wissenschaften in diesem Gebäude enthält, ähnlich wie M.s 1835/36 errichtetes Wohnhaus mit dorischen Stilelementen, bewußt ein persönliches Bekenntnis: Apoll und die Musen, die olymp. Götter, die Dioskuren sowie die Historiker Herodot und Thukydides werden als Zeugen dafür angerufen, daß die Geschichte im Mythos wurzelt.

In dem unmittelbar nach dem Jubiläum aufbrechenden Verfassungsstreit teilte M. zwar die Haltung der „Göttinger Sieben", beteiligte sich aber zunächst nicht an ihrer Protestation vom 18. 11. 1837. Als die Entlassung der Sieben am 14. 12. tatsächlich vollzogen wurde, entschloß sich M. aus Solidarität am 17. 12. zu einer öffentlichen „Nachprotestation" gemeinsam mit fünf weiteren Professoren. Eine daraufhin von M. erwartete Entlassung wurde nicht ausgesprochen.

Nach diesem für die Univ. Göttingen einschneidenden Ereignis faßte M. den Entschluß, die immer wieder aufgeschobene Reise in die klassischen Länder anzutreten. Deren Hauptziel war die Verwirklichung einer umfassenden „Geschichte Griechenlands".

Die hann. Regierung beurlaubte M. für zwei Semester und übernahm die Finanzierung des Zeichners Georg Friedrich Neise. Die am 31. 8. 1839 begonnene Reise führte durch Italien und Sizilien nach Griechenland, wo M. am 4. 4. 1840 eintraf. Nach einem längeren Aufenthalt in Athen, der von einem Besuch der Peloponnes unterbrochen wurde, gelangte M. in Begleitung von Ernst Curtius und Adolf Schöll über Theben, Orchomenos und die Thermopylen nach Delphi. Hier führte er bis zum 23. 7. Grabungen an der Polygonalmauer, im Fundament des Apollon-Tempels und an der sog. Doloneia-Treppe durch. Zehn Tage später erlag er einem Fieber, das er sich, beim Abschreiben von Inschriften übermäßig der Sonne ausgesetzt, zugezogen hatte. Die besonderen Umstände seines Todes lösten eine anhaltende Welle der Verehrung aus. Gleichzeitig hörte die von zahlreichen Gegnern geäußerte Kritik an seinen wissenschaftlichen Ansichten schlagartig auf, so daß die grundsätzlichen Differenzen verdeckt blieben.

M.s Œuvre umfaßt in einzigartiger Weise alle Gebiete der klass. Altertumswissenschaft von der Geschichte über die Religion und Mythologie bis hin zur Archäologie und zur Philologie, darüber hinaus auch die Philosophie und das Recht, wobei das verbindende Element immer in der historischen Fragestellung liegt. Erstaunlich genau sind auch seine ohne Autopsie verfaßten Arbeiten zur antiken Topographie, Kartographie und Landeskunde. Im Zentrum standen stets die Griechen, doch M. schrieb auch grundlegende Arbeiten zur Kultur anderer antiker Völker wie der Etrusker, Römer, Ägypter und sogar der Inder. Im Nachlaß finden sich außerdem Aufzeichnungen über mittelalterliche Kunst. Aufgrund der Fülle und Originalität seiner Publikationen, durch die umfassende Kenntnis der antiken und neuzeitlichen Quellen und die Weite seiner Interessen gilt M. in der ersten Hälfte des 19. Jh. als der bedeutendste Altertumsforscher in Deutschland.

Die wissenschaftliche Rezeption seiner meist in mehrere Sprachen übersetzten und immer wieder neu aufgelegten Bücher steht z. T. im Gegensatz zu seinem internationalen Ansehen. Die Darstellung der griech. Geschichte nach ihren Stämmen fand keine Fortsetzung. Die Einbeziehung der mythischen Überlieferung in die wissenschaftliche Historiographie stößt bis heute auf Ablehnung, obwohl sich M.s Entdeckung über die Ortsgebundenheit vieler Mythen für die prähistorische Forschung als hilfreich erwiesen hat. Seine Ansichten über die Wanderungen griech. Stämme haben bis in die Gegenwart die Vorstellung geprägt. Die Begeisterung M.s für Sparta, welche von den Nationalsozialisten für ideologische Zwecke mißbraucht worden ist, wurde bis in die jüngste Zeit immer wieder kritisiert. Allerdings wird dabei übersehen, daß M. seine Ansichten später, besonders überzeugend im Kapitel „Athen" seiner „Geschichte der griech. Literatur", revidiert hat. Nur die historische Landeskunde bekennt sich vorbehaltlos zu M. als einem ihrer großen Archegeten. In der neueren religionsgeschichtlichen und mythologischen Forschung werden M.s Verdienste um die Deutung griech. Mythen anerkannt, wenngleich seine spezifischen Fragestellungen zur Zeit kaum Interesse finden. Den dauerhaftesten Erfolg hatte M. durch sein „Handbuch der Archäologie der Kunst". Dieses bestimmte durch die klare, vorbildliche Ordnung des Denkmälerbestandes die archäologische Forschung seit dem 19. Jh. Die Rezeption M.s in der klass. Philologie ist widersprüchlich. Die von Wilamowitz-Moellendorff gepriesene „Griechische Literaturgeschichte" übte international eine nachhaltige Wirkung aus. Andererseits vertrat M. im „Eumenidenstreit" eine Position, die von den meisten Philologen nicht akzeptiert wurde. Seine ganzheitliche Betrachtungsweise stand in offenem Widerspruch zu der vor allem durch G. Hermann begründeten „wortphilologischen" Interpretationsmethode sowie zu der seit der Zwischenkriegszeit bei Philologen wie Archäologen vorherrschenden „werkimmanenten" Betrachtungsweise. Die ganzheitliche Erfassung des Altertums, die M. noch in einer Person zu erreichen suchte, wird durch das Auseinanderdriften der altertumskundlichen Disziplinen verhindert. – Mitgl. d. Sozietät d. Wiss. in Göttingen (1823); Hofrat (1832); Guelphen-Orden (1835); Dr. iur. h. c. (Göttingen 1837).

Weitere W Kleine dt. Schr. üb. Rel., Kunst, Sprache u. Lit., Leben u. Gesch. d. Alterthums, ges. u. hrsg. v. Eduard Müller, 2 Bde., 1847/48, engl. 1873, Nachdr. 1979; Kunstarchäolog. Werke 1817-1840, Erste Gesammt-Ausgabe in fünf Bänden, 1873. – *Briefe:* Briefwechsel zw. August Boeckh u. K. O. M., 1883; C. O. M., Lb. in Briefen an seine Eltern mit d. Tagebuch seiner ital.-griech. Reise, hrsg. v. O. u. E. Kern, 1908 (P); Briefwechsel zw. K. O. M. u. Ludwig Schorn, hrsg. u. erl. v. S. Reiter, in: Neue Jbb. 26, 1910, S. 292-315, 340-60, 393-408, 506-14; C. O. M., Briefe aus e. Gelehrtenleben, hrsg. v. dems., 2 Bde., 1950; Aus d. amtl. u. wiss. Briefwechsel v. C. O. M. ausgew. Stücke mit Erll. v. O. Kern, 1936. – *Nachlaß:* Göttingen, Niedersächs. Staats- u. Univ.bibl.; ebd., Ak. d. Wiss.; ebd., Archäolog. Inst. d. Univ.; Berlin, Dt. Archäolog. Inst.; Athen, Dt. Archäolog. Inst.

L ADB 22; Eduard Müller, Biograph. Erinnerungen an K. O. M., in: Kleine dt. Schrr., I, 1847, S. IX-LXXVI (s. W, mit *Bibliogr.*); E. Will, Doriens et Ioniens, 1956; U. Franke u. W. Fuchs, Kunstphilos. u. Kunstarchäol., Zur kunsthist. Einl. d. Hdb. d. Archäol. d. Kunst v. K. O. M., in: Boreas 7, 1984, S. 269–94 *(P)*; P. Zanker, K. O. M.s Haus in Göttingen, Zur Selbstdarst. e. dt. Prof. um 1835, in: Göttinger Jb. 36, 1988, S. 141–61 *(P)*; K. Nickau, K. O. M., Prof. d. Klass. Philol. 1819–1840, in: Die Klass. Altertumswiss. an d. Georg-August-Univ., hrsg. v. C. J. Classen, 1989, S. 27–50 *(P)*; H. Döhl, K. O. M.s Reise nach Italien u. Griechenland 1839/40, ebd., S. 51–77 *(P)*; J. Bleicken, Die Herausbildung d. Alten Gesch. in Göttingen, Von Heyne bis Busolt, ebd., S. 107–10; W. Unte, K. O. M., in: Classical Scholarship, A Biographical Encyclopaedia, hrsg. v. W. W. Briggs u. W. M. Calder III, 1990, S. 310–19 *(P)*; H. J. Gehrke, K. O. M. u. d. Land d. Griechen, in: Mitt. d. Dt. Archäolog. Inst., Athen, 106, 1991, S. 9–35. – *Internat. Symposien:* Seminario su K. O. M., Pisa 1984, in: Annali della Scuola Normale Superiore di Pisa, Cl. di Lettere e Filosofia, III/14, hrsg. v. A. Momigliano, 1984, S. 893–1226; K. O. M. (1797–1840), Leben – Leistung – Wirkung, Bad Homburg 1994 (Akten im Druck, hierzu vollst. Bibliogr. zu M.s Schrr. u. Nachwirkung v. W. Unte).

P Ölgem. v. C. Oesterley, 1830 (Privatbes.); Bleistiftzeichnung v. A. Kestner, 1839 (zerstört, ehemals Kestner Mus., Hannover); Lith. v. C. Wildt nach e. Zeichnung v. W. Ternite (1840); Gedenkmedaille v. F. Helfricht anläßl. d. Philologenverslg. 1841 in Bonn (Göttingen, Archäolog. Inst.); Marmorstatue v. A. Tondeur (1880, ehemals Altes Mus., Berlin, danach Gipsbüsten 1899, Göttingen, Archäolog. Inst., u. Athen, Dt. Archäolog. Inst.); Marmorbüste v. A. Tondeur (1899, Göttingen, Aulagebäude).

Klaus Fittschen

2) *Julius*, Theologe, Dogmatiker, * 10. 4. 1801 Brieg (Schlesien), † 27. 9. 1878 Halle.

B Otfried (s. 1); ∞ 1) Flora (1804–39), *T* d. Johann Wilhelm Holenz (1770–1843), seit 1811 Sup. d. Kirchenkr. Oppeln (s. F. Heiduk, Oberschles. Lit.lex. II, 1993), 2) Elisabeth († 1844), *T* d. Senators N. N. Klugkist in Bremen; *Schwager d. 2. Ehefrau* Victor Aimé Huber (1800–69), Sozialpolitiker (s. NDB IX); 7 *K* aus 1), u. a. Marie (1832–83, ∞ Rudolf Kögel, 1829–96, Oberhofprediger in Berlin, s. NDB XII; *L*), Elisabeth (1842–1904, ∞ David Hupfeld, 1836–1916, Sup. in Schleusingen u. Eisfeld, s. NDB X*), Anna (∞ 1] Leopold Schultze, 1827–93, Gen.sup. d. Prov. Sachsen, s. ADB 54; Mitteldt. Lb. IV, 1929; *L*, 2] Thomas Klein, Prof. d. Gesch. in Marburg), 3 *K* aus 2); *E* Julius Leopold Schultze, Oberkonsistorialrat; *Gr-N* Paula M.-Otfried (s. 3); *Gr-N* Otto Mueller (s. 4).

Nach dem Besuch des Gymnasiums in Brieg absolvierte M. ein Jurastudium in Breslau (1819) und Göttingen (1820). Seit seinem 16. Lebensjahr war er von „innerer Unruhe geängstet", bis er in Göttingen „zum ersten Mal von der göttlichen Kraft des Evangeliums ergriffen" wurde. Daraufhin begann M., Theologie zu studieren, zunächst in Breslau (1822/23), dann in Berlin (1823/24), wo er durch Baron v. Kottwitz, Gerhard Friedrich Abraham Strauß, August Neander, vor allem aber durch August Tholuck unter den Einfluß der Erweckungsbewegung geriet. Friedrich Schleiermachers Vorlesungen hingegen mied der Student, und als Dogmatiker griff er dessen theologische Position seiner Gottes-, Sünden- und Freiheitslehre wegen beharrlich an. Mit Tholuck dagegen verband ihn eine Freundschaft, die fast 50 Jahre währen sollte. Ihm verdankte er, so M. selbst, „die Einsicht in den sittlichen Geist des Christentums", d. h. in die Bedeutung des Gegensatzes von Sünde und Gnade. Nach dem theologischen Examen war M. 1825–31 Pfarrer in Schönbrunn (Schlesien). Die Vorarbeiten für eine „Geschichte des Pietismus" und eine „Geschichte der deutschen Mystik" brach er 1826 ab, um gegen Johann Anton Theiners Forderung nach einer Reform der schles. Kirche durch den Staat die Selbständigkeit der Kirche zu verfechten. Aus demselben Grund wies M. die Einführung der Unionsagende in Schlesien als unzulässigen Eingriff des Königs in innerkirchliche Angelegenheiten zurück. Wegen der kirchenpolitischen Turbulenzen gab M. sein Pfarramt auf und ging 1831 nach Göttingen, wo er zum Universitätsprediger bestellt wurde und durch seine Predigten nachhaltig und weit über die Grenzen Göttingens hinaus wirkte. Mit einer Arbeit über Luthers Lehre von der Prädestination und vom freien Willen (1831) habilitierte sich M. in Göttingen, wurde 1834 zum ao. Professor ernannt und folgte 1835 einem Ruf nach Marburg auf den Lehrstuhl für Dogmatik.

In seiner Marburger Zeit entstand sein dogmatisches Hauptwerk „Die christliche Lehre von der Sünde" (1839, ²1844), das klassische Werk der prot. Theologie des 19. Jh. zur Sündenlehre. Gegen ihre zeitgenössische Verflachung betonte M. den Abgrund der Sünde, die als Verursachungsprinzip zufolge eine schlechterdings freie Tat fordert, welche, empirisch nicht aufweisbar, M. zur Annahme einer von den konkreten Zeitumständen unabhängigen individuellen Selbstbestimmung jenseits unseres zeitlichen Daseins führte. Sünde und Schuld begründen die Notwendigkeit des Erlösers, weshalb M. die Frage, „ob der Sohn Gottes Mensch geworden sein würde, wenn das menschliche Geschlecht ohne Sünde geblieben wäre", verneinte. Zeitlebens kämpfte er literarisch gegen den Pantheismus. Rufe nach Dorpat, Greifswald, Rostock, Heidelberg und Kiel schlug er aus, aber einem von Tholuck betriebenen und beim Minister gegen die Kandidatur von Ferdinand Christian Baur durchgesetzten Ruf nach Halle folgte M. 1839, wo er fast 40 Jahre wirkte. Durch ihn und Tholuck wurde Halle zu einer Hochburg der Erweckungstheologie. M. war ein eifriger Befürworter der kirchlichen Union auf der Basis des Bekenntnisses zu Jesus Christus unter gleichzeitiger Anerkennung der konfessionellen Lehrunterschiede, wie es in seiner Schrift „Die Union, ihr Wesen und ihr göttliches Recht" (1854) dargelegt ist. Er war ein kirchenpolitisch einflußreiches Mitglied der Berliner Generalsynode, nahm an den Kirchentagen teil und hielt dort bedeutende Grundsatzreden, so für die Freiheit der Kirche vom Staat und über die Wiedertrauung Geschiedener. 1848 gründete er mit C. I. Nitzsch und A. Neander die „Zeitschrift für christliche Wissenschaft und christliches Leben" (1848–57; NF 1858–61). Einen Ruf nach Tübingen (1841) lehnte M. ab, wurde daraufhin zum Konsistorialrat ernannt und verfaßte in dieser Funktion mehrere Gutachten zu Hochschulfragen. 1856 erlitt er einen Schlaganfall, durch dessen Folgen seine literarische Tätigkeit stark eingeschränkt blieb. M. hat testamentarisch verfügt, aus seinem Nachlaß nichts zu veröffentlichen.

L ADB 22 (R. Kögel); L. Schultze, D. J. M., Mitt. aus seinem Leben, 1879; K. Barth, Die prot. Theol. im 19. Jh., ³1960, S. 535–43 *(P);* Ch. Axt-Piscalar, Ohnmächtige Freiheit, Stud. z. Verhältnis v. Subjektivität u. Sünde b. A. Tholuck, J. M., S. Kierkegaard u. F. Schleiermacher, 1995 *(W-Verz., L);* PRE; BBKL; TRE.

Christine Axt-Piscalar

3) *Paula* M.-Otfried (seit 1920), Sozialpolitikerin, * 7. 6. 1865 Hoya/Weser, † 8. 1. 1946 Einbeck.

V Carl Hugo M. (1830–1908), Jurist, seit 1895 Landesdir. d. Prov. Hannover (s. BJ 13, Tl.), S d. Otfried (s. 1); M Emma Henriette Sophie (1828–91), T d. Weinhändlers Johann Heinrich Leonhard Bauer (1796–1842) u. d. Sophie Katharina Ahlers (1802–49); *Gr-Ov* Julius (s. 2); *Vt 2. Grades* Otto Mueller (s. 4); – ledig.

Nach dem Besuch der Höheren Töchterschule in Hannover und einem einjährigen Aufenthalt in einem Pensionat in Lausanne widmete sich M. kunstgeschichtlichen Studien und unternahm zahlreiche Reisen im In- und Ausland. Später sammelte sie als kirchliche Armenpflegerin Erfahrungen auf dem Gebiet der Sozialarbeit. 1899 engagierte sich M. beim Aufbau der Ortsgruppe des Deutsch-Ev. Frauenbundes; bereits 1901 wurde ihr der Bundesvorsitz übertragen, den sie bis 1934 innehatte. Zusammen mit Selma v. der Groeben, Adelheid v. Bennigsen und anderen organisierte M. die soziale Arbeit des Deutsch-Ev. Frauenbundes (u. a. Gründung des „Christlich-Sozialen Frauenseminars" in Hannover), wobei sie betonte, daß praktische Hilfsarbeit kein Ersatz für soziale Reformen sei. Überzeugt von dem Recht der Frauen auf Entwicklung ihrer Persönlichkeit und der Notwendigkeit ihrer verantwortlichen Mitarbeit in kirchlicher und bürgerlicher Gemeinde, sah sie deshalb ihre Aufgabe in der Auseinandersetzung mit der Frauenfrage. In der von ihr herausgegebenen „Ev. Frauenzeitung" (1900–04 u. d. T. „Mitteilungen des Deutsch-Ev. Frauenbundes") und zahlreichen Broschüren formulierte sie die theoretischen Grundlagen, Ziele und Forderungen der ev. Frauenbewegung. 1903 forderte M. als eine der ersten Frauen in Deutschland die Einführung des kirchlichen Frauenstimmrechts. Daneben galt ihr besonderer Einsatz der Sittlichkeitsbewegung. 1913 war M. Mitbegründerin der „Vereinigung konservativer Frauen"; im 1. Weltkrieg leitete sie den „Nationalen Frauendienst" in Hannover. Nach der Trennung des Deutsch-Ev. Frauenbundes vom Bund Deutscher Frauen beteiligte sie sich 1918 an der Gründung der „Vereinigung Ev. Frauenverbände Deutschlands" und war deren zweite Vorsitzende.

M. hatte zwar das politische Frauenstimmrecht abgelehnt, zögerte aber nicht, dieses Recht nach seiner Einführung 1918 zu nutzen. Als eine der ersten konservativen Politikerinnen war sie Abgeordnete der DNVP im Reichstag. Hier war sie sozialpolitisch tätig und vertrat vor allem die Interessen der Kleinrentner; die parlamentarische Staatsform der Weimarer Republik lehnte sie ab. Tatkräftig nahm M., die seit 1919 dem Vorstand der DNVP angehörte, die neuen Rechte der Frauen in der Kirche wahr. Sie war Mitglied zahlreicher kirchlicher Institutionen und Gremien, z. B. der Verfassungsgebenden Hannoverschen Landessynode, des Deutschen Ev. Kirchentages und des Deutschen Ev. Kirchenausschusses. – D. theol. (Göttingen 1930).

W u. a. Rechte u. Pflichten d. Frau in d. kirchl. u. bürgerl. Gemeinde, 1903; Wir Frauen u. d. Krieg, 1915; Volkswohl u. Sittlichkeit, 1916; Die Mitarbeit d. Frau b. d. Erneuerung unseres Volkes, 1921; Der

Deutsch-Ev. Frauenbund im Kampf d. Zeiten, 1925; Kleinrentnernot, 1927. – *Hrsg.:* Hdb. z. Frauenfrage, 1908; Die „Neue Ethik" u. ihre Gefahr, 1908.

L S. v. d. Groeben, P. M.-O., Ihr Leben u. ihr Werk, in: Ev. Frauenztg. 26, 1925, H. 7, S. 2–6; M. v. Tiling, P. M.-O. z. 70. Geb.tag, in: Aufgaben u. Ziele, 2 (15), 1935, H. 6, S. 81–84; L. Berger, P. M.-O. (1865–1946), in: R. Hellwig (Hrsg.), Unterwegs z. Partnerschaft, 1985, S. 88–99 *(P);* J.-Ch. Kaiser, Frauen in d. Kirche, 1985 *(P);* D. Kaufmann, Frauen zw. Aufbruch u. Reaktion, 1988; BBKL; Schumacher. – Eigene Archivstud.

P Archiv d. Dt. Ev. Frauenbundes, Hannover.

Michaela Fenske

4) *Otto* **Mueller,** Maler, * 16. 10. 1874 Liebau (Riesengebirge), † 24. 9. 1930 Obernigk b. Breslau.

V Julian Müller (1839–1909), Lt., Steuerbeamter in L., *S* d. Eduard (s. Gen. 1) u. d. Josephine Hoschek (1811–69) aus Böhmen; *M* Marie Maywald (1858–1925) aus Hühnerwasser (Böhmen), *unehel. T* e. Magd aus Böhmen; *Adoptiveltern d. M* Julius Göhler, Gutsbes., u. Caroline Auguste Hauptmann (* 1821), Tante der Dichter Carl (1858–1921) u. Gerhart Hauptmann (1862–1946, beide s. NDB VIII); *Gr-Ov* Otfried Müller (s. 1), Julius Müller (s. 2); 5 *Geschw,* u. a. Emmy (1876–1962, s. *L),* Mara (1878–1941, ∞ Paul Kother, 1878–1963, Maler), Kunststickerin; 4 *Stief-Geschw; Cousine 2. Grades* Paula Müller-Otfried (s. 3); – ∞ 1) Schönfeld b. Dresden 1905 (o|o 1921) Maschka Meyerhofer, 2) 1922 (o|o 1927) Elisabeth Lübke (1902–77, ∞ 2] Otto Herbig, 1889–1971, Maler, s. Wi. 1970), 3) Obernigk 1930 Elfriede Timm; 1 *vorehel. S,* 1 *S* aus 2).

Nach wechselhafter Schulzeit in Liebau und Görlitz absolvierte M. 1890 dort eine Lithographenlehre und bildete sich autodidaktisch weiter. 1894–96 besuchte er die Dresdener Kunstakademie und wurde Schüler u. a. von Carl Ludwig Bantzer. 1898 studierte er in München bei Franz v. Stuck; im Jahr darauf kehrte er nach Dresden zurück, wo er Maschka Meyerhofer begegnete. 1900 unternahm er auf Einladung von Gerhart Hauptmann eine Reise in die Schweiz, den Sommer 1901 verbrachte er mit den Hauptmanns auf Hiddensee. 1901–04 arbeitete M. an verschiedenen Orten in Schlesien, 1905 heiratete er Maschka Meyerhofer (ihr gemeinsamer Sohn war bereits 4 Jahre alt) und reiste mit Gerhart Hauptmann nach Italien. In den folgenden Jahren lebten und arbeiteten M. und seine Frau vorwiegend in Mittelschreiberhau. 1908 übersiedelte M. nach Berlin, wo er mit dem literarischen Zirkel um den S. Fischer-Verlag in Kontakt trat, 1910 erhielt er die erste wichtige Ausstellung zusammen mit den „Zurück-gewiesenen" der „Berliner Secession" in der Berliner Galerie Macht. M. wurde Gründungsmitglied der „Neuen Secession" und Mitglied der Künstlergemeinschaft „Brücke". Im Sommer 1910 reiste er mit E. L. Kirchner nach Böhmen; im September fand die erste Ausstellung mit der „Brücke" in der Galerie Arnold in Dresden statt. Im Jahr darauf arbeitete M. mit E. Heckel und Kirchner an der Ostsee, im Juli zum zweiten Mal mit Kirchner in Böhmen und im August an den Moritzburger Seen. Verschiedene Gemeinschaftsausstellungen, u. a. mit dem „Blauen Reiter" in München und mit der „Brücke" in der Berliner Galerie Fritz Gurlitt (beide 1912) folgten; im selben Jahr hörte die „Neue Secession" zu bestehen auf. 1913 ging nach Meinungsverschiedenheiten auch die Künstlergemeinschaft „Brücke" auseinander, doch blieb M. weiter in engem Kontakt mit den Mitgliedern, besonders mit Kirchner; zusammen verbrachten sie den Sommer auf Fehmarn. 1914 bezog M. ein neues Atelier und wurde Gründungsmitglied der „Freien Secession". 1916 wurde er zum Landsturm eingezogen, kam nach Flandern, später nach Frankreich und nach einem längeren Lazarettaufenthalt in Neuss 1917 an die russ. Front.

Erst 1919 erhielt M. die erste bedeutende Einzelausstellung in der Berliner Galerie Paul Cassirer, dazu im selben Jahr eine Professur an der Breslauer Kunstakademie, wo er bis zu seinem Tod unterrichtete. 1921 trennte sich Maschka von M., blieb mit ihm aber bis zu seinem Lebensende durch zahlreiche Briefe und gemeinsame Reisen verbunden. 1922 heiratete er erneut, 1924 bereiste er den Balkan und besuchte Sarajewo, Ragusa und Spalato in Dalmatien; dabei entstanden die ersten „Zigeunerbilder". In den folgenden Jahren reiste M. nach Ungarn, Paris und Südfrankreich, ferner nach Rumänien und Bulgarien. 1927 wurde die berühmte „Zigeunermappe" vollendet. 1930 besuchte er wiederum Dalmatien; sein Lungenleiden verschlimmerte sich, kurz vor seinem Tod heiratete er ein drittes Mal.

M.s Arbeiten der letzten fünf Schaffensjahre genügten der Kunstgeschichte, um das gesamte Œuvre des Künstlers in die Rubrik „Zigeunermaler" einzuordnen. Die Zigeunerbilder, die zweifellos zu M.s Hauptwerken gehören, sind eher – wie auch sein übriges Werk – Ausdruck eines romantischen Gefühls für das Schöne, das reizvoll Exotische, als eine Schilderung des nüchternen Alltags und des gesellschaftlichen Ausgegrenztseins der Zigeuner. M. war ein „Schönheitssucher", ein zeitlich ungebundener, sensibler

Maler, dessen „Kunst der Nuance" mit einer gewissen Feinfühligkeit ertastet sein will (Paul Westheim). Er war eine sehr introvertierte Persönlichkeit, deren menschliches Empfinden und seelischer Zustand den bildnerischen Ausdruck mitbestimmten. Neben „seinem" Thema, den Badenden oder Aktdarstellungen in der Natur, stehen deshalb das sich prüfende Selbstporträt oder das intime Doppelbildnis mit der jeweiligen Lebenspartnerin im Vordergrund seiner Arbeiten. Vergleiche mit seinen Zeitgenossen lassen den Maler mit seinem beharrlichen Rückgriff auf immer gleiche Sujets als schöngeistigen, weltfremdem Sonderling erscheinen. Daß er zu den gesellschaftlichen Problemen der Zeit nicht Stellung nahm, alles Alltägliche offensichtlich negierte, hat lange die Einschätzung und Bewertung seiner Malerei beeinflußt.

W u. a. in: Brücke-Mus., Nat.gal., Berlin; Leopold-Hoesch-Mus., Düren; Mus. Folkwang, Essen; Kunsthalle, Hamburg; Mus. Ludwig, Köln; Kunsthalle, Emden; Städelsches Kunstinst., Frankfurt; Gal. Moritzburg, Halle; Mus. d. bildenden Künste, Leipzig; Bayer. Staatsgem.slgg., München; Staatsgal., Stuttgart; Von der Heydt-Mus., Wuppertal; The Detroit Inst. of Art, Detroit; Art Mus., St. Louis.

L P. Westheim, O. M., in: Das Kunstbl., 2, 1918, S. 129 ff.; E. Troeger, O. M., 1949 *(P);* L.-G. Buchheim, O. M., Leben u. Werk, 1963 *(W-Verz. d. Graphik v. F.* Karsch, *Ausst.-Verz., L);* ders., O. M., Pastelle – Zeichnungen – Lithographien, 1969; H. Jähner, O. M., 1974; F. Karsch, O. M. – d. graph. Gesamtwerk, Sonderkat. d. Gal. Nierendorf, Berlin 1974 *(P);* M.-A. v. Lüttichau, O. M., Ein Romantiker unter d. Expressionisten, 1993 *(Ausst.-Verz., L, P);* Schles. Lb. V, 1968; ThB; KML. – Emmy Mueller, Erinnerungen an O. M. (Typoskript, Anfang d. 50er J.). – *Weitere Ausst.* u. a. Gal. Thomas, München 1978 *(P);* O. M. z. 60. Todestag, Gal. Nierendorf, Berlin 1990 *(P).* – Archivstud. v. T. Pirsig, Essen.

P Zahlr. Selbstbildnisse, Abb. u. a. bei v. Lüttichau (s. *L);* E. L. Kirchner, Gem. „O. M. mit Pfeife", 1913 (Brücke-Mus., Berlin).

Mario-Andreas v. Lüttichau

Müller. (kath.)

1) *Johann* Heinrich, Physiker, Mathematiker, * 30. 4. 1809 Kassel, † 3. 10. 1875 Freiburg (Breisgau).

V Franz Hubert (1784–1835), Dr. h. c., Maler, Kupferstecher, Kunstschriftst., 1817 Insp. d. Darmstädter Gal., 1823 Dir. (s. NND 13; ThB; Kosch, Lit.-Lex.³), *S* d. N. N., Jurist in Bonn, Rat am kurköln. Oberappellationsger.; *M* Anna Maria Gertrud Koerber; *B* Andreas (s. 2), Constantin (1815–49), Carl (1818–93, beide s. Gen. 2); – ∞ Karoline Asmus; *S* Karl († v. 1935), Dipl.-Ing.; *N* Zoë († 1944, ∞ Heinrich Finke, 1855–1938, Historiker, s. NDB V); *E* Wolf Johannes (s. 3).

Seine Jugend verbrachte M. in Frankfurt/ Main und Darmstadt. 1829 begann er das Studium der Mathematik und Physik in Bonn, u. a. bei J. Plücker, und setzte es 1832 an der Univ. Gießen fort, u. a. bei Liebig. Mit der Dissertation „Erklärung der isochromatischen Curven, welche einaxige, parallel mit der Axe geschnittene Krystalle im homogenen polarisirten Lichte zeigen" promovierte er 1833 zum Dr. phil. und schloß damit sein Studium ab. 1834 wurde er Lehrer am Darmstädter Gymnasium, 1837 an der Realschule zu Gießen. Als Nachfolger von G. F. Wucherer wurde er 1844 Professor für Physik und Technologie an der Univ. Freiburg (Breisgau), wo er bis zu seinem Tode wirkte. Dort betrieb er selbständige Forschungsarbeiten zur Optik, zum Galvanismus und Magnetismus sowie über Licht- und Wärmestrahlung; seit 1846 untersuchte er auch Fraunhofersche Linien, wobei er neue Erkenntnisse über ultraviolette Strahlen und später auch über die thermische Wirkung des Sonnenspektrums gewann.

Da an der Univ. Freiburg 1836 die Physik als Pflichtfach weggefallen war, sah M. eine wichtige Aufgabe im Ausbau seines Instituts, seiner Forschungs- und Experimentiermöglichkeiten insbesondere für Studienzwecke. Dazu kam seine sich stetig ausweitende Produktion von Lehrbüchern, worin auch seine Hauptleistung zu erblicken ist. Als neu und besonders erfolgreich erwies sich die immer reichere Ausstattung seiner wohlfundierten Bücher mit eigenem Bildmaterial, vor allem mit Holzschnitten, bei deren Gestaltung ihm seine vom Vater vermittelte Darstellungskunst zustatten kam. In Frankreich war 1827–30 ein modernes und sehr erfolgreiches Physik-Lehrbuch mit dem Titel „Élémens de physique expérimentale et de météorologie", ergänzt durch einen Atlas, von Claude Servais Mathias Pouillet erschienen, auf das M. von dem Braunschweiger Buchhändler Vieweg hingewiesen wurde. M. übernahm die Bearbeitung einer deutschen Ausgabe, die seit 1842/43 „frei bearbeitet" unter dem Titel „Lehrbuch der Physik und Meteorologie" erschien, später mit Zusatzband und Atlas, in vielen Auflagen ständig verbessert, erweitert, den neuen Forschungsergebnissen angepaßt und immer reicher bebildert. Zunächst wurde es bekannt unter dem Doppelnamen Pouillet-Müller, von der 9. Auflage (1886) an als „Müller-Pouillets Lehrbuch". M. hat u. a. erstmals die Gaußschen Erkenntnisse über den Magnetismus in ein Lehrbuch eingearbeitet. Dieses allmählich auf fünf Bände erweiterte Werk, dem er bis zu seinem Tode den größten Teil seiner Arbeitszeit widmete, führte er allein über die ersten acht Auflagen zu ungewöhnlichen Erfolgen; danach erschien es noch in drei weiteren Auflagen (1886, 1905, 1925/26) unter Mitwirkung von zehn Physikern. – Prorektor d. Univ. Freiburg (Breisgau) (um 1858); Hofrat.

Weitere W u. a. Grundriß d. Physik u. Meteorol. f. Lyceen, Gymnasien, Gewerbe- u. Realschulen, sowie z. Selbstunterrichte, 1846; Anfangsgründe d. geometr. Disciplinen f. Gymnasien, Real- u. Gewerbeschulen, sowie auch z. Selbstunterrichte, 3 T.: 1. Elemente d. ebenen Geometrie u. Stereometrie, ^{3}1869, 2. Elemente d. ebenen u. sphär. Trigonometrie, ^{2}1859, 3. Elemente d. analyt. Geometrie in d. Ebene u. im Raum, 1859; Lehrb. d. Physik u. Meteorol. (nach Pouillet), 1843, ^{8}1873, ^{11}1925/26; Lehrb. d. kosm. Physik, 1856, ^{4}1875; Atlas z. Lehrb. d. kosm. Physik, 27 Tafeln, 1856, ^{4}1875; Einl. in d. Physik unter Zugrundelegung v. Leonhard Euler's Briefen an e. dt. Prn. üb. verschiedene Gegenstände d. Physik, Suppl.: Die neuesten Ergebnisse u. Bereicherungen d. Physik in Briefform behandelt, 1848; Ber. üb. d. neuesten Fortschritte d. Physik, 1851; Grundriß d. Experimentalphysik, 1852, ^{12}1875; Atlas d. Physik, 10 Tafeln, 1872.

L ADB 22; Aus d. Gesch. d. Naturwiss. an d. Univ. Freiburg, 1957, S. 17 ff.; Bad. Biogrr. III; Pogg. II, III, VI; DSB.

Gottlob Kirschmer

2) *Andreas*, Maler, Radierer, Restaurator, * 19. 2. 1811 Kassel, † 29. 3. 1890 Düsseldorf.

V Franz Hubert (s. Gen. 1); *M* Anna Maria Gertrud Koerber; *B* Johann (s. 1), Constantin (1815–49), Kupferstecher u. Radierer in D. (s. ThB), Carl (1818–93), Kirchen- und Bildnismaler, Prof., 1883 Leiter d. Kunstak. in D. (s. ADB 52; ThB; *L*); – ∞ Düsseldorf 1840 Maria Catharina Petronella (* 1814), *T* d. Franz Wilhelm Schweden († 1866) aus D. u. d. Pauline Elisabeth Völkerrath († 1857); 1 *S* Franz (1843–1929), Historien- u. Bildnismaler (s. ThB), 3 *T*; *Gr-N* Wolf Johannes (s. 3).

M. erhielt seine erste künstlerische Ausbildung 1829–33 nach dem Abitur bei seinem Vater, der als Direktor der Darmstädter Galerie auch eine von ihm gegründete Zeichenakademie leitete. 1833/34 besuchte er die Münchener Akademie als Schüler von J. Schnorr v. Carolsfeld und Peter v. Cornelius. Seit Oktober 1834 studierte er an der Düsseldorfer Akademie, zunächst bei Theodor Hildebrandt und Carl Sohn, dann auch bei Wilhelm v. Schadow. 1835 entstand sein erstes Gemälde, „Der Knabe vom Berg", nach dem Gedicht Ludwig Uhlands. Widmete er sich anfangs noch genrehaften Darstellungen, wandte er sich bald religiösen Themen zu.

Zusammen mit seinem Bruder Carl, Ernst Deger und Franz Ittenbach, den von Schadow geförderten Düsseldorfer Nazarenern, erteilte ihm Franz Egon v. Fürstenberg-Stammheim 1837 den Auftrag, die Apollinariskirche in Remagen auszumalen. Zur Vorbereitung des Werks reiste er noch im Herbst desselben Jahres mit Deger über München, wo sie Cornelius aufsuchten, nach Italien, wohin 1839 die beiden anderen folgten. Sie studierten die ital. Malerei, übten regelmäßig Aktzeichnen in der franz. Akademie in Rom und nahmen als Mitglieder von Friedrich Overbecks Komponierverein an dessen abendlichen Übungen im Gewandzeichnen teil. Im Herbst 1838 entstanden die ersten Entwürfe für Remagen. Im Mai 1840 kehrte M. mit Deger nach Düsseldorf zurück, um zu heiraten. Im Juli reiste das junge Paar mit Deger wieder nach Italien. Bis Mai 1842 weilten M. und seine Frau in Rom, wo sie mit Deger, Wilhelm v. Kaulbach und Sulpiz Boisserée im selben Haus wohnten. Nach dem Plan Degers begannen sie 1843 die Arbeit in Remagen; die gesamte Ausführung dauerte bis 1852. Die vier Hauptgemälde mit Szenen aus dem Leben des hl. Apollinaris und zwei Figuren von Heiligen zu beiden Seiten dieser Bilder stammen von M., weiter neben der Orgeltribüne ein „David" und eine „Hl. Cäcilie". M. schloß seine Arbeit an den Wandgemälden 1851 ab. Die zehn Darstellungen der Legende des Kirchenpatrons auf der Predella unter den Hauptbildern führte Joseph Kehren nach M.s Kartons in Grisaille aus. Der Zyklus in Remagen ist die bedeutendste Freskomalerei der Spätnazarener und eine der wichtigsten Kirchenmalereien des 19. Jh. Nach der Arbeit in der Apollinariskirche entstanden Tafelbilder für verschiedene Kirchen, u. a. für den Dom in Breslau. Für den Fürsten Löwenstein-Wertheim schmückte M. einen kreuzförmigen Reliquienschrein mit fünf Passionsszenen. In den 60er Jahren beauftragte ihn Fürst Karl Anton von Hohenzollern-Sigmaringen mit der dekorativen Ausgestaltung des Kunstsaals im Stammschloß der Familie. Hierfür malte M. zusammen mit seinem Sohn Franz und dem Historienmaler Heinrich Lauenstein 26 Bildnisse deutscher Künstler. M. restaurierte auch die Gemäldesammlung des Fürsten Adolf von Schaumburg-Lippe und radierte Szenen zu Gedichten von R. Reinick, E. v. Grote und J. P. Hebel.

1855 wurde M. als Professor der Elementarklasse und Kunstgeschichte und als Leiter des Kupferstichkabinetts an die Düsseldorfer Kunstakademie berufen. Als Restaurator widmete er sich hier u. a. Rubens' „Mariä

Himmelfahrt". Ein wesentlicher Teil seines Œuvres, Entwürfe, Kartons und Studien sowie seine wissenschaftlichen Aufzeichnungen wurden beim Brand der Düsseldorfer Akademie 1872 vernichtet, was eine Untersuchung seines Schaffens sehr erschwert. Wegen eines Schlaganfalls, von dessen Folgen er sich nicht mehr erholte, mußte M. 1881 seine Ämter an der Düsseldorfer Akademie niederlegen. – Mitgl. d. Ak. zu Wien, Amsterdam u. Lissabon.

W u. a. Abendfrieden, 1837; Kinderbildnis (d. älteste Tochter M.s), um 1846/47 (beide Kunstmus., Düsseldorf); Ein lesender Mönch im Klosterhof, 1837 (Gal., Darmstadt); zwei Zeichnungen (Kunstmus., Düsseldorf). – Schr.: Ein Kupf. v. Rafael in d. Slg. d. kgl. Kunstak. zu Düsseldorf, 1860. – Nachlaß: Stud. u. Entwürfe (Erzbischöfl. Diözesanmus., Köln).

L ADB 52; F. Kaufmann, A. M., e. Altmeister d. Düsseldorfer rel. Malerschule, 1896; H. Finke, Carl Müller, sein Leben u. künstler. Schaffen, 1896; P. A. Bierbaum, Der Apollinarisberg, 1907, S. 25–40 (P); P. A. A. Koller S. C. J., Das Ideal d. Nazarener in seiner Gestaltung durch die Meister d. Apollinariskirche, Diss. Düsseldorf 1935; H. P. Hilger, Zwei Gem. v. A. M. in Zyfflich am Niederrhein, in: Zweihundert J. Kunstak. Düsseldorf, hrsg. v. E. Trier, 1973, S. 101–08; Die Düsseldorfer Malerschule, hrsg. v. W. v. Kalnein, Ausst.kat. Kunstmus. Düsseldorf 1979, S. 407–10; W. Hütt, Die Düsseldorfer Malerschule, 1819–1869, ²1984 (L-Verz., Abb.); S. Rösler-Schinke, Die Apollinariskirche in Remagen – e. Gesamtkunstwerk d. 19. Jh., Diss. München 1994; Lex. d. Düsseldorfer Malerschule, hrsg. v. Kunstmus. Düsseldorf, 4 Bde. (in Vorbereitung); ThB.

Choung-Hi Lee-Kuhn

3) *Wolf Johannes*, Chemiker, * 8. 7. 1874 Olten (?) Kt. Solothurn, † 9. 12. 1941 Wien. (kath.)

V Karl († v. 1935), Dipl.-Ing., Civiling. in O., später in Freiburg (Breisgau), S d. Johann (s. 1); M Emma Ziegler († v. 1935); Gr-Ov Andreas (s. 2); – ∞ 1908 Magda (1892–n. 1941), T d. Heinrich Roeffs, Senatspräs., u. d. Josefa Remy; 2 S, 1 T.

M. verbrachte nur seine ersten Lebensjahre in der Schweiz, die Schule besuchte er bereits am neuen Wohnort seiner Eltern in Freiburg (Breisgau). Nach dem Abitur am dortigen humanistischen Gymnasium studierte er Chemie in Straßburg und Freiburg, wo er 1897 mit der Arbeit „Über einige neue Derivate des o-Methylchinolins" promoviert wurde. Nach einem kurzen Aufenthalt in Berlin bei J. H. van't Hoff übernahm M. 1898 eine Assistentenstelle am Physikalischen Institut der Univ. Münster bei W. Hittorf, wo er erstmalig mit dem Thema der Passivierung von Metallen in Berührung kam. Darunter versteht man die auffallende Beständigkeit an sich unedler Metalle gegenüber Säuren oder Basen unter bestimmten Reaktionsbedingungen. 1900–03 befaßte sich M. im Labor L. Gattermanns in Freiburg erneut mit Problemen der organischen Chemie und habilitierte sich dort bereits 1900 mit Untersuchungen „Über die Zersetzungsgeschwindigkeit der Brombernsteinsäure in wäßriger Lösung". Anschließend unterrichtete er an der städtischen Chemieschule in Mülhausen (Elsaß) und an der Univ. Basel (1906 Priv.-Doz., 1909 Prof.). Seit 1911 war M. als Vorstand des anorganischen Laboratoriums der Farbenfabriken vorm. Friedrich Bayer & Co. in Leverkusen tätig, ehe er 1926 einem Ruf an die TH Wien als Nachfolger H. Jüptners folgte.

Während seiner Tätigkeit für die Firma Bayer befaßte sich M. mit praktisch-technologischen Problemen und entwickelte u. a. ein Verfahren zur Erzeugung von Schwefelsäure aus Gips, das große Bedeutung erlangte, da dabei als Nebenprodukt ein hochwertiger Zement erhalten wurde (DRP 299 033 u. DRP 388 849). In Wien plante und leitete M. den Neubau eines Instituts für chemische Technologie anorganischer Stoffe, in dem er die bereits bei Hittorf und später auch während seiner Tätigkeit in Mülhausen begonnenen Arbeiten über die Passivierung von Metallen fortsetzte. Das Phänomen ist in der chemischen Literatur erstmals 1782 beschrieben worden; Faraday gelang 1836 ein theoretischer Erklärungsansatz, der in der Folgezeit zur sog. „Oxidhauttheorie" weiterentwickelt wurde. Demnach ist die Ursache der Passivität in der Bildung einer resistenten, dünnen, dichten Schutzschicht auf der Metalloberfläche zu sehen. M. vermochte durch eine Reihe von elektrochemischen Untersuchungen, die sog. „Bedeckungstheorie" zu formulieren, die sowohl die Passivierung wie die damit eng verbundenen Korrosionserscheinungen befriedigend erklärte und von grundlegender Bedeutung für das Verständnis des chemischen Verhaltens von metallischen Oberflächen wurde. – Korr. Mitgl. d. Ak. d. Wiss. in Wien (1936).

Weitere W Theorie d. Polarisation b. anod. Bedeckung u. Passivierung v. Metallen, in: Mhh. f. Chemie (Wien) 48, 1927, S. 711 (mit K. Konopicky); Zusammenhang v. passivierender Stromdichte u. Zeit, ebd. 49, 1928, S. 47 (mit O. Löwy); Stromdichte-Zeitkurve im Falle v. Bedeckungspassivität, ebd. 50, 1928, S. 385–91 (mit K. Konopicky); Anod. Verhalten v. Zink in schwefelsauren Elektrolyten, ebd. 52, 1929, S. 425–41 (mit L. Holleck); Passivität d.

Bleis in Schwefelsäure, Theorie d. Formierung d. Bleianode, ebd. 52, 1929, S. 442-62; Passivität d. Metalle, speziell d. Eisens, in: Zs. f. Elektrochemie 30, 1924, S. 401-16; Kinematik d. Passivitätserscheinungen, ebd. 35, 1929, S. 656-70; Die Bedeckungstheorie d. Passivität d. Metalle u. ihre experimentelle Begründung, 1933.

L M. Nießner, in: Österr. Chemiker-Ztg. 37, 1934, S. 107-09 (P); W. Machu, Die hist. Entwicklung d. Passivitätsforschung u. krit. Betrachtung d. versch. Passivitätstheorien, ebd., S. 109-12; M. Nießner, ebd. 45, 1942, S. 23 (P); A. Klemenc, in: Berr. d. Dt. Chem. Ges. 75 (A), 1942, S. 30-33; ÖBL; Pogg. IV-VI.

Claus Priesner

Müller. (ev.)

1) *Fritz (M.-Desterro)*, Biologe, * 31. 3. 1822 Windischholzhausen b. Erfurt, † 21. 5. 1897 Blumenau (Brasilien). (seit 1846 konfessionslos)

V Johann Friedrich (1794-1873) aus Schmira b. Erfurt, Pfarrer in W., später in Mühlberg (Thüringen), S d. Johann Friedrich (1756-1820) aus Kühnhausen b. E., Pfarrer in Auerstedt, Schmira u. E., hier zugl. Rektor d. Gymnasiums (s. NDB 18*), u. d. Christine Friederike Wilhelmine Weltz (1757-1829); M Caroline († 1843), T d. Johann Bartholomäus Trommsdorf (1770-1837), Pharmazeut, Chemiker in E. (s. ADB 38), u. d. Martha Hoyer († 1836); Ov Hieronymus (1785-1861), klass. Philologe (s. ADB 22); Tante-m Maria Dorothea Trommsdorf (∞ Johann Friedrich Möller, 1789-1861, Gen.sup. d. Prov. Sachsen, s. ADB 22); B August (1825-n. 1897), studierte Theol., Kunstgärtner in Mühlberg, später in B., Hermann (s. 2); Halb-B Wilhelm (1857-1940), Prof. d. Zool. in Greifswald (s. Kürschner, Gel.-Kal. 1931); Vt August Nauck (1822-92), klass. Philologe (s. NDB 18); *Cousine* Lina Walther (1824-1907), Schriftst. (s. Mitteldt. Lb. II, 1927); – ∞ Loitz 1852 Carolina Tollner (1826-94) aus Loitz, T e. Tagelöhners; 10 K; N Hermann (M.-Sagan) (1857-1912), Dr. phil., Lehrer, Verleger, Teilh. d. Fa. Carl Flemming in Glogau, 1892-1907 MdR, Freisinnige Volkspartei (s. Wi. 1912; BJ 18, Tl.; Kosch, Biogr. Staatshdb.).

Zunächst in der Dorfschule und vom Vater unterrichtet, bezog M. 1835 das Gymnasium zu Erfurt, das er 1840 mit dem Reifezeugnis verließ. Danach trat er in eine Apotheke in Naumburg ein, nachdem er bereits im letzten Schuljahr Unterricht in Pharmazie genommen hatte. Doch verließ er bereits nach einem Jahr die Apotheke, studierte in Greifswald und Berlin Naturwissenschaften und Mathematik, legte das Oberlehrerexamen ab und wurde mit einer Dissertation „De hirudinibus" 1844 zum Dr. phil. promoviert. Er studierte dann in Greifswald Medizin, wurde aber zur medizinischen Pflichtpromotion nicht zugelassen, da er sich weigerte, den dabei üblichen Eid mit dem Zusatz „so wahr mir Gott helfe" zu sprechen. 1849 wurde eine neuerliche Bitte M.s, den Eid wie die jüdischen Promovenden, d. h. ohne die Schlußformel, leisten zu dürfen, abgelehnt. Nach dreijähriger Tätigkeit als Hauslehrer entschloß er sich 1852 zur Auswanderung nach Brasilien. Er lebte zunächst als Farmer bei Blumenau, erhielt aber 1856 eine Stelle als Lehrer am Lyzeum in Desterro (jetzt Florianopolis) auf der Insel Santa Catharina. Als er 1867 durch Jesuiten aus dieser Stellung vertrieben wurde, siedelte er sich in Blumenau an und wurde 1876 als „reisender Naturforscher" („naturalista viajante") des Nationalmuseums angestellt. Auswärtige Naturforscher, z. B. Andreas Franz Wilhelm Schimper, Heinrich Schenck, Alfred Möller, nahmen bei ihm für längere Zeit Quartier zu botanischer Forschungsarbeit. Als M. sich der 1892 von der republikanischen Regierung befohlenen Umsiedlung nach Rio de Janeiro widersetzte, wurde er ohne Entschädigung entlassen. Zum 70. Geburtstag erhielt M. ein großes Album mit 119 Porträtphotos von Zoologen und Botanikern, das sich jetzt im Ernst-Haeckel-Museum in Jena befindet.

M. beschäftigte sich vor und nach seiner Auswanderung vor allem mit der Morphologie und Entwicklungsgeschichte von Egeln, Würmern, Krebsen und Quallen. Darwins „Origin of Species" (1859) und die daran anschließende Diskussion regten M. an, die Deszendenztheorie an einer bestimmten Tiergruppe nachzuprüfen, und er wählte dazu die marinen Krebse. Das Ergebnis dieser Untersuchungen veröffentlichte er in dem Buch „Für Darwin" (1864) unter dem Motto, das auch über seinem gesamten Lebenswerk steht: Nullius verba jurans ... quae ipse quaesivi, reperi. M. erkannte, daß die individuelle Entwicklung (Ontogenie) eine kurze Rekapitulation der stammesgeschichtlichen Entwicklung (Phylogenie) darstellt, wobei durch Änderung der Lebensweise gewisse Abweichungen stattfinden können. Diesen Befund hat später Ernst Haeckel (1872) mit dem noch heute verwendeten Terminus „Biogenetisches Grundgesetz" bezeichnet. M. befaßte sich weiterhin mit der Entwicklungsgeschichte und Ökologie wirbelloser Tiere, besonders der Egel, Ostracoden, Asseln, Termiten, Köcherfliegen und stachellosen Bienen, sowie mit dem Problem der Mimikry. Daneben wandte er sich zunehmend botanischen Problemen zu, besonders der Blütenökologie (Differenzierung der Antheren zur Anlockung und Bestäubung, Abschuß der Pollen auf bestäubende Insekten, Bestäubung durch Vögel), dem anatomischen Bau der Lianenstämme, den Verbreitungsmechanismen von Früchten und Samen. Die Ergebnisse dieser Forschungen veröffentlichte M. in 250 Abhandlungen in deutschen, engl. und brasilian. Zeitschriften.

M. stand in regem Briefwechsel mit vielen Biologen, besonders mit Darwin, Haeckel, August Weismann und mit seinem Bruder Hermann, dem Begründer der neueren Blütenökologie. Darwin nannte M. „the prince of the observers" und schrieb: „I feel the greatest respect for him as one of the most able naturalists living". – Korr. Mitgl. d. Sociedad nacional de ciencias in Buenos Aires (1884); Mitgl. d. Leopoldina (1884); Ehrenmitgl. d. Entomological Society in London (1884).

Weitere W Werke, Briefe u. Leben, hrsg. v. A. Möller, 5 Bde., 1915–21 *(P)*.

L E. Haeckel, in: Jenaische Zs. f. Naturwiss. 31, 1897, S. 156–73; E. Loew, in: Berr. d. Dt. Botan. Ges. 15, 1897, S. (13)-(19); F. Ludwig, in: Botan. Cbl. 71, 1897, S. 291–302, 347–62, 401–08 *(P)*; E. Roquette-Pinto, in: Boletim Museu Nacional, Rio de Janeiro, 5, 1929, S. 1–23 *(P);* DSB.

Karl Mägdefrau

2) *Hermann* (auch gen. *Hermann von Lippstadt*), Botaniker, Zoologe, * 23. 9. od. 29. 9. 1829 Mühlberg (Thüringen), † 25. 7., 25. 8. od. 26. 8. 1883 Prad (Tirol).

B Fritz (s. 1); – ∞ 1856 Sophie (* 1819), *Wwe* d. Ökonomen Diedrich Lempke, *T* d. Peter Schmits, Ökonom in Lippstadt; *K.*

Nach Privatunterricht durch seinen Vater trat M. in die Obertertia des Gymnasiums zu Erfurt ein und legte 1847 das Abitur ab. Er begann das Studium der Naturwissenschaften an der Univ. Halle und setzte es 1849 in Berlin fort. Seine Lehrer waren u. a. A. Braun in Botanik, H. Burmeister in Zoologie, C. G. Ehrenberg, E. Germar, C. Giebel und E. Beyrich in Geologie. Die Ferien benutzte er zu geologischen Wanderungen durch Thüringen, das Fichtelgebirge und den Frankenjura. Nach ausgezeichnetem Staatsexamen unternahm er zu geologischen, botanischen und zoologischen Studien Reisen nach Hessen und Westfalen, nach Tirol, Kärnten und Krain. Seine Referendarzeit leistete er in Berlin ab und wurde 1855 von der Univ. Jena aufgrund einer mineralogischen Dissertation über Pseudomorphosen promoviert. Im selben Jahr trat er in die Realschule I. Ordnung in Lippstadt ein, an der er bis zu seinem Tode als Lehrer wirkte. Seine Lehrpläne wurden Vorbild für die preuß. Realgymnasien.

M.s wissenschaftliches Interesse galt vor allem den Insekten und Pflanzen. Durch eine für ihre Zeit vorbildliche Abhandlung „Geographie der in Westfalen beobachteten Laubmoose" (1864) wurde er zu einem der Begründer der Bryogeographie. Zur Unterscheidung taxonomisch schwierig abzugrenzender Laubmoosarten verwendete M. erstmals variationsstatistische Methoden. Ein systematisch zwischen zwei Gattungen stehendes Laubmoos führte ihn zur Anerkennung der Deszendenztheorie und eröffnete seinen langjährigen Briefwechsel mit Charles Darwin. Dessen Buch über Befruchtungseinrichtungen der Orchideen (1862) regte M. an, zunächst die Orchideen und dann die übrigen einheimischen Blütenpflanzen bezüglich ihrer Bestäubung durch Insekten zu untersuchen. Er faßte seine Beobachtungen zusammen in seinem Buch „Die Befruchtung der Blumen durch Insekten und die gegenseitigen Anpassungen beider" (1873). Während Ch. K. Sprengel, der Begründer der Blütenökologie, und sein Wiederentdecker Darwin nur die auf die Bestäubung bezüglichen Baueigentümlichkeiten der Blüten untersucht hatten, erforschte M. auch die funktionelle Morphologie der bestäubenden Insekten und stellte für alle untersuchten Pflanzenarten Listen der beobachteten Bestäuber zusammen, deren Bestimmung er bei taxonomisch schwierigen Insektengattungen von Spezialisten nachprüfen ließ. „Der Wert von M.s Buch kann kaum überschätzt werden", schrieb Darwin und veranlaßte dessen Übersetzung ins Englische (1883). 1881 folgte ein weiterer Band „Alpenblumen, ihre Befruchtung durch Insekten und ihre Anpassung an dieselben". M. versuchte bereits 1869, die Entstehung der vielfältigen Anpassungen mit Darwins Selektionstheorie zu erklären, und bezeichnete die bestäubenden Insekten als „unbewußte Blumenzüchter". Er erfaßte hiermit erstmals einen Tatbestand, der neuerdings mit dem Begriff „Co-Evolution" bezeichnet wird. – Prof.titel (1883).

Weitere W Wechselbeziehungen zw. Blumen u. d. ihre Kreuzung vermittelnden Insekten, in: A. Schenk, Hdb. d. Botanik, 1879, S. 1–112; Die Hypothese in d. Schule u. d. naturgeschichtl. Unterricht an d. Realschule zu Lippstadt, 1879; zahlr. Abhh. in: „Nature" u. „Kosmos, Zs. f. Entwicklungslehre", 1873–83.

L ADB 52; E. Krause, H. M. v. Lippstadt, 1884 *(W-Verz, P)*; F. Ludwig, in: Botan. Cbl. 17, 1884, S. 393–414; W. Breitenbach, in: Natur u. Schule 2, 1902, S. 43–48, u. 5, 1906, S. 304–10; Ph. Depdolla, in: Archiv f. Gesch. d. Med. u. Naturwiss. 34, 1941, S. 261–334; K. Mägdefrau, Die Geogr. d. Moose, in: Acta historica Leopoldina 9, 1975, S. 95–111 *(P);*

F. Stafleu u. R. Cowan, Taxonomic Literature 3, 1981, S. 626–28; H. Kresse, H. M.s Briefwechsel mit Charles Darwin, 1985.

P in: P. Knuth, Hdb. d. Blütenbiol. II, 1898; Marmormedaillon (Lippstadt, Ostendorf-Gymnasium).

Karl Mägdefrau

Müller. (ev.)

1) *August,* Orientalist, * 3. 12. 1848 Stettin, † 12. 9. 1892 Halle / Saale.

V Richard, Zuckerfabrikdir.; *M* Dorothee Rosalie Helle; ∞ 1877 Marie (1856–1931), *T* d. Zuckerfabrikdir. Julius Kier u. d. Maria Bunzmann; 4 *K,* u. a. Johannes (s. 2).

M. studierte 1864–68 klassische Philologie und Semitistik in Halle und Leipzig, wo er Schüler von Heinrich Leberecht Fleischer war. 1868 promovierte er in Halle mit einer kritischen Ausgabe der Muʿallaqa des Imruulqais (Imruulkaisi Muʿallaka commentario critico illustrata, 1869). Nach kurzer Tätigkeit als Gymnasiallehrer in Neuruppin und am Waisenhaus in Halle habilitierte er sich in Halle 1870 mit einer Abhandlung über die hebr. Akzente. Nach seiner Ernennung zum ao. Professor (1874) folgte M. 1882 einem Ruf nach Königsberg, kehrte jedoch 1890 nach Halle zurück.

M.s Arbeiten zeichnen sich aus durch die Anwendung von Methoden der klassischen Textkritik auf die vorislamische Dichtung; daneben befaßte er sich mit dem Fortleben antiker Traditionen im Islam, wie in seiner Abhandlung „Die griech. Philosophen in der arab. Überlieferung" (1873). Mit seiner Edition von Ibn abi ʿUåibiás Ärztebiographien (Kitāb ʿUyūn al-anbāʾ fī ṭabaqāt al-aṭibbāʾ, 2 Bde., 1882–84) erschloß er eine wichtige Quelle für die Medizin im Islam. Die Edition von Ibn al-Qifṭīs „Geschichte der Weisen" (Tārīḥ al-ḥukamāʾ), das wertvolle Auszüge aus griech. Quellen enthält, wurde von Julius Lippert vollendet (1903). Weite Verbreitung fand M.s Bearbeitung von Carl Paul Casparis „Arabische Grammatik" (⁴1876, ⁵1887). Für die von Wilhelm Oncken herausgegebene „Allgemeine Geschichte in Einzeldarstellungen" verfaßte M. sein für eine breite Öffentlichkeit geschriebenes Buch „Der Islam im Morgen- und Abendland" (2 Bde., 1885–87), dessen Wert in der ausgiebigen Benutzung von Primärquellen und der frischen Darstellungsweise liegt. – Norweg. Olaf-Orden (1889).

Weitere W Das arab. Verz. d. aristotel. Schrr., in: FS H. L. Fleischer, 1875; Semit. Lehnwörter im älteren Griech., in: Bezzenbergers Btrr. 1, 1877, S. 273–301; Zu den märchen d. tausend u. einen nacht, ebd. 13, 1888, S. 222–44; Über einige arab. Sentenzenslgg. in: Zs. d. Dt. Morgenländ. Ges. = ZDMG 31, 1877, S. 506–28; Arab. Quellen z. Gesch. d. ind. Med., ebd. 34, 1880, S. 465–566; Zu den ägypt. Märchen, ebd. 42, 1888, S. 68–72; Semit. Nomina, Bemerkungen zu de Lagarde u. Barth, ebd. 45, 1891, S. 221–38; Hebr. Schulgrammatik, 1878; Über Text u. Sprachgebrauch v. Ibn Abī Uṣaibiʿas Gesch. d. Ärzte, in: SB d. Bayer. Ak. d. Wiss., Phil.-philolog. u. hist. Cl., 1884, S. 853–977; Arab. Münzen in d. balt. Küstenländern, 1885; Die Märchen d. Tausend und Einen Nacht, in: Dt. Rdsch. 52, 1887, S. 77–96; Türk. Grammatik, 1889; Delectus veterum carminum arabicorum, 1890 (mit Th. Nöldeke, Nachdr. 1961). – *Hrsg.:* Wiss. J.berr. üb. d. morgenländ. Stud., in: ZDMG, 1881–83; Oriental. Bibliogr. 1–5, 1888–92. – *Nachlaß:* Bibl. d. Dt. Morgenländ. Ges., Halle / Saale.

L Th. Nöldeke u. E. Windisch, in: ZDMG 46, 1892, S. 775–79; V. Rosen, in: Schrr. d. Oriental. Abt. d. Russ. Archäolog. Ges. 7, 1892, S. 329–44; A. Socin, in: Oriental. Bibliogr. 6, 1893, S. 312–20; J. N. Weisfert, Biogr.-Litterar. Lex. f. d. Haupt- u. Residenzstadt Königsberg u. Ostpreußen, ²1898; J. Fück, Die arab. Stud. in Europa, 1955, S. 236–39.

Hartmut Bobzin

2) *Johannes,* Statistiker, Nationalökonom, * 22. 11. 1889 Königsberg (Ostpreußen), † 14. 2. 1946 Weimar.

V August (s. 1); ∞ 1914 Walli Helene Maria Garchow; 2 *S,* 2 *T.*

Nach dem Abitur an der Landesschule Pforta bei Naumburg studierte M. 1908–12 Wirtschafts- und Rechtswissenschaften an der Univ. Halle, hauptsächlich bei J. Conrad und H. Wolff. Seine Dissertation (1911) war der Geschichte der Theorie der Produktionsfaktoren gewidmet. Nach dem 1. juristischen Staatsexamen (1912) war er zunächst als Volontär beim Statistischen Amt der Stadt Halle, dann 1914/15 als wissenschaftlicher Hilfsarbeiter beim Deutschen Städtetag beschäftigt. Daran schloß sich bis 1916 eine Tätigkeit als Leiter des Städtischen Lebensmittelamtes in Jena und als Abteilungsleiter des Thüring. Ernährungsamtes an. 1921 wurde M. – zunächst kommissarisch – mit dem Aufbau des Thüring. Statistischen Landesamtes betraut, dem er bis zu seinem Tode vorstand (zuletzt als Oberregierungsrat). Daneben habilitierte er sich 1922 und widmete sich seit 1923 der Statistikausbildung an der Univ. Jena, seit 1929 als ao., seit 1940 als apl. Professor. Anfang 1946 wurde M. – obwohl niemals Mitglied der NSDAP und wegen seiner früheren Zugehörigkeit zur Loge „Amalia" in Weimar während der NS-Zeit sogar beruflich benachteiligt – ohne Angabe von Gründen von der sowjet. Militäradministration verhaftet. Während der Untersuchungshaft verübte er angeblich Selbstmord.

Das wissenschaftliche Werk M.s ist vor allem der Bevölkerungs-, Wirtschafts- und Kulturstatistik gewidmet. Sein Interesse richtete sich dabei in erster Linie auf die praktische und weniger auf die theoretische Seite der Statistik. So hat er durch Planung und Organisation umfangreicher und z. T. neuartiger Datenerhebungen und durch ihre ideenreiche Auswertung und Interpretation wichtige Grundlagen für eine verbesserte deutsche Reichsstatistik des 20. Jh. gelegt. Hierzu zählt vor allem die damals neue Konjunkturstatistik, zu deren Mitbegründern M. gehört. Hervorzuheben ist weiter die von ihm besonders gepflegte Verbindung zwischen statistischer Praxis und deren Vermittlung als Hochschullehrer. Bei der Ausbildung von Verwaltungsbeamten, Volks- und Betriebswirten an der Univ. Jena hat er zahlreiche Studenten unmittelbar in Projekte der von ihm geleiteten Behörde eingebunden. Darüber hinaus trat er als Verfasser vielbenutzter Lehrbücher hervor. – Schriftführer, Schatzmeister u. stellv. Vors. d. Dt. Statist. Ges., Gruppenleiter in d. Dt. Wirtsch.wiss. Vereinigung, Mitgl. d. Internat. Statist. Inst. u. d. Dt. Ausschusses d. International Union for Scientific Investigation of Population Problems.

W u. a. Ergebnisse e. Verkehrszählung auf d. hallischen Straßenbahnen, 1913; Thüringen als Verw.-einheit, 1919; Der Geburtenrückgang, 1924; Wirtsch.kde. d. Landes Thüringen, 1925; Grundriß d. dt. Statistik, 4 Bde., 1925–28; Der mitteldt. Industriebez., 1927; Die thüring. Industrie, 1930; Einf. in d. Konjunkturstatistik, 1936; Wirtsch.kde. v. Dtld., 1936; Industrialisierung d. dt. Mittelgebirge, 1938. – *Bttr.* in: Jbb. f. Nat.ökonomie u. Statistik; Allg. Statist. Archiv. – *Hrsg.:* Thüringen-Atlas, 1942; Vj.berr. d. Thür. Statist. Landesamtes. – *Mithrsg.:* Dt. Statist. Zbl.; Dt. Zs. f. Wirtsch.kde.

L W. Henninger, in: Allg. Statist. Archiv 34, 1950, S. 261 ff. *(W)*; Rhdb.; Wi. 1935; Kürschner, Gel.-Kal. 1940/41; Altpreuß. Biogr. IV. – *Qu.* StA Weimar, Personalakte *(P)*.

Wolfgang Eccarius

Müller. (ev.)

1) *Gustav*, Astronom, * 7. 5. 1851 Schweidnitz (Niederschlesien), † 7. 7. 1925 Potsdam.

V Karl Friedrich (1819–57) aus Lähn Kr. Löwenberg, Kaufm. in Sch.; *M* Laura Eugenie Fischer (1820–78) aus Oels (Niederschlesien), *T* e. Arztes; ∞ 1) 1880 Luise († 1885), *T* d. Gustav Friedrich Wilhelm Spörer (1822–95), Astrophysiker (s. Pogg. II–III), 2) 1887 Lina Eulefeld († 1891), 3) 1892 Johanna (1863–1945), *T* d. Christian Schulteß u. d. Auguste Schildt; 2 *S*, 1 *T* aus 1), Gertrud (∞ Gustav Eberhard, * 1867, Prof. d. Astronomie in P., s. Pogg. V–VI), 1 *T* aus 2), 3 *S* aus 3), u. a. Rolf (s. 2); *N* Käthe (1881–1976, ∞ Hans Ludendorff, 1873–1943, Astronom, s. NDB 15, *L*); *E* Wolfram Eberhard (1909–89), Prof. f. Sinol. u. Soziol. in Berkeley (Kalifornien) (s. Who's who in America, 1974/75; Kürschner, Gel.-Kal. 1966–92).

Nach dem Abitur am humanistischen Gymnasium in Schweidnitz 1870 studierte M. Mathematik und Physik in Leipzig und seit 1872 in Berlin mit dem Ziel, das Lehrer-Staatsexamen abzulegen. Wilhelm Foerster weckte sein Interesse für die Astronomie, das den weiteren Lebensweg prägte. Nach Beendigung seiner Studien arbeitete M. als Assistent bei Arthur v. Auwers sowie Hermann Carl Vogel; letzterer stellte ihn nach Inbetriebnahme des 1874 gegründeten Astrophysikalischen Observatoriums Potsdam als wissenschaftlichen Hilfsarbeiter ein. 1877 promovierte M. mit der Dissertation „Untersuchungen über Mikrometerschrauben". Seine besondere Vorliebe galt der Astrophotometrie, die er zunächst allein auf die Planeten anwandte. Als Assistent Vogels beteiligte er sich auch an dessen spektroskopischer Durchmusterung der Sterne bis zur Größe $7.^{m}5$ in der Zone $-1°$ bis $-20°$ Deklination. M. war Teilnehmer der Potsdamer Expedition zur Beobachtung des Venusdurchgangs nach Hartford (Connecticut, USA) im Jahr 1882. Später wirkte er auch bei anderen Expeditionen leitend mit, so 1887 nach Rußland und 1900 nach Portugal zur Beobachtung totaler Sonnenfinsternisse. 1882 wurde M. zum Observator, 1888 zum Hauptobservator ernannt. 1896–1904 war er Schriftführer der Astronomischen Gesellschaft. Nach dem Tod Karl Schwarzschilds (1916) wurde er trotz seines Alters noch für vier Jahre Direktor des Observatoriums Potsdam.

Zu den bleibenden wissenschaftlichen Leistungen M.s gehört die in 20jähriger Beobachtungsarbeit gemeinsam mit P. Kempf durchgeführte „Photometrische Durchmusterung des nördlichen Himmels" (Potsdamer Durchmusterung), die 1894–1907 erschien. Sie enthält die bis dahin genauesten Helligkeitsangaben von mehr als 14 000 Sternen. Später erweiterte er das Projekt noch um die schwächeren Sterne der „Bonner Durchmusterung", kam jedoch mit diesem Vorhaben nicht zum Abschluß. 1897 faßte M. den Wissensstand auf dem Gebiet der Astrophotometrie in der Monographie „Die Photometrie der Gestirne" zusammen. Zu den wichtigen Projekten der modernen Astronomie gehört auch das auf seine Anregung zurückgehende Werk „Geschichte und Literatur des Lichtwechsels der Veränderlichen Sterne" (GuL, 3 Bde., 1918–22), das von der Astronomischen Gesellschaft unterstützt wurde und alle bis dahin bekannten Daten über Veränderliche Sterne zusammenfassen sollte. – Prof.titel (1891); Geh. Reg.rat (1906); Mitgl. d. Preuß. Ak. d. Wiss. (1918).

W Photometrie d. Gestirne, 1897; Photometr. Durchmusterung d. nördl. Himmels, in: Publikationen d. Astrophysikal. Observatoriums Potsdam Nr. 31, 1894, Nr. 43, 1899, Nr. 44, 1903, Nr. 51, 1906, Nr. 52, 1907.

L H. Ludendorff, G. M., in: Vj.schr. d. Astronom. Ges. 60, 1925, S. 158–77 *(W-Verz., P)*; P. Guthnick, in: SB d. Preuß. Ak. d. Wiss., 1926, S. 99–102; Pogg. IV–VI; DSB.

Dieter B. Herrmann

2) *Rolf*, Astrophysiker, * 28. 1. 1898 Potsdam, † 24. 3. 1981 Fort Lauderdale (Florida, USA).

V Gustav (s. 1); M Johanna Schulteß; ∞ 1) Potsdam 1932 Eleonore Vespermann (1889–1970), Schausp., T d. Georg Droescher (1854–1945), Schausp., Regisseur u. Intendant d. Kgl. Oper in Berlin (s. Eisenberg; Kosch, Theater-Lex.; Brümmer), u. d. Caroline Reinike (1898–1924), Schausp., 2) Degerndorf/Inn 1971 Carola Thimm (1901–91), Photographin; 1 T, 1 Stief-S, 1 Stief-T.

Nach dem Studium der Astronomie, Mathematik, Physik, Meteorologie und Philosophie in Berlin promovierte M. 1924 bei Paul Guthnick mit „Untersuchungen über den Veränderlichen R Aquilae". Danach wurde er Assistent und 1930 Observator am Astrophysikalischen Observatorium Potsdam. 1926 nahm er an einer Sonnenfinsternisexpedition nach Sumatra teil. 1928 wurde ihm die Leitung der Südstation des Potsdamer Instituts in La Paz (Bolivien) übertragen, an der die Spektraldurchmusterung der Kapteynschen Eichfelder des Südhimmels durchgeführt wurde. Nach der Rückkehr aus Südamerika (1931) widmete er sich der Erforschung der veränderlichen Sterne und der Dunkelwolken der Milchstraße. Außerdem entwickelte M. Verfahren zur astronomischen Ortung prähistorischer Kultanlagen; auf dieses Problem war er durch Studien an indian. Kultstätten in Bolivien gestoßen. Er führte ähnliche Untersuchungen auch in Deutschland aus und wurde bald zu einem der führenden Fachleute auf diesem Gebiet.

Den 2. Weltkrieg verbrachte M. vom ersten bis zum letzten Tag im Militärdienst, konnte sich aber dennoch 1941 habilitieren. 1945 hielt er sich kurze Zeit an der Sternwarte Hamburg-Bergedorf auf; 1946 wurde er von der amerikan. Besatzungsmacht zum Leiter des Sonnenobservatoriums auf dem Wendelstein (Oberbayern) ernannt und behielt diese Position auch, als das Observatorium 1949 dem Land Bayern als Zweigstelle der Universitätssternwarte München übergeben wurde. Auch nach dem 1963 erfolgten Eintritt in den Ruhestand blieb M. ständig wissenschaftlich tätig. Er hat in Lauf seines Lebens zahlreiche Kult- und Grabstätten aus vorgeschichtlicher Zeit untersucht und hat als einer der ersten deutlich darauf hingewiesen, daß Schlußfolgerungen über eine absichtliche astronomische Ausrichtung von Gräbern oder Kultstätten nach den Himmelsrichtungen erst zulässig sind, wenn solche Zusammenhänge an einer großen Zahl von Objekten nachgewiesen sind. M. war auch sehr um die Popularisierung der Astronomie bemüht. 1931–45 war er einer der Herausgeber der Zeitschrift „Die Sterne". Bis in sein hohes Alter hat er astronomische Vorträge vor interessierten Laien gehalten. – Roberts-Klumpke-Preis (1932).

W Zahlr. Aufsätze u. a. in: Astronom. Nachr. (1928–33), Zs. f. Astrophysik (1931–54), Observatory (1950–54); Der Himmel üb. d. Menschen d. Steinzeit, 1970; Sonne, Mond u. Sterne üb. d. Reich d. Inka, 1972.

L F. Litten, Astronomie in Bayern, Diss. München 1981; F. Schmeidler, in: Die Sterne 58, 1982, S. 109–11 *(P)*; Pogg. VI, VII a.

Felix Schmeidler

Müller.

1) *Erich*, Elektrochemiker, * 17. 11. 1870 Chemnitz, † 15. 11. 1948 Dresden. (ev.)

V Otto (1829–1908), Fabrikbes. in Görlitz, KR u. Ehrenbürger v. Görlitz (s. L), S d. Friedrich Ferdinand; M Elisabeth (1838–1913), T d. Gustav Richard Wagner (1809–61), Appellationsger.rat, Geh. Justizrat, u. d. Auguste Waitz (1814–90); B Otto (1863–1945), Fabrikbes. in Görlitz, Richard (1865–1933), Bes. e. Seidenschirmfabr. in Norwalk (Connecticut, USA), Horst (1871–1949), Gutsbes. in Schöps b. Reichenbach (Oberlausitz) u. Goßwitz b. Reichenbach; – ∞ Dresden 1897 Elisabeth (1873–1940), T d. Julius Standfuß (1833–1902), Bildhauer in D., u. d. Theresie Schaffer (1842–1907); K u. a. Erich Albert (s. 2), Justus (1899–1970), Dr. iur., Rechtsanwalt in D., später Bankdir. in Düsseldorf, Wolfgang (1900–68), Ing. in Detroit (USA), entwickelte Herzschrittmacher.

Nach der Reifeprüfung am humanistischen Gymnasium in Görlitz studierte M. Chemie an den Universitäten Straßburg und Berlin (Promotion 1895). Danach weilte er zu Studienaufenthalten in Frankreich und den USA und übte praktische Tätigkeiten in England und in der väterlichen Seidenweberei aus. Seit 1898 arbeitete er unter Leitung Walter Hempels an der TH Dresden, verbrachte einen Studienaufenthalt bei Walther Nernst in Göttingen und habilitierte sich 1900 an der TH Dresden mit einer Arbeit über „Kathodische Polarisation und Depolarisation". Anschließend wurde er Privatdozent am im selben Jahr gegründeten Institut für Elektrochemie und physikalische Chemie. 1903 wurde er zum apl. ao. Professor an der TH Dresden ernannt.

Nachdem in 19. Jh. das Theoriengebäude der Elektrochemie auf- und ausgebaut worden war, befaßte sich M. mit der Anwendung elektrochemischer Gesetzmäßigkeiten und Erkenntnisse auf Probleme der präparativen und technischen Elektrochemie sowie der analytischen Chemie. Seine Arbeiten zur elektrolytischen Oxidation und Reduktion chemischer Verbindungen hatten ihn rasch bekannt gemacht, und er erhielt 1904 einen Ruf als ao. Professor und Nachfolger Guido Bodländers an die TH Braunschweig, um dann 1906 das Ordinariat für Elektrochemie als Nachfolger von Carl Häussermann an der TH Stuttgart zu übernehmen. 1912 war er hier Rektor. Im selben Jahr nahm er einen Ruf nach Dresden an, wo der Lehrstuhl für Elektrochemie frei geworden war, und wirkte hier bis zu seiner Emeritierung 1935. Bis 1944 hat er noch wissenschaftlich gearbeitet und publiziert. Unter M.s Leitung wurde der Bau des Laboratoriums für physikalische und Elektrochemie (heute Erich-Müller-Bau) 1925 vollendet. 1930 war er Rektor der TH Dresden.

M. befaßte sich intensiv mit der Natriumchlorid-Elektrolyse und optimierte die elektrochemische Herstellung der Hypochlorite, Chlorate, Bromate und Jodate der Alkalimetalle. Das schloß Untersuchungen von Elektrodenvorgängen (Überspannung, Passivierung) ein. Seine größte wissenschaftliche Leistung blieb die Schaffung der nach ihm benannten Theorie der Verchromung. M. erkannte auch, daß es möglich ist, eine exakte Bestimmung verschiedener Ionen nebeneinander in einer einzigen Meßlösung potentiometrisch durchzuführen. – Dr.-Ing. E. h. (TH Stuttgart 1927).

W u. a. Elektrochem. Praktikum, 1912, ^{9}1953, zahlr. Überss.; Die elektrometr. (potentiometr.) Maßanalyse, 1921, ^{7}1943. – *Hrsg.:* Zs. f. Elektrochemie 29–37, 1923–31.

L G. Grube, in: Zs. f. Elektrochemie 53, 1949, S. 337 f. *(P);* Gesch. d. TU Dresden in Dokumenten u. Bildern, II, 1994, S. 94 *(P);* Pogg. IV–VII a; Rhdb.; Kürschner, Gel.-Kal. 1940/41. – *Zu Otto:* Verw.ber. d. Stadt Görlitz, 1908, S. 1–3 *(P).*

Wolfgang Göbel

2) *Erich Albert,* Physiologe, * 3. 3. 1898 Seidenberg (Oberlausitz), † 10. 3. 1977 Freiburg (Breisgau). (konfessionslos)

V Erich (s. 1); ∞ 1) 1949 Hildegard Wecker (* 1916), chem. Laborantin, 2) Dortmund 1960 Christiane (* 1942), Dipl.-Psychologin, *T* d. Christian Scherer (1900–72), Dipl.-Ing. in Berlin, u. d. Hertha Scheer (* 1910); 1 *T* aus 2).

M. absolvierte das humanistische Gymnasium und studierte anschließend zwei Semester Chemie in Dresden. Er wandte sich dann dem Medizinstudium in Würzburg zu, das er 1923 in Berlin mit dem Staatsexamen abschloß. Bereits seit 1922 arbeitete er dort bei E. Atzler am Kaiser-Wilhelm-Institut (KWI) für Arbeitsphysiologie. Seit 1923 war M. Assistent und promovierte ein Jahr später in angewandter Physiologie. Prägend für ihn war ein einjähriger Forschungsaufenthalt bei dem Physiologen Ernest H. Starling in London (1926/27), wo er sich insbesondere mit den Einflußgrößen auf die Herzleistung an dessen Herz-Lungen-Präparat beschäftigte. Nach Einrichtung einer Institutszweigstelle in Münster übernahm M. 1930 deren Leitung, habilitierte sich im selben Jahr an der dortigen Universität für das Fach Physiologie und erhielt 1936 eine apl. Professur. Zu Beginn des 2. Weltkriegs wurde dieses Institut aufgelöst, und M. übernahm 1941 die Leitung einer Abteilung des nach Dortmund verlegten KWI für Arbeitsphysiologie (1948 in Max-Planck-Inst. umbenannt). 1945 folgte die Ernennung zum wissenschaftlichen Mitglied des Instituts. M. blieb hier bis zu seiner Emeritierung 1966 und lebte dann in Freiburg (Breisgau).

Mehr als 300 wissenschaftliche Veröffentlichungen dokumentieren M.s arbeitsphysiologische Forschungen: Messung und Beurteilung der körperlichen Leistungsfähigkeit als Voraussetzung beruflicher Arbeitsleistung, Verbesserung des Arbeitsplatzes (Klima), Arbeitsgeräts und Arbeitsablaufs (Erholung), Erhaltung und Erhöhung der Muskelkraft, Energieumsatz, Training zur Leistungserhaltung und Ermüdungsvermeidung. M. entwickelte zahlreiche physiologische Meßapparaturen und Geräte: tragbare photoelektrische Pulszähler, tragbare Respirationsgasuhr, wirbelstromgebremstes Ergometer, Klimaanlage, Konstruktion von Arm- und Beinprothesen. Zu M.s wichtigsten Leistungen gehören die Definition des Leistungs-Puls-Index, eine indirekte Maßzahl aus der arbeitsbedingten Zunahme der Pulsfrequenz und dem durch Arbeit vermehrten Sauerstoffverbrauch, sowie die Entwicklung und systematische Anwendung (zuerst in der US-Armee) des isometrischen Muskeltrainings. M. kann als Mitbegründer einer deutschen Schule der Arbeitsphysiologie gelten. – Mitgl. d. Royal Society of Medicine, London (1963) u. d. New York Academy of Science (1964); korr. Mitgl. d. Internat. Acad. of Astronautics; Ehrenmitgl. d. Internat. Ergonomics Association; ausw. wiss. Mitgl. d. Max-Planck-Inst. f. Systemphysiologie.

W Einfluß d. Lactationen auf d. Gefäßweite, in: Pflügers Archiv d. gesamten Physiol. 205, 1924, S. 233–45; Action of Insulin and Sugar on the Respiratory Quotient and Metabolism of Heart-Lung Preparation, in: Journal of Physiology 65, 1928, S. 34–47; Energet. Optimalbedingungen d. senkrecht-abwärts-gerichteten Zugbewegung, in: Arbeitsphysiol. 3, 1930, S. 477–514; Leistungs-Puls-Index als Maß d. Leistungsfähigkeit, ebd. 16, 1949, S. 271–84; Volumen, Leistung, Tonus u. Kontraktionsfähigkeit am Säugetierherzen, in: Ergebnisse d. Physiol. 43, 1940, S. 89–132; Muskelkräfte u. Eiweißration, in: Biochem. Zs. 320, 1950, S. 302–15; zahlr. weitere Btrr. in: Arbeitsphysiol. 3–16, 1930–55; Arbeit recht verstanden, 1952 (mit H. Spitzer) *(W)*; Neuartige Klima-Anlage z. Erzeugung ungleicher Luft- u. Strahlungstemperaturen in e. Versuchsraum, 1954 (mit H. G. Wenzel); Die Messung d. körperl. Leistungsfähigkeit mit e. einzigen Prüfverfahren, 1961; versch. Btrr. in: Hdb. d. gesamten Arbeitsmed. I, 1961; Physiol. d. körperl. Leistungsfähigkeit, in: L. Landois/R. Rosemann, Lehrb. d. Physiol. d. Menschen, 28 1962; Die Messung d. Veränderung d. vertikalen Blutverteilung beim Stehen, 1964; Wirkung v. Muskelruhelänge u. Trainingsart auf Kraftverlauf u. Grenzkraft, 1965 (mit W. Rohmert). – Mithrsg.: Arbeitsphysiol.; Zbl. f. Arbeitswiss.; Ergonomics; European Journal of Applied Physiology.

L Münchener med. Wschr. 95, 1953, Jubiläums-Beil. *(P);* W. Rohmert, E. A. M., in: Ergonomics 20, 1977, S. 691 f.; ders., in: Zs. f. Arbeitswiss. 31, 1977, S. 125 f. *(P);* H. G. Wenzel, E. A. M., in: Berr. u. Mitt. (Sonderh.) 1978, S. 17–20 *(P);* Pogg. VII a; Wi. 1971/73; Kürschner, Gel.-Kal. 1976.

Eberhard J. Wormer

Müller *Ritter v. Nitterdorf,* **Adam** (österr. Ritter 1826), Staatstheoretiker, * 30. 6. 1779 Berlin, † 17. 1. 1829 Wien. (ev., seit 1805 kath.)

V Wilhelm Heinrich (1750–1818), Hofrentmeister, Sekr. u. Kalkulator beim kurmärk. Oberkonsistorium in B., S d. Gold- u. Silberarbeiters Bernhard u. d. Maria Sophia Ebel; *M* Anna Sophia Henriette (1752–84), *T* d. Adam Pahl, Bgm. v. Charlottenburg; *Stief-M* (seit 1785) Caroline, *T* d. Johann David Cube (1724–91), Prediger an d. Jerusalemkirche in B. (s. ADB IV); – ∞ Berlin 1809 Sophie v. Taylor (um 1774–1849, ∞ 1⟩ Peter Boguslaus v. Haza-Radlitz, † 1852, Landrat, s. NND); 2 *T,* u. a. Cäcilie (1810–64, ref., ∞ Stephan Endlicher, 1804–49, Botaniker, s. NDB IV), deren Taufpaten Achim v. Arnim u. Heinrich v. Kleist waren. Dieser widmete dem Täufling seine Novelle „Die hl. Cäcilie od. d. Gewalt d. Musik".

Erste Bildungseindrücke erhielt M. durch seinen Stiefgroßvater, den literarisch gebildeten Pastor Johann David Cube. Obwohl ihn dieser gerne als Theologen gesehen hätte, entschied sich M. nach dem Besuch des Gymnasiums Zum Grauen Kloster in Berlin 1798 zum Studium der Rechts- und Staatswissenschaften in Göttingen. Seine akademischen Lehrer waren u. a. der Historiker Arnold Heeren und der Jurist Gustav Hugo – neben Savigny Begründer der historischen Rechtsschule in Deutschland. In kritischer Auseinandersetzung mit dem Gedankengut der Aufklärung standen beide der Idee des Naturrechts ablehnend gegenüber. Zu dem Entschluß, in Göttingen zu studieren, hatte nicht wenig die seit M.s Schulzeit bestehende Freundschaft mit dem Publizisten Friedrich Gentz beigetragen. Durch Gentz, einen entschiedenen Gegner der Franz. Revolution, lernte er während seiner Studienzeit Edmund Burkes „Betrachtungen über die Revolution in Frankreich" kennen, die Gentz aus dem Englischen übersetzt hatte. Noch in Göttingen begann M. sich auch mit volkswirtschaftlichen Fragen zu beschäftigen. Er setzte sich besonders mit Adam Smith auseinander, dessen Ideen er zunächst bewunderte, in seinen eigenen Schriften später aber ablehnte. 1801 kehrte M. nach Berlin zurück, wo er in literarischen Kreisen u. a. mit den Romantikern A. W. Schlegel und L. Tieck verkehrte. In diesem Jahr erschien in der „Berliner Monatsschrift" sein erster Aufsatz, „Über einen philosophischen Entwurf von Herrn Fichte, betitelt: der geschlossene Handelsstaat", eine polemische Schrift gegen die Staatslehre Fichtes.

Im November 1802 erfolgte M.s Anstellung als Referendar bei der kurmärk. Kriegs- und Domänenkammer. 1803 ließ er sich jedoch von seinen Verpflichtungen entbinden, um mit einem Studienfreund auf dessen Familiengut nach Polen zu reisen. Hier entstand seine erste größere Schrift, „Die Lehre vom Gegensatz", die er 1804 als Fragment veröffentlichte. Ursprünglich war das Werk auf drei Bücher angelegt: das erste über den „Gegensatz", das zweite über „Wissenschaft und Staat" und das dritte über „Religion und Kirche". Mit dem Vorhaben der letzten beiden Bücher waren genau die Themen geplant, die M. später in seinen Schriften immer wieder aufgreifen sollte. Ausgeführt wurde zunächst jedoch nur das erste Buch, in dem M. in Anknüpfung an die Philosophie Schellings die Grundlagen seines weiteren Denkens erarbeitete. Auf verschiedenen Ebenen stehen sich gegenüber: Subjekt und Objekt, Einheit und Mannigfaltigkeit, Kunst und Natur, Religion und Wissenschaft, Volk und Souverän usw. In ihrer Gegenübersetzung sind diese Kräfte zugleich absolut von einander getrennt als auch unmittelbar auf einander bezogen und damit verbunden. In dieser Wechselwirkung von gleichzeitiger Trennung und Bindung stehen sie in einem lebendigen organischen Zusammenhang. Gerade diese Vorstellung des lebendigen Organismus ist es, die als ein Hauptgedanke die weiteren Werke M.s durchzieht.

1804 wurde M. Hauslehrer der Kinder des Landrates P. B. v. Haza-Radlitz, dessen Ehefrau Sophie er fünf Jahre später heiraten sollte. Auf dem poln. Gut der Haza-Radlitz reifte – wohl bestärkt durch die Schriften L. v. Stolbergs – M.s Entschluß, zum kath. Glauben überzutreten. Nach Gewährung seines Gesuches um Entlassung aus dem preuß. Staatsdienst vollzog er diesen Schritt 1805 während eines Besuchs bei Gentz in Wien. Im Herbst 1805 übersiedelte er zusammen mit der Familie Haza nach Dresden. Die Dresdener Zeit stand für M. vor allem im Zeichen der Auseinandersetzung mit Literatur und Ästhetik, die für ihn immer auch mit staats- und gesellschaftstheoretischen Fragen verbunden waren. Im Frühjahr 1806 hielt er seine privaten „Vorlesungen über die deutsche Wissenschaft und Literatur", die kurz darauf auch im Druck erschienen. Sie machten ihn in Dresden bekannt und zu einem Mittelpunkt gesellschaftlichen Lebens. In den folgenden Jahren setzte M. seine Vorlesungstätigkeit fort mit einer „Vorlesung über dramatische Kunst" (1806/07), „Von der Idee der Schönheit" (1807/08) und „Über das Ganze der Staatswissenschaft" (1808/09). In die Dresdener Zeit fiel 1807 auch der Beginn der Freundschaft mit H. v. Kleist. Mit ihm zusammen gab M., der 1807 Erzieher des Prinzen Bernhard v. Weimar geworden war, 1808 die Zeitschrift „Phöbus" heraus, die sich der Philosophie, der Poesie und den bildenden Künsten widmete. Daneben schrieb M. – inzwischen Hofrat – auch Artikel für „Pallas", die Zeitschrift seines Freundes Rühle v. Lilienstern. Im Juni 1809 wurde das mit Frankreich verbündete Dresden von der österr. Armee eingenommen. M., ein erklärter Gegner Frankreichs, bot seine Dienste dem österr. Stadtkommandanten an, für den er amtliche Bekanntmachungen verfaßte. Dieses führte Ende Juni, als die Österreicher Dresden wieder verlassen mußten, zu M.s Ausweisung. In Berlin hoffte er aufs neue, eine staatliche Anstellung zu finden. Hier erschien auch – als sein Hauptwerk – seine letzte Dresdener Vorlesung unter dem Titel „Elemente der Staatskunst".

In ihr greift M. seine in der „Lehre vom Gegensatz" entwickelte Idee vom lebendigen Organismus wieder auf, um sie auf die Gestaltung des Staates anzuwenden. Für ihn ist der Staat die „innigste Verbindung der gesamten physischen und geistigen Bedürfnisse, des gesamten physischen und geistigen Reichtums, des gesamten inneren und äußeren Lebens einer Nation, zu einem großen energischen, unendlich bewegten und lebendigen Ganzen". Das lebendige Ganze des Staates stellt sich entsprechend M.s „Lehre vom Gegensatz" als ein Gefüge entgegengesetzter Kräfte dar. Das gilt sowohl für den Begriff der Nationalität, die M. kennzeichnet als „jene göttliche Harmonie, Gegensätzlichkeit und Wechselwirkung zwischen dem Privat- und öffentlichen Interesse", als auch für die Art der Staatsregierung. Für die bestmögliche Staatsform erachtet er die Monarchie. Dem Monarchen muß aber wiederum eine Gegenkraft entgegengesetzt werden in Form einer ständischen Vertretung. M. greift hier auf die Vorstellung von den drei Ständen des Adels, der Geistlichkeit und der „Bürger" zurück. Dem Souverän als Einheit gegenüberstehend, bilden sie unter sich wiederum Gegensätze. Gerade diese Verschränkung entgegengesetzter Kräfte auf allen Ebenen des Staates ist es, die seine Lebendigkeit und Weiterentwicklung garantiert. Aber auch die Staaten untereinander sind sowohl einander entgegengesetzt als auch aufeinander bezogen. Wie das einzelne Individuum durchdrungen sein sollte vom Geist der christlichen Religion, so auch die Einzelstaaten als umfassende Individuen. Dieser allen staatlichen Individuen innewohnende christliche Geist ist es nun, der zwischen den Staaten das vermittelnde Element in Form einer christlichen Weltordnung bildet.

1810 nahm M. seine Vortragstätigkeit wieder auf. In „Vorlesungen über Friedrich II. und die Natur, Würde und Bestimmung der preuß. Monarchie" fordert er in Ablehnung der aufklärerischen Haltung Friedrichs II. die Wiederherstellung der alten ständischen Verfassung in einem nationalen Sinne. Nachdem sein Plan, eine Regierungs- und Oppositionszeitung zugleich zu schreiben, gescheitert war, stellte er sich nicht nur der ständisch-adeligen Opposition um Ludwig v. der Marwitz bei der Abfassung eines Protestschreibens gegen Hardenberg hilfreich zur Seite, sondern kritisierte vor allem in den von Kleist gegründeten „Berliner Abendblättern" den neuen Kurs der Regierung. Um sich seiner zu entledigen, sandte Hardenberg M. – der Anfang 1811 zusammen mit dem Schriftsteller Achim v. Arnim noch die „Christlich deutsche Tischgesellschaft" gegründet hatte – in diplomatischer Mission nach Wien.

In Wien faßte M. nicht nur Berichte an Hardenberg ab, sondern beschäftigte sich auch weiterhin mit staats- und wirtschaftstheoretischen Fragen. So veröffentlichte er in Friedrich Schlegels Zeitschrift „Deutsches Museum" seine „Agronomischen Briefe" und schrieb den „Versuch einer neuen Theorie des Geldes mit besonderer Rücksicht auf Großbritannien" (ersch. 1816). Als er im Laufe der Zeit erkannte, daß Hardenberg ihn nicht nach Berlin zurückrufen würde, bemühte er sich auch in Wien, durch Vorträge Fuß zu fassen und eine Stelle im österr. Staatsdienst zu erlangen. Die 1812 gehaltenen „Vorlesungen über die Beredsamkeit und ihr Verhältnis zur Poesie" waren M.s letztes Werk, in dem er sich mit ästhetischen Problemen befaßte. 1812 erschienen in Wien auch die beiden Bände seiner „Vermischten Schriften über Staat, Philosophie und Kunst".

Nachdem sein Plan, in Wien eine Erziehungsanstalt für junge Adelige zu gründen, gescheitert war, erhielt M. 1813 Gelegenheit, am Kampf gegen Napoleon teilzunehmen. Als Mitglied der provisorischen Landeskommission wirkte er in Tirol bei der Rückgewinnung des Landes für Österreich mit. Dabei gab er den „Boten von Tirol" heraus, den er fast allein mit Beiträgen versah. Im Feldzug 1815 wurde er als Kriegsberichterstatter im kaiserlichen Hauptquartier eingesetzt, wo er den von Metternich kontrollierten „Österr. Beobachter" herausgab.

Nach der Niederlage Napoleons konnte M. im September 1815 endlich eine Stelle im österr. Staatsdienst antreten. Als Generalkonsul für Sachsen wurde er nach Leipzig geschickt. Auch hier gab er seit 1816 wieder eine Zeitschrift heraus; an den „Deutschen Staatsanzeigen" arbeiteten u. a. der Leipziger Philosophieprofessor Krug, Rühle v. Lilienstern und der Verleger Friedrich Perthes mit. Die Hauptarbeit wurde allerdings wieder von M. allein geleistet. Nach Auseinandersetzungen mit dem liberaleren Krug und Attacken gegen das Reformationsjubiläum und den Protestantismus in der Schrift „Etwas das Goethe gesagt hat" mußte seine Zeitschrift Ende 1818 ihr Erscheinen einstellen. 1819 wurde M. zum österr. Geschäftsträger an den anhaltischen und Schwarzburgischen Fürstenhöfen ernannt. Im folgenden Jahr erschien in Schlegels Zeitschrift „Concordia" seine Abhandlung „Die innere Staatshaushaltung, systematisch dargestellt auf theologischer Grundlage". In ihr, wie auch in seiner Schrift „Von der Notwendigkeit einer theologischen Grundlage der gesamten Staatswissenschaften und der Staatswirtschaft insbesondere" (1820) will M. stärker noch als in seinen „Elementen" die Ausbildung des Staates auf das Fundament der Theologie gestellt sehen. Auf politischem Felde ergriff M. unterdessen im preuß.-anhalt. Streit um die Elbschiffahrt entschieden gegen Preußen Partei. 1825 traten der Herzog von Anhalt-Köthen und seine Frau, eine Halbschwester des preuß. Königs, zum Katholizismus über. Da man M. daran nicht wenig Anteil zuschrieb und zudem seine extreme Preußen- und Protestantenfeindlichkeit bekannt waren, wurde er als österr. Generalkonsul untragbar. Dazu erregte auch der in scharfem Ton abgefaßte „Leipziger unparteiische Literatur- und Kirchen-Correspondent", den M. von Juli bis Dezember 1826 herausgab, großen Unwillen. Nachdem er 1826 in den Adelsstand erhoben worden war, wurde er 1827 aus Leipzig abberufen. In Wien erhielt er eine Position im außerordentlichen Dienst der Staatskanzlei.

Die Persönlichkeit M.s dürfte am ehesten aus der geistigen Strömung der Romantik zu verstehen sein. Mit seiner Konversion war der vielseitig Gebildete einer der ersten, die wieder der Sphäre des Religiösen und besonders dem Katholizismus zuneigten. Wie bei vielen Romantikern verlief sein Lebensweg nicht gradlinig. Charakteristisch sind auch seine vielen, immer wieder scheiternden Zeitungsgründungen. Seine Schriften zeigen jedoch innere Konsequenz. Seine in der „Lehre vom Gegensatz" dargelegte geistige Grundhaltung, die in der idealistischen Philosophie Schellings wurzelt, berührt sich noch mit dem Gedankengut der Jenaer Frühromantik. Über seine literarkritischen Vorlesungen hinaus wurde er mit seiner Vorstellung eines organisch verstandenen, ständisch gegliedertenten Nationalstaates auf christlicher Grundlage zum Hauptvertreter einer konservativen Staatstheorie, wie sie besonders die Hoch- bzw. Spätromantik u. a. in Dresden und später in Wien vertrat. Bis in die ersten Jahrzehnte des 20. Jh. fand besonders seine Staatstheorie Aufnahme in den Bemühungen des deutschen Katholizismus um eine neue christliche Sozial- und Staatslehre.

Weitere W u. a. Die Rückkehr d. Königs in seine Hauptstadt, 1809; Von d. Idee d. Staats u. ihren Verhältnissen zu d. populären Staatstheorie, 1809; Zum Gedächtnis d. verewigten Königin, 1810; Die Theorie d. Staatshaushaltung u. ihre Fortschritte in Dtld. u. England seit Adam Smith, 2 Bde., 1812; Franz I., Kaiser v. Österreich, 1815; Über Regentenbevormundung, Ein Btr. z. heutigen dt. Staats- u. Fürstenrecht, 1822; Die Gewerbe-Polizey in Beziehung auf d. Landbau, Eine staatswirthsch. Abh., 1824; Vorschlag zu e. hist. Ferien-Cursus, 1829. – *Hrsg.:* Die Fortschritte d. nat.-ök. Wiss. in England während d. laufenden Jh., Eine Slg. d. Überss. d. seit d. J. 1801 bis jetzt ersch. bedeutendsten parlamentar. Rapports, Flug- u. Streitschrr., Recensionen ..., welche z. Förderung d. staatswiss. Theorie beigetragen haben, 1817. – *Ausgg.:* R. Kohler (Hrsg.), A. M., Schrr. z. Staatsphilos., 1923; J. Baxa (Hrsg.), A. M., Ausgew. Abhh., ²1931; ders. (Hrsg.), A. M.s Lebenszeugnisse, 2 Bde., 1966; W. Schroeder u. W. Siebert (Hrsg.), A. M., Krit., Ästhet. u. Phil. Schrr., 2 Bde., 1967; A. J. Klein (Hrsg.), A. M., Nat.ök. Schrr., 1983. – *Nachdrucke:* Die Elemente d. Staatskunst, 1968 (Neuausg. d. Nachdr. 1936 d. Originalausg. 1808–09); Phoebus, Nachdr. 1961. – *Briefe:* F. v. Gentz, Briefe, hrsg. v. C. Wittichen, Bd. 2, Briefe an u. v. A. M., 1910.

L ADB 22; J. Baxa, A. M.s Philos., Ästhetik u. Staatswiss., 1929; ders., A. M., Ein Lb. aus d. Befreiungskriegen u. aus d. dt. Restauration, 1930; E. Sasse, A. M. in Lehre u. Leben, 1935; E. R. Huber, A. M. u. Preußen, in: ders., Nationalstaat u. Vfg.staat, 1965, S. 48–70; R. F. Künzli, A. M., Ästhetik u. Kritik, Ein Versuch z. Problem d. Wende d. Romantik, Diss. Zürich 1972; A. Langner, A. M., in: Zeitgesch. in Lb., IV, 1980, S. 9–21 *(P);* ders. (Hrsg.), A. M. 1779–1829, 1988; B. Koehler, Ästhetik u. Pol., A. M. u. d. pol. Romantik, Diss. Tübingen 1980; M. Emmrich, Heinrich v. Kleist u. A. M., 1990; Wurzbach 19; Kosch, Kath. Dtld. *(P);* Kosch, Lit.-Lex³; ÖBL; Staatslex. III, ⁷1987; Killy; BBKL.

P Gem. v. G. v. Kügelgen.

Silvia Dethlefs

Müller, *Adolf,* Komponist und Kapellmeister, * 7. 10. 1801 Tolna (Ungarn), † 29. 7. 1886 Wien.

V N. N. Schmid; *M* N. N. (beide früh †); *Tante* N. N. (⚭ Albin Johann v. Medelhammer, 1776–1838, Theaterdichter u. Schausp., s. ÖBL); – ⚭ 1827 Katharina Kutschera; 3 *K,* u. a. Adolf (1839–1901), Komp. u. Kapellmeister (s. MGG; Riemann, Erg.bd.).

M. änderte nach dem Tod der Eltern aus nicht bekannten Gründen seinen Namen. Er wuchs bei Tante und Onkel in Brünn auf, wo er auch seine erste musikalische Ausbildung bei Joseph Rieger erhielt. Schon im 8. Lebensjahr trat er als Pianist in öffentlichen Konzerten auf; durch seinen Onkel kam er auch mit der Theaterwelt in Berührung. Nach kurzer Tätigkeit als Sänger und Schauspieler ging er 1823 nach Wien und begann, bei Joseph von Blumenthal Kompositionslehre zu studieren. Nachdem 1825 seine erste Operette aufgeführt worden war, gelang ihm im folgenden Jahr mit „Die Schwarze Frau" ein beachtlicher Erfolg. 1826 wurde er als Sänger in das Hofopernensemble am Kärntnertortheater engagiert, 1828 wurde er Kapellmeister am Leopoldstädter Theater und am Theater an der Wien. Seit 1847 war er ausschließlich am Theater an der Wien tätig.

1827 gehörte M. zu jenen zwölf Musikern, die bei Beethovens Leichenbegängnis den Sarg trugen. Mehrere hundert Opern, Singspiele, Melodramen, Vaudevilles und Schauspielmusiken zeugen von seiner außergewöhnlichen Schaffenskraft. Sie wurden an vielen Wiener Theatern aufgeführt und beherrschten lange Jahre den Spielplan; auch von vielen anderen Bühnen im deutschen Sprachraum wurden sie übernommen. Viele dieser – eher für den kurzzeitigen Erfolg produzierten – Werke werden inzwischen nicht mehr aufgeführt. Seine zahlreichen Schauspielmusiken zu Werken Johann Nestroys, u. a. für „Der böse Geist Lumpazivagabundus" (1833) und „Einen Jux will er sich machen" (1842), sind jedoch bis heute lebendig geblieben; ebenso waren seine Vertonungen von Volksstücken, Possen und Ausstattungsstücken von Ludwig Anzengruber u. a. (nicht zuletzt auch nach französ. Vorlagen) von großer Bedeutung für die Entwicklung der Wiener Operette. Nicht weniger erfolgreich war M. mit seinen das Lokalkolorit betonenden Liedern; hier trug er entscheidend dazu bei, eine neue Gattung innerhalb des Kunstliedes zu prägen.

W ca. 600 Werke f. d. Bühne; *Schauspielmusiken* zu 41 Werken v. J. Nestroy, u. a. zu „Zu ebener Erde u. erster Stock od. Die Launen d. Glückes" (1835), „Der Talisman" (1840), „Der Zerrissene" (1844); *Kirchenmusik:* 1 Messe, Praeludium u. Fuge, Es-Dur; Postludium, e-moll, f. Orgel; üb. 400 Lieder; *Kammermusik* in versch. Besetzungen; *Klaviermusik; Tanzmusik; Schrr.:* Große Gesangsschule (1844/45); Accordeon-Schule (1854).

L F. Hadamowsky, Das Theater in d. Wiener Leopoldstadt, 1934; A. Bauer, Die Musik A. M.s in d. Theaterstücken Johann Nestroys, Diss. Wien 1935; E. Hilmar, Die Nestroy-Vertonungen d. Wiener Slgg., in: Maske u. Kothurn 18, 1972, S. 38–98; F. Stieger, Opernlex., II/2, 1977, S. 753–62; L. v. Sonnleithner, Materialien zu e. Gesch. d. Oper u. d. Balletts in Wien (Ms., Bibl. d. Ges. d. Musikfreunde in Wien); Wurzbach *(W-Verz.);* Kosch, Theater-Lex. *(W-Verz.);* MGG; Riemann, Erg.bd.; New Grove; ÖBL.

P Lith. v. F. Eybl, 1829; A. M., H. Proch u. E. Titl, Lith. v. A. Dauthage, 1840; Lith. v. G. Decker, 1843.

Otto Biba

Müller, *Adolph,* Akkumulatorenfabrikant, * 18. 9. 1852 Sachsenberg (Waldeck), † 13. 10. 1928 Berlin. (ev.)

Aus Waldecker Kaufm.fam.; *V* Carl (1819–85), Kaufm.; *M* Elwine Krauskopf (1822–76).

Schon während seiner kaufmännischen Lehre in den 1870er Jahren interessierte sich M. für Fragen der Technik. Er verließ Waldeck und war als Reisender in verschiedenen Stellungen in Rheinland und Westfalen tätig. 1885 lernte er in Trier auf einer Verkaufsreise für die Kölner elektrotechnische Firma Spiecker & Co. Henri Tudor (1859–1928) aus dem luxemburg. Rosport kennen. Diesem war es gelungen, eine Dynamomaschine mit einem von ihm modifizierten Bleiakkumulator zu koppeln und damit Schwankungen des elektrischen Stroms auszugleichen. M. erkannte die Bedeutung von Tudors Erfindung für die Stromspeichertechnik, die mit fortschreitender Urbanisierung und Elektrifizierung für alle Bereiche der Wirtschaft immer wichtiger wurde. 1886 testete er erfolgreich im Elektrizitätswerk Echternach den Einsatz von Tudors Akkumulatoren. Diese waren durch Platten mit gerippter Oberfläche gekennzeichnet, die eine verbesserte Haftung des Bleidioxids bzw. des Bleisulfats gewährleisteten und daher eine größere Zahl von Ladungen und Entladungen erlaubten, was wiederum die Lebensdauer des Akkumulators erhöhte.

Ein Jahr später ließ sich M. in Hagen, am Rande des rhein.-westfäl. Industriebezirks, nieder und vertrieb als Generalvertreter Tudors Patent. 1888 konnte er mit Unterstützung von Unternehmern des Hagener Raumes, u. a. des Bankiers Ernst Osthaus, Theodor Müllensiefens und Hermann Harkorts, die Produktion in Wehringhausen bei Hagen am Diecker Hammer aufnehmen. An der Firma Büsche & Müller und ihrem Startkapital von 270 000 Mark war M. selbst nur mit 10 000 Mark beteiligt. Der Verkauf von 80 Anlagen zu einem Gesamtbetrag von 400 000 Mark ließ das Unternehmen schon im ersten Jahr zu einem großen Erfolg werden. Die TH Hannover empfahl die Akkumulatoren für Beleuchtungsanlagen als unübertroffen. Nachdem Tudor, der die Serienfertigung in Hagen überwacht hatte, nach Luxemburg zurückgekehrt war, gewann M. einen technisch versierten Kompagnon in Johannes Einbeck, einem Maschinenbauer, der u. a. bei Borsig in Berlin gearbeitet hatte, und gründete 1889 mit ihm die Firma Müller & Einbeck. M. fand nun Zugang zu deutschen Großunternehmen. 1890 gelang es ihm, Siemens & Halske und die AEG dazu zu bringen, auf die Entwicklung eigener Akkumulatoren zu verzichten. Im Gegenzug beteiligten sich beide Konzerne an einer Aufstockung des Kapitals von M.s Unternehmen, das seit Oktober 1890 als Accumulatoren-Fabrik AG (AFA) firmierte. Das Gesellschaftskapital betrug 4,5 Mill. Mark. Den ersten Aufsichtsrat bildeten Georg v. Siemens von der Deutschen Bank als Vorsitzender, Carl Fürstenberg, Emil Rathenau und Wilhelm v. Siemens. Noch im Jahr ihrer Gründung kaufte die AFA das erste ausländische Akkumulatorenwerk in Wien auf. Mit Unterstützung seiner Finanziers verfolgte M. einen expansiven Geschäftskurs. 1893 reiste er erstmals in die USA, 1894 lieferte er Batterien an die Edison-Gesellschaft in Boston. Innovativ war u. a. der Einsatz der Batterien im Verkehrswesen (1897 Bau von Automobil-Vorspannungen). In Ludwigshafen und Hagen wurden Omnibusse bzw. Straßenbahnen damit ausgestattet. Die AFA kaufte 1897 sogar die Hagener Straßenbahn AG auf.

Nach Ablauf der Akkumulatoren-Patente von A. Faure drängten seit 1896 Mitbewerber auf den Markt, die einen heftigen Preiswettbewerb entfachten. M. brachte 1900 die fünf führenden Anbieter zu einem Kartell zusammen, aus dem die AFA aber 1902 wieder ausschied. Mit der Übernahme weiterer Betriebe im In- und Ausland forcierte das Unternehmen sein Wachstum. Bereits 1897 wurde das Hauptbüro nach Berlin verlegt, wo auch weitere Produktionsstätten entstanden. Die wichtigste war das 1904 fertiggestellte Werk in Oberschöneweide. Zu dieser Zeit verfügte die AFA bereits über neun Akkumulatorenwerke in Deutschland. In Österreich-Ungarn wurden vor dem 1. Weltkrieg vier Werke übernommen, ebenso viele in Rußland und in der Schweiz. Mehrere Tochtergesellschaften übernahmen Spezialaufträge, z. B. die mit dem Rheinisch-Westfälischen Elektrizitätswerk (RWE) 1906 gegründete Elcktromontana GmbH. Aus dem Werk in Oberschöneweide entwickelte sich als Produktionsstätte für Kleinstakkumulatoren die VARTA, von der die AFA 1962 den Namen übernahm. Gemeinsam mit Hugo Stinnes und dem Hagener Oberbürgermeister Cuno zeichnete M. 1906 für die Gründung des Kommunalen Elektrizitätswerks Mark in Hagen verantwortlich. Zu diesem Zeitpunkt hatte er den Schwerpunkt seiner Tätigkeit weitgehend von Hagen nach Berlin verlegt. Zwischen beiden Orten pendelte er im Schlafwagen hin und her. Von der Öffentlichkeit kaum bemerkt, führte er das Unternehmen durch die schwierigen Kriegsjahre, in denen die AFA u. a. Batterien für Unterseeboote produzierte, und die Inflationszeit. Neue Absatzgebiete eröffneten sich in der Radio- und der Automobilindustrie. 1923 wurde M. von Günther Quandt, dem Vorsitzenden des Aufsichtsrats, an der Spitze des Unternehmens abgelöst. Um seine Waldecker Heimat hat er sich mit großzügigen Stiftungen verdient gemacht. – Dr.-Ing. E. h. (TH Hannover 1915); Ehrenbürger v. Sachsenberg (1918).

W 25 J. d. Accumulatoren-Fabrik AG, 1888–1913, 1913.

L L. Bing, Ein Mensch u. sein Werk, Ein Gedenkbl. f. A. M., in: Waldeckischer Landeskal. 1937, S. 92–95 *(P)*; B. Nadolny, in: W. Treue, VARTA, Ein Unternehmen d. Quandt-Gruppe, 1888–1963, 1963 *(P)*; Wenzel. – Auskünfte d. Stadt Lichtenfels (Waldeck).

Wilfried Reininghaus

Müller, *Adolf,* sozialdemokratischer Politiker, * 19. 8. 1863 Wittlich b. Trier, † 5. 9. 1943 Merligen Kt. Bern. (konfessionslos)

V Jacob (1826–1910), Winzer in W., *S* d. Gottfried (um 1779–1857), Krämer in Waldwiese b. W., u. d. Henriette Levi (um 1784–1870); *M* Josephina (Beppi) (1834–87), *T* d. Salomon Mayer (1805–62), Kaufm. in Hechingen, u. d. Fanny Benjamin; *B* Wilhelm (1870–1929), Kaufm.; – ∞ München 1901 Franziska (1880–1951, kath.), *T* d. Johann Baptist Brunner (* 1843), Installateur aus Donaustauf, seit 1897 Bürger in München, u. d. Babette Paulus (* 1846) aus Riedenburg; 3 *S*, 1 *T*, u. a. Carl M.-Jost(* 1900), Dr. med., Prof. d. Gynäkologie in Bern.

Nach dem Besuch der Mittelschule in Wittlich absolvierte M. die Bürgerschule in Trier. Anschließend studierte er wahrscheinlich Medizin und Volkswirtschaftslehre in Straßburg und Berlin. Damals betätigte er sich bereits journalistisch bei mehreren Zeitungen. Nach Abbruch des Studiums – wohl aus Geldmangel – wurde er, seinen journalistischen Neigungen entsprechend, Mitarbeiter und später Direktor des liberalen Depeschenbüros „Herold" in Berlin. Dank seiner volkswirtschaftlichen Kenntnisse und seines glänzenden Stils machte er sich früh einen Namen im deutschen Pressewesen. Seit 1891 schrieb er in verschiedenen sozialdemokratischen (u. a. „Neue Zeit", „Sozialistische Monatshefte") und bürgerlichen Zeitschriften. 1893 wurde der „bürgerliche" Sozialdemokrat auf Vorschlag der rumän. Sozialisten Mitarbeiter und bereits 1895 Chefredakteur der „Münchner Post". Der Intimus Georg v. Vollmars verhalf dem Parteiblatt bald zu überregionalem Ansehen und bis 1914 zu einer Auflagensteigerung von 10 000 (1893) auf über 30 000 Exemplare. Wegen dieser Erfolge wurde M. nicht nur zu einem der wichtigsten sozialdemokratischen „Meinungsmacher", sondern auch zum bestbezahlten Redakteur der deutschen Sozialdemokratie. Parallel zum Aufstieg in der „Münchner Post" verlief M.s Parteikarriere. Bereits 1899 erhielt er ein Landtagsmandat, das er bis 1917 innehatte. 1903 lehnte er ein Reichstagsmandat für München ab, 1910 rückte er jedoch zum stellvertretenden Parteivorsitzenden in Bayern auf. M. galt vor dem Kriege als „graue Eminenz" der bayer. Partei und als einer der streitbarsten Repräsentanten des „bayer. Reformismus". Bei den Parteitagen der deutschen Sozialdemokratie 1908 in Nürnberg und 1910 in Magdeburg war M. neben Ludwig Frank (Mannheim) einer der Hauptverfechter des süddeutschen Sonderkurses innerhalb der SPD. Die süddeutschen Politiker beharrten erfolgreich darauf, die Landespolitik eigenverantwortlich und ohne Gängelung durch den Berliner Parteivorstand gestalten zu können sowie mit allen liberalen und bürgerlichen Kräften kooperieren zu dürfen. Ihre Politik zielte auf einen „Demokratischen Sozialismus" ab und setzte, mit Erfolg, auf eine sukzessive Partizipation im bestehenden System.

Im 1. Weltkrieg beeinflußte M. auf Wunsch der deutschen Parteiführung und in halboffiziellem Auftrag der bayer. Staats- und der deutschen Reichsregierung (die den Sozialdemokraten mit einem Diplomatenpaß versah) die sozialdemokratischen Schwesterparteien im westeurop. (vor allem neutralen) Ausland zu Gunsten Deutschlands, wobei er mehrfach unter abenteuerlichen Umständen ins feindliche Ausland reiste. Zudem streckte er seit 1914 von der Schweiz aus Friedensfühler nach Frankreich, Großbritannien und Italien aus, um den Krieg beenden und

Deutschland einen „ehrenvollen" Frieden sichern zu können. Im Rahmen dieser Tätigkeit baute er ein internationales Agentennetz auf, das ihm bei seiner späteren Tätigkeit als Gesandter von großem Nutzen wurde und auf die deutsche Völkerbundspolitik einen erheblichen Einfluß ausübte. Einer seiner Hauptinformanten war der mehrfache franz. Minister und Ministerpräsident, der Radikalsozialist Joseph Caillaux, der ihn mit wertvollem Geheimmaterial belieferte. 1917 wurde Caillaux zwar von der Anschuldigung, während des Krieges in geheimem Einverständnis mit Deutschland gestanden zu haben, freigesprochen, aber wegen „Korrespondenz mit dem Feind" verurteilt; erst 1925 wurde er begnadigt. Dank seiner großen internationalen Erfahrung erhielt M. als erster Sozialdemokrat in der deutschen Geschichte am 25. 1. 1919 eine bedeutende diplomatische Position, den Gesandtenposten in der Schweiz. Er hat in Bern zur Zufriedenheit beider deutscher Reichspräsidenten – mit denen er persönlich befreundet war – und aller Außenminister gewirkt. Insbesondere Gustav Stresemann schätzte den selbständig denkenden Diplomaten sehr, obwohl sich zwischen beiden mehrfach heftige Konflikte entspannen. M. erhob immer wieder Einwendungen gegen den ungebremsten Optimismus Stresemanns und fürchtete, daß dieser die Interessen des Reiches gegenüber Frankreich nicht hart genug vertrete. Eine seiner spektakulärsten Aktionen mit dem Ziel, die Stresemannsche Politik zu durchkreuzen, bestand darin, eine innenpolitische Fronde gegen den Minister zu schmieden, die sowohl die Reichswehrführung und den Reichspräsidenten v. Hindenburg als auch eine Anzahl von Ländern, unter Führung Bayerns, umfaßte. Diese Aktion blieb allerdings erfolglos. Als Stresemann jedoch 1929 kurz vor seinem Tode den Mißerfolg seiner Völkerbundspolitik beklagte, erfuhr M. eine späte Genugtuung. Die Schweiz würdigte seinen Anteil an der Verbesserung der deutsch-schweizer. Beziehungen durch die Berufung in eine Vielzahl von hohen Ehrenpositionen. Im Frühherbst 1933 quittierte M. den Dienst. Er wollte – eine seltene Ausnahme in der deutschen Diplomatie – dem neuen Regime nicht mehr dienen. Seitdem lebte er politisch zurückgezogen in Merligen am Thunersee und ging seinen medizinhistorischen Studien über Paracelsus nach. Häufig setzte er sich für deutsche Emigranten (u. a. Rudolf Breitscheid, Wilhelm Hoegner) ein. – Ehrensenator d. TH Stuttgart (1922), Ehrenbürger d. Univ. München (1922), Dr. h. c. (Tübingen 1922); Ehrenmitgl. d. Reichsverbandes d. Dt. Presse; Ehrenpräs. d. dt. Handelskammer in d. Schweiz.

W Die bayer. Volksvertretung u. d. allg. direkte Landtagswahlrecht, 1894; Die Bewegung d. Parteien b. d. Reichstagswahlen v. 1871–1893, 1894; Zur Lage d. bayer. Bauernstandes, in: Die Neue Zeit 12, 1894, S. 772–80, 813–20; Fuchsmühl, Eine Skizze aus d. Rechtsstaat d. Gegenwart, 1895; Fuchsmühl, Ein Epilog, in: Die Neue Zeit 13, 1895, S. 276–81; Die Landtagswahlen in Bayern, ebd. 25, 1907, S. 305–09; Die Resolution d. 130, in: Sozialist. Mhh. 1903, S. 736–40. – *Nachlaß:* Pol. Archiv d. Auswärtigen Amtes, Bonn; ETH Zürich, Hist. Archiv; Privatbes. d. Fam. Prof. Dr. Carl Müller-Jost, Bern.

L K. H. Pohl, Ein soz.demokrat. Frondeur gegen Stresemanns Außenpol., A. M. u. Dtld.s Eintritt in d. Völkerbund, in: Aspekte dt. Außenpol. im 20. Jh., H. Rothfels z. Gedächtnis, hrsg. v. H. Graml u. W. Benz, 1976, S. 68–86; ders., A. M. (1863–1943), Bayer. Landespolitiker u. erster soz.demokrat. Diplomat in d. Weimarer Republik, in: Internat. Wiss. Korr. z. Gesch. d. dt. Arbeiterbewegung 27, 1991, S. 483–89; ders., A. M., Geheimagent u. Gesandter in Kaiserreich u. Weimarer Rep., 1995 (P); 150 J. Promotion an d. Wirtsch.wiss. Fak. d. Univ. Tübingen, bearb. v. I. Eberl u. H. Marcon, 1984, S. 584; M. Wein-Mehs, Juden in Wittlich, 1995, S. 445–66.

P ETH Zürich, Hist. Archiv.

Karl Heinrich Pohl

Müller, *Adolf,* Lebensmittelfabrikant, * 2. 12. 1900 Gelsenkirchen, † 4. 10. 1972 Ulm. (kath.)

V Adolf (* 1866) aus Koblenz, Lebensmittelkaufm., 1893 Gründer e. Handelsagentur f. Hülsenfrüchte in G.; M Anna Terbuyken; ⚭ Felizitas N. N.; 3 S, 2 T, u. a. Manfred, 1972–89 Vorstandsvors. d. „Müller's Mühle Schneekoppe AG", Gelsenkirchen.

M., der sich schon als Jugendlicher an Konstruktionsversuchen seines Vaters zur Herstellung von Trenn- und Reinigungsmaschinen für Hülsenfrüchte beteiligte, absolvierte die Höhere Handelsschule und – nach kurzer Kriegsteilnahme – die Müllerschule in Dippoldiswalde bei Dresden sowie eine Volontärzeit in Braila (Rumänien), einem Einkaufsgebiet für Hülsenfrüchte. Er trat dann in die väterliche Firma ein und entwickelte eine Reihe von Neuerungen im Lebensmittelvertrieb. So nahm er die Lieferung von Markenerbsen in 50 kg-Säcken auf und führte eine neue 500 g-Haushaltspackung ein. Auf zahlreichen Reisen konnte er den Handel und die Endverbraucher für seine neuen, hygienisch verpackten Waren gewinnen, die das früher nötige Auslesen überflüssig machten.

Nach 1945 konnte M. die Firma „Müller's Mühle" wesentlich vergrößern. Eine Getreidemahlmühle wurde angegliedert, die Verlese- und Abpackmethoden wurden durch die Einführung von Automaten (1951) bzw. Verpackungsstraßen technisiert. Das Markenartikelangebot wurde im Hinblick auf die Verbreitung der Selbstbedienungsläden erweitert. Seit 1955 wurden die eigenen Abpack-Kapazitäten auch anderen Unternehmen zur Verfügung gestellt. 1957 errichtete M. einen Zweigbetrieb in Mannheim, 1960/61 eine Konservenfabrik in Gelsenkirchen, 1962 einen weiteren Betrieb in Hamburg. Das Ergebnis war eine Dezentralisierung von Produktion und Vertrieb in drei Regionalbereichen für den nördlichen, mittleren und südlichen Teil der Bundesrepublik, wobei zugleich eine Rationalisierung der Frachtwege möglich wurde. Von den vorbereiteten Lebensmitteln (z. B. „Willi's 5-Minuten-Reis") ging die Entwicklung zu Fertigkonserven. 1971 erwarb M. eine zweite Konservenfabrik in Grünstadt bei Mannheim. In der Bundesrepublik erreichte sein Unternehmen Marktanteile von 40 % bei Reis und 85 % bei Hülsenfrüchten und wurde gleichzeitig zum größten Verarbeiter dieser Erzeugnisse in Europa. Eine wichtige Neuerung war seit 1966 die Herstellung der „Schneekoppe"-Produkte, die der zunehmenden Nachfrage nach Reform- und Diätkost Rechnung trug. M. konnte dabei auf Erfahrungen zurückgreifen, die er auf einem firmeneigenen Versuchsgut im Hunsrück in der chemiefreien Herstellung von Nahrungsmitteln gewonnen hatte. Diese Sparte entwickelte sich seit den 70er Jahren zum wichtigsten Geschäftsbereich. Das Angebot von Spezialerzeugnissen vor allem für Diabetiker, die über Selbstbedienungsläden und Supermärkte zu günstigen Preisen vertrieben wurden, verschaffte ihm auch auf diesem Sektor einen beachtlichen Marktanteil.

M. war auch Geschäftsführer einer firmeneigenen Wohnungsbaugesellschaft. Seit 1966 gehörte er dem Kammerausschuß der Industrie- und Handelskammer Münster für die Stadt Gelsenkirchen an. Das von ihm gegründete und ausgebaute Unternehmen erlangte für die gewandelte Wirtschaftsstruktur der früher nur vom Bergbau geprägten Stadt Gelsenkirchen erhebliche Bedeutung. Nach seinem Tode war sein Sohn Manfred Vorstandsvorsitzender der in eine Kapitalgesellschaft umgewandelten „Müller's Mühle Schneekoppe AG" und hielt bis zu seinem Ausscheiden 1989 50 % des Kapitals.

L Nachrr. d. IHK Münster 1972, H. 11, S. 700; B. Gerstein, A. M., in: dies. (Hrsg.), Lb. aus d. Rhein.-Westfäl. Industriegebiet, Jg. 1968–72, 1980, S. 110 f.; Müller's Mühle, Antworten auf d. Fragen d. Marktes, o. J. – Mitt. d. Fam.

Barbara Gerstein

Müller, *Albert,* Bankdirektor, * 21. 8. 1847 Minden (Westfalen), † 30. 10. 1925 Essen. (ev.)

V August (* um 1818), Kaufm. in M.; *M* Emilie Kreft (* um 1822); ∞ Essen 1882 Emmy (* 1860), *T* d. Julius Baedeker (1821–98), Buchhändler in E. (s. L), u. d. Clara Wilberg (1837–1923); kinderlos.

M. verließ als 15jähriger nach der mittleren Reife das Gymnasium in Minden, diente als Einjährig-Freiwilliger und absolvierte eine kaufmännische Ausbildung. Lehr- und Wanderjahre führten ihn u. a. nach Breslau. 1870 nahm er eine Stellung als Prokurist beim sog. Vorschuß-Verein in Minden an und arbeitete sich in kurzer Zeit in den neuen Bankberuf ein. 1872 ernannte ihn die Herforder Diskonto-Bank zum Direktor. In gleicher Eigenschaft war er anschließend bei der Westfälischen Bank in Bielefeld tätig. Dort traf er Carl Klönne, mit dem er 1879 diese Bank sanierte. Daraus erwuchs eine lebenslange Freundschaft und Zusammenarbeit. Als kaufmännischer Direktor der Zeche „Friedrich der Große" in Herne (1879) kam er in Berührung mit Friedrich Grillo, wurde auf dessen Veranlassung 1881 in den Vorstand der Essener Credit-Anstalt gewählt und übernahm 1882 die Leitung dieser Bank. 25 Jahre lang wirkte er von dieser Position aus an der Finanzierung der aufstrebenden Ruhrindustrie mit. Nach dem Gründer Grillo prägte er Struktur und Stil der wohl wichtigsten Bank des Reviers. In einer Periode rascher Expansion eröffnete die Bank 1887 eine Agentur in Gelsenkirchen, 1894 eine Niederlassung in Dortmund und 1896 in Bochum. Es folgten weitere Zweigstellen sowie Aufkäufe kleinerer Banken im Ruhrgebiet. 1890 wirkte M. durch persönliche Übernahme von Aktien an der Gründung der AG Westfälisches Cokssyndikat mit. 1900 begann eine engere Verbindung zur Deutschen Bank. Carl Klönne wurde als deren Vertreter in den Aufsichtsrat der Essener Credit-Anstalt gewählt, M. in den der Deutschen Bank. Die Verbindung wurde durch Austausch von Aktien verstärkt. Die Essener Credit-Anstalt blieb zunächst selbständig, übernahm 1906 den Westfälischen Bankverein in Münster und gehörte nach weiterer Ausdehnung über das Revier hinaus zu den führenden Großbanken. Ihr Aktienkapital stieg während der Ära M. von 10 auf 90 Mio. Mark, und die Reserven erhöhten sich auf 120 Mio. Mark.

1907 legte M. die Direktion nieder und trat in den Aufsichtsrat über, dessen Vorsitz er bis 1922 innehatte. 1925 wurde die Essener Credit-Anstalt endgültig mit der Deutschen Bank fusioniert, der sie 25 Niederlassungen einbrachte.

M. war Mitglied der Aufsichtsräte zahlreicher großer Unternehmen des Ruhrgebiets (Bergwerks-AG Consolidation, Gelsenkirchen-Schalke; Maschinenfabrik Baum AG, Herne; Rhein. Stahlwerke, Duisburg-Meiderich; Schlegel-Scharpenseel-Brauerei AG, Bochum; Gewerkschaft Gf. Bismarck, Gelsenkirchen). Er war auch Vorsitzender des Börsenvorstandes in Essen, seit 1906 Mitglied der dortigen Handelskammer und 1907/08 erster Vorsitzender des neugegründeten Verkehrsvereins Essen. – KR (1906), GKR (1918).

L AG Westfäl. Cokssyndikat zu Bochum, 1900, S. 5; Dtld.s Kommerzienräte, 1909, S. 246; Jb. d. Handelskammer Essen, 1910; Die Entwicklung d. Zeche Consolidation 1863–1913, 1913 (P); 50 J. Essener Credit-Anstalt, 1922 (P); 50 J. Verkehrsver. Essen, 1957; H. Schröter, Essener Kommerzienräte, in: Die Heimatstadt Essen 11, 1959/60, S. 59–66 (P); F. Seidenzahl, 100 J. Deutsche Bank, 1970; W. Fischer, 125 J. Wirtsch.gesch. d. IHK Bez. Essen-Mülheim-Oberhausen, 1965, S. 183; E. Dickhoff, Essener Köpfe, 1985 (P). – Eigene Archivstud. (Stadtarchiv Essen). – *Zu Julius Baedeker:* BJ III; NDB I*; E. Dickhoff (s. o.); DBE.

Barbara Gerstein

Müller, *Albin* Camillo (gen. *Albinmüller*), Architekt, Designer, Maler, * 13. 12. 1871 Dittersbach b. Frauenstein (Erzgebirge), † 2. 10. 1941 Darmstadt. (ev.)

V Gustav († 1924), Landwirt u. Schreinermeister in D.; M Therese Liebscher († 1923); ∞ Mainz 1900 Anna Maria (Änne) (1876–1962, kath., n. 1900 ev.), T d. Jacob Rauch (1842–1906) aus Bingen/Rhein, Korkschneider in Mainz, u. d. Wilhelmine Meyer (1844–1920) aus Mainz; 1 S, 1 T.

Nach dreijähriger Lehrzeit als Tischler in der Werkstatt seines Vaters begab sich M. 1890 als Geselle auf Wanderschaft. Er arbeitete längere Zeit in einer Möbelfabrik in Mainz, wo er auch die Abend- und Sonntagsklasse der Kunstgewerbeschule besuchte und sich zum Möbelzeichner ausbildete. Seit 1893 war er im Zeichenbüro von Firmen in Mainz, Bromberg und Köln tätig. 1899 begab er sich nach Dresden, um die dortige Kunstgewerbeschule zu besuchen. Mit einer Zimmereinrichtung in der Ausstellung „Heim und Herd" trat er hier erstmals als selbständiger Innenarchitekt auf. 1900 bewarb er sich erfolgreich um die Stelle als Lehrer für Raumkunst und architektonische Formenlehre an der Kunstgewerbeschule in Magdeburg, die er bis 1906 innehatte. In diesen Magdeburger Jahren vollzog sich im Werk M.s, das bald vom Textilentwurf über Hausgerät und Mobiliar bis zur Architektur reichte, der Übergang vom volkstümlich-retrospektiven Jugendstil zur konstruktiven Gestaltung und tektonischen Ornamentik. M. lieferte u. a. Entwürfe für die Linoleumwerke Delmenhorst, die Sächsische Serpentinsteingesellschaft in Zöblitz und die traditionsreichen Betriebe der Lüdenscheider Britannia- und Zinngußwaren. Als „künstlerischer Berater" der Fürstl. Stolberg. Eisengießerei Ilsenburg (Harz) sorgte er mit seinen Entwürfen für eine Wiederbelebung des künstlerischen Eisengusses. Im Auftrag der Stadt gestaltete er u. a. die Zimmer für das Standesamt. M.s Arbeiten wurden erfolgreich auf nationalen und internationalen Ausstellungen präsentiert (u. a. 1. Internationale Ausstellung für moderne dekorative Kunst, Turin 1902; Weltausstellung, St. Louis 1904; 3. Deutsche Kunstgewerbe-Ausstellung, Dresden 1906), so daß er schon bald den Ruf eines der begabtesten Innenarchitekten der modernen Bewegung genoß. Durch Ghzg. Ernst Ludwig von Hessen erhielt M. 1906 einen Lehrauftrag für angewandte Kunst an der Künstlerkolonie in Darmstadt.

Mit einer Reihe von temporären Bauten sowie mit Mustereinrichtungen prägte M. die 1908 auf der Darmstädter Mathildenhöhe stattfindende Hessische Landesausstellung für freie und angewandte Kunst entscheidend mit. Als Designer befaßte er sich inzwischen mit nahezu sämtlichen Werkstoffen und Bereichen des Kunstgewerbes. Seine Bemühungen galten dabei stets einer materialgerechten Formung und maßvollen Ornamentik. Besonders erfolgreich war er auf dem Gebiet der Keramik, vor allem des Steinzeugs, für das er neue Formen und Dekore entwickelte. Nach dem Tod von Joseph M. Olbrich 1908 wurde M. führender Architekt der Künstlerkolonie und ließ sich nach eigenen Entwürfen ein Wohnhaus auf der Mathildenhöhe errichten. Die von ihm entworfene und teilweise auch eingerichtete umfangreiche „Miethäusergruppe" bildete den architektonischen Schwerpunkt der letzten Künstlerkolonie-Ausstellung 1914.

Als nach dem 1. Weltkrieg M.s Bemühungen um eine Reaktivierung der Künstlerkolonie scheiterten, wandte er sich verstärkt der Entwicklung des Holzbaus und dem Entwurf von Siedlungs- und Einfamilienhäusern zu. Infolge der schwierigen wirtschaftlichen Situation der Nachkriegszeit konnten allerdings nur einzelne Projekte verwirklicht werden. Einen Höhepunkt stellten dabei die Bauten und Innenräume für die deutsche Theaterausstellung in Magdeburg 1927 dar, die M.s Hinwendung zur expressionistischen Architektur dokumentieren. Daneben entstanden nach seiner sachlichen, jedoch nie radikal puristischen Formauffassung Einfamilienhäuser in Dresden, im Harz und im Erzgebirge. In Zeiten ohne öffentliche Aufträge widmete sich M. zeitweise auch der Malerei und schrieb Gedichte. – Grand Prix d. Weltausst. St. Louis (1904) u. Brüssel (1910); Staatsmedaille u. Goldene Medaille (Dresden 1906).

W Darmstädter Mathildenhöhe: Wohnhaus A. M., 1911 (zerstört); Miethäusergruppe, 1911–14 (zerstört); zerlegbares Ferienhaus, 1914 (verschollen); Keram. Gartenpavillon, 1914; Wasserbassin, 1914; Löwentor mit Skulpturen v. B. Hoetger, 1914 (1927 mit neuer, expressionist. Pfeilerkonstruktion an d. Eingang z. Park Rosenhöhe versetzt, d. ursprüngl. Doppelsäulen wurden als Eingang z. Darmstädter Hochschulstadion verwendet). – *Andere Bauten u. Anlagen:* Haus Oppenheimer, Darmstadt 1912/13 (teilweise erhalten); Haus Ramdohr, Magdeburg 1911/12; Haus Wendel, Magdeburg 1912; Sanatorium Dr. Barner, Braunlage (Harz) 1908–10; Haus Jung, Mainz 1914; Bauten f. d. Magdeburger Theateraussst., 1927 (zerstört); Pferdetor, Magdeburg 1927; Grabmal Hahn, Magdeburg 1913/14; Konkurrenzentwurf f. d. Bismarck-Denkmal auf d. Elisenhöhe b. Bingen, 1910; Dreikönigsdenkmal in Frauenstein (Erzgebirge), 1913; Boelcke-Denkmal, Dessau 1920/21; Mausoleum Wiesbaden, 1933. – *Innenarchitektur:* Dankwarth & Richters Weinstuben, Magdeburg 1903/04 (zerstört); Trauzimmer Standesamt Magdeburg, 1905 (zerstört); Richterbibl. f. d. Ghzgl. Justizgebäude in Mainz, 1907/08 (zerstört); Musiksaal f. Ghzg. Ernst Ludwig im Neuen Palais in Darmstadt, 1913/14 (zerstört); Zimmer d. Intendanten, Theateraussst. Magdeburg 1927 (einzelne Stühle erhalten). – *Kunstgewerbl. Objekte,* heute in: Bröhan-Mus., Berlin; Mus. Künstlerkolonie, Hess. Landesmus., Schloßmus., alle Darmstadt; Mus. f. Kunsthandwerk, Frankfurt. – *Schrr.:* Architektur u. Raumkunst, 1909; Holzhäuser, 1921; Denkmäler, Kult- u. Wohnbauten, 1933; Neuere Arbeiten v. Prof. Albinmüller, 1940; Heimatland, Bilder u. Verse v. Albinmüller, 1940; Albinmüller, Aus meinem Leben, 1940 *(ungedr.).*

L Ein Dokument dt. Kunst – Darmstadt 1901–76, Ausst.kat. Darmstadt 1976, Bd. 4, S. 143–59, Bd. 5; Mus. Künstlerkolonie Darmstadt, Kat. Darmstadt 1990, S. 155–81 *(Verz. d. Ausstellungen u. Schrr., L-Verz., Kat. d. kunstgewerbl. Objekte d. Künstlerkolonie, P);* ThB; Vollmer (unter Albinmüller).

P Phot., 1930er J., Abb. in: Mus. Künstlerkolonie Darmstadt, 1990 (s. *L*), S. 155.

Renate Ulmer

Müller, *Anton Josef,* Strickwarenfabrikant, * 5. 1. 1888 Neuehrenberg b. Schluckenau (Nordböhmen), † 19. 2. 1969 Kempten (Allgäu). (kath.)

V Anton (1866–93), Zimmermann, Hausweber in Altehrenberg b. Sch.; *M* Anna (1865–93), *T* d. Josef Engelmann, Weber in Altehrenberg; ⚭ Zeidler 1911 Maria Albina (1892–1963), *T* d. Josef Eiselt (1861–1942), Reisender aus Teichstatt b. Warnsdorf (Nordböhmen); 1 *S,* 2 *T,* u. a. Walter Josef (* 1912), Textiling., Gertrud (1913–72, ⚭ Johann Götz, 1910–44, Textiling.), Direktrice b. Klinger & Co., an d. Erfindung d. Strumpfhose beteiligt.

M. trat nach dem Besuch der Staatsfachschule für Wirkerei in Schönlinde (1903–05) in die Strick- und Wirkwarenfabrik Anton Klinger & Co. in Zeidler bei Schluckenau ein und war dort seit 1920 als Betriebsleiter tätig. 1936 ging er als technischer Direktor und Prokurist zur Strick- und Wirkwarenfabrik Schnürer & Co. in Freiberg bei Neutitschein (Mähren). Von dort 1945 vertrieben, begann er 1946 in Zaulsdorf Kr. Oelsnitz (Vogtland) mit seinen Familienangehörigen eine Strickwarenerzeugung, die 1949 wegen der bevorstehenden Verstaatlichung aufgelassen wurde. Ende 1951 wurde M. technischer Leiter der neu errichteten Strumpf- und Strickhandschuhfabrik von Josef Kudlich in Kottern Kr. Kempten (Allgäu). Auch im Ruhestand arbeitete er für Industrieunternehmen an Mustern für Socken und Strümpfe.

M. entwickelte während seiner Tätigkeit in Zeidler vor 1932 unter Mitwirkung seiner Tochter Gertrud einen „Hosenstrumpf" für Kinder. Es gelang ihm, die gewünschten Paßformen und Weiten durch Einsatz von Zwickelteilen zu erzielen. Dieses Verfahren, bei dem auffällige Nähte im Hosenteil unvermeidlich sind, wird noch heute in den meisten Ländern der Welt angewandt. M. nannte seine Erfindung, als deren alleiniger Urheber er nach sorgfältigen historischen und technischen Prüfungen zweifelsfrei gelten kann und an deren Weiterentwicklung er auch nach seinem Wechsel nach Freiberg unermüdlich weiterarbeitete, seit etwa 1935 „Strumpfhose". Die neue Kinderbekleidung wurde vom Handel anfangs zurückhaltend aufgenommen, fand aber bei den Verbrauchern rasch Anklang. Bereits 1935 erreichte die Erzeugung von automatisch flach- und rundgestrickten Kinderstrumpfhosen etwa 65% der Herstellungskapazität von Klinger & Co. M.s Namengebung wurde nach dem 2. Weltkrieg auch von den Herstellern von Damenstrumpfhosen übernommen. Um 1950 entwickelte M.s Sohn Walter Josef ein Gebrauchsmuster (1685.402/3) zur vollautomatischen Herstellung nahtloser Strumpfhosen.

L E. Marschner, in: Sudetendt. Ztg. v. 21. 1. 1976; ders., in: Unser Niederland 27, 1976, S. 66 *(P);* ders. u. W. Pfeifer, Der Heimatkreis Schluckenau im nordböhm. Niederland, 1977, S. 182 f.; BLBL.

P Sudetendt. Bildarchiv, München.

Erhard Marschner †

Müller, *Arno*, Chemiker, Parfümeur, * 27. 5. 1897 Magdeburg, † 20. 11. 1983 Genf. (ev.)

V Paul, Mechaniker in M.; M Bertha Bardasch; ∞ Magdeburg 1924 Gertrud verw. Schroeder (* 1897), T d. Roman Singer (isr.), Kaufm. in M., u. d. Elisabeth Simon.

Mit 14 Jahren verließ M. die Mittelschule, um als Lehrling in ein Chemielabor einzutreten. Erste wissenschaftliche Veröffentlichungen datieren bereits aus dieser Zeit. Nach der Lehre und kurzem Militärdienst studierte er 1917–21 Chemie in Leipzig. Trotz vorgelegter Dissertation bei Arthur Hantzsch verweigerte die Fakultät wegen fehlenden Abiturs die Promotion. M. hatte als Werkstudent bereits Kontakt zur Riechstoffindustrie aufgenommen und trat, nach einigen beruflichen Zwischenstationen, 1927 als Riechstoffchemiker in die Firma Allondon in der Nähe von Genf ein. Hier entwickelte er die Riechstoffsynthese schnell zum bedeutendsten Zweig des Unternehmens: Es wurde der erste chlorfreie Zimtaldehyd produziert, daneben viele weitere Duftstoffe, die auch heute noch gebraucht werden, z. B. reine Fettaldehyde, Fliederaldehyd, einige Salicylsäure- sowie die Cresotinsäure-Ester, zahlreiche Acetale und Halbacetale. Durch Aufnahme der Produktion von Nitromoschus gelang es, das damals bestehende Moschus-Kartell zu zerschlagen. M.s Hauptwerk aber bestand in der Sammlung aller zugänglichen Daten über die Chemie der Riechstoffe, die er bereits 1929 unter dem Titel „Riechstoff-Kodex" als Buch publizierte – eine Sensation für die damals dem Esoterismus verhaftete Branche. Während vieler Jahrzehnte bildete der „Müller" das unentbehrliche Handbuch für alle Parfümeure und Duftbeflissenen. Der in einem Berliner Verlag erschienene „Kodex" erfuhr nicht nur zwei weitere Auflagen (1942, 1950), er wurde auch 1948, sozusagen als „Kriegsbeute", ohne Lizenz in den USA nachgedruckt. 1957 erschien der erste, 1969 der zweite Ergänzungsband. Neben zahlreichen weiteren wissenschaftlichen Publikationen verfaßte M. ein Buch über „Die physiologischen und pharmakologischen Wirkungen der ätherischen Öle" (1941) sowie einen „Internationalen Kodex der ätherischen Öle" (1952). Alle seine Bücher schrieb er vorwiegend in der Freizeit, denn als Chemiker, Reisender in vielen Ländern Europas und zuletzt als Parfümeur, nachdem seine Firma von der Firmenich S. A. in Genf übernommen worden war, hatte er ansonsten keine Zeit zum Schreiben. Als Parfümeur arbeitete er bis 1972 und schuf dabei manche bekannte Parfümbase, die in vielen Kreationen im In- und Ausland eingesetzt wurde und wird, wie z. B. „Capucine", „Grisambrol", „Prunella", „Rosacene", „Civette synth". M. blieb bis zu seinem Tode deutscher Staatsbürger.

Weitere W Über d. Uranylformiat, in: Zs. f. Anorgan. Chemie 93, 1915, S. 267; Stud. üb. d. Carvon, in: Journal f. Prakt. Chemie 93, 1916, S. 10; Zur Kenntnis d. Explosionsfähigkeit d. Uranylnitrats, in: Chemiker-Ztg. 40, 1916, S. 38; Internat. Riechstoff-Kodex, 1929, ³1950.

L D. Kastner, in: Parfümerie u. Kosmetik 65, 1984, S. 70–72 *(P).*

Dietrich Kastner

Müller, *August Eberhard*, Musiker, * 13. 12. 1767 Northeim, † 3. 12. 1817 Weimar. (ev.)

V Matthäus, Organist an St. Sixtus in N., bald nach M.s Geburt an St. Nikolai in Rinteln; M Eleonore Libius; ∞ 1788 Elisabeth Catherina, Pianistin, T d. Johann Georg Rabert (1736–89), Vorgänger M.s als Organist an St. Ulrich in Magdeburg; 1 S Theodor Amadeus (1798–1846), Violinist u. Komp. in W. (s. ADB 22).

Nach ersten musikalischen Unterweisungen durch den Vater in Rinteln erhielt M. Orgel- und Klavierunterricht bei Johann Christoph Friedrich Bach in Bückeburg. Daneben erlernte er autodidaktisch das Flötenspiel. Abgesehen von Aufenthalten in Göttingen, wo er 1786 ein Jurastudium begann, und Braunschweig, reiste er in den folgenden Jahren meist konzertierend durch Norddeutschland. 1788 wurde M. zum Organisten an St. Ulrich in Magdeburg berufen und danach zum städtischen Musikdirektor ernannt. Darüber hinaus leitete er 1792 die sog. Logenkonzerte sowie Privatkonzerte des Adels in Magdeburg. Aufgrund einer Empfehlung Johann Friedrich Reichardts wurde M. 1794 Organist an St. Nikolai in Leipzig. Bis 1802 war er zugleich 1. Flötist des Gewandhausorchesters; außerdem trat er häufig als Solist mit Mozarts Klavierkonzerten auf. Dabei erwarb er sich durch sein meisterhaftes Spiel auf dem noch jungen Pianoforte wie auch durch eine spezifische Mozart-Interpretation einen weit über Leipzig hinaus reichenden Ruhm. 1801 übernahm M. als Nachfolger Johann Adam Hillers das Thomaskantorat. In diesem Amt setzte er sich erfolgreich für die Aufführung von Bach-Kantaten im Gottesdienst ein. Auf Betreiben der Großfürstin Maria Pawlowna, einer Schülerin M.s im Generalbaßspiel, und mit wohlwollender Unterstützung Goethes wurde M. 1810 als ghzgl. Hofkapellmeister nach Weimar berufen, wo er fortan auch als Lehrer am Gymnasium und am Lehrerseminar sowie als Musikdirektor der Stadtkirche tätig war. Von Beethoven und Goethe hoch geachtet, lagen M.s Leistungen vorwiegend auf den Gebieten der Interpretation und der Musikorganisation. Letztere umfaßte das städtische bzw. höfische Musikleben in Magdeburg, Leipzig und Weimar, aber auch die Mitbetreuung großer verlegerischer Projekte bei Breitkopf & Härtel, wie insbesondere die ersten Gesamtausgaben der Werke Mozarts und Haydns. Als Komponist, der sich sowohl zu Bach als auch zu Mozart bekannte, erlangte M. eine gewisse Bedeutung mit häufig dem Variationenprinzip folgenden Klavierwerken von ausgeprägter Virtuosität sowie mit volkstümlichen Liedern, die bis um die Mitte des 19. Jh. sehr beliebt waren.

W-Verz. d. Kompositionen: MGG; New Grove. – *Schrr:* Anweisung z. genauen Vortrage d. Mozartschen Clavierconzerte..., 1796; G. S. Löhleins Klavierschule od. Anweisung z. Klavier- u. Fortepiano-Spiel, nebst... e. Anhange vom Generalbasse, 1804 (mehrere Aufl.).

L ADB 22; E. L. Gerber, Neues hist.-krit. Lex. d. Tonkünstler III, 1813, Sp. 502–06; A. Dörffel, Gesch. d. Gewandhausconcerte zu Leipzig, 1884; W. Nagel, Zur Lebensgesch. A. E. M.s, in: Die Musik IX/4, 1909/10, S. 84–92; W. Bode, Die Tonkunst in Goethes Leben, 1912; G. Haupt, A. E. M.s Leben u. Klavierwerke, Diss. Leipzig 1926; N. Broder, The First Guide to Mozart, in: Musical Quarterly 1956, S. 223–29; MGG *(P)*; Riemann mit Erg.bd.; New Grove.

P Kupf. v. F. A. Brückner, um 1800 (Stadtgeschichtl. Mus., Leipzig), Abb. in MGG.

Michael Märker

Müller, *Christian Friedrich,* Buchhändler, Drucker, Verleger, * 10. 3. 1776 Karlsruhe, † 31. 8. 1821 ebenda. (ev.)

V Christian Andreas (1734–92), Hofbuchbinder in K.; *M* Marie Elisabeth, *T* d. Hofratskanzlisten Christoph Burkhart; 10 *Geschw,* u. a. Johann Carl (1766–1834), Jurist, Geh. Rat, Philipp Friedrich (1771–1844), Hofbuchbinder, begründete 1802 mit seinem Schwager Gerhard Gräff († 1825) d. Fa. Müller & Gräff, heute Antiquariatsbuchhandlung in Stuttgart; – ∞ 1) Adelshofen b. Eppingen 1799 Wilhelmine Augusta (1767–1807), Schriftst. (s. *L*), *T* d. Pfarrers Michael Maisch (1737–1801) u. d. Wilhelmine Charlotte Treffz, 2) Rastatt 1808 Ernestine (1789–1844), übernahm nach M.s Tod d. Verlag, *T* d. Karl Joseph Bouginé (1735–97), ev. Theol., bad. Kirchenrat u. Gymnasialprof. (s. ADB 47), u. d. Johanne Eleonore Mylius († 1784); 8 *K,* u. a. Wilhelm (1815–90), Carl (1817–66), beide Inh. d. väterl. Firma; *E* Max (1849–1910), KR, Inh. d. C. F. Müllerschen Hofbuchhandlung (s. *L*); *Ur-E* Robert M.-Wirth (1898–1982), Verleger; *Urur-E* Christof M.-Wirth (* 1930), Verleger.

M. lernte zunächst vom Vater das Buchbinderhandwerk und begab sich dann 1791 auf eine fünfjährige Wanderschaft, während der er u. a. in Stuttgart, Frankfurt und Prag vielfältige Kenntnisse im Buchhandel, Druckgewerbe und Verlagswesen erwarb. Nach dem Tod des Vaters war der 16jährige bereits imstande, seiner Mutter in Karlsruhe eine Leihbibliothek einzurichten. 1796 wurde er in seiner Vaterstadt als Bürger und Buchhändler amtlich angenommen, wodurch er den heftigen Widerstand seiner etablierten Kollegen Schmieder und Macklot hervorrief. Der lang anhaltende Streit um die Berechtigung zum Buchhandel wurde durch eine Verfügung des Mgf. Carl Friedrich von Baden beendet. Dieses Privileg vom 1. 9. 1797 gilt als Gründungsurkunde des Karlsruher Verlags C. F. Müller, der heute zur Hüthig-Gruppe gehört und 1994 an deren Sitz in Heidelberg verlegt wurde. Im Dezember 1799 verband M. seine Buchhandlung mit einer Druckerei, doch wegen der kriegerischen Zeitläufte war die Firma, 1800–03 nach Pforzheim ausgelagert, zunächst wenig erfolgreich. Nach der Rückkehr nach Karlsruhe konnte M. zunehmend Einfluß gewinnen in der vom Klein- zum Mittelstaat sich entwickelnden bad. Markgrafschaft, die 1806 zum Großherzogtum erhoben und um das Zehnfache vergrößert wurde. 1803 erhielt M. das Privileg zum Druck für das „Provinzialblatt der Badischen Markgravschaft" und das Prädikat eines Hofbuchdruckers. In den folgenden Jahren erschienen bedeutende Gesetzgebungswerke in seinem Verlag; führende bad. Juristen konnten als Autoren gewonnen werden. 1804 wurde der Betrieb um eine Kupferdruckerei, 1813 um die nachmals berühmte C. F. Müllersche Lithographische Anstalt erweitert. 1815 wurde M. zum Hofbuchhändler ernannt. In dieser Zeitspanne wurden so wichtige Werke verlegt wie die „Sammlung der Landrechte ... der Markgrafschaft Baden-Baden..." und andere Rechtsordnungen (1805–06), der „Code Napoléon mit Zusäzen und Handelsgesezen als Land-Recht für das Großherzogthum Baden" (1809 u. ö.), bearbeitet und in einem sechsbändigen Kommentar (1809–12) erläutert von Staatsrat Johann Nikolaus Friedrich Brauer, und die erste amtliche Karte Badens von Johann Gottfried Tulla (1812). Die von M.s erster Frau herausgegebenen Almanache „Taschenbuch für edle Weiber und Mädchen" (1801–07) blieben jedoch, wie andere literarische Versuche dieser Zeit, Episode.

Vorbildlich für die folgenden Generationen, die den Betrieb beträchtlich erweitern konnten, blieb die enge Zusammenarbeit mit bad. Verwaltungsbeamten und Wissenschaftlern als Autoren, zu denen – wenngleich erst postum – auch Johann Peter Hebel zählte. Das Badische Landrecht stand am Anfang gesetzlicher Definitionen der Autorenrechte in Deutschland, wenngleich es mit seiner Schutzfrist zu kurz griff: „Das Schrifteigenthum gedruckter Schriften erlöscht mit dem Tod des Eigenthümers, der sie in Verlag gab; jeder Besitzer kann alsdann einen Nachdruck veranstalten ..." Die Kenntnis dieser in seinem Verlag veröffentlichten Bestimmung mag M. dazu bewogen haben, um ein Privileg für eine Sammlung von Texten deutscher klassischer Schriftsteller nachzusuchen. Es wurde ihm gewährt, und 1814 begann er unter der Firma „Bureau der deutschen Classiker" eine zum Schluß 173 Bände umfassende „Sammlung der vorzüglichsten deutschen Classiker" herauszugeben. Sie erfreute sich bei den Lesern großer Beliebtheit, wurde aber von Leipziger Buchhändlern als Raubdruck gebrandmarkt. Dennoch bleibt zu betonen, daß diese erfolgreiche Vermarktung z. T. erst jüngst verstorbener Klassiker nach damaligem Recht legal war und nicht unwesentlich zu ihrer Verbreitung beitrug.

L (M. Müller), Gesch. d. Ch. F. M.schen Hofbuchhandlung in Karlsruhe 1797–1897, 1897; Rob. Schmidt, Dt. Buchdrucker, dt. Buchhändler, 6 Bde., 1902–08 (Nachdr. 1977), S. 713 f.; J. H. Eckardt, Festgabe z. 50j. Bestehen d. Bad.-Pfälz. Buchhändler-Verbandes, 1925, S. 41–45 *(P)*; D. Siebert, Aus d. Gesch. d. Verlages C. F. Müller, in: 150 Jahre C. F. Müller in Karlsruhe, 1947; Verlagswerke d. Verlages C. F. Müller, Karlsruhe 1797–1945, Eine Bibliogr., 1970; J. Stehling, Von d. Buchbinderei zum Verlag, C. F. M., 1978 *(P)*; R. Fürst, Die Karlsruher Drucker u. Verleger v. Johann Peter Hebel u. C. F. Müller als d. Hebel-Verlag, 1990, S. 28–35; ders., Das „Bureau d. dt. Classiker" in Karlsruhe, 2 T., 1991/92 *(P)*; ders., „Für edle Weiber u. Mädchen", Wilhelmine Müller geb. Maisch, Verfasserin u. Förderin d. Alm.lit. um 1800, 1995.

P Lith., um 1813 (?), Abb. b. M. Müller, J. H. Eckardt, R. Fürst 1991 (s. L); Gem. im Bes. v. Christof M.-Wirth in Karlsruhe, Abb. b. J. Stehling (s. L).

Rainer Fürst

Müller *(Myller)*, *Christoph Heinrich,* Philologe, Schriftsteller, * 10. 2. 1740 Zürich, † 22. 2. 1807 ebenda. (ref.)

V Johannes (1717–75), Weber, Informator u. Stadttrompeter in Z., S d. Christoph (1674–1744), Rathausknecht in Z., u. d. Anna Weber (* 1748); M Catharina Hess (um 1716–77); B Heinrich (1738–1819), ref. Theologe, Krämer in Z., Caspar (1743–1813), Weber, Stadttrompeter in Z., Johannes (1752–1808), Steinmetz, Hans Conrad (1754–1838), Mittwochprediger am Großmünster in Z., 1784 Pfarrer in Hütten, nach Absetzung 1787 Hauslehrer; Vt Johannes (1733–1816), Ing., Kartograph u. Kalendermacher in Z.

M. studierte in Zürich ref. Theologie. Von seinen Lehrern am Carolinum übte Johann Jakob Bodmer einen lebensbestimmenden Einfluß aus. In seinem Sinne und im Stil damals gepflegter physiokratisch-aufklärerischer Dialoge verfaßte M. 1766 ein in Abschriften zirkulierendes „Bauren-Gespräch" gegen das militärische Eingreifen Zürichs an der Seite Frankreichs und Berns in die Genfer Unruhen und setzte damit die politischen Aktionen Johann Caspar Lavaters und des Malers Johann Heinrich Füssli fort. Nach der Entdeckung seiner Verfasserschaft floh M., seine Schrift wurde öffentlich verbrannt. Durch die Fürsprache von Johann Georg Sulzer bei Friedrich II. wurde M. Professor für Geschichte und Philosophie am Joachimsthalschen Gymnasium in Berlin. 1772 wurden vom Zürcher Rat die Verbannung sowie der Ausschluß aus Bürgerschaft und geistlichem Stand widerrufen, was M. nicht daran hinderte, 1780 die Hinrichtung des Zürcher Pfarrers und Schriftstellers Heinrich Waser (1742–80) anzuprangern. 1788 kehrte er nach Zürich zurück, wo er vergeblich versuchte, die königliche Pension durch eine seinen republikanischen Anschauungen gemäße Anstellung zu ersetzen. Seit jeher kränklich und von depressiven Anwandlungen heimgesucht, führte er ein Leben im Abseits und zuletzt in drückender Not. Von seinen Publikationen sind die Ausgaben mittelalterlicher Dichtungen im Anschluß an die Entdeckungen und anhand der Abschriften vor allem Bodmers, gelegentlich Breitingers und anderer, die bedeutendsten. Im Eigenverlag (auf Subskriptionsbasis) gab er sie in der zweibändigen „Sammlung deutscher Gedichte aus dem XII., XIII. und XIV. Jh." heraus, in der 1782 als erster Text „Der Nibelungen Liet, Ein Rittergedicht aus dem XIII. oder XIV. Jh." erschien. Es war Friedrich d. Gr. gewidmet, der sich, entgegen einem von Eduard Engel ausgehenden, oft kolportierten Dictum, wiederholt sehr anerkennend äußerte. Johannes

v. Müller hat es weitblickend besprochen (Götting. gel. Anz., 1783, S. 353 ff.). 1783–85 folgten die Editionen von Heinrich von Veldekes „Eneit", Wolfram von Eschenbachs „Parzival", Hartmann von Aues „Armem Heinrich" und „Iwein", Konrad Flecks „Flore und Blantscheflur" sowie Gottfried von Straßburgs „Freidank" und „Tristan" (samt Heinrich von Freibergs Fortsetzung), zusammen mit einer Reihe weiterer kleinerer Texte.

Ist diese Pionierleistung durch die späteren philologisch-editorischen Fortschritte vor allem Karl Lachmanns zwar verdunkelt, aber doch noch erkennbar, so sind die politischen, philosophischen und theologischen Schriften M.s ganz vergessen und teilweise schwer auffindbar. Gleichwohl handelt es sich um durchaus bemerkenswerte Dokumente einer Gesinnung, die helvet.-republikanische Elemente mit solchen der aufgeklärten preuß. Monarchie verknüpft, wobei u. a. nachdrücklich der Einbezug der Frau in öffentliche Angelegenheiten gefordert wird. – M. scheint eine große, heute verlorene Sammlung von Stichen besessen zu haben. Jedenfalls spricht er 1788 in einem Brief von einem Bestand von 10–11 000 Porträts und 12–16 000 Landschaften.

W Bauren-Gespräch, abgedr. b. H. Morf, in: Vor 100 J., Neujahrsber. d. Hülfsges. Winterthur, 1867; Waser, o. J.; Der Dorfpfarrer, od. d. glückl. Sterbliche, Eine phil. Abh., 1785 u. 1786; Die Dorfschule, Ein Pendant z. Dorfpfarrer, 1785 u. 1786; Ein Traum, 1787; Abriß d. drei Schles. Kriege, 1786; Reise durch etliche Kantone d. Schweiz, Von e. Schweizer, Im J. 1789, 1790; Dialogen u. kleine Aufsätze, 2 Bde., 1792; Etat der Beamten im Kanton Zürich auf d. J. 1795; Ankündigung e. pol. Wörterbuchs, 1800; Kalliste d. Gesetzgeberin, d. dt. od. d. sansculott. Oligarchie, 1803.

L ADB 22; J. Crüger, Johann Christoph Gottsched u. d. Schweizer J. J. Bodmer u. J. J. Breitinger, (1884), S. XCIX f.; J. Bächtold, Die Verdienste d. Zürcher um d. dt. Phil. u. Litteraturgesch., in: ders., Kleine Schrr., 1899, S. 61–78; H. Walser, Heimat u. Fremde im Leben d. Bodmer-Schülers Ch. H. M. 1740–1807, in: Zürcher Taschenbuch 1952, S. 62–95 *(Verz. weiterer pol., phil. u. theol. Schrr., P)*; Goedeke XII, S. 29; HBLS; Kosch, Lit.-Lex.³; Killy.

Werner G. Zimmermann

Müller, *Clemens,* Nähmaschinenfabrikant, * 13. 7. 1828 Dresden-Neustadt, † 16. 8. 1902 ebenda. (ev.)

V Johann August, Leinenwebermeister in D.; *M* Amelie Auguste Förster aus D.; ∞ 1) Dresden 1855 Eleonore Amelie Mathilde Pietzsch, 2) Marie Hartig; 5 *S*, 8 *T* aus 1) u. 2).

M. hielt sich bis 1854 zum Studium der amerikan. Nähmaschinenfabrikation bei den Firmen Wheeler-Wilson und Wilcose (Singer & Co.) in New York auf. Nach seiner Rückkehr gründete er in der Dresdner Altstadt die erste deutsche Nähmaschinenfabrik, die Weihnachten 1855 den Betrieb aufnahm. M. brachte zunächst mit der Hand betriebene Kettenstichmaschinen, dann Doppelsteppstichmaschinen auf den Markt. Seine Nähmaschinen fanden in Deutschland rasch Absatz und wurden bald auch in alle übrigen europ. Länder (besonders Frankreich, die Schweiz und Skandinavien) sowie nach Übersee (besonders Brasilien, Argentinien, Indien, Australien) exportiert, während der amerikan. Markt durch hohe Schutzzölle abgeschirmt blieb. 1867 erreichte die jährliche Produktion in M.s Fabrik, der anfangs größten ihrer Art auf dem Kontinent, bereits 11 000 Stück, 1881 wurde die 200 000. Nähmaschine gebaut. 1874 eröffnete M. in Dresden ein neues, größeres Werk. Für die Arbeiter und Angestellten seines Unternehmens richtete er eine betriebliche Unterstützungskasse ein. M.s Gründung gab den Anstoß zur Entstehung weiterer Betriebe, durch die Dresden zu einem Zentrum der deutschen Nähmaschinenindustrie wurde. – KR (1888).

L H. Gebauer, Die Volkswirtsch. im Kgr. Sachsen, II, 1893, S. 196–203; Dresdner Anz. v. 7. 7. 1928; Die Industrie d. Nähmaschinen in Dresden, in: Das Buch d. Stadt Dresden, 1930; H. Poenicke, Sächs. Wirtsch.köpfe, in: Mitteldt. Jb., 1955; ders., in: Mitteldt. Köpfe, 1958; ders., Der Anteil Mitteldeutscher an d. techn. Errungenschaften d. 19. Jh., in: Hamburger mittel- u. ostdt. Forschungen III, 1961; A. Hzg. zu Sachsen, in: Gedenktage d. mitteldt. Raumes, 1977, S. 127 f.

Herbert Poenicke †

Müller, Johann *Daniel* (Ps. *Daniel, Elias, Elias Artista, Messias, D. S., S.*), Musiker, radikalpietistischer Schwärmer, * 10. 2. 1716 Wissenbach (Nassau), † frühestens 1786 Riga (?). (ref., nach 1758 Universalist)

V Johannes Möller (Müller) (1678–1756), Bauer u. Schneider in W., *S* d. Daniel Möller (1638–1711), Kirchenältester in W., u. d. Anna Nickel (1644–1701) aus Nanzenbach b. Dillenburg; *M* Anna Gertraud (1693–1757) aus W., *Wwe* d. Hans Georg Schnautz (1690–1714) aus W., *T* d. Hans Jörg Lickauff (Lückoff) (1653–1710), Heimberger (Bgm.) in W., u. d. Anna Juliana Hain (1657–1717) aus W.; *B* Johann Jost (1730–1805), Heimberger in W.; – ∞ Darmstadt 1744 Maria Ursula († 1759?), *Wwe* d. Johann Lorenz Schott (1683–um 1735) aus Neukirchen/Haune, Gastwirt in Darmstadt, *T* d. Johann Christoph Windecker († 1707), Bierbrauer in Frankfurt/Main, u. d. Susanne Elisabeth Jung (1687–1739, ⚭ 2) Gerhard Kalckbrenner, 1679–1750, Notar in Frankfurt/Main); 2 Stief-S, 4 Stief-T; *N* Daniel Feller († 1832), Lehrer u. Kantor in Nassau/Lahn (s. NND).

Am nassau. Hof in Dillenburg (seit 1726) erlernte M. das Geigenspiel, am wittgenstein. Hof in Berleburg (seit 1733) begegnete er dem radikalpietistischen Schrifttum. Auf Empfehlung J. S. Bachs kam er 1735 an den Merseburger Hof; 1737–39 war er als Violinist und Bratschist Hofmusikus in Darmstadt; danach widmete er sich der Lektüre theosophischer Bücher, u. a. der Werke Jakob Böhmes. Nach seiner Ernennung zum Hofmusikus, Kantor und Schuldiener in Hachenburg heiratete er 1744 eine entfernte Verwandte der Familie Goethe und übersiedelte 1746 nach Frankfurt. Als Konzertdirektor (seit 1747) veröffentlichte er dort das „Vollständige Hessen-Hanauische Choral-Buch" (2 T., 1754). Sehr wahrscheinlich hat der junge Goethe den Ersten Violinisten M. kennengelernt, der in der Frankfurter Kapelle (erw. seit 1755) musizierte, später auch dessen islamfreundliches Buch „Elias mit dem Alcoran Mahomeds in der Offenbarung Jesu Christi" (1772), das sich in der Bibliothek von Goethes Vater befand. Nach dem Tode seiner Gattin verließ der visionär erleuchtete M., der sich zum wiederkommenden Propheten Elias (Elias Artista) berufen fühlte, Frankfurt und zog durch Nord- und Ostdeutschland, Skandinavien, das Baltikum und Rußland. Als „Elie Artiste", der Alchemie, Kabbala und z. T. auch Swedenborgs Visionen popularisierte, wurde M. von den Illuminaten in Avignon, einer freimaurerähnlichen Geheimgesellschaft um die Swedenborg-Übersetzer Abbé de Brumore (Philibert Guyton de Morveau) und Dom Antoine-Joseph Pernety, sehr verehrt. Erst seit 1982 ist bewiesen, daß sich hinter diesem Pseudonym M. verbirgt, der Autor des Buches „Elias Artista Mit dem Stein der Weisen" (1770). Nach einem für 1786 bezeugten Besuch in Dillenburg verliert sich seine Spur. Vielleicht ist er im Umkreis russ. Spätrosenkreuzer in Riga gestorben.

Dogmenkritischer Universalismus führte den Begründer der Vereinigungskirche „Offenbarung Christi" zur Offenheit gegenüber Heidentum, Judentum und Islam: Bibel, Talmud und Koran sind Offenbarungsgrundlage, deren Verbindlichkeit er ebenso gegen die „Freygeister" verteidigt wie deren allegorische Deutung (nach dem „wahren inneren Sinn") gegen die luth. Buchstäbler. So wirft die Schrift „Der gekrönte Philosoph in Occident, oder Anmerkungen eines Anonimi über den Phädon des Mosis Mendelson" (1771) dem liberalen Mendelssohn vor, er sei „ein Entlaufener aus der Synagoge seiner Väter". „Elias mit der Lehre des Talmuds und der Rabbinen in ihrem wahren Sinn und Verstand" (1772) wendet sich gegen den luth. „Satans-Pfaffen" Friedrich Christoph Oetinger. So sehr M. an den von Lessing herausgegebenen Fragmenten des Hermann Samuel Reimarus lobt, daß sie sich von einer sterilen buchstäblichen Bibelexegese lösen, so scharf kritisiert er andererseits, daß sie die Schriftbasis ganz verwerfen: „Der Sieg der Wahrheit des Worts Gottes über die Lügen der Wolfenbüttelschen Bibliothecarii, Ephraim Lessing, und seines Fragmenten-Schreibers in ihren Lästerungen gegen Jesum Christum, seine Jünger, Apostel, und die ganze Bibel" (1780) ist ein Aufschrei des selbsternannten Messias M. gegen die Freigeister Reimarus und Lessing – für M. ist der mit Reimarus unbekümmert gleichgesetzte Herausgeber Lessing selbst „der Verräther Christi, der Antichrist".

Weitere W u. a. Abraham d. Segen aller Völker, 1769; Das Testament u. d. Segen Jacobs, 1769; Elias mit d. Buch d. ganzen Welt, 1771 u. o. J.; Das einige wahre Heil u. Erlösung durch Jesum Christum, 1781.

L ADB 33, S. 576 (Art. W. H. Seel); E. F. Keller, D. M., e. merkwürdiger rel. Schwärmer d. 18. Jh., in: Zs. f. d. hist. Theol. 4/2, 1834, S. 219–303 *(P)*; R. Breymayer, Ein unbekannter Gegner G. E. Lessings, in: Dietrich Meyer (Hrsg.), Pietismus – Herrnhutertum – Erweckungsbewegung, 1982, S. 109–45 *(P)*; ders., Ein radikaler Pietist im Umkreis d. jungen Goethe, in: Pietismus u. Neuzeit 9, 1983, S. 180–237; ders., „Elias Artista": J. D. M. aus Wissenbach/Nassau, e. krit. Freund Swedenborgs, u. seine Wirkung auf d. schwäb. Pietisten F. C. Oetinger u. P. M. Hahn, in: W. Kühlmann (Hrsg.), Lit. u. Kultur im dt. Südwesten zw. Humanismus u. Aufklärung, W. E. Schäfer z. 65. Geb.tag, 1995, S. 329–72; F. Niewöhner, Veritas sive Varietas, Lessings Toleranzparabel, 1988; Nassau. Biogr.; MGG IX u. 16; Kosch, Lit.-Lex.³; Killy; The New Grove; BBKL.

P Schattenriß, Abb. b. Keller u. Breymayer (s. *L*).

Reinhard Breymayer

Müller, *Daniel Ernst,* Forstmann, Unternehmer, Politiker, * 3. 4. 1797 Mainz, † 28. 7. 1868 Aschaffenburg. (kath.)

V Arnold († um 1825) aus Alzey, kurmainz. Hofkoch, dann Weinhändler u. -wirt; *M* Anna Maria (1772–1853), *T* d. kurmainz. Amtskellers Michael Anton Dessloch aus Hirschhorn (Baden) u. d. Anna Sophia N. N.; ⚭ Aschaffenburg 1832 Therese Barbara (1805–40), *T* d. bayer. Staatsrats Franz Ignaz Heinrich v. Hefner (bayer. Adel 1813, 1756–1846) u. d. Margarethe Gebhard (1771–1820); *Schwager*

Jakob Heinrich v. Hefner-Alteneck (1811–1903), Altertumsforscher, Dir. d. Bayer. Nat.mus. (s. NDB VIII); 2 S, 1 T; N Friedrich v. Hefner-Alteneck (1845–1904), Elektrotechniker (s. NDB VIII).

M. kam mit seinen Eltern 1803 nach Aschaffenburg, wo er nach dem Schulbesuch an der Forstlehranstalt studierte (1817 Forststaatsprüfung in Würzburg). 1818 trat er in den bayer. Forstdienst ein und wurde 1821 als Revierförster wieder nach Aschaffenburg versetzt. Hier erschien im selben Jahr seine Arbeit „Ueber den Afterraupenfraß in den fränk. Kieferwaldungen vom Jahre 1819 bis 1820" (erweitert ²1824), aufgrund der er 1824 von der Univ. Jena in absentia zum Dr. phil. promoviert wurde. Weitere forstwissenschaftliche Studien, u. a. die Neubearbeitung eines Handbuches über Forstinsektologie, folgten. 1832 bat der als Praktiker und Theoretiker angesehene M. um seinen Abschied, der ihm erst 1834 unter Verleihung des Forstmeistertitels gewährt wurde.

M. hatte 1828 die von seiner Mutter 1827 gegründete und bisher mit ihr gemeinsam betriebene Steingutfabrik in Damm bei Aschaffenburg – die erste in Unterfranken – in Eigenregie übernommen. 1830 erhielt er zunächst für drei Jahre, 1833 um fünf Jahre verlängert, ein kgl. Privileg für sein Verfahren, schwefelsauren Kalk und Kalkspat in besonderer Mischung in einem neukonstruierten Ofen für Steingut zu verwenden. M. wollte nicht einfache Massenware herstellen, sondern qualitätvolle Produkte unter das Volk bringen; unter diesem Gesichtspunkt ist auch die Beschäftigung seines Schwagers J. H. v. Hefner als künstlerischer Mitarbeiter (1832–40, Teilhaber 1835–42) zu sehen. Der Ankauf der Figurenformen der ehemaligen kurmainz. Porzellanmanufaktur in Höchst/Main um 1840 brachte eine Erweiterung des Warenangebots der Fabrik, die damals rund 200 Beschäftigte hatte. 1860 verkaufte M. das gutgehende Unternehmen, um sich ganz seinen Studien widmen zu können. Sein Unternehmertum verband M. mit sozialem Engagement. Bereits 1829 hatte er einen Wohltätigkeitsverein gegründet, der alle Beschäftigten seiner Fabrik in Fällen von Krankheit und unverschuldeter Not unterstützen sollte. 1840 erklärte er stolz in einer Kammerdebatte, daß noch nie einer seiner Arbeiter ein Almosen von einer Gemeinde benötigt habe, vielmehr die meisten zu einem gewissen Wohlstand gelangt seien. In seinem Testament setzte M. einen großen Teil seines Vermögens zur Errichtung einer gemeinnützigen Bank und zur Gewährung von Stipendien aus.

M. war auch politisch tätig: 1839–49 und 1851–61 gehörte er der bayer. 2. Kammer an – 1848 zeitweise als deren 2. Präsident –, und 1848/49 war er Mitglied der Nationalversammlung in Frankfurt, wo er als radikaler Liberaler zu den Abgeordneten der Linken gehörte und, wie zeitlebens, ein entschiedener Preußengegner war. M. war auch Urheber der Erklärung des bayer. Parlaments gegen das Erbkaisertum. Nach Beendigung seiner Tätigkeit als Abgeordneter unternahm er 1861 eine Reise nach Belgien zum Studium der dortigen sozialen Verhältnisse, später auch Reisen durch Frankreich und Oberitalien.

In seinen letzten Lebensjahren widmete sich M. vornehmlich mathematisch-philosophischen Studien, mit denen er ein Hauptgesetz in der Natur („Das Weltgesetz in seiner reinsten und tiefsten Erfassung ist die mathematische Wahrheit") zu entdecken meinte und darauf die staatlichen Einrichtungen begründen wollte. Seine letzte Schrift („Die durch die freie Arbeit zu erringende Vergesellschaftung der Menschen", 1867) behandelt das Spannungsverhältnis zwischen Individuum und Staat unter historischen und philosophischen Gesichtspunkten, läßt aber eine klare Linie nur selten erkennen. – Dr. Müllersche Bank- u. Stipendienstiftung (1870–1952).

Weitere W Kurze Beschreibung d. Forst-Reviers Aschaffenburg im Untermainkreise d. Kgr. Baiern, 1824; Versuch z. Begründung e. allg. Forstpolizeigesetzes auf d. natürl. Ordnung d. Wälder im menschl. Haushalte, 1825; Bechstein's Forstinsectol. (Forstkerfkde.) od. Naturgesch. d. für d. Wald schädl. u. nützl. Insecten nebst Einl. in d. Insectenkde. überhaupt …, T. 1, neu bearb. v. D. E. M., 1829; Des Speßart's Holzhandel u. Holz verbrauchende Industrie, 1837; Die Monokratie, d. Grundprinzip d. Organischen im Natur- u. insbes. im Menschen-Leben u. dessen allgemeinste math. Formel, Abt. 1–3, 1858–60.

L ADB 22; Erheiterungen, Belletrist. Beibl. z. Aschaffenburger Ztg. 1868, S. 826 f.; E. Stenger, Die Steingutfabr. Damm b. Aschaffenburg 1827–1884, 1949, Neudr. 1990 *(W-Verz., P)*; L. Zimmermann, Die Einheits- u. Freiheitsbewegung u. d. Rev. v. 1848 in Franken, 1951; B. Zoike, Die figürl. Erzeugnisse d. Steingutfabr. Damm nach Formen d. kurmainz. Porzellanmanufaktur in Höchst am Main, 1986; M. Goes, Die Wohltätigkeits- u. Unterrichtsstiftungen v. Aschaffenburg, 1992, S. 210–15.

P Holzschn. v. 1848, Abb. b. Stenger (s. *L*).

Hans-Bernd Spies

Müller, *David Heinrich* v. (österr. Adel u. Frhr. als *M. v. Deham* 1912), Orientalist, * 6. 7. 1846 Buczacz (Galizien), † 21. 12. 1912 Wien. (isr.)

V Albert M., Buchhändler; *M* N. N.; ∞ Charlotte Hogowitz (* 1854); 2 *S* Stefan (1877–1938, Freitod), Dr. iur., Chefredakteur d. „Neuen Freien Presse" (s. ÖBL), Albert (* 1881), Dr. med., 1 *T.*

M. erhielt zuerst von seinem Vater eine traditionelle jüdische Ausbildung, dann besuchte er das Gymnasium in seiner Heimatstadt, später jenes in Czernowitz. 1867 ging er nach Breslau, um sich am jüdisch-theologischen Seminar zum Rabbiner ausbilden zu lassen. Dieses Vorhaben gab er jedoch bald auf und inskribierte sich 1869 an der Univ. Wien, wo er zunächst germanistische, historische und philosophische Studien betrieb. Seit dem dritten Studienjahr wandte er sich ganz der semit. Philologie zu, wobei Eduard Sachau seinen weiteren wissenschaftlichen Weg stark prägte. 1873/74 weilte M. in Leipzig, wo er bei Heinrich Leberecht Fleischer und Ludolf Krehl hörte, 1874/75 in Straßburg bei Theodor Nöldeke und Julius Euting. 1875 wurde er in Wien zum Dr. phil. promoviert und ging anschließend nach Berlin. 1876 habilitierte M. sich in Wien für Semitische Philologie. Noch im selben Jahr führte er Handschriftenstudien in London und Oxford durch. 1877 reiste er im Auftrag der „Gesellschaft zur Herausgabe der Annalen des aṭ-Ṭabarī" nach Istanbul. Bis zu seiner Ernennung zum ao. Professor (1880) lehrte er als Privatdozent an der Univ. Wien semit. Sprachen, darunter Hebräisch, Aramäisch, Arabisch und Äthiopisch. 1885 wurde er zum o. Professor berufen (Dekan 1900/01). Daneben hielt M. auch an der 1893 in Wien gegründeten Israelitisch-Theologischen Lehranstalt Vorlesungen über Hebräisch und biblische Archäologie. Er war Mitbegründer des Instituts für Orientalistik (1886) und der „Wiener Zeitschrift für die Kunde des Morgenlandes" (1887). 1898 wurde er wirkl. Mitglied der kaiserl. Akademie der Wissenschaften, in deren Auftrag er 1898/99 an der österr. Südarabienexpedition teilnahm und diese größtenteils auch leitete.

M. wandte sich nach anfänglichen biblischen und hebräischen Studien bald der arab. Philologie zu (Das Kitâb-al-Farḳ von Alaṣmaᶜî, Diss. Wien 1875). Von großer Bedeutung für die Kenntnis des alten Arabien war die von ihm besorgte Herausgabe von „Al-Hamdânî's Geographie der arab. Halbinsel" (1884–91). Seither richtete sich sein Interesse zunehmend auf Südarabien. M. veröffentlichte hierzu eine Reihe von archäologischen, geographischen, epigraphischen und sprachlichen Arbeiten. Im Anschluß an die Südarabienexpedition erforschte er die bis dahin kaum bekannten neusüdarab. Sprachen (Die Mehri- und Soqoṭrisprache, 3 Bde., 1902–07; Mehri- und Ḥaḍrami-Texte, ges. im Jahre 1902 in Gischin von Wilhelm Hein, 1909). Weiterhin widmete er sich vergleichenden semitischen Studien und der Bibelforschung (Die Propheten in ihrer ursprünglichen Form, Die Grundsätze der ursemitischen Poesie, erschlossen in Bibel, Keilinschriften und Koran und in ihren Wirkungen erkannt in den Chören der griech. Tragödie, 2 Bde., 1895). 1903 übersetzte er den ein Jahr zuvor aufgefundenen Codex Hammurapi in das Hebräisch der Bibel und interpretierte die Beziehungen zur Gesetzgebung des Pentateuch (Die Gesetze Hammurabis und ihr Verhältnis zur mosaischen Gesetzgebung sowie zu den XII Tafeln, 1903), doch blieb den teilweise sehr originellen und damals aufsehenerregenden Theorien die wissenschaftliche Anerkennung weitgehend versagt.

M. prägte die Entwicklung der Semitistik, vor allem der Südarabienkunde, auch durch seine äußerst fruchtbare Lehrtätigkeit sowie als Initiator von Forschungsreisen. Auf M.s Anregung hin unternahm einer der bedeutendsten Erforscher Südarabiens, Eduard Glaser, seine erste Reise, ebenso war er maßgeblich am Zustandekommen der Reisen Alois Musils beteiligt. Fast alle österr. Semitisten der Folgezeit, darunter Max Bittner, Rudolf Geyer und Nikolaus Rhodokanakis, waren M.s Schüler. – Hofrat (1901); österr. Leopold-Orden, schwed. Nordsternorden.

Weitere W Die Burgen u. Schlösser Südarabiens nach d. Iklîl d. Hamdânî, 2 Bde., 1879; Krit. Btrr. z. südarab. Epigraphik, in: Wiener Zs. f. d. Kde. d. Morgenlandes, II, 1888, S. 1–17, 187–211, 279–90; Epigraph. Denkmäler aus Abessinien, 1894; Die Haggadah v. Sarajevo, Eine span.-jüd. Bilderhs. d. MA, 1898 (mit J. v. Schlosser); Südarab. Altertümer im kunsthist. Hofmus., 1899; Die südarab. Expedition d. kaiserl. Ak. d. Wiss. in Wien u. d. Demission d. Gf. Carlo Landberg, 1899; Ezechiel-Stud., ²1904; Die Bergpredigt im Licht d. Strophentheorie, 1908. – *W-Verz.:* F. Sezgin (Hrsg.), Bibliogr. d. dt.sprachigen Arabistik u. Islamkde. v. d. Anfängen bis 1986 nebst Lit. üb. d. arab. Länder d. Gegenwart, 16, 1993, S. 206–09; E. Bär, Bibliogr. z. dt.sprachigen Islamwiss. u. Semitistik v. Anfang d. 19. Jh. bis heute, III, 1994, S. 230–35 *(beide unvollst.).*

L M. Bittner, in: Alm. d. kaiserl. Ak. d. Wiss. in Wien, 63, 1913, S. 476–81 *(P);* G. Rosenmann, Hofrat Prof. Dr. D. H. v. M., Ein Lb., in: Jb. f. jüd. Gesch. u. Lit., 17, 1914, S. 145–57; J. Fück, Die arab. Stud. in Europa, Bis in d. Anfang d. 20. Jh., 1955, S. 255–

57; A. Janata (Hrsg.), Jemen, Im Land d. Kgn. v. Saba, 1989, S. 33 f. *(P);* E. Macro, The Austrian Imperial Academy's Expeditions to South Arabia 1897–1900, C. de Landberg, D. H. M. and G. W. Bury, in: New Arabian Studies I, 1993, S. 56 f. *(P);* Wininger; The Universal Jewish Encyclopedia, VI-II, 1942, S. 33 f.; Enc. Jud. 1971 *(P);* ÖBL. – Archiv d. Österr. Ak. d. Wiss.; Allg. Verw.archiv d. Stadt Wien; Archiv d. Univ. Wien.

Stephan Procházka

Müller, Alfred *Dedo,* ev. Theologe, * 12. 1. 1890 Hauptmannsgrün (Vogtland), † 4. 8. 1972 Leipzig.

V Karl Friedrich Eduard (1847–1905), Lehrer in H., *S* d. Johann Gottlieb (1822–70), Hausgutsbes. in Burgrabis b. Schlöben (Thüringen), u. d. Hanna Rosine Friederike Zipfel (1820–1906) aus Waltersdorf b. Greiz; *M* Emma Alinde (1848–1907), *T* d. Hermann Julius Lange (1819–64), Webermeister in Falkenstein (Vogtland), u. d. Friederike Christiane Günnel (1820–87) aus Auerbach (Vogtland); ∞ Nürnberg 1916 Elsa (1888–1964) aus München, Lehrerin, *T* d. Georg Büttner (1853–1937), Reg.-schulrat in Bayreuth, u. d. Berta Regina Wartmann (1858–1932); 2 *S* Peter (* 1922), Dr. med., Facharzt f. Chirurgie in Saarbrücken, Norbert (* 1925), Prof. f. ev. Theol. in Halle (s. Kürschner, Gel.-Kal. 1992).

Nach dem Besuch der Fürsten- und Landesschule St. Augustin in Grimma (Sachsen) begann M. 1909 in Leipzig das Studium der Theologie. Anschließend studierte er in Marburg, Berlin und Zürich, wo er Leonhard Ragaz begegnete, der sein Denken entscheidend prägte. Während seiner Militärzeit 1913/14, die wegen einer Verwundung vorzeitig endete, war M. an der Philosophischen Fakultät in Erlangen immatrikuliert. Nach dem Vikariat wurde er 1917 Pfarrer in Ziegra bei Döbeln (Sachsen). Mit der Dissertation „Die soziologische und religionsphilosophische Grundlegung der staatsbürgerlichen Erziehung bei F. W. Foerster, Eine Untersuchung über die Bedeutung des Lebensproblems für die Staatspädagogik" wurde er 1924 zum Dr. phil. promoviert. Seit 1927 war M. 4. Pfarrer in Leipzig-Connewitz. 1930 wurde er als Nachfolger von Franz Rendtorff o. Professor für Praktische Theologie in Leipzig. Zugleich wirkte er als Direktor am Predigercolleg St. Pauli und als erster Universitätsprediger. Diese Ämter hatte M. bis zu seiner Emeritierung (1958) und teilweise darüber hinaus inne. Außerdem waren seine Interessen- und Arbeitsgebiete der Versöhnungsbund, die Neuwerk-Bewegung, der religiöse Sozialismus, die Berneuchener Bewegung und der Una-Sancta-Kreis. Trotz dieser Vielseitigkeit des theologisch kirchlichen Denkens gab es bei M. orientierende Gestalten wie F. W. Foerster, Johannes Müller (Schloß Elmau), Friedrich Rittelmeyer, Paul Tillich, Wilhelm Stählin, Albrecht Goes und Carl Friedrich v. Weizsäcker. Die Bedeutung M.s für die Praktische Theologie liegt in seiner Systematik. Ein Grundanliegen war ihm, die Beschränkung des Glaubens auf den Bereich des nur Intellektuellen, des rein Bewußtseinsmäßigen zu überwinden, den Glauben als eine Lebensfunktion zu begreifen. Von daher empfand er die Beschäftigung mit der Psychologie (Freud, Adler, Jung, V. v. Weizsäcker, Ph. Lersch, W. Daim) für einen Theologen als unerläßlich. Von zentraler Bedeutung sind in M.s Theologie die Begriffe „Reich Gottes" und „Wirklichkeit". Letzterer habe sich der Theologe in einer „unbedingt realistischen, kritischen und konkreten" Weise anzunähern. Im Blick auf die Kirche betonte M., daß diese vom „Reich Gottes" her zu sehen und zu beurteilen sei. Hier unterschied er das neutestamentliche „Urbild" und heutige „Abbild". Das hinderte ihn aber nicht, seiner Kirche, gerade auch als erster Universitätsprediger, mit Hingabe zu dienen.

W u. a. Rel. u. Alltag, 1927; Du Erde höre, 1930; Ethik, 1937; Luthers Katechismus u. wir, 1940; Musik als Problem luth. Gottesdienstgestaltung, 1947; Prometheus od. Christus, 1948; Grundriß d. Prakt. Theol., 1950 (DDR 1954); Die Erkenntnisfunktion d. Glaubens, 1952; Der Ausweg, 1953; Dämon. Wirklichkeit u. Trinität, 1963. – *W-Verz.:* Theol. Lit.-Ztg. 75, 1950, S. 119–22, 85, 1960, S. 69 f., 90, 1965, S. 473 f.

L Reich Gottes u. Wirklichkeit, FS, hrsg. v. F. Haufe, G. Kretzschmar u. A. Rensch, 1961 *(P);* G. Kretzschmar, Die Bedeutung A. D. M.s f. d. Prakt. Theol., in: Ref. u. Prakt. Theol., FS f. W. Jetter, 1983, S. 131–44; ders., Reich Gottes u. Wirklichkeit, in: Standpunkt 17, 1989, H. 12, S. 336 f.; ders., Denker aus Leidenschaft, in: Die Zeichen d. Zeit 44, 1990, H. 5, S. 132 f.

P Gem. v. H. v. Krumhaar, o. J. (im Bes. v. Prof. Norbert Müller, Leipzig).

Gottfried Kretzschmar

Müller, *Eberhard,* ev. Theologe, * 22. 8. 1906 Stuttgart, † 11. 1. 1989 Heidelberg.

V Karl (1872–1957), Dir. d. Fa. Paul Lechler in St.; *M* Hilde Schöll (1878–1960); *B* Manfred (1903–87), Dr., Oberkirchenrat in St., Bernhard (* 1905), Geschäftsführer d. Lechler-Firmengruppe in St., 1945–50 MdL in Württemberg-Baden; ∞ Stuttgart 1933 Eva (1906–93) aus Marggrabowa (Olecko, Ostpreußen), *T* d. Wagenbauers Adam Kruppa († 1909) u. d. Friederike Wilke († 1955); 4 *S,* 6 *T.*

M. studierte 1925–31 Theologie und Philosophie in Tübingen, Erlangen und Berlin und war anschließend Parochialvikar in der württ. Landeskirche. Bereits 1932 kam er als Reisesekretär der Deutschen Christlichen Studentenvereinigung (DCSV) in Kontakt mit der akademischen Theologie; 1934 übernahm er nach seiner Ordination, als der Druck zur Gleichschaltung mehr und mehr auf der Studentenschaft lastete, das Amt des Generalsekretärs, das er bis 1938 innehatte, und kämpfte an dieser Stelle mit organisatorischem Geschick gegen ein deutsch-christlich dominiertes Theologiestudium. Gleichzeitig war er seit 1935 als Reichsgeschäftsführer Spiritus rector der 1938 von der Gestapo verbotenen „Deutschen Evangelischen Wochen" und gab die Berichtsbände über deren Tagungen heraus. Seit 1938 arbeitete M. als Studentenpfarrer in Tübingen, 1940 wurde er zum Kriegsdienst eingezogen, seit 1942 war er zusammen mit Albrecht Goes Feldgeistlicher an der Ostfront. Von Januar bis März 1945 leistete er in der Festung Königsberg Seelsorge für 20 000 Verwundete. Nach Kriegsende über Kopenhagen nach Tübingen zurückgekehrt, wurde er neben seiner Tätigkeit als Gefangenenseelsorger am 17. 10. 1945 „mit der Zuständigkeit für alle seelsorgerlichen und kirchenamtlichen Fragen des Kriegsgefangenenwesens" zum „freien Dezernenten bei der Kanzlei der EKD" ernannt; aus dieser ehrenamtlichen Tätigkeit schied M. bereits Anfang 1946 wieder aus, um sich ganz dem Aufbau der ersten Evangelischen Akademie Deutschlands in Bad Boll zu widmen, wobei er die Konzeption des öffentlichen theologischen Diskurses der „Evangelischen Wochen" aufnahm und vorrangig mit der sozialen Problematik verknüpfte. Bereits im Herbst 1945 hatte M. gemeinsam mit dem früheren württ. Kultusminister Wilhelm Simpfendörfer und dem Theologen Helmut Thielicke die Voraussetzungen für diese Akademie geschaffen, deren Leiter (seit 1947 Direktor) er bis 1972 blieb. In diesem Zeitraum stand er auch dem Leiterkreis der Evangelischen Akademien in Deutschland vor und war Vorsitzender des Europäischen Leiterkreises Evangelischer Akademien und Laieninstitute (heute: Ökumenische Vereinigung der Akademien und Tagungszentren in Europa). Seine Auffassung von der Akademie in der modernen Gesellschaft als Ort des Gesprächs, der Versachlichung von Konflikten und der Herbeiführung von Kompromissen wurde nicht nur für die ev. Akademien in Deutschland bedeutend. So war M. am Aufbau von Akademien in mehreren westeurop. Ländern, aber auch in Asien und Afrika beteiligt (1963 orthodoxe Akademie in Kreta, Nippon Christian Academy, Korean Christan Academy). Auf Betreiben eines westdeutschen Unternehmers entstand die „Evangelische Akademie am Kap", die ausschließlich weißen industriellen Führungskräften vorbehalten sein sollte. M.s Hoffnung, das Dialogprinzip sei auch geeignet, den dortigen Rassenkonflikt zu lösen, erfüllte sich allerdings nicht. Mit Unterstützung von G. Buthelezi entstand später in dessen Homeland Gwa Zulu die für Schwarze bestimmte Akademie in Edendale. Nach Ansicht seiner Kritiker beschränkte M. sein ökumenisches Engagement zu sehr auf industrielle Themen und vernachlässigte dabei den Dialog der Kulturen.

Als Vorsitzender der Kammer für soziale Ordnung der Evangelischen Kirche in Deutschland (1961–79) leistete M. mit den dort erarbeiteten Denkschriften (u. a. zur Eigentumsfrage, zur Mitbestimmung und zum Bau- und Bodenrecht) und den „Aktuellen Kommentaren" einen wichtigen Beitrag zur sozialethischen Klärung gesellschaftspolitischer Probleme in der Bundesrepublik Deutschland. 1955 war M. Vorsitzender der Evangelischen Aktionsgemeinschaft für Arbeitnehmerfragen, 1959 Mitbegründer der „Aktion Gemeinsinn" (bis 1965 einer ihrer Vorsitzenden), 1981 des Arbeitskreises „Sicherung des Friedens", der überparteilich Einfluß auf die innerkirchlichen Debatten über die Friedensfrage nehmen wollte, wobei M. selbst der Friedensbewegung skeptisch gegenüberstand. M. engagierte sich auch in besonderer Weise für die kirchliche Publizistik und gehörte zu den Gründern der Christlichen Presse-Akademie. Er war Lizenzträger für den „Stimmen-Verlag" und Gesellschafter im „Evangelischen Sonntagsblatt", das ebenso mit seiner Unterstützung entstand wie die Zeitung „Christ und Welt", sowie Mitherausgeber und Autor der „Aktuellen Gespräche", der Hauszeitschrift der Akademie in Bad Boll.

M. spielte im deutschen Protestantismus der Nachkriegszeit eine führende Rolle. Er plädierte, beeinflußt von dem hann. Landesbischof Hanns Lilje, für eine moderne, zeitgemäße Verkündigung des christlichen Glaubensgutes, die die Menschen nicht nur in der Ortsgemeinde, sondern mehr noch in der Arbeitswelt erreichen sollte. Ihren Dienst an der Gesellschaft erfülle die Kirche nach M.s Auffassung am besten als Vermittlerin zwischen konträren Positionen, ohne sich eine zu eigen zu machen. „Der kirchlichen Tradition verpflichtet, aber voll den Problemen der Zeitgenossenschaft zugewandt" (G. Brakelmann), hielt M. die Gesellschaftsdiakonie für die vorrangige Aufgabe der Kirche in der modernen Demokratie. – Dr. h. c. (Tübingen 1955); Gr. Bundesverdienstkreuz (1972).

W u. a. Luther u. d. Kirche, Eine Antwort Luthers f. die, so heute nach d. Kirche fragen, 1934; Verstandenes Dogma, Das christl. Bekenntnis f. Menschen d. Gegenwart in 12 Kapiteln darg est., $^{1/2}$1937; Wir glauben u. Wahrheit, Eine Einf. in d. christl. Lehre üb. Gott u. Mensch, 1948; Die Welt ist anders geworden – vom Weg d. Kirche ins 20. Jh., 1953; Die Kunst d. Gesprächsführung, 1953, ^{6}1965 (auch norweg.); Gespräch üb. d. Glauben, Informationen üb. d. Bedeutung d. christl. Glaubenssätze, 1957, ^{3}1963 (auch engl., japan.); Seelsorge in d. modernen Ges., 1960, ^{2}1964; Unsere Grenzen – Gottes Ratschluß?, 1966; Sozialeth. Erwägungen z. Mitbestimmung in d. Wirtsch. d. Bundesrepublik Dtld., Eine Stud. d. Kammer f. soz. Ordnung, hrsg. v. Rat d. EKD, Mit Erll. v. E. M., 1968; Bekehrung d. Strukturen, Konflikte u. ihre Bewältigung in d. Bereichen d. Ges., 1973; Kompromiß, in: Ev. Soziallex., ^{7}1980, S. 740–44; Abschaffung d. Krieges, hrsg. v. G. Brakelmann u. E. M., 1983; Prioritäten d. Menschlichkeit, in: Bändigung d. Macht, Btrr. z. Friedenspol., hrsg. v. G. Brakelmann, H. Bühl, E. M., 1986, S. 59–64; Widerstand u. Verständigung, 50 J. Erfahrungen in Kirche u. Ges. 1933–83, 1987. – *W-Verz.:* Der prot. Imperativ (s. *L*), S. 179–81.

L H. Lilje, E. M. – Porträt e. Protestanten, in: Der prot. Imperativ, FS f. E. M. z. 60. Geb.tag, hrsg. v. E. Stammler, 1966, S. 166–81 *(W-Verz.);* Aktuelle Gespräche 14, 1966, S. 1–36 (z. 60. Geb.tag); Suche nach e. Gesprächskultur – E. M. z. Erinnerung, ebd. 37, 1989, S. 2–32 *(P);* G. Brakelmann, in: Sicherung d. Friedens, März 1989; A. Daur (Hrsg.), Bestand hat, was im lebendigen Menschen weiterwirkt, Symposium z. 90. Geb.tag v. E. M., 1996 *(P).*

Gertraud Grünzinger

Müller, *Eduard,* kath. Geistlicher und Politiker, * 15. 11. 1818 Quilitz Kr. Glogau (Schlesien), † 6. 1. 1895 Neisse (Oberschlesien).

V August (1794–1874), Erb- u. Gerichtsschulze; *M* Magdalena Pietsch.

Nach dem Theologiestudium in Breslau und der Priesterweihe 1843 war M. Kaplan in Löwenberg und Sagan, seit 1852 „Missionsvikar" in Berlin. In der kath. Diaspora in und um Berlin wirkte er vier Jahrzehnte lang mit persönlicher Anspruchslosigkeit und schier grenzenloser Hilfsbereitschaft. Er baute dort das kath. Vereinswesen und die kath. Presse auf. 1853–91 gab er das „Märkische Kirchenblatt", 1863–83 den „Bonifatiuskalender" heraus. In der Nähe der Hedwigskirche erwarb M. ein Haus, das er zu einem Zentrum für Gesellen, Arbeiter und sozial Schwache sowie einer Anlaufstelle für kath. Zu- und Durchwanderer ausbaute. Zusammen mit Adolf Kolping und Anton Gruscha mahnte der volkstümliche und beliebte Berliner Geistliche auf dem Trierer Katholikentag 1865 einen entschiedenen kirchlichen Einsatz zugunsten der Arbeiter an.

Im Herbst 1870 gehörte M. zu den Initiatoren der Gründung einer kath. Partei. Bei den Wahlen zum 1. Reichstag besiegte er, ohne je eine Wahlrede gehalten zu haben, als Kandidat des Zentrums im oberschles. Wahlkreis Pleß-Rybnik Hzg. Viktor von Ratibor, der das Mandat seit 1867 für die Reichspartei besaß, unerwartet hoch. Wegen angeblicher Wahlbeeinflussung durch kath. Geistliche wurde die Wahl, die großes Aufsehen erregt hatte und Gegenstand von sechs Reichstagssitzungen wurde, annulliert. In der Ersatzwahl – wie auch in den beiden folgenden Wahlen – siegte M. mit wachsendem Vorsprung über den Herzog. Diese Vorfälle bestärkten Bismarck in der Durchführung des Kulturkampfes. 1891 legte M. auf Druck des Breslauer Fürstbischofs Kopp sein Mandat und sein kirchliches Amt nieder und zog sich in das Kloster der Grauen Schwestern in Neisse zurück.

L E. Thrasolt, E. M., d. Berliner Missionsvikar, 1952 *(P);* H. Neubach, Parteien u. Politiker in Schlesien, 1988, S. 32–44; Th. Nipperdey, Dt. Gesch. 1866–1918, II, 1992; H. J. Kracht, Adolf Kolping, 1993, S. 427 f.; J. M. Schulz, Kirche im Aufbruch, 1994, bes. S. 41–46; Kosch, Kath. Dtld.; LThK.

Helmut Neubach

Müller, *Eduard,* schweizer. Bundespräsident, * 12. 11. 1848 Dresden, † 9. 11. 1919 Bern. (ev., später konfessionslos)

Aus e. urspr. in Nidau Kt. Bern ansässigen Fam.; *V* Eduard (1820–1900), 1845–49 Pfarrer in D., seit 1859 Doz. u. 1863 Prof. d. ev. Theol. in B., Dr. theol. h. c. (s. BJ V, Tl.; HBLS), *S* e. Tuchfabr. in Montjoie (Rheinland); *M* Auguste Berthelen aus D.; *Ov* Alfred (1826–96), Dr. med., Arzt in B., wanderte in d. USA aus u. zeichnete sich während d. Sezessionskriegs aus (s. HBLS); *Schw* Johanna (* 1851, ∞ Philipp Woker, 1847–1924, Prof. f. KG u. allg. Gesch. in B., s. HBLS); – ∞ 1874 Emma (1853–1936), Mitbegründerin d. 1. Frauenver. im Kt. Bern (s. *L*), *T* d. Adolf Vogt (1823–1907), Prof. d. Hygiene in B. (s. BJ XII, Tl.; HBLS); 1 *S,* 3 *T; N* Gertrud Woker (1878–1968), Prof. f. physikal. Chemie u. Biochemie in B. (s. Pogg. V–VIIa).

Nach dem Schulbesuch in Bern und einem kurzen Abstecher an die Theologische Fakultät in Genf nahm M. an der Berner Hochschule das Studium der Rechtswissenschaften auf. Nach Studienaufenthalten in Leipzig und Paris bestand er 1872 das Fürsprecherexamen. Zwei Jahre später wählte ihn der Große Rat (Kantonsparlament) zum Gerichtspräsidenten von Bern, in ein Amt, das dem überzeugten Freisinnigen nach einem sozialistenfreundlichen Urteil den Beinamen „der rote Müller" eintrug. Zu Beginn des Jahres 1880 eröffnete M. ein eigenes Advokaturbüro. Daneben betätigte er sich als Redaktor der freisinnigen „Berner Nachrichten" (1884/85) und als außerordentlicher Bundesanwalt (1885). Parallel zu seinem beruflichen Aufstieg erfolgten M.s erste Schritte auf der politischen Bühne. 1882 wurde er an die Spitze der Freisinnigen Partei der Stadt Bern gewählt. Im selben Jahr wurde er Mitglied des Großen Rates, dem er 1885/86 präsidierte. 1888 wurde M. Berner Stadtpräsident. Als solcher schenkte er sein besonderes Augenmerk der Reorganisation der städtischen Armenpflege. 1884 wurde M. in den Nationalrat gewählt. Besondere Beachtung fanden hier seine Beiträge in der Kommission zur Revision der Militärartikel der Bundesverfassung. 1890 stand M. dem Nationalrat als Präsident vor.

Als Nachfolger des unerwartet verstorbenen Carl Schenk wählte die Bundesversammlung M. am 16. 8. 1895 in den Bundesrat. Seine Nominierung hatte keine hohen Wellen geworfen. Vorbehalte wurden höchstens gegenüber M.s religiöser Einstellung gemacht: Man stieß sich daran, daß er, der Pfarrerssohn, aus der Landeskirche ausgetreten war. M. wurde zunächst das Justiz- und Polizeidepartement zugewiesen. Seine Anstrengungen galten hier der Vereinheitlichung des schweizer. Zivil- und Strafrechts. 1897 wurde er Vorsteher des Militärdepartements, womit er sich nochmals der neuen Militärorganisation zuzuwenden hatte. Die Annahme der unter ihm ausgearbeiteten Militärvorlage durch Volk und Stände im November 1907 bildete einen der Höhepunkte seiner Karriere. 1912 übergab M. die Leitung des Militärdepartements an Arthur Hoffmann. Er selber kehrte ins Justizdepartement zurück. 1913 wurde er nach 1899 und 1907 zum dritten Mal Bundespräsident. M., der zu Beginn des 1. Weltkrieges aus seinen Sympathien für Deutschland kein Hehl gemacht hatte, wurde vor allem in der welsch-schweizer. Presse immer stärker angegriffen. Man warf ihm u. a. seine „deutsche" Abstammung vor. Nach dem Sieg der Entente wünschte man sich Politiker, die den Siegermächten genehm waren. Noch vor seinem für Ende 1919 geplanten Rücktritt starb er als äußerlich ungebrochener, aber enttäuschter und gedemütigter Mann.

W Justizreform u. Vfg.revision, in: Helvetia 2, 1883, S. 217–48; Ber. d. eidgenöss. Gen.-Anwaltes üb. d. anarchist. Umtriebe in d. Schweiz, in: Bundesbl. III, 1885, S. 533–721; Zur Vereinheitlichung unseres Heerwesens, Vortrag, gehalten an d. Jahresverslg. d. kantonal-bern. Offiziersver., 1888; Revision d. Mil.artikel d. Bundesvfg., Rede im Nationalrat v. 5. 5. 1895, in: Stenograph. Bull., Nationalrat, 1895, S. 17–29; Notiz betr. meinen Verzicht auf d. Bundespräsidium f. 1919, in: Schweizer Mhh. f. Pol. u. Kultur I, 1921, S. 337 ff.

L H. J. Andres, Bundesrat E. M., in: Helvetia 39, 1920, S. 53–58; E. Teucher, Unsere Bundesräte, 1944 *(P)*; H. v. Greyerz, Nation u. Gesch. im bern. Denken, 1953, S. 222 ff.; B. Junker, Eidgenöss. Volksabstimmungen üb. Mil.fragen um 1910, Diss. Bern 1955; E. Gruner, Die Schweizer. Bundesverslg. 1848–1920, I, Biogrr., 1966, S. 204 f.; U. Altermatt (Hrsg.), Die Schweizer Bundesräte, Ein biogr. Lex., 1991, ²1992, S. 269 ff. *(P)*; HBLS *(P)*. – *Zu Emma M.-Vogt:* B. Traber, Bernerinnen, o. J., S. 87–89.

P Bilderarchiv d. StA d. Kt. Bern.

Peter Martig

Müller, *Emil,* Sprengstoffindustrieller, * 10. 3. 1844 Thalfang b. Bernkastel/Mosel, † 10. 12. 1910 Berlin. (ref.)

V Gottlieb Daniel (1811–90), Pfarrer in Th. u. Radevormwald, S d. Johann Ludwig Ernst (1765–1813), Kaufm. in Elberfeld, u. d. Charlotte Elisabeth v. d. Heydt (1764–1812) aus Elberfeld; M Wilhelmine Emilie (1812–88), T d. Johann Wilhelm Korten (1771–1827) aus Barmen u. d. Johanne Elisabeth Wilhelmine Essler (1782–1850) aus Sonnborn; ∞ Opladen 1874 Emma (1854–n. 1935), T d. Friedrich Wilhelm Siebel (1827–77), Dachziegelfabr. in Küppersteg, u. d. Albertine Wilhelmine Mechtilde Metha Gerhards (1833–1921) aus Küppersteg; 3 S, 1 T, u. a. Paul (1876–1945), Dr. phil., Dr. rer. pol. h. c., Dr.-Ing. E. h., Chemiker, Sprengstoffindustrieller, seit 1911 Gen.dir. d. Rhein.-Westfäl. Sprengstoffwerke AG, Vorstandsmitgl. d. Reichsverbandes d. Dt. Industrie (s. Wenzel; Rhdb.).

M. wuchs in Radevormwald im Bergischen Land auf und studierte nach dem Schulabschluß Chemie. Die von dem Sprengstoffchemiker Max v. Förster 1872 gegründete Rheinische Dynamitfabrik in Opladen wurde 1873 mit Unterstützung Kölner Banken in eine Aktiengesellschaft umgewandelt, der Werke in Mansfeld (Harz) und Oneglia (Italien) angegliedert wurden. In diesem Jahr übernahm M. die Leitung der Opladener Fabrik und wurde auch Generaldirektor der Gesellschaft, die ihren Sitz 1901 von Opladen nach Köln verlegte.

Seit der Erfindung des Dynamits durch Alfred Nobel (1866/67) war die fabrikmäßige Herstellung durch viele schwere Explosionsunglücke gekennzeichnet. Auch in der Opladener Fabrik kam es immer wieder zu Explosionen mit Toten und erheblichem Sachschaden. M.s beharrliches Bemühen galt der Ermittlung der Unglücksursachen, um die höchstmögliche Sicherheit bei der Herstellung, der Lagerung und dem Transport von Dynamit zu erreichen. Allmählich führte er das Unternehmen aus der akuten Gefahrenzone heraus, so daß trotz häufiger Proteste der Stadt Opladen das der Bevölkerung unheimliche Werk stets weiterproduzieren durfte und schließlich sogar für den Bau anderer Dynamitfabriken als Vorbild diente. Dynamit aus der Opladener Fabrik und die dort entwickelten „Dynamitwärmehütten" wurden u. a. beim Bau des Gotthardtunnels verwendet. Als M. 1878 aus seiner Stellung schied, galt die fabrikmäßige Produktion des Dynamits als weithin sicher.

Nach dem Tod des Schwiegervaters führte M. dessen Dachziegelfabrik weiter, wandte sich jedoch nach einigen Jahren wieder den Sprengstoffen zu, ohne seine Teilhaberschaft an der Ziegelei aufzugeben. Er wurde Generaldirektor der 1886 unter seiner Mitwirkung in Köln gegründeten Rhein.-Westfäl. Sprengstoff AG (RWS). Diese kaufte Grundstücke im Bereich der heutigen Stadt Troisdorf und errichtete dort eine Zündhütchen- und Sprengkapselfabrik (1886/87), eine Munitionsfabrik (1888), eine Schießbaumwoll- und Pulverfabrik (1888/89) sowie auf der Basis der selbsterzeugten Nitrocellulose eine Celluloidfabrik (1905), eine der ersten Kunststofffabriken in der Region. In dieser Zeit entwickelte M. das von ihm so bezeichnete „Wetterdynamit", das den Bergleuten bei Sprengungen mehr Sicherheit bot.

Erste große Aufträge erhielt die RWS von der preuß. Militärverwaltung, und die deutsche Armee zählte bald zu den Hauptabnehmern. Regelmäßig hielten sich ausländische Abnahmekommissionen in Troisdorf auf. Japan bezog während seines Krieges gegen China (1893/94) alle Patronen von der RWS. Beim Bau des Simplontunnels wurden ausschließlich RWS-Sprengkapseln verwendet. Nach Troisdorfer Modell entstanden die Nitrieranlagen der staatlichen Pulverfabrik Spandau. 1890 schloß sich die RWS dem Generalkartell deutscher und ausländischer Sprengstoffgesellschaften und bald darauf den Vereinigten Köln-Rottweiler Pulverfabriken an. 1901 wurde M. Generaldirektor dieses größten Verbands deutscher Sprengstoffproduzenten. Seit 1901 gehörte er dem Gesamtausschuß des Vereins zur Wahrung der Interessen der chemischen Industrie Deutschlands

an und war viele Jahre Mitglied im Vorstand der Berufsgenossenschaft der chemischen Industrie. – Nach M.s Tode wurde sein Sohn Paul Generaldirektor der RWS und erlangte ebenfalls eine führende Stellung in der deutschen Sprengstoffindustrie. 1931 ging die RWS in der Dynamit AG vorm. Alfred Nobel & Co. auf, die ihren Sitz im selben Jahr von Hamburg nach Troisdorf verlegte. Seit 1959 lautet die Firmenbezeichnung Dynamit-Nobel AG, Troisdorf.

L Die chem. Industrie 1910, Nr. 12, S. 381; ebd., Nr. 20, S. 605; ebd., Nr. 24, S. 773; ebd. 1911, Nr. 10, S. 273; P. P. Trippen, Heimatgesch. v. Troisdorf, 1940, S. 149–55, 162, 166, 170 *(P)*; O. Schmid, 50 J. „Köln-Rottweil" – Aus d. Gesch. d. Fabrik Rottweil, 1940, S. 44 f., 56 *(P)*; J. Wilden, Gründer u. Gestalter d. Rhein-Ruhr-Industrie, 1951, S. 199 f.; R. Müller, Die Anfänge d. heutigen Dynamit AG, vorm. Alfred Nobel & Co. – Werk Troisdorf, in: FS z. Stadterhebung d. Gemeinde Troisdorf (Heimatbll. d. Siegkreises 64), 1952; ders., Die Rhein. Dynamitfabr. Opladen 1872–1926, in: Romerike Berge, Zs. f. Heimatpflege im Berg. Land, 4, 1960, S. 150–68; ders., E. M. (1844–1910), Gründer u. Unternehmer in d. dt. Dynamitindustrie, in: Tradition 8, 1963, S. 84–94 *(P)*, erweitert in: Troisdorfer Jhh. 1, 1971, S. 95–101 *(P)*; K. Ossendorf, So fing es an – 100 J. Zündhütchenfabr., ebd. 16, 1986, S. 12–18.

P Bronzebüste, um 1911 (Hauptverw. d. Dynamit Nobel AG, Troisdorf), Abb. in: Trippen (s. *L*), S. 289.

Rolf Müller

Müller, *Emil,* Mathematiker, * 22. 4. 1861 Landskron (Böhmen), † 1. 9. 1927 Wien. (kath.)

V Adalbert († wohl v. 1870), Weber in L.; *M* Viktoria Müller; *Stief-V* Karl Peschl, Colporteur; – ∞ wohl Wien 1887 Gisela († n. 1927), *T* d. Franz Unger, Schlossermeister u. Hausbes. in Wien, u. d. Antonie Tochtermann; 2 *S*, u. a. Emil, Ing. u. Baurat in W.; 1 *T*.

M. besuchte in Wien die Schule und begann 1879 ein Lehrerstudium an der Allgemeinen Abteilung der dortigen TH. 1881–83 hörte er auch mathematische Vorlesungen bei E. Weyr und L. Koenigsberger an der Univ. Wien. Nach dem Militärdienst legte er 1885 die Lehramtsprüfung für Mathematik und darstellende Geometrie ab, unterrichtete ein Jahr an einer Oberrealschule und wurde 1886 an der TH Wien Assistent bei seinem Lehrer, dem darstellenden Geometer R. Staudigl. 1892 nahm er eine Oberlehrerstelle an der Baugewerkschule in Königsberg an und fand bald guten Kontakt zu den Professoren der dortigen Universität, u. a. zu D. Hilbert, O.

Hölder, H. Minkowski und F. Meyer. Ratschlägen Meyers folgend, promovierte er 1898 an der Univ. Königsberg und habilitierte sich dort ein Jahr später für Geometrie und Mechanik. 1902 erhielt er einen Ruf als o. Professor für darstellende Geometrie an die TH Wien. Dieses Amt übte M. bis zu seinem Tode aus. Er war 1905–07 Dekan der Bauingenieurabteilung und 1912/13 Rektor.

Seit seiner Assistentenzeit widmete sich M. der Weiterentwicklung der Graßmannschen Ausdehnungslehre und suchte neue Anwendungen dieser Methoden in der Geometrie. In seiner Dissertation behandelte er die höhere Kugelgeometrie nach derartigen Methoden und gab eine detaillierte Begründung des Dualismus von Inversions- und Laguerrescher Geometrie. Zuvor hatte er bereits die Liniengeometrie mit Graßmannschen Methoden untersucht. Den Graßmannschen Kalkül erweiterte M. vor allem durch die Einführung der Faltprodukte, die er seit 1914 studierte. Ein weiteres Forschungsgebiet M.s war die sog. relative Flächentheorie, eine Verallgemeinerung der euklidischen Flächentheorie.

Große Verdienste erwarb sich M. in der Fortführung der von Staudigl begonnenen Verbesserungen in der Lehre der darstellenden Geometrie, wobei er der Ausbildung der Lehramtskandidaten besondere Aufmerksamkeit widmete. Methodik und Didaktik dieses Faches ausbauend, betonten er und seine Mitarbeiter zum einen die gebührende Berücksichtigung technischer Anwendungen und zum anderen die Ausgestaltung der Theorie. Diesem Bestreben entsprangen neben mehreren Artikeln sein „Lehrbuch der darstellenden Geometrie für Technische Hochschulen", eine Sammlung von technischen Übungsaufgaben und der 4jährige Zyklus von Sondervorlesungen, die sich durch einen straff gegliederten Aufbau und die Klarlegung der den verschiedenen Abbildungsmethoden zugrundeliegenden gemeinsamen Ideen und Auffassungen auszeichnete. Durch sein Wirken trug M. wesentlich zur Neubelebung der darstellenden Geometrie bei und gilt als Begründer der „Wiener Schule", zu der u. a. R. v. Mises, W. Blaschke, L. Vietoris, E. Kruppa und O. Danzer zählen. – Mitgl. d. Ak. d. Wiss. Wien (1906 korr., 1916 wirkl.); Mitgl. d. Leopoldina (1918); Dr.-Ing. E. h. (TH Karlsruhe 1925).

W u. a. Statik, 1895, ²1900; Geometrie orientierter Kugeln nach Graßmannschen Methoden, in: Mhh. f. Math. u. Physik 9, 1898; Lehrb. d. darstellenden Geometrie f. Techn. Hochschulen, 2 Bde., 1908/16, ⁶1961; Techn. Übungsaufgaben f. darstellende Geometrie, 6 Hh., 1910–26; Gesch. d. darstellenden Geometrie, ihre Lehre u. Bedeutung an d. techn. Hochschulen Österreichs, in: Zs. d. österr. Ing.- u. Architektenver., 1919; Vorlesungen üb. darstellende Geometrie, 3 Bde., 1923–31 (mit E. Kruppa u. J. L. Kramers).

L Neue Freie Presse v. 3. u. 21. 9. 1927; E. Kruppa, in: Zs. f. Angew. Math. u. Mechanik 4, 1924, S. 411–31; Th. Schmid, ebd. 8, 1928, S. 81–83; Mhh. f. Math. u. Physik 35, 1928, S. 197–218 *(W-Verz.);* Th. Schmid, Nachruf, in: Alm. d. Wiener Ak. d. Wiss., 1928, S. 183–88 *(P);* Jberr. d. Dt. Mathematiker-Vereinigung 41, 1932, S. 50–58; R. Einhorn, Vertreter d. Math. u. Geometrie an d. Wiener Hochschulen 1900–1940, 1985, S. 572–87 *(W, L);* Pogg. IV–VI; ÖBL.

Karl-Heinz Schlote

Müller, *Erich,* Ingenieur, Waffentechniker, * 2. 11. 1892 Berlin, † 15. 4. 1963 Kettwig/Ruhr. (ev.)

V Paul Emil Theodor († 1928), Eisenbahnbeamter d. mittleren Dienstes; M N. N.; ledig.

M. besuchte 1901–09 die Werner-Siemens-Oberrealschule in Charlottenburg. Er verließ sie ohne Hochschulreife, um im Reichsbahn-Ausbesserungswerk Berlin-Grunewald 1909–11 als Praktikant zu arbeiten. Nach Vorbereitung in einem privaten Lehrinstitut legte er im August 1914 die Reifeprüfung ab und nahm dann als Freiwilliger und Reserveoffizier am 1. Weltkrieg teil. Im Februar 1919 begann M. ein Ingenieurstudium an der TH Berlin und bestand 1922 die Diplom-Hauptprüfung. Von Juli bis September dieses Jahres arbeitete er als Konstrukteur bei Borsig und anschließend als Assistent an der TH Berlin. Im Februar 1923 begann M. eine Ausbildung für den Dienst bei der Reichsbahn und legte Ende 1924 das 2. Staatsexamen ab, für das er mit dem Staatspreis ausgezeichnet wurde. Ein damit verbundenes Stipendium nutzte er für eine Reise in die USA, wo er sich bei Ford über moderne Verfahren zur Arbeitsprozeß-Rationalisierung informierte. Zunächst Regierungsbaumeister, wurde er 1926 zum Reichsbahnrat befördert, nach Königsberg versetzt und mit der technischen Leitung des dortigen Eisenbahnausbesserungswerkes beauftragt, in dem er ein rationelles Arbeitstakt-Verfahren einführte. Anschließend trat er in das Versuchslaboratorium der Reichsbahn ein. 1931 wurde er an der TH Berlin zum Dr.-Ing. promoviert und erhielt wiederum einen Staatspreis, den er für eine weitere Studienreise in die USA nutzte. 1932 wurde M. zum Leiter des Fahrzeug-Entwicklungs-Dezernats und 1934 zum Direktor des Reichsbahn-Werkes Berlin-Tempelhof ernannt.

Auf Vermittlung des Generaldirektors der Reichsbahn, Julius Dorpmüller, trat M. im April 1935 in die Fried. Krupp AG ein, wo er ein Jahr später die Artillerie-Entwicklungsabteilung übernahm. Unter seiner Leitung entstanden hier in den folgenden Jahren bis zum Kriegsausbruch 31 neue Geschütztypen. Anfang 1936 erhielt M. Prokura, drei Monate später wurde er Abteilungsdirektor und Ende 1938 stellvertretender Direktor, 1941 stellvertretendes Vorstandsmitglied und im März 1943 Vorstandsmitglied. Damit war auch die Verantwortung für den technischen Bereich der Maschinenfabrik verbunden, wo die mechanischen Fertigungsbetriebe des Konzerns zusammengefaßt waren. Seine Aufgabe bestand vor allem darin, die durch Luftkriegsschäden stark behinderte Produktion aufrecht zu erhalten bzw. wieder in Gang zu bringen. Unzureichende Unterstützung durch das Rüstungsministerium und die Behörden, verbunden mit höchsten Produktionsforderungen führten zu Differenzen mit dem Ministerium, so daß M. diesen Aufgabenbereich Ende 1943 wieder aufgab. Auch der von M. mit vorbereitete Aufbau einer neuen Waffenproduktionsstätte bei Breslau, des „Berthawerks", gab Anlaß zu Auseinandersetzungen mit dem Ministerium. M.s Bemühungen um die Organisation effizienter Fertigungsabläufe stand die schleppende Ausführung der Baumaßnahmen im Wege, wodurch sich der Beginn der Produktion und die Erreichung der geforderten Ausstoßhöhe verzögerten. Seit Ende 1943 widmete sich M. wieder ausschließlich der Entwicklung von Artillerie-Material. In der Zeit von 1939 bis zum Kriegsende bestimmte er maßgeblich die Entwicklung von 24 Geschütztypen, darunter die schweren Eisenbahngeschütze „Siegfried" und „Dora". Die Entwicklung des 80 cm-Geschützes „Dora" erfolgte auf persönliche Anordnung Hitlers, der mit M. die Möglichkeit einer entsprechenden Konstruktion erörtert hatte. Dieses seinerzeit größte Geschütz der Welt erlangte zwar keine strategische Bedeutung mehr, setzte aber als Spitzenleistung der Waffentechnik Maßstäbe.

M. gehörte mehreren Arbeitsgemeinschaften und Kommissionen aus Vertretern der Wirtschaft und der Behörden an. Seit Herbst 1940 leitete er den Waffen-Ausschuß des Ministeriums Todt. Meinungsverschiedenheiten über die Organisation der Waffenproduktion – Todt und sein Hauptdienstleiter Saur strebten eine Verteilung der Fertigung auf verschiedene Werke an, während M. für die Zusammenfassung in einem Werk eintrat – führ-ten dazu, daß sich M. im Frühjahr 1942 aus dem Waffen-Ausschuß wieder zurückzog. Gleichzeitig wurde er jedoch von Todts Nachfolger Speer mit der Leitung der neugebildeten Waffen-Kommission beauftragt, die sich aber ausschließlich mit dem technischen Bereich der Waffenentwicklung zu beschäftigen hatte. Dieser Kommission gehörte M. bis zum Kriegsende an.

M. war im Mai 1933 in die NSDAP eingetreten und einige Monate Mitglied der SA gewesen, trat aber politisch nicht in Erscheinung und blieb ausschließlich seinem Beruf als Techniker verpflichtet. Diese Haltung konnte allerdings die Verstrickung seiner Arbeit in die Politik nicht verhindern. Am 10. 9. 1945 wurde M. verhaftet und zusammen mit dem Firmeninhaber, Alfried Krupp v. Bohlen und Halbach, sowie 10 weiteren Mitarbeitern von einem amerikan. Militärgericht als Kriegsverbrecher angeklagt und im Juli 1948 zu 12 Jahren Haft verurteilt. Aufgrund eines Gnadenerlasses des amerikan. Hochkommissars McCloy Anfang 1951 vorzeitig entlassen, kehrte er nicht mehr ins Berufsleben zurück. – Wehrwirtschaftsführer (1943), Prof.titel (1943).

L Dr.-Ing. E. M., in: Archiv f. publizist. Arbeit v. 25. 3. 1943; W. A. Boelcke (Hrsg.), Dtld.s Rüstung im 2. Weltkrieg, Hitlers Konferenzen mit Albert Speer 1942–1945, 1969. – Eigene Archivstud. (Hist. Archiv Krupp, Essen).

P Phot. (Hist. Archiv Krupp, Essen).

Heinfried Voß

Müller, *Erich,* Zahnarzt, * 2. 12. 1899 Leichlingen (Rheinland), † 31. 7. 1992 Schwäbisch Gmünd. (ev.)

V Wilhelm (1864–1947), Konditor; M Anna Vergen (1866–1950); ∞ 1930 Marianne Dethlefsen; 3 S, 1 T, Wilhelm Christian (* 1931), Kieferorthopäde, Klaus (* 1934), Rechtsanwalt, Ursula (* 1936), Kieferorthopädin, Erich (* 1938), Braumeister.

Nach dem 1917 in Opladen bestandenen Abitur und anschließendem Militärdienst studierte M. nach Kriegsende Zahnheilkunde, zunächst in Marburg und nach dem Physikum an der Univ. Leipzig, wo er 1922 die zahnärztliche Approbation erhielt und 1923 zum Dr. med. dent. promoviert wurde. Im März 1923 gründete er eine Praxis in Hamburg-Altona, die er bis 1976 führte. Bereits zu Beginn seiner zahnärztlichen Tätigkeit zeigte M. besonderes Interesse für standespolitische Fragen, was ihn über verschiedene Funktionen in regionalen Standesorganisationen 1932 in den Vorstand des Reichsverbandes der Zahnärzte Deutschlands führte. Während der NS-Zeit aus allen Ämtern entfernt, wurde M. nach dem Krieg zunächst 2. und 1949 1. Vorsitzender des Verbands der Deutschen Zahnärztlichen Berufsvertretungen (VDZB). Mit der Übernahme auch des Vorstandsvorsitzes der 1954 begründeten Kassenzahnärztlichen Bundesvereinigung erreichte er eine Position, die es ihm erlaubte, eine Reihe berufspolitischer Probleme anzugehen, durch deren Bewältigung er zum maßgeblichen Konstrukteur und Wegbereiter des Kassenzahnarztrechts und der zahnärztlichen Selbstverwaltung nach dem 2. Weltkrieg wurde. So war er beteiligt an der Abschaffung der nichtuniversitären Ausbildung zum Dentisten (1952) und dem Zusammenschluß des Verbands Deutscher Dentisten mit dem VDZB zum Bundesverband der Deutschen Zahnärzte (1953), dessen Präsident er bis 1966 blieb. Ein weiteres Verdienst M.s ist es, aus der Vielzahl von Gebührenordnungen und Einzelvereinbarungen eine Bundesgebührenordnung für zahnärztliche Leistungen geformt zu haben (1962), die die Zersplitterung der Zahnärzteschaft gegenüber den Krankenkassen aufhob. Daneben war er um das internationale Ansehen der deutschen Zahnärzte bemüht. 1952 wurde die Fortsetzung der seit der NS-Herrschaft unterbrochenen Mitgliedschaft Deutschlands in der Fédération Dentaire Internationale beschlossen, deren Präsident M. als erster Deutscher nach dem 2. Weltkrieg 1963–65 war. – Gr. Bundesverdienstkreuz (1959), Chevalier de l'Ordre de la Santé Publique (1962); Hermann-Euler-Medaille, Hermann-Kümmell-Gedenkmünze; Ehrenmitgl. d. American Dental Association, d. Fédération Dentaire Nationale Française u. d. Schweizer. Zahnärzte-Ges.; Mitgl. d. Royal Society of Medicine.

L Zahnärztl. Mitt. 47, 1959, S. 941 *(P)*; ebd. 54, 1964, S. 1093 *(P)*; ebd. 79, 1989, S. 2773 *(P)*; Wi. 1970.

Christoph Benz

Müller, *Ernst,* Textilforscher, * 1. 9. 1856 Crimmitschau (Sachsen), † 10. 12. 1929 Dresden.

V Ernst, Maschinenbauer in C., Gründer d. Fa. E. Müller & Rentzsch, d. späteren Maschinenfabrik Crimmitschau AG, *S* e. Mühlenbes. in Hirschberg / Saale; *M* Henriette Wilhelmine Bergner, *T* e. Gasthofsbes. in C.; ∞ 1890 Johanna Arndt († n. 1929) aus Auerbach (Vogtland); 1 *S*, 1 *T.*

M. absolvierte nach dem Realschulbesuch 1872–75 die Höhere Gewerbeschule in Chemnitz. In den Ferien arbeitete er regelmäßig im Unternehmen seines Vaters, in dem Dampfmaschinen und Streichgarnspinnmaschinen hergestellt wurden. Im Anschluß an den Militärdienst als Einjährig-Freiwilliger in Zwickau besuchte er seit 1876 das Polytechnikum in Dresden, die spätere TH, legte dort 1878 die Abschlußprüfung ab und unternahm dann eine Studienreise zum Besuch der Pariser Weltausstellung. Anschließend war M. 1879 kurze Zeit als Konstrukteur bei der Firma Friedrich Siemens in Dresden, dann seit Herbst desselben Jahres als Lehrer für Mechanik und Eisenkonstruktionen an der dortigen Baugewerkenschule tätig. Gleichzeitig wirkte er als Assistent bei Versuchen zur Bestimmung der Leistung von Werkzeugmaschinen mit, die von Karl Ernst Hartig am Lehrstuhl für Mechanische Technologie am Polytechnikum Dresden durchgeführt wurden, und entwickelte selbständig Pläne zur maschinellen Ausrüstung von Spinnereien und Webereien. 1883 ging er als Assistent zu Hermann Fischer an die TH Hannover, wo er nach seiner Habilitation mit einer Arbeit über „Bobinetmaschinen mit Jacquardeinrichtung" (1884) seit 1886 als Dozent für Textil-, Papier- und Bautechnologie, seit 1890 als ao. und seit 1896 als o. Professor für Maschineningenieurwesen lehrte. 1901 kehrte M. an die TH Dresden zurück, wo er Hartigs Lehrstuhl für allgemeine mechanische Technologie und Maschinenlehre übernahm und mehr als zwei Jahrzehnte lang bis zu seiner Emeritierung (1925) als erfolgreicher akademischer Lehrer wirkte. Gleichzeitig leitete er als Direktor das Mechanischtechnologische Institut der Hochschule, das er zu einer der leistungsfähigsten Einrichtungen seiner Art ausbaute.

Im Mittelpunkt von M.s Interesse stand, abgesehen von seiner gelegentlichen Beschäftigung mit Fragen der Papierherstellung, stets die Textiltechnologie, deren internationale Entwicklung er auf zahlreichen Studienreisen verfolgte. Schon während seiner Dresdener Zusammenarbeit mit Hartig ermittelte M. 1880 in einer preisgekrönten Untersuchung über die Festigkeitseigenschaften von fadenförmigen Gebilden experimentell und rechnerisch eine für die Theorie des Spinnens wichtige Beziehung zwischen dem Drehungsgrad eines Garnes und seiner Reißfestigkeit, die als „Ernst Müllers Gesetz" bekannt wurde. In Hannover setzte er seine Festigkeitsuntersuchungen in Verbindung mit der Ausarbeitung wissenschaftlicher Prüfverfahren fort. Das von M. nach seiner Rückkehr nach Dresden eingerichtete, mit reichhaltigen Sammlungen ausgestattete Faserstofflaboratorium zur wissenschaftlichen Prüfung von Textilfasern und -stoffen erlangte internationales Ansehen, zumal seine Forschungen über Faserstoffe und Textilmaschinen große praktische Bedeutung für die Textilindustrie hatten. Ein von M. ausgearbeitetes Verfahren zur Klassifizierung von Kammgarnen wurde 1910 von der deutschen Zollverwaltung übernommen. – M. war 1901–18 auswärtiges Mitglied des Kaiserl. Patentamtes in Berlin und seit 1901 Mitglied der Kgl. Sächs. Technischen Deputation. 1917 begründete er in Dresden das Deutsche Forschungsinstitut für Textilindustrie, das er bis 1923 leitete. – GHR (1903); Roter Adlerorden III. Kl. (1911); Komtur d. Albrechtsordens (1913); Dr.-Ing. E. h. (TH Braunschweig 1920); Karmarsch-Denkmünze (1927).

W Über d. Festigkeitseigenschaften fadenförmiger Gebilde in ihrer Abhängigkeit v. d. Drahte derselben, in: Civiling. 26, 1880, H. 2/3; Hdb. d. Spinnerei, 1892; Stud. üb. d. Krempeln d. Baumwolle, 1894; Hdb. d. Weberei, 1896; Hdb. d. Papierfabrikation, 1905. – Hrsg.: Hdb. d. mechan. Technol. v. K. Karmarsch u. H. Fischer, III, 1892–1905; Schubert, Praxis d. Papierfabrikation, 1914, ²1919.

L B. Volger, Sachsens Gelehrte, Künstler u. Schriftst. in Wort u. Bild, 1907/08, S. 108; FS z. 70. Geb.tag. v. E. M., hrsg. v. Dt. Forschungsinst. f. Textilindustrie, 1926 (W, P); Textile Forschung 11, 1929, H. 3; Catalogus Professorum TH Hannover 1831–1956, 1956 (P); W. Frenzel, Leben u. Wirken v. E. M., in: Wiss. Zs. d. TU Dresden 15, 1966, H. 2, S. 305; DBJ XI, S. 220–23 u. Tl.; Pogg. VIIa. – Mitt. d. Archivs d. TU Dresden.

Hans Jaeger †

Müller, *Ernst,* Kaufmann, * 13. 9. 1885 Laufen-Uhwiesen Kt. Zürich, † 18. 11. 1957 Schaffhausen. (ev.)

V Johann Jakob (1861–1942), S d. Georg (1831–86) u. d. Verena Ringli (1833–1919); M Karoline (1862–1917), T d. Heinrich Witzig (1828–77) u. d. Caroline Korradi (1839–1909); ∞ Laufen 1917 Anna (1892–1972), T d. Ulrich Reiffer (1866–1946), Zimmermeister in Veltheim b. Winterthur, u. d. Susanna Schenk (1865–1946); 1 T Verena Uzler (1918–93), Dipl.-Bibliothekarin, Sozialarbeiterin.

Nach einer Banklehre in Yverdon trat M. 1905 in die Georg Fischer AG, Schaffhausen, ein. 1907–11 arbeitete er zur Weiterbildung in Manchester und Mailand. Im Anschluß an seine Auslandsaufenthalte kehrte er zur Georg Fischer AG zurück, wo ihm 1917 die kaufmännische Leitung der Elektrostahlwerke AG, Schaffhausen, und der Elektrostahlwerke St. Gotthard AG, Giubiasco, übertragen wurde. 1915 veröffentlichte M. den Beitrag „Wirtschaftliche Selbstbehauptung durch vermehrten Inlandabsatz einheimischer Erzeugnisse", in dem er die unter dem Druck des Weltkrieges leidende Marktwirtschaft der Schweiz beleuchtete und dabei einerseits auf die Gefahren der wirtschaftlichen Abhängigkeit vom Ausland hinwies, andererseits aber die Notwendigkeit eines freundschaftlichen Handelsverkehrs mit dem Ausland und die Beziehungen zur Weltwirtschaft nicht außer acht ließ. 1925 übernahm M. die Leitung des Verkaufs von Gießerei-Erzeugnissen der Georg Fischer AG und wurde 1930 zum Kaufmännischen Direktor ernannt. 1940 erfolgte die Ernennung zum Mitglied und Delegierten des Verwaltungsrates.

1941 wurde M. für fünf Jahre zum Vorsitzenden der Sektion für Eisen und Maschinen des Eidgenöss. Volkswirtschaftsdepartements in Bern ernannt, wo er Pläne für die schweizer. Kriegswirtschaft ausarbeitete, um die nachlassende Zufuhr von Eisen und Stahl aus dem Ausland durch Mobilisierung inländischer Quellen aufzufangen. Mit den sog. „Schrottplänen" gelang es, bis Kriegsende 900 000 Tonnen wiederverwertbares Alteisen und Industrieschrott einzusammeln und somit die Eisen- und Stahlerzeugung im Lande weitgehend aufrechtzuerhalten. Die Ende 1944 ausbleibenden Ferro-Mangan-Importe konnten durch den vorsorglichen Abbau von Manganerzen des Gonzen-Bergwerkes und die Reaktivierung alter Mangan-Minen im Lande überbrückt werden. Auch an diesem Konzept war M. maßgeblich beteiligt. 1947 wurde M. zum Vorstandsmitglied des Arbeitgeberverbandes Schweizer. Maschinen- und Metallindustrieller ernannt und 1948 Ehrenmitgl. des Verbandes Schweizer. Eisengießereien. Seit 1948 vertrat er als Delegierter die Schweiz im Internationalen Stahlkomitee der Europ. Wirtschaftskommission in Genf. 1949 folgte die Ernennung zum Präsidenten der International Malleable Tube Fittings Association. 1951 wurde M. zum Mitglied der Schweizer. Handelskammer gewählt.

Neben seinen vielfältigen Aufgaben in Industrie und Wirtschaft war M. ein Förderer der Kultur und der Wissenschaft. Seiner Initiative ist die Gründung der Eisenbibliothek, einer Stiftung der Georg Fischer AG, Schaffhausen, im Jahre 1948 zu verdanken, einer weltweit einzigartigen Literatursammlung zur Geschichte des Eisens und der Technik. Als Domizil für diese wissenschaftliche Spezialbibliothek wurde das zum Industrieunternehmen Georg Fischer gehörende Klostergut Paradies bei Langwiesen gewählt, zu dessen Renovierung M. ebenfalls einen großen Beitrag leistete. Als begeisterter Alpinist war er der Initiator und Förderer der Strada Alta, eines der schönsten Wanderwege in der Tessiner Leventina. 1953 wurde er zum Vizepräsidenten des Verwaltungsrates der Georg Fischer AG und 1955 zum Mitglied des Verwaltungsrates der Eisenbergwerk Gonzen AG, Sargans ernannt. 1956 zog sich M. aus dem aktiven Geschäftsleben zurück. – Dr.-Ing. E. h. (ETH Zürich 1956).

W Über Wesen u. Aufgaben d. Eisenbibl. Klostergut Paradies b. Schaffhausen, in: Stultifera Navis, Mitt.bl. d. Schweizer Bibliophilen-Ges. 13, 1956, S. 133 ff.

L K. Schib, Gesch. d. Klosters Paradies, hrsg. v. d. Georg Fischer AG, 1951; ders., Das Kloster Paradies b. Schaffhausen u. d. Eisenbibl., in: Alemann. Jb. 1961, S. 82 f.; Sondernr. d. GF-Mitt. d. Georg Fischer AG, Nov. 1957 *(P);* Biogr. Lex. verstorbener Schweizer V, 1961; W. Treue, Die Eisenbibl., Stiftung d. Georg-Fischer-AG, in: Tradition 12, 1967, S. 345–48; K. Bächtold, in: Schaffhauser Biogrr. III, 1969, S. 223–30 *(P).*

P Gem. v. P. B. Barth (Eisenbibl. Schaffhausen).

Annette Bouheiry

Müller, *Ernst,* Nährmittelfabrikant, * 18. 10. 1906 Funkenstein Bez. Karlsbad, † 1. 8. 1982 Neutraubling Kr. Regensburg.

V Ernst, Wirtsch.bes. in F., S d. Josef, Wirtsch.bes. in F., u. d. Franziska Walisch aus Langlamitz; M Theresia, T d. Werner Heinz aus Lauterbach, Feldarzt in F., u. d. Franziska Kunz aus F.; ∞ Emmi (* 1917), Modistin, T d. Johann Frank, Wirtsch.bes. in F., u. d. Josefa Grimm aus Kohlau; 1 S Wolfgang (* 1943), Nährmittelfabr., seit 1982 Leiter d. Unternehmens (s. Egerländer Biogr. Lex.).

Nach dem Besuch der Handelsschule und einer kaufmännischen Fortbildungsschule in Karlsbad begann M. 1920 eine Lehrzeit bei der dortigen Handelsgenossenschaft. 1923–37 sammelte er kaufmännische Erfahrungen als Kontorist, Buchhalter und Korrespondent bei verschiedenen Firmen. Zuletzt war er als Außendienstmitarbeiter in der Nahrungsmittelbranche tätig. So vorbereitet gründete M. Anfang 1938 in Karlsbad einen eigenen Herstellungsbetrieb für Nährmittel mit den Schwerpunkten Backpulver, Vanillinzucker, Puddingpulver, Aromen und Gewürze. Bald wurde der Handel in Böhmen, Mähren und der Slowakei mit „Müller's Karlsbader" Produkten beliefert, doch wurde der weitere Ausbau des Unternehmens durch den 2. Weltkrieg gebremst. Im Rahmen der Zwangsbewirtschaftung erfolgten auch Lieferungen nach Ostbayern, wo M.s Erzeugnisse auf diese Weise schon während des Krieges bekannt wurden.

1945 wurde M.s Unternehmen enteignet und der Karlsbader Betrieb unter tschech. Verwaltung gestellt. Nach der Vertreibung kamen M. die während des Krieges geknüpften Geschäftsverbindungen nach Bayern zugute. Er gründete 1946 seinen Betrieb in Regensburg neu – eine Zwischenlösung, bis ihm 1947 von den Amerikanern die zerbombte Waffenmeisterei auf dem ehemaligen Fliegerhorst Barbing/Obertraubling zugewiesen wurde, wo ein neues Industriegebiet entstehen sollte. M. gründete eine Notgemeinschaft der hier angesiedelten Heimatvertriebenen, die später in „Aufbaugemeinschaft" umbenannt wurde, und fungierte als deren Vorsitzender und „heimlicher Bürgermeister" der im Entstehen begriffenen Ortschaft. Seine wichtigsten Aufgaben sah er darin, die Interessen der neu angesiedelten Betriebe zu vertreten, die im Krieg zerstörten Unterkünfte wiederaufzubauen und neuen Wohnraum für die Beschäftigten zu schaffen. Er regte die Gründung einer Siedlungs-Genossenschaft an und führte Verhandlungen mit den Behörden in München und Regensburg, um die Siedlung aus der militärischen Sonderverwaltung zu lösen. M.s Bemühungen hatten schließlich Erfolg. Am 1. 4. 1951 wurde aus der Industrieansiedlung die Gemeinde Neutraubling.

M. mußte nach dem 2. Weltkrieg sein Unternehmen sowohl im Hinblick auf die Produktion als auch auf den Vertrieb völlig neu aufbauen. Die Erzeugung erfolgte zunächst weitgehend in Handarbeit, bis die ersten Abfüllmaschinen eingesetzt werden konnten. Später wurden vollautomatische Abpackanlagen aufgestellt. 1972 wurde eine moderne Gewürzmühle installiert, die es erlaubte, Gewürze schonend kaltzuvermahlen. Für Kontrolle und Forschung wurde ein firmeneigenes Labor eingerichtet. Die Firma Ernst Müller & Co., vormals Karlsbader Nährmittelindustrie GmbH, erlangte als Hersteller von Nährmitteln (u. a. Back- und Puddingpulver, Desserts, Schokoladenerzeugnisse) sowie von Gewürzen und Gewürzmischungen eine führende Stellung im süddeutschen Raum. – M. war Mitglied des Gemeinderats von Neutraubling, langjähriges Ausschußmitglied der IHK Regensburg sowie Gründungs- und Aufsichtsratsmitglied der Landsiedler-Genossenschaft. – Bundesverdienstkreuz (1971).

W Ber. d. Vorsitzenden d. Aufbaugemeinschaft (früher Notgemeinschaft) Neutraubling, ca. 1950 (HStA München).

L Müllers Karlsbader e. Markenname, o. J. *(P);* R. Ohlbaum, Bayerns vierter Stamm – d. Sudetendeutschen, 1980; Mittelbayer. Ztg. v. 3. 8. 1982; Neutraublinger Anz. v. 17. 12. 1982; Regensburger Alm. 1983, S. 109; Egerländer Biogr. Lex. I; BLBL.

Wolfgang Müller

Müller, *Ernst Ferdinand,* Statistiker, * 10. 3. 1889 Schilleningken Kr. Gumbinnen (Ostpreußen), † 4. 11. 1957 Frankfurt/Main. (ev.)

Die Fam. wanderte in d. ersten Hälfte d. 18. Jh. aus Salzburg nach Ostpreußen ein. – *V* Emil, Gutsbes. in Sch.; *M* Louise Mohr; ∞ 1) Stralsund 1930 Eva (1897–1942) aus Pillkallen Kr. Gumbinnen, zuletzt in London, *T* d. Friedrich v. Vultejus (* 1864) aus Schirwindt (Ostpreußen), preuß. Oberreg.- u. Oberschulrat, Geh. Reg.rat, u. d. Elise Weber (* 1874) aus Schorellen (Ostpreußen), 2) Nürnberg 1949 Lisette Kirsch (1904–90); 1 *T* aus 1).

M. besuchte in Elbing die Oberrealschule, an der er 1909 das Abitur ablegte. Nach einem Jahr Bankpraxis studierte er Staatswissenschaften an den Universitäten Freiburg (Breisgau), Königsberg und Leipzig. Mit einer Arbeit über „Das Zunftwesen der Stadt Magdeburg" wurde er 1916 zum Dr. phil. promoviert. 1914–16 war er Assistent am Volkswirtschaftlichen Seminar der Univ. Leipzig, 1917–20 Direktorialassistent am Institut für Ostdeutsche Wirtschaft der Univ. Königsberg und 1919–22 Leiter des Ostdeutschen Heimatdienstes. In dieser Funktion war er maßgeblich an der Durchführung der Volksabstimmung des Jahres 1920 in Masuren und Westpreußen beteiligt. Anschließend in der Privatwirtschaft und als Direktorialassistent des Statistischen Amtes der Stadt Stettin, danach als Referent im Preuß. Statistischen Landesamt Berlin tätig, wurde er im Oktober 1927 Direktor des Statistischen Amtes der Provinz Ostpreußen in Königsberg. 1931 erhielt er einen Lehrauftrag für Statistik und 1939 die Ernennung zum Honorarprofessor an der Univ. Königsberg. Im selben Jahr wurde M. zum Direktor des Statistischen Amtes der Stadt München und 1940 zum Leiter des Städtischen Wirtschaftsamtes München sowie zum Leiter des Münchner Instituts für Konjunkturforschung berufen. Zugleich hatte er 1939–45 einen Lehrauftrag für Statistik und Betriebswirtschaft als Honorarprofessor der TH München inne. Seit 1947 war er als Chefstatistiker in der Staatlichen Erfassungsgesellschaft für öffentliches Gut in München und von 1954 bis zu seiner Versetzung in den Ruhestand als wissenschaftlicher Mitarbeiter im Bundesamt für gewerbliche Wirtschaft in Frankfurt/Main tätig.

Seit 1920 wirkte M. führend in der landsmannschaftlichen Arbeit für Ost- und Westpreußen. Er war Mitglied vieler gesellschaftlicher und heimatpolitischer Vereinigungen in Ostpreußen. Seit seiner Übersiedlung nach München 1939 leitete er den 1920 gegründeten „Verein heimattreuer Ost- und Westpreußen in Bayern". Nach dem 2. Weltkrieg rief er 1947 in München eine Hilfsgemeinschaft für seine heimatvertriebenen Landsleute ins Leben, die 1949 unter dem Namen „Ostpreußenbund in Bayern" und 1952 als „Landsmannschaft Ostpreußen/Landesgruppe Bayern" in das Vereinsregister eingetragen wurde. Bereits 1949 setzte er die Bildung einer „Arbeitsgemeinschaft der ostdeutschen und südostdeutschen Landsmannschaften in Bayern" durch und schuf somit die Grundlagen für die Konstituierung einer „Landsmannschaft der Ost- und Westpreußen" in Bayern. 1950 wurde er zum stellvertretenden Sprecher der Landsmannschaft Ostpreußen in der Bundesrepublik Deutschland gewählt. Bis zu seinem Tode widmete sich M. vor allem der „wissenschaftlichen Seite der heimatpolitischen Arbeit". In enger Verbindung mit dem Herder-Institut in Marburg, dem Göttinger Arbeitskreis, der Ostdeutschen Akademie in Lüneburg und anderen Forschungsinstituten befaßte er sich mit der Sammlung und Auswertung zeithistorischer Dokumente und Veröffentlichungen. Seine kulturpolitische Arbeit setzt seit 1971 die Ost- und Westpreußenstiftung in Bayern „Prof. Dr. Ernst Ferdinand Müller" e. V. fort. M.s wissenschaftlicher Nachlaß – u. a. zahlreiche Handschriften, publizistische und Bilddokumente – befindet sich heute in den Archiven des zur Ost- und Westpreußenstiftung in Bayern gehörenden Albertus-Instituts für ost- und westpreuß. Landeskunde in Oberschleißheim bei München.

W Statist. Hdb. f. Kurland u. Litauen, 1918; Die Zertrümmerung Ostpreußens u. d. dt. Ostmark, ²1919; Das Zunftwesen in Magdeburg, 1925; Die Not d. preuß. Ostprovinzen, Denkschr., 1930; Zur Wirtsch.gesch. d. Preußenlandes v. d. Errichtung d. Hzgt. Preußen bis z. Ausbruch d. Weltkrieges, in: Dt. Staatenbildung u. dt. Kultur im Preußenlande, 1931, S. 471–535; Grundzüge d. Wirtsch.lebens in Masuren, hrsg. v. Gollub, 1934; Die preuß. Provinzialverbände, in: Statist. Jb. dt. Gemeinden, 1934/39; Ostpreußen, in: Deutschlandbuch, hrsg. v. H. F. Blunck, 1935; Bevölkerungsgesch. u. Wanderungsforschung in d. Prov. Ostpreußen, in: Altpreuß. Forschungen 13, 1936, S. 102–22; Neueres wirtsch.kundl. Schrifttum üb. Ostpreußen, in: Dt. Zs. f. Wirtsch.kde. 4, 1939, S. 81–92, 187–200; Ostpreußen u. sein Wanderungsproblem, in: Allg. statist. Archiv 28, 1939, S. 436–53; Die Statistik d. Gemeindeverbände, in: Die Statistik in Dtld. nach ihrem heutigen Stand, Ehrengabe f. F. Zahn, 1940. – *Hrsg.:* Btrr. z. Statistik d. Provinz Ostpreußen (seit 1934); Statist. Hdb. d. Prov. Ostpreußen (1938); Münchner Jb. u. Bayrisches Jb. (seit 1939). – *Mithrsg.:* Dt. Statist. Zbl.; Gegenwartsfragen d. Dt. Gemeinde.

L Das Ostpreußenbl. 8, 1957, Folge 46; D. Radke, In memoriam Prof. Dr. E. F. M., in: Bayern u. d. Heimat d. Vertriebenen I, 1972, S. 49; dies., Er war e. „Herold" Ostpreußens in Bayern, Zum 100. Geb.-tag Prof. Dr. E. F. M.s, in: Das Ostpreußenbl. 40, 1989, Folge 16; 1875–1975, 100 J. Städtestatistik in München, in: Statist. Hdb. d. Landeshauptstadt München, 1975, S. 33 f.; Kürschner, Gel.-Kal. 1940/41; Altpreuß. Biogr. III.

Heinz Radke

Müller, *Erwin,* Politiker, * 18. 3. 1906 Duisburg, † 27. 6. 1968 Habkirchen/Saar. (kath.)

V Johann Baptist (1865–1929), seit 1920 Ministerialamtmann b. d. Reg.kommission d. Saargebietes; M Klara Hilger (1881–1955); ∞ 1) 1936 (∞ 1946) Eleonore Asbach (* 1908), 2) Irmgard Ott; 1 S.

Nach der Reifeprüfung 1924 am Saarbrücker Ludwigsgymnasium studierte M. in Frankfurt/Main, Berlin und Göttingen Rechtswissenschaft. 1929 legte er das 1., 1933 das 2. Staatsexamen ab. Nach kurzer Tätigkeit beim Amtsgericht eröffnete er 1934 in Saarbrücken eine Anwaltskanzlei. Bald nach der Rückkehr aus der Kriegsgefangenschaft betätigte sich M. in der neu gegründeten Christlichen Volkspartei des Saarlandes (CVP). Anfang 1946 wurde er in den Bürgerrat der Stadt Saarbrücken berufen und bei den ersten Kommunalwahlen im September in den Stadtrat gewählt. Am 8. 10. 1946 ernannte ihn die franz. Militärregierung zum Vorsitzenden der Verwaltungskommission des Saarlandes. Dieses Amt bekleidete M. bis zur Etablierung der ersten saarländ. Landesregierung am 22. 12. 1947. Nachdem er schon im Oktober 1947 als Abgeordneter der CVP in den Landtag gewählt worden war, übernahm er den Fraktionsvorsitz. Dem 2.–4. Kabinett Johannes Hoffmann gehörte M. als Minister an: 1951/52 leitete er die Ressorts Justiz und Kultur, 1952–54 das Ministerium für Finanzen und Forsten, 1954/55 das der Justiz.

M. gehörte zu den markantesten Persönlichkeiten der CVP, die gemeinsam mit der Sozialdemokratischen Partei Saar die franz.-saarländ. Wirtschafts- und Währungsunion trug und in einer für das Saarland vorteilhaften Weise auszugestalten suchte. Gleichzeitig setzte er sich für die Förderung des Europa-Gedankens ein, sei es als Mitglied des Europarates (1950–55) und der Versammlung der Europ. Gemeinschaft für Kohle und Stahl, sei es als Vorsitzender von Vereinigungen wie der Gruppe Neues Europa, des Landessportverbandes, des Saarländ. Turnerbundes und des Automobilclubs Saar. Folgerichtig plädierte er für die Annahme des sog. „europ." Saarstatuts, demzufolge die Wirtschafts- und Währungsunion zwischen Frankreich und dem Saarland unter dem Dach der Westeurop. Union fortbestehen sollte. In den langwierigen Verhandlungen zwischen CVP und CDU-Saar nach der Ablehnung des Saarstatuts im Referendum vom 23. 10. 1955 entschied sich M. – nach anfänglicher Befürwortung – gegen die Fusion der beiden Parteien und für die Gründung der Saarländ. Volkspartei (SVP) als Sammelbecken unzufriedener CVP-Mitglieder. Er übernahm den Vorsitz der SVP und leitete 1960–65 im Landtag deren Fraktion. Innerparteiliche Querelen bewogen ihn am 25. 7. 1965 zum Austritt aus der SVP; seit Oktober gehörte er der CDU-Fraktion an.

L R. H. Schmidt, Saarpol. 1945–57, 3 Bde., 1959–62; J. Hoffmann, Das Ziel war Europa, Der Weg d. Saar 1945–1955, 1963; H. Schneider, Das Wunder an d. Saar, Ein Erfolg pol. Gemeinsamkeit, 1974; Wi. 1962–67; FAZ v. 29. 2. 1968.

Hans-Walter Herrmann

Müller, *Erwin,* Physiker, * 13. 6. 1911 Berlin, † 17. 5. 1977 Washington, D. C. (USA). (ev.)

V Wilhelm (1870–1942), Maurer, Steinmetz; M Käthe Teipelke († 1952); ∞ Berlin 1939 Klara († 1977), T d. Fritz Thüssing (1883–1949), Apotheker, u. d. Ella Mayer (1894–1978); 1 T.

M. studierte Physik an der TH Berlin-Charlottenburg, wo er 1935 das Diplom erwarb und 1936 zum Dr.-Ing. promoviert wurde. Dann folgten mehrere Jahre als Forschungs- und Entwicklungsphysiker in der Industrie: 1935–37 im Forschungslaboratorium II der Siemenswerke (unter G. Hertz), 1937–45 bei der Stabilovolt GmbH, beide Berlin. 1945 wurde er als Professor für Physikalische Chemie an das Technische Institut in Altenburg berufen, 1947 als Abteilungsleiter an das Kaiser-Wilhelm-Institut für Physikalische Chemie nach Berlin geholt. M. habilitierte sich 1950 an der TH Berlin, 1951 ernannte ihn die FU Berlin zum ao. Professor. Seit 1952 wirkte er an der Pennsylvania State University (USA) als Professor für Physik (1955 Research Professor, 1968 Evan-Pugh Research Professor), blieb aber seinem früheren Berliner Institut (Fritz-Haber-Inst.) weiter verbunden. Aus gesundheitlichen Gründen trat er 1976 in den Ruhestand.

Mit Ausnahme seiner ersten Publikation über die photographische Messung von Spektrallinienintensitäten (1935) galt das gesamte Lebenswerk M.s einem großen Thema, der Untersuchung der Eigenschaften von Einzelatomen und -molekülen mittels Feldemission. Auf Anregung von Gustav Hertz unterzog er in seiner Dissertation („Die Abhängigkeit der Feldelektronenemission von der Austrittsarbeit", in: Zs. f. Physik 102, 1936, S. 734) die wellenmechanische Theorie der Elektronenemission unter Einwirkung starker elektrischer Felder (R. H. Fowler und L. Nordheim, H. A. Bethe und A. Sommerfeld) einer kritischen experimentellen Prüfung. M. benützte dazu einen durch Ätzen zugespitzten und durch Heizen hinsichtlich der Rundung und Reinigung der Oberfläche kontrollierbar gemachten Wolframdraht, auf den er dann Barium, Magnesium oder Caesium aufdampfte. Durch Einfügen eines Leuchtschirms gegenüber der Metallspitze gelangte er zum Feld elektronen-Emissionsmikroskop (FEM), das Vergrößerungen bis zu 1 Million erlaubte (Zs. f. Physik 106, 1937, S. 541) und sofort zu Adsorptionsstudien auf nachweisbar reinen Metalloberflächen verwendet wurde (Barium auf Wolfram: ebd. 108, 1938, S. 668). Es folgten 1943 die Entdeckung der Felddesorption und erste Messungen der Austrittsarbeit von Metallatomen mittels Feldemission, 1949 erste Untersuchungen der Oberflächendiffusion (ebd. 126, 1949, S. 642).

Das FEM mit einer Auflösung von 10 Å ermöglichte die Beobachtung von einzelnen Atomen und Molekülen (1949/50). Im Feldionen-Mikroskop (FIM), das M. 1951 vorschlug, konnte das Auflösungsvermögen gesteigert werden: In einem umgepolten FEM lassen sich adsobierte Atome (H, He, A aus einer Gasatmosphäre niedrigen Druckes) als positive Ionen von der Objektspitze abreißen (Zs. f. Physik 131, 1951, S. 136). Durch Kühlen der Spitze gelang es auch hier, einzelne Atome sichtbar zu machen (Journal for Applied Physics 27, 1956, S. 474). Das FIM ließ sich bald für Untersuchungen von Grenzflächenphänomenen und Strahlungseinflüssen und für zahlreiche andere metallurgische Probleme einsetzen. M. verfeinerte es schließlich zur massenspektroskopischen Identifizierung individueller Atome („atomprobe", 1967; mit hochauflösender Fortentwicklung, 1974).

Die Entdeckungen M.s haben nicht nur immer wieder Pionierdienste in der Aufklärung hochkomplizierter Festkörper- und Oberflächenerscheinungen geleistet, sondern auch ein altes Grundproblem der Naturwissenschaften gelöst, die Sichtbarmachung der Atome. Die zahlreichen Ehrungen, die M. in Deutschland und den USA zuteil wurden, zeichneten sein zähes Ringen um wissenschaftliche Erkenntnis aus, wobei er von Anfang an kontroversen Disputen mit Fachkollegen nicht aus dem Wege ging. – Dr. h. c. (FU Berlin 1968, Lyon 1975); C. F. Gauss-Medaille (1952), Potts Medal (1964); Davisson-Germer Prize (1972); Auswärtiges wiss. Mitgl. d. Max-Planck-Ges. (1957), Mitgl. d. Leopoldina (1968), National Academy of Sciences d. USA (1975).

W Über 200 Arbeiten in dt. u. amerikan. Zss.; zahlr. Hdb.art., u. a. Field Emission, in: Hdb. d. Physik (Flügge) 21, 1956 (mit R. H. Good); Field Ion Microscopy Principles and Applications, 1969 (mit T. T. Tsong), russ. Übers.

L American Men and Women of Science, Physical and Biological Sciences, ¹¹1966, S. 3774; World Who's Who in Science, 1968, S. 1224; J. Block, in: Max-Planck-Ges., Berr. u. Mitt., Sonderh. 1977, S. 23 ff. *(P)*; T. T. Tsong, in: Physics Today 30, 1977, Nr. 8, S. 70 f. *(P)*; M. v. Laue, Abhh. d. Braunschweig. Wiss. Ges. 4, 1952, S. 229–37; Kürschner, Gel.-Kal. 1976; Pogg. VII a.

Helmut Rechenberg

Müller, *Eugen (Eugène Muller),* kath. Theologe, Politiker, * 31. 8. 1861 Ranspach (Oberelsaß), † 14. 1. 1948 Straßburg.

V Reinhart (1836–98), Bgm. v. R.; *M* Maria-Luise Naegelen.

M. besuchte 1877–79 das bischöfliche Knabenseminar in Montigny-les-Metz und studierte im Straßburger Priesterseminar 1879–84 Philosophie und Theologie (Priesterweihe 1884). Zusammen mit dem späteren Kirchenhistoriker Albert Ehrhard setzte er seine Studien an den Universitäten Münster (1884/85) und Würzburg (1885–88) fort und promovierte 1888 mit einer dogmatischen Dissertation über „Natur und Wunder". Im selben Jahr kehrte M. als Professor für Kirchengeschichte und Patrologie, Dogmatik und Christliche Archäologie an das Straßburger Priesterseminar zurück. 1903–20 hatte er den Lehrstuhl für Dogmatik, Kirchengeschichte und Christliche Archäologie an der neugegründeten Kath.-Theol. Fakultät der Univ. Straßburg inne (1919/20 Dekan). 1918/19 war er wesentlich am Erhalt der Theologischen Fakultät beteiligt. 1892 gründete M. mit Albert Ehrhard die „Straßburger theologischen Studien", die er zusammen mit diesem herausgab.

M. engagierte sich früh im Vereinswesen: Er gründete eine kath. Handwerkervereinigung, setzte sich 1898 für die Etablierung der elsäss. Sektion der Görres-Gesellschaft ein, arbeitete im „Volksverein für das kath. Deutschland" und in der „Gesellschaft für den Erhalt historischer Denkmäler im Elsaß" mit und war 1904 Mitgründer und seitdem Vorsitzender des „Augustinus-Vereins" zur Verbreitung der kath. Presse. Seit 1902 betätigte sich M. als Vertreter der „Mitte" auch politisch: 1903 war er Mitgründer und Sekretär des „Zentrumsvereins" von Straßburg, 1906 des „Elsaß-lothringischen Zentrums" und vertrat 1911–18 den Wahlkreis Thann-Saint-Amarin in der zweiten Landtagskammer von Elsaß-Lothringen. Er war Direktoriumsmitglied der Zentrums-Zeitschrift „Der Elsässer". 1919 beteiligte er sich an der Gründung der „Union Populaire Républicaine d'Alsace" (UPR) als Nachfolgerin des „Elsaß-lothring. Zentrums"; 1928–40 war er Vorsitzender der UPR. 1919–27 gehörte M. der Abgeordnetenkammer für den Wahlkreis Bas-Rhin an, 1920–24 auch dem „Conseil consultatif d'Alsace-Lorraine", 1927–40 war er Senator von Bas-Rhin. Bei Ausbruch des Krieges zwischen Deutschland und Frankreich 1940 floh er nach Vichy, wo er bei der Abstimmung am 10. Juli für die Vollmachten von Marschall Pétain stimmte. 1945 kehrte er nach Straßburg zurück. – M. engagierte sich als Politiker im sozialen und besonders im kulturellen Bereich. Er plädierte vehement für die Konfessionsschule und zusammen mit dem früheren Zentrumsabgeordneten und ebenfalls zur UPR gehörigen Xavier Haegy für den Erhalt der Zweisprachigkeit („Muttersprachen-Müller"). Seine Haltung nach dem 1. Weltkrieg war pro-französisch, aber gemäßigt regionalistisch, so daß er noch 1937 das elsäss.-lothring. Volksschulstatut politisch verteidigte. – Ehrendomherr in Straßburg (1900).

L F. Wertheimer, E. M., 1930; J. Zemb, Zeuge seiner Zeit, Chanoine E. M., 1960; ders., Témoin de son temps, Le chanoine E. M., L'Alsace de 1861–1948, 1961 (P); K.-H. Rothenberger, Die elsass-lothring. Heimat- u. Autonomiebewegung zw. d. beiden Weltkriegen, 1975; Histoire de Strasbourg des origines à nos jours, hrsg. v. G. Livet u. F. Rapp, IV, 1982, S. 466; Ch. Baechler, Le parti catholique Alsacien 1890–1939, Du Reichsland à la République Jacobine, 1982 (P); Encyclopédie de l'Alsace IX, 1984.

Heribert Smolinsky

Müller, *Eugen,* Chemiker, * 21. 6. 1905 Merken (Rheinland), † 26. 7. 1976 Tübingen. (ev.)

V Friedrich (1874–1953) aus Alsenborn b. Kaiserslautern, Papiergroßhändler in Berlin, S d. Handwerkers Friedrich; M Claire (1881–1931) aus Berlin, T d. Kaufm. Wilhelm Ferdinand Freiberg; ∞ Berlin 1930 Ilse (1903–79), Dr. phil., Chemikerin, Mitarbeiterin M.s, T d. Karl Richard Rodloff (1856–1923), Amtsgerichtssekr., u. d. Margarethe Wege (1873–1948); 1 S Peter (* 1941), Dr. rer. nat., Chemiker, 2 T, Heide M.-Dolezal (1937–94), Dr. med., Ärztin, Renate Stoltz (* 1939), Dr. rer. nat., Apothekerin.

Nach dem Abitur am Falk-Gymnasium in Berlin studierte M. 1923–27 Chemie in Berlin und Freiburg (Breisgau). Im Dezember 1927 wurde er in Berlin bei Wilhelm Schlenk mit der Arbeit „Über neue alkaliorganische Verbindungen" zum Dr. phil. promoviert und war danach Assistent im Privatlaboratorium Schlenks. 1929 ging er an die TH Danzig, wo er bei Alfred Wohl (1863–1939) und 1933–36 bei Adolf Butenandt arbeitete. 1933 habilitierte sich M. mit einer Arbeit zur Stereochemie der Azoxyverbindungen. 1937 ging er an die Univ. Jena, wo er zunächst planmäßiger Assistent war und 1939–41 den Lehrstuhl für organische Chemie innehatte. 1941 erfolgte die Berufung zum o. Professor und Direktor des Instituts für Organische Chemie an die Univ. Frankfurt/Main. Zugleich wurde M. Leiter des neu errichteten Forschungsinstituts für Kunststoffe. Beide Einrichtungen wurden 1944 durch Bomben zerstört. 1945–52 lebte M. in Eichtersheim bei Heidelberg, wo er vor allem chemisch-literarisch tätig war. 1950–76 war er Herausgeber der wiedergegründeten Chemiker-Zeitung. 1952 erfolgte die Berufung auf den Lehrstuhl für Chemische Technologie an der Univ. Tübingen. Von 1956 bis zu seiner Emeritierung 1973 war M. als Nachfolger von Georg Wittig (1897–1987) Ordinarius für Organische Chemie in Tübingen. M.s Hauptarbeitsgebiete waren die Chemie der Radikale und der Azoverbindungen. Zwischen 1934 und 1941 konnte er das Problem der Biradikale lösen. Er synthetisierte 1938 erstmals eine biradikalische Verbindung, das o,o'-Tetrachlor-p,p'-bis (diphenylmethyl)-diphenyl, und definierte Biradikale als Verbindungen, die den Triplettzustand als Grundzustand besitzen. 1952 gelang es ihm, erstmals ein mesomeres Sauerstoffradikal zu isolieren. 1962–65 publizierte er Abhandlungen über mesomere Radikale, die Schwefel, Phosphor oder Arsen als Heteroatom enthalten. Aus seinen Arbeiten zur Stereochemie der Azoxyverbindungen (mit Hilfe der Ultraviolett-Spektroskopie und von Dipolmoment-Messungen) zog M. 1932 den Schluß, daß diese Verbindungen ein drei- und ein fünfwertiges Stickstoffatom enthalten und daß an der -N=N-Doppelbindung cis-trans-Isomerie auftritt. Damit war erstmals der Nachweis einer geometrischen Isomerie an der -N=N-Doppelbindung erbracht worden. 1953 konnte M. aus 2,4,6-Tri-tert.-butylphenol-(1) das stabile Sauerstoffradikal 2,4,6-Tri-tert.-butylphenoxyl-(1) darstellen. 1955 gelang ihm die aufsehenerregende Synthese von Isodiazomethan, einer Verbindung, die nur bei tiefen Temperaturen (–50° C) stabil ist. Darüber hinaus befaßte sich M. erfolgreich mit radikalischen Reaktionen, wie der photochemischen Cyanierung und Oximierung. Er leistete Beiträge zur Darstellung von Komplexen der Diine mit Übergangsmetallen und diskutierte die Bindungsverhältnisse in Radikalen.

M. verstand es hervorragend, seine umfangreichen experimentellen Ergebnisse auf hohem Niveau theoretisch zu fundieren. Weithin bekannt ist M.s publizistisches Werk. Seit 1952 gab er, gemeinsam mit Otto Bayer, Hans Meerwein und Karl Ziegler, die 4., völlig neu gestaltete Auflage des Standardwerkes Houben-Weyl, „Methoden der organischen Chemie", heraus, von dem bis 1978 ca. 60 Einzelbände erschienen sind. – Adolf v. Baeyer-Denkmünze d. Ges. Dt. Chemiker (1971).

Weitere W u. a. Über neue alkaliorgan. Verbindungen, Diss. Berlin 1928; Stereo-isomerie v. Azoxyverbindungen, Habil.schr. 1933; Die Azoxyverbindungen, in: Slg. chem. u. chem.-techn. Vorträge NF, H. 33, 1936; Neuere Anschauungen d. organ. Chemie, 1940, ²1957; Magnet. Unterss., in: Methoden d. Fermentforschung, hrsg. v. Bamann u. Myrbäck, 1, 1941, S. 628–45; Über d. Radikalzustand ungesättigter Verbindungen, in: Fortschritte d. chem. Forschung 1, 1949, S. 325–416; ca. 230 Aufsätze in Fachzss.

L Chemiker-Ztg. 79, 1955, S. 408 *(P)*; ebd. 80, 1956, S. 618 *(P)*; ebd. 89, 1965, S. 415 *(P)*; ebd. 99, 1975, S. 294; ebd. 100, 1976, S. 397 *(P)*; Nachrr. aus Chemie u. Technik 13, 1965, S. 239; Wi. 1973 *(P)*; Kürschner, Gel.-Kal. 1976; Pogg. VII a. – Eigene Archivstud. (Univ.archiv Tübingen).

Horst Remane

Müller, *Ferdinand* Frhr. v. (württ. Frhr. 1871, engl. Sir 1879), Botaniker, Naturforscher, * 30. 6. 1825 Rostock, † 10. 10. 1896 Melbourne (Australien). (ev.)

V Friederich M. (1794–1835), Strandvogt, Zollkommissar in R.; *M* Louise († 1840), *T* d. Fährunternehmers Heinrich Mertens in Toennig (Schleswig); ledig.

Nach einer Apothekerlehre in Husum studierte M. Pharmazie und Botanik an der Univ. Kiel und promovierte 1847 zum Dr. phil. Als M. und eine seiner Schwestern an Tuberkulose erkrankten, wanderten sie, dem Rat des Australienforschers Ludwig Preiss folgend, Ende 1847 nach Australien aus, wo M. bei dem Apotheker Moritz Heuzenroeder in Adelaide arbeitete. 1848 erhielt die Familie 20 Acker Land und betrieb zunächst Landwirtschaft. Auf Reisen in das Landesinnere (Flinders-Gebirge, Mount Arden, Mount Brown, Torrens Sea) und zu den Murray Scrubs begann M.s intensive botanische Forschungs- und Sammlungstätigkeit; dabei festigte das trockene Klima seine Gesundheit. Aufgrund seiner Reiseberichte und ersten botanischen Veröffentlichungen (seit 1850) erhielt er 1853 die Stelle eines „Gouvernment Botanist" der Kolonie Victoria in Melbourne. In dieser Funktion unternahm er weitere Forschungsreisen in die „austral. Alpen", die Grampians und in das Murray-Tal bis zum Kosciusko-Berg in Neusüdwales, nahm 1856 an der Suchexpedition Gregorys nach dem verschollenen Ludwig Leichhardt teil (vgl. Petermanns Mitt. 1857, S. 199–203) und wurde nach einer großen Expedition durch das nördliche Australien (1856 / 57) 1857 zum Direktor des Botanischen Gartens in Melbourne ernannt, den er bis 1873 verwaltete. Dort legte er eines der vollständigsten Herbarien austral. Pflanzen an und stand mit allen großen botanischen Gärten Europas in Tauschverbindungen. Er widmete sich auch erfolgreich der „Akklimatisation" fremder Kulturpflanzen – ein damals aktuelles Forschungsthema – und beschrieb in seinem Katalog „Select Plants Readily Eligible for Industrial Culture or Naturalisation in Victoria" (1876) rund 3000 Nutzpflanzen (dt. v. E. Göze u. d. T. Auswahl außertrop. Pflanzen, 1883).

M.s Hauptleistung, die auch in Europa anerkannt wurde – M. wurde 1857 auf seinen Antrag durch Vermittlung des Botanikers J. Roeper von der Univ. Rostock in absentia zum Dr. med. promoviert – bestand in der floristischen Erschließung weiter Teile Australiens, insbesondere durch Exkursionen in Victoria (1860/61) und Forschungsreisen durch Westaustralien (1877). Seine Förderung anderer Forschungsreisender und Sammler führte zu zahlreichen Neubeschreibungen in seinen „Fragmenta phytographiae Australiae" (1858–82). Nicht zuletzt machte ihn die Mitarbeit an George Benthams „Flora Australiana", die er ursprünglich allein herausgeben wollte, international bekannt. In den Monographien austral. Pflanzenfamilien und dem Werk seiner letzten Jahre, „Systematic Census of Australian Plants" (1882–

89), bemühte sich M. um die Klärung der natürlichen Verwandtschaft, wobei er Beobachtungen über fossile Pflanzen einbezog (1883). Seine weltweiten Verbindungen zu Museen und Sammlungen, die er nicht nur mit seltenen austral. Pflanzen, sondern auch mit wertvollem zoologischem Material belieferte, trugen ihm zahlreiche Ehrungen ein. Nach M. wurden Gebiete in Queensland, Neuseeland, Brasilien, Neuguinea und Spitzbergen benannt, ferner zahlreiche Pflanzen, insbesondere Algen. Seit 1954 wird in Melbourne die Mueller Memorial Medal verliehen. – Mitgl. d. Leopoldina (1857), d. Royal Society of Victoria, d. Royal Society, London (1861, Goldmedaille 1888), d. Bayer. Ak. d. Wiss. (korr. 1866, ausw. 1885) sowie über 150 weiterer wiss. Gesellschaften.

Weitere W Definitions of Rare or Hitherto Undescribed Australian Plants, 1855; Reiseber. d. ersten Expedition, in: Petermanns Mitt. 1855, S. 353–69; Descriptive Notes on Papuan Plants, 1875–86; Observations on New Vegetable Fossils of the Auriferous Drifts, 1883. – *Nachlaß:* Henrietta Sinclair *(Gr-N).*

L ADB 52; O. Warburg, in: Berr. d. Dt. Botan. Ges. 15, 1897, S. 56; v. Voit, in: SB d. math.-physikal. Cl. d. Bayer. Ak. d. Wiss. 27, 1897, S. 436–40 *(W)*; C. B. Klunzinger, Die v. M.sche Slg. austral. Fische in Stuttgart, in: SB d. Ak. d. Wiss. Wien, 1879, S. 325–430; Leopoldina 38, 1897 *(W, P)*; L. Diels, Die Vegetation d. Erde VII, Die Pflanzenwelt in West-Australien südl. d. Wendekreises, 1906, S. 47 f.; R. Kobert, Pharmakobotanisches aus Rostocks Vergangenheit, 1911 *(P);* A. Lodewycks, Die Deutschen in Australien, 1932; Dictionary of Australian Biography II, 1949, S. 167–70; M. Willis, By their Fruits, The Life of F. v. M., 1949 *(P);* R. T. M. Prescott, Collections of a Century, National Mus. of Victoria, Melbourne, 1954 *(P);* E. Müller, Dt. Forschung in Australien, Baron F. v. M., in: Geogr. Berr. 35/2, 1965, S. 144–47; D. J. Carr u. S. G. M. Carr, People and Plants in Australia, 1981, S. 116–38; H. Landsberg, Die Bedeutung d. Forschungsreisen nach Australien f. d. Slgg. d. Zoolog. Mus. Berlin u. d. Zool. d. 19. Jh., Diss. Humboldt-Univ. Berlin 1987; Dt. Apotheker-Biogr., hrsg. v. W.-H. Hahn u. H.-D. Schwarz, II, 1987, S. 450–52. – Eigene Archivstud. (Univ.archiv Rostock).

Ilse Jahn

Müller, *Ferdinand,* Geograph, Forschungsreisender, * 11. 11. 1837 Riga, † 11. 10. 1900 St. Petersburg. (ev.)

V Ferdinand (1797–1877) aus Cottbus, Lehrer u. Schriftst. in R.; *M* Dorothea Wilhelmine (1816–84), *T* d. Ernst Dorsch († 1818), Kaufm. in R., u. d. Dorothea Christina v. Bergmann (1790–1872); *Ur-Gvm* Liborius v. Bergmann (1754–1823), Oberpastor in R., Historiker (s. Dt.balt. Biogr. Lex.); *Schw* Anna, Lehrerin in Odessa; – ∞ 1878 Ida (* 1857), *T* d. Adolf Schneidermann aus R.; 3 T.

M. besuchte das Stadtgymnasium Riga, studierte in Dorpat seit 1858 Astronomie und schloß das Studium 1861 mit dem Grad eines Kandidaten ab. Er wurde 1861 als jüngerer Astronom am Observatorium Pulkovo angestellt und war dann 1863–65 Assistent am Physikalischen Zentralobservatorium in St. Petersburg. Man übertrug ihm dort 1865 die Einrichtung meteorologischer Stationen in West- und Südrußland und 1868 das Nivellement des Gouvernements Estland, worüber er ein zweibändiges Werk veröffentlichte. 1871 wechselte er als Mathematiklehrer am Gymnasium und an der Technischen Lehranstalt in Irkutsk (Ostsibirien) in den Schuldienst über. Seit 1873 widmete er sich im Auftrag der Kaiserl. Russ. Geographischen Gesellschaft dem Nivellement von Irkutsk aus nordwärts bis zum Eismeer und verband diese Arbeit mit der Erforschung der Flußläufe der Unteren Tunguska (rechter Nebenfluß des Jenissej) und des Olenek, eines Flusses in Nord-Jakutien, der westlich der Lena ins Eismeer mündet. 1878 kehrte M. nach St. Petersburg zurück und wurde Oberlehrer am später verstaatlichten Vvedenskij-Privatgymnasium. 1882–85 betätigte er sich auch als stellvertretender Lehrer an der deutschen St. Petrischule und 1886–91 war er Oberlehrer an der deutschen St. Katharinenschule. Da die deutschen Gymnasien volle staatliche Rechte besaßen, war er Beamter und erreichte den Rang eines Staatsrats. Neben der Lehrtätigkeit widmete er sich der Bearbeitung seiner sibir. Forschungsergebnisse und einer ausgebreiteten wissenschaftlichen Korrespondenz, u. a. mit dem Physiker Heinrich Wilhelm Dove.

W Btrr. z. Orographie u. Hydrographie v. Esthland, 2 Bde., 1872; Unter Tungusen u. Jakuten, Erlebnisse u. Ergebnisse d. Olenek-Expedition d. Kaiserl. Russ. Geogr. Ges. in St. Petersburg, 1882; Das Barometer-Nivellement zw. Irkutsk u. d. Eismeer, in: Rep. Meteorologicum 17, 1894.

L Des Palm Bergmann Nachkommen 1672–1886, 1886, S. 82 ff.; Globus, Ill. Zs. f. Landes- u. Volkskde., 78, 1900, S. 327; Leopoldina, H. 36, 1900, S. 171; BJ V; Pogg. IV; Dt.balt. Biogr. Lex.

Erik Amburger

Müller, *Franz,* Tiermediziner, * 13. 6. 1817 Herscheditz b. Karlsbad (Böhmen), † 16. 10. 1905 Wien.

Aus ärml. Verhältnissen; Eltern unbek.

M. begann nach seiner Gymnasialzeit und philosophischen Studien an der Univ. Prag ein Medizinstudium. 1842 erfolgte seine Promotion zum Dr. med., 1843 wurde er Dr. chir. und arbeitete als Praktikant am Allgemeinen Krankenhaus in Prag. 1846 kam er als Pensionär an das Tierarznei-Institut in Wien, wo er 1847 zum Magister der Tierheilkunde, 1848 zum Correpetitor und 1849 zum Professor für Zootomie und Zoophysiologie avancierte. Diesen Lehrstuhl hatte er 40 Jahre lang inne. 1879–88 war er auch Studiendirektor dieser Anstalt. 1851 habilitierte sich M. an der Medizinischen Fakultät der Univ. Wien für vergleichende Anatomie der Haussäugetiere, 1852 wurde er ao. Professor. 1880–88 arbeitete er als Nachfolger M. F. Rölls auch über Tierseuchenlehre und Veterinärpolizei. Als bedeutender Zootom fand M. durch zahlreiche Reisen im tierärztlichen Sanitätsdienst sowie seine Veröffentlichungen, vor allem auf dem Gebiet der normalen und pathologischen Anatomie des Tieres, viel Anerkennung. Sein „Lehrbuch der Anatomie des Pferdes" (1853) und die „Lehre vom Exterieur des Pferdes und von der äusseren Pferdekenntniss" (1854) waren lange Zeit grundlegend für die Veterinärmedizin; beide Werke wurden (mit diversen Titeländerungen) mehrmals neu aufgelegt. M. begründete 1851 gemeinsam mit Röll die „Vierteljahresschrift für wissenschaftliche Veterinärkunde" und war Mitherausgeber der „Österr. Vierteljahresschrift für wissenschaftliche Veterinärkunde". – Reg.rat (1878), Hofrat (1888).

W De carcinomate, Diss. Prag 1843; Ber. üb. e. Bereisung d. vorzüglichsten ungar. Gestüte, Schäfereien u. landwirtsch. Anstalten, 1849 (mit L. Graf); Mitt. über e. Reise nach Grodno in d. Bialoweser-Wald u. üb. d. Auerochsen, in: Mitt. d. k. k. Geogr. Ges. 3, 1859; Lehrb. d. Physiol. d. Haussäugetiere f. Tierärzte u. Landwirthe, 1862; zahlr. Abhh. in Fachzss.

L G. W. Schrader, Biogr.-lit. Lex. d. Thierärzte aller Zeiten u. Länder, hrsg. v. E. Hering, 1863, S. 289 (P); Tierärztl. Zbl. 28, 1905, S. 485 f.; G. Günther, Die Tierärztl. Hochschule in Wien, 1930, S. 6, 25–27, 35 f., 55, 68, 77 f.; Wurzbach 19; BJ X, Tl.; ÖBL.

Judith Bauer

Mueller, *Franz* Hermann, Wirtschafts- und Sozialwissenschaftler, * 2. 5. 1900 Berlin, † 21. 10. 1994 St. Paul (Minnesota, USA). (kath.)

V Joseph (1857–1940) aus Mährisch Rothwasser, Mechaniker in B.; M Anna Kant (1863–1918, ev., seit 1890 kath.) aus Potsdam; ∞ 1930 Theresia Geuer (* 1900) aus Köln, Dr. rer. pol., Soz.arbeiterin, Lecturer f. Soziol. am College of St. Thomas (Minnesota, USA); 1 S, 3 T, u. a. Reinhold Christopher (* 1940), Prof. f. ma. Gesch. in USA.

M. bereitete sich während seiner Ausbildung als Handlungsgehilfe als Externer auf das Abitur (1919) vor. Das Studium an der Handelshochschule in Berlin schloß er 1922 als Diplom-Kaufmann bei Werner Sombart mit einer Arbeit über die wirtschafts- und sozialwissenschaftlichen Anschauungen in den Schriften von Thomas von Aquin ab. In Berlin lernte er den Kölner Jesuitenpater Heinrich Pesch kennen, den ersten Systematiker der kath. Sozialehre, der seine spätere akademische Arbeit maßgeblich beeinflußte. In Köln promovierte er 1925 bei Leopold v. Wiese („Zur Theorie der Funktionen des modernen Unternehmers"). Während seiner Kölner Studienjahre wohnte er im Hause des Professors für Sozialpolitik Benedikt Schmittmann, dessen Leben im Konzentrationslager endete. In dieser Zeit wurde M. im „Grosche-Wust-Kreis" mit führenden Persönlichkeiten der kath. Sozial- und der christlichen Gewerkschaftsbewegung, u. a. mit Nikolaus Ehlen und Paul Jostock, bekannt. Er gehörte dem Windthorstbund und dem Friedensbund Deutscher Katholiken an und betätigte sich in der Erwachsenenbildung der Christlichen Gewerkschaften. In Berlin wurde M. Assistent von Götz Briefs am Institut für Betriebssoziologie an der TH in Charlottenburg, 1928 dann Assistent von Theodor Brauer an der TH Karlsruhe. Mit Brauer kehrte er nach Köln zurück, wo dieser als Nachfolger von Max Scheler Direktor des Forschungsinstituts für Sozialwissenschaften wurde. Zu dieser Zeit gehörte M. als jüngstes Mitglied dem „Königswinterer Kreis" an, der unter entscheidender Mitwirkung der Jesuiten Oswald v. Nell-Breuning und Gustav Gundlach die Grundlagen der Enzyklika „Quadragesimo anno" (1931) erarbeitete.

Nach der Machtübernahme der Nationalsozialisten verlor M. 1934 seine Assistentenstelle und zog seine Habilitationsschrift („Soziale Theorie des Betriebes") zurück. 1936 folgt er einem Ruf an die St. Louis University (Missouri, USA). Hier begann seine unermüdliche Arbeit zur Verbreitung des Gedankengutes von Heinrich Pesch in den USA. 1940 holte ihn der inzwischen ebenfalls ausgewanderte Theodor Brauer an das College of St. Thomas in St. Paul (Minnesota), wo M. bis zu seiner Emeritierung 1968 lehrte. Nach Brauers Tod (1942) übernahm er die Leitung der wirtschaftswissenschaftlichen Abteilung. Gastprofessuren führten ihn nach Köln (1950) und Wien (1957/58). M. war für je ein Jahr Präsident der American Catholic Sociological Society und Vorstandsmitglied der Catholic Economic Association.

M. leistete mit seinem Lebenswerk wichtige Beiträge zur wissenschaftlichen Weiterentwicklung der kath. Sozialehre, ihrer Verbreitung besonders in den USA, sowie zur interdisziplinären Forschung zwischen Wirtschaftswissenschaften und Sozialethik. In seinem Buch „Heinrich Pesch, Sein Leben und seine Lehre" (engl. 1941, dt. 1980) stellt er dessen Sozialphilosophie (Christlicher Solidarismus) als Fundament seiner Lehre von der Wirtschaft dar, wobei er deutlich das eigene Formalobjekt der Ökonomie herausstellt. Der Einfluß dieses Buches auf die Sozialenzyklika „Laborem exercens" ist unverkennbar. – Dr. phil. h. c. (College of St. Thomas, 1981); Heinrich-Pesch-Preis d. Unitas-Verbandes (1988).

Weitere W Franz Hitze u. sein Werk, 1928; Soz. Theorie d. Betriebes, 1952; Kirche u. Industrialisierung, 1971; The Church and the Social Question, 1984.

L M. Lohmann, Ein Original mit Farbe, in: Rhein. Merkur v. 27. 4. 1990 *(P);* H. Hagemann u. C.-D. Krohn, Die Emigration dt.sprachiger Wirtsch.wissenschaftler nach 1933, 1992; BHdE II.

Johannes Stemmler

Müller v. *Reichenstein, Franz Josef* (österr. Adel 1788, Frhr. 1820), Montanwissenschaftler, ~ 4. 10. 1742 Poysdorf (Niederösterreich), † 12. 10. 1825 Wien. (kath.)

V Sebastian Müllner (1708–68), Grundrichter auf d. Besitzungen d. Gf. v. Trautson in P., *S* d. Michael Müllner, Grundrichter in P., u. d. Theresia N. N.; *M* Clara (um 1716–59), *T* d. Sebastian Lettner, Grundrichter in P.; ∞ 1765 Margaretha (1744–86), *T* d. Bartholomäus Hehengarten, Hofkammerrat, Vizekammergf. in Schemnitz (Slowakei, damals Ungarn); 2 *S*, u. a. Karl (* 1780), ungar. Truchseß, Bergrat, montanist. Buchhalter in Siebenbürgen, 1 *T* Anna (* 1773, ∞ Matthias v. Kimerle, siebenbürg. Thesaurariatsrat, Administrator d. Herrschaft Zalethna); *E* Franz Leonhard (* 1819), letzter siebenbürg. Vizekanzler.

M. bezog 1756 die Univ. Wien, wo er Jura und Philosophie studierte. Nach beendeten Studien trat er in den Dienst der Hofkammer im Bereich des Berg- und Münzwesens und begann seine Laufbahn 1763 in Schemnitz als Praktikant an der neugegründeten Bergakademie, wo er vielseitige montanistisch-technische Kenntnisse erwarb. 1768 wurde er zum kgl. Markscheider in Schemnitz ernannt, 1770 als Oberbergmeister nach Orawitz (Banat), 1775 von dort nach Schwaz (Tirol) als Vizefaktor und erster Direktionsrat versetzt. 1778 ernannte ihn Maria Theresia zum Rat am k. k. Siebenbürg. Münz- und Bergwesensthesaurariat in Zlatna, welches Amt später nach Hermannstadt überführt wurde. 1788 wurde M. zum Wirkl. Gubernialrat ernannt, 1803 zum Wirkl. Hofrat in der Wiener Hofkammer für das Berg- und Münzwesen. Dort war M. bis zu seinem 78. Lebensjahr (1820) tätig. Er war Mitglied der Freimaurerbewegung.

M., der sich umfassende Kenntnisse im Berg- und Hüttenwesen erworben hatte, kannte fast alle Betriebe seines Amtsgebiets; oft wurde er zu Inspektionen in andere Teile der Monarchie entsandt. Während seiner Tiroler Tätigkeit entdeckte er im Zillertal das Mineral Turmalin, worüber er in einem sehr schön und kunstvoll illustrierten Büchlein (Nachricht von dem in Tyrol entdeckten Turmalinen oder Aschenziehern, 1778) berichtete. Seine wichtigste Entdeckung ist diejenige des chemischen Elements Tellur. Es gab in Siebenbürgen ein Golderz, das nicht die erwartete Goldausbeute lieferte, man vermutete darin noch ein weiteres Metall. Anton Ruprecht, Professor der Chemie in Schemnitz, hielt es für Antimon, M. zunächst für Wismut, korrigierte sich jedoch bald und veröffentlichte 1782 seine Ansicht, es handele sich um ein neues, bis dahin unbekanntes Metall. Er gab diesem jedoch keinen Namen, sondern erwartete vorher die Bestätigung seines Befundes durch Torbern Bergman in Schweden. Der starb jedoch bald, ohne die Materialprobe geprüft zu haben. Es war Martin Heinrich Klaproth, der 1798 die Entdeckung M.s bestätigte und dem neuen Element den Namen „Tellur" verlieh. Die Diskussion zwischen Ruprecht und M. ist in mehreren Veröffentlichungen im ersten Jahrgang der „Physikalischen Arbeiten der einträchtigen Freunde in Wien" nachzulesen. M. entdeckte auch eine neue Varietät des Opals, den Hyalit, der anfänglich als „Müllerisches Glas" bezeichnet wurde. – St. Stefan-Orden (1820).

L ADB 22; I. Tringli u. F. Szabadváry, Neuere Angaben zu F. J. M.s, Entdeckers d. Tellurs, Tätigkeit, in: Periodica Polytechnica Chemical Engineering 31, 1987, S. 119–27, erneut in: Technikatörténeti Szemle 16, 1988, S. 145–51; dies., F. J. M. u. die Entdeckung d. Tellurs, in: Österreich in Gesch. u. Lit. 33, 1989, S. 307–11; F. Szabadváry, F. M. u. d. Tellur, in: Österr. Chemiker-Ztg. 1989, H. 3, S. 84 f. *(P);* 11 Vorträge d. Gedächtnissitzung „F. J. M. in Poysdorf", Okt. 1982, in: Res montanarum (Leoben) 5, 1992 (Sonderbd.); Serlo, Männer d. Bergbaus, 1937; Wurzbach 19; Pogg. II; ÖBL; DSB *(Geburtsdatum u. -ort falsch).*

P F. Szabadváry, A kémia története Magyarországon, S. 156 *(nicht authentisch).*

Ferenc Szabadváry

Müller, *Franz Josef,* Erfinder, Industrieller, * 3. 12. 1853 Schönau (seit 1914 Großschönau) Bez. Schluckenau (Nordböhmen), † 11. 6. 1917 ebenda. (kath.)

V Johann Emanuel (1821–82), Fabrikschlosser in Schönau, *S* d. Franz Anton (* 1786), Reisender; *M* Maria Anna (* 1827), *T* d. Franz Anton Kittel (* 1787), Schneidermeister in Hainspach b. Schluckenau; ∞ Schönau 1882 Maria Magdalena (1861–1906), *T* d. Franz Strobach (1837–1919), Graveur, begründete 1872 e. Steindruckerei, Papier- u. Kartonagenfabr. in Schönau; 1 *T* Maria (1882–1943, ∞ Laurenz Josef Müller, 1878–1904, Knopf- u. Metallwarenfabr. in Schönau); *E* Laurenz Franz Müller (* 1905), Dipl.-Ing., Geschäftsführer d. Fa. Hille & Müller in Düsseldorf.

Nach dem Besuch der Volksschule und einer Schlosserlehre ging M. auf Wanderschaft. In den Werkstätten der Univ. Zürich erhielt er Anregungen zu technisch-wissenschaftlichen Untersuchungen. Als Werkmeister in Knopffabriken der Firmen Ernst in Löbau (Sachsen) und Dominik Liebisch in Schönau entwickelte er eigene Verfahren zur Oberflächenveredelung der zur Herstellung von Knöpfen verwendeten Bleche. Im Gewölbe eines Bauernhofes in Schönau begann M. mit Versuchen und erhielt Ende 1883 als erster in Österreich die Gewerbeerlaubnis zum „Betrieb der Galvanisierung von Zinkblech". Zusammen mit dem Kaufmann Julius Josef Hille (1860–1946) gründete er 1885 im Ortsteil Leopoldsruh die Nickelblechfabrik Hille & Müller. Fabrikgebäude wurden in Niederschönau errichtet, ein mit Wasserkraft betriebenes Zweigwerk 1895 in Porschdorf Kr. Pirna (Sachsen) im Gebäude der dort vorher bestehenden Steindruckerei seines Schwiegervaters.

M., eine ausgesprochene Erfindernatur, erhielt zahlreiche österr. und deutsche Patente (auch Gebrauchsmuster) auf seine Verfahren, Maschinen und Vorrichtungen. Er gilt als der Begründer der Nickelblechindustrie in Österreich-Ungarn. Schon vor der Jahrhundertwende faßte er den Gedanken einer Fließfertigung zur Herstellung endloser veredelter Metallbänder. Er lötete zwei Meter lange Zinkbleche zu Bändern zusammen, die auf gewünschte Breiten zugeschnitten wurden, und schuf damit die erste kontinuierliche Blechveredelung der Welt. Den entscheidenden Schritt zum Großunternehmen tat er 1905 durch die Gründung eines Werkes in Düsseldorf-Reisholz, wo er 1910 die Fließfertigung von veredeltem Bandstahl aufnahm. Die hochglanzpolierten Bänder mit Bandstärken von 0,1 – 2,0 mm und Bandbreiten bis zu 630 mm wurden galvanisch vernickelt, vermessingt, verchromt, verkupfert, verzinkt und lackiert. Die Firma Hille & Müller erreichte mit ihrem galvanisch veredelten Bandstahl nach DIN 1544 und 1624 eine auf dem Weltmarkt führende Stellung. Mit 2000 Beschäftigten wurden jährlich bis zu 250 000 t Stahl verarbeitet.

Ein Enkel M.s, Laurenz Franz Müller, führte seit 1932 beim Ausbau des Betriebes in Reisholz Fertigungsverfahren ein, die noch heute weltweit angewendet werden. Seit 1945 leitete er als geschäftsführender Gesellschafter den Wiederaufbau des Unternehmens. Von den älteren Betrieben wurde das Stammwerk in Groß-Schönau mit der 1941 angeschlossenen Knopf- und Metallwarenfabrik 1945 durch die tschech. Behörden enteignet, desgleichen durch die DDR 1972 das Werk Porschdorf, das in das Hüttenkombinat Frankfurt/Oder eingegliedert wurde. Andererseits erfolgten im Westen zahlreiche Übernahmen anderer Werke. Angeschlossen wurden 1974 bzw. 1975 die amerikan. Firmen Rafferty-Brown in East Longmeadow (Massachusetts) und Waterbury (Connecticut) sowie Thomas Steel-Strip Corporation in Warren (Ohio). 1976 kam ein Zweigwerk in Hilchenbach (Westfalen) hinzu, 1981 die Trierer Walzwerk GmbH in Trier und 1989 die Firma Thumann Stahl-Service in Schwelm (Westfalen). – Ehrenbürger v. Schönau.

L J. Fiedler, Heimatkde. d. pol. Bez. Schluckenau, 1898, S. 166, 245; Rumburger Ztg. v. 25. 11. 1913, 14. u. 19. 6. 1917; Dt. Ztg. Bohemia (Prag) v. 14. 6. 1917; F. Hantschel, Biogrr. dt. Industrieller aus Böhmen, 1920, S. 50; H. Tüffers, Hille & Müller, 100 J. im Dienste d. Stahlveredelung, in: Wirtsch.berr. 30, Nr. 19 v. 15. 10. 1955, S. 7 f.; J. Ruprecht, in: Schaffende Heimat, 1960, H. 5, S. 32; H. Blech, Fast 70 J. in Reisholz, in: Rhein. Post Nr. 167, Beil. v. 21. 7. 1973; D. Haas, Zur Feier standen Fließbänder still, ebd. Nr. 213 v. 13. 9. 1980; W. Pfeifer u. E. Marschner, Der Heimatkreis Schluckenau im nordböhm. Niederland, 1977, S. 183; ÖBL; BLBL.

P Sudetendt. Bildarchiv, München.

Erhard Marschner †

Müller, *Friedrich* (gen. *Maler Müller*), Dichter, Maler, Kunstkritiker, * 13. 1. 1749 (Bad) Kreuznach, † 23. 4. 1825 Rom. (luth., seit 1780 kath.)

V Johannes Friedrich (1727–60), Bäcker u. Wirt; *M* Katharina Margaretha Roos (1730–96); ledig.

Der Tod des Vaters beendete M.s Schulzeit am Kreuznacher Gymnasium. Drei Jahre lang half er der Mutter als Hütebub in der Land- und Gastwirtschaft, ehe er 15jährig als Pensionär Hzg. Christians IV. nach Zweibrücken kam. Seine Ausbildung zum Maler, begonnen beim Hofmaler Daniel Hien, setzte er 1770 mit Studien bei Peter Anton Verschaffelt in Mannheim fort, wohin er 1775 übersiedelte. Im kulturell reichen Leben der südwestdeutschen Metropole entwickelte sich M.s zweite, seine literarische Begabung: Vermittelt durch den Zweibrücker Freund Johann Friedrich Hahn und etwas überarbeitet von Klopstock, erschien M.s „Lied eines bluttrunknen Wodanadlers" im „Göttinger Musenalmanach" 1774, dem für die junge Geniebewegung des Sturm und Drang zentralen Jahrgang. Damit war M. über Nacht als Dichter bekannt. Durch den selbstgewählten Namenszusatz „Mahler" beugte er Verwechslungen vor und wies zugleich die anderen Stürmer und Dränger, allesamt bürgerliche Studenten, auf sein professionelles Künstlertum hin. Die Zeitschrift „Die Schreibtafel" des Mannheimer Verlegers Christian Friedrich Schwan brachte 1774–78 in jedem Heft neue Texte M.s; die im Schwan-Verlag veröffentlichten Idyllen und Dramen schmückte M. eigenhändig mit Vignetten. Musikverständnis beweist „Niobe, ein lyrisches Drama" (1778), dem er die Form eines Opernlibrettos gab.

M.s frühe Arbeiten, vor allem seine Radierungen mit Tiermotiven, überzeugen bis heute durch ihren empfindsamen Realismus und ihre innovative Strichführung. Seine wichtigsten dichterischen Leistungen der Mannheimer Jahre sind die Neubelebung der literarischen Idylle und die Entdeckung des Faust-Stoffs für die hohe Literatur. In M.s „pfälzischen" Idyllen treten rhein. Bauern auf (Die Schaaf-Schur, 1775), die auch noch den Faunen und Satyrn seiner antiken Idyllen (Der Satyr Mopsus; Bacchidon und Milon, beide 1775) Diktion und Gefühle leihen; für die biblische Idylle „Adams erstes Erwachen und erste seelige Nächte" (1778) dagegen fand M. eine neue pathetisch-expressive Sprache, die durch ihre experimentellen Verknappungen bis weit in die Moderne weist. Mit zwei fragmentarischen Faust-Stücken (Situation aus Fausts Leben, 1776; Fausts Leben, Erster Theil, 1778) bearbeitete er als erster aus dem Kreis der jungen Genies mit Mitteln der Sturm-und-Drang-Ästhetik die zeittypische Selbsthelfer-Gestalt des Teufelsbündlers.

Mit finanzieller Unterstützung durch Kf. Carl Theodor sowie durch Karl Theodor v. Dalberg und den Weimarer Kreis um Goethe ging M. 1778 nach Rom. Aus der geplanten dreijährigen Studienreise mit dem Ziel einer Ausbildung zum Historienmaler wurde ein lebenslanger Aufenthalt. 1779 trat Carl Theodor das Wittelsbacher Erbe in München an, so daß Mannheim seinen Charakter als Residenzstadt verlor. M.s Pensionszahlungen erfolgten nur noch unregelmäßig. Während einer Krankheit 1780 konvertierte er zum Katholizismus. M.s Vita zeigt exemplarisch das Scheitern eines Künstlers an den Zeitumständen sowie an seiner eigenen schwierigen charakterlichen Disposition. Zeichnungen, die M. nach Weimar schickte, stießen auf Goethes autoritäre Kritik. Abgeschnitten vom literarischen Markt in Deutschland, veröffentlichte M. trotz ständiger Produktion jahrelang nur wenig. Er betätigte sich seit 1787 zunehmend als Cicerone und Antiquar. Beim Einmarsch der franz. Truppen in Rom 1798 wurde er für ein Jahr nach Tivoli verbannt. Obwohl seit 1804 seine Pension vom Münchener Hof wieder regelmäßiger eintraf – er war seit 1806 Kgl. Bayer. Hofmaler —, stürzte ihn eine geplatzte Bürgschaft für Ludwig Tiecks Schwager Baron Knorring in eine finanzielle Krise, die bis in seine letzten Lebensjahre andauern sollte. 1805 führte M. den bayer. Kurprinzen Ludwig durch Rom. Für einige Jahre arbeitete er als Kunstagent für Ludwig und den bayer. Hof, doch nach Intrigen der anderen Kunstberater an der bayer. Gesandtschaft in Rom (Johann Georg Dillis, Martin v. Wagner) lieferte 1810 eine irrtümlich doppelt ausgestellte Rechnung den Vorwand, M. fallenzulassen. Die dreibändige Werkausgabe, die auf Initiative Ludwig Tiecks 1811 erschien (Neudr. 1982), erfüllte M.s Hoffnung auf einen literarischen Durchbruch nicht. Auch seine Bilder fanden keine Käufer. Trotz Mißerfolgs auf seinem Genie beharrend, arbeitete er als Maler und Dichter unermüdlich weiter. Die musikalische Dramentrilogie „Adonis – Die klagende Venus – Venus Urania" erschien im Todesjahr in Wien (die Ausgabe Karlsruhe 1825 ist eine nicht autorisierte Bearbeitung). Die metrische Umarbeitung seiner Faust-Dichtung, die er nach zwölfjähriger Arbeit 1814 vollendete, konnte er nicht mehr veröffentlichen (Der dramatisirte Faust, Nachlaßed. hrsg. v. U. Leuschner, 1995). Ebenfalls kein Verlegerinteresse fanden „Das röm. Kunstantiquariat" und „Die Winde", satirische Dramen auf den Kunstbetrieb in Rom. Als röm. Korrespondent und streitbarer Kunstkritiker dagegen war M. auf dem deutschen Zeitschriftenmarkt gefragt. Seine breitgefächerte Korrespondenz (Briefwechsel, hrsg. v. R. Paulus u. a., 1995) eröffnet ein originelles Bild des kulturellen und politischen Lebens der Goethezeit.

Weitere W u. a. Balladen, 1776; Schreiben v. F. M. üb. e. Reise aus Liefland nach Neapel u. Rom v. A. v. Kotzebue, 1807; Kritik d. Schr. d. Rr. v. Bossi üb. d. Abendmahl d. Leonardo da Vinci, 1817; Der hohe Anspruch od. Chares u. Fatime, 1825 (autorisierte Ausg., Karlsruhe; Ausg. Wien 1825 fremdbearb.); Mitt. aus M.s Nachlaß, in: B. Seuffert (s. *L*), Anhang; Idyllen, Vollst. Ausg. in drei Bänden unter Benutzung d. hs. Nachlasses, hrsg. u. eingel. v. O. Heuer, 1912; Iphigenia in Tauris, First Edition of the Text with a Critical Commentary, hrsg. v. R. Folter, 1969; Poesie u. Mahlerey, Gedichte vom Mahler M., hrsg. v. R. Paulus, 1988; Kleine Gedichte zugeeignet d. Herrn Canonicus Gleim, Nach d. Hs. im Freien Dt. Hochstift, Frankfurter Goethemus., hrsg. v. R. Paulus u. Ch. Weiß, 1990.

L ADB 22; Friedrich Meyer, Maler M.-Bibliogr., 1912 (Neudr. 1974); R. Paulus, Kleine Maler-M.-Bibliogr., in: Maler-M.-Alm. 1980, Nachträge dazu ebd. 1983 u. 1988. – B. Seuffert, Maler M., 1877; I. Sattel Bernardini u. W. Schlegel, F. M. 1749–1825, Der Maler, 1986 (Œuvrekat. u. Biogr., *P*); Maler-M.-Alm. 1980, 1983, 1987, 1988; G. Sauder u. a. (Hrsg.), Maler M. in neuer Sicht, 1990; S. Thös-Kössel, Ansichten d. Malers F. M. (1749–1825), 1993; Goedeke IV, 1, S. 890–907, 1160 f., X, S. 582; ThB; Kosch, Lit.-Lex.³; Killy; DLB 94.

P Kreidezeichnung „Abendges. b. Uexküll" v. J. A. Koch, 1811, Abb. in: Künstlerleben in Rom, B. Thorvaldsen (1770–1844), d. dän. Bildhauer u. seine dt. Freunde, Ausst.kat. German. Nat.mus. Nürnberg 1991; Zeichnung v. R. F. Suhrlandt (Nat.gal., Berlin), Abb. in: H. Geiler, Die Bildnisse d. dt. Künstler in Rom, 1952, Abb. 295; Bleistiftzeichnung v. L. E. Grimm, 1816 (Goethe-Mus., Düsseldorf), Abb. in: J. Göres, Dt. Schriftst. im Porträt, III, 1980; dass. in: I. Sattel Bernardini u. W. Schlegel (s. *L*), ebd. auch zahlr. weitere *P* u. Selbstbildnisse.

Ulrike Leuschner

Müller, *Friedrich* v. (Adel 1807), Kanzler in Sachsen-Weimar, * 13. 4. 1779 Kunreuth b. Forchheim, † 21. 10. 1849 Weimar. (ev.)

V Johann Friedrich M. (1753–1807), Kastner im Dienst d. Frhr. v. Egloffstein in K., preuß. Hofrat, *S* d. Adjunctus Johann Leonhard in K. u. d. Catharina Barbara Götscher; *M* Christiana (1748–1807), *T* d. August Göckel (1710–74), Justizrat u. Univ.-Prof. in Erlangen, u. d. Eberhardina Henriette Christi(a)na Frizlin (1725–62) aus Stuttgart; *B* August M. (1780–1850), sachsen-weimar. Major, Carl M. (1784–1843), Jurist in Sachsen-Weimar; – ∞ 1804 Wilhelmine (1782–1857), *T* d. Gutspächters N. N. Lüttich in Klosternauendorf b. Allstedt; 1 *S* Adelbert (1805–50), sachsen-weimar. Geh. Kammerrat.

Sowohl der Großvater als auch der wohlhabende, später verarmte Vater waren Verwalter des Familienfideikommiß der Freiherren v. Egloffstein zu Kunreuth, und so ergaben sich für M. schon früh Beziehungen zu Mitgliedern dieser fränk. Familie, denen er zeitlebens verbunden blieb. 1792 wurde M. in die Matrikel des Gymnasiums Bayreuth eingetragen, wo er – im wesentlichen durch Privatunterricht bei Johann Erhard Engelhardt – auf ein Studium vorbereitet wurde. Im Mai 1796 schrieb er sich als Jurastudent an der Erlanger Universität ein, die er aber im März 1799 wegen seiner führenden Mitgliedschaft im Orden der „Schwarzen Brüder" (Harmonisten) mit einer Relegation verlassen mußte. In Göttingen fand M. dann in J. St. Pütter, G. Hugo, J. Ch. Leist, G. Sartorius, auch J. F. Blumenbach anregende Lehrer und gesellschaftlichen Umgang in mehreren Professorenhäusern. Eine belobigte Arbeit in Pütters Praktikum über einen Apoldaer Rechtsfall und Empfehlungen seiner Lehrer sowie einiger, nun in Weimar ansässiger Mitglieder der Familie v. Egloffstein machten Hzg. Carl August auf den jungen Juristen aufmerksam. Er übertrug M. die Führung eines lange schwebenden Vormundschaftsprozesses, den dieser in kurzer Zeit beenden konnte. Dies führte 1801 zu M.s Anstellung als Assessor bei der Regierung in Weimar. Seit 1803 Regierungsrat, erschien er nach der Schlacht bei Jena als der geeignete Mann, für Sachsen-Weimar Verhandlungen im franz. Hauptquartier zu führen. Nachdem M. in einer Audienz bei Napoleon eine Fristverlängerung für Carl Augusts Ausscheiden aus dem preuß. Militärdienst erreicht hatte, stattete ihn der Herzog am 3. 12. 1806 in Berlin mit den nötigen Vollmachten für Friedensverhandlungen aus. Im Vertrag von Posen (15. 12. 1806) erreichte M. für Sachsen-Weimar-Eisenach den Erhalt der Souveränität, erkauft durch Eintritt in den Rheinbund. Eine Herabsetzung der enormen Kontributionsforderungen konnte er, auch bei Verhandlungen in Napoleons Hauptquartier zu Warschau (22. 1.–4. 3. 1807), nicht erreichen. Obwohl in Weimar M.s übereifriger Verhandlungsstil, seine zuweilen taktlos drängenden Briefe an den Herzog und seine gelegentliche Einmischung in Angelegenheiten der Nachbarstaaten auf Kritik stießen, verkannte man doch nicht seine Fähigkeit, gute Beziehungen zu Napoleons Umgebung (Talleyrand, J. B. de Labesnardière, den Generälen Grafen J. Rapp u. H. J. G. Clarke) zu knüpfen und zu pflegen. So sandte man ihn im August 1807 als Bevollmächtigten nach Paris, rügte aber alsbald erneut seine Geschäftigkeit und überzogene Rheinbundtreue (u. a. Vorschlag, den Code Napoléon in Sachsen-Weimar einzuführen) und schickte ihm W. v. Wolzogen, seinen schärfsten Kritiker (er bescheinigte M. „physische und moralische Beweglichkeit"), gleich hinterher. M. verließ die franz. Hauptstadt noch im Dezember, womit seine diplomatische Laufbahn – wenn man von seiner Beteiligung am Erfurter Fürstenkongreß 1808 absieht – beendet war. Mit seinen lesenswerten „Erinnerungen aus den Kriegszeiten 1806–1813" (Niederschrift 1845/47) vermittelt er ein lebendiges, im wesentlichen treues Bild jener Zeit.

M.s Tätigkeit im Dienste der Landesjustiz hatte als Schwerpunkte die Trennung von Verwaltung und Rechtspflege, Errichtung eines Oberappellationsgerichts in Jena, Städteordnung, Stempel- und Gebührenordnung, Kriminalordnung. Seine Ernennungen zum Kanzler (15. 12. 1815), Geheimrat (1829), Wirklichen Geheimrat mit dem Prädikat Exzellenz (1843) sind Zeugnis für die Zufriedenheit der Fürsten mit den Leistungen eines Mannes, der Weimar auch als Abgeordneter des Landtags seit 1835 (mehrfach zum Vorstand gewählt) diente. Den Umwälzungen des Jahres 1848 fühlte sich der Kanzler nicht mehr gewachsen und erhielt am 14. 7. 1848 den erbetenen Abschied.

Für die Nachwelt liegt M.s Bedeutung vor allem darin, daß es ihm gelang, in jahrelangem Verkehr Goethes Vertrauen, ja Freundschaft zu gewinnen. Eine erste Annäherung kam 1808 zustande, als Goethe sich M.s Erfahrungen im Umgang mit franz. Behörden zunutze machte und ihn zur Mitarbeit bei der Theaterzensur heranzog. Es taucht nun häufiger M.s Name in Goethes Tagebuch auf, und am 23. 10. 1812 schreibt M. zum erstenmal eine „Unterhaltung mit Goethe" nieder, der im Laufe der Jahre zahlreiche Gesprächsberichte in seinem Tagebuch mit Ausarbeitungen auf gesonderten Blättern folgen. M. scheint nach Goethes Tod, angeregt auch durch Eckermanns „Gespräche mit Goethe", beabsichtigt zu haben, diese von ihm mehrfach überarbeiteten „Unterhaltungen" herauszugeben, doch hat ihn die ablehnende Kritik der Ghzgn. Maria Pawlowna schließlich davon abgehalten. So traten diese bedeutenden Goethezeugnisse, die dem weisen Olympier der Eckermann-Gespräche die „Proteus-Natur" des vertrauteren Umgangs entgegensetzten, erst 1870 an die Öffentlichkeit. Selbst publizierte hat M. 1832 nur zwei Gedächtnisreden auf Goethe, die schon den Reichtum seiner Goethe-Aufzeichnungen erkennen lassen.

M. beriet Goethe nach dem Tod des Sohnes bei der Erstellung seines Testaments, das unter dem Datum des 6. 1. 1831 den Kanzler als Testamentsvollstrecker einsetzt. In dieser Funktion hatte M. jahrelang mühevolle Arbeit und schwierige Verhandlungen mit der Goetheschen Familie und den Verlegern J. F. und J. G. Cotta zu bewältigen. Ernsthafte Verstimmungen zwischen ihm und den Enkeln Walther und Wolfgang v. Goethe hatten zur Folge, daß M.s Edition des Goethe-Reinhard-Briefwechsels scheiterte, und beeinflußten wohl auch die ablehnende Haltung der Familie bei dem von M. befürworteten Ankauf des Goethehauses mit den Sammlungen als Nationaldenkmal durch den Deutschen Bund.

Hatte Ch. G. Voigt 1806 seinen Kollegen M. als „lebhaften, mutigen und unterrichteten Mann" geschildert, „unermüdet, treibend, immer von neuem anklopfend, exaltiert, nicht empfindlich, geschmeidig, frischen Entschlusses, edler Dreistigkeit, guter Gesundheit, von angenehmem Äußeren, jugendlich klug und wortreich", so klang 1813 das Urteil des franz. Gesandten in Weimar de Saint-Aignan weniger schmeichelhaft: „Das ist ein Mensch, der sich in alles mischen will, an keiner Meinung festhält und, indem er die am Ort lebenden Personen mit Besuchen und Gefälligkeiten verfolgt, endlich doch die Überzeugung hat aufkommen lassen, daß er viel Einfluß besitze." Sicher ist, daß M.s „Viel- und Schnelltätigkeit", die Goethe einst rühmte, vielen Fremden und Freunden zugute kam, die das goethesche und nachgoethesche Weimar besuchten und dort der Hilfe und Gastfreundlichkeit des Kanzlers sicher sein konnten. Zu nennen sind u. a. K. F. Gf. Reinhard, H. Ch. v. Gagern, Kg. Ludwig I. von Bayern, J. F. Rochlitz, C. L. Immermann, F. Rückert, H. Ch. Andersen. Gute Beziehungen, besonders auch zu auswärtigen Logenbrüdern (M. war rühriges Mitglied der Loge Amalia seit 1809) nutzte der Kanzler bei seinen erfolgreichen Aufrufen zu Spenden für das Weimarer Herder-Denkmal, dessen Vollendung er allerdings nicht mehr erlebte.

W Goethe in seiner pract. Wirksamkeit, Eine Vorlesung in d. Academie gemeinnütziger Wiss. zu Erfurt am 12. September 1832, 1832; Goethe in seiner eth. Eigenthümlichkeit, Zweiter Btr. zu seiner Charakteristik, 1832; Goethes Persönlichkeit, Drei Reden d. Kanzlers F. v. M. – gehalten in d. J. 1830 u. 1832, hrsg. u eingel. v. W. Bode, 1901; Rez. v. W. v. Humboldt's ges. Werken, in: Neue Jenaische Allg. Lit.ztg. 2, Nr. 1 u. 2, 1843, S. 1–8; Erinnerungen aus d. Kriegszeiten v. 1806–1813, hrsg. v. A. Schöll, 1851 (Neuausg. 1911); „Vorrede" z. Briefwechsel Goethe u. Reinhard, zuerst gedr. in d. Ausgabe d. Briefwechsels, 1957; Goethes Unterhaltungen mit d. Kanzler F. v. M., hrsg. v. C. A. H. Burkhardt,

1870, ³1904; Unterhaltungen mit Goethe, Krit. Ausg. besorgt v. E. Grumach, 1956 *(P)*; Unterhaltungen mit Goethe, Kl. Ausg. hrsg. v. E. Grumach mit Anmerkungen v. R. Fischer-Lamberg, 1959, ²1982 *(P)*. – *Nachlaß*: Goethe- u. Schiller-Archiv, Weimar.

L ADB 22; NND 27, S. 841–52 *(P)*; C. W. v. Fritsch, Zum Gedächtniss an F. v. M., in: Freimaurer-Analecten, H. VIII, 1852, S. 5–11; H. v. Egloffstein, in: Ll. aus Franken 2, 1922, S. 312–23; ders., Alt-Weimars Abend, 1923; U. Crämer, Der pol. Charakter d. weimar. Kanzlers F. v. M. u. d. Glaubwürdigkeit seiner „Erinnerungen" 1806–1813, Eine quellenkrit. Unters., 1934 *(P)*; E. v. Krosigk, Der Kanzler F. v. M., d. Freund Goethes, Juristenleben in e. Zeitenwende, Diss. Erlangen 1952 *(ungedr.)*; Pol. Briefwechsel d. Hzg. u. Ghzg. Carl August v. Weimar, bearb. v. H. Tümmler, II, 1958; Qu. u. Zeugnisse z. Druckgesch. v. Goethes Werken, T. 3: Die nachgelassenen Werke u. d. Quartausg., bearb. v. E. u. H. Nahler, 1986; Kosch, Lit.-Lex. – Eigene Archivstud.

P Radierung v. G. Schuchardt, n. 1815 (Goethe-Mus., Düsseldorf); Gem. v. H. Kolbe, 1822 (?) (Goethe-Nat.mus., Weimar); Zeichnung v. J. J. Schmeller, 1824 (ebd.); Zeichnung v. Julie v. Egloffstein, undat. (ebd.); Zeichnung v. G. v. Reutern, 1824 (Goethe- u. Schiller-Archiv, Weimar); Gem. v. F. Remde, 1843 (verschollen), Abb. b. F. Neubert, Goethe u. sein Kreis, 1922.

Renate Grumach

Müller, *Friedrich (d. Ä.)*, ev. Bischof von Siebenbürgen, Historiker, * 15. 5. 1828 Schäßburg (Siebenbürgen), † 25. 4. 1915 Hermannstadt (Siebenbürgen).

V Friedrich, Stadtrat in Sch., *S* d. Georg (1784–1845), Gymnasiallehrer u. Stadtpfarrer in Sch. (s. *L*); *M* Charlotte Misselbacher, aus Apotheker- u. Kaufm.fam. in Sch.; ∞ 1851 Henriette Melas aus Mühlbach; zahlr. *K*.

Nach Abschluß des Schäßburger Gymnasiums 1845 wurde M. Hauslehrer in Klausenburg. Anschließend studierte er 1846–48 Theologie, Geschichte und Philologie in Leipzig und Berlin. Nachhaltigen Einfluß auf seine spätere volkskundliche und sprachwissenschaftliche Tätigkeit übte sein Berliner Lehrer Wilhelm Grimm aus. Während der Revolution 1848/49 trat er als Leutnant in die „Schäßburger Bürgerwehr" ein, die auf der Seite der Habsburger die Stadt gegen die ungar. Revolutionäre verteidigte. Als Lehrer (1848–63) und Rektor (1863–69) des Schäßburger Gymnasiums setzte sich M. für die Anwendung moderner Unterrichtsmethoden und für die Einführung des Sportunterrichts ein. Politisch trat er an der Seite der sog. Altsachsen, die an der Zugehörigkeit zu „Großösterreich" festhielten, gegen die Union Siebenbürgens mit Ungarn im Zuge des österr.-ungar. Ausgleichs ein.

Als Pfarrer in Leschkirch (1869–74), als Mitglied des Landeskonsistoriums der Ev. Kirche A. B. in Siebenbürgen (seit 1870), vor allem aber als Stadtpfarrer von Hermannstadt (1874–93) und als Bischofsvikar (1883–93) wurde M. im bildungspolitischen sowie im sozial-diakonischen Bereich aktiv. Als Bischof in Siebenbürgen (1893–1906) bemühte er sich, „die Verteidigungswerke unserer Kirche nach Innen auszubauen", um einerseits die christliche Frömmigkeit zu vertiefen und die innere Struktur der Kirche zu verbessern, andererseits um die „Volkskirche" als Hort der Siebenbürger Sachsen gegen die Magyarisierungstendenzen nach dem österr.-ungar. Ausgleich (1867) zu stärken. Er leistete erfolglos Widerstand gegen die kirchenpolitischen Gesetze der ungar. Regierung von 1894/95 über Eherecht und staatliche Matrikelführung und gegen das Gesetz von 1897/98, das zum Gebrauch magyar. Ortsnamen verpflichtete. Den Gottesdienst verbesserte M. durch Ausarbeitung einer Agende zur Neugestaltung des kirchlichen Lebens (1894/95) und eines neuen Gesangbuchs (1898). Seiner Initiative ist auch die Herausgabe der Wochenschrift „Kirchliche Blätter" seit 1897 zu verdanken. Obwohl er sich der Union Siebenbürgens mit Ungarn nach dem Ausgleich widersetzt hatte, war M. 1895–1906 Mitglied des ungar. Herrenhauses.

Als Wissenschaftler tat sich M. durch umfassende, gut dokumentierte und oft grundlegende Forschungen hervor. Er untersuchte die Bronzezeit in Siebenbürgen (1859) und unternahm erstmals Ausgrabungen röm. Kolonistengräber bei Kastenholz. Zusammen mit Johann Michael Ackner trug M. „Die röm. Inschriften in Dacien" (1865) zusammen, die dann in Theodor Mommsens „Corpus Inscriptionum Latinarum" eingingen. Eine Reihe von Arbeiten galt der Medizin-, Kirchen- und Kunstgeschichte sowie der Entwicklung des Kunstgewerbes (Goldschmiedekunst); u. a. erarbeitete er die bisher einzige siebenbürg. Glockenkunde (1859). Angeregt von den Arbeiten der Brüder Grimm, sammelte M. „Siebenbürg. Sagen" (1857, ²1885, Nachdr. 1972), während sein Schäßburger Kollege Josef Haltrich die Märchen zusammentrug – bis heute Standardwerke der siebenbürg. Volkskunde. M. schrieb in vorwiegend erzieherischer Absicht auch Gedichte, Novellen und Kurzgeschichten. – Dr. phil. h. c. (Marburg 1883, Klausenburg 1896), D. theol. (Leipzig 1897).

Weitere W u. a. Die Schäßburger Bergkirche, in: Archiv d. Ver. f. siebenbürg. Landeskde. NF 1, 1853, S. 305–62; Die Inkunabeln d. Hermannstädter „Capellenbibl.", ebd. 14, 1877/78, S. 293–385, 489–543; Materialien z. Kirchengesch. Siebenbürgens u. Ungarns im 17. Jh., ebd. 19, 1884, S. 576–750; Btrr. z. Gesch. d. Hexenglaubens u. d. Hexenprocesses in Siebenbürgen, 1854; Gesch. d. siebenbürg. Hospitäler bis zum J. 1625, 1856; Die kirchl. Baukunst d. roman. Styles in Siebenbürgen, 1858; Dt. Sprachdenkmäler aus Siebenbürgen, Aus schriftl. Qu. d. 12.-16. Jh., 1864 (Nachdr. 1973, 1986); Gottesdienst in e. ev.-sächs. Kirche in Siebenbürgen im J. 1555, in: Zs. f. prot. Theol. 6, 1884, S. 150–70, 259–69.

L F. Teutsch, Bischof F. M. (1828–1915), Ein Lebens- u. Zeitbild, in: Archiv d. Ver. f. siebenbürg. Landeskde. 40, 1918, S. 191–300; J. Trausch u. F. Schuller, Schriftst.-Lex. d. Siebenbürger Deutschen II, 1870, S. 446–50, IV, 1902, S. 301–12 (Nachdr. 1983, *W- u. L-Verz.*); L. Binder, in: ders. u. J. Scheerer, Die Bischöfe d. ev. Kirche A. B. in Siebenbürgen II, 1980, S. 39–64 *(P)*; K. G. Gündisch, in: BBKL; H.-H. Brandsch, H. Heltmann u. W. Lingner (Hrsg.), Schäßburg, Bild e. siebenbürg. Stadt, 1994, S. 340 *(P)*; ÖBL; Lex. d. Siebenbürger Sachsen, 1993 *(P)*. – *Zu Georg:* Trausch-Schuller (s. o.) III, S. 446.

P Gem. v. Carl Dörschlag, 1898 (Landeskonsistorium d. Ev. Kirche A. B. in Rumänien, Hermannstadt), Abb. b. Binder (s. *L*); Lith., um 1890 (Privatbes. Walter Lingner, Düsseldorf), Abb. in Brandsch u. a. (s. *L*); Phot., um 1900 (Archiv d. Landeskonsistoriums d. Ev. Kirche A. B. in Rumänien, Hermannstadt, Kopie im Archiv d. Siebenbürgen-Inst., Gundelsheim).

Konrad Gündisch

Müller, *Friedrich,* Sprachwissenschaftler, Ethnograph, * 6. 3. 1834 Jemnik (Jemníky, Böhmen), † 25. 5. 1898 Wien. (kath.)

V Friedrich, Chemiker, Werkleiter in d. Schwefelsäurefabr. in J.; *M* Ursula, *T* d. Franz Köcina, Schuhmachermeister; *B* Alois (1835–1901), Dr. phil., Orientalist, Bibliothekar in W., später in Graz (s. Wurzbach; BJ VI, Tl.; BLBL); – ∞ 1866 Emilie (* 1846), *T* d. Johann Kurz, Gymnasialprof. in Marburg/Drau, 1863–68 Gymnasial- u. Schulinsp. f. Oberösterreich u. Salzburg, u. d. Anna Höllensteiner.

M. studierte 1853–56 in Wien zunächst klassische Philologie, dann, vor allem angeregt durch Anton Boller, Sanskrit und Vergleichende Sprachwissenschaft. 1859 wurde er „in absentia" von der Univ. Tübingen promoviert aufgrund der Arbeit „Der Verbalausdruck im ârisch-semitischen Sprachkreis, Eine sprachwissenschaftliche Untersuchung" (in: SB d. Wiener Ak. d. Wiss. 25, 1857/58, S. 379–415). 1858/59 trat er als Bibliothekar in den Dienst der Universitätsbibliothek Wien ein, von wo er 1861 zur kaiserl. Hofbibliothek wechselte. Auf die Habilitation für allgemeine Sprachwissenschaft und oriental. Sprachen in Wien 1860 folgte sechs Jahre später die Ernennung zum ao. und schließlich 1869, in der Nachfolge Bollers, die zum o. Professor des Sanskrit und der vergleichenden Sprachwissenschaft an der Univ. Wien, nachdem er einen Ruf an die Univ. Poona (Indien) abgelehnt hatte.

M. war Begründer und Hauptvertreter der sog. „linguistischen Ethnographie". In seinen sprachwissenschaftlichen Arbeiten ging er von den indogerman. Sprachen, insbesondere von den iran. Sprachen und vom Armenischen aus, wobei er allerdings an der damaligen Anschauung vom iran. Charakter des Armenischen festhielt, obwohl Heinrich Hübschmann 1875 dessen Eigenständigkeit erwiesen hatte. Durch freundschaftliche Beziehungen zu Forschungsreisenden und Missionaren erhielt M. kontinuierlich Textproben und Aufzeichnungen bislang unerforschter Sprachen. Aufgrund seiner herausragenden Sprachkenntnisse war er der geeignete Bearbeiter für Bantu- und Khoi-San-Sprachen, für austral., austrones., hamit. und neuind. Sprachen sowie für die ethnographischen Materialien, die bei der österr. sog. Novara-Expedition gesammelt werden konnten. M. befaßte sich vorwiegend mit Fragen der iran. Sprachen und deren vergleichender Grammatik, mit dem Armenischen, älteren und neueren indischen Sprachen (einschließlich Singhalesisch und Romani) sowie altaischen, kaukas. und afrikan. Sprachen. Sein Hauptwerk bildet ein Gesamtüberblick über die Sprachen der Erde, der „Grundriß der Sprachwissenschaft, I–IV" (1876–88), der in genealogischer Klassifikation alle damals bekannten und mitunter von M. selbst erstmals erforschten Sprachen darstellt und sehr viele in kurzen Abrissen beschreibt. Seine universelle Sprachwissenschaft versuchte, eine Brücke zu Ethnologie und Anthropologie zu schlagen, etwa in dem Handbuch „Allgemeine Ethnographie" (1873, ²1879), wobei für alle Menschenrassen eine gemeinsame sprachliche Grundlage angenommen wurde. In wechselseitiger Beeinflussung mit Ernst Haeckel, der die Rassen nicht nach der Schädelform, sondern nach der Art der Haare klassifizierte, unterschied M. in seinem „Grundriß" die Sprachen der woll-, schlicht- und lockenhaarigen Rassen. – Wirkl. Mitgl. d. Wiener Ak. d. Wiss. (1869).

Weitere W u. a. Das grammat. Geschlecht (Genus), Ein sprachwiss. Versuch, 1860; Zur Suffixlehre d. indogerman. Verbums, 3 T., 1860–71; Btrr. z. Lautlehre d. armen. Sprache, 3 T., 1861–63; Btrr. z.

Lautlehre d. neupers. Sprache, 2 T., 1862–63; Über d. Sprache d. Avghânen (Paχto), 2 T., 1862–63; Zendstud., 4 T., 1862–77; Über d. Hararî-Sprache im östl. Afrika, in: SB d. Wiener Ak. d. Wiss. 44, 1863, S. 601–13; Die Sprache d. Bari, Ein Btr. z. afrikan. Linguistik, ebd. 45, 1864, S. 48–131; Der grammat. Bau d. Algonkin-Sprachen, Ein Btr. z. amerikan. Linguistik, ebd. 56, 1867, S. 132–54; Die Musuk-Sprache in Zentral-Afrika, ebd. 112, 1886, S. 353–421; Armeniaca, 6 T., 1864–90; Btrr. z. Kenntnis d. neupers. Dialekte, 3 T., 1864–65; Reise d. österr. Fregatte Novara um d. Erde in d. J. 1857, 1858, 1859 unter d. Befehlen d. Commodore B. v. Wüllerstorf-Urbair, 2 T., 1867/68; Btrr. z. Kenntnis d. Pâli-Sprache, 3 T., 1867–69; Btrr. z. Kritik u. Erklärung des Minoig Chrat, 1892; Btrr. z. Textkritik u. Erklärung d. Kārnāmak i Artaχšir i Pāpakān, 1897; Btrr. z. Textkritik u. Erklärung d. Andarz ī Āturpāt i Mahraspandān, 1897.

L ADB 52; J. Karabacek, in: Alm. d. Kaiserl. Ak. d. Wiss. Wien 49, 1899, S. 305–10 *(P)*; L. Krestan, Dokumentation z. österr. Ak. d. Wiss. 1847–1972, I: Die Schrr. d. Phil.-hist. Kl., 1. T.: Autorenverz., 1972, S. 199–202; R. Römer, Sprachwiss. u. Rassenideologie in Dtld., 1985, S. 126–29; R. Schmitt, Aus d. Gesch. d. Wiener Indogermanistik, Briefe F. M.s an Adalbert Kuhn, in: Die Sprache 32, 1986, S. 78–90; ders., Dokumente z. Frühgesch. d. Sprachwiss., in: Btrr. z. Gesch. d. Sprachwiss. 5, 1995, S. 55–63; Wurzbach; BJ III; ÖBL.

Rüdiger Schmitt

Müller, *Friedrich* Carl Georg, Chemiker, ∗ 27. 6. 1848 Schwöbber b. Hameln, † 16. 7. 1931 Falkenberg (Mark Brandenburg).

V Georg Ludwig Gustav (1813–57), Müller, Mühlenpächter in Sch.; *M* N. N. (∗ 1822); ∞ 1) N. N. († um 1890), 2) Ida Schmuhl (um 1858–1935) aus Strelitz (Mecklenburg); 2 *T* aus 1).

Seine Kindheit verbrachte M. hauptsächlich auf der Gutsmühle, die seine Eltern gepachtet hatten. Nach dem Tode des Vaters mußte seine Mutter den Hof allerdings verkaufen. M. besuchte seit dem 16. Lebensjahr das Gymnasium in Holzminden. Durch schon vorher erworbene chemisch-analytische Kenntnisse konnte er bei Aufnahme seines Studiums 1869 in Göttingen mit den Studenten des 3. Semesters zusammenarbeiten. 1870 wurde er Vorlesungsassistent von Friedrich Wöhler, der ihm riet, den Lehrerberuf zu wählen, und ihn mit entsprechenden Empfehlungen ausstattete. 1871 promovierte M. mit einer organisch-präparativen Arbeit zum Dr. phil. Im August desselben Jahres wurde er Lehrer für Physik und Chemie am Realgymnasium zu Osnabrück. Kurze Zeit später begann seine Zusammenarbeit mit der nahegelegenen Georgs-Marien-Hütte, für die er Analysen von Roheisen und Stahl durchführte. Dabei gelangen ihm wichtige Entdeckungen, wie die des für die Stahleigenschaften wesentlichen Eisenkarbids (heute: Zementit), und der Nachweis von Gasen in Stahl. Eine leitende Position bei der Firma Krupp lehnte er ab.

Der Wechsel an das Realgymnasium zu Brandenburg (1880) bedeutete für M. einen beruflichen Aufstieg, brachte aber einen fast vollständigen Abbruch seiner hüttenchemischen Arbeiten mit sich. M. wandte sich nun verstärkt der Unterrichtstätigkeit zu. Er entwickelte viele überaus brauchbare und präzise Unterrichtsmittel, darunter einen Apparat zur Ableitung des Hebelgesetzes, ein Demonstrationsthermometer, ein Waagegalvanometer sowie eine Gasanalyseapparatur und eine Zündröhre für Verbrennungsuntersuchungen. 1893 erfolgte die Ernennung zum Gymnasialprofessor. Trotz der Anerkennung seiner Leistungen erreichte der persönlich sehr zurückhaltende M. keine seinen Fähigkeiten entsprechende Position und blieb breiteren Kreisen wenig bekannt. – Geh. Studienrat (1917); Dr.-Ing. E. h. (TH Berlin-Charlottenburg 1928).

W u. a. Über d. Natur d. B-Parabromsulfotoluol u. seiner Abkömmlinge sowie d. Beziehungen seiner Salze, Diss. Göttingen 1871; Technik d. physikal. Unterrichtes, 1906, ²1926; Krupp's Gußstahlfabrik, 1896 (engl. u. franz. Überss.). – *Zahlr. Aufsätze:* Zs. f. d. physikal. u. chem. Unterricht (1907–28); Stahl u. Eisen; Zs. f. Chemie; Liebigs Ann. d. Chemie.

L Zs. f. d. physikal. u. chem. Unterricht 31, 1918, H. 4 (M. gewidmet, *P*); O. Curio, Erinnerungen an F. C. G. M., ebd. 45, 1932, S. 171–76; K. Koch, 80 J. Naturwiss. Ver., in: Mitt. d. Naturwiss. Ver. Osnabrück 25, 1950, S. 23 ff.; Biogr. Hdb. z. Gesch. d. Region Osnabrück, 1990 *(L);* Pogg. III–VI.

Klaus Ruthenberg

Müller, *Friedrich* (Ritter) v. (bayer. Personaladel 1907), Internist, ∗ 17. 9. 1858 Augsburg, † 18. 11. 1941 München. (ev.)

Aus fränk. Bader- u. Ärztefam. – *V* Friedrich (1827–1912), Dr. med., Medizinalrat, Oberarzt am Städt. Krankenhaus in A., *S* d. Georg Ludwig (1779–1845), Landarzt in Triesdorf, u. d. Catherina Dumreicher (1786–1833); *M* Maria (1836–1910), *T* d. Bankiers Friedrich Schmid (1807–53) in A. u. d. Eugenie Forster; *Ur-Gvm* Carl v. Forster (1788–1877), Bes. e. Kattundruckerei in A.; *Ov* Ludwig (1821–99), Großkaufm. u. Konsul in Alexandria; *B* Ernst v. M. (1863–1934), Minsterialdir. im bayer. Min. d. Äußeren, Ludwig Robert M. (1870–1962), Prof. d. Inneren Med. in Erlangen; *Schw* Anna (1861–1948, ∞ Hermann Frhr. v. Reitzenstein, † 1893); – ∞ Marburg 1894 Marie (Friede) (1876–1945), *T* d. Ernst Küster (1839–1930), Chirurg (s. NDB 13), u.

d. Marie Soltmann († 1919); 5 *T* Marie (1895–1983, ∞ Hermann Stieve, 1886–1952, Prof. d. Anatomie in Berlin), Lotte (1898–1977, ∞ Leo Rr. v. Zumbusch, 1874–1940, Prof. d. Dermatol. in M.), Julie (1898–1982, ∞ Heinrich Theodor Martin, 1890–1968, Bankier in M.), Berta (1901–86, ∞ Hermann Werner Siemens, 1891–1969, Prof. d. Dermatol. in Leiden, s. *L*), Hedwig (1906–92, ∞ Dr. Rudolf Kloiber, 1899–1973, Dir., Vf. v. Opernführern, s. Riemann); *N* Eva (1905–89, ∞ Heinrich Beck, 1889–1973, Verleger in M.).

Nach Abschluß des humanistischen St. Anna-Gymnasiums in Augsburg immatrikulierte sich M. an der TH und der Universität in München. Seine mathematische Vorbildung erwies sich bald als nicht ausreichend für ein technisches Studium, wohingegen die Vorlesungen des Chemikers A. v. Baeyer und des Physiologen C. Voit an der Universität M. so beeindruckten, daß er sich für das Studium der Medizin entschied. Er pflegte auch enge Kontakte zur Kunst- und Kulturszene Münchens (Lenbach, Stieler, Piloty, Heyse). Außer medizinischen Vorlesungen besuchte M. Übungen im Chemischen Institut, wo er den späteren Pionier der Proteinchemie, E. Fischer, traf, mit dem ihn eine lebenslange Freundschaft verbinden sollte. Bereits während des vorklinischen Studiums arbeitete M. im Physiologischen Institut bei Voit. Das klinische Studium setzte er zunächst in Tübingen bei V. v. Bruns und K. v. Liebermeister und dann in Würzburg bei C. Gerhardt fort. 1881 legte er das medizinische Staatsexamen in München ab und begann, wiederum im Laboratorium von Voit, mit seiner Dissertation über Kotanalysen der Fleischfresser (Promotion 1882).

Seit 1882 arbeitete M. als Assistent von C. Gerhardt an der Universitätsklinik in Würzburg. Während dieser Zeit erschienen gemeinsame Veröffentlichungen klinischer Beobachtungen über den Eiweißstoffwechsel von Krebspatienten, das Mediastinalemphysem und das Verhalten der Larynxmuskeln bei Paralysis agitans; darüber hinaus begann er sich für Gelbsucht, Ikterus und die Urobilinbildung zu interessieren. Während dieser Zeit entstand M.s wichtigster Beitrag zur klinischen Lehre, das gemeinsam mit O. Seifert verfaßte Taschenbuch der medizinisch-klinischen Diagnostik, das seit 1886 in zahlreichen Auflagen erschien. Nach der Berufung Gerhardts an die Charité ging auch M. nach Berlin, um dort die Frauenstation zu übernehmen. Er traf hier mit den führenden Medizinern der Zeit (R. Virchow, P. Ehrlich, R. Koch, E. v. Leyden, E. v. Bergmann) zusammen und wurde 1887 aufgrund seines Gesamtwerkes habilitiert. 1889/90 übernahm M. eine ao. Professur an der Univ. Bonn und ging anschließend als o. Professor für zwei Jahre nach Breslau, wo er eine Poliklinik sowie Perkussions- und Kehlkopfspiegelkurse einrichtete. Unter dem Einfluß des Neurologen C. Wernicke beschrieb er hier die kortikale Blindheit (Seelenblindheit).

1892–99 leitete M. die Poliklinik der Univ. Marburg, deren medizinischer Fakultät auch E. Behring, A. Kossel, F. Marchand und H. H. Meyer angehörten. Neben der klinischen Arbeit und der Lehrtätigkeit widmete er sich der wissenschaftlichen Forschung (Eosinophilie bei Asthma bronchiale, Entwicklung eines chemischen Tests zum Nachweis von Blut im Stuhl, Glucosamin-Nachweis im Mucin). 1899 wurde M. an die Abteilung für Innere Medizin der Univ. Basel in der Nachfolge K. Immermanns berufen. Unter seiner Leitung entstanden Arbeiten über die Rolle leukozytärer Enzymfermentation bei fibrinös-exsudativer Pneumonie (Autolyse) und die Bedeutung der Homogentisinsäure bei Alkaptonurie.

1904 übernahm M. die Leitung der II. Medizinischen Klinik (links der Isar) in München; in dieser Position blieb er bis zu seiner Emeritierung 1937. Hier begründete er einen klinischen Unterricht, der vor allem die Ableitung präziser Diagnosen am Krankenbett aus Anamnese und physikalisch-chemischen Untersuchungen zum Ziel hatte und Weltruf genoß. Neben Medizinstudenten aus Europa und Amerika besuchten viele international anerkannte Ärzte (P. Marie, W. Osler, H. Cushing) die Klinik. Hier regte M. weitere Forschungsarbeiten über Leukämie, Polycythämie und andere Blutkrankheiten sowie über Hungermetabolismus, Gelbsucht, Purinstoffwechsel, Diabetes, Urobilinogen und die chemische Zusammensetzung des Blutfarbstoffs Hämoglobin an. H. Fischer, ein Schüler M.s, erhielt für die Häminsynthese 1930 den Nobelpreis. Durch Vermittlung W. Oslers wurde M. zu Vortragsreisen nach Amerika (Herter Lecture, New York 1907) und England (Oxford 1911) eingeladen. Während des 1. Weltkriegs bereiste M. die belg. und franz. Front und beschäftigte sich mit kriegstypischen Seuchen und Infektionskrankheiten sowie dem Hungerproblem. Trotz der Schwierigkeiten der Nachkriegszeit gelang ihm die Aufrechterhaltung der medizinischen Versorgung und des akademischen Betriebs in München. Seit 1927 war M. Präsident der Deutschen Akademie, 1934 wurde er im Zuge der nationalsozialistischen Gleichschaltung zum Rücktritt gezwungen.

Zu M.s Hauptleistungen gehörte die Etablierung einer klinischen Basisdiagnostik, die sich aus den Ergebnissen der Anamnese, der körperlichen Untersuchung, physikalisch-chemischen Laboruntersuchungen von Sekreten und Exkreten sowie apparativen Meßwerten (Perkussion, Auskultation, Blutdruck, Puls, Gewicht, Röntgen, EKG) zusammensetzte. 1905 stellte M. auf der Naturforscherversammlung in Meran den Begriff der Nephrose vor, mit dem degenerative von primär entzündlichen (Nephritis) Nierenerkrankungen abgegrenzt wurden; der Begriff Nephrotisches Syndrom ist heute noch gültig. Lebenslang beschäftigte sich M. mit der Registrierung und Analyse von Schallphänomenen bei Perkussion und Auskultation (Bronchophonie, Stimmfremitus, tympanitischer Schall). Der Begriff „Müller-Zeichen" (1889) – Pulsation des Gaumens – kennzeichnet die Aorteninsuffizienz. – Hofrat (1911); Geheimrat (1913); Dr. phil. h. c. (München 1920); Dr. iur. h. c.; Dr.-Ing. E. h.; Dr. med. h. c. (Sofia); Gr. Ehrenkreuz d. Dt. Akademie; Mitgl. d. Leopoldina (1922).

W Über d. diagnost. Bedeutung d. Tuberkelbazillen, in: Verhh. d. physikal.-med. Ges. 43, 1883; Über d. normalen Koth d. Fleischfressers, Diss. München 1884; Taschenbuch d. med. klin. Diagnostik, 1886, ⁵⁰1941, zahlr. Überss. (mit O. Seifert); Antisepsis in d. Geburtshülfe, 1888; Über Emphysem d. Mediastinum, in: Berliner klin. Wschr. 25, 1889, S. 205–08; Zur Pathol. d. weichen Gaumens, in: Charité-Ann. 14, 1889, S. 247–52; Zur Aetiol. d. perniciösen Anämie, ebd., S. 253–70; Stoffwechselunterss. b. Krebskranken, in: Zs. f. klin. Med. 16, 1889, S. 496–549; Ein Btr. z. Kenntnis d. Seelenblindheit, in: Archiv f. Psychol. 24, 1892, S. 856–917; Btrr. z. Kenntnis d. Basedowschen Krankheit, in: Dt. Archiv f. klin. Med. 51, 1892/93, S. 335–412; Unterss. an zwei hungernden Menschen, 1893; Ueber Hämatoporphyrinurie u. deren Behandlung, in: Wiener klin. Wschr. 7, 1894, S. 252; Über Galopprhythmus d. Herzens, in: Münchener med. Wschr. 53, 1906, S. 785–91; Über d. Diabetes, ebd. 78, 1931, S. 616; Zur Reform d. Med.studiums, ebd. 81, 1934, S. 853; Morbus Brightii, in: Verh. d. dt. patholog. Ges. 9, 1906, S. 64–69; Bezeichnung u. Begriffsbestimmung auf d. Gebiet d. Nierenkrankheiten, in: Veröff. aus d. Gebiet d. militär. Sanitätswesens 65, 1917, S. 21; Metabolismus, in: Dt. med. Wschr. 48, 1922, S. 513–17; Klin. Wandtafeln, 1922 (mit Strümpell); Bone and Joint Disturbances from Aberrant Metabolism, in: Mayo Clinic Proceedings 1, 1926, S. 133; Bronchialerkrankungen, in: Neue dt. Klinik 2, 1928, S. 269; Btrr. in: J. v. Mering, Lehrb. d. Inneren Med., ¹⁶1929; Neuere Unterss. üb. Perkussion u. Auskultation, in: Kongreß d. dt. Ges. f. Innere Med. 41, 1929, S. 232; Johann Lukas Schönlein, in: Ll. aus Franken V, 1936, S. 332–49; Lebenserinnerungen, 1951 (P).

L L. Krehl, in: Münchener med. Wschr. 75, 1928; P. Martini, Zum Vermächtnis F. v. M.s, ebd. 97, 1955, S. 1373–76 (P), ebd. 100, 1958, S. 1513–19; H. Kerschensteiner, Gesch. d. Münchner Krankenanstalten, 1939, S. 276–94 (P); L. R. Müller, in: Lb. aus d. bayer. Schwaben II, 1953, S. 432–47 (W); New England Journal of Medicine 252, 1955, S. 65–67 (P); H. W. Siemens, Die Vorfahren v. F. v. M., 1958 (P); Med. Klinik 53, 1958, S. 1589–99 (P); Bayer. Ärztebl. 14, 1959, S. 83 (P); Internist 10, 1969, S. 83–86 (P); G. Landes, in: R. Dumesnil u. H. Schadewaldt (Hrsg.), Die berühmten Ärzte, 1969, S. 304 (P); H. Siegerist, Große Ärzte, 1971, S. 411 (P); S. J. Thannhauser, in: Diabetes 7, 1971, S. 66–68; A. Pfarrwaller-Stieve, F. v. M (1858–1941) u. seine Stoffwechselunterss., 1983; O. Helfer u. R. Winau, Männer u. Frauen d. Med., 1986, S. 144 (P); Pagel; Fischer; Rhdb. (P).

P Gem. v. A. Escher, 1940 (Städt. Kunstslgg., Augsburg).

Eberhard J. Wormer

Müller, *Friedrich* Wilhelm Karl, Orientalist, Ethnologe, * 21. 1. 1863 Neudamm b. Frankfurt/Oder, † 18. 4. 1930 Berlin. (ev.)

V N. N., seit 1873 in B.; M N. N.

M. besuchte das Franz. Gymnasium in Berlin, das er als Primus omnium abschloß, und studierte seit 1883 an der Berliner Universität Theologie und orientalische Sprachen, besonders bei Eduard Sachau sowie bei Wilhelm Grube, daneben auch Philosophie und Geschichte, wobei er stark von Schopenhauers Schriften geprägt wurde. 1887 trat M. als Hilfsarbeiter in das von Adolf Bastian geleitete Museum für Völkerkunde ein, dem er bis zu seiner Pensionierung 1928 angehörte. 1896 wurde er zum Direktorialassistenten ernannt, 1906 zum Direktor der Ostasiatischen Abteilung.

Seine Tätigkeit für das Museum war geprägt von umfassenden organisatorischen und administrativen Arbeiten, die nur einmal, 1901, durch eine Reise nach China, Japan und Korea unterbrochen wurden. Diese vermittelte M. eine eigene Anschauung der von ihm besonders bearbeiteten Regionen und führte zu einer ansehnlichen Vermehrung der ostasiat. Sammlungen des Museums. 1889 promovierte M. bei Ernst Windisch, Friedrich Delitzsch und Georg v. der Gabelentz an der Univ. Leipzig mit einer Arbeit über „Die Chronologie des Simeon Šanqlâwâjâ, nach den drei Berliner Handschriften dargestellt". Die folgenden wissenschaftlichen Veröffentlichungen wurden meist von den Museumssammlungen angeregt und bezogen jeweils die entsprechende Sprache ein, so das Sumatranische, Siamesische, Annamitische, Malayische und das Japanische. Hatte sich M. schon in Berlin den Ruf eines in allen orientalischen Sprachen kompetenten „Asiatologen" erworben, so fand er allgemeine Anerkennung durch seine Bearbeitung der Handschriftenfragmente, die von den deutschen Turfanexpeditionen unter Albert Grünwedel und Albert v. Le Coq seit 1903 ins Berliner Museum kamen. M. identifizierte besonders die manichäischen Texte in verschiedenen Sprachen und Schriftarten und legte die Grundlage für die Bearbeitung der tocharischen und soghdischen Dokumente. So ist ihm der Fund des tocharischen „Maitrisimit" zu verdanken. M.s Leistung bei der Erschließung der Turfanfunde hat, zusammen mit den Arbeiten von Paul Pelliot, A. Stein, A. v. Le Coq und Albert Grünwedel, die Erforschung Zentralasiens revolutioniert und die enorme kulturelle und historische Bedeutung dieser Region herausgestellt. M. arbeitete eng mit Le Coq zusammen, während die Beziehungen zu Grünwedel beeinträchtigt waren durch eine anhaltende Kontroverse, wer zuerst das manichäische Element in Turfan als solches erkannt habe. Grünwedel hatte dies aus den Fresken geschlossen, während M. es unabhängig davon aus den Texten belegte.

Von M.s meist kurzen, aber sehr präzisen und in der Stoffbehandlung kritischen Veröffentlichungen zur Orientalistik, sind seine Bearbeitung eines Teils der Hirthschen Hua-i i-yü-Polyglotte (T'oung Pao III, 1892, S. 1–38) und einer japan. Oper (Ikkaku sennin, in: FS f. Adolf Bastian, 1896, S. 513–37) besonders erwähnenswert. In der Ethnologie betonte M. die Bedeutung von Sprache, Schrift und Literatur als unabdingbar für die Erforschung eines Volkes oder einer Kultur. Er initiierte die Gründung der Zeitschrift „Asia major" 1923 als ein Forum der deutschen Orientalistik mit und förderte auch die umfangreiche Säkularausgabe von Philipp Franz v. Siebolds „Nippon". – Prof.titel; o. Mitgl. d. Preuß. Ak. d. Wiss. (1906).

W u. a. Hss.-Reste in Estrangelo-Schr. aus Turfan, Chinesisch-Turkistan, 2 T., in: SB d. Preuß. Ak. d. Wiss., phil.-hist. Kl., 1904, S. 348–52; Eine Hermas-Stelle in manichäischer Version, ebd., 1905, S. 1077–83; Neutestamentliche Bruchstücke in soghdischer Sprache, ebd., 1907, S. 260–70; Die „persischen" Kal.ausdrücke im chines. Tripitaka, ebd., S. 458–65; Uigurica, 3 T., in: Abhh. d. Preuß. Ak. d. Wiss., phil.-hist. Kl., 1908/11/22; Soghdische Texte, ebd., 1913; Zwei Pfahlinschrr. aus d. Turfanfunden, ebd., 1915; Uigurica, 4. T., hrsg. v. A. v. Gabain, in: SB d. Preuß. Ak. d. Wiss., phil.-hist. Kl. 1931, S. 675–727.

L F. Weller, B. Schindler u. F. M. Trautz, F. W. K. M., in: Asia major II, 1925, S. VII–XVI *(W-Verz., P)*; F. Lessing, Prof. F. W. M. z. Gedächtnis, in: Berliner Museen, 51, 1930, S. 54 f. *(P);* H. Lüders, Gedächtnisrede auf F. W. K. M., in: SB d. Preuß. Ak. d. Wiss., 1931, S. CXXIX–CXXXIII. – *W-Verz.:* Litterae Orientales, 43, 1930, S. 2–7.

P Bildnisse berühmter Mitgll. d. Dt. Ak. d. Wiss. zu Berlin, 1950.

Hartmut Walravens

Müller, *Friedrich,* Papieringenieur, * 26. 1. 1865 Weidenthal (Rheinpfalz), † 14. 10. 1941 Darmstadt.

V Philipp, Beamter; *M* Dorothea Kerlinger; 7 *Geschw;* – ∞ Kaiserslautern 1889 Auguste, *T* d. Daniel Gaeckler in Ottenberg u. d. Anna Elgaß.

Im Anschluß an die Latein- und die Realschule besuchte M. für zwei Jahre die Bayer. Industrieschule in Kaiserslautern. 1884–88 studierte er an der TH München Maschinenbau und schloß als Dipl.-Ing. ab. M. wurde nun für die Papiermaschinenfabriken Gebrüder Hemmer in Neidenfels sowie Banning & Setz in Düren, dann erneut für Gebrüder Hemmer tätig. Er übernahm die Planung und Ausführung von vollständigen Fabrikanlagen in Deutschland, Norwegen, Schweden, Griechenland, Italien und Japan. 1899 wurde er technischer Direktor der Cröllwitzer Aktienpapierfabrik bei Halle/Saale. 1910–13 war er als Fabrikdirektor in Wiesbaden tätig.

Als Mitglied der Fachschulkommission des Vereins Deutscher Papierfabrikanten wirkte M. bei der Gründung eines Lehrstuhls für Papieringenieurwesens mit, der 1905 an der TH Darmstadt entstand. Nach dem Tod von Adolf Pfarr, dem ersten Lehrstuhlinhaber, wurde er als Nachfolger berufen und begann seine Lehrtätigkeit 1913 als Honorarprofessor. 1920 wurde er ao., 1923 o. Professor für Papierfabrikation und deren Maschinen. Bis zu seiner Emeritierung 1931 widmete sich M. der wissenschaftlichen Ausbildung von Ingenieuren und Chemikern, da die fortschreitende Technisierung der Papierfabrikation qualifizierte Kenntnisse des Maschinenbaues, der Elektrotechnik und der Chemie erforderlich machte. Zur praktischen Ausbildung und zu Forschungszwecken wurden Laboratorien und wissenschaftliche Untersuchungseinrichtungen geschaffen. Als grundlegend galten seine Untersuchungen zur Mahlarbeit am Holländer und der Trockenvorgänge an Papiermaschinen. Mit seinem vierbändigen Werk über „Die Papierfabrikation und deren Maschinen", das in der Tradition der Gesamtdarstellungen von Carl Hofmann und Ernst Kirchner stand, fand M. internationale Beachtung. Im 1. Band befaßte er sich mit den Rohstoffen der Papierfabrikation und ihrer Verarbeitung zu Halb- und Ganzstoff. Besonderen Wert legte M. dabei auf die Wärmewirtschaft der Kochprozesse zur Gewinnung von Zellstoff und entwickelte entsprechende meßtechnische und rechnerische Methoden. In zwei Neuauflagen dieses Bandes verzeichnete er die Fortschritte auf diesem Gebiet. Der 2. Band befaßte sich mit der Papiermaschine und legte exakte Methoden zu deren genauer konstruktiver Berechnung dar. Im 3. Band wurde die Gesamtanlage von Holzschleifereien, Zellstoff- und Papierfabriken abgehandelt, wobei sich M. stark an praktisch Bewährtem orientierte. Wasserversorgung, Abwasserbeseitigung sowie rationale Energiewirtschaft waren dabei Schwerpunkte der Darstellung, die im 4. Band durch umfangreiche Fabrikpläne veranschaulicht wurde. – Geh. Baurat (1914); Dr.-Ing. E. h. (TH Stuttgart 1930).

W Die Papierfabrikation u. deren Maschinen, Ein Lehr- u. Hdb., 4 Bde., 1926–33, I ²1931, ³1940; 25 J. Papiering.wesen an d. TH Darmstadt, in: Wbl. f. Papierfabrikation 61, 1930, Nr. 25 A (Festheft), S. 81–86;

L Der Papier-Fabr. 33, 1935, H. 5, Techn. T., S. 33; ebd. 39, 1941, H. 44/45, Wirtsch. T., S. 437; H. Bömcke, 100 J. TH Darmstadt 1836–1936, ebd. 34, 1936, H. 26, S. 207–12; W. Brecht, in: Wbl. f. Papierfabrikation 72, 1941, Nr. 44, S. 623 f. *(P);* C. Wolf u. M. Viefhaus, Verz. d. Hochschullehrer d. TH Darmstadt, Höhere Gewerbeschule – Techn. Schule – Polytechn. Schule – TH, T. 1: Kurzbiogrr. 1836–1945, 1977.

Frieder Schmidt

Müller *(-Langenthal), Friedrich (d. J.),* ev. Bischof von Rumänien, * 28. 10. 1884 Langenthal (Siebenbürgen), † 15. 2. 1969 Hermannstadt (Siebenbürgen).

V Johann († 1887), Kleinbauer, Ortsvorsteher v. L.; *M* Katharina Binder († 1887); ∞ Schäßburg 1917 Anna Albrich (1889–1951) aus H., Mathematiklehrerin in Kronstadt; *Ov d. Ehefrau* Dr. Carl Albrich (1861–1940), Gymnasialdir. in H., 1922–34 Schulrat f. d. Mittelschulwesen d. ev. Landeskirche in Rumänien (s. *L*); *Schwager d. Ehefrau* Gustav Rösler (1887–1959), Gymnasiallehrer in Kronstadt, 1929–34 Schulrat f. d. Volksbildungswesen, 1934–42 u. 1944–48 Leiter beider Schulratsämter d. ev. Landeskirche, 1931–34 Ministerialrat f. d. dt. Minderheit im rumän. Unterrichtsministerium (s. *W*); 2 *S*, 1 *T*, u. a. Konrad (1918–45), Historiker u. Geograph (s. *W*), Maria (1928–84, ∞ Dr. Gerhard Schullerus, * 1927, Stadtpfarrer v. Heltau, 1978–82 Bischofsvikar d. ev. Landeskirche A. B. in Rumänien).

Nach dem frühen Tod der Eltern wuchs M. bei der Schwester seiner Mutter, Margarethe Binder, auf. Er besuchte die Grundschule in Langenthal und das Gymnasium in Hermannstadt. Anschließend studierte er zunächst Mathematik und Physik in Leipzig (1904/05) und Klausenburg (1905/06), in Leipzig auch Psychologie bei Wilhelm Wundt. In Klausenburg wechselte er zu Geschichte, Philosophie und Theologie; dieses Studium setzte er in Wien und Berlin (1907–09) fort, hier u. a. bei den Historikern Dietrich Schäfer und Hans Delbrück. M. wirkte zunächst in Kronstadt als Lehrer am Honterus-Gymnasium (1911–17) sowie als Mitarbeiter und für einige Monate auch als Schriftleiter der „Kronstädter Zeitung". 1917 wurde er zum Direktor des Landeskirchlichen Lehrerinnenseminars in Schäßburg berufen. Nach dem Anschluß Siebenbürgens an Rumänien wurde M. Schulrat für das Volksschulwesen der ev. Landeskirche A. B. (1922–28). Er verfaßte für die deutschen Schulen Rumäniens ein „Lehrbuch der Geschichte Rumäniens" (1921), den ersten Gesamtüberblick über die Entwicklung Großrumäniens, dem im Friedensvertrag von Trianon (1920) Siebenbürgen, das Banat, die Bukowina und Bessarabien zugesprochen worden waren. Desgleichen legte er eine erste zusammenfassende Darstellung aller deutschen Bevölkerungsgruppen in Rumänien vor („Die Geschichte unseres Volkes", 1926). 1933–45 war er Vorstand des Vereins für siebenbürg. Landeskunde.

Die 1913 abgelegte Pfarramtsprüfung ermöglichte M. den Wechsel in ein geistliches Amt. 1928 nahm er die Wahl zum Stadtpfarrer von Hermannstadt an und wurde 1932 zusätzlich zum Bischofsvikar gewählt. Nach anfänglicher Sympathie für deutschnationale Gedanken bekämpfte M. seit 1935 die nationalsozialistischen Strömungen unter den Siebenbürger Sachsen als „Neuheidentum" und als Gefahr für den Bestand von Volk und Kirche. Diese Gefahr wuchs, nachdem es der von der Volksdeutschen Mittelstelle in Berlin gelenkten Führung der „Deutschen Volksgruppe in Rumänien" gelungen war, Bischof Viktor Glondys Ende 1940 zum Rücktritt zu bewegen und die Wahl ihres Gefolgsmanns Wilhelm Staedel durchzusetzen. Auch unter dem Schock der nationalsozialistischen Euthanasiepolitik, von der M. anläßlich eines Besuchs in Berlin im Sommer 1941 Kenntnis erhielt, verstärkte sich seine Opposition. Erfolglos widersetzte er sich der Unterzeichnung eines „Gesamtabkommens zwischen der ev. Kirche und der Deutschen Volksgruppe in Rumänien" (1942), das die Übergabe der kirchlichen Schulen und ihres Vermögens an die nationalsozialistische Volksgruppenführung vorsah.

Als Rumänien nach dem Umsturz vom 23. 8. 1944 die Fronten wechselte und Deutschland den Krieg erklärte, konnte sich Bischof Staedel nicht mehr halten und mußte abdanken. In der Bischofswahl vom 29. 4. 1945 setzte sich M. gegen den erneut kandidierenden Viktor Glondys durch. Er übernahm das Amt in einer Zeit, als die arbeitsfähige deutsche Bevölkerung zur Zwangsarbeit in die Sowjetunion deportiert (Januar 1945) und die kommunistische Regierung Petru Groza eingesetzt worden waren (6. 3. 1945). Die Institution der Kirche, vom atheistischen Staat massiv angegriffen, war in ihrem Fortbestand gefährdet, ihre Mitglieder wurden pauschal der Kollaboration bezichtigt und politisch entmündigt, zudem durch die Agrarreform (1945) und die Verstaatlichung privater Betriebe (1948) in existentielle Not gestürzt. Soziale Hilfsmaßnahmen für die alleingebliebenen alten Menschen und elternlosen Kinder sowie für die Heimkehrer aus der Deportation waren zu organisieren, das kirchliche Leben unter grundlegend gewandelten Verhältnissen neu zu ordnen. M. gelang es, die Kirche in schwerer Zeit als einzige halbwegs intakte Institution der Siebenbürger Sachsen zu bewahren, dadurch auch politisch und identitätsstiftend für die deutsche Minderheit zu wirken.

Aufgrund des neuen rumän. Kultusgesetzes von 1948 mußte die Kirchenordnung überarbeitet werden, zumal es religiösen Gemeinschaften untersagt war, Schulen zu unterhalten. M. konnte jedoch die synodal-presbyteriale Kirchenverfassung von 1891 bzw. 1927 im wesentlichen erhalten und gemeinsam mit den anderen prot., vorwiegend ungarischsprachigen Kirchen des Landes 1949 das „Vereinigte Protestantisch-Theologische Institut mit Universitätsgrad" in Klausenburg gründen, dessen deutsche ev.-luth. Abteilung 1955 nach Hermannstadt übersiedelte. M. sicherte seine Kirche durch die Verankerung in internationalen Gremien ab. 1964 wurde die „Ev. Landeskirche A. B. in der Volksrepublik Rumänien" in Reykjavik in den Luth. Weltbund aufgenommen. Bereits 1961 war sie in Neu-Delhi gemeinsam mit der rumän.-orthodoxen Kirche Mitglied des Ökumenischen Rates der Kirchen geworden. Enger gestalteten sich auch die Beziehungen zur Thüring. Luth. Kirche, die unter Bischof Moritz Mitzenheim eine nicht unumstrittene Verständigung mit der damaligen DDR-Führung erreicht hatte. Aus taktischen Gründen pflegte M. auch zu kommunistischen Funktionären persönliche Beziehungen, gab Loyalitätsbekundungen gegenüber dem Regime ab, beteiligte sich an staatlich gesteuerten „antiimperialistischen" Friedensinitiativen, saß in der Großen Nationalversammlung und hielt sich mit Kritik angesichts der politischen Verfolgungen zurück. Aus Furcht vor personeller Auszehrung traf er mit der Ev. Kirche in Deutschland (EKD) die umstrittene Vereinbarung, daß ausgesiedelte Pfarrer aus Rumänien nicht in den Kirchendienst übernommen werden durften. – Dr. phil. h. c. (Halle 1930).

Weitere W Die Siebenbürger Sachsen u. ihr Land, 1912, ⁴1922; Was ist Offenbarung? 1931; Wandlung d. geschichtl. Hauptaufgaben unseres Volkes im Laufe seiner Entwicklung ..., in: Siebenbürg. Vj.schr. 55, 1932, S. 286–99; Völkerentwicklung unter d. Christentum, in: Dt. Theol. 1935, S. 340–54, 380–400; Berufung u. Erwählung, Eine exeget. Studie, in: Zs. f. Systemat. Theol. 24, 1955, S. 38–71; Predigten, 1993; Erinnerungen, Zum Weg d. siebenbürg.-sächs. Kirche 1944–1964, bearb. v. H. Baier, mit e. Einl. v. U. A. Wien, 1995. – *Zu Konrad:* Siebenbürg. Wirtsch.pol. unter Maria Theresia, 1961. – *Zu Gustav Rösler:* Aus meinem Leben, 1945 (unveröff. Ms., Archiv d. Siebenbürgen-Inst., Gundelsheim).

L F. C. Fry (Hrsg.), FS f. F. M., 1967 *(W, L, P);* L. Binder, in: ders. u. J. Scheerer, Die Bischöfe der ev. Kirche A. B. in Siebenbürgen II, 1980, S. 183–229 *(W, L, P);* ders., in: Lex. d. Siebenbürger Sachsen, 1993; H. Baier, in: Zs. f. Siebenbürg. Landeskde. 16, 1993, S. 168–274; RGG; K. Gündisch, in: BBKL. – *Zu Carl Albrich:* H. A. Hienz, Btrr. z. Schriftst.-Lex. d. Siebenbürger Deutschen, 2, 1974, S. 14–17.

P Gem. v. H. Eder, ca. 1953 (Landeskonsistorium d. Ev. Landeskirche A. B. in Rumänien, Hermannstadt), Abb. in L. Binder, 1980 (s. *L*); Phot. (ebd., Archiv, u. Archiv d. Siebenbürgen-Inst., Gundelsheim).

Konrad Gündisch

Müller, *Fritz,* Verkehrsjurist, * 2. 7. 1883 Berlin, † 17. 12. 1964 Tegernsee. (ev.)

V Wilhelm († n. 1920), Verleger jur. Schrr. in B.; *M* Maria Herreilers († v. 1920); ∞ Nauen (Havelland) 1920 Margarethe Elisabeth Lina (1891–1969), *T* d. August Miericke (um 1861–n. 1920), Kreiskämmerer in Nauen, u. d. Anna Elisabeth Maria Schröder († n. 1920); 1 S.

M. studierte 1901–05 in Berlin Jura, absolvierte dort 1909–12 die Assessorzeit und wurde 1912 Amtsrichter. Am 1. Weltkrieg nahm er als Oberleutnant und Hauptmann teil. 1919 wurde er Vortragender Rat im neugegründeten Reichsverkehrsministerium. Hier hatte er sich mit Fragen des Straßen-, Wasser- und Luftverkehrsrechts zu befassen. 1921 verfaßte M. eine Verordnung über die Ausbildung von Kfz-Führern (²1933), 1923 erschien sein Kommentar zum ersten deutschen Luftverkehrsgesetz von 1922. Gleichzeitig faßte er das Automobilgesetz von 1909 neu, mit allgemeinen Vorschriften über die Fahrerlaubnis, die Haftpflicht des Fahrzeughalters und die Aufstellung von Warntafeln. 1925 arbeitete er neue Vorschriften über die technische Ausrüstung von Kraftfahrzeugen aus. 1926 veröffentlichte er einen Kommentar des neuen Straßenverkehrsrechts, der bald maßgeblich wurde und bis 1957 zahlreiche Neuauflagen erlebte. 1931 wurde M. Referent für das Straßenverkehrsrecht im Reichsverkehrsministerium. Er bereitete das Änderungsgesetz von 1933 vor, das den Reichsverkehrsminister zur Regelung des gesamten Straßenverkehrs befugte. Richtungweisend wurde die ebenfalls auf ihn zurückgehende Reichsstraßenverkehrsordnung von 1934, die erstmals Vorschriften über die Zulassung der Kraftfahrzeuge und das Verhältnis aller Verkehrsarten im Straßenverkehr zueinander enthielt und die bisherigen landesrechtlichen Straßenverkehrsordnungen aufhob. Klassisch wurde die von M. formulierte Grundregel in § 1: „Jeder Teilnehmer am öffentlichen Straßenverkehr hat sich so zu verhalten, daß der Verkehr nicht gefährdet werden kann; er muß ferner sein Verhalten so einrichten, daß kein anderer geschädigt oder mehr, als nach den Umständen unvermeidbar, behindert oder belästigt wird."

Bei der Regelung des internationalen Kfz-Verkehrs stand M. auf dem Boden der Abkommen von 1926 und 1930. Er entwarf dazu 1934 eine neue Verordnung, leitete aber zugleich den Abschluß zweiseitiger Staatsverträge ein: 1932 mit der Schweiz, 1933 mit Luxemburg, 1935/36 mit den skandinav. Ländern. Dadurch befreite er 1936 den internationalen Verkehr nach Deutschland von hinderlichen Vorschriften (internationaler Führer- und Zulassungsschein), es genügten nun ausländische Papiere in deutscher Übersetzung, eine Regelung, die bis heute gilt. Bis 1963 gab es kein anderes Land, das so allgemein wie Deutschland Kfz-Papiere anderer Staaten anerkannte. 1937 wurde eine neue Straßenverkehrsordnung (StVO) erlassen, unterteilt in StVO und Straßenverkehrs-Zulassungsordnung (StVZO), weil die Zuständigkeit für den Straßenverkehr zwischen dem Reichsverkehrsministerium, dem Reichsinnenministerium und dem Generalinspektor für das deutsche Straßenwesen aufgeteilt worden war. Durch die StVZO begann die Kfz-Überwachung und die Gefährdungshaftung der Insassen. Gemeinsam mit dem Reichsjustizministerium bereitete M. 1936 das Gesetz über die Pflicht-Haftpflichtversicherung für Kfz-Halter vor. 1937 waren schon 72 % der Kraftfahrzeuge freiwillig versichert, die Haftpflichtschäden stiegen aber weiter an. 1939 trat das Gesetz in Kraft, zehn Jahre nach einer entsprechenden Regelung in Österreich. 1946 wurde M. in die Hauptverwaltung Straßen der Brit. Besatzungszone (seit 1947 der Bizone) nach Bielefeld berufen, 1949 nach der Gründung der Bundesrepublik in das Bundesverkehrsministerium, in dem er bis 1951 als Ministerialdirigent tätig war. M. ist der Begründer der Straßenverkehrs-Rechtswissenschaft in Deutschland. Es gelang ihm, eine Brücke zwischen Wissenschaft und Praxis zu schlagen und so für das neue Rechtsgebiet ein sicheres Fundament zu legen. – Geh. Reg.rat. (1929); Gr. Bundesverdienstkreuz (1953).

W Automobilgesetz, 1926–32; Kommentar z. Straßenverkehrsrecht, 1927, zuletzt 3 Bde., ²¹1957; Kommentar z. Luftverkehrsgesetz, 1923, ²1933 (mit R. Schleicher); Wünsche d. Automobilbesitzer an d. Gesetzgeber, in: Jb. d. Dt. Kraftfahr- u. Motorwesens 11, 1929, S. 59–68; Verkehrsunfälle in ihrer Beziehung z. Städte- u. Straßenbau, Diss. TH Berlin 1933; Die Entwicklung d. dt. Straßenverkehrsrechts, in: Zs. f. Verkehrssicherheit 1, 1952, S. 36–49; Zulässigkeit d. Parkens auf Gehwegen, in: Mitt. d. Jur. Zentrale d. ADAC v. 7. 4. 1952. – *Hrsg.:* Verkehrsrechtl. Abh. u. Entscheidungen, 1936–40.

L O. Bezold. in: Jur. Wschr. 1927, S. 2791; ebd. 1934, S. 2881; Betrachtungen z. dt. Straßenverkehr, Festgabe z. 70. Geb.tag, 1953; H. Booß, in: Dt. Autorecht 32, 1963, S. 229–31 *(P)*; ebd. 34, 1965, S. 1 *(P)*; ADAC-Motorwelt 1963, H. 8, S. 790 *(P)*; ebd. 1965, H. 2, S. 18 *(P)*.

Hans Christoph Graf v. Seherr-Thoß

Müller, *Fritz,* Chemiker, Bergbaumanager, * 3. 5. 1894 Darmstadt, † 30. 5. 1947 Essen. (ev.)

Aus Odenwälder Bauern- u. Handwerkerfam.; *V* Philipp (1858–1941), Schreiner; *M* Elise Fritz (* 1861); ∞ Duisburg 1922 Margarethe Flitner (1898–n. 1969); 1 T.

Nach dem Abitur an einer Oberrealschule (1912) studierte M. mit einem Stipendium der Firma Merck Chemie an der TH Darmstadt. Als Kriegsfreiwilliger nach einem Unfall zur Beendigung seines Studiums (1915 Diplomprüfung) entlassen, meldete er sich als „Militärchemiker" erneut freiwillig und war bei einem Luftschifferbataillon zuständig für die Wasserstoffgewinnung. Seit Ende 1918 war M. Assistent an der TH Darmstadt. Nach der Promotion „Über die Calciumsilicide" (1920) leitete er bis Anfang 1921 die Patronenfabrik Hamborn bei Duisburg der Sprengluft GmbH, Berlin, und war dann bis Ende 1921 bei der Rhenania Verein chemischer Fabriken AG in Mannheim tätig. Anschließend kehrte er als Betriebsführer der Gewerkschaft Mathias Stinnes, (Essen-)Karnap, ins Ruhrgebiet zurück, um Bau und Inbetriebnahme einer Steinkohlenschwelanlage in Anlehnung an das von Franz Fischer weiterentwickelte Tieftemperaturschwelverfahren (Urteergewinnung) zu überwachen. Damit begann seine Beschäftigung mit Fragen der Kohlechemie. 1923 wurde M. zum Betriebsinspektor der Nebenproduktenanlagen einschließlich Gasfernversorgung ernannt. 1926 trat er als Bergwerksdirektor in die zum Krupp-Konzern gehörige Gewerkschaft Constantin der Große in Bochum ein, von wo er die Gewinnung von Stickstoff für Düngemittel mit Hilfe von Kokereigas als Gemeinschaftsaufgabe der Ruhrzechen (Casale-Konsortium) förderte. Als ehrenamtliches Vorstandsmitglied der 1927 gegründeten späteren Ruhrchemie AG, Oberhausen-Holten, war er während der Bauphase des Werkes die führende Persönlichkeit und für die Entscheidung zugunsten der Ammoniak-Synthese nach dem ital. Casale-Verfahren zuständig, das den Patentschutz der BASF auf ihr Haber-Bosch-Verfahren umging. M. erkannte früh die wirtschaftliche Bedeutung des Koksofengases und der sich aus Schwelung und Verkokung ergebenden Aufgaben für den mit Absatzproblemen kämpfenden Steinkohlenbergbau. Anfang 1929 wurde ihm auch die neugeschaffene Kohlechemie-Abteilung bei Krupp übertragen. Er verzichtete auf die Errichtung eines kohlechemischen Zentrallaboratoriums, delegierte die anwendungsbezogenen Forschungs- und Entwicklungsarbeiten auf die einzelnen Kokereigruppen und suchte für grundlagenbezogene Themen den Kontakt zur Hochschule bzw. zu den Forschungseinrichtungen des rhein.-westfäl. Bergbaus, in deren Leitungsgremien er nach und nach einrückte: Kaiser-Wilhelm-Institut für Kohlenforschung, Gesellschaft für Kohlentechnik, Gesellschaft für Teerverwertung. 1932 übernahm er zusätzlich die Leitung der Kokereien Hannover-Hannibal und wurde im selben Jahr Abteilungsdirektor der Fried. Krupp AG und kokereitechnischer Leiter des Krupp-Bergbaus. 1937 wurde er zum stellvertretenden Direktor der Bergbau-Hauptverwaltung ernannt.

Nach 1933 betrieb M. als Beitrag zur von den Nationalsozialisten angestrebten wehrwirtschaftlichen Autarkie die Errichtung einer Versuchsanlage zur Steinkohlenschwelung der Bauart „Krupp-Lurgi" sowie einer Treibstoffanlage nach dem Fischer-Tropsch-Verfahren in Kombination mit einer großtechnischen Schwelanlage (200 000 t/a), obwohl die Kruppsche Kohlenbasis den Bedarf der eigenen Hüttenwerke nicht deckte. In der Verbindung von Schwelung und Kohlenwasserstoff-Synthese bzw. Hydrierverfahren sah er eine optimale Ausnutzung des Chemierohstoffes Kohle. Obwohl die Ruhrchemie AG durch seine Initiative Generallizenznehmer des Fischer-Tropsch-Verfahrens war und obwohl große Teile des Ruhrbergbaus eher einen Kurs gegen die I. G. Farben steuerten, versuchte M. hinsichtlich des anzuwendenden Kohleverflüssigungsverfahrens (Fischer-Tropsch-Synthese bzw. I. G.-Hydrierverfahren) zunächst ausgleichend zu wirken. Krupp und andere rhein.-westfäl. Montanunternehmen kamen seit 1936 mit dem Bau eigener Fischer-Tropsch-Anlagen dem staatlichen Zwangszusammenschluß zum Bau einer Hydrieranlage im Ruhrgebiet nach dem Bergius-IG-Verfahren zuvor. Bei der Krupp Treibstoffwerk GmbH in Wanne-Eickel war M. 1937–39 Vorstandsmitglied, danach bis 1945 Geschäftsführer. 1944 beteiligte er sich an dem von Paul Pleiger initiierten Zusammenschluß des rhein.-westfäl. Bergbaus zur chemischen Kohleveredelung unter Ausschluß der I. G. Farben.

Seit Mai 1933 gehörte M. der NSDAP an. Sein Aufstieg in den Gremien der Kohlenwertstoffverbände und der dem Bergbau nahestehenden Gesellschaften setzte zwar schon 1933/34 ein, aber erst nach einem Konflikt zwischen Staat/Partei und Wirtschaft 1937/38 um die Besetzung der Vorsitze in den maßgebenden Verbänden (Benzol-Verband, Deutsche Ammoniak-Verkaufs-Vereinigung) wurde M., offensichtlich als Kompromißkandidat, in diese Gremien gewählt. 1940 wurde M. zum Wehrwirtschaftsführer ernannt, seit 1941 war er stellvertretendes, seit 1943 ordentliches Vorstandsmitglied bei Krupp. Unter seiner Leitung war der Kruppsche Steinkohlenbergbau in den 40er Jahren u. a. durch die Einführung des Kohlenhobels (1942) und der Vierseilförderung (1947) innovativ tätig.

Im Rhein.-Westfäl. Kohlen-Syndikat trat M. 1940 in den Hauptausschuß ein, im selben

Jahr wurde er Vorstandsmitglied des Vereins für die bergbaulichen Interessen. Er gehörte zahlreichen Beiräten und Kuratorien im Bereich der Energieversorgung an, engagierte sich aber nicht in dem 1943 von Speer eingerichteten Ruhrstab zur Beseitigung der Luftkriegsschäden und zur Aufrechterhaltung der Kriegsproduktion und des Verkehrswesens im Industriegebiet. Schon am 29. 11. 1945 beauftragten die Alliierten den erst im Frühjahr 1946 als unbelastet Entnazifizierten gemeinsam mit F. W. Hardach und H. Kallen mit der Wahrnehmung der vorläufigen Geschäftsführung bei Krupp. Sie benötigten den Fachmann dringend für die Wiederingangsetzung der Kohlenförderung. Seit Herbst 1945 wurde eine rechtliche und organisatorische Verselbständigung des Kruppschen Bergbaus unter M.s Leitung angestrebt, um die alliierten Zwangsmaßnahmen gegen die Firma auf die Rüstungsbetriebe zu beschränken. Zu dem gegen Alfried Krupp v. Bohlen und Halbach und leitende Angestellte stattfindenden Prozeß sollte auch M. 1947 nach Nürnberg gebracht werden, starb jedoch vorher.

W Über d. Wasserstofferzeugung im Kriege nach d. Messerschnitt-Verfahren, in: Zs. f. komprimierte u. flüssige Gase 20, 1919, S. 4–8; Über d. Calciumsilicide, in: Zs. f. anorgan. u. allg. Chemie 120, 1921, S. 49–70 (mit L. Wöhler); Über Schwelkoks aus Steinkohle, seine Herstellung u. Verwendung, in: VDI-Zs. 70, 1926, S. 1605–10; Hochdruckverfahren z. Ammoniaksynthese, in: Glückauf 64, 1928, S. 105–11; dass., in: Archiv f. d. Eisenhüttenwesen 1, 1927/28, S. 517–23; Tieftemperaturverkokung im geneigten Doppeldrehofen, in: Stahl u. Eisen 45, 1925, S. 885–87; Die Entwicklung d. Veredelung d. Steinkohle in d. letzten Jahren, ebd. 51, 1931, S. 1001–05; Tieftemperaturverkokung (Schwelung) v. Steinkohle, in: Oel u. Kohle 12, 1936, S. 543–49, dass., in: Techn. Mitt. Krupp B, Techn. Berr. 4, 1936, S. 143–50; Über d. Schwelung d. Steinkohle in Verbindung mit d. Fischer-Tropsch-Ruhrchemie-Synthese, ebd., Techn. Berr. 6, 1938, S. 47–49; Entwicklung u. Bedeutung d. Steinkohlenveredelung in d. Gegenwart, in: Glückauf 75, 1939, S. 706–12; Über d. Schwelung d. Steinkohle als Vorschaltstufe f. d. Fischer-Tropsch-Ruhrchemiesynthese, in: Brennstoff-Chemie 20, 1939, S. 141–44.

L Stahl u. Eisen 67, 1947, S. 340; Angew. Chemie 59, 1947, S. 184; F. Pudor, Nekrologe aus d. rhein.-westfäl. Industriegebiet, 1939–51, 1955, S. 147 f.; H. Stuhlmann, Die Gesch. d. Ruhrchemie, 1. T., in: Die Ruhrchemie, Werkszg. d. Ruhrchemie AG v. 28. 10. 1967, S. 3–6; M. Rasch, Gesch. d. Ruhrchemie Aktienges. 1927–1988 *(unveröff. Ms.)*; Rhdb. *(P).* – Eigene Archivstud.

Manfred Rasch

Müller, *Fritz Paul,* Entomologe, * 25. 5. 1913 Meerane (Sachsen), † 21. 7. 1989 Rostock. (ev.)

V Paul Otto (1885–1946), Bäckermeister in M.; *M* Marie Müller (1888–1961, *Cousine* d. Paul Otto); ∞ Rostock 1940 Elfriede (* 1922), *T* d. Gottlieb Buchholtz (1861–1927) u. d. Margarete Philipp (1886–1966); 1 S, 1 T, Wolfgang (* 1947), Dipl.-Ing., Erika Lemke (* 1942), Biologielehrerin.

Nach dem Schulbesuch in Meerane studierte M. 1932–35 an der Univ. Leipzig, dann bis 1938 an der Univ. Rostock Biologie (Dr. phil. 1938). Bereits mit der Dissertation über die Ernährungsbiologie verwandter Käferarten spezialisierte er sich auf die angewandte Entomologie, der er fortan sein Lebenswerk widmete. Erste Untersuchungen als Assistent am Entomologischen Seminar der Univ. Rostock galten Forstschädlingen (Kiefernspanner); später folgten Aufgaben als Sachverständiger im Pflanzenschutzdienst in Meiningen (Thüringen) bei der Kartoffelkäferbekämpfung. Entscheidende Anregungen für seine Spezialisierung erhielt M. durch den Haeckel-Schüler Albrecht Hase, als dessen Mitarbeiter er 1945–48 am Institut für landwirtschaftliche Zoologie der Biologischen Reichsanstalt für Land- und Forstwirtschaft in Berlin-Dahlem über verschiedene Vorrats- und Hygieneschädlinge arbeitete, wie über die Kleiderlaus, über wurzelbesaugende Insekten und über Chrysomeliden. 1948–55 leitete er die Entomologische Abteilung des Instituts für Phytopathologie der Akademie für Landwirtschaftswissenschaften, Zweigstelle Naumburg, wo ihm u. a. die Prüfung von Insektiziden oblag. Die Begegnung mit dem Aphidologen Carl Börner in Naumburg förderte maßgeblich sein Interesse an ökologischer Rassendifferenzierung und Artbildungsprozessen von Blattläusen, deren theoretischer und praktischer Analyse seine Forschungsarbeit seit 1953 fast ausschließlich galt. Außerdem nahm er Lehraufgaben an der Naumburger Fachschule für Pflanzenschutz wahr. Seinem Lehrauftrag für angewandte Entomologie (seit 1952) an der Univ. Jena folgte 1955 die Berufung zum Hochschul-Dozenten für Entomologie an der Landwirtschaftlichen Fakultät der Univ. Rostock (Habilitation 1957), 1958 zum Professor mit Lehrauftrag, 1959 zum Professor mit vollem Lehrauftrag und 1964 zum o. Professor für landwirtschaftliche Zoologie und Entomologie. M. leitete die Abteilungen „Angewandte Entomologie" am Institut für Phytopathologie und „Zoologie" am Institut für Landwirtschaftliche Biologie. Nach Auflösung dieser Institute 1968 übernahm M. die Leitung der

Forschungsgruppe Phyto-Entomologie an der Sektion Biologie der Univ. Rostock mit dem Thema „Systematik und Biologie der Blattläuse (Aphiden) unter besonderer Berücksichtigung virusübertragender und direkt schädlicher Arten", eine Forschungsarbeit, die er auch nach der Emeritierung 1978 intensiv fortsetzte.

Der großen wirtschaftlichen Bedeutung und den Schwierigkeiten exakter Artbestimmung in der großen Gruppe der Blattläuse (Aphidinea) wurde M. durch Einführung vielfältiger Methoden und die Anlage einer überregionalen Sammlung zur vergleichenden Untersuchung gerecht. Neben morphologisch-taxonomischen Studien, zu denen er alle Zeichnungen selbst anfertigte, spielten zunehmend autökologische Analysen und experimentell-biologische Untersuchungen über das Verhältnis von Parasiten zu Wirtspflanzen und über Entwicklungszyklen eine Rolle. Beobachtungen über die Differenzierung ökologischer Rassen führten zu evolutionsgenetischen Schlußfolgerungen und ließen ihn zu einem international anerkannten Spezialisten für Aphiden und Fragen der Mikroevolution werden. Seine Beiträge zur Theorie der Artenbildung flossen in Ernst Mayrs Evolutionstheorie der „biologischen Art" ein. Neben den über 200 Spezialarbeiten (er beschrieb 21 neue Aphiden-Arten und wies 628 Arten für das Territorium der ehemaligen DDR sicher nach, darunter 101 als Erstnachweis) erhalten vor allem seine Beiträge in wichtigen Sammelwerken wie Stresemanns „Exkursionsfauna von Deutschland" (II/2) bis zur 8. Auflage (1990), „Handbuch der Pflanzenkrankheiten" (hrsg. v. P. Sorauer, IV) oder im Lehrbuch „Phytopathologie und Pflanzenschutz" (hrsg. v. M. Klinkowski u. a., II) bleibende Bedeutung. Ein großes Buchprojekt zur umfassenden Darstellung der Systematik, Biologie, Ökologie und Evolution der Blattläuse konnte nicht mehr fertiggestellt werden. Es fußte u. a. auf teilweise noch existierenden Lebendsammlungen; so hielt M. einige Aphidenstämme über 25 Jahre in Dauerzuchten, die er für autökologische Versuche und zu evolutionsgenetischer Forschung nutzte. Seine rund 22000 Dauerpräparate umfassende Aphiden-Sammlung enthält umfangreiche Serien der verschiedenen Morphen von Blattlausstämmen, die „durchgezüchtet" worden waren, und über 100 Nomenklaturtypen. Sie ist seit Januar 1990 als „Fritz-Paul-Müller-Sammlung" im Besitz der Univ. Rostock. – Ehrenmitgl. d. Ungar. u. d. Sudanes. Entomolog. Ges.; Präsidiumsmitgl. d. Biolog. Ges. d. DDR (mehrfach 1960–71).

W u. a. Holozyklie u. Anholozyklie b. d. Grünen Pfirsichblattlaus Myzodes persicae (Sulz.), in: Zs. f. angew. Entomol. 36, S. 369–80; Blattläuse, 1955; Die Wirtspflanzenwahl phytophager Insekten in Beziehung z. Artenbildung, in: Arbeitstagung d. Biolog. Ges. d. DDR zu Fragen d. Evolution 1959 in Jena, 1960; Bastardierungsversuche z. Feststellung v. Isolierungsmechanismen zw. nahe verwandten Formen d. Gattung Myzus Passerini, in: Biolog. Zbl. 88, 1969, S. 147–64; Genetic and Evolutionary Aspects of Host Choice in Phytophagous Insects, especially Aphids, ebd. 104, 1985; Blattlausbiol., Faunistik u. Evolution, in: Polskie Pismo Entomologiczne 40/3, 1970, S. 435–66; Isolationsmechanismen zw. sympatr. bionom. Rassen ..., in: Zoolog. Jbb., Systemat. R. 98, 1971, S. 131–52; Aphiden an Moosen, in: Entomolog. Abhh. d. Mus. f. Tierkde. Dresden 39, 1973, Nr. 3, S. 205–47; Wirtswechsel, Generationenfolge u. reproduktive Isolation v. Ovatus crataegarius (Walker 1850) u. O. insitus (Walker 1849), in: Dt. Entomolog. Zs. 1981 (mit M. L. Dahl); Das Problem Aphis fabae, in: Angew. Entomol. 94, 1982.

L Zum 65. Geb.tag, Btrr. z. Entomol. 29, 1979, S. 299–306 *(W, P)*; A. Bartels, in: Mitt. d. Biolog. Ges. d. DDR, 1983, S. 31–33; S. Scheurer, in: Entomolog. Nachrr. u. Berr. 32/1, 1988, S. 47 f.; Th. Thieme, in: Entomologia Generalis 16/2, 1991, S. 167–69 *(P)*; Z. Basky, In Memory of Dr. F. P. M., Acta Phytopathologica et Entomologica Hungarica 25, Nr. 1–4, 1990 *(W, P)*. – Archiv d. Univ. Rostock; Mitt. v. Elfriede Müller u. Hanna Steiner.

Ilse Jahn

Müller, *Gallus,* kath. Theologe, * um 1490 Fürstenberg b. Donaueschingen (Baden), † 16. 7. 1546 Meran (Tirol).

Eltern unbekannt.

Die erste urkundliche Erwähnung M.s ist der Eintrag in die Matrikel der Univ. Freiburg vom 17. 5. 1507. 1508 wurde er Baccalaureus. Seine Studien setzte er in Köln fort. Im Juni 1509 wurde er in Tübingen inskribiert und im November als „Baccalaureus Coloniensis" von der Artistenfakultät rezipiert. Nach Erlangung des Grades eines Magister artium im Juli 1510 begann er sein theologisches Studium in Tübingen. Als Schüler von Wendelin Steinbach erwarb M. Anfang 1515 den Grad eines „Baccalaureus Biblicus" und im Frühjahr 1517 den eines „Baccalaureus sententiarum". Bereits im Wintersemester 1516/17 war er Rektor der Tübinger Universität, im Wintersemester 1518/19 Dekan der Artistenfakultät. 1519/20, 1524/25, 1527, 1529/30 und 1532/33 wurde er wiederum zum Rektor gewählt. Seine theologische Promotion erfolgte am 2. 5. 1519. Am 11. 3. 1519 wurde er Nachfolger von W. Steinbach, dessen Kommentar zum letzten Teil des Sentenzenwerkes von Petrus Lombardus er 1521 herausgab. Er fügte ein längeres Vorwort mit einer Würdigung von Steinbachs Leben und Werk an. 1522 erhielt er die Pfarrei St. Georg und Martin in Tübingen. 1526 nahm er am Religionsgespräch in Baden Kt. Aargau teil. 1527 übernahm M. im Auftrag der vorderösterr. Regierung die Visitation der Frauenklöster in Horb und berichtete im November desselben Jahres über das Ergebnis.

Als Vorbereitung für den Augsburger Reichstag stellte M. im Auftrag der Regierung eine Liste der theologischen Irrtümer Luthers auf. Nach Einführung der Reformation in Württemberg erhielt er im September 1534 Kanzelverbot und wurde Ende Januar 1535 von Hzg. Ulrich als Professor der Theologie abgesetzt und ohne Entschädigung entlassen. Er wandte sich nach Freiburg, wo er einen Monat später durch den Akademischen Senat ehrenvoll empfangen wurde. Hier erreichte ihn ein Ruf von Kg. Ferdinand II. als Rat und Hofprediger nach Innsbruck. Im Juni 1535 wurden ihm von der Tiroler Landesregierung die Aufgaben der Predigttätigkeit und der Kirchenreform übertragen. Große Verdienste erwarb sich M. um die Durchführung der Salzburger Provinzialsynode, an der er als Vertreter Kg. Ferdinands teilnahm. 1537 stiftete er in Freiburg die Gallus-Burse und vermachte in seinem Testament seine Bücher der Universitätsbibliothek. 1541 nahm M. am Religionsgespräch in Hagenau und Worms teil, 1542 beauftragte ihn Ferdinand mit der Pfarrvisitation in Tirol und ernannte ihn 1543 zum Pfarrer von Meran-Tirol. Der König hatte ihn 1543 auch als Mitglied der Konzilsgesandtschaft zum Konzil von Trient vorgesehen. Karl V. erbat für das Religionsgespräch, das er für den 12. 12. 1545 ausgeschrieben hatte, von Ferdinand die Mitwirkung M.s. Dieses Religionsgespräch kam allerdings nicht zustande. M. zählt zu den entschiedenen Verteidigern der alten Kirche im 16. Jh. und erwarb sich große Verdienste um die Erneuerung der Kirche, besonders in Österreich.

W Hrsg.: Gabrielis Biel Suppl. in octo et viginti Distinctiones ultimas Quarti Magistri Sentent. per D. Wendelinum Steinbachum, Paris 1521.

Qu. F. Nausea, Epistolarum miscellanearum, Basel 1550, S. 205–08, 495–499, 501, 509, 540, 547 u. ö; F. X. Werk, Stiftungsurkk. akadem. Stipendien, 1842, S. 128–58; ders., Die Urkk. üb. d. der Univ. Freiburg i. Br. zugehörigen Stiftungen, 1875, S. 32 ff.; Die Matrikeln d. Univ. Tübingen I, bearb. v. H. Hermelink, I, 1906, S. 170; Die Matrikel d. Univ. Freiburg i. Br., bearb. v. H. Mayer, I, 1907, S. 176; Concilium Tridentinum, IV, S. 286 f., 292 A, 4; Acta Reformationis Catholicae, II, 1960, S. 332, 343, 459, 464 f., 468, 483, 489, III, 1968, S. 131, 196 f., IV, 1971, S. 273, 382, 452. – *Weitere Qu.* Univ.-archiv Freiburg.

L Schottenloher Nr. 15899 f.; A. Nägele, Dr. G. M. v. Fürstenberg u. sein Wirken in u. f. Tübingen, Freiburg u. Tirol, in: Freiburger Diözesan-Archiv 66, 1938, S. 97–164; W. Hagenmaier, Das Verhältnis d. Univ. Freiburg i. Br. z. Ref., Diss. Freiburg 1968, S. 12, 156, 167; Th. Kurrus, Die Jesuiten an d. Univ. Freiburg i. Br., II, 1977, S. 274; W. Werbeck u. U. Hofmann, Gabrielis Biel, Collectorium circa quattuor libros Sententiarum, IV/2, 1977 (De Supplemento Wendelini Steinbach XIV ff.); G. W. Locher, Die Zwinglische Ref., 1979, S. 152–87; M. Brecht u. H. Ehmer, Südwestdt. Ref.gesch., 1984, S. 256 f.; Th. Freudenberger, Die Fürstbischöfe v. Würzburg u. d. Konzil v. Trient, 1989, S. 55–60; I. Pill-Rademacher, Visitationen an d. Univ. Tübingen, 1993; LThK².

Remigius Bäumer

Müller, *Gebhard,* Jurist, Politiker, * 17. 4. 1900 Füramoos b. Biberach, † 7. 8. 1990 Stuttgart. (kath.)

V Johannes (1865–1945), Volksschullehrer in Ludwigsburg, S d. Peter (1831–1911), Bauer in Magolsheim, u. d. Anna Maria Leichtle (1834–1905); M Josefa (1871–1958), T d. Benedikt Müller (1818–96), Bauer in Unterurbach, u. d. Veronika Sigg (1827–93); B Franz Xaver (1897–1974), Jesuit, Lehrer in St. Blasien, Provinzial d. Südprov. d. Jesuiten in Pullach b. München, Alfons (1901–88), Pfarrer in Waldmössingen; – ∞ 1940 Marianne Lutz; 3 S.

Als M. sechs Jahre alt war, zog die Familie nach Ludwigsburg, um den begabten Söhnen trotz der bescheidenen Einkünfte des Vaters den Zugang zum Gymnasium zu ermöglichen. Im Juli 1915 legte M. das Landexamen als Bester seines Jahrgangs ab, trat mit einem Stipendium ins humanistische Gymnasium Rottweil über und bezog ein Zimmer im bischöflichen Konvikt. Es war sein Wunsch, Priester zu werden. Mit dem Notabitur versehen, ging er noch für sechs Monate in den Krieg. Im ersten Halbjahr 1919 holte er den Rest der Oberprima nach und schrieb sich an der Univ. Tübingen für das Studium der Kath. Theologie, Philosophie und Geschichte ein. Nach sechs Semestern verlegte er sich auf Rechtswissenschaft und Volkswirtschaft. 1923 brachte er ein Semester in Berlin zu, wo ihn der Studenten-Seelsorger Carl Sonnenschein beeindruckte. Der 1. Juristischen Staatsprüfung in Tübingen (1926) folgten drei Jahre später die 2. sowie die Promotion zum Dr. iur. in Tübingen. Nach den Assessorjahren ließ sich M. vom Staatsdienst beurlauben, um für einige Jahre als Rechtsrat in den Diensten des Bischofs zu arbeiten. In Rottenburg übernahm er auch die Leitung der örtlichen Zentrums-Gruppe, wobei er führende Männer des württ. politischen Katholizismus, unter ihnen Josef Beyerle und Eugen Bolz, kennenlernte. Wegen Meinungsverschiedenheiten über die Nazis – er trat für eine entschiedenere Abgrenzung ein – verließ er das Bischöfliche Ordinariat und kehrte 1929 in den Justizdienst zurück (Waiblingen, Tübingen). Als Amtsrichter in Göppingen fiel er auf, weil er, am 9. 11. 1938 Richter im Bereitschaftsdienst, nach den Ausschreitungen der „Reichskristallnacht" Anzeige wegen Untätigkeit gegen die vor Ort anwesenden Leiter der Polizei und der Feuerwehr erstattete. Man versetzte ihn nach Stuttgart, was nicht das Ende seiner Karriere bedeutete. M. hat später betont, daß der NS-Staat keineswegs von Anfang an und in allen Bereichen gleichermaßen präsent war; nur habe es viel zu oft an Zivilcourage gefehlt. Er stand in Stuttgart mit Bolz und anderen Männern des 20. Juli in Verbindung. Im Sommer 1944 blieb er dank ihrer Verschwiegenheit und dank des Umstands, daß er zur Wehrmacht eingezogen wurde, vom Zugriff der Gestapo verschont. Bei Kriegsende geriet M. in franz. Kriegsgefangenschaft. Er konnte fliehen und kehrte nach Göppingen zu seiner Familie zurück.

Im Juni 1945 erreichte ihn von Beyerle, der in Stuttgart mit dem Aufbau der Justiz beauftragt worden war, die Aufforderung zur Mitwirkung. Noch im selben Jahr wurde M. Ministerialrat im Tübinger Justizministerium und Stellvertreter Carlo Schmids, der das Ressort leitete. Im Januar 1946 gehörte er in Aulendorf zu den Mitbegründern der CDU für Württemberg-Hohenzollern und wurde im März 1946 zum Landesvorsitzenden der Partei gewählt. Er war Mitglied der Verfassunggebenden Landesversammlung in Bebenhausen. Im ersten Landtag übernahm M. den Fraktionsvorsitz. Nach dem Tod von Staatspräsident Lorenz Bock wurde er am 13. 8. 1948 dessen Nachfolger. Die Regierung, an deren Spitze M. nun stand, war nur geschäftsführend im Amt, denn auf seine Initiative hin war sie zuvor aus Protest gegen Demontage- und Abholzungsaktionen der Besatzungsmacht zurückgetreten. M. übernahm auch das Finanz- und das Justizministerium.

Die Lebensaufgabe M.s erwuchs aus den Umständen seines Eintritts in die Regierung: Die westdeutschen Ministerpräsidenten waren aufgefordert worden, den Oberkommandierenden der Westmächte Vorschläge zur Neugliederung der Länder vorzulegen (Frankfurter Dokumente). Obgleich M. ursprünglich die Wiedervereinigung der beiden Württemberg bevorzugt hatte, übernahm er nun von Reinhold Maier die Südweststaat-Idee, die nach dem 1. Weltkrieg bereits von Theodor Heuss propagiert worden war. Da eine vorkonstitutionelle Lösung mit den Regierungen in Freiburg und Stuttgart nicht gelang, setzte M. im Parlamentarischen Rat mit dem späteren Artikel 118 eine Ergänzung des Grundgesetzes durch, die im Südwesten der Bundesrepublik eine Vorabregelung der Neugliederung erlaubte. Auf diesen Grundgesetzartikel gestützt, beschloß der Bundestag 1951 jenes umstrittene Neugliederungsgesetz, das zwar eine Volksabstimmung im Südwesten anordnete, den Südweststaat aber auch gegen den Willen der bad. Bevölkerung herbeizuführen geeignet war. Die Bad. Landesregierung unter Staatspräsident Leo Wohleb rief das Bundesverfassungsgericht an, das mit Stimmengleichheit des befaßten Senats das Gesetz passieren ließ. Für M. blieb der Lohn für seine Mühe um die Südweststaatsgründung zunächst aus. Sein Mitstreiter Reinhold Maier (DVP/FDP), der ihm noch 1949 das Amt des ersten südwestdeutschen Ministerpräsidenten ausdrücklich in Aussicht gestellt hatte, bildete im April 1952 unter Umgehung der stärksten Fraktion in der Verfassunggebenden Landesversammlung selbst die Regierung. Für die CDU und ihren Fraktionsvorsitzenden M. blieben die Oppositionsbänke. Erst nach der Wahl des 2. Bundestages und Maiers Rücktritt kam M. am 30. 9. 1953 als Chef einer Allparteienregierung ins Amt des Ministerpräsidenten.

Am Jahresende 1958 schied M. aus gesundheitlichen Rücksichten aus der Landespolitik aus und nahm den wiederholt an ihn ergangenen Ruf ins Amt des Präsidenten des Bundesverfassungsgerichts an, das er bis 1971 ausübte. Das Gericht traf unter seiner Präsidentschaft wichtige Entscheidungen: das erste Rundfunkurteil, das „Spiegel"-Urteil, die Verstetigung der Grundrechtsjudikatur im Blick auf den Freiheits- und Gleichheitsanspruch. Nachdem M. aus dem Amt ausgeschieden war, häuften sich die Ehrungen. Als Zeitzeuge und als Beteiligter an der Gründung der Bundesrepublik und des Landes Baden-Württemberg war er bis ins hohe Alter ein gefragter Festredner und Interviewpartner. Für M. war das richterliche Amt persönlichkeitsbestimmend; geschichtliche Bedeutung hat er in der Politik erreicht. M. gilt – neben Reinhold Maier – zu Recht als „Vater des Südweststaats". – Honorarprof. u. Ehrensenator d. Univ. Tübingen (1972); Dr. h. c. mult.; Verdienstmedaille d. Landes Baden-Württemberg, Gr.kreuz d. Verdienstordens d. Bundesrepublik Dtld. (1953), Gr.kreuz. d. päpstl. Pius-Ordens (1972).

L FS z. 70. Geb.tag, hrsg. v. T. Ritterspach u. W. Geiger, 1970 *(W-Verz., P)*; M. Gögler u. G. Richter (Hrsg.), Das Land Württemberg-Hohenzollern 1945–1952, Darst. u. Erinnerungen, 1982; Zeugen d. Jh., Porträts aus Pol. u. Pol. Wiss., hrsg. v. K. B. Schnelting, 1982, S. 55 ff.; G. M. blickt zurück, Festgabe v. Baden-Württemberg, hrsg. v. Landtag v. Baden-Württemberg, 1980; R. Wand, Dr. G. M., Demokrat – Staatsmann – Präs. d. Bundesvfg.ger., in: Jb. d. öff. Rechts d. Gegenwart NF 34, 1985, S. 89 ff.; Ausgew. Dokumente z. Landeszeitgesch. Baden-Württemberg, Zur Erinnerung an Prof. Dr. G. M., 1990; G. Bradler u. Lorenz Bock, in: Treuhänder d. dt. Volkes, Die Ministerpräsidenten d. Westl. Besatzungszonen nach d. ersten freien Landtagswahlen, hrsg. v. W. Mühlhausen u. C. Regin, 1991, S. 79 ff.; P.-L. Weinacht, in: Gesch. im Westen, Jg. 6, 1991, S. 209–13.

Paul-Ludwig Weinacht

Müller, *Georg* Alexander v. (preuß. Adel 1900), Admiral, * 24. 3. 1854 Chemnitz, † 18. 4. 1940 Hangelsberg / Spree. (ev.)

V Alexander M. (1828–1906), Dr. phil., Lehrer d. Chemie an d. Gewerbeschule in Ch., Prof. d. Agrikulturchemie an d. Landbauak. in Stockholm, Bes. v. Stensjöholm b. Ryssby (Schweden) (s. Pogg. II, III; BJ XI, Tl.), *S* d. Carl August (1795–1870) aus Oberarnstein (Sachsen), Gutspächter in Wöllershof b. Neustadt / Waldnaab (Oberpfalz), Ortsrichter u. Frongutsbes., Ökonomiekommissar in Gablentz b. Ch., u. d. Augusta Hertel; *M* Clara Therese (1830–98), *T* d. N. N. Kurzwelly, Pfarrer in Ch.; *B* Konrad M.-Kurzwelly (1855–1914), Dr. phil., Prof., Landschaftsmaler (s. ThB); – ∞ Küstrin 1885 od. 1889 Elisabeth (1868–n. 1934) aus Heiligenstadt, *T* d. Erich v. Monbart (1836–1907) aus Benrath, preuß. Oberstlt., u. d. Agnes v. Bodungen (1847–1932) aus Heiligenstadt; 1 *S* Sven (* 1893), Dr. iur. et rer. pol., 2 *T*, u. a. Karin (1895–1979), ∞ Emil Georg v. Stauß, 1877–1942, Dir. d. Dt. Bank, s. Rhdb.); *Schwägerin* Helene Kessler (Ps. Hans v. Kahlenberg) (1870–1957), Schriftst. (s. Kürschner, Lit.-Kal., Nekr. 1936–70).

M. trat 1871 als Kadett in die Kaiserl. Marine ein. Im Anschluß an seine Ausbildung zum Seeoffizier diente er in verschiedenen Stellungen an Bord und an Land. Zu den bedeutendsten zählten seine Kommandierungen zur Torpedowaffe (zwischen 1879 und 1884) und zum Oberkommando der Marine (1892–95) – hier gewann und festigte M. seine Verbindung zu dem späteren Staatssekretär des Reichsmarineamtes Alfred v. Tirpitz – wie auch seine Verwendungen unter Prinz Heinrich von Preußen, dem Bruder des Kaisers. Als persönlicher Adjutant begleitete M. den Prinzen 1897 / 98 nach Ostasien, übernahm dort das Kommando über den Großen Kreuzer „Deutschland" (1898–1900) und wirkte, nachdem der Prinz Chef des Kreuzergeschwaders geworden war, zugleich als dessen Chef des Stabes (1899 / 1900). Dem Marinekabinett gehörte M. erstmals 1889–91 an, dann wieder als Abteilungsvorstand 1900–02. Nach seiner Verwendung als Kommandant des Linienschiffes „Wettin" und dem sich anschließenden Dienst im „Militärischen Gefolge" des Kaisers (als diensttuender Flügeladjutant, seit 1905 als diensttuender Admiral à la suite) wurde M. abermals zum Marinekabinett kommandiert, dessen Leitung er – nicht ohne anfängliches Widerstreben – am 8. 7. 1906 übernahm. Fortan führte er die Behörde bis zur Aufhebung der Immediatstellung. Am 29. 10. 1918, einen Tag nach der Unterstellung des Marinekabinetts unter das Reichsmarineamt, wurde M. beurlaubt, einen Monat später verabschiedet.

Der nur dem Kaiser verantwortliche Kabinettschef war zum einen für die Personalangelegenheiten der Marine zuständig, zum anderen hatte er Wilhelm II. in allen Marinefragen zu beraten, was seine Anwesenheit bei wichtigen Vorträgen Dritter erforderte. Angesichts der Aufteilung der Marineführung in mehrere Immediatstellen und des Vertrauens, das der 1910 zum Generaladjutant ernannte M. beim Kaiser genoß, standen ihm in dem Maße durchaus erhebliche Einflußmöglichkeiten offen, wie der Kaiser selbst willens war, von dem ihm gegebenen Spielraum Gebrauch zu machen. Der gebildete, gewissenhafte, feinfühlige Kabinettschef nutzte seine Position in eher ausgleichender, mäßigender Absicht. Vor dem Kriege wollte zwar auch er das Deutsche Reich zu einer Weltmacht aufsteigen sehen. Nachhaltig unterstützte er den Tirpitzschen Flottenbau. Bei aller Einsicht in die antibrit. Stoßrichtung solcher Politik aber war er noch keineswegs zu einem eingeschworenen Gegner Großbritanniens geworden. Im Kriege förderte er dann bis Ende 1916 – zuweilen auch gegen den Druck einer nahezu geschlossenen militärischen Führung – die Bemühungen des Reichskanzlers Bethmann Hollweg, den U-Bootkrieg zu begrenzen. Auch sperrte er sich gegen Bestrebungen, Großadmiral Tirpitz mit dem Oberbefehl über die Marine zu betrauen. Ganz im Gegenteil trug er im Frühjahr 1916 zu dessen Entlassung bei. Daß M. Partei für die zivile Reichsleitung ergriff, daß er die Kommandogewalt Wilhelms II. verteidigte, daß er zudem auf einen zurückhaltenden Einsatz der Hochseeflotte gegen den überlegenen Gegner drängte, alles dies weckte im Seeoffizierkorps Mißtrauen und Abneigung gegen ihn. Bereits vor dem Kriege war M. wegen seiner Kampagne gegen den Alkoholgenuß und wegen seiner Vorstöße, als Regelvoraussetzung für die Seeoffizierslaufbahn das Abitur vorzusehen, innerhalb der Marine in eine Außenseiterposition geraten. Nunmehr aber war er für eine einflußreiche Gruppe um den Flottenchef Admiral Reinhard Scheer untragbar geworden. Auch im Großen Hauptquartier zunehmend isoliert, gab M. 1918 schließlich seinen Widerstand gegen die Einrichtung einer Seekriegsleitung, mit der die Kommandogewalt über die Marine de facto an Scheer übergehen sollte, auf. Er selbst erklärte sich bereit, bei nächster Gelegenheit zurückzutreten. Obwohl er sich aus dem öffentlichen Leben hatte zurückziehen wollen, mußte sich M. in der Folgezeit noch mehrmals gegen die in erster Linie von Tirpitz ausgehenden Anfeindungen publizistisch zur Wehr setzen. – Pour le mérite; Schwarzer Adler-Orden.

W Regierte d. Kaiser? Kriegstagebücher, Aufzeichnungen u. Briefe d. Chefs d. Marine-Kab. Admiral G. A. v. M. 1914–1918, hrsg. v. W. Görlitz, 1959; Der Kaiser..., Aufzeichnungen d. Chefs d. Marinekab. Admiral G. A. v. M. üb. d. Ära Wilhelms II., hrsg. v. dems., 1965.

L W. Hubatsch, Kaiserl. Marine, Aufgaben u. Leistungen, 1975; H. H. Hildebrand u. E. Henriot, Dtld.s Admirale 1849–1945, II, 1989; J.-U. Fischer, Admiral d. Kaisers, G. A. v. M. als Chef d. Marinekab. Wilhelms II., 1992.

Frank Nägler

Müller, *Georg,* Verleger, * 29. 12. 1877 Mainz, † 29. 12. 1917 München.

V Gerhard, Kaufm.; *M* Anna Urmetzer; *B* Hans († n. 1919), Kommanditist d. Georg-Müller-Verlags; ∞ N. N.; *K* u. a. Kitty († 1979, ∞ Alfred Neumann, 1895–1952, Schriftst., s. BHdE II).

Nach dem Einjährigen-Examen am Gymnasium in Mainz begann M. eine kaufmännische Lehre in München, die er nach kurzer Zeit in Wien fortsetzte, da er von einer Ausbildung in der Metropole Österreich-Ungarns mehr Anregungen erwartete als in der Hauptstadt Bayerns. Von Wien, wo er zuletzt in Vertretung des Geschäftsinhabers eine große Buchhandlung leitete, ging er 1898 nach Paris, um sich mit dem dortigen Buchhandel und der hochentwickelten Buchkunst Frankreichs vertraut zu machen. 1903 gründete M. in München einen eigenen Verlag, den er in kurzer Zeit zu einem angesehenen Unternehmen entwickelte. Es war M.s Bestreben, aus der Literatur „das Wertvolle auszusuchen und ihm zum Erfolg zu verhelfen". Zu den Schriftstellern, die in seinem Verlag unter Vertrag standen, zählten Otto Julius Bierbaum, Franz Blei, Hanns Heinz Ewers, Isolde Kurz, Wilhelm Schäfer, Richard Schaukel, Oskar A. H. Schmitz, Wilhelm v. Scholz, Frank Wedekind und August Strindberg. Daneben war M. um die Edition großer Klassikerausgaben bemüht. Genannt seien die 50 Bände umfassende Propyläen-Ausgabe der Werke Goethes, die Horen-Ausgabe der Werke Schillers, die Jubiläumsausgabe der Werke Friedrich Hebbels, die Gesamtausgabe der Schriften Clemens Brentanos und E. T. A. Hoffmanns sowie der Arbeiten Otto Ludwigs, Reinhold Lenz', Eichendorffs, Hölderlins, Thackerays, Molières und Montaignes.

Es gehörte zu den wesentlichen Anliegen M.s, das deutsche Publikum mit der Literatur des Auslands (u. a. Sterne, Gogol, Puschkin, Turgenjew, Tolstoi, Pascal, Emil Rasmussen, Anatole France, Pío Barojas und Stanislaus Przybyszewski) und speziell mit der Literatur des Ostjudentums bekannt zu machen. M. veröffentlichte außerdem Lyrik, Märchen, Schriften über Kunst und Musik, illustrierte Werke, Abenteuerromane und Grotesken; Neuland betrat er mit der Herausgabe von Graphik. Ferner unterhielt er einen umfangreichen Theaterverlag. Das fast grenzenlose verlegerische Interesse M.s beweist die Tatsache, daß er die bedeutendsten Romane Artur Landsbergers in der Sammlung „Berliner Romane" herausgab. Es gehört zu seinen bleibenden Verdiensten, daß er jungen Schriftstellern und Künstlern half, sich durchzusetzen, vor allem dann, wenn sich ihnen auf ihrem Weg Schwierigkeiten auftaten. Ohne die großzügige Unterstützung durch seine begüterte Familie wäre ihm dies allerdings nicht möglich gewesen. – Seit der Verlagsgründung von 1903 bis zu der Umwandlung in eine Aktiengesellschaft 1919 edierte M. etwa 1900 Buchpublikationen in einer Auflagenzahl von mehreren Millionen Exemplaren. Die Ausstattung der Bücher lag fast ausschließlich in den Händen von Paul Renner (1878–1956). 1932 wurde der Verlag mit dem Albert Langen Verlag fusioniert; heute gehört er zur Verlagsgruppe Langen-Müller-Herbig-Econ.

L 1903–1908, Georg Müller Verlag München, Kat. d. in d. ersten fünf J. d. Bestehens ersch. Bücher, 1908; Der Münchener Verlagsbuchhandel auf d. internationalen Ausst. f. Buchgewerbe u. Graphik,

1914; Liebhaberausgg. d. Verlags Georg Müller in München, 1918; R. C., Ein führender dt. Verleger aus Mainz, G. M., in: Mainzer Warte v. 9. 1. 1926; 25 J. Georg Müller Verlag, 1928; H. Floerke, G. M. u. sein Verlag (n. 1936, *Ms. im Archiv d. Langen-Müller-Verlags, München*); W. Koch, Die Ausgewogenheit v. Qualität u. Quantität als verleger. Aufgabe (demonstriert am Beisp. d. Verlegers G. M.), Diss. München 1950 *(ungedr.);* H.-L. Geiger, Es war um d. Jh.wende, Gestalten im Banne d. Buches, 1953; K. Fuchs, Ein Verleger u. Mäzen aus Mainz, in: Allg. Ztg. (Mainz) v. 27. 12. 1977; ders., G. M., in: Lb. vergessener Mainzer Persönlichkeiten, 1984, S. 87–93 *(P);* Andreas Meyer, Die Verlagsfusion Langen-Müller, Zur Buchmarkt- u. Kulturpol. d. Dt.nat. Handlungsgehilfen-Verbands in d. Endphase d. Weimarer Rep., 1989 *(P);* DBJ II, Tl.

Konrad Fuchs

Müller, *Georg Elias,* Psychologe, * 20. 7. 1850 Grimma (Sachsen), † 23. 12. 1934 Göttingen. (luth.)

V August Friedrich (1811–90), Dr., Lic., Prof. an d. Fürstenschule in G., dann Pfarrer in Zwenkau b. Leipzig (s. L), S e. Schneiders in Eibenstock (Erzgebirge); M Rosalie Zehme; ∞ 1892 Käthe, T d. David Müller, Historiker in Karlsruhe.

M. besuchte die Fürstenschule in Grimma und verbrachte das letzte Jahr seiner Gymnasialzeit in Leipzig, wo er 1868 das Studium der Philosophie und der Geschichte begann. 1869 wechselte er an die Univ. Berlin über, nahm 1870/71 als Freiwilliger und Offizier am Krieg teil und immatrikulierte sich anschließend wieder in Leipzig. 1873 wurde M. in Göttingen mit einer Dissertation über die „Theorie der sinnlichen Aufmerksamkeit" zum Dr. phil. promoviert. Danach war er Hauslehrer in Rötha bei Leipzig und später in Berlin. 1876 habilitierte er sich mit der Schrift „Grundlegung der Psychophysik" (1878) in Göttingen für das Fach Philosophie und erhielt 1880 einen Ruf an die Univ. Czernowitz. 1881 kehrte er als Nachfolger von Hermann Lotze nach Göttingen zurück. 1921 wurde er emeritiert.

M.s wissenschaftliches Werk läßt drei Schwerpunkte erkennen: die psychophysische Methodik, die Gedächtnistätigkeit und die Psychophysik der Gesichtsempfindungen. Prinzipien- und Methodenfragen untersuchte er erstmals in seiner Habilitationsschrift, in der er auch auf die ungelösten Probleme der Proportionalität des Präzisionsmaßes, der absoluten Unterschiedsempfindlichkeit und deren Abhängigkeit von der Reizqualität einging. Zusammen mit seinem Schüler F. Schumann publizierte M. 1889 die Studie „Über die psychologischen Grundlagen der Vergleichung gehobener Gewichte", in der die Empfindlichkeit der Bewegungsunterschiede geprüft und nachgewiesen wurde, daß bei einem Muskel weder Innervationsempfindungen noch Spannungsempfindungen in Frage kommen. 1890 folgte die gemeinsam mit L. J. Martin gemachte Untersuchung „Zur Analyse der Unterschiedsempfindlichkeit", in der die Methode der richtigen und falschen Fälle erstmals mit dem strengen Begriff „Methode der konstanten Unterschiede" bezeichnet wurde. Der Versuch, in seiner „Theorie der Muskelcontraktion" (1891) eine rein physiologisch-chemisch begründete Lehre der Muskelkontraktion aufzustellen, fand keine Zustimmung. 1903 konnte M. dann in seiner zusammenfassenden Darstellung „Die Gesichtspunkte und die Tatsache der psychophysischen Methodik" (in: Ergebnisse d. Physiologie, hrsg. v. L. Asher u. K. Spiro, 1903, S. 267–516) feststellen, daß nun „ein gewisser Abschluß der psychophysischen Methodik" erreicht sei.

Zu den bedeutendsten Studien über die Gedächtnistätigkeit zählen M.s „Experimentelle Beiträge zur Untersuchung des Gedächtnisses" (1894, mit F. Schumann) und die dreiteilige Gesamtdarstellung „Zur Analyse der Gedächtnistätigkeit und des Vorstellungsverlaufes" (1911–17, ²1924), in der Normalität und Übernormalität des Gedächtnisses verglichen, die beim Lernen und Hersagen stattfindenden psychischen Vorgänge analysiert und Fragen, die dem Bereich einer allgemeinen Lehre von der Erinnerung und dem Vorstellungsverlauf zuzuordnen sind, angesprochen werden. Aus der Reihe seiner Arbeiten zur Psychophysik der Gesichtsempfindungen ragen zwei Werke heraus. Die „Darstellung und Erklärung der verschiedenen Typen der Farbenblindheit" (1924) geht vom Grundsatz aus, daß jedes Farbsystem, das sich aufgrund signifikanter Merkmale als eine Reduktionsform des normalen Farbensystems darstellt, auch als ein solches erklärt werden kann. Die Studie „Über die Farbenempfindungen" (2 Bde., 1930) untersucht die Farbempfindungen im Hinblick auf ihre Qualität und Intensität, wobei die Funktionsweise der lichtempfindlichen Substanzen und bestimmten Vorstellungen über die Beeinflussung der chromatischen durch die achromatischen Vorgänge im Mittelpunkt stehen. – M. zählte zu den Begründern der Gesellschaft für experimentelle Psychologie, deren Vorsitzender er bis 1925 war, und gab die „Zeitschrift für Physiologie" mit heraus. – Dr. h. c. (Leipzig 1897, Oslo 1911, Frankfurt 1920).

Weitere W u. a. Komplextheorie u. Gestalttheorie, Ein Btr. z. Wahrnehmungspsychol., 1923; Abriß d. Psychol., 1924; Ein Btr. z. Eidetik, in: Zs. f. Psychol. 134, 1935, S. 1–23.

L D. Katz, in: FF 6, 1930, S. 271 f.; O. Kroh, in: Zs. f. Psychol. 134, 1935, S. 150–90; W. Hische, Gedenkrede, ebd., S. 145–49 *(P);* E. R. Jaensch, Was wird aus d. Werk? Betrachtungen aus d. Gesichtspunkt d. Kulturwende üb. G. E. M.s Wesen u. Werk u. d. Schicksal d. Psychol., ebd., S. 191–218; Fischer; DSB. – *Zu August Friedrich:* W. Haan, Sächs. Schriftst.-Lex., 1875.

P Gem. v. H. Reifferscheid (im Bes. v. Frau G. R. Müller), Abb. in: M. Voit (Hrsg.), Bildnisse Göttinger Professoren aus zwei Jhh., 1937.

Volker Zimmermann

Müller, *Gerhard Friedrich v.* (russ. erbl. Adel 1783), Forschungsreisender, Historiograph, * 18./29. 10. 1705 Herford, † 11./22. 10. 1783 Moskau. (ev.)

V Thomas (1661–1720), seit 1685 Rektor d. Gymnasiums in H. (s. *L*), *S* d. Nicolaus Moller (1632–73), Pastor an St. Petri in Soest, u. d. Pfarrers-*T* Anna Heinichen (1634–73) aus Soest; *M* Anna Maria (1666–1719), *T* d. Gerhard Bode (Bodinus) (1620–97) aus Lippstadt (Westfalen), Prof. d. Rechte, d. Beredsamkeit u. d. oriental. Sprachen, später auch d. Theol. u. Sup. in Rinteln (s. *L*), u. d. Christine Schreiber aus Minden; *Om* Heinrich v. Bode (1707 Reichsadel, 1652–1720), Prof. d. Rechte in Rinteln, seit 1693 in Halle, preuß. Konsistorialrat (s. ADB II), Justus Volrad v. Bode (Reichsritter 1713, 1667–1727), Reichshofrat; *B* Heinrich Justus (1702–83), Oberlehrer am akadem. Gymnasium in St. Petersburg; –∞ Wjerchoturje/Tura (Ural) 1742 N. N., Wwe e. dt. Arztes aus Sibirien; 2 *S* Carl (erw. 1782–1805), kaiserl. russ. Prokurator d. Oberlandesger., Hofrat, Jakob Feodorowitsch (erw. 1789), kaiserl. russ. Premiermajor; *Verwandter* Georg Moller (1784–1852), Architekt (s. NDB 17).

M. wurde am Gymnasium seines Vaters ausgebildet und bezog 1722 die Univ. Rinteln. 1723 setzte er sein Studium in Leipzig fort, wobei er sich überwiegend mit dem Fach Geschichte befaßt haben dürfte. Er hörte Vorlesungen bei Gottsched und arbeitete in der Bibliothek des Historiographen J. B. Mencke. Durch dessen Vermittlung erhielt M. das Angebot, als Adjunkt des Historikers J. P. Kohl in die Dienste der im Aufbau befindlichen Akademie der Wissenschaften zu St. Petersburg zu treten. Er trat im November 1725 seine Stelle an, die mit bescheidenen 200 Rubeln im Jahr dotiert war. Zunächst hatte er an dem der Akademie angegliederten Gymnasium Unterricht zu erteilen. 1728 wurde er Gehilfe des Leiters der akademischen Kanzlei, J. D. Schumacher. Auf dessen Fürsprache konnte er 1730/31 eine Bildungsreise nach England, Holland und Deutschland machen, in deren Verlauf er zahlreiche Persönlichkeiten und wissenschaftlichen Einrichtungen kennenlernte. Nach seiner Rückkehr begann er, sich mit russ. Geschichte zu befassen, und gründete die deutschsprachige Monographienreihe „Sammlung russ. Geschichte", die er 1732–64 redaktionell betreute und in der er seine eigenen Forschungen publizierte.

Nachdem V. J. Bering 1725–30 erstmals Sibirien durchquert hatte, schloß sich M. 1733 der sog. Zweiten Kamtschatka-Expedition an. Zur Gruppe der teilnehmenden Akademiker gehörten auch der Botaniker J. G. Gmelin, dem er freundschaftlich verbunden war, und der Astronom Louis de l'Isle. M.s Arbeitsgebiet umfaßte die Geschichte, Archäologie, Ethno- und Geographie der bereisten Gebiete. Die Expedition dauerte für M. zehn Jahre (für Gmelin noch länger) und führte über Kasan nach Tobolsk und den Irtysch entlang nach Ustj Kamenogorsk. Über Tomsk und einige weitere Stationen erreichte sie schließlich Irkutsk am Baikalsee. Der östlichste Punkt war für M. Jakutsk, d. h. er gelangte nicht nach Kamtschatka. Längere Aufenthalte an mehreren Orten, bedingt sowohl durch Archiv- wie völkerkundliche und geographische Studien, führten allmählich zu einer Verschlechterung von M.s Gesundheitszustand, und er erhielt 1739 die Erlaubnis zur Rückkehr nach St. Petersburg. Die Rückreise erfolgte teilweise auf anderer Route, unterbrochen durch längere Exkursionen nach Turuchansk und Berjosow. Im Februar 1743 traf M. wieder in der Hauptstadt ein.

Die langjährige Forschungsreise hatte eine enorme Fülle von Material geliefert, das von M. nur teilweise bearbeitet werden konnte. Das wichtigste Resultat war die „Geschichte Sibiriens", deren 23 Bücher zu M.s Lebzeiten nicht einmal zur Hälfte gedruckt erschienen (in seiner „Sammlung russ. Geschichte"). Er hat hier sowohl umfangreiches Archivmaterial als auch mündliche Überlieferungen verarbeitet. Die 40 Foliobände umfassende Zusammenstellung von Urkunden ist heute teilweise die einzige vorhandene Quelle zur Geschichte bestimmter Gegenden Sibiriens, da die Archive selbst nicht mehr existieren. Neben historischen Untersuchungen (u. a. einer Geschichte der Seereisen längs der russ.-sibir. Eismeerküste) behandelte er auch geographische und wirtschaftliche Probleme. M.s Reisebeschreibung blieb leider unveröffentlicht, doch erschien die von Gmelin verfaßte im Druck. Auch politische Fragen gehörten zu M.s Aufgabenstellung, wie seine Abhandlung über die Gegenden am Fluß Amur zeigt, in der es um die Absicherung russ. Gebietsansprüche gegenüber China ging.

Als 1747 sein Vertrag mit der Akademie auslief, trug sich M. mit dem Gedanken einer Rückkehr nach Deutschland, nahm aber dann einen neuen Vertrag an, worin ihm nicht nur eine erhebliche Gehaltsaufbesserung, sondern auch die Ernennung zum russ. Reichshistoriographen zugesagt wurde. Aufgrund einer geplanten Festrede über den Ursprung des russ. Volkes, das er von den skandinav.-normann. Warägern (Varingern) herleitete, geriet er 1749 in Mißkredit. Anders als M. betrachteten die maßgeblichen Kreise der Akademie und des Hofes eine solche Herkunft nicht als ehrenvoll; die Festrede wurde abgesagt, die bereits gedruckten Exemplare eingezogen und unter Verschluß aufbewahrt und M. vom Professor zum Adjunkten degradiert. Zwei Jahre später wurde er indes in seine alten Rechte wieder eingesetzt, und 1753 erhielt er dazu noch die Leitung des Geographischen Departements der Akademie, die er bis 1765 innehatte. Unter seiner Ägide entstand hier die 1754/58 erschienene „Nouvelle carte des découvertes faites par des vaisseaux russiens aux côtes inconnues de l'Amérique septentrionale". 1755 begann M. mit der Herausgabe der „Monatlichen Abhandlungen", der ersten in russ. Sprache publizierten Zeitschrift für Wissenschaften und Künste, die er neun Jahre lang betreute und selbst mit zahlreichen Artikeln versorgte. Sein Versuch, A. L. Schlözer als späteren Nachfolger im Amte des Reichshistoriographen auszubilden, scheiterte an persönlichen Mißhelligkeiten.

1762 übernahm Zarin Katharina II. die Regierung, die M. protegierte. Dies trug wesentlich zur Beendigung langjähriger Streitigkeiten mit anderen Akademiemitgliedern bei. 1765 berief ihn die Zarin als Leiter des neugegründeten Waisenerziehungsheims nach Moskau. Obwohl diese Berufung mit der Erhebung in den Rang eines Kollegienrates verbunden war und M. weiterhin Reichshistoriograph blieb, war er mit dieser seinen Neigungen und Fähigkeiten nicht entsprechenden Position unzufrieden. Nach dringenden Eingaben wurde er daher 1766 Leiter des Archivs des Kollegiums für auswärtige Angelegenheiten in Moskau. 1767 wählte die Akademie ihn als ihren Vertreter in die von Katharina II. berufene Kommission zur Ausarbeitung eines neuen Gesetzbuches; im Laufe dieses Jahres traf er auch öfter mit der Zarin zu persönlichen Gesprächen über „gelehrte Materien" zusammen. Den Auftrag, die Geschichte der Akademie der Wissenschaften zu schreiben und eine Sammlung der zwischen Rußland und verschiedenen auswärtigen Staaten geschlossenen Verträge anzulegen, konnte er nicht mehr vollenden, doch erwuchs ihm in der Person des Adjunkten J. G. Stritter ein talentierter Mitarbeiter, dem er auch seinen wissenschaftlichen Nachlaß anvertraute. Noch 1778/79 unternahm er zwei Reisen durch mehrere Städte des Gouvernements Moskau, die weiteres geographisches Material lieferten. 1775 war M. der Rang eines Staatsrates zuerkannt worden, 1783, zwei Monate vor seinem Tod, wurde er zum Wirkl. Staatsrat befördert. – M.s Wirken schuf die Grundlagen für die wissenschaftliche Geschichtsschreibung Rußlands und Sibiriens. Er war der Nestor der russ. Archivkunde und trug wesentlich zum Verständnis der Geographie und Ethnographie Sibiriens bei. – Wladimir-Orden 3. Kl. (1783).

Weitere W Istorija Sibiri, 2 Bde., 1937/41 *(Autobiogr. ebd. I, S. 145–56)*; C. Urness (Hrsg.), Bering's Voyages, The Reports from Russia by G. F. M., 1986. – *Hrsg.:* Ezhemesiachnye sochinenija (Monatl. Abhh.), 20 Bde., 1755–64. – *Briefe:* Die Berliner u. d. Petersburger Ak. d. Wiss. im Briefwechsel Leonhard Eulers, I, 1959; Der Gottschedkreis u. Rußland, Dt.-russ. Lit.beziehungen im Za. d. Aufklärung, 1966; Peter Hoffmann (Hrsg.), Geogr., Gesch. u. Bildungswesen in Rußland u. Dtld. im 18. Jh., Briefwechsel Anton Friedrich Büsching – G. F. M. 1751–1783, 1995. – *Unveröff. Mss.:* Umfangreiche Slgg. finden sich im Zentralen StA Moskau u. im Archiv d. St. Petersburger Ak. d. Wiss. *(dort u. a. die Reisebeschreibungen aus Sibirien).*

L ADB 22; P. P. Pekarskij, Istorija Imperatorskoi Akademii Nauk v Peterburge I, 1870, S. 308–430; Peter Hoffmann, G. F. M., Die Bedeutung seiner geogr. Arbeiten für d. Rußlandbild d. 18. Jh., Diss. Berlin 1959; ders., in: E. Winter u. G. Jarosch (Hrsg.), Wegbereiter d. dt.-slaw. Wechselseitigkeit, 1983, S. 71–78; W. Mölleken, in: Westfäl. Lb. 10, 1970, S. 39–57 *(ältere dt. u. russ. L)*; J. L. Black, G.-F. M. and the Imperial Russian Academy, 1986 *(W, L)*; ders. u. D. K. Buse, G.-F. M. and Siberia, 1989 *(W, L)*; Slawistik in Dtld. v. d. Anfängen bis 1945, hrsg. v. E. Eichler u. a., 1993, S. 277 f. – *Zu Thomas:* Th. Müller, Gymnasii Herfordiensis Rector, in: Herforder Jb. IX, 1968, S. 47 ff. – *Zur Fam.:* Mercksche Fam.-Zs. 25, 1975, S. 304–12 *(P)*. – *Zu Gerhard Bode:* Catalogus Professorum Rintelensium, bearb. v. W. Hänsel, 1971.

Claus Priesner

Müller, *Günther* (Ps. *Günther Mürr*), Germanist, Literaturwissenschaftler, * 15. 12. 1890 Augsburg, † 9. 7. 1957 Honnef od. Bonn. (ev., seit 1920 kath.)

V Carl Müller-Rastatt (1861–1931, kath.), Schriftst. u. Redakteur (s. Kosch, Biogr. Staatshdb., Kosch, Lit.-Lex.³), S e. preuß. Proviantamtsdir.; M Ella Sophie Elise Leonhardt (1867–1935, ev.), T e. brem. Großkaufm.; Gr-O Gustav Brugier (1829–1903), Dr. theol. h. c., Münsterpfarrer in Konstanz, Lit.historiker (s. BJ VIII); – ∞ 1) 1917 Marie (* 1886), T d. Landrats Franz Rotzoll, 2) 1947 Helene (Elena) (* 1909), Dr. (s. W), T d. Postinsp. Berthold Kromer.

Nach dem Studium in Würzburg, München, Leipzig und vor allem in Göttingen bei Edward Schröder und Edmund Husserl, nach Kriegsdienst und Gymnasiallehrertätigkeit promovierte M. 1921 in Göttingen mit einer Arbeit über „Brentanos Romanzen vom Rosenkranz, Magie und Mystik in romantischer und klassischer Prägung" (1922). Bereits ein Jahr später folgte die Habilitation mit den „Studien zum Formproblem des Minnesangs" (in: DVjS 1, 1923, S. 61–103). 1925 wurde M. nach Fribourg (Schweiz) berufen. Seit 1930 lehrte er in Münster deutsche Literaturgeschichte, bis er sich unter dem Druck der Nationalsozialisten 1943 in den Ruhestand versetzen ließ. 1946–56 war M. Ordinarius in Bonn.

M. trat zunächst als expressionistischer Lyriker und Mitarbeiter der Zeitschrift „Sturm" hervor. Für sein wissenschaftliches Werk haben Dissertation und Habilitationsschrift früh den Rahmen abgesteckt, was die Wahl von Gegenstand und Fragestellung betrifft. In zeitlicher Hinsicht bilden Mystik, Renaissance, Barock und Romantik Schwerpunkte seiner Forschungen, die sich in zahlreichen Aufsätzen, Editionen und in den großen geistesgeschichtlichen Zusammenhangsdarstellungen „Deutsche Dichtung von der Renaissance bis zum Ausgang des Barock" (1927, Neudr. 1957) und „Geschichte der deutschen Seele, Vom Faustbuch zu Goethes Faust" (1939, erg. ³1967) niederschlagen. Die zusammen mit dem Altgermanisten Hans Naumann verfaßte Monographie „Höfische Kultur" (1929) rückt die „Idee des Höfischen", weniger die soziohistorischen Verhältnisse ins Blickfeld und erinnert zugleich nachdrücklich an die konstitutive Rolle der Rhetorik für die Barockliteratur. Der Versuch, ideen- und formgeschichtliche Problemstellungen zu verbinden, charakterisiert auch M.s Arbeiten zur Gattungsgeschichte („Geschichte des deutschen Liedes vom Zeitalter des Barock bis zur Gegenwart", 1925, ²1961).

Nach seiner Konversion zählte M. bald zu den wichtigsten Vertretern einer kath. Literaturwissenschaft. 1926–39 gab er das „Literaturwissenschaftliche Jahrbuch der Görres-Gesellschaft" (9 Bde.) heraus. Seine weltanschauliche Position brachte ihn Mitte der 30er Jahre in Konflikt mit den NS-Machthabern, was ihn zunächst die Prüfungsberechtigung und später den Lehrstuhl kostete. Gleichwohl beteiligte er sich am „Kriegseinsatz der Germanistik" („Die Grundformen der deutschen Lyrik", in: Von deutscher Art und Dichtung V, 1941, S. 95–135). Die Frage nach der spezifischen „Seinsweise von Dichtung", die zur Rezeption der phänomenologischen Kunstbetrachtung Roman Ingardens führt, und die intensive Beschäftigung mit Goethe, besonders mit seinen naturwissenschaftlichen Schriften, markieren den Übergang von der Geistesgeschichte zur werkimmanenten Interpretation, ohne daß sich die Orientierung an organologischen Konzepten und die lebensphilosophische Fundierung ändern. M. setzte sich für eine „morphologische Literaturwissenschaft" ein, für eine Erforschung dichterischer Bauformen. Seine Überlegungen über „Die Bedeutung der Zeit in der Erzählkunst" (1947) mit ihrer Unterscheidung von „Erzählzeit" und „erzählter Zeit" wirkten geradezu schulbildend. – Dr. phil. h. c. (Cambridge 1949).

Weitere W Der Entrückte, Rhythmen v. Günther Mürr, 1913; Dt. Dichten u. Denken v. MA bis z. Neuzeit, Dt. Lit.gesch. v. 1270–1700, 1934; Schicksal u. Saelde, Der Mensch im ird. Geheimnis, 1939; Die Gestaltfrage in d. Lit.wiss. u. Goethes Morphol., 1944; Kleine Goethebiogr., 1951, ⁵1963; Gestaltung – Umgestaltung in Wilhelm Meisters Lehrjahren, 1948; Morpholog. Poetik, Ges. Aufsätze, In Verbindung mit H. Egner hrsg. v. Elena Müller, 1968. – Hrsg.: J. Görres, Geistesgeschichtl. u. literar. Stud., 1926; F. Schlegel, Von d. Seele, 1927; H. Assmann Frhr. v. Abschatz, Anemons u. Adonis Blumen, 1929; Goethe, Maximen u. Reflexionen, 1946. – Übers.: Das Leben d. Hl. Anselm v. Canterbury, Beschr. v. seinem Schüler u. unzertrennl. Begleiter, d. Mönch Eadmer, 1923. – Nachlaß: Dt. Lit.archiv, Marbach.

L Gestaltprobleme d. Dichtung, G. M. zu seinem 65. Geb.tag, hrsg. v. R. Alewyn, H.-E. Hass u. C. Heselhaus, 1957 (W); F. Martini, in: Jb. d. Dt. Ak. f. Sprache u. Dichtung, 1957, S. 147–55; H.-E. Hass, in: Euphorion 52, 1958, S. 97–111; Briefwechsel zw. G. M. u. H. Pyritz (mit e. Vorbemerkung v. R. Gruenter), ebd. 54, 1960, S. 170–85; P. Schmidt u. H.-E. Hass, G. M. 1890–1957, in: Bonner Gelehrte, Btr. z. Gesch. d. Wiss. in Bonn, Sprachwiss., 1970, S. 134–50 (P); P. Deghaye, De Husserl à G. M., in: Études Germaniques 20, 1965, S. 366–69; Hans-Harald Müller, Barockforschung, Ideol. u. Methode, Ein Kap. dt. Wiss.gesch. 1870–1930, 1973, S. 177 ff.; N. Krenzlin, Das Werk „rein f. sich", Zur Gesch. d. Verhältnisses v. Phänomenol., Ästhetik u. Lit.wiss., 1979, S. 133 ff.; R. Baasner, G. M.s morpholog. Poetik u. ihre Rezeption, in: Zeitenwechsel, hrsg. v. W. Barner u. Ch. König, 1996, S. 256–67; Kosch, Lit.-Lex.³.

Holger Dainat

Müller (gen. *von Bulgenbach*), *Hans*, Hauptmann der Stühlinger und Schwarzwälder Bauern im Bauernkrieg, * wohl 1485/95 Bulgenbach b. Grafenhausen (Schwarzwald), † (hingerichtet) Mitte August 1525 Laufenburg/Rhein.

Die Quellen zu M.s Herkunft und Leben fließen spärlich. Andreas Lettsch, Notar des Klosters St. Blasien, berichtet aufgrund persönlicher Bekanntschaft, „Hans Müller von Bulgenbach" habe als junger Mann als Landsknecht gedient und in Frankreich gekämpft. Ein Zinsrodel des Frauenklosters Berau erwähnt für Bulgenbach 1509–12 einen „Hans Müller" mit seinen Abgaben. Ein Zinspflichtiger namens „Hans Müller" begegnet in denselben Jahren auch im Nachbarort Brenden; ob Personen- oder nur Namensidentität besteht, muß offenbleiben.

Faßbar wird M.s Gestalt erst mit seinem Engagement im Bauernkrieg. 1524, vor dem 15. 8., wählten ihn die revoltierenden Stühlinger Bauern zu ihrem Hauptmann, der dem Haufen eine straffe militärische Organisation gab. Möglicherweise geht auch die gemeinsame Fahne auf ihn zurück, welche die österr. Farben weiß und rot, dazu wohl eine schwarze Inschrift zeigte. Von Anfang an war M. bemüht, den Stühlingern Verbündete zu gewinnen. Diesem Zweck dienten der Zug nach Waldshut, der Marsch durch das Gebiet nördlich der Wutach sowie dringende Mahnschreiben in den Klettgau. Nachdem die Stühlinger im Oktober ein mehrwöchiges Stillhalteabkommen und ein Schiedsgerichtsverfahren akzeptiert hatten, fand M. seit Mitte November ein neues Wirkungsfeld bei den Villinger Bauern im Brigachtal, dem „neuen Haufen". Im Februar 1525 schloß er sich mit seinen Anhängern dem aus seinem Land vertriebenen Hzg. Ulrich von Württemberg an, doch verließ er ihn schon am 27. 2. wegen rückständiger Soldzahlungen. Die aufsehenerregenden Aktionen hatten M. bald den Ruf eingetragen, Kopf und Seele des bäuerlichen Widerstands zu sein. Schon am 13. 1. 1525 befahl Erzhzg. Ferdinand von Österreich, nach ihm zu fahnden und ihn „ohne großes Aufsehen und im geheimen" niederzuwerfen. Anfang April 1525 brach der Aufstand im Schwarzwald erneut aus; das Zentrum lag jetzt um Löffingen und Bonndorf, wo sich M. aufhielt. Gemeinsam mit dem Hegauer Haufen zwang er die umliegenden Städte und Gemeinden zum Anschluß, zog dann vor Radolfzell und folgte von dort dem Heer des Schwäb. Bundes nach Württemberg. Anfang Mai schwenkte M. mit den Schwarzwäldern jedoch ab und überquerte in einem 10tägigen Marsch, „als ob er König oder Kaiser wäre", den Schwarzwald (14. 5. in Kirchzarten), um gemeinsam mit den dortigen Haufen Freiburg zu belagern. Nachdem sich die Stadt am 24. 5. vertraglich den Bauern verbunden hatte, kehrten die Schwarzwälder umgehend in ihre Heimat zurück und zogen erneut vor Radolfzell (18. 6.), das seit Mitte Mai von den Hegauern belagert wurde. Daß sich die Lage inzwischen zuungunsten der Aufständischen verändert hatte, blieb M. nicht verborgen. Vergeblich mahnte er die Stadt Freiburg zur Hilfeleistung; dringend bat er, die Abmachungen des 1. Offenburger Vertrags vom 13. 6. 1525 auch auf den Schwarzwald auszudehnen. Am 1. und 2. 7. wurden die Belagerer von Radolfzell in mehreren kleinen Schlachten, zuletzt bei Hilzingen, von einem österr. Entsatzheer geschlagen, der Hegau unterworfen. Am 12. 7. kapitulierten die Stühlinger und Fürstenberger Bauern. M., der schon am 30. 6. von Radolfzell abgezogen war, schlug sich offenbar nach Westen durch. Anfang Juli wurde er von oder in der Stadt Schaffhausen aufgegriffen und über mögliche Kontakte zu Schaffhauser Untertanen befragt, danach wieder freigelassen. Wenig später, vor dem 14. 7., fiel er in die Hände des Ulrich v. Habsberg, Vogt von Laufenburg und Hauptmann der vier österr. Waldstädte am Rhein. Nach abermaligem längerem Verhör wurde M. Mitte August (nach einer Basler Quelle am 17. 8.) 1525 mit dem Schwert „stehend" hingerichtet.

In den auf Seiten der Sieger geschriebenen Quellen erscheint M. als „verräterischer", „böser aufrührerischer Bube" und „hat viel Übel gestiftet". Auffallend neutral charakterisiert ihn hingegen A. Lettsch als stattlich, redegewandt und geschickt; alle „fürchteten" ihn. Die neuere Geschichtsschreibung sieht in M. „die eigentliche Triebkraft der Bewegung" auf dem Schwarzwald und der Baar (G. Franz); ihm war es vor allem zuzuschreiben, daß aus einer örtlichen Revolte der Stühlinger der überterritoriale Bauernkrieg wurde. War M. 1524 „Hauptmann" nur der Stühlinger Bauern, konnte er sich 1525 zu Recht „oberster Hauptmann auf dem Schwarzwald" nennen und auch gegenüber den Führern der benachbarten Haufen eine Vorrangstellung geltend machen. M. zeichnete sich durch unermüdlichen Einsatz und bedeutendes Organisationstalent aus; er war überzeugt von der Notwendigkeit einer großräumigen Zusammenarbeit zwischen den Haufen. Er hat freilich, wie im Falle von Freiburg, vertragliche Bindungen über-, das taktische Kalkül seiner Gegner unterschätzt. M. war kein innovativer, anstoßender Denker, doch griff er im Frühjahr 1525 die neuen, aus Oberschwaben kommenden Ideen zielsicher auf und gab mit ihnen der Erhebung im Schwarzwald ein geistiges, revolutionäres Profil. Die Stühlinger kämpften 1524 um die Wiederherstellung des „alten Rechts", „darum man Brief und Siegel hat". 1525 bekannten sich die Schwarzwälder, die sich jetzt „christliche Bruderschaft" oder auch „heiliger evangelischer Haufen" nannten, zum „göttlichen Recht", ableitbar aus dem „ewigen heiligen reinen Wort Gottes". Im Mai 1525, auf dem Höhepunkt der Bewegung, unterzeichnete M. einige seiner Schreiben mit einem dreifachen „Evangelium, Evangelium, Evangelium". Das neue Selbstverständnis dokumentiert in komprimierter Weise der sog. „Artikelbrief", mit dem die Schwarzwälder am 8. 5. die Stadt Villingen ultimativ zum Eintritt in die „christliche Vereinigung" aufforderten. Seine Herkunft ist weiterhin umstritten, auch M. wurde als Verfasser erwogen. Die dem „Artikelbrief" beigefügten oder beizufügenden „Artikel" waren nach neuerer Forschung eine Langfassung der oberschwäb. (Memminger) Bundesordnung, die folglich auch im Schwarzwald das eigentliche Grundgesetz der „christlichen Vereinigung" bildete. Vielleicht waren diese „Artikel" gemeint, wenn die Zeitgenossen von den „Zwölf Schwarzwälder Artikeln" sprachen. Unklar bleibt eine mögliche Zuordnung des sog. „Verfassungsentwurfs" zur Bewegung im Schwarzwald. Ein Zusammenhang mit dem „Artikelbrief" liegt nahe, da beide Schriftstücke den „weltlichen Bann" vorsehen, den die Schwarzwälder bereits Anfang April anwandten. Unverkennbar stellten sich während des Juni 1525 bei M. Ernüchterung und Resignation ein; das revolutionäre, religiöse Bekenntnis wich dem Bemühen, über den 1. Offenburger Vertrag zu einer Verständigung mit den Obrigkeiten zu gelangen. Mit der Niederlage der Hegauer vor Radolfzell, die er freilich vor der entscheidenden Auseinandersetzung verlassen hatte, gab wohl auch M. die Sache des „gemeinen Mannes" verloren. Daß er Anfang Juli nochmals einen Aufstand entfachen wollte, bleibt bloße Spekulation. – Gedenkstein in Bulgenbach an der Stelle, wo nach lokaler Tradition das 1911 abgebrannte Haus M.s stand (1962).

Qu. Chronik d. Andreas Lettsch, in: F. L. Mone, Qu.slg. d. bad. Landesgesch. II, 1854, S. 42–56; H. Schreiber (Hrsg.), Der dt. Bauernkrieg, gleichzeitige Urkk. u. Akten, 3 Bde., 1864–66; J. Strickler (Bearb.), Amtl. Slg. d. älteren Eidgenöss. Abschiede IV/1 a, 1873; ders. (Bearb.), Aktenslg. z. Schweizer. Ref.gesch. in d. J. 1521–32, I, 1878; F. L. Baumann (Hrsg.), Akten z. Gesch. d. Bauernkrieges aus Oberschwaben, 1877; K. Hartfelder, Urkundl. Btrr. z. Gesch. d. Bauernkrieges im Breisgau, in: ZGORh 34, 1882, S. 393–466; ders., Akten z. Gesch. d. Bauernkrieges in Süddtld., ebd. 39, 1885, S. 376–430; W. Stolze, Akten z. Gesch. d. Stühlinger Erhebung d. J. 1524, ebd. 81, 1929, S. 274–95; Heinrich Hugs Villinger Chron., hrsg. v. Ch. Roder, 1883; Fridolin Sichers Chron., hrsg. v. E. Götzinger, in: Mitt. z. vaterländ. Gesch., hrsg. v. Hist. Ver. d. Kt. St. Gallen 20, 1885; Basler Chroniken, VII, bearb. v. A. Bernoulli, 1915, S. 237–306.

L Ch. Roder, Villingen u. d. obere Schwarzwald im Bauernkrieg, in: ZGORh 70, 1916, S. 321–416; W. Ellinger, Thomas Münzer, 1975; T. Scott, Reformation and Peasants' War in Waldshut and Environs, in: Archiv f. Ref.gesch. 69, 1978, S. 82–102, u. 70, 1979, S. 140–69; W. Duffner, Der ersten Aufruer ain Anfänger, Eine Erinnerung an H. M. v. B. u. d. Schwarzwälder Erhebung, in: Bad. Heimat 63, 1983, S. 561–66; G. Franz, Der dt. Bauernkrieg, ¹²1984; G. Seebass, Art.brief, Bundesordnung u. Vfg.entwurf, Stud. zu drei zentralen Dokumenten d. südwestdt. Bauernkrieges, 1988; P. Blickle, Die Zwölf Artikel d. Schwarzwälder Bauern v. 1525, in: Ref. u. Rev., FS R. Wohlfeil z. 60. Geb.tag, hrsg. v. R. Postel u. F. Kopitzsch, 1989, S. 90–100; K. Herrmann, Auf Spurensuche, Der Bauernkrieg in Südwestdtld., 1991. – *Eigene Archivstud.* (Tiroler Landesarchiv Innsbruck, Kaiserl. Kanzlei; Gen.landesarchiv Karlsruhe; StA Schaffhausen; Gemeindearchiv Grafenhausen/Staufen).

Horst Buszello

Müller, *Hans* Heinrich, Architekt, * 20. 4. 1879 Grätz (Posen), † 7. 12. 1951 Berlin.

V Heinrich, Landes-Ökonomierat in G.; *M* Emma Franz; ∞ 1) 1905 Luise Mehring (1879–1922, *N* d. Journalisten u. Historikers Franz Mehring, 1846–1919, s. NDB 16), 2) 1924 Susanne Mehring († 1950, *Schw* d. 1. Ehefrau); 1 *S* aus 1) Klaus (1906–36), Architekt.

M. besuchte Gymnasien in Meseritz, Wollstein und Lissa. Im Herbst 1898 schrieb er sich an der TH Charlottenburg für Maschinenbau ein, wechselte jedoch nach einem Semester zum Architekturstudium, das er Ende 1903 abschloß. Dazwischen absolvierte er 1900/01 seinen Militärdienst in Lissa. Nach dem Studium ließ sich M. zum Regierungsbaumeister (1909) ausbilden. In dieser Zeit wurde er vor allem durch Paul Mebes (1872–1938) beeinflußt, der auf die Tradition des preuß. und dän. Klassizismus verwies. 1909 wurde M. Gemeindebaumeister und Leiter der Hochbauabteilung in Steglitz. Er baute u. a. vier Schulen und erstmals ein Elektrizitätswerk (1910/11). Den 1. Weltkrieg erlebte M. zunächst als Leutnant des Fliegerbataillons in Königsberg, dann – nach einer Verletzung 1915 – als Fesselballonbeobachter und schließlich als Lehrer an der Feldluftschifferschule in Namur. Nach der Eingemeindung von Steglitz 1920 wurde M. Stadtrat für den Berliner Bezirk Neukölln, 1924 schließlich leitender Architekt der Berliner Elektrizitätswerke (BEWAG), mit deren Vorstandsvorsitzenden Martin Rehmer ihn eine enge Freundschaft verband. Julius Posener und Egon Eiermann gehörten im Baubüro der BEWAG zu seinen Mitarbeitern. Binnen weniger Jahre entstanden über 40 große Werksanlagen, die den 2. Weltkrieg größtenteils überstanden haben. M. ließ sich bei seinen Industriebauten sowohl von der norddeutschen Backsteingotik (vor allem Lübecks und Stralsunds) als auch von den visionären Projekten des Expressionismus inspirieren. Seine geometrischen, streng funktionalen Baukörper bestechen durch ihre handwerkliche Präzision und materialgerechte Detailbearbeitung. Indem M. die Möglichkeiten der modernen Tragkonstruktion des Stahlskeletts nutzte, gelangen ihm wohlproportionierte, rhythmische Fassadengliederungen, die Harmonie und Eleganz ausstrahlen und sowohl der Baumasse wie dem Baumaterial (meist Backstein) die Schwere nehmen. – Als das Bauprogramm zur Stromversorgung Berlins Anfang der 30er Jahre beendet war, schuf M. eine Reihe von Landhäusern. Daneben arbeitete er weiter für die BEWAG, 1938/39 auch für die Reichsbahn. 1943 wurde er als Leiter des Berliner Baubüros für Fliegerschädenbeseitigung verpflichtet. 1945–49 leitete er in Steglitz das Amt für Stadtplanung.

W u. a. Wasserturm in Steglitz (1913–15); Schloßparktheater in Steglitz (1920/21); Abspannwerke Kottbusser Ufer in Kreuzberg (1924–26), Humboldt (1924–26), Wilhelmsruh (1925/26), Wittenau (1925/26), Marienburg (1927/28), Leibniz (1927–29), Scharnhorst in Wedding (1927–29), Buchhändlerhof (1928), Uklei in Spandau (1928/29), Kreuzberg (1929), Oberspree (1933), Rummelsburg (1935); Umspannwerke Tiergarten (1926), Penzlauer Allee (1926), Richardstraße (1926/27); Stützpunkte Christiana in Wedding (1927/28), Adlershof in Köpenick (1931); Gleichrichterwerk Zehlendorf (1928/29). – Schr.: Berliner Industriebauten, in: Die Baugilde, H. 7, 1938, S. 205–12.

L Th. Nagel, Die Luisenstadt im System d. Berliner Energieversorgung, in: Kreuzberger Mischung, Ausst.kat. Berlin 1984, S. 104–08; D. Hoffmann-Axthelm, Stadtbild-Baumeister, in: Die Metropole, Industriekultur in Berlin im 20. Jh., 1986, S. 73–79; W. Ribbe u. W. Schäche (Hrsg.), Baumeister, Architekten, Stadtplaner, 1987; M. Klinkott, Die Backsteinbaukunst d. Berliner Schule, 1988; P. Kahlfeldt, H. H. M., 1879–1951, Berliner Industriebauten, 1992 *(W, L, P)*.

Franz Menges

Müller, *Hans,* Markscheider, * 25. 1. 1902 Witten-Heven/Ruhr, † 5. 10. 1951 Kassel. (ev.)

V Carl, Ing., Eisenbahnwerkführer, Maschineninsp. in W.; *M* Lina Werth; ∞ Sulzbach/Saar 1930 Johanna Becker.

Nach dem Abitur am Realgymnasium in Witten begann M. 1920 eine $1^{1}/_{2}$jährige bergmännische und markscheiderische praktische Tätigkeit auf verschiedenen Schachtanlagen in Witten und Bochum-Werne und nahm im Wintersemester 1921/22 das Studium in der Fachrichtung Bergbau an der TH Berlin auf. Wegen wirtschaftlicher Erschwernisse unterbrach er nach vier Semestern für zwei Jahre das Studium, um in der Markscheiderei der Harpener Bergbau AG, Schachtanlage Heinrich-Gustav in Bochum-Werne, zu arbeiten. Seit 1926 studierte er weitere vier Semester Bergbau an der TH Berlin und legte im Februar 1928 die Diplom-Hauptprüfung ab. In seiner Diplomarbeit hatte er die Aus- und Vorrichtung von zwei neuen Sohlen für die Zeche Heinrich-Gustav zu entwerfen. Im September 1928 erwarb M. beim Oberbergamt Dortmund die Konzession als Markscheider, um anschließend im Kasseler Bergbaurevier als konzessionierter Markscheider tätig zu sein. 1929 kehrte er ins Ruhrgebiet zurück und arbeitete ein Jahr lang als Grubensteiger auf der Zeche Mansfeld in Bochum-Langendreer.

Von Mai 1930 bis September 1931 war M. wissenschaftlicher Assistent am Institut für Markscheidewesen der Bergakademie Clausthal. Nach einer weiteren mehrmonatigen markscheiderischen Tätigkeit im Kasseler Revier promovierte er im Juli 1932 mit der Dissertation „Die Gangverhältnisse des Blei- und Zinkerzbergwerks Hilfe Gottes bei Grund im Harz und ihr Zusammenhang mit der Tektonik" an der Bergakademie Clausthal zum Dr.-Ing. Danach war er noch ein Jahr als Markscheider bei den Rhein. Stahlwerken in Essen tätig, wo er bereits intensiv an neuen Normen für das Markscheidewesen arbeitete. Zu Beginn des Jahres 1933 wurde M. Assistent am Institut für Markscheidewesen und Bergschadenkunde der TH Berlin, wo er im Januar 1935 seine Habilitationsschrift zum Thema

„Das markscheiderische Rißwesen" einreichte. Im April 1935 wurde er dort Privatdozent und im November 1935 zum o. Professor für Markscheidewesen und Bergschadenkunde der Bergakademie Freiberg und zum Direktor des gleichnamigen Institutes berufen. Aus der Zeit seiner zwölfjährigen Lehr- und Forschungstätigkeit an der Bergakademie stammen seine wichtigsten fachwissenschaftlichen Veröffentlichungen, die vor allem das bergmännische Riß-, Karten- und Planwerk und seine Nutzung für betriebstechnische und betriebswirtschaftliche Entscheidungen im Bergbau betreffen. Neben Untersuchungen zum Flachrißproblem ist sein richtungsweisender Beitrag „Die Sonderrisse" im Band „Rißmuster für Markscheidewesen zu den Normen DIN BERG 1901–1940" (1942) besonders hervorzuheben. Es ist den Erkenntnissen von M. zu verdanken, daß der Flachriß – auf exakte geometrische Grundlage gestellt – bei der Darstellung der Abbaue in halbsteiler Lagerung zunehmend an Bedeutung in der markscheiderischen Praxis gewann. Die Vorschläge M.s zur inhaltlichen Gestaltung der Grubenrisse fanden später ihren Niederschlag in den Normen für die Herstellung und Ausgestaltung des bergmännischen Rißwerks (DIN 21900).

Im Januar 1947 ließ sich M. aus gesundheitlichen Gründen von seinen Verpflichtungen an der Bergakademie Freiberg entbinden. Nach kurzer markscheiderischer Tätigkeit bei der Gelsenkirchener Bergwerks-AG, Gruppe Dortmund, übernahm er 1948 freiberuflich ein Büro für Markscheidewesen in Kassel, bis ihm 1950 vom Oberbergamt Dortmund die Stellung eines Berg- und Vermessungsrates übertragen wurde. Daneben war er seit 1948 als wissenschaftlicher Mitarbeiter in den Feinmechanischen Werkstätten Otto Fennel Söhne, Kassel, tätig. – Vors. d. Dt. Markscheider-Ver. (1951)

W Auszug aus d. Diss. in: Zs. f. Berg-, Hütten- u. Salinenwesen 80, 1932, S. 314–28; Aufsätze in d. Zss. „Glückauf" (1938–40) u. „Mitt. aus d. Markscheidewesen" (1933–48).

L C. Schiffner, Aus d. Leben alter Freiberger Bergstudenten III, S. 125–27, 1940 *(P)*, Erg.bd., 1971, S. 409; O. Niemczyk, in: Mitt. aus d. Markscheidewesen 58, 1951, S. 186–90 *(W, P)*; K. Neubert, in: Bergak. Freiberg, FS zu ihrer Zweihundertjahrfeier, I, 1965, S. 199–201; Kürschner, Gel.-Kal. 1941; Pogg. VII a.

Heinz Meixner

Müller, *Hans-Reinhard,* Schauspieler, Regisseur, Intendant, * 15. 1. 1922 München, † 5. 3. 1989 ebenda. (kath.)

V Johannes Baptista (Hans) (1877–1948), Dr. phil., Gymnasialprof. in Nürnberg u. M., *S* d. Heinrich (1845–1910), Apotheker in Wimpfen, u. d. Anna Maria Stiegelschmidt (1849–1923) aus Bamberg; *M* Marga (1892–1981), Schriftst., Pianistin, Pädagogin, Gründerin d. Kath. Familienwerks in Pullach b. München (s. Kosch, Lit.-Lex.[3]), *T* d. Eduard Putz (1863–93) aus Lindau, Dr. med., Arzt in Thannhausen (Schwaben), u. d. Emilie Reubel (1866–1944) aus M.; ⚭ München-Schwabing 1945 Irene (* 1922), *T* d. Franz-Josef Hotop (1896–1981), Oberstlt. in M., u. d. Mechthild Steidle (1900–81); 3 *S*.

Nach dem Abitur 1940 am Wilhelms-Gymnasium nahm M. Schauspielunterricht bei Friedrich Kayßler in Berlin und erhielt 1941 sein erstes Engagement am Stadttheater Klagenfurt. Im selben Jahr erfolgte die Einberufung zum Kriegsdienst. Schwerverwundet aus Krieg und Gefangenschaft heimgekehrt, begann er 1945 am Münchener Theater der Jugend wieder zu spielen und wurde ein Jahr später von Erich Engel als Schauspieler (u. a. als Ferdinand in Engels legendärer „Sturm"-Inszenierung) an die Münchener Kammerspiele geholt. Nach Engels Weggang 1948 wechselte M. ans Bayer. Staatsschauspiel. Kurt Horwitz betraute ihn 1952 mit seiner ersten Regie und machte ihn 1953 zu seinem persönlichen Mitarbeiter. Ein Jahr später wurde M. stellvertretender Intendant und Leiter der Verwaltung und blieb dies auch unter Helmut Henrichs, der 1958 die Nachfolge von Horwitz antrat. 1960 wurde M. zum Intendanten der Städtischen Bühnen Freiburg (Breisgau) berufen. Er leitete dieses Drei-Sparten-Haus neun Jahre lang mit außerordentlichem künstlerischen und wirtschaftlichen Erfolg; Nachwuchsentdeckung und -pflege lagen ihm besonders am Herzen. Neben seiner vielfältigen Regietätigkeit in München, Zürich, Essen und Freiburg inszenierte M. auch Fernsehspiele (1960 Preis der Deutschen Fernsehkritik); die von ihm 1958–67 moderierte Sendung „Samstag nachmittag zu Hause" war kennzeichnend für seine Fähigkeit, sich auch einem breiten Publikum zu vermitteln. Lehraufträge in München (Universität und Hochschule für Film und Fernsehen) sowie seine Tätigkeit im Beirat der Freiburger Universität runden das Bild seiner weitgespannten, auch pädagogischen und wissenschaftlichen Interessen ab.

1969 kehrte M. als Direktor der Otto-Falckenberg-Schule nach München zurück. Im Herbst 1973 übernahm er die Intendanz der Münchener Kammerspiele. So umstritten seine Wahl gewesen war – dank eines basisdemokratischen Experiments siegte er mit der Stimmenmehrheit der nicht-künstlerischen

Angestellten des Hauses gegen starke Konkurrenz –, so schwierig sich dann auch seine Anfangsjahre gestalteten: mit der Verpflichtung von Dieter Dorn und Ernst Wendt gelang ihm 1976 der entscheidende Durchbruch. Unter seiner klug vermittelnden, zurückhaltenden Leitung behaupteten sich die Kammerspiele als eine der führenden deutschen Bühnen. Ganz im Dienst des Hauses, seiner Regisseure und Schauspieler stehend, traf und trug M. wagemutige künstlerische Entscheidungen, auch wenn sie seinen weltanschaulichen Überzeugungen zuwiderliefen, und verstand es, sein Theater gegen politische und juristische Angriffe wirkungsvoll zu verteidigen. 1983 setzte er sich für die Wahl Dieter Dorns zu seinem Nachfolger ein und sorgte so für künstlerische Kontinuität weit über das Ende seiner eigenen Amtszeit hinaus. In seinen letzten Jahren widmete M. sich wieder mehr dem Spielen und Inszenieren. Stark in der Erinnerung haftet seine Mitwirkung in der Fernsehserie „Die Wiesingers" sowie seine Lesung von Ludwig Thomas „Heiliger Nacht". – Bayer. Staatsschausp. (1959); Mitgl. d. Ak.leitung d. Kath. Ak. in Bayern (1984–89).

W u. a. Ein Dt. Stadttheater, Freiburg i. Br. 1866–1966, 1966; Reden u. Aufsätze, 1966; Theater f. München, Ein Arbeitsbuch d. Kammerspiele 1973–1983, 1983 (mit D. Dorn u. E. Wendt); Die Wahrheit ist konkret, Welche Konkretion kann Theater vermitteln, in: Theater, hrsg. v. W. Frühwald, 1990, S. 112–19; – *Hrsg.:* Ludwig Thoma, Theater, Sämtl. Bühnenstücke, 1984 (mit e. Nachwort); Josef Ruederer, Werkausgabe, 5 Bde., 1987. – *Nachlaß:* Irene Müller, München.

L FAZ v. 7. 3. 1989; SZ v. 7. 3. 1989 *(P);* F. Henrich, H.-R. M. (Trauerrede am 9. 3. 1989), in: Theater, 1990 (s. *W*), S. 120–27; Kosch, Theater-Lex.; Gorzny.

P Pastell v. H.-J. Kallmann, 1986 (Kath. Ak. in Bayern, München).

Michael Wachsmann

Müller, *Hans Wolfgang,* Ägyptologe, * 16. 8. 1907 Magdeburg, † 6. 2. 1991 Starnberg. (luth.)

V Johannes (1876–1921), Hauptpfarrer an St. Johannis in M., *S* d. Franz Christian Friedrich (1840–1911), Kanzleisekr. in M., u. d. Ida Wagner (1857–1944); *M* Maria Luise (1884–1966), *T* d. Julius Eduard Schröder (1854–1927), Landwirt in M., u. d. Auguste Bode (1856–1915) aus Beendorf b. Weferlingen (Prov. Sachsen); ∞ 1) Berlin-Grunewald 1932 (○|○ 1938) Elisabeth (1894–1984), Dr. phil., *T* d. Johannes Franck (1854–1914), Prof. d. dt., bes. niederländ. Philol. in Bonn (s. DBJ I, Tl.), u. d. Friederike Nelke (1864–1945); 2) München 1945 Eva Gisela Reinhardt (* 1920), aus Würzburg; 3) München 1969 Maleen (* 1937, s. *W*), *T* d. Hans Frhr. v. Saalfeld (* 1903) aus München, Dipl.-Ing., Architekt u. Bildhauer, u. d. Elisabeth Faust (* 1916) aus Cuxhaven; 1 *S* aus 1) Peter J. (* 1936), Treasurer in London, 2 *S* aus 2), 1 *S,* 1 *T* aus 3), Enzio (* 1969), Immobilien-Kaufm., Clea (* 1973), Immobilienkauffrau, beide in München.

M.s Interesse für Ägypten wurde durch Besuche des Vaters in Palästina und Ägypten (1913) geweckt; bereits als Schüler inventarisierte er eine Sammlung von Photographien aus Ägypten. Nach dem Besuch des Wilhelms-Gymnasiums in Magdeburg studierte M. zunächst in Göttingen Jura (1926). Im selben Jahr wechselte er auf Anraten des Pädagogen Hermann Nohl zur Ägyptologie, klassischen Archäologie und neueren Kunstgeschichte in Göttingen (1926–28), München (1928–30) und Berlin (1930/31). Während M. in Göttingen bei Hermann Kees besonders in die Religionsgeschichte eingeführt wurde, förderte Wilhelm Spiegelberg in München seine archäologisch-kunstgeschichtliche Ausrichtung. Nach Spiegelbergs Tod 1930 holte Heinrich Schäfer M. als „wissenschaftlichen Hilfsarbeiter" an das Berliner Ägypt. Museum und führte ihn in die praktische Museumsarbeit ein, während er gleichzeitig bei Kurt Sethe eine strenge philologische Universitätsausbildung erhielt. Zur Promotion 1932 (Die Totendenksteine des Mittleren Reiches, ihre Genesis, ihre Darstellungen und ihre Komposition, 1933) kehrte M. nach München zurück, wohin inzwischen Alexander Scharff als Ordinarius für Ägyptologie berufen worden war. 1927–32 gehörte M. durch Nohls Vermittlung der Studienstiftung des Deutschen Volkes an, 1930–37 war er „wissenschaftlicher Mitarbeiter" bei der Ägypt. Abteilung der Staatl. Museen zu Berlin und erwarb sich auch eine genaue Kenntnis der ital. Kunstsammlungen. 1933–35 sammelte er als Stipendiat des Deutschen Instituts für ägypt. Altertumskunde in Kairo Material für seine Habilitation. 1937 begleitete er Richard Hamann bei einer Expedition des Kunstgeschichtlichen Seminars der Univ. Marburg/Lahn durch Ägypten und den Sudan. Hierbei entwickelte M. eine spezielle, durch ihr hohes Maß an Objekttreue als Standard geltende Methode zum Photographieren altägypt. Denkmäler. Weitere Studienreisen führten ihn 1932–39 nach Kopenhagen, Paris, Oxford und London.

1937 wurde M. wegen „nichtarischer" Abstammung seiner Ehefrau und mangelnder nationalsozialistischer Gesinnung fristlos entlassen. Nach erfolglosen Versuchen, mit seiner Familie zu emigrieren, ging seine Frau mit dem Kind allein nach England. M. setzte seine ägyptologische Arbeit eigenständig fort und nahm Zeichenunterricht in der privaten Kunstschule von Else Marcks. Sein Freund Hellmut Mebes nahm ihn 1939 als Bauarbeiter, Zeichner und Vorarbeiter in sein Architekturbüro in Berlin-Zehlendorf auf und machte ihn auch mit Erich Heckel und Käthe Kollwitz bekannt. Im Oktober 1940 wurde M. als ital. und arab. Dolmetscher zur Wehrmacht eingezogen, 1941 war er in Libyen, 1942/43 in Tunesien, zwischenzeitlich in Neapel und Rom. Im Mai 1944 wurde er in der Schlacht um Monte Cassino verwundet. 1945 ging er aus kurzer amerikan. Kriegsgefangenschaft nach München und holte als Leiter des Studenten-Bautrupps die ausgelagerten Bestände der Ägypt. Sammlung zurück. 1946 habilitierte er sich aufgrund der Veröffentlichung „Die Felsengräber der Fürsten von Elephantine aus der Zeit des Mittleren Reiches" (1940). 1947–52 war er Privatdozent, 1952–58 apl. Professor an der Münchener Universität. Nach dem Weggang von Hanns Stock erhielt M. 1958 dessen Lehrstuhl für Ägyptologie und wurde damit zugleich ehrenamtlicher Direktor der Münchener Ägypt. Sammlung. Er ließ deren Denkmäler inventarisieren, katalogisieren und restaurieren, vereinigte sie mit den Beständen der Glyptothek und präsentierte die neue Sammlung erstmals 1966 in einer Sonderausstellung. Für die Dauerpräsentation erhielt diese 1970 als Staatl. Sammlung Ägyptischer Kunst einen Teil der Räume in der Residenz. M. entwarf die Innenausstattung und veranlaßte auch die Aufstellung des einzigen ägypt. Obelisken in Deutschland. Mit seiner Vision eines Museums, in dem ausschließlich das originale Kunstwerk im Mittelpunkt steht, verwirklichte M. durch die konsequente Konzentration auf kunstwissenschaftliche Kriterien ein einzigartiges Konzept. 1971 beauftragte ihn das Metropolitan Museum in New York als „Consultative Chairman" mit der Neuaufstellung der altägypt. Monumente. Durch wichtige Neuerwerbungen wie den Waffenfund aus dem antiken Sichem und dekorierte Fayence-Fliesen von der Verkleidung des Thronsaales von Ramses II. in Qantir konnte M. sein Konzept eines reinen Kunstmuseums in München ausbauen. Er war verantwortlich für die großen Sonderausstellungen „5000 Jahre ägypt. Kunst" (1960/61) sowie „Nofretete – Echnaton" (1976/77).

Seit 1961 gab M. die „Ägyptologischen Forschungen" heraus, 1962 begründete er die „Münchner Ägyptologischen Studien". 1966 wandte er sich erneut der Feldforschung in Ägypten zu. Durch die Identifizierung eines prädynastischen Friedhofs im östlichen Nildelta bei Minshat Abu Omar erhielt die Delta-Archäologie einen entscheidenden Anstoß, die inzwischen zu völlig neuen Erkenntnissen über die Entstehung des ägypt. Staates in der Zeit um 3000 v. Chr. geführt hat. An den 1977 begonnenen Grabungsarbeiten nahm M., bereits emeritiert (1974) und als Museumsdirektor pensioniert (1975), anfangs noch selbst teil.

Neben der Rundplastik, seinem bevorzugten Arbeitsgebiet, befaßte er sich zunächst mit der Malerei, vor allem mit den Grundlagen der altägypt. Zeichnung und des Proportionssystems. In der ikonographischen Studie „Isis mit dem Horuskinde" (1963) beschäftigte er sich grundlegend mit der Tradierung altägypt. Motive in der hellenist. und röm. Zeit. Als „Augenöffner" publizierte er nicht nur exemplarische Fachartikel zu einzelnen Kunstwerken, sondern weckte auch in allgemein verständlichen Büchern breiteres Interesse für die altägypt. Kunst. M.s Spezialgebiet war die Königsplastik: Hierfür hat er auch wesentliche Teile des von Bernard v. Bothmer und Herman de Meulenaere betreuten „Corpus of Late Egyptian Sculpture" (1960) mitgestaltet. Für das Museo del Sannio in Benevent, wo sich zahlreiche Statuen und Reliefs des heute völlig zerstörten Isistempels befinden, veröffentlichte M. 1969 einen Gesamtkatalog. 1975 identifizierte er den Albani-Obelisken in München als eine Stiftung des Titus Sextius Africanus aus der Zeit des Kaisers Claudius. Neben mehr als 90 Monographien zur altägypt. Kunst, für deren Deskription M. auch eine spezielle Terminologie wie die „hieroglyphische Konzeption" entwickelte, hinterließ M. eine mehrere tausend Einzelaufnahmen umfassende Sammlung von Photographien altägypt. Kunstwerke, die auch als Microfiche-Edition vorliegt. Durch M.s Forschungen wurde die altägypt. Kunstgeschichte als eigenständige Disziplin innerhalb der Ägyptologie etabliert. – Mitgl. d. Zentraldirektion d. Dt. Archäolog. Inst. (korr. 1953) u. d. Bayer. Ak. d. Wiss. (1963); Bayer. Verdienstorden (1973); Gr. BVK (1980).

Weitere W u. a. Btrr. z. älteren Erwerbungsgesch. d. in d. Staatl. Slg. Ägypt. Kunst zu München befindl. Skulpturen u. Altertümer, in: Land u. Reich, Stamm u. Nation, Festgabe f. M. Spindler z. 90. Geb.tag, III, 1984, S. 101–55; Gedanken zur Entstehung, Interpretation u. Rekonstruktion ältester ägypt. Monumentalarchitektur, in: Ägypten, Dauer

u. Wandel, 1985, S. 7–33; Der Waffenfund v. Bâlata-Sichem u. Die Sichelschwerter, in: Abhh. d. Bayer. Ak. d. Wiss., Phil.-hist. Kl., NF, H. 97, 1987; Der „Armreif" d. Kg. Ahmose u. d. Handgelenkschutz des Bogenschützen im Alten Ägypten u. Vorderasien, 1989; Eine ungewöhnl. Metallfigur e. blinden ägypt. Priesters, in: SB d. Bayer. Ak. d. Wiss., Phil.-hist. Kl., H. 5, 1989; Gedanken zu e. Köpfchen v. d. Figur e. gefesselten Libyers (?), in: Mitt. d. Dt. Archäolog. Inst. Abt. Kairo 48, 1992, S. 105–07; Göttl. Gold, Goldschmiedekunst im Reich d. Pharaonen, hrsg. v. Maleen Müller-v. Saalfeld (im Druck).

L B. Geßler-Löhr, H. W. M., Verz. seiner Schr. 1933–77, in: Stud. z. altägypt. Kultur 6, 1978, S. IX–XVI; Gespräch mit H. W. M., in: R. N. Ketterer, Dialoge, Stuttgarter Kunstkab., Moderne Kunst, 1988, S. 107–14; D. Schmidt, in: SZ Nr. 185, 14./16. 8. 1987, S. 15; dies., Ägyptologie als Kunstgesch., ebd. Nr. 34, 9./10. 2. 1991, S. 15; A. Grimm, S. Schoske, D. Wildung, in: Informationsbl. d. dt.sprachigen Ägyptologie 42, Juli 1991, S. 3; dies., Staatl. Slg. Ägypt. Kunst München, 1995; J. Leclant, in: Jb. d. Bayer. Ak. d. Wiss., 1992, S. 218–23 *(P)*; P. Munro, in: Zs. f. ägypt. Sprache u. Altertumskde. 119, 1992, S. II–VII *(P);* D. Franke, Das Photoarchiv H. W. M. d. Univ.bibl. Heidelberg, in: Göttinger Miszellen 131, 1992, S. 33–53; ders., Photographs of Egyptian Art and of Egypt, The H. W. M. Archive, 1992. A. Grimm, S. Schoske, Wilhelm Spiegelberg als Sammler, 1995; R. A. Fazzini, Bernard V. Bothmer (1912–1993), in: Journal of the American Research Center in Egypt 32, 1995, S. I–III; W. R. Dawson, E. P. Uphill, M. L. Bierbrier, Who Was Who in Egyptology, ³1995. – *Nachlaß:* Bayer. Staatsbibl., München.

Alfred Grimm

Müller, *Heiner,* Dramatiker, Regisseur, Intendant, * 9. 1. 1929 Eppendorf (Sachsen), † 30. 12. 1995 Berlin. (ev.)

V Kurt (* 1903), Angestellter in Waren (Mecklenburg), nach 1945 u. a. Bgm. in Frankenberg (Sachsen), seit 1951 in Reutlingen, Beamter in Tübingen, *S* d. Max Otto (* 1880) u. d. Anna Maria Suttner (* 1877); *M* Ella Ruhland (1905–94), Näherin; *B* Wolfgang (* 1941), Drehbuchautor; – ⚭ 1) Kleinmachnow 1951 (o/o 1953, ⚭ 1953) Rosemarie Fritsche († 1955), 2) Berlin 1955 Inge (1925–66, Freitod), Lyrikerin (s. *L*), *T* d. Hubert Meyer (* 1890) in B., u. d. Elsa Elisa N. N. (* 1901), 3) Sofia 1968 (o/o 1980) Ginka Tscholakowa (* 1945) aus Stara Sagora (Bulgarien), 4) 1992 Brigitte Maria (* 1965) aus Regensburg, Photographin, *T* d. Gustav Mayer u. d. Erika Seeholzer; 1 *T* aus 1), 1 *Adoptiv-S* aus 2), 1 *T* aus 4), 1 unehel. *S*.

Die Inhaftierung des Vaters, der Sozialdemokrat war, 1933 in einem Konzentrationslager sowie dessen distanzierte Anpassung an das Regime nach der Entlassung ein knappes Jahr später prägten sich M. als irritierende Situation des Verlierers ein („Der Vater", 1958). 1944 zum „Reichsarbeitsdienst" eingezogen und zum „Werwolf" ausgebildet, aber aufgrund einer Sehschwäche kaum eingesetzt, kehrte M. nach kurzer Gefangenschaft zu den Eltern nach Waren zurück und wurde beim Landratsamt beschäftigt. Sein Auftrag war, die Bibliotheken des Landkreises von „rechtslastigen" Büchern zu „säubern". Das gab ihm die Möglichkeit, seinen eigenen Lektüre-Fundus zu erweitern, u. a. um das Werk von Nietzsche und Ernst Jünger. Nach dem Abitur in Frankenberg 1949 versuchte M. vergeblich, als „Meisterschüler" bei Bert Brecht am „Berliner Ensemble" Fuß zu fassen. Als freier Schriftsteller schrieb er zunächst in Kulturzeitschriften der DDR und veröffentlichte erste literarische Arbeiten: Szenen, die die jüngste deutsche Vergangenheit im Verhältnis zum künftigen Aufbau des Sozialismus anhand von Alltagskonflikten darstellen; der Aufstand am 17. Juni 1953 in Berlin wurde dem Beobachter M. zu einem wichtigen Erfahrungsmaterial. 1956 wurde er wissenschaftlicher Mitarbeiter im Schriftstellerverband (Abteilung Drama). Mit den Werken des „Sozialistischen Realismus" vertraut wie mit der antiken Literatur, Shakespeare, der Klassik und der Moderne, benutzte er seine Lektüren als stoffliche Grundlage für eigene Texte. 1959 erhielt er zusammen mit seiner zweiten Frau den „Heinrich-Mann-Preis" für das Stück „Der Lohndrücker" (1957). Aber seine 1961 auf einer Berliner Studentenbühne geprobte Bauernkomödie „Die Umsiedlerin oder Das Leben auf dem Lande" (nach Motiven von Anna Seghers Erzählungen) wurde nach der Premiere im September 1961 von der Partei vernichtend kritisiert und sofort abgesetzt. Die Begründung lautete, das Stück stelle die Bodenreform von 1945 und die Kollektivierung von 1960 so dar, daß es alle Vorurteile des Klassenfeinds bestätige. M. wurde aus dem Schriftstellerverband ausgeschlossen und schlug sich zunächst mit literarischen Gelegenheitsarbeiten durch. Auch sein nächstes Stück „Der Bau" (1964, nach dem Roman „Spur der Steine" von Erich Neutsch), das in Versform die DDR als „Großbaustelle" allegorisiert, wurde trotz vieler Umarbeitungen nicht akzeptiert. – Der „Abschied" von seiner Frau, die sich 1966 das Leben nahm, wirkte in späteren Texten – von der „Todesanzeige" (1968) bis zur „Bildbeschreibung" (1984) – weiter. In den Dramen der 70er und 80er Jahre treten die Frauenfiguren als Todesboten auf: Medea in verschiedenen Variationen, Ophelia/Elektra, Merteuil („Hamletmaschine", 1977; „Quartett", 1980; „Verkommenes Ufer Medeamaterial Landschaft mit Argonauten", 1983).

Erst mit seiner Bearbeitung von „Ödipus Tyrann" (1967, nach Hölderlin), inszeniert von Benno Besson, fand M. wieder öffentliche Aufmerksamkeit. Sein Schauspiel „Philoktet", eine eigenständige Version nach Sophokles' Tragödie, machte M. im Westen bekannt: Die Uraufführung fand 1968 in München (Regie: Hans Lietzau) statt. Die Themen Krieg, Ausschluß des Einzelnen und Versuch, ihn in den Kampf zurückzuholen, Schuld und „Notwendigkeit" zu töten, enthalten im Hintergrund die Auseinandersetzung mit einer terroristischen Macht (Stalinismus). Die Stücke „Der Horatier" (1968) und „Mauser" (1970) schließen sich diesen Themen immer konzentrierter an, halten sich in der Form an Brechts Lehrstücke, radikalisieren die Konflikte, und wurden, wie auch „Philoktet", in der DDR erst spät aufgeführt. M., der seit Ende der 60er Jahre, u. a. als Dramaturg, eine kontinuierliche Verbindung zum Theater hielt, schrieb auch im folgenden Stücke, die an Theatern im Osten keine Aufnahme fanden: „Germania Tod in Berlin" (1956/1971), „Macbeth" (1972) und „Leben Gundlings Friedrich von Preußen Lessings Schlaf Traum Schrei" (1976). Auch die kombinierte Inszenierung von „Die Schlacht – Szenen aus Deutschland" (1951/74) und „Traktor" (1955/61/74) blieb im Osten ein Einzelfall. Eine Ausnahme bildete „Zement" (1972) in der Inszenierung von Ruth Berghaus am „Berliner Ensemble". Das Bürgerkriegsdrama nach dem Roman des sowjetischen Schriftstellers Fjodor Gladkow entfachte eine „wissenschaftliche" Diskussion, nachdem M.s Macbeth-Version ihm zuvor den Grundsatzvorwurf, „Geschichtspessimist" zu sein, eingetragen hatte. „Zement" wurde „positiv" als historische Möglichkeit, sozialistische Ideale zu formulieren, interpretiert. Im Westen hingegen wurde die 1977 entstandene, in der DDR nicht gedruckte „Hamletmaschine" (UA: 1979, Jean Jourdheuil, Paris) zum „Durchbruch" am Theater: eine Selbstreflexion des marxistischen Intellektuellen angesichts seiner Ohnmacht, in die Geschichte einzugreifen; sie ist geprägt von der Idee eines avantgardistischen, „postdramatischen" Theaters.

Seit Mitte der 70er Jahre bekam M. wiederholt die Erlaubnis, in das westliche Ausland zu fahren. So konnte er 1975 eine Gastdozentur in Austin/Texas (USA) wahrnehmen und weitere Reisen in Amerika anschließen. M. wurde zum Wanderer zwischen den Welten. Er stehe, sagte er 1981, „mit je einem Bein auf den zwei Seiten der Mauer. Das ist vielleicht eine schizophrene Position, aber mir scheint keine andere real genug". – „Der Auftrag" (1979) gab M. die erste Möglichkeit, als Regisseur im Osten und bald darauf im Westen als Theater-Praktiker anerkannt zu werden. 1983 arbeitete er mit dem amerikan. Theaterkünstler Robert Wilson in Köln zusammen an dem deutschen Teil eines Welttheater-Projekts „CIVIL warS". Wilsons innovativer Theaterraum, das Zusammenspiel extremer Zeiteinheiten in den Bühnenbildern, ihrer Beleuchtung, den Körperbewegungen und dem Textsprechen haben M.s weitere Theater-Arbeit beeinflußt. Nicht zuletzt durch Wilsons Inszenierung der „Hamletmaschine" 1986, erst in New York, dann in Hamburg mit Theaterstudenten, fand M. größere internationale Beachtung. Seine fünfteilige Szenenzusammenstellung „Wolokamsker Chaussee" (Titel nach einem Roman von A. Bek, zwischen 1983 und 1987 entstanden) stellte wiederum die Geschichte als Krieg dar, die Gewalt als Tragödie mit eingebauter Farce (IV Kentauren). Als „Requiem für einen Staat" entstand am Ende des DDR-Sozialismus im Herbst 1989 M.s Inszenierung von „Hamlet"/"Hamletmaschine" am Deutschen Theater. Mit dem Prozeß der Wiedervereinigung widmete M. sich – neben der vorläufigen Präsidentschaft an der Akademie der Künste Berlin/Ost – zusammen mit namhaften Theaterleuten der Leitung des „Berliner Ensembles", das er schließlich allein führte.

Seit Mitte der 70er Jahre hatte sich M. in Gesprächen zu Literatur-, Kunst- und Zeitgeschichte als Kommentator und Interpret geäußert. Sie sind in verschiedenen Sammelbänden dokumentiert. In der Autobiographie „Krieg ohne Schlacht, Leben in zwei Diktaturen" (1992) charakterisiert er in einem Anhang zur zweiten Auflage 1994 die Art seiner Beziehung zur Staatssicherheit als eine „Schadensbegrenzung gegen die wachsende Hysterie der Macht". Vielleicht ist auch dieser Satz als ein Teil seiner künstlerischen Arbeit zu verstehen. – Heinrich-Mann-Preis (mit Inge M., 1959), Lessing-Preis (1975), Mülheimer Dramatikerpreis (1979), Hörspielpreis d. Kriegsblinden (1985), Georg-Büchner-Preis (1985), Nat.preis 1. Kl. d. DDR (1986), Kleist-Preis (1990), Europ. Theaterpreis (1991), Berliner Theaterpreis d. Stiftung Preuß. Seehandlung (1996).

W Texte 1–11, 1974–1989; Rotwelsch, 1982; Ich bin e. Neger, 1986; Gesammelte Irrtümer, Interviews u. Gespräche, 3 Bde., 1986–94; Zur Lage d. Nation, 1990 (Interview mit F. M. Raddatz); Jenseits d. Nation, 1991 (Interview mit dems.); Gedichte, 1992; Mommsens Block, 1993 (ep. Gedicht); Ich schulde der Welt einen Toten, 1995 (Gespräch mit A. Kluge); Germania 3 Gespenster am toten Mann, 1996.

L G. Schulz, H. M., 1980 *(W-Verz., L)*; M. Silberman, H. M., 1980; Th. Girshausen, Realismus u. Utopie, Die frühen Stücke H. M.s, 1981; G. Wieghaus, H. M., 1981; ders., Zwischen Auftrag u. Verrat, Werk u. Ästhetik H. M.s, 1984; Text u. Kritik, hrsg. v. H. L. Arnold, Nr. 73: H. M., 1982; A. A. Teraoka, The Silence of Entropy or Universal Discourse, The postmodernist Poetics of H. M., 1985 *(W, L)*; W. Storch (Hrsg.), Explosion of a Memory, H. M. DDR, Ein Arbeitsbuch, 1988 *(P)*; N. O. Eke, H. M., Apokalypse u. Utopie, 1989 *(W, L)*; B. Gruber, Mythen in d. Dramen H. M.s, Zu ihrem Funktionswandel in d. J. 1958–1982, 1989; F. Hörnigk (Hrsg.), H. M., Material, Texte u. Kommentare, 1989; J. Fiebach, Inseln d. Unordnung, Fünf Versuche zu H. M.s Theaterszenen, 1990; P. G. Klussmann, H. Mohr u. G. Laschen, Spiele u. Spiegelungen v. Schrecken u. Tod, Zum Werk v. H. M., 1990; F. Maier-Schaeffer, H. M. et le „Lehrstück", 1991; F.-M. Raddatz, Dämonen unterm Roten Stern, Zur Gesch.phil. u. Ästhetik H. M.s, 1991 *(W, L)*; Th. Eckardt, Der Herold d. Toten, Gesch. u. Pol. b. H. M., 1992; R. Herzinger, Masken d. Lebensrevolution, Vitalist. Zivilisations- u. Humanismuskritik in Texten v. H. M., 1992 *(W, L)*; A. Keller, Drama u. Dramaturgie H. M.s zw. 1956 u. 1986, 1992, ²1994 *(W, L)*; H. M. – Rückblicke, Perspektiven, hrsg. v. Th. Buck u. J.-M. Valentin, 1995; I. Schmidt u. F. Vaßen, Bibliogr. H. M.s 1948–1992, 1993; Krit. Lex. d. Gegenwartslit., hrsg. v. H. L. Arnold, 1986 (Th. Buck); Kosch, Lit.-Lex.³; KLL; Killy; DLB 124; Metzler Autoren-Lex., hrsg. v. B. Lutz, ²1994 (G. Schulz, *P*). – *Zu Inge:* J. Serke, in: SZ Nr. 142 v. 22. 6. 1996 *(P)*.

P Phot. in: Theater Heute, Jb. 1995 u. H. 2, 1996; Theater d. Zeit, Sonderh. H. M. 1996; H. M., Ein Gespenst verläßt Europa, Fotografien v. S. Bergemann, 1990.

Genia Schulz

Müller, Heinrich, luth. Theologe, Erbauungsschriftsteller, * 18. 10. 1631 Lübeck, † 13./23. 9. 1675 Rostock. (ev.)

V Peter (1590–1658) aus Tondern, Kaufm., Mitgl. d. Sechzehner Ausschusses d. Bürgerschaft u. Kirchenvorsteher an St. Marien in R., *S* d. Kaufm. Heinrich u. d. Anna Split; *M* Ilsabe, *T* d. Matthäus Stubbe, Bürger zu R., u. d. Ilsabe Schmiedes; ∞ Rostock 1654 Margarethe Elisabeth († n. 1675), *T* d. Michael Sibrand, Kirchenvorsteher an St. Marien in R.; 5 *S*, 1 *T*, u. a. Caspar Matthäus (1662–1717), Prof. d. Moral, seit 1700 d. Rechte, an d. Univ. Rostock (s. Jöcher-Adelung).

M. wuchs in Rostock auf, wo er die Lateinschule besuchte und gleichzeitig Unterricht von Dozenten der Universität in orientalischen Sprachen und philosphischen Fächern erhielt. 1648 begann er in Greifswald das Studium der Theologie, wechselte 1650 nach Rostock, erwarb 1651 den Magistergrad und wurde in die Philosophische Fakultät aufgenommen. Es folgte eine Bildungsreise durch Norddeutschland, die er wegen Kränklichkeit, unter der er sein Leben lang litt, abbrechen mußte. 1653 gab er eine „Methodus politica" heraus, die aus seiner Lehrtätigkeit entstanden war. Aufmerksamkeit erregte er mit seinen Predigten, so daß er im selben Jahr zum Archidiakon an St. Marien in Rostock berufen wurde. 1655 bestand M. die Prüfung für den theologischen Doktorgrad, wurde aber nicht promoviert, weil seine geistliche Stellung der Würde nicht entsprach. Er bezeichnete sich daher als S. S. Theol. Doctorandus. Der Rostocker Rat übertrug ihm dennoch eine außerordentliche theologische Professur, auf die M. jedoch verzichtete, da der Landesherr als Mitpatron der Universität Einwände geltend machte. 1659 erhielt er die rätliche Professur der griech. Sprache, die eine theologische Promotion in Rostock ausschloß. Heimlich reiste er deshalb nach Helmstedt und ließ sich hier Ende 1660 zum Doktor der Theologie promovieren. Es gelang ihm schnell, die Verstimmung darüber in Rostock zu dämpfen. Man begnügte sich mit seinen Erklärungen, er habe das Ansehen der Fakultät nicht geschädigt und stehe fest zur Konkordienformel. 1662 wurde M. Dekan der Philosophischen Fakultät, bald darauf o. Professor der Theologie und erster Pastor an St. Marien. M. bewarb sich 1664 ohne Erfolg um Hauptpastorate in Lübeck und Hamburg. Nach diesen Fehlschlägen begnügte er sich mit seinen Ämtern in Rostock. 1663/64, 1669/70 und 1670 war er Dekan der Theologischen Fakultät, 1663/64, 1665/66 und 1669/70 Rektor der Universität. 1671 wurde er Superintendent.

Das lat., wissenschaftliche Werk M.s ist aus dem Geist der luth. Orthodoxie geschrieben und weist keine neuen Wege. Seine deutschen Schriften, umfangreiche Predigtsammlungen und Andachtsbücher, sind dagegen aus der unmittelbaren Arbeit mit der Gemeinde erwachsen. Sie stehen auf dem Boden der luth. Lehre, öffnen sich aber in Anschluß an Johann Arndt mystischem Gedankengut. M. wollte das Geglaubte fühlen, „schmecken". So führte er die Orthodoxie zum Pietismus, ohne sich des Gegensatzes bewußt zu werden. Kurz vor seinem Tode kam es zu einem Briefwechsel mit Philipp Jakob Spener. M.s Andachtsbücher wurden häufig neu aufgelegt, die „Geistlichen Erquickstunden" (1664) in Auszügen bis ins 20. Jh. Sein Gesangbuch „Geistliche Seelenmusik" (1659) hat seinen Schwerpunkt bei neuerem Liedgut und trug wesentlich zu dessen Verbreitung bei. Die von M. selbst verfaßten Lieder sollten der Privatandacht dienen und blieben bis ins 20. Jh. in Gebrauch. Seine einleitenden Betrachtungen hatten programmatische Bedeutung für die neue Art des verinnerlichten Singens. Die bildhafte und klare Sprache war die Grundlage für die nachhaltige Wirkung seiner Bücher. Der Text der Matthäus-Passion Johann Sebastian Bachs beruht offenbar auf Passionspredigten M.s.

Weitere W u. a. Himml. Liebes-Kuß ..., 1659 *(P)*; Geistl. SeelenMusik Bestehend In zehen betrachtungen u. vier hundert Gesängen ..., mit Kompositionen v. Nicolaus Hasse, darin Himml. Liebes-Flamme, 1659 *(P)*; Creutz- Buß- u. Beet-Schule ..., 1661 *(P)*; Fest-Epistol. Schluß-Kette ..., 1667 *(P)*; Ungeratene Ehe ..., 1668 *(P)*; Geistl. Danck-Altar ..., 1669, 1670; Jesus patiens, 1669; Ev. Schluß-Kette ..., 1672 *(P)*; Thränen- u. Trost-Quelle ..., 1675; Göttl. Liebes-Flamme ..., 1676; Ev. Hertzens-Spiegel ..., hrsg. v. J. C. Heinisius, 1679; Gräber Der Heiligen / Mit christl. Leich-Predigten ..., hrsg. v. J. C. Heinisius, 1685 *(P) (v. M. gehaltene Leichenpredigten, Predigt v. Barclai, Progr. d. Univ. u. Trauergedichte auf M., s. L).*

Qu. Univ.archiv Rostock (Liber tertius Facultatis Theologicae u. „Personalakte" H. M.); Stadtarchiv Rostock (Geistl. Ministerium); Die Matrikel d. Univ. Rostock, III, hrsg. v. A. Hofmeister, 1895 (s. Register, 1919).

L ADB 22; L. Barclai, Klagstimm uber d. unheilbahren Schaden Babels, 1675 *(Lpr. auf M.)*; Joachim S(chröder), Eines Geistl. Weld- Kirchen- u. Seelen-Artztes kurtzer Abris u. Spiegel, 1675 *(Lpr. auf M.)*; Progr. d. Univ. u. Gedichte auf M.s Tod (s. *W*, Gräber Der Heiligen); Etwas v. gel. Rostockschen Sachen, 1741, S. 137–42 *(biogr. Abriß u. W-Verz.)*; Weitere Nachrr. v. gel. Rostockschen Sachen, 1743, S. 296–314, 398 f.; Die Alten Tröster, Ein Wegweiser in d. Erbauungslitteratur d. ev.-luth. Kirche d. 16. bis 18. Jh., hrsg. v. C. Große, 1900 *(Verz. d. Nachdrucke bis z. Ende d. 19. Jh., S. 236–52)*; D. Winkler, Grundzüge d. Frömmigkeit H. M.s, Diss. Rostock 1954 *(ungedr., W-Verz.)*; Ch. Bunners, Kirchenmusik u. Seelenmusik, Stud. zu Frömmigkeit u. Musik im Luthertum d. 17. Jh., 1964, S. 113–67; E. Axmacher, Ein Qu.fund z. Text d. Matthäus-Passion, in: Bach-Jb. 1978, S. 181–91; dies., „Aus Liebe will mein Heyland sterben", Unterss. z. Wandel d. Passionsverständnisses im frühen 18. Jh., 1984, S. 28–52, 170–85; PRE; G. Willgeroth, Die Mecklenburg-Schwerinschen Pfarren seit d. 30jähr. Kriege, III, 1925, S. 1417; RGG⁴; MGG IX; Biogr. Lex. f. Schleswig-Holstein u. Lübeck, IX, 1991; Biogr. Lex. f. Mecklenburg, I, 1995.

P Gem. in d. St. Marienkirche zu Rostock.

Helge Bei der Wieden

Müller, *Heinrich,* Rechnungshofpräsident, * 7. 6. 1896 Pasing b. München, † (Freitod) 26. 4. 1945 Potsdam. (kath., seit 1934 gottgläubig)

V Friedrich (1862–1934), Reg.dir. b. d. Süddt. Eisenbahnverw.; *M* Karolina Nothelfer (* 1862); ∞ Dorlar b. Gießen 1925 Hedwig (1899–1945, ev.), *T* d. Mühlenbes. Fritz Marx (* 1870) u. d. Elisabeth Feiling (* 1874); 2 *S,* 2 *T.*

Nach dem Gymnasiumsbesuch in Weiden (Oberpfalz), Regensburg und Würzburg, freiwilliger Teilnahme am 1. Weltkrieg bis zu einer schweren Verwundung (1915) sowie anschließendem Jurastudium und der Promotion in Würzburg (1920) wandte sich M. bereits 1921 dem Nationalsozialismus als Parteiredner und Experte für Beamtenfragen zu. Seine berufliche Laufbahn begann 1923 mit dem Eintritt in die Reichsfinanzverwaltung. Seit 1930 leitete er das Finanzamt in Alsfeld (Hessen). 1931–33 gehörte M. als Abgeordneter der NSDAP dem hess. Landtag an und wurde Vorsitzender des Finanzausschusses. Bei der gewaltsamen Gleichschaltung des Landes übernahm er im März 1933 das Amt des Reichskommissars. Nach vorübergehenden Tätigkeiten als Hess. Staatsminister für Inneres, Justiz und Finanzen (März–Mai 1933) sowie als Oberbürgermeister von Darmstadt seit Mai 1933 kehrte M. in die Reichsfinanzverwaltung zurück, wo er 1934 Direktor des hess. Landesfinanzamtes und 1935 Oberfinanzpräsident in Köln wurde. Daneben war er im Sachverständigenbeirat für Bevölkerungs- und Rassenpolitik des Reichsministeriums des Innern und der Reichsleitung der NSDAP aktiv. Von der SA, der er seit 1931 angehörte, in die SS übernommen, wurde M. 1938 Standartenführer und 1943 Gruppenführer.

1938 wurde M. zum Präsidenten des Rechnungshofes des Deutschen Reiches und Chefpräsidenten der Preuß. Oberrechnungskammer in Potsdam ernannt. Er versuchte, die staatsrechtliche Stellung der zentralen Finanzkontrolle im nationalsozialistischen Staat neu zu bestimmen und das Kontrollrecht auch gegenüber denjenigen Institutionen des Staates und der Partei zu behaupten, die den Rechnungshof als überflüssiges Relikt aus der Weimarer Zeit ansahen oder die ihren eigenen Kontrollapparat ausbauen und sich der Prüfung durch den Rechnungshof entziehen wollten. M. beanspruchte für seine Behörde eine Teilhabe an der „Führergewalt" und trat für einen Funktionswandel der Rechungsprüfung ein: Der Rechungshof sollte seine Kontrollfunktion in den klassischen Verwaltungen einschränken und seine Beratungstätigkeit für neue Verwaltungen verstärken.

Nach Kriegsbeginn erlebte M. durch die Ausdehnung der Kontrollbefugnisse auf die Verwaltungen in den besetzten Gebieten eine erhebliche Ausweitung der Prüfungstätigkeit. Seitdem führte der Rechnungshof Prüfungen nicht nur im Reich und in den Ländern sowie in den angegliederten Gebieten, sondern auch bei Verwaltungen in Böhmen und Mähren, Serbien, Oberitalien, Norwegen, Belgien, Frankreich, Luxemburg, Lothringen und im Elsaß durch. Auf diese Weise erhielt der Reichsrechnungshof einen Gesamtüberblick über das Finanzgebaren im Dritten Reich. Zusätzlich strebte er die Ausdehnung der Reichskontrolle auf den Gemeindebereich an. Auf Druck der mit dem Rechnungshof rivalisierenden Instanzen des Staates und der Partei mußte M. allerdings die Kontrolltätigkeit im sog. Altreich erheblich einschränken und drastische Vereinfachungen im Buchführungs- und Rechnungslegungswesen zulassen. Der drohenden Auflösung des Rechnungshofes begegnete er dadurch, daß er die Kontrolltätigkeit in die neuen Gebiete verlagerte und dort für eine Eindämmung der Korruption, der Veruntreuung beschlagnahmten Vermögens und der Verschwendung sowie für den Abbau der sog. Überbürokratisierung in den neuen Verwaltungen und die Abschöpfung kriegsbedingter Mehrgewinne in der Rüstungsindustrie eintrat. Beim Einmarsch der Roten Armee in Potsdam wählte M. mit seiner Ehefrau und drei Kindern den Freitod.

W Der Begriff d. geminderten Schuldfähigkeit, Diss. Würzburg 1920; Beamtentum u. Nat.sozialismus, 1931, ⁷1933; Die staatsrechtl. u. staatspol. Stellung d. Rechnungshofs im Dritten Reich, in: Finanzarchiv NF 7, 1940, S. 193 ff.; Denkschrr. d. Präs. d. Rechungshofs d. Dt. Reichs zu d. Reichshaushaltsrechnungen f. d. Rechnungsjahre 1934–40, 1938–44. – *Nachlaß:* Bundesarchiv, Abt. Potsdam.

L K. Heinig, Das Budget I, Die Budgetkontrolle, 1949, S. 131 ff.; F. v. Pfuhlstein, in: 250 J. Rechnungsprüfung, hrsg. v. Bundesrechnungshof, 1964, S. 89, 113; F. Klein, Die Finanzkontrolle im nat.soz. Staat, in: Vfg., Verw., Finanzkontrolle, FS f. Hans Schäfer, hrsg. v. Schiffer u. Karehnke, 1975, S. 209 ff.; D. Rebentisch, Der Gau Hessen-Nassau u. d. nat.soz. Reichsreform, in: Nassau. Ann. 89, 1978, S. 178 ff.; Hess. Abgeordnete 1920–33, bearb. v. G. Ruppel u. B. Groß, 1980, S. 192 ff.; R. Borzikowsky, Finanzkontrolle u. Rechnungsprüfungswesen, in: Dt. Verw.gesch., IV, hrsg. v. K. G. A. Jeserich u. a., 1985, S. 209 ff.; F.-O. Gilles, Die verkannte Macht, 1986, S. 55 ff.; R. Weinert, NS-Staat II, in: Rechnungshöfe als Gegenstand zeitgeschichtl. Forschung, hrsg. v. Th. Pirker, 1987, S. 52 ff.; H. A. Dommach, Von Potsdam nach Frankfurt, 1988, S. 77 ff.; H. Bathe u. J. H. Kumpf, Landesfinanzamtspräsidenten / Oberfinanzpräsidenten 1919–1945 (in Vorbereitung); Steuerwarte 1934, S. 55; ebd. 1938, S. 485; NS-Führerlex. 1934/35; Kölner Ztg. v. 4. 1. 1935; Wi. 1935.

Qu. Bundesarchiv Koblenz (Akten d. Reichskanzlei u. d. Reichsfinanzmin.); Berlin Document Center; Stadtarchiv Darmstadt.

P Phot. (StA Darmstadt).

Hermann A. Dommach, Eckhart G. Franz

Müller, *Heinrich,* Chef der Geheimen Staatspolizei, * 28. 4. 1900 München, verschollen 29. 4. 1945 Berlin.

V Alois (* 1875), Krankenwärter, Verw.angestellter; *M* Anna Schreindl; ⚭ München 1924 Sofie (* 1900), *T* d. Buchdruckereibes. u. Hrsg. d. „Würmtalboten" N. N. Dischner in München-Pasing; 1 *S*, 1 *T*.

M. besuchte die Volksschule in Ingolstadt, Schrobenhausen sowie Krumbach und absolvierte 1914–17 eine Lehre als Flugzeugmonteur bei den Bayer. Flugzeugwerken in München. 1917/18 als Unteroffizier bei der Fliegertruppe im Feld, wurde er mit dem Eisernen Kreuz I. Kl. ausgezeichnet. Im Dezember 1919 trat M. in die Politische Abteilung der Bayer. Landespolizei ein, wo er die politische Linke zu beobachten hatte (1933 Kriminalinspektor). 1934 schloß sich der fanatische Antikommunist der SS an, in der er es dank R. Heydrichs Förderung zum Standarten- (1937), Ober- (1939), Brigade- und Gruppenführer (1940) brachte. 1939 wurde M., dem der Eintritt in die SS (1934) einen enormen beruflichen Aufstieg eröffnet hatte, in die NSDAP aufgenommen. Durch pathologischen Ehrgeiz und blinden Gehorsam ausgezeichnet, wurde er 1934 bei der Bayer. Politischen Polizei beurlaubt und zum Geheimen Staatspolizeiamt Berlin beordert (1937 Oberregierungs- und Kriminalrat). Am 27. 9. 1939 wurde er Chef des Amtes IV (Geheime Staatspolizei – Gestapo) in Heydrichs neugeschaffenem Reichssicherheitshauptamt (1941 Generalleutnant, 1945 General der Polizei). In dieser Funktion wurde M., dessen Skrupellosigkeit, Brutalität und Willkür gefürchtet waren, zu einer zentralen Figur der nationalsozialistischen Gewaltherrschaft. Das Bespitzelungssystem wurde ausgebaut und perfektioniert, das Denunziantentum gefördert. Skrupellos sorgte M. unter Mißachtung rechtstaatlicher Prinzipien für die massenhafte Verhaftung, Deportation und Ermordung mißliebiger Personen, vor allem von Juden sowie von politischen und weltanschaulichen Gegnern des Regimes. – M. wurde letztmals am 29. 4. 1945 im Führerbunker gesehen. Wahrscheinlich kam er an diesem oder einem der folgenden Tage im eingekesselten Berlin um. Gerüchte, die bis 1967 kursierten, er sei zu den Sowjets übergelaufen, er lebe unter dem Namen „Amin Rashad" in Albanien oder unter anderen Namen in Südamerika, ließen sich nicht erhärten.

L C. Wighton, Heydrich, 1962; H. Arendt, Eichmann in Jerusalem, 1964; Der Fall Gleiwitz, 1963 (DEFA-Film); J. Delarue, Gesch. d. Gestapo, 1964; S. Aromson, Beginnings of the Gestapo System, 1969; H. Peuschel, Die Männer um Hitler, 1982; H. Buchheim, Die SS, ⁵1989; H. F. Ziegler, Nazi Germany's New Aristocracy, The SS Leadership 1925–39, 1989; J. v. Lang, Die Gestapo, 1990; G. Paul u. K.-M. Mallmann, Die Gestapo, 1995; A. Seeger, „Gestapo-Müller", Der skrupellose Schreibtischtäter, 1995 (L, P); R. Wistrich, Wer war wer im Dritten Reich, 1983; Ch. Zentner u. F. Bedürftig (Hrsg.), Das gr. Lex. d. Dritten Reiches, 1985 (P).

Franz Menges

Müller, Josef *Heinz*, Nationalökonom, * 5. 6. 1918 Siegburg, † 19. 9. 1992 Kirchzarten. (kath.)

V Josef (* 1888) aus Immekeppel b. Mülheim, S d. Johann u. d. Josefine Schöneseifen; M Josefine (* 1891) aus S., T d. Heinrich Milz u. d. Gertrud Steuer; ⚭ Marburg 1945 Marianne (* 1921), T d. Verwalters Peter Kalker u. d. Anna Schäfer; 4 T.

Nach dem Abitur leistete M. seinen Wehrdienst ab, der mit einer schweren Kriegsverletzung endete. Noch in den Kriegsjahren studierte er Nationalökonomie an den Universitäten Bonn, Köln und Marburg. Im Anschluß an das Diplomexamen an der Univ. Bonn 1945 war er als Abteilungsleiter im Arbeitsamt Bonn tätig und promovierte 1946 zum Dr. rer. pol. 1949 habilitierte er sich im Fach Volkswirtschaftslehre. 1955 erreichte den Dozenten der Univ. Bonn ein Ruf als Nachfolger auf dem Lehrstuhl Walter Euckens in Freiburg, den er bis zu seiner Emeritierung 1986 innehatte. Der Rechts- und Staatswissenschaftlichen Fakultät und später der Wirtschaftswissenschaftlichen Fakultät stand er mehrfach als Dekan vor. M. hat als akademischer Lehrer zahlreiche Studentengenerationen geprägt. 1955–66 war er Direktor des für ihn eingerichteten Instituts für Allgemeine Wirtschaftsforschung, danach Direktor des Instituts für Regionalpolitik und Verkehrswissenschaft. Hervorzuheben ist seine Tätigkeit als Mitglied der Akademie für Raumforschung und Landesplanung, Hannover, und hier speziell als Vorsitzender der Landesarbeitsgemeinschaft Baden-Württemberg und als Mitglied des Wissenschaftlichen Kuratoriums. Seit 1968 wirkte M. als langjähriger Vorsitzender der Sektion für Wirtschafts- und Sozialwissenschaft der Görres-Gesellschaft.

Als Wirtschafts- und Sozialwissenschaftler hatte M. weitgespannte Interessen, die nicht nur die von ihm zu vertretenden mikro- und makroökonomischen Lehr- und Forschungsgebiete umfaßten, sondern auch viele Problemstellungen der Wirtschafts- und Sozialpolitik. Sowohl die theoretischen als auch die wirtschafts- und sozialpolitisch angelegten Arbeiten M.s zeichnen sich aus durch eine strenge, methodisch geschulte Analytik sowie durch ein ständiges Bemühen um praktische Anwendbarkeit der gewonnenen Erkenntnisse. Schwerpunkte seiner wirtschaftspolitischen Forschungen lagen auf den Gebieten der Ordnungspolitik, der sektoralen Strukturpolitik, der Regionalpolitik sowie der Verkehrspolitik. Im Rahmen seiner sozialpolitischen Forschungen zeigte M. besonderes Interesse für Fragen der Einkommens- und Vermögensverteilung und ihrer Beeinflußbarkeit sowie für Probleme der sozialen Sicherung, insbesondere der Rentenversicherung. Er war ein engagierter, vielgefragter Gutachter und Politikberater, der in zahlreichen Arbeitskreisen, Kommissionen und Kontaktseminaren tätig war.

Die Wirtschaft war für M. kein autonomer Bereich der Gesellschaft. Sie sollte vielmehr in einen politisch gestaltbaren Ordnungsrahmen eingefügt sein, der dem individuellen Freiheitsverlangen und dem marktwirtschaftlichen Steuerungspotential einen möglichst großen Spielraum einräumt, der aber auch dem Anspruch auf soziale Gerechtigkeit ein institutionalisiertes Fundament gibt, damit die Ergebnisse des Wirtschaftsprozesses nicht den gesellschaftlichen Konsens stören können. In dem für die innere Entwicklung der Bundesrepublik Deutschland so bedeutsamen Leitbild der Sozialen Marktwirtschaft hat M. stets eine Ordnungskonzeption gesehen, die in ihrer konkreten Ausformung auch den Prinzipien der kath. Soziallehre – Personalität, Subsidiarität und Solidarität – verpflichtet ist. M.s wissenschaftliche Arbeit, aber auch seine Religiosität verband sich mit Realitätssinn, Pflichtgefühl und einem ausgeprägten Bewußtsein sozialer Verantwortung.

W u. a. Nivellierung u. Differenzierung d. Arbeitseinkommen in Dtld. seit 1925, 1954; Einf. in d. Volkswirtsch.lehre, 1955 (mit E. v. Beckerath); Die statist. Problematik d. internat. Reallohnvergleiche,

1957; Das dt. Volkseinkommen 1851-1957, 1959 (mit W. G. Hoffmann); Vom Geld u. vom Kapital, 1962 (mit O. v. Nell-Breuning); Regionale Strukturpol. u. wirtsch. Wachstum d. Marktwirtsch., 1965 (mit N. Kloten u. a.); Wirtsch. Grundprobleme d. Raumordnungspol., 1969; Regionale Strukturpol. in d. Bundesrepublik, Krit. Bestandsaufnahme, 1973; Einf. in d. Volkswirtsch.lehre, ¹²1990 (mit H. Peters); zahlr. Aufsätze in Sammelwerken u. Fachzss. – *Mithrsg.:* Staatslex., ⁷1985-89.

L Wirtsch. Strukturprobleme u. soz. Fragen, Analyse u. Gestaltungsaufgaben, J. H. M. z. 70. Geb.tag, hrsg. v. J. Klaus u. P. Klemmer, 1988 *(P)*; W. J. Mückl, in: Jahres- u. Tagungsber. d. Görres-Ges., 1993, S. 116-19.

Wolfgang J. Mückl

Müller, *Heinz-Otto,* Elektrotechniker, * 22. 10. 1911 Züllichau (Mark Brandenburg), † 24. 4. 1945 Frankenberg (Sachsen).

M. besuchte das Gymnasium in Neuruppin und danach in Berlin. Anschließend studierte er 1930-36 Elektrotechnik an der TH Berlin-Charlottenburg. Sein Praktikum absolvierte er bei den Siemens-Schuckert-Werken. Im Rahmen seiner Studienarbeit verbesserte er zusammen mit seinem Kommilitonen E. Driest das von dem späteren Nobelpreisträger E. Ruska entwickelte Elektronenmikroskop. Die Arbeiten, die am von A. Matthias geleiteten Institut für Hochspannungstechnik und Elektrische Anlagen unter Mitwirkung von Ruska ausgeführt wurden, hatten das Ziel, mit Hilfe einer Vorrichtung, die direkt in das Vakuumgefäß eingebracht wurde, Innenaufnahmen insbesondere von biologischen Präparaten vornehmen zu können. Dadurch konnten die Belichtungszeiten verkürzt und der Kontrast verbessert werden. Auf diese Weise gelang es den beiden Studenten erstmals, morphologische Einzelheiten der Hausfliege mit sublichtmikroskopischer Auflösung (daher auch als „Übermikroskop" bezeichnet) darzustellen. Diese ersten Aufnahmen unpräparierter biologischer Objekte wurden 1935 in einer kurzen Mitteilung („Elektronenmikroskopische Aufnahmen von Chitinobjekten") veröffentlicht. Die Ergebnisse seiner 1937 verfaßten Diplomarbeit stellte M. in einer Arbeit mit dem Titel „Die Abhängigkeit der Sekundärelektronenemission einiger Metalle vom Einfallswinkel des primären Kathodenstrahls" zusammen (Zs. f. Physik 104, 1937, S. 475).

Nach einer kurzen Tätigkeit als Assistent am Institut für Hochspannungstechnik und Elektrische Anlagen ging er 1937 zu Siemens & Halske und arbeitete dort als Mitarbeiter des kurz zuvor gegründeten Laboratoriums für Übermikroskopie im Zentrallaboratorium des Wernerwerkes (später Laboratorium für Elektronenoptik) zusammen mit Ruska und anderen an der Entwicklung eines kommerziellen Elektronenmikroskops. M. hat mit zahlreichen Arbeiten wesentlich dazu beigetragen, daß nach nur zwei Jahren das erste Elektronenmikroskop an das Werk Hoechst der I. G.-Farben ausgeliefert werden konnte. In den folgenden Jahren beschäftigte sich M. auch mit der Anwendung dieses neuen Mikroskops und trug damit zur Verbreitung dieser zunächst nur wenig beachteten Mikroskopiertechnik bei. In Zusammenarbeit mit W. Eitel und O. E. Radszewsi vom Kaiser-Wilhelm-Institut für Silikatforschung in Berlin-Dahlem führte er Untersuchungen an Tonmineralien durch und publizierte sie in einer Reihe von Arbeiten. Auf einem von M. bereits 1940 vorgeschlagenen Verfahren zur Schrägbedampfung von Präparaten baute er seine Dissertation über die Entwicklung von Aufnahmemethoden von stereographischen Bildpaaren im Übermikroskop auf und promovierte damit 1942 an der TH Berlin-Charlottenburg zum Dr.-Ing. Im selben Jahr befaßte er sich zusammen mit J. Dosse auch mit dem Auflösungsvermögen des Feldemissionsmikroskops, das E. W. Müller 1936 im Forschungslaboratorium von Siemens & Halske entwickelt hatte. Im Rahmen seiner Tätigkeit bei Siemens & Halske installierte M. insgesamt 40 Elektronenmikroskope innerhalb und außerhalb Deutschlands. Im Frühjahr 1945 erkrankte er auf einer Dienstreise schwer und kam im Krankenhaus von Frankenberg infolge von Kampfhandlungen während der Besetzung ums Leben.

Weitere W u. a. Elektronenmikroskop. Aufnahmen (Elektronenmikrogramme) v. Chitinobjekten, in: Zs. f. wiss. Mikroskopie 52, 1935, S. 53 (mit E. Driest); Die Ausmessung d. Tiefe übermikroskop. Objekte, Diss. 1941.

L E. Ruska, in: Zs. f. wiss. Mikroskopie 60, 1951, S. 66-68 *(W-Verz., P)*; ders., Die frühe Entwicklung d. Elektronenlinse u. d. Elektronenmikroskopie, 1979; F. Trendelenburg, Aus d. Gesch. d. Forschung im Hause Siemens, 1975; Pogg. VII a.

Wolfgang Mathis

Müller, *Hermann* v. (preuß. Adel 1895), General, Militärschriftsteller, * 2. 7. 1832 Bründel b. Bernburg (Anhalt), † 9. 1. 1908 Berlin. (ev.)

V Friedrich Wilhelm M. (1803-68), Guts- u. Gärtnereibes., *S* d. Balthasar (1775-1861), Guts- u. Gärtnereibes. in Aschersleben, u. d. Sophie Katharine

Randbahn (1778–1858) aus Aschersleben; *M* Marie Friederike Raue (1809–80) aus Bernburg; ∞ Berlin 1876 Maria (1856–1920), *T* d. Oberverw.gerichtsrats Schmückert († 1893) aus Berlin, u. d. Charlotte Scheel aus Lissa (Posen); *Gvv* d. *Ehefrau* Heinrich Schmückert (1790–1862), preuß. Gen.postdir. (s. ADB 32, *W*); 2 *S* Heinrich (1880–1935), Dr. iur., Oberverw.gerichtsrat, Hermann (1883–n. 1942), Dr. phil., 1 *T* (früh †).

M. diente nach der Reifeprüfung 1851 zunächst als Einjährig-Freiwilliger im 3. Artillerieregiment in Magdeburg und schlug dann die Laufbahn eines Berufsoffiziers ein. 1852–55 besuchte er die Artillerie- und Ingenieurschule. Danach wieder in der Truppe, war der junge Offizier 1859 für knappe drei Jahre an der Kriegsakademie in Berlin. M., der an Kunst und Musik seiner Zeit regen Anteil nahm, besuchte daneben kontinuierlich Veranstaltungen an der Universität. 1863 wurde ihm auf Antrag der Fürstin zu Schönaich-Carolath eine einjährige Beurlaubung gewährt. Als Erzieher des Prinzen Heinrich Ludwig zu Schönaich-Carolath unternahm M. anregende Reisen nach Frankreich, Italien und in die Schweiz, wobei er vor allem durch einen längereren Aufenthalt in Rom beeindruckt wurde. Nach seiner Rückkehr erfolgte die Mobilmachung zum Krieg gegen Dänemark. M. führte als Premierleutnant eine Batterie der Brandenburgischen 3. Artilleriebrigade und war sowohl am Gefecht bei Nübel, als auch bei Belagerung und Sturm der Düppeler Schanzen und dem folgenden Übergang bei Alsen mit seiner Einheit direkt beteiligt. Mit Beginn des Jahres 1865 diente M. beim Großen Generalstab, wurde im Januar 1866 zum Hauptmann befördert und anschließend im Krieg gegen den Deutschen Bund als Führer einer Munitionskolonne eingesetzt. Hier stellte er seine Fähigkeit zur umsichtigen und zugleich entschlossenen Truppenführung wiederholt unter Beweis. Dies zeigte sich auch im Krieg gegen Frankreich 1870. Als Adjutant der Generalinspektion erhielt M., der seit 1867 in der Artilleriekommission u. a. mit der Entwicklung der 15 cm-Kanone betraut gewesen war, vor Straßburg den Auftrag, die kurzen 15 cm-Kanonen und 21 cm-Mörser in Einsatz zu bringen. Sein Einsatz erschöpfte sich nicht in der Unterrichtung und Einweisung von Artillerieoffizieren und Mannschaften in das neue Gerät; Bedeutung erlangte vielmehr seine Feuerleitung der Batterien vor Straßburg, wo er mit Hilfe des in Fachkreisen noch umstrittenen indirekten Richtens Breschen in die wichtigen inneren Bastionen der Festung zu schlagen vermochte, aber auch das Münster erheblich beschädigte. Dieses Beschußverfahren wurde hier durch M. erstmals zielsicher und mit großer Wirkung angewendet. Vor Soissons und Paris waren dem Hauptmann weitere artilleristische Erfolge beschieden.

1873–79 war der mittlerweile zum Major beförderte M. an der Kriegsakademie als Lehrer tätig. Seit 1875 arbeitete er darüber hinaus im Großen Generalstab, vorwiegend in der kriegsgeschichtlichen Abteilung. Nach einem nur kurze Zeit während Truppenkommando wurde er 1879 Chef der Artillerieabteilung im Kriegsministerium (1888 Generalmajor). Auf seinem Fachgebiet entwickelte sich M. insbesondere bei allen Fragen, die den Festungskrieg betrafen, zur unbestrittenen Autorität, wobei er an der Entwicklung seiner Waffengattung hervorragenden Anteil hatte. Die Lehren und Erfahrungen aus dem Krieg gegen Frankreich versuchte er konsequent in die Praxis zu übertragen, was sich später etwa in der Ausrüstung der Artillerietruppe mit Steilfeuergeschützen und Brisanzgranaten niederschlug. In seinen zahlreichen Publikationen dokumentierte M. nicht nur den Kampf der Artillerie gegen die franz. Festungen, sondern analysierte vor allem den Einsatz der artilleristischen Kräfte. Seine postum herausgegebenen Betrachtungen und Aufzeichnungen aus den Feldzügen, an denen er beteiligt war, sind eine wichtige Quelle für die militärische Ausbildung geblieben. – Kronen-Orden I. Kl.

W u. a. Entwicklung d. Feldartillerie in bezug auf Material, Organisation u. Taktik v. 1815–1870, 1873; Gesch. d. Festungskrieges seit d. allg. Einf. d. Feuerwaffen bis z. J. 1880, 1880, ²1892; Entwicklung d. Feldartillerie in bezug auf Material, Organisation u. Taktik v. 1815–1892, 3 Bde. (1. Bd. ²1893/94); Die Tätigkeit d. dt. Festungsartillerie bei d. Belagerungen, Beschießungen u. Einschließungen im dt.-franz. Kriege 1870–1871, 4 Bde., 1898–1901; Zur Lebensgesch. d. Gen.postdir. Schmückert, 1904; Kriegerisches u. Friedliches aus d. Feldzügen v. 1864, 1866 u. 1870–1871, 1909.

L B. Rathgen, in: BJ 13, S. 175–83 (*W, L*); Priesdorff X, 1942, S. 252–55 *(P)*.

Christoph Hippchen

Müller(*-Franken*), *Hermann,* Reichskanzler, * 18. 5. 1876 Mannheim, † 20. 3. 1931 Berlin-Tempelhof. (konfessionslos)

V Georg Jakob (* 1843) aus Güdingen b. Saarbrükken, Schaumweinfabr. u. Weinhändler, seit 1888 in Niederlößnitz b. Dresden; *M* Karoline Vogt (1849–n. 1931, ev.) aus Frankfurt/Main; ∞ 1) N. N.; 2) Gottliebe Jaeger; 1 *T* aus 1) Dr. med. Annemarie Wanzlik-Müller, Zahnärztin im Saarland, dann in B., 1 *T* aus 2) Erika Biermann, Sekr. v. Rudolf Breitscheid.

M. besuchte in Mannheim und Dresden das Realgymnasium. Wegen Mittellosigkeit mußte er nach dem Tod des Vaters mit dem Einjährigen den Schulbesuch aufgeben und eine kaufmännische Lehre in Frankfurt/Main antreten. Beeinflußt vom Interesse des Vaters an der Philosophie Ludwig Feuerbachs, gelangte M. zur Sozialdemokratie, wo er zunächst dem linken Flügel zugerechnet wurde. Mit dem Eintritt in den Handlungsgehilfenverband, journalistischer Arbeit in der Redaktion der „Görlitzer Volkswacht" (1899), der Wahl zum Stadtverordneten (1903–06) und Tätigkeit als Unterbezirksvorsitzender begann er eine typische Funktionärslaufbahn. Bebel schlug ihn 1905 vergeblich und 1906 erfolgreich zur Wahl in den Parteivorstand vor. In dieser Zeit wandelte sich M. zum Zentristen, der sich sowohl entschieden gegen die süddeutschen Revisionisten als auch gegen die radikale Linke um Rosa Luxemburg stellte. Gemeinsam mit Ebert setzte er 1911 die Schaffung des Parteiausschusses durch, der innerparteiliche Probleme zwischen den Parteitagen zu behandeln hatte. In der Wahrnehmung der sozialen Interessen von Arbeitern und Angestellten und dem Eintreten für eine von Friedenswillen bestimmte Außenpolitik sah M. die eigentlichen Aufgaben der Sozialdemokratie. Ruhig und nüchtern, aber ohne jede charismatische Ausstrahlung vertrat er seine Ansichten und war somit dem elanvollen Durchsetzungsvermögen eines Otto Braun unterlegen, dessen Wahl in den Parteivorstand er 1909 vergeblich zu verhindern gesucht hatte. Seither bestand zwischen beiden eine bis tief in die Jahre der Weimarer Republik reichende Animosität. Anerkannt wurden in der Partei und weit darüber hinaus M.s Fleiß und Integrität.

Aufgrund seiner Sprachkenntnisse repräsentierte M. seine Partei bei der II. Internationale und auf Tagungen und Parteitagen vor allem der westeurop. Schwesterparteien, auf deren Solidarität er noch im Frühjahr 1914 setzte. Ende Juli 1914 wurde er nach Paris entsandt, um mit den franz. Sozialisten über die Verweigerung der Kriegskredite durch beide Parteien zu sprechen. Doch unter dem Eindruck der Ermordung von Jaurès und der franz. Vorbehalte gegenüber dem Druck von deutscher Seite kam keine Vereinbarung zustande. Noch bevor M. der Reichstagsfraktion berichten konnte, hatte diese die Zustimmung zum ersten Kriegskredit beschlossen. In den Kriegsjahren wurde M. vom Parteivorstand in den Streitigkeiten mit der Parteilinken um die Stuttgarter „Tagwacht" wie auch als Hauszensor des „Vorwärts" eingesetzt, der durch interne Kontrolle der Artikel ein Verbot durch das Generalkommando verhindern sollte. Zeitweise stand er der Gruppe um Eduard David nahe und stimmte dem Frieden von Brest-Litowsk und dem Eintritt der Sozialdemokraten in das Kabinett des Prinzen Max von Baden zu. Während der Revolutionsmonate gehörte er dem Vorstand des Berliner Vollzugsrates an, in dem er u. a. mit seinem Einsatz für die Wahlen zur Nationalversammlung erfolgreich die Auffassungen der Parteiführung vertrat. Seine Erinnerungen an diese Zeit hat M. später in einer Darstellung niedergeschrieben, die seine sonstigen von der Tagespolitik geprägten Zeitungs- und Zeitschriftenartikel weit überragt.

Mit Eberts Wahl zum Reichspräsidenten und Scheidemanns Berufung in das Amt des Ministerpräsidenten wurde die Neuwahl der beiden Parteivorsitzenden der Mehrheitssozialdemokraten erforderlich. Sie fiel auf M. (373 von 376 Stimmen) und Wels (291 Stimmen). Gemeinsam leiteten sie fortan die Geschicke der Partei, wobei Wels vor allem die innere Parteiorganisation lenkte, während M. die Repräsentation nach außen übernahm. In dieser Eigenschaft war er 1919 und 1920–28 Fraktionsvorsitzender und wurde von der Partei für den Vorsitz des Auswärtigen Ausschusses des Reichstages sowie für die Position des Reichsaußenministers (1919/20) und Reichskanzlers (1920, 1928–30) nominiert. Seit 1920 kandidierte er auf der fränk. Parteiliste für den Reichstag.

Nach der Demission Scheidemanns lehnte M. das ihm angetragene Amt des Reichskanzlers ab und übernahm stattdessen im Kabinett Bauer (21. 6. 1919–26. 3. 1920) den Posten des Reichsaußenministers. Er erkannte frühzeitig die Notwendigkeit, die alliierten Friedensbedingungen anzunehmen, und unterzeichnete deshalb nicht nur den Vertrag von Versailles, sondern setzte sich auch für die Erfüllung seiner Verpflichtungen bis an die Grenze der deutschen Leistungsfähigkeit ein. Nach dem Kapp-Lüttwitz-Putsch übernahm M. dann doch den Auftrag zur Regierungsbildung und leitete auf der Grundlage der Weimarer Koalition das letzte Kabinett, das der Nationalversammlung verantwortlich war (27. 3.–8. 6. 1920). In den wenigen Wochen seines Bestehens ließ es die im Gefolge des Märzputsches entstandenen Unruhen im Ruhrgebiet endgültig niederwerfen und trat auf Drängen der Alliierten sowie zur Vorbereitung der Konferenz von Spa für die Entwaffnung der Einwohnerwehren ein. In die jetzt geschaffene zweite Sozialisierungskommission wurden auch Repräsentanten der

Unabhängigen Sozialisten aufgenommen, da nach M.s Meinung nur auf diese Weise eine Aussicht bestand, daß die Kommissionstätigkeit von den Arbeitnehmern akzeptiert werde. Die schwere Niederlage der Weimarer Koalition und insbesondere der Sozialdemokraten bei den Reichstagswahlen 1920 brachte M. dazu, nur halbherzig mit der USPD über eine Koalitionsbildung zu verhandeln. Er teilte die Bedenken, die in seiner Partei gegen eine Zusammenarbeit mit der DVP bestanden, da sie als Sprachrohr der Unternehmer galt und ihre Verfassungsloyalität angezweifelt wurde. Die Sozialdemokraten standen daraufhin innenpolitisch in Opposition zu dem bürgerlichen Kabinett Fehrenbach, während sie es in seiner Reparationspolitik gegenüber den Westmächten unterstützten.

M. trat früh für einen Beitritt zum Völkerbund und eine Hinneigung zum Westen ein. Hingegen kritisierte er die diktatorische Staatsordnung der Sowjetunion sowie deren revolutionäre Ziele und die Unterstützung der deutschen Linksradikalen durch die Kremlführung. Allerdings lehnte er nach den deutschen Erfahrungen im 1. Weltkrieg eine alliierte Blockade der Sowjetunion ab. Beziehungen zum bolschewistischen Rußland billigte er im ersten Jahrfünft der Weimarer Republik nur, um mit dessen Hilfe eine Integration Oberschlesiens in das wiederentstandene Polen zu verhindern. Im Abkommen von Rapallo sah M. zwar einen echten Friedensvertrag, der jedoch allein im Zusammenhang mit der deutschen Westpolitik Bedeutung erlangen könne. Zugleich warnte er vor hochgespannten ökonomischen Erwartungen, da außer von den USA keine wirkungsvolle Unterstützung für den wirtschaftlichen Aufbau Europas zu erwarten sei.

In der Zeit der Kabinette Wirth (1921/22), an denen auch die Sozialdemokraten beteiligt waren, verlangte M. als Fraktionsvorsitzender, daß bei den Maßnahmen zur Sicherung des Haushalts eine Belastung des Besitzes den allgemeinen Verbrauchsteuern vorangehen müsse. Dies führte ebenso zu einem Konflikt mit den bürgerlichen Parteien wie die Vereinigung der Sozialdemokraten mit der Rumpf-USPD, was einen deutlichen Linksruck in der großen Arbeiterpartei und, als Reaktion, die Schaffung einer bürgerlichen Arbeitsgemeinschaft zur Folge hatte. In ihr setzte sich die DVP nachdrücklich für die Aufhebung des Achtstunden-Arbeitstages ein, dessen grundsätzliche Beibehaltung im Interesse der Arbeitnehmer von M. verfochten wurde. Die generellen Zweifel der Sozialdemokraten an der politischen Glaubwürdigkeit der DVP und fortdauernde Auseinandersetzungen über die Lösung wirtschaftlicher Fragen führten im November 1922 zum Bruch der Koalition unter Wirth. Auch wenn sich der sozialdemokratische Parteivorsitzende unter dem Eindruck der Ruhrbesetzung und der Hochinflation, an denen das Kabinett Cuno scheiterte, früh zur Bildung einer Großen Koalition unter Gustav Stresemann bereit erklärte, standen gegensätzliche Positionen in der Sozial- und Wirtschaftspolitik zwischen den Sozialdemokraten und ihren Partnern im Regierungsbündnis von August bis November 1923. Allerdings trat M. Anfang Oktober 1923 für das Ermächtigungsgesetz ein, da er angesichts der extremen Krise keine andere Lösung der Währungs- und Sozialprobleme sah. Zur Zuspitzung der politischen Differenzen und zum Austritt der SPD aus der Regierung kam es dann durch die auch von M. nachdrücklich gerügte Ungleichgewichtigkeit im Vorgehen gegen die sozialistischen Regierungen in Sachsen und Thüringen einerseits und gegen die rechtsextreme Regierung in Bayern andererseits.

Die Sozialdemokraten, die, wie M. auf dem Parteitag 1924 ausführte, bei Koalitionsentscheidungen weniger eine prinzipielle als eine taktische, auf die Außenpolitik ausgerichtete Haltung einnahmen, befanden sich wieder in Opposition, aus der heraus sie nachdrücklich für die Versöhnungspolitik mit den Westmächten eintraten (Locarno-Politik, Eintritt in den Völkerbund). Als Ende 1926 die Bildung einer Großen Koalition wahrscheinlich wurde, wirkten Intrigen aus dem Reichswehrministerium und Äußerungen vom rechten Flügel der DVP dem Regierungsbeitritt entgegen. Unter diesen Umständen gelangte Otto Braun als preuß. Ministerpräsident zu weitaus höherem Ansehen als M.; doch als bereits vor den Maiwahlen 1928 über die Bildung der neuen Reichsregierung diskutiert wurde, teilte Braun mit, er werde als Kanzler nicht zur Verfügung stehen. Daraufhin bestimmten die Sozialdemokraten, die aus den Wahlen als eindeutige Sieger hervorgegangen waren, noch einmal M. zum Kanzler.

Gerade der Wahlerfolg der Sozialdemokraten bestärkte die bürgerlichen Parteien in ihrer Haltung, bei den Verhandlungen über die Regierungsbildung eigene Grundsätze keinesfalls preiszugeben, so daß nur durch das Eingreifen Stresemanns am 28. 6. 1928 ein Kabinett zustande kam, für das sogar erst im Frühjahr 1929 eine Koalitionsaussage formuliert wurde. Die innenpolitischen Gegensätze zwischen den Flügelparteien DVP und SPD dominierten die Regierungstätigkeit von Anfang an, so daß das Fortbestehen des zweiten Kabinetts Müller zu einem erheblichen Teil auf der persönlichen Wertschätzung zwischen M. und Außenminister Stresemann beruhte. Die Auseinandersetzungen über den Panzerkreuzer A, in denen die sozialdemokratische Fraktion ihre Regierungsmitglieder zwang, im Reichstag gegen die Bewilligung zu stimmen, für die diese sich im Kabinett ausgesprochen hatten, und der Ruhreisenstreit, in dessen Verlauf die DVP Hilfen auch für die indirekt Betroffenen des Arbeitskampfes verweigerte, ließen die Gräben zwischen den Koalitionspartnern tiefer werden. Da die vorangehenden Kabinette den deutschen Kreditmarkt völlig ausgeschöpft hatten, bestanden sehr große Schwierigkeiten, Mittel für die Deckung des Haushalts 1929 und die Zahlungsverpflichtungen des Deutschen Reichs bereitzustellen. Der Streit darüber, wie die Gelder aufzubringen seien, wurde im Frühjahr 1929 nur dadurch überstanden, daß in den Koalitionsparteien weitgehend Einvernehmen bestand, durch Reparationsverhandlungen verbesserte finanzielle Bedingungen zu erreichen. Die Voraussetzungen hierfür waren im Sommer 1928 geschaffen worden, als M. die deutsche Völkerbundsdelegation in Genf führte. Trotz eines spektakulären rhetorischen Zusammenstoßes mit dem franz. Außenminister Briand über Aufrüstungsfragen konnte M. am Rande der Beratungen erreichen, daß sich die Gläubigermächte bereit fanden, mit der deutschen Seite sowohl über die Lösung des Reparationsproblems als auch über die Räumung des besetzten Rheinlandes zu verhandeln. Die bis Januar 1930 dauernden Erörterungen führten zu einer Senkung der deutschen Reparationszahlungen und der Vereinbarung, das Rheinland im Mai 1930 von allen Besatzungstruppen zu räumen.

Neben diesem außenpolitischen Erfolg, der Unterzeichnung des Young-Plans am 21. 8. 1929, standen eine Verhärtung der Beziehungen zu Polen wegen handelspolitischer Streitfragen und Auseinandersetzungen über Minderheitenfragen. Trotz des Weiterbestehens der militärischen Zusammenarbeit zwischen Reichswehr und Roter Armee erreichten die deutsch-sowjet. Beziehungen in dieser Phase einen Tiefpunkt, da in Moskau der Vorwurf erhoben wurde, M. und sein Kabinett seien für die schweren Zusammenstöße zwischen kommunistischen Demonstranten und der Berliner Polizei am 1. 5. 1929 mitverantwortlich. Zu diesem Zeitpunkt hatten bereits Bemühungen der bürgerlichen Rechtsparteien eingesetzt, die Sozialdemokraten aus der Regierung zu verdrängen. Standen auch die Koalitionsparteien wieder nebeneinander, als durch das Volksbegehren und den Volksentscheid gegen den Young-Plan (22. 12. 1929) die politische Radikalisierung von rechts militante Züge annahm, so gab es doch keine Verständigungsmöglichkeiten zwischen ihnen über die Frage, wie das Problem der Arbeitslosenversicherung zu lösen sei. M., der wußte, daß nach der durch das Verhalten von BVP und Zentrum zeitweise in Frage gestellten Annahme des Young-Planes der Fortbestand seines Kabinetts gefährdet war, konnte wenig zur Beilegung des Streites beitragen, da er sich wegen einer lebensgefährlichen Erkrankung über mehrere Monate nicht am politischen Geschehen beteiligen konnte.

Als M. im Herbst 1929 die Geschäfte wieder aufnahm, war er zu geschwächt, um seine Integrationsfähigkeit noch einmal zur Geltung bringen zu können. Die Haushaltslücke, die durch die Verpflichtung des Reiches, die fehlenden Mittel der Arbeitslosenversicherung aufzubringen, bestand, löste einen tiefgehenden Streit in der Koalition aus, in die sozial- und wirtschaftspolitischen Gegensätze zwischen Sozialdemokraten und bürgerlichen Parteien nicht mehr zu überbrücken waren. Obwohl M. bereit gewesen wäre, in dieser Problematik einem Kompromiß, den der Fraktionsvorsitzende des Zentrums, Brüning, vorgelegt hatte, zuzustimmen, beugte er sich seiner eigenen Reichstagsfraktion, die zu keinem weiteren Nachgeben bereit war. Weil Reichspräsident v. Hindenburg unter dem Einfluß seiner Berater dem Kabinett den Rückgriff auf das Notverordnungsrecht des Artikels 48 verweigerte, trat M. am 27. 3. 1930 zurück. Ein knappes Jahr später starb er, ohne in der Öffentlichkeit noch einmal hervorgetreten zu sein. Allerdings hatte er seine Parteifreunde nach den verhängnisvollen Septemberwahlen 1930 aufgerufen, auch ohne Regierungsverantwortung Brüning zu unterstützen.

W Die Novemberrev., Erinnerungen, 1928. – *Nachlaß:* Bundesarchiv, Außenstelle Potsdam; Archiv d. soz. Demokratie d. Friedrich-Ebert-Stiftung, Bonn.

L M. Stürmer, Koalition u. Opposition in d. Weimarer Republik 1924–1928, 1967; M. Vogt (Bearb.), Das Kab. Müller I (Akten d. Reichskanzlei Weimarer Republik), 1971; ders. (Bearb.), Das Kab. Müller II (Akten ...), 1970; ders., H. M., in: W. v. Sternburg (Hrsg.), Die dt. Kanzler v. Bismarck bis Kohl, 1994 *(P);* H. J. Adolph, Otto Wels u. d. Pol. d. dt. Sozialdemokratie, 1971; I. Maurer, Reichsfinanzen u. große

Koalition, Zur Gesch. d. Reichskab. Müller (1928–1930), 1973; S. Miller, Burgfrieden u. Klassenkampf, Die dt. Sozialdemokratie im 1. Weltkrieg, 1974; dies., Die Bürde d. Macht, Die dt. Sozialdemokratie 1918–1920, 1979; H. Potthoff, Gewerkschaften u. Pol. zw. Rev. u. Inflation, 1979; H. Schulze, Otto Braun od. Preußens demokrat. Sendung, 1977; H.-A. Winkler, Von d. Rev. z. Stabilisierung, 1984; ders., Der Schein d. Normalität, 1985; ders., Der Weg in d. Katastrophe, Arbeiter u. Arbeiterbewegung in d. Weimarer Republik 1930–1933, 1990; J. Zarusky, Die dt. Sozialdemokraten u. d. sowjet. Modell, Ideolog. Auseinandersetzung u. außenpol. Konzeptionen 1917–1933, 1992; Rhdb. *(P).*

Martin Vogt

Müller, *Hermann,* liberaler Politiker, * 18. 6. 1913 Jagstfeld b. Bad Friedrichshall (Württemberg), † 28. 12. 1991 Schwäbisch Hall. (ev.)

V Friedrich (1877–1957), Verw.beamter in Bad F., dann Kreisamtmann in Neckarsulm, S d. Jakob, Bauer in Kochendorf b. Bad F., u. d. Rosine Schweizer; M Julie (1891–1967), T d. Hermann Leibfried, Brauereibes. in Jagstfeld, u. d. Marie Burger aus Sindelfingen; ∞ 1949 Sigrid (* 1926), Stadträtin (FDP) in Sch., seit 1994 Kreisrätin, T d. Paul Rummel (1896–1945), Kaufm. in Sch., u. d. Eugenie Gutensohn (1900–87); 3 S, 1 T, u. a. Friedrich Paul (* 1951), Rechtsanwalt in Stralsund, Reinhard (* 1952), Dr. rer. pol., bei d. Treuarbeit in Stuttgart, Herbert (* 1953), Dr. iur., Wirtschaftsprüfer in München.

Nach dem Abitur am Heilbronner Realgymnasium und einem kaufmännischen Volontariat in Neckarsulm studierte M. Jura und Staatswissenschaften in Freiburg und Tübingen, wo er 1938 zum Dr. iur. promoviert wurde. Die Referendarzeit, u. a. in Stuttgart und Calw, wurde durch den Kriegseinsatz und die sich anschließende Kriegsgefangenschaft in England unterbrochen, so daß M. erst 1948 das Assessor-Examen ablegen konnte. Danach war er als kommissarischer und stellvertretender Landrat in Heilbronn tätig, ehe er Anfang 1949 zum Landrat in Schwäbisch Hall gewählt wurde. In dieser Position gewann M. durch den von ihm vorangetriebenen Wiederaufbau rasch großes Ansehen, so daß seine Wiederwahl im Dezember 1954 einstimmig erfolgte. Obwohl bis dahin parteilos, stellte ihn die baden-württ. FDP 1956 als Kandidaten für die Landtagswahl auf, bei der er mit einem Stimmenanteil von über 26 % als zweiter Direktkandidat in den Landtag einzog. Da er sich auch weiterhin mit Erfolg für das Hohenlohesche Gebiet einsetzte, blieb M. dort sehr populär und konnte drei weitere Male den Wahlkreis Schwäbisch Hall/Crailsheim mit Stimmenanteilen zwischen 34 und 42 % direkt für seine Partei gewinnen, ein bislang in der FDP unerreichter Rekord. Im Landtag war M. Sprecher seiner Fraktion in Finanz- und Haushaltsfragen. 1960 nominierte ihn die Partei bei der Bildung der ersten CDU-FDP-Koalition unter Kurt Georg Kiesinger für das Finanzministerium, wo er die Nachfolge seines Parteifreundes Karl Frank antrat.

Während seiner sechsjährigen Amtszeit kümmerte sich M. besonders um die finanziellen Grundlagen der Städte und Gemeinden; unter seiner Ägide stiegen die finanziellen Zuwendungen des Landes an die Kommunen von 760 Mio. auf mehr als 1,7 Mrd. DM, womit Baden-Württemberg unter den Ländern die Spitzenposition einnahm. Gleichzeitig versuchte er, die Verwaltung – u. a. durch die Einführung der EDV – zu effektivieren. Schließlich unterstützte M. engagiert die anlaufende Bildungsreform, indem er z. B. Mittel für den Ausbau des Hochschulwesens und den kostenlosen Transport von Fahrschülern bereitstellte. Gegen Ende seiner Amtszeit suchte M. die wachsenden Ausgaben des Landes zu begrenzen, konnte aber aufgrund der konjunkturellen Entwicklung ein größeres Defizit für das Haushaltsjahr 1967 nicht verhindern, welches ihm nach dem Regierungswechsel von der neuen CDU-SPD-Regierung persönlich angelastet wurde.

Als nach dem Wechsel Kiesingers nach Bonn im Dezember 1966 eine Fortsetzung der Koalition mit der CDU vor allem an den Gegensätzen in der Schulpolitik scheiterte und die FDP in Baden-Württemberg erstmals seit 1945 in die Opposition gehen mußte, übernahm M. Anfang 1967 den Landesvorsitz seiner Partei. Ein Jahr später wurde er auch zum stellvertretenden Bundesvorsitzenden gewählt; 1968 übernahm er zusätzlich nach dem Tod von Walter Erbe dessen Amt als Landtagsvizepräsident. Seine Aufgabe als Landesvorsitzender sah M. vor allem darin, gegen die in Bonn und Stuttgart regierende Große Koalition in Abgrenzung zu den sich regenden extremen Kräften rechts und links eine „Opposition der Sachargumente" zu führen und andererseits seinen Landesverband in den nun anbrechenden Flügelkämpfen zwischen eher konservativen „Altliberalen" und nach links drängenden „Sozialliberalen" zusammenzuhalten. Dies gelang ihm in Baden-Württemberg, so daß die FDP bei der Landtagswahl 1968 mit 14,4 % einen überraschenden Wahlerfolg erzielen konnte. Auf Bundesebene hat M. den Kurs des seit 1968 amtierenden FDP-Vorsitzenden Walter Scheel loyal mitgetragen und dessen Anbahnung einer sozial-liberalen Koalition gegen innerparteiliche Widerstände verteidigt, obwohl er nach Herkunft und Selbstverständnis kein „Sozialliberaler" war.

1970 trat M. in den Vorstand der Kreditanstalt für Wiederaufbau ein, deren Vorstandssprecher er 1973–79 war. Dafür gab er Anfang 1971 den Landesvorsitz und 1972 den stellvertretenden Bundesvorsitz ab, fungierte aber noch 1973–83 als Schatzmeister der baden-württ. FDP, welche ihn danach zum Ehrenvorsitzenden ernannte. – M. war ein später Vertreter derjenigen württ. Liberalen, die zumeist schon über die Familientradition mit der süddeutschen „Demokratie" bzw. der „Süddeutschen Volkspartei" verbunden waren und in Württemberg auch noch nach 1945 über einen starken politischen Rückhalt verfügten. Es war M.s Verdienst, daß in Baden-Württemberg der Übergang von der „altliberalen" zur „sozial-liberalen" Ära relativ reibungslos verlief, was die Stellung des Landesverbandes innerhalb der FDP erheblich stärkte. – Gr. Bundesverdienstkreuz mit Stern (1969) u. Schulterband (1972), baden-württ. Vfg.medaille in Gold (1967), Verdienstmedaille d. Landes Baden-Württemberg (1978).

W Die Entstehung d. Gerichtsvfg.wesens, Diss. Tübingen 1939; Koordinierung u. Einheit d. Verw. auf d. Kreisebene, in: Die öffentl. Verw. 7, 1954, S. 114–17; Die Verstaatlichung d. Vollzugspolizei – e. staatspol. Notwendigkeit, ebd. 8, 1955, S. 79 f.; Läßt sich d. Verw. rationalisieren?, in: Das Rathaus 15, 1962, S. 205–08; Weiterentwicklung d. Finanzgleichs, in: FDP-Landesverband Baden-Württemberg (Hrsg.), 100 J. Volkspartei 1864–1964, 1964, S. 41–47; Opposition d. Sachargumente, 1968. – *Nachlaß:* Kreisarchiv Schwäbisch Hall u. Archiv d. Dt. Liberalismus, Gummersbach.

L U. D. Adam, Pol. Liberalismus im dt. Südwesten, in: P. Rothmund u. E. R. Wiehn (Hrsg.), Die F.D.P./DVP in Baden- Württemberg u. ihre Gesch., 1979, S. 220–53; W. Hofmann, Die Zeit d. Reg.beteiligung, ebd., S. 255–80; H. Schneider, Der Landtag v. Baden-Württemberg seit 1952, in: Von d. Ständeverslg. z. demokrat. Parlament, Die Gesch. d. Volksvertretungen in Baden-Württemberg, 1982, S. 296–326; J. Morlock, in: Liberale Profile, 1983, S. 19–26; Hdb. d. Landtags v. Baden-Württemberg, 2. Wahlperiode, 1956 *(P);* J. Weik, MdL u. Landtagsgesch. v. Baden-Württemberg 1945–1984, ³1984 *(P)*. – Eigene Archivstud.

Jürgen Frölich

Müller, *Hermann Paul,* Rennfahrer, * 21. 11. 1909 Bielefeld, † 30. 12. 1975 Ingolstadt. (ev.)

V Paul (1874–1963) aus Nordhausen, Gastwirt in B., S d. Carl Louis (1847–1913) aus Rottleberode (Harz), Rechnungsrat in Eschwege, u. d. Caroline Wilhelmine Minna Jelke (1850–85) aus Nordhausen; *M* Amalie (1885–1959), *T* d. Johann Peter Gilles (1850–1911), Werkführer in Adenau (Eifel), u. d. Anna-Maria Koch (1852–1929) aus Eupen; ∞ Chemnitz 1942 Marie Albertine (* 1913), *T* d. Albert Pleuger (1891–1936) aus Mettmann b. Düsseldorf, Gas-Oberinsp. in Liegnitz u. Zschopau, u. d. Maria Herdegen (1884–1969) aus Zwiesel (Bayer. Wald); *Schwager* Gerhard Müller (1905–70), Dr. rer. pol., 1932–45 Vorstandssekr. bei d. Auto Union AG in Chemnitz; 2 S, u. a. Gerd (* 1945), Dipl.-Betriebswirt, Mitarbeiter d. Audi AG in I.

Nach Erlangung der Mittleren Reife an der Oberrealschule in Bielefeld volontierte M. dort 1928/29 im Automobilbau der Dürkopp-Werke. Da er Pilot werden wollte, absolvierte er 1929 die Fliegerschule in Münster (Westfalen), wandte sich dann aber dem Motorradsport zu. Mit einem rennmäßig hergerichteten Sportmotorrad bestritt er 1929 im Teutoburger Wald sein erstes Rennen und siegte. Nach weiteren Erfolgen erhielt er 1930 die internationale Lizenz als Motorrad-Rennfahrer. 1931–33 war er Versuchs- und Rennfahrer für die Victoria-Werke in Nürnberg und errang 1932 mit einer Beiwagenmaschine seine erste deutsche Meisterschaft. Bis 1935 fuhr er erfolgreich eine Victoria mit engl. 350 ccm-Motor in den deutschen Meisterschaftsläufen, im Großen Preis von Deuschland und im Ausland. 1935 ging M. als Versuchsfahrer und Techniker zu DKW, der damals größten deutschen Motorradfabrik, die zwei Rennteams unterhielt. Diese sollten zeigen, daß der U-Zylinder-Zweitaktmotor mit Kolbenlader von DKW gegen den Viertakter noch Chancen hatte. M. fuhr im Halbliter-Team eine von dem Konstrukteur Richard Küchen entwickelte Maschine. In den folgenden Jahren feierte er bei großen nationalen und internationalen Motorrad-Rennen, denen oft bis zu 150 000 Besucher beiwohnten, zahlreiche Erfolge. 1936 gewann er die deutsche Meisterschaft der 500 ccm-Klasse, war bester Deutscher im Großen Preis von Deutschland und Europa und bewährte sich bei internationalen Geländefahrten. Seit 1937 startete er als Automobil-Rennfahrer und erreichte hervorragende Plazierungen bei Großen Preisen. 1939 gewann er mit dem neuen Motor der Auto Union mit zwei Kompressoren überlegen den Grand Prix von Frankreich.

Nach dem 2. Weltkrieg war M. technischer Leiter im Zweigwerk Emmen der holländ. Motorenfabrik Pluvier, die Mopeds und Mofas baute. 1946 kehrte er zum Motorradsport zurück und gewann mit einer 250 ccm-Vorkriegsmaschine zwei deutsche Meistertitel.

Als seit 1949 die Auto Union in Ingolstadt wieder DKW-Fahrzeuge herstellte, trugen M.s Erfolge als Rennfahrer dazu bei, daß DKW als Motorradproduzent bald an die zweite Stelle hinter NSU rückte. 1952/53 war er Vertrags- und Versuchsfahrer u. a. für die Mailänder Motorenfabrik FB Mondial, die Horex-Werke bei Fritz Kleemann in Bad Homburg und den ital. Grafen Domenico Agusta, dem er bei Testfahrten in Monza konstruktive Anregungen für sein Motorrad-Programm gab. 1954 gewann M. für NSU seine 7. deutsche Meisterschaft, startete 1955 erneut und errang im letzten Jahr seiner Karriere ohne Werksunterstützung als 45jähriger die Weltmeisterschaft in der 250 ccm-Klasse. Seit 1956 erprobte M. als Versuchsfahrer für NSU Leichtbaufahrzeuge mit geringem Treibstoffverbrauch in Langstreckentests. In der Krise der deutschen Motorradindustrie kehrte er 1959 zur Auto Union nach Ingolstadt zurück, war dort als Meister in der Fahr- und Qualitätskontrolle und 1965–72 in der Presseabteilung tätig. – Mit mehr als 200 Siegen war M. einer der erfolgreichsten Rennfahrer seiner Zeit. Als Versuchsfahrer hat er dem Motorrad- und Kraftfahrzeugbau wichtige technische Anregungen gegeben. – Silbernes Lorbeerblatt d. Bundespräs. (1955).

L E. Hornickel, Das sind unsere Rennfahrer, 1940, S. 61–68 *(P)*; F. Petermann u. W. Hocke, Motorsport, 1952, S. 95; L. Sebastian, Hinter dröhnenden Motoren, 1952, S. 172–78; W. Hocke, in: Dt. Motorsport-Alm. 1955, S. 76; ebd. 1956, S. 73; NSU, Sparsam fahren!, 1956 *(P)*; E. Pirazzini, I Giorni del Coraggio, 1964, S. 289; C. Posthumus, Dtld.s Großer Preis 1926–1966, 1967, S. 72–87; H. Krackowitzer u. P. Carrick, Motorradsport, 1972, S. 154 f. *(P)*; J. Dugdale, Great Motor Sport of the Thirties, 1977, S. 184, 195 f. *(P)*; H. Hütten, Schnelle Motoren seziert u. frisiert, ⁶1977; S. Rauch, DKW, 1981, S. 88, 105, 162, 174, 217–19 *(P)*; G. Cancellieri u. a., Auto Union 1934–39, 19.., S. 136 f., 143–47, 157, 167 *(P)*; C. Bartsch (Hrsg.), Ein Jh. Motorradtechnik, 1987, S. 330, 344. – Mitt. v. Frau Marie Müller.

Hans Christoph Graf v. Seherr-Thoß

Müller, *Ignaz,* Augustinerchorherr, Propst des Stiftes St. Dorothea in Wien, Beichtvater Maria Theresias, * 29. 1. 1713 Feldsberg (Mähren), † 31. 8. 1782 Wien.

V Andreas Antonius Miller, Bgm. in F.; *M* Katharina Theresia.

Nachdem M. 1728 das Bakkalaureat und im folgenden Jahr den Magistergrad der phil. Fakultät der Univ. Wien erworben hatte und zunächst Mitglied des Jesuitenordens werden wollte, trat er 1729 als Novize in das Augustinerchorherrenstift St. Dorothea ein. Ein Jahr später legte er die Ordensgelübde ab und begann mit dem Studium der Theologie. 1733 erhielt er das Bakkalaureat, 1734 wurde er zum Priester geweiht und im selben Jahr erfolgte seine Promotion zum Dr. theol. sowie die Aufnahme in das Gremium der theol. Fakultät, deren Dekan er 1744/45 war. An der Universität kam er mit Simon Ambros v. Stock in engsten Kontakt, der M. mit jansenistischem Gedankengut vertraut machte. 1760 wählten ihn seine Ordensmitbrüder zum Propst. Seit 1767 stand der über eine gründliche Allgemeinbildung und profunde theol. Kenntnisse verfügende Propst als „Confessor Extraordinarius" Maria Theresia in geistlichen Angelegenheiten zur Seite und folgte 1773 dem Jesuiten Ignaz Kampiller offiziell als Beichtvater der Kaiserin nach, eine Funktion, die er bis zur Letzten Ölung Maria Theresias innehatte.

M.s eigentliche Bedeutung lag auf gesellschaftlichem Gebiet. Seine Stellung bei Hof und die in seinem Haus abgehaltenen Abendgesellschaften machten ihn zum Mittelpunkt reformkath. Kreise in Wien, deren Einfluß auf das geistige Leben in der letzten Phase der Regierungszeit Maria Theresias kaum zu überschätzen ist. M. war durch seine vielfältigen Verbindungen maßgeblich beteiligt an der Verbreitung jansenistischer Ideen in Österreich. Bei ihm verkehrten neben den Führern der Wiener Jansenisten wie Max Anton Wittola und Stock auch der spätere Erzbischof und Kurfürst von Mainz Friedrich Karl Frhr. v. Erthal sowie Joseph Frhr. v. Sperges, der einflußreiche kaiserl. Kabinettssekretär Cornelius v. Neny und selbst die Wiener Nuntien Antonio Visconti und Giuseppe Garampi. Die Tafelgesellschaften wurden zu einem Sammelpunkt gemäßigt jansenistischer Reformkatholiken mit antikurialer Ausrichtung, während radikale Jansenisten fernblieben. Nach dem Tode Maria Theresias verlor M. jeden Einfluß, da er die staatskirchlichen Reformen Josephs II. kritisierte, und blieb nur in der Studienhofkommission. Nach M.s Tod gelangte der wertvollste Teil seiner mit jansenistischer Literatur reich bestückten Bibliothek in die Hofbibliothek, das Stift wurde aufgelöst.

L E. Bressler, Totenrede, 1782; F. Nicolai, Beschreibung e. Reise durch Dtld. u. d. Schweiz im J. 1781, III, 1784; S. F. Wintermayer, Die Aufhebung d. Chorherrnstiftes St. Dorothea in Wien, in: Mitt. d. Ver. f. Gesch. d. Stadt Wien 17, 1938; I. Lindeck-Pozza (Hrsg.), Der Schriftverkehr zw. d. päpstl. Staatssekretariat u. d. Nuntius am Kaiserhof Antoni

Eugenio Visonti 1767–1774, 1970; E. Winter, Barock, Absolutismus u. Aufklärung in d. Donaumonarchie, 1971; P. Hersche, Der Spätjansenismus in Österreich, 1977; BLBL.

Lorenz Mikoletzky

Müller, *Iwan* v. (bayer. Personaladel 1889), klassischer Philologe, Pädagoge, * 20. 5. 1830 Wunsiedel (Fichtelgebirge), † 20. 7. 1917 München. (ev.)

V Johann Christoph (1792–1863), Pianofortefabr. u. Orgelbauer in W., *S* d. Heinrich Sigmund (1753–1809), Müller, Magistratsmitgl. in Hirschberg (Oberfranken), u. d. Eva Maria Kruschwitz (1753–1830); *M* Auguste Friederike (1803–70), *T* d. Johann Benedikt Glaß (1766–1827), Kaufm., Magistratsrat in Marktredwitz (Oberfranken), u. d. Catharina Meier (1772–1843); ∞ Ansbach 1860 Luise (1840–1923), *T* d. Carl Hoffmann (1800–72), Gymnasialprof. in Ansbach, u. d. Sophie Donner (1812–83); 1 S.

Nach dem Besuch der Lateinschule in Wunsiedel und des Gymnasiums in Hof begann M. 1848 in Erlangen das Studium der Philologie und der Mathematik, entschied sich aber unter dem Einfluß seiner Lehrer Ludwig Döderlein und Karl Friedrich Naegelsbach bald für erstere. Nach dem Staatsexamen im November 1853 wirkte er als Gymnasiallehrer in Ansbach, Zweibrücken und Erlangen. Hier wurde er 1864, obwohl noch nicht promoviert, wegen seiner außerordentlichen Unterrichtserfolge als Nachfolger Döderleins auf den Lehrstuhl für klassische Philologie und Pädagogik der Universität berufen (Dekan 1870/71, 1880/81, 1885; Prorektor 1878/79). 1893–1906 lehrte er als Nachfolger Rudolf Schölls in München.

M.s regelmäßig in Lehrveranstaltungen behandelte „Theorie des lat. Stils" und die „Theorie der griech. Syntax" führten zur Neuausgabe von Naegelsbachs lat. Stilistik (1877, ⁴1905) und dessen „Übungen des lat. Stils für reifere Gymnasialschüler" (1901, ²1903); dazu kamen eigene „Ausgewählte lat. und griech. Stilübungen" (1908, 1927 bearb. v. Ph. Hofmann, 1954 bearb. v. M. Mühl). Unter den Arbeiten zu griech. und lat. Autoren ragen besonders M.s grundlegende kritischen Editionen von Schriften des Galen hervor. Gleichzeitig initiierte er damit die 1908 einsetzende Arbeit am „Corpus Medicorum Graecorum". Erwachsen aus der Beschäftigung mit der Geschichte des Erlanger Seminars entstanden Beiträge in der ADB und in Conrad Bursians „Jahresberichten über die Fortschritte der klassischen Alterthumswissenschaft", deren Redaktion M. ab dem 10. Jahrgang 1882–95 besorgte. Seine Bemühungen um die griech. Kulturgeschichte fanden ihren Niederschlag in den „Griech. Privataltertümern" (1887, erweitert ²1893) im Rahmen des von ihm begründeten Handbuchs der Altertumswissenschaften, eines der großen Unternehmungen der klassischen Philologie des 19. Jh. Mit ausdrücklichem Hinweis auf F. A. Wolf und dessen „Encyclopaedia philologica" versuchte M. den gesamten Stoff der klassischen Altertumswissenschaft entwicklungsgeschichtlich darstellen zu lassen, um so eine Vorstellung von ihrem Begriff und ihrer Gliederung sowie von der Stellung und Bedeutung der einzelnen Disziplinen in ihr zu geben. Dieses 1885 in Erlangen begonnene Unternehmen mit seinen zahlreichen Neubearbeitungen gilt international als Standardwerk. Nachhaltig geprägt von dem ev. ausgerichteten „christl. Humanismus", wie ihn seine Erlanger Lehrer vertraten, bemühte sich M. um eine enge Verbindung von Gymnasium und Universität und um eine fundierte Lehrerausbildung. Seine musischen Neigungen pflegte er nicht nur als Organist, Pianist und Dirigent, sondern auch durch eigene Kompositionen. – Mitgl. d. Bayer. Ak. d. Wiss. (1876 korr., 1893 ao., 1894 o.); bayer. Michaelsorden (II. Kl. 1878/79, I. Kl. 1899); Ehrenmitgl. d. Griech. Philolog. Ges. in Konstantinopel (1885) u. d. Wiss. Ges. in Athen (1891); Verdienstorden d. bayer. Krone (1889); Mitgl. d. bayer. Obersten Schulrats (1890/93); Dr. iur. h. c. (Erlangen 1893); GHR (1895).

W-Verz. Alm. d. Bayer. Ak. d. Wiss., 1909, S. 226–28; U. Dubielzig (s. u.). – *Teilnachlaß:* Bayer. Staatsbibl., München, Musikslg.

L O. Stählin, Das Seminar f. klass. Philol. an d. Univ. Erlangen, 1928, S. 22 f. u. 25–27 *(P);* Th. Dombart, Ahnentafel d. Philologen I. v. M. (1832 *sic!*-1917), in: Bayer. Geschlechtertafeln 1, 1932–38, S. 159 f.; ders., in: Ll. aus Franken V, 1936, S. 232–44; U. Dubielzig, in: L. Boehm (Hrsg.), Biogr. Hdb. d. Lehrkörpers d. Univ. Ingolstadt-Landshut-München, II (in Vorbereitung).

P Phot. v. F. Müller, Abb. in: Das Bayerland XI, 1900, S. 455.

Joachim Gruber

Müller, *Jacob,* Freiheitskämpfer, Politiker, * 9. 3. 1822 Alsenz (Pfalz), † 1. 11. 1905 New York.

V Georg Wilhelm (1792–1865), *S* d. Christoph (1752–1810) u. d. Friedericke Charlotte Dietz (um 1754–1830); *M* Johanna Elisabetha (1795–1825), *T* d. Wilhelm Leopold Geib (um 1766–1833) u. d.

Maria Elisabethe Cörper (um 1768–1833); 4 *Geschw* (1 früh †), u. a. Peter (* 1819), wanderte nach Amerika aus, 6 *Halb-Geschw* (2 früh †); – ∞ 1) N. N., 2) Alsenz 1830 Barbara May (1810–44).

M., der nach dem Jurastudium als Anwalt tätig war, trat in der Revolution von 1848/49, an der er aktiv teilnahm, als brillanter Redner hervor. Aufgrund seiner agitatorischen Fähigkeiten und seiner juristischen Ausbildung wurde er von der revolutionären Provisorischen Regierung der Rheinpfalz als Repräsentant eines ihrer zwölf Distrikte ernannt; er war u. a. für die Rekrutierung von Soldaten für ein Revolutionsheer zuständig. Nach dem Sieg der Reaktion mußte er Deutschland verlassen. Zusammen mit einem Strom von etwa 3000–4000 Flüchtlingen emigrierte er in die Vereinigten Staaten, wo er sich in Cleveland (Ohio) als Rechtsanwalt niederließ. M. war einer der Gründer der einflußreichen deutschamerikan. Tageszeitung „Wächter am Erie", die erstmals 1852 erschien. Im selben Jahr unterstützte er aktiv den „Amerikan. Revolutionsbund für Europa", der es sich zur Aufgabe gemacht hatte, in den Vereinigten Staaten für eine erneute Revolution in Deutschland Gelder zu sammeln. Zu diesem Zweck organisierte er auch die amerikan. Rednertour von Amand Gögg (1820–97), dem Delegierten des Revolutionsbundes in London.

Wie viele der geflüchteten 48er trat M. 1854 in die neu gegründete Republikanische Partei ein, die zur Sklavenfrage eine entschiedenere Haltung als die Demokratische Partei einnahm. Bei dem Nominierungskonvent der Republikaner für den Präsidentschaftskandidaten Abraham Lincoln 1860 gehörte M. zu den Delegierten aus Ohio. Bei Ausbruch des Bürgerkrieges war er an der Aufstellung mehrerer Regimenter beteiligt, die sich hauptsächlich aus deutschen Immigranten zusammensetzten. Aufgrund seiner konsequenten Ablehnung der Sklaverei zählte M. während des Krieges zum radikalen Flügel seiner Partei, der die moderaten Vorstellungen Lincolns zur Sklavenbefreiung ablehnte. Von einem kurzen Aufenthalt in Deutschland kehrte M. mit kritischen Ansichten über Bismarck und die politische Lage in Deutschland zurück. 1871 wurde er zum stellvertretenden Republikanischen Gouverneur von Ohio gewählt. Im Jahr darauf unterstützte er allerdings aktiv das sog. „Liberal Republican Movement", das versuchte, die Wiederwahl des Republikanischen Präsidenten und Bürgerkriegsgenerals Ulysses S. Grant wegen dessen Involvierung in Korruptionsaffären zu verhindern. Wie viele andere Politiker in der sog. Wiedereingliederungsphase der Südstaaten vollzog M. einen Schwenk zur Demokratischen Partei und wurde neben seiner Tätigkeit als angesehener Anwalt in Cleveland nunmehr zu einem ihrer wichtigen Vertreter in Ohio. Für sein Engagement im Präsidentschaftswahlkampf 1884 ernannte ihn der neue Demokratische Präsident Grover Cleveland 1885 zum amerikan. Generalkonsul in Frankfurt. – M.s „Erinnerungen eines Achtundvierzigers" (1896) vermitteln ein anschauliches Bild von der Situation der Exilanten der 48er-Revolution in den USA und ein Porträt der amerikan. Gesellschaft am Vorabend des Bürgerkrieges.

L A. E. Zucker (Hrsg.), The Forty-Eighters, 1950; C. Wittke, Refugees of Revolution, The German Forty-Eighters in America, 1952; E. W. Dobert, Dt. Demokraten in Amerika, 1958, S. 150 f.; J. Sperber, Rhineland Radicals, The Democratic Movement and the Revolution of 1848–49, 1991, S. 433, 491; A. J. Schem (Hrsg.), Dt.-amerikan. Conversations Lexicon, 1869–74.

Jörg Nagler

Müller, *Jakob Aurelius,* Bischof der ev. Kirche Siebenbürgens, * 14. 11. 1741 Hermannstadt (Siebenbürgen), † 7. od. 13. 10. 1806 Birthälm (Siebenbürgen).

V N. N., Goldschmied; *M* N. N.; ledig.

M. besuchte das Gymnasium seiner Heimatstadt und ging im Oktober 1763 zum Studium nach Jena. Nach seiner Rückkehr in die Heimat wirkte er seit 1767 zunächst als Lehrer, seit 1776 als Rektor am Gymnasium in Hermannstadt. 1785–92 war er Pfarrer in Hammersdorf. M. stand dem Kreis um den siebenbürg. Landesgouverneur Samuel v. Brukenthal nahe und war wie dieser Mitglied der Hermannstädter Freimaurerloge „St. Andreas zu den drei Seeblättern". Aus diesem Kreis von Aufklärern erwuchs entschiedener Widerstand gegen die Siebenbürgenpolitik Josephs II., als die Siebenbürger Sachsen durch die Verwaltungsreformen und das sog. Konzivilitätsreskript von 1784, mit dem ihr exklusives Besitz- und Bürgerrecht im „Sachsenland" aufgehoben wurde, ihren Status als privilegierte ständische Nation verloren. Nachdem der Kaiser 1790 einen großen Teil der Reformen zurückgenommen hatte, wurde M. bald als Verfasser der anonym veröffentlichten Schrift „Die Siebenbürger Sachsen, Eine Volksschrift hrsg. bey der Auflebung der für erloschen erklärten Nation" (1790) bekannt, die laut Georg Daniel Teutsch den Beginn der siebenbürg.-sächs. Historiographie markiert. Mit dieser vielbeachteten Publikation versuchte M., das Selbstbewußtsein, den „Volksgeist" der Siebenbürger Sachsen nach den traumatischen Erfahrungen der josephin. Reformära zu stärken. In der Darstellung ihrer Geschichte von der Ansiedlung im 12. Jh. bis zur Gegenwart hob M. die Bedeutung des Andreanums von 1224 hervor, das die rechtlichen Voraussetzungen für die Siedlungen auf dem sog. Königsboden schuf und auf das die Siebenbürger Sachsen ihre Rechtsansprüche gründeten.

Diese Schrift, M.s Mitarbeit am neuen „Hermannstädter Gesangbuch" sowie seine Verhandlungen in Wien, wo er nach dem Tod Josephs II. die ev. siebenbürg.-sächs. Geistlichkeit in Zehntstreitigkeiten vertrat, waren wohl ausschlaggebend für seine 1792 erfolgte Wahl zum siebenbürg. Bischof. Bis zu seinem Lebensende trat M. mit Eingaben und Veröffentlichungen den weiterhin erfolgenden staatlichen Übergriffen auf die Kirche entgegen. Seine Bemühungen waren z. T., wenn auch nur kurzfristig, von Erfolg gekrönt: die Ehegerichtsbarkeit und das Recht der Pfarrerwahl wurden der Kirche während seiner Amtszeit wieder zugestanden.

L ADB 22; J. Trausch, Schriftst.-Lex. od. biogr.-literär. Denk-Bll. d. Siebenbürger Deutschen, II, 1870, Neudr. 1983, S. 455 ff.; F. Teutsch, Gesch. d. ev. Kirche in Siebenbürgen, II, 1922; H. Jekeli, Unsere Bischöfe 1553–1867, 1933, Neudr. 1978, S. 215–25 (P); BBKL.

Angelika Schaser

Müller, *Joachim Eugen,* Topograph, * 12. 12. 1752 Engelberg Kt. Obwalden, † 30. 1. 1833 ebenda. (kath.)

V Johann Justus Simeon (1711–93), Zimmermann in E., S d. Johann Ignaz (* 1660) u. d. Anna Barbara Amrhein (1665–1715); M Maria Plazida Veronika (1729–1800), T d. Johann Melk Töngi (1689–1751) u. d. Maria Plazida Amrhein (1696–1751); ∞ 1) Engelberg 1774 Katharina Hess († 1812), 2) 1813 Katharina Agata Amstutz (1791–1860); 2 K (1 früh †), u. a. Joseph Friedrich (1823–1901), Talammann in E., Reg.rat d. Kt. Obwalden.

M. arbeitete seit seinem 9. Lebensjahr als Gehilfe seines Vaters und erlernte so den Beruf des Zimmermanns. Seine Arbeitsstätten lagen in den Tälern und Gebirgen der Zentralschweiz. Um 1770 ist seine Mitarbeit an der spätbarocken Kirche von Schwyz bezeugt. In den Jahren bis 1787 erwanderte sich M. die Gebirgswelt der Schweizer Alpen und lernte während seiner Arbeit als Zimmermann, mit Gips umzugehen, zu modellieren und Abgüsse herzustellen. Er muß über eine ungewöhnliche Begabung für das Erfassen geographisch-räumlicher wie im besonderen auch geometrischer Zusammenhänge verfügt haben. 1787 änderte sich M.s Leben vollständig. Der Aargauer Seidenfabrikant Johann Rudolf Meyer kam nach Engelberg, heuerte M. als Bergführer auf den Titlis an und erkannte seine ungewöhnliche Kenntnis der schweizer. Gebirge. M. wurde von Meyer angestellt, um an dem in Aarau zu schaffenden dreidimensionalen Modell der Schweiz mitzuarbeiten. Meyer sorgte für eine Ausbildung M.s zusammen mit J. H. Weiss, u. a. durch J. G. Tralles aus Bern. Während dieser Unterweisung lernte M., mit Meßinstumenten umzugehen, aber auch mit Hilfe der Vegaschen Logarithmentafeln Rechnungen auszuführen. 1788–96 arbeitete M. nun ausschließlich für Meyer in Aarau. Im Sommer topographierte er mit einem eigens für ihn konstruierten, heute leider nicht mehr erhaltenen Instrument die schweizer. Hochgebirge. Die Methode, mit der er das Gelände kartographisch aufnahm, beschreibt man am besten als „graphische Triangulation". M. durchreiste die Hochgebirge der Schweiz, vom Mont Blanc bis an den Bodensee, die Berner und Walliser Alpen, das Tessin und Graubünden. Er beschrieb seine Meßstationen, notierte die gemessenen und errechneten Werte, zeichnete Ansichten und Panoramen, ja er fertigte sogar während dieser Reisen an Ort und Stelle kleine Gipsmodelle. Im Winter modellierte er nach seinen Aufzeichnungen in Aarau ein großes Relief. Es umfaßte wahrscheinlich nur die alpinen Gebiete der Schweiz und nicht das ganze Land, wie gelegentlich angenommen. Dieses Relief entsprach dem Maßstab 1:60 000, maß etwa 150×450 cm und stellte den Raum zwischen Lausanne-Chamonix und Bregenz-Schuls dar. Es wurde später nach Paris verkauft und ist seit etwa 1900 verschollen. Dieses Relief, ursprünglich Hauptanliegen von Meyer, diente später als Vorlage für die Kartenzeichnung von dessen „Atlas Suisse" (1:108 000). Die noch heute in der Schweiz vorhandenen Reliefs von M., wie auch der „Atlas Suisse", beweisen die große Genauigkeit, mit der M. seine topographischen Aufnahmen ausgeführt hat.

1797, nach Beendigung der Arbeiten für Meyer, kehrte M. nach Engelberg zurück und befaßte sich weiterhin mit der Anfertigung topographischer Reliefs. Diese zeichneten sich aus durch Meßgenauigkeit und Naturtreue in Form und Bemalung sowie durch eine solide Materialbehandlung und gute Abgußtechnik. Sie wurden in Engelberg und anderen Orten ausgestellt und konnten gegen Eintrittsgeld besichtigt werden, andere wurden an die Kunstkammer des preuß. Königs in Berlin und an ein Museum in Paris verkauft, das Winterthurer Relief diente der Schulung von Kartographen. Diese Verbreitung und Verwendung entspricht der Forderung nach einer besseren Unterrichtung der Allgemeinheit über fremde Landschaften, wie sie auch A. v. Humboldt in seinem „Kosmos" ausspricht. Bis heute sind in der Schweiz hervorragende Stücke von M.s Reliefkunst in den Museen von Luzern, Winterthur, Engelberg, Stans und Bern erhalten. Seine topographischen Aufnahmedokumente wurden von dem schweizer. Astronomen und Wissenschaftshistoriker Rudolf Wolf (1816–93) gesammelt und sind heute Teil der Wissenschaftshistorischen Sammlungen der ETH Zürich. – Der Gemeinde Engelberg und dem Kanton Obwalden diente M. in verschiedenen Funktionen sowohl als Ingenieur bei der Aufsicht über Straßen und Brücken wie auch als Statthalter und Säckelmeister, vor allem zeichnete er sich aus bei der Hilfe für seine Landsleute während der Hungerjahre 1816/17.

W Gebirgsmodelle: Engelberg, 1:20000, 1788 u. 1811; Schweizer Alpen, 1:60000, etwa 1789–96 (verloren); Berner u. Walliser Alpen, 1:120000, 1789, 1803 od. 1820; Lungernsee, 1:8500, 1810–15; Großes Relief d. Schweizer Alpen, 1:38000, 1815–18; Zentralschweiz, 1:20000, um 1820; Gotthardgebiet, 1:29000, 1829; Baden u. Umgebung, 1:34000, 1832; versch. Reliefs d. Innerschweiz, 1:120000; Vierwaldstättersee, 1:40000. – *Nachlaß:* Talmus., Engelberg.

L ADB 22; B. Studer, Gesch. d. Phys. Geogr. d. Schweiz bis 1815, 1863; R. Wolf, Gesch. d. Vermessungen in d. Schweiz, 1879, S. 123–41; F. Odermatt, J. E. M. 1752–1833, in: Die Alpen 5, 1929, S. 15–26 *(P);* E. Imhof, Ein großer Alpen-Topograph u. ein vergessenes Gotthard-Relief, ebd. 1946, S. 52–59, 81–85 *(P);* ders., Bildhauer d. Berge, Ein Ber. üb. alpine Gebirgsmodelle in d. Schweiz, 1981 (franz. 1981), auch in: Die Alpen 57, S. 103–66 *(W-Verz., P);* G. Dufner, Ing. J. E. M., 1752–1833, Engelberger Dokumente H. 8, 1980 *(P);* ders., Relief-Ausst. Engelberg, Kat., ebd. H. 13, 1982 *(P);* HBLS, Suppl. 1934, S. 117 f. *(P).*

P Gem. v. Moos, 1804 (Engelberg); Bleistiftzeichnung v. G. L. Vogel, 1824 (Talmus., Engelberg).

Viola Imhof

Müller, *Joel,* Talmudgelehrter, * 8. 11. 1827 Mährisch-Aussee, † 6. 11. 1895 Berlin, □ Berlin-Weißensee, jüd. Friedhof. (isr.)

V Moses († 1853), Rabbiner in Ungarisch Ostra (Mähren); M Kathi Circus; ∞ Regina Weiss (1837-n. 1895) aus Neustadt (Ungarn).

M. wurde von seinem Vater in das Studium des Talmud eingeführt. Er absolvierte das Gymnasium und studierte in Wien Jurisprudenz. 1853 wurde er in Nachfolge seines Vaters Rabbiner in Mährisch-Ostrau, 1867 in Böhmisch-Leipa. Nach einer Tätigkeit als Religionslehrer 1874–82 in Wien folgte er einem Ruf als Dozent für die rabbinischen Fächer an die Lehranstalt für die Wissenschaft des Judentums in Berlin.

M.s wissenschaftliche Leistung liegt auf dem Gebiet der Erforschung der Responsenliteratur, besonders der Sammlungen religionsgesetzlicher Entscheidungen der gaonäischen (7.-11. Jh.) und nachgaonäischen Zeit. Seine Editionen und Untersuchungen gehören zu den grundlegenden Werken dieses Fachgebietes und wurden vielfach nachgedruckt. Sie betreffen Responsen franz. und lothring. Talmudisten (1881, Nachdr. 1959 u. 1967), östlicher und westlicher Autoritäten (1888, Nachdr. 1959 u. 1966) sowie des Kalonymus von Lucca (1891). 1891 verfaßte er eine Einführung in die Responsenliteratur (Nachdr. 1959), zwei Jahre später eine kurze Zusammenfassung. In einzelnen Jahrgängen des „Berichts über die Lehranstalt für die Wissenschaft des Judentums" gewährte er Einblick in seine Forschungen (4, 1886, 7, 1889, 8, 1890, 11, 1893).

L ADB 52; Allg. Ztg. d. Judentums, 1895, S. 542 f., 556 f.; M. Schreiner, Gedächtnisrede auf J. M., 1896; J. Maybaum, Die Trauerrede, in: Ber. üb. d. Lehranst. f. d. Wiss. d. Judentums 14, 1896, S. 23–25, 15, 1897, S. 32 ff.; S. Federbusch, Hokhmat Yisrael be-Eropa III, 1965; Jewish Enc. IX, 1905, Sp. 107; Enc. Jud. 1971 *(W, P);* ÖBL *(W, L);* BLBL.

Beate Ego

Müller, *Johann,* Mathematiker, * 1611 Hamburg, † 24. 5. 1671 ebenda. (ev.)

V Georg, angebl. Ratsherr in H.; ∞ Anna Lühmann; kinderlos.

M. besuchte das Johanneum in Hamburg. Im April 1628 immatrikulierte er sich in Basel, Ende 1631 in Leiden als Student der Rechte. In Basel erwarb er 1635 den Doktor beider Rechte. Als Michael Kirsten, der nach dem Tod von Johann Adolph Tassius 1655 die mathematische Professur am Johanneum und Gymnasium übernommen hatte, diese mit der Professur der Physik und Poesie vertauschte, wurde M. 1660 mit der mathematischen Professur betraut. Bis zu seinem Tode unterrichtete er in Hamburg die reine und die angewandte Mathematik, zu der auch Astronomie, Mechanik, Optik und die Lehre von den Sonnenuhren (Gnomonik) gehörten. Seine astronomischen Schriften beschäftigen sich mit den Kreisen auf der Himmelskugel, den Bewegungen der Himmelskörper, der Gestalt des Mondes sowie mit den Kometen der Jahre 1664 und 1665; außerdem verfaßte er eine Erwiderung auf eine Schrift über die Kreisquadratur.

W Disputatio inauguralis positiones iuris controversi, Basel 1635; Disputatio mathematica de luna, Leiden 1655; Theses mathematico-physicae, Heidelberg 1656; Disputationum astronomicarum prima, de sphaera coelesti, eiusque circulis primariis, Hamburg 1661; Disputationum astronomicarum secunda de spherae coelestis circulo secundo, et triplici positu, Hamburg 1664; Disputationum astronomicarum tertia siderum coeli septentrionalium positum exhibens, Hamburg 1666.

L J. Moller, Cimbria literata, I, 1744, S. 450; J. O. Thiess, Versuch e. Gelehrtengesch. v. Hamburg, 1783; Album studiosorum academiae Lugduno Batavae MDLXXV–MDCCCLXXV, 1875, Sp. 238; H. Schimank, Zur Gesch. d. exakten Naturwiss. in Hamburg, 1928, bes. S. 48–59; Die Matrikel d. Univ. Basel, hrsg. v. H. G. Wackernagel, III, 1962, S. 306; Jöcher-Adelung; Schröder; Pogg. II.

Menso Folkerts

Müller, *Johann (Argoviensis),* Botaniker, * 9. 5. 1828 Teufenthal Kt. Aargau, † 28. 1. 1896 Genf. (ev.)

Aus schweizer. Bauernfam.; V Samuel (1806–69), S d. Hanns Rudolf (1757–1830) u. d. Barbara Hilfiker (* 1767); M Maria Steiner (1830–66); ∞ 1858 Maria Hilfiker (1839–1910) aus d. Aargau; 1 S.

Nach dem Abitur in Aarau studierte M. seit 1850 Mathematik und Naturwissenschaften in Genf, von wo aus er zusammen mit dem Botaniker Ludwig Fischer und dem späteren Pharmakognosten F. A. Flückiger botanische Exkursionen unternahm. 1851 berief ihn Alphonse Decandolle als Konservator an sein Herbarium, wo er bis 1874 tätig war. Anfang der 50er Jahre unternahm M. in Begleitung weiterer Botaniker mehrere Forschungsreisen nach Südfrankreich, in die Lombardei, nach Tirol, Salzburg und Oberitalien. Seine der Systematik der Blütenpflanzen gewidmeten Monographien behandeln die Resedaceae, die Apocynaceae und Euphrobiaceae, außerdem die Buxaceae und die Daphniphyllaceae sowie die brasilian. Apocynaceae, die Euphorbiaceae und die Rubiaceae. Sie erschienen in dem von Decandolle herausgegebenen „Prodromus systematis naturalis regni vegetabilis" (16 T., 1824–70). Die Rubiaceen bearbeitete M. auch für die von C. v. Martius herausgegebene Flora Brasiliensis (36 Bde., 1840–1906). Mit seiner Monographie über die Resedengewächse erwarb er 1858 den Grad des Dr. phil. bei Oswald Heer an der Univ. Zürich. Eingehend untersuchte er zudem die Spezies der Kryptogamen, seit den 60er Jahren besonders die Flechten, die er aber während seiner ganzen Schaffenszeit als einheitliche Formen und nicht als Symbionten aus Algen und Pilzen ansah, da er die durch S. Schwendener 1867 ermittelten Befunde nicht anerkannte (über 100 lichenologische Artikel, hauptsächlich in: „Flora od. Allg. Botan. Ztg." 1868–91).

Um 1868 habilitierte sich M. und begann an der Genfer Akademie Vorlesungen über vergleichende Morphologie und Systematik der Moose zu halten. 1874 wurde er Konservator des 1869 an die Stadt Genf übereigneten Herbariums von Benjamin Delesset und übernahm die Direktion des Genfer Botanischen Gartens. Seit 1871 lehrte er zusätzlich als ao. Professor und 1876–79 als o. Professor für medizinische und pharmazeutische Botanik an der neu gegründeten Univ. Genf. Durch seine Sammlungs- und Forschungstätigkeit trug M. zum Aufbau der Kryptogamen- und Flechtenkunde bei. Er war Mitglied mehrerer wissenschaftlicher Gesellschaften der Schweiz und benachbarter Länder.

W Monographie de la famille des Résédacées, in: Nouveaux mémoires de la Société helvétique des sciences naturelles 16, 1858; Observationes et descriptiones plantarum novarum herbarii van Heurckiani, 1870/71 (mit H. van Heurk u. A. Martinis); Lichenolog. Btrr. I–XXXV, in: Flora od. Allg. Botan. Ztg., 1874–91; Graphideae feeanae inclus. trib. affinibus nec non Graphideae exoticae etc., in: Mémoires de la Société de physique et d'histoire naturelle de Genève, 29, 1884–87, S. 1–80; Pyrenocarpeae feeanae in Feei (1824) et supplément (1837) editae, e novo studio speciminum originalium expositae et in novam dispositionem ordinatae, ebd. 30, 1888–90, S. 1–45.

L ADB 52; R. Chodat, in: Berr. d. Dt. botan. Ges. 14, 1896, S. 55–65 (W-Verz.); ders., in: Bull. des Travaux de La Murithienne, Société valaisanne des sciences naturelles, Fasc. 23–25, 1897, S. 71–76 (P); G. Lindau u. P. Sydow, in: Thesaurus litteratura mycologicae et lichenologicae, Bd. 2, 1909, S. 137–49 (W-Verz.); J. Briquet, Biographies des Botanistes à Genève de 1500 à 1931, in: Berr. d. Schweizer. botan. Ges., 50 a, 1940, S. 340–52 (W-Verz.); Biologie-Dokumentation, Bibliogr. d. dt. biolog. Zs.lit. 1796–1965, hrsg. v. M. Scheele u. G. Natalis, 13, 1981, S. 6439–43 (W-Verz.).

Brigitte Hoppe

Müller, *Johann Christoph,* Kartograph, Ingenieuroffizier, * 15. 3. 1673 Wöhrd b. Nürnberg, † 21. 6. 1721 Wien. (ev.)

V Jan (Johann) († 1731), Schullehrer in Altdorf b. Nürnberg; M Ursula Lufft; B Johann Heinrich (1671–1731), ∞ Clara Maria Eimmart, 1676–1707, Zeichnerin, Malerin u. Astronomin, s. NDB IV*; ThB), Stipendiat d. Elisabeth Krauß'schen Stiftung in Nürnberg, Prof. d. Astronomie in Altdorf, Mitgl. d. Leopoldina u. d. Berliner Ak. d. Wiss. (s. ADB 22).

M. studierte nach der Schulausbildung angewandte Mathematik und Zeichnen bei dem Astronomen und Kupferstecher G. Ch. Eimmart an der Nürnberger Malerakademie. 1696–1703 stand er im Dienst des Geographen und kaiserl. Obersten L. F. Gf. Marsili in Wien. M. arbeitete hier an einem großen kartographischen und hydrogeographischen Werk über die Donau mit, für das er die geographischen Koordinaten ungar. Orte bestimmen sollte. Er begleitete deshalb Marsili nach Ungarn; seine wissenschaftliche Ausrüstung bestand u. a. aus einem astronomischen Messingquadranten mit einem Halbmesser von $2^1/_2$ Fuß, der auf horizontalem Kreis drehbar war. 1697 kehrte er zunächst nach Wien zurück, beobachtete dort den Durchgang des Merkur durch die Sonne und verfaßte 1698 hierüber einen Artikel (Observatio de transitu Mercurii sub sole). Nach dem Frieden von Karlowitz (1699) wurde Marsili mit der kartographischen Darstellung der Grenzziehung beauftragt. M. begleitete ihn auf dieser Reise und fertigte selbständig Blätter einzelner Grenzabschnitte. Aus diesen Karten entstand später die bekannte Mappa geographica (Maßstab 1:450 000). Außerdem vermaß M. mäandrierende Flüsse mittels einer Bussole (Magnetkompaß).

Seit 1703 war M. Militäringenieur in kaiserlichen Diensten u. a. im Rheinland. Die Teilnahme am Italienfeldzug 1705 ist nicht eindeutig belegt; eine Verwundung oder Erkrankung führte M. zur Rekonvaleszenz nach Nürnberg zurück. Dort erarbeitete er für Prinz Eugen von Savoyen eine Karte der ungar. Grenzgebiete in 39 Blättern (Maßstab 1:375 000). Diese bildete die Grundlage für die 1708 in Auftrag gegebene Große Ungarnkarte, welche 1709 Prinz Eugen gewidmet wurde. Seine Vorarbeiten zum Atlas Austriae umfaßten auch trigonometrische Aufnahmen in Mähren (1708). Die Große Ungarnkarte (Maßstab 1:550 000) mit trapezförmigem Gradnetz beruht auf eigenen Vermessungen (Kompaßaufnahmen) M.s und enthält Komitatsnamen, das Gelände im Aufriß, reiches Flußnetz, wenige Straßen, Wälder und erstmals den Neusiedlersee in korrekter Nord-Süd-Erstreckung sowie die Unterscheidung zwischen See- und Sumpfflächen. Dies ist die erste Karte mit einer geographisch exakten Aufnahme des Donauknies von Esztergom bis zur Mündung der Drawa. Insgesamt bietet die Karte zu wenig topographische Details, um als Militärkarte nutzbar zu sein, ist aber aussagekräftiger als Del Isles Karte von 1703. Nach der Fertigstellung dieser Karte trat M. dafür ein, weitere österr. Länder (Böhmen, Schlesien, Mähren) topographisch vermessen zu lassen. 1716 überreichte er die Mährenkarte an Karl VI. Bis 1720 erschienen von der Böhmenkarte 25 Blätter, die volle Anerkennung fanden. Darauf sind insgesamt 11 000 Orte registriert, ferner Hügelzeichnungen für die Reliefdarstellung. Diese 1720–22 in Augsburg gestochene Karte ist die letzte Fundamentalkarte, die von einer Einzelperson angefertigt wurde. Sie war 100 Jahre lang die Grundlage für alle Böhmenkarten. Mit 12 500 topographischen Namen, 48 Signaturen, zweisprachigen Erläuterungen und einem Zeichenschlüssel für Bergbausignaturen ist diese Karte das letzte und zugleich berühmteste Werk M.s. Nach seinem Tod wurden die Druckplatten seiner Karten als Staatssache unter Verschluß gehalten. Einzig der Ingenieur Hans Wolfgang Wieland durfte lizenzierte Korrekturen durchführen und neu drucken.

M. war der bedeutendste österr. Kartograph des 18. Jh. Er verwendete verschiedene Methoden von der Astronomie über die Richtungsmessung bis hin zur Trigonometrie. Die Karten M.s weisen Fehler in der Längenzählung bis zu acht Bogenminuten auf, dies führt zu ost-westlichen Verzerrungen der dargestellten Länder. Die geographischen Breitenangaben sind bis auf wenige Ausnahmen genau, die Geländedarstellung geht weit über die zeitübliche Norm hinaus. Mit dem (unvollendeten) Atlas Austriae schuf M. fortschrittliche Länderkarten, die bis zu Beginn des 19. Jh. vielfach nachgedruckt wurden.

W Grenzkarte d. Habsburger Monarchie in 6 Bll. (1:450 000), 1699; Karte v. Ungarn in 4 Bll. (1:550 000), 1709; Karte v. Mähren in 4 Bll. (1:180 000), 1716; Karte v. Böhmen in 25 Bll. (1:132 000), 1722. – *Nachdrucke* einzelner od. mehrerer Bll., u. a. durch J. B. Homann (Nürnberg 1769, 1776), A. Elsenwanger (Prag 1771), K. Lotter (Augsburg), J. Covens (Amsterdam), Le Rouge (Paris).

L ADB 22; G. A. Will, Nürnberg. Gelehrtenlex. II, 1758; J. C. M. Paldus, Ein Btr. z. Gesch. vaterländ. Kartographie, in: Mitt. d. k. u. k. Kriegsarchivs, 3.

Folge, V, 1907; K. Peucker, Der österr. Topograph J. C. M. (1672–1721) u. d. vaterländ. Kartographie, in: Mitt. d. geogr. Ges. Wien 51, 1908, S. 149–60; F. Fiala, Jan Kristof Mueller, Inzenyr-Kartograf, 1922; L. Bagrow, Die Gesch. d. Kartographie, 1951; K. Kuchar, Mapy ceskych zemi do poloviny 18. stoleti, in: Vyvoj maoveho zobrazeni uzemi ceskolovenske republiky, 1959, S. 22–67; W. Bonacker, Kartenmacher aller Länder u. Zeiten, 1966; K. Wawrik, Alte Landkarten d. Sudetenländer an d. österr. Nationalbibl. u. im Kriegsarchiv Wien, in: Informationsbrief f. sudetendt. Heimatarchive u. Heimatmuseen, 15. Folge, 1978; Flüsse im Herzen Europas, Ausst.kat. d. Staatsbibl. Preuß. Kulturbes., 1995; Lex. z. Gesch. d. Kartographie, 2 Bde., 1986; Pogg. II; Wurzbach; ThB; BLBL.

Ursula von den Driesch

Müller, Johann Gottwerth (gen. *Müller von Itzehoe*), Schriftsteller, Buchhändler, Verleger, * 17. 5. 1743 Hamburg, † 23. 6. 1828 Itzehoe. (ev.)

V Johann Nikolaus (1711–63) aus Erfurt, seit 1735 Arzt in H.; M Karoline Ehrenmuth (Erdenmuth) (1705–64) aus Weißenfels, Wwe d. Arztes Dr. Michael Brandt, T d. Erdmann Neumeister (1671–1756), geistl. Liederdichter, Oberkonsistorialrat, Hauptpastor an St. Jakobi in H. (s. ADB 23 u. 28), u. d. Johanna Elisabeth Meister (1678–1741) aus Halle; ∞ Magdeburg 1771 Anna (1749–1804), T d. Daniel Christian Hechtel († 1796) aus Harburg, Verlagsbuchhändler, KR, u. d. Maria Salome Trautmann (1731–97) aus Frankfurt / Main; 4 S (2 früh †), 4 T (1 früh †), u. a. Charlotte (* 1773, ∞ Johann Otto Thieß, 1762–1810, luth. Theologe u. Schriftst., s. ADB 38), Karoline (Minna) Rasch, pflegte M. bis z. seinem Tod.

M. wurde in Hamburg nach hanseatisch-bildungsbürgerlichem Weltverständnis erzogen. Dabei nahm er am gesellschaftlichen Umgang mit Vertretern der lokalen „Gelehrtenrepublik" teil: mit E. Neumeister, dem Wortführer der orthodoxen luth. Kirche, P. Carpsen, einem Arzt, der 1737 die erste Loge auf dem Kontinent mitbegründete, dem Schriftsteller F. v. Hagedorn sowie dem Schauspieler C. Ekhof. Nach gescheitertem Medizinstudium in Helmstedt fand M. sein Lebenskonzept als Schriftsteller in Magdeburg, wohin ihn der dortige, als wenig seriös bekannte Verlagsbuchhändler Hechtel 1770 mitnahm. Während dreier Jahre Verlagsarbeit, Buchhandel, Herausgebertätigkeit und Schriftstellerei knüpfte M. Freundschaften u. a. mit F. Nicolai. Familienzwist sowie der Konkurs seines Verlagsbuchhandels in Hamburg ließen ihn 1772 nach dem damals dän. Itzehoe ausweichen. Wegen Krankheiten (1777–82, 1794/95), einer großen Familie, Raubdruckverlusten und hoher Schulden gelang es M. trotz beachtlicher Auflagenzahlen nicht, als „freier Schriftsteller und Buchhändler" einen ausreichenden Lebensunterhalt zu verdienen. Vielmehr war er auf die Förderung von Friedrich Gf. zu Rantzau, der ihm Mietfreiheit gewährte, und Kg. Friedrich VI. von Dänemark angewiesen, von dem er seit 1795 eine Pension erhielt. Das Literaturleben beobachtete M. aus der Distanz und korrespondierte u. a. mit J. J. Eschenburg, F. L. Knigge, A. G. Meißner und F. Nicolai sowie J. Ch. Lichtenberg, seinem Patenonkel, den er 1783 in Göttingen besuchte, wo er vermutlich zum Dr. phil. promoviert wurde.

M. versuchte als enzyklopädisch gelehrter Literat und Aufklärer, die Literarisierung der Öffentlichkeit zu fördern: als Schriftsteller, Übersetzer, Herausgeber, Kritiker, Verleger (1773–83), Buchhändler (1773–80), Leihbibliothekar, Lesegesellschaftsleiter, Standespolitiker und Büchersammler, dessen Bibliothek 13 000 Bände umfaßte. Der Schriftsteller zielte mit 15 Romanen (1775–1808) auf die ästhetische Erziehung aller Stände und die Entwicklung des bürgerlichen Selbstverständnisses. Poetologisch und weltanschaulich sah sich M. der Aufklärung (Lessing, Lichtenberg, Nicolai), dem engl. Roman (H. Fielding, T. Smollets), dem pragmatischen Roman (C. F. Blankenburg, J. J. Engel) und den episodisch-biographischen Texten der Moralischen Wochenschriften verpflichtet. Empfindsamkeit, Sturm und Drang, Idealismus lehnte er ab. Mit seinen unterhaltsamen komisch-satirischen, didaktischen Texten, die in zahlreiche Sprachen übersetzt und von D. Chodowiecki illustriert wurden, war er einer der europaweit am meisten gelesenen Autoren seiner Zeit. Sein mit 17 Ausgaben bis heute erfolgreichster Roman, „Siegfried von Lindeberg" (1779, ^{6}1802, zuletzt 1985; 4 Raubdrucke), handelt von absolutistischer Kleinstaaterei, bürgerlichem Untertanengeist und reflektiert die modische Gefühlskultur sowie das literarische Leben seiner Zeit. M. übersetzte aus dem Französischen (D. Veiras d'Allais, „L'Histoire des Sevarambes", 1783) und aus dem Holländischen (E. Bekker, A. Deken, „Wilhelm Leevend" 2 Bde., 1798–1800, „Klärchen Wildschütz", 2 Bde., 1800/01). Seine Zeitschrift „Der Deutsche" (1771–76) folgte dem Konzept der Moralischen Wochenschriften. M. beteiligte sich kaum an der öffentlichen Literaturdiskussion, ging aber standespolitisch gegen den Raubdruck vor („Über den Verlagsraub", 1792). Er war ein zeittypischer Schriftsteller der Spätaufklärung, der der deutschen Literatur den abgeschwächt satirischen Roman gesellschaftskritischer Belehrung vermittelte und vorzuleben suchte, wie breite Leserschichten aller Stände angesprochen werden konnten.

Weitere W u. a. Der Bürger v. Condom, 1775; Der Ring, Eine komische Gesch., 1777; Komische Romane aus d. Papieren d. braunen Mannes u. d. Verf. d. Siegfried v. Lindenberg, 8 Bde., 1784–91 (darin: Die Herren v. Waldheim, 1784/85; Emmerich, 1787–89; Herr Thomas, 1790/91; Selim d. Glückliche, 1792; Friedrich Brack, od. Gesch. e. Unglücklichen, 1793–95; Sara Reinert, e. Gesch. in Briefen, d. schönen Geschlechte gewidmet, 1796; Novantiken, 1799; Antoinette, od. d. uneigennützige Liebe, 1802; Ferdinand, 1802; Die Fam. Benning, 1808. – *Hrsg.:* Straußfedern, Bd. 2 u. 3, 1790/91.

L ADB 22; H. Schröder, J. G. M., 1843; A. Ritter (Hrsg.), J. G. M. u. d. dt. Spätaufklärung, 1978; ders., J. G. M. (Itzehoe), in: Steinburger Hh. 1, 1981 *(Forschungsber., Bibliogr.);* ders. (Hrsg.), Freier Schriftst. in d. europ. Aufklärung, J. G. M. v. Itzehoe, 1986 *(Forschungsber., Bibliogr.);* ders., Zur Existenzkrise d. freien Schriftst., J. G. M. u. d. Aufklärung aus d. Region, in: Germanistentag 1989, 1990, S. 816–47; ders., Bibliogr. d. Erstausgg., J. G. M. v. Itzehoe (1743–1828), in: Erstausgg. dt. Dichtung, ²1992, S. 1108–10; Schleswig-Holstein. Biogr. Lex. III, 1974, S. 198 f.; Kosch, Lit.-Lex.³; Killy.

P Kupf. v. E. L. Riepenhausen (Veste Coburg); Lith. v. S. Bendixen nach Bildnis v. F. W. Flachenecker, 1818 (Mus. f. Hamburg. Gesch.).

Alexander Ritter

Müller v. *Mühlenfels (Müllenfels), Johann (Hans) Heinrich* (Reichsadel 1603), Goldmacher, * um 1579 Wasselnheim (Elsaß), † (hingerichtet) 30. 6. 1606 Stuttgart.

M. ging bei einem Vetter, „Barbierer und Bruchschneider" in Esslingen, in die Lehre und schloß eine Wanderung nach Schlesien, Ungarn und Italien an. Er hielt sich in Florenz auf, wo er durch Daniel Ra(d)polt, später Laborant in Diensten Hzg. Friedrichs I. von Württemberg, dann bei Landgf. Moritz von Hessen-Kassel, mit der Destillationskunst vertraut gemacht wurde. 1603 wanderte M. über Nürnberg nach Prag, wo er betrügerische Verfahren zur Herstellung einer Goldtinktur und zum Erreichen von Kugelfestigkeit demonstrierte und durch Kaiser Rudolf II. in den Adelsstand erhoben wurde. Er erhielt für die Weitergabe seiner Verfahren größere Geldsummen u. a. von Rudolf II. und Mgf. Joachim Ernst von Brandenburg-Ansbach und unterbreitete offenbar auch Angebote an den König von Polen, die Kurfürsten von Sachsen und der Pfalz, sowie an Christian I. von Anhalt-Bernburg.

Am 4. 1. 1604 trat M. als Hofalchemist und Hofdiener, später als Diener von Haus aus, in die Dienste Hzg. Friedrichs I. von Württemberg. Er gab vor, mit einem (fingierten) span. Alchemisten namens „Petrus Paulus" in Korrespondenz zu stehen, und bekam ein Laboratorium im Freihof zu Kirchheim/Teck zugewiesen; zudem erhielt M. später Schloß und Gut Neidlingen, wo er gleichfalls ein Laboratorium betrieb, und besaß daneben noch eine Wohnung in Stuttgart. Sein zeitweiliger Wohlstand wird durch ein Darlehen M.s von 3000 Gulden an die Stadt Esslingen (1604) dokumentiert sowie durch die Demonstration seiner vorgeblichen Kunst, Schätze aufzufinden, wofür er auf seine von Joachim Ernst von Brandenburg-Ansbach erhaltenen Geldmittel zurückgriff. 1605 reiste er nach Spanien (u. a. León) und Italien (u. a. Mailand), wobei er größere Summen zu Lasten Friedrichs auf Wechsel des Hauses Fugger aufnahm. 1605/06 wurde er schließlich zum Mittelpunkt einer nicht zuletzt politischen Affäre, da er den damals renommierten poln. Alchemisten Michael Sendivogius (Sedziwoj) in Neidlingen gefangensetzte. Dieser war auf Einladung Friedrichs vom Prager Hof nach Stuttgart unterwegs, wurde jedoch von M. unter dem Vorwand, Friedrich selbst wolle ihn festsetzen lassen, zur Flucht aus Württemberg überredet. M. wurde daraufhin mit Befehl vom 15. 6. 1606 verhaftet und nach Verhör wegen Majestätsverbrechens vom Stadtgericht in Stuttgart zum Tode verurteilt, seine gesamten Besitztümer wurden konfisziert. Wenige Tage später wurde M. 28jährig, nachdem ihm auf dem Schloßplatz drei Finger der rechten Hand abgeschlagen worden waren, am Galgen hingerichtet.

M. wurde offiziell nicht wegen erfolgloser Goldmachertätigkeit vor Gericht gestellt, sondern wegen Betrugs, Verrats und Meineids. Wesentlicher Auslöser war wohl die Affäre um die Gefangensetzung des auch in poln. Diensten stehenden Sendivogius, die insofern weitere Kreise zog, als sich u. a. auch der poln., der brandenburg. und der Prager Hof in die Bemühungen um Wiedergutmachung bzw. Entschädigung für Sendivogius einschalteten. Die entsprechende Korrespondenz erstreckt sich noch bis in die Regierungszeit Hzg. Johann Friedrichs, des Nachfolgers von Friedrich I. Inwieweit allerdings Friedrich selbst die Festsetzung des Sendivogius betrieben haben könnte, wie gemutmaßt wurde, läßt sich aus den erhaltenen Akten nicht erhellen. M. war der letzte aus einer Reihe von Goldmachern und Alchemisten, die am Stuttgarter Hof per Gerichtsurteil zu

Tode kamen; das erste aufsehenerregende Verfahren dieser Art war das gegen Georg Honauer und Konsorten 1596.

Qu. HStA Stuttgart, Bestand A 47 u. J 1 (Ms. v. Ch. H. Günzler, 1825–33).

L Ch. G. v. Murr, Litterar. Nachrr. zu d. Gesch. d. sog. Goldmachens, 1805, S. 54–79 *(Abdr. d. Urgicht d. Prozesses v. 1606 mit Angaben z. Biogr. M.s)*; Ch. H. Günzler, Hzg. Friedrich u. seine Hof-Alchymisten, in: Württ. Jbb. f. vaterländ. Gesch., Geogr., Statistik u. Topographie 1829, H. I/II, 1831, S. 216–33, 292–310; ders., Hzg. Friedrichs Alchymisten, in: Staats-Anz. f. Württemberg, besondere Beil., Jg. 1879, Nr. 22, 25/26, 1880, Nr. 5/6; A. Bauer, Die Adelsdocumente österr. Alchemisten, 1893, 47–51 *(Abdr. d. Adelsprivilegs)*; E. Blaich, Finanzgesch. d. freien Reichsstadt Esslingen im 30j. Krieg, 1934; Neues Württ. Dienerbuch, bearb. v. W. Pfeilsticker, 1957–74, Bd. I, §§ 53, 1554, 1839; H. Hild u. P. Rückert, Goldsucher u. Goldmacher, Alchemisten am württ. Hof, in: Das Goldene Zeitalter – Die Gesch. d. Goldes v. MA z. Gegenwart, Ausst.kat., hrsg. v. T. Osterwold, 1991, S. 372–81, 533–36; Pogg. II.

Ulrich Petzold

Müller, *Johannes,* Physiologe, Zoologe, * 14. 7. 1801 Koblenz, † 28. 4. 1858 Berlin. (kath.)

V Matthias (1767–1820), Schuhmacher in K., *S d.* Johannes (* 1730), Winzer in Müden/Mosel, u. d. Bauern-*T* Maria Gertrudis Münterich (1737–81) aus Müden; *M* Anna Katharina Theresia (1775–1852), *T* d. kurfürstl. Leibkutschers N. N. Wittmann; ∞ Koblenz 1827 Nanny (* 1800), *T* d. Ferdinand Zeiller (1774–1856), Kreisdir. in K., u. d. Franziska N. N.; *Schwager* Ferdinand Zeiller (1804–74), Botaniker u. Geologe; – 1 *S* Max (1829–96), Dr. med., Chirurg, Ophthalmologe, Leiter d. St. Marienhospitals in Köln (s. BJ I; BJ III, Tl.; BLÄ), 1 *T.*

M. besuchte die Schule in Koblenz und studierte seit Herbst 1819 Medizin an der Univ. Bonn, wo er 1822 zum Dr. med. promovierte. Er hörte auch Philosophie und wurde von dem Theologen Christian August Brandes zur Beschäftigung mit aristotelischer Philosophie, von dem Zoologen Georg August Goldfuß, dem Botaniker Christian Gottfried Nees v. Esenbeck und den Medizinern Christian Friedrich Nasse und Philipp Franz v. Walther zu naturphilosophischen Ideen angeregt. Während weiterer Studien in der Univ. Berlin (1823/24) beeinflußte ihn der Anatom und Physiologe Karl Asmund Rudolphi nachhaltig, der ebenso wie der Zoologe Martin Hinrich Lichtenstein und die Vorlesungen von Hegel M.s spätere Interessen prägten. 1824 habilitierte er sich in Bonn und wirkte dort seit 1825 als Privatdozent, seit 1826 als ao. Professor und seit 1830 als o. Professor für Anatomie, Physiologie und allgemeine Pathologie.

Schon seine ersten Veröffentlichungen über die Bewegungsphysiologie der Insekten (1822) und über die Atmung des Fötus (Preisschr. 1823) erregten Aufmerksamkeit und bewirkten 1824 seine Wahl zum Mitglied und Sekretär der Leopoldina (Präsident war Nees v. Esenbeck). Während der Bonner Zeit widmete sich M. vorwiegend vergleichend-anatomischen Untersuchungen der Sinnesorgane, sinnesphysiologischen Experimenten (auch an Wirbellosen) und intensiven Selbstbeobachtungen, aus denen das u. a. von Goethe und J. E. v. Purkinje geschätzte Werk „Zur vergleichenden Physiologie des Gesichtssinnes des Menschen und der Thiere, nebst einem Versuch über die Bewegung der Augen und den menschlichen Blick" (1826) sowie die Schrift „Ueber die phantastischen Gesichtserscheinungen" (1826) hervorgingen. Das erste enthält eine umfassende Darstellung der zeitgenössischen Erkenntnisse über die Lichtsinnesorgane der Wirbeltiere und Wirbellosen und deren Funktionen sowie erste Gedanken über spezifische „Sinnessubstanzen" und „-energien" und die Goethesche Farbenlehre. Die zweite Arbeit befaßt sich mit subjektiven Bild- und Farberlebnissen nach intensiven Konzentrations- und Willensübungen – von Haberling und Koller fälschlich als „physiologische Selbstversuche" bezeichnet – und deren Vergleich mit literarisch beschriebenen imaginativen Visionen, die er nach einer Nervenkrise (1827) nicht wieder aufgriff und die späteren, materialistisch orientierten Biographen unverständlich blieben. Das Hauptergebnis dieser Jahre, in denen zahlreiche anatomische, histologische und embryologische Studien über innersekretorische Drüsen, das Genital-, Verdauungs- und Nervensystem, sowie galvanische Experimente zur Bestätigung des Bellschen Lehrsatzes durchgeführt wurden, war das „Handbuch der Physiologie des Menschen für Vorlesungen" (1833–40), das M.s Ruf als scharf beobachtender Physiologe (im Gegensatz zur spekulativ-naturphilosophischen Richtung der Physiologie) begründete und durch vergleichend-zootomische Beiträge zur zweiten Wirkensepoche überleitete, in der die Zoologie in den Vordergrund trat.

Nach dem Tode von K. A. Rudolphi (1832) bewarb sich M. um dessen Lehrstuhl an der Berliner Universität, den er von 1833 bis zu seinem Tode innehatte. Mit dem Ordinariat übernahm er die Direktion des großen anatomisch-zootomischen Universitäts-Museums, dessen Sammlungen er um fast das Dreifache (ca. 19 500 Katalognummern) vermehrte. Die Bestimmung und Klassifizierung noch unbearbeiteter Sammlungsobjekte führten M. zu bedeutenden taxonomisch-systematischen Arbeiten auf vergleichend-morphologischer und -anatomischer Grundlage, z. B. über Myxinoiden (1834–42), über verschiedene Gattungen der Knorpelfische (mit seinem Schüler Jakob Henle), über Ganoiden und das natürliche System der Fische (1844) sowie über Seesterne (1844), Seeigel und deren Larvenstadien (1846–53). Zur Aufklärung der Metamorphose der Stachelhäuter und anderer Meerestiere entwickelte M. besondere Fangmethoden mit feinen Plankton-Netzen und -mikroskopische Beobachtungstechniken, in die er seine Schüler, darunter Hermann Troschel, Jean Claparède und Ernst Haeckel sowie seinen Sohn Max, auf Exkursionen nach Helgoland und ans Mittelmeer einführte. In den letzten Lebensjahren legte er den Grund für ein System der Radiolarien, das Haeckel später ausbaute.

Wie Cuvier dehnte auch M. die vergleichendanatomischen Studien auf fossile Tiere aus, darunter sowohl Stachelhäuter (1856) als auch Wirbeltiere wie das Gürteltier (Glyptodon, 1846) oder den Zahnwal (Zeuglodon, 1847). Letzterer wurde zunächst von dem nordamerikan. Sammler Alfred Koch als „Seeschlange" (Hydrarchus) zur Schau gestellt, in Dresden von C. G. Carus untersucht und später mit Hilfe A. v. Humboldts für das Universitätsmuseum Berlin erworben. Alle zoologischen und paläozoologischen Sammlungen M.s befinden sich seit 1890 im Museum für Naturkunde in Berlin.

So vielseitig wie seine Forschungen, die fast durchweg Neuentdeckungen betrafen (oder die aufsehenerregende „Wiederentdeckung" des schon von Aristoteles beschriebenen lebendgebärenden Haies) war M.s Lehre, die auch in Berlin die Anatomie, Physiologie und Pathologie umfaßte, darüber hinaus aber auch Anregungen zur Entwicklung neuer Disziplinen gab. Seine mikroskopischen Studien am Knorpelgewebe von Fischembryonen (1836) induzierten die analogen Untersuchungen Th. Schwanns, die zur „Zellentheorie" führten; seine neurologischen Versuche regten die elektrophysiologischen Forschungen Emil Du Bois-Reymonds, seine sinnesphysiologischen Beobachtungen Experimente von Hermann Helmholtz an. Aus seiner Schule gingen der Pathologe Rudolph Virchow, der Physiologe Ernst Brücke, die Zoologen Jean Cabanis, Wilhelm Peters und Ernst Haeckel hervor, die diese Disziplinen maßgeblich weiterentwickelten. Als Herausgeber des „Archivs für Anatomie, Physiologie und wissenschaftliche Medizin" („Müllers Archiv") seit 1834 wirkte er programmatisch für die naturwissenschaftliche Fundierung der medizinischen Forschung und der Zellenlehre als neuer „Theorie des Organismus". – Mitgl. d. Preuß. Ak. d. Wiss. (1834); Pour le mérite f. Wiss. u. Künste (1842).

Weitere W u. a. Ueber d. glatten Haifisch d. Aristoteles u. d. Verschiedenheiten unter d. Haifischen u. Rochen in d. Entwickelung d. Eies, in Monatsberr. d. Preuß. Ak. d. Wiss., April 1839, August 1840; Ueber d. Bau u. d. Lebenserscheinungen d. Branchiostoma lubricum Cotta, Amphioxus Lanceolatus Yarrell, in: Physikal. Abhh. d. Preuß. Ak. d. Wiss., 1842, 1844, S. 79–116; Ueber d. allg. Plan in d. Entwicklung d. Echinodermen, ebd., 1852, 1853, S. 25–65; Ueber d. Thalassicollen, Polycystinen u. Acanthometren d. Mittelmeeres, ebd., 1858, 1859, S. 1–62; System d. Asteriden, 1842 (mit F. H. Troschel); Ueber d. fossilen Reste d. Zeuglodonten v. Nordamerika ..., 1849.

L ADB 22; E. du Bois-Reymond, Gedächtnisrede, Abhh. d. Berliner Ak. d. Wiss. 1859, 1860 *(W)*; R. Virchow, J. M., e. Gedächtnisrede, 1858; Proceedings of the Royal Society of London IX, 1858, S. 556 f.; W. Haberling, J. M., 1924 *(W, P)*; G. Koller, Das Leben d. Biologen J. M. 1801–1858, 1958 *(W, P)*; K. Günther, Die Ges. Naturforschender Freunde zu Berlin, J. M. u. d. Frage nach d. Urzeugung, in: SB d. Ges. Naturforschender Freunde zu Berlin, NF 14, 1974, S. 26–36; B. Lohff, J. M. (1801–1858) als akadem. Lehrer, Diss. Hamburg 1977; dies., The Unknown Wonders of the Sea, J. M.s Research in Marine Biology, in: Dt. Hydrograph. Zs., Erg.-H., R B, 22, 1990, S. 141–48; Peter Schmidt, Zu d. geistigen Wurzeln v. J. M., 1973; M. Hagner u. B. Wahrig-Schmidt (Hrsg.), J. M. u. d. Philos., 1992; Pogg. II; BLÄ; DSB; BBKL; Ärztelex., hrsg. v. W. U. Eckart u. Ch. Gradmann, 1995. – Eigene Archivstud. (Schrift- u. Bildgut-Slg., Mus. f. Naturkde., Berlin).

P Orden pour le mérite f. Wiss. u. Künste, Die Mitgll. d. Ordens, I, 1975, S. 77; Bildnisse berühmter Mitgll. d. Dt. Ak. d. Wiss. zu Berlin, 1950.

Ilse Jahn

Müller, *Johannes,* luth. Theologe, Schriftsteller, * 19. 4. 1864 Riesa/Elbe, † 4. 1. 1949 Schloß Elmau (Oberbayern).

V Johann Gottfried Lobegott (1833–1905) aus Striesen b. Dresden, Kantor, Organist u. Oberlehrer in R.; *M* Christiane Friedericke (1833–93), *T* d. Bauern N. N. Dölitzsch in Mautitz b. R.; ∞ 1) 1891 (∞ 1896) Sophia v. Römer (* 1871), 2) Schliersee (Oberbayern) 1900 Marianne Fiedler (1864–1904) aus Dresden, Malerin (s. ThB), 3) Schliersee 1905 Irene (1880–1957) aus Würzburg, Bildhauerin (s.

L), *T* d. Johann Ernst Sattler (1840–1923), Kunstmaler, u. d. Elsbeth Hurzig (1851–1943); 1 *S*, 2 *T* aus 2), u. a. Hans Michael (1901–89), Prof. f. systemat. Theol. in Jena u. Königsberg, seit 1933 „Adjutant" d. Reichsbischofs Ludwig Müller (s. Kürschner, Gel.-Kal. 1941–54; *L*), 4 *S*, 4 *T* aus 3), u. a. Eberhard (* 1905), Schausp., Bernhard (* 1916), Nachfolger M.s in Elmau (s. *W*); *E* Uwe Richardsen, Geschäftsführer d. Schloß Elmau Betriebs-GmbH.

M. wuchs in einem von der Erweckungsbewegung geprägten Elternhaus auf. Nach dem Abitur in Dresden 1884 studierte er in Leipzig – u. a. bei Franz Delitzsch – und Erlangen ev. Theologie und Philosophie. Im Anschluß an das 1. theologische Examen 1888 widmete er sich judaistischen Studien und war seit 1889 in Leipzig als Missionssekretär beim „Zentralverein für Mission unter Israel" tätig, obwohl er die „Proselytenmacherei" ablehnte, weil „eine fruchtbare Gemeinschaft zwischen dem jüdischen Volk und den anderen Völkern" nur mit einem nicht-assimilierten „nationalen und religiös treu gebliebenen Judentum" möglich sei (Vom Geheimnis des Lebens, I, 1937). 1890 wurde er mit einer Arbeit über den Sündenbegriff bei Descartes und Spinoza zum Dr. phil. promoviert. Die Ablehnung seiner theologischen Dissertation 1891 und sein Ausscheiden aus der Mission 1892 markieren den Beginn der Abkehr M.s von Theologie und Kirche. Seit 1893 wandte er sich auf Vortragsrundreisen sowie in zahlreichen Schriften, die z. T. in hohen Auflagen erschienen und in mehrere Sprachen übersetzt wurden, an die "entkirchlichten Gebildeten". Große Wirkung erzielte er vor allem auch in Unternehmer- und Adelskreisen (Erbslöh, Haniel, Bahlsen, Prinz Max von Baden). Diese ermöglichten es ihm, seit 1903 im Schloß Mainberg (gemeinsam mit Heinrich Lhotzky) und dann seit 1916 im eigens errichteten Schloß Elmau bei Mittenwald eine „Freistätte persönlichen Lebens" zu leiten, in der M. durch Vorträge bzw. „Fragebeantwortungen" und Lebensratschläge sowie mit Hilfe von Musik und Tanz Menschen zu einem „naturhaften, unmittelbar-ursprünglichen Leben" verhelfen wollte.

M. setzte sich mit unterschiedlichen Geistesströmungen und Denkern auseinander: Jugendbewegung, liberale Theologie, Tolstoi, Nietzsche, Anthroposophie, Mystik, völkisch-nationalistische Bewegung. Persönlichen Kontakt hatte er u. a. zu Martin Rade, in dessen Zeitschrift „Die Christliche Welt" er veröffentlichte, zu Friedrich Naumann und vor allem zu Adolf v. Harnack, der veranlaßte, daß M. 1917 in Berlin die theologische Ehrendoktorwürde verliehen wurde, und der seit 1919 ständiger Gast im Schloß Elmau war (Briefwechsel in: Adolf v. Harnack zum Gedächtnis, 1930). 1897 suchte M. Christoph Blumhardt in Bad Boll auf.

M.s „Lehre" entzieht sich einer exakten geistesgeschichtlichen Einordnung. Schroff wandte er sich gegen Pietismus und kirchliche Orthodoxie sowie gegen die Dialektische Theologie, der er allerdings in der Ablehnung des Religionsbegriffs und z. T. in der Kulturkritik zustimmte. Ganz im Gegensatz zur biblischen Wort-Gottes-Theologie Karl Barths war M. davon überzeugt, daß „das lebendige Wort Gottes" in allem gegenwärtig sei, was der Mensch erlebt, im weltgeschichtlichen Geschehen, in der Natur, in jedem „Lebensanspruch", etwa auch in den Schrecken des 1. Weltkriegs. Das „naive, instinktive" Erleben, nicht das bewußte Erkennen eröffne den Zugang zum Reich Gottes. M. meinte, sich auf das Vorbild und eigentliche Wollen Jesu berufen zu können, wie es vor allem in der Bergpredigt zum Ausdruck komme, sofern man sie nur aus dem nach seiner Ansicht fremdartigen jüdischen Kontext herauslöse. Zu welch fragwürdigen Konsequenzen seine Haltung führen konnte, zeigte sich spätestens, als M. Hitler als „das Empfangsorgan für die Regierung Gottes und Sender der ewigen Strahlen" pries und die gewaltsamen kirchenpolitischen Maßnahmen der Nationalsozialisten und der Deutschen Christen, einschließlich der Einführung des „Arierparagraphen" in der Kirche, ausdrücklich rechtfertigte (Das Deutsche Wunder und die Kirche, 1934). Obgleich nicht selbst direkt kirchenpolitisch aktiv, galt M. dennoch als „eine Art Kirchenlehrer deutschchristlicher Kreise" (Georg Merz). Vor allem seine Idee eines dogmenlosen, überkonfessionellen, in „deutsches Empfinden" übertragenen, intuitiv gelebten und nicht theologisch reflektierten „Christentums", sein natürliches Offenbarungsverständnis und seine nationalistische „Ethik" – "Du sollst dein Volk mehr lieben als dich selbst" (Vom Geheimnis des Lebens, II, 1938) – entsprechen ganz Positionen, die deutsch-christliches Denken wesentlich bestimmten.

1946 wurde M. in einem Entnazifizierungsverfahren wegen propagandistischer Unterstützung des Nationalsozialismus als „Hauptschuldiger" eingestuft. M. gestand ein, daß er sich in der Einschätzung Hitlers geirrt habe, und distanzierte sich vom Nationalsozialismus, hielt im übrigen aber an seiner „Lehre" fest. Seit seinem Tode versuchen Angehörige M.s, sein Lebenswerk weiterzuführen. Schloß Elmau, nach wie vor Anziehungspunkt für Prominente aus Politik und Gesellschaft, ist mittlerweile jedoch vor allem ein Erholungs- und Tagungshaus mit umfangreichem Kulturprogramm. Neuerdings beruft sich Franz Alt (Jesus – der erste neue Mann, 1989) auf M.s Jesus- und Gottesverständnis.

W Das persönl. Christentum d. paulin. Gemeinden, 1898; Beruf u. Stellung d. Frau, 1902; Die Bergpredigt verdeutscht u. vergegenwärtigt, 1906; Hemmungen d. Lebens, 1907, neu zusammengestellt hrsg. v. Bernhard Müller 1956 (W-Verz.); Vom Leben u. Sterben, 1907; Reden Jesu, 3 Bde., 1908–18; Reden üb. d. Krieg, 1915; Jesus, wie ich ihn sehe, 1930, u. d. T. Jesus, d. Überwinder d. Religionen, 1954; Der Weg, 1933; Jesus u. d. dt. Volk, 1936; Vom Geheimnis d. Lebens, 3 Bde., 1937–53 (P). – Hrsg.: Bll. z. Pflege d. persönl. Lebens, 1897–14, fortgesetzt u. d. T. Grüne Bll., 1914–41.

L Hans Michael Müller, Elmauer Chronik, 1950; C. Zuyderhoff, Die Heilung durch d. Seele, Was hat J. M. d. Psychol. u. d. Psychotherapie zu sagen? 1953; M. Gerner-Beuerle (Hrsg.), Schöpfer. Leben, Die Bedeutung J. M.s f. unsere Zeit, 1964 (W-Verz, P); Wi. 1935; RGG²; RGG³; Kosch, Lit.-Lex.³; BBKL. – Zu Irene: G. Griebsch, in: B. Vogel-Fuchs (Hrsg.), Lb. Schweinfurter Frauen, 1991, S. 99–104.

Thomas Martin Schneider

Müller, *Johannes,* Sozialpolitiker, * 5. 8. 1905 Schaffhausen Kr. Saarlouis, † 15. 5. 1992 Berlin. (kath.)

V Christian (1875–1941), Bergmann, S d. Johann (1845–97) u. d. Barbara Bernard (1847–1916); M Katharina (1874–1955), T d. Johann Bürtin (1840–1911) u. d. Katharina Müller (1840–1909); ∞ 1) Tangermünde 1930 Dora Anna (1904–1972) aus Tangermünde, T d. Friedrich Bunge (1881–1957) u. d. Ida Eggert (1881–1958), 2) Berlin 1947 Marie Oberleitner, verw. Maschke (1901–92); 1 S aus 1), Helmut (* 1933), Industriekaufm. in B., 1 T aus 1), 1 Stief-T aus 2).

Nach dem Volksschulbesuch absolvierte M. eine Lehre als Elektroinstallateur und war dann in verschiedenen Industriebetrieben als Elektrotechniker, Ankerwickler, Betriebselektriker und Monteur tätig – seit 1927 in Berlin, wo er 1937 seine Meisterprüfung ablegte und danach bis 1947 bei den Siemens-Schuckertwerken, zuletzt als Bauleiter, beschäftigt war. Seit seinem 15. Lebensjahr gewerkschaftlich organisiert, gehörte M. nach dem Krieg zu den Mitgründern der Gewerkschaftsbewegung in Berlin. 1947/48 war er Referent für Gewerkschafts- und Sozialpolitik beim CDU-Landesverband Berlin. Anschließend arbeitete er als Gewerkschaftssekretär bei der Gewerkschaft der Techniker und Werkmeister, seit 1950 bei der Deutschen Angestellten-Gewerkschaft. 1948/49 gehörte M. dem Vorstand der Berliner „Unabhängigen Gewerkschaftsopposition (später: -organisation)" (UGO) an. Da diese gegen den Machtanspruch der SED und der Kommunisten im FDGB gerichtet war, mußte er 1948 seinen Wohnsitz von Ost- nach Westberlin verlegen. Neben seiner beruflichen Tätigkeit studierte M. seit 1948 an der neugegründeten Hochschule für Politik – dem späteren Otto-Suhr-Institut –, bis er 1950 für die CDU in das Berliner Abgeordnetenhaus gewählt wurde. Im Juli 1945 hatte M. zu den Mitgründern der CDU in Berlin-Weißensee gehört. 1946 war er dort in die Bezirksverordnetenversammlung gewählt worden. 1953–65 war er Mitglied des Landesvorstandes der Berliner CDU – bis 1959 als Beauftragter für Sozialpolitik, danach als stellvertretender Landesvorsitzender. 1950–61 war er Mitglied des Abgeordnetenhauses von Berlin und 1961–80 Mitglied des Deutschen Bundestages.

M.s politisches Lebenswerk galt der Sozial- und Gesellschaftspolitik. Im Bundestag gehörte er durchgängig dem Ausschuß für Arbeit (seit 1969 für Arbeit und Sozialordnung) an, 1973–80 auch dem Ausschuß für Bildung und Wissenschaft. Seine Spezialgebiete waren das Sozialrecht (Sozialversicherungsrecht), das Arbeitsrecht sowie die Renten-, Gesundheits- und Familienpolitik. In besonderem Maße setzte er sich für die betriebliche Mitbestimmung der Arbeitnehmer ein. Am Zustandekommen zentraler sozialpolitischer Gesetzeswerke der 60er und 70er Jahre war er als Ausschußmitglied und als parlamentarischer Sprecher seiner Fraktion maßgeblich beteiligt; hier sind das Arbeitsförderungs-, das Berufsbildungs- und das Lohnfortzahlungsgesetz (alle 1969) sowie die Neuordnung des Betriebsverfassungsgesetzes (1971), das Rentenreform- (1972) und das Mitbestimmungsgesetz (1976) zu nennen. Die CDU/CSU-Sozialpolitik dieser beiden Jahrzehnte trug M.s Handschrift. Er machte zahlreiche Vorschläge zur Kostendämpfung im Gesundheitswesen, zur Rentenanpassung und -reform, zur Gestaltung der flexiblen Altersgrenze, zur betrieblichen Altersversorgung und zur Vermögensbildung in Arbeitnehmerhand.

Neben seiner parlamentarischen Tätigkeit hatte M. zahlreiche Ämter in sozialpolitischen Gremien und Vereinigungen inne. So war er Beisitzer beim Landesarbeitsgericht Berlin, 1952–58 Vorstandsmitglied der Landesversicherungsanstalt Berlin und anschließend bis 1962 Mitglied der Vertreterversammlung der Bundesanstalt für Arbeit. Mehr als 20 Jahre lang war er Vorsitzender des sozialpolitischen Ausschusses beim CDU-Landesverband Berlin und Mitglied des CDU-Bundesfachausschusses für Sozialpolitik. Engagiert arbeitete er in der Arbeitsgruppe „Berlin" der CDU/CSU-Bundestagsfraktion sowie in der interfraktionellen Arbeitsgruppe „Wirtschaftsförderung Berlin" mit. – Gr. Bundesverdienstkreuz (1973); Stadtältester v. Berlin (1986).

W Keine Angst vor weißen Kreisen – Abbau d. Wohnungszwangswirtsch., Wohngeld, soz. Mietrecht, 1966; zahlr. Aufsätze zu soz.pol. Themen, u. a. im „Dtld.-Union-Dienst".

L M.-L. Winkler, in: Berliner Rdsch. v. 29. 11. 1973 (P); Wadgasser Nachrr. 24, 1978, S. 6 (P); Amtl. Hdb. d. Dt. Bundestages VIII, 1979, S. 302 (P).

Manfred Agethen

Müller, *John W.* (eigtl. *Johann Wilhelm*) Frhr. v., Naturkundler, Ornithologe, * 4. 3. 1824 Schloß Kochersteinsfeld (Württemberg), † 24. 10. 1866 ebenda. (luth.)

V Johann (John) (1793–1874), Bes. d. Hofbuchdruckerei „Zu Guttenberg" in Stuttgart, S d. Johannes (1769–1848, württ. Adel 1820) aus Dürrmenz b. Mühlacker (Württemberg), fuhr im Dienst d. holländ. Ostindienkompanie z. See, betrieb 1788–1819 Lebensmittel- u. Wechselgeschäfte in Kapstadt (Südafrika); M Johanna Storm (1798–1856) aus Glückstadt/Elbe, Schausp.; ∞ Fürstengarten 1861 Marie (* 1830, ∞ 2) Hptm. Wachs, † 1878), T d. Leopold v. Lücken (1798–1853), auf Zahrensdorf, preuß. Lt., u. d. Ida v. Kleist (1802–73) aus Stavenow (Brandenburg).

Schon während seiner letzten Schuljahre in der Bildungsanstalt auf dem Salon bei Ludwigsburg, die durch den bekannten Ornithologen Christian Ludwig Landbeck (1807–90) verwaltet wurde, erwachte bei M. und seinem Schulkameraden Theodor Heuglin das Interesse an der Vogelkunde. Nachdem sich M. vermutlich 1–2 Jahre Studien der Medizin und der Naturkunde an den Universitäten Bonn, Heidelberg und Jena gewidmet hatte (weder eine Immatrikulation noch eine Promotion lassen sich nachweisen), unternahm er seit 1845 Reisen nach Nordafrika (Algerien und Marokko). Zu seiner von ihm sog. „2. Afrika-Expedition" (1847–49), die nach Kordofan und ins Nilgebiet führte, gewann er als Vogelpräparator den erst 18jährigen Alfred Brehm, dessen Stiefbruder Oskar sich zusammen mit dem Ornithologen Richard Vierthaler 1849 der Unternehmung von Alexandria aus anschloß. Die beiden letzteren kamen 1850 bzw. 1852 bei der durch M. in der Fachpresse angekündigten, aber schließlich scheiternden „3. wissenschaftlichen Expedition des Frhr. Dr. John Wilhelm v. Müller nach Central-Afrika" um. M. selbst war mit seinen Sammlungen 1849 über Wien, wo er sich zum „österr. Generalkonsul für Khartum" ernennen ließ, nach Deutschland zurückgekehrt. Er übertrug Heuglin die Ordnung seiner afrikan. Vogelsammlung und regte ihn damit zu späteren eigenen Forschungsreisen nach Abessinien und dem Sudan an. Da er in finanzielle Schwierigkeiten geriet, löste er das Alfred Brehm gegebene Versprechen, zur Leitung einer weiteren Expedition nach Afrika zurückzukehren, nicht ein. Statt dessen sandte er Brehm nur einen kleinen Geldbetrag, mit dem dieser bis 1852 in Nordost-Afrika ausharrte und auf mehreren kürzeren Exkursionen Vögel sammelte, die er aber größtenteils als Grundstock einer eigenen Sammlung für sich behielt.

1849–58 verlegte M. in Stuttgart in der von seinem Vater 1848 angekauften Kgl. Hofbuchdruckerei die als Organ der Deutschen Ornithologischen Gesellschaft neu gegründete, durch Eduard Baldanus (1812–93) herausgegebene und nach Johann Andreas Naumann (1747–1826) benannte Zeitschrift „Naumannia". Außerdem veröffentlichte er ein Tafelwerk, von dem nur fünf Lieferungen erschienen („Description de nouveaux oiseaux d'Afrique", 1853–54), und brachte ein „Systematisches Verzeichnis der Voegel Afrika's" im Journal für Ornithologie (Jg. 2–4, 1854–56) heraus. 1852 erwarb M. die über 2000 montierte Vögel umfassende Sammlung seines früheren Lehrers Landbeck. 1856–57 besuchte er die naturhistorischen Museen Nordamerikas und reiste nach Kanada und Mexiko. In der 1864/65 veröffentlichten Beschreibung der Reise in diese Länder ist eine der ersten umfangreicheren Listen der mexikan. Wirbeltiere enthalten. 1865 führte ihn seine letzte Reise nach Spanien. Angaben, wonach M. 1852 den Zoologischen Garten in Brüssel geleitet und 1854 einen Zoo in Marseille gegründet haben soll, sind nicht sicher belegbar. Er trug durch das Sammeln hauptsächlich von Vögeln und durch Beschreibungen besonders der Wirbeltierfauna ausländischer Gebiete zur Erweiterung der empirischen Kenntnisse der Naturkunde seiner Zeit bei. Von seiner insgesamt gegen 4000 Vogelarten aus aller Welt zählenden Sammlung gelangten nur knapp 50, darunter ein Riesenalk, in das jetzige Württembergische Naturkundemuseum. – Mitgl. d. Leopoldina (1849).

W u. a. Ber. üb. einzelne erhebliche Momente seiner in d. J. 1845–1849 unternommenen wiss. Reisen in Afrika, in: SBAk. Wien, Phil.-hist. Cl. II, 1849, S. 313–31; Btrr. z. Ornithol. Afrika's, mit 20 Farbtafeln, 1.–4. Lfg., 1853/54, dass., 1. Serie, ²1865; Reisen in d. Vereinigten Staaten, Canada u. Mexico, I–III, 1864–65.

L ADB 22 u. 55; H. Rehm, Die Barone v. M., in: Schwäb. Merkur v. 27. 8. 1929; E. Stresemann, Die Entwicklung d. Ornithol., 1951, S. 392 f.; L. Gebhardt, Die Ornithologen Mitteleuropas, 1964; E. Schütz, Alfred Brehm (der Tierleben-Brehm) u. J. W. v. M. aus Kochersteinsfeld, in: Jahreshefte d. Ges. f. Naturkde. in Württ. 125, 1970, S. 293–312.

Brigitte Hoppe

Müller, *Josef,* Mundartforscher, Volkskundler, * 18. 12. 1875 Aegidienberg b. Bad Honnef (Siebengebirge), † 5. 2. 1945 Ittenbach (Siebengebirge). (kath.)

V Johann Peter (1842–1913), Seminar-Oberlehrer in Siegburg u. Hildesheim; *M* Maria Katharina Schucht (*1847) aus I.; ∞ Trier 1903 Theresia Elisabeth Hester (1877–1945); 3 *K.*

M. besuchte die Gymnasien in Königswinter und Siegburg, studierte seit 1895 in Bonn Germanistik, Geschichte, dazu Latein und Griechisch und wurde 1900 bei Johannes Franck (1854–1914) mit „Untersuchungen zur Lautlehre der Mundart von Aegidienberg" (Teildr. 1900) promoviert. Nach dem Staatsexamen war er seit 1903 Gymnasiallehrer in Trier, seit 1907 Studienrat in Bonn und wurde infolge einer Intervention von Franck zunächst teilweise, dann gänzlich vom Schuldienst beurlaubt, um als dessen Mitarbeiter die Sammlungen zum Aufbau des Rhein. Wörterbuch-Archivs voranzutreiben. Nach Francks Tod übernahm M. im Auftrag der Preuß. Akademie der Wissenschaften die Leitung des Rhein. Wörterbuchs, nach dem 1. Weltkrieg in enger räumlicher, seit 1930 auch institutioneller Verbindung mit dem Institut für geschichtliche Landeskunde der Rheinlande an der Univ. Bonn. 1922 erhielt er hier einen Lehrauftrag für Deutsche Volkskunde, seit 1927 war er Honorarprofessor für dieses damals aufstrebende Fach. 1940 wurde er verabschiedet, doch bis zu seinem Tod arbeitete er weiter an der Vollendung des Rhein. Wörterbuchs; sein handschriftliches Manuskript reicht bis in die Mitte des Buchstabens Z, zu seinen Lebzeiten waren 6 von letztlich 9 Bänden (abgeschlossen 1971) gedruckt.

Dieses großlandschaftliche Dialektwörterbuch muß als sein wissenschaftliches Lebenswerk angesehen werden. Es enthält auf mehr als 14 000 Spalten den lexikalischen Bestand der mittel- und niederfränk. Dialekte etwa um 1900 in ausführlicher Dokumentation des gesamten Sprachgebrauchs sowie 209 wortgeographische Karten. Durch Beispielsätze und Redensarten bietet es weit mehr als nur Lautgestalt und knappe Bedeutungsangaben. Im Zusammenhang mit der Wörterbucharbeit publizierte M. auch zahlreiche Beiträge zur rhein. Sprachgeographie und Lexikographie. Ein zweiter Schwerpunkt lag in seinen volkskundlichen Arbeiten, die der kulturmorphologischen Forschungsrichtung des 1921 gegründeten Bonner Instituts für geschichtliche Landeskunde der Rheinlande verpflichtet sind. Hervorzuheben ist sein Beitrag „Volkskunde" in dem grundlegenden Werk „Kulturströmungen und Kulturprovinzen in den Rheinlanden" (1926), entstanden in Zusammenarbeit mit dem Germanisten Theodor Frings und dem Historiker Hermann Aubin. Sowohl vom Rhein. Wörterbuch als auch von der kulturmorphologisch-interdisziplinär ausgerichteten volkskundlichen Arbeit M.s gingen erhebliche Wirkungen aus, etwa zur Institutionalisierung weiterer großräumiger Dialektwörterbücher oder des „Atlas der deutschen Volkskunde" seit 1929.

W Rhein. Wörterbuch, I–VI, 1928–44, bearb. u. hrsg. v. J. M., VII/VIII, 1958–64, bearb. v. J. M., hrsg. v. K. Meisen, IX, 1971, nach Vorarbeiten v. J. M. bearb. u. hrsg. v. H. Dittmaier; Rede d. Volkes, in: Dt. Volkskde., hrsg. v. John Meier, 1926; Volkskunde, in: H. Aubin, Th. Frings u. J. M., Kulturströmungen u. Kulturprovinzen in d. Rheinlanden, 1926, ²1966, S. 190–231; – Mithrsg.: Rhein. Vj.bll. I–XII, 1931–42; Zs. d. Ver. f. rhein. u. westfäl. Volkskde. (seit 1934: Westdt. Zs. f. Volkskde.), 24–33, 1927–36.

L K. Meisen, in: Rhein. Vjbll. 13, 1948, S. 5–7 *(P);* M. Zender, Das Rhein. Wörterbuch v. 1904 bis 1964, ebd. 29, 1964, S. 200–22 *(P);* ders., in: Bonner Gelehrte, Btrr. z. Gesch. d. Wiss. in Bonn, Sprachwissenschaften, 1970, S. 120–23. – Eigene Archivstud. (Univ.-Archiv Bonn).

Walter Hoffmann

Müller, *Josef („Ochsensepp"),* bayer. Politiker, * 27. 3. 1898 Steinwiesen (Oberfranken), † 12. 9. 1979 München. (kath.)

V Georg (1851–1918), Kleinbauer in St., *S* d. Veit (1821–91) u. d. Margareta Stöcker (1831–87); *M* Margaretha Barbara (1862–1927), *T* d. Johann Rießgraf (1814–88), Flößer, u. d. Eva Druck (1820–84); *B* Wolfgang (1883–1957), Pfarrer in Rothenburg/

Tauber; – ∞ München 1934 Maria (1909–96) aus Karlsruhe, T d. Georg August Lochner (1877–1913) u. d. Anna Pauline Karl (1880–1974), beide aus Röttingen/Tauber (Unterfranken); 1 T Christa (* 1935), Geschäftsführerin in Gauting.

M. besuchte seit 1910 als Seminarist des Ottonianums das Gymnasium in Bamberg. In den Ferien arbeitete er u. a. als Fuhrknecht; das trug ihm den Namen „Ochsensepp" ein. Im November 1916 mußte M. zum bayer. Minenwerferbataillon IX einrücken; seit Februar 1917 kämpfte er an der Westfront. Zurückgekehrt gründete er in Bamberg eine Offiziersvereinigung, unter deren Schutz sich die von den Räten vertriebene Regierung Hoffmann begab. M. holte das Abitur nach und studierte 1919–23 in München Jurisprudenz und Volkswirtschaft. 1925 wurde er bei Adolf Weber mit der Dissertation „Die deutsche Granitindustrie und ihre Konkurrenzmöglichkeiten auf dem Weltmarkt" zum Dr. oec. publ. promoviert. Zwei Jahre später legte er das juristische Assessorexamen ab und eröffnete eine Anwaltskanzlei in München. Seit 1933 war M. zunehmend als Rechts- und Wirtschaftsberater für kirchliche Kreise und Institutionen tätig. Durch Domkapitular Johannes Neuhäusler, für den er nützliche Kurierdienste ins Ausland leistete, machte er in Rom die Bekanntschaft von Kardinalstaatssekretär Pacelli und dessen Sekretär P. Robert Leiber SJ sowie der Prälaten Ludwig Kaas und Hans Schönhöffer.

Im September 1939 wurde M. von Wilhelm Canaris und Hans Oster namens der Militäropposition unter Ludwig Beck beauftragt, durch Vermittlung des Papstes Verbindung zu den Westmächten aufzunehmen, um deren Haltung nach einem geplanten Sturz Hitlers zu erkunden und Friedensgespräche vorzubereiten. Zur Tarnung wurde er im November 1939 als Oberleutnant in die Militärische Abwehr einberufen mit dem offiziellen Auftrag, über die Lage in Italien zu berichten. Durch den persönlichen Einsatz Pius' XII. kamen Anfang 1940 die gewünschten Kontakte mit der brit. Regierung zustande. Hans v. Dohnanyi schrieb auf Grund von M.s „römischen Gesprächen" den sog. „X-Bericht", der an Franz Halder und Walter v. Brauchitsch weitergeleitet wurde. Doch die Generäle konnten sich noch nicht zu einem Sturz Hitlers entschließen. Nachdem am 13. 3. 1943 das Attentat Henning v. Trescows auf Hitler gescheitert war, wurde M. am 5. 4. verhaftet und in das Wehrmachtsuntersuchungsgefängnis nach Berlin gebracht. Bei einer Durchsuchung seiner Kanzlei fand man einen Bericht seines Mitarbeiters Randolf v. Breitbach über die politische und militärische Lage sowie den Plan eines Führerbunkers in Pullach. Im Hochverratsprozeß vor dem Reichskriegsgericht am 3. 3. 1944 wurde M. freigesprochen. Nachdem man den „X-Bericht" bei Dohnanyi gefunden hatte, wurde M. („Herr X") jedoch in das Reichssicherheitshauptamt und von dort im Februar 1945 über Buchenwald in das Konzentrationslager Flossenbürg gebracht. Er sollte – zusammen mit Canaris, Oster, Bonhoeffer u. a. – gehenkt werden, blieb aber durch einen Zufall verschont. Am 15. 4. wurde er nach Dachau, dann über Innsbruck nach Südtirol transportiert. Hier wurde er am 4. 5. von den Amerikanern befreit.

Im neu entstehenden politischen Leben Bayerns fiel M. rasch eine zentrale Rolle zu. In seiner Münchener Wohnung in der Gedonstraße traf sich 1945–47 regelmäßig der „Mittwochkreis" (auch „Ochsen-Club" genannt), um über eine politische „Erneuerung aus dem Geist des Urchristentums" zu diskutieren. Hier entstand in Fühlungnahme mit Adam Stegerwald die „Christlich-Soziale Union in Bayern", für die M. als deren Vorsitzender am 8. 1. 1946 von der amerikan. Besatzungsmacht die Lizenzurkunde ausgehändigt bekam. Mitglied dieser „Sammlungspartei" sollte jeder werden können, der sich – ungeachtet der Konfession – „zum Dekalog bekennt und zum Gebot der Nächstenliebe als Grundlage der sozialen Ordnung". Die Persönlichkeit des Einzelnen müsse gestärkt werden gegenüber dem Sog der Vermassung und des Kollektivismus. Mit dieser Neugründung hatte sich M. gegenüber den konservativ-klerikalen Kreisen um Fritz Schäffer, Anton Pfeiffer und Alois Hundhammer durchgesetzt, die an eine Wiederbelebung der Bayer. Volkspartei (BVP) gedacht hatten, der M. vor 1933 ebenfalls angehört hatte. Bald sollte sich jedoch zeigen, daß er und seine Anhängerschaft – die junge Generation sowie das mehrheitlich prot. Franken – in die Defensive gedrängt wurden. M., der sich selbst als linker Flügelmann verstand, vermochte als Parteivorsitzender die Gegensätze innerhalb der CSU nicht auszugleichen. Wegen seiner engen Zusammenarbeit mit der CDU wurde er als Zentralist verdächtigt, wegen seiner häufigen Gespräche mit den Russen in Karlshorst und seiner Ideen zur Deutschlandpolitik als Kommunistenfreund. Auch seine Ablehnung des Entnazifizierungsgesetzes vom 5. 3. 1946 war umstritten; M. wünschte eine möglichst rasche Versöhnung innerhalb des Volkes. Als er in der Verfassunggebenden Landesversammlung die Institution eines bayer. Staatspräsidenten verhinderte, da er ein Erstarken von separatistischen und monarchistischen Tendenzen befürchtete, zog er sich die offene Gegnerschaft Hundhammers und eines Großteils seiner Partei zu. Nach der Landtagswahl vom 1. 12. 1946, in der die CSU die absolute Mehrheit gewonnen hatte, wurde M. zwar offiziell für das Amt des Ministerpräsidenten nominiert, aber Hundhammer setzte nach geheimen Verhandlungen mit der SPD und der Wirtschaftlichen Aufbau-Vereinigung (WAV) die Wahl Hans Ehards zum Ministerpräsidenten durch (21. 12. 1946). Am 20. 9. 1947 – im 2. Kabinett Ehard – übernahm M. das Justizministerium, gleichzeitig wurde er stellvertretender Minsterpräsident. Im Zusammenhang mit den während der sog. Auerbach-Affäre gegen ihn erhobenen Bestechungsvorwürfen trat er am 26. 5. 1952 zurück. Als Justizminister setzte sich M. für Reformen im Strafvollzug ein. Gefängnispsychologen wurden angestellt, ein Fonds für die Wiedereingliederung von Strafentlassenen wurde geschaffen.

Auf der Landesversammlung der CSU am 29. 5. 1949 wurde – dank der massiven Unterstützung durch Hundhammer und Adenauer sowie angesichts des für die CSU bedrohlichen Erstarkens der Bayernpartei (BP) – Hans Ehard zum neuen Parteivorsitzenden gewählt. M. blieb bis 1962 Mitglied des Landtags; 1952–60 war er Bezirksvorsitzender der CSU in München. Ende 1959 ließ er sich als Kandidat für das Amt des Oberbürgermeisters von München aufstellen. Der sensationelle Wahlsieg seines Kontrahenten Hans-Jochen Vogel vom 27. 3. 1960 machte deutlich, daß M., der nur 22% Stimmen hatte erreichen können, den Zenit seiner politischen Wirksamkeit längst überschritten hatte. Er zog sich aus dem politischen Leben zurück und arbeitete wieder als Rechtsanwalt sowie als Hauptgesellschafter und Verwaltungsratsvorsitzender der Apparatebau Gauting GmbH, der Tiroler Graphik GmbH (Innsbruck) und des Universitätsverlags Wagner (Innsbruck). Vital und lebensfroh, jovial und unkonventionell, verstand es M., menschliche Wärme zu vermitteln und Sympathien zu gewinnen. Durch seine Meisterschaft im Improvisieren und seine Volksnähe, auch durch sein listenreiches Taktieren, ebnete er der CSU den Weg zur Volkspartei. – Gr. Bundesverdienstkreuz mit Stern (1966).

W u. a. Bis zur letzten Konsequenz, Ein Leben f. Frieden u. Freiheit, 1975 *(P)*.

L J. H. Mauerer, Aus d. Leben u. d. pol. Wirken d. Dr. J. M. (Ochsensepp) 1945–65, 1967 *(P)*; J. Neuhäusler, Amboß u. Hammer, Erlebnisse im Kirchenkampf d. Dritten Reiches, 1967; H. C. Deutsch, Verschwörung gegen d. Krieg, Der Widerstand in d. J. 1939–40, 1969; P. Hoffmann, Widerstand, Staatsstreich, Attentat, Der Kampf d. Opposition gegen Hitler, 1969, ³1979; L. Niethammer, Entnazifizierung in Bayern, Säuberung u. Rehabilitierung unter amerikan. Besatzung, 1972 (1982 u. d. T.: Die Mitläuferfabrik, Die Entnazifizierung am Beispiel Bayerns); A. Mintzel, Die CSU, Anatomie e. konservativen Partei 1945–72, 1975, ²1978; R. G. Gf. v. Thun-Hohenstein, Der Verschwörer, Gen. Oster u. d. Mil.opposition, 1982; P. J. Kock, Bayerns Weg in d. Bundesrepublik, 1983; K.-D. Henke u. H. Woller (Hrsg.), Lehrjahre d. CSU, Eine Nachkriegspartei im Spiegel vertraul. Berr. an d. Mil.reg., 1984; K. Köhler, Der Mittwochkreis beim „Ochsensepp", Die Union wird geboren, in: Bayern 1945 – Demokrat. Neubeginn, Interviews mit Augenzeugen, hrsg. v. M. Schröder, 1985, S. 67–87 *(P)*; A. Haußleiter, Der Sturz d. „Ochsensepp", ebd., S. 89–104; J. Rölz (Buch) u. R. Gall (Regie), Der X-Bericht, Fernsehfilm 1986; S. Boenke u. K. v. Zwehl (Hrsg.), „Angesichts d. Trümmerfeldes...", 1986 *(P)*; F. H. Hettler, J. M. („Ochsensepp"), Mann d. Widerstandes u. erster CSU-Vors., 1991; Staatslex.

P Denkmal mit Relief v. H. Schreiber, 1996, Steinwiesen.

Franz Menges

Müller, *Joseph Ferdinand,* Hofkaplan, * 19. 10. 1803 Tirschenreuth (Oberpfalz), † 3. 2. 1864 München.

V Johann Nikolaus (Miller) (1766–1809), Schmied in T., *S* d. Andreas Miller (um 1733–1811), Schmied in Wernersreuth, u. d. Maria Katharina Heinl (um 1735–95) aus Königsberg; *M* Maria Theresia (1768–1850), *T* d. Joseph Anton Riedl (1733–1805), Wollmacher in T., u. d. Maria Elisabeth Gikelberger (* 1738); *Stief-V* (seit 1810) Franz Rösch.

M. verdankte Studium und höhere Bildung Münchner Verwandten. Diesen zuliebe suchte er als Theologiestudent bei Erzbischof Gebsattel um Aufnahme in die Münchner Erzdiözese nach, die ihm seiner guten Zeugnisse wegen gewährt wurde. Seit 1830 Priester und zunächst Koadjutor in Rosenheim, kam er bald als Religionslehrer zu den Lehrjungen am Bürgersaal und danach als Katechet an die Knabenschule am Kreuz nach München. 1833–41 war er Krankenkurat am Münchner Dom. Im Cholerajahr 1837 zeichnete er sich durch solch hingebungsvollen Eifer aus, daß ihn die Chronik der Erzdiözese in ihrem Schematismus erwähnte. Als einer der ersten in Bayern wurde M. für die seit den 20er Jahren des 19. Jh. auflebenden Bestrebungen gewonnen, den kath. Missionen vor allem in Nordamerika zu helfen. Zu deren Gunsten traten in Frankreich 1822 das „Oeuvre de la Propagation de la Foi", in Österreich 1827 die „Leopoldinenstiftung" und 1838 der von

Kg. Ludwig I. gegründete „Ludwigsverein zur Unterstützung der auswärtigen kath. Missionen" (später „Ludwig-Missionsverein", heute „Missio") ins Leben. M. gehörte zu den Wegbereitern des bayer. Missionswerks und wurde bei seiner Gründung dessen erster Sekretär. Die Berufung zum Hofkaplan an die Maxburgkapelle 1841, die ihn lediglich zu Beichtstuhl und Sonntagshomilien verpflichtete, gab ihm Zeit, sich ganz dem Missionsverein zu widmen, dessen Geschäftsführer er 1845–55 war. Als solcher erwarb er sich große Verdienste um die kath. Kirche in den USA. Auf seine Initiative gründeten bis 1855 sieben deutsche Ordensgemeinschaften in den USA Klöster. Alle wirken noch heute in ungezählten kath. Gemeinden, Pfarrschulen, Kollegien und Seminaren, Krankenanstalten, Waisenhäusern und Altenheimen Amerikas. Der Ludwig-Missionsverein sammelte in den ersten 25 Jahren seines Bestehens 2 383 356 Gulden für die Missionen; ein Großteil dieser Summe floß den Deutschen in der Neuen Welt zu. Doch vergaß M. darüber die Missionen in anderen Kontinenten keineswegs. Aufsehen erregte seine Aktion, Negermädchen aus der Sklaverei loszukaufen und in bayer. Frauenklöstern erziehen zu lassen.

L W. Mathäser, J. F. M., e. Schrittmacher d. Auslandsdeutschen-Seelsorge, in: Jb. d. Reichsverbandes f. d. kath. Auslanddeutschen 1935, 1935, S. 145–63; ders., Der Ludwig-Missionsver. in d. Zeit Kg. Ludwigs I. v. Bayern, 1939, S. 279–313; Mission aktuell, 1982, H. 4 (P).

Willibald Mathäser †

Müller v. *Friedberg, Karl* Frhr., Schweizer Staatsmann, * 24. 2. 1755 Näfels, † 22. 7. 1836 Konstanz. (kath.)

Aus ritterl. Fam. in Glarus; V Franz Joseph (1725–1803, Reichsritter 1774, Reichsfrhr. 1791), Dr. med., 1772 Landvogt d. Gfsch. Toggenburg, 1775 Landeshofmeister u. Hofmarschall d. Fürstabts v. St. Gallen, S d. Fridolin Franz M. (1700–57), Gemeindepräs. v. N., u. d. Katharina Barbara Rüttimann (1701–83); M Anna Dorothea (* 1738) aus N., T d. Ernst Bachmann u. d. Elisabeth Ignazia Lorenz; B Joseph Maria (1758–1843), Dompropst in St. Gallen; – ∞ St. Gallen 1783 Franziska (1764–1811) aus Appenzell, T d. Reichsvogtes Johann Baptist Fortunat Sutter u. d. Maria Liges; 2 S, Karl (1783–1863), Jurist, Präs. d. Oberappellationsger. in St. Gallen, führte bis 1830 d. liberale Opposition gegen seinen Vater, dann in Konstanz, Anton (1790–1873), niederländ. Major, 2 T.

M. besuchte das Gymnasium in Luzern, die Akademie in Besançon und die juristische Fakultät in Salzburg. 1775 wurde er Hofkavalier des Abtes von St. Gallen, Obervogt auf Rosenberg im Rheintal (1782) sowie des Oberbergeramtes (1783) und 1792 Landvogt in Toggenburg. Zum Jahresbeginn 1798 übergab er, der sich vom Gegner zum Anhänger der Franz. Revolution gewandelt hatte, die äbtischen Hoheitsrechte an den toggenburg. Landratsobmann und betätigte sich nun als Protektor des adeligen Damenstifts Schännis. Im Geiste der Aufklärung schrieb er dramatische Stücke und historisch-politische Aufsätze, darunter die Schrift „Hall eines Eidgenossen" (1789), in der er seine Ansichten zur Erneuerung des eidgenössischen Staatswesens entwickelte und die Gleichstellung der Zugewandten mit den Orten forderte.

Inzwischen Mitglied der Partei der Unitarier, wurde M. im Februar 1800 in den helvet. Finanzrat nach Bern berufen. 1801 nahm er als Abgeordneter des Kantons Glarus an der helvet. Tagsatzung teil. In den folgenden beiden Jahren hielt er sich als Mitglied der Consulta in Paris auf, wo er das Vertrauen Napoleons gewann. M. wurde Präsident einer Regierungskommission, die die Verfassung des durch die Mediationsakte neu geschaffenen Kantons St. Gallen einführen sollte, und übernahm schließlich dessen Leitung. Intelligent und ehrgeizig, rastlos und von hoher organisatorischer Begabung, war M. die geeignete Persönlichkeit für diese Aufgabe. Es ist seine staatsmännische Leistung, den Kanton St. Gallen geschaffen zu haben, obwohl dieser zuvor geographisch, ethnisch, konfessionell und wirtschaftlich keine Einheit gebildet hatte.

Als Präsident des Großen und des Kleinen Rates stand M. während der ersten Jahre in ständigem Streit mit Abt Pankraz Vorster (1753–1829), der von der Helvetik seines Amtes enthoben worden war. In der Mediation bot der Abt den Verzicht auf die Landeshoheit über Toggenburg und das Fürstenland an, verlangte aber die Wiederzulassung des Klosters. Dank seiner guten Beziehungen zur franz. Regierung und zu Napoleon erreichte M. 1805 die endgültige Aufhebung der Benediktinerabtei St. Gallen und die Liquidation des Klostervermögens sowie die Rückführung jener Kunst- und Literaturdenkmäler, die das Kloster im Ausland versteckt hatte. Um die Wogen der Empörung zu glätten, gründete er 1809 ein kath. Gymnasium und veranlaßte einen ehemaligen Mönch, Ildefons v. Arx (1755–1833), zur Abfassung einer beschwichtigenden Flugschrift über die Klosterliquidierung. Auf dem Wiener Kongreß konnte M. mit Hilfe seines Freundes Albrecht Rengger (1764–1835) die drohende Auflösung des Kantons St. Gallen verhindern, nachdem einige Nachbarkantone Gebietsansprüche angemeldet hatten.

M. setzte 1814 eine autoritäre Kantonsverfassung durch und regierte seitdem als „Landammann" im Sinn eines aufgeklärten Monarchen und in der Art eines Kaufmanns. Politik betrachtete er in erster Linie als ein Geschäft, das man mit Anbieten und Feilschen zu betreiben habe. So war er 1810 bereit, den südlichen Tessin an Napoleon abzutreten, um für die einheimische Textilindustrie günstige Einfuhrkonditionen in Frankreich zu erhalten. Ende der 20er Jahre formierte sich unter Gallus Jakob Baumgartner (1797–1869) und seinem Sohn Karl die liberale Opposition gegen M. „Ganz obscure Leute brachten den Pöbel auf die Beine und erzwangen einen vom Volk zu wählenden Verfassungsrat", schrieb M. verbittert. Nachdem sich der Kanton in der Regenerationszeit eine neue Verfassung gegeben hatte, wurde M. 1831 bei den Regierungsratswahlen übergangen. Er zog sich gekränkt nach Konstanz zurück und verfaßte „Schweizer. Annalen oder die Geschichte unserer Tage seit dem Julius 1830", eine vierbändige Rechtfertigung seines Wirkens und eine Kritik an seinen Nachfolgern. – Ehrenbürger v. Lichtensteig.

Weitere W Biogr. Erinnerungen aus meinem Leben, hrsg. u. erl. v. J. Denkinger, 1836.

L ADB 22; G. J. Baumgartner, Gesch. d. schweizer. Freistaates u. Kt. St. Gallen II, 1868; J. Dierauer, M., Lb. e. schweizer. Staatsmannes, 1884 *(W, L, P)*; ders., Pol. Gesch. d. Kt. St. Gallen 1803–1903, 1903; E. Kind, K. M. u. Gallus Jakob Baumgartner, Die Bildner d. Kt. St. Gallen, in: Zs. f. Schweizer. Gesch. X, H. 1, 1930, S. 502–26; E. Ehrenzeller, Der konservativ-liberale Gegensatz im Kt. St. Gallen bis z. Vfg.revision 1861, 1947; G. Thürer, M.s Weg z. Kt. St. Gallen, in: Rorschacher Neujahrsbl. 1953, S. 5–20; ders., St. Galler Gesch. II, 1972, bes. S. 79 ff.; Alfred Meier, Abt Pankraz Vorster u. d. Aufhebung d. Fürstabtei St. Gallen, 1951; HBLS V *(P)*; H. Reinalter, A. Kuhn u. A. Ruiz (Hrsg.), Biogr. Lex. z. Gesch. d. demokrat. u. liberalen Bewegungen in Mitteleuropa, I, 1992, S. 215.

Edgar Bonjour †

Müller, *Karl,* preuß. Agent, * 13. 4. 1775 Klebitz b. Wittenberg, † 3. 2. 1847 Berlin. (luth.)

Aus kursächs. Pastorenfam.; *V* August (1745–1801), Pfarrer in K. u. Schönefeld, *S* d. August (1711–89), Pfarrer in Marzahna (s. Jöcher-Adelung), u. d. Christiane Friederike Hoffmann (1724–n. 1801); *M* Benjamine Sophie (1751–1821), *T* d. Johann Gotthelf Groß, Pfarrer in Kaltenborn; *Ur-Gvv* August (1679–1749), Sup. u. Propst in Kemberg (s. Jöcher-Adelung); *B* Gottlieb Friedrich (1782–1847), Ratsherr in W., dann Stadt- u. Landger.dir. in Delitzsch (s. NND 25), Moritz Wilhelm (* 1784), Arzt in Leipzig, August Benjamin (1787–1855), Seidenwarenhändler u. Stadtverordneter in B.; – ∞ 1) (o/o) N. N., 2) Berlin 1828 Auguste Friederike Elßholtz, Wwe d. preuß. Majors Ernst Wilhelm v. Gottberg (1768–1814).

Zunächst privat unterrichtet, besuchte M. vom 12. Lebensjahr an die Fürstenschule zu Meißen und studierte 1793–97 in Wittenberg Theologie. Seine erste Anstellung fand er als Hauslehrer bei der Baronin v. Flemming auf Falkenhain. Seit 1802 betreute er das Studium zweier Söhne des sächs. Oberkammerherrn und späteren Ministers Karl Gf. Bose an der Univ. Leipzig, befaßte sich dort auch selbst mit Mathematik, Geographie, Staats-, Rechts- und Militärwissenschaften und promovierte 1806 in Wittenberg zum Dr. phil. Schon in Leipzig hatte M. sich offen für die preuß. Offiziere eingesetzt, die infolge des Tilsiter Friedens entlassen worden waren, und war Mitglied des „Tugendbundes" geworden, über den er in Beziehung zu Vertretern der preuß. „Patriotenpartei" getreten sein dürfte. Unmittelbar nach dem Ausscheiden aus dem Dienst Boses begab er sich im Mai 1809 nach Berlin, wo er zunächst, während des österr.-franz. Krieges, Strategieentwürfe für Preußen ausarbeitete, aufgrund seiner praktisch-organisatorischen Fähigkeiten, seines Einsatzwillens und Mutes aber bald für logistische Insurrektionsvorbereitungen, die Bespitzelung der militärischen Infrastruktur der Franzosen und die Durchführung von Geheimmissionen – u. a. zu Stein und dem Kurfürsten von Hessen in Prag, nach Wien, zu Blücher in Schlesien – herangezogen und so zu einer der tragenden Säulen des unter den Auspizien Justus v. Gruners errichteten preuß. Agentennetzes wurde. Nach Festnahme in Leipzig und geglückter Befreiung nahm man ihn von Oktober 1811 bis zum Februar 1812 in preuß. Schutzhaft, um ein franz. Auslieferungsbegehren zu unterlaufen. Als Gruner im Prager Exil das gleiche Schicksal widerfuhr, übernahm M. für kurze Zeit dessen Aufgaben. Im Frühjahr 1813 beteiligte er sich an den preuß.-russ. Bündnisverhandlungen in Kalisch und verfaßte dort möglicherweise den Text der Märzproklamation Feldmarschall Kutusows.

Zwischenzeitlich hatte sich M. in Schlesien einem Streifkorps angeschlossen, wurde dann aber von Stein in den Verwaltungsrat berufen und dem Generalgouverneur für die sächs. Herzogtümer sowie die schwarzburg. und reuß. Besitzungen, Gf. Reisach, als Assistent zugeteilt. Weil diese Gebiete damals größtenteils unter der Kontrolle der franz. Truppen blieben, waren einer preuß. Verwaltung jedoch enge Grenzen gesetzt. Anfang Mai war M. in Blüchers Hauptquartier in Altenburg und dort u. a. für die Anwerbung Freiwilliger und die Aufstellung des Landsturms zuständig. Der Rückzug der preuß.-russ. Truppen hinter die Oder brachte ihn wiederum in die Nähe Steins, in das Hauptquartier der Verbündeten in Reichenbach. Nach seiner Teilnahme an Feldzügen der Nordarmee übte M. im Herbst das Amt des Gouvernementskommissars für die Niederlausitz aus. Gleichzeitig trat er publizistisch hervor, indem er das zeitgenössische Kriegsgeschehen kommentierte und patriotischpropagandistische Schriften und Zeitungsbeiträge veröffentlichte (u. a. über die Zukunft Sachsens, die Rückgewinnung des Elsaß und die Rückführung geraubter deutscher Kulturgüter aus Frankreich). Mit seinem umfangreichen „Allgemeinen Verteutschwörterbuch der Kriegssprache" (1814) zielte er auf die Germanisierung der franz. geprägten Militärterminologie ab. Nachdem M. Anfang 1814 in Dresden dem russ. Generalgouverneur von Sachsen, Fürst Repnin, zur Seite gestanden hatte, war er als Mitarbeiter Hardenbergs auf dem Wiener Kongreß u. a. für Fragen der preuß.-sächs. und preuß.-poln. Grenzziehung zuständig. Infolge eines unverschuldeten Kriegsgerichtsverfahrens, aber auch, weil Hardenberg ihm eine Anstellung im preuß. Staatsdienst in Aussicht gestellt hatte, reichte M., der zuletzt Leutnant im Infanterie-Rgt. Nr. 25 (dem vormaligen Lützower Freikorps) war, seinen Abschied vom Militär ein. Er mußte sich vorübergehend mit Hilfsdiensten für Stägemann und Rother begnügen, erhielt dann aber 1817 den Hofratstitel, später auch den eines Geheimen Hofrats. Damit verbunden war eine feste, im Verhältnis zu seinem vorherigen Status als „halbdiplomatischer Rundläufer" (E. M. Arndt) allerdings eher subalterne Anstellung im Statistischen Büro. Unter Stägemann war er auch Redakteur der Preuß. Staatszeitung. Seine patriotischen Ambitionen verlagerte M. allmählich in unpolitische, kulturell-literarische Bereiche. Er veröffentlichte zwei Bände mit selbstverfaßten neulat. Liedern zur Reformationsfeier 1817 und Hymnen auf die politischen und militärischen Hauptakteure der Befreiungskriege und war Mitgründer der Deutschen Sprachgesellschaft, 12 Jahre auch deren Vorstand. An der weiteren Entwicklung der deutschen Nationalbewegung nahm er keinen inneren Anteil mehr, da sich deren Ziele nicht mit seinem staatsaffirmativen Patriotismus vereinbaren ließen.

L ADB 22; K. A. Varnhagen v. Ense, K. M.s Leben u. kl. Schrr., 1847; F. Müller, Nachrr. üb. d. Fam. Müller vonn d. Neustadt auff d. Heide, 1911, bes. S. 43–62; Meusel, Gel. Teutschland; J. E. Hitzig (Hrsg.), Gelehrtes Berlin im J. 1825, 1826, S. 182; Kosch, Biogr. Staatshdb. – Eigene Archivstud.

Uwe Meier

Müller, *Karl,* Botaniker, * 16. 12. 1818 Allstedt b. Weimar, † 9. 2. 1899 Halle/Saale.

V Christian, Beutlermeister in A.; *M* Louise Hoblitz; ∞ 1) Henriette Hauff, 2) 1864 Hedwig Mathilde Sorge; 1 *S* aus 1), 2 *T* aus 2).

Nach dem Besuch der Stadtschule Allstedt, wo er die ersten Anregungen zur Beschäftigung mit den Naturwissenschaften erhielt, trat M. 1834 in die Apotheke in Berka/Ilm als Lehrling ein. Danach war er als Apotheker in Kranichfeld, Jever, Detmold und Blankenburg (Harz) tätig, wo Ernst Hampe ihn zur Beschäftigung mit den Moosen anregte. 1843 trat er als Helfer in die Redaktion der von D. v. Schlechtendal begründeten Botanischen Zeitung in Halle/Saale ein, wo er daneben bis 1846 an der Universität studierte. Zusammen mit O. Ule begründete er 1852 die populäre Zeitschrift „Die Natur", die er 1876–96 allein herausgab. M. bekleidete nie eine Professur, er lebte als freier Schriftsteller.

Seinem wissenschaftlichen Arbeitsgebiet, der Systematik der Laubmoose, widmete sich M. von 1843 bis zu seinem Tode. In seiner „Synopsis Muscorum omnium hucusque cognitorum" (1848–51) beschrieb er alle bekannten Laubmoosarten mit lat. Diagnosen, eine Leistung, die seitdem nicht wieder erbracht worden ist. Damit wurde M. eine internationale Autorität in diesem Bereich und erhielt von zahlreichen Expeditionen die gesammelten Laubmoose aus allen Erdteilen zur Bestimmung. In 110 in wissenschaftlichen Zeitschriften veröffentlichten Abhandlungen lieferte er über 3000 Beschreibungen neuer Laubmoosarten, die bis heute als gültig anerkannt sind. Ein zusammenfassendes Werk „Genera Muscorum" blieb unvollendet und wurde 1901 von K. Schliephacke herausgegeben. Das Moosherbar von M. (12 000 Arten in 70 000 Exemplaren) wurde vom Botanischen Museum Berlin erworben und 1943 durch Bombenangriff zerstört. – Dr. phil. h. c. (Rostock 1849); Mitgl. d. Leopoldina (1880); Prof.titel (1896).

Weitere W Dtld.s Moose, 1853; Das Buch d. Pflanzenwelt, 2 Bde., 1857,²1896; Der Pflanzenstaat od. Entwurf e. Entwicklungsgesch. d. Pflanzenreiches, 1861.

L O. Taschenberg, in: Leopoldina 35, 1899, S. 42–49 *(W);* ders., in: Die Natur 48, 1899, S. 121–24 *(P);* ders., in: K. M., Die Natur im Spiegel d. Menschheit, 1903, S. VII–XV *(P);* W. H. Hein u. H.-D. Schwarz, Dt. Apotheker-Biogr. II, 1978, S. 453 f.; F. Stafleu u. R. Cowan, Taxonomic Literature, ²1981, Bd. 3, S. 644–49.

Karl Mägdefrau

Müller, *Carl* (Ps. *Otfried Mylius, Franz v. Elling*), Roman- und Jugendbuchautor, Buchhändler, * 8. 2. 1819 Stuttgart, † 28. 11. 1889 ebenda. (ev.)

V Johann Blasius; *M* Marie Josefa Caroline Paul; ∞ 1844 Marie Luise Schiedmayer (1824–88); 3 *S,* 5 *T.*

Aus armen Verhältnissen stammend, besuchte M. bis 1832 das Gymnasium und trat dann als Lehrling in eine Buchdruckerei ein. Daneben trieb er literarische Studien und begann mit schriftstellerischen Versuchen. Das autodidaktische Studium, das auch Geschichte, Geographie und Naturgeschichte einschloß, vervollständigte er durch ein humanistisches Studium an der Univ. Tübingen, das er als 21jähriger antrat. 1842–68 leitete er die Redaktion der weit verbreiteten Unterhaltungszeitschrift „Erheiterungen". 1869 wurde er Mitredakteur der Schönleinschen „Allgemeinen Familienzeitung". Auch bei anderen Zeitschriften dieses Verlages trat er als Mitarbeiter hervor. Seit 1885 redigierte er die bei Cotta verlegte Zeitschrift „Das Ausland". M. verfaßte zahlreiche Novellen und Unterhaltungsromane sowie Jugendschriften. Daneben schrieb er volkstümliche Aufsätze mit naturkundlicher, kulturgeschichtlicher und biographischer Thematik. Am bekanntesten wurde seine deutsche Bearbeitung von B. J. Lossings „Illustrated History of the United States for Schools and Families" (1854–56), die er 1858 anonym herausgab. Während seine Romane und Aufsätze meist unter den Pseudonymen „Mylius" oder „v. Elling" gedruckt wurden, erschienen seine Jugendschriften unter seinem richtigen Namen.

M.s im Gartenlaubenstil verfaßte Novellen und Romane fanden bei dem Leserkreis der von ihm redigierten Zeitschriften viel Beifall, waren jedoch überregional und auf Dauer kaum von Bedeutung. Mit seinen Jugendschriften dagegen erreichte M. einen großen Bekanntheitsgrad, zumal sie auch von Pädagogen empfohlen und in Rezensionen wohlwollend besprochen wurden. Sie enthielten eine Mischung aus abenteuerlicher Handlung und naturkundlicher, geographischer und ethnologischer Belehrung und spielten zumeist in exotischen Gegenden Amerikas oder Afrikas. Da es sich bei den Handlungsträgern der Erzählungen meistens um Heranwachsende handelte, mit denen sich die jungen Leser gut identifizieren konnten, und weil es M. verstand, weniger langweilig als in den meisten Jugendzeitschriften der Zeit üblich zu erzählen, waren seine Bücher nicht nur bei den jungen Lesern beliebt. Sie erzielten relativ hohe Auflagen und wurden teilweise auch ins Französische und Englische übersetzt. Allerdings war auch für M. die Vermittlung exakter und detaillierter Kenntnisse aus Geographie, Naturkunde und Ethnologie wichtiger als die abenteuerliche Handlung, wie schon aus den Untertiteln der verschiedenen Werke hervorgeht, die „ein Naturgemälde aus dem tropischen Südamerika" oder „ein Zonengemälde aus Süd-Afrika" versprachen und fast immer „zur Lust und Lehre für die reifere Jugend" dienen sollten.

W u. a. Die jungen Büffeljäger auf d. Prairien d. fernen Westens v. Nordamerika, 1857, ³1875; Die jungen Pelzjäger im Gebiete d. Hudsonbay-Compagnie, 1858; Esperanza od. d. jungen Gauchos in d. Pampas am Fuße d. Anden, 1859; Die jungen Canoérose d. Amazonen-Stromes, 1860, ²1872; Die jungen Boers im Binnenland d. Kaps d. guten Hoffnungen, 1862; Familiengeschichten, 1868; Der Mensch denkt, Gott lenkt, 1871; Geprüfte Herzen, 1874; Für Frauenhand, 1875.

L R. Stach, in: Doderer II, 1977, S. 510 *(P);* Brümmer; Kosch, Lit.-Lex.³

Helmut Müller

Müller, *Karl,* ev. Kirchenhistoriker, * 3. 9. 1852 Langenburg (Hohenlohe), † 10. 2. 1940 Tübingen.

V Ferdinand Gottlob Jakob v. M. (1816–97), Stadtpfarrer u. Dekan in L., seit 1868 Feldpropst u. Prälat in Stuttgart (s. BJ II), *S* d. Johann Jakob (1786–1827), Bes. e. Kunst- u. Schönfärberei in Winnenden; *M* Marie (1825–62), *T* d. Karl Eberhard Schelling (1783–1854), Arzt, Obermedizinalrat in Stuttgart (s. Meusel, Gel. Teutschland), u. d. Friederike Vellnagel (1793–1850); *Gr-Om* Friedrich Wilhelm Schelling (1775–1854), Philosoph; – ∞ Berlin 1884 Berta (1864–1945), *T* d. Julius Weizsäcker (1828–89), Historiker (s. ADB 41), u. d. Agnes Rindfleisch (1835–65); 3 *S,* 2 *T,* u. a. Agnes (1885–1922, ∞ Richard Siebeck, 1883–1965, Prof. f. Innere Med. in Bonn, Berlin u. Heidelberg); *E* Berta Siebeck (1912–89, ∞ Andreas Moritz, 1901–83, Gold- u. Silberschmied, s. NDB 18), Prof. f. engl. Philol. in Würzburg.

M. studierte nach dem Besuch des Seminars in Urach (1866–70) Theologie in Tübingen

(1870–74), wo sein eigentlicher Lehrer der Kirchenhistoriker Carl Heinrich Weizsäcker war. Auf die Militär- (1874/75) und Vikariatszeit (1875/76) und die Promotion zum Dr. phil. (1876) folgte ein Studienaufenthalt in Göttingen bei Weizsäckers Bruder, dem Historiker Julius Weizsäcker. M. lernte hier aber auch Albrecht Ritschl kennen; er verdankte dieser Begegnung eine Befreiung aus dem „Dilemma zwischen einer unkritischen, konfessionellen bzw. biblizistischen Theologie und einem historisch-kritischen, zum Teil auch schon religionsgeschichtlichen Liberalismus" (H. Rückert). Nach der Promotion zum Lic. theol. (1878) war M. Stadtpfarrverweser in Friedrichshafen und Stadtvikar in Ludwigsburg. Die Repetentenzeit am Ev. Stift in Tübingen (1878–80) bildete den Übergang vom Kirchendienst zur akademischen Laufbahn. Die Habilitation für Kirchengeschichte erfolgte im April 1880 in Berlin; hier wirkte M. $4^1/_2$ Jahre lang (seit Dezember 1882 als beamteter ao. Prof.), 1884–86 ebenfalls als Extraordinarius in Halle. Ende 1886 folgte er der Berufung zum o. Professor nach Gießen als Nachfolger Adolf Harnacks, 1891 nach Breslau, 1903 schließlich an seine Heimatuniversität Tübingen (Emeritierung 1922). 1920 wurde M. zum Vorsitzenden des eben begründeten Vereins für württ. Kirchengeschichte gewählt.

Ausgehend von Untersuchungen zum Spätmittelalter („Der Kampf Ludwigs des Baiern mit der röm. Curie", 2 Bde., 1879/80; „Die Anfänge des Minoritenordens und der Bußbruderschaften", 1885), hat M. in seinen Arbeiten zu den verschiedenen Epochen der Kirchengeschichte den Fragen des Rechts, des Aufbaus und der Verfasssung der Kirche einen hohen Stellenwert eingeräumt. Für die altkirchliche Zeit sind besonders die „Beiträge zur Geschichte der Verfassung der alten Kirche" (1922), für Luther die Bücher „Luther und Karlstadt" (1907) sowie „Kirche, Gemeinde und Obrigkeit nach Luther" (1910) zu nennen. Für die Herausbildung der Struktur der luth. Landeskirchen ist auf den programmatischen Aufsatz „Die Anfänge der Konsistorialverfassung im luth. Deutschland" (1908) zu verweisen. So hat M. wesentlich dazu beigetragen, in Auseinandersetzung mit Rudolph Sohm das Wesen und die Wirkung der Kirche nicht nur nach der Seite von Geist und Glauben, sondern auch als eine Erscheinung des Rechts, der Institution und der Ordnung verstehen und achten zu lehren. M.s Hauptwerk ist die bis ins 17. Jh. reichende „Kirchengeschichte" (2 Bde., 1892/1919). Der ständigen Überarbeitung von Band I mit dem Endpunkt bei Kaiser Justinian (Mitte des 6. Jh.) widmete er seinen Lebensabend (^{2}1925–29, ^{3}1938–41).

Für M. bildet die Kirchengeschichte trotz ihrer Eigenart nur einen Teil der allgemeinen Geschichte und kann nur in stetem Zusammenhang mit ihr geschrieben werden. Er ist daher Vertreter einer sog. profanen Kirchengeschichtsschreibung, wobei sich „profan" nur auf die angewandte historische Methode bezieht, nicht aber als Bewertung einer inneren Einstellung zu verstehen ist. Auffallend ist die außerordentliche Zurückhaltung im Urteil; sie entspringt nicht einfach dem Streben nach Objektivität, sondern ist die Frucht einer letztlich theologischen Einsicht in die „Einmaligkeit und Unwiederholbarkeit des geschichtlichen Augenblicks" (Rückert). – Dr. iur. h. c. (Bonn 1909); Mitgl. d. Ak. d. Wiss. in München (1888), Göttingen (1899) u. Berlin (1917).

Weitere W Die Waldenser u. ihre einzelnen Gruppen bis z. Anfang d. 14. Jh., 1886; Calvins Bekehrung, in: Nachrr. v. d. Kgl. Ges. d. Wiss. zu Göttingen, Philol.-hist. Kl., 1905, S. 188–255, 463 f.; Luthers Äußerungen üb. d. Recht d. bewaffneten Widerstands gegen d. Kaiser, in: SB d. Kgl. Bayer. Ak. d. Wiss., Phil.-philol. u. hist. Kl. 1915, Nr. 8; Die rel. Erweckung in Württemberg am Anfang d. 19. Jh., 1925; Aus d. akadem. Arbeit, Vorträge u. Aufsätze, 1930 (darin: „Selbstdarstellung", S. 1–44; *W-Verz.* bis 1929, S. 343–48).

L Festgabe K. M. z. 70. Gebtag, 1922 *(P)*; W. Nigg, Die KGschreibung, 1934, S. 230 ff.; K. Bihlmeyer, in: HJ 59, 1939, S. 564–67; H. Haering, in: Zs. f. württ. Landesgesch. 4, 1940, S. 467–70; J. Rauscher, in: Bll. f. württ. KG 44, 1940, S. 69–74; E. Wolf, in: Dt. Pfarrerbl. 44, 1940, S. 89 f.; H. v. Campenhausen, in: HZ 163, 1941, S. 445–47; H. Rückert, in: Vorträge u. Aufsätze zur hist. Theol., 1972, S. 374–85, 386–403; H. Dörries, in: Wort u. Stunde III, 1970, S. 421–57; RGG³; W. Werbeck, in: TRE; BBKL.

Wilfrid Werbeck

Müller, Carl, Botaniker, * 20. 11. 1855 Rudolstadt/Saale, † 13. 6. 1907 Berlin. (luth.)

V Carl August, Gürtlermeister, Lampenfabr. aus B.; *M* Wilhelmine Hoffmann; ∞ 1889 Marie Boébé; 1 S.

M. kam im Alter von zwei Jahren nach Berlin und verbrachte dort sein gesamtes weiteres Leben. Nach dem Besuch der Friedrich-Werderschen Gewerbeschule studierte er 1876–80 an der Universität Naturwissenschaften; 1877 wurde seine Arbeit „Über die Pflanzengallen im weitesten Sinn des Wortes" von der Philosophischen Fakultät mit einem Preis ausgezeichnet; mit dem hier behandelten Spezialgebiet befaßte M. sich auch später mehrfach. 1881/82 war er Privatassistent bei Nathanael Pringsheim, der seit 1869 als Privatgelehrter in Berlin wirkte, sowie bei Leopold Kny, Professor für Botanik an der neugegründeten Landwirtschaftlichen Hochschule, an dessen berühmten „Botanischen Wandtafeln" er mitarbeitete. 1882 wurde er zum Dr. phil. promoviert. M. war 1882/83 Lehramtskandidat an der Luisenstädtischen Oberrealschule und Hilfslehrer an der Friedrich-Werderschen Oberrealschule, 1883–86 Lehrer an der Schule zum Heiligen Kreuz. Da er keine auskömmliche Dauerstellung erhielt, wurde er 1886 Assistent am Pflanzenphysiologischen Institut der Universität und am Botanischen Institut der Landwirtschaftlichen Hochschule, die beide unter der Leitung von Kny standen, der M.s Arbeitsrichtung beeinflußte und seine Leistungen ebenso schätzte wie Pringsheim. Beide schlugen ihn 1891 als Mitglied der Deutschen Akademie der Naturforscher Leopoldina vor. 1892 habilitierte sich M. an der Landwirtschaftlichen Hochschule und lehrte dort bis 1906 vorwiegend Bakteriologie. 1895 erhielt er auch an der TH Berlin-Charlottenburg eine Dozentur für allgemeine und spezielle Botanik und hielt Mikroskopie-Kurse ab. Zudem unterrichtete er an der Gärtner-Lehranstalt in Potsdam (seit 1903 in Dahlem), wo er Vorsteher der Pflanzenphysiologischen Abteilung wurde. Dem Broterwerb dienten auch Übersetzungsarbeiten aus dem Dänischen (V. A. Poulsen, Botan. Mikrochemie, 1881) und Norwegischen (N. Wille, Bau u. Entwicklung d. Pollenkörner, 1885).

M.s Hauptleistungen liegen auf dem Gebiet der durch Würmer erzeugten Pflanzengallen (Helminthologie) und der Bakteriologie, einem zu seiner Zeit noch kaum entwickelten Spezialfach, ferner in der mikroskopischen und physiologisch-chemischen Erforschung der Pflanzenhistologie. Mit seinen Arbeiten bereitete er die Grundlagen für neue Spezialdisziplinen der angewandten Botanik, namentlich der Phytopathologie, Parasitologie, aber auch der Anwendung der Mikro- und Nahrungsmittelchemie in der Botanik. Diese Fächer vetrat er auch als einer der ersten Hochschullehrer in Berlin. – Mitgl. d. Leopoldina (1891); Titularprof. d. Landwirtsch. Hochschule Berlin (1896); Sekr. d. Dt. Botan. Ges. (seit 1890); Ehrenmitgl. d. Ges. Naturforschender Freunde zu Berlin (1883).

W Caprifoliaceae, Valerianaceae, Calycerae, in: Flora Brasiliensis, hrsg. v. A. Engler u. K. v. Martius, 1884, S. 332–59; Medizinalflora, 1890; Euphorbiaceae, in: Ill. Flora ... v. H. Potonié, 1889.

L L. Kny, in: Berr. d. Dt. Botan. Ges. 25, 1907, S. 40–47 (W, P); Leopoldina 43, 1907, S. 71; L. Wittmack, in: Verhh. d. Botan. Ver. d. Prov. Brandenburg 49, 1907, S. XLVII–LIV; Dt. Botan. Jb. 12, 1960, S. 60; G. Natho u. E.-M. Wiedenroth, Zur Gesch. d. Botanik an d. Landwirtsch.-Gärtner. Fak. d. Humboldt-Univ. zu Berlin, in: Wiss. Zs. d. Humboldt-Univ., Math.-Naturwiss. R. 34, 1985, S. 235–45; H. Lorenz (Hrsg.), Bttr. zur neueren Gesch. d. Botanik in Dtld., 1988; Wi. 1905; BJ XII, Tl.– Qu. Archiv d. Leopoldina, Halle, Matrikel-Mappe Nr. 2936 (W, L). – Eigene Archivstud.

Ilse Jahn

Müller, *Carl,* Chemiker, Unternehmer, * 28. 8. 1857 Kaiserslautern, † 23. 8. 1931 München. (ev.)

V Georg Eduard, Eisenbahnbeamter, Ger.schreiber; M Anna Trundt (1835–85) aus Winnweiler (Pfalz); ∞ 1) Ludwigshafen/Rhein 1889 Pauline (1870–1902), T d. David Neuschaefer (1829–94), Essigfabr. in Ludwigshafen, u. d. Hedwig Küntzle (1842–1909) aus Karlsruhe, 2) Karlsruhe 1923 Hedwig (* 1872, Schw d. 1. Ehefrau); 2 S aus 1) Karl (* 1891), Kaufm. in Hamburg, Fritz (* 1894), Dr. med., Arzt in Ludwigshafen, 1 T aus 1).

Nach dem Besuch des Realgymnasiums in Speyer, an dem er 1875 die Reifeprüfung ablegte, und der Ableistung des Militärdienstes studierte M. an der TH München (bei E. Erlenmeyer) und an der Univ. München Chemie. 1880 promovierte er an der Univ. Freiburg (Breisgau) mit einer Arbeit über Derivate der para- und ortho-Nitrozimtsäure, im selben Jahr legte er das bayer. Staatsexamen für das Lehrfach der beschreibenden Naturwissenschaften ab, 1881 dasjenige für das Lehrfach der Chemie und Mineralogie. Nach kurzer Tätigkeit als Unterrichtsassistent am Laboratorium der TH München trat M. im Juli 1882 als Chemiker in die Badische Anilin- und Soda-Fabrik (BASF) in Ludwigshafen ein. Dort arbeitete er zwei Jahre unter Heinrich Caro im Hauptlaboratorium; danach war er 20 Jahre lang in verschiedenen Funktionen in der Anilin-Abteilung tätig. Zunächst übernahm er den Chlorkohlenstoff-Betrieb, um als Betriebsleiter Erfahrungen in der Produktion zu sammeln. Danach erhielt er den Auftrag, in Ludwigshafen eine „technische Färberei" aufzubauen, die der intensiven Betreuung und Beratung der Kunden aus der Textilindustrie dienen sollte. Dieser Vorläufer der heutigen Anwendungstechnischen Abteilung nahm 1891 die Arbeit auf. Schließlich war M. langjähriger Leiter des wissenschaftlichen Labors der Anilin-Abteilung. Hier trat er als Erfinder einer Reihe von Farbstoffen hervor, die auch kommerzielle Bedeutung erlangten, z. B. Baumwollgelb und

-orange, Säureviolett und Alkaliviolett, sowie des Lederfarbstoffs Rheonin. 1895 übernahm M. die Leitung der gesamten Anilin-Abteilung, 1904 wurde er in den Vorstand der BASF berufen, von 1910 bis zu seiner Pensionierung Ende 1916 war er technischer Leiter des Unternehmens. Nach seinem Ausscheiden trat er in den Aufsichtsrat über, dessen Vorsitz er 1920 übernahm.

Unter M.s Amtsführung begannen in der BASF die entscheidenden Arbeiten zur Ammoniaksynthese, gelangte das Haber-Bosch-Verfahren zur technischen Reife und erfolgte der Aufbau des ersten Stickstoffwerkes in Oppau (1913) sowie der Leunawerke bei Merseburg (1916). M. war entscheidend an den Verhandlungen zum Zusammenschluß der deutschen chemischen Industrie beteiligt, die 1916 zu einer ersten Interessengemeinschaft und 1925 zur Gründung der I. G. Farbenindustrie AG führten. Dort wurde er Mitglied des Aufsichts- und stellvertretender Vorsitzender des Verwaltungsrates. Schließlich trat M. durch sein sozialpolitisches Engagement, z. B. die Gründung eines Arbeitervereins und den Bau eines Feierabendhauses hervor. 1913 gründete er die erste Werkszeitung der BASF. – Dr. techn. E. h. (TH München 1922); Ehrensenator (TH Karlsruhe 1923); bayer. Tit.-Prof. (1909).

W Verfahren z. Darst. v. Diazofarbstoffen durch paarweise Combination v. Amidoazoverbindungen (DRP 46 737 v. 1889); Verfahren z. Darst. v. Diazofarbstoffen aus Diamidodiphenylharnstoff (DRP 47 902 v. 1889); Verfahren z. Darst. v. blauvioletten Farbstoffen d. Rosanilinreihe (DRP 62 539 v. 1892); Verfahren z. Darst. v. Azofarbstoffen mit m-Phenylendiamindisulfonsäure (DRP 73 369 v. 1894); Verfahren z. Darst. gelber bis brauner phosphinähnl. Farbstoffe aus substituierten Auraminen (DRP 82 989 v. 1895).

L Chem. Industrie 1927, S. 945; ebd. 1931, S. 832; Werkstzg. d. BASF 1931, Nr. 9; Werkstzg. d. I. G. Farben, 1937, Nr. 9; J. U. Heine, Verstand u. Schicksal, Die Männer d. I. G. Farbenindustrie AG in 161 Kurzbiogrr., 1990, S. 224 f.; Wenzel.

Lothar Meinzer

Müller, *Karl* v. (auch *Müller-Emden*), Seeoffizier, * 16. 6. 1873 Hannover, † 11. 3. 1923 Blankenburg (Harz). (ev.)

V Hugo (1840–1911), preuß. Oberst, S d. Georg (1802–81, preuß. Adel 1838), preuß. Major, u. d. Elfriede v. Haugwitz (1805–42); M Charlotte (1841–1918), T d. Karl v. Bennigsen (1789–1869), auf Bennigsen u. Arnum, hann. Gen.major (s. NDB II*), u. d. Elise de Dompierre v. Jonquières (1801–86); Om Rudolf v. Bennigsen (1824–1902), nat.liberaler Politiker (s. NDB II); B Richard (* 1869), Präs. d. Reichsamts f. Landesaufnahme, Gen.major (s. Rhdb.); – ∞ Halberstadt 1920 Jutta (1893–1976, seit 1934 v. Müller-Emden), T d. Friedrich v. Hanstein (1858–1936), preuß. Gen.major in B., u. d. Anna Cornelsen (1864–1946) aus Stade; 2 T.

Nach Schulbesuch und Erziehung in der Kadettenanstalt Lichterfelde trat M. 1891 in die Kaiserl. Marine ein. 1898/99 diente er auf dem der Ostafrikan. Station zugeteilten Kleinen Kreuzer „Schwalbe". 1904/05 absolvierte er die weiterführende Ausbildung an der Marineakademie. Seit 1906 tat er als Admiralstabsoffizier in der Flotte Dienst, 1909 wurde er zum Reichsmarineamt kommandiert.

Am 29. 5. 1913 übernahm M. das Kommando über den in Ostasien stationierten Kleinen Kreuzer „Emden". Kurz nach Kriegsbeginn wurde M., inzwischen zum Fregattenkapitän befördert, mit seinem Schiff aus dem Verband des Kreuzergeschwaders entlassen, um im Indischen Ozean Handelskrieg zu führen. Es gelang ihm, den dortigen Schiffsverkehr erheblich zu beeinträchtigen. Bei dem Versuch, die Nachrichtenstation auf den Cocos-Inseln zu zerstören, wurde die „Emden" am 9. 11. 1914 von einem austral. Kreuzer überrascht und nach ungleichem Kampf von der eigenen Besatzung auf Grund gesetzt, M. geriet in brit. Kriegsgefangenschaft. Seine kühnen Operationen, das dabei bewiesene taktische Geschick, aber auch sein schonendes, ritterliches Verhalten gegenüber den Besatzungen der aufgebrachten Schiffe fanden noch während des Krieges die Anerkennung selbst des Gegners. Seit September 1918 wirkte M. als Abteilungschef im Reichsmarineamt. Am 11. 1. 1919 nahm er im Range eines Kapitäns zur See seinen Abschied. In seinem letzten Lebensabschnitt gehörte er als Abgeordneter der DNVP dem Braunschweig. Landtag an. – Orden Pour le mérite.

L Der Kreuzerkrieg in d. ausländ. Gewässern, bearb. v. E. Raeder, II, 1923; Sir J. Corbett, Naval Operations, I, 1920; H. H. Hildebrand, A. Röhr u. H.-O. Steinmetz, Die dt. Kriegsschiffe, II, ²1985, S. 67–70; A. Scheibe, in: DBJ V, 1930, S. 268–77; H. Pemsel, Biogr. Lex. z. Seekriegsgesch., 1985.

Frank Nägler

Müller, *Karl,* Botaniker, * 14. 6. 1881 Meßkirch (Baden), † 13. 3. 1955 Freiburg (Breisgau). (ev.)

V Ludwig (1849–1924), Oberförster in Stühlingen, Vorstand d. Forstamtes in Kirchzarten, zuletzt in F., S d. Konstantin (1825–92), Kaufm. in Wertheim/

Main, u. d. Lisette Kaeser (1828–1902); *M* Anna (1852–1912, kath.) aus Geisingen b. Donaueschingen, *T* d. Dr. med. Joseph Roßknecht (1816–1903), Bezirksarzt in Pfullendorf (Baden), u. d. Maria Brunner (1826–1912); ∞ Freiburg (Breisgau) 1908 Anna (1885–1956), *T* d. Christian Dorner (1852–1917), Landgerichtsdir. in Mosbach/Neckar, u. d. Johanna Horst (1858–1933); 2 *S* Walter (1911–92), Oberreg.baudir. in F., Trudpert (1920–1991), Dr. iur., Reg.präs. in Karlsruhe (s. Wi. 1985), 1 *T* (früh †).

Nach dem Abitur am Bertholds-Gymnasium in Freiburg (Breisgau) studierte M. an der Univ. Freiburg Botanik, Chemie, Physik und Geologie. Während eines Semesters in München waren K. v. Goebel, A. v. Baeyer und W. C. Röntgen seine Lehrer. 1904 legte er das chemische „Verbandsexamen" ab, 1905 wurde er mit einer Arbeit „Beiträge zur Chemie der Kryptogamen" zum Dr. phil. promoviert. 1907 trat M. eine Assistentenstelle am Institut für Pflanzenkrankheiten des Kaiser-Wilhelm-Instituts für Landwirtschaft in Bromberg an. Seit 1909 war er als Wissenschaftlicher Hilfsarbeiter an der Landwirtschaftlichen Versuchsanstalt in Augustenberg tätig, übernahm im Verlauf dieser Tätigkeit die Leitung der Samenkontrolle, die Organisation des bad. Pflanzenschutzdienstes und der Staatlichen Reblausbekämpfung. Seine Beschäftigung mit Pflanzenkrankheiten und deren Bekämpfung machte ihn frühzeitig mit den Problemen des Weinbaus bekannt. Besonders pflanzliche und tierische Schädlinge führten hier zu großen Ernteausfällen. Auch die Kellerwirtschaft und die angebauten Sorten waren dringend verbesserungsbedürftig. Nach Vorlage einer von M. verfaßten Denkschrift genehmigte der Landtag von Baden 1920 die Gründung des Badischen Weinbauinstituts in Freiburg (Breisgau), heute Staatliches Weinbauinstitut Freiburg des Landes Baden-Württemberg, das M. seit 1921 leitete. Trotz der schwierigen finanziellen Verhältnisse machte M. das Institut in kurzer Zeit zu einem Mittelpunkt der staatlichen Weinbauförderung. In verschiedenen Gegenden des Landes ließ er Musterweinberge anlegen, betrieb Versuchsgüter und Rebveredlungsanstalten.

Wichtige Probleme, wie die Bekämpfung der Rebschädlinge, die Prüfung reblausresistenter Unterlagensorten für die Umstellung des Weinbaus auf Pfropfreben, die Züchtung und Prüfung von neuen Ertragssorten und die Modernisierung der Kellerwirtschaft wurden unter seiner Leitung bearbeitet. M. hat damit die Grundlagen für den Wohlstand der Winzer des Anbaugebiets Baden gelegt. Durch die Erforschung der Biologie des Pilzes Plasmopara gelang es ihm, mittels eines noch heute gebräuchlichen Inkubationskalenders, die Bekämpfung dieser gefährlichsten Pilzkrankheit wesentlich zu verbessern. Die Neuzüchtung FR 21–5, entstanden aus der Kreuzung von Silvaner und Ruländer, mit Namen Freisamer, geht auf seine Arbeiten in der Rebzuchtanstalt am Jesuitenschloß bei Freiburg hervor. In der Kellerwirtschaft führte er die Mostschwefelung ein, die zu einer bedeutenden Qualitätsverbesserung der bad. Weine führte. 1930 wurde das von ihm initiierte Weinbaumuseum eröffnet. Nach 17 Jahren an der Spitze des Weinbauinstitutes begab sich M. aus gesundheitlichen Gründen in den Ruhestand.

Schon als Gymnasiast interessierte sich M. für die Lebermoose, mit denen er sich bis zu seinem Lebensende beschäftigte und für die er zu einem weltbekannten Spezialisten wurde. Mit der Veröffentlichung „Die Lebermoose Europas" (1906–39, ²1954–58) krönte er seine Forschungen. Sein Einsatz für die Erhaltung der Hochmoore des Schwarzwalds führte zur Erklärung des Wildseemoors (Kaltenbronn) zum Naturschutzgebiet. – Ehrenmitgl. d. Oberbad. Weinbauver. (1918), d. Bad. Landesver. f. Naturkde. u. Naturschutz (1947, 1950 Ehrenvors.), d. Bad. Weinbauverbandes (1949), d. British Bryological Society (1952) u. d. Bayer. Botan. Ges. (1953); Prof.-titel (1951).

W Rebschädlinge u. ihre Bekämpfung, 1922; Weinbaulex., 1930; Gesch. d. Bad. Weinbaues, ²1954; Naturschutzgebiet Wildseemoor b. Wildbad-Kaltenbronn, 1941. – *Hrsg.:* Mitt. f. Naturkde. u. Naturschutz, 1939–50. – *Nachlaß:* StA Freiburg (Breisgau).

L J.berr. d. Staatl. Weinbauinst. 1955/56; Bad. Biogr. NF 1, 1982.

P StA Freiburg (Breisgau), Bildnisslg. (Phot.); J.berr. d. Staatl. Weinbauinst., 1980.

Günter Staudt

Müller, *Karl Alexander* v., Historiker, * 20. 12. 1882 München, † 13. 12. 1964 Rottach-Egern. (kath.)

V Ludwig (1846–95, bayer. erbl. Adel 1891), Dr. iur. et med., bayer. Staatsmin. d. Innern f. Kirchen- u. Schulangelegenheiten 1890–95 (s. Schärl), *S* d. Franz Seraph M. (1801–84) aus Neunburg vorm Wald (Oberpfalz), bayer. Rat, Vorstand d. Hauptmünz- u. Stempelamts, u. d. Adelheid Frech (1810–86); *M* Marie (1857–1933), *T* d. Carl Alexander v. Burchtorff (1822–94), 1876–93 Reg.präs. v. Oberfranken (s. Schärl), u. d. Amalie Freiin v. Hirschberg (1828–1912); B Ludwig (* 1886, ✕ 1944), Dr. phil., Chemiker, Albert (* 1888, ✕ 1941), Historiker, Leiter d. Archivs d. Münchner Neuesten Nachrichten; – ∞ München 1919 Irma (1885–1965, ev.), Malerin, T d. Georg Richter (1830–1902, kath., später altkath.), Fabr. in. M., u. d. Louise Schmidt (1849–1920); 2 S (1 ✕); *Schwägerin* Elisabeth Richter (∞ Gottfried Feder, 1883–1941, nat.soz. Wirtsch.theoretiker, s. NDB V).

M. studierte zunächst Rechtswissenschaft (zeitweise als Stipendiat des Maximilianeums; erstes Examen 1905), dann Geschichte und war 1903–04 einer der ersten fünf Rhodes Scholars in Oxford (Oriel College). Nach seiner Promotion 1908 bei Siegmund v. Riezler (Bayern im Jahre 1866 und die Berufung des Fürsten Hohenlohe, 1909) galt M. in seiner Zunft als große Begabung. 1910 wurde er Mitarbeiter der gesamtdeutschen Historischen Kommission, nach seiner Habilitation 1917 Privatdozent, dann Honorarprofessor in München; 1916 wurde er ao., 1923 o. Mitglied, 1928 geschäftsführender Sekretär und 1929 Schriftführer der Kommission für bayer. Landesgeschichte. 1917–28 war M. Syndikus der Bayer. Akademie der Wissenschaften (1919 Regierungsrat, 1922 Oberregierungsrat), seit 1928 o. Mitglied und wurde 1936 an Stelle des gewählten Eduard Schwartz als ihr Präsident eingesetzt (bis 1944). Als dieser führte er das Führerprinzip ein. Im Sommer 1945 kam er dann dem Ausschluß durch seinen Austritt zuvor. Der Historischen Kommission gehörte M. seit 1916 als o. Mitglied an und war 1928–45 ihr Sekretär. 1928 wurde M. als Nachfolger von Michael Doeberl Ordinarius für mittlere, neuere und bayer. Geschichte in München. Rufe an die TH Karlsruhe 1933 und als Nachfolger Hermann Onckens nach Berlin 1935 lehnte er ab. 1929–35 war M. Leiter des Süd-Ost Instituts in München.

M.s Werdegang ist kaum zu trennen von seiner bereits früh einsetzenden publizistischen Tätigkeit. Bedingt durch seine zarte Konstitution konnte M. 1914 nicht mit ins Feld ziehen. Er kompensierte dies, indem er zunächst dem rauschhaften Erlebnis des Kriegsbeginns Worte verlieh. 1916 wurde er, von Hause aus eher wittelsbachisch-monarchisch gesinnt, Mitherausgeber (mit Paul Nikolaus Cossmann) der Süddeutschen Monatshefte, deren Mitarbeiter er seit 1910 gewesen war. Nach 1918 war es das Trauma der Niederlage, das nicht nur sein publizistisches Wirken, sondern auch zum guten Teil seine eigentliche akademische Tätigkeit bestimmte. M. entwickelte Anfang der zwanziger Jahre eine unerhört reiche Vortragstätigkeit. Im nationalistischen Kreis um Cossmann nahm er u. a. in den durch Artikel der Süddeutschen Monatshefte ausgelösten Prozessen zur Kriegsschuldfrage und zur Dolchstoßlegende eine zentrale Rolle ein.

Gegenstand seiner Gelehrtentätigkeit waren vor allem die engl. Geschichte des 18. und 19. Jh., die deutsche Geschichte des 19. und 20. Jh. sowie die bayer. Geschichte des 19. Jh. M. galt vornehmlich seinen Zeitgenossen als ein feinsinniger Meister der kleinen Form. War er als Gelehrter genau genommen ein Mann unius libri, nämlich seiner Dissertation – denn die meisten seiner Arbeiten mit wissenschaftlichem Anspruch waren eher Essays und gelegentlich groß angelegte Feuilletons –, so lag M. andererseits als völkischnationaler Publizist im wesentlichen auf der Linie von Erich Marcks, Michael Doeberl und Max Lenz, rief allerdings früher als jene nach dem starken Mann. Seine Bedeutung ist vor allem darin zu suchen, daß er die Vorstellungen und Empfindungen vieler konservativer Zeitgenossen zusammenfaßte und wissenschaftlich verbrämt verbreitete (Deutsche Geschichte und deutscher Charakter, 1927, ³1943; Vom alten zum neuen Deutschland, 1938). M.s schriftstellerisches Hauptwerk sind indessen seine nach dem 2. Weltkriege verfaßten dreibändigen Lebenserinnerungen, die mit dem Jahre 1932 abbrechen. Die in ihnen geäußerte kritische Distanz zur entstehenden NS-Bewegung steht in krassem Gegensatz zu früheren Schriften, in denen er das NS-System und seine Vertreter verherrlicht hatte.

Im München der zwanziger Jahre war M. als Mitherausgeber der Süddeutschen Monatshefte, als Publizist und Historiker eine bekannte Gestalt. Seine Vorlesungen begeisterten und wurden wie ein gesellschaftliches Ereignis von vielen besucht, u. a. von Rudolf Heß und Hermann Göring. Hitler begegnete M. zum erstenmal 1919 in der Kaserne des Regiments List. Als Schwager Gottfried Feders lernte er ihn persönlich näher kennen und war von ihm fasziniert. Er hielt ihn für den kommenden starken Mann und geriet darüber in Gegensatz zu Cossmann und Fritz Gerlich, der sich zur Empörung M.s als Chefredakteur der Münchner Neuesten Nachrichten am 10. 11. 1923 scharf vom Hitler-Putsch distanziert hatte. Einen Tag später entwarf M., zur Versöhnung mahnend, den Aufruf des Generalkommissars Gustav v. Kahr.

Die Schwenkung Cossmanns und der von ihm betreuten Organe, der Süddeutschen Monatshefte und der Münchner Neuesten

Nachrichten, zur Monarchie betrachtete M. mit großer Skepsis. Für ihn waren Hitler und seine Bewegung die zeitgemäßere Lösung der Probleme. Die Machtergreifung 1933 begrüßte er aus vollem Herzen. Die Verhaftung Cossmanns und das Verbot der Süddeutschen Monatshefte, deren Mitherausgeber er immer noch war, nahm er hin. Durch seine Verbindungen zu NS-Größen wurde M. 1933 zum Aushängeschild einer Geschichtswissenschaft, die sich dem Geist des NS-Regimes anpaßte. 1935 trat M. im Zuge der sog. Gleichschaltung an die Stelle des den NS-Machthabern mißliebig gewordenen F. Meinecke als Herausgeber der Historischen Zeitschrift, was er bis 1944 blieb. 1936 machte M.s Schüler Walter Frank ihn zum Leiter der Forschungsabteilung der Judenfrage im neugegründeten Reichsinstitut für Geschichte des neuen Deutschlands. Allerdings war er dies dann nur pro forma und entzog sich zumeist, wie auch bei andern Ämtern, den damit verbundenen Unbequemlichkeiten und Verpflichtungen. M. besaß Ausstrahlung, war liebenswürdig, konziliant: „Wer immer von M. kam, meinte, auf gleiche oder zumindest verwandte Auffassungen gestoßen zu sein" (H. Heiber), überhaupt war er das Gegenteil eines engstirnigen und borniierten Parteiideologen: „... ein in die Historie und dann in die Politik gestoßener Ästhet. Er hatte ein sehr reichhaltiges Wörterbuch, in welchem nur das Wort „nein" fehlte. Er war ein weicher Mann, der sich mit harten Dingen einließ" (H. Heimpel). Im Laufe der Zeit wurde M. mit Ehrenämtern und Ehrungen überhäuft.

M. war ein faszinierender und überaus anregender Lehrer, der seine Lehrveranstaltungen geradezu zelebrierte. In seinen Seminaren herrschte auch im 3. Reich ein freier Geist. Unter seinen Schülern, von denen er weit über 200 zur Promotion führte, waren Persönlichkeiten ganz verschiedenen geistigen Zuschnitts wie Karl Bosl, Walter Frank, Heinz Gollwitzer, Ernst Hanfstaengl, Götz v. Pölnitz, Otto Gf. zu Stolberg-Wernigerode und Theodor Schieder. Zahlreiche Freunde sorgten schließlich dafür, daß M. 1948 einstimmig wieder in die Kommission für Bayer. Landesgeschichte aufgenommen wurde, für eine dritte Festschrift (auch sie ohne ein Verzeichnis seiner Schriften), sowie für weitere Ehrungen. Die Rückkehr in die Historische Kommission blieb ihm verwehrt. – Ehrenmitgl. d. Reichsinst. f. Gesch. d. neuen Deutschlands (1935); Verdun-Preis (1936); Goethemedaille f. Künste u. Wiss. (1942); Mitgl. d. Österr. Ak. d. Wiss. (1939), d. Preuß. Ak. d. Wiss. (1942) u. d. Bayer. Ak. d. Schönen Künste (1953); Bayer. Verdienstorden (1959).

Weitere W Karl Ludwig Sand, 1924, ²1925; Die dt. Träumer, 1925 (mit P. N. Cossmann); Görres in Straßburg 1819/20, 1926 (Habil.schr.); Zwölf Historikerprofile, 1935; Der ältere Pitt, 1937; Danton, 1949; Aus Gärten d. Vergangenheit, 1951, ³1958 *(Autobiogr.)*; Unter weißblauem Himmel, 1952; Mars u. Venus, 1954; Am Rand d. Gesch., 1957; Im Wandel e. Welt, 1966; Chronik d. G. Haindlschen Papierfabriken, in: Hundert Jahre G. Haindlsche Papierfabriken, 1949, S. 17–179. – Hrsg.: Meister d. Pol., 3 Bde., 1921–25 (mit E. Marcks); Fürst zu Hohenlohe-Schillingsfürst, Denkwürdigkeiten d. Reichskanzlerzeit, 1931; Knaurs Weltgesch. v. d. Urzeit bis z. Gegenwart, 1935 (mit P. R. Rohden).

L Festschrr.: Staat u. Volkstum, 1933; Stufen u. Wandlungen d. dt. Einheit, 1943; Land u. Volk, Herrschaft u. Staat in d. Gesch. u. Gesch.forschung Bayerns, 1964 *(P)*. – H. W. v. Hentig, Der Historiker als Ideologe, Einige Anmerkungen z. Werk M.s *(unveröff. Ms. im Inst. f. Zeitgesch., München, vollst. W-Verz.)*; K. Bosl, K. A. v. M. in Memoriam, in: ZBLG 28, 1965, S. 920–28; H. Heiber, W. Frank u. sein Reichsinst. f. Gesch. d. neuen Dtld.s, 1966; H. Gollwitzer, K. A. v. M. 1882–1964, in: HZ 205, 1967, S. 295–322; W. Meißner, Die schwierige Lage d. Ak. unter d. nat.-sozialist. Regime, in: Geist u. Gestalt I, 1959, S. 35–49; Ch. Weisz, Gesch.auffassung u. pol. Denken Münchener Historiker d. Weimarer Zeit, 1970 *(W)*; W. Schelling, K. A. v. M. (1882–1964), Ein Btr. z. Gesch. d. Gesch.wiss. u. d. pol. Denkens in Dtld., Diss. Wien 1975 *(ungedr., W, L)*; B. Faulenbach, Ideol. d. dt. Weges, 1980 *(W)*; K. Schönwälder, Historiker u. Pol., Gesch.wiss. u. Nat.sozialismus, 1992; W. Benz u. H. Graml, Biogr. Lex. z. Weimarer Republik, 1988; B. Faulenbach, in: Historikerlex., hrsg. v. R. vom Bruch u. R. A. Müller, 1991; Rhdb. *(P)*; Kosch, Kath. Dtld.

Hans Wolfram v. Hentig

Müller, *Karl Emanuel,* Bauingenieur, Politiker, Militär, * 18. 3. 1804 Altdorf Kt. Uri, † 1. 12. 1869 ebenda. (kath.)

V Anton Maria († 1813), Offz. in franz. Diensten, dann Urner Landschreiber, *S* d. Josef Anton (1741–93), Landammann d. Kt. Uri; *M* Elisabethe Malfaire aus Saarlouis; ∞ 1) 1844 N. N. († um 1846), 2) 1851 N. N.

M. besuchte das Gymnasium in Altdorf und das Lyceum in Solothurn. Dann studierte er an der Univ. Heidelberg Mathematik und Naturwissenschaften und hörte auch staatswissenschaftliche Vorlesungen. 1826–28 absolvierte er ein Bauingenieurstudium (Straßen-, Brücken-, Hochbau) am Polytechnischen Institut in Wien. Nach Uri zurückgekehrt, wirkte M. am Bau der Gotthard-Paßstraße mit und baute das schwierigste Teilstück durch die Schöllenenschlucht samt der Teufelsbrücke. Verschiedene Reisen nach Italien und England dienten der Weiterbildung. 1839/40 wirkte er als Straßeninspektor im Kanton Glarus.

Im Sommer 1840 übernahm M. als Unternehmer den Bau der Nydeggbrücke in Bern, welche die Aare mit einem aus Kalk und Granit gemauerten Bogen von 46 m Lichtweite überquert und noch jetzt ihre Funktion erfüllt. Dabei setzte er z. T. neuartige technische Hilfsmittel bei der Fundierung und der Bewegung schwerer Lasten ein. 1844, ein Jahr vor Ablauf der kontraktierten Bauzeit, befuhr M. als erster die soeben fertiggestellte Brücke mit seiner Hochzeitskutsche. Die darauf erfolgte Ernennung zum Berner Kantonalbauinspektor nahm M. wegen der herrschenden religiös-politischen Spannungen nicht an, sondern kehrte nach Uri zurück, wo ihm das Kommando über die Artillerie übertragen wurde. 1845 wurde er Regierungsrat und Baudirektor in Luzern (das dortige Bibliotheksgebäude stammt von ihm). Anläßlich der Tagsatzung zu Zürich 1846 geriet M. mit einem Solothurner Abgeordneten derart in Streit, daß ein Duell angesetzt wurde. Seiner Gattin gelang es zu vermitteln, doch büßte sie, noch durch ihre kurz zuvor erfolgte Entbindung geschwächt, durch die damit verbundenen Aufregungen das Leben ein. 1847 spitzte sich der Konflikt zwischen radikalen und kath.-konservativen Ständen so zu, daß die Tagsatzung beschloß, den kath. Sonderbund mit Waffengewalt aufzulösen. M. wurde Kommandant der sonderbünd. Geniewaffe und unternahm im November einen Urner Feldzug über den Gotthard, errang bei Airolo einen Sieg und marschierte weiter bis Bellinzona, wo er unverrichteter Dinge umkehren mußte, weil unterdessen Luzern kapituliert hatte. In der Folge erhielt die neue Luzerner Regierung den eidgenössischen Auftrag, gegen die Mitglieder des sonderbündischen Kriegsrates eine Untersuchung wegen Landesverrats einzuleiten. M. stellte sich diesem Verfahren und wurde zusammen mit den anderen Angeklagten mehrere Wochen in einem Kloster in Untersuchungshaft gehalten. Die Anklage konnte indes nicht aufrechterhalten werden, M. und seine Mitgefangenen wurden freigelassen und später gerichtlich vollständig rehabilitiert. Zurückgekehrt nach Uri, wurde M. Kantonsstatthalter und Präsident des Kantonsgerichts.

1850–53 kanalisierte er als Unternehmer im unteren Reusstal den Fluß mit sorgfältig fundierten und gepflasterten Dämmen und verhinderte damit weitere Hochwasserschäden. Beim Bau der „Centralbahn" offerierte er 1855 den Durchstich des Hauensteintunnels zum günstigsten Preis, wurde aber übergangen, weil sein engl. Konkurrent eine Aktienbeteiligung anbieten konnte. 1856 entschied seine sorgfältige Expertise über den Standort des Bahnhofes Solothurn. 1856–58 wählte ihn die Urner Landsgemeinde dreimal zum Landammann. 1859 verzichtete M. auf das Amt, um in Bern den Bau der Kirche Peter und Paul zu übernehmen, des ersten kath. Gotteshauses seit der Reformation, den er aber wegen zahlreicher Mißhelligkeiten nicht ganz fertigstellte. In Isleten am Urnersee setzte M. 1853 eine Papierfabrik in Betrieb, nachdem er schon im alten Werk in Horw Erfahrungen gesammelt hatte. Viel Energie widmete er auch der Schiffahrt auf dem Vierwaldstättersee, wo er nach dem Versuch, das bestehende Monopol des Bankiers Knörr 1846 mit einer eigenen „Post-Dampfschiff AG" zu brechen, schließlich mit diesem und der „Centralbahn" 1869 eine gemeinsame Gesellschaft gründete. 1860–64 wurde mit Bundeshilfe endlich die Axenstraße als fahrbare Verbindung mit der übrigen Schweiz gebaut, für die M. schon als junger Ingenieur 1835 die Pläne geliefert hatte und die für die nächsten 100 Jahre als Muster einer Seeuferstraße in steilem Fels galt.

1862 wurde M. Urner Vertreter im Ständerat, doch fühlte er sich in dem Gremium, das ihn zu stark an die Jahre des Sonderbundes erinnerte, nicht wohl, so daß er 1864 lieber erneut Urner Landammann wurde. 1866 trat er auch von diesem Amt zurück und erhielt dafür von der Landsgemeinde das Ehrenamt des Pannerherrn. Die letzten Jahre M.s galten hauptsächlich dem Projekt der Gotthardbahn. Schon 1853 hatte er im Auftrag der „Centralbahn" zusammen mit G. Koller und P. Lucchini Vermessungs- und Trassierungsarbeiten ausgeführt und ein Memorial verfaßt, das die Vorzüge der Gotthardlinie gegenüber dem Lukmanier zusammenfaßte, und den Kanton Uri bei allen Untersuchungen und Verhandlungen zur Gotthardbahn vertreten. M. war einer der ersten großen Schweizer Bauingenieure, die noch im Ausland zu studieren hatten. Er war ein vielseitiger Mensch, auch Politiker und militärischer Führer. Sein religiöses und soziales Verantwortungsbewußtsein bewog ihn zur Stiftung ansehnlicher Summen, die er für den Bau des Kantonsspitals Altdorf und andere wohltätige Werke verwendete. – Ehrenbürger v. Solothurn (1856); St. Gregoriusorden (1865).

W Gesch. d. Erbauung d. Nydeckbrücke in Bern 1840–44, 1848; Meine Betheiligung am Baue d. kath. Kirche in Bern, 1862.

L ADB 22; A. P. v. Segesser, C. E. M., in: ders., Slg. kleinerer Schrr. II, 1879; A. Hartmann, Gallerie berühmter Schweizer d. Neuzeit II, 1871, Nr. 87 (P); Slg. Bern. Biogrr. III, 1898, S. 167–75; E. Mathys, Männer d. Schiene, ²1955; A. Eggermann, in: Gotthardbahn im Spiegel v. Persönlichkeiten, 1981, S. 59; Inventar d. neueren Schweizer Architektur 1850–1920, I, 1984; H. Baumann u. S. Fryberg, Der Urnersee, 1993, S. 23–27; HBLS (P); Schweizer Lex.

P Lith. v. F. Hasler (Schweiz. Landesbibl. u. Burgerbibl. Bern).

Hans Grob

Müller, *Carl Heinrich Florenz,* Kunstglasbläser und Hersteller von Röntgenröhren, * 29. 1. 1845 Piesau (Thüringen), † 24. 11. 1912 Hamburg. (ev.)

Die Glasmacherfam. ist seit 1567 in Thüringen nachweisbar, zunächst in Langenbach b. Schleusingen. 1595 gründete Christoph M. gemeinsam mit Hans Greiner d. Glashütte in Lauscha. – V Johann Christian Gustav (1817–1901), Lampenbläser in P., S d. Johann Nikolaus (1767–1819), Glasmeister in P., u. d. Johanna Elisabeth Wilhelmine Müller (1745–1818); M Johanna Elisabeth (1824–88), T d. Scheibentafelmachers Johann Nikolaus Rostin u. d. Johanna Katharina Margaretha Grosin, beide in Spechtsbrunn (Thüringen); ∞ Hamburg 1866 Emma Maria Ludowicke (1844–84) aus Dorum Kr. Wesermünde; 1 S, 2 T.

M. erlernte das heimische Glasmacherhandwerk und übersiedelte 1863 nach Hamburg, wo er bei dem ebenfalls aus der Lauschaer Region stammenden Glasbläser C. P. Greiner arbeitete, der sich auf die Herstellung medizinischer und wissenschaftlicher Geräte spezialisiert hatte. 1865 gründete M. eine eigene Werkstatt und fertigte zunächst künstlerisch gestaltete Hohlgläser. Seine Spezialität waren Imitationen von venezian. Flügelgläsern des 16. und 17. Jh., für die er 1876 auf einer Ausstellung von Hamburger Industrieerzeugnissen mit einer Silbermedaille ausgezeichnet wurde. 1874 erfolgte die Einbürgerung M.s in Hamburg sowie der Eintrag seines Betriebes ins Handelsregister.

1873 begann er mit der Fertigung von Glasgeräten für wissenschaftliche und technische Anwendungen, die Herstellung von Ziergläsern trat in den Hintergrund und spielte seit den späten 1880er Jahren keine Rolle mehr. Schon 1882, ein Jahr nachdem Edison seine Erfindung in Europa bekannt gemacht hatte, fertigte M. die vermutlich ersten und über Jahre hinaus anerkannt besten Glühlampen in Deutschland. Zur Versorgung seiner eigenen und der benachbarten Räumlichkeiten im Hamburger Stadtteil St. Georg mit elektrischem Strom errichtete er eine eigene Blockstation. Auf der Hamburger Gewerbe-Ausstellung 1889 erhielt er für seine Produkte eine Goldmedaille. Seit 1874 hatte sich M. mit der Fertigung elektrischer Gasentladungsröhren nach Geißler, Crookes und Hittorf beschäftigt. Als W. C. Röntgen im Dezember 1895 die erste Abhandlung über die von ihm entdeckten X-Strahlen veröffentlichte, versuchte M. unverzüglich, entsprechende Röhren zu fertigen. Dies brachte ihn in Kontakt mit den Hamburger Physikern Bernhard Walter und Xaver Voller vom Physikalischen Staatsinstitut sowie mit den Ärzten Hermann Gocht, Gustav Opitz (beide vom Allgemeinen Krankenhaus Hamburg-Eppendorf) und Heinrich-Ernst Albers-Schönberg. Es entwickelte sich eine fruchtbare Zusammenarbeit, die schon nach wenigen Wochen das erste greifbare Ergebnis zeigte: Im März 1896 wurde die erste Röntgeneinrichtung am Krankenhaus Eppendorf in Betrieb genommen; sie war mit einer Röhre M.s ausgestattet. Seine reichen Erfahrungen in der Glasbläserei und der Hochvakuumtechnik und seine begeisterte und zupackende Arbeitsweise sicherten M. einen großen Vorsprung bei der Herstellung von Röntgenröhren. Unmittelbar nach Röntgens zweiter Mitteilung im März 1896 baute er Focusröhren, die scharfe Aufnahmen von größerem Format ermöglichten. 1899 erhielt er das deutsche Reichspatent Nr. 113 430 auf eine Röntgenröhre mit wassergekühlter Anode, 1901 wurde er von der Londoner „Röntgen Society" mit der Goldmedaille für die beste Röntgenröhre für Aufnahme und Durchleuchtung ausgezeichnet. M.s Unternehmen prosperierte, er selbst mußte sich jedoch aufgrund erheblicher strahlenbedingter Gesundheitsprobleme bereits 1904 von der Leitung des Betriebs zurückziehen. Die Firma CHF Müller (seit 1867 unter diesem Namen bestehend) schloß sich 1927 mit der niederländ. Philips GmbH zusammen und existiert unter deren Dach bis heute, bis 1988 firmierte sie unter dem Namen des Firmengründers.

L H. Gocht, Die Gründung d. chirurg. Röntgeninst. am Allg. Krankenhause Hamburg-Eppendorf, in: Btrr. z. klin. Chirurgie 92, 1914, S. 776; K. Walther, C. H. F. M. zu seinem 50. Todestag, in: Röntgen- u. Laboratoriumspraxis 12, 1962, S. 217; H. Ricke, Lampengeblasenes Glas d. Historismus, Die Hamburger Werkstatt C. H. F. M., in: Journal of Glass Studies 20, 1978, S. 45; W. Fehr, C. H. F. M. ... mit Röntgen begann d. Zukunft, Überliefertes u. Erlebtes, 1981.

Anita Kuisle

Müller, *Karl Herrmann,* Geologe, Montanwissenschaftler, * 22. 2. 1823 Leisnig (Sachsen), † 10. 5. 1907 Freiberg (Sachsen). (luth.)

V Gottlieb Benjamin, Lehrer an d. Stadtschule zu L., *S* d. Johann Christoph, Schullehrer u. Organist in Eilenburg (Sachsen); *M* Christiane Wilhelmine, *T* d. Johann Gottfried Hofmann, Bgm. u. Vorwerksverwalter in L.; ∞ Dresden 1855 Clara Caroline, *T* d. Carl August Rehbock, Bürger u. Hptm. in Dresden; 3 *T*.

Vom Vater angeregt, entwickelte M. bereits als Schüler Interesse für die Geologie seiner näheren Heimat. Folgerichtig entschied er sich nach dem Besuch des Thomas-Gymnasiums zu Leipzig 1841 für das Studium der Geologie und des Bergbaus an der Bergakademie Freiberg, welches er 1845 erfolgreich abschloß. August Breithaupt, Bernhard v. Cotta, Julius Weisbach und Ferdinand Reich waren die akademischen Lehrer, die ihn besonders prägten; den größten Einfluß auf seine weitere Entwicklung aber hatten Karl v. Weißenbach, der Begründer der Morphologie der Erzgänge, und Johann Carl Freiesleben, der hervorragende Kenner der sächs. Erzgruben. Es schloß sich ein Jahr bergbaupraktische Tätigkeit auf der Erzgrube „Churprinz Friedrich August Erbstolln" in Großschirma bei Freiberg an, bevor er im September 1846 vom Oberbergamt Freiberg mit ganggeologischen Untersuchungen beauftragt wurde, die sich auf alle sächs. Erzreviere erstreckten und deren Ergebnisse er 1850 im ersten Band der „Gangstudien" v. Cottas veröffentlichte.

Ende 1851 wurde M. als Assessor an das Bergamt Schneeberg berufen, wo er sich besonders der Untersuchung der dortigen Silber-Kobalt-Erzgänge widmete. Die Ergebnisse veröffentlichte er 1860 als Monographie in Band III der „Gangstudien". 1853 erfolgte seine Berufung an das Bergamt Freiberg und gleichzeitig sein Mitglied der dort tätigen Ganguntersuchungskommission, die 1846 von Berghauptmann Constantin v. Beust ins Leben gerufen worden war. Für diese Institution führte M. 1858–67 eine geologische Spezialaufnahme des Freiberger Bergreviers im Maßstab 1:12 000 auf der Basis der bergamtlichen Verleihungsrisse durch, die vor allem wegen der Darstellung älterer, nicht mehr vorhandener Aufschlüsse auch bei der späteren geologischen Landeskartierung im Maßstab 1:25 000 von großem Wert war. Zu seinen Aufgaben am Bergamt gehörten aber auch die Lösung bergbautechnischer Probleme und die Leitung bergbaulicher Arbeiten als Obereinfahrer (seit 1858) und Bergmeister (seit 1869). 1873 wurde er zum Bergamtsrat und 1876 zum Oberbergrat ernannt. So war M. 1871–78 für die Leitung der beiden fiskalischen Erzgruben „Churprinz Friedrich August" in Großschirma und „Beihilfe" bei Halsbrücke verantwortlich. In diese Zeit fallen seine Untersuchungen zur untertägigen Sprengung mit Nitroglyzerin und Dynamit sowie die durch ihn bewirkte Einführung des Maschinenbohrens im Freiberger Revier.

Zu den für die Geologie Sachsens wichtigsten Arbeiten M.s gehören die seit 1877 erfolgte Kartierung sämtlicher Erzgänge in den Blättern der neuen geologischen Spezialkarte Sachsens und seine in diesem Zusammenhang verfaßten Monographien über markante Erzreviere. Am bekanntesten sind seine ausführlichen Abhandlungen über die Lagerstätten von Berggießhübel (1890), Annaberg (1894) und Freiberg (1901). M. erbrachte den Nachweis der Beziehungen zwischen Thermalquellen und Erzgängen, wodurch er die Hydrothermaltheorie entscheidend stützen konnte. Seine verbesserte Systematisierung der Gangformationen des Erzgebirges ist in ihren Grundzügen bis heute gültig. – Geh. Bergrat (1901); Dr.-Ing. E. h. (TH Dresden 1907).

L R. Beck, in: Zs. f. prakt. Geol. 15, 1907, S. 169–74 *(W-Verz., P);* C. Schiffner, Aus d. Leben alter Freiberger Bergstudenten I, 1935, S. 35–37 *(P);* W. Serlo, Männer d. Bergbaus, 1937; W. Schellhas, in: Kal. Sächs. Gebirgsheimat, 1973, 4. Januar-Bl. *(P);* L. Baumann u. G. Weinhold; in: Abhh. d. Staatl. Mus. f. Mineral. u. Geol. zu Dresden 31, 1982, S. 199–213 *(W-Verz., auch ungedr. Schrr.);* H. Richter, in: Zs. f. geolog. Wiss. 16, 1988, S. 127–32 *(P);* H. Hofmann, in: Hochschulstadt 31, 1988, Nr. 4, S. 7 *(P).* – Eigene Archivstud. (Pfarramt Leisnig; Hochschularchiv Bergak. Freiberg; Stadtarchiv Freiberg).

Heinz Meixner

Müller, *Karl Valentin,* Soziologe, * 26. 3. 1896 Bodenbach (Bez. Teschen, Böhmen), † 3. 8. 1963 Nürnberg. (luth.)

V Karl (1869-n. 1939) Oberlehrer in Rottenhau (Galizien), *S* d. Lehrers Valentin (1834–98) aus Theodorshof (Galizien) u. d. Wilhelmine Kaufmann (1838–1927) aus Rottenhan; *M* Hedwig, adopt. Lange (* 1876) aus Sachsen, *T* d. Franz Oskar Müller (1843–81) u. d. Wilhelmine Juliane Püschel (1842–85); ∞ 1932 Hertha Kriemhilde aus Mähren, Lehrerin, *T* d. Johannes Babylon aus Skotschau (Österr. Schlesien), Pfarrer, u. d. Anna Irene Klima (?) (* 1878); 1 *S*, 2 *T*.

M. schloß sein Studium der Germanistik, Staatswissenschaften, Geschichte, Soziologie und Sozialanthropologie an der Univ. Leipzig 1922 mit der Promotion zum Dr. phil. ab. Danach engagierte er sich in der Volkshochschularbeit und war 1927–39 Referent für das soziale Bildungswesen im sächs. Ministerium für Volksbildung. 1936 wurde er an der Univ. Leipzig für Soziologie und Bevölkerungswissenschaft habilitiert und erhielt dort 1938 eine Dozentur für diese Fächer. 1939 übernahm er an der TH Dresden eine Stelle als beamteter ao. Professor für Soziologie und wurde Leiter des Soziologischen Seminars. Er vertrat seit Ende 1941 den neugeschaffenen Lehrstuhl für Sozialanthropologie an der Deutschen Karls-Univ. Prag, wo er 1942 zum o. Professor ernannt wurde. Außerdem leitete er das dortige „Institut für Sozialanthropologie und Volksbiologie". Das Institut stand in enger Beziehung zu der im Sommer 1942 gegründeten Reinhard-Heydrich-Stiftung in Prag, die seine Forschungsprojekte (neben der Deutschen Forschungsgemeinschaft) finanzierte. 1946 gründete M. mit Unterstützung des niedersächs. Kultusministers Adolf Grimme das „Institut für Begabtenforschung" (seit 1949 „Institut für empirische Soziologie") in Hannover, wo er zugleich an der Akademie für Raumforschung und Landesplanung tätig war. Sein Institut verlagerte er über Bamberg, wo er 1952 einen Lehrauftrag an der Philosophisch-Theologischen Hochschule annahm, nach Nürnberg, wo er seit 1955 o. Professor und Inhaber des Lehrstuhls für Soziologie und Sozialanthropologie sowie Leiter des gleichnamigen Instituts an der Hochschule für Wirtschafts- und Sozialwissenschaften war. 1954–58 fungierte M. als Generalsekretär des „Institut International de Sociologie" und war Vorstandsmitglied der „Deutschen Gesellschaft für Bevölkerungswissenschaften".

M. verwendete in seiner Soziologie und Demographie Methoden der empirischen Sozialforschung. Ausgehend von naturwissenschaftlich-statistischen Ansätzen der Sozialanthropologie, untersuchte er die „aussiebende" Funktion der Erbfaktoren, die seiner Meinung nach in der industriellen Gesellschaft bedeutend ist. Dadurch sollte die qualitativ etwas farblose Elitenlehre Vilfredo Paretos biologisch fester begründet und zugleich eingeschränkt werden. M.s Werk gliedert sich in vier Forschungsrichtungen: Begabungssoziologie, Arbeiter- und Angestelltenfragen, Volkstumsforschung und Probleme der Heimatvertriebenen.

Der Begabungssoziologie kam eine zentrale Stellung zu. M. zeigte mit Hilfe umfangreicher Untersuchungen an vollständigen Schuljahrgängen, daß das schon in der Grundschule auftretende Begabungsgefälle in großen Zügen der sozialen Schichtung der Gesellschaft entspricht. Das von ihm gegründete Institut führte eine Untersuchung aller Schüler (einschließlich deren Familien) der Lehranstalten Niedersachsens aus den Geburtsjahrgängen 1932–37 durch, die zumindest bis 1963 eine der umfangreichsten empirisch-sozialwissenschaftlichen Forschungen dieser Art blieb. In seinen Untersuchungen zur Arbeiter- und Angestelltensoziologie beschrieb M. die Angestellten als eine eigene Funktionsgruppe mit besonderen Anforderungen und Pflichten im gesellschaftlichen Gefüge. Lebendiges Anschauungsmaterial zu Volkstumsproblemen wie besonders zum Volkstumswandel im Laufe von ein bis zwei Generationen lieferte ihm seine böhm. Heimat. Die Weiterführung der hierfür entwickelten Methoden wurde auch in seiner vom Gegenstand her verwandten Soziologie der Heimatvertriebenen konsequent verfolgt. In enger Beziehung zu diesen Analysen standen seine Untersuchungen über den Einfluß der sozialistischen Gesellschaftsform auf die mitteldeutsche Bevölkerung und die sich in der DDR vollziehenden Anpassungs-, Substitutions- und Selektionsvorgänge.

Innerhalb der empirischen Sozialforschung bevorzugte M. die Methoden der Handlungsanalyse und der Werthaltungsforschung, mit denen konkretere Aussagen über das tatsächliche Handeln der untersuchten Sozialgruppen ermöglicht werden sollten, als die weithin übliche Meinungsforschung erbrachte. Kritisch wandte er sich gegen den Anspruch der Meinungsbefragung, als empirische Sozialforschung schlechthin zu gelten. Aus diesem Bestreben entwickelte er bestimmte Formeln und Indizes für die handlungsanalytische Beobachtung komplexer sozialer Prozesse (z. B. „Konnuptialindex"), die schon zu seinen Lebzeiten in der amtlichen Statistik Verwendung fanden.

W Arbeiterbewegung u. Bevölkerungsfragen, 1927; Der Aufstieg d. Arbeiters durch Rasse u. Meisterschaft, 1935; Die Begabung in d. soz. Wirklichkeit, 1951; Heimatvertriebene Jugend, 1953, ²1956; Sozialwissenschaft u. soz. Arbeit, 1956; Begabung u. Schichtung in d. hochindustrialisierten Ges., 1956; Die Angestellten in d. hochindustrialisierten Ges., 1957; Die Manager in d. Sowjetzone, 1962; zahlr. Aufsätze in wiss. Zss.

L Studium sociale, FS z. 65. Geb.tag, 1963 *(P);* K. G. Specht, in: Kölner Zs. f. Soziol. u. Sozialpsychol.

15, 1963, S. 781 ff.; Kürschner, Gel.-Kal 1961; Kosch, Biogr. Staatshdb.; Internat. Soziologenlex., hrsg. v. W. Bernsdorf u. H. Knospe, 1980; BLBL.

Dirk Käsler

Müller, *Klaus,* Oberbürgermeister von Augsburg, * 19. 4. 1892 Augsburg, † 6. 8. 1980 ebenda. (kath.)

V Nikolaus (1859–1936) aus Schlachters b. Lindau, Rgt.-Schuhmacher u. Mesner b. St. Ulrich u. Afra in A., *S* d. Franz-Josef Bilgeri (1836–81), Badwirt in Vorkloster b. Bregenz, u. d. Maria-Josefa Müller (1837–1900); *M* Elisabetha (1863–1943), *T* d. Josef Deisenhofer (1827–73), Bürogehilfe in Lindau, u. d. Elisabeth-Antonia Mair (1830–1902); *B* Otto (1887–1968), Bankdir., Ulrich (1893–1959), Dr., Dekan in A., Josef (1896–1974), Prokurist, Stadtrat in A.; – ∞ Augsburg 1920 Anna (1896–1967), *T* d. Alois Schreiber (1868–1956), Gärtnermeister in A., u. d. Helene Sumser (1873–1959); 2 *S,* Wolfgang (* 1926), Dr., Vorstandsmitgl. d. MAN Nutzfahrzeuge AG, Klaus (1931–84), Dr., Brauereidir. in A., 2 *T.*

Nach dem Besuch des Benediktinergymnasiums bei St. Stephan studierte M. in München und Erlangen Volks- und Staatswirtschaft; 1914 wurde er zum Dr. phil. promoviert, 1914–18 war er Kriegsteilnehmer. Danach begann er in der Augsburger Kammgarnspinnerei eine kaufmännische Lehre, wurde 1920 Vorstandssekretär, schließlich Prokurist und 1936 stellvertretender Direktor. Gleichzeitig leitete er die Süddeutsche Textil-Berufsgenossenschaft und 1939–45 die Heeresentlassungsstelle Augsburg, gründete die Einkaufsgenossenschaft gesetzlicher Krankenkassen und fungierte als Industrievertreter im Krankenkassenverband Augsburg. 1945 wurde M., der 1922–33 Mitglied der Bayer. Volkspartei gewesen war und zu den Gründungsmitgliedern der CSU in Augsburg gehörte, Treuhänder der Firma Martini & Co. und zwei weiterer von den Amerikanern beschlagnahmter Augsburger Firmen.

Am 12. 11. 1947 wurde M., der bis dahin kommunalpolitisch noch nicht hervorgetreten war, sich aber durch seine wirtschaftlichen Fähigkeiten und sein tadelloses Verhalten während des Dritten Reichs empfahl, zum Oberbürgermeister von Augsburg gewählt. Während seiner über 16jährigen Amtszeit wurde die kriegszerstörte Stadt wiederaufgebaut. Besonders setzte sich M. für den Wiederaufbau des Rathauses (mit dem Goldenen Saal) sowie des Stadttheaters und die Errichtung des Rosenau-Stadions (1951) ein. Mit seiner ausgleichenden, volkstümlichen Art verstand es M., bei seinen Mitbürgern wieder Mut und Lebenswillen zu wecken. Mit den in Augsburg stationierten Amerikanern pflegte er gute Beziehungen. Seiner fachlichen und politischen Kompetenz ist der wirtschaftliche Aufschwung Augsburgs nach dem 2. Weltkrieg weitgehend zu verdanken. – Vors. d. Bayer. Städteverbandes (1956–64) u. d. Verw.rats d. Bayer. Gemeindebank (später Bayer. Landesbank); Gr. Bundesverdienstkreuz (1956), Bayer. Verdienstorden (1959), Komtur d. päpstl. Gregorius-Ordens; Ehrenbürger v. Augsburg (1964).

L E. N. Peterson, The American Occupation of Germany, 1977, S. 283–86, 293 f., 296, 327 f.; E. Riegele, Parteienentwicklung u. Wiederaufbau, Diss. Augsburg 1977, S. 288, 341–50, 386–88, 561 f.; G. Seyboth, in: Augsburger Allg. Ztg. v. 7. 8. 1980 *(P);* H. Thieme, Der Weg z. Augsburg v. heute, in: Gesch. d. Stadt Augsburg, hrsg. v. G. Gottlieb u. a., 1984, S. 640–43; Augsburger Stadtlex., hrsg. v. W. Baer u. a., 1985.

Doris Pfister

Müller, *Konrad* (gen. *Bollstatter*), Schreiber und Redaktor, * um 1420/30 Oettingen (Ries), † um 1482/83 Augsburg.

V Konrad (d. Ä.) († v. 1440), aus Deininger Schreiberfam., möglicherweise Abkömmling d. niederadligen Herren v. Bollstatt, Kanzleischreiber d. Gf. Ludwig XI. v. Oettingen; *M* Margarethe N. N. (erw. 1447); *Verwandter* Heinrich Molitor († n. 1479) aus Ö., Schreiber u. Illuminator in A.

M., der Germanistik vor allem als Konrad Bollstatter geläufig, begann seine Laufbahn als Schreiber in der Kanzlei der Grafen von Oettingen (belegt 1446–53); u. a. war er an der Niederschrift des ältesten ötting. Lehenbuchs beteiligt. 1455 und 1458 durch Schreibervermerke in Höchstädt nachweisbar, ließ er sich spätestens 1466 in Augsburg nieder, wo er – vermutlich in bescheidenen Verhältnissen – als Berufsschreiber lebte.

Während gleichzeitig der Augsburger Buchdruck den literarischen Markt eroberte, war es M. nicht um Massenware, sondern um Literatur für Kenner und Liebhaber zu tun. Bislang konnten 15 volkssprachliche, zum Teil illustrierte Handschriften von seiner Hand ermittelt werden. Inwieweit M. selbst als Illuminator tätig war, läßt sich noch nicht abschließend feststellen. Der Bogen der von ihm abgeschriebenen literarischen Texte spannt sich von Freidank und Konrad von Würzburg bis zu den Frühhumanisten Heinrich Steinhöwel und Niklas von Wyle. Als einziger Auftraggeber ist der Augsburger Bürgermeister Jörg Sulzer bekannt, für den M.

1481 eine Armenbibel abschrieb. M.s Vorliebe für didaktische Literatur bezeugt nicht zuletzt „Bollstatters Spruchsammlung" (Hs., British Library, London), die viele Sprüche Personen aus dem Ries und den benachbarten Regionen in den Mund legt. Es ist denkbar, daß M. damit einen literarisch interessierten Zirkel verewigt hat.

M. bezeichnet sich als Autor eines kurzen Gedichtes von den Töchtern des Teufels. Bemerkenswerter ist freilich seine mit geradezu philologischem Eifer betriebene produktive Rezeption der abgeschriebenen Schriften, die er teilweise erheblich umgestaltet hat. M. kann als vielseitig gebildeter Textsammler charakterisiert werden, der seine dabei erworbenen Kenntnisse in den von ihm geschriebenen Handschriften als Redaktor gekonnt zu verwerten wußte. Dies gilt auch für den Bereich der Historiographie, einen weiteren Schwerpunkt seines Wirkens. Seine Handschrift der deutschen Fassung von Meisterlins Augsburger Stadtchronik (1479) weist nicht nur zahlreiche Interpolationen auf, sondern auch eine – wohl von M. selbst verfaßte – Fortsetzung bis zum Jahr der Niederschrift. In gleicher Weise aktualisierte M. auch einen Druck der Straßburger Chronik Jakob Twingers durch handschriftliche Zusätze sowie eine von ihm gefertigte Abschrift der „Sächs. Weltchronik". Höchstwahrscheinlich stammt von M. die Übersetzung der um 1474 in der Buchdruckerei der Augsburger Abtei St. Ulrich und Afra erschienenen lat. Chronik Burchards von Ursberg ins Deutsche, die in einer späteren Abschrift (Mscr. Dresdensis H 171) erhalten geblieben ist. Einmal mehr dokumentiert dieses Zeugnis, das vor der Folie des damals erwachenden Interesses an der Staufergeschichte zu sehen ist, M.s Engagement bei der Vermittlung historischen Wissens an ein laikales Publikum.

L K. Schneider, Ein Losbuch K. Bollstatters aus cgm 312 d. Bayer. Staatsbibl. München, 1973; dies., Berufs- u. Amateurschreiber, in: Literar. Leben in Augsburg während d. 15. Jh., 1995; E. Grünenwald, Das älteste Lehenbuch d. Gfsch. Öttingen, Einl., 1975; ders., in: Rieser Biogrr., hrsg. v. E. Schlagbauer u. W.-D. Kavasch, 1993, S. 271–73 (L); K. Graf, Exemplar. Geschichten, 1987, S. 192–202; ders., Staufer-Überlieferungen aus Kloster Lorch, in: Von Schwaben bis Jerusalem, 1995, S. 231; H. Blosen, Die Fünfzehn Vorzeichen d. Jüngsten Gerichts im Kopenhagener u. im Berliner Weltgerichtsspiel, in: Ja muz ich sunder riuwe sin, FS f. K. Stackmann, 1990, S. 206–31; K. Gärtner, Aus Konrad Bollstatters Spruchslg., in: FS W. Haug u. B. Wachinger, 1992, S. 803–25; J. Wolf, Die „Augsburger Stadt-Weltchronik" Konrad Bollstatters, in: Zs. d. Hist. Ver. f. Schwaben 87, 1994, S. 13–38; Vf.-Lex. d. MA, I, Sp. 931–33; Killy II, S. 98 f. (G. Kornrumpf).

Klaus Graf

Müller, *Conrad,* * 12. 12. 1878 Bremen, † 9. 1. 1953 Hannover, Mathematiker und Mathematikhistoriker. (ev.)

V Simon Heinrich (* 1846) aus B., Buchhalter; *M* Dorette Oldekop; ∞ Bredeney b. Essen 1911 Martha Lampferhoff (1889–1967) aus Essen; 1 *S,* 1 *T* Helga (1912–65), Dr. phil., Kunsthist., Stud.rätin in H.

M. besuchte 1885–87 die Gemeindeschule in Westersode bei Stade und 1887–97 höhere Schulen in Lübeck, Brake und Stade. Nach der Reifeprüfung studierte er Mathematik und Naturwissenschaften in Freiburg (Breisgau) (1897/98), Berlin (1898/99) und Göttingen (1899–1903) sowie Sanskrit bei F. Kielhorn in Göttingen. In Berlin und Göttingen gehörte er dem mathematischen Seminar an. Sein weiterer Lebensweg wurde durch Felix Klein maßgeblich geprägt. M. war 1900/01 und 1902/03 Assistent an dessen mathematischer Modellsammlung und promovierte 1903 bei ihm mit „Studien zur Geschichte der Mathematik, insbesondere des mathematischen Unterrichts, an der Univ. Göttingen im 18. Jh." (1904), einer mustergültige Arbeit über die Entwicklung der Mathematik als Universitätsfach in der Tradition der von Klein betriebenen und angeregten Studien zur Geschichte des Mathematikunterrichts. M. war 1903–10 Bibliothekar an der Universitätsbibliothek Göttingen. 1904 legte er die Lehramtsprüfung ab und habilitierte sich 1908 in Göttingen für Mathematik. 1910 wurde er auf den Lehrstuhl für Höhere Mathematik an der TH Hannover berufen, wo er bis zu seiner Emeritierung (1948) wirkte. Er war an der Entwicklung der TH Hannover maßgeblich beteiligt; u. a. war er 10 Jahre lang Dekan der Fakultät für Natur- und Geisteswissenschaften und zweimal (1919–23, 1945–47) Rektor. M. war auch im Vorstand der Deutschen Mathematiker-Vereinigung tätig, u. a. als Schriftführer (1936–41).

M. gehörte bei der Herausgabe der „Encyklopädie der mathematischen Wissenschaften" zu Kleins engsten Mitarbeitern. Er war Schriftführer der für dieses Unternehmen eingesetzten Akademischen Kommission und redigierte zusammen mit Klein den 4. Band (Mechanik). Mit A. Timpe verfaßte er das Kapitel „Die Grundgleichungen der mathematischen Elastizitätstheorie" (1906) und gab nach Kleins Tod (1925) die noch fehlenden Faszikel heraus. Ausgehend von seinen Vorlesungen in Hannover, veröffentlichte er 1923 mit seinem Kollegen G. Prange ein „Lehrbuch der Mechanik".

In seinem Bemühen, die Mathematik in ihrem kulturellen Zusammenhang zu sehen, interessierte ihn besonders deren Geschichte. Einen Schwerpunkt bildete dabei die Mathematik Indiens, für die er durch sein Sanskrit-Studium die nötigen Voraussetzungen mitbrachte; er verfaßte Arbeiten zu den Śulvasūtra, zu den Schriften von Âryabhaṭa und Bhâskara und schrieb zahlreiche diesbezügliche Referate im „Jahrbuch über die Fortschritte der Mathematik". Seit 1928 war er als Mitarbeiter der Leibniz-Kommission an der Berliner Akademie der Wissenschaften für die Bearbeitung der mathematischen, naturwissenschaftlichen und technischen Schriften von Leibniz zuständig, dessen Nachlaß sich in der ehemals Kgl. Bibliothek in Hannover befand. Das von M. hinterlassene Manuskript blieb unveröffentlicht. – Ehrenbürger v. Hannover (1923) u. Ehrensenator d. TH Hannover (1931).

Weitere W John Napier, Laird of Merchiston, u. d. Entdeckungsgesch. seiner Logarithmen, in: Die Naturwiss. 2, 1914, S. 669–76; Die Math. d. Śulvasûtra, in: Abhh. aus d. Math. Seminar d. Hamburg. Univ. 7, 1929, S. 173–204; Volumen u. Oberfläche d. Kugel b. Âryabhaṭa I., in: Dt. Math. 5, 1940, S. 244–55; Descartes' „Geometrie" u. d. Begründung d. höheren Analysis, in: Sudhoffs Archiv 40, 1956, S. 240–58.

L W. Quade, in: Jber. d. Dt. Mathematiker-Vereinigung 57, 1954, S. 1–5; Catalogus professorum 1831–1981, FS z. 150j. Bestehen d. Univ. Hannover, II, 1981 *(P)*; Pogg. VI, VII a. – Eigene Archivstud.

Menso Folkerts

Müller, Kurt Ferdinand, Archäologe, * 22. 2. 1880 Dresden, † 7. 6. 1972 Göttingen. (ev.)

V Albert Wilhelm (1844–1912), Arzt in D., *S* d. Heinrich Ernst (1801–66), Arzt in Bräunsdorf b. Freiberg (Sachsen), u. d. Charlotte Beyer (1811–1902); *M* Anna (1856–1929), *T* d. Ferdinand Künzel (1823–76), Geh. Reg.rat in D., u. d. Mathilde Boeckh (1833–69) aus Mannheim; ledig.

Nach dem Besuch des Kreuzgymnasiums in Dresden (1891–99) studierte M. Altphilologie, Alte Geschichte, Kunstgeschichte und klassische Archäologie in München und Leipzig, wo er 1905 bei Franz Studniczka mit der Dissertation „Der Leichenwagen Alexanders des Grossen" promovierte. Nach kurzer Lehrtätigkeit am Wettiner-Gymnasium in Dresden bereiste er 1905–07 als Stipendiat des Deutschen Archäologischen Instituts (DAI) Italien, Griechenland, Kleinasien und Ägypten. Anschließend arbeitete er zunächst als persönlicher Assistent Georg Karos in Athen, woraus eine lebenslange fruchtbare Freundschaft resultierte. 1909–12 war M. Assistent am Athener Archäologischen Institut, nahm an Grabungen in Tiryns, Olympia und Pylos-Kakovatos (Kuppelgräber) teil und leitete gemeinsam mit Fritz Weege die Grabung am Artemistempel bei Kombothekra. 1909 übertrug ihm Dörpfeld die Grabungsleitung auf der Burg von Tiryns, die seinen weiteren wissenschaftlichen Weg bestimmen sollte. 1912 kam M. als Assistent an das Archäologische Institut der Univ. Göttingen, wo er sich 1913 habilitierte. 1919 erhielt er den Professortitel, 1921 die Ernennung zum ao. Professor. 1937 wurde er aus seiner Assistentenstelle entlassen, gleichzeitig erhielt er einen Lehrauftrag für Vor- und Frühgriech. Kunst. Nach der Emeritierung Hermann Thierschs wurde M. 1939 mit der Vertretung des Lehrstuhls beauftragt und zum apl. Professor ernannt (pensioniert 1946).

In Tiryns hatte M. seinen Arbeitsschwerpunkt gefunden, die griech. Vorgeschichte. Die Publikation der Funde aus den Kuppelgräbern von Pylos-Kakovatos (1909) bildet einen Markstein der vorgeschichtlichen Forschung in Griechenland. Darin setzte M. sich erstmals intensiver mit dem Verhältnis der kret. zur festländischen Kunst auseinander. Diesem Thema galt auch seine Habilitationsschrift über „Frühmykenische Reliefs aus Kreta und vom griech. Festland" (1915). Seine Interessen in Forschung und Lehre umfaßten u. a. auch die Architektur von Erechtheion und Propylon, Probleme der angewandten Photographie und Versuche zur farbigen Rekonstruktion antiker Plastik.

Die im 1. Weltkrieg unterbrochenen Grabungen in Tiryns wurden unter M.s Leitung 1921 wieder aufgenommen und bis zum 2. Weltkrieg fortgeführt. Die Untersuchungen griffen jetzt über den Bereich der Burg auch auf die Stadt und Nekropole aus. Ein von M. entdecktes zweites Kuppelgrab sollte noch 1942 freigelegt werden, doch kam die Grabung nicht mehr zustande. Untersuchungen zur mittelhelladischen Keramik, zu den myken. Vasen mit Linear B-Inschriften, zum Kyanosfries des Megarons sowie zum ersten Kuppelgrab waren in Angriff genommen, wurden aber wegen der dringlicheren Dokumentation zur „Architektur der Burg und des Palastes" (Tiryns III, 1930) zurückgestellt. M. gelang es in dieser Arbeit, „das Chaos von durcheinander und übereinanderlaufenden Mauern" der älteren Architektur (Dörpfeld 1884) weitgehend zu entwirren und erstmals ein klares Bild der drei Hauptbauphasen des myken. Palastes zu erstellen. Der besonderen Bedeutung Tiryns' in frühhelladischer Zeit trägt M.s umfassende Monographie der Tirynther „Urfirniskeramik" (Tiryns IV, 1938) Rechnung, die über die reine Materialdokumentation hinaus eine klare und feine stilistische Analyse frühbronzezeitlicher Keramik in ihren wechselseitigen Bezügen von Kretischem, Festländischem und Kykladischem enthält. – Mitgl. d. Griech. Archäolog. Ges. in Athen (1908, Ehrenmitgl. 1938), d. DAI (1910), d. Österr. Archäolog. Inst. (korr. 1912) u. d. Ak. d. Wiss. Göttingen (1943).

Weitere W Alt-Pylos II, Die Funde aus d. Kuppelgräbern v. Kakovatos, in: Athen. Mitt. 34, 1909, S. 269–328; Gebäudemodelle spätgeometr. Zeit, ebd. 48, 1923, S. 252–69; Frühmyken. Reliefs aus Kreta u. v. griech. Festland, in: Jb. d. DAI 30, 1915, S. 242–336; Das Kuppelgrab v. Tiryns, in: Tiryns VIII, 1975, S. 1–6.

L H. Döhl u. R. Horn, in: Jb. d. Ak. d. Wiss. Göttingen 1972, S. 189–93; H. Döhl u. H. Möbius, in: Gnomon 45, 1973, S. 317–20; H. Döhl, in: R. Lullies u. W. Schiering (Hrsg.), Archäologenbildnisse, 1988, S. 202 f. *(P).*

Hartmut Döhl

Müller, *Kurt,* kommunistischer Politiker, * 13. 12. 1903 Berlin, † 21. 8. 1990 Dingelsdorf b. Konstanz.

V N. N., Arbeiter in B.; *M* N. N.; *Schw* Grete Ulmann, Mitgl. d. KPD, Sekr. d. Komintern; – ∞ 1) 1932 (?) (o⁄o um 1955) Wilhelmine (Mischka) Slavutzkaja (isr.) aus Riga, Angestellte d. Komintern, 2) 1956 (?) Hedwig (Heta) Fischer, seit 1945 Lebensgefährtin; 1 vorehel. *S* aus 2), 2 *Stief-K.*

M., der aus einer aktiven sozialdemokratischen Arbeiterfamilie im „roten Wedding" stammte, schloß sich bereits im Januar 1919 der „Freien Sozialistischen Jugend Deutschlands" (wenig später in „Kommunistischer Jugendverband Deutschlands" [KJVD] umbenannt) an, der Jugendorganisation der einen Monat zuvor gegründeten „Kommunistischen Partei Deutschlands" (KPD). Im KJVD wurde er 1923 Ortsgruppenleiter für Berlin-Mitte und 1925 Mitglied der Bezirksleitung Berlin-Brandenburg, 1926/27 war er Redakteur bei der Verbandszeitschrift „Junge Garde". 1927/28 als Mitarbeiter für Gewerkschaftsfragen zur „Kommunistischen Jugend-Internationale" (KJI) nach Moskau delegiert, wurde er nach seiner Rückkehr 1928 zunächst Gewerkschaftssekretär und 1929 Vorsitzender beim Zentralkomitee des KJVD. Die 1931 erfolgte Wahl zum Kandidaten des Präsidiums des Exekutivkomitees der Kommunistischen Internationale war verbunden mit der bis 1932 andauernden Tätigkeit als Sekretär bei der KJI in Moskau. Als Anhänger einer bedingungslos kämpferischen Einstellung gegen den deutschen Faschismus geriet M. in Konflikt mit der offiziellen Linie Stalins, wurde Ende 1932 aller Ämter enthoben und als einfacher Arbeiter in eine Automobilfabrik in Gorki strafversetzt. Im März 1934 gelang es ihm, als Bezirksleiter der illegalen KPD in Baden nach Deutschland zurückzukehren. Möglicherweise blieb ihm dadurch das Schicksal seines Mentors Heinz Neumann (1902–37) und vieler anderer deutscher Kommunisten erspart, die infolge der stalinistischen Schauprozesse der 30er Jahre ihr Leben verloren. Ende September 1934 verhaftete ihn die Gestapo, und ein Sondergericht verurteilte ihn im Dezember zu sechs Jahren Zuchthaus. Nach Verbüßung seiner Strafe in Kassel-Wehlheiden erfolgte im September 1940 seine sofortige Überführung in das KZ Sachsenhausen. Als kurz vor dem Ende des 2. Weltkriegs die KZ-Insassen nach Norden transportiert wurden, befreiten ihn die Alliierten in Parchim.

Im Juni 1945 begann M. mit dem ihm übertragenen Neuaufbau der KPD in Hannover, zunächst als Bezirksleiter für Hannover-Braunschweig, später als Landesleiter für Niedersachsen. 1946–48 war er Mitglied des Niedersächs. Landtags, seit 1947 Mitglied des Zonenbeirates für die Brit. Zone und 1948 Mitglied des Wirtschaftsrats für das Vereinigte Wirtschaftsgebiet der Westzonen. Im selben Jahr wählte man ihn zum stellvertretenden Vorsitzenden der KPD in den Westzonen. 1949 erfolgte seine Wahl zum Mitglied des Bundestages. M.s eigenständiges Denken und ein daraus resultierender Konflikt mit dem dogmatischen KPD-Vorsitzenden Max Reimann hatten Folgen. Unter dem Vorwand einer Aussprache wurde M., den man für die Mißerfolge der KPD verantwortlich machte, im März 1950 nach Ostberlin entführt und dort verhaftet, um gegen ihn einen Schauprozeß in Anlehnung an den „Rajk-Prozeß" in Ungarn zu inszenieren. Dazu kam es u. a. wegen der Zweistaatlichkeit Deutschlands und M.s Abgeordnetenstatus nicht. Der 1953 in der Tschechoslowakei durchgeführte Schauprozeß gegen den KPC-Führer Rudolf Slansky versetzte die SED-Führung unter Walter Ulbricht in die Lage, die nötigen Beweise zu konstruieren. Am 18. 3. 1953 wurde M. von einem sowjet. Militärtribunal wegen

"Terror, Spionage, Sabotage, Gruppenbildung und trotzkistischer Tätigkeit" zu 28 Jahren Haft verurteilt. Das politische Tauwetter nach Stalins Tod führte jedoch schon im Oktober 1955 zur Freilassung des nach Sibirien verbrachten M., der mit dem Kommunismus endgültig gebrochen hatte und nun in die Bundesrepublik zurückkehrte, wo er in die SPD eintrat. Nach Tätigkeiten am Institut für Asienkunde und der Studiengesellschaft für wirtschaftliche Entwicklung war M. 1960–85 Mitarbeiter des Forschungsinstituts der Friedrich-Ebert-Stiftung und Leiter der Abteilung „Außenpolitik und DDR-Forschung", wobei er sich besonders als Begründer und Redakteur der Zeitschrift „Vierteljahresberichte – Der Ostblock und die Entwicklungsländer" (später: „Probleme der Entwicklungsländer") einen Namen machte.

W u. a. Entwicklungshilfe innerhalb d. Ostblocks, 1960; Über Kalkutta nach Paris? Strategie u. Aktivität d. Ostblocks in d. Entwicklungsländern, 1964; Sowjet. Kurzbiogrr., 1964; Die entwicklungspol. Konzeption d. Ostblocks u. Chinas, 1965; Die Entwicklungshilfe Osteuropas, 1970; Auswärtige Kulturpol. d. DDR, Die kulturelle Abgrenzung d. DDR v. d. Bundesrepublik Dtld., 1974.

L H. Weber, Die Wandlung d. dt. Kommunismus II, 1969 *(P)*; B. Lazitch u. M. M. Drachkovitch, Biogr. Dict. of the Comintern, ²1986, S. 327; D. Dowe (Hrsg.), K. M. z. Gedenken, 1991 *(W, L, P)*.

Eberhard Flessing

Müller, *Kurt (Curt),* Philologe, Leibniz-Forscher, * 14. 5. 1907 Nordhausen (Harz), † 27. 11. 1983 Hannover. (ev.)

V Kurt (1873–1959), Kaufm. in N.; *M* Margarete (1882–1972) *T* d. Friedrich Jericho (1853–1912) u. d. Ida Weber (1855–1929); *Lebensgefährtin* Marieluise Steinhauer-Beuthner (1906–92), Filmdramaturgin.

M. besuchte bis 1927 das Gymnasium in Nordhausen und studierte danach in München, Königsberg und Berlin Deutsche Philologie, Geschichte und Philosophie. 1936 promovierte er an der Berliner Universität bei Julius Petersen mit einer Dissertation über „Die geschichtlichen Voraussetzungen des Symbolbegriffs bei Winckelmann" und war dann bis 1939 am Ausländerinstitut der Universität Dozent für deutsche Sprache. 1936 begann auch seine Mitarbeit in der Arbeitsstelle für die Veröffentlichung von Leibniz' „Sämtlichen Schriften und Briefen" bei der Preuß. Akademie der Wissenschaften, die für sein Lebenswerk bestimmt wurde. Eine politisch gesteuerte Umbesetzung in der Leitung und die mit dem Ausbruch des 2. Weltkriegs drastisch gekürzte Finanzierung bewirkten, daß M. zusammen mit allen früheren Herausgebern entlassen wurde. Als Lektor für deutsche Sprache und Literatur war er 1939–44 an der Univ. Amsterdam tätig (Prof. 1943), bis auch er (dessen drei Brüder im Kriege fielen) zum Militär eingezogen wurde.

Aus der Kriegsgefangenschaft zurückgekehrt, erhielt er den Ruf der Berliner Akademie, die Arbeitsstelle wieder aufzubauen und die Publikation des größtenteils noch unveröffentlichten Leibniz-Nachlasses weiterzuführen. 1946–65 war der 1950 von der Akademie zum Professor ernannte M. Leiter der Leibniz-Ausgabe und brachte in dieser Zeit mit neuen Mitarbeitern die editorische Arbeit wieder in Gang. Er entwickelte die Form der philologischen Apparate, die den einzelnen Bänden der historisch-kritischen Ausgabe von nun an beigefügt wurden. 1961 machten politische Ereignisse nochmals eine Neuorganisation nötig: Der Bau der Berliner Mauer erschwerte die Arbeit an dem in Hannover liegenden handschriftlichen Nachlaß, und die Westberliner Mitarbeiter sahen sich gezwungen, ihren Arbeitsplatz bei der in Ostberlin gelegenen Akademie aufzugeben. Es gelang M., an der Niedersächs. Landesbibliothek in Hannover das Leibniz-Archiv einzurichten, in dem seither der größte Teil der Edition, der allgemeine und der mathematische Briefwechsel sowie die mathematischen Schriften, bearbeitet werden. 1963–74 war M. Leiter dieser zur Zentrale der Leibniz-Forschung ausgebauten Arbeitsstelle, die neben der Edition seit 1967 auch die „Veröffentlichungen des Leibniz-Archivs" herausgibt. In Zusammenarbeit mit dem Direktor der Niedersächs. Landesbibliothek, Wilhelm Totok, und M. wurde hier 1966 die Leibniz-Gesellschaft gegründet, die seit 1969 die „Studia Leibnitiana" publiziert und internationale Kongresse veranstaltet.

M.s intensivem philologischem Bemühen und seinem organisatorischen Einsatz ist es zu danken, daß das 1901 von der Internationalen Vereinigung der Akademien beschlossene und infolge des 1. Weltkriegs zunächst nur in Berlin fortgesetzte Unternehmen einer definitiven Ausgabe des wissenschafts- und kulturhistorisch hochbedeutenden, außerordentlich umfangreichen Leibniz-Nachlasses durch die politischen Wirren des Jahrhunderts gerettet und fortgeführt werden konnte. Neben Beiträgen in Sammelwerken und Zeitschriften hat M. mit seiner detaillierten annalistischen Leibniz-Biographie und der ersten bibliographischen Zusammenfassung der in die Tausende gehenden Schriften über Leibniz die Forschung durch weitere grundlegende und unentbehrliche Instrumentarien bereichert.

Weitere W u. a. Die geschichtl. Voraussetzungen d. Symbolbegriffs in Goethes Kunstanschauung, 1937, Neudr. 1967; Leibniz-Bibliogr., 1967; Leben u. Werk v. G. W. Leibniz, Eine Chron., 1969 (mit G. Krönert). – *Aufsätze:* Der Symbolbegriff in Goethes Kunstanschauung, in: Goethe, Vjschr. d. Goethe-Ges. NF 8, 1943, S. 269–80; G. W. Leibniz u. Nicolas Witsen, in: SB d. Dt. Ak. d. Wiss., Kl. f. Philos. 1, 1955, S. 1–45; G. W. Leibniz u. Hugo Grotius, in: Forschungen z. Staat u. Ges., Festgabe f. F. Hartung, hrsg. v. R. Dietrich u. G. Oestreich, 1958, S. 187–203; Belgien, Niederlande, Luxemburg, in: Goedeke NF XV, 1964, S. 499–517; G. W. Leibniz, Sein Leben u. Wirken, in: W. Totok u. C. Haase (Hrsg.), Leibniz, 1966, S. 1–64; Cristobal de Rojas y Spinola, in: Studia Leibnitiana 2, 1970, S. 284–97; Ber. üb. d. Arbb. d. Leibniz-Archivs d. Niedersächs. Landesbibl. Hannover, ebd. Suppl. 3, 1969, S. 217–29; Zur Entstehung u. Wirkung d. wiss. Akademien u. gel. Gesellschaften d. 17. Jh., in: Univ. Gelehrtenstand 1400–1800, hrsg. v. H. Rössler u. G. Franz, 1970, S. 127–44; Das Leibniz-Archiv d. Niedersächs. Landesbibl. in Hannover, Entwicklung u. Aufgaben, in: W. Totok u. K. H. Weimann (Hrsg.), Die Niedersächs. Landesbibl. in Hannover, 1976, S. 137–49. – *Hrsg.:* Leibniz, Sämtl. Schrr. u. Briefe, R. I, Bd. 4–10, 1950–79; S. v. d. Schulenburg, Leibniz als Sprachforscher, 1973.

L A. Heinekamp, in: Studia Leibnitiana 16, 1984, S. 129–42 *(P);* Kürschner, Gel.-Kal. 1983.

Gerda Utermöhlen

Müller*(-Mainz),* **Lorenz,** Herpetologe, * 18. 2. 1868 Mainz, † 1. 2. 1953 München. (kath.)

V Gerhard Heinrich Müller; *M* Anna Urmetzer; ∞ Mainz 1897 Wilhelmine Marie Josefine Lindebner.

M. studierte an der Akademie für Bildende Künste in München und an der Akademie Colarossi in Paris, 1892/93 auch in Belgien und Holland, ehe er als Maler in München tätig wurde. Da er sich von Jugend an für Amphibien und Reptilien interessiert hatte, nahm er in München Verbindung mit Zoologen und Paläontologen auf, wurde besonders durch F. Doflein gefördert und widmete sich der wissenschaftlichen Tierillustration. M. begann, durch eigene Sammlungstätigkeit und rege Werbung die um die Jahrhundertwende noch unscheinbare Abteilung für Herpetologie (Kunde der Amphibien und Reptilien) der bayer. Zoologischen Staatssammlung zu einem umfangreichen und später weltweit beachteten Sammlungsbestand auszubauen, für den schließlich ein eigener wissenschaftlicher Verwalter nötig wurde. Seit 1903 nahm M. diese Position als unbesoldeter wissenschaftlicher Hilfsarbeiter wahr, 1907 wurde er besoldeter Hilfsarbeiter und 1912 auf die neu geschaffene Konservatorenstelle berufen. Schließlich wurde er 1928 zum Professor, Hauptkonservator und Abteilungsleiter ernannt. M. blieb auch nach seinem Übertritt in den Ruhestand 1934 weiterhin wissenschaftlich tätig und übernahm, als sein Nachfolger W. Hellmich (1906–74) zum Kriegsdienst eingezogen wurde, Anfang der 40er Jahre erneut die Leitung der Herpetologischen Abteilung, deren Auslagerung und Rückführung er vor allem zu betreuen hatte. 1948 wurde er zum zweiten Mal in den Ruhestand versetzt, widmete sich jedoch auch fortan seiner wissenschaftlichen Arbeit.

M. hatte sich als sorgfältiger Beobachter, Tierpfleger und Sammler autodidaktisch in die Systematische Zoologie, insbesondere die Herpetologie eingearbeitet. Seine ersten Sammelreisen unternahm er ins Mittelmeergebiet: 1899 nach Oberitalien, Rom und Korsika, 1904 nach Griechenland, 1912 nach Bosnien und Serbien, 1913 auf die Insel Elba, 1914 nach Kroatien. 1917/18 konnte er als Mitglied der „Mazedon. Landeskundlichen Kommission" in Mazedonien eine große Sammlung von Amphibien, Reptilien, Säugetier- und Vogelbälgen zusammentragen. 1928–33 führten ihn Reisen nach Dalmatien, Südfrankreich und wiederholt nach Bulgarien. 1909/10 lernte er das Amazonasgebiet kennen, dessen Herpetofauna er auch mit dem Material fremder Expeditionen, besonders derjenigen von Hans Krieg und dessen Mitarbeitern (1931/32), systematisch bearbeitete. Als weltweit anerkannter Spezialist untersuchte er Sammlungen aus allen Erdteilen. Im 2. Weltkrieg erlitten die staatliche und seine private Sammlung beträchtliche Verluste an wissenschaftlichen Materialien, um deren Ergänzung sich M. nach Kriegsende bemühte – Dr. h. c. (Univ. München 1934).

W u. a. Btrr. z. Herpetol. Kameruns, in: Abhh. d. Bayer. Ak. d. Wiss., Math.-physikal. Kl., 24, Abt. 3, 1910, S. 543–626; Zoolog. Ergebnisse e. Reise in d. Mündungsgebiet d. Amazonas, ebd. 26, 1912, S. 1–42; Ergebnisse d. Forschungsreisen Prof. E. Stromers in d. Wüsten Ägyptens, V, Tertiäre Wirbeltiere, 1. Btrr. z. Kenntnis d. Krokodilier d. ägypt. Tertiärs, ebd. 31, Abh. 2, 1927, S. 1–97; Liste d. Amphibien u. Reptilien Europas, in: Abhh. d. Senckenberg. Naturforschenden Ges., 41, 1928, S. 1–62 (mit R. Mertens); Amphibien u. Reptilien Europas (2. Liste, nach d. Stand v. 1. 1. 1940), ebd. 1940, Abh. 451, S. 1–56 (mit R. Mertens); Btrr. z. Kenntnis d. Herpetofauna Chiles, in: Zoolog. Anz. 97, 1931/32, S. 204–11, 307–29; ebd. 98, 1932, S. 197–208; ebd. 99, 1932, S. 177–92; ebd. 101, 1932/33, S. 121–34; ebd. 103, 1933, S. 128–42; ebd. 104, 1933, S. 305–10;

ebd. 109, 1935, S. 121–28; ebd. 121, 1938, S. 313–17; ebd. 122, 1938, S. 225–37 (mit W. Hellmich); Amphibien u. Reptilien, 1. T.: Amphibia, Chelonia, Loricata (Wiss. Ergebnisse d. dt. Gran-Chaco-Expedition 1931/32), 1936 (mit dems.); Zur Kenntnis einiger Pelusios-Arten (Testudines), in: Veröff. d. Zoolog. Staatsslg. München 3, 1953–56, S. 51–80 (mit dems.).

L W. Hellmich, in: Isis-Mitt., 1948, Sondernr., S. 3–11 *(P)*; ders., in: Die Aquarien- u. Terrarien-Zs. 6, 1953, S. 80 f.; ders., in: Verhh. d. Dt. Zoolog. Ges. 47, 1954, S. 471–73 *(P)*; R. Mertens, in: Natur u. Volk 83, 1953, H. 3, S. 105–07 *(P)*; U. Gruber, Die Sektion Herpetol. (Lurche u. Kriechtiere) d. Zoolog. Staatsslg. München, in: Spixiana, Suppl. 17, 1992, S. 126–32 *(P)*; Kürschner, Gel.-Kal. 1931; ThB.

Brigitte Hoppe

Müller, *Lucian,* klassischer Philologe, * 17. 3. 1836 Merseburg, † 24. 4. 1898 St. Petersburg.

V Friedrich († 1839), Arzt, *S* e. Gerbermeisters in Erfurt; *M* Wilhelmine Schulmann, *T* e. Lehrers; ∞ N. N.; 1 *T* (früh †).

M. besuchte das Joachimsthalsche Gymnasium in Berlin. Durch den Unterricht, u. a. bei August Meineke, sowie durch umfangreiche Privatlektüre erwarb er bereits damals in Grammatik, Stil, Prosodie und Metrik des Lateinischen vorzügliche Kenntnisse. 1854 studierte er in Berlin bei August Boeckh und Moriz Haupt klassische Philologie, 1855 hörte er in Halle Gottfried Bernhardy, aber entsprechend seinen Neigungen wurde für M. nicht die Sachphilologie Boeckhs, sondern eine mehr auf Textkritik und Exegese ausgerichtete Philologie nach dem Vorbild Meinekes sowie Karl Lachmanns bestimmend. Dies wird bereits durch die auf eine Preisaufgabe der Philosophischen Fakultät zurückgehende Schrift „De re metrica poetarum Latinorum praeter Plautum et Terentium libri septem" (1861) dokumentiert, mit deren erstem Kapitel M. 1861 in Berlin promovierte. Nach kurzer Tätigkeit als Gymnasiallehrer ging er 1862 als Hauslehrer in die Niederlande, wo er Handschriften kollationierte und eine „Geschichte der klassischen Philologie in den Niederlanden" (1869) verfaßte. 1867 wechselte M. nach Bonn, habilitierte sich im selben Jahr und war anschließend als Privatdozent tätig. Erst 1870 fand er nach langem vergeblichem Bemühen eine gesicherte Existenz als Professor am Historisch-philologischen Institut in St. Petersburg, einer Ausbildungsstätte für Kandidaten des höheren Lehramts. Mehrfach ausgezeichnet wirkte er dort bis zu seinem Tod.

Der überaus scharfsinnige Philologe beschränkte sich in seinen Forschungen auf das Lateinische, speziell auf die Dichtung. Er galt als einer ihrer besten Kenner, der die Dichtersprache nicht nur rezeptiv beherrschte, sondern auch mit eigenen eleganten lat. Versen hervortrat. Wohl wegen der Antipathien, die er sich durch seine oft überzogen scharfen Polemiken zugezogen hatte, verlief seine Laufbahn trotz hoher Begabung weniger geradlinig als bei vielen seiner Kollegen. Von M.s Textausgaben und literaturgeschichtlichen Darstellungen haben viele ihren Wert behalten, besonders die Forschungen zur frühlat. Dichtung und zu Horaz. Die größte Wirkung erreichte er als Metriker durch sein maßgebliches, 1894 völlig überarbeitetes und in vielem heute noch gültiges Werk „De re metrica" (Nachdr. 1967). – Staatsrat (1884); Stanislaus-Orden 1. Kl. (1888); russ. Annen-Orden 1. Kl. (1892); Ehrenmitgl. d. russ. Ges. f. klass. Philol. u. Pädagogik (1896).

Weitere W u. a. Phaedri fabulae, 1868, ed. maior 1877; Horatii carmina, 1869 u. ö.; Catulli, Tibulli, Propertii carmina, 1870 u. ö.; Rutilii Namatiani de reditu suo, 1870; Lucilii saturarum reliquiae, 1872; De Phaedri et Aviani fabulis, 1875; Leben u. Werk d. Gaius Lucilius, 1876; Publii Optatiani Porphyrii carmina, 1877; Friedrich Ritschl, Eine wiss. Biogr., 1877; ²1878; Quintus Horatius Flaccus, Eine lit.-hist. Biogr., 1880, ital. 1889; Metrik d. Griechen u. Römer, 1880, ²1885, franz. 1882, ital. 1883 u. 1926; engl. 1892; Horatii carmina mit dt. Anm., 1882; Quintus Ennius, Einl. in d. Studium d. röm. Poesie, 1884; Quinti Enni carminum reliquiae, 1884; Livi Andronici et Cn. Naevi fabularum reliquiae, 1885; Der saturn. Vers u. seine Denkmäler, 1885; Nonius Marcellus, 2 Bde., 1888; De Pacuvii fabulis, 1889; De Accii fabulis, 1890; Horaz, Satiren u. Episteln, 2 Bde., 1891–93; Horaz, Oden u. Epoden, 2 Bde., 1900.

L W. Pökel, Philolog. Schriftst.-Lex., 1882, S. 184; C. Bursian, Gesch. d. class. Philol. in Dtld., 1883, S. 934–36; E. Schulze, in: Bursian-BJ 103, 1899, 63–86; L. Müller, Horaz-Jubiläum, 1892 *(Autobiogr. mit Auswahlbibliogr.)*; J. E. Sandys, A History of Classical Scholarship, III, 1908, S. 189 f.; U. v. Wilamowitz-Moellendorff, Gesch. d. Philol., ³1927, S. 64; ders., Erinnerungen, ²1928, S. 94.

Wolfhart Unte

Müller, *Ludwig,* kath. Verbandsfunktionär, * 4. 8. 1876 Ingolstadt, † 4. 2. 1934 München.

V Ludwig (1847–1924), Bäckermeister, 1890–1919 Magistratsrat in I., Vorstand d. Kath. Kasinos Ingolstadt, *S* d. Bäckermeisters Ludwig u. d. Katharina Pfättisch; *M* Walburga (1855–1941), *T* d. Peter Hofstetter, Maurer in I., u. d. Carolina Banzer.

Nach dem Besuch der Lateinschule in Ingolstadt und des Eichstätter Gymnasiums und Theol. Lyzeums empfing M. 1902 die Priesterweihe. Im Herbst 1905 ging er zum Studium der Kanonistik nach Rom (Promotion 1907). Danach gewann ihn der Eichstätter Generalvikar Georg Triller (1855–1926) für die Mitarbeit am „Kath. Preßverein für Bayern", den er 1901 ins Leben gerufen hatte. Der Verein hatte sich zum Ziel gesetzt, in kämpferischer Abwehr gegen liberale Zeitströmungen die kath. Presse zu stärken und die Volksbildung im christlichen Sinne zu fördern. M. war seit 1907 als Sekretär des Preßvereins in München tätig. Nach dem Ausscheiden des ersten Landessekretärs Anton Kreutmeier (1865–1944) im Jahre 1909 wurde er mehr und mehr zur zentralen Figur des Vereins. Seine Begabung als Redner und sein Organisationstalent kamen ihm bei den vielfältigen Aufgaben an der Spitze des Vereins (seit 1912 Generalsekretär, seit 1920 Generaldirektor) zugute. Unter seiner Führung erhöhte sich die Zahl der Ortsvereine von 91 (1908) auf 952 (1924), die der Mitglieder von 10 500 (1908) auf über 66 000 (1925), was nicht zuletzt ein Verdienst seiner unermüdlichen Vortragstätigkeit war. Die Zahl der Volksbibliotheken vermehrte sich von 89 (1908) auf mehr als 1000 (1930). Bis 1932 wurden außerdem 15 Provinzblätter sowie zwei Münchener Tageszeitungen („Bayerischer Kurier" und „Neues Münchener Tagblatt") vom Preßverein übernommen. Schon 1920 hatte sich der Preßverein zum bedeutendsten Volksbildungsverein Bayerns entwickelt. Daraus erklärt sich, daß M. zeitweise auch oberbayer. Kreisvorsitzender des „Landesverbandes für freie Volksbildung" sowie Vorstandsmitglied des „Landesverbandes der Volksbildungsvereine Bayerns" war. Auf dem 1. Internationalen Kath. Pressekongreß 1930 in Brüssel wurde er in den Ausschuß gewählt.

Trotz aller Bemühungen M.s geriet der Preßverein seit Ende der 20er Jahre zunehmend in eine Krise; 1931 zählte er nur mehr 30 493 Mitglieder. Im Herbst 1932 mußte M. wegen eines Nierenleidens sämtliche Funktionen im Verein und Verlag aufgeben. Sein Nachfolger wurde Josef Haas (1887–1969). Die Zerstörung seines Lebenswerkes durch die Nationalsozialisten, die Aufhebung des Preßvereins und seine Umwandlung in den St. Michaelsbund im Herbst 1934, hat M. nicht mehr erlebt. – Päpstl. Hausprälat (1921).

L M. Ettlinger, in: G. Baracs-Deltour (Hrsg.), Die dt. Wohlfahrt im Weltkrieg, Bd. 1 a, 1916 (P); K. Nüßler, Gesch. d. Kath. Preßvereins f. Bayern 1901–34, Diss. München 1954 (ungedr.); W. Spael, Das kath. Dtld. im 20. Jh., 1964, S. 129–31; A. Vordermayer, Kath. Preßverein – St. Michaelsbund, 1901–1934–1961, in: Kath. Büchereiarbeit in Bayern, J.ber. d. St. Michaelsbundes 1974/75, S. 25–34; Kath. Lit.kal. 15, 1926, S. 247; Kosch, Kath. Dtld. (P).

Franz Heiler

Müller, *Ludwig,* Reichsbischof, * 23. 6. 1883 Gütersloh, † (Freitod) 31. 7. 1945 Berlin. (luth.)

V Adolf, Reichsbahnangestellter in G.; M Anna Sophie Veerhof in Cuxhaven; ∞ 1909 Paula Reineke (1887–1963); 1 S, 1 T.

M. besuchte das von der Minden-Ravensberger Erweckungsbewegung geprägte Gymnasium in Gütersloh, studierte 1902–05 Theologie in Halle und Bonn und schloß sich, seiner nationalistisch-monarchistisch-antisemitischen Grundeinstellung entsprechend, dem „Verein deutscher Studenten" an. Er bestand 1905/07 die theologischen Prüfungen in Münster und wurde 1908 ordiniert. Im selben Jahre wurde er auf die 2. Pfarrstelle in Rödinghausen (Westfalen) gewählt, wechselte jedoch 1914 in den Marinekirchendienst nach Wilhelmshaven über. Als Marinepfarrer diente er im 1. Weltkrieg in Flandern und der Türkei. 1918 wurde er Garnisonspfarrer in Cuxhaven, 1920 Stationspfarrer in Wilhelmshaven und 1926 Wehrkreispfarrer in Königsberg. Hier sammelte er Vertreter aus dem rechten politischen Spektrum um sich; 1927 war auch Hitler auf einer Propagandareise nach Ostpreußen Gast in M.s Haus. Diese Begegnung wurde für M.s weiteren Weg entscheidend. 1931 trat er der NSDAP bei, warb im Offizierskorps erfolgreich für Hitler und förderte die Zusammenarbeit von SA und Reichswehr beim ostpreuß. Grenzschutz. 1932 stieß er zu den „Deutschen Christen", einer bereits Ende der 20er Jahre von den beiden Pfarrern Siegfried Leffler (1900–83) und Julius Leutheuser (1900–42) in Thüringen gegründeten völkisch-nationalsozialistisch orientierten Kirchenpartei, die sich unter Führung des Berliner Pfarrers Joachim Hossenfelder (1899–1976) auch in Preußen sammelte und bei den dortigen Kirchenwahlen 1932 erhebliche Erfolge verzeichnen konnte. M. wurde „Führer" des ostpreuß. Landesverbandes und übernahm als Mitglied der Reichsleitung der Deutschen Christen das Referat für nationale Fragen. Als die ev. Kirchenführer nach der nationalsozialistischen „Machtergreifung" über eine Verfassungsreform des deutschen ev. Kirchenwesens berieten, ernannte Hitler im April 1933 M. überraschend zu seinem „Bevollmächtigten für Fragen der ev. Kirche" und damit praktisch zum Staatskommissar, der die anstehenden kirchlichen Entscheidungen im Sinne der neuen politischen Führung beeinflussen sollte. Die Kirchenführer sahen sich gezwungen, mit M. zusammenzuarbeiten. Sie setzten aber noch einmal ein Zeichen für die Unabhängigkeit der Kirche, als sie Ende Mai 1933 nicht ihn, sondern Friedrich v. Bodelschwingh zum Reichsbischof der neuen Reichskirche wählten. Daraufhin intervenierte Hitler erneut und oktroyierte allgemeine Kirchenwahlen für die gesamte ev. Kirche, die – nicht zuletzt durch die Unterstützung seitens der NSDAP und Hitlers selbst – von den Deutschen Christen fast überall gewonnen wurden. Damit war für M. der Weg in die höchsten Ämter der Kirche frei. Anfang August 1933 wählte ihn der mehrheitlich deutsch-christliche altpreuß. Kirchensenat zum Präsidenten des Ev. Oberkirchenrats mit der Amtsbezeichnung Landesbischof, und am 27. 9. 1933 wurde er durch die neue Nationalsynode zum Reichsbischof gewählt. Damit schien die von Hitler erstrebte und von den Deutschen Christen propagierte „Gleichschaltung" der ev. Kirche mit dem nationalsozialistischen Staat erreicht zu sein.

M. verscherzte sich jedoch schnell das Vertrauen, das er anfänglich bei der politischen Führung und bei leitenden Männern der Kirche selbst genossen hatte. Seine charakterliche Schwäche, sein theologischer Dilettantismus und vor allem seine unkluge Amtsführung, bei der er sich weder an die Kirchenverfassung hielt noch vor diktatorischen Alleingängen zurückschreckte, führten zu einem raschen Verfall seiner persönlichen Autorität. Bereits im Herbst 1933 sammelte sich innerhalb der Kirche eine Oppositionsbewegung gegen den Kurs M.s, die sich im Frühjahr 1934 zur Bekennenden Kirche und damit zu einer „Gegenkirche" zur offiziellen Reichskirche formierte. M.s Position wurde vollends unhaltbar, als er, beraten von seinem „Rechtswalter" August Jäger (1887–1949), im Herbst 1934 die süddeutschen Landeskirchen gegen ihren Willen in die Reichskirche eingliedern wollte und die dortigen Landesbischöfe Theophil Wurm und Hans Meiser unter Polizeigewahrsam stellte. Die breiten Protestaktionen gegen diese Maßnahmen im In- und Ausland wuchsen sich zu einer außenpolitischen Bedrohung für das nationalsozialistische Deutschland aus, so daß Hitler seine im Frühjahr 1934 noch einmal bekräftigte Unterstützung für M. zurückzog. Im Juli 1935 berief er Hanns Kerrl zum Reichskirchenminister, der seinerseits eine neue Leitung für die ev. Kirche einsetzte und damit M. faktisch entmachtete.

M. beanspruchte jedoch auch weiterhin eine geistliche Führerrolle im deutschen Protestantismus. Überzeugt von der weltanschaulichen Übereinstimmung von Christentum und Nationalsozialismus, propagierte er jetzt in Vorträgen und Predigten ein völkisch geprägtes Christentum, das in einer überkonfessionellen Nationalkirche Gestalt gewinnen sollte. Nach Beginn des 2. Weltkrieges bemühte er sich wiederholt um die persönliche Unterstützung Hitlers, um wieder mehr Einfluß in der Kirche zu erlangen, stieß aber auf Ablehnung. Es lag durchaus in der Konsequenz seiner ideologischen Entwicklung, daß M. schließlich 1941 aus der Kirche austreten wollte, weil er sich nicht mehr an die kirchliche Lehre gebunden fühlte; diesen Schritt mußte er aber auf ausdrücklichen Wunsch Hitlers unterlassen. – M. war weder als Theologe noch als Kirchenpolitiker bedeutend. Mit seiner fragwürdigen Gleichsetzung von Nationalgefühl und Heiligem Geist sowie seiner militaristisch gefärbten Ethik repräsentierte er jedoch in typischer Weise einen Teil des prot. Zeitgeistes und konnte aufgrund der besonderen historischen Konstellation in der kirchlichen Zeitgeschichte für kurze Zeit eine gewisse Rolle spielen. – Preuß. Staatsrat (1933); Senator d. Dt. Ak.

W u. a. Dt. Gotteswortes, 1936 (zahlr. Aufl.); Was ist positives Christentum?, 1938, ²1939); Der dt. Volkssoldat, 1939, ⁴1940.

L M. Koschorke (Hrsg.), Gesch. d. Bekennenden Kirche in Ostpreußen 1933–45, 1973, bes. S. 45 f. u. 493–505; K. Scholder, Die Kirche u. d. Dritte Reich, 2 Bde., 1977 / 85; E. Brinkmann, L. M.s Lebensj. in Westfalen, in: Jb. f. Westfäl. KG 76, 1983, S. 192–200; Th. M. Schneider, Reichsbischof L. M., 1993 (W, P); BBKL.

Carsten Nicolaisen

Müller, *Martin,* Medizinhistoriker, * 26. 2. 1878 Hohenwettersbach b. Durlach (Baden), † 12. 1. 1960 München. (kath.)

V Johann, Buchhalter; M Karoline Schelle; ⚭ 1922 Emma Margaret Kerschbaumer.

M. studierte 1897 am Collegium Germanicum in Rom Theologie und Philosophie, seit 1899 in München klassische Philologie, Deutsch und Geschichte. 1906 erlangte er die Befähigung für das Lehramt an höheren Schulen und verblieb bis 1910 im Schuldienst, danach wurde er Assistent bei Johannes Ranke am Anthropologischen Institut der Univ. München. M. nahm daneben noch ein Medizinstudium auf, bei Ausbruch des 1. Weltkrieges meldete er sich zum Einsatz in der freiwilligen Krankenpflege, setzte sein Studium fort und arbeitete schließlich als Feldunterarzt und Feldhilfsarzt. 1919 wurde er an der Univ. München zum Dr. med. promoviert und erhielt die Approbation als Arzt. Anschließend eröffnete er eine Landarztpraxis in Johanniskirchen bei Wasserburg. 1923 erfolgte seine Promotion zum Dr. phil. in München.

1925 verlegte M. seine Praxis nach München, um sich nunmehr neben der ärztlichen Berufsausübung der medizinhistorischen Forschung zu widmen, wozu ihn Karl Sudhoff in Leipzig ermuntert hatte, der ebenfalls aus der Tätigkeit als niedergelassener Arzt den Weg zur Erforschung der Geschichte seines Fachs gefunden hatte. 1927 erhielt M. ein Forschungsstipendium der Notgemeinschaft der deutschen Wissenschaft, 1929 konnte er sich an der Medizinischen Fakultät der Univ. München für Geschichte der Medizin habilitieren, 1939 wurde er zum ao. Professor ernannt. Dank der Förderung durch den Ordinarius für Innere Medizin, Friedrich v. Müller, und das Herausgeberkollegium der Münchener Medizinischen Wochenschrift konnte das bisherige Seminar für Geschichte der Medizin in ein Universitätsinstitut umgewandelt werden. M. verlagerte bei Kriegsbeginn die wertvollen Bücherbestände des Instituts nach Dießen am Ammersee, hielt unter schwierigen Bedingungen den Unterricht aufrecht und betreute ohne Unterstützung durch Assistenten viele Doktoranden. Nach Kriegsende durfte M. im Amt verbleiben und versah das Extraordinariat bis Jahresende 1949.

M. gehört zu den Begründern der neueren deutschen Medizingeschichtsforschung. Durch seine eigenen Veröffentlichungen und die seiner Schüler, insbesondere zahlreicher Doktoranden, hat er dem Fach sichere methodische Grundlagen vermittelt. Sein wissenschaftliches Werk spiegelt sein besonderes Interesse an den Beziehungen zwischen der Philosophie und der empirischen Naturwissenschaft wider. Davon zeugen vor allem seine Arbeiten über den Physiologen Johannes Müller. 1937 publizierte er seine für einen breiten Leserkreis gedachte Monographie „Wege der Heilkunst". Wenige Monate nach seinem Tode erschien der von ihm bearbeitete Registerband zu Sudhoffs Paracelsus-Gesamtausgabe.

W u. a. Über d. phil. Anschauungen d. Naturforschers Johannes Müller, in: Archiv f. Gesch. d. Med. 18, 1926, S. 130–50, 109–34, 328–50; Die Stellung d. Daniel v. Morley in d. Wiss. d. MA, in: Phil. Jb. 41, 1928, S. 301–37; Goethes Stellung z. theoret. u. prakt. Med., in: Fortschritte d. Med. 50, 1932, S. 218–22; 257–60; Zur Synthese d. Med., in: Ärztl. Mitt. 38, 1953, S. 136–38.

L M. Schmid, Personalbibliogr., in: Nachrr.bl. d. Dt. Ges. f. Gesch. d. Med., Naturwiss. u. Technik 11, 1958, S. 11–13; ders., ebd. 15, 1960, S. 21 f.; ders., in: Münchener med. Wschr. 102, 1960, S. 870; G. Hohmann, in: Ludwig-Maximilians-Univ. München, Jahreschron. 1960/61, S. 18 f.; R. Blases, Registerbd. zu Sudhoffs Paracelsus-Gesamtausg. 1960, S. VIII–XII *(P);* H. Röhrich, in: Bayer. Ärztebl. 34, 1979, S. 358, 363 *(P);* K. S. Kolta, in: P. U. Unschuld (Hrsg.), 50 J. Inst. f. Gesch. d. Med. d. Univ. München, 1989, S. 43–52 *(P);* Pogg. VII a.

Heinz Goerke

Müller, *Matheus,* Sektfabrikant, * 25. 2. 1773 Eltville/Rhein, † 10. 1. 1847 ebenda. (kath.)

Die Fam. ist seit Anfang d. 16. Jh. in E. nachweisbar. Cyliax Moller (1515–1608) u. sein Sohn waren dort Muther (Maß- u. Gewichtskontrolleure). Die folgenden Generationen übten zumeist d. Küferberuf aus. – *V* Philipp (1735–1817), Küfermeister in E., *S* d. Gerhard (1689–1752), Küfermeister in E., u. d. Maria Agnes Lichteis (1696–1797) aus Hattenheim (Rheingau); *M* Maria Agnes (1743–1832), *T* d. Johann Philipp Baldner (* 1695), Müllermeister in Kiedrich b. E., u. d. Maria Christine Ulm († 1787); mehrere *B*, Kellermeister u. Weinhändler; ∞ 1) Eltville 1800 Dorothea (1775–1813), *T* d. Johann Georg Schell (1737–79) aus Höchst u. d. Maria Elisabeth Lang (1741–77) aus Wallau b. Wiesbaden, 2) Eltville 1814 Catharina Schell (1773–1856, *Schw* d. 1. Ehefrau); 13 *K* (8 früh †), u. a. Matheus d. J. (1802–70), Sektfabr. in E.; *E* Bernhard (1838–1912), GKR, Adam († 1903), Friedrich Franz († 1894), Georg († 1919), alle Sektfabr. in E.; *Ur-E* Adam (1869–1946), Henry-Josef M.-Gastell (1872–1940), Dr. iur., beide Sektfabr. in E.; *Urur-E* Paul (1899–1931), Otto M.-Gastell (* 1908), Dr. iur., Fabrikdir. (s. Wi. 1985), sowie Fritz M.-Gastell (1921–75), Dr., u. Alexander Graubner-M. (* 1923), beide Sektfabr. in E.

M. erlernte das Küferhandwerk. Um 1811 erwarb er den ehemaligen Hof der Freiherren v. Sohlern in Eltville und kaufte von der Stadt einen Teil der Befestigungsanlagen hinzu. Auf seinem weitläufigen Besitz am Rheinufer betrieb er zunächst einen Weinhandel. Nach Versuchen, die bis 1831 zurückreichten, nahm die Firma „Matheus Müller" 1838 als zweite im Rheingebiet nach Burgeff (1836) die erst wenige Jahre zuvor in Deutschland eingeführte Schaumweinherstellung nach der franz. Flaschengärungsmethode auf, die

M.s Sohn Friedrich Franz als Einkäufer des Weinhandlungshauses Mumm & Co. in der Champagne kennengelernt hatte. Seine erste Cuvée brachte M. unter dem Namen „Eltville Moussierender" auf den Markt. Unter der Leitung M.s sowie seiner Söhne und Enkel nahm die Sektkellerei mit dem charakteristischen Markenzeichen „MM" (seit 1894 geschützt) einen glänzenden Aufstieg und erlangte auch internationales Ansehen. In einer Zeit rasch zunehmenden Schaumweinkonsums in Deutschland – 1840 250000, 1885 6,5 Mill., 1900 schon 12 Mill. Flaschen – wurden die Produktionseinrichtungen und die mehrstöckigen Kelleranlagen des Unternehmens immer weiter ausgebaut. Der nach 1871 erworbene Weingutsbesitz in Lothringen ging nach dem 1. Weltkrieg wieder verloren.

Die zahlreichen Nachkommen M.s erwarben in der Umgebung der Sektkellerei umfangreichen Grundbesitz, der große Teile des Eltviller Rheinufers umfaßte, und prägten das Erscheinungsbild der Stadt durch repräsentative Wohnbauten. Die nach der Jahrhundertwende von M.s Nachfahren geleitete, 1913 von einer Offenen Handelsgesellschaft in eine Kommandit-Gesellschaft auf Aktien umgewandelte Firma „Matheus Müller" gehörte auch zwischen den Weltkriegen mit ihrer Erfolgsmarke „MM Extra Trocken" zu den größten deutschen Schaumweinproduzenten. Ihre Keller wurden bis zu einer Kapazität von mehr als 15 Millionen Flaschen ausgebaut. Nach 1945 setzte sich die erfolgreiche Entwicklung des jetzt von M.s Urenkeln geleiteten Unternehmens fort, dessen Kapital sich noch immer überwiegend im Besitz der Familie befand. Grundlage der Sektherstellung bildeten zunehmend ausländische Weine, die nicht mehr nach der klassischen Flaschengärungsmethode, sondern in industriellen Großraumgärverfahren verarbeitet wurden. 1985 wurde die Firma „Matheus Müller" von dem kanad.-amerikan. Getränkehersteller J. E. Seagram übernommen.

L Industrielle, Vertreter dt. Arbeit in Wort u. Bild, Biogr. Slg., o. J. (um 1918) (P); G. Herzog, Die dt. Sektkellereien, ihre Entwicklung u. ihre Bedeutung für d. dt. Weinbau, o. J. (1955); W. Kratz, Eltville, Baudenkmale u. Gesch., I, 1961, S. 117–20 (P); D. Schütz, Vom schäumenden Wein, in: Eltville am Rhein, 650 J. Stadtrechte, 1982, S. 136–39; H. Arntz, Der Sekt, Vom Syndikat z. Verband Dt. Schaumweinkellereien, 1983; ders., Frühgesch. d. dt. Sektes, II/V, 1987/88; H. Witte, Berühmte Rheingauer, 1984, S. 93–97 (P); R. Knoll, Zwei Eltviller Großbetriebe: Matheus Müller (MM) u. Mumm, in: H.-P. Wodarz (Hrsg.), Rheingau, 1990, S. 76–78; Nassau.

Biogr.; H. Scharfenberg, Sekt, Perlendes Dtld., 1993, S. 197–200. – Mitt. v. Alexander Graubner-Müller.

P Gem. „Weinprobe in Kloster Ebrach" v. F. Simmler, 1847.

Hans Jaeger †

Müller, *Matthäus,* kath. Priester, Pädagoge, * 15. 12. 1846 Wicker b. Mainz, † 1. 7. 1925 Marienhausen b. Aßmannshausen/Rhein.

V Johann, Mühlenbes. in W.; 7 *Geschw.*

M. besuchte die Lateinschule in Eltville, 1864–67 das bischöfl. Konvikt in Hadamar, 1870 das Mainzer Priesterseminar, wo er neben dem Studium der Philosophie und Theologie (u. a. bei Ch. Moufang und P. L. Haffner) auch Kenntnisse der Pädagogik und Psychologie erwarb. Insbesondere prägte der Mainzer Bischof Ketteler sein späteres soziales Engagement. Nach der Ausbildung im Priesterseminar Limburg (1872/73) empfing M. die Priesterweihe. Ein halbes Jahr wirkte er als Kaplan in Meudt (Westerwald), bevor er als Assistent und Verwalter an die Diözesan-Rettungsanstalt Marienstatt berufen wurde. Bis zu seinem Tod widmete er sich der Verbesserung der Heimerziehung, unterbrochen nur von der Zeit als Subregens am bischöfl. Konvikt in Montabaur (1882–84). Zum Direktor ernannt, leitete er, nachdem 1888 Zisterzienser die Abteigebäude wiedererhalten hatten, den Umzug der Anstalt nach Marienhausen (ehem. Zisterzienserinnenkloster). Hier entwickelte und verwirklichte er seine pädagogischen Grundsätze. Wichtigste Reform – und damit staatlicher Gesetzgebung und Verordnung voraus – war neben menschenwürdiger Grundsicherung der Existenz und elementarer Schulbildung der Betreuten ein individualisierter Erziehungsstil. Besonders die damals übliche strenge Anstaltsdisziplin und eine allgemein gültige Strafverordnung unterzog er der Kritik. An ihre Stelle setzte er, in Anlehnung an Don Bosco, ausgewogene Präventiv- und Strafmaßnahmen auf einer Basis des Vertrauens in der Interaktion von Erziehern und Betreuten. Dabei forderte er genaue Kenntnis der jeweiligen körperlichen und seelischen Eigenart des Jugendlichen. Eine weitere Maßnahme war die Einrichtung einer Beschwerdeinstanz für Kinder. Die Betonung der Familie ließ ihn Einspruch erheben gegen Eingriffe ins Familienrecht, wie sie eine allzu schnelle Zwangseinweisung von „Verwahrlosten" darstellte. Von den Erziehern verlangte er neben hervorragenden menschlichen Qualitäten eine umfangreiche fachliche Kompetenz in pädagogischen und psychologischen Belangen.

Folge des individualisierten Erziehungsstils war zunächst die Einrichtung von Hilfs- und Ergänzungsklassen neben der üblichen Volksschule, sodann die Gründung der Diözesan-Idiotenanstalt in Aulhausen (1893), deren Leitung M. bis 1902 innehatte. Auf der Grundlage von „Vernunft, Liebe und vor allem Religion" wollte er die Betreuten für ein Leben in der Gesellschaft vorbereiten und sie zu praktizierenden Christen erziehen; zudem strebte er die Heilung der vorgefundenen körperlichen, sittlichen und seelischen Schäden an. So waren ihm neben der Grundschul- und Weiterbildung in eigenen und auswärtigen Handwerksbetrieben und einer ausgewogenen Freizeitbetätigung eine sorgfältige Nachbetreuung der Heimentlassenen und die Integration der Familie im Resozialisationsprozeß ein besonderes Anliegen. Seine pädagogische Arbeit dokumentierte und finanzierte er durch schriftstellerische Tätigkeit. Mit programmatischen Artikeln, die aus Vorträgen erwuchsen, hat er nicht nur in der Diözese, sondern im ganzen deutschen Katholizismus die Heimerziehungsarbeit verändert. Sein Forum war das von ihm 1879–1910 redaktionell geleitete Franziskusblatt (für Franziskanertertiaren), der von ihm seit 1884 herausgegebene Franziskuskalender sowie seit 1886 das St. Lubentiusblatt (Sonntagsbeilage des Nassauer Boten). Zahlreiche Artikel M.s zur Sonderpädagogik erschienen auch in den Fachzeitschriften der Caritaswissenschaft. Nicht zuletzt verbreitete er sein Gedankengut durch intensive Vereinsarbeit. Er gilt aufgrund seiner Vorarbeiten und seiner Versuche, einen Diözesan-Caritas-Verband zu gründen, als Mitbegründer des von L. Werthmann 1885 schließlich ins Leben gerufenen Caritasverbandes und wurde 1887 und 1914/17 Leiter des ersten Diözesanverbandes. M. initiierte die Gründung des Seraphischen Liebeswerkes in der Trägerschaft der Kapuzinertertiaren (1885) und leitete 1895/96 dessen Organ (Seraphischer Kinderfreund). Ebenso gehen die Gründung des Verbandes kath. Anstalten für Geistesschwache (1906) und der Vereinigung für kath. caritative Erziehungstätigkeit auf ihn zurück. Für den Klerus des Rheingaus gründete er die erste Priestervereinigung „Eucharistia" und richtete ein Exerzitienhaus ein, das allen offenstand. Seine pädagogischen Errungenschaften wurden Anfang des Jahrhunderts Allgemeingut. 1924 trat er in den Ruhestand und übergab sein Werk den Salesianern. – Geistl. Rat (1898), Päpstl. Hausprälat (1917).

W Bttr. u. a. in: Caritas 1, 1885 ff.; Zs. f. kath. caritative Erziehungstätigkeit 1, 1912, S. 8–10, 49–54, 2, 1913, S. 98 f.

L F. Stöffler, Dir. Prälat M. M., in: Archiv f. Mittelrhein. KG 14, 1962, S. 507–22 *(W-Verz.)*; F. Kaspar, Ein Jh. Sorge um geistig behinderte Menschen, I, 1988, S. 490–505; M. Graulich, M. M. u. seine Pädagogik, in: FS 100 J. Marienhausen, hrsg. v. L. Lögers, 1989, S. 33–55 *(L, P)*.

Clemens Kaspar

Müller, *Max,* Philosoph, * 6. 9. 1906 Offenburg (Baden), † 18. 10. 1994 Freiburg (Breisgau). (kath.)

V Otto (1859–1947), Landger.rat in O. u. F., S d. Wilhelm (* 1824), Landwirt u. Gastwirt in Ettenheim Kr. Karlsruhe, u. d. Karoline Köbele (* 1833); M Emma (1872–1949, ev.) aus Colmar, T d. Friedrich Maximilian (Max) Zoeller (* 1840) aus Bödigheim, Dr., Althistoriker, Gymnasialdir. in Mannheim, Vf. v. „Latium u. Rom" (1878), „Griech. u. röm. Privataltertümer", „Gesch. d. röm. Lit." u. „Röm. Rechts- u. Staatsaltertümer", u. d. Rosine Katharina Emma Hiller (* 1844) aus Schwäbisch Hall; B Wilhelm († 1993), Dr. iur., Vors. Richter am Oberlandesger. Karlsruhe, Otto (1904–43), Dr. iur., Landger.dir. in Mannheim; – ∞ Freiburg 1946 Gisela (1914–85) aus Karlsruhe, Lehrerin, T d. August Letulé (* 1888), Postassistent, u. d. Johanna Frey (* 1891); 2 *Adoptiv-S.*

Nach dem Besuch des Gymnasiums in Offenburg begann M. 1925 ein Studium der Geschichte, Romanistik und Germanistik an der Univ. Berlin als Stipendiat der Studienstiftung. Durch die kath. Jugendbewegung kam er früh in Kontakt mit Romano Guardini, dem er ein Leben lang freundschaftlich verbunden blieb. Nach weiteren Studien in München, Paris und seit 1928 in Freiburg (Breisgau), wo später die Begegnung mit Martin Heidegger entscheidend wurde, promovierte er dort 1930 bei Martin Honecker aufgrund der Dissertation „Über Grundbegriffe philosophischer Wertlehre" (1932). Im selben Jahr legte er in Karlsruhe das Staatsexamen für das höhere Lehramt ab. 1932–35 war er Assistent bei Honecker. Während dieser Zeit gab er die neudeutschen „Werkblätter" heraus. Im Rückgang auf die christliche Sozial- und Staatsphilosophie behauptete er hier den Eigenweg der christlichen Bünde gegenüber der Gleichschaltung mit der Hitlerjugend. 1937 folgte die Habilitation mit der Thomas von Aquin-Interpretation „Sein und Geist" (1940, ²1981), deren Zweitgutachter Heidegger war. Wegen ideologischer Unzuverlässigkeit verwehrte ihm die Universität, indirekt von Heidegger veranlaßt, bis 1945 die Lehrtätigkeit. In der Folge verdiente er als Dozent für Philosophie am erzbischöflichen „Collegium Borromaeum", durch Lektorentätigkeit bei Verlagen und die Mitarbeit an Lexika sowie durch regelmäßige Beiträge in der „Freiburger Tagespost" seinen Lebensunterhalt. Wegen Kontakten mit der „Weißen Rose" wurde er 1943 verhaftet und verhört; es gelang ihm aber, glaubhaft zu machen, daß er den Aktionen der Gruppe kritisch gegenüberstand. Ein folgender Einberufungsbefehl wurde nicht vollzogen, da Freunde eine Dienstverpflichtung als Personalchef einer Waggon-Fabrik in Posen (Polen) durchsetzen konnten. 1945 wurde M. an der Univ. Freiburg Dozent für Philosophie (o. Prof. 1946). 1960 nahm er einen Ruf nach München an, wo er bis zur Emeritierung 1972 mit großem Erfolg und internationaler Ausstrahlung, besonders in die romanischen Länder, tätig war. Nach Freiburg zurückgekehrt lehrte er 1978 als Honorarprofessor in der Philosophischen und der Theologischen Fakultät und seit 1985 im Rahmen des Studium generale.

M. war Gründungsmitglied der badischen CDU, leitete deren kulturpolitischen Ausschuß und betätigte sich 1956–60 als Stadtrat in Freiburg. 1952 wurde er eingeladen, der Görres-Gesellschaft beizutreten, deren Philosophischer Sektion er 1959–70 vorstand und deren Philosophisches Jahrbuch er herausgab, zusammen mit Bernhard Welte und Erik Wolf auch die Schriftenreihe „Symposion". Ein Genie der Freundschaft, hat M. Schülerschaft stets als Gemeinschaft von Lehrenden und Lernenden verstanden, die die Entfaltung der Eigenheiten eines jeden befördern sollte. Dies erklärt auch sein Bemühen, in zahlreichen Vereinigungen mitzuwirken. Neben den kath. Bünden („Quickborn", „Neudeutschland") waren dies u. a. der Freiburger „Färber-Kreis" (mit Karl Färber, Reinhold Schneider, Hubert Seemann, B. Welte), Franz Büchners „Christliche Arbeitsgemeinschaft", der „Beuroner Hochschulkreis", die „Graeca" in Freiburg, die „Sabbatina" in München und die „International Christian Leadership". Bemüht, die geistige Isolation Deutschlands zu überwinden, entfaltete er nach dem Krieg eine rege Vortrags- und Lehrtätigkeit in Frankreich, Belgien (1957 Gastprofessur auf dem Kardinal Mercier-Lehrstuhl in Löwen), Portugal, Spanien und Italien. Das geschichtlich Christliche in den Gestalten des Augustinus („acies mentis"), des Thomas („actus"), Pascals („Feuer") und Kierkegaards („Paradox") einerseits, die permanente Auseinandersetzung mit Heideggers „Seinsdenken" andererseits, bildeten den Nährboden von M.s eigenem Philosophieren. Während Heidegger den Abschied von der Metaphysik fordert, weil sie für ihn eine Dekadenzgeschichte des Vergessens des Seins darstellt, besteht M. auf Bewahrung und Verwandlung derselben in „Metahistorik". Diese bedenkt die einmaligen Prägungen des Transzendentalen in Erfahrung und Geschichte. So steht, was Liebe ist, in keinem Wesensbild von Liebe fest. Liebe ist aber auch keine bloß funktionale, biologisch-ontische Faktizität; sie wird nach M. vielmehr in ihrem Sein erst hervorgebracht als meine Antwort auf die begehrenden Bedrängnisse einer beginnenden Beziehung. M. versteht Geschichte als das Walten der je anderen und nur analog verstehbaren Freiheit. Die Erkenntnishaltung der „analogia historica" würdigt die Differenz des je anderen transzendentalen Maßes positiv. Sein ist zu denken als „Relation". Wo nämlich das Maß für Gestaltungen nicht einfach durch ein Schicksal vorbestimmt, nicht durch ein Wesen gewährt, nicht durch ein Subjekt durchgesetzt wird, ergibt sich als ständige Aufgabe, es im lebendigen Zueinander, in Gemeinschaft, in Hingabe als „Mitte" und „Höhe" einer Sinngestalt unablässig zu erstreiten und zu verantworten. Das gilt für Wissen (Metaphysik), Können (Kunst), Glauben (Kirchen), Handeln (Staat, bonum commune) usw. gleichermaßen. Der Mensch als „Person" mit seiner unverwechselbaren Geschichte im Unterschied zum bloß biologischen Individuum oder Exemplar einer Gattung, „Analogizität" und „Dialogizität", schließlich „Mitsein" (Mittun, Mitverantwortung) als vorrangiges Existential, das sind wesentliche Punkte von M.s Position im Unterschied auch zu derjenigen Heideggers. Weil M. im geschichtlich Christlichen überall dessen Seinsdenken vorweggenommen sieht, lehnte er die Bezeichnung „kath. Heideggerschule", die ihm zusammen mit Gustav Siewerth, Johann Baptist Lotz und Karl Rahner gegeben worden ist, ab.

M. hat diese Sicht werkhaften Gelingens oder Mißlingens in einer Reihe vielbeachteter Bücher dargelegt: „Existenzphilosophie im geistigen Leben der Gegenwart" (1949, erweitert ⁴1986 u. d. T. „Existenzphilosophie, Von der Metaphysik zur Metahistorik"), „Symbolos, Versuch einer genetisch-objektiven Selbstdarstellung" (1967), wo er dem geschichtlichen „In-eins-Fall" von Unbedingtheit im Bedingten, wie ihn die Philosophie denkt, den „Symbolos", den die Kunst unmittelbar vergegenwärtigt, zur Seite stellte; er formulierte sie in „Erfahrung und Geschichte, Grundzüge einer Philosophie der Freiheit als transzendentale Erfahrung" (1971), in der „Philosophischen Anthropologie" (1974), in „Sinn-Deutungen der Geschichte" (1976) und in „Der Kompromiß" (1980). Das 1994 erschienene Buch „Auseinandersetzung als Versöhnung, Ein Gespräch über ein Leben mit der Philosophie" will exemplarisch am eigenen Werdegang zeigen, daß Geschichte nichts anderes ist als die Erzählung der eigenen geglückten und mißlungenen Geschichten eines geistig bewegten und für das „bonum commune" engagierten Lebens. – Gr. Bundesverdienstkreuz mit Stern (1976), Komtur d. Gregoriusordens (1983), Ehrenring d. Görres-Ges. (1984); Dr. theol. h. c. (Augsburg 1989 u. Freiburg).

Weitere W u. a. Das christl. Menschenbild u. d. Weltanschauungen d. Neuzeit, 1945; Die Krise d. Geistes, Das Menschenbild in d. Philos. seit Pascal, 1946; Crise de la Métaphysique, 1953; Herders kleines phil. Wb., 1958, weitere Aufl. mit A. Halder, ⁸1966, erweitert 1971, 1972, Neubearb. u. d. T. Phil. Wb., 1988; Expérience et Histoire, 1959 (Löwener Vorlesungen); zahlr. Btr. in: Staatslex., ⁶1957 ff. (u. a. Bildung, Freiheit, Naturrecht, Person, Wert, Zeitkritik, Aristoteles, Augustinus, Hegel, Kant); Was ist Metaphysik – heute? Drei Betrachtungen zu ihrem Selbstverständnis, in: Phil. Jb., 1985, S. 38–56; Die Werkbll. 1932–35, Gesch. e. Zs. im Umbruch v. Weimar z. NS-Staat, in: Löscht d. Geist nicht aus, Der Bund Neudtld. im Dritten Reich, hrsg. v. R. Eilers, 1985, S. 46–83; Die Phänomenol. im dt. Denken seit u. heute, in: Der Weg z. Menschen, hrsg. v. R. Mosis u. L. Ruppert, 1989, S. 251–62; M. M. – d. Philosoph, in: Freiburger Univ.bll., H. 114, 1991, S. 37–50; Macht u. Gewalt, in: Europa u. d. Philos., hrsg. v. H.-H. Gander, 1993, S. 225–44. – *W-Verz.:* Symbolos, 1967, S. 57–66. – *Nachlaß:* Freiburg (Breisgau), Univ.archiv.

L Die Frage nach d. Menschen, Aufriß e. phil. Anthropol., FS f. M. M. z. 60. Geb.tag, hrsg. v. H. Rombach, 1966; P. Good, Von d. Metaphysik z. Metahistorik?, in: Civitas, Mschr. f. Pol. u. Kultur, hrsg. v. d. Schweizer. Stud.verbindung, 32, Okt. 1976, S. 28–41; R. Ruiz-Pesce, Metaphysik als Metahistorik od. Hermeneutik d. unreinen Denkens, 1986; H. Krings, Laudatio anläßl. d. Verleihung d. Ehrenringes d. Görres-Ges. an M. M., in: Phil. Jb., 1985, S. 89–95 *(P);* W. Vossenkuhl, M. M., in: Christl. Philos. im kath. Denken d. 19. u. 20. Jh., III, hrsg. v. E. Coreth u. a., 1990, S. 318–27; H. Maier, In memoriam M. M., in: Jahres- u. Tagungsber. d. Görres-Ges. 1994, S. 161–63; BBKL.

Paul Good

Müller, *Nikolaus,* Dichter, Kunstschriftsteller, * 6. 5. (nicht 14. 5.) 1770 Mainz, † 14. 6. 1851 ebenda.

V Johann († 1804), Krämer in Flörsheim, seit 1756 Bürger in M.; *M* Katharina Erlenbach († 1802); 15 *Geschw.;* – ∞ 1) 1801 (∞ 1826) Marianne Fachinger (* 1786) aus Limburg/Lahn, 2) 1837 Anna Maria Achenbach (1791–1854) aus Pirmasens; 3 *S,* 2 *T* aus 1).

M. studierte in Mainz und verließ 1788 die Universität als Baccalaureus. Nach kurzen juristischen und anatomischen Studien begann er als Theatermaler zu arbeiten und sich literarisch zu betätigen. Nach dem Einzug der Franzosen in Mainz wurde er in das Comité d'instruction und das Comité de surveillance aufgenommen. Nach eigenen Angaben schrieb er u. a. für das am 17. 2. 1793 eröffnete „National-Bürgertheater" mehrere Stücke, von denen zwei nachweisbar sind. Als franz. Soldat verließ er bei der Übergabe am 24. 7. 1793 die Stadt und ging nach Paris, wo er seine Künstlerausbildung bei J. L. David fortsetzte (s. nachgelassene Notizen von 1794 zu 51 Bildern von David). Während längerer Aufenthalte in Straßburg und anderen Orten ging er verschiedenen Tätigkeiten nach (Branntweinbrenner, Forstinspektor, Redakteur) und errichtete in Koblenz und Bingen (14. 1. 1798) Freiheitsbäume. Seit dem 20. 2. 1798 wieder in Mainz, gründete er eine Zeichenschule und ließ die „Republikanischen Gedichte" erscheinen, programmatische Texte, die sich an gängige Lieder anlehnten, so die Hymne „An die Gleichheit" nach Schillers „An die Freude". 1802 wurde er Professor für Ästhetik und Zeichenkunst am Lyceum, 1805 zudem Konservator der Gemäldegalerie, deren Bestand er im „Rhein. Archiv für Geschichte und Literatur" beschrieb. In diesen Aufsätzen über Dürer, Andrea del Sarto, Jordaens, Poussin, Rubens u. a. wie in der Schrift zu Raffaels 300. Todestag (1820) zeigt er sich als Kenner der europ. Malerei. Von seinen eigenen Gemälden, die er entweder selbst erwähnt (z. B. ein Brustbild und ein lebensgroßes Porträt Gutenbergs zur Feier am 25. 10. 1824) oder die in einer Auktion 1840 angeboten und zu diesem Zwecke verzeichnet wurden, ist bislang keines wieder nachgewiesen worden. Aufgrund seiner Aufsätze und zweier handschriftlich erhaltener Vorträge darf man vermuten, daß er neben Porträts und Landschaften historische und allegorische Sujets bevorzugte. Als Mainz 1816 an das Ghzgt. Hessen überging, wurde M. in seinem Amt als Professor bestätigt. Sein anhaltendes Interesse am Theater zeigt sich in einer Schrift von 1823, in der er der Stadt empfiehlt, das Theater, an dessen Unterhalt bisher der Großherzog beteiligt war, ganz zu übernehmen, sowie in einer Artikelreihe zur Geschichte der Mainzer Bühne in der Zeitschrift „Rhenus" (1824/25). Sein Versuch,

1830 als Theatermaler angestellt zu werden, scheiterte.

Seit 1800 beschäftigte sich M. mit oriental. und ind. Dichtung und Mythologie; er legte, meist nach franz. Quellen, Collectaneen zum Judentum an und schrieb „Die Lieder von Boas, Ein Vermächtnis aus dem Orient in 12 Gesängen mit Glossarium" (ungedr.), deren Sprache vom „Ossian" beeinflußt ist, während Figuren und Motive aus der alttestamentarischen Geschichte kommen. Sich stützend auf Herder und die Orientalisten F. Creuzer und J. v. Hammer-Purgstall, veröffentlichte er 1822 selbst eine Darstellung der ind. Mythologie und ihrer Ikonologie, die als ein frühes, wenn auch kaum rezipiertes Zeugnis der Indologie in Deutschland gelten kann. Stellenweise polemisierend hält er gegen den „hellenischen Fanatismus" der Europäer die sog. „Brahamantike" (M.s Wortprägung), die nach der von ihm kritisch gesehenen Kolonisierung Indiens nur noch bruchstückhaft aufzufinden sei und daher verkannt werde. So weist er Goethes Verurteilung des „indischen Götzendienstes" im „Westöstlichen Divan" zurück. Seinem Interesse an oriental. Mythologie entsprang auch seine Abhandlung über den Mithras-Kult und das Mithräum von Heddernheim, die er im Verein für Nassauische Altertumskunde und Geschichtsforschung vortrug. Im selben Verein plädierte er in einem Vortrag 1837 für Gelehrtenvereine, indem er deren mehrfachen Nutzen für das Publikum und den Staat (Pflege der Nationalgeschichte) hervorhob. M. hatte 1824 den Mainzer Verein für Literatur und Kunst initiiert, dessen Berichte er herausgab, 1841 gründete er den Mainzer Altertumsverein. Wie weit inzwischen das politische Engagement zurückgetreten war, macht das Vorwort seines Veteranen-Liederbuchs (1837) deutlich: Ausdrücklich werden hier die militärischen Tugenden der Männer und die soldatischen Extremsituationen hervorgehoben; die Veteranenvereine, an die sich das Liederbuch richtete, dienten nur der verklärenden Erinnerung und Geselligkeit jenseits von Standes- und Vermögensgrenzen. M.s zahlreiche Gelegenheitsgedichte in lokalen Blättern, meist auf gängige Liedmelodien, zeigen, daß er an der Geselligkeitskultur der Stadt maßgeblich teilnahm. In M.s Biographie spiegeln sich exemplarisch die politischen Zeitläufte: ist er als jakobinischer Autor zunächst auf die politische Praxis verpflichtet und als Künstler der klassizistisch-antiken Tradition verbunden, so löst er sich nach 1800 davon und entdeckt wie etwa zahlreiche Romantiker die außereuropäischen Kulturen; in seinem Engagement für Gelehrten- und Kunstvereine, die ihrerseits typisch für das 19. Jh. sind, zeigt sich der Ehrgeiz des gebildeten Bürgers, am kulturellen Leben teilzuhaben und in einem Klima politischer Restauration ein Forum öffentlicher Tätigkeit zu finden. – Mitgl. d. Frankfurter Mus. (1814), Ehrenmitgl. im Ver. f. Nassau. Altertumskde. u. Gesch.forschung (1829).

W u. a. Der Aristokrat in d. Klemme, 1792 (Lustspiel); Der Freiheitsbaum, 1796 (Lustspiel); Republikan. Gedichte, 1799 (mit F. Lehne); Glauben, Wissen u. Kunst d. alten Hindus in ursprüngl. Gestalt u. im Gewande d. Symbolik, I, 1822, Neudr. mit e. Nachwort v. H. Kucharski, 1968; Mithras, Eine vgl. Uebersicht d. berühmteren mithr. Denkmäler u. Erklärung d. Ursprungs ... ihrer Symbole, 1831; Liederbuch f. d. Veteranen d. großen Napoleonsarmee v. 1803–1814, 1837; Ueber Gelehrtenvereine, insbes. üb. d. Wichtigkeit d. hist. u. alterthumsforschenden Gesellschaften, in: Nassau. Ann. 3, 1842, S. 120–30; Die sieben letzten Kurfürsten v. Mainz u. ihre Zeit, Charakterist. Gem.gallerie v. Ueberlieferungs- u. Erinnerungsstücken zw. 1679 u. 1794, 1846. – *Nachlaß:* Stadtarchiv Mainz.

L ADB 22; H. W. Engels, Gedichte u. Lieder dt. Jakobiner, 1971, S. 118–22; G. Steiner, Jakobinerschauspiel u. Jakobinertheater, 1973, S. 62–64, 69–76 (dort Nachdr. v. „Der Freiheitsbaum"); I. Stephan, Literar. Jakobinismus in Dtld. (1789–1806), 1976, S. 170, 174; M. Landschulz, Mainzer Maler aus d. 1. Hälfte d. 19. Jh., 1977, S. 111–18; Mainz in napoleon. Zeit, Kultur- u. kunstgeschichtl. Aspekte, 1982, S. 61–63; W. Balzer, Mainz, Persönlichkeiten d. Stadtgesch., II, 1989, S. 268–69 *(P);* Die Publizistik d. Mainzer Jakobiner u. ihrer Gegner, Ausst.kat. Mainz 1993, S. 14, 225, 269; Die Schrr. d. Mainzer Jakobiner u. ihrer Gegner (1792–1802), hrsg. v. d. Stadtbibl. Mainz, Mikrofiche-Edition, 1993 (dort Nachdr. v. „Der Aristokrat in d. Klemme", „Republikan. Gedichte"); Mainzer Zs. 49, 1994; Goedeke VII, S. 236–38, XI, S. 75, 279; Scriba I, S. 262–75; Scriba II, S. 502 f.; ThB; B. Brauksiepe u. A. Neugebauer, Künstlerlex. Rheinland-Pfalz, Maler u. Graphiker v. 1450–1950, 1986, S. 170; Kosch, Lit.-Lex.³; Killy; H. Reinalter u. a., Biogr. Lex. z. Gesch. d. demokrat. u. liberalen Bewegungen in Europa I, 1992.

P Selbstporträt (Original verschollen, Phot. im Stadtarchiv Mainz), Abb. b. W. Balzer (s. *L);* Karikatur v. L. Lindenschmit d. Ä. (Landesmus. Mainz).

Gertrud Rösch

Müller, *Nikolaus,* ev. Kirchenhistoriker, * 8. 2. 1857 Großniedesheim b. Worms, † 3. 9. 1912 Berlin.

V Andreas (1824–88), Landwirt in G., S d. Nikolaus (1799–1870), Landwirt in G., u. d. Marie Heilmann (1804–73); M Elisabeth (1833–80) aus Kirchheim, T d. Johann Michael Koch (* 1806) u. d. Anna Elisabeth Hammel; B Emanuel (Emil) (* 1858), Bgm. in G.; – ledig.

Nach dem Besuch des Progymnasiums in Frankenthal und des Gymnasiums in Zweibrücken studierte M. 1876–81 klassische Philologie und ev. Theologie in Erlangen, Berlin und München. Mit der Arbeit „De latinitate inscriptionum Galliae christianarum" wurde M. 1881 in Erlangen zum Dr. phil. promoviert. Als Stipendiat des Deutschen Archäologischen Instituts erforschte er 1883–85 in Rom die Katakomben und kollationierte Kirchenväterhandschriften in ital. Bibliotheken. Durch den Fund eines Sammelbandes mit 900 Briefen Melanchthons an Camerarius in der damaligen Chigi-Bibliothek gelangte M. dabei zur Reformationsgeschichte und nahm sich vor, sämtliche Briefe im Originaltext neu herauszugeben. Nach Deutschland zurückgekehrt, legte er 1887 in Leipzig sein Lizentiatenexamen in Kirchengeschichte ab. Im selben Jahr holte ihn Gustav Kawerau an die Univ. Kiel, um den 8. Band der Weimarer Lutherausgabe zu bearbeiten. Noch vor seiner kumulativen Habilitation wurde M. hier zum Privatdozenten für historische Theologie ernannt und 1890, in der Nachfolge seines Lehrers Ferdinand Piper, als ao. Professor und Direktor des 1849 von diesem gegründeten Christlichen Museums der Universität nach Berlin berufen. Seine Forschungen zur altchristlichen Kunst in Italien trugen M. solches Ansehen ein, daß er 1900 in Rom als Vizepräsident beim 2. Kongreß für christliche Archäologie fungierte. Auf seine Veranlassung hin wurde für die Inschriften und Bildwerke jüd. Katakomben die „Nuova Sala Giudaica" im Museo Cristiano Lateranense eingerichtet. In der im letzten Drittel des 19. Jh. expandierenden Reformationsforschung zeichnen sich M.s wissenschaftliche Arbeiten durch eine sachliche Distanz aus. Weit entfernt von den verbreiteten apologetischen Betrachtungen blieb M., auch wenn dies nicht immer Zustimmung fand, streng quellenbezogen. Seit 1901 veröffentlichte er sowohl im „Jahrbuch für brandenburg. Kirchengeschichte" als auch im „Archiv für Reformationsgeschichte" (seit 1903/04) zahlreiche Studien, aus denen besonders die über den Berliner Dom (1906) hervorragt. M. konnte zeigen, daß Kurfürst Joachim II. von Brandenburg 1539 nur pro forma zur luth. Lehre übergetreten war, ansonsten aber die überlieferten Glaubensvorstellungen und die Liturgie nicht revidierte. Mit dieser Darstellung rührte M. allerdings an das Selbstverständnis der Ev. Kirche der Wilhelminischen Ära. In Konflikt mit der vorherrschenden Meinung geriet er auch mit seinem bei dem 1. Kongreß für den Kirchenbau des Protestantismus 1894 heftig attackierten Beitrag über das deutschev. Kirchengebäude der Reformationszeit, da er diesem eine früh erkennbare Sonderrolle einräumen wollte. Seine zahlreichen, oft interdisziplinären Studien zur Geschichte der Reformation in Deutschland, vor allem in Wittenberg, sind wegen ihrer Quellenorientierung auch heute noch grundlegend.

Die Gründung und der Aufbau der Melanchthon-Gedächtnis- und Forschungsstätte in Bretten (1897) beruhen im wesentlichen auf M.s Plänen, der das Programm für die Stiftung, die Raumaufteilung und die neogotische Hauptfassade konzipierte. Eine große Anzahl der hier verwahrten kostbaren Bücher, darunter sehr viele Erstdrucke Melanchthons und der Reformationszeit, stammen von M. selbst. Nach eigenen Angaben besaß er 4000 Briefabschriften von und an Melanchthon. Als bester Melanchthonkenner der Zeit wurde er mit A. v. Harnack, G. Kawerau, Th. Kolde, M. Lenz und F. Loofs in die Kommission zur Herausgabe der „Supplementa Melanchthoniana" berufen und war für die Bearbeitung der „Briefe, Gutachten, etc." und (mit Johannes Hausleiter) der „Academica" vorgesehen. Da M. jedoch dazu neigte, immer von neuem zu sammeln und weitere Themen zu verfolgen, ehe eine Arbeit zum Abschluß gebracht war, blieb dieses Projekt ebenso unvollendet wie Editionen der Schriften des Augustin, des Julius Hilarimus und des Gennadius für das „Corpus scriptorum ecclesiasticorum latinorum", eine Publikation der Lipsanothek von Brescia und ein Corpus der Sarkophage. Im Nachlaß befinden sich hierzu allerdings Aufzeichnungen, ebenso von Inschriften aus Kloster Montecassino.

Die nahezu fertiggestellte Edition der neuentdeckten Nachschriften von Luthers Römerbriefvorlesungen wurde M. wieder entzogen, als J. Ficker ältere Rechte geltend machen konnte. Das reichhaltige von M. gesammelte Material wurde nach seinem Tod mehreren Wissenschaftlern anvertraut, die es in seinem Namen postum herausgaben oder noch Jahrzehnte Nutzen daraus zogen, wie z. B. O. Clemen, der aus M.s Nachlaß zahlreiche Melanchthon-Briefe veröffentlichte. – D. theol. (Berlin 1897); Ehrenbürger v. Bretten (1903) u. Venosa (1904); Mitgl. d. Accademia degli Oltusi a Spoleto; korr. Mitgl. d. Accademia Pontificia di Archeologia (1894); bad. Orden v. Zähringer Löwen (1903).

W u. a. Le Catacombe degli Ebrei presso la Via Appia Pignatelli, in: Bulletino dell'imperiale Istituto archeologico germanico, Sezione Romana 1, 1886, S. 49–56; Bemerkungen üb. ev.-kirchl. Paramentik im Anschluß an die v. d. Kgl. Kunstgewerbe-Mus. veranstaltete Ausst. kirchl. Stickereien 1892, in: Ev.-kirchl. Anz., 1892, S. 111 ff.; Über d. dt.-ev. Kirchengebäude im Jh. d. Ref., in: Erster Kongress f. d. Kirchenbau d. Protestantismus, 1894, S. 12–18; Die christl.-archäolog. u. epigraph. Slg, in: M. Lenz, Gesch. d. Kgl. Friedrich-Wilhelms-Univ. zu Berlin, III, 1910, S. 13–24; Die jüd. Katakombe am Monteverde zu Rom, d. älteste bisher bekannt gewordene jüd. Friedhof d. Abendlandes 1912; Urkk. d. Allerheiligenstift zu Wittenberg betreffend, 1522–26, hrsg. v. K. Pallas, in: Archiv f. Ref.gesch. 12, 1915, S. 1–46, 81–131; Il cimitero degli antichi Ebrei posto sulla Via Portuense, in: Dissertazioni della Pontificia Accademia Romana di Archeologia, Serie II\ª, t. XII, 1915, S. 205–318; Die Inschrr. d. jüd. Katakombe am Monteverde zu Rom, vervollst. u. hrsg. v. N. A. Bees, 1919. – *Hrsg.:* D. Martin Luthers Werke, Krit. Gesamtausgabe, VIII, 1889 (mit G. Kawerau); Die Bibel od. d. ganze Hl. Schr. d. Alten u. Neuen Testaments, nach d. dt. Übers. D. Martin Luthers, 1900 (mit I. Benzinger); Jb. f. brandenburg. KG, I–VIII, 1901–11; – *Bttr. in:* PRE; Jb. f. brandenburg. KG; Archiv f. Ref.gesch. – *Unvollst. W-Verz.:* Schottenloher VI, S. 413 f.

Qu. Archiv d. Humboldt-Univ., Berlin; Geh. StA Preuß. Kulturbes.; Stadtarchiv Wittenberg; Melanchthonhaus, Bretten; Melanchthon-Forschungsstelle d. Heidelberger Ak. d. Wiss.

L E. Becker, in: Röm. Quartalschr. f. christl. Altertumskde. u. KG 26, 1912, S. 211 f.; G. Kawerau u. L. Zscharnack, in: Jb. f. brandenburg. KG 9/10, 1913, S. V–XI; H. Scheible, Aus d. Arbeit d. Heidelberger Ak. d. Wiss., Überlieferung u. Edd. d. Briefe Melanchthons, in: Heidelberger Jbb. 12, 1968, S. 135–61; Wi. 1911; BJ 18, Tl.; RGG.

P Phot. (Melanchthonhaus, Bretten; Archiv d. Humboldt-Univ., Berlin).

Andreas Tacke

Mueller, Otto H., Ingenieur, Dampfmaschinenkonstrukteur, * 18. 8. 1829 Friedrichstadt b. Magdeburg, † 17. 6. 1897 Gmunden (Oberösterreich). (ev.)

V Carl Heinrich Emanuel (1780–1864) aus Grünewalde b. Schönebeck/Elbe, Rentmeister in M., *S* d. Christian Immanuel (* 1743) aus Frauenstein (Erzgebirge) u. d. Johanna Christiana Löser (* 1753) aus Dresden; *M* Johanna Augusta Wilhelmina (1801–95) aus Siegelsdorf b. Halle, *T* d. Ernst Wilhelm Bernhard Trinius u. d. Johanna Auguste Fiedler; ∞ Wien 1857 Isabella Hepburn-Andrews (1837–1901) aus Gloucester (England), *T* d. George John Campbell Hepburn (1804–64) aus Plymouth (England), seit 1839 erster Dampfschiffskapitän in G., u. d. Mary Crews-Partridge (1804–80) aus Dartmouth (England); 4 *S*, 3 *T*, u. a. Otto Hildebert (1861–1916), Maschinening. in Budapest, zuletzt in Radebeul b. Dresden (s. *L*).

Nach dem Besuch der Bürgerschule trat M. als Volontär in die Vereinigte Hamburger-Magdeburger Dampfschiffahrtsgesellschaft in Buckau ein. Daneben besuchte er sonntags die Kunstschule. Seine Tagebücher aus dieser Zeit enthalten Skizzen über Zucker- und Tabakfabrikation, Brennereien, Walzwerke, Brücken- und Schiffbau sowie Schiffs- und Spinnereimaschinen. Nach dreijähriger Lehrzeit mußte er seinen Unterhalt zunächst als Geselle in mühseliger Akkordarbeit verdienen. Seine Leistungen an der Kunstschule verschafften ihm jedoch 1849 ein Stipendium an der Gewerbeakademie in Berlin. Nachdem ihm auch die dortige Akademie der Künste Erfolgsmedaillen verliehen hatte, stellte die Buckauer Fabrik M. in ihrer Berliner Konstruktionsabteilung an. Binnen kurzer Zeit brachte er es hier zum Oberingenieur und später zum Nachfolger seines Chefs Brami Andreae (1819–75). Bevor er für F. J. Kahlenberg in Magdeburg 1851 eine Tabakfabrik konzipierte, informierte er sich über den Stand der Technik auf einer Studienreise nach Frankreich. Zu dieser Zeit hatte sich M. im Anlagenbau bereits internationales Ansehen erworben. 1854 erhielt er von Joseph John Ruston den Auftrag, die in Prag 1832 von engl. Industriellen gegründete Maschinenfabrik – die spätere Prager Maschinenbau AG – zu modernisieren. Mit diesem Betrieb, der nach seiner Erneuerung 400 Arbeiter beschäftigte, gelang es, die Habsburger-Monarchie aus der bis dahin bestehenden Abhängigkeit von der Einfuhr westeurop. Maschinenbauerzeugnisse zu befreien. M. verfügte nur über ein halbes Dutzend Hilfszeichner und mußte die meisten Konstruktionsarbeiten für den Schiffsbau, die Dampfmaschinen, Zuckerfabrikseinrichtungen, Mühlen und sonstige Anlagen selbst durchführen. 1855 unternahm er eine Informationsreise nach England, wo er Corliss-Maschinen in Woolfscher Ausführung kennenlernte, die er zur Steuerung von Textilmaschinen und Hochmühlen in den Ländern der Donaumonarchie einzuführen empfahl. M. erkannte als einer der ersten die Überlegenheit der Dampfmaschinen nach George Henry Corliss gegenüber jenen von Arthur Woolf und vereinigte die Vorzüge beider Systeme, indem er eine zweizylindrige Woolfsche Maschine mit einer Corliss-Steuerung versah. Von M. neu konstruierte Dampfmaschinen verzichteten auf jeden künstlerischen Zierat, zeichneten sich aber durch großzügige Abmessungen der Zapfen und Hauptlager aus, so daß sie einem hohen Dampfdruck und schwersten Belastungen standhielten. Als einer der ersten entwarf M. für jede Maschine ein Indikatorprogramm. 1857 konstruierte er die erste wirkliche Verbundmaschine, indem er einen Niederdruckzylinder unter rechtwinkliger Kurbelstellung an die Welle der Betriebsmaschine anfügte. Unterstützt wurde er hierbei von dem Mathematiker Gustav Schmidt, der die notwendigen technischen Berechnungen durchführte.

1866 bot man M. den Bau der später so genannten „Ersten Ungar. Maschinenfabrik und Eisengießerei AG" in Pest sowie deren spätere Leitung an. 1867 übersiedelte er dorthin und widmete sich bis 1870 dieser schwierigen Aufgabe. Jedoch lag ihm die Verwaltungstätigkeit kaum, und es kam in Zusammenhang mit der Finanzierung zu Streitigkeiten, so daß er diese Stellung aufgab und künftig als Zivilingenieur und Konsulent tätig war. Als solchem wurden ihm zahlreiche Mitgliedschaften in den Verwaltungsräten von Gesellschaften übertragen, wobei er als Sachverständiger und Berater fungierte. So entwarf er für Versicherungsgesellschaften „Vorschriften zur Vermeidung von Feuersgefahren" und wurde in die „k. k. privilegierte Donau-Dampfschiffahrtsgesellschaft" als Schätzmeister berufen. Hier lernte er die Vielfalt der Konstruktionen von Dampfschiffen kennen und studierte in diesem Zusammenhang Fragen der Dampfökonomie bei mehrzylindrigen Expansionsdampfmaschinen. Durch Sammlung des Heißwassers bei gleichzeitiger Ausnutzung der bisher entwichenen heißen Gase im Gegenstromprinzip mittels „Economiser" gelang es ihm, den Kohle- und Dampfverbrauch merklich einzuschränken. Nach seinen Plänen wurden etwa 90 Neu- und Umbauten vorgenommen, darunter 17 an Schiffsmotoren, wodurch 65 000 Tonnen Kohle weniger verbraucht wurden. Durch Umbauten an den Dampfmaschinen der Pester Wasserwerke 1878 wurde eine Kohlenersparnis von 60% erzielt. M. mußte bei diesen Aufträgen persönlich eine Erfolgshaftung übernehmen. Ihm gelang auch als erstem die Kondensation bei Walzenzeugmaschinen. Desgleichen entwarf er 1884 eine 900 PS-Tandemverbund-Reversiermaschine mit Kondensation.

Über seine Verfahren zur Energieersparnis berichtete M. in „Dingler's Polytechnischem Journal" sowie in seinem einzigen Buch „Die Dampfmaschine vom ökonomischen Standpunkt betrachtet" (1877), worin ein Anhang seine „Indicator-Versuche" sowie die Nützlichkeit einer „Inbetriebsetzung der Woolf' schen Balanciermaschinen" für Spinnereien behandelt. M. war kaum auf den Schutz seiner Erfindungen bedacht, er besaß nur vier Patentrechte. Er verbreitete seine Erfahrungen gerne in Fachzeitschriften, besonders auch die Ergebnisse seiner in den letzten Lebensjahren häufigen Auslandsreisen. 1890 besuchte er im Auftrag des VDI England, um die Ursachen für den Zusammenbruch der Maschinen des Dampfers „City of Paris" aufzuklären. 1893 reiste er gemeinsam mit Alois Riedler (1850–1936) und Karl Georg Busley (1850–1928) nach Amerika und veröffentlichte seine Eindrücke in dem Aufsatz „Amerikan. Dampfschiffahrt". Obwohl ihm Anfang der 80er Jahre wegen seiner Verdienste die ungar. Staatsbürgerschaft verliehen worden war, übersiedelte er 1886 nach Gmunden, wo er sich weiterhin mit Konstruktionsaufgaben beschäftigte. 1895 befiel ihn ein qualvolles Krebsleiden, doch arbeitete er bis zuletzt an Entwürfen für zwei 600 PS-Schiffsmaschinen.

L O. H. Mueller, O. H. M., sein Leben u. seine Bedeutung f. d. Maschinenbau, in: VDI-Zs. 41, 1897, S. 989–92 (P); C. Matschoss, Die Gesch. d. Dampfmaschine, 1901, S. 223.

Gustav Otruba †

Müller, *Otto,* kath. Arbeiterführer, * 9. 12. 1870 Eckenhagen (Bergisches Land), † 12. 10. 1944 Berlin.

Aus sauerländ. Fam.; V Gustav (1843–1916) aus Römershagen b. Olpe, Lehrer in E., später in Frohnhausen b. Essen, 1877–1905 an d. ersten kath. Schule in Heißen b. Mülheim/Ruhr, S d. Franz Joseph; M Henriette Valenthorn (* 1848); B Berthold (1882–1973), Dr. phil., Pfarrer in Essen-Karnap u. Schwäb. Gmünd.

Nach dem Abitur in Mülheim studierte M. seit 1889 Theologie in Bonn, wurde 1894 zum Priester geweiht und war seit 1895 Kaplan in Mönchengladbach und Vorsitzender des dortigen kath. Arbeitervereins. Dessen karitativ-paternalistische Zielsetzung entwickelte er durch soziale Fragestellungen und volksbildnerische Aufgaben fort. M., der die Programmatik der entstehenden „Kath. Arbeiterbewegung" (KAB) wesentlich beeinflußte, lehnte ständestaatliche Vorstellungen ebenso ab wie die marxistische Klassenkampfidee. Sein Ziel war der gerechte Ausgleich zwischen den „Ständen". Damit geriet er in die Kritik von Unternehmern („roter Kaplan") wie von Sozialdemokraten. Als Referent für Arbeiterfragen und soziales Vereinswesen in der Zentrale des Volksvereins für das kath. Deutschland (seit 1899) war M. maßgeblich am Aufbau der christlichen Gewerkschaften und der kath. Arbeitervereine beteiligt. Im innerkatholischen Gewerkschaftsstreit wandte er sich gegen die Integralisten und befürwortete funktionsfähige, vom Klerus unabhängige christliche Gewerkschaften. 1899 gründete er die „Westdeutsche Arbeiter-Zeitung" (heute „Kath. Arbeitnehmer-Zeitung"), deren Leitung er noch im selben Jahr dem Arbeitersekretär Johann Giesberts übertrug. 1904 wurde M. nach einem Zweitstudium zum Dr. rer. pol. promoviert, im selben Jahr zum 1. Generalsekretär des neugegründeten „Verbandes der kath. Arbeiter- und Knappenvereine Westdeutschlands" und 1906 zum Diözesanpräses von Köln ernannt. In der Folge galt M.s Einsatz einer arbeiterfreundlichen Reformpolitik (u. a. Abschaffung des preuß. Dreiklassenwahlrechts). 1919–29 war er Zentrums-Stadtverordneter in Mönchengladbach, nach Verlegung der Verbandszentrale der Arbeitervereine nach Köln bis 1933 dort Stadtverordneter.

Als Verbandspräses (und damit Vorsitzender) der KAB seit 1918 setzte sich M. zunächst vor allem mit Josef Joos entschieden für den „Volksstaat von Weimar" ein und wandte sich scharf gegen Kommunismus und Nationalsozialismus. 1927 holte er Bernhard Letterhaus und Nikolaus Groß in die Zentrale des Verbandes, dem etwa 200 000 Arbeiter angehörten. Nach Hitlers Machtübernahme wurden die KAB als „staatsfeindlich" qualifiziert und immer mehr behindert, ihre Mitglieder bedroht und verfolgt (u. a. Doppelmitgliedschaftsverbot der Deutschen Arbeitsfront). Unter M.s Führung suchten die Vereine ihre Existenz zu sichern; sie erfuhren freilich bis Ende der 30er Jahre weitere Einschränkungen. Bereits in dieser Zeit bauten M., Letterhaus und Groß Kontakte zum deutschen Widerstand auf, die nach 1942 vertieft wurden (u. a. zu Alfred Delp und Carl Goerdeler). Nach dem 20. 7. 1944 verhaftet, starb der fast blinde und inzwischen schwer erkrankte M. in der Gestapo-Haft. Seine Mitarbeiter Letterhaus und Groß wurden hingerichtet.

W u. a. Erinnerungen an d. Kath. Arbeiterbewegung, in: Texte z. kath. Soziallehre, II, 1976, S. 840 ff. – *Bibliogr.*: G. Schoelen (Bearb.), Der Volksverein f. d. kath. Dtld. 1890–1933, 1974, S. 57 ff.

L A. Pieper, O. M., in: Internat. Hdwb. d. Gewerkschaftswesens, hrsg. v. L. Heyde, II, 1932, S. 1134; J. Joos, Am Räderwerk d. Zeit, Erinnerungen aus d. kath. u. soz. Bewegung u. Pol., o. J. (1950); ders., So sah ich sie, Menschen u. Geschehnisse, 1958; ders., Die KAB in d. christl. Arbeiterbewegung Dtld.s, 1963; E. Ritter, Die kath.-soz. Bewegung Dtld.s im 19. Jh. u. d. Volksverein, 1954; A. Leber, Das Gewissen steht auf, 64 Lb. aus d. dt. Widerstand 1933–1945, hrsg. mit W. Brandt und K. D. Bracher, 1954; F. Kloidt, Verräter od. Märtyrer?, 1962; W. Spael, Das kath. Dtld. im 20. Jh., Seine Pionier- u. Krisenzeiten 1890–1945, 1964; J. Aretz, Kath. Arbeiterbewegung u. Nat.sozialismus, Der Verband kath. Arbeiter- u. Knappenvereine Westdtld.s 1923 bis 1945, 1978; ders., O. M., in: Zeitgesch. in Lb., III, 1979, S. 191–203 *(P)*; Verfolgung u. Widerstand 1933–45, Christl. Demokraten gegen Hitler, Ausst.kat. St. Augustin 1984; 75 J. KAB St. Joseph Mülheim-Heißen, FS, 1985; Kosch, Biogr. Staatshdb.

Jürgen Aretz

Müller, *Otto,* Verleger, * 3. 3. 1901 Karlsruhe, † 10. 2. 1956 Salzburg. (kath.)

V Markus, Werkzeugschlosser aus Durlach; *M* Katharina Messler; ⚭ 1926 Luise Kraus (1900–54) aus Durlach; 3 *T* (1 früh †) Elisabeth (* 1928, ⚭ Dr. Alfred Kleibel, Univ.-Prof.), leitete 1956–63 d. Verlag, Ehrentraud (* 1933), Dr. med., prakt. Ärztin; *E* Arno Kleibel, Verleger, leitet d. Verlag seit 1987.

Nach dem Abitur 1920 begann M. eine Ausbildung zum Bankkaufmann. Zur gleichen Zeit studierte er ein Semester Volkswirtschaft in Heidelberg. 1924 bekam er das Angebot, als kaufmännischer Leiter der Paulus-Druckerei- und Verlagsanstalt nach Graz zu gehen. Dort begeisterte er sich für das Verlagswesen. 1927 wechselte M. als Direktor und Werbeleiter zur Buchdruckerei Heinrich Stiasnys Söhne in Graz. Mit Volontariaten in einer Grazer Buchhandlung und einem Augsburger Buchverlag erweiterte er seine Kenntnisse. Im Oktober 1930 übernahm er die Verlagsleitung im kath. Verlag Anton Pustet in Salzburg. Innerhalb weniger Jahre gelang es ihm, dem bis dahin wenig bekannten Verlag einen Namen zu verschaffen.

1937 gründete M. in Salzburg seinen eigenen Verlag. Berater bei der Verlagsgründung und in den späteren Jahren war sein Freund Ignaz Zangerle, ein Vertrauter Ludwig v. Fickers. Den Schwerpunkt legte M. auf die Vermittlung von christlich-abendländischem Geistesgut in den Bereichen Belletristik, Geisteswissenschaft und Theologie. Zu den ersten Verlagsautoren zählten die Schriftstellerinnen Alja Rachmanowa und Elisabeth Langgässer sowie der Theologe Hans Urs v. Balthasar. 1937 erwarb M. die Rechte an den Werken Georg Trakls. Zwei Jahre später war das Verlagsprogramm auf rund 50 Titel angewachsen. Doch der Erfolg währte nicht lange: 1939 wurden einige Werke verboten, M. wurde von den Nationalsozialisten verhaftet. Immerhin konnte in diesem Jahr die Übersetzung von Paul Claudels „Seidenem Schuh" erscheinen. 1940 entließ man M. aus der Haft mit der Weisung, den Verlag zu liquidieren. Er legte Rekurs ein und arbeitete weiter. Erst als M. neuerlich verhaftet wurde, verkaufte er sein Unternehmen an Lambert Schneider, der hilfsbereit eingesprungen war. Schneider löste die Bestände zum vollen Kaufpreis ab und gab zu den gleichen Bedingungen nach 1945 die Rechte an den österr. Autoren wieder an M. zurück. M. überlebte den Krieg als Angestellter einer Hanf- und Drahtseilfabrik.

1945 konnte M. seinen Verlag wieder eröffnen. Zwei Jahre später übernahm er das Werk Karl Heinrich Waggerls. Dessen Bücher wurden zu den größten Auflageerfolgen des Verlages. 1948 folgte der Beginn der Gesamtausgabe Josef Weinhebers. Franz Tumler, Gertrud Fussenegger, Max Mell, Felix Braun und die Geisteswissenschaftler Hans Sedlmayr, Otto Brunner und Josef Nadler, viele von ihnen aus dem nationalen Lager, prägten das Programm der folgenden Jahre. Einen Riesenerfolg erzielte M. 1950 mit der Übersetzung von Guareschis „Don Camillo und Peppone". Die Reihe der Trakl-Studien und die Gesamtausgabe der Werke Hildegard von Bingens waren weitere Projekte. Christine Busta, Christine Lavant, Theodor Kramer, in den folgenden Jahren H. C. Artmann, Thomas Bernhard und Gerhard Fritsch sollten den Otto Müller Verlag für die nächste Zeit zum Verlag der jungen österr. Literatur machen. – Nach M.s Tod leitete zunächst seine Tochter Elisabeth (bis 1963), dann Dr. Richard Moissl (bis 1987) und anschließend M.s Enkel Arno Kleibel den Verlag.

W Wie ich Verleger wurde, in: Werke u. Jahre 1937–1962 (s. L), S. 51 ff.

L Werke u. Jahre 1937–1962, Alm. z. Feier d. 25j. Bestehens d. Otto Müller Verlags, 1962; Werke u. Jahre 1937–1977, Alm. z. Feier d. 40j. Jubiläums, 1977; M. G. Hall, Otto Müller Verlag, in: Österr. Verlagsgesch. 1918–38, II, 1985, S. 279 f.; W. Lorenz, In Memoriam O. M., in: Anz. f. d. Buch-, Kunst- u. Musikalienhandel 91, 1951, Nr. 5/6, S. 16; E. Hanisch, 50 J. Otto Müller Verlag, in: Lit. u. Kritik, Febr./März 1988, Nr. 221/222, S. 92 ff.; Teichl.

Claudia Zinnagl

Müller, *Paul,* Chemiker, * 12. 1. 1899 Olten Kt. Solothurn, † 13. 10. 1965 Basel. (ev.)

V Gottlieb (1868–1928), Sekr. b. d. Schweizer Bundesbahnen, S d. Bernhard (1822–94) aus Lenzburg Kt. Aargau u. d. Henriette Baud (1824–93); M Fanny (1867–1930) aus Tuttlingen (Württemberg), Krankenschwester, T d. Johann Friedrich Leypoldt u. d. Agatha Rosine Waitelmann; ∞ Allschwil Kt. Basel 1927 Frieda (* 1904) aus Basel, Krankenschwester, kaufmänn. Angestellte, T d. Johannes Rüegsegger u. d. Frieda Winisdörfer; 2 S, 1 T, u. a. Heinrich Paul M.-Russell (1929–83), Kaufm., Vizedir. d. Fa. Hoffmann-La Roche in B.

M. unterbrach 1916 den Besuch der Oberrealschule in Basel, um ein Jahr als Laborant bzw. Hilfschemiker bei Dreyfuss & Co (Cellonitgesellschaft) sowie ein weiteres Jahr bei der Lonza AG (beide in Basel) zu arbeiten. Er kehrte 1918 an die Schule zurück und legte 1919 die Reifeprüfung ab. Anschließend studierte er Chemie an der Univ. Basel. Seine wichtigsten Lehrer waren Hans Rupe und Friedrich Fichter, unter dessen Anleitung seine Dissertation „Die chemische und elektrochemische Oxydation von as,m-Xylidin und seinem mono- und Dimethylderivat" entstand, mit der er 1925 zum Dr. phil. promoviert wurde. Im selben Jahr trat M. als Chemiker in die Firma J. R. Geigy ein; hier wurde er 1946 zum stellvertretenden Direktor der Forschungsabteilung für Pflanzenschutz ernannt. 1961 trat er in den Ruhestand, führte jedoch seine Forschungsarbeiten bis zu seinem Tode in einem privaten Labor weiter.

In den ersten Jahren seiner Tätigkeit entwickelte M. lichtechte synthetische Gerbstoffe für die Lederindustrie, die vor allem als „Irgatan FTL" lange Zeit praktische Anwendung fanden. Danach beschäftigte er sich mit der Synthese quecksilberfreier Desinfektionsmittel für Saatgut. Hier ist das „Graminon" hervorzuheben, das auch heute noch als Herbizid im Einsatz ist. Seit 1935 wandte M. sich der systematischen Bearbeitung des Gebietes der synthetischen Kontaktinsektizide zu. Er formulierte zunächst Anforderungen für eine optimale Wirkung dieser Substanzen, entwickelte zahlreiche tierexperimentelle Techniken für die quantitative Bestimmung der Wirkung und synthetisierte dann mehrere hundert Substanzen, deren Wirkungen er prüfte. 1939 gelang ihm die Synthese des 4,4'-Dichlor-diphenyl-trichloräthans (DDT) durch Kondensation von Chloral mit Chlorbenzol. Es zeigte sich später, daß die Substanz bereits 1872 von Othmar Zeidler im Laboratorium Adolf v. Baeyers in Straßburg dargestellt worden war. M. erkannte jedoch als erster die insektizide Wirkung dieser Verbindung, die sich allen bis dahin bekannten Insektiziden als weit überlegen erwies. Er synthetisierte eine Vielzahl homologer Verbindungen, deren Prüfung wertvolle Aussagen über die Beziehungen zwischen Struktur und Wirkungsmechanismen dieser Stoffklasse ermöglichten, die in ihrer Wirkung jedoch alle hinter dem DDT zurückblieben. Die von M. entwickelten Prüfmethoden bildeten lange Zeit die wichtigste Grundlage für alle Entwicklungen auf dem Gebiet der Insektizide.

1942 erschienen die ersten Präparate auf der Grundlage von DDT, „Gesarol" und „Neocid", auf dem Markt. Durch den Einsatz von DDT ließen sich im 2. Weltkrieg eine Reihe von Epidemien, bei denen Insekten als Überträger fungieren (Typhus, Cholera, Fleckfieber), eindämmen. Etwa gleichzeitig gelang es, die starke Ausbreitung des Kartoffelkäfers zu verhindern. Später wurde das DDT bei der Bekämpfung der Malaria, der Schlafkrankheit und einiger Viehseuchen in tropischen Ländern eingesetzt. Allein durch die weitgehende Ausrottung der Anopheles-Mücke als Überträger des Malaria-Erregers wurde Millionen von Menschen das Leben gerettet. Für den Menschen ist das DDT nur wenig toxisch. Seit etwa 1970 erkannte man jedoch, daß es in der Biosphäre nur sehr langsam abgebaut werden kann und sich in den Organismen der Nahrungskette akkumuliert, was zu extremen Belastungen von Ökosystemen führt. Das DDT wird deshalb seit 1990 nur noch in wenigen Ländern produziert und als Insektizid angewandt. Die Zahl der Malariatoten hat mittlerweile wieder stark zugenommen, da keine anderen Substanzen mit ähnlich hoher Wirksamkeit zur Verfügung stehen. – Nobelpreis für Med. u. Physiol. (1948); Ehrenmitgl. d. Schweizer Naturforschenden Ges. (1949) u. zahlr. weiterer wiss. Gesellschaften; Prof. h. c. (Buenos Aires 1954), Dr. med. h. c. (Thessaloniki 1963).

W Nobelvortrag, in: Nobelpreisträger f. Med., IV, 1946–57, S. 103–16; 12 Btrr. in Zss. u. Hdb.

L H. Mohler, in: Chimica 2, 1948, S. 241; M. Spindler, in: Verhh. d. Schweizer. Naturforschenden Ges. 145, 1965, S. 277–80 *(W, L, P);* Nature 208, 1965, S. 1043 f.; H. Hartmann, Lex. d. Nobelpreisträger, 1967, S. 263–65; H. Römpp, Chemielex., [8]1981, I, S. 872 f., IV, S. 2685; R. Pötsch u. a. (Hrsg.), Lex. d. bedeutenden Chemiker, 1987, S. 313; Pogg. VI, VII a; DSB.

August Holldorf

Müller, *Philipp* (Ps. *René Fülöp-Miller, R. Miller),* Kulturhistoriker, Publizist, * 17. 3. 1891 Karansebesch (Banat), † 15. 5. 1963 Hanover (New Hampshire, USA). (ev.)

V Philipp, Apotheker in K.; *M* Maria Brankovits; *B* Edgar (1899–1977), Apotheker, Heimatforscher (s. L); *Vt* Lothar Unterweger (1880–1949), Rektor d. Priesterseminars in Temeswar, Diözesanschulinsp.

u. Dompropst ebenda (s. *L);* ∞ 1) 1916 (○/○) Hedy Bendiner, Sängerin an d. Budapester Volksoper, 2) n. 1930 Eva Renon; 1 *T.*

M. besuchte das Gymnasium in seiner Heimatstadt sowie in Lugosch und Budapest und studierte nach dem Abitur 1909 Pharmazie in Berlin, Paris und Klausenburg. 1912–14 praktizierte er in der väterlichen Apotheke, danach leistete er bis 1916 Kriegsdienst. Anschließend studierte er in Berlin, Paris, Lausanne und Wien (u. a. bei J. F. Babinsky, A. Forel und S. Freud) Medizin, Psychologie und Psychiatrie und schrieb u. a. für den „Pester Lloyd". 1919 verlegte er seinen Wohnsitz nach Wien und schrieb weiterhin für Budapester Zeitungen sowie für die Wiener „Neue Freie Presse", für „Napkelet" (Klausenburg, in ungar. Sprache), für das „Siebenbürg.-Deutsche Tageblatt" (Hermannstadt) und für „Universul" (Bukarest, in rumän. Sprache). 1922 und 1924 bereiste M. die Sowjetunion, wo er u. a. mit Lenin sprach und Massendemonstrationen filmte. Vor allem rettete er Teile des Nachlasses der damals dort verpönten Schriftsteller Tolstoi und Dostojewski. Gemeinsam mit Friedrich Eckstein gab er 1925 die ins Deutsche übersetzten Lebenserinnerungen der Gattin Dostojewskis heraus. Mit seinem Werk „Geist und Gesicht des Bolschewismus, Darstellung und Kritik des kulturellen Lebens in Sowjet-Rußland" (1926), seiner Gegenüberstellung von Machtpolitik und Gewaltlosigkeit in „Lenin und Gandhi" (1927) und dem Buch „Das russ. Theater" (1927, mit Joseph Gregor) erwies sich M. als einer der damals besten Kenner von Kultur und Politik der Sowjetunion. Teils bewundernd, teils aus kritischer Distanz schrieb er sein in zahlreiche Sprachen übersetztes und in vielen Auflagen erschienenes Buch „Macht und Geheimnis der Jesuiten" (1929). Sein literarisches Werk, charakterisiert von hintergründiger Komik, spielt meist in seiner Heimatstadt („Caran").

Nach ausgedehnten Studienreisen in Europa (u. a. 1926 zum Berg Athos) verließ M. 1935 Österreich und lebte mit seiner zweiten Frau in Paris, Rom, Florenz, London, Oslo und New York. 1939 ließ er sich in den USA nieder. Seit 1952 las er am Dartmouth College in Hanover und seit 1954 am Hunter College in New York.

Weitere W u. a. Dostojewski am Roulette, 1925; Tolstojs Flucht u. Tod, 1925; Der unbekannte Dostojewski, 1926; Die Beichte e. Juden, 1926; Der unbekannte Tolstoj, 1927; Der hl. Teufel, Rasputin u. d. Frauen, 1927; Raskolnikoffs Tagebuch, 1928; Der unnütze Mensch Platonoff, 1928; Die Urgestalt

d. Brüder Karamasoff, 1929; Unter drei Zaren, Die Memoiren d. Hofmarschallin Elisabeth Narischkin-Kurakin, 1930; Die Phantasiemaschine, 1931; Das amerikan. Theater u. Kino, 1931 (mit J. Gregor); Führer, Schwärmer u. Rebellen, Die großen Wunschträume d. Menschheit, 1934; Leo XIII. u. unsere Zeit, Macht d. Kirche, Gewalten d. Welt, 1935; Katzenmusik, 1936 (Roman); Kampf gegen Schmerz u. Tod, Kulturgesch. d. Heilkde., 1938; The Saints who Moved the World, 1945 (dt. 1951); Dostoevsky, 1950; Endre, 1951 (Erz.); Adam, wo bist du?, 1955 (Roman); Dehumanization in Modern Society, 1955; The Night of the Time, 1955; Sankt Franziskus, 1955; The Silver Bacchanal, 1960.

L M. Colpo, R. F.-M., in: Archivum historicum Societatis Jesu, 1964; E. Lammert, Gelehrter u. Künstler, R. F.-M., e. Karansebescher, in: Neue Banater Ztg. (Temeswar) 14, 1970, Nr. 2402; A. Scherer, Die Lit. d. Donauschwaben als Mittlerin zw. Völkern u. Kulturen, 1972; H. Fassel, in: Südostdt. Vj.bll. 40, 1991; Kosch, Lit.-Lex. V (unter Fülöp-M.); A. P. Petri, Biogr. Lex. d. Banater Deutschtums, 1992 *(W, L, auch zu Edgar u. zu Lothar Unterweger).*

Anton Scherer

Müller *(Miller, Myller), Philipp Heinrich,* Goldschmied und Medailleur, ~ 2. 10. 1654 Augsburg, † 17. 1. 1719 ebenda. (ev.)

V Hans Jakob Miller († 1678), Goldschmied in A., arbeitete gelegentl. f. d. Münzstätte in A. (s. *L*); *M* Barbara, *T* d. Paul Wachter († 1632), Goldschmied in A. (s. *L*); ∞ 1682 Anna Elisabeth, *T* d. Dr. med. Johann Ludwig Henesius; 3 *S,* u. a. Christian Ernst (1696–1776), Goldschmied (s. *L*), 2 *T.* – Die Häufigkeit d. Fam.namens gab Anlaß zu vielen unberechtigten Verwandtschaftsvermutungen. Nach archivalischen Belegen ergriff ausschließl. d. jüngste Sohn Christian Ernst d. Beruf M.s u. signierte mit M., C. M. od. C. E. M.

Nach einer Ausbildung zum Goldschmied in Augsburg (Meister 1682) widmete sich M. überwiegend dem Stempelschnitt. Bekannt sind ca. 260 Münzen und über 400 Medaillen, für die er die Stempel schuf, er schnitt aber auch Signete und für das Kf.tum Bayern Taxstempel. Die überragende Qualität dieser Arbeiten machte ihn über Deutschland hinaus bekannt. 1677–1718 lieferte M. nahezu sämtliche in der Augsburger Münze verwendeten Prägestempel; Augsburg prägte als Kreismünzstätte nicht nur für die Stadt und den Schwäb. Reichskreis, sondern auch für Münzherren aus anderen Teilen des Reiches. Man hat in einem Sternchen in der Umschrift vieler dieser Münzen eine Signatur des Medailleurs erkennen wollen, aber dieses auch sonst viel verwendete Zeichen kommt auf seinen frühen Münzen nicht, seit den 90er Jahren dagegen auch auf denen anderer Stempelschneider vor, so daß es – nach den Beschlüssen der Oberen Reichskreise von 1693, sich den sächs. Reformen nicht anzuschließen – wohl eher als Währungszeichen zu interpretieren ist. Eindeutig ist die Signatur P. H. M./P. H. Müller (Miller, Myller) auf den Medaillen, mit denen er sich noch größeren Ruhm erwarb. Voraussetzung hierfür war, daß die Stadt auf seine Initiative hin und unter seiner Leitung in der Münzstätte eine Spindelpresse (Balancier) errichten ließ, eine der ersten in Deutschland; sie ermöglichte eine präzisere Wiedergabe auch kleinerer Details und stärkerer Reliefs als die älteren Prägetechniken. M. lieferte auch Stempel an andere Münzstätten, vor allem an die privaten Nürnberger Prägestätten und Medaillenverleger Kaspar Gottlieb Laufer und Friedrich Kleinert, der die Randprägung einführte. Von kurzen Reisen abgesehen, blieb M. zeitlebens in Augsburg; seine Rechnungen an die Baumeister der Stadt Augsburg und deren Zahlungen an ihn weisen keine größere zeitliche Lücke auf. Nicht zu belegen ist eine unternehmerische Tätigkeit über die Zusammenarbeit mit Kleinert hinaus.

M.s Œuvre bietet einen umfassenden Porträtkatalog der Großen seiner Zeit, wobei er bei diesen Bildnissen oft einen besonderen Winkel zwischen En face und Profil wählte, der den Dargestellten eine von keinem anderen Medailleur erreichte Lebendigkeit verleiht. Spannungsvoller dargestellt als bei anderen sind auch die Allegorien, für die ihm der befreundete Stadtpfleger Leonhard Weiss Anregungen und Entwürfe lieferte. Von den sog. Gelegenheitsmedaillen ohne personellen Bezug zu privaten Anlässen wie Eheschließung und Taufe, freundschaftlichem Gedenken und Reisesegen wurde insbesondere die Taufmedaille mit der Taufszene unter dem Kruzifix lange nachgeahmt. Sein frühestes Werk ist die Gratulationsmedaille der Stadt Augsburg zur Vermählung Kaiser Leopolds 1676; zu weiteren Aufträgen dieser Art gehören die Ratsmedaillen und die besonders gerühmte Huldigungsmedaille der Drahtzieher an den Rat der Stadt von 1699. Überregionale Bedeutung besaßen die Medaillen aus Anlaß der Krönung der Kaiserin Eleonore und des späteren Kaisers Joseph I. zum Römischen König 1689/90 in Augsburg sowie zuletzt für das Reformationsjubiläum 1717 mit jeweils mehreren Stücken. Andere Medaillen kommentieren und schildern die großen Themen der Zeit, insbesondere die kriegerischen Ereignisse von den Türkenkriegen über die Besetzung der Pfalz und die engl.-franz. Auseinandersetzungen bis zum Span. Erbfolgekrieg, in Bildnissen und Allegorien, aber auch mit Stadt- und detaillierten Landschaftsdarstellungen und Schlachtenszenen. Das umfangreichste Werk ist die 104 Medaillen umfassende Suite der Päpste bis auf Clemens XI.

Qu. Stadtarchiv, Augsburg; Archiv d. Ev. Gesamtkirchengemeinde, Augsburg.

L A. v. Forster, Die Erzeugnisse d. Stempelschneidekunst in Augsburg u. Ph. H. Müller's ..., 1910, Nachtrag 1914; Kf. Max Emanuel, Ausst.kat. München 1976; H. Seling, Die Kunst d. Augsburger Goldschmiede 1529–1868, Meister, Marken, Werke, 3 Bde. mit Suppl., 1980/94, Nr. 1791; Barock in Baden-Württemberg, Ausst.kat. Bruchsal 1981; G. Werner, Die Münzen d. Freien u. d. Hl. Röm. Reichs Stadt Augsburg *(in Vorbereitung);* ThB *(fehlerhaft);* Augsburger Stadtlex., hrsg. v. W. Baer u. a., 1985. – *Zu Hans Jakob M., Paul Wachter u. Christian Ernst M.:* H. Seling (s. o.).

Gerlind Werner

Müller, Gottfried *Polycarp,* Rhetoriker, Bischof der Mährischen Brüder, * 14. 6. 1684 Stollberg (Erzgebirge), † 17. 6. 1747 Urschkau (Orsk) b. Glogau (Schlesien). (ev.)

V Gottfried (1641–1704), Erster Pfarrer in St., *S* d. Samuel, Tuchscherer u. Stadtrichter in St., u. d. Juliana N. N.; *M* Anna Theodora (* 1654), *T* d. Ernst Höckner (1610–69), Handelsmann u. Stadtrichter in St., u. d. Magdalena Stepner (1624–82) aus Zwickau; *Gr-Om* Bartholomäus Stepner (1615–59), Dr. theol., Sup. in Zwickau, Stephan Stepner (1616–67), Pfarrer in Eibenstock; *B* Gottfried Ernst (1678–1747), Sup. in Dornburg/Saale; *Vt* Johann Friedrich Höckner († 1745), Prof. d. Rechte in Leipzig (beide s. Jöcher-Adelung); – ∞ Zittau 1724 Johanna Susanna (1707–56, ∞ 2) Nicolaus Immanuel Grot, 1701–75, Arzt), *T* d. Karl Philipp Stoll(e) (1668–1741), Stadtrichter, seit 1711 Bgm. in Zittau, kaiserl. Pfalzgraf, u. d. Sophia Elisabeth v. Stryk (1675–1755); *Gvv d. Ehefrau* Johann Philipp Stoll(e) (1636–1700), Bgm. in Zittau; *Gvm d. Ehefrau* Friedrich v. Stryk (1643–1719), württ.-oelsbernstadt- u. juliusburg. Reg.- u. Konsistorialrat u. Kanzleidir. (s. ADB 36); *Gr-Om d. Ehefrau* Samuel Stryk (1640–1710), Prof. d. Rechte in Halle (s. ADB 36); kinderlos.

M. erhielt von seinem Vater Privatunterricht. 1701 bezog er die Univ. Leipzig und erwarb dort 1704 den Magistergrad. 1705 ging er, hauptsächlich zu gräzistischen und orientalistischen Studien, an die Univ. Altdorf bei Nürnberg und wurde als „Polycarpo" Mitglied des Pegnesischen Blumenordens. Die Jahre 1706–08 widmete er einer Studienreise: In Holland betrieb er kabbalistische Studien und lernte den Mystiker Pierre Poiret kennen; anschließend reiste er nach England, um dort mit den Inspirierten Kontakt aufzunehmen. 1708 kehrte der vielsprachige, weltgewandte Polyhistor nach Leipzig zurück. Dort wurde er 1714 Magister legens, 1716 ao. Professor der Eloquenz und Poesie. In seiner „Idea eloquentiae nov-antiquae" (1717) plädierte er für wirkungsvolle Affektrhetorik statt formalistischer Regelrhetorik. In seinem Hauptwerk „Academische Klugheit In Erkenntnis und Erlernung Nützlicher Wissenschafften" (2 T., 1711–20) betonte er die Eigenständigkeit der Philosophie als Erkenntnis der Natur neben der Theologie als Erkenntnis der göttlichen Offenbarung. 1723 wurde M. Direktor des Gymnasiums in Zittau. Als Pädagoge legte M. Wert auf lebendige alt- und neusprachliche, vor allem auch muttersprachlich-rednerische Schulung und auf die Realienkunde. 1727 besuchte er die Brüdergemeine im nahen, 1722 gegründeten Herrnhut; seit 1729 korrespondierte er mit Zinzendorf. Da er im orthodox-luth. Zittau der Heterodoxie verdächtigt wurde, legte er 1738 sein Amt nieder und zog nach Herrnhut. Im Juli 1740 wurde M. in Marienborn (Wetterau) zu einem Bischof der Mähr. Kirche geweiht und nahm dort seinen Sitz. Auch wurde ihm die Leitung des Pädagogiums und des Theologischen Seminars in der Wetterau (1741–44 in Marienborn) übertragen. M. war an einer Institutionalisierung der von Zinzendorf eher als temporäre Erscheinung aufgefaßten Mähr. Kirche gelegen. So betrieb er die Gründung selbständiger mähr. Kirchengemeinen z. B. im luth. Sachsen-Gotha (Neudietendorf), was zu Auseinandersetzungen mit dem 1743 aus Pennsylvanien zurückgekehrten Zinzendorf führte. Der selbstherrliche Graf verdrängte M. aus der Leitung der Brüderkirche und schob ihn nach Osten ab: 1744 wurde M. zum Mähr. Bischof von Schlesien ernannt. Der erfahrene Schulmann begründete im August 1744 ein Seminar und Pädagogium in Nieder Peilau bei Reichenbach (Schlesien), das 1745/46 z. T. nach Urschkau verlegt wurde. Im Dezember 1745 zog M. dort ein. Anläßlich seines Todes würdigte auch Zinzendorf im fernen Herrnhaag (Wetterau) die Verdienste des „Bischofs Polycarp".

Weitere W u. a. Kurtzer Entwurff d. Allg. Klugheit zu leben, 1710; Mens substantia a corpore essentialiter diversa, Diss. Leipzig 1714; Versuch Einer Ges. v. Erkäntniß u. Verbesserung Teutscher Schreib-Art, 1714; Philosophia. Facultatibus superioribus accommodata, T. 1, 1718, T. 2, 1719; Abriß e. gründl. Oratorie, 1722; Weißheit u. Klugheit d. vernünfftigen Welt, 1723, ²1734; Abriß Der Schul-Studien, u. desjenigen, so bishero Auf d. Zittauischen Gymnasio praestiret worden, 1725; Auffrichtige Vorstellung Der Lectionen u. Einrichtung d. Directoris In d. Zittauischen Gymnasio G. P. M.s, 1734; (Vorrede zu:) L. Gf. v. Zinzendorf, Theol. u. dahin einschlagende Bedencken, 1742, Wiederabdr. in: E. Beyreuther u. G. Meyer (Hrsg.), N. L. v. Zinzendorf, Erg.bde. zu d. Hauptschrr., IV, 1964; (Vorrede zu: N. L. Gf. v. Zinzendorf:) N Proeve Van een Leer-Boekje, 1743; De tentamine novae novi testamenti metaphraseos Zinzendorfiano disquisitio, 1743; Rec(eptum). 19. April. 1743, Requeste van eenige Opzienders der Evangelische Moravische Kerken om openbaare Kerkvryheid by tolerantie in deezen Staat, c. Commiss., 1743 (Mitverf.); Kurtze Lehrsätze v. d. Reiche Christi, wie auch dessen wahren u. reinen Kirche, 1750; Büding. Slg. Einiger In d. Kirchen-Historie Einschlagender Schrifften, I–III, Stück 1–18 u. Suppl., 1740–45 (zeitweise Mithrsg. u. Mitverf.), Wiederabdr. in: E. Beyreuther u. G. Meyer (Hrsg.), s. o., VII–IX, 1965 f.; Einfältiges Herzensbekenntniß von d. seligen Betrachtung d. erwürgten Lammes u. seiner Leidens, u. Todesgestalt aus Ebr. 12, 2., 1758, 1759, mehrere Ausgg. o. J., 1772, 1815, 1845, u. d. T. Der gläubige Blick auf Jesum, Ebr. 12. v. 2., welcher in seiner Leidens- u. Todesgestalt zu sehen ist, 1784 (dän. v. M. Cröger 1760 u. ö. bis 1875; schwed. 1769 u. ö. bis 1871; finn. 1778, 23 weitere Ausgg. bis 1913). – Mss.: Archiv d. Brüder-Unität Herrnhut.

Qu. Jüngerhaus-Diarium 1747 (Hs. im Archiv d. Brüder-Unität Herrnhut), Beil. z. 45. Woche, Nr. 88 u. 100; I. H. Brenner, Lerna Zinzendorfiana dispuncta disqvisitione insolentissima P. Mvlleri, 1744; W. E. Bartholomaei (Hrsg.), Acta historico-ecclesiastica III, 1738 f., S. 414–16; ebd. VIII, 1744 f., S. 150–58, 294–96, 801–12, 951–78; ebd. X, 1746, S. 1021–33; ebd. 14, 1750 f., S. 540–52; Beyträge zu d. Actis historico-ecclesiasticis, 1, 1746–50, T. 5, 1748, S. 676–706, T. 6, 1749, S. 916 f. – (N. L. Gf. v. Zinzendorf), In Justis Venerabilis Polycarpi Frr. Episcopi Psalmodia, 1747, Wiederabdr. (J. J. Ritter), Aletophili Taciti Gedancken Ueber d. viele, D. Herrnhutische Brüder betr. Streit-Schrifften, 1749, S. 71–78.

L ADB 22; W. Breutel, G. P. M., Ein Lb. aus d. ersten Zeit d. Brüderkirche, in: Brüder-Kal., Statist. Jb. d. ev. Brüderkirche u. ihrer Werke 5, 1898, S. 87–113; H. Pleijel, Herrnhutismen i Sydsverige, 1925, S. 251; Kat. d. fürstl. Stolberg-Stolberg'schen Lpr.en-Slg., I, 1927, S. 499, III, 1930, S. 239, 493, 515, IV, T. 2, 1935, S. 654; N. Rodén, Herrnhutismen i Norrland, in: Kyrkohistorisk Årsskrift 38, 1938, S. 163 f., Anm. 4; O. Tiililä, Die ältesten Überss. d. dt. pietist. Lit. in Finnland, in: Theol. Lit.ztg. 84, 1959, Sp. 334; R. Breymayer, Pietist. Rhetorik als eloquentia nov-antiqua, Mit bes. Berücksichtigung G. P. M.s (1684–1747), in: B. Jaspert u. R. Mohr (Hrsg.), Traditio – Krisis – Renovatio aus theol. Sicht, 1976, S. 258–72 (L); ders., Die Beredsamkeit e. Taubstummen, Zur Bedeutung d. Ethos-Bereichs f. d. Rhetorik d. pietist. Leichenrede, in: R. Lenz (Hrsg.), Lpr.en als Qu. hist. Wiss., II, 1979, S. 223–25, 232; V. Sinemus, Poetik u. Rhetorik im frühmodernen dt. Staat, 1978; G. E. Grimm, Lit. u. Gelehrtentum in Dtld., 1983; Dietrich Meyer (Hrsg.), Bibliogr. Hdb. z. Zinzendorf-Forschung, 1987; H.-W. Erbe, Herrnhaag, Eine rel. Kommunität im 18. Jh., 1988, S. 37 u. ö.; J. Dyck u. J. Sandstede (Hrsg.), Qu.bibliogr. z. Rhetorik, Homiletik u. Epistolographie d. 18. Jh. (in Vorbereitung); Zedler; Jöcher; Jöcher-Adelung *(W-Verz. unvollst.)*; GV; Kosch, Lit.-Lex.[3]

Reinhard Breymayer

Müller, *Reinhold,* Mathematiker, Kinematiker, * 11. 5. 1857 Dresden, † 4. 3. 1939 Darmstadt. (ev.)

V Ludwig Reinhold, Bäckermeister; M Henriette Wolf; ∞ 1887 Wilhelmine (* 1865) aus Braunschweig, T d. Fabrikdir. Johann Keuffel u. d. Wilhelmine Helle; kinderlos.

Nach dem Besuch des Dresdener Annen-Realgymnasiums studierte M. 1874–77 an der TH Dresden zunächst ein Jahr Bauingenieurwesen, dann Mathematik und Physik. Er setzte sein Studium an der Univ. Leipzig fort, wo er 1879 die Lehramtsprüfung ablegte und anschließend bis 1884 am Gymnasium in Dresden-Neustadt unterrichtete. 1883 wurde er in Leipzig bei Felix Klein mit einer Arbeit „Über eine ein-zweideutige Verwandtschaft" promoviert. 1885–1907 lehrte er als o. Professor für Darstellende Geometrie an der TH Braunschweig, dann bis zu seiner Emeritierung 1928 an der TH Darmstadt auf einem Lehrstuhl für Darstellende Geometrie und Kinematik (seit 1911 für Mathematik).

Beeinflußt durch Ludwig Burmester, bei dem er schon in seinen ersten Studienjahren hörte, wählte M. die Kinematik zu seinem Hauptarbeitsgebiet. Dabei behandelte er diese als Teilgebiet der Geometrie. Im Zentrum seiner Arbeiten stand die Theorie der Viergelenkmechanismen und hier das Problem der angenäherten Geradführung. Unter Geradführungen versteht man Konstruktionen zur Erzeugung einer Bewegung, die möglichst exakt geradlinig verläuft, in der Regel die Umwandlung einer kreisförmigen in eine geradlinige Bewegung. Schon James Watt hatte derartige Geradführungen für seine Dampfmaschinen konstruiert. Zwar werden dafür seit langem geschmierte Gleitlager verwendet, doch besitzen auch Geradführungen, z. B. beim Filmtransport oder bei Kranauslegern noch vielfältige Anwendungen. M. untersuchte systematisch die Koppelkurven eines Viergelenks, z. B. ihr asymptotisches Verhalten und die Anzahl ihrer Doppelpunkte. Hat eine Koppelkurve hohe Berührordnung mit einer ihrer Tangenten, so kann man eine benachbarte Koppelkurve, die dann mit einer Geraden mehrere sehr flache Schnitte hat, zur Konstruktion einer angenäherten Geradführung verwenden. M. betrachtete auch die Punkte, in denen sich die Bahnkurven ihrem Krümmungskreis besonders gut anschmiegen, und nannte sie Burmestersche Punkte (Zs. f. Mathematik u. Physik 37, 1882, S. 146). Unter dieser Bezeichnung wurden sie recht bekannt. Eine große Rolle spielte auch der sog. Ballsche Punkt. So führt die Forderung, daß der Ballsche Punkt mit einem der Burmesterschen Punkte übereinstimmt, auch zu einer angenäherten Geradführung. Ein anderes Arbeitsgebiet M.s war die Kinematik der ähnlich-veränderlichen Systeme. – GHR (1910); Dr. rer. techn. h. c. (TH Dresden 1928).

Weitere W u. a. Leitfaden f. d. Vorlesungen üb. Darstellende Geometrie, 1899, ⁴1922; Einf. in d. theoret. Kinematik, 1932.

L A. Walther, R. M. zu seinem 80. Geb.tage, in: Maschinenbau, Der Betrieb 16, 1937, S. 325–29 *(W, P);* Verz. d. Hochschullehrer d. TH Darmstadt, 1977; Pogg. IV–VII a; Kürschner, Gel.-Kal. 1931.

P Phot. d. Gründer d. Dt. Mathematiker-Vereinigung 1890 (7. v. links), in: Jb. d. Dt. Mathematiker-Vereinigung 68, 1966, neben S. 52; G. Fischer u. a. (Hrsg.), Ein Jh. Math. 1890–1990, 1990, S. 7.

Erhard Heil

Müller, *Renate,* Schauspielerin, * 26. 4. 1906 München, † 7. 10. 1937 Berlin. (konfessionslos)

V Karl Eugen (1877–1951) aus Frankenthal (Pfalz), Dr. phil., Historiker, 1918–20 Chefredakteur d. Münchner Neuesten Nachr., 1920–24 d. Danziger Ztg., 1924–28 b. Berliner Tagbl., seit 1931 freier Journalist in B., 1946/47 Leiter d. Archivs d. SZ, seit 1947 Chefredakteur d. Mannheimer Morgen; *M* Anna Marie (Mariquita) Frederich (1881–1963) aus Chile, Malerin; *Schw* Gabriele Schwarz (1908–86), Korrespondentin d. SZ in B. (s. *L*); – ledig.

Nach der Mittleren Reife und Gesangsunterricht besuchte M. die Schauspielschule am Deutschen Theater in Berlin. 1925 Elevin am Harzer Bergtheater in Thale, spielte sie 1926–28 an verschiedenen Bühnen Berlins, u. a. am Lessing-Theater. 1929 wurde sie an das Staatliche Schauspielhaus Berlin engagiert, wo sie bei der Uraufführung von H. Essigs „Des Kaisers Soldaten" die naive, derbe schwäb. Magd Rösle Biener gab und in Shakespeares „Liebes Leid und Lust" die Prinzessin von Frankreich. Im selben Jahr wurde M. von dem Regisseur Reinhold Schünzel für das Kino entdeckt. Ihr erster großer Erfolg in „Liebe im Ring" (1930) an der Seite des Boxchampions Max Schmeling war die Rolle der einfachen, aber gutherzigen Freundin, die sich gegen eine mondäne Kokotte durchsetzt.

Schnell wurde M. zum Inbegriff des patenten, natürlichen, adretten Fräuleins. Mit ihrer vermeintlich zurückhaltenden, dabei jedoch geschickt weibliche Körperattribute einsetzenden Spielweise führte sie Anfang der 30er Jahre einen neuen deutschen Frauentyp vor. Zu dessen Inbegriff wurde sie in der Hauptrolle des Films „Die Privatsekretärin" (1931), in dem sie durch Tüchtigkeit und Charme nicht nur eine Stelle in einem Bankhaus, sondern auch den Sohn des Direktors erobert.

Ihr Gesangstalent prädestinierte M. auch für die Musikkomödie. Das Lied „Ich bin ja heut' so glücklich" in „Die Privatsekretärin" wurde zum Hit und zu einer Art Erkennungsmelodie des von ihr verkörperten Frauentypus. Mit dem fröhlichen Optimismus, den sie auch in ihren folgenden Filmen, etwa „Mädchen zum Heiraten" oder „Wenn die Liebe Mode macht" (1932), verbreitete, gewann sie ein breites Publikum. Auch in den Ehekomödien „Der kleine Seitensprung" (1931), „Wie sag' ich's meinem Mann?" (1932) und „Die englische Heirat" (1934) löste sie Krisen mit Herz, Witz und weiblicher Intuition. Gleiches zeichnete sie in „Viktor und Viktoria" (1933) aus, wo sie in die Rolle eines Damen-Imitators schlüpft. Als „Liselotte von der Pfalz" (1935) gab sie noch einmal die ebenso selbstbewußte wie anziehende Frau, die den Hof Ludwigs XIV. erobert.

Dem Bild einer optimistischen jungen Frau, das M. in 24 Filmen bis 1936 verkörperte, entsprach sie privat nicht. Durch zwei schwere Operationen und persönliche Schicksalsschläge geschwächt, mußte sie sich in Sanatorien zurückziehen. Die Ursache ihres frühen Todes ist nicht völlig geklärt, wahrscheinlich starb M. an den Folgen eines epileptischen Leidens. Spektakulär verbrämt wurde ihr Leben in dem Spielfilm „Liebling der Götter" (1960) nachgestellt.

L aros (A. Rosenthal), R. M., 1932 *(P);* anonym, Adele Sandrock, R. M., 1937 *(P);* E. Krünes, in: Berliner Ill. Nachtausg. v. 7. 10. 1937; Dt. Bühnenjb. 50, 1938, S. 142; R. E. Clements, Queen of America, 1944 *(P);* Gabriele Müller, Meine Schwester R. M., in: Rhein. Post v. 26. 4. 1966; H. Hohwiller, R. M. – Die Unvergessene, in: Filmjournal 11/1981; C. Romani, Die Filmdivas d. Dritten Reiches, 1982, S. 131–37 *(P);* K. Kreimeier, Die Ufa-Story, 1992, S. 383 f.; CineGraph.

Jürgen Kasten

Müller, *Richard,* Maler und Graphiker, * 28. 7. 1874 Tschirnitz b. Karlsbad, † 7. 5. 1954 Dresden-Loschwitz. (ev.)

V Gustav, Webermeister; M N. N. Gebhardt; ∞ Pirna 1900 Lillian Sanderson, geb. Kemper (1866–1947), Konzertsängerin; 1 S Adrian Lukas (* 1902), Kunsthistoriker, 2 Adoptiv-S.

Aus ärmlichen Verhältnissen stammend, begann M. 1889 eine Lehre an der Meißener Porzellanmanufaktur, die er jedoch zugunsten eines Studiums an der Kunstakademie in Dresden aufgab. Nach nur drei Semestern brach er 1893 auch dieses ab, um sich selbständig weiterzubilden. 1894 trat er der Dresdner Sezession bei, 1895 reiste er nach Leipzig zu Max Klinger, der ihn in der Technik des Radierens unterwies. M. experimentierte in den folgenden Jahren in Dresden mit nahezu allen graphischen Techniken, gab die Lithographie jedoch schon bald auf. Für sein erstes großes radiertes Blatt „Adam und Eva" verlieh ihm die Akademie 1898 den Rompreis. Sein erstes großes Ölgemälde, die „Barmherzige Schwester" (Gal. Neue Meister, Dresden), das er 1898/99 vollendete, wurde 1900 mit der Goldenen Medaille in Dresden und der Goldenen Medaille auf der Weltausstellung in Paris prämiert. Durch seine Tierstudien und seine Druckgraphik, die Landschaften und symbolistische Szenen (Der Bogenschütze I, 1897) mit außergewöhnlich illusionistischer Wiedergabe der Stofflichkeiten umfaßt, war M. national und international bekannt und finanziell erfolgreich. 1899 wurde er Lehrer an der Dresdener Akademie (1902 Prof.) und trug in der Folge entscheidend zur Modernisierung der Lehre und zu der wiedergewonnenen Attraktivität der Akademie bei. Seine Werke gehören zu den Verbindungsgliedern zwischen Symbolismus/Jugendstil und Neuer Sachlichkeit mit O. Dix und G. Grosz, deren Lehrer er war. Durch überraschende Kombinationen und Perspektiven verweisen sie auch auf den Surrealismus.

Um 1906 änderte sich M.s Malstil von einer altmeisterlich glatten Oberfläche – jedes Detail eines Motivs ist fast hyperrealistisch dargestellt – zu einem lockereren Duktus von nahezu impressionistischer Auffassung und einem eigenwillig unwirklichen Licht. Sein Werk umfaßt Stilleben, mythologische und religiöse sowie symbolische Themen, Porträts, Landschaften, Tier- und erotische Darstellungen. Letztere erinnern an die Blätter des Belgiers Felicien Rops, ohne dessen pornographische Aspekte zu übernehmen. Handzeichnungen, Graphik und Malerei erstaunen durch ungewöhnlich realistische Wiedergabe – mitunter auf Kosten der Aussage. Nach seinem Wehrdienst 1915 widmete sich M. vermehrt der Zeichnung, vor allem der Landschaftsdarstellung. Da ihn die Anfang des Jahrhunderts überschwengliche Kritik zunehmend angriff, produzierte er von nun an ausschließlich für private Sammler. 1918–23 schuf M. mehr Graphiken als je zuvor (66 von ca. 165 Blättern), danach stellte er diesen erfolgreichsten Teil seines Schaffens zugunsten der übrigen Gattungen ein. Von vier geplanten graphischen Zyklen, die er, seinem Vorbild Max Klinger folgend, Opus I–IV nannte, kam nur der erste 1921 in den Handel. Seit 1926 verflachte seine Kunst zusehends.

1933 wurde M. Rektor der Akademie. Nach heutigem Kenntnisstand schrieb man ihm nach 1945 verschiedene Maßnahmen der nationalsozialistischen Kulturpolitik in Dresden, wie die Entlassung von Otto Dix und die Ausstellung „Spiegelbilder des Verfalls" im September 1933, zu Unrecht zu. Nach seiner Entlassung aufgrund fachlicher, politischer und persönlicher Differenzen im Januar 1935 bemühte er sich bis 1937 vergebens, mit Zeichnungen und Gemälden zu Themen, die der nationalsozialistischen Kunstpolitik entsprachen, Fuß zu fassen. Als M. starb, hatte die Kunstgeschichte ihn und sein umfangreiches Werk vergessen. – Österr. Goldene Staatsmedaille (1912).

Weitere W Mantelpavian, Lith., 1896; Adam u. Eva, Radierung, 1897; Mappe mit 9 Radierungen, 1898 (b. E. Seeger, Berlin); Hummer u. Muscheln, Radierung, 1899; Huhn, Radierung u. Kaltnadel, 1901; ca. 200 Kriegszeichnungen, 1914/15; Der Bogenschütze II, Radierung, 1918; Das große Tier I, Radierung, 1918; Op. 1, 13, Kaltnadelarbeiten, 1921; Hyäne, Kaltnadel, 1922; Der dreiste Freier, Radierung, 1923; Adolf Hitlers Heimat u. denkwürdige Stätten d. nat.soz. Dtld.s, 56 Zeichnungen, 1936 (heute verstreut). – Ölgem.: Der Mann mit d. Pelzmütze, 1901 (Nat.gal., Prag); Im Atelier, 1907 (Mus. d. Bildenden Künste, Leipzig); Leimers Ziege, 1907; Zeus u. Danae, 1908 (Haus d. Heimat, Freital); Kreuzigung, 1909; Die Neidischen, 1924 (Ostdt. Gal., Regensburg); Hummer, 1924 (Mus. d. Bildenden Künste, Leipzig); Im Sonnenbad, 1925 (Gal. Neue Meister, Dresden); Junger Stier, 1930 (Mus. d. Bildenden Künste, Leipzig); Die rote Flut, 1945.

L Pan, II, 2, 1896, S. 132 ff.; Die graph. Künste, 25, 1902, S. 51 ff.; Die Kunstwelt, II, 1912/13, S. 225 ff.; Dt. Arbeit, XII, H. 4, Jan. 1913, S. 245–48; Die Schönheit, XVI, 1919/20, S. 433 ff., 446 f., 452 f., 456; ebd., XX, 1924, S. 385 ff., 397, 399; F. H. Meißner, Das Werk v. R. M., 1921 (W-Verz.); Das Bild, H. 10, 1936, S. 304 ff.; Sächs. Tagebl. v. 12. 5. 1954; Der Tagesspiegel v. 29. 8. 1954, S. 3 f.; R. M., Ausst.kat. Gal. Brockstedt, Hamburg 1974 (P); Dresden, Von d. Kgl. Kunstak. z. Hochschule f. Bildende Künste (1764–1989), hrsg. v. M. Altner, 1990, S. 199, 228 ff., 236, 256, 261, 305, 311 ff.; R. M., Ausst.kat. Haus d. Heimat, Freital 1993;

R. M., Ausst.kat. Haus d. Heimat, Freital 1993; R. Günther, R. M., 1995; C. Wodarz, Leben u. Werk R. M.s, Diss. *(in Vorbereitung);* Wi. 1914–35; Das Dt. Führerlex., 1934; ThB; Vollmer. – *Qu.* Archiv d. Hochschule f. Bildende Künste, Dresden.

P Selbstbildnis, Radierung, 1921, Abb. in: Ausst.-kat. Gal. Brockstedt, Nr. 101 (s. *L*); Phot., Abb. in: Ausst.kat. Hugo Erfurth, Köln 1992, S. 232 ff., 528.

Corinna Wodarz

Müller, *Robert,* Schriftsteller, * 29. 10. 1887 Wien, † (Freitod) 27. 8. 1924 ebenda. (ev.)

V Gustav (1854–1928, kath.) aus Reichenberg, Kaufm., dann Beamter; *M* Erna Herzfeld (1865–1931) aus Wesel/Rhein; angebl. *Tante-m* Lotte Herzfeld (∞ Friedrich Emmert, Chefredakteur d. „New York German Herold"); *B* Erwin (* 1892), Verleger in W., Gen.vertreter in Düsseldorf, Adolf (* 1894), Dir. in W.; – ∞ Wien 1915 Olga Estermann (* 1890) (isr., dann ev.), aus W., emigrierte 1938 nach London; 2 *T,* u. a. Erika Erna (* 1915), emigrierte 1944 nach London.

Nach einem abgebrochenen Philologiestudium reiste M. 1909 nach New York, arbeitete als Reporter, Hoteldiener und Matrose und kehrte im Herbst 1911 nach Wien zurück. Hier fand er Anschluß an das intellektuelle Zentrum der österr. Vorkriegs-Avantgarde, den „Akademischen Verband für Literatur und Musik in Wien". In dessen Zeitschrift „Der Ruf" (1912/13) proklamierte M. erstmals seine an frühexpressionistischem Aufbruchsgestus und vitalistischem Erneuerungspathos ausgerichtete Gesellschafts- und Geschichtstheorie. 1912 machte er Georg Trakl mit dem Innsbrucker „Brenner"-Kreis bekannt und initiierte im folgenden Jahr eine Anthologie frühexpressionistischer Wiener Lyrik „Die Pforte". 1914 gab er die in nur einem Heft erschienene Zeitschrift „Torpedo" heraus, die als einzigen Beitrag eine selbstverfaßte Streitschrift gegen Karl Kraus enthält („Karl Kraus oder Dalai Lama der dunkle Priester, Eine Nervenabtötung"). M.s anfängliche Kriegsbegeisterung wandelte sich nach eigenen Fronterfahrungen in pazifistisches Engagement. Im August 1915 erlitt er bei einem Granatenangriff an der Isonzofront einen Nervenschock. Die restlichen Kriegsjahre verbrachte er u.a. als Redakteur der „Belgrader Nachrichten" (1916/17) und als Mitarbeiter des Kriegspressequartiers in Wien (1917/18), zuletzt im Rang eines Oberleutnants; zudem fungierte er 1918/19 als Herausgeber der „Österr.-Ungar. Finanzpresse".

1914 veröffentlichte M. sein erstes Buch „Irmelin Rose, Die Mythe der großen Stadt" (Neu hrsg. v. D. Magill u. M. M. Schardt, 1993). Dank seiner zahlreichen Veröffentlichungen und seines exzentrischen Lebensstils war er rasch zu einem der auffälligsten Vertreter der expressionistischen Literaturszene Wiens geworden. 1915 erschien sein Roman „Tropen, Der Mythos der Reise, Urkunden eines deutschen Ingenieurs" (Neu hrsg. v. G. Helmes, 1990), von dem der mit M. befreundete Robert Musil meinte, er gehöre zu den „besten der neuen Literatur überhaupt". Der Roman beschreibt auf mehreren, ineinander geschobenen Ebenen eine Fahrt des Ich-Erzählers „in die Tropen der Menschheit, in Urzustände der Kräfte". Die „Tropen" sind eine Chiffre für die Simultaneität unterschiedlicher, vom jeweiligen Standpunkt des Beobachters abhängiger Bewußtseinsebenen, die M. mit dem Begriff des „Phantoplasma" umschreibt. Die sachlich-nüchtern und rational beschriebene fiktive Reise wird zu einer Erkundung der Relativität, Vieldimensionalität und Widersprüchlichkeit des individuellen und kollektiven Gedächtnisses. Im Anschluß an die Relativitätstheorie Einsteins konzipierte M. 1917/18 in dem Essay „Die Zeitrasse" (in: Der Anbruch 1, 1917/18, H. 1, S. 2, H. 2, S. 2) die Theorie der „elastischen Beziehungen" als Ausdruck des in den „Raumphantasien" und „Sprachvisionen" des Expressionismus verkündeten relativistischen Weltbildes: „Mit den einfachen und geradlinigen Erklärungen ist es vorüber. Die Maßstäbe sind relativ, sie federn." In den letzten Kriegsmonaten wurde M., der auch mit Kurt Hiller befreundet war, zur Integrationsfigur des Wiener Aktivismus, indem er revolutionär und pazifistisch gesinnte Intellektuelle im Geheimbund „Die Katakombe" sammelte, die Verlagsbuchhandlung „Literaria" (1919–25) gründete, die Zeitschrift „Die neue Wirtschaft" (1919/20) redigierte und 1918/19 den „Bund der geistig Tätigen" ins Leben rief, der u. a. die Zeitschrift „Der Strahl" (1919/20) herausgab und im April 1919 eine expressionistische Kunstausstellung in Wien veranstaltete. Karl Kraus hat diese rastlose Tätigkeit M.s 1921 in der magischen Operette „Literatur oder Man wird doch da sehn" in den Figuren „Harald Brüller" und „Brahmanuel Leiser" karikiert. Die politischen Essays M.s sind vom Widerspruch zwischen der Ausarbeitung einer auf die Autonomie des Subjekts und ein relativistisches Weltbild rekurrierenden, die Forderung nach einer ethisch und sozial engagierten Literatur proklamierenden aktivistischen Handlungstheorie einerseits und dem Entwurf einer obskuren, z. T. mit antisemitischen Stereotypien operierenden „Rassentypik" andererseits geprägt. Desillusioniert vom Scheitern der Revolution, betätigte sich M. 1922/23 als Herausgeber der Zeitschrift „Die Muskete" und als Gründungsmitglied des österr. „Kulturbundes". Einen letzten Versuch, eine Plattform für seine Ideen zu schaffen, startete er 1924 mit der Gründung des „Atlantischen Verlags". Als auch dieses Unternehmen zu scheitern drohte, beging er Selbstmord.

Weitere W u. a. Was erwartet Österreich v. seinem jungen Thronfolger?, 1914; Macht, Psychopol. Grundlagen d. gegenwärt. Atlant. Krieges, 1915; Österreich u. d. Mensch, Eine Mythik d. Donau-Alpenmenschen, 1916; Die Politiker d. Geistes, Sieben Situationen, 1917 (Neuausg. 1994); Europ. Wege, Im Kampf um d. Typus, 1917; Das Inselmädchen, Novelle, 1919 (Neuausg. 1994); Bolschewik u. Gentleman, 1920 (Neuausg. 1993); Der Barbar, Roman, 1920 (Neuausg. 1993); Camera obscura, Roman, 1921 (Neuausg. 1991); Flibustier, Ein Kulturbild, 1922 (Neuausg. 1992); Rassen, Städte, Physiognomien, Kulturhist. Aspekte, 1923 (Neuausg. 1992); Krit. Schrr., 3 Bde., hrsg. v. J. Berners, E. Fischer, G. Helmes u. Th. Köster, 1993–95; Ges. Essays, hrsg. v. M. M. Schardt, 1995.

L Robert Musil, in: Prager Presse v. 3. 9. 1924; A. E. Rutra, R. M., Denkrede, 1925; H. H. Hahnl, in: Neue Zürcher Ztg. v. 12. 9. 1971; W. J. Schweiger (Hrsg.), Über R. M., in: Die Pestsäule 2, 1974/75, H. 12 (mit biogr. Abriß, S. 137–40), ebd. H. 13 *(W-Verz., L)*; H. Kreuzer u. G. Helmes (Hrsg.), Expressionismus – Aktivismus – Exotismus, Stud. z. literar. Werk R. M.s (1887–1924), 1981 *(W-Verz., L)*; R. Willemsen, Die sentimentale Ges., Zur Begründung e. aktivist. Lit.theorie im Werk R. Musils u. R. M.s, in: DVjS 58, 1984, S. 289–316; G. Helmes, R. M., Themen u. Tendenzen seiner publizist. Schrr., 1986; H. J. Schütz, „Ein dt. Dichter bin ich einst gewesen", 1988, S. 213–18; St. Heckner, Die Tropen als Tropus, Zur Dichtungstheorie R. M.s, 1991; K. Amann u. A. A. Wallas (Hrsg.), Expressionismus in Österreich, Die Lit. u. d. Künste, 1994; Th. Köster, Bilderschr. Großstadt, Stud. z. Werk R. M.s, 1995; Kommentare z. 12bänd. R. M.-Werkausg., 1990–95; ÖBL; Kosch, Lit.-Lex.³; Killy. – Eigene Archivstud. (Wien, Stadt- u. Landesarchiv, Kriegsarchiv).

P 2 Zeichnungen v. Egon Schiele, 1918 (Hist. Mus. d. Stadt Wien), Abb. in: J. Kallir, E. Schiele, The Complete Works, 1990, S. 632.

Armin A. Wallas

Müller, *Robert,* Chemiker, * 9. 3. 1897 Graz, † (Unfall) 5. 8. 1951 Kassel. (kath.)

V Karl (1859–1936) aus Olmütz (Österr. Schlesien), kaufmänn. Dir., *S* d. Johann (1828–1908), k. u. k. Militär-Bau-Werkmeister, u. d. Maria Köcher; *M* Maria (1867–1915), *T* d. Martin Reitsamer (1825–81), Postamtsleiter in Radstadt (Salzburg), u. d. Josefa Trebesinger (* 1843); ∞ Burg Hochosterwitz (Kärnten) 1924 Elisabeth (1896–1956) aus Mahrenberg (Steiermark), *T* d. Adolf Pribil (* 1863) aus Luttenberg (Steiermark) u. d. Maria Glaser (* 1863) aus Maria Rast (Tirol); 3 *S*, u. a. Wolfgang (* 1931), Ing., Gottfried (1935–65), Dr. iur., Helmut (* 1936), Ing. in G., 2 *T*.

Kurz nach Ausbruch des 1. Weltkrieges schloß M. die Realschule ab, rückte 1915 als Kriegsfreiwilliger ein und stand 1916–18 an der ital. Front. Beim Zusammenbruch geriet er in Gefangenschaft, aus der er noch 1918 entfliehen konnte. Anschließend studierte er Chemie und Physik an der Univ. Graz und wurde schon 1920 auf Grund einer bei Robert Kremann durchgeführten Dissertation zum Dr. phil. promoviert. Bis 1929 blieb M. als Assistent von Kremann am Institut für physikalische und theoretische Chemie. In dieser Zeit habilitierte er sich sowohl an der Philosophischen Fakultät der Universität (1923) als auch an der TH Graz (1926) für Allgemeine und Physikalische Chemie sowie Elektrochemie und wurde 1927 zum tit. ao. Professor ernannt. 1929 wurde M. als Nachfolger Hans Fleißners an die Lehrkanzel für Angewandte Chemie der Montanistischen Hochschule Leoben berufen, wo er bis 1940 als o. Professor wirkte und nach der Pensionierung Rudolf Jellers die Hauptlast des chemischen Unterrichts trug. Nach dem Ausbruch des 2. Weltkrieges leistete der leidenschaftliche Segelflieger M. mit kurzen Unterbrechungen bis 1942 Militärdienst bei der deutschen Luftwaffe. Schließlich wurde er an den Lehrstuhl für Anorganisch-Chemische Technologie der TH Graz überstellt und bekleidete 1943–45 das Amt des Dekans der Fakultät für Naturwissenschaften. 1946 wurde gegen M. wegen dessen Mitgliedschaft in der NSDAP ein Strafverfahren eingeleitet, das jedoch ohne Urteilsspruch eingestellt wurde. 1948 erfolgte seine Versetzung in den Ruhestand bei vollem Bezug der ihm zustehenden Pension.

In der Fachwelt wurde M. besonders durch seine elektrochemischen Untersuchungen bekannt. Eine Reihe der von ihm bearbeiteten Probleme gehören zum Bereich der Chemie metallurgischer Prozesse. Beispiele dafür sind Arbeiten über die Metallabscheidung aus nichtwässrigen Lösungen, die ihm und seinen Mitarbeitern im Falle des Magnesiums als ersten gelang, die Entfärbung von Glasschmelzen und die Aufbereitung von Serpentiniten zur Gewinnung von Nickel und Magnesiumoxid mittels Säurelaugung. Mit letztgenanntem Verfahren sollte ursprünglich nur Nickel (an dem kriegsbedingt Mangel herrschte) aus einem armen (< 0,3 % Ni), aber in nahezu unbegrenzter Menge vorhandenem Erz gewonnen werden. Die chemischen und verfahrenstechnischen Prinzipien des Müller-Verfahrens, namentlich die Verwertung der dabei anfallenden Kieselsäure und des Magnesiumoxids, die selektive Fällung von Eisen- und Aluminiumhydroxiden bzw. Nickel- und Manganoxidhydroxiden, die Rückgewinnung der Salzsäure und schließlich die Möglichkeit, Serpentinit als billige Base einzusetzen, waren jedoch auch lange nach Kriegsende von solchem Interesse, daß die Veitscher Magnesitwerke AG im Werk Breitenau (Steiermark) das Verfahren Anfang der 1970er Jahre zur großtechnischen Reife entwickelten.

W u. a. Aufbau chem. Verbindungen, 1928; Allg. u. techn. Elektrometallurgie, 1932; Allg. u. techn. Elektrochemie nichtmetall. Stoffe, 1937; Hdb. d. Physikal. Chemie, I u. II (Potentiale, Elektrolyse u. Polarisation), 1928 (mit R. Kremann); Alkalimetalle, 1938 (mit A. van Arkel); Arbeitsmethoden d. modernen Naturwiss., Bd. 69 u. 70 (Elektroanalyse), 1950 (mit F. Hecht).

L Kürschner, Gel.-Kal. 1940/41; Teichl; Pogg. VI, VII a.

Heinz Gamsjäger

Müller, *Rudolf,* Dermatologe und Serologe, * 10. 10. 1877 Prag, † 16. 8. 1934 Wien.

M. studierte in Prag, Graz, Königsberg und Wien Medizin und wurde dort 1901 zum Dr. med. promoviert. Nach bakteriologischer Ausbildung am Pathologisch-anatomischen Institut der Univ. Wien und serologischen Arbeiten wurde er 1906 Assistent an der Klinik für Geschlechts- und Hautkrankheiten. 1907 wurde er mit der Leitung der von ihm aufgebauten Serodiagnostischen Untersuchungsanstalt des Wiener Allgemeinen Krankenhauses betraut. 1914 erfolgte die Habilitation für Dermatologie und Syphilidologie, 1923 wurde er Titularextraordinarius. M. klärte mit Gustav Scherber die Ätiologie der erosiven kontagiösen, manchmal zum Gangrän führenden Balanitis; er fand gemeinsam mit Karl Landsteiner und Otto Pötzl das wirksame Prinzip der Wassermannschen Reaktion, die sie als nicht ausschließlich spezifisch für die Lues erkannten. Er begründete mit Moritz Oppenheim die Serodiagnostik der Gonorrhoe; auf M. und Robert Otto Stein geht die Herstellung des Organluetins aus menschlichen Lymphknoten und des Luotests aus Kaninchensklerosen zurück. M. gab eine eigene Flockungsreaktion als Ballungsreaktion an. Später gestaltete er seine Ballungsreaktion als Immunballung auch für die Diagnostik anderer Krankheiten aus. Neben den serologischen Arbeiten beschäftigte sich M. mit der unspezifischen Proteinkörpertherapie oder Reiztherapie bei umschriebenen Entzündungen.

W Weitere Mitt. üb. d. Aetiol. u. Klinik d. Balanitis erosiva circinata u. Balanitis gangraenosa, in: Wiener klin. Wschr. 19, 1906, S. 622–27 (mit G. Scherber); Über d. Nachweis v. Antikörpern im Serum e. an Arthritis gonorrhoica Erkrankten mittels Komplementablenkung, ebd., S. 894 f.(mit M. Oppenheim); Zur Frage d. Komplementbildungsreaktion bei Syphilis, ebd. 20, 1907, S. 1565–67 (mit K. Landsteiner u. O. Pötzl); Die Hautreaktion b. Lues u. ihre Beziehung z. Wassermannschen Reaktion, ebd. 26, 1913, S. 408 f. (mit R. O. Stein); Ber. üb. 530 Impfungen mit Drüsenluetin, in: Wiener Med. Wschr. 63, 1913, Sp. 2419–2425; Die Serodiagnose d. Syphilis u. ihre Bedeutung f. d. Diagnose u. Prognose, 1913; Die Entwicklung d. Serumdiagnostik d. Syphilis in d. letzten Jahren, in: Hdb. d. Geschlechtskrankheiten, hrsg. v. E. Finger, J. Jadassohn u. S. Ehrmann, Bd. 3/3, 1916 (mit R. Brandt); Wassermannreaktion, in: Hdb. d. Haut- u. Geschlechtskrankheiten, hrsg. v. J. Jadassohn, Bd. 15, T. 2, 1927; Die Ballungsreaktion b. Lues (M. B. R. II) u. ihre Verwendbarkeit b. nichtluet. Infektionen (Im. B. R.), in: Klin. Wschr. 11, 1932, S. 1916–18.

L Dt. Dermatologenkal., Biogr.-bibliogr. Dermatologen-Verz., hrsg. v. E. Riecke, 1929, S. 162; Neue Freie Presse v. 17. 8. 1934; Feierl. Inauguration, 1933/34; Wiener Med. Wschr. 84, 1934, S. 950; Zs. f. Dermatol. u. Syphilis 70, 1934, S. 183; Acta dermato-venereologica 15, 1934, S. 492 f.; Fischer; Pagel; ÖBL; BLBL.

Manfred Skopec

Müller, *Thaddäus,* Stadtpfarrer von Luzern und Bischöflicher Kommissar, * 2. 10. 1763 Luzern, † 10. 4. 1826 ebenda, □ St. Leodegar im Hof (Epitaph).

V Peter, Schiffszimmermann aus Weggis Kt. Luzern; *M* Anna Maria Sygerist.

M. erhielt seine Ausbildung am Gymnasium und Lyzeum in Luzern. Nach der Priesterweihe 1786 wirkte er als Pfarrhelfer an der Luzerner Hofkirche St. Leodegar, 1789–96 als Rhetoriklehrer am Gymnasium. 1796 wurde er – als erster Nicht-Stadtbürger – zum Stadtpfarrer von Luzern gewählt und 1798 auf Vorschlag der Regierung vom Konstanzer Fürstbischof zum Bischöflichen Kommissar, mit generalvikarsähnlicher Stellung im Kanton Luzern und in Teilen der übrigen konstanzischen Schweizer Quart, ernannt. Zeitaufgeschlossen, tolerant und bildungsbeflissen, mit Johann Michael Sailer, der ihn wiederholt besuchte, freundschaftlich verbunden, genoß M. als Seelsorger und Prediger hohes Ansehen. Er setzte sich nachdrücklich für die Durchführung der liturgischen und pastoralen Reformen des Konstanzer Generalvikars Ignaz Heinrich v. Wessenberg ein. Als langjähriges und kompetentestes Mitglied des zur Zeit der Helvetik geschaffenen Luzerner Erziehungsrates erwarb er sich große Verdienste um das nachrevolutionäre kantonale Volksschulwesen. Vor allem aber war seiner Initiative und Vermittlung das Zustandekommen der „Übereinkunft in geistlichen Dingen" zwischen dem Kanton Luzern und dem Konstanzer Fürstbischof Karl Theodor v. Dalberg vom 19. 2. 1806 zu verdanken. Dieses staatskirchlich geprägte, jedoch die bischöflichen Rechte grundsätzlich wahrende Vertragswerk (Wessenberg-Konkordat) begründete u. a. eine den Anforderungen der Zeit entsprechende Umstrukturierung der Pfarrorganisation im Kanton Luzern, eine gerechte Besoldung des Klerus durch Schaffung einer Ausgleichskasse, eine zeitgemäße Reform des theologischen Studiums am Luzerner Lyzeum und die Errichtung eines finanziell vom Staat getragenen Priesterseminars zur pflichtmäßigen praktisch-pastoralen Ausbildung des künftigen Klerus. Dieses Vertragswerk überdauerte alle politischen Umstürze des 19. Jh. und bildete bis 1931 die Grundlage des luzern. Staatskirchenrechts. In dem noch 1807 in Luzern eröffneten Priesterseminar übernahm M. für mehrere Jahre die Regentie.

Durch sein reformerisches Wirken und seine enge Zusammenarbeit mit Wessenberg, insbesondere beim Abschluß der „Übereinkunft", zog sich M. die scharfe Mißbilligung des Luzerner Nuntius Fabricio Sceberras Testaferrata zu, der ihn der Unkirchlichkeit bezichtigte und in seinen Berichten an die Kurie über ein Jahrzehnt desavouierte. Im Zuge der von Testaferrata betriebenen Abtrennung der Schweizer Quart vom Bistum Konstanz (1. 1. 1815) verlor M. das Bischöfliche Kommissariat. Das Priesterseminar mußte geschlossen werden. M., seit 1806 auch Chorherr von St. Leodegar, wurde zum Kustos dieses Stiftes gewählt, blieb jedoch bis zu seinem Tod im Pfarramt (1815–20 als Verweser). – Mitgl. d. Helvet. Ges. (1791, Präs. 1820); Mitbegründer d. Schweizer. Gemeinnützigen Ges. (1810).

W-Verz. H. Wicki, Staat, Kirche, Religion, Der Kt. Luzern zw. barocker Tradition u. Aufklärung, 1990, S. 544.

L ADB 22; P. Kaspar, Alois Gügler 1782–1827, Ein bedeutender Luzerner Theologe im Spannungsfeld v. Aufklärung u. Romantik, 1977; F. X. Bischof, Das Ende d. Bistums Konstanz, Hochstift u. Bistum Konstanz im Spannungsfeld v. Säkularisation u. Suppression (1802/03–1821/27), 1989; M. Weitlauff, Kirche u. Staat im Kt. Luzern, Das sog. Wessenberg-Konkordat v. 19. Febr. 1806, ebd., S. 153–96; ders., I. H. v. Wessenbergs Bemühungen um e. zeitgemäße Priesterbildung, Aufgezeigt an seiner Korr. mit d. Luzerner Stadtpfarrer u. Bischöfl. Kommissar Th. M., in: ders. u. K. Hausberger (Hrsg.), Papsttum u. Kirchenreform, FS f. G. Schwaiger, 1990, S. 585–651; M. Ries, Die Neuorganisation d. Bistums Basel am Beginn d. 19. Jh. (1815–1828), 1992; I. H. Reichsfrhr. v. Wessenberg, Briefwechsel mit d. Luzerner Stadtpfarrer u. Bischöfl. Kommissar Th. M. in d. J. 1801 bis 1821, bearb. v. M. Weitlauff in Zusammenarb. mit M. Ries, 2 T., 1994; BBKL. – *Qu.* Taufbuch d. Hofpfarei St. Leodegar, 1714–73.

Manfred Weitlauff

Müller, *Traugott* (Ps. *Erich Traugott*), Bühnenbildner, * 28. 12. 1895 Düren, † 29. 2. 1944 Berlin. (ev.)

V Julius Otto (1853–1918), Pfarrer in D., *S* d. Pfarrers Wilhelm Daniel (1811–70) u. d. Jeanne Marie Charlotte Antonette Fol (1828–63); *M* Friederike Nelle (1859–1908); ∞ Düsseldorf 1923 Lotte (* 1900), Kunstgewerblerin, *T* d. Heinrich Wilhelm Frankenberg (1861–1938) u. d. Emma Johanne Emilie Michaelis (1864–1934); kinderlos; *N* Traugott (* 1927), Industriekaufm. (∞ Waltraut, s. *L*).

M., der in einem humanistisch geprägten prot. Pfarrhaus aufwuchs, wollte schon als Jugendlicher zum Theater. Auf Wunsch des Vaters begann er jedoch zunächst eine Schlosserlehre, durfte dann aber seit 1913 die Kunstgewerbeschule in Düsseldorf besuchen. Um 1914 entwarf er erste Bühnenbilder. 1915 wurde er zum Kriegsdienst eingezogen. Nach der Rückkehr 1918 setzte M. seine Ausbildung an der Kunstgewerbeschule in Düsseldorf fort. Um sein Studium zu finanzieren, trat er als Lautensänger und Conférencier auf und lernte dabei u. a. auch Gustaf Gründgens kennen.

1924 ging M. mit seiner Frau, die wie er an der Kunstgewerbeschule studiert hatte, nach Berlin und machte hier unter dem Pseudonym Erich Traugott zunächst Kabarett. Seit 1925 arbeitete er dann in Berlin an verschiedenen Theatern mit den damals bedeutendsten Regisseuren: Leopold Jessner, Karlheinz Martin, Berthold Viertel und Erwin Piscator. Seinen Durchbruch als Bühnenbildner erlebte er 1926 mit der Ausstattung zu Erwin Piscators aktualisierender „Räuber"-Inszenierung am Staatstheater. Unter dem Einfluß der damaligen russ. Szenografie stellte M. seine Szene in den folgenden Jahren mit dem Einbezug von Technik und Dynamik, d. h. mit

Stahlkonstruktionen auf der Bühne, Fachbühnen, Laufwänden und Projektionen, in den Dienst von Piscators politischem Theater. M. arbeitete auch für andere Berliner Bühnen, so für das Lessing-Theater, die Volksbühne und die Krolloper. Außerdem war er immer wieder in Düsseldorf und Hamburg tätig sowie für die Freilichttheater in Thale/Harz und Heidelberg. Der finanzielle Zusammenbruch der Piscatorbühne 1929 beendete die Phase von M.s politisch-revolutionärer Theaterarbeit. Seit 1932 wieder als Gastbühnenbildner am Staatstheater (seit 1935 fest angestellt), richtete M. dort die Bühne für die Inszenierungen Gründgens', Lothar Müthels, Karl Heinz Stroux' und vor allem Jürgen Fehlings (z. B. König Richard III., 1937) ein. Für Gründgens stattete M. auch die beiden Filme „Der Schritt vom Wege" (1939, nach Fontanes „Effi Briest") und „Friedemann Bach" (1941) aus; in diesem übernahm er auch die Spielleitung. Kurz nach der Premiere von „Othello" (Regie: Stroux), seiner letzten Bühnenarbeit, starb er.

M.s Szenografie wird weniger durch ihren Bildcharakter als durch ihre Raumstruktur bestimmt. In seiner Bühnenarchitektur wirkt der Raum als solcher. Er wird nicht naturalistisch gesehen, sondern als Bedeutungsraum – allerdings wird er nicht symbolisch aufgeladen, sondern durch Weglassung abstrahiert. Wenige Versatzstücke fungieren als Bedeutungsträger. Aufgrund seiner kargen und zugleich kühnen Bühnenarchitektur gehört M. zu den bedeutendsten Szenografen des deutschen Theaters im 20. Jh.

Weitere W Toller, Hoppla wir leben, 1927 (Regie: E. Piscator, Piscatorbühne Berlin); Tolstoi/Stschegolow, Rasputin, 1928 (Regie: E. Piscator, Piscatorbühne Berlin); Mozart, Die Zauberflöte, 1938 (Regie: G. Gründgens, Staatsoper Berlin); Schiller, Die Jungfrau v. Orleans, 1939 (Regie: L. Müthel, Staatstheater Berlin). – *Nachlaß:* Berlin Mus., Berlin; Theaterwiss. Inst., FU Berlin; Theaterwiss. Slg., Univ. Köln *(W-Verz., Photos).*

L K. H. Ruppel, Berliner Schauspiel – Dramaturg. Betrachtungen – 1936–1942, 1943 *(P);* G. Gründgens, T. M. – Der Bühnenbildner, Gedächtnisrede, in: ders., Wirklichkeit d. Theaters, 1963, S. 97–109; S. Melchinger, Theater d. Gegenwart, 1956, S. 188 f.; D. Bablet, Les révolutions scéniques du XXᵉ siècle, 1975; Ch. Trilse, K. Hammer, R. Kabel, Theaterlex., 1977. – *Zur Fam.:* Waltraut u. Traugott Müller, Müller – Muldenbach – Mueller, Chron. e. Fam. 1610–1994, 1994 (Privatdr.).

P Bleistiftzeichnung v. H. Koniarski, 1935 (Theaterwiss. Slg., Univ. Köln).

Elmar Buck

Müller, Johann *Ulrich,* Kartograph, Instrumentenbauer, * 1653 Ulm, † 1715.

Nach dem Besuch des Gymnasiums in Ulm studierte M. in Jena und wurde dann Hüttenmaurer und Bauinspektor in seiner Heimatstadt. Bezeugt ist, daß er 1690 im Ulmer Zeughaus arbeitete. Diese Tätigkeit war mit dem Bau von Festungsmodellen für die Ausbildung der Militäringenieure sowie mit geographischen und kartographischen Arbeiten verbunden. 1693 wurde M. von Mgf. Karl Gustav von Baden-Durlach beauftragt, ein „Kriegstheater" des Pfälz. Erbfolgekrieges anzufertigen. Dabei handelt es sich um Karten, die die aufmarschierten Truppen in Schlachtposition zeigen. Sie sind topographisch nicht exakt und sollen hauptsächlich die taktischen Fähigkeiten des siegenden Truppenführers herausstellen. Dieses „Theatrum Martis" brachte für M. den Durchbruch zum anerkannten Militärkartographen in Ulm. Später zog sich M. in das Kloster Elchingen bei Ulm zurück, wo er Altkarten neu auflegte und Nachdrucke überarbeitete. Der enge Kontakt zu Mathematikern und Instrumentenbauern der Ulmer Schule führte M. zu einem neuen Tätigkeitsfeld, dem Nachbau von Meßinstrumenten, wie z. B. Sonnenuhren (1702), samt den dazugehörigen Anleitungen für Laien, oder Erläuterungen von Winkelmeßverfahren in Mathematik und Kartographie (1704).

Im 16. und 17. Jh. war der Bedarf an Verkehrskarten mit einem präzisen Straßennetz groß, da häufige kriegerische Auseinandersetzungen eine möglichst genaue Kenntnis des Geländes und der Transportmöglichkeiten erforderten. Die 1690 gefertigte Karte M.s „Tabula Geographica totius S. Imperii Romani" (73,8 x 61,8 cm) enthält Staßenverbindungen als gerade Linien, Berge werden durch Maulwurfshügelsignaturen dargestellt, die Angabe der Entfernungen erfolgt in Meilen. Die Einzeichnung von Straßenverbindungen (wenn auch topographisch ungenau) und die Entfernungsangaben weisen dieser Karte einen relativ hohen Entwicklungsstand zu. Neu und bahnbrechend ist die von M. verwendete Kombination von Groß- und Kleinbuchstaben am Rande des Gitternetzes (1 Grad gleich 6,1 cm), die das Auffinden registrierter Orte erleichtert. Schon 1693 in seinem „Theatrum Martis" findet sich eine in Planquadrate eingeteilte Übersichtskarte, die die Aufteilung des Gesamtwerkes verdeutlicht. M.s Bestreben war es, einen praktischen Reiseatlas zu entwickeln. Neben der zeitüblichen barocken Ausschmückung (Widmungen, Kartuschen) ist der geographisch-topographische Aussagewert der (leider nicht vollständig erhaltenen) Karten M.s beachtenswert. Auch sein Einsatz für die Popularisierung der Wissenschaften, hier vor allem der Mathematik und der Kartographie war bedeutend. Sein Bemühen, Reiseatlanten in kleinen Formaten zu erarbeiten und drucken zu lassen, wie auch seine späteren Handreichungen für Instrumentenbauer und Reisende waren ihrer Zeit voraus.

Weitere W Kurtzbündige Abbild- u. Vorstellung d. Gantzen Welt, Worinnen alle ... in Teutschland Belegene Königreiche ... bemerket werden, 1692 (9,5 x 16,5 cm, 95 Karten je 6,5 x 5,5 cm, mit Ortsbeschreibung u. Register); Geographia totius orbis compendaria, 1692 (95 Karten); Theatrum Martis, 1693 (48 Karten); Schauplatz deß Kriegs od. Geograph. Vorstellung Derjenigen Länder u. provinzen, worinnen d. jetztmalige Krieg zw. d. hohen Alliierten u. d. Cron Frankreich geführet wird, 1693 (48 Karten, je 13 x 17 cm); Neu-ausgefertigter Kleiner Atlas od. Umständl. Beschreibung deß gantzen Erden-Crayses, 1702 (163 Karten); Der unbetrügl. Wegweiser, d. i. eine deutl. u. curiose Beschreibung aller d. Zeit übl. Sonnen-Uhren, 1702; Der curiose u. selbst lehrende Rechenmeister, d. i. Theoret.-Prakt. Rechenkunst, 1704.

L H. Fischer, Abt Hummels ausgezeichnete Feldmeßkunst, Die Westerstetter Flurkarten d. Ichnographia d. Klosters Elchingen, in: Btrr. z. Landeskde., Regelmäßige Beil. z. Staatsanz. f. Baden-Württemberg 5, Oktober 1980, S. 1–10; E. Jäger, Prussia Karten 1542–1810, 1982; F. Hellwig, W. Reiniger, K. Stopp, Landkarten d. Pfalz am Rhein 1513–1803, 1984; W. D. Pabst, Im Schatten d. Großen, Zeit u. Werk d. Ulmer Kartographen J. U. M. (1653–1715), in: Internat. Jb. f. Kartogr. 25, 1985, S. 159–82; Bayern im Bild d. Karte, Cartographia Bavariae, Ausst.kat. Bayer. Staatsbibl. München 1988.

Ursula von den Driesch

Müller, *Viktor (Victor),* Maler, Zeichner, * 29. 3. 1830 Frankfurt/Main, † 21. 12. 1871 München. (ev.)

V Valentin Christian (1793–1852), Dr. med., seit 1820 Arzt in F., *S* e. Tischlers; *M* Charlotte (1801–90), *T* d. Gottlieb Schmid (1753–1824), Dr. iur., Advokat, Bgm. in F., u. d. Luise Friederike Pfeiffer († 1849) aus Pfullingen b. Reutlingen; *Tante-m* Maria Cleophea Schmid (1793–1875, ∞ Christian Bansa, 1792–1855, Bankier u. Weinhändler in F.), Schriftst. (s. Frankfurter Biogr.; NDB 18*); *Cousine* Luise Marianne Cleophea Bansa (1824–1913, ∞ Carl Morgenstern, 1811–93, Maler, s. NDB 18); – ∞ Frankfurt/M. 1868 Ida (1837–1900), *T* d. Lehrers Johann Christof Scholderer († v. 1868) u. d. Maria Emilie Kiefhaber († v. 1868); *S* Otto Victor (1870–1922), Dr. med., Arzt in F.

Aufgewachsen in einem großbürgerlichen, musisch interessierten Elternhaus, besuchte M. zunächst das Gymnasium, anschließend 1845–48 das Städelsche Kunstinstitut, wo er u. a. von Jakob Becker, J. D. Passavant, F. M. Hessemer und J. N. Zwerger unterrichtet wurde. Die Arbeiten der Nazarener und Peter v. Cornelius' schätzte er, Moritz v. Schwind und Alfred Rethel kannte er auch persönlich, schloß sich jedoch – entsprechend seinem koloristischen Interesse – der neuen Bewegung der Naturalisten an. Im Herbst 1848 ging er nach Antwerpen, wo er indes von Rubens und van Dyck stärker als von den zeitgenössischen Malern beeindruckt wurde. Von der „Geistlosigkeit" des Akademiebetriebs enttäuscht, siedelte er im März 1850 in die Kunstmetropole Paris über, immer auf der Suche „nach einer frischen poetischen Richtung". Beeindruckt von Raffael, Tizian, Veronese, Rubens und Fetti, deren Werke er im Louvre studierte, aber auch durch Zeitgenossen wie Delacroix, Millet und besonders Courbet, begann M., sich von formaler Befangenheit zu lösen und zu einer großzügigeren Malweise überzugehen. Es entstanden brauntonige Farbskizzen, aber auch Kopf- und Landschaftsstudien, die durch die franz. Avantgarde, insbesondere die Schule von Barbizon beeinflußt waren. M. selbst bezeichnete seine Pariser Jahre als die der Reife. 1855 beteiligte er sich an der Weltausstellung mit dem Bild „L'homme, le sommeil, le rêve" (verschollen).

1858 kehrte M. nach Frankfurt zurück, ohne jedoch seine Verbindungen nach Frankreich abreißen zu lassen. Wahrscheinlich auf seine Anregung kam Courbet noch im selben Jahr für einen längeren Aufenthalt nach Frankfurt. Dabei malte dieser u. a. ein „Bild auf Frankfurt am Main" (1858), wie umgekehrt M. durch den Besuch Courbets inspiriert wurde, deutlich sichtbar in der „Alten Mainbrücke im Winter" (um 1860), „une affaire des tons". In den 60er Jahren schuf M. zudem eine Reihe malerisch qualitätvoller Bildnisse von denen einige 1867 im Pariser Salon ausgestellt wurden. Großes Aufsehen und widersprüchliche Kritik erregte M. mit der großformatigen „Waldnymphe" (1863) wegen seines „Nur-Anspruchs auf gute Malerei". Das große, querformatige Gemälde „Hero und Leander" nach Grillparzers „Des Meeres und der Liebe Wellen" entstand nach einer Hollandreise 1865 (Scheveningen, Amsterdam, Den Haag) und unter starkem Eindruck der Werke Rembrandts.

1865 siedelte M. nach München über. Hier entstanden u. a. zwei monumentale Bilder mit Darstellungen aus dem Leben des Ritters Hartmut („Abschied von seiner Familie" und

„Gespräch mit dem Schweizer Reformator Oecolampadius", heute Städelsches Kunstinst.), außerdem ein Shakespeare-Zyklus im Auftrag des Verlegers Bruckmann. Der Hell-Dunkel-Kontrast und der pastose Farbauftrag wichen nun einer helleren, detailgetreueren Malweise, die auch engl. Vorbilder voraussetzt. 1869 wurde M. Mitglied der Jury für die Münchner Internationale Ausstellung und sorgte in dieser Funktion für eine starke Vertretung der franz. Malerei; in seinem Haus verkehrten Leibl, Scholderer, Eysen, Thoma und Trübner. Sein letztes datiertes Gemälde „Blumenmädchen" (1871) wirkt wie eine Zusammenfassung aller seiner künstlerischen Absichten nach einer Synthese aus Romantik und Realismus, Naturstudium und literarischer Thematik.

W u. a. Dame mit Federhut u. Fransentuch, Anfang d. 60er J., Rote Marie, 1861 (beide Städelsches Kunstinst., Frankfurt); Bertha Gerson, 1863, Julius Stiebel, 1863 (beide Städelscher Mus.ver., Frankfurt); Kinderbildnis mit Hund, 1863 (Stiftung Oskar Reinhart, Winterthur). – *Nachlaß:* 560 Zeichnungen, 16 Skizzenbücher (verschollen), Briefe (Städt. Gal. u. Städelsches Kunstinst., Frankfurt).

L ADB 22; E. Lehmann, Der Frankfurter Maler V. M. 1830–1871, 1976 *(W-Verz., L, P);* V. M., Gem. u. Zeichnungen, Ausst.kat. Frankfurt/Main 1973; Courbet u. Dtld., Ausst.kat. Frankfurt/Main 1979; W. Leibl z. 150. Geb.tag, Ausst.kat. München/Köln 1994; Die Städelschule Frankfurt am Main v. 1817–1995, hrsg. v. H. Salden, 1995; ThB; Frankfurter Biogr. II *(P).*

P Selbstbildnis, 1861 (Städelsches Kunstinst., Frankfurt), Abb. b. E. Lehmann (s. *L*).

Evelyn Lehmann

Müller, *Vincenz,* General, * 5. 11. 1894 Aichach (Oberbayern), † (wahrsch. Freitod) 12. 5. 1961 Berlin. (kath., dann konfessionslos)

V Ferdinand (1859–1944), Rotgerbermeister in A., Vors. d. Bayer. Gerberverbandes, 1913–29 MdL d. Zentrums bzw. d. Bayer. Volkspartei (Gründungsmitgl.); *M* Viktoria Deuringer († 1922); *B* Eugen (* 1889), kath. Theologe, Pfarrer in Perchting b. Starnberg; *Schw* Maria Hasselberger († 1945), Dr. med., Ärztin; – ⚭ Maria Brandl (1901–57), aus Deggendorf (Niederbayern); *S* Fritz (* 1926), Dr. phil., Historiker.

M. besuchte 1905–13 das Klostergymnasium in Metten (Niederbayern). Entgegen dem Wunsch seiner Eltern, ein Medizinstudium aufzunehmen, wählte er den Offiziersberuf. Sein Stammtruppenteil wurde das 13. (Württ.) Pionierbataillon in Ulm. Bei Kriegsbeginn im August 1914 beendete er vorzeitig die Kriegsschule in Kassel. Im September in den Vogesen schwer verwundet, sammelte er seit Dezember 1914 in Nordfrankreich Erfahrungen im unterirdischen Minenkrieg. Mitte 1915 kam er zur deutschen Militärmission nach Konstantinopel, wo er als Zugführer an Kampfhandlungen teilnahm. Anfang 1918 kehrte M. in die Ulmer Garnison zurück. Seit Juni Oberleutnant, erlebte er als Führer einer Flammenwerferkompanie an der Westfront den militärischen Zusammenbruch.

Ende 1918 meldete er sich zum Grenzschutz Ost, wo er als Hilfsoffizier in der Operationsabteilung des Oberkommandos Grenzschutz Nord auch im Baltikum eingesetzt war. In die Reichswehr zum nunmehrigen Ulmer 5. Pionierbataillon übernommen, wurde M. im Oktober 1920 zur Führergehilfenausbildung (getarnte Generalstabsausbildung) im Wehrkreis V nach Stuttgart ausgewählt. Zugleich belegte er an der dortigen TH drei Semester Kunstgeschichte. 1927 schloß er in Berlin die Generalstabsausbildung erfolgreich ab. Eine wichtige Zäsur in der militärischen Laufbahn M.s bildete im Oktober 1923 die Kommandierung zum Truppenamt der Heeresleitung. In der politischen Abteilung des Reichswehrministeriums und später in der neugeschaffenen Wehrmachtsabteilung, die beide Kurt v. Schleicher unterstellt waren, beschäftigte er sich vorwiegend mit Mobilisierungsvorbereitungen. Ein mehrwöchiger Besuch im Sommer 1930 in der Sowjetunion machte ihn mit den politischen und sozialen Gegebenheiten des Landes und den Beziehungen zwischen der Reichswehr, die hier Ausbildungszentren unterhielt, und der Roten Armee bekannt. Noch bevor er beim 7. (Bayer.) Pionierbataillon 1932 das Truppendienstjahr beendete, wurde er vom Reichswehrminister Kurt v. Schleicher im Zusammenhang mit der Absetzung der preuß. Landesregierung am 20. 7. zum Sonderbearbeiter in den Wehrkreis III herangezogen. Seit April 1933 wirkte er beim Aufbau der Mobilisierungsorganisation im Wehrkreis VII mit. 1935 wurde M. zum Generalstab des Heeres nach Berlin in die Organisationsabteilung befohlen. Nach dem Besuch der Wehrmachtsakademie kam er im Frühjahr 1938 als Oberstleutnant und Erster Generalstabsoffizier zum Stab der Heeresgruppe 2 (Kassel, Frankfurt/Main), der für die Gesamtverteidigung im Westen zuständig war. M., durch die Ermordung der Reichswehrgenerale v. Schleicher und Ferdinand v. Bredow am 30. 6. 1934 in seinen Vorbehalten gegen das Naziregime bestärkt, gehörte in der Heeresgruppe C (seit September 1939) unter Wilhelm v. Leeb zu den Mitwissern der Offiziersopposition. Von Generaloberst Erwin v. Witzleben ins Vertrauen gezogen, betätigte er sich als Kurier zum Oberkommando des Heeres, wo er General Franz Halder über die Lage informierte und zur Mithilfe aufforderte. Vorher aber hatte er Oberst Hans Oster (Amt Ausland/Abwehr) vor übereiltem Vorgehen gewarnt und ihn auf strikte Geheimhaltung hingewiesen. Die geplante Aktion scheiterte an der Unentschlossenheit der höchsten Heeresgeneralität gegenüber Hitlers Angriffsplänen.

Im Dezember 1940 erhielt M. die Weisung, das Oberkommando und den Stab einer neuen (17.) Armee als deren Chef des Stabes in Zakopane aufzustellen. Zusammen mit dem energischen Stabschef und Gesinnungsfreund von 1939/40 stand als Oberbefehlshaber General Carl-Heinrich v. Stülpnagel an der Spitze der Armee. Sie nahm im Bestand der Heeresgruppe Süd 1941 am Überfall auf die Sowjetunion teil. Bis zum Frühjahr 1943, inzwischen Generalmajor und Generalleutnant, gehörte M. der 17. Armee an. Von September 1943 bis Januar 1944 wurde ihm die 56. Infanteriedivision der 4. Armee unterstellt. Danach befehligte er im Wechsel das XXXIX. Panzerkorps, das XXVII. Armeekorps und seit Juni das XII. Armeekorps. Angesichts der Aussichtslosigkeit der Lage richtete er als Kommandierender General des XII. Armeekorps entgegen dem Befehl Hitlers am 8. 7. 1944 im Kessel südostwärts Minsk an die eingeschlossenen Kräfte der 4. Armee den Befehl, sofort den Kampf einzustellen.

Überzeugt von seiner persönlichen Schuld, zog M. aus den Erfahrungen zweier Weltkriege die Folgerung, fortan mit seiner ganzen Persönlichkeit für ein friedliches Deutschland einzutreten. Er schloß sich dem Nationalkomitee „Freies Deutschland" unter Führung kommunistischer Repräsentanten und dem Bund Deutscher Offiziere an. Nach seiner Entlassung aus sowjet. Kriegsgefangenschaft im September 1948 blieb er im Osten Deutschlands. Hier wirkte er an führender Stelle in der Nationaldemokratischen Partei Deutschlands, in der Volkskammer (1950-52 Vizepräsident) und als Stellvertreter des Ministers und Chef des Stabes bzw. Hauptstabes bei der Schaffung der Kasernierten Volkspolizei und seit 1956 der Nationalen Volksarmee (NVA) mit. In seiner dienstlichen Funktion legte er großen Wert auf präzise Entschlußfassung, vorausschauendes Denken und reibungsloses Zusammenwirken. Stalinisten – wie der spätere Armeegeneral der NVA Karl-Heinz Hoffmann – machten aus ihrer Abneigung gegenüber „bürgerlichen" Militärs kein Hehl.

Hatte M. Anfang der 50er Jahre Kontakte zu ehemaligen Offizierskameraden in der Bundesrepublik aufrechterhalten, so führte er 1955/56 im Auftrag der DDR-Regierung Sondierungsgespräche für eine deutsche Konföderation mit dem Bundesminister für Finanzen Fritz Schäffer, einem Bekannten seines Vaters. Im Februar 1958 wurde M. aus Krankheitsgründen pensioniert. Die näheren Umstände seines Todes – M. starb an den schweren Verletzungen, die er sich beim Sturz vom Balkon seines Wohnhauses zugezogen hatte – wurden der Öffentlichkeit lange Zeit vorenthalten. – Vaterländ. Verdienstorden d. DDR in Silber.

W Ich fand d. wahre Vaterland, hrsg. v. K. Mammach, 1963.

L Klaus J. Müller, Das Heer u. Hitler, Armee u. nat.soz. Regime 1933-1940, 1969; W. Rr. v. Leeb, Tagebuchaufzeichnungen u. Lagebeurteilungen aus zwei Weltkriegen, hrsg. v. G. Meyer, 1976; W. Rehm, Wiederbewaffnung u. Wiedervereinigung, Deutsch-deutsche Offizierskontakte in d. 50er J., in: Wiederbewaffnung in Dtld. nach 1945, hrsg. v. A. Fischer, 1986; H. Bücheler, Carl-Heinrich v. Stülpnagel, 1989; U. de Maizière, In der Pflicht, Lebensber. e. dt. Soldaten im 20. Jh., 1989; H. J. Küsters, Wiedervereinigung durch Konföderation? Die informellen Unterredungen zw. Bundesminister Fritz Schäffer, NVA-General V. M. u. Sowjetbotschafter G. M. Puschkin 1955/56, in: VfZ 40, 1992, S. 107-53; Volksarmee schaffen – ohne Geschrei!, Stud. zu d. Anfängen e. „verdeckten Aufrüstung" in d. SBZ/DDR 1947-1952, hrsg. v. B. Thoß, 1994; Wer war wer in d. DDR, ²1995.

Heinz Sperling

Müller, *Walt(h)er,* Physiker, * 6. 9. 1905 Hannover, † 4. 12. 1979 Walnut Creek (Kalifornien, USA). (luth.)

V Heinrich (1873-1956), Dr. phil., Oberstudiendir. in Koblenz, *S* d. Claus-Hinrich (1842-97), Lehrer in Scharmbeck, u. d. Adelheid Gesine Margarethe Müller (1848-1922); *M* Johanna Christine (1877-1956), *T* d. Heinrich Konrad Sohl (1851-95), Korbmachermeister in H., u. d. Marie Henriette Riechers (1858-1910) aus H.; ∞ Rudolstadt 1935 Marianne (1906-75), *T* d. Katasteramtsassistenten Franz Paul Arno Höfer (1876-1915) aus Leipzig-Gohlis, u. d. Elisabeth Karoline Laura Schweinfuß (1879-1962) aus Rudolstadt; 2 *T.*

M., dessen Sprachbegabung und mathematisches Talent schon früh erkannt und gefördert wurden, machte sein Abitur an einem Koblenzer Gymnasium und studierte seit 1923 Physik sowie Mathematik, Chemie und

Philosophie an der Univ. Kiel. In den ersten Semestern stand die Mathematik im Vordergrund, wobei der Hilbert-Schüler Otto Toeplitz eine besondere Rolle spielte, der ihn u. a. mit den damals aktuellen Entwicklungen auf dem Gebiet der Atomphysik vertraut machte. Seine physikalischen Studien wurden insbesondere durch W. Kossel befördert. Als 1925 Hans Geiger einem Ruf an die Univ. Kiel folgte, wurde M. dessen erster Doktorand. Geiger hatte sich in der Atomphysik durch seine, zusammen mit W. Bothe an der Physikalisch-Technischen Reichsanstalt durchgeführten, Versuche bereits einen Namen gemacht. Zu Beginn des Jahres 1926 begann M. auf Anregung Geigers seine „Untersuchung der Erscheinungen, die bei koaxialen Zylindern in ionisiertem Gas bei Spannungen auftreten, die Stoßionisation im Gas hervorrufen können". Im Mittelpunkt stand das Problem der Multiplikation von Elektronen durch Stoßionisation proportional zu einer auf die Anordnung auftreffenden Radiumstrahlung, ohne daß selbständige Entladung eintritt. Die Ergebnisse dieses Experiments dienten später als Grundlage für das Geiger-Müller-Zählrohr (heute meist nur als „Geigerzähler" bekannt). M. veröffentlichte die Resultate unter dem Titel „Die Rolle des positiven Ions bei der selbständigen Entladung in Luft" (Zs. f. Physik 48, 1928, S. 624–46). Im selben Jahr bestand er seine Doktorprüfung und legte kurz danach auch das Examen für das höhere Lehramt in den Fächern Physik, Angewandte Mathematik und Philosophie ab. Seit April 1928 war M. Assistent Geigers. Bei einem erneuten Studium seiner Apparatur zeigte sich, daß gewisse Effekte, die von anderen Forschern lange als Störungen angesehen worden waren, Folgen der kosmischen Höhenstrahlung sind. Diese von Geiger vorgeschlagene Interpretation der experimentellen Ergebnisse M.s lenkte die internationale Aufmerksamkeit auf dessen Meßanordnung und zeigte deren Überlegenheit gegenüber dem von Geiger 1913 konstruierten Spitzenzähler. Bereits im selben Jahr publizierte M. zusammen mit Geiger diese Ergebnisse in dem Artikel „Das Elektronenzählrohr". Die Assistentenzeit von M. endete, als Geiger 1929 einem Ruf nach Tübingen folgte und dort keine neue Stelle für M. zur Verfügung stand.

Nach seinem Abgang von der Universität arbeitete M. bei der Firma Siemens-Reiniger in Rudolstadt an der Entwicklung von Röntgenröhren, Gleichrichtern und Gasentladungslampen. 1939 verließ er Siemens und wurde zunächst Mitarbeiter der Pintsch KG in Berlin, wo er sich mit experimentellen Untersuchungen zur Plasma-Mikrowellen-Wechselwirkung befaßte. 1940–45 war er Forschungsleiter bei der Firma Philips in Hamburg, wobei wiederum die Entwicklung von Röntgenröhren und außerdem eines Betatrons zu seinen Aufgaben gehörte. Nach dem Verbot von Arbeiten auf dem Gebiet der Atomforschung in Deutschland war er 1945–51 Berater verschiedener Firmen. Aufgrund unzureichender Möglichkeiten auf seinen Arbeitsgebieten folgte M. 1951 einem Ruf nach Australien, um im Auftrag des dortigen Wirtschaftsministeriums Vorlesungen zu halten und ein Speziallabor aufzubauen. Nach dem Auslaufen des Vertrages gründete er ein Unternehmen, das sich mit der Konstruktion und Produktion von Zählrohren und der Uransuche beschäftigte. 1958 verließ M. Australien, ging in die USA und arbeitete bis 1963 als „Senior Physicist" bei der General Telephone & Electronics Research in Palo Alto. Er beschäftigte sich hauptsächlich mit Entwicklungen auf dem Gebiet der Plasma- und Lasertechnik. Die Arbeiten auf dem Gebiet der Laserentwicklung führte M. fort, als er Mitarbeiter der Firma General Motors Defense Research in Santa Barbara (Kalifornien) geworden war. Nach seinem Ausscheiden aus dem Berufsleben blieb M. in Kalifornien.

Die wissenschaftliche Bedeutung M.s liegt vornehmlich in seinen Beiträgen zur Entwicklung des Geiger-Müller-Zählrohres, wobei sein Anteil daran vielfach unterschätzt oder gar nicht genannt wird. Gelegentlich wird M. sogar mit dem Feldelektronenmikroskopiker E. W. Müller verwechselt. Daneben hat er sich auf verschiedenen Gebieten der Industrieforschung einen Namen gemacht, wovon ca. 60 Patentanmeldungen in Deutschland und den USA und zahlreiche Beiträge in angesehenen Fachzeitschriften auf den Gebieten Zählrohre, Röntgenröhren und Laserentwicklung bis hin zur Medizintechnik zeugen.

Weitere W Das Elektronenzählrohr, in: Physikal. Zs. 29, 1928, S. 839–41 (mit H. Geiger); Eight Applications Concerning Betatrons, in: Journal of Applied Physics, 1947, S. 16 ff. – *Nachlaß:* Dt. Mus., München.

L T. J. Trenn, Die Erfindung d. Geiger-Müller-Zählrohres, in: Dt. Mus., Abhh. u. Berr. 44, 1976, S. 54–64; ders., The Geiger-Müller Counter of 1928, in: Annals of Science 43, 1986, S. 111–35 *(P)*.

Wolfgang Mathis

Müller, *Wenzel,* Komponist, Kapellmeister, * 26. 9. 1767 Tyrnau (Trnava, Mähren), † 3. 8. 1835 Baden b. Wien. (kath.)

V N. N., Pächter e. Meierhofs; *M* N. N.; *Stief-V* N. N., Lehrer; ∞ 1) Wien 1787 Magdalene Reiningsthal (um 1770–94), Sängerin, 2) Wien 1803 Anna Trautmann († 1812), Schausp., 3) Wien 1830 Karoline Dillenthaler, Schausp. u. Sängerin; 1 *S* (früh †), 1 *T* aus 1), Therese (1785 od. 1791–1876, ∞ Johann Christoph Grünbaum, 1785–1870, Tenorist d. Theaters in Prag u. d. Hofoper in W., s. ÖBL), Sängerin, u. a. am Theater in Prag u. an d. Hofoper in W. (s. Wurzbach; ÖBL); *E* Caroline Grünbaum (1814–68, ∞ Julius Bercht, 1811–87, braunschweig. Hofschausp.), Sängerin, Mitgl. d. Hofbühne in Berlin (s. Wurzbach; Riemann; ÖBL; BLBL).

M. verlor früh den Vater. In Altstadt und in Kormitz erhielt er ersten musikalischen Unterricht. Wichtig für ihn war in der Folge auch die musikalische Förderung durch den Chorregenten Maurus Haberbauer im Benediktinerstift Raigern bei Brünn. Dort erlernte er verschiedene Blasinstrumente und arrangierte und komponierte Werke für Harmoniemusik. Der Abt des Stiftes vermittelte ihm einen Aufenthalt am bischöfl. Hof zu Johannesberg in Schlesien, wo Carl Ditters v. Dittersdorf Kapellmeister war und auf den jungen M. großen Eindruck machte. 1782 wurde M. als 3. Geiger am Theater in Brünn engagiert; gleichzeitig begann er für die Bühne zu komponieren. Nachdem das Brünner Theater nach zwei Brandkatastrophen (1785/86) unbespielbar geworden war und das Personal entlassen werden mußte, fand M. 1786 ein Engagement als Kapellmeister am Wiener Theater in der Leopoldstadt. Bis 1807 schrieb er für dieses Haus über 70 Opern, Singspiele und Schauspielmusiken. Zu seinen Auftraggebern zählten u. a. Franz Bernhard Edler v. Keeß (1789) und Adam Fürst Auersperg (1791). 1807–13 war M. als Kapellmeister und Regisseur der Deutschen Oper am Prager Ständetheater tätig, bis Carl Maria v. Weber sein Nachfolger wurde. Ein Grund für den Wechsel nach Prag war wohl der Umstand, daß seine Tochter hier ihr erstes großes Engagement gefunden hatte, wie denn auch M.s Rückkehr nach Wien mit dem Engagement von Tochter und Schwiegersohn im Wiener Hofopernensemble zusammenfiel. Von 1813 bis zu seinem Tod wirkte M. wieder als Kapellmeister am Leopoldstädter Theater in Wien, wo nochmals – Zeichen einer gleichbleibend hohen Schaffenskraft – ca. 140 Opern, Singspiele und Schauspielmusiken entstanden.

M. war der bedeutendste Wiener Komponist von Singspielen; „Kaspar der Fagottist" (1791) und „Die Schwestern von Prag" (1794) sind Höhepunkte dieser Gattung. Für die Opern bearbeitete er auch Stoffe der Weltliteratur. Von seinen zahlreichen Schauspielmusiken sind bis heute jene zu den Bühnenwerken Ferdinand Raimunds lebendig. Einzelne Lieder daraus wie „Brüderlein fein" oder das „Aschenlied" sind volkstümlich geworden, ebenso einige Melodien aus den Singspielen. Über „Ich bin der Schneider Kakadu" hat Beethoven Variationen geschrieben (op. 121a).

W wahrsch. insgesamt etwa 300 Arbeiten f. d. Bühne, u. a.: Das Sonnenfest der Braminen (Hensler), 1790 (heroisch-komische Oper); Das neue Sonntagskind (Perinet), 1793 (Singspiel); Der Sturm (Hensler nach Shakespeare), 1798 (heroisch-komische Oper); Die Teufelsmühle am Wienerberg (Hensler), 1799 (Märchenoper); Ritter Don Quixote (Hensler), 1802 (romant.-komische Oper); Die neue Alzeste (Perinet), 1806 (Karikatur-Oper); Der Fiaker als Marquis (Bäuerle), 1816 (Singspiel); Aline od. Wien in e. anderen Weltteil (Bäuerle), 1822 (komische Zauberoper); Alcidor (Gulden), 1830 (Singspiel). – *Spielmusiken:* Doktor Fausts Mantel (Bäuerle), 1817 (Zauberspiel); Der Barometermacher auf d. Zauberinsel (Raimund), 1823 (Zauberposse); Moisasurs Zauberfluch (Raimund), 1827 (Zauberspiel); Die gefesselte Phantasie (Raimund), 1828 (Zauberspiel); Der Alpenkönig u. d. Menschenfeind (Raimund), 1828 (romant.-komisches Märchen). – *Kirchenmusik, Kantaten, Sinfonien, Klaviersonaten u. Werke f. Harmoniemusik* (Bläserkammermusik). – *Nachlaß:* Tagebuch (Ms., Wiener Stadt- u. Landesbibl.); Die von mir ... comp. Opern v. 1786 bis 1828 (Ms., Musikslg. d. Österr. Nat.bibl., Wien).

L ADB 22; W. H. v. Riehl, Musikal. Charakterköpfe, I, 1861, S. 3–19; W. Krone, W. M., Ein Btr. z. Gesch. d. komischen Oper, 1906 *(W-Verz.)*; F. Hadamowsky, F. Raimund als Schausp., 2 Bde., 1925; ders., Das Theater in d. Wiener Leopoldstadt, 1934; L. Raab, W. M., Ein Tonkünstler Altwiens, 1928 *(W-Verz.)*; R. Haas, W. M., in: Mozart Jb. 1952, S. 81–84; M. Dietrich, Jupiter in Wien, 1967; F. Stieger, Opernlex. II/2, 1977, S. 764–69; L. v. Sonnleithner, Materialien zu e. Gesch. d. Oper u. d. Balletts in Wien, (Ms., Bibl. d. Ges. d. Musikfreunde in Wien); Wurzbach; Kosch, Theater-Lex. *(W-Verz.)*; MGG (P); Riemann mit Erg.bd.; New Grove; ÖBL; BLBL.

P Ölbild u. Pastellbild, beide anonym (Slgg. d. Ges. d. Musikfreunde, Wien); Lith. v. J. Lavos, o. J., Abb. in MGG; Lith. v. F. Wolf nach Zeichnung v. G. Decker, 1835.

Otto Biba

Müller, *Werner,* Amerikanist, * 22. 5. 1907 Emmerich (Niederrhein), † 7. 3. 1990 Bad Urach (Württemberg). (ev.)

V Heinrich (1880–1970), Pfarrer in E., S d. Friedrich, Lehrer in Großrechtenbach b. Hüttenberg Kr. Wetzlar; M Emilie Emma Faber (1878–1917); ⚭ 1936 Anna Tannewitz (1899–1988, Ps. Stine Holm, Anna Jürgen) aus Immekeppel (Rheinland), Kinderbuchautorin (s. Kürschner, Lit.-Kal. 1988); kinderlos.

M. studierte Geographie, Völkerkunde, Geschichte und Religionswissenschaft in Göttingen, Berlin und Bonn und promovierte 1930 bei Carl Clemen mit einer religionswissenschaftlichen Dissertation über „Die ältesten amerikan. Sintfluterzählungen" zum Dr. phil. 1933 schloß er eine zusätzliche Ausbildung als Lehrer für den Höheren Schuldienst mit dem Assessorexamen ab und trat im selben Jahr als Bibliothekar in den Volksbüchereidienst der Stadt Berlin ein. Dort führte er nebenamtlich, seinen Neigungen zur historischen Forschung nachgehend, für die SS-Stiftung „Ahnenerbe" kleinere Auftragsarbeiten durch und publizierte in deren Veröffentlichungsreihen. Zur angestrebten festen Anstellung kam es jedoch nicht. Während des Krieges konnte er, vom Militärdienst zunächst freigestellt, 1942 an der Reichsuniversität in Straßburg seine Habilitation in Völkerkunde abschließen und wurde 1944 zum Dozenten ernannt. Nach kurzzeitiger amerikan. Kriegsgefangenschaft 1945 mußte M., vermutlich wegen seiner aktiven Mitarbeit im SS-Ahnenerbe und der Mitgliedschaft in der SS, die nächsten 10 Jahre als Privatgelehrter vom Einkommen seiner schriftstellerisch tätigen Frau und von Stipendien der Deutschen Forschungsgemeinschaft leben. Erst 1955 konnte er in Berlin, 1965 in Tübingen den Bibliotheksdienst wieder aufnehmen. 1961 eröffnete sich M. die Chance, zunächst vertretungsweise, seit 1965 planmäßig, an der Universitätsbibliothek in Tübingen eine seiner Vorbildung entsprechende Tätigkeit zu übernehmen. Infolge beruflicher Beanspruchung ließ seine wissenschaftliche Produktivität nach. In Tübingen blieb er bis zu seiner Pensionierung als Oberbibliotheksrat 1972 tätig.

Als Frucht des Privatgelehrtendaseins veröffentlichte M. 1954–56 drei grundlegende Werke, die seinen Ruf als Kenner der Religionen nordamerikan. Indianer begründeten. In „Die blaue Hütte" (1954) und stärker noch in „Die Religionen der Waldlandindianer Nordamerikas" (1956) versuchte M., ausgehend vom Sinnbild der Perle, in Riten und Religion der Waldlandindianer einzudringen. Daneben wandte sich M. dem Kulturareal der Nordwestküste zu und stellte, erstmals in deutscher Sprache, die Religion der dortigen Fischervölker zusammenfassend dar. Ein erst 1970 veröffentlichtes Buch über die Sioux, die zur Zeit ihres ersten Kontaktes mit den Weißen an den Quellflüssen des Mississippi lebten, schlägt eine geographische Brücke zum Waldland, indem M. nachweist, daß Grundelemente dieser Sprach- und Stammesgruppe aus nördlichen Waldlandtraditionen herrühren. Umfangreiche Quellenverarbeitung, historische Sichtweise in einer Zeit, in der die Ethnologie vorwiegend strukturalistisch und ahistorisch ausgerichtet war, und seine Überzeugung, das Wesen der Religionen könne nur durch Empathie erfaßt werden, charakterisieren M. als Außenseiter der Ethnologie, der jedoch gerade durch seinen Skeptizismus faszinierte. Die breite öffentliche Wirkung M.s zeigt sich in der Aufsatzsammlung mit dem programmatischen Titel „Neue Sonne – Neues Licht" (hrsg. v. R. Gehlen, 1981) und in zahlreichen Auflagen seiner kleinen polemischen Schriften.

Neben seiner religionsgeschichtlichen Arbeit befaßte sich M. mit Themen der alten Geschichte Europas, wobei auch hier die religiösen Symbole und ihre Tradition sein Hauptanliegen waren. In seinem letzten Buch „Amerika" (1982) führte er eine Synthese beider Forschungsgebiete durch, indem er in charakteristischer Quellenfülle und mit originellen Deutungen eine enge Verwandtschaft der amerikan. Indianer mit den paläolithischen eurasiat. Kulturen vortrug und im Widerspruch zur herrschenden archäologischen Lehrmeinung die Verbindung zwischen Alter und Neuer Welt über den Atlantik behauptete. Trotz seiner Außenseiterrolle im methodischen Ansatz und in manchen weitgespannten historischen Rekonstruktionen ist M.s sprachlich klare und dichte Schilderung indianischer Religiosität als Forschungsleistung unbestritten.

Weitere W Die Kapelle v. Drüggelte b. Soest, in: Germanenke., Mhh. f. Germanenkde. z. Erkenntnis dt. Wesens, H. 9, 1937, S. 103–10, 131–42; Kreis u. Kreuz, Unterss. z. sakralen Siedlung b. Italikern u. Germanen, 1938; Weltbild u. Kult d. Kwakiutl-Indianer, 1955; Die hl. Stadt, Roma quadrata, himml. Jerusalem u. d. Mythe v. Weltnabel, 1961; Die Religionen d. Indianervölker Nordamerikas, in: Die Religionen d. alten Amerika, 1961, S. 171–267 (franz. 1962, ital. 1966, engl. 1968); Glauben u. Denken d. Sioux, Zur Gestalt archaischer Weltbilder, ²1970; Geliebte Erde, Naturfrömigkeit u. Naturhaß im indian. u. europ. Nordamerika, 1972, ⁵1985 *(W-Verz.)*; Indian. Welterfahrung, 1976, ⁵1992; Amerika, Die neue od. d. alte Welt?, 1982 (engl. 1989). – *Aufsätze in*: Antaios, Anthropos.

L Unter d. Pflaster liegt d. Strand, 1982 *(W-Verz.)*; R. Gehlen, in: Anthropos 85, 1990, S. 515–17; G.

A. Menzel, Versuchte Nähe, Eine Annäherung an W. M. u. seine indian. Welterfahrung *(unveröff. Mag.arb.)*, Marburg 1993 *(L)*.

Berthold Riese

Müller, *Wilhelm,* Eisenbahn-Ingenieur, * 10. 12. 1882 Miesenheim b. Andernach (Rhein), † 17. 2. 1956 Aachen. (ev.)

V Johann (kath.), Ackerer in M.; *M* Anna Maria Assenmacher (kath.); ∞ Berlin-Friedenau 1933 Helma Draeger.

Nach dem Besuch des humanistischen Gymnasiums begann M. an den Technischen Hochschulen Karlsruhe und Danzig das Studium des Bauingenieurwesens. Als Regierungsbauführer und -baumeister gewann er 1910–21 praktische Erfahrungen im Bau und Betrieb von Eisenbahnen in Kattowitz, Halle und Mainz und gehörte 1921–24 als Regierungsbaurat und „Hilfsarbeiter" der Bauabteilung im Preuß. Ministerium der öffentlichen Arbeiten (dem späteren Reichsverkehrsministerium) an. 1918 promovierte er an der TH Darmstadt zum Dr.-Ing. mit der Arbeit „Neue zeichnerische Methode zur genauen Erdmassenermittlung bei Eisenbahn- und Straßenbauten als Ergebnis einer Fehleruntersuchung der üblichen Weise der Berechnung". 1920 veröffentlichte er die Abhandlung „Ein einheitliches zeichnerisches Verfahren zur Ermittlung der Fahrzeiten, der Zugförderungsarbeit sowie der Kohlen- bzw. Stromverbrauchs", mit der er sich an den TH Darmstadt und Berlin-Charlottenburg habilitierte. An letzterer war er seit 1922 als Privatdozent tätig. 1924 wurde er als o. Professor für Eisenbahn- und Verkehrswesen an die TH Dresden berufen, wo er bis 1933 blieb. Anschließend folgte er einem Ruf an die TH Berlin. Von 1946 bis zu seiner Emeritierung 1953 wirkte er an der TH Aachen, war dort 1947 Dekan der Fakultät für Bauingenieurwesen und 1948–50 Rektor. M. gehörte 1949–56 dem Wissenschaftlichen Beirat des Bundesministeriums für Verkehr an.

In den mehr als 30 Jahren seiner Lehr- und Forschungstätigkeit widmete sich M. der wissenschaftlichen Untersuchung der Grundlagen des Eisenbahn- und Verkehrswesens; es gelang ihm, auf diesem weiten Gebiet die Zusammenhänge von Raum und Zeit mit den damaligen mathematischen und physikalischen Mitteln in neuen graphischen Darstellungen zu durchleuchten und seinen Studenten verständlich zu machen. Die Ergebnisse dieser Arbeit kamen seinen Vorschlägen zur betrieblichen und wirtschaftlichen Gestaltung der baulichen Verkehrsanlagen zugute. Er begann seine Untersuchungen mit der Beobachtung des Transports von Erdmassen für den Bahnbau, der sich damals noch überwiegend auf Schmalspurgleisen abwickelte. Ein Kennzeichen seiner Methoden zur Erfassung der Vorgänge bei der Bewegung von Fahrzeugen war der „Zeitwinkel", mit dem es ihm gelang, aus Leistungskurven der Antriebsmaschinen Zeitelemente für die Transportvorgänge zu entwickeln. Indem er die Erkenntnisse über die Bewegung von Einzelfahrzeugen und ganzen Zügen verband, machte er den Zusammenhang zwischen den ortsfesten Anlagen der Fahrbahn und den darauf bewegten Fahrzeugen auf neue Weise deutlich. Dabei galt sein besonderes Interesse dem im Eisenbahngüterverkehr wichtigen Rangierdienst; seine Studien über die Gestaltung des Ablaufberges in Flachbahnhöfen und über die „Abrollanlagen" in Gefällbahnhöfen (z. B. Dresden-Friedrichstadt) lieferten einen wichtigen Beitrag für die Ausbildung moderner Verschiebebahnhöfe. Sowohl im Reiseverkehr als auch im Transport von Gütern auf der Eisenbahn hat M. durch grundlegende Analysen der mit hohen Kosten verbundenen Fahrzeugbewegungen beim Rangieren die Wirtschaftlichkeit dieses Dienstzweiges wesentlich gefördert. Den Kern seiner Arbeit bildete die von ihm so bezeichnete „Fahrdynamik". Damit gelang es ihm – etwa in seinem vom Verein mitteleurop. Eisenbahnverwaltungen preisgekrönten zweibändigen Hauptwerk „Fahrdynamik der Verkehrsmittel" (1940) –, die beiden Hauptbereiche des technischen Eisenbahnwesens, die festen Anlagen der Fahrbahn und die Bewegung der Schienenfahrzeuge, zu einem Gesamtsystem zusammenzufassen. – Dr.-Ing. E. h. (TH Darmstadt 1951); Bundesverdienstkreuz (1953).

Weitere W Neuere Methoden f. d. Betriebsunterss. d. Bahnanlagen, 1935; Massenermittlung, Massenverteilung u. d. Kosten d. Erdarbeiten, 1944; Erdbau, Linienführung, Gestaltung u. Erdarbeiten d. Verkehrswege, 1948; Eisenbahnanlagen u. Fahrdynamik, 2 Bde., 1950/52; Art. „Erdbau" u. „Eisenbahnwesen", in: Taschenbuch f. Bauingenieure, hrsg. v. F. Schleicher, 1955; ca. 120 Aufsätze u. a. in: Verkehrstechn. Woche; Organ f. d. Fortschritte d. Eisenbahnwesens; Verkehrstechnik; Internat. Archiv f. Verkehrswesen.

L R. Grassmann, in: Internat. Archiv f. Verkehrswesen 4, 1952, S. 562–64; K. Hirschfeld, in: Der Bauing. 27, 1952, S. 450 f. *(P)*; H. Nebelung, ebd. 31, 1956, S. 155 *(P)*; E. Schultze, in: Bautechnik 29, 1952, S. 350 f.; Eisenbahntechn. Rdsch., Sonderausg. 7, Rangiertechnik, H. 16, Dezember 1956,

S. 60 *(P)*; Verz. d. Hochschullehrer d. TH Darmstadt, I, bearb. v. Ch. Wolf u. M. Viefhaus, 1977; Pogg. VII a.

Alfred Schieb

Müller, *Wilhelm Heinrich,* Erzhändler, * 12. 3. 1838 Osnabrück, † 30. 5. 1889 Rotterdam. (luth.)

Aus im 16. u. 17. Jh. in Lemke b. Marklohe (Gfsch. Hoya) nachweisbarer Fam.; *V* John Henry (Heinrich) (1811–86), Kaufm. in O. u. Linden b. Hannover, *S* d. Johann Hinrich Wilhelm (1799–1845), Söldner u. a. d. brit. King's German Legion, Reservist in O., u. d. Ann Mills (1788–1862) aus Irland; *M* Anna Wilhelmine Lisette (Minna) (1815–76), *T* d. Johann Arnold Friedrich Meese (1780–1832), Kaufm. in O., u. d. Anna Henriette Wilhelmine Wallmichrath (1783–1818) aus Langenberg (Rheinland); ∞ Bielefeld 1864 Emilie (1843–1924), *T* d. Gottfried Heinrich Neese (1798–1878), Leinenhändler in O., u. d. Johanna Wilhelmine Opderbekke (1811–82) aus Mülheim/Ruhr; 1 *S* Gustav Henry (1865–1913), Kaufm. u. Reeder in Düsseldorf u. Rotterdam, rumän. Honorarkonsul, 1 *T* Helene (1869–1939, ∞ Anthony G. Kröller, 1862–1941, Prokurist d. Fa. Wm. H. Müller & Co.), Kunstsammlerin, Ehrenbürgerin d. Univ. Heidelberg (s. *L*); *E* Lotte (* 1894, ∞ Hans Carl Scheibler, * 1887, Fabr., niederländ. Gen.konsul, s. Wenzel; Wi. 1935).

Nach dem Besuch der Bürgerschule und der Handelsschule in Osnabrück folgte M. 1854, gerade 16 Jahre alt, seinem als Handlungsreisender tätigen Vater in die USA. Als dieser Anfang 1855 nach Deutschland zurückkehrte, blieb M. als Kommis eines Eisenwarengeschäfts auf sich allein gestellt zurück. Während der folgenden Jahre versuchte er in verschiedenen Orten und Berufen Fuß zu fassen, letztlich aber ohne finanziellen Erfolg, so daß er 1861 wieder in die Heimat zurückkehrte. Ein Onkel mütterlicherseits, Wilhelm Meese, vermittelte ihm die Begegnung mit dem Ruhrindustriellen Friedrich Grillo. Dieser suchte einen kaufmännischen Leiter für den 1856 gegründeten Berg- und Hüttenverein Neu-Schottland, der ein Hochofenwerk bei Essen-Steele und ein Puddel- und Walzwerk in Horst bei Steele betrieb. Im April 1862 trat M. dieses Amt an, fünf Jahre später wurde er zum Direktor ernannt. Das Unternehmen nahm einen raschen Aufschwung und machte mit Schienenlieferungen gute Geschäfte. 1872 erfolgte die Fusion von Neu-Schottland mit der Dortmunder Hütte – dem Überrest eines fehlgeschlagenen größeren Gründungskomplexes aus dem Jahre 1854 – und der 1853 von Henrich Gf. zu Stolberg-Wernigerode erbauten Henrichshütte bei Hattingen sowie einigen anderen Unternehmen zur Union

AG für Bergbau, Eisen- und Stahlindustrie (Dortmunder Union). Mit ihr entstand das erste deutsche „gemischte Hüttenwerk", ein vertikal integrierter Konzern, in dem Kohle und Erz gefördert und Roheisen und Stahl sowohl erschmolzen als auch weiterverarbeitet wurden. M. und ein früherer Kollege bei Neu-Schottland, Friedrich Netke, wurden Leiter der Dortmunder Union, M. mit dem Titel eines Generaldirektors.

Das neue Unternehmen stand unter ungünstigen strukturellen Vorzeichen. Nach zwei Jahren wurde eine größere Umorganisation vorbereitet, die M. ablehnte. Im März 1876 schied er aus der Dortmunder Union aus. Der mit ihm verschwägerte Generaldirektor des Bochumer Vereins, Louis Baare, bot ihm an, sein Nachfolger zu werden, doch bei M. überwog der Wunsch nach einer selbständigen Tätigkeit. Da er mit einer steigenden Nachfrage nach ausländischen Eisenerzen rechnete, gründete er 1876 in Düsseldorf das Handelshaus „Wm. H. Müller & Co." für Bergwerks- und Hüttenprodukte, dazu im folgenden Jahr eine Filiale in Lüttich sowie 1878 in Rotterdam und Amsterdam ein Fracht- und Speditionsgeschäft mit einer Niederlassung in (Duisburg-)Ruhrort. Bereits nach einem Jahr setzte das Unternehmen über 100 000 t Erz um. M. gründete weltweit weitere Zweiggeschäfte, betrieb Bergwerke u. a. in Spanien (Bilbao) und stellte seit 1882 eigene Erzdampfer und Massengutfrachter auf der Linie Holland-Bilbao in Dienst. Weniger erfolgreich war sein Versuch, den Erzhandel auch nach Nordafrika auszudehnen. Zurückgehende Umsätze bewogen ihn gegen Ende seines Lebens, die ausländischen Aktivitäten auf Rotterdam zu konzentrieren.

Nach M.s Tod übernahm sein in Liverpool, London und Antwerpen ausgebildeter Sohn Gustav Henry, unterstützt von seinem Schwager Anton (Anthony G.) Kröller, die Leitung des Unternehmens, seit Juni 1890 als Teilhaber. Neue Handelszweige (Holz aus eigenen Waldungen, Getreide, sonstige Massengüter) wurden hinzugenommen. 1895 nahm die Reederei unter der Flagge der „Batavier Lijn" die Fahrgastbeförderung auf und eröffnete eine tägliche Schiffsverbindung zwischen Rotterdam und London. Zudem wurden Handelsbeziehungen mit Rumänien aufgenommen. Bis 1910 bestand ein Erzausfuhrmonopol für den ukrain. Hafen Nikolajew am Schwarzen Meer. Im 20. Jh. wurde der internationale Erzhandel – seit den 30er Jahren mit dem neuen Schwerpunkt Brasilien – von Rotterdam aus weiter ausgebaut. Das Geschäft in Deutschland wird seit 1994 von Essen aus durch eine Holding-Gesellschaft fortgeführt.

W Der Eisenerz-District v. Bilbao, in: Stahl u. Eisen 2, 1982, S. 337–45; Die industrielle Entwicklung v. Bilbao u. Umgebung, ebd. 3, 1883, S. 552–54, 639.

L Stahl u. Eisen 9, 1889, S. 637; D. N. Skillings jr., W. H. Muller S. A. Planning Major Iron Ore Expansion Program, in: Skillings' Mining Review v. 13. 8. 1977, S. 10–13. – *Zu Gustav Henry:* Stahl u. Eisen 33, 1913, S. 464 *(P);* Gazette de Hollande v. 22. 2. 1913 *(üb. d. berühmte Orchideenslg.).* – *Zu Helene:* Rijksmus. Kröller-Müller, hrsg. v. d. Kröller-Müller Stichting, 1973; E. Dickhoff, Essener Köpfe, 1985. – *Zur Fam.:* Westdt. Ahnentafeln I, hrsg. v. H. C. Scheibler u. K. Wülfrath, 1939, S. 171–246.

Günter Bauhoff

Müller (gen. *M. von Königswinter*), *Wolfgang* (eigtl. *Peter Wilhelm Carl*), Schriftsteller, * 15. 3. 1816 Königswinter/Rhein, † 29. 6. 1873 Neuenahr. (kath., seit 1870 altkath.)

V Georg (1780–1842), Dr. med., 1820 Kreisphysikus in Bergheim, prakt. Arzt in K., seit 1828 in Düsseldorf, S d. Johann Peter (1747–1830) u. d. Gertrud Koch; M Johanna Katharina (1795–1876) aus Bodendorf/Ahr, T d. Johann Peter Fuchs (1756–1813) u. d. Johanna Walburga Jansen (1764–1822); ∞ Köln 1847 Emilie (1822–87), T d. Karl Eduard Schnitzler (1792–1864), Bankier in Köln, GKR, u. d. Wilhelmine Stein (1800–69); *Schwager* Robert Schnitzler (1825–97), Geh. Reg.rat in Köln (s. NDB 17*); 3 S, 2 T, u. a. Hans (1854–97), Kunsthistoriker (s. ADB 52; Nassau. Biogr.), Antonia (1857–83, ∞ Emil Georg v. Brentano, 1845–90, Weingutsbes. in Winkel/Rhein).

Bereits während der Gymnasialjahre 1827–35 in Düsseldorf schrieb M. Gedichte, und schon im Elternhaus lernte er Maler wie Andreas Achenbach, Alfred Rethel, Jakob Bekker sowie den Maler und Dichter Robert Reinick kennen. 1835 begann M. an der Univ. Bonn ein Medizinstudium, verkehrte in den literarischen Kreisen um die Professoren Gottfried Kinkel und Karl Simrock und schloß 1837 Freundschaft mit Ferdinand Freiligrath. Während der Mitarbeit 1839/40 an dem in 2 Bänden erschienenen „Rhein. Jahrbuch für Kunst und Poesie" benutzte M. zur Unterscheidung von dem Dessauer Dichter Wilhelm Müller erstmals seinen Autorennamen. 1839 setzte er das Medizinstudium in Berlin fort und promovierte zum Dr. med. Im selben Jahr wurde er in den Zirkel Bettina v. Arnims aufgenommen und fand Kontakt zu Franz Theodor Kugler, Eichendorff, Gutzkow und Laube. Nach der Ablegung der Staatsprüfung 1840 war er als Wehrpflichtiger Feldchirurg in Düsseldorf. 1841 erschien M.s erster Gedichtband, im selben Jahr ein Band „Balladen und Romanzen". 1842 reiste M. zu medizinischen Studien nach Paris, wo er mit Heine, Georg Herwegh und Friedrich Dingelstedt bekannt wurde. Der Tod des Vaters rief ihn nach Düsseldorf zurück. Neben der väterlichen Praxis übernahm er die ärztliche Armenpflege. Wahrscheinlich ist eine zweite Reise nach Paris im November 1842, zusammen mit Jakob Venedey. Im Februar desselben Jahres begann M.s Mitarbeit an der „Rhein. Zeitung".

Obwohl einige in den Jahren des Vormärz sozial betonte Gedichte M. als Anhänger von Zielen jungdeutscher Literaten ausweisen und seine 1846 in Darmstadt erschienenen „Bruderschaftslieder eines rhein. Poeten" in Preußen verboten wurden, ließ ihn das ungebrochen romantische Empfinden vorrangig zum Heimatpoeten werden (Rheinfahrt, 1846; Loreley, Rheinsagenbuch, 1851; Mein Herz ist am Rheine!, 1857; Sommertage im Siebengebirge, 1867). Im Briefwechsel zwischen Marx und Engels wird M. als Vertrauensmann des Kommunistenbundes in Düsseldorf erwähnt. Zur engeren Zusammenarbeit kam es mit Moses Heß, einem führenden rhein. Sozialisten. Die Revolution 1848 begrüßte M. mit den „Oden an die Gegenwart". Mit dem Märchen „Germania" wandte er sich gegen politische Untugenden der Deutschen. Doch schon im Verlauf der Revolution zog sich M. von der Teilnahme am politischen Geschehen zurück. Nicht ohne Einfluß hierauf war die 1847 geschlossene Ehe mit einer Kölner Bankierstochter, die M. eine von deren Eltern gezahlte Jahresrente eintrug. In Düsseldorf war M. u. a. Hausarzt der Familie des Komponisten Robert Schumann. 1853 zog er nach Köln, wo er sich seit 1857 ausschließlich seinen literarischen Interessen widmen konnte. Seine Gedichte blieben romantisch, seine Bühnenstücke gerieten philiströs. Schon 1842 hatte M. aus Paris der „Kölnischen Zeitung" Kunstberichte geschrieben, wahrscheinlich war er auch der Autor der 1846–51 in der „Düsseldorfer Zeitung" veröffentlichten Kunstkritiken. Mit ihnen stellte sich M. „auf den Standpunkt der neuesten Gegenwart" und begünstigte die in Malerei und Graphik aufkommende realistische Gestaltungsweise. Als Kunstrezensent der unter Levin Schückings Leitung stehenden „Kölnischen Zeitung" blieb M. auch von Köln aus der Düsseldorfer Kunst verbunden. Sein Buch „Düsseldorfer Künstler aus den letzten 25 Jahren" (1854) ist eine Quellenschrift zur Geschichte der Düsseldorfer Malerschule.

Unter M.s Leitung erschienen die „Düsseldorfer Künstleralben" (16 Bde., 1851–67). Wie manche Liberale aus der Zeit des Vormärz und der Revolution von 1848 wurde M. während der „Neuen Ära" Bismarcks zum preuß. Patrioten. Im Kriege 1870/71 nahm er noch einmal den Arztberuf auf und betreute Verwundete. Die Herausgabe der 1871–76 unter dem Titel „Dichtungen eines rhein. Poeten" erschienenen gesammelten Werke konnte er selbst nicht mehr vollenden. Verse M.s vertonten u. a. Konradin Kreutzer, Heinrich Marschner und Robert Schumann.

Weitere W Der Einsiedler v. Sanssouci, 1865 (Hist. Lustspiel); Die Rose v. Jericho, 1865 (Trauerspiel); Die Frau Commerzienräthin, 1867 (Lustspiel); Amor u. Psyche, 1868 (Lustspiel); Dramat. Werke, 6 Bde., 1872; Das Haus d. Brentano, 1874 (Romanchronik). – *W-Verz:* Wilpert-Gühring. – *Nachlaß:* Hist. Archiv d. Stadt Köln.

L ADB 22; J. Joesten, W. M. v. K., Sein Leben u. seine Werke f. d. dt. Volk, 1895; P. Luchtenberg, W. M. v. K., seine Jugend u. Jugenddichtung, Diss. Münster 1919; ders., M. v. K., 2 Bde., 1959; P. L. Jäger, W. M. v. K. u. d. dt. Romantik, Diss. Köln 1923; H. Bucher, W. M. v. K., ein rhein. Dichter, Diss. Münster 1924; J. Schwering, G. Keller u. M. v. K., in: Literar. Streifzüge u. Lb., 1930; T. Metternich, M. v. K., 1933; W. Hütt, Die Beziehungen zw. W. M. v. K. u. d. Düsseldorfer Kunst in d. ersten Hälfte d. 19. Jh., in: Wiss. Zs. Univ. Halle/Saale, Ges.-Sprachwiss., 4, 1955, H. 6; ders., Die Düsseldorfer Malerschule 1819–1869, 1984; E. v. Radziewski, Kunstkritik im Vormärz, dargest. am Beispiel d. Düsseldorfer Malerschule, 1983; Kosch, Theater-Lex.; Kosch, Lit.-Lex³, X, Sp. 1539; Killy; Nassau. Biogr.

P Zeichnung v. J. Becker, 1836 (Stadtmus. Köln); Gem. v. J. Roeting, 1852 (ebd.); Porträt-Relief v. G. Blaeser (Heimatmus. Königswinter); Kupf. v. A. Weyer u. J. P. Singer (Univ.bibl. Bonn); Büste v. O. Lessing (Königswinter, Rheinpromenade).

Wolfgang Hütt

Müller-Armack, *Alfred,* Nationalökonom, Kultursoziologe, Wirtschaftspolitiker, * 28. 6. 1901 Essen, † 16. 3. 1978 Köln. (ev.)

V Hermann Justus Müller (* 1868), Betriebsführer b. Krupp in E.; *M* Elise Dorothee Armack (* 1872); ∞ Köln 1934 Irmgard (1912–95), *T* d. Apothekers Gustaf Fortmann u. d. Martha Heinzerling; 1 *S* Andreas (* 1941), Ministerialdirigent im bayer. Wirtsch.min.

M. wuchs in Essen und Weilburg/Lahn auf. Er studierte Nationalökonomie in Gießen und Freiburg (Breisgau), kurz in München, dann vor allem in Köln. Dort promovierte er 1923 bei L. v. Wiese mit der Arbeit „Das Krisenproblem in der theoretischen Sozialökonomik" zum Dr. rer. pol. und habilitierte sich 1926 über „Ökonomische Theorie der Kulturpolitik" – eine Thematik, die ihn seitdem sein ganzes Leben begleitete. Schon 1929 – lange vor Bekanntwerden der Theorien von J. M. Keynes – erschien mit ähnlichen Überlegungen zur Gestaltung der Prozeßpolitik sein Artikel „Konjunkturforschung und Konjunkturpolitik" im Handwörterbuch der Staatswissenschaften. 1934 wurde M. an der Univ. Köln zum ao. Professor ernannt, 1938 ging er als ao. Professor für Nationalökonomie und Soziologie (1940 o. Professor) nach Münster. Dort gründete er die „Forschungsstelle für allgemeine und textile Marktwirtschaft", ein Institut der angewandten Forschung, das bis heute besteht. Gleichzeitig beschäftigte sich M., in Fortsetzung entsprechender Arbeiten Max Webers, intensiv mit Problemen der Wirtschaftssystem- und Wirtschaftsstilforschung sowie mit anthropologischen und religionssoziologischen Fragen. Für M. war wirtschaftliches Handeln nicht isoliertes Erwerbsstreben, sondern Ausdruck einer inneren Gesamthaltung des einzelnen wie der Gesellschaft, die von vielfältigen Einflüssen – Geschichte, Religion, Kultur, sozialen Überzeugungen – beeinflußt wird. Auch das Konzept der Sozialen Marktwirtschaft – M. prägte diesen Begriff während des 2. Weltkriegs und publizierte ihn erstmals 1946 in seiner Schrift „Wirtschaftslenkung und Marktwirtschaft" (²1948) – verstand er von Anfang an weniger als ein technisches Rezept für den wirtschaftlichen Wiederaufbau Deutschlands, sondern als eine übergreifende Konzeption zur aktiven Gestaltung einer Wirtschafts- und Gesellschaftsordnung nach humanen und christlichen Wertmaßstäben. M. wollte mit seiner Konzeption einen „dritten Weg" zwischen Kapitalismus und Sozialismus beschreiten. Er bezeichnete sie als „irenische Formel", die einen friedensstiftenden Ausgleich zwischen wirtschaftlicher Freiheit und sozialer Verantwortung verwirklichen sollte. Das Konzept, das Ludwig Erhard nach der Währungsreform in der Bundesrepublik Deutschland Schritt für Schritt politisch in die Realität umsetzte, war letztlich ein Gemeinschaftswerk, das auf ordoliberalem Gedankengut aufbaute. Aber M. hat in seiner Konzeption doch Akzente gesetzt, die einen etwas anderen ordnungspolitischen Pfad kennzeichneten. So sah er die Rolle des Staates – zunächst in der Sozial- und Konjunkturpolitik, später auch in Bereichen wie Mittelstand, Regionalentwicklung, Städtebau, Umweltschutz, Technologie, Infrastruktur – deutlich aktiver und betonte die Notwendigkeit „marktkonformer" staatlicher Einflußnahme auf die Ergebnisse der Marktwirtschaft.

1950 kehrte M. als Professor für Wirtschaftliche Staatswissenschaft an die Univ. Köln zurück. Allerdings war die reine Hochschultätigkeit nur von kurzer Dauer. 1952 wurde er von Ludwig Erhard in das Bundesministerium für Wirtschaft berufen und mit der Leitung der Grundsatzabteilung betraut, zunächst als Ministerialdirektor, seit 1958 als beamteter Staatssekretär, zuständig vor allem für „Europa". Damit eröffnete sich für M. die Chance, als „Vordenker" an einer Nahtstelle zwischen Theorie und Praxis zu wirken und wissenschaftliche Überzeugungen in praktische Politik umsetzen zu können. Damals fielen für die junge Bundesrepublik wichtige Entscheidungen, angefangen vom schrittweisen Übergang zur vollen Konvertibilität der Währung über die zunehmende Liberalisierung des Außenhandels bis hin zur europ. Integration, die in den 50er Jahren ihren Anfang nahm. Maßgeblich war M. an der Ausarbeitung der Römischen Verträge beteiligt, die die EWG begründeten. Da Erhard den europ. Sitzungsmarathon nicht sonderlich liebte, lag die deutsche Verhandlungsführung – teilweise auch die Rolle der Präsidentschaft – oft bei seinem Staatssekretär. 1960 wurde M. Vorsitzender des Konjunkturpolitischen Ausschusses der EWG.

In der politischen Auseinandersetzung zwischen „Klein-" und „Großeuropäern" trat M. nachdrücklich für eine gesamteurop. Freihandelszone ein und stand damit zugleich auf der Seite „seines" Ministers, mit dem ihn ein besonders enges Vertrauensverhältnis verband. Wie Erhard war auch M. seinem Wesen nach Optimist, der an den Sieg des besseren Arguments glaubte und dem stets an Ausgleich und Versöhnung im Streit divergierender Meinungen gelegen war. Durch geschickte und phantasievolle Verhandlungsführung („Müller-Armack-Plan" einer europäischen Zollunion) versuchte er, bestehende Hindernisse zu überwinden. Als dennoch 1963 die Verhandlungen über den Beitritt Englands zur EWG vor allem an franz. Vorbehalten scheiterten und damit vorerst die Spaltung Europas in EWG und EFTA festgeschrieben wurde, nahm M. Abschied von der praktischen Politik. Gleichwohl blieb er seinen wichtigsten Tätigkeitsfeldern in vielfältigen Funktionen verbunden. Vor allem nahm M. seine Praxis wieder auf, durch Denkschriften, Aufsätze und Vorträge öffentliche Denkanstöße zu geben, zuletzt mit seiner Schrift „Die fünf großen Themen der künftigen Wirtschaftspolitik". Dabei blieb sein Grundanliegen die Gestaltung einer freiheitlichen und zugleich menschlichen, „verantwortlichen Gesellschaft". M. war Koordinator der Hohen Behörde für Kohle und Stahl und Verwaltungsrat der Europ. Investitionsbank (1958) sowie Vorsitzender der Konrad-Adenauer-Stiftung und der Ludwig-Erhard-Stiftung (1977). – Dr. iur. h. c. (Wien 1965); Gr. Bundesverdienstkreuz mit Stern u. Schulterband (1962), Ludwig-Erhard-Medaille (1976).

Weitere W Ökonom. Theorie d. Konjunkturpol., 1926; Entwicklungsgesetze d. Kapitalismus, 1932; Geneal. d. Wirtsch.stile, Die geistesgeschichtl. Ursprünge d. Staats- u. Wirtsch.formen bis z. Ausgang d. 18. Jh., 1941, ³1944; Das Jh. ohne Gott, 1948; Diagnose unserer Gegenwart, 1949; Rel. u. Wirtsch., 1959, ²1968; Wirtsch.ordnung u. Wirtsch.pol., 1966, ²1976; Auf d. Weg nach Europa, Erinnerungen u. Ausblicke, 1971; Geneal. d. Soz. Marktwirtsch., 1974, ²1981; Ausgew. Werke, hrsg. v. E. Dürr u. a., 4 Bde., 1981 *(Bibliogr.)*.

L Wirtsch., Ges. u. Kultur, Festgabe f. A. M.-A., hrsg. v. F. Greiß u. F. W. Meyer, 1961 *(W, P)*; Widersprüche d. Kapitalismuskritik, FS z. 75. Geb.tag v. A. M.-A., hrsg. v. Ch. Watrin u. a., 1976 *(W, P)*; C. Stern u. a. (Hrsg.), Lex. z. Gesch. d. Pol. im 20. Jh., 1971; J. Starbatty, A. M.-A.s Btr. z. Theorie u. Praxis d. Soz. Marktwirtsch., in: Ludwig-Erhard-Stiftung (Hrsg.), Soz. Marktwirtsch. im vierten J.zehnt ihrer Bewährung, 1982, S. 7 f.; ders., in: Staatslex.

Andreas Müller-Armack

Müller-Braunschweig (bis 1925/26 *Müller*), *Carl,* Psychoanalytiker, * 8. 4. 1881 Braunschweig, † 12. 10. 1958 Berlin. (ev.)

V Heinrich Müller, Bautischlereibes. in Braunschweig; ∞ 1) 1913 (∞ 1925) Dr. Josine Ebsen (1884–1930), Kinderanalytikerin (s. L), 2) 1925 Ada (1897–1959), Kinderanalytikerin (s. L), *T* d. Walter Schott, Pfarrer in Brandenburg u. Berlin; 1 *S* Hans (* 1926), Prof. f. klin. Psychosomatik in Gießen, Psychoanalytiker, 1 *T* Elke Bibby (* 1927), Dr., Tierärztin in Ottawa (Kanada).

Die Großzügigkeit seines Vaters ermöglichte M. ein ausgedehntes Philosophiestudium bei Jonas Cohn, Heinrich Rickert, Cay v. Brockdorff, Paul Menzer, Carl Stumpf, Georg Lasson und vor allem Alois Riehl, erweitert um Physik, Biologie, Anthropologie, Psychologie, Geschichte und Nationalökonomie. Er studierte seit dem Wintersemester 1901/02 je ein Semester in Heidelberg, Freiburg (Breisgau), Braunschweig und Halle. 1905 übersiedelte er mit Riehl nach Berlin und schloß seine Kantstudien 1909 mit der Promotion ab. Im selben Jahr lernte M. die Psychoanalyse kennen. Mit ergänzenden Studien in Medizin, vor allem Psychiatrie bei Karl Bonhoeffer (1912–14), und einer persönlichen Analyse zunächst bei Karl Abraham, dem Gründer der Berliner Psychoanalytischen Vereinigung, dann bei Hanns Sachs, rundete er seine psychoanalytische Ausbildung ab. Nach dem 1. Weltkrieg wurde M. Mitglied der Berliner Psychoanalytischen Vereinigung und Dozent am 1920 gegründeten Berliner Psychoanalytischen Institut (BPI). 1922–38 war er organisatorisch und leitend im Unterrichtsausschuß tätig (1922–33 als dessen Sekretär, 1933–36 als Vorsitzender, 1936–38 in dem von Mathias Heinrich Göring, einem Vetter Hermann Görings, geleiteten Deutschen Institut für psychologische Forschung und Psychotherapie) und maßgeblich an der Ausarbeitung der Ausbildungsrichtlinien beteiligt. 1925 wurde M. in den Zentralvorstand der Internationalen Psychoanalytischen Vereinigung (IPV) gewählt. Das nationalsozialistische Regime bedrohte den Fortbestand der als „jüdische Wissenschaft" geltenden Psychoanalyse. Neben dem Arzt Felix Boehm übernahm M. als stellvertretender Vorsitzender des „arisierten" Vorstandes der Deutschen Psychoanalytischen Gesellschaft (DPG), von der zwei Drittel der Mitglieder Juden waren, die Deutschland verlassen mußten, vor allem die ideologische Anpassung; er führte in einem Memorandum die Nützlichkeit der Psychoanalyse auch für den nationalsozialistischen Staat aus und plante 1938 eine Zeitschrift für „Deutsche Psychoanalyse" als Gegengewicht zur „Jüdischen Psychoanalyse". Bei der Besetzung Österreichs fungierte M. zunächst als Treuhänder für die Übernahme der Wiener Psychoanalytischen Vereingung mit Psychoanalytischer Poliklinik und dem Psychoanalytischen Verlag in das sog. Göring-Institut. Eine anteilnehmende Geste Anna Freud gegenüber erregte das Mißtrauen der Nationalsozialisten und führte zum Scheitern seiner Mission und als Folge davon zu Haus-, Lehr- und Lehranalyseverbot; deshalb verstand sich M. später als „Opfer". Die DPG mußte aus der IPV austreten und wurde aufgelöst.

Am 16. 10. 1945 konstituierte sich die DPG mit M. als Vorsitzendem neu. Er galt, trotz seiner Affinität zur Jungschen Richtung (Nachanalyse bei der Jungianerin Gertrud Weller), als Vertreter der „orthodoxen" Psychoanalyse. In seiner „Zeitschrift für Psychoanalyse", die nach zwei Heften aus wirtschaftlichen Gründen ihr Erscheinen einstellen mußte (1949), bemühte er sich um eine Bestandsaufnahme psychoanalytischen Wissens. Massive theoretische und persönliche Auseinandersetzungen mit Harald Schultz-Hencke, dem ärztlichen Begründer der Neoanalyse, dem, zusammen mit dem Arzt Werner Kemper, durch das von der Versicherungsanstalt Berlin finanzierte Zentralinstitut für psychogene Erkrankungen eine Absicherung des Berufsstandes gelungen war, gipfelten in einer öffentlichen Kontroverse zwischen beiden auf dem 1. Kongreß der International Psychoanalytical Association (IPA) nach dem Krieg 1949 in Zürich und führten zur Gründung der Deutschen Psychoanalytischen Vereinigung (DPV, 11. 9. 1950), die seit 1950/51 als Berliner Psychoanalytisches Institut eine klassische psychoanalytische Ausbildung anbot. Die DPG-Mitglieder verübelten es ihrem Vorsitzenden, daß er heimlich eine neue Gruppe gegründet hatte. Auf dem IPA-Kongreß in Amsterdam (1951) wurde die DPV in die IPA aufgenommen. Neben seiner psychoanalytischen Praxis war M. als Dozent für Psychoanalyse an der FU Berlin tätig.

M.s Hauptinteresse richtete sich auf die Herausarbeitung einer Anthropologie, die die Psychoanalyse in das biologisch-philosophische Menschenbild einzubeziehen versuchte. Er strebte eine philosophische Klärung der sich daraus ergebenden Probleme an und untersuchte das theoretische Verhältnis der Tiefenpsychologie zu den Fragen der Philosophie, der Kultur, der Religion, der Ethik und der Erziehung. Bis zur nationalsozialistischen Machtergreifung publizierte er (seit 1920) regelmäßig u. a. in der Internationalen Zeitschrift für Psychoanalyse und der Zeitschrift für Sexualwissenschaften „Imago". Ein eher pädagogisches Gepräge weisen die unmittelbar nach dem Krieg erschienenen Schriften auf; dann wandte er sich, in Verbindung mit seiner Vorlesungstätigkeit, einer ausführlichen Freud-Exegese zu.

W u. a. Psychoanalyt. Gesichtspunkte z. Psychogenese d. Moral, insbes. d. moral. Aktes, in: Imago 7, 1921, H. 3; Btrr. z. Metapsychol., ebd. 12, 1926, H. 1; Zur Genese d. weibl. Über-Ichs, in: FS zu Freuds 70. Geb.tag, in: Internat. Zs. f. Psychoanalyse 12, 1926, H. 3/4; Psychoanalyse u. Philos., in: Hippokrates 1, 1929, H. 6; Psychoanalyse u. Weltanschauung, in: Reichswart v. 22. 10. 1933; Die erste Objektbesetzung d. Mädchens in ihrer Bedeutung f. Penisneid u. Weiblichkeit, in: Internat. Zs. f. Psychoanalyse 22, 1936, H. 2; Streifzüge durch d. Psychoanalyse, 1948; Zur menschl. Grundhaltung, Psychol. u. Technik d. psychoanalyt. Therapie, in: Psychol. Btrr. 2, 1955, H. 1.

L K. Brecht u. a., „Hier geht d. Leben auf e. sehr merkwürdige Weise weiter ...", Kat. u. Materialslg. z. Ausst. z. Gesch. d. Psychoanalyse in Dtld., 1985, S. 95; R. Lockot, Erinnern u. Durcharbeiten, Zur Gesch. d. Psychoanalyse u. Psychotherapie im Nat.-sozialismus, 1985, S. 118–26; dies., Die Reinigung

d. Psychoanalyse, Die DPG im Spiegel v. Dokumenten u. Zeitzeugen (1933–1951), 1994. – *Zu Josine Müller geb. Ebsen u. u. Ada M.-B. geb. Schott:* K. W. Oberborbeck, Kinderanalyse im Umfeld d. Berliner Psychoanalyt. Inst. 1920 bis 1933; in: Zs. z. Gesch. d. Psychoanalyse H. 13, 1994, S. 71–120.

Regine Lockot

Müller-Breslau, *Heinrich,* Baustatiker, Eisenkonstrukteur, * 13. 5. 1851 Breslau, † 23. 4. 1925 Berlin-Grunewald. (kath).

V N. N. Müller, Kaufm. in Breslau; *M* N. N.; 10 *Geschw*, u. a. Georg M.-B. (1856–1911), Maler u. Lithograph in Breslau, München, Berlin u. Dresden (s. ThB); – ∞ Berlin 1872 Auguste († 1906), *T* d. Architekten N. N. Schläfke in Berlin; 1 *S* Heinrich (1872–1962), Baukonstrukteur, o. Prof. an d. TH Breslau.

M. studierte nach dem Abitur an einem Breslauer Realgymnasium (1869) und der Teilnahme am Krieg 1870/71 an der Gewerbe-Akademie zu Berlin und besuchte an der Berliner Universität Vorlesungen über Mathematik und Mechanik bei E. Christoffel und K. Weierstraß. Bereits als Student hielt er vor Bau-Eleven, die sich auf das Staatsexamen vorbereiteten, Vorträge über Statik. 1875 gründete er als Zivilingenieur in Berlin ein eigenes Büro. Vermutlich um diese Zeit erweiterte er seinen Namen durch Hinzufügen seines Geburtsortes. Die TH Hannover eröffnete ihm 1883 den Zugang zur akademischen Laufbahn, zunächst als Assistent und Dozent, seit 1885 als Professor. Nach dem Tode E. Winklers übernahm er 1888 den Lehrstuhl für Statik der Baukonstruktionen und Eiserner Brücken der TH Charlottenburg. Trotz mehrerer Rufe an andere Hochschulen blieb er in Berlin (1895/96 und 1910/11 Rektor), bis er 1924 von seinen Amtspflichten entbunden wurde.

Am Beginn von M.s beruflicher Tätigkeit in den 70er und 80er Jahren des 19. Jh. war die Entwicklung der Industrie in vollem Gange. In Mitteleuropa wurden die Eisenbahnen zügig ausgebaut. Immer größere und kühnere Brücken und längere Tunnels waren erforderlich. Die Brücken wurden damals überwiegend als Bogen- und Fachwerkbrücken aus Stahl errichtet. Daher lag der Schwerpunkt von M.s Arbeiten zunächst in der Weiterentwicklung der Theorie und Berechnung eiserner Bogen- und Fachwerkbrücken. Sein Anliegen war es, möglichst alle Einflüsse auf das Tragverhalten wirklichkeitsnah zu erfassen und so zu werten, daß für die Praxis einfache, von vernachlässigbaren Nebeneinflüssen freie Beziehungen angegeben werden konnten. Die statische Untersuchung komplizierter ebener und räumlicher Fachwerke führte ihn auf das Ersatzstabverfahren, heute allgemein als Stabtauschverfahren bezeichnet. Es liefert ein einfaches Kriterium zur Entscheidung, ob ein Fachwerk überhaupt brauchbar, d. h. stabil ist, oder ob eine unendlich kleine oder endliche Beweglichkeit vorliegt. Das Verfahren ist auch heute noch von Bedeutung, namentlich bei der Beurteilung der Standsicherheit von Raumfachwerken. Ein zweites von M. entwickeltes Verfahren beruht auf der Darstellung der Verschiebung zwangsläufiger kinematischer Ketten, in welche statisch bestimmte Fachwerke oder Stabwerke durch Entfernen einer Bindung verwandelt werden. Es gestattet, die Kraft eines einzelnen Stabes mit Hilfe des Prinzips der virtuellen Verschiebungen zu bestimmen, ohne Kenntnis der übrigen Stabkräfte. Das Verfahren führt unmittelbar auf die Einflußlinien, die über die ungünstigste, für die Berechnung einer Stabkraft oder einer Schnittgröße maßgebende Stellung veränderlicher Lasten Auskunft geben. Die wichtigste Erweiterung erfuhr die Theorie des Fachwerks durch Aufhebung der Beschränkung auf statisch bestimmte Systeme. Die nach der Elastizitätstheorie durchgeführte Ermittlung der Kräfte in überzähligen Stäben oder an überzähligen Stützpunkten hat namentlich den Bau der Bogenbrücken und der versteiften Kettenbrücken gefördert.

Die Ergebnisse von M.s wissenschaftlichen Forschungen, die überwiegend auf Anregungen aus der Praxis beruhen, sind in mehr als 50 Einzelveröffentlichungen enthalten und in seinen beiden Werken „Die graphische Statik der Baukonstruktionen" und „Die neueren Methoden der Festigkeitslehre und der Statik der Baukonstruktionen", die als klassische Lehrbücher der Statik der Stabwerke gelten, zusammengefaßt. Kennzeichnend ist die präzise Herausstellung der ingenieurtechnischen Aufgabe, deren vollständige Lösung bis hin zur numerischen Durchführung und die für den Praktiker wichtige Schlußfolgerung. M. gilt als Schöpfer und Vollender der klassischen Baustatik. Neben seinen Forschungen hat er sich auch zahlreichen Aufgaben der Baupraxis zugewandt. Zu nennen sind seine Entwürfe für die Ihmebrücke und die Markthalle in Hannover, der Kaisersteg über die Spree in Berlin-Oberschöneweide, die Fachwerkkuppel des Berliner Doms und die Gestaltung von Luftschiffhallen. M. war Vorsitzender des Fachausschusses Luftfahrt der Kaiser-Wilhelm-Stiftung. Seit den 90er Jahren befaßte er sich in Zusammenarbeit mit dem Grafen Zeppelin mit dem

Entwurf von Luftfahrzeugen, deren Traggerippe als räumliches Fachwerk konzipiert war. – Geh. Reg.rat (1896); Dr.-Ing. E. h. (TH Darmstadt 1902, TH Charlottenburg 1921); Ehrenmitgl. bzw. Ehrenbürger (TH Breslau 1921, TH Karlsruhe 1921, TH Charlottenburg 1923); o. Mitgl. d. Ak. d. Bauwesens (1889) u. d. Ak. d. Wiss. Berlin (1901), Mitgl. d. Schwed. Ak. d. Wiss. Stockholm (1908); Ehrenmitgl. d. American Academy of Arts and Sciences Boston (1902) u. d. Inst. f. Wasser- u. Wegebauingenieure in St. Petersburg; Mitgl. d. Preuß. Herrenhauses (1913).

W u. a. Die graph. Statik d. Baukonstruktionen I, 1887, ^{5}1912, II/1, 1892, ^{2}1922, II/2, 1908, ^{2}1925 (mehrere Übers.); Die neueren Methoden d. Festigkeitslehre u. d. Statik d. Baukonstruktionen, 1886, ^{5}1924 (mehrere Übers.); Erddruck auf Stützmauern, 1906, Neudr. 1947; Statik d. Baukonstruktionen, in: Hütte ^{14}1889–^{19}1905; Btrr. z. Berechnung d. Kuppel- u. Turmdächer u. verwandter Konstruktionen, in: VDI-Zs. 1898/99.

L FS H. M.-B. gewidmet..., v. H. Boost u. a., 1912, bes. S. V–VIII *(P)*; A. Hertwig, in: Der Bauing. 1921, H. 8, S. 201 f. *(P)*; ders., ebd. 1925, H. 10, S. 361 *(P)*; F. Schleicher, H. M.-B. z. 100. Geb.tag, ebd. 1951, H. 5, S. 16 *(P)*; L. Mann, in: Zbl. d. Bauverw. 1921, Nr. 38, S. 237; Pohl, ebd. 1925, S. 234; S. Müller, in: Der Eisenbau 1921, Nr. 5/6, S. 97 *(P)*; ders., in: VDI-Zs. 1925; H. Reissner, in: Zs. f. angew. Math. u. Mechanik 1921, H. 2, S. 159; ebd. 1925, H. 3, S. 277; K. Bernhard, in: Die Bautechnik 1925, H. 20, S. 261; E. Kammer, in: Beton u. Eisen 1925, H. 10, S. 153; Catalogus Professorum 1831–1981, FS z. 150jährigen Bestehen d. Univ. Hannover, II, 1981 *(P)*; G. Hees, H. M.-B., Vollender d. klass. Baustatik, in: VDI Bau-Jb. 1991, S. 325 f. *(W, P)*; DSB.

Georg Knittel

Müller-Christensen, *Sigrid,* Kunsthistorikerin, * 4. 6. 1904 Jaegersborg (Gentofte, Seeland, Dänemark), † 23. 1. 1994 München. (ev.)

V Niels Christian Christensen (1867–1939), Architekt in Kopenhagen (s. *L*), *S* d. Rasmus u. d. Anna Nielsen; *M* Ingeborg (1877–1970), *T* d. Oscar Flamand (1854–1936), Fabr. in Kopenhagen, u. d. Frederike Lauritzen (1856–1921); ∞ Gentofte 1934 Theodor (1905–96) aus Ingolstadt, Kunsthistoriker, Gen.dir. d. Bayer. Nat.mus. in M., *S* d. Albert Müller (1866–1940), Architekt in Stuttgart, u. d. Else Krall (1876–1936/37) aus London; kinderlos.

In einem an zeitgenössischer Architektur und Kunsthandwerk aktiv teilnehmenden Elternhaus aufgewachsen, studierte M. Kunstgeschichte und promovierte 1931 in München bei Wilhelm Pinder mit einer Arbeit über „Die männliche Kleidung in der süddeutschen Renaissance" (1934). Danach war sie bis zu ihrer Heirat in Kopenhagen am Kunstindustrimuseum tätig. Neben zahlreichen kleineren Beiträgen und Rezensionen bezeugen zwei Monographien ihre zeitlebens enge Beziehung zur dän. Kunst und den Textil- und Kostümsammlungen der Kopenhagener Museen. In München entstand aus der Beschäftigung mit der Kunstgeschichte der europ. Möbels zunächst eine vorbildliche und mehrfach wiederaufgelegte Übersicht (Alte Möbel, 1948). Danach richtete sich M.s Interesse verstärkt auf die Erforschung und insbesondere Konservierung der textilen Kunst. Für letztere gab es damals in Deutschland weder entsprechende Einrichtungen noch wissenschaftliche Vorarbeiten. M. baute seit 1949 im Bayer. Nationalmuseum eine Textilrestaurierungswerkstatt auf, die sich zunächst der mittelalterlichen Paramenten des süddeutschen Raumes widmete. Anregungen und Erfahrungen bis zurück in die 20er Jahre kamen aus Skandinavien, vor allem aus Stockholm. 1955 wurden in einer eindrucksvollen Ausstellung die bis dahin konservierten Stücke aus Andechs, Augsburg, Aschaffenburg, Bamberg, Brixen, Niederaltaich, Ottobeuren, Passau und Regensburg der Öffentlichkeit vorgestellt, darunter erstmals die Gewänder des 1047 verstorbenen Papstes Clemens II. aus seinem Grab im Bamberger Dom. Die Fülle der hier gewonnenen neuen Erkenntnisse publizierte M. 1960 und schuf damit die Grundlage für die späteren Untersuchungen zur Seiden- und Bortenweberei und zu den Paramenten des hohen Mittelalters. Mit der Konservierung und wissenschaftlichen Bearbeitung der Textilien aus den Speyerer Kaiser- und Bischofsgräbern setzte M. diese Studien fort. Das zusammen mit M. Schuette 1963 herausgegebene „Stickereiwerk" präsentierte zum ersten Mal einen wohl abgewogenen Einblick in den Reichtum gestickter Arbeiten von der Antike bis um 1900. – In der von M. bis in die 70er Jahre geleiteten Münchner Textilrestaurierungswerkstatt wurden im Hinblick auf Methoden und Techniken Maßstäbe erarbeitet und gesetzt, die – obwohl seither durch ständige Erfahrung weiterentwickelt – in ihrem Konzept nichts von ihrer grundsätzlichen Gültigkeit verloren haben. Sie wirken über M.s Schülerinnen, die das Gelernte in neue Werkstätten in Hamburg, Stuttgart, Nürnberg und Riggisberg (Schweiz) einbrachten und mittlerweile bereits an eine dritte Generation von Textilrestauratorinnen weitergegeben haben, fort. – Gründungsmitgl. d. „Centre international d'étude des textiles anciens", Lyon; Medaille „bene merenti" in Silber d. Bayer. Ak. d. Wiss. (1965).

Weitere W De Danske Kongers kronologiske Samling paa Rosenborg, Kongedragterne fra 17. og 18. Aarhundrede, 1940; Alte Möbel, Vom MA bis z. Biedermeier, 1948 (¹⁰1988 u. d. T. Alte Möbel, Vom MA bis z. Jugendstil); Kronborgtapeterne, 1950 (mit M. Mackeprang); Sakrale Gewänder d. MA, Ausst.kat. München 1955; Das Grab d. Papstes Clemens II. im Dom zu Bamberg, 1960; Die Gräber im Königschor, in: Der Dom zu Speyer, 1972 (mit H. E. Kubach).

L Documenta Textilia, FS f. S. M. z. 75. Geb.tag, hrsg. v. M. Flury-Lemberg u. K. Stolleis, 1981 *(W-Verz., P);* Dansk Leks., X, 1982.

Leonie v. Wilckens

Müller-Clemm (bis 1920 *Müller*), *Hellmuth,* Papierchemiker, Verbandsfunktionär, * 8. 12. 1892 Mannheim, † 3. 2. 1982 Lindau/Bodensee. (ev.)

V Georg Müller (1862–1906) aus Berlin, Major, *S* d. David (1828–77) aus Königslutter, Dr. phil., Prof. d. Gesch. an d. TH Karlsruhe, u. d. Ilse Katharina Henriette Meyer (1832–1891) aus Gebhardshagen b. Salzgitter; *M* Anna (1868–1956), *T* d. Carl Clemm (1836–99), Chemiker u. Industrieller (s. NDB III), u. d. Maria Hoff (1843–1906); *B* Wolfgang (1891–1972), Verlagsleiter u. Autor, Kurt (1897–1970), seit 1923 in d. USA, Hoteldir.; – ∞ Gutach (Breisgau) 1921 Annie (1900–85), *T* d. Julius Gütermann (1857–1918) aus Wien, Seidenfabr. in Gutach, u. d. Aletta van Mannekus (1870–1948) aus Leiden; 4 *S* (1 ×), u. a. Heinz (* 1923), Tierarzt, Berndt (* 1923), Graphiker, beide in Victoria (Kanada), Dieter (* 1929), Bank- u. Industriekaufm.

M. absolvierte in Konstanz das Abitur und nahm als Reserveoffizier am 1. Weltkrieg teil. Dann studierte er an den Universitäten Heidelberg und Freiburg (Breisgau) Chemie, wurde 1921 mit einer Arbeit zur Kenntnis der Sulfitlauge promoviert und trat anschließend in die Zellstoffabrik Waldhof ein. 1927 erhielt er Prokura, wenig später wurde er stellvertretendes, 1933 ordentliches Vorstandsmitglied des damals größten europ. Zellstoffkonzerns. Schwerpunkte seiner Tätigkeit waren die Fertigung von Papier- und Kunstseidezellstoffen sowie die Modernisierung und Neukonzipierung von Produktionsstandorten. M. schied 1946 aus dem Waldhof-Konzern aus und wirkte fortan als Berater der Zellstoff- und Papierindustrie.

Besondere Bedeutung erlangte seine Tätigkeit für den Verein der Zellstoff- und Papier-Chemiker und -Ingenieure (Verein Zellcheming), den er 1933–42 und erneut 1948–62 leitete. Seiner Initiative ist zu verdanken, daß 1938 die Forschungsstelle Papiergeschichte geschaffen wurde, die der Verein bis 1973 am Gutenberg-Museum in Mainz als wissenschaftliche Arbeitsstätte unterhielt und anschließend an das Deutsche Museum in München übertrug. Als Vorsitzender des Kuratoriums für Forschung und Nachwuchsausbildung des Verbandes Deutscher Papierfabriken befaßte sich M. mit Fragen berufsspezifischer Qualifizierung. Er setzte sich nach dem 2. Weltkrieg für die Wiederherstellung der Hochschulinstitute für Papierfabrikation und Cellulosechemie in Darmstadt ein und gründete 1949 am Oskar-v.-Miller-Polytechnikum in München die für die Ausbildung von Fachingenieuren bestimmte Abteilung Papiertechnik. Ebenfalls in München entstand auf M.s Initiative 1950 die Papiertechnische Stiftung, die Auftragsforschungen durchführt. M. war Stellvertretender Präsident der 1954 gegründeten Arbeitsgemeinschaft Industrieller Forschungsvereinigungen (AIF). Internationale Bedeutung erlangte er durch das 1956 geschaffene Comité Européen de Liaison pour la Cellulose et le Papier (EUCEPA), das alle auf den Gebieten Zellstoff und Papier wissenschaftlich tätigen europ. Verbände zusammenführte und als dessen Präsident M. bis 1959 fungierte. 1984 gründete der Verein Zellcheming den nach M. benannten Förderverein zur Unterstützung von Absolventen der TH Darmstadt und der Fachhochschule München. – Ehrensenator d. TH Darmstadt (1939, erneut 1962); Dr.-Ing. E. h. (TH Darmstadt 1968); Goldmedaille d. TH Darmstadt (1963); Ehrenpräs. d. EUCEPA u. d. Ver. Zellcheming; Gr. Bundesverdienstkreuz (1959).

W Zur Kenntnis d. Sulfitlauge, Diss. Heidelberg 1921 *(ungedr.),* Auszug in: Jahreshh. d. Univ. Freiburg i. Br. 1920/21, VI, S. 26 f.; Die Cellulose-Industrie im Verhältnis z. Rohstoffbasis, 1937 (Vortrag); Die Fachrichtung d. akadem. Papiering.-wesens d. TH Darmstadt, in: Das Papier 15, 1961, S. 121–26; Die akadem. Ausbildung d. Cellulosechemiker an d. TH Darmstadt, ebd., S. 219–22.

L Fünfzig J. Ver. d. Zellstoff- u. Papier-Chemiker u. -Ingenieure, 1955, S. 121 f. *(P);* J. A. Raimar, Der Gründerkreis d. chem. Industrie im Rhein-Neckar-Raum, bes. d. BASF (Forts.), in: Pfälz. Fam.- u. Wappenkde. 15, 1966, Bd. 5, H. 9, S. 271–81; Wbl. f. Papierfabrikation 95, 1967, Nr. 22, S. 884; Das Papier 16, 1962, S. 753 *(P);* ebd. 21, 1967, S. 854 f.; ebd. 26, 1972, S. 771–73; ebd., 31, 1977, S. 548 f.; W. Brecht, ebd. 36, 1982, S. 150; Allg. Papierrdsch. v. 20. 6. 1978 *(P).*

Frieder Schmidt

Müller-Einigen (eigtl. *Müller*), *Hans,* Schriftsteller, * 25. 10. 1882 Brünn (Mähren), † 9. 3. 1950 Einigen/Thuner See (Schweiz).

V Josef Müller († 1933, isr.), Dr. iur., Rechtsanwalt; M Johanna Wohlmuth († 1918); Gr-Om Eduard Hanslick (1825-1904), Musikkritiker u. -schriftst. (s. NDB VII); Om Alois Wohlmuth (1852-1930), Hofschausp. in München (s. Kosch, Theater-Lex.); B Robert (1877-1942), Rechtsanwalt in B., Ernst Lothar (1890-1970), Theaterregisseur u. Schriftst. (s. NDB 15*); ledig.

M. legte 1900 in Brünn die Reifeprüfung ab und studierte anschließend in Wien Jura sowie in Grenoble und Leipzig Philosophie und Jura. In Wien hörte er Vorlesungen u. a. bei dem Philosophen Laurenz Müllner (1848-1911), freundete sich mit Stefan Zweig an und wurde dort schließlich 1907 zum Doktor der Rechte und der Philosophie promoviert. Schon um 1900 stellten sich literarische Erfolge mit Gedichten und dramatischen Werken ein, begünstigt durch das fruchtbare künstlerische Milieu Wiens, durch das M. nachhaltig geprägt wurde. Bahr, Schnitzler, Hofmannsthal und Freud tauchten am Rande seines Bekanntenkreises auf. Er veröffentlichte Gedichte in der „Zukunft", im „Simplicissimus" und in der „Gegenwart"; Theodor Herzl vermittelte ihn der „Neuen Freien Presse", Felix Salten der „Zeit". M. war zeitweise Mitarbeiter bei der von Julius Korngold herausgegebenen „Sonntagszeitung". 1900 erschien das Lustspiel „Das Hemdenknöpfchen", ein Jahr später der erste Lyrik-Band „Dämmer". 1907 erhielt M. bei der Aufführung der Komödie „Die Puppenschule" am Burgtheater mit Adolf v. Sonnenthal in der Hauptrolle starken Beifall. Das Lustspiel „Hargudl am Bach" fiel dagegen 1909 mit einem „noch nie dagewesenen Skandal" (Nagl-Zeidler-Castle) durch. Doch konnte er rasch wieder reüssieren.

Ohne je selbst Soldat gewesen zu sein, avancierte M. im 1. Weltkrieg mit patriotischen Schlachtschilderungen zum Frontberichterstatter. Seine Kriegsdichtungen wie „Serbischer Frühling" und „Isonzobel" trafen auf starke Resonanz. 1916 erlebte das Historiendrama „Könige" (nach Uhlands Drama „Ludwig der Baier", 1819) am Burgtheater, mit Else Wohlgemuth, Harry Walden und Hans Marr, im Zuge der patriotischen Begeisterung einen derart triumphalen Erfolg, daß es bald darauf in Berlin und dann an allen deutschsprachigen Theatern gespielt wurde. Nach einer Aufführung in München zeigte sich M. in Uniform auf der Bühne. Nicht allein deswegen wurde er zur Zielscheibe insbesondere der Kritik von Karl Kraus, der M.s schwülstigen, mit preziösen Anachronismen gespickten Stil in vielen Glossen und Satiren in der „Fackel" aufs Korn nahm. Kraus ließ ihn auch mit authentischen Äußerungen in seinem Drama „Die letzten Tage der Menschheit" (1918/19) auftreten. M. strengte eine Ehrenbeleidigungsklage an, mußte sie aber wieder zurückziehen und zugeben, sich nie an der Front aufgehalten zu haben.

Am 23. 9. 1920 geriet die Uraufführung von „Flamme" im Berliner Lessing-Theater mit Käthe Dorsch in der weiblichen Hauptrolle zu einem großen Erfolg. 1923 wurde das Schauspiel von Ernst Lubitsch mit Pola Negri in der Hauptrolle verfilmt. Die UFA engagierte M. als Chefdramaturgen. Zu den Filmen, für die er das Drehbuch, häufig in Koproduktion mit anderen Autoren, verfaßte, gehören „Yorck" (Regie: Gustav Vcicky, mit Werner Krauß u. Rudolf Forster, 1931) und „Bomben auf Monte Carlo" (zusammen mit Franz Schulz, Regie: Hanns Schwarz, mit Hans Albers, 1931). In den USA wurde er bei Metro-Goldwyn-Mayer als Chefdramaturg tätig und schließlich 1928, noch zur Stummfilmzeit, nach Hollywood berufen. Dort lernte er u. a. Upton Sinclair näher kennen. Reisen führten M. auch nach Frankreich, Spanien und Nordafrika. Als die UFA am 29. 3. 1933 beschloß, sämtliche Verträge mit jüdischen Mitarbeitern zu lösen, gehörte auch M. zu den Entlassenen. Im Vorspann seines letzten UFA-Films, „Walzerkrieg", wird sein Name samt dem seines Co-Autors, Robert Liebmann, nicht mehr erwähnt. Möglicherweise 1930 übersiedelte er in die Schweiz, wo er seit dem 4. 4. 1933 in Einigen am Thuner See lebte. Auch in seinen letzten Jahren entstanden neben erzählerischer Prosa noch dramatische Werke, in die religiöse und humanistische Gehalte eingingen. Sie wurden vornehmlich am Berner Theater aufgeführt. 1949 wurde M. in der Schweiz eingebürgert.

Der Film verdankt ihm effektvolle Drehbücher. Als Librettist vermochte er so unterschiedliche Komponisten wie Korngold oder Benatzky adäquat zu bedienen. Die Kritik nahm dagegen ziemlich einmütig eine ablehnende Haltung ein. Schon zeitgenössische Rezensenten und Historiographen bezeichnen ihn als „Effekttheatraliker". Sie konstatieren zwar M.s unbestreitbares Talent und seine Bühnengewandtheit, bemängeln aber die berechnende, auf vordergründige Wirkung hin angelegte Dramaturgie. Nicht selten findet sich das Urteil „Kitsch". Dem heutigen Leser fällt M.s nicht nur stilistische chamäleonhafte Wandlungsfähigkeit auf. Auch sie weist ihn als typischen Epigonen aus. Ein schwülstiges, spät-ästhetizistisches Schauspiel („Das Wunder des Beatus", 1910), dessen Handlung bei Wagners „Lohengrin" und „Parsifal" plagiatverdächtige Anleihen macht und libertäre erotische Enthemmung propagiert, weicht nur wenige Jahre später, im 1. Weltkrieg, dem sententiösen Pseudo-Klassizismus des patriotischen Historiendramas „Könige". Der Okkultismus-Mode trägt „Der Vampir" (1923) dramatische Rechnung. Die Kolportage „Flamme", eines seiner erfolgreichsten Stücke, wird schon von den Zeitgenossen als „Dirnenstück" bezeichnet. Seine Werke blieben ohne Nachwirkung.

Weitere W u. a. Das andere Leben, 1900 (Einakterzyklus); Die lockende Geige, 1904 (Gedichte); Buch d. Abenteuer, Novellen, 1905 (danach d. Libretto f. d. Operette „Ein Walzertraum" v. Oscar Straus, 1907); Violanta, 1916 (z. Oper v. E. W. Korngold); Das Wunder d. Heliane, 1927 (z. Oper v. E. W. Korngold); Im Weißen Rößl, 1930 (z. Singspiel v. R. Benatzky); Geliebte Erde, Miniaturen v. unterwegs, 1938; Kleiner Walzer in a-Moll, 1939 (Komödie); Das Glück, da zu sein, Ein Tagebuch, 1940; Schnupf, 1944 (Erz.); Der Helfer Gottes, 1947 (Drama); Jugend in Wien, 1945, verändert 1948 (autobiogr. Roman). – *W-Verz.*: Wilpert-Gühring.

L K. Kraus, Die Fackel, Nr. 437, S. 42, Nr. 445, S. 53, Nr. 521, S. 30, 42; C. Kohn, K. Kraus, Eine Monogr., 1966; R. Arnheim, Betrübl. Filme, in: Die Weltbühne v. 12. 1. 1932, S. 59–63; ders., Kritiken u. Aufsätze z. Film, hrsg. v. H. H. Diederichs, 1977, S. 321; A. Kerr, H. M., Die Flamme, in: ders., Die Welt im Drama, hrsg. v. G. F. Hering, ²1964, S. 478; H. Jhering, Von Reinhard bis Brecht, 1958, I, S. 167 f., 454 ff., II, S. 560 ff., III, S. 102 f., 356 ff.; O. Kl(eiber), H. M.-E., in: National-Ztg. Basel, Nr. 115, 1950; S. Trebitsch, Erinnerungen an H. M.-E., ebd., Nr. 119, 1950; K. Kreimeier, Die UFA-Story, Gesch. e. Filmkonzerns, 1992, S. 248 ff.; Nagl-Zeidler-Castle IV *(P)*; Kosch, Theater-Lex.; ÖBL; Kosch, Lit.-Lex.³.

Uwe C. Steiner

Müller-Erzbach, *Rudolf,* Jurist, * 23. 3. 1874 Perleberg (Brandenburg), † 4. 8. 1959 München. (ev.)

V Wilhelm Müller (1839–1914), Gymnasialprof. in Bremen, Chemiker u. Physiker (s. Pogg. III–V), *S* d. Hermann (1803–76), Landwirt in Hilchenbach b. Siegen, u. d. Anna Elisabeth Saynsch (1801–57); *M* Mathilde (1847–1912), *T* d. Martin Hüttenhein (1815–75), Fabr. in Hilchenbach, u. d. Amalie Wirth (1826–73); ∞ 1911 Bertha (1884–1978), *T* d. Heinrich Wilkens (1850–1912), Fabr. in Hemelingen, u. d. Friederike Kremmer (* 1860); 1 *S*, 2 *T*.

M. studierte nach dem in Bremen abgelegten Abitur seit 1893 Rechtswissenschaft sowie zunächst auch Mathematik und Physik in Leipzig, Freiburg (Breisgau), Bonn und Berlin. Anfang 1897 legte er das erste juristische Staatsexamen ab, promovierte 1898 in Freiburg und beendete 1901 seine Referendarzeit, die ihn nach Lesum, Göttingen und Celle geführt hatte. 1903 habilitierte er sich in Bonn. Nach Tätigkeit als Privatdozent in Bonn und Göttingen (1903–11) sowie als juristischer Hilfsarbeiter im Oberbergamt Bonn (1906–08) erhielt er 1911 eine ao. Professur in Königsberg, 1918 eine o. Professur in Göttingen und 1925 K. v. Amiras Münchener Lehrstuhl für Deutsche Rechtsgeschichte, Deutsches Privatrecht, Bürgerliches Recht, Handels- und Wechselrecht sowie Industrie- und Gewerberecht. 1939 wurde M. emeritiert, von Dezember 1945 bis Oktober 1946 kehrte er als Dekan der Juristischen Fakultät nochmals an die Universität zurück.

M. betätigte sich vor allem auf den Gebieten der privatrechtlichen Methodenlehre sowie des Handels- und des Bergrechts. Bereits mit seiner 1905 erschienenen Habilitationsschrift begann er seine sog. Lehre vom kausalen Rechtsdenken zu entwickeln, die der Interessenjurisprudenz Philipp Hecks und Heinrich Stolls nahesteht und wie diese eine Reaktion auf die 1903 von Eugen Ehrlich angeregte Freirechtsdiskussion bildet. Nach M. haben Gesetze ihren Ursprung in bestimmten Lebenssituationen und können nur dann richtig erfaßt und ausgelegt werden, wenn die zugrundeliegenden, historisch begründeten Lebensbedürfnisse ermittelt werden. Nur aus der engen Verknüpfung von Sozialleben und Recht könne eine lebensnahe Rechtsprechung geschaffen werden. Die Verbindung belegte M., indem er typische Lebenselemente ermittelte, die die Gestaltung des Rechts beeinflussen. Vor allem Interessenlage, Verantwortungsbewußtsein, Vertrauen und Machtlage bzw. Beherrschungsvermögen waren für ihn solche Faktoren. Dem damals vorherrschenden mehr begrifflichen oder formalen Rechtsdenken wollte er Halt und Tiefe geben durch kausales Erfassen der Rechtsgebilde aus den für sie maßgebenden Lebenszusammenhängen. Die Gesetzesbindung sollte dennoch gewahrt bleiben, bloße „Gefühlsjurisprudenz" damit verhindert werden. Mit dem Gedanken der lebensnahen Rechtsforschung und Rechtsprechung griff M. den Ansatz Dernburgs auf, der Gesetze lediglich als Grundlage sah, auf der der Richter unter Berücksichtigung der Lebensverhältnisse aufbauen muß. Zur Lehre vom kausalen Rechtsdenken haben sich in Frankreich Escarra und Ripert sowie in Italien Betti und Mossa bekannt. M.s literarischer Ruf beruht vor allem auf seinem grundlegenden Werk zum „Bergrecht Preußens und des weiteren Deutschlands" (1917) sowie auf dem „Deutschen Handelsrecht" (1921, ³1928, Neudr. 1969), in dem er anhand der Kausalmethode die rechtspolitischen Gründe für die im Handelsrecht bestehenden Gesetze darstellt und für bestimmte Sachverhalte eigene Entscheidungen entwickelt.

Weitere W u. a. Das Traditionsprinzip beim Erwerb d. Eigentums, Diss. 1898; Die Grundsätze d. mittelbaren Stellvertretung, Habil.schr. 1905; Gefährdungshaftung u. Gefahrtragung, 1912; Gefühl od. Vernunft als Rechtsquelle, in: Zs. f. d. gesamte Handelsrecht u. Konkursrecht 73, 1913, S. 429–57; Die Entartung d. dt. Aktienwesens seit d. Inflationszeit, in: Recht u. Staat in Gesch. u. Gegenwart, 1926, S. 3–28; Umgestaltung d. Aktiengesellschaft z. Kerngesellschaft verantwortungsvoller Großaktionäre, 1929; Wohin führt d. Interessenjurisprudenz? 1932; Lassen sich Recht u. d. Rechtsleben tiefer u. sicherer erfassen? 1934; Das Recht am Besitz aus d. vom Gesetz vorausgesetzten Interessen- u. Herrschaftslage entwickelt, in: Archiv f. civilist. Praxis 142, 1936, S. 5–66; Das Erfassen d. Rechts aus d. Elementen d. Zusammenlebens, veranschaulicht am Gesellschaftsrecht, ebd. 154, 1955, S. 299; Die Hinwendung d. Rechtswiss. z. Leben u. was sie hemmt, 1939; Das private Recht d. Mitgliedschaft als Prüfstein e. kausalen Rechtsdenkens, 1948; Die Rechtswissenschaft im Umbau, 1950.

L Ph. Heck, Die neue Methodenlehre M.s, in: Archiv f. civilist. Praxis 140, 1935, S. 257–95; R. Löhlein, Das kausale Rechtsdenken als rechtswiss. Methode, in: Jur. Rdsch. 1950, S. 132–39; ders., FS f. M., Stud. z. kausalen Rechtsdenken, 1954; LMU Jahreschronik 1958/59, S. 19–21; H. Krause, in: Juristenztg. 1959, S. 261 *(P);* D. Gogos, ebd., S. 677 f.; E. Seidl, in: Neue Jur. Wschr. 1959, S. 568; J. Edelmann, Die Entwicklung d. Interessenjurisprudenz, 1967, S. 88–90; K. Knauthe, Kausales Rechtsdenken u. Rechtssoziol., 1968.

Jürgen Vortmann

Müller-Freienfels, *Richard* (Ps. u. a. *Sebastianus Segelfalter*), Pädagoge, Psychologe, Philosoph, * 7. 8. 1882 Bad Ems, † 12. 12. 1949 Weilburg/Lahn. (ev.)

V Karl Müller (1847–1921), Prof. d. klass. Philol. in Wiesbaden, *S* d. Johann (* 1807), Schmied in Arendsee (Altmark), u. d. Maria Frederich (* 1818) aus Wahrenberg (Altmark); *M* Henriette (1852–1941), *T* d. Reichard Gerber (* 1823) aus Meddersheim (Rheinland), Pfarrer in Meckenbach (Rheinland), u. d. Pauline Oertel; ∞ Berlin-Wilmersdorf 1914 Käte (1886–1973), Studienrätin in Berlin, *T* d. Adam Icke (1857–93) aus Kassel, Fabr. in Leipzig, u. d. Jenny Freundlich (1861–1951) aus Vechelde b. Braunschweig; 2 *S*, 1 *T,* Wolfram (* 1916), Prof. f. Dt. u. Ausländ. Privatrecht in Marburg, Frankfurt/Main u. Freiburg (Br.) (s. Kürschner, Gel.-Kal. 1992), Reinhart (* 1925), Dr. phil., Dramaturg (s. Wi. 1992); *Ur-Gvm (?)* Wilhelm Oertel (Ps. W. O. v. Horn, 1798–1867), Sup. in Sobernheim b. Bad Kreuznach, Jugendschriftst. (s. ADB 24; *L*).

Nach der Reifeprüfung in Weilburg 1901 studierte M. in München, Zürich, Wien und Genf moderne Sprachen, promovierte bereits 1904 in Tübingen zum Dr. phil. und wurde in Berlin Gymnasiallehrer für Französisch, Deutsch und Geographie. M. unternahm neben seiner Lehrtätigkeit ausgedehnte Studien- und Vortragsreisen (Europa, Asien, Afrika, Amerika). Während des 1. Weltkriegs diente er 1915 in Polen und Lothringen, 1916–18 als Zensor in Konstanz. 1922 wurde er Dozent an der Akademie für Kirchen- und Schulmusik und an der staatlichen Kunsthochschule Berlin; das Angebot einer Professur an der Harvard-Universität schlug M. 1928 aus; 1930 wurde er Professor an der Pädagogischen Akademie Stettin, 1933 an der Handelshochschule Berlin; eine vorzeitige Pensionierung erfolgte 1939. 1938–42 gab M. als Nachfolger von Max Dessoir die „Zeitschrift für Ästhetik und allgemeine Kunstwissenschaft" heraus. 1946 konnte M. seine akademische Lehrtätigkeit in Berlin wieder aufnehmen, 1949 übersiedelte er in seine Heimatstadt Weilburg, wo er noch kurze Zeit am Pädagogischen Institut lehrte.

Als Philosoph ging M. von Nietzsche aus, wurde durch Hans Vaihinger beeinflußt und setzte sich besonders mit der Lebensphilosophie Henri Bergsons und dem Pragmatismus von William James auseinander. Wie für diesen ist für M. alles Erkennen ein Stellungnehmen zur, nicht ein Abbilden der Welt. In seinen psychologischen Arbeiten vertrat M. einen deskriptiven Ansatz. Er schloß sich keiner der zu seinen Lebzeiten aktiven psychologischen Schulen an. In seiner Schrift „Die Hauptrichtungen der gegenwärtigen Psychologie" (1929) stellte er diese Schulen zwar anschaulich und vergleichend dar, griff aber weder in den Streit zwischen ihnen noch in aktuelle gesellschaftliche Kontroversen ein. Seinen pädagogischen Auftrag erblickte er in der Vermittlung und dem Ausgleich unterschiedlicher Positionen und Perspektiven. Seine eigenen Schriften zur Psychologie betonen im Gegensatz zur Assoziationspsychologie und zum Behaviorismus den teleologischen Charakter menschlichen Handelns und versuchen Typen des Erlebens und Denkens herauszuarbeiten. Ähnlich verwendet er in seinen Arbeiten zur Ästhetik psychologisch-deskriptive Kategorien; hier sucht er – wohl als erster – nach verschiedenen psychologischen Typen des Kunsterlebens. In seinen weit über 200 Aufsätzen und seinen Büchern, die sich auch mit sprachwissenschaftlichen, literarischen und lebenspraktischen

Themen befaßten und bis nach dem 2. Weltkrieg weite Verbreitung fanden, verstand es M., wissenschaftliche Fragestellungen und Forschungsergebnisse auch für den gebildeten Nicht-Psychologen verständlich zu machen. Handschrift, Gestik, und Mimik, der menschliche Charakter, der deutsche Volkscharakter, soziale Rollen u. a. waren Gegenstand seiner Darstellung.

Weitere W u. a. Psychol. d. Kunst, 2 Bde., 1912, umgearb. u. erw. ²1922 f.; Persönlichkeit u. Weltanschauung, 1919, ²1923; Psychol. d. Rel., 2 Bde., 1920; Philos. d. Individualität, 1920, ²1923; Psychol. d. dt. Menschen u. seiner Kultur, 1921, ²1929; Metaphysik d. Irrationalen, 1927; Grundzüge e. Lebenspsychol., 2 Bde., 1924 f.; Allg. Sozial- u. Kulturpsychol., 1930; Tagebuch e. Psychologen, 1931; Lebensnahe Charakterkunde, 1935; Psychol. d. Wiss., 1936; Werde, was Du bist!, 1936, ²1940; Ungelebtes Leben, 1948 (Roman); Das Lachen u. d. Lächeln, 1948.

L P. Plaut, Die Psychol. d. produktiven Persönlichkeit, 1929; R. M.-F. z. Gedächtnis, hrsg. v. H.-G. Böhme, 1950 *(W-Verz.);* O. Renkhoff, Nassau. Biogr., ²1992; Ziegenfuß; Überweg IV; Kosch, Lit.-Lex.³. – *Zu Wilhelm Oertel:* K.-R. Mades, W. O. v. Horn, d. mittelrhein. Volkserzähler, 1989; O. Renkhoff, Nassau. Biogr., ²1992.

Helmut E. Lück

Müller-Gögler, *Maria,* Schriftstellerin, * 28. 5. 1900 Leutkirch (Allgäu), † 23. 9. 1987 Weingarten. (kath.)

V Adolf Gögler (1864–1946), Finanzbeamter in W., *S* d. Josef Anton (1832–82), Oberamtsgeometer in Bad Waldsee, u. d. Creszentia Zeller (1830–um 1895); *M* Melanie (1876–1906), *T* d. Wilhelm Bärnwick, Lehrer in Ravensburg; *Om* Franz Bärnwick (1865–1947), Kirchenmusikdir. u. Organist in W.; – ∞ Beuron 1930 Paul (1903–72), Studienprof. in Ravensburg, *S* d. Martin Müller, Gold- u. Silberschmied in Schwäb. Gmünd, u. d. Agnes Hoh (1871–1962) aus Mainz; 1 *S* Paul (1931–89), Richter in Ravensburg, 1 *T* Gisela Linder (* 1932), Dr. phil., Kulturredakteurin, Schriftst. (s. *W*); *Vt* Max Gögler (* 1932), Dr. iur., Reg.präs. v. Südwürttemberg.

Mit 14 Jahren kam M. in ein klösterliches Erziehungsinstitut nach Ravensburg, wo sie das Lehrerinnenexamen ablegte. Heimlich schrieb sie dort Gedichte und Dramen. 1919 nahm sie eine Stelle als Volksschullehrerin in Steinhausen, 1920 in Munderkingen an; seit 1924 studierte sie Germanistik, Pädagogik und Philosophie in München und Tübingen, wo sie 1927 mit der Dissertation „Die pädagogischen Anschauungen der Marie v. Ebner-Eschenbach" promovierte. Gleichzeitig entstand der erst 9 Jahre später als Buch erschienene historische Roman „Die Magd Juditha" über den Münsterbau in Weingarten. Nach dem Staatsexamen 1929 war M. als Lehrerin in Schwäbisch Gmünd (1929/30), Laupheim (bis 1938) und Ulm (bis 1944) tätig. 1942 erschien der Stauferroman „Beatrix von Schwaben". Der dritte, 1938–40 geschriebene historische Roman „Die Truchsessin" konnte erst 1969 erscheinen.

War M. während der Zeit des Nationalsozialismus in die politisch unverfängliche Gattung des historischen Romans ausgewichen, so konnte sie sich nach dem Krieg Gegenwartsthemen zuwenden. Als Lyrikerin bevorzugte M., die in Goethe und Mörike ihre Leitbilder sah, zunächst strenge Formen wie Sonett, Terzine und Hexameter, später schrieb sie auch freie, reimlose Verse. 1947 erschien u. a. der erste Gedichtband, den Siegfried Unseld im Ägis-Verlag gestaltete, wo er zum Verlagskaufmann ausgebildet wurde. Hermann Hesse, der das Gedicht „Die Geige" für die Anthologie „Geliebte Verse" nominiert hatte, ist ein zweiter, 1954 erschienener Gedichtband gewidmet; ein weiterer folgte 1960. – 1963 löste M.s psychologisch einfühlsamer Schulroman „Täubchen, ihr Täubchen ...", heftige Angriffe aus Lehrerkreisen aus. Er schildert einen deprimierenden Schulalltag während der Nachkriegszeit und das Scheitern eines idealistischen Junglehrers in einer Mädchenklasse, dem sein pädagogischer Eros zum Verhängnis wird. Vom ironischen Altersstil geprägt ist der Roman „Der Pavillon" (1980), in dem sieben Frauen des Jahrgangs 1900, grundverschieden durch Herkunft, Bildungsgrad und Lebensumstände, in einem privaten Altersheim Erinnerungen aufschreiben. Sie spiegeln das weitgehend fremdbestimmte Schicksal dieser Frauengeneration. Ihr Lebensthema, „die Menschwerdung der Frau" (M. Walser), hat M. immer wieder neu gefaßt. – Novellen-Preis d. Bertelsmann-Verlages (1955), Kulturpreis d. Städte Ravensburg u. Weingarten (1978); Prof.-Titel (1986).

Weitere W Romane: Der heimliche Friede, 1955; Wer gibt mir Flügel, 1965; Athalie, 1983; Hanna u. d. Höhere, 1984; Sieben Schwerter. – *Erzz.:* Die Flucht d. Lessandra Fedéle, 1949; Ritt in d. Tag, Geschichten aus Oberschwaben, 1950; Der Schlüssel, 1956 (Novelle); Die Frau am Zaun, 1972; Der Schlüssel, vergriffene u. neue Erzz., 1979 (Nachwort v. M. Walser). – *Erinnerungen:* Bevor die Stürme kamen, 1970; Hinter blinden Fenstern, 1974; Das arme Fräulein, 1977; Kriegsende 1945, Aus d. Tagebuch v. M. M.-G., hrsg. v. G. Linder, 1995. – Karl Erb, Das Leben e. Sängers, 1948; Gegen die Zeit zu singen, Ein M. M.-G.-Lesebuch, hrsg. v. G. Linder u. W. Wild, 1995; Werkausg., 9 Bde. u. 1 Beih., 1980.

L M. M.-G., Die Autorin u. ihr Werk, Einf., Stimmen d. Freunde, 1980 (Beih. d. Werkausg., P); Kosch, Lit.-Lex.³; Killy.

Gisela Linder

Mueller-Graaf, Carl-Hermann (bis 1950 Müller, Ps. Constantin Silens), Wirtschaftspolitiker, Diplomat, * 8. 5. 1903 Schwientochlowitz (Oberschlesien), † 20. 12. 1963 Bern. (luth.)

V Karl Müller (1871–1934), Dr. med., prakt. Arzt u. Leiter d. Hüttenlazaretts in Sch.; M Anna Graaf (1879–1967); ∞ 1935 Adelhaid T d. Karl Justi (1873–1949), Prof., Pathologe in Marburg, Tropenmediziner, Heimatforscher, u. d. Maria Külz (1880–1960); 3 T; Gvv d. Ehefrau Ferdinand Justi (1837–1907), Orientalist (s. NDB X).

M. besuchte Gymnasien in Kattowitz, Naumburg/Saale und Königshütte. Er studierte Rechtswissenschaften in Gießen und Breslau, wo er das Staatsexamen (1926) und die Doktorprüfung (1927) ablegte. Danach war er Amtsgerichtsrat beim Berliner Kammergericht und trat 1931 als Referent in das Reichswirtschaftsministerium ein. 1940–42 bearbeitete er in der Handelspolitischen Abteilung des Auswärtigen Amts die Ungarn-Angelegenheiten. Zum Ministerialrat befördert, war M. seit 1942 beim Generalinspekteur für Wasser und Energie mit der Erdölwirtschaft und dem Ausbau der Wasserkraftwerke in Österreich befaßt. Nach einer Operation Anfang 1945 in Bern und monatelanger Rekonvaleszenz zog er sich bei Kriegsende nach Adelboden im Berner Oberland zurück; 1946–48 lebte er in Genf. 1946 erschien (damals unter d. Ps. „Constantin Silens") M.s vielbeachtetes Buch „Irrweg und Umkehr, Betrachtungen über das Schicksal Deutschlands" (wieder 1948). Auf der Suche nach Gründen für die Katastrophe Deutschlands schlug M. einen Bogen von Bismarcks Reichsgründung über den Imperialismus des wilhelminischen Deutschland bis zum Weltherrschaftsstreben Hitlers. Er forderte einen radikalen Neubeginn unter Besinnung auf das altpreuß. Erbe, wie es Ludwig v. Gerlach repräsentiert habe, auf einen christlichen Humanismus und die seit der Reichsgründung verschüttete Tradition des deutschen Föderalismus. Im Juli 1949 trat M. als Referatsleiter für Ost- und Südosteuropa bei der Verwaltung für Wirtschaft des Vereinigten Wirtschaftsgebiets in Frankfurt/Main ein und wurde 1950 ins Bundesministerium für Wirtschaft übernommen. Hier leitete er die Unterabteilung Handelspolitik mit dem Ausland und war besonders mit der Herstellung der vollen Konvertierbarkeit der Währungen innerhalb der Europ. Zahlungsunion befaßt. M. übernahm die Delegationsleitung bei den Wirtschaftsverhandlungen mit Österreich, den Niederlanden, Belgien und der Schweiz. 1952 war er Delegationsmitglied bei den Wiedergutmachungsverhandlungen mit Israel und der Conference on Jewish Material Claims in Wassenaar. Der handelspolitische Teil des Vertrags, der die Ausfuhr jährlicher Warenkontingente nach Israel regelte, war M.s Werk. Anschließend führte er auf deutscher Seite den Vorsitz der deutsch-israel. Kommission zur Durchführung des Vertrags.

Als im November 1953 – noch vor Aufnahme diplomatischer Beziehungen – eine Deutsche Wirtschaftsdelegation in Wien eingerichtet wurde, übernahm M. deren Leitung im Rang eines Gesandten. Mit Bundeskanzler Raab, mehr noch mit Außenminister Figl verband ihn ein Vertrauens- und Freundschaftsverhältnis. Es gelang ihm, eine atmosphärische, nach seiner Ernennung zum Botschafter am 21. 12. 1955 auch eine substantielle Verbesserung der deutsch-österr. Beziehungen herbeizuführen. Diese bedurften wegen der rechtlichen Folgen der Annexion Österreichs von 1938 und der im österr. Staatsvertrag 1955 getroffenen Regelungen über das deutsche Eigentum in Österreich einer grundlegenden Neuordnung. In jahrelangen Verhandlungen wurden Fragen des Staatsbürgerschaftsrechts (1956), des deutschen Reichs- und Privateigentums in Österreich (Vermögensvertrag 1957/58) und der Wiedergutmachung im deutsch-österr. Finanz- und Ausgleichsvertrag (Kreuznacher Abkommen 1961/62) geregelt, wobei die von den österr. Sozialisten 1959 unter Berufung auf das Anschlußverbot des Staatsvertrags geführte Kampagne gegen den Beitritt Österreichs zur EWG und die vom „linkskath." Flügel der Österr. Volkspartei, seit 1959 auch von Teilen der Sozialisten propagierte Abgrenzung einer „österr. Nation" von den deutschen den Erfolg von M.s Mission zeitweilig zu gefährden drohten. Der Politik von Außenminister Bruno Kreisky, die die Teilung Deutschlands festschreiben wollte und eine Lösung der deutschen Frage allenfalls im Rahmen eines West- und Osteuropa einigenden liberalen Sozialismus für möglich hielt, trat M. entgegen. Im Juni 1961 übernahm er die Leitung der deutschen Vertretung bei der OECD in Paris. – Gr. BVK mit Stern (1956).

Weitere W Die rechtl. Natur d. Zwangsversteigerung, Diss. Breslau 1927; Die devisenrechtl. Beschränkung d. Kapitalverkehrs, in: Bank-Archiv 34,

1935, S. 235–73; Grundriß d. Devisenbewirtschaftung, 1938, ²1939; Demokratie ohne Demokraten, in: Dt. Rdsch. 75, 1949, S. 686–95; Die Rolle d. OECD in d. Wirtsch.pol. d. freien Welt, 1963 (Vortrag); weitere Aufsätze im Wirtschaftsteil d. FAZ 1950–53.

L Irrweg u. Umkehr, in: Dt. Rdsch. 75, 1949, S. 280–85; W. Schulze, Dt. Gesch.wiss. nach 1945, 1989; M. Pape, in: Ostdt. Gedenktage 1993, 1992, S. 179–81 *(W, P);* ders., Die dt.-österr. Beziehungen zw. 1945 u. 1955, in: Hist.-pol. Mitt. 2, 1995, S. 149–72; N. Hansen, Eine peinl. Mission, Wien, 14. Mai 1955: Wider d. Enteignung dt. Vermögens durch d. österr. Staatsvertrag, ebd., S. 223–46.

Matthias Pape

Müller-Guttenbrunn (bis 1893 *Müller*), *Adam* (Ps. *Ignotus, Franz Josef Gerhold, Vetter Michl*), Schriftsteller, Volkstumspolitiker, * 22. 10. 1852 Guttenbrunn (Banat), † 5. 1. 1923 Wien. (kath.)

Die väterl. Vorfahren kamen 1729 aus d. Odenwald nach G. – V Adam Luckhaup (1833–1909), Landwirt in G.; M Eva Müller (1832–98); ∞ 1886 Adele, T d. k. k. Hptm. Peter Krusbersky u. d. Karoline N. N.; 3 S, 1 T, Herbert (1887–1945), Dr. phil., Schriftst., 1927–34 Hrsg. d. Zs. „Das Nebelhorn", Manfred (1889–1970), Reichsbeauftragter f. d. Umsiedlung d. Bessarabien- u. Wolhyniendeutschen, nach d. 2. Weltkrieg Landwirt in Stübing b. Graz, Roderich (1892–1956), Schriftst. (Ps. Dietrich Arndt, Roderich Meinhart), in d. 20er J. Hrsg. d. „Österr. Woche" (alle s. A. P. Petri, Biogr. Lex. d. Banater Deutschtums, 1992), Eva (1898–1945, ∞ Ferdinand Jank, † 1945, Oberst).

Als uneheliches Kind eines reichen Bauernsohnes, der seine besitzlose Braut nicht heiraten durfte, sollte M. das Gymnasium in Temeswar besuchen, blieb aber bald dem Unterricht fern, weil er nicht Madjarisch lernen wollte, das 1864/65 als Amts- und Unterrichtssprache eingeführt wurde. Nun sollte er Bader werden und wurde 1870 nach Wien geschickt, um die nötigen „chirurgischen Kurse" am „Josephinum" zu absolvieren. Da diese jedoch inzwischen eingestellt worden waren, besuchte er die Handelsschule und anschließend einen Lehrgang für Telegraphenbeamte. 1873 wurde M. Postbeamter in Linz, widmete sich jedoch – von O. Prechtler gefördert – nebenbei der Schriftstellerei. 1879 wurde in Linz sein erstes Schauspiel „Im Banne der Pflicht" aufgeführt. Von Heinrich Laube ermutigt, kehrte er im selben Jahr nach Wien zurück, wo er weiterhin im Telegraphenamt arbeitete, 1886 jedoch als Feuilletonist zur „Deutschen Zeitung" ging. Er gründete eine literarische Gesellschaft, die Flugschriften („Gegen den Strom") herausgab. 1893–96 war M. künstlerischer Direktor am Raimund-Theater, danach Theaterkritiker und Feuilletonist bei der Tageszeitung „Reichswehr". Er gehörte zu den Mitbegründern des Kaiserjubiläums-Stadttheaters (heute Volksoper), das er pachtete und seit 1898 leitete. Er bemühte sich um die Schaffung einer Volksbühne und eines Volksbildungsvereins sowie um die Pflege eines deutschnationalen Repertoires. Finanziell ruiniert, legte er 1903 das Amt des Theaterleiters nieder und widmete sich ganz seinen schriftstellerischen und politischen Interessen. Er gehörte zu den Begründern des Deutsch-Ungar. Kulturrates in Wien. 1919 wurde er als Abgeordneter der Großdeutschen Volkspartei in den österr. Nationalrat gewählt.

Eine große Anzahl von M.s Dramen und Prosawerken aus dem Wiener und Linzer Milieu (z. B. „Es war einmal ein Bischof", 1912) sind nur noch von kulturhistorischem Interesse, anders jene aus dem donauschwäb. Milieu. Die Novelle „Die Magyarin" (1896) weist ihn bereits als bedeutenden Heimatdichter aus, der sich ähnlich wie sein Förderer Peter Rosegger um eine „Gesundung" der deutschen Literatur aus heimatlichen Wurzeln bemühte. In der Handlung der Novelle (zwei Liebende, ein Wiener Offizier und ein ungar. Mädchen, gehen am übersteigerten Nationalismus zweier Völker zugrunde) verarbeitete M. eigene Erlebnisse. Als er nach 20 Jahren in seine Heimat zurückkehrte, war ihm diese durch die rigoros durchgeführte Madjarisierung fremd geworden. Die Intelligenz hatte sich weitgehend den neuen Verhältnissen angepaßt und ließ die Bauern in ihrem Kampf für das angestammte Brauchtum sowie die deutsche Sprache und Kultur im Stich („Götzendämmerung, Ein Kulturbild aus dem heutigen Ungarn", 1908). Diese Erfahrung ließ M. zum „Erzschwaben" werden, der sich in seinen Werken nunmehr bewußt für die Erhaltung deutschen Brauchtums im Banat einsetzte, um das Selbstbewußtsein seiner Landsleute zu stärken. Es entstanden die Anthologie „Schwaben im Osten" (1911), der Roman „Der große Schwabenzug" (1913), die Lenau gewidmete Roman-Trilogie „Sein Vaterhaus" (1919, ²1975), „Dämonische Jahre" (1920, ²1976) und „Auf der Höhe (1921). Der „Schwabenzug", der erste Band der Romantrilogie „Von Eugenius bis Josephus" (1913–17), handelt von der deutschen Auswanderung 1718–40 in das Banat, das „Grab der Deutschen", und der dortigen Aufbauleistung. Im Mittelpunkt der beiden weiteren Romane („Barmherziger Kaiser", 1916; „Joseph der Deutsche", 1917) steht das Bemühen

Kaiser Josephs II., der 1767 erstmals das Banat besuchte, die feudale Staats- und Gesellschaftsordnung aufzuheben und im Sinne der Aufklärung einen Staat zu schaffen, in dem religiöse Freiheit und Toleranz, soziale Gerechtigkeit und Menschlichkeit herrschen sollen. Das literarisch bedeutendste Werk M.s ist der stark autobiographische Roman „Meister Jakob und seine Kinder" (1918), „eine sachliche, von keiner irrationalen Bauern- und Naturschwärmerei getrübte Darstellung des dörflichen Lebens" (Ch. Cobert). – Die von Hans Weresch ins Leben gerufene Adam-Müller-Guttenbrunn-Gesellschaft in Freiburg (Breisgau) kümmert sich um die Pflege von M.s Werk. – Dr. phil. h. c. (Wien 1922).

Weitere W u. a. Der kleine Schwab, 1910; Die Glocken d. Heimat, 1910; Roman meines Lebens, hrsg. v. Roderich M.-G., 1927; Ges. Werke, hrsg. v. H. Weresch, 10 Bde., 1976–80.

L F. E. Gruber, M.-G., d. Erzschwab, 1921; ders., Das Lebenswerk M.-G.s, in: Dt. Rdsch. 193, 1922; H. Weresch, M.-G. u. seine Heimatromane, 1927; ders., M.-G.s Leben u. Schaffen, 2 Bde., 1975; L. Pfniß, M.-G., Mensch u. Werk, 1943; L. Rogl, Der Anteil M.-G.s am völk. Erwachen d. Donauschwabentums, 1943; A. Gerstner, M.-G.s Bemühungen als Theaterdir., Diss. Wien 1946 *(ungedr.)*; K. Köstner, Das Wesen d. dt. Bauern in d. Romanen M.-G.s, Diss. München 1948; A. Scherer, Einführung in d. Gesch. d. donauschwäb. Lit., 1960; ders., Kälber werden auch geschlachtet, wenn verlorene Söhne zu ihren Völkern heimkehren, Aus unbekannten Briefen M.-G.s, in: Südostdt. Vj.bll. 27, 1978; N. Britz, A. M.-G., Ein Lb. aus fremden u. d. Dichters eigenen Schrr., 1966; E. E. Berg, Socialcultural Elements in the Banat as Reflected in the Works of M.-G., Diss. Michigan State Univ. 1972; R. S. Gehr, M.-G. and the Aryan Theatre of Vienna 1898–1903, 1973; N. Berwanger, M.-G.s Werk im Bild, 1976 *(P)*; ders., M.-G. in d. Banater Presse d. Vorkriegszeit, in: Lenau-Forum 9 f., 1977 f.; St. Heinz-Kehrer, A. M.-G.s Fam., in: Banatica 9, 1992, H. 2, S. 5–10; Nagl-Zeidler-Castle IV, 1936; F. Klingler, in: Gr. Deutsche im Ausland, hrsg. v. H. J. Beyer u. O. Lohr, 1939, S. 308–16 *(P)*; G. v. Selle, in: Ostdt. Biogr., 1955; A. Schmidt, Dichtung u. Dichter aus Österreich im 19. u. 20. Jh. II, 1964; DBJ V; Biogr. Lex. z. Gesch. Südosteuropas III, 1979, S. 245; Kosch, Lit.-Lex., ³1986; ÖBL; KLL; A. P. Petri, Biogr. Lex. d. Banater Deutschtums, 1992 *(W, L)*.

P Ölgem. im Festsaal d. „Banatia" in Temeswar (seit 1944 vermißt); Büste im Haus d. Donauschwaben in Sindelfingen, in Reutlingen, Mosbach (Baden) u. Temeswar; Gedenkstein in Fürth (Odenwald).

Anton Scherer

Müller-Hermann (bis 1948 *Müller*), **Ernst,** Politiker, * 30. 9. 1915 Königsberg (Preußen), † 19. 7. 1994 Wallgau (Oberbayern). (ev.)

V Fritz Müller (1877–1954), Gynäkologe in K., *S* d. Domänenverw. Franz (1840–1935) u. d. Marie Zimmermann (1842–88); *M* Susanna (1881–1959), *T* d. Ludimar Hermann (1838–1914), Physiologe (s. NDB VIII), u. d. Fanny Cohn (1848–88) aus Hirschberg; ∞ Stade 1945 Ruth (* 1915), *T* d. Arthur Fien (1879–1944) u. d. Anna Barzel (1889–1975); 1 S, 2 T.

M. studierte nach dem Abitur 1932 in Königsberg Rechts- und Staatswissenschaften. Wegen nicht rein arischer Abstammung mußte er jedoch 1934 das Studium abbrechen. Erst 1963 konnte er sein volkswirtschaftliches Studium mit der Dissertation „Die Grundlagen der gemeinsamen Verkehrspolitik in der Europ. Wirtschaftsgemeinschaft" abschließen. 1934–38 absolvierte er bei einem Königsberger Speditions- und Schiffahrtsunternehmen eine kaufmännische Lehre, 1938 zog er nach Bremen um. Nebenberuflich schrieb er hier unter Pseudonym für Zeitungen. Nach dem Kriegsdienst 1940–45 arbeitete M. in Bremen als Dolmetscher bei den amerikan. Militärbehörden. 1946 schloß er sich der „Bremer Demokratischen Vokspartei" an und wurde deren 2. Geschäftsführer. Nach der Zulassung der Bremer CDU trat M. dieser in gleicher Funktion bei, war 1947–49 Landesgeschäftsführer, 1946 Mitgründer und 1. Vorsitzender der Jungen Union Bremen, 1946–52 Mitglied der Bremischen Bürgerschaft, 1950–52 Fraktionsvorsitzender, 1952–79 Mitglied des Bundestages, 1967–74 Landesvorsitzender, 1971–73 Mitglied des Bundesvorstands. M. reiste 1948 mit der ersten Parlamentariergruppe nach Großbritannien und wenig später in die USA. 1949–53 war er politischer Redakteur beim Weser-Kurier. Als Bundestagsabgeordneter widmete er sich zunächst der Außenpolitik; bereits bei seiner ersten Teilnahme an einer Sitzung äußerte er sich kritisch zur Westbindung. Seine Auffassungen legte er wenig später in einem vertraulichen Memorandum an Adenauer auch schriftlich dar. M.s Karriere war danach ernstlich in Gefahr. Heinrich Krone und andere verwandten sich für den jungen Abgeordneten, der jedoch weiterhin ein kritischer, unbequemer, visionärer Mahner blieb. Seit 1954 wandte sich M. der Verkehrspolitik zu. Er wurde Verkehrspolitischer Sprecher der CDU/CSU-Fraktion; 1957–59 war er stellvertretender Vorsitzender des Verkehrsausschusses, 1967–69 stellvertretender Fraktionsvorsitzender und 1969–76 Vorsitzender des Arbeitskreises für Wirtschaft und Ernährung.

Die Verkehrspolitik der Bundesrepublik hat M. maßgeblich beeinflußt. So wandte er sich

1954 energisch gegen die Pläne von Verkehrsminister Seebohm, den Ferntransport von Massengütern auf den Straßen zu verbieten, und empfahl steuerliche Maßnahmen. Später kämpfte er gegen den Leber-Plan, der vorsah, die Bundesbahn zu Lasten des Straßenverkehrs zu sanieren. Die Gegenvorschläge der CDU/CSU-Fraktion wurden seinerzeit im „Müller-Hermann-Plan" zusammengefaßt. 1976 veröffentlichte M. in seiner Schrift „DB-Sanierung – höchste Eisenbahn" nochmals sein verkehrspolitisches Konzept. Auch im Europaparlament (1958–64 und 1977–84) galt sein Hauptaugenmerk der Verkehrspolitik; zusätzlich war er Energiepolitischer Sprecher seiner Fraktion und einer ihrer wichtigsten Wirtschaftspolitiker. Nach seinem Ausscheiden aus der aktiven Politik war M. 1984/85 als EG-Berater des Bremer SPD-Senats tätig und nutzte jede Möglichkeit, sich für eine bessere Zukunft seiner Heimatstadt Königsberg einzusetzen. – Mitgründer u. Vors. d. Ges. z. Studium strukturpol. Fragen; 1971–84 Präs., dann Ehrenpräs. d. Zentralverbandes d. Kfz-Gewerbes; Mitgl. d. Rundfunkrates d. Deutschen Welle.

Weitere W u. a. Ordnung u. Wettbewerb, Grundlagen d. Verkehrspol., 1955; Bonn zw. d. Weltmächten, 1971; Pol. d. Bewährung im Wandel, 1985; Eines Menschen Weg u. Zeit, in: Abgeordnete d. Dt. Bundestages, Aufzeichnungen u. Erinnerungen, VI, 1989, S. 233–419. – *Nachlaß:* St. Augustin, Archiv f. Christl.-Demokrat. Pol. d. Konrad-Adenauer-Stiftung.

L W. J. Bell, Kennen Sie eigentlich den?, 1965; W. Henkels, Neue Bonner Köpfe, 1975, S. 250–52 *(P)*; E. Ludwig, in: Das Parlament v. 5. 8. 1994 *(P)*.

Christine Blumenberg-Lampe

Müller-Hess (bis 1882 *Müller*), *Eduard* (auch: *Edward*), Indologe, Anglist, Sprachwissenschaftler, * 14. 4. 1853 Berlin, † 9. 7. 1923 Bern.

V Eduard Müller, preuß. Hptm.; *M* Valérie Geigy aus Basel; ∞ 1882 Louise, *T* d. Schulinsp. Hess in Basel; 1 *S*, 1 *T*.

Nach Besuch des Wilhelms-Gymnasiums in Berlin studierte M. 1870–74 Indologie und vergleichende Sprachwissenschaft in Berlin, Heidelberg, Tübingen und Leipzig, wo er mit der von Ernst Kuhn angeregten Dissertation „Über den Dialect der Gāthās des Lalitavistara" 1874 zum Dr. phil. promoviert wurde. Danach ging M. zu indologischen, anglistischen und keltologischen Studien nach England. 1878–80 arbeitete er, Paul Goldschmidt nachfolgend, als Archaeological Surveyor auf Ceylon. 1881 habilitierte er sich in Bern und las bis 1883 Sanskrit und vergleichende Grammatik. 1883–86 wirkte er als Deutschlehrer an einem College in Cardiff. Seit 1886 wieder in Bern erhielt er 1887 die venia legendi auch für Englisch, wurde 1888 ao. Professor und ab 1897 Ordinarius für oriental. Sprachen und engl. Philologie (bis 1903 unbesoldet, Dekan 1909/10, Rektor 1915/16). Als erster Professor für Anglistik in Bern regte M. Dissertationen über engl. Dramatiker des 18./19. Jh. an (Th. Shadwell, N. Rowe u. a.). Neuland erschlossen seine mittelind. Studien: er veröffentlichte „Beiträge zur Grammatik des Jainaprâkrit" (1876) und edierte buddhist. Texte in der Pali Text Society (PTS): Dhammasaṅgaṇi (Aufzählung der psychischen Phänomene, 1885) und den zugehörigen Kommentar Atthasâlinî (1897); ferner aus Dhammapālas Kommentar Paramatthadīpani (Commentary on the Therīgāthā, V, 1893). Im Journal of the PTS (1883) gab er die zum Vinaya gehörende Khuddasikkhā und Mūlasikkhā heraus. In „Die Sage von Uppalavaṇṇā" (Archiv f. Religionswiss. III, 1900, S. 217–46) schlägt M. einen Bogen bis zu europ. Versionen dieser buddhist. Legende. – Mitgl. d. Dt. Morgenländ. Ges. u. d. Royal Asiatic Society.

Weitere W Two Irish Tales, in: Revue Celtique III, 1876/8, S. 342–60; Contributions to Siṃhalese Grammar, in: Indian Antiquary XI, 1882, S. 198 ff.; A simplified Grammar of the Pali Language, 1884. – Bttr. in Festschrr. f. R. v. Roth, 1893, A. Weber, 1896, E. Kuhn, 1916 u. A. Kägi, 1919. – *Unterss. z. singhales. Epigraphik in:* Indian Antiquary 1879 u. 1880; Journal of the Royal Asiatic Society 1880 u. 1883; Ancient Inscriptions in Ceylon, 2 Bde., 1883.

L Nekr. Bern 1923 *(P; Autobiogr.)*; Bund v. 12. 7. 1923 u. 27. 7. 1923; Basler Nachrr. v. 18. 7. 1923; R. Feller, Die Univ. Bern 1834–1934, 1935, S. 317, 366, 482, 606; Wi. 1914–22; Die Dozenten d. bern. Hochschule, 1984, S. 139 *(P)*; G. Haenicke u. Th. Finkenstaedt, Anglistenlex. 1825–1990, 1992. – Eigene Archivstud.: StA Bern.

Friedrich Wilhelm

Müller-Hillebrand, *Dietrich,* Elektrotechniker, * 17. 2. 1902 Dieuze (Lothringen), † 13. 6. 1964 Paris. (ev.)

V Herman John Eustace, Oberstlt.; *M* Jane Catherine Seliger; ∞ 1935 Astrid (* 1909), *T* d. Seekapitäns Olof Bengtsson u. d. Axelina Eskelund; 2 *T*.

Nach dem Besuch des Augustiner-Gymnasiums in Friedberg (Hessen) studierte M. an der TH Darmstadt Elektrotechnik bei W. Petersen, F. Punga, A. Sengel und K. Wirtz. 1925 trat er als Prüffeld- und Entwicklungsingenieur bei den Siemens-Schuckertwerken (SSW) in Berlin-Siemensstadt ein. Im dortigen Schaltwerk untersuchte er die Auswirkungen von Blitzentladungen auf Freileitungen und Schaltanlagen und entwickelte wirksame Schutzmechanismen, u. a. den Kathodenfall-Ableiter. Mit Hilfe des Klydonographen stellte er Präzisionsmessungen der Überspannungsvorgänge in Netzen an. 1930 promovierte M. an der TH Berlin bei A. Matthias und R. Rüdenberg mit einer Arbeit über die Einwirkung von Gewittern auf elektrische Leitungen. Wenig später wurde ihm bei den SSW die Leitung des Versuchsfeldes für Überspannungsschutzgeräte anvertraut. Nach der Ernennung zum Oberingenieur leitete er seit 1934 die Technische Abteilung des Schaltwerks, zu der die Konstruktionsbüros und Versuchsfelder gehörten. M. widmete sich in dieser Zeit besonders der Erforschung von Explosionsvorgängen und der Entwicklung explosions- und schlagwettergeschützter Geräte. Wichtige Beiträge lieferte er zum Verständnis der Eigenschaften von Leiterwerkstoffen sowie von Kontaktproblemen. Während des 2. Weltkriegs und in der unmittelbaren Nachkriegszeit sorgte M. mit hohem persönlichen Einsatz dafür, daß das Schaltwerk in Berlin-Siemensstadt und dessen Einrichtungen möglichst vor Schäden bewahrt wurden.

1946 übersiedelte M. nach Stockholm, wo er zunächst Fabrikleiter der Svenska Siemens AB wurde. Hier wirkte er sehr erfolgreich, bis ihn Anfang 1957 die Univ. Uppsala zum Nachfolger H. Norinders als o. Professor und Leiter des Instituts für Hochspannungsforschung berief. In Uppsala widmete sich M. insbesondere der Gewitterforschung, wobei er die Kenntnisse des elektrischen und magnetischen Feldes bei Blitzentladungen sowie allgemein der Physik des Gewitters wesentlich vertiefen konnte. Der Schutz von Personen und Gebäuden gegen Blitzeinwirkungen wurde durch seine Arbeiten erheblich verbessert.

Weitere W u. a. Überspannungsregistrierung mit d. Klydonographen, in: Siemens-Zs. 7, 1927, S. 547–51, 605–12; Neue Hilfsmittel für d. Bekämpfung v. Überspannungen – Klydonograph u. Kathodenfall-Ableiter, in: Siemens-Jb. 1930, S. 165–83 (mit O. Westermann); Über d. Einwirkung v. Gewittern auf Hochspannungsnetze, 1930; Die Einwirkung unmittelbarer Blitzentladungen auf Hochspannungsnetze u. ihre Bekämpfung, in: Elektrotechn. Zs. 52, 1931, S. 722–27, 758–63; Explosionsvorgänge als Grundlage f. d. Bemessung druckfester Kapselungen v. elektr. Geräten u. Motoren, ebd. 59, 1938, S. 1116–23; Direkte Blitzentladungen in d. Nähe v. Höchstspannungsstationen u. ihre Bekämpfung, in: VDE-Fachber. 6, 1931, S. 104–07; Grundlagen d. Errichtung elektr. Anlagen in explosionsgefährdeten Betrieben, 1940; Unterss. üb. d. im Blitzplasma umgesetzte elektr. Energie u. üb. d. übertragenen Impuls, 1955; Lightning Counter and Results Obtained in Sweden During the Thunderstorm Period 1958, in: Tellus 30, 1959, S. 217–33; Measurement of the Electric Field in Hazardous Atmospheres, in: Elteknik 4, 1961, S. 133–40 (mit Lampe); Experiments with Lightning Ground-Flash Counters, ebd. 7, 1964, S. 59–67; Zur Frage wirtsch. Probleme d. Blitzschutzes, in: Elektrotechnik u. Maschinenbau 79, 1962, S. 152 f.; Probleme d. Gewitterforschung u. d. Blitzschutzes, in: Elektrotechn. Zs. (B) 16, 1964, S. 9 f.

L P. Jacottet, in: Elektrotechn. Zs. (B) 16, 1964, S. 486 f. *(P);* A. Dintler u. L. Grönberg (Hrsg.), Uppsala Universitets Matrikel 1951–60, 1975, S. 413–15 *(W-Verz.).*

Lothar Schoen

Müller-Jabusch, *Maximilian,* Journalist und Schriftsteller, * 14. 12. 1889 Helmstedt, † 3. 1. 1961 Berlin. (ev.)

V Friedrich Müller, Justizobersekr.; *M* Elisabeth Jabusch; ∞ 1918 Erna († 1945, KZ Ravensbrück, kath.), *T* d. Fabrikbes. Georg Wolff; 1 S.

Nach Gymnasium und einer Lehre als Exportkaufmann machte sich bei M. früh eine journalistisch-literarische Neigung geltend. Schon der Student der Kunstgeschichte (in Halle, München und Berlin) übertrug einen altjapan. Roman nach engl. Vorlage ins Deutsche, redigierte eine Zeitschrift der Freien Studentenschaft und arbeitete gelegentlich für Zeitungen. 1914 holte ihn Ernst Wallenberg als Lokalredakteur zur „Vossischen Zeitung". 1915 wurde der Ungediente als Armierungssoldat eingezogen und kam als Schreiber zum Armee-Oberkommando 8 in Schaulen und Mitau. In Bibliotheken der Etappe entstand der „Thersites". Im Herbst 1918 redigierte M. die Korrespondenz „Balt.-Litauische Mitteilungen" in der von Friedrich Bertkau geführten Presseabteilung Ober-Ost in Kowno. Nach Berlin heimgekehrt, leitete M. 1919–22 das Pressereferat der Deutschen Liga für Völkerbund. Großes Aufsehen erregte er im Kampf gegen den Versailler Vertrag, als er die zunächst geheimgehaltenen Friedensbedingungen in Deutschland und im Ausland bekannt machte.

Nach einer Redakteurstätigkeit im Dammert-Verlag, einem renommierten Korrespondenzbüro, machte sich M. 1923–27 als Außenpolitiker und Leitartikler des „Berliner Tageblatts" einen Namen. Teils unter Pseudonym ließ er literarisch-kritische Arbeiten, u. a. als „Martin Bern" in Siegfried Jacobsohns „Weltbühne", erscheinen. Sein für publizistische Arbeit unentbehrliches Nachschlagewerk „Politischer Almanach" (1923, seit 1929 u. d. T. „Handbuch des öffentlichen Lebens") erlebte bis 1931 sechs Auflagen. Die Deutsche Welle strahlte 1927–33 monatlich seine „Weltpolitische Stunde" aus. 1927 berief ihn die Deutsche Bank zum Pressechef. Neben der Tagesarbeit verfaßte er Biographien von Bankiers (Oscar Schlitter, 1938; Franz Urbig, 1939, Neudr. 1954) und andere Werke zur Wirtschaftsgeschichte. 1940 als „jüdisch Versippter" entlassen, lebte M. als Privatgelehrter. Wie schon im 1. Weltkrieg entstanden nun kulturgeschichtliche Studien (Götzens Grober Gruß, 1941, 1956), ehe M. in ein Zwangsarbeitslager eingewiesen wurde. Auch soll M. für die Wochenzeitung „Das Reich", gedeckt vom Leiter des Wirtschaftsteils, John Brech, und vom Hauptschriftleiter Eugen Mündler, zahlreiche Unternehmerporträts verfaßt haben.

1945 machten ihn die Sowjets zum Chefredakteur der CDU-Zeitung „Thüringer Tageblatt" in Weimar. Bald wich M. den Repressionen der Besatzungsmacht. Im Oktober 1946 reiste er, angeblich vom CDU-Funktionär Georg Dertinger dazu bewogen, nach West-Berlin, wo die Amerikaner ihm und Hans Sonnenfeld umgehend die Lizenz für eine neuzugründende Zeitung erteilten. Bis zu seinem Lebensende blieb M. Herausgeber und Chefredakteur der Boulevardzeitung „Der Abend", wenngleich er sich in den letzten Jahren aufgrund von Krankheit und internen Querelen aus der Tagesarbeit stark zurückzog. Sein Wirken trug ihm Verleumdungen, bis hin zu Mordbezichtigungen aus dem Osten, ein. 50 Jahre lang hat M. Material für ein – ungedruckt gebliebenes – „Großes Kuriositätenkabinett der Weltliteratur" gesammelt. Vor allem daraus ließ er jährlich Privatdrucke erscheinen. – Mitgl. d. Schutzverbands dt. Schriftst. u. d. PEN-Clubs; Sprecher d. Berliner Pressekonferenz, Vors. d. Berliner Presseclubs; Ehrenmitgl. d. Berliner Presseverbands; Gr. Bundesverdienstkreuz (1954).

Weitere W u. a. Das Buch als Kampfmittel b. d. Friedensverhandlungen, 1920; 50 J. Dt.-Asiat. Bank 1890–1939, 1940; Federvieh – Erlebtes, Erzähltes, Erlesenes, 1955; Druckerschwärze u. Papier, 1956; So waren d. Gründerjahre, 1957; Der Gotthard, d. sehr merkwürdige Gesch. d. Berges, der e. Staat gebar, 1958; Schwindel, e. literar. Spaziergang, 1958; Tarnkappe, Maske, Schminke, e. literar. Spaziergang, 1959; Kunststücke, e. literar. Spaziergang, 1960; Lb. dt. Bankiers aus fünf Jh., 1963 (mit E. Achterberg). – *Übers.:* Murasaki Shikibu, Die Abenteuer d. Prinzen Genji, 1912 (aus d. Engl. mit e. Einl.). – *Hrsg.:* Thersites, d. Erinnerungen d. dt.-balt. Journalisten Garlieb Merkel 1796–1817, 1921.

L Industriekurier v. 16. 12. 1954; FAZ v. 14. 12. 1959; ebd. v. 9. 1. 1961; J. Leithäuser, Journalisten zw. zwei Welten, 1960; Der Tagesspiegel v. 7. 1. 1961 *(P)*; Dt. Rdsch., 2, 1961, S. 106 f.; A. Rosen, M. M.-J., Biogr. e. Berliner Journalisten, unter bes. Berücksichtigung seiner Tätigkeit als Lizenzträger, Mithrsg. u. Chefredakteur d. Berliner Ztg. „Der Abend", Mag.arb. München 1990 *(P);* Wi. 1922–51; Kosch, Lit.-Lex.[3]

Heinz Starkulla jr.

Müller-Lichtenberg (bis 1917 *Müller*), Julius *Hermann*, Sozialpolitiker, * 10. 2. 1868 Werdau (Sachsen), † 13. 11. 1932 Berlin. (ev., später konfessionslos)

V August Hermann Müller (1842–1918), Fabrikarbeiter, *S* d. Johann Christian († 1871) aus Freiberg, Tuchmacher, u. d. Johanne Friederike Müglitz (Michlitz) (1801–72); *M* Johanne Wilhelmine (* 1842), *T* d. Carl August Möckel (1813–45), Handarbeiter in W., u. d. Johanne Rosine Stelzner († 1874) aus Kleinbernsdorf.

M. erlernte die Lithographie und wurde früh Mitglied der zuständigen Berufsgewerkschaft, des Senefelderbundes, mit einem gut entwickelten System selbstverwalteter Unterstützungskassen. Mit 30 Jahren trat er in die Redaktion des „Bochumer Volksblattes" ein, das 1898 als Kopfblatt der sozialdemokratischen „Dortmunder Arbeiterzeitung" gegründet wurde. 1900 erreichte M. ein Ruf nach Bremen, wo er gleichberechtigt mit Friedrich Ebert als Arbeitersekretär wirkte. Mit dem späteren Reichspräsidenten verband ihn fortan eine tiefe Freundschaft durch alle politischen Wirren. M. zog 1905 nach Berlin, um im Zentralarbeitersekretariat der Generalkommission der Gewerkschaften Deutschlands zu arbeiten. Hier widmete er sich bis 1921 insbesondere Fragen der berufsgenossenschaftlichen Unfallversicherung und Rechtsstreitigkeiten vor dem Reichsversicherungsamt. Als Vorsitzender des Senefelderbundes (1907/08) bemühte sich M. mit großem Geschick um die Vereinigung mit dem jüngeren, konkurrierenden „Verband der Lithographen, Steindrucker und verwandten Berufe". Nach der Vereinigung 1908 blieb er bis 1917 stellvertretender Vorsitzender der modernen Einheitsorganisation und wurde gleichzeitig ihr Historiker.

1917 wurde M. zum Stadtrat in Berlin-Lichtenberg gewählt; 1917/18 gehörte er als

Mehrheitssozialdemokrat der Redaktion des „Vorwärts" an. 1919 wählte ihn der Potsdamer Wahlkreis in die Weimarer Nationalversammlung. Von Mai 1928 bis Juli 1932 gehörte er dem Deutschen Reichstag an. Nach Auslaufen der Tätigkeit für das Zentralarbeitersekretariat ging M. 1922 in die Redaktion des „Korrespondenzblattes" der Generalkommission, das weiter als „Gewerkschafts-Zeitung" bis 1933 erschien. Der Bundesvorstand des Allgemeinen Deutschen Gewerkschaftsbundes (ADGB) kooptierte ihn 1924 als stellvertretenden Bundesvorsitzenden unter Theodor Leipart. In dieser Funktion vertrat M. die deutschen Gewerkschaften vor dem Internationalen Arbeitsamt (IAA) in Genf. Leipart und M. bemühten sich im Laufe des Jahres 1932 um den hess. Innenminister Wilhelm Leuschner als Nachfolger für den kränkelnden M., der 1933 die Altersgrenze überschritten hätte. Pflichtbewußt reiste er noch Anfang November 1932 zu einer Tagung des Verwaltungsrates des IAA in Madrid; kurz nach seiner Rückkehr starb er an einem Herzschlag.

M. zählte nicht zu den großen Rednern, wohl aber zu den führenden Sozialpolitikern und Historikern der deutschen Gewerkschaftsbewegung. Auf den Bundeskongressen während der Weimarer Republik hielt er richtungsweisende Referate bis hin zur Konzeption der Arbeitslosenversicherung und der Vereinheitlichung der sozialen Sicherungssysteme. Seine quellenkritische Gründungsgeschichte der freien deutschen Gewerkschaften blieb 50 Jahre lang unübertroffen.

W Die Rechtsprechung in Unfallrenten-Streitsachen, 1909; Die Unfallversicherung in d. Reichsversicherungsordnung, 1912 (mit R. Wissell); Die Organisation d. Lithographen, Steindrucker u. verwandten Berufe, 1917; Karl Marx u. d. Gewerkschaften, 1918; Kommentar z. Reichsversorgungsgesetz, 1920; Gesch. d. dt. Gewerkschaften bis z. J. 1878, 1921.

L Gewerkschafts-Ztg. v. 19. 11. 1932, S. 737–39; P. Umbreit, in: Internat. Hdwb. d. Gewerkschaftswesens II, 1932, S. 1133; Schumacher.

Gerhard Beier

Müller-Lyer, *Franz Carl* (eigtl. *Franz Xaver Hermann Müller*), Psychologe, Soziologe, * 5. 2. 1857 Baden-Baden, † 29. 10. 1916 München.

V Hermann Müller (1821–80), Dr. med., Arzt am städt. Krankenhaus in B., S d. Franz Carl († 1839), bad. Obervogt in Rastatt, seit 1832 Stadtdir. in Karlsruhe, u. d. Karoline Frey; M Bertha Luise († 1877), T d. Gastwirts Franz Maier u. d. Maria Katzenberger; ∞ 1909 Betty (* 1879), Schriftst., T d. Hermann Seefels, Hotelier, 1875–88 Bgm. in B., u. d. Marie Wather; kinderlos.

Nach dem Besuch des Gymnasiums in Rastatt und dem Militärdienst in Straßburg begann M. dort 1876 das Studium der Medizin, das er in Bonn und Leipzig fortsetzte und 1880 mit der Dissertation „Über psychische Erkrankungen bei akuten fieberhaften Krankheiten" abschloß. 1881 erhielt er eine Stelle als Assistenzarzt an der Universitätsklinik in Straßburg bei Friedrich Jolly. Während dieser Zeit forschte er auf den Gebieten der Psychophysik und der experimentellen Psychologie. 1883 arbeitete er am Laboratorium des Physiologen Emil Du Bois-Reymond in Berlin. Nach einem kurzen Aufenthalt in London wechselte er 1884 nach Paris an die Klinik des Nervenarztes Jean Martin Charcot und an das Laboratorium des Physiologen Etienne Jules Marey. 1887 ließ er sich in Dresden als praktischer Arzt nieder, siedelte aber 1888 nach München über.

Eine der bekanntesten Figuren zur Erzeugung einer geometrisch-optischen Täuschung wurde 1889 von M. publiziert. Diese verlangt den Vergleich zweier gleicher Strecken, von denen die eine durch ein einwärts gekehrtes Winkelpaar, die andere durch ein Paar nach außen offener Winkel begrenzt wird. Der unmittelbare Eindruck in der Wahrnehmung ergibt eine ungleiche Größeneinschätzung beider Strecken: Die durch einwärts gekehrte Winkel begrenzte Strecke wirkt kürzer. M. folgte bei seiner Erklärung der Täuschung dem Ganzheitsprinzip. Da die Figur mit den Auswärtswinkeln als ganze mehr Raum ausfüllt, wird auch ihren Teilen mehr Ausdehnung zugeschrieben als den Bestandteilen der raumsparenden Figur mit den Einwärtswinkeln. Daß der Gesamteindruck auf die Wahrnehmung der Teile abfärbt, ist in der Wahrnehmungstheorie als Hinweis auf die Eigendynamik der Wahrnehmung gewertet worden. Die „Müller-Lyersche Täuschung" bildet die Grundlage zahlreicher wahrnehmungspsychologischer Forschungen und wurde etwa von B. J. Fellows und O. Thorm (1973) weiterentwickelt. Der Psychologe Jean Piaget versuchte nachzuweisen, daß der Täuschungsbetrag mit dem Alter der Versuchspersonen abnimmt.

Ende der 80er Jahre wandte sich M. der Soziologie zu und entwickelte unter dem Einfluß der Philosophen Auguste Comte und Herbert Spencer eine evolutionistische Kulturlehre. M. orientierte sich dabei streng an naturwissenschaftlichen Forschungsmethoden. Jede wissenschaftliche Forschung ist nach M. nur auf der Grundlage naturgesetzlicher Erklärungen möglich und muß immer positive Wissenschaft sein. Er vertrat damit ein monistisches Forschungskonzept, das auch die geisteswissenschaftliche Forschung einschloß und sie an naturgesetzliche Erklärungsmethoden band. Entsprechend gründete M. seine Kulturtheorie auf einer Synthese von biologischen bzw. darwinistischen Prinzipien und soziologischen Parametern, die er der Theorie von Marx entnahm. Sie stellt eine Phasenlehre dar, die die jeweiligen Gebiete soziologischer Forschung in Abschnitte zerlegt, deren Vergleich Analogien zeigt. Diese Analogien verweisen auf Richtungslinien des Kulturfortschritts. So können nach M. die grundlegenden Gesetze der Kulturentwicklung der Menschheit induktiv gewonnen und bewußt gemacht werden. Sie sind damit einer Veränderung im Sinne einer Kulturbeherrschung verfügbar. Als deren Ziel bestimmte M. den Sozialismus, den er im Unterschied zu Marx nicht als Produkt von Revolutionen, sondern als reales Ziel der gesellschaftlichen Evolution bestimmte. M. lehnte den Kommunismus ab und stellte in seiner Gesellschaftstheorie einen Sozialindividualismus vor, den er in der Entwicklung der Familie bereits vorgezeichnet sah. Gegenüber der traditionellen Form der Ehe, die das Individuum einenge, hob er die Notwendigkeit der freien Ehe hervor, die er als ein Verhältnis zwischen gleichen und selbständigen Partnern mit gleichen politischen und sozialen Rechten charakterisierte. Nur eine Gesellschaft, die sozialindividualistisch eingerichtet ist, befriedigt nach M. das Streben des Menschen nach Glückseligkeit und Vollkommenheit. Er bezeichnet den Willen zur Verwirklichung dieses Ziels als Prinzip der Euphorie. M. war 1911 Mitbegründer des Euphoristenordens. 1915 wurde er zum Vorsitzenden des 1906 gegründeten Deutschen Monistenbundes (DMB) gewählt.

W Opt. Urteilstäuschungen, 1889; Physiolog. Stud. üb. Psychophysik, 1886; Vereinfachte Harmonik, auf Grundlage e. natürl. Harmoniesystems, 1894; Die Entwicklungsstufen d. Menschheit, I–VII: I. Der Sinn d. Lebens u. d. Wiss., 1910; II. Phasen d. Kultur u. Richtlinien d. Fortschritts, 1908; III. Formen d. Ehe, d. Fam. u. d. Verwandtschaft, 1911; IV. Die Fam., 1912; V. Phasen d. Liebe, 1913; VI. Zähmung d. Nornen, T. 1., Die Soziol. d. Zuchtwahl u. d. Bevölkerungsgesetz; VII, T. 2, Die Soziol. d. Erziehung, 1923; Soziol. d. Leiden, 1914. – *Nachlaß:* Bayer. Staatsbibl., München.

L R. Eisler, F. M.-L. als Soziologe u. Kulturphilosoph, 1923; J. Köhler, Die M.-L.schen Anschauungen im Lichte d. modernen Darwinismus, Diss. Gießen 1924; Dem Andenken an M.-L., 1926 *(zahlr. Bttr., P)*; R. Riemann, M.-L., d. Soziologe u. d. Monist, 1927; B. J. Fellows u. O. Thorm, A Test of Piaget's Explanation of the M.-L.-Illusion, in: British Journal of Psychology 64, 1973, S. 83–90; S. Curth, Soziol. als Progr. soz. Reform, Evolutionstheorie u. demokrat. Aktion, 1986 *(P)*; DBJ I, Tl.; Ziegenfuß; BLÄ, Nachträge II; Kosch, Lit.-Lex.[3]

Andrea Esser

Müller-Marein, *Josef (Jupp,* Ps. *Jan Molitor),* Journalist, Schriftsteller, * 12. 9. 1907 Marienheide (Bergisches Land), † 17. 10. 1981 Thimory b. Lorris (Loiret, Frankreich). (kath.)

V N. N.; *M* N. N.; ∞ 1) N. N., 2) Hamburg 1950 Alexandra v. Kuenheim (* 1921), Wwe d. Georg v. Arnim (1913–45, ✕), Rittmeister d. Res., *T* d. Alexander (1882–1956), auf Spanden, Major d. Res., u. d. Yvonne Gfn. v. Dönhoff (1901–n. 1988); 1 *S* aus 1) Götz (* 1938), Werbeleiter, 2 *K* aus 2).

M. wuchs in Köln auf und studierte dort, in Frankfurt/Main und Berlin. Nach eigenem Bekunden erlernte er dabei „neben Musik- und Theaterwissenschaft, neben einem Wenigen an Literatur und Psychologie die Ausübung von Musik". Seit 1932 arbeitete er als Musikkritiker und Reporter für Zeitungen der Verlage Ullstein und Scherl, zunächst für die „Vossische Zeitung", seit 1934 für den „Berliner Lokal-Anzeiger". Beiträge von M. erschienen aber auch im „Völkischen Beobachter". Im 2. Weltkrieg war er Luftwaffen-Offizier und wurde als „Kriegsberichter" eingesetzt; 1941 erschien sein Buch „Hölle über Frankreich" mit schwülstigen und linientreuen Schilderungen aus dem Feldzug von 1940.

1945 wirkte M. für kurze Zeit als Kapellmeister an einer brit. Soldatenbühne in Lübeck. Alsbald folgte er jedoch dem Ruf in die Redaktion der „Zeit" in Hamburg, um, wie der Verleger Gerd Bucerius überliefert, „dieser ins Böse verirrten Nation wieder auf den rechten Weg zu helfen". Als zunächst einziger professioneller Journalist an der unter brit. Lizenz im Februar 1946 erstmals erschienenen „Zeit" brillierte er, unter dem Pseudonym Jan Molitor, mit Reportagen, die das ganze Elend der Nachkriegszeit einfingen. Eine dieser Reportagen soll der letzte Anstoß zur Absetzung des den Briten kritisch gegenüberstehenden Chefredakteurs der „Zeit", Ernst Samhaber, im August 1946 gewesen sein; so jedenfalls bezeugt es Richard Tüngel, der Samhaber nachfolgte, während M. Tüngels Platz als Feuilletonchef des Blattes einnahm.

1956 wurde M. von Tüngel entlassen, weil er gegen dessen zunchmcnd „reaktionären" Kurs in der Zeitung opponiert hatte. Bucerius griff ein; in der Folge ging Tüngel, und M. trat 1957 seine Nachfolge an. Als er 1968 seinen Posten an Marion Gfn. Dönhoff übergab, war die „Zeit" zur bedeutendsten, liberal geprägten deutschen Wochenzeitung geworden. Die „Ära M." war gekennzeichnet durch eine Abkehr von Adenauer und Hinwendung zu einer neuen, sozialliberalen Ostpolitik (Meyn). Die Auflage des Blattes steigerte sich in dieser Periode auf über 300 000, so daß es auch wirtschaftlich erfolgreich wurde. Bücher von M., die in jenen Jahren erschienen, entstanden aus der journalistischen Arbeit, so die Reportagensammlung „Deutschland im Jahre 1" (1960, ²1968) und die Glossen-Anthologie „In der ZEIT-Lupe belichtet" (1964). – Auch außerhalb der gedruckten Massenmedien trat M. hervor: Er war Mitarbeiter an dem Film „Die Ruhr – Kraftquell Europas". Für den NDR-Hörfunk interviewte er berühmte Musiker („Das musikalische Selbstporträt", 1963, mit H. Reinhardt). 1957–61 moderierte er 12 Folgen einer Frühform des Fernsehmagazins „Panorama"; hier führte er in einem Interview mit Franz-Josef Strauß 1957 die „optische Fernbefragung" ein.

Seiner Redaktionspflichten ledig, zog sich M. nach Frankreich zurück, um zu schreiben. Es entstanden Bücher wie „Deutschland, deine Westfalen" (1972, 1976) und „25mal Frankreich" (1977, 1985, mit C. Krahmer). 1969 wurde M. zum Aufsichtsratsvorsitzenden des Rowohlt-Verlags bestellt. Der „Zeit" blieb er als Autor verbunden; er half auch 1970 bei der Einrichtung des „Zeit-Magazin". Galt er mehrheitlich und vor allem in Kollegenkreisen als Inbegriff liberalen Journalistentums, so stellte ihn Kritik von rechts als Prototyp eines gewendeten Nationalsozialisten dar, der seine Zeitung zur Schädigung des Rufs konservativer Gegner mißbrauche. – Alexander-Zinn-Preis d. Hamburger Senats (1966).

Weitere W u. a. Panzer stoßen z. Meer, 1940; Cavalcade 1946, ²1947; dass. 1947, ²1948; Sie sahen Beethoven u. hörten ihn, 1953; Die Bürger u. ihr General, 1959; Luftbild Berlin, 1961; Die Entenprozeß, e. Groteske, 1963, ²1969; Tagebuch aus d. Westen, 1963; Jahr u. Jahrgang 1907, 1967 (mit H. Mommsen u. W. Weyrauch); Schlösser an d. Loire, 1967, 1980 (mit H. Domke); Wer zweimal in d. Tüte bläst, 1967, ²1969; Europa, 1969; Südfrankreich, 1979, ²1985 (mit A. Pletsch). – *Autobiogr. Btrr.:* Die Ablösung, in: Die Zeit v. 31. 5. 1968; Über d. Siebzigjährigkeit heute, ebd. v. 9. 9. 1977. – *Hrsg.:* Das aktuelle Thema, 1960 ff. (mit Th. Sommer).

L K. Ziesel, Der rote Rufmord, 1961; ders., Die Meinungsmacher, 1988 *(P);* Gegen d. Willen des Chefs, in: Die Zeit v. 8. 9. 1967 *(P);* H.-G. Deiters, Fenster z. Welt, 1973; P. C. Hall, Zeitkritik als Ressort, in: Fernsehsendungen u. ihre Formen, hrsg. v. H. Kreuzer u. K. Prümm, 1979, S. 305–28; H. Meyn, Liberaler Kaufmannsgeist?, „Die Zeit", in: Porträts d. dt. Presse, hrsg. v. M. W. Thomas, 1980, S. 275, 291; G. Bucerius, Immer mehr gehalten als versprochen, in: Die Zeit v. 23. 10. 1981 *(P);* Kürschner, Lit.-Kal. 1952–81; Wi. 1955–71; Gorzny. – Eigene Archivstud. (Redaktionsarchiv d. „Zeit", Hamburg).

Heinz Starkulla jr.

Müller-Meiningen (bis 1898 *Müller*), *Ernst*, liberaler Politiker, * 11. 8. 1866 Mühlhof b. Schwabach (Mittelfranken), † 1. 6. 1944 München. (ev.)

V Friedrich Justus Müller (1830–93) aus Brunnau, Volksschullehrer in Gleißenberg, Mühlhof u. Nürnberg, *S* d. Christian (1803–77), Lehrer in Feuerbach Kr. Scheinfeld, u. d. Christiane Hofmann (* 1800) aus Mainstockheim; *M* Pauline (1837–1917), *T* d. Andreas Maximilian Barthel (1804–83) aus Fürth, Konditor in Hildburghausen, u. d. Lisette Westhäuser (1806–76); *B* Max Müller (1862–1919), Prof. f. Ägyptol. in Philadelphia (Pennsylvania, USA) (s. Wi. 1914; Dict. Am. Biogr.; Who was who in Egyptology, ³1995); – Frankfurt/Main ∞ 1903 Frida (1879–1941), *T* d. Heinrich Steinhard (1847–93) aus Hildburghausen, Amtsger.rat u. Landrichter in Meiningen, u. d. Isabella Michaelis (1856–1930) aus Eisfeld; 2 *S*, 1 *T*, u. a. Ernst (* 1908), Dr. iur., Journalist (s. Kosch, Biogr. Staatshdb.); *E* Johanna (* 1937), Dr. phil., Kunsthist. am Stadtmus. München.

Nach dem Abitur am Melanchthon-Gymnasium in Nürnberg 1886 und einem Freiwilligen-Jahr beim bayer. 1. Infanterieregiment begann M. in München ein Jura-Studium, das er 1892 in Erlangen mit der Promotion abschloß. Drei Jahre später trat er als staatsanwaltlicher Hilfsarbeiter in den Staatsdienst ein. 1896 wurde er Staatsanwalt in Schweinfurt, 1898 Amtsrichter in Fürth, 1903 Landgerichtsrat, 1906 Oberlandesgerichtsrat in Aschaffenburg und 1911 in München. Seit 1920 am bayer. Obersten Landesgericht, wurde er 1928 zum Senatspräsidenten ernannt.

Bereits durch das Elternhaus im linksliberalen Sinne politisiert, wurde M. 1898 von der lokalen Organisation der Freisinnigen Volkspartei eine Reichstags-Kandidatur in Sachsen-Meiningen angeboten, wo er den dortigen I. Wahlkreis auf Anhieb gewann und bis 1918 behauptete. M., Spezialist für Urheberrecht, war im Reichstag zunächst Sprecher seiner Fraktion in Verfassungs- und Kulturfragen. Sein eigentlicher Aufstieg begann, als er nach dem Tod von Eugen Richter 1906 Mitglied des Fraktionsvorstandes wurde. In den Jahren vor dem 1. Weltkrieg verfolgte er vor allem zwei Ziele: Als Anhänger der „Weltpolitik" strebte er eine außenpolitische Neuorientierung seiner bis dahin antikolonialistisch eingestellten Partei an. Außerdem trat er für den Zusammenschluß aller liberalen Gruppierungen in einer großen Partei ein. Im Zusammenwirken mit Friedrich Naumann hatte er bis 1914 sowohl in Bayern Erfolg, wo er seit 1905 im Landtag saß und wo es zu einer parlamentarischen Zusammenarbeit von Links- und Nationalliberalen kam, als auch im Reich, wo sich die drei linksliberalen Parteien 1910 unter seiner Führung zur Fortschrittlichen Volkspartei zusammenschlossen. Das „Doppelbild M.s als eines nationalpatriotischen Linksliberalen" (Reimann) zeigte sich besonders deutlich während des Weltkriegs: Einerseits war M. von der Kriegsschuld der Entente, insbesondere Englands, zutiefst überzeugt und befürwortete im Interesse größerer Sicherheit umfangreiche Grenzkorrekturen. Andererseits kritisierte er den Militarismus und die faktische Militärdiktatur in Deutschland, trat für innenpolitische Reformen und Demokratisierung ein und unterstützte phasenweise die auf einen Verständigungsfrieden zielende Politik der Reichstagsmehrheit von Zentrum, Sozialdemokratie und Linksliberalen.

Nach der Revolution von 1918 trat M. trotz Bedenken der linksliberalen DDP bei. Sein politisches Wirken beschränkte sich nun, da er nicht mehr für den Reichstag aufgestellt wurde, auf Bayern, wo er die DDP 1919–24 im Landtag vertrat. Als scharfer Gegner der USPD und Befürworter eines militärischen Vorgehens gegen die Räterepublik wurde M. in der Koalitionsregierung Hoffmann im Mai 1919 Justizminister. Seine Hauptaufgabe sah er in der juristischen Bewältigung der Wirren im Zuge von Revolution und Räterepublik. Auf seine Initiative hin wurden im August 1919 mit Sondervollmachten versehene „Volksgerichte" eingesetzt, die die Verfolgung von politischen Straftätern erheblich beschleunigten. Dabei wurde M. jedoch, beispielsweise im Fall des Eisner-Attentäters Arco-Valley, eine zu große Nachsichtigkeit gegenüber den Rechtsextremen vorgeworfen. Zwar konnte er sein Amt in der seit März 1920 amtierenden ersten Regierung Kahr zunächst behalten und sogar zum stellvertretenden Ministerpräsidenten aufsteigen, mußte aber nach der Niederlage der DDP bei der bayer. Landtagswahl im Juli 1920 zurücktreten. Seitdem konzentrierte sich M. vornehmlich auf die Publizistik, wo er immer schärfer den „Pazifismus" und die „Verzichtspolitik" nach außen und die „unbedingte Parteiherrschaft und politische Parteiwirtschaft" in der Innenpolitik kritisierte und davon die eigene Partei nicht ausnahm. Der Bruch mit dieser kam bei der Reichspräsidentenwahl 1925, als M. entgegen der Parteilinie für Hindenburg als eine „verfassungstreue Persönlichkeit, die über dem Parteienstreit steht", warb und die DDP verließ. Obwohl von der DVP umworben, blieb er parteilos. Nach einem Schlaganfall Ende 1930 lebte M., der als Senatspräsident des Bayer. Obersten Landesgerichts 1934 offiziell in den Ruhestand versetzt wurde, weitgehend zurückgezogen in München.

M. war zwar stark von Eugen Richter und dessen Auffassung des Liberalismus als einer bürgerlichen Honoratioren-Partei beeinflußt, teilte aber keineswegs dessen Zweifel an der Wilhelminischen „Weltpolitik". Einziger Bayer bei den überwiegend norddeutschen Freisinnigen, vertrat er zunächst zentralistische Positionen, setzte sich aber nach 1918 innen- wie außenpolitisch für eine Sonderrolle Bayerns ein. Aus dem innenpolitischen Reformer und Kritiker des Wilhelminismus wurde, als sich die von ihm als Ideal angesehene „demokratisch-parlamentarische Monarchie" im Herbst 1918 nur als kurzes Übergangsstadium erwies, ein ebenso vehementer Kritiker der neuen, „durch die bitterste Not aufgezwungenen Staatsform".

W Hat d. Staat d. Recht, d. Standesherren z. Einkommensteuer heranzuziehen?, Diss. Erlangen 1892; Kommentar d. Gesetzes z. Bekämpfung d. Unlauteren Wettbewerbs, ⁴1903; Kommentar z. Urheber- u. Verlagsrecht, 2 Bde., 1906; Kommentar z. Reichsvereinsgesetz, 1908; Belg. Eindrücke u. Ausblicke, 1916; Diplomatie u. Weltkrieg, 2 Bde., 1917; Der Weltkrieg u. d. Zusammenbruch d. Völkerrechts, 2 Bde., ⁴1917; Aus Bayerns schwersten Tagen, 1924; Parlamentarismus – Betrachtungen, Lehren u. Erinnerungen aus dt. Parlamenten, 1926; Bolschewismus, Faschismus od. Freistaat, Krit. Glossen z. pol. Bilanz d. 2. Reiches, 1931.

L H. Ostfeld, Die Haltung d. Reichstagsfraktion d. Fortschrittl. Volkspartei zu d. Annexions- u. Friedensfragen in d. J. 1914–1918, 1934; J. Reimann, E. M. sen. u. d. Linksliberalismus in seiner Zeit, 1968 *(P)*; ders., Der pol. Liberalismus in d. Krise d. Rev., in: Bayern im Umbruch, hrsg. v. K. Bosl, 1969, S. 165–99; W. Benz, Süddtld. in d. Weimarer Republik, 1970; W. Stephan, Aufstieg u. Verfall d. Linksliberalismus 1918–1933, 1973; J. C. Heß, „Das ganze Dtld. soll es sein", Demokrat. Nationalismus in d. Weimarer Republik am Beispiel d. Dt. Demokrat. Partei, 1978; L. Elm, Fortschrittl. Volkspartei 1910–1918, in: Lex. z. Parteiengesch. 1789–1945, II, 1984, S. 599–609; W. Zorn, Bayerns Gesch. im 20. Jh., 1986; W. Ribhegge, Frieden f. Europa, Die Pol. d.

dt. Reichstagsmehrheit 1917–18, 1988; E. Wörfel, Liberalismus in d. thür. Staaten im Kaiserreich, in: L. Gall u. D. Langewiesche (Hrsg.), Liberalismus u. Region, 1995, S. 217–52; Amtl. Reichstagshdb., 11. Legislaturperiode, 1903; Kürschners Dt. Reichstag, Biogr.-Statist. Hdb. 1912–1917, 1917 *(P)*.

Jürgen Frölich

Müller-Pack, *Johann Jakob,* Fabrikant, * 12. 4. 1825 Basel, † 31. 3. 1899 ebenda. (ev.)

V Johann Jakob Müller (1800–68), Bäcker, Bürger v. Basel; *M* Susanna Katharina Jäcklin (1801–41); ∞ 1847 Margaretha Louise (1823–1907), *T* d. Spezerei-, Käse- u. Branntweinhändlers Isaak Pack (1788–1856) u. d. Anna Maria Burckhardt (1787–1848); 6 *S,* 4 *T* (2 *S,* 1 *T* früh †).

M. absolvierte eine kaufmännische Lehre im Kolonial- und Farbwarengeschäft von Ulrich Heusler in Basel. Dieses wurde 1856 mit dem Unternehmen von Johann Rudolf Geigy zur Firma J. R. Geigy & U. Heusler fusioniert, deren Prokurist M. wurde. Im Sommer 1860 übernahm er die Geigy gehörende Extraktfabrik und produzierte dort Farben aus Farbholzextrakten. Schon Ende 1859 – noch unter Geigy – hatte M. als Autodidakt erste Versuche mit Anilinfarben gemacht, deren Herstellung 1856 von dem Engländer Perkin entdeckt worden war. M. und seine Chemiker produzierten in erster Linie Anilinrot (Fuchsin), -blau oder -violett, indem sie das Steinkohlenderivat Anilin mit Arsensäure erhitzten. Diese Methode war gegenüber anderen die ergiebigste, aber auch die gefährlichste, weil die entstehenden Abwässer stark arsenikhaltig waren. M. vergrößerte die Produktion, 1862 bezog er eine zweite Fabrik. Nach Klagen aus der Bevölkerung über verschmutztes Wasser im Kleinbasler Gewerbekanal verboten die Sanitätsbehörden M. die Anilinfarbenherstellung in der alten, im Siedlungsgebiet liegenden Fabrik; in der neuen, etwas außerhalb der Stadt gelegenen Fabrik durfte er die Abwässer nicht in den Kanal, sondern mußte sie direkt in den Rhein leiten. Noch während M. mit den Behörden verhandelte, erkrankte im Mai 1864 eine Familie in der Nachbarschaft der alten Fabrik. Es stellte sich heraus, daß das gesamte Erdreich und damit das in den Sodbrunnen der Umgebung gefaßte Grundwasser mit Arsenik vergiftet war. Im darauffolgenden Prozeß wurde M. 1865 schuldig gesprochen und zu Buße, Entschädigung und Rentenzahlung an die (teilweise für immer) Geschädigten verurteilt. Dies war das Ende für seine Firma. Geigy übernahm die beiden Fabriken, die den Kern des späteren Geigy-Konzerns (heute CIBA-Geigy) bildeten.

M.s Verdienste um die chemische Industrie in Basel waren groß. Zwar hatte der Färbereibesitzer Alexander Clavel einige Monate vor M. begonnen, für den Eigengebrauch Anilinfarben zu produzieren. Doch es war M., der die Anilinfarbenproduktion als eigenen Produktionszweig etablierte und diese ersten Produkte der Basler chemischen Industrie international bekannt machte. Auf der Londoner Weltausstellung 1862 stellte er als einziger Vertreter der schweizer. Farbstoffindustrie aus und erhielt für seine Farben die Auszeichnung „splendid" sowie lobende Erwähnungen in der Fachpresse. M. war ein Pionier in einer neuen Technologie, als sich die traditionsreichen Handelsgeschäfte wie Heusler & Geigy scheuten, neben dem Farbholzgeschäft in die neue, noch unsichere Branche der synthetischen Farben zu investieren. Nach seiner Verurteilung bemühte sich M. erfolglos, seine Patente in Paris zu verwerten. Daraufhin versuchte er – wieder in Basel – ein neues Geschäft aufzubauen, doch geriet er im März 1868 in Konkurs. 1875–81 war er Eigentümer einer Fabrik, die Nähseide produzierte, 1880–89 besaß er eine Firma für „technische Artikel". Als Vertreter der Freisinnigen war er 1864/65 und 1875–78 Mitglied des Großen Rats des Kantons Basel-Stadt.

L National-Ztg. (Basel) v. 2. 4. 1899; P. Koelner, Aus d. Frühzeit d. chem. Industrie Basels, 1937, S. 68–96, 111–33 *(P)*; A. Bürgin, Gesch. d. Geigy-Unternehmens v. 1758 bis 1939, Ein Btr. z. Basler Unternehmer- u. Wirtsch.gesch., 1958, S. 104–17 *(P)*; Martin Meier, Industrielle Umweltverschmutzung am Beispiel d. frühen Basler Anilinfarbenindustrie (1859–1873), 1988 (Ms., Bibl. d. Sozialarchivs Zürich); ders., „Man gewöhne sich mit d. Zeit daran", in: R. Locher u. M. Brauchbar (Hrsg.), Risiko zw. Chance u. Gefahr, 1992 *(P)*; Schweizer Lex.

Martin Meier

Müller-Partenkirchen, *Fritz* (eigtl. *Friedrich Müller,* Ps. *Fritz Zürcher*), Schriftsteller, * 24. 2. 1875 München, † 4. 2. 1942 Hundham b. Fischbachau (Oberbayern). (ev.)

V Fritz Müller († um 1880/81) aus d. Rheinpfalz, Spediteur in M., *S* e. Lehrers; *M* Maria Schmitzberger; ∞ 1) v. 1924 (∞) Alwine (Wally) N. N., 2) Hundham 1932 Anna (* 1888), Handelsschullehrerin, *T* d. Martin Kiening (* 1862), Gastwirt in Amperpettenbach b. Haimhausen (Oberbayern), u. d. Theres Lamprecht (* 1867); 2 *S,* Fritz (1903–55), Bildhauer, Hans (* 1907), Kaufm. u. Fremdsprachenkorrespondent, 2 *T,* u. a. Elisabeth (∗ 1900), Lehrerin.

Nach dem frühen Tod des Vaters, dem Einjährigenexamen an der Städtischen Höheren Handelsschule in München und einer kaufmännischen Lehre (1892–95) wurde M. Buchhalter, Auslandskorrespondent und Sekretär einer Münchener Großhandelsfirma, dann Geschäftsführer einer Immobiliengesellschaft in Partenkirchen, wo er auch an der Realschule unterrichtete. Anschließend war er Lehrer und Direktor der Höheren Handelsschule in Dortmund. 1908–12 hielt sich M. in Sumatra, Borneo, Nordamerika und Bolivien auf. Einige Semester studierte er Jura und Volkswirtschaft in Zürich und unternahm 1923/24 Vortragsreisen durch die Schweiz. Seit 1913 lebte er als freier Schriftsteller.

Nach dem ersten Erfolg mit „Kramer & Friemann, Eine Lehrzeit" (1920, 1921 schon im 200. Tausend), einer „Geschichte meiner eigenen Jugend", erzielte M. weiter mit Erzählungen und Romanen aus „Schule, Kontor und Werkstatt" hohe Auflagen. Sein Ziel war die parabelartige Vorführung von Problemen, die der einzelne durch Fleiß, Anstand, Ordnungsliebe, Ehrlichkeit, Gerechtigkeit, Humor, Versöhnlichkeit und Familiensinn – auch in der patriarchalisch gelenkten Fabrik („Die Firma", 1935) oder Plantage („In Sumatra und anderswo", 1937) – zu lösen vermag. Unehrlichkeit und profitorientierte Rationalisierung sind die in antiamerikan. Absicht vorgestellten Unwerte. Der Patriotismus, den M. während des 1. Weltkrieges hegte, wandelte sich in ein pragmatisches, auf eine neue deutsche Weltgeltung gerichtetes Nationalbewußtsein („Dreizehn Aktien", 1921), das jedoch die Anerkennung, ja Verklärung auch außerhalb Deutschlands zu erlebender Tugenden wie Treue, Opferbereitschaft, Natur- und Tierliebe einschloß. Es entwickelte sich angesichts der durch den Versailler Vertrag geschaffenen Situation Deutschlands. Mit der Biographie Friedrich Hessings (1922), des Wegbereiters der Orthopädie, bewies M. die Fähigkeit zur Bearbeitung eines historischen Stoffes.

M.s Volkstümlichkeit war in seinen teils autobiographischen, teils zeitgebundenen und populären Motiven und Stoffen und in seiner Anpassung an den Zeitgeschmack begründet. Der NS-Ideologie entgegenkommend, wandte er sich nach 1933 erneut der Berg- und Bauerngeschichte zu. Hier wird der Bauer, ähnlich wie in seinen exotischen Geschichten der Un- oder Halbzivilisierte, zum Gegenspieler des Städters und ist aus Naturverbundenheit heraus klüger, lebenstüchtiger und menschlicher als dieser. Stilistisch schließt M. an den späten bürgerlichen Realismus an. Er reiht typische, sich steigernde Szenen, die er häufig nur aus dem Dialog aufbaut und durch eine Pointe abschließt. So gelangen ihm prägnante, psychologisch differenzierte Kurzgeschichten. Seine Autobiographie „Begegnungen mit dir und mir" (1937) ist ein aufschlußreiches Zeitzeugnis. Den Expressionismus bespöttelte er, geriet aber zuletzt selbst in einen diesem nachempfundenen, altertümelnden Erzählstil („Die Hochzeit von Oberammergau", 1937).

Weitere W Sei vergnügt, 1976 (Erzz., Auswahl); Der Gamsbart, Meine schönsten Bauerngeschichten, 1981. – *Teilnachlaß:* Sulzbach-Rosenberg, Lit.archiv.

L Wi. 1935; Kosch, Lit.-Lex.[3] *(W-Verz.);* Der Lit.brockhaus, hrsg. v. W. Habicht u. W.-D. Lange, II, 1988; Killy.

P Phot. in: Kramer & Friedmann, 1920; Dreizehn Aktien, 1921.

Bernhard Gajek

Müller-Salzburg, *Leopold,* Felsmechaniker, ∗ 9. 1. 1908 Salzburg, † 1. 8. 1988 ebenda. (kath., später Christengemeinschaft)

V Dr. Eugen Müller, Germanist, Gymnasialprof. in S., Komp. u. Dirigent e. Laienorchesters; *M* N. N.; *Verwandter* Gerd Müller, Leiter d. Hochbauamtes im Magistrat in S.

Nach dem Bauingenieurstudium an der TH Wien 1926–32 und der Promotion in Geologie 1933 sammelte M. zunächst 16 Jahre lang als Bauleiter Erfahrungen beim Bau von Straßen (u. a. Großglockner-Hochalpenstraße), Tunnels und Wasserkraftwerken; u. a. war er 1946–48 Oberbauleiter am Kraftwerk Kaprun. Ein erster Versuch 1946, das Bauen in und mit Fels aus der mehr beschreibenden Geologie in eine praktische Ingenieurgeologie und Felsmechanik weiterzuentwickeln, stieß bei den Vertretern der klassischen Mechanik, u. a. an der TH München, auf Skepsis. Daher gründete M. zusammen mit 15 Geologen, Geophysikern, Berg- und Bauingenieuren 1951 den „Salzburger Kreis" der Geomechanik. Daraus entwickelte sich die Österr. Gesellschaft für Geomechanik und 1962 die International Society for Rock Mechanics, deren erster Präsident M. wurde. Als Ingenieurkonsulent für Geologie und Bauwesen mit einem 1948 gegründeten Ingenieurbüro war M. als Entwurfsverfasser und Berater für Talsperren, Tunnel- und Kraftwerksbauten international tätig.

Seit 1960 führte M. Forschungsarbeiten in einer eigenen Versuchsanstalt für Felsmechanik in Salzburg durch. 1965–76 leitete er mit einer Sonderprofessur die Abteilung Felsmechanik an der Univ. Karlsruhe. Er konnte dabei seinen integrativen Forschungsansatz zum besseren Verstehen des Verhaltens von Fels auf vier Wegen umsetzen: über das Laborexperiment an Prüfkörpern, über den Modellversuch mit äquivalenten Materialien, über in-situ-Messungen im Gebirge und mit Hilfe von Modellrechnungen. Zunächst war M. von der Mathematisierbarkeit von Naturbeschreibungen fasziniert, doch schwand im Laufe der Jahre sein Zutrauen in die Berechenbarkeit von Gebirgsstrukturen. Er trat daher für einen stärker induktiven Weg zu wissenschaftlichen Erkenntnissen ein, der den beobachtbaren Tatsachen Vorrang vor theoretischen Interpretationen einräumte. Damit stellte sich M. auf die Seite der angewandten Gebirgsmechanik und kritisierte rein theoretische Ansätze. Er betonte die Bedeutung des sinnlich Wahrnehmbaren im Sinne Goethes und knüpfte an das ganzheitliche Denken von Paracelsus an, wonach allenthalben Makro- und Mikrokosmos ineinanderwirken. M. war Gründungsmitglied der Internationalen Paracelsus-Gesellschaft und hat manche Beiträge zu Paracelsus und dessen Ansichten über die Gesteine und Gewässer der Erde verfaßt. – Baurat h. c. (1963); Dr. mont. h. c. (Leoben 1965); Rock Mechanics Award (1971); Wissenschaftspreis d. Stadt Salzburg (1977); Carl-Friedrich-Gauß-Medaille d. Braunschweig. Wiss. Ges. (1983); Ehrenbürger v. Salzburg (1985).

W u. a. Der Felsbau, Bd. 1: Theoret. T., Felsbau üb. Tage, T. 1, 1963, Bd. 2: Felsbau üb. Tage, T. 2, Gründungen, Wasserkraftanlagen, 1992, Bd. 3: Tunnelbau, 1978; Geomechanik, Wege u. Entwicklungen e. jungen Wissenschaft, in: Berg- u. Hüttenmänn. Mhh. 110, 1965, S. 148–56; Baugeol. d. Festgesteine – Felsbaumechanik, in: Grundbautaschenbuch I, 1971, S. 1–54. – Zahlr. Patente.

L FS L. M.-S. z. 65. Geb.tag, 1974; H. Duddeck, Laudatio auf L. M., in: Felsbau 1, 1983, S. 92–95 *(P)*.

Heinz Duddeck

Müller-Schlösser, *Hans* (eigtl. *Johann Müller*), Schriftsteller, Schauspieler und Theaterleiter, * 14. 6. 1884 Düsseldorf, † 21. 3. 1956 ebenda. (kath.)

V Johann M., Seemann; *M* Gertrud Schlösser, *T* e. Bauern; ∞ 1) Düsseldorf 1910 Hedwig Pretzlik (od. Pritzlitz) (* 1885) aus Stockum Kr. Beckum, 2) Düsseldorf 1922 Maria Adolphs (1891–1966) aus Ratingen, Lehrerin, *T* e. Fabr.; 1 *S*, 2 *T* aus 1), 1 *S*, 1 *T* aus 2), Heiter (* 1924), Graphiker, Werbefachmann, Frigge (* 1923, ∞ 1] Erwin Laaths, 1903–73, Literarhist., 2] Wilhelm de Beyer, 1929–94, Volkswirt).

Nach dem Schulbesuch bis zum Einjährigen, einer bald abgebrochenen Drogistenlehre und neunmonatiger Beschäftigung als Hilfskraft im Rathaus wurde M. Lokalreporter und Schauspieler. 1945–48 leitete er das „Kleine Theater an der Flingerstraße", das der Währungsreform zum Opfer fiel. Für Düsseldorf war M. ein Original, dessen Witz auch in Eigensinn umschlagen konnte, wie sich bei der Namengebung des Sohnes Heiter zeigte, die er mit dem Hinweis auf den zugelassenen Namen „Ernst" mit juristischer Hilfe durchsetzte. Dank seiner Sympathie für die „kleinen Leute" lebt sein Andenken in Düsseldorf fort. M. bildete den integer-bissigen Gegenpol zur sprichwörtlich gewordenen neureich-eleganten Oberflächlichkeit der niederrhein. Metropole.

Als Schöpfer der Bühnenfigur „Schneider Wibbel" (Komödie in 5 Bildern, 1913) hatte M. weit über Düsseldorf und das Rheinland hinaus Erfolg. Der Ruhm dieser literarischen Gestalt aus der napoleon. Zeit, die in Heines Schneider Kilian aus „Ideen, Das Buch Le Grand" ihren Vorgänger hat, jedoch der Übertragung einer Berliner Anekdote ins Rheinische zu verdanken ist, stellte allerdings M.s übrige Schriften in den Schatten. Die mehrfache Bearbeitung und Fortsetzung des Stoffes („Wibbels Auferstehung", 1926; als Roman „Schneider Wibbels Tod und Auferstehung", 1938; Neuaufl. u. d. T. „Schneider Wibbel", 1954) hat gewiß zu einer Identifikation von Autor und Figur beigetragen. Unter den übrigen, dem Lokalen und dem Dialekt verpflichteten Werken ist der Schelmenroman über seinen Vater „Jan Krebsereuter, Seine Taten, Fahrten und Meinungen" (1919) hervorzuheben. M. war ein überzeugter und überzeugender Heimatschriftsteller. Er wollte gegenüber den Lebensbedingungen im Industriezeitalter die humanen Traditionen seiner Heimat geltend machen. Insofern ist er mit seinem Düsseldorfer Jugendfreund Heinrich Spoerl verwandt. – Seit 1912 arbeitete M. an einem „Düsseldorfer Wörterbuch", das 1952 unter dem Titel „Wie der Düsseldorfer denkt und spricht" erschien. Diese philologische Beschäftigung weist ihn als einen wichtigen Feldforscher der niederrhein. Mundart aus.

Weitere W u. a. Das schöne, alte Düsseldorf, Ges. Aufsätze, 2 Bde., 1911 f.; Et feine Gebräu u. andere Verdichtungen in Düsseldorfer Mundart, 1912; Von alten Häusern u. kleinen Leuten, 1917; Hopsa,

d. Floh, Seine Lebensgesch., von ihm selbst erzählt, 1922; Bergerstraße 9, Kleine Geschichten, 1928; Die Stadt an d. Düssel, 1937; Gerhard Janssen fährt nach Köln, 1954; Tinte u. Schminke, 1956; Von Blömkes e Kränzke, Gedichte, 1957. – *Nachlaßslgg.:* Archiv d. Heimatver. „Düsseldorfer Jonges"; Dumont-Lindemann-Archiv / Theatermus., Düsseldorf; Heinrich-Heine-Inst., Düsseldorf.

L Das Tor, Juni 1954 *(P);* F. Wiesenberger, „Der ‚Wibbel' fraß alle meine anderen Kinder", in: Düsseldorfer Hh. 11, 1984, S. 10 f. *(P);* Th. Lücker, in: Der Gießerjunge, Zs. d. Freundeskreises „Düsseldorfer Buch '75 e. V.", 2, 1991; W. Meiszies, in: B. Kortländer (Hrsg.), Regionen d. Lit., Autorinnen u. Autoren d. 1. Hälfte d. 20. Jh. aus d. Gebiet d. heutigen Nordrhein-Westfalen, 1995 *(P);* Kosch, Lit.-Lex.³; Killy.

Joseph A. Kruse

Müller-Thurgau (eigtl. *Müller*), **Hermann,** Botaniker, * 21. 10. 1850 Tägerwilen Kt. Thurgau, † 18. 1. 1927 Wädenswil Kt. Zürich. (ref.)

V Johannes Ulrich (1828–1908), Bäckermeister u. Rebbauer in T.; M Marie Egloff (1830–1907); ∞ 1881 Bertha Biengen (1862–1957), T e. Weinhändlers in Oestrich (Rheingau); 3 T; E Robert Fritzsche, Prof., Dir. d. Eidgenöss. Forschungsanstalt f. Obst-, Wein- u. Gartenbau in W. (s. *L*).

M. besuchte seit 1861 die Sekundarschule in Emmishofen und anschließend das Lehrerseminar in Kreuzlingen. 1869 wurde er Lehrer an der Städtischen Realschule in Stein am Rhein. Zur Weiterbildung ging er 1870 an das Polytechnikum (heute ETH) in Zürich, das er 1872 mit dem Diplom eines Fachlehrers für Naturwissenschaften verließ. Nach kurzer Tätigkeit am Lehrerseminar in Kreuzlingen in den Fächern Naturwissenschaften, Mathematik und Turnen studierte er seit 1873 an der Univ. Würzburg bei dem bekannten Pflanzenphysiologen Julius Sachs. Nach der Promotion zum Dr. rer. nat. mit einer Arbeit über „Die Sporenkeime und Zweigvorkeime der Laubmoose" war er 1874–76 Assistent bei Sachs am Pflanzenphysiologischen Institut. 1876 wurde er zum Leiter der neuerrichteten Pflanzenphysiologischen Versuchsstation und Lehrer für Botanik an der Preuß. Lehr- und Versuchsanstalt für Obst-, Wein- und Gartenbau in Geisenheim (heute Forschungsanstalt Geisenheim) und 1888 zum Professor ernannt. Hier konnte er seine Liebe zur Botanik und Landwirtschaft mit den wissenschaftlichen Erkenntnissen der Pflanzenphysiologie in einer neuartigen Arbeitsrichtung, der angewandten Botanik, vereinen. Seine grundlegenden Untersuchungen über die Physiologie der Weinreben und Obstgehölze, über die Gärungsphysiologie und sein erfolgreiches Wirken als Lehrer führten zur Berufung zum ersten Direktor der 1890 gegründeten Deutsch-Schweizer. Versuchsstation und Schule für Obst-, Wein- und Gartenbau Wädenswil (heute Eidgenöss. Forschungsanstalt für Obst-, Wein- und Gartenbau). Nach 34jährigem Direktorat, während dessen er sich große Verdienste um den Aufbau der wissenschaftlichen Forschung und die wirtschaftliche Gesundung und Stärkung des Obst- und Weinbaus in der Schweiz erwarb, trat er 1924 in den Ruhestand.

Untersuchungen des Stoffwechsels stärkehaltiger Pflanzen führten M. zur Erforschung von Bildung, Transport und Ablagerung der Assimilationsprodukte bei Reben und deren Abhängigkeit von der Anzahl der Blätter. Außerdem wies er die Bedeutung der Assimilationsprodukte für Befruchtung, Verrieseln, Beerenbildung und -reife nach. Seine gärungsphysiologischen Arbeiten befaßten sich in erster Linie mit dem Einfluß der Temperatur auf den Ablauf der Gärung, die Anwendung und Züchtung von Reinhefekulturen und die bakteriologischen Grundlagen des Säureabbaus. Mit der wissenschaftlichen Bearbeitung einer gärungsfreien Obst- und Traubenverwertung schuf er die Grundlagen für eine neue Sparte der industriellen Nutzung landwirtschaftlicher Produkte. Auch phytopathologischen Problemen widmete sich M. erfolgreich mit der Untersuchung der Biologie der Schaderreger der Reben, Obst- und Zierpflanzen. Sein Name bleibt mit der nach ihm benannten Rebensorte verbunden, die er in Geisenheim aus einer Kreuzung der Sorten Riesling und Silvaner züchtete und die später in Wädenswil zu einer erfolgreichen Sorte selektiert wurde, die heute die meistverbreitete Rebsorte im deutschen Weinbau ist. – Ehrenmitgl. d. Dt. Weinbauver. (1890); Dr. h. c. (Bern 1920).

W u. a. Welches sind d. Resultate wiss. Forschung üb. d. Vorgang d. Reifens d. Trauben, in: Ann. d. Önol. 6, 1877, S. 615–17; Über d. Gefrieren u. Erfrieren d. Pflanzen, in: Thiels landwirtsch. Jbb. 9, 1880, S. 133–89; Über d. Einfluß d. Temperatur auf d. Gärung d. Mostes, in: Verhh. d. Dt. Weinbaukongresses, 1882, S. 117–24; Die Herstellung alkoholfreier Obst- u. Traubenweine, 1896; Der Rote Brenner d. Weinstockes, in: Zbl. f. Bakteriol., 2. Abt., 10, 1903; Infektion d. Weinrebe durch Plasmopara viticola (Peronospora), ebd. 29, 1911; Die Bakterien im Wein u. Obstwein u. d. dadurch verursachten Veränderungen, ebd. 36, 1913 (mit A. Osterwalder); Züchtung besserer Rebsorten, in: Landwirtsch. Jb. d. Schweiz 1915, S. 608 (mit F. Kobel); Konservierter Traubensaft als Ersatz v. Wein, in: Schweizer.

Zs. f. Obst- u. Weinbau inkl. Verwertung, 1895, S. 155; insgesamt ca. 500 wiss. Arbeiten (vollst. Slg. in d. Bibl. d. Forschungsanstalt Wädenswil).

L R. Fritzsche, H. M.-T., in: Schweizer Pioniere d. Wirtsch. u. Technik 29, 1974, S. 9–64 *(W, L, P);* Ostschweizer Erfinder u. Pioniere, Ausst.kat. St. Gallen 1988, S. 54–59 *(P);* Biogr. Lex. verstorbener Schweizer II, 1948; Schweizer Lex. *(P).*

Günter Staudt

Müller-Uri (bis 1872 *Müller), Ludwig,* Glasaugenfabrikant, * 4. 9. 1811 Lauscha (Thüringer Wald), † 7. 11. 1888 ebenda.

Die Fam. betrieb seit 1607 in Schmalenbuche b. Neuhaus (Rennsteig) e. Glashütte. – *V* Johann Andreas M. (1770–1849), Glasmacher in Schmalenbuche, seit 1807 in L., *S* d. Johann Nickel (1729–1803), Glasmeister u. Schultheiß zu Schmalenbuche, u. d. Anna Elisabeth Greiner (1734–1804); *M* Christina Rosina Maria (1778–1848), *T* d. Johann Simon Greiner (1752–1800), Glasmacher in L., u. d. Margaretha Barbara Müller (1754–1813); *B* Friedrich (1809–79), Glasmacher, dann Metzgermeister, Schultheiß v. L., 1854–74 MdL v. Sachsen-Meiningen; – ∞ Lauscha 1842 Ida Eleonore (1810–85), *T* d. Johann Christian Simon Karl Greiner (1783–1851), Glasmacher u. -schleifer in L., u. d. Johanna Christiane Rosine Greiner (1783–1862) aus L.; *2 S* Reinhold (1845–1900), Albin (1847–1941), beide Glasaugenfabr. in L., später in Coburg, Leipzig u. Berlin; *E* Werner (1884–1914), Otto, Ludwig, Dorothea Albine (* 1896), alle Glasaugenfabr.; *N* Friedrich Adolf (1838–79), Glasaugenfabr. in L., verlegte seine 1860 gegr. Werkstatt 1875 nach Wiesbaden, wo sie unter d. Fa. „F. Ad. Müller Söhne" noch heute besteht (s. Nassau. Biogr.); *Gr-N* Friedrich Adolf (1862–1939), Dr. med. h. c., Albert Carl (1864–1923), beide Hersteller v. Glasaugen u. Kontaktschalen in Wiesbaden.

M. arbeitete nach dem Besuch der Dorfschule ein Jahr lang als Glasmacher in der 1829 gegründeten Tafelglashütte Marienthal nahe Lauscha. Danach stellte er in der väterlichen Werkstatt gläserne Tier- und Puppenaugen her. Anfang der 30er Jahre fragte der Würzburger Arzt Prof. Adelmann an, ob man nicht einen besonders geschickten Lauschaer Glasbläser dazu anleiten könne, künstliche Menschenaugen von einer Art und Qualität anzufertigen, wie man sie damals nur zu enormen Preisen aus Paris beziehen konnte. M. erklärte sich zu einem Versuch bereit und konnte tatsächlich bald ausgezeichnete Musterstücke vorweisen. Bereits 1835 brachte er unter seinem Namen mit selbstentwickelter Technik aus heimischem Glas hergestellte Augenprothesen auf den Markt. 1844 und 1845 erhielt er für seine anatomisch richtig geformten, dem natürlichen Glanz des menschlichen Auges erstaunlich nahekommenden Glasaugen Auszeichnungen auf Gewerbe- und Industrieaustellungen in Berlin und München. Bei seiner Arbeit wurde M. von seinem Schwiegervater, einem erfahrenen Glasschmelzer und -schleifer, unterstützt. In der Annahme, das von franz. Glasaugenmachern verwendete Rohglas eigne sich besser als das aus der Lauschaer Dorfglashütte bezogene, unter Zusatz von Knochenasche (Calciumphosphat) als Trübungsmittel hergestellte sog. Beinglas, reiste M. Ende 1849 nach Paris, wo ihm ein Geschäftsfreund eine Werkstatt zur Verfügung stellte. Allerdings stellte er hier fest, daß sich das von seinem franz. Hauptkonkurrenten Boisseneau verwendete Glas wegen seiner Bleihaltigkeit noch weniger für Kunstaugen eignete als das Lauschaer Beinglas, da die durch das Tragen der Prothese hervorgerufene Tränenabsonderung die Augapfelhaut schwärzlich färbte und rauh machte. Er lernte jedoch einen von dem Pariser Glasaugenmacher Noël angewandten Kunstgriff. Während er selbst bisher die Schmelzfarben auf die Iris aufgemalt und dann eingebrannt hatte, benutzte Noël gedrehte Stäbchen aus verschiedenfarbigem Drahtglas. Anfang 1850 kehrte M. nach Lauscha zurück, um sich wieder ganz dem in der Zwischenzeit von seinem älteren Bruder Friedrich geleiteten Geschäft zu widmen. Dessen Sohn Friedrich Adolf wurde in den folgenden Jahren sein wichtigster Mitarbeiter.

M.s künstliche Augen, die seit 1868 aus Fluornatrium- und Kryolithglas gefertigt wurden, standen schon bald den franz. nicht mehr nach, wurden in viele Länder exportiert und auf internationalen Industrie- und Gewerbeausstellungen (Wien 1873, Philadelphia 1876, Sydney 1880, Melbourne 1881) ausgezeichnet. Nach M.s Tod übernahm 1888 sein Sohn Reinhold das Unternehmen, dessen Sitz 1893 nach Coburg, nach der Jahrhundertwende unter der Leitung des jüngeren Sohnes Albin nach Leipzig und 1912 nach Berlin verlegt wurde. Nach dem 2. Weltkrieg bestand auch eine Filiale in Zürich. Eine weitere selbständige Firma für künstliche Augen errichtete M.s Neffe Friedrich Adolf 1875 in Wiesbaden, wo sie von dessen Nachkommen noch heute betrieben wird. – Goldene Verdienstmedaille d. Sachsen-Ernestin. Hausordens (1887).

L E. Tiedt, Die Glasindustrie, in: FS z. 300j. Jubiläum v. Lauscha u. seiner Glasindustrie, 1897, S. 41 f.; H. Kühnert, UB z. thür. Glashüttengesch., 1934, S. 320; F. Müller-Uri, 100 J. dt. Kunstaugen aus Glas, in: Lauschaer Ztg. v. 2. 8. 1935; W.

Huschke, Forschungen üb. d. Herkunft d. thür. Unternehmerschicht d. 19. Jh., 1962, S. 34; FS z. Verleihung d. Stadtrechts, hrsg. v. d. Stadt Lauscha, 1957, S. 23 f. *(P)*. – *Zu Friedrich Adolf († 1879):* H. Müller-Werth, in: 100 J. Augenheilanstalt Wiesbaden, 1956, S. 34 f. – *Zu Friedrich Adolf († 1939):* Opt. Rdsch. 1925, S. 687; Orpho 1932, S. 190; Dt. opt. Wschr. 1925, S. 634; A. Staehelin, Professoren d. Univ. Basel aus 5 Jhh., 1960, S. 256 *(P)*.

Herbert Kühnert †

Müller-Wiener, *Wolfgang,* Bauhistoriker, ✱ 17. 5. 1923 Friedrichswerth (Kr. Gotha), † 25. 3. 1991 Istanbul. (ev.)

V Heinrich (Heinz) (seit 1922 Müller-Wiener) (1894–1967) aus Michelstadt (Odenwald), Dr. phil., Oberreg.rat, Saatzuchtleiter in Hildesheim, S d. Heinrich Müller (1868–1934) aus Bingenheim, Lehrer in Gießen, u. d. Sophie Merker (1872–1943) aus Michelstadt; M Elisabeth (1898–1945), T d. Karl Wiener (1863–1928), Landger.dir. in Gießen, u. d. Clara Heß (1865–1939); ⚭ 1951 Elfriede (* 1924) aus Darmstadt, Dipl.-Ing., Architektin, T d. Heinrich Kettner (1895–1980), Baudir. in Kiel, u. d. Dora Fritsch (* 1898) aus Kiel; 1 S, 3 T.

M. erlernte nach Schule und Militärdienst (Marine) das Zimmererhandwerk und studierte 1948–51 Architektur an der TH Karlsruhe, wo sein Interesse für die Baugeschichte durch Karl Wulzinger, Theodor Wiegands Mitarbeiter in Baalbek und Damaskus, und durch Arnold Tschira geweckt wurde. 1954 promovierte er über die „Entwicklung des Industriebaus in Baden". Nach einem einjährigen Reisestipendium des Deutschen Archäologischen Instituts (DAI) trat er 1956 eine Stelle in der Abteilung Istanbul des DAI an und begann mit der Arbeit an drei Themen, die ihn sein Leben lang beschäftigten: die historische Topographie der Stadt Istanbul, die Burgen im östlichen Mittelmeerraum („Burgen der Kreuzritter im Hl. Land, auf Zypern und in der Ägäis", 1966) und die Baugeschichte des antiken Milet, wo er von Istanbul aus erst als Grabungsarchitekt und 1974–88 als Grabungsleiter tätig war. 1962–67 war M. 2. Direktor der Abteilung Kairo des DAI und leitete die Grabungen von Abu Mina. 1965 an der TH Karlsruhe mit einer Arbeit über „Burgen in Ionien" (Istanbuler Mitt. 11, 1961, S. 5–122 u. 12, 1962, S. 59–114) habilitiert, wurde er 1967 zum o. Professor für Baugeschichte an die TH Darmstadt berufen. In seiner Lehrtätigkeit war er stets bestrebt, historische Architektur nicht isoliert, sondern in ihren kulturellen und sozialen Bezügen darzustellen. 1976, nach der Wahl zum 1. Direktor der Abteilung Istanbul des DAI, setzte er seine topographischen Studien fort („Bildlexikon zur Topographie Istanbuls", 1977) und wandte sich der frühen Industrialisierung der Stadt und dem Seewesen zu („Die Häfen von Byzantion, Konstantinupolis, Istanbul", 1994). In der Milet-Grabung untersuchte er drei hellenist. Tempel und Heroa sowie die frühchristl. Bauten (Antike Welt 19, 1988, S. 31–42). Seine Katalogbeiträge zur Ausstellung „Türk. Kunst und Kultur in osman. Zeit" (1985) über den Hof des Sultans sowie über städtisches Leben und Architektur sind beispielhaft für seine zugleich historische und formale Betrachtungsweise. 1976–88 lehrte M. an der Univ.Istanbul und setzte damit die Tradition des DAI Istanbul in der wissenschaftlichen Zusammenarbeit mit türk. Kollegen fort.

M.s Interesse an der historischen Architektur galt nicht allein den Bauformen, sondern auch dem Bau als Zeugnis der Geschichte und im Zusammenhang mit seiner örtlichen Umgebung, seiner städtebaulichen und gesellschaftlichen Einbindung. Beispiele hierfür sind seine Arbeiten über Istanbul: das Bildlexikon (1977), in dem die Schicksale der Monumente durch alle Epochen hindurch verfolgt werden, Aufsätze über frühe Industriebauten (in: Belleten 53, 1989, S. 829–952), die Wohnbauten des Zeyrek-Viertels mit ihrem soziologischen Umfeld (in: Mitt. d. Dt. Orient Inst. 17, 1982, mit J. Cramer) und das Hafenbuch (1994). 1981 gab er einen knappen, grundlegenden Überblick über das Verhältnis von Byzanz zu seinen mächtigen islam. Nachbarn im Spiegel der Baugeschichte (in: Jb. d. Österr. Byzantinistik 31/2, 1981, S. 575–609). Städtebauliche Wandlungen in der Ägais von der Antike bis zum Mittelalter behandelte er in seinem Aufsatz „Von der Polis zum Kastron" (in: Gymnasium 93, 1986, S. 435–75). – o. Mitgl. d. DAI; Korr. Mitgl. d. Österr. Archäolog. Inst. u. d. Inst. d'Egypte; BVK (1983); Richard-Krautheimer-Medaille d. Comité Internat. de l'Histoire de l'Art.

Weitere W Das Theater v. Epidauros, 1961 (mit A. v. Gerkan); Panionion u. Melie, 1967 (mit G. Kleiner u. P. Hommel); Milet 1899–1980, 1986 (Hrsg. u. Mitautor); Griech. Bauwesen in d. Antike, 1988; Istanbuler Alltag im 19. Jh., 1988 (mit R. Schiele); *W-Verz.* in: Istanbuler Mitt. (DAI) 41, 1991, S. 17–24.

L W. Schirmer, in: architectura 1991, S. 1 f.; O. Feld, in: Byzantin. Zs. 83, 1990, S. 762–64; W. Koenigs, in: Istanbuler Mitt. (DAI) 41, 1991, S. 13–16; Istanbul Ansiklopedisi VI, 1994, S. 18 f. *(P)*.

P Phot. in: Photoarchiv d. Abt. Istanbul d. DAI, Abb. in: Istanbuler Mitt. (DAI) 39, 1989.

Wolf Koenigs

Müller-Wipperfürth (bis 1965 *Müller*), *Alfons,* Textilfabrikant, * 21. 5. 1911 Mönchengladbach, † 4. 1. 1986 Pongau b. Salzburg.

V Friedrich Müller, Textilfabr., 1905–28 Inh. e. Fabr. f. Herrenoberbekleidung in M.; M Hennriethe Umbach; ∞ 3) Ursula Engel geb. Schmidt; S Dieter, Vorstandsmitgl. d. Alfons Müller-Wipperfürth AG (s. Wi. 1970–85).

M. machte sich 1931 20jährig mit 900 Mark Startkapital selbständig. Er hatte neben einer kaufmännischen Ausbildung u. a. die Textilfachschule in Mönchengladbach und betriebswirtschaftliche Studien absolviert. Bis zur kriegsbedingten Verlagerung seines Mönchengladbacher Betriebes ins ländliche Wipperfürth, die 1944 wegen Totalverlustes der Betriebsräume erfolgte, hielt sich M. mit öffentlichen Aufträgen über Wasser (Spezialität: schwarze Uniformhosen für Bahn und Post). Bereits am 10. 12. 1945 erhielt er ein Permit von der brit. Militärregierung. Mit sieben Mitarbeitern begann er in einem angemieteten ehemaligen Rüstungsbetrieb unter Verwendung weniger verbliebener Vorräte und Maschinen mit der Herstellung von Herren- und Knaben- sowie Berufs- und Sportbekleidung. In nur zwei Jahren wuchs die Zahl der Beschäftigten auf über 160, und im Juli 1953, als der Gesamtbetrieb in ein neuerbautes Firmengebäude (Wipperhof) verlagert wurde, zählte man bereits 1000 überwiegend weibliche Arbeitskräfte. Zwischenzeitlich waren in Frammersbach (Spessart) (1951) und Mönchengladbach (1952) weitere Fertigungsbetriebe entstanden. Ende der 50er Jahre war M.s Unternehmen das größte der Herrenoberbekleidungs-Branche in Deutschland mit mehr als 6000 Beschäftigten und 80 werkseigenen Verkaufsläden. Neben der Weberei Simons & Frowein in Leichlingen zählten zu diesem Zeitpunkt weitere Betriebe in Willich, Münnerstadt und Kappeln zum Konzern, in dem täglich 5000 Hosen, 3600 Sakkos und 1200 Mäntel die Produktionsbänder verließen. Für diesen raschen wirtschaftlichen Aufschwung war ein anfänglicher Mißerfolg mitverantwortlich. Im sog. „Jedermann-Programm" der Jahre 1948/49, das Ludwig Erhard zur Beseitigung des Mangels an Zivilkleidung gemeinsam mit der deutschen Textilwirtschaft aufgelegt hatte, sollte M. zunächst ein großes Kontingent an Anzügen zugestanden werden. Obwohl er der billigste Anbieter war, wurde er aber nachträglich wieder ausgeschlossen, was erwiesenermaßen auf eine kartellähnliche Absprache der etablierten Textilerzeuger im zuständigen Fachausschuß zurückzuführen war. M. setzte sich in den folgenden Jahren erfolgreich gegen alle Versuche zu Wehr, ihn als Billiganbieter vom Markt zu verdrängen. Auch der 1950 gegen ihn verhängte Boykott und Ausschluß vom Textilfachhandel spornte ihn nur weiter an; kurzerhand baute er eine eigene Verkaufsorganisation auf. Zeitweise über 100 Verkaufsbusse fuhren über Land. Diese ambulanten Verkaufsstellen wurden durch Filialen abgelöst. Schon im Mai 1949 hatte M. in Köln sein erstes Verkaufsgeschäft eröffnet, das sich wie alle nachfolgenden in schlichter Zweckmäßigkeit präsentierte. Schließlich betrieb M. über 180 solcher Geschäfte.

Der Erfolg M.s erklärt sich aber nicht nur durch die straff geführte Verkaufsorganisation, sondern auch durch rigoros billigen Einkauf, was ihm den Ruf eines „Pfennigfuchsers" und „Meterschinders" einbrachte. Zudem waren seine Herstellungskosten deshalb konkurrenzlos günstig, weil er konsequent Fertigungsmethoden und modernste Maschinen an seinen Fließbändern einsetzte, alle Produktionsstufen (Spinnerei, Weberei, Konfektion) in eigener Hand behielt, die Verwaltungskosten minimierte und sich auf ein schmales, auf die Wünsche der männlichen Kundschaft ausgelegtes Sortiment beschränkte. Konfektion für Damen lehnte M. mit dem Hinweis auf deren ungezählte Wünsche nach Farbe und Schnitt grundsätzlich ab. Bemerkenswert ist, daß M. nicht etwa bei den Löhnen sparte. Lange Zeit lag das Lohnniveau seiner Beschäftigten 10–15% Prozent über dem der Konkurrenz, außerdem führte er als erster Textilindustrieller 1955 die 40-Stunden-Woche ein.

1959 entzog sich M. durch Flucht ins schweizer. Lugano einer Verhaftung wegen des Verdachtes der Steuerhinterziehung. Unter den Augen der Kölner Steuerbehörden, die gegen den mehrfach wegen ähnlicher Delikte vorbestraften M. unter Mithilfe ehemaliger Angestellter ermittelten, wandelte dieser seine in Düsseldorf als Holding fungierende Personengesellschaft und seine in der Rechtsform der GmbH firmierenden Unternehmen in die Alfons-Müller-Wipperfürth AG um. Da er vorgab, selbst keinen Aktienbesitz zu haben, waren Pfändungsversuche aussichtslos. Als Steuerflüchtling leitete M. fortan sein Unternehmen von seiner Tessiner Villa aus. Bereits seit 1957, als die Lockerung der Einfuhrbeschränkungen eine große Krise der deutschen Textilindustrie auslöste, hatte M. begonnen, einen Teil der Produktion ins Ausland zu verlagern. Zunächst in Neufelden (Österreich), später in Pepinster (Belgien) wurden modernste Betriebe errichtet. M. kontrollierte schließlich 14 Werke mit über 10 000 Mitarbeitern, die er wie ein Patriarch allein steuerte. Mißtrauen und Sparsamkeit waren äußere Zeichen dieses Führungsstils.

Im März 1964 stürzte M. über der Eifel mit seiner Privatmaschine ab und überlebte schwerverletzt, während drei Mitreisende ums Leben kamen. Gegen Kaution von einer Million DM erhielt er Haftverschonung, einigte sich allerdings auch mit den Steuerbehörden über eine Nachzahlung von 10,5 Mio. DM. Der Firmensitz wurde danach endgültig nach Belgien verlegt, weitere Fabriken errichtete M. in Italien, Kuba und Tunesien. Anfang der 70er Jahre begann jedoch ein stetiger Abstieg des Unternehmens. Schuld daran trug zum einen die nachlassende Textilkonjunktur, zum anderen aber auch M.s Festhalten an Billigprodukten. Wegen der zunehmenden Verluste veräußerte M. seit 1974 seine Anteile an die Frankfurter Industrie- und Handelsbank, die das Unternehmen liquidierte. 1978 wurden die letzten Geschäfte geschlossen. Bis auf ein kleines Werk im österr. Neufelden wurden auch alle Auslandsfirmen aufgegeben oder mußten Konkurs anmelden. M., der einen Teil seines Vermögens retten konnte, lebte zuletzt in Österreich.

L Der Steuer-Schneider, in: Der Spiegel v. 11. 1. 1961, S. 20–29; B. Engelmann, Meine Freunde, d. Millionäre, 1963; Der Aufschneider v. Wipperfürth, in: Capital, Juni 1965, S. 49–54; B. Foltin, Mit d. Finanzbehörden ist M.-W. im reinen, in: Handelsbl. v. 14. 4. 1966, S. 24; H. O. Eglau, Der ambulante Schneider, in: Die Zeit v. 16. 10. 1970; W. Jaspert, Aufstieg u. Niedergang e. Textil-Konzerns, in: Die Welt v. 29. 11. 1978; Stern v. 21. 5. 1981, S. 88–94; Gorzny. – *Qu.* Firmenakte d. A. M.-W. GmbH d. IHK zu Köln, 1945–86.

Jürgen Weise

Müllner, Adolph (Ps. *Modestin*), Dramatiker, Journalist, Erzähler, * 18. 10. 1774 Langendorf b. Weißenfels, † 11. 6. 1829 Weißenfels.

V Heinrich Adolph (†1803), Amtsprokurator in L.; *M* Friederike Philippine Louise Bürger (*1751) aus Molmerswende (Harz); *Om* Gottfried August Bürger (1747–94), Dichter (s. NDB II); – ∞ 1802 Amalie Christiane v. Logau; 4 *S*, 2 *T*.

M. besuchte 1789–93 das Gymnasium in Schulpforta, ging 1793–97 zum Rechtsstudium nach Leipzig und ließ sich 1799 als Advokat in Weißenfels nieder. Durch seine juristischen Schriften ergab sich die Verbindung zur „Leipziger Literaturzeitung" und deren juristischem Redakteur Heinrich Blümner. 1821 legte er seine Anwaltschaft nieder. – Bestätigt durch seine Rezensententätigkeit in der „Literaturzeitung" und angeregt durch die Aufführungen des Weimarer Hoftheaters in Bad Lauchstädt, betrieb M. 1810 die Neueröffnung des Weißenfelser Liebhabertheaters, das bis 1819 bestand, und begann, Lustspiele zu schreiben. Diese kreisen stets um einen Liebeszwist, verursacht durch Standes- und Familienrücksichten. In der an Irrtümern und Täuschungen reichen Handlung bewähren sich die Liebenden und erhalten zuletzt die elterliche Zustimmung zu ihrer Ehe, in der sich sozialer Aufstieg, Wohlstand und Liebe verbinden, so daß im Tableau des Schlusses die familiäre und gesamtgesellschaftliche Harmonie beschworen werden kann. Ungewöhnlich sind die gereimten Alexandriner und die Tendenz, belehrende Epigramme an den Aktschluß zu stellen, was Jean Paul als „Sentenzen-Stickerei" verspottete. Die Lustspiele wurden auch von größeren Bühnen übernommen („Die Vertrauten", Wien 1812; „Die Onkelei", Berlin 1818; „Die Zweiflerin", ebd. 1819; „Die Vertrauten", Weimar 1812; „Die großen Kinder", ebd. 1813). Mit seinem 1812 in Leipzig uraufgeführten Einakter „Der 29. Februar" (u. d. T. „Der Wahn", Wien 1819) knüpfte M. bewußt an das publikumswirksame Stück Zacharias Werners „Der 24. Februar" an. Diesem wie seinen späteren tragischen Stücken liegt eine ähnliche Konfliktkonstellation zugrunde: Ein erotisch motiviertes Vergehen der Vorfahren fällt als Fluch auf die Nachkommen und löscht die Familie aus. Auch dem 1812 entstandenen Drama „Die Schuld", dessen erfolgreiche Uraufführung 1813 in Wien ein Brief Brentanos an Tieck bezeugt, liegt ein Familienfluch zugrunde. M. überhöhte hier die stereotypen Elemente noch einmal: Wichtige Requisiten, um das Verhängnis zu vergegenwärtigen und die Bedrohung zu steigern (Nacht, rauhe Natur), stammen aus der engl. Schauerliteratur, während der vierhebige Trochäus als Versmaß auf das span. Drama und besonders Calderon verweist. In „König Yngurd" (Leipzig 1817, Bühnenmusik von C. M. v. Weber) ist das Äquivalent des Fluchs der Traum der Prinzessin Asla, die einen jungen Ritter erschlagen sieht. In Yngurd und seinem wechselhaften Leben zwischen usurpatorischer Herrschlust und einsamem Untergang erkannten die Zeitgenossen das politische Schicksal Napoleons wieder. Eine sehr negative Rezension im „Hermes" 1819 war der Anlaß für M.s Streit mit dem Verleger des Magazins, Friedrich Arnold Brockhaus, der den Brief- und Verlagskontakt zwischen beiden abbrechen ließ.

Auch in „Die Albaneserin" legt der Normannenkönig Basil die Herrschaft nieder, nachdem er seine beiden Söhne verloren hatte, wie es der Fluch seines Erzfeindes Camastro androhte. An den Figuren dieses Stücks überrascht ihre Einsicht in die Mechanismen ihres Unterbewußten wie Ich-Spaltung und Sublimation, Lust- und Trieberlebnisse, die sie in den Metaphern von Feuer und Meer häufig beschreiben.

Seit 1816 arbeitete M. an verschiedenen Zeitungen mit, so an der „Zeitung für die elegante Welt", an den „Originalien aus dem Gebiete der Wahrheit, Kunst, Laune und Phantasie" (gegr. 1817) sowie am „Literarischen Wochenblatt". 1820 bot ihm Cotta die Redaktion des „Literaturblatts" an. Durch den Streit um eine Rezension der Memoiren Casanovas, die Cotta unerwünscht war, und durch M.s zeitweise Redaktion der „Hekate" (1823) wurde die Arbeit sehr belastet; sie endete 1825 mit einem Streit um ausstehende Honorare. 1826–29 war M. der Herausgeber des „Mitternachtsblattes für gebildete Stände". – Als Journalist und Rezensent fesselte M. das Interesse der Leser durch ironische und pointierte Beiträge, in denen er vor allem die romantische Literatur und die zeitgenössische Dramatik sicher und treffend beurteilte. Seine Herausgebertätigkeit brachte ihm Kontakte zu vielen bekannten Autoren ein, die er aber häufig durch seine rechthaberische Art, zu rezensieren, und seine „rachsüchtige Gemütlosigkeit" (Jean Paul) kränkte. Zu Lebzeiten war er als maßgeblicher Vertreter des Schicksalsdramas und erfolgreicher Bühnenautor anerkannt.

W u. a. Schauspiele, 4 Bde., 1816–17; Spiele f. d. Bühne, 2 Bde., 1818–20; Vermischte Schrr., 2 Bde., 1824–26; Dramat. Werke, 8 Bde. u. 4 Suppl.-Bde., 1828–30; Der Kaliber, Aus d. Papieren e. Criminalbeamten, 1829; Die Verschwörung in Krähwinkel, 1829.

L ADB 23; W. Ullmann, A. M. u. d. Weißenfelser Liebhabertheater, Diss. Erlangen 1935; G. Koch, A. M. als Theaterkritiker, Journalist u. literar. Organisator, 1939; S. Obenaus-Werner, A. M. u. d. Lit.bl. 1820–25, in: Archiv f. Gesch. d. Buchwesens 6, 1966, Sp. 1074–1262; F. Sengle, Biedermeierzeit, II, 1972, S. 356–58; H. Denkler, Restauration u. Rev., Pol. Tendenzen im dt. Drama zw. Wiener Kongreß u. Märzrev., 1973; H. Kraft, Das Schicksalsdrama, 1974; H. Reinhardt, Das „Schicksal" als Schicksalsfrage, in: Aurora 50, 1990, S. 63–86; M. Ritzer, Die Macht d. Schicksals – Entfremdung u. Aneignung d. Welt im spätromant. Drama, in: Begegnung mit dem „Fremden", Akten d. VIII. Internat. Germanisten-Kongresses Tokyo 1990, IX, S. 281–92; Goedeke VIII, XI; Wilpert-Gühring; KLL; Kosch, Lit.-Lex.³; Killy; A. Estermann, Die dt. Lit.-Zss. 1815–1850, Bibliogr., Programme, Autoren, 1991, IX, Nr. 2711–62 (mit Rezensionen v. M.s Dramen u. Schrr.).

Gertrud Maria Rösch

Müllner, *Johannes,* Historiograph, * 1. 4. 1565 Nürnberg, † 15. 8. 1634 ebenda. (luth.)

V Johann (Molitor) (1528–1605), Pfarrer in N.; *M* Dorothea Behe(y)m († 1605); ∞ 1) Nürnberg 1594 Anna Richter († 1603), 2) 1604 Maria Hörauf († 1611), 3) 1612 Felicitas Stroluntz; *S* aus 1) Johann Christoph (1602–62), Ratsschreiber; *E* Johann Tobias (1654–1725), Ratsschreiber; *Ur-E* Johann Joseph (1692–1749), Ratsschreiber.

Den ersten Unterricht erhielt M. vom Vater, der seit 1567 Diakon an der Lorenzkirche war. Seit 1577 besuchte er die Lorenzer Lateinschule; 1581 bezog er die Hohe Schule in Altdorf, 1586 die Univ. Heidelberg zum juristischen Studium. 1588 kehrte er nochmals nach Altdorf zurück, um den bedeutenden Rechtsgelehrten Hugo Donellus zu hören. Mit einem einjährigen Besuch der Univ. Ingolstadt beendete M. seine Studien. 1592 wurde er in seiner Vaterstadt als Supernumerar-Syndicus angestellt. Seine Aufgabe bestand vornehmlich darin, diplomatische und juristische Verhandlungen zu führen. 1598 wurde er zum Registrator in der Kanzlei ernannt, 1602 erhielt er die Stelle eines Jüngeren und 1624/25 die eines Älteren Ratsschreibers. Bereits 1603 war er zum Mitglied des Größeren Rates gewählt worden.

Als Ratsschreiber gewann M. einen umfassenden Einblick in das gesamte politische und wirtschaftliche Geschehen der Stadt. Auch besaß er uneingeschränkten Zugang zum geheimen reichsstädtischen Archiv. 1612 wurde M. damit betraut, die Ereignisse beim Einzug Kaiser Matthias' in Nürnberg aufzuzeichnen. Diese erste größere Arbeit fand beim Rat solchen Anklang, daß sie bei den darauffolgenden Kaiserbesuchen als Vorlage verwendet wurde. Angeregt durch die Nürnberger Chronik des Sigmund Meisterlin von 1485/88, schuf M. in mehr als 25jähriger Arbeit sein Hauptwerk, die Annalen der Reichsstadt Nürnberg. 1623 konnte er das fertige Werk dem Rat übergeben. Dieser ließ eine Reinschrift in vier Bänden anfertigen (die ersten beiden hrsg. v. G. Hirschmann, 1972/84) und dem Verfasser als Anerkennung 600 fl. auszahlen. Danach erteilte der Rat ihm den Auftrag, die für die Reichsstadt wichtigsten staatsrechtlichen Materien in einem Kompendium darzustellen. M. entledigte sich dieser Aufgabe mit der Abfassung von 22 „Relationen". Ihre Themen waren u. a. Geleit, Zoll,

Münze, Gerichtsbarkeit, Steuer, Reichslehen und Reichskleinodien. Auch in diesem Fall wurde eine Reinschrift in drei Bänden angefertigt. Von beiden Werken kamen trotz Geheimhaltung mehrere Abschriften zustande. – Während M. in seiner größeren Chronik bei der Schilderung reichsgeschichtlicher Ereignisse die damals gedruckt vorliegenden Geschichtswerke heranzog, bediente er sich für die Stadtgeschichte der Archivquellen. Von ihnen ist ein Teil inzwischen verlorengegangen; die „Annalen" bilden daher häufig – auch aufgrund der von M. bereits mehrfach angewandten Quellenkritik – eine wertvolle Ersatzquelle.

L ADB 22; Autobiogr., als Abschr. im Stadtarchiv Nürnberg; G. W. K. Lochner, Der Nürnberger Rathschreiber J. M. u. seine Ann., in: Hist.-pol. Bll. f. d. kath. Dtld. 74, 1874, S. 841–63, 901–24; E. Franz, Des Nürnberger Ratsschreibers J. M. Ber. üb. d. Einzug d. Kaisers Matthias 1612, in: ZBLG 4, 1931, S. 82–93; G. Hirschmann, Einl. zu Bd. I d. Ann., 1972, S. 1*-41*.

Gerhard Hirschmann

Mülverstedt, Johann *George Adalbert* v., Archivar, Genealoge und Heraldiker, * 4. 7. 1825 Neufahrwasser b. Danzig, † 29. 9. 1914 Magdeburg. (ev.)

V Johann Karl (* 1765), Lt., Salzmagazininsp. in Tilsit, S d. Hans Georg, Sekonde-Lt. in N., u. d. Maria Eleonora v. Mackrodt; M Maria Emilie (* 1792), T d. Johann Friedrich Schütz, Kriegsrat, Provinzialsalzdir. in N. u. d. Louisa Helena Kunze; ⚭ 1861 Auguste Helene (1838–1913), T d. Carl Friedrich Nethe, Kaufm. in M., u. d. Amalie Auguste Soder; 1 S, 4 T (1 früh †).

M. besuchte das Gymnasium in Tilsit, wo er 1844 die Reifeprüfung ablegte. 1844/45 studierte er zunächst Philologie an der Univ. Königsberg und nahm nach einer gesundheitlich bedingten Unterbrechung 1847 ein Studium der Rechtswissenschaft auf. Im Sommer 1850 trat er als Appellationsgerichtsauskultator in den Dienst des Kreisgerichts in Königsberg und bestand zwei Jahre später die Referendariatsprüfung. Bereits während des Studiums führte er im Provinzialarchiv Königsberg genealogische und ortskundliche Forschungen durch. Dabei beteiligte er sich an archivalischen Ordnungsarbeiten und legte das sog. Adelsarchiv an. Ende 1854 wurde ihm zu eingehenden historischen Studien ein zunächst einjähriger Urlaub bewilligt. 1855–57 war M. mit der Neuordnung des Archivs der Landstände der Mark Brandenburg in Berlin betraut. Als Ergebnis legte er eine vielbeachtete Arbeit über „Die ältere Verfassung der Landstände der Mark Brandenburg, vornehmlich im 16. und 17. Jh." (1858) vor. Aufgrund dieses Eignungsnachweises wurde ihm 1857 die Leitung des Provinzialarchivs in Magdeburg übertragen (Archivrat, 1865; Geheimer Archivrat, 1877; Vorsteher des StA Magdeburg, 1897), die er bis zu seiner Pensionierung (1898) ausübte.

Durch weiterführende Orts-, Personen- und Sachregister für die ins Provinzialarchiv übernommenen Urkunden und Akten, durch Spezialverzeichnisse der Urkunden z. B. des Magdeburger Klosters Unserer Lieben Frau und durch Übersichten über die in der preuß. Provinz Sachsen existierenden Stifte, Klöster, Kapellen, Hospitäler und frommen Bruderschaften wurden während seiner Amtszeit die Forschungsbedingungen erheblich verbessert. Außerdem setzte M. sich für eine fachgerechte Ordnung und Verwahrung der Stadtarchive Nordhausen und Mühlhausen ein, um in ihrer Existenz gefährdete Dokumente zu sichern. Seine umfangreiche Forschungstätigkeit, die überwiegend sammelnden Charakter hatte, erstreckte sich vor allem auf die Familiengeschichte, besonders der adligen Geschlechter, auf die Heraldik und die Numismatik. Mit der Sammlung, Zusammenstellung und Herausgabe der „Regesta Archiepiscopatus Magdeburgensis" (3 Bde., 1876–86) erwarb er sich bleibende Verdienste. – Mitgl. zahlreicher Gesch.vereine, u. a. d. Magdeburger Geschichtsver. (1865 von M. mitbegründet), d. Harzver. f. Gesch. u. Altertumskde. u. d. Altmärk. Ver. f. vaterländ. Gesch. u. Industrie; Stellv. Vors. d. Hist. Komm. d. Prov. Sachsen (1880–83); Hzgl. Anhalt. Hausorden Albrecht d. Bären 1. Kl. (1870); Roter Adlerorden 3. Kl. (1896); Kgl. Kronenorden 2. Kl.; Fürstl. Lippischer Hausorden 3. Kl. (1898).

W u. a. Magdeburg. Münzkab. d. neuen Za., 1868; Zur Chronologie d. Bischöfe Meinhard, 1240–1252, Ludolph II., 1252–1255, u. Volrad, 1255–1297, v. Halberstadt, in: Zs. d. Harzver. f. Gesch. u. Altertumskde. II/2, 1869, S. 67–78; Hierographia Quedlinburgensis, ebd., S. 78–91; Wer durfte im Dom zu Magdeburg im MA begraben werden?, 1871; Rechenschaftsber. üb. e. 31jährige literar. Tätigkeit auf d. Gebiet d. vaterländ. Gesch.forschung, 1880 *(W-Verz.);* Der abgestorbene Adel d. Prov. Sachsen, ausschließlich d. Altmark, in: J. Siebmachers gr. u. allg. Wappenbuch, VI/6, 1884; Codex Diplomaticus Alvenslebianus, 5 Bde., 1879–96. – *Nachlaß:* StA Magdeburg.

L R. Krieg, in: Zs. d. Harzver. f. Gesch. u. Altertumskde. 47, 1914, S. XII f.; M. Klinkenborg, Das Archiv d. brandenburg. Provinzialverw. I, 1920, S. 319–24; W. Friedensburg u. H. Kretzschmar, Gesch.

d. StA Magdeburg, Ms., um 1922 (Dienstbibl. d. Landeshauptarchivs Magdeburg); W. Friedensburg, G. A. v. M., in: Mitteldt. Lb. II, 1927, S. 336–52 *(P)*; Altpr. Biogr. II; W. Leesch, Die dt. Archivare 1500–1945, II, 1992; J. Arndt, H. Hilgenberg u. M. Wehner, Biograph. Lex. d. Heraldiker sowie d. Sphragistiker, Vexillologen u. Insignologen, 1992.

Antje Herfurth

Münch, *Ernst,* Forstmann, * 26. 11. 1876 Ruchheim b. Ludwigshafen, † 9. 10. 1946 Lechbruck (Allgäu). (ev.)

V Philipp (1843–1929) aus Neukirchen b. Otterberg, Pfarrer in R., Kusel u. Oberlustadt, *S* d. Wilhelm Otto (1817–90) aus Klingenmünster, Lehrer, u. d. Elisabeth Charlotte Stutz (* 1817); *M* Julie Magdalene (1849–1923), *T* d. Georg Ludwig Ney (1802–78), Pfarrer, Dekan in Kusel u. Speyer, Konsistorialrat, u. d. Sophie Emilie Wollenweber (* 1813) aus Straßburg; *B* Paul (1879–1951), Zeichenlehrer, pfälz. Mundartdichter; – ∞ München 1910 Marie Mathilde (* 1882), *T* d. Friedrich Wilhelm Zahn (1845–1904), Prof. d. Pathol. in Genf, u. d. Marie Müller (1856–94); 2 *S*, 1 *T*, u. a. Hans-Wilhelm (* 1911), Dr. med., Alfred (* 1917), Dr. med.; *N* Fritz (1906–95), Prof. f. Völkerrecht in Heidelberg, wiss. Mitgl. d. MPI f. ausländ. öff. Recht u. Völkerrecht (s. Kürschner, Gel.-Kal. 1954–92).

Nach dem Besuch des humanistischen Gymnasiums in Landau (Pfalz) studierte M. in Aschaffenburg und München Forstwissenschaft; er hörte u. a. bei Robert Hartig, Heinrich Mayr und Max Endres. Anschließend an die Referendarzeit war er 1904–10 Assistent an der botanischen Abteilung der Bayer. Forstlichen Versuchsanstalt bei Hartigs Nachfolger Karl v. Tubeuf. Er arbeitete dort insbesondere über Bläuepilze und promovierte 1909 mit einer Untersuchung über die Krankheitsanfälligkeit von Holzpflanzen. Auch nach dem Wechsel in die forstliche Praxis – zunächst als Assessor im Forstamt Kaiserslautern und seit 1918 als Forstmeister im Forstamt Waldfischbach – führte M. seine Grundlagenforschungen auf den Gebieten der Pflanzenphysiologie und Forstpathologie weiter und legte Versuchsflächen zum Anbau der Douglasie an. Als forsttechnischer Berater des Reichsausschusses für Öle und Fett, Rohharzabteilung, befaßte er sich eingehend mit Fragen der im 1. Weltkrieg wieder verstärkt aufgenommenen Harzgewinnung und veröffentlichte zahlreiche Arbeiten zur Technik der Harzgewinnung und über physiologische Vorgänge beim Harzfluß. Mit der Berufung auf den o. Lehrstuhl für Forstbotanik an der Forstlichen Hochschule in Tharandt kehrte M. 1921 wieder ganz zu Forschung und Lehre zurück. Er baute in den folgenden Jahren ein Institut mit modernem Lehr- und Forschungsbetrieb auf. 1930 veröffentlichte er unter dem Titel „Die Stoffbewegungen in der Pflanze" seine aufsehenerregende „Druckstromtheorie". Diese Theorie beschreibt die Wanderung von Assimilaten vom Ort der Entstehung zum Ort des Verbrauchs und ist im wesentlichen noch heute anerkannt. Sie befruchtete die weitere Forschung und war Grundlage für wissenschaftliche Diskussionen, auch auf internationalen Kongressen. 1933 wurde M. an die Univ. München als Nachfolger seiner Lehrer Hartig und Tubeuf und damit zugleich zum Direktor des Forstbotanischen Instituts der Forstlichen Forschungsanstalt München berufen. Schwerpunktmäßig befaßte er sich mit der Mechanik von Zug- und Druckholz, mit der Harmonie der Baumgestalt als Folge abgestufter Wuchsstoffkorrelationen und vor allem mit forstgenetischen Fragen. M. war entscheidend an der Schaffung des forstlichen Saatgutgesetzes von 1934 beteiligt, er führte den Vorsitz des 1935 gegründeten Ausschusses für Baumrassenforschung und Forstpflanzenzüchtung. Als Ergebnis seiner langjährigen Baumrassenstudien an Nadel- und Laubbäumen, in denen M. morphologischen und habituellen Fragestellungen nachging und insbesondere deren unterschiedliches physiologisches Verhalten (Vegetationsbeginn und -ende, Krankheitsanfälligkeit) beobachtete, hinterließ M. ein umfangreiches, postum veröffentlichtes Manuskript (Btrr. z. Forstpflanzenzüchtung, hrsg. v. B. Huber, 1949).

W u. a. Bau u. Leben unserer Waldbäume, ³1927 (mit M. Büsgen, engl. 1929).

L Langner, in: Zs. f. Forstgenetik u. Forstpflanzenzüchtung 5, 1956, H. 5/6, S. 137–39 *(W, L, P)*; B. Huber, in: Allg. Forstzs. 2, 1946, H. 8, S. 61; ders., in: Berr. d. Dt. Botan. Ges. 68 a, 1955, S. 135–40 *(W, P)*; E. Schoch, Die kriegsbedingte Harznutzung an Forche (Kiefer) u. Fichte in d. Staatswaldungen d. württ. Schwarzwaldes v. 1915–1920, Diss. Freiburg 1989; Symposium „100 J. Forstwiss. in München", in: Forschungsber. d. Forstl. Forschungsanstalt München 42, 1978, S. 330; H. Rubner, Hundert bedeutende Forstleute Bayerns, 1994 *(P)*; Rhdb.; Wi. 1935.

Dorothea Hauff †

Münch, *Franz Xaver,* kath. Theologe, * 22. 9. 1883 Köln, † 19. 10. 1940 Florenz, ☐ Rom, Campo Santo.

V Peter, Lehrer am Waisenhaus in K.; *M* Katharina Breidenbach.

Nach dem Besuch des Friedrich-Wilhelm-Gymnasiums in Köln studierte M. zunächst vier Semester Rechtswissenschaft, dann Theologie in Bonn, Freiburg und München. In Anschluß an die Priesterweihe 1908 war er Kaplan in Düsseldorf-St. Apollinaris, später in Erkrath. Seit 1914 diente er als Divisions- und Lazarettpfarrer an der Westfront. 1916 kehrte er aus dem Felde zurück, wollte aber nicht mehr in den Seelsorgedienst eintreten, da er sich als Kaplan nicht ausgelastet gefühlt hatte. So wirkte er zunächst in seiner Funktion als Sekretär im „Verband der Vereine der kath. Akademiker in Köln", die er bei dessen Gründung im Juni 1913 übernommen hatte. Noch im selben Jahr (1916) wurde er mit der Zustimmung der deutschen Bischöfe durch Kardinal Felix v. Hartmann als Generalsekretär der inzwischen auf den ganzen deutschsprachigen Raum ausgeweiteten, gemeinhin „Kath. Akademiker-Verband" (KAV) bezeichneten Vereinigung eingesetzt. Dieser Aufgabe sollte er sich mehr als 20 Jahre fast ausschließlich widmen. 1918 wurde M. bei dem Bonner Kirchenhistoriker Heinrich Schroers mit einem Thema aus der kath. Aufklärung in Deutschland promoviert. – Im Zusammenhang mit der Diskussion um die Stellung der Katholiken in der Welt wurde auch vom KAV in den 20er Jahren die Forderung nach einer „kath. Universität für das deutsche Volkstum" in Salzburg verstärkt. M. machte sich zu ihrem Sprecher. Nach einem Beschluß des KAV 1930 wurden im August 1931 die 1. Salzburger Hochschulwochen veranstaltet. 1932 wurde ein Verein gebildet, um den Ausbau einer kath. Universität vorzubereiten; in ihm wirkten neben KAV, Görres-Gesellschaft und der Theol. Fakultät nun auch der fürstbischöfl. Stuhl Salzburg und die Benediktiner-Konföderation mit. M. wurde Vorsitzender des Direktoriums. An der Diskussion um die Reichsideologie, die in kath. und konservativen Kreisen in den 20er Jahren lebhaft geführt wurde, nahm M. regen Anteil, vor allem durch die Zeitschrift „Abendland" (1925–30), die er mit Theodor Brauer, Hermann Platz, Ignaz Seipel u. a. herausgab, aber auch in Gedankenaustausch mit Ildefons Herwegen, dem Abt von Maria Laach, mit dem er seit der Studienzeit befreundet war. Zweifellos förderten die Veröffentlichungen zur Reichsideologie auch im KAV Harmonisierungsversuche gegenüber Nationalsozialismus und Drittem Reich. Sie erreichten ihren Höhepunkt auf der soziologischen Sondertagung des KAV vom 21. bis 23. 7. 1933 in Maria Laach, als die Mehrheit der Teilnehmer ein Bekenntnis zum neuen Staat abgab und sich für ein Engagement im „konkreten Staat" aussprach. Auch M. riet zu Nachgiebigkeit, ging in der Hoffnung auf Rettung des KAV Kompromisse ein, glaubte an eine „Zähmung" Hitlers und meinte, im Nationalsozialismus positive Züge erkennen zu können. Diese Erwartungen erfüllten sich jedoch nicht. Auch der KAV wurde unter Druck gesetzt und am 21. 12. 1938 schließlich verboten. Seiner infolge dieser Umstände angegriffenen Gesundheit wegen begab sich M. im Herbst 1939 zur Erholung nach Italien, wo er im Jahr darauf starb. – Prälat (1925).

W u. a. Thaddaeus Anton Dereser, Ein Btr. z. Gesch d. kath. Aufklärung in Dtld., 1918. – *Zahlr. Aufsätze* in: Abendland, Dt. Mhh. f. europ. Kultur, Pol. u. Wirtsch., Okt. 1925–Sept. 1930; Der kath. Gedanke, 1928–38. – *Hrsg.:* Jbb. d. kath. Akademikerverbände, 1918–27; Mitt. d. KAV, 1921–27; Der kath. Gedanke, 1928–38.

L F. Muckermann, Prälat M. z. 50. Geb.tag, in: Augsburger Postztg., 1933, Nr. 216; A. C. Braun, Erinnerungen an F. X. M., 1948; W. Spael, Das kath. Dtld. im 20. Jh., Seine Pionier- u. Krisenzeiten 1890–1945, 1964; K. Breuning, Die Vision d. Reiches, Dt. Katholizismus zw. Demokratie u. Diktatur, 1968; R. Ebneth, Die österr. Wschr. „Der christl. Ständestaat", 1976; E. v. Severus, in: Christ in d. Gegenwart v. 4. 10. 1983; Kosch, Kath. Dtld. (P).

Rudolf Ebneth

Münch *(Muench), Friedrich,* deutsch-amerikan. Politiker und Publizist, * 25. 6. 1799 Niedergemünden b. Homberg/Ohm (Hessen), † 14. 12. 1881 im Staat Missouri (USA). (ev.)

V Georg (* 1825), bis 1789 Rektor in Alsfeld, dann Pastor in N., Landwirt; *M* Luise Christiane († 1830), *T* d. Goldschmieds Johann Christian Welcker in Alsfeld; 6 *Geschw,* u. a. Ludwig Friedrich (1792–1875), Pfarrer in Altbuseck, Ulfa u. Wixhausen, Georg (1801–79), Pastor in H., wanderte 1837 nach Missouri aus, Farmer u. Mechaniker (s. Hess. Biogrr. II, 1927); *Schwager* Paul Follen (1799–1844), Hofger.advokat in Gießen, Mitgründer d. Gießener Auswanderungsges. (s. NDB V*; W); – ∞ 1) 1826 Marianne († 1830), *T* d. Apothekers N. N. Vorberg in Nidda (Hessen), 2) 1832 Luise (1812–87) aus Lich, *T* d. Polizeirats N. N. Fritz; 4 *S* (1 ⚔), u. a. Hugo, Kreisrichter in St. Louis (Missouri), *T.*

Bis zu seinem 15. Lebensjahr wurde M. von seinem Vater unterrichtet, besuchte dann das Gymnasium in Darmstadt und studierte 1816–19 Theologie in Gießen. Mit 21 Jahren zum Pfarrer ernannt, übernahm er nach dem Tod seines Vaters dessen Stelle. Noch als Gießener Student war M. zum enthusiastischen Anhänger der Jahnschen Turnbewegung geworden und in die von Karl Follen geführte

Burschenschaft „Die Schwarzen" eingetreten. Seine liberal-republikanischen Anschauungen, die sich auch in seinen Predigten äußerten, fielen zur Zeit der revolutionären Erhebungen der frühen 1830er Jahre der Obrigkeit auf. M. und sein Schwager Paul Follen – der jüngere Bruder von Karl – gründeten 1833 die „Gießener Auswanderungsgesellschaft". Diese sah in der Auswanderung und Koloniegründung eines „Neuen Deutschland" Möglichkeiten zur Realisierung liberaler Vorstellungen. M. selbst hatte schon längere Zeit angesichts der politischen Pressionen und unter dem Einfluß von Gottfried Dudens überschwenglichem Bericht über seine Ansiedlung in Missouri (1824) mit dem Gedanken gespielt, in die USA auszuwandern. Zusammen mit Paul Follen gelang es ihm, nahezu 500 Gesellschafter von seinen Plänen zur Gründung einer „deutschen Musterrepublik" in den Vereinigten Staaten zu überzeugen. – Obwohl die Gesellschaft unter der Leitung von Follen und M. 1834 ihren Weg in die USA fand, scheiterte doch die praktische Umsetzung ihrer Pläne. Ein Teil siedelte zusammen mit Follen und M. im Warren County, 100 Kilometer westlich von St. Louis, wo sich bereits andere deutsche Immigranten niedergelassen hatten. Anders als sein Schwager den harten Bedingungen des Frontier-Siedlerlebens gut gewachsen, wurde M. zu einem typischen Vertreter der „Latin Farmers", jener gebildeten Immigranten, die sich der Realität stellten. So arbeitete er selbst auf der Farm und bemühte sich, den Weinbau in Missouri heimisch zu machen. Vor allem aber wirkte M. unter den deutschen Siedlern als Seelsorger. Als Mitherausgeber der religiösen deutschsprachigen Zeitschrift „Lichtfreund" (veröffentlicht in Hermann, Missouri) propagierte er ein „rationales Christentum", das von der Gleichheit aller Menschen ausging, und kritisierte leere kirchliche Rituale und Dogmen. Seine Auffassung brachte ihn in Verbindung mit Theodore Parker, einem bekannten Vertreter der Transzendentalisten Neuenglands, und mit der Anti-Sklaverei-Bewegung. Auf seiner Farm versuchte er den Sklavenhaltern in Missouri zu beweisen, daß auch oder gerade mit freier Arbeit Gewinne zu erzielen seien.

Bis in die 50er Jahre glaubte M., daß Missouri durch den Zusammenschluß der deutschen Immigranten ein primär von deutscher Kultur geprägter Bundesstaat werden könnte. Er verfaßte ein Handbuch für potentielle deutsche Auswanderer nach Missouri und bereiste zu dessen Verbreitung von April bis November 1859 weite Teile Deutschlands und der Schweiz. Seiner Ansicht nach würde eine vermehrte Einwanderung auch der Sklaverei den Boden entziehen. 1854 schloß sich M. der jungen Republikanischen Partei an. Als einer ihrer Vertreter nahm er im Mai 1860 am Nominierungskonvent in Chicago teil, auf dem Abraham Lincoln, den er persönlich kannte, zum Präsidentschaftskandidaten gewählt wurde. Zu Beginn des Bürgerkrieges wurde M. 1862 als radikal-republikanischer Senator in die Legislative von Missouri entsandt und setzte sich dort vornehmlich für eine Gesetzgebung zur raschen Abschaffung der Sklaverei ein. Als diese nach dem Ende des Bürgerkrieges schließlich erfolgt war, diente ihm diese Tatsache als zusätzliches Argument für die Ansiedlung von Deutschen in Missouri. – 1866 gehörte M. zu den Mitbegründern der Philosophischen Gesellschaft von St. Louis, die es sich zur Aufgabe gestellt hatte, die Philosophie von Kant bis zu Hegel einem vorwiegend deutsch-amerikan. Publikum näherzubringen. Ralph Waldo Emerson und Bronson Alcott, die bekanntesten Repräsentanten der Neu-England-Transzendentalisten, trafen sich 1866/67 mit Mitgliedern der Philosophischen Gesellschaft. M.s umfangreiche essayistische Tätigkeit für deutschsprachige Magazine und Tageszeitungen (unter dem Ps. „Far West") und seine treffenden Kommentare zur Tagespolitik machten ihn über Missouri hinaus bekannt.

W Treatise on Religion and Christianity, 1847; Der Staat Missouri, geschildert mit bes. Rücksicht auf teutsche Einwanderung, 1859, ³1875; Der Staat Missouri, Ein Hdb. f. dt. Auswanderer, 1866, ³1877 (engl. 1865); Ges. Schrr., 1902; Kritik d. Sagen, Geschichten e. dt. Auswanderungsges., in: Der Dt. Pionier 1, 1869, S. 186–90; Die künftige dt. Auswanderung nach Nordamerika, ebd. 3, 1871/72. – *Hrsg.:* Erinnerungen aus Dtld.s trübster Zeit, dargest. in d. Lb. v. Karl Follen, Paul Follen u. F. M., 1873.

L H. J. Ruetenik, Berühmte dt. Vorkämpfer f. Fortschritt, Freiheit u. Friede in Nord-Amerika, 1888, S. 218–22; J. Th. Muench, A Sketch of the Life and Work of F. M., in: Missouri Historical Society Collections 3, 1908–11, S. 132–44; H. Haupt, in: Hess. Biogrr. II, 1927, S. 154–61; S. Muehl, A Brief Encounter between F. M., German-American Rationalist in Missouri, and Theodore Parker, New England Transcendentalist, In: German-American Yearbook 28, 1993, S. 13–32.

Jörg Nagler

Münch (seit 1919 *Munch*), *Carl (Charles),* Dirigent, * 26. 9. 1891 Straßburg, † 6. 11. 1968 Richmond (Virginia, USA).

V Ernst (1859–1928) aus Niederbronn (Elsaß), Prof., Organist u. Chordirigent in St. (s. DBJ X, Tl.);

Ov Eugen († 1897), Organist, Chordirigent u. Musiklehrer; *B* Fritz (1890–1970), Chordirigent u. Theologe; *Vt* Hans (1893–1983) aus Mülhausen (Elsaß), Komp. u. Dirigent in Basel (s. *L*), Eugen Gottfried († 1944), Dirigent.

M. studierte Violine am Straßburger Konservatorium und später in Paris bei Lucien Capet und in Berlin bei Carl Flesch. Letzterer unterstützte M. auch in dessen Wunsch, Dirigent zu werden. Als Feldwebel der deutschen Armee im 1. Weltkrieg wurde er während eines Gasangriffs auf Verdun und Peronne schwer verwundet. 1919–25 lehrte M. Violine am Straßburger Konservatorium und war Konzertmeister des städtischen Orchesters. Daneben war er seit 1923 Konzertmeister des Leipziger Gewandhausorchesters unter Wilhelm Furtwängler und Bruno Walter (seit 1929). Nach einer weitgehend selbständigen Ausbildung gab er 1932 sein Dirigentendebüt mit dem Straram Orchester in Paris. Seit 1933 nahm er weiteren Dirigierunterricht bei Alfred Szendrei. In Paris gründete M. 1935 das Orchester der Philharmonischen Gesellschaft, das vor allem franz. Repertoire spielte. Daneben übernahm er u. a. 1938–46 eine Professur für Orchesterleitung am Conservatoire in Paris, mit der die Leitung des Conservatoire-Orchesters verbunden war. Obwohl er während des 2. Weltkriegs nicht mit der deutschen Besatzung kollaborierte und sogar die Résistance unterstützte, gelang es ihm, seinen Posten zu behalten. 1942 boten ihm die Deutschen das Direktorat der Pariser Oper an, widerriefen das Angebot jedoch, als M. forderte, jeweils für eine deutsche Oper zwei französische aufführen zu dürfen. 1948 ging er mit dem Orchester des franz. Rundfunks auf Amerika-Tournee. 1949–62 leitete M., inzwischen nach Amerika übergesiedelt, als Nachfolger von Serge Kussewitzky das Boston Symphony Orchestra, seit 1951 als Direktor auch das Berkshire Music Center in Tanglewood (Massachusetts). Zahlreiche Tourneen führten ihn mit den Bostonern wieder nach Europa und in die UdSSR. Seit 1962 gastierte M. nur noch selten und siedelte wieder nach Paris über. 1967 stellte er sich noch einmal der Herausforderung, das neugegründete Orchestre de Paris zu leiten. Während einer Amerika-Tournee mit diesem erlag er einem Herzinfarkt.

M. besaß als Dirigent eine starke Aura, spürbar für das Orchester wie für das Publikum. Er galt als vorzüglicher und temperamentvoller Interpret vor allem des franz. Repertoires und unterstützte die Komponisten der damaligen Moderne wie Hector Berlioz und Claude Debussy, deren Werke er auch in Amerika einem großen Publikum vorstellte. Hier wurden seine Eleganz und seine subtilen Rhythmen und Klangfarben gerühmt. Ebenso geschätzt wurde M. wegen seiner Interpretationen von Werken Guy Ropartz', Albert Roussels und Arthur Honeggers (Uraufführung von „Chant de libération" und der M. gewidmeten „Symphonie liturgique") sowie wenig bekannter Stücke. Während ein großer Teil des Publikums und der Kritik M.s mitreißende Stabführung und seinen Esprit schätzte, bemängelten andere seine hohen, zuweilen gewagten Tempi, insbesondere bei Interpretationen seines deutschen und österr. Repertoires (Bach, Mozart, Haydn). – Commandeur der Ehrenlegion (1946), Commander Order of Arts and Letters (1957), Commander Order of the Cedar (Libanon 1957); Dr. h. c. (u. a. Boston Univ., Harvard).

W Je suis chef d'orchestre, 1954, engl. u. niederländ. 1955, dt. u. d. T. Ich bin Dirigent, 1956, russ. 1965.

L H. Stoddard, Symphony Conductors of the USA, 1957; Das Atlantisbuch d. Dirigenten, 1985, S. 279–82 (P); MGG mit Suppl.bd.; Riemann mit Erg.bd.; New Grove. – *Zu Hans:* Schweizer Lex.

Dieter Römer

Münch-Bellinghausen, *Joachim* Eduard Graf v. (österr. Graf 1831), Diplomat, * 29. 9. 1786 Wien, † 3. 8. 1866 ebenda. (kath.)

Aus kurtrier. Adelsfam.; *V* Franz Joseph Frhr. (1735–1802), kaiserl. Reichshofrat (s. Wurzbach 19), *S* d. Johann Joachim Georg v. Münch (1701–74, 1745 Frhr. v. M.-B.), kurtrier. GR u. Hofkanzler, u. d. Franziska Wilhelmine v. Wirth (1713–91); *M* Elisabeth (1753–1840), *T* d. Heinrich Christoph v. Penkler (1700–75, 1847 Frhr.), k. k. GR, u. d. Elisabeth v. Collet (1721–67); *B* Anton Frhr. v. M.-B. (1785–1864), Sektionschef im k. k. Finanzmin., WGR (s. ÖBL); – ledig; *N* Friedrich Halm (eigtl. Eligius Franz Josef Frhr. v. M.-B., 1806–71), Schriftst. (s. NDB VII; ÖBL).

M. trat nach Studien in Wien und Krakau 1806 in den österr. Staatsdienst ein. 1813 wurde er 2. Kreiskommissär in Leitmeritz und übernahm dort wegen Erkrankung des Kreishauptmanns die faktische Leitung dieses Amtes, danach als erster Kreiskommissär die des Kreises Elbogen, wo er sich insbesondere um die Förderung des Kurortes Franzensbad verdient machte. 1818 zum Gubernialrat ernannt, übernahm er 1819 das Amt des Stadthauptmanns von Prag. Früh wurden M. Sonderaufgaben übertragen, wobei er neben verwaltungstechnischen auch diplomatische Erfahrungen sammeln konnte: 1815 im österr. Hauptquartier in Frankreich als Gouvernementskommissar der Departements de l'Ain und Montblanc und insbesondere 1820/21 als Präsident der Elbschiffahrtskommission in Dresden. In letzterer Eigenschaft bewährte er sich in den Augen Metternichs so sehr, daß er 1822 als Hofrat in den diplomatischen Dienst der Staatskanzlei nach Wien geholt wurde. Im folgenden Jahr erreichte M. die entscheidende Position seiner Laufbahn: die des österr. (und damit Präsidial-)Gesandten beim Deutschen Bund in Frankfurt/Main. – Seine Amtszeit als Bundespräsidialgesandter war identisch mit der Phase der ausgeprägten österr. Hegemonie im Bund zwischen der sog. Epuration 1823 und der Revolution von 1848. Insbesondere in den Jahren 1830–34 hatte er die harte Linie der österr. Politik nicht nur gegen die liberale und nationale Bewegung, sondern auch gegen die aus Metternichs Sicht zu nachgiebigen konstitutionellen Bundesstaaten zu vollziehen. Metternich konnte sich nahezu blind auf M.s Geschick verlassen. Stand die Präsidialmacht gegen einen Einzelstaat – wie im Falle der Auseinandersetzung um das bad. Preßgesetz von 1831 –, setzte er die Wiener Position im Frankfurter Bundestag unerbittlich durch. Zu den Kabinettskonferenzen von 1834 in Wien, die erneut das von Metternich bestimmte Repressivsystem stärken sollten und die formal getrennt von den Bundesinstitutionen stattfanden, fungierte neben dem österr. Staatskanzler auch M. als Vertreter Österreichs. Den Prestigegewinn Preußens innerhalb des Bundes seit 1840 konnte M. nicht verhindern. Zu einer bis dahin unbekannt scharfen Form der Kritik preußischerseits an der Führung der Bundespräsidialgeschäfte kam es 1843 wegen M.s angeblich zu lauer Behandlung von Initiativen zur Stärkung des Bundes. Diese Kritik wurde von Friedrich Wilhelm IV. persönlich gegenüber Metternich vorgebracht, der wiederum seinen Gesandten gegen die Vorwürfe in Schutz nahm. Darüber hinaus wurde in den 40er Jahren M.s häufig monatelange Abwesenheit von Frankfurt von zahlreichen Bundestagsgesandten beanstandet. Mit dem Sturz Metternichs 1848 war auch M.s Schicksal besiegelt. 1861 erhielt er einen lebenslänglichen Sitz im österr. Herrenhaus.

L ADB 22; H. v. Srbik, Metternich, Bd. 2, 1925; J. K. Mayr, Gesch. d. österr. Staatskanzlei im Za. d. Fürsten Metternich, in: Inventare österr. staatl. Archive 5/2, 1935; Wurzbach 19; Kosch, Kath. Dtld; Kosch, Biogr. Staatshdb.; ÖBL. – Eigene Archiv.stud.

Ralf Zerback

Münchhausen, v.

Namengebender Herkunftsort dieses weitverzweigten niedersächs. Adelsgeschlechts war das schon Mitte des 14. Jh. durch die Pest wüst gewordene Dorf Monichusen bei Loccum. Die Stammreihe beginnt mit *Rembert* (erw. 1183). Schon früh teilte sich die Familie in eine „schwarze" und eine „weiße" Linie. Sie erwarb reichen Besitz vor allem im mittleren Weserraum (Rittergüter u. a. in Apelern, Bodenwerder, Hessisch Oldendorf, Lauenau, Remeringhausen, Rinteln, Schwöbber, Stolzenau und Parensen). Im späten Mittelalter begegnen die M. als Ministeriale und Beamte der Grafen von Schaumburg und benachbarter Landesherren sowie als Domherren in mehreren norddeutschen Stiften und Domkapiteln, ohne sich aus der Masse des Landadels sonderlich herauszuheben. Seit dem 16. Jh. jedoch erlangt eine ganze Reihe von ihnen Bedeutung und Ansehen. *Johannes* († 1572, s. 1) wurde Bischof von Kurland und Ösel, sein Bruder *Christoph* († v. 1565) Statthalter in Estland. Der Obrist *Hilmar* (1512–73, s. ADB 23), einer der erfolgreichsten Söldnerführer seiner Zeit, wurde in den Freiherrenstand erhoben. Im Dienst des Kaisers, des span. Königs und verschiedener deutscher Fürsten nahm er an vielen Feldzügen und Schlachten teil und erwarb dabei ein beträchtliches Vermögen. Er und seine Söhne *Statius* (1555–1633) und *Hilmar* (1558–1617) zählen zu den großen Bauherren der Weserrenaissance; hervorzuheben sind die Schlösser in Schwöbber, Leizkau, Rinteln, Lauenau und Bevern. Weitere Familienmitglieder im Militärdienst waren *Statius* († 1615), span. Oberst im Hugenottenkrieg, *Heinrich* (⚔ v. 1648), schwed. Oberst, *Anton* (1712–72), kaiserl. Generalfeldwachtmeister, und *Börries Hilmar* (1728–94), hess. Oberst und Kommandant der Festung Rinteln. Eine bedeutende, nach seinem Tod leider zerstreute Bibliothek trug der von einem luth. geprägten Humanismus erfüllte *Ludolf* (1570–1640) in Hessisch Oldendorf zusammen, die er den Professoren der jungen Univ. Rinteln großzügig zur Verfügung stellte (s. L). Mehreren Angehörigen aus beiden Linien gelang der Sprung in leitende Positionen des Hof- und Staatsdienstes besonders von Braunschweig-Lüneburg und Hannover. Allein acht Minister sind zu nennen, an der Spitze der hann. Premierminister *Gerlach Adolf* (1688–1770,

s. 2). Sein Bruder *Philipp Adolf* (1694–1762) war Minister bei der Deutschen Kanzlei in London, der Verbindungsbehörde der engl. Könige zu ihrem hann. Stammland während der Personalunion. *Busso* (1636–97) wirkte als Geheimrat, Großvogt und Konsistorialrektor in Wolfenbüttel. *Hieronymus* (1680–1742, s. ADB 22) wurde im Hzgt. Braunschweig-Wolfenbüttel Kammerpräsident und Oberberghauptmann, nach einer durch Intrigen herbeigeführten Entlassung und anschließenden Rehabilitierung Erster Minister. Ebenfalls Ministerrang erlangten in Wolfenbüttel *Albrecht* (1729–96), in Hessen-Kassel sein Bruder *Moritz Friedrich* (1751–99), zugleich Präsident der Regierung in Rinteln. *Börries* (1757–1810) war in Wolfenbüttel Oberhofmarschall, *Christian* (1781–1832) Oberstaatsrat, *August Ferdinand* (1789–1858) Hoftheaterintendant, *Wilhelm* (1794–1849) Gesandter in Berlin, Dresden, Wien und London. In preuß. Dienst trat *Ernst Friedemann* (1724–84, s. ADB 22), der sich als Präsident des Kammergerichts und Justizminister um Rechtsprechung und Gerichtsbarkeit des Hohenzollernstaats große Verdienste erwarb. *Adolf* (1757–1837) war württ., seit 1816 sachsen-gotha. Oberhofmarschall, *Georg* (1771–1829) meckl. Oberforstmeister, *Eugen* (1780–1854) Präsident der thür. Ritterschaft, *Karl* (1783–1869) sachsen-altenburg. Oberhofmarschall, sein gleichnamiger Vetter (1787–1854) 1814–29 kurhess. Gesandter in Wien, *Wilhelm* (1792–1849) kurhess. Oberforstmeister, *Ferdinand* (1810–82) preuß. Regierungspräsident in Frankfurt/Oder, seit 1869 Oberpräsident von Pommern (s. L). *Alexander* (1813–86), Staatsminister und gemäßigt konservativer Ministerpräsident des Kgr. Hannover in den ersten Jahren der Reaktion nach 1848, später Abgeordneter im Norddeutschen Reichstag und im Preuß. Abgeordnetenhaus, setzte sich für die welf. Interessen ein (s. L). *Thankmar* (1835–1909) gehörte zu den Gründern des Ev. Bundes und des Antiultramontanen Reichsverbandes (s. BJ 14, Tl.; Kosch, Biogr. Staatshdb.)

Sie alle wurden jedoch an Nachruhm übertroffen durch den „Lügenbaron" *Hieronymus* (1720–97, s. 3), der nach seiner Entlassung aus russ. Diensten auf seinem Gut Bodenwerder in geselligem Kreis gern Anekdoten und phantasievolle Erzählungen zum besten gab, die ihn zu einer der populärsten Gestalten der volkstümlichen Literatur werden ließen. Als natur- und agrarwissenschaftlicher Schriftsteller trat *Otto* (1716–74), Landdrost in Harburg, hervor, der sich mit praktischen Vorschlägen und theoretischen Überlegungen für die Förderung der Landeskultur im Kurfürstentum Hannover einsetzte. Die Summe seiner Erfahrungen zieht das sechsbändige Werk „Der Hausvater" (1764–73), eines der letzten Beispiele dieser aufklärerischen Literaturgattung. Den Park in Schwöbber gestaltete er nach engl. Vorbild und schuf damit die erste derartige Anlage in Deutschland (s. L). *Karl* (1759–1836, s. ADB 23), waldeck. Oberforstmeister, der sich als Offizier bei den nach Amerika entsandten hess. Truppen mit Johann Gottfried Seume angefreundet hatte, veröffentlichte dramatische und lyrische Dichtungen, u. a. im Göttinger Musenalmanach. *Philipp Otto* (1812–92) verfaßte historische und sentimentale Unterhaltungsromane. Als Wiedererwecker der deutschen Balladendichtung gilt *Börries* (1874–1945, s. 4), der auf seinem Gut Windischleuba bei Altenburg lebte.

L G. S. Treuer, Gründl. Geschl.-Historie d. Hochadelichen Hauses d. Herren v. M., 1740 *(P)*; Albrecht Friedrich v. Münchhausen, Geschl.-historie d. Hauses derer v. M. v. 1740 bis auf d. neueste Zeit, 1872; G. Stölting u. Börries v. Münchhausen, Die Rittergüter d. Fürstentümer Calenberg, Göttingen u. Grubenhagen, 1912; Arbb. z. Fam.gesch. d. Freiherren v. M., hrsg. v. Börries Frhr. v. Münchhausen, 2 Bde., 1933–37; ders., Geschichten aus d. Gesch. e. alten Geschl.-Historie nacherzählt, o. J.; A. Neukirch, Renaissanceschlösser Niedersachsens, Textbd., 2. Hälfte, 1939; H. Lücke, Schloß Schwöbber im Wandel d. Zeiten, 1952; Die v. M., Eine niedersächs. Adelsfam. in Bildern u. schriftl. Zeugnissen, bearb. v. F. W. Schaer, 1965 *(P)*; G. v. Lenthe u. H. Mahrenholtz, Stammtafeln d. Fam. v. M., 2 Bde., 1971/76. – Zu *Ludolf*: B. bei der Wieden, Außenwelt u. Anschauungen L. v. M.s (1570–1640), 1993. – Zu *Ferdinand*: Die preuß. Oberpräsidenten 1815–1945, hrsg. v. K. Schwabe, 1985. – Zu *Alexander*: Kosch, Biogr. Staatshdb.; B. Haunfelder u. K. E. Pollmann, Reichstag d. Norddt. Bundes 1867–1870, 1989. – Zu *Otto*: ADB 23; W. Seedorf, O. v. M. auf Schwöbber, seine Bedeutung als landwirtsch. Schriftst. u. seine Verdienste um d. Gründung d. Landwirtsch.lehre, Diss. Göttingen 1905; ders., in: Gr. Landwirte, hrsg. v. G. Franz u. H. Haushofer, 1970, S. 26–37 *(P)*.

Dieter Brosius

1) *Johannes,* Bischof von Kurland und Oesel-Wiek, † 1572, □ Verden/Aller, Dom.

V Johann (um 1466–v. 1555), auf Haddenhausen, S d. Ludolf (erw. 1465/75) u. d. Catharina v. dem Bussche; M Anna, T d. Heinrich v. Wettbergen († 1510), 1500 Drost zu Bückeburg; Ov Ernst, 1527 Vogt v. Grobin, 1535–44 als Komtur v. Goldingen Gebietiger d. Dt. Ordens in Livland; B Christoph, 1556/57 u. 1560/61 Stiftsvogt der Wiek, dän. Statthalter in Estland; Schw Anna (∞ Dietrich v. Behr,

† 1574/75, auf Stellichte, 1550 Stiftsvogt auf Oesel, 1560/61 dän. Statthalter auf Oesel u. Kurland); – ∞ Lucie (∞ Jürgen v. Mandelsloh, Domherr zu Verden), *T* d. Claus Hermeling u. d. Beeke Clüver; *N* Ulrich, Domherr in Kurland u. Oesel, 1556–61 Koadjutor d. Bischofs v. Kurland, Johann, Statthalter im Stift Kurland, Begründer d. umfangreichen Behrschen Landbes. in Kurland.

Nachdem die Burg Haddenhausen 1530 in einer Fehde gegen die ev. Stadt Minden erobert und niedergebrannt worden war, wurde M. gemeinsam mit seinem Vater und seinen Brüdern gefangengenommen. Bald darauf begann seine geistliche Laufbahn, er wurde zunächst Domherr in Minden, dann auch in Verden (Thesaurar). Ein Bruder war bereits 1530 von seinem Onkel, dem Vogt Ernst v. Münchhausen, nach Kurland geholt worden. Durch die Patronage desselben erhielt auch M. in den 1530er Jahren eine Domherrenstelle in Hasenpoth in dem vom Deutschen Orden inkorporierten Stift Kurland, dann auch in Arensburg im Stift Oesel-Wiek, jedoch wohl erst nach dem Ende der Wiekschen Fehde (August 1536) zwischen Bischof Reinhold v. Buxhöveden und dem Adel der Wiek. 1540 wählte das kurländ. Kapitel M. zum Bischof mit Sitz in Pilten. Der Papst bestätigte die Wahl am 16. Juli und gewährte ihm weiterhin auf Lebenszeit die Thesaurarstelle in Verden. Am 13. 7. 1541 wurde M. auf Präsentation des Deutschen Ordens zum Bischof von Oesel-Wiek gewählt und am 9. 1. 1542 vom Papst bestätigt. M. selbst bezeichnete sich als Administrator seines „geistlichen Vaters", der nach der Fehde zurückgezogen in Leal (Wiek) lebte; erst nach Reinholds Tod 1557 führte M. den Titel des Bischofs. 1541 wurde er, allerdings ohne Erfolg, auch zum Koadjutor des Bischofs von Dorpat vorgeschlagen.

Es lag wohl im Interesse des Ordens, auch andere Stifte mit Inkorporierten zu besetzen, doch es bleibt unklar, was man sich von dem Außenseiter M. in der gefährdeten livländ. Konföderation versprach. Sein Interesse galt primär der Versorgung seiner Familie, die er um sich scharte und förderte. Er war festlichem Zeremoniell zugetan und schätzte Wissenschaft und Kunst, aber nur soweit sein Streben nach höheren Einnahmen dies zuließ. Er verkaufte Korn, das er von seinen Bauern oder von Großhändlern bezog, bis nach Lübeck und Antwerpen. Als Bischof konnte er sich aber weder bei den Pfarrern noch in dem verwahrlosten Nonnenkloster zu Leal durchsetzen. Darüberhinaus lag M. im Streit mit dem Adel der Wiek. Politischen Entschlüssen wich er aus, und als 1557 Krieg drohte, vertröstete er den Ordensmeister mit Lieferversprechungen. Als es wirklich zum Krieg kam, griff er 1559 ein früheres Angebot auf und verkaufte – völlig unkanonisch – für 30 000 Reichstaler seine Stifte an Kg. Friedrich II. von Dänemark, der 1560 seinen Bruder Hzg. Magnus von Holstein zum Nachfolger wählen ließ. M. hatte sich nur die Bestätigung der Privilegien der Stände ausbedungen, doch weder Kapitel noch Ritterschaft hatte er befragt und außerdem die Präsentationsrechte des Orden übergangen. Er selbst begab sich nach Verden; 1563 war er Drost zu Rahden, 1565 Pfandinhaber von Rehburg.

Qu. u. L J. Renner, Livländ. Historien 1556–1561, hrsg. v. F. Karstedt, 1953, fol. 166ʳ; C. Schirren, in: Balt. Mschr. 28, 1881, S. 18–37; L. Arbusow, Livlands Geistlichkeit v. Ende d. 12. bis ins 16. Jh., in: Jb. f. Geneal., Heraldik u. Sphragistik 1900, 1902, S. 72 f.; H. Mahrenholtz, in: Norddt. Fam.kde. 1, 1952, S. 86–90; F. v. Klocke, Aus Lebensgesch. u. Verwandtschaftskreis d. Weserländers J. v. M., ebd., S. 121 f.; G. May, Die dt. Bischöfe angesichts d. Glaubensspaltung d. 16. Jh., 1983, S. 427 ff.; U. Renner, Hzg. Magnus v. Holstein als Vasall d. Zaren Ivan Groznyj, in: Dtld. – Livland – Rußland, ihre Beziehungen im 15. bis z. 17. Jh., hrsg. v. N. Angermann, 1988, S. 139 f.; L. Fenske u. K. Militzer (Hrsg.), Ritterbrüder im livländ. Zweig d. Dt. Ordens, 1993, S. 456 f.

Heinz v. zur Mühlen

2) *Gerlach Adolf* Frhr. v., hann. Staatsmann, * 5. 10. 1688 Berlin, † 26. 11. 1770 Hannover, □ ebenda, Neustädter Hof- u. Stadtkirche.

V Gerlach Heino (1652–1710), auf Steinburg, Wendlinghausen u. Straußfurt, preuß. Kammerherr u. Oberstallmeister, *S* d. Philipp Adolf (1593–1657), auf Leitzkau u. Wendlinghausen, oldenburg. GR, u. d. Magdalene v. Heimburg (1622–81); *M* Katharina Sophie (1665–1734), Erbin v. Straußfurt, *T* d. Ernst Friedemann v. Selmnitz, auf Straußfurt usw., u. d. Anna Elisabeth v. Werthern; *Ov* Hilmar (1636–72), anhalt. GR u. Präs., Landdrost zu Jever, Reichstagsgesandter; *B* Philipp Adolf (1694–1762), hann. Minister b. d. Dt. Kanzlei in London; – ∞ 1) Straußfurt (?) 1715 Wilhelmine Sophie (1701–50), *T* d. Friedrich v. Wangenheim (1675–1705), auf Tüngeda, sachsen-gotha. Obersteuerdir. u. Reisemarschall, u. d. Christine Dorothea v. Stange, 2) Hannover 1755 Christiane Lucie (1718–87), *T* d. preuß. Gen. Achaz v. der Schulenburg (1669–1731, s. ADB 32), u. d. Sophie Magdalene v. Münchhausen (1698–1763); 2 *S* aus 1) (früh †).

Nach dem juristischen Studium in Jena, Halle und Utrecht 1707–11 und einer Kavaliersreise durch Holland und Frankreich trat M. 1714 in den kursächs., 1716 in den hann. Justizdienst. Als Oberappellationsgerichtsrat in Celle, seit 1726 als Comitialgesandter am

Reichstag in Regensburg bewährte er sich, so daß ihn Kg. Georg II. 1728 in den Geheimen Rat seines hann. Stammlands und 1732 außerdem zum Großvogt in Celle berief. M. wurde rasch zur herausragenden Persönlichkeit in der Politik Hannovers, die er über vier Jahrzehnte hinweg maßgeblich mitbestimmte. Das Vertrauen der in London residierenden Monarchen – seit 1760 Georg III. – hielt ihn auch in kritischen Zeiten im Amt, so während der franz. Okkupation des Kurfürstentums im Siebenjährigen Krieg. Zunächst zuständig für die Kirchen- und Schulangelegenheiten, wurde M. 1753 zum Kammerpräsidenten und 1765 zum Premierminister ernannt. Die Verbindung zum Londoner Hof lief seit 1748 über seinen Bruder Philipp Adolf als Chef der Deutschen Kanzlei in London.

In den auswärtigen Angelegenheiten vertrat M. mit Rücksicht auf die exponierte Lage des Landes eine Linie vorsichtiger Zurückhaltung, womit er sich mehrfach den Zorn Friedrichs II. von Preußen zuzog; letztlich mußte er sich aber den Interessen Englands unterordnen und konnte den Kurstaat nicht aus den Auseinandersetzungen der Großmächte heraushalten. Er hatte zunächst gehofft, einer Vorherrschaft Frankreichs in Europa durch die Stärkung des Reichs unter der Führung des Kaisers entgegenwirken zu können, scheiterte damit aber letztlich an der Uneinigkeit und den Sonderinteressen der Reichsstände. Die vom Landadel dominierte Verfassung Hannovers erfuhr im 18. Jh. keine Fortentwicklung, sondern erstarrte in teilweise überholten Traditionen. Das hinderte M. nicht, Innovationen durchzusetzen. Dazu gehören die Einführung moderner Techniken und Methoden in der Landwirtschaft, die Errichtung des Landgestüts in Celle 1735, der Bau der Weserschleuse in Hameln und eine beträchtliche Vermehrung der Staatseinnahmen. Auch daß die auf den Arbeiten von Leibniz beruhenden vier Bände der „Origines Guelficae" 1750–53 erscheinen konnten, ist M. zu verdanken. Seine bedeutendste Leistung war jedoch die am Vorbild von Halle orientierte Gründung der Univ. Göttingen. Mit den Vorbereitungen begann er 1732; zwei Jahre später wurden die ersten Vorlesungen aufgenommen, und 1737 erfolgte die feierliche Eröffnung der Georgia Augusta. Wenn man deren Initialen schon bald scherzhaft als „Gerlaco Adolphina" deutete, so wurde damit der außerordentliche persönliche Einsatz M.s anerkannt. Er selbst gab der neuen Hochschule die Leitlinien vor, die sie rasch zur modernsten und angesehensten akademischen Ausbildungsstätte in Deutschland werden ließen, und wählte die Professoren aus, von denen er ein Wirken im Geist der Aufklärung und Toleranz erhoffte. Nicht Theologie oder Philosophie, sondern die Staats- und Kameralwissenschaften sollten den ersten Rang einnehmen. Ziel war die an der Praxis ausgerichtete Ausbildung qualifizierter Staatsdiener, die sich vor allem aus dem hann. Adel rekrutieren sollten. Daß M. bei den Berufungen eine glückliche Hand bewies, bezeugen Namen wie Haller, Gesner, Achenwall, Pütter, Lichtenberg, Schlözer, Beckmann, Büsching, Heyne oder Michaelis. Nicht zuletzt die von M. durchgesetzte Zensurfreiheit machte Göttingen attraktiv. Seiner Initiative verdankte auch die Göttinger Gesellschaft der Wissenschaften ihre Entstehung (1751).

Qu. Akten im Univ.archiv Göttingen, im Niedersächs. HStA Hannover (Geh. Rat, Dt. Kanzlei), im Niedersächs. StA Bückeburg (Fam.archiv v. Münchhausen)

L ADB 22; W. Rothert, Allg. hann. Biogr. III, 1916, S. 233 f.; W. Buff, G. A. v. M. als Gründer d. Univ. Göttingen, 1936; ders., G. A. v. M., e. Kultusmin. d. dt. Aufklärung, in: 200 J. Georgia Augusta, 1937, I, S. 17–21; T. König, Hannover u. d. Reich 1740–45, 1938; U. Dann, Hannover u. England 1740–1760, Diplomatie u. Selbsterhaltung, 1986. – *Eine umfassende Biogr. fehlt.*

P Ölbild, um 1718 (Staats- u. Univ.bibl. Göttingen); Ölbild, um 1740 (Aula d. Univ. Göttingen); Vorsatzbl. zu A. F. v. Münchhausen, Geschl.historie d. Hauses derer v. Münchhausen, 1872; Stich v. C. F. Fritzsch, 1738.

Dieter Brosius

3) *Hieronymus* Frhr. v. („Lügenbaron"), Erzähler, * 11. 5. 1720 Bodenwerder/Weser, † 22. 2. 1797 ebenda.

V Georg (1682–1724), auf Rinteln u. B., hann. Obristlt. d. Kav., *S* d. Hilmar (* 1633), u. d. Catharina Sophie v. Bornstedt; *M* Sybille Wilhelmine (1689–1741), *T* d. Jobst Johann v. Reden (1656–1734), auf Hastenbeck u. Bennigsen, Land- u. Schatzrat, u. d. Dorothea v. Münchhausen; *B* Wilhelm (1715–88), auf Rinteln, hann. Oberst; – ∞ 1) Pernigel (Livland) 1744 Jacobine (1724–90), *T* d. Georg v. Dunten, auf Ruthern, rigascher Landrichter, u. d. Sigrid Juliane v. Rosen, 2) Bodenwerder 1794 Bernhardine (* 1773), *T* d. hann. Majors Justus Hartwig Brunsich v. Brun u. d. Jeanette v. Adlerstein; kinderlos; *N* Wilhelm (1757–99), auf Bodenwerder, Erbe M.s.

M. trat mit 13 Jahren als Page in den Dienst des Prinzen Anton Ulrich von Braunschweig, begleitete diesen nach Rußland und wurde dort 1738 in dessen Kürassierregiment bei

Riga aufgenommen, 1739 zum Kornett und 1740 zum Leutnant befördert. Seine Teilnahme an russ.-türk. Feldzügen ist unwahrscheinlich. Nach 12 Jahren Militärzeit, die er überwiegend in Livland, 1741–46 während des schwed.-russ. Kriegs in Petersburg verbrachte, ließ er sich als Rittmeister Peters III. beurlauben, um sich 1752 auf sein Gut in Bodenwerder zurückzuziehen, wo er bis zuletzt lebte. Drei Jahre vor seinem Tod erregte er durch die Eheschließung mit einer wesentlich jüngeren Frau Aufsehen.

Eine sehr lückenhafte Quellenlage hat, vor allem für M.s Zeit in Rußland, nur wenige Details seiner Biographie überliefert und die Bildung von Mythen angeregt. Im Vordergrund steht M.s Fabulierkunst, die er im geselligen hann. Adelskreis pflegte, aber niemals selbst zu Papier brachte. Sie trug ihm die Bezeichnung „Lügenbaron" ein. Ohne seine Beteiligung und Zustimmung erschienen im „Vade Mecum für lustige Leute" (VIII, 1781, u. IX, 1783) anonym 16 Anekdoten, „M-h-s-nsche Geschichten", die wohl weniger auf authentische Erlebnisse als auf Stoffe der Volkskultur, der Schwanktradition und der fiktiven Reisebeschreibungen zurückgehen. Verfasser war der aus derselben Gegend wie M. stammende Universalgelehrte und Schriftsteller Rudolf Erich Raspe (1736–94). Nachdem dieser 1755 wegen eines Münzdiebstahls aus dem ihm anvertrauten Antiquitätenkabinett in Kassel nach England geflüchtet war, veröffentlichte er aus Geldnot dort die bekannten Abenteuer- und Lügengeschichten in Buchform zuerst 1785 anonym auf englisch: „Baron Munchhausen's Narrative of his Marvellous Travels and Campaigns in Russia". Es folgte eine vor allem durch Seeabenteuer ständig erweiterte Kette von engl. Auflagen, die seit der 5. Auflage den Titel „Gulliver revived" trugen. Nach der 3. engl. Auflage brachte Georg August Bürger diesen Text in eine von ihm ebenfalls veränderte, anonym erschienene deutsche Fassung: „Wunderbare Reisen zu Wasser und zu Lande, Feldzüge und lustige Abentheuer des Freiherrn von Münchhausen" (London, recte Göttingen 1786) mit wiederum eigenen Zutaten und Erweiterungen in der 2. Auflage letzter Hand von 1789. M. ist somit nicht der Verfasser eines deutschen Volksbuchs, sondern nur die Titel- und Hauptfigur eines ursprünglich engl. erschienenen Werks. – M.s „Lügengeschichten" wurden aufgrund der Übersetzungen in zahlreiche Sprachen ein weltweit verbreitetes Buch, durch das M. weniger als historische Person denn als literarische Figur bekannt wurde, nicht zuletzt auch über eine Vielzahl von Bearbeitungen und Weiterdichtungen in Form sog. Münchhausiaden.

L ADB 23; A. F. v. Münchhausen, Geschl.historie d. Hauses derer v. M., 1872 *(P)*; A. Weiss, Wer war M. wirklich?, 1960 *(P)*; W. R. Schweizer, M. u. Münchhausiaden, 1969; E. Wackermann, Münchhausiana, Bibliogr. d. Münchhausen-Ausgg. u. Münchhausiaden, 1969; R. P. Dawson, Rudolf Erich Raspe and the Munchhausen Tales, in: Lessing Yearbook 16, 1984, S. 205–20; G. u. H. Häntzschel (Hrsg.), G. A. Bürger, Sämtl. Werke, 1987, S. 497–592, 1277–88; T. Gehrmann, M., Bibliogr. d. Bücher-Slg. d. Stadt Bodenwerder/Weser, 1991; KLL (Bürger); Killy.

P Gem. v. G. Bruckner, 1752, Abb. in: A. Weiss (s. *L*); Stahlstich v. G. F. C. Müller *(vermutl. nicht authent.)*, Abb. in: A. F. v. Münchhausen, Geschl.-historie (s. *L*).

Doris Bachmann-Medick

4) *Börries* Frhr. v., Dichter, * 20. 3. 1874 Hildesheim, † (Freitod) 16. 3. 1945 Windischleuba b. Altenburg (Thüringen). (ev.)

V Börries (1845–1931), auf Moringen, Oberdorf, Parensen, Apelern, Nienfeld, Remeringhausen (Niedersachsen) u. W., Dr. iur., sachsen-altenburg. Kammerherr, S d. Albrecht (1798–1880), auf Moringen usw., hann. Drost u. Landschaftsrat, u. d. Clementine Isidore v. Carlowitz (1815–48) aus Dresden; M Clementine (1849–1913), T d. Conon v. der Gabelentz (1807–74), auf Poschwitz, Sprachforscher, sachsen-altenburg. Staatsminister (s. NDB VI), u. d. Henriette v. Linsingen (1813–92); ∞ Windischleuba 1902 Anna (1871–1945), Wwe d. Heinrich Crusius (1860–99), auf Sahlis, Dr. phil., T d. Ludwig v. Breitenbuch, auf Brandenstein, sachsenaltenburg. Kammerherr u. Oberjägermeister, u. d. Elisabeth Freiin v. Ziegesar; 1 S Börries (1904–34), Dr. phil., Dipl.-Landwirt.

M. verbrachte seine Kindheit auf den elterlichen Gütern in Moringen bei Göttingen, Apelern bei Hannover und Windischleuba bei Altenburg. 1887 kam er auf die Klosterschule in Ilfeld, der Abschluß erfolgte im Lyzeum II in Hannover. 1895–99 widmete er sich dem Studium der Rechts- und Staatswissenschaft in Heidelberg, München, Göttingen und Berlin; nach der Referendarprüfung in Celle 1899 wurde er in Leipzig mit einer Arbeit „Über die Pflicht zur Anzeige" (1899) promoviert. Anschließend widmete er sich philosophischen und naturwissenschaftlichen Studien in Göttingen, wo er junge, literarisch begabte Leute um sich sammelte und eine Akademie gründete, deren Präsident er wurde. Ihr Interesse galt vorwiegend der Ballade. Seine literarischen Vorbilder sah M. vor allem in Moritz Gf. v. Strachwitz, aber auch

Gottfried August Bürger, Conrad Ferdinand Meyer, Theodor Fontane und Felix Dahn. 1900, 1901, 1905 und 1923 gab er die Göttinger Musenalmanache heraus. 1898 war sein erster Band „Gedichte" erschienen. Mit den nachfolgenden Bänden „Juda" (1900), „Balladen" (1901), „Ritterliches Liederbuch" (1903), „Das Herz im Harnisch" (1911) verschaffte er um die Jahrhundertwende der Ballade, die er als das „schlummernde Königskind der deutschen Dichtung" bezeichnete, wieder größere öffentliche Resonanz. Doch war er eher ihr Wiedererwecker als ihr Erneuerer. Als Schirmherr des Göttinger Balladenkreises förderte er das Talent einer Agnes Miegel und Lulu v. Strauß und Torney. Aufsehen erregte er, als er seine alttestamentarischen Balladen unter dem Titel „Juda" herausgab, illustriert von seinem Freund Ephraim Moses Lilien. Die Bewunderung dieser Balladen durch Theodor Herzl, den Begründer des Zionismus, versetzte ihn in eine „tiefe Beschämung von Glück". Während seiner Berliner Zeit 1897–99 kam er mit der jungen Literaturbewegung in Berührung, beschäftigte sich mit sozialdemokratischen Ideen, trat im jugendlichen Überschwang vorübergehend aus der Kirche aus und war im Begriff, seinen Adelstitel abzulegen. Doch dann erfolgte der Bruch mit dem „Berliner Literaturbetrieb", mit dem „Kunstzigeunertum", denn Tradition und Heimat erschienen ihm als verläßlichere Werte. Fortan kehrte er Deutschtum und Besinnung auf die Tradition als wesentliche Kriterien einer nationalen Literatur hervor. 1911 distanzierte er sich in einem Brief an den antisemitisch eingestellten Literaturprofessor Adolf Bartels von seinem „Juda" und entwickelte Gedanken, wie die jüdische Kultur in Deutschland zurückgedrängt werden könne, indem er die Gründung eines Geheimbundes zur Befreiung vom Judentum empfahl. Während des 1. Weltkrieges nahm er als Rittmeister der Reserve im sächs. Garde-Reiter-Regiment am Feldzug im Osten teil, wurde aber wegen eines Nierenleidens nach Berlin, in eine militärische Stelle des Auswärtigen Amtes versetzt. Hier traf er auf Arthur Moeller van den Bruck, Hans Grimm, Waldemar Bonsels, Friedrich Gundolf.

In den Jahren der Weimarer Republik versiegte sein lyrisches Schaffen, obwohl er durch den Vortrag seiner Gedichte, durch Neuauflagen und publizistische Arbeiten („Fröhliche Woche mit Freunden", 1922; „Die Garbe", 1933) weiterhin in der literarischen Öffentlichkeit stand. Er wurde zu einem erbitterten Gegner der modernen Literatur und Kunst, insbesondere des Expressionismus. Ausgehend von seiner nationalkonservativen Gesinnung, schuf er sich einen festen Freundeskreis, zu dem Hans Grimm, Erwin Guido Kolbenheyer, Wilhelm Schäfer, Hans Friedrich Blunck, Hanns Johst und Emil Strauß gehörten. Aus diesen Verbindungen entstand 1932 im Zusammenwirken mit seinem Vetter, Burghauptmann Hans v. der Gabelentz, der „Wartburgkreis" mit seinen jährlichen Treffen auf der Wartburg und der Verleihung der silbernen Wartburgrose an die besten Vertreter der nationalen Dichtung. Die so gebildete Rosenritterschaft formierte er als Gegenpol zum „Berliner Literaturbetrieb". Den Wartburgkreis gedachte er zu einer Deutschen Akademie mit Sitz auf der Wartburg auszubauen und als die eigentliche literarische Elite gegenüber der Dichtersektion der Preuß. Akademie der Künste in Berlin herauszustellen. Im November 1932 schickte er eine Denkschrift „Gedanken über eine deutsche Dichter-Akademie" an den Reichskanzler Franz v. Papen, mit der er seine Vorstellungen über eine Dichterakademie und deren Mitgliedschaft mit Hilfe der Regierung durchsetzen wollte.

Als im Mai 1933 die Nationalsozialisten die Dichtersektion der Preuß. Akademie der Künste gleichschalteten und ihre führenden Mitglieder hinausdrängten, besetzten im darauffolgenden Monat M. und seine Freunde aus dem Wartburgkreis die leeren Stühle. M. wollte jedoch die Akademie vor dem drohenden Einfluß von Joseph Goebbels bewahren, indem er eine Autonomie unter nationalkonservativem Vorzeichen anstrebte. Andererseits suchte er Vertreter der von ihm nicht als deutsch empfundenen Literatur aus der Akademie zu vertreiben, wobei er Gottfried Benn als Juden denunzierte. Als Wortführer einer Gruppierung innerhalb der Akademie, zu der Rudolf G. Binding, Grimm, Kolbenheyer, Schäfer und Strauß gehörten, bemühte er sich vergebens, seine Autonomie-Konzeption gegenüber Johst und Blunck durchzusetzen. Seine aristokratische Haltung und seine persönlichen Auffassungen über Literatur riefen den Unwillen der nationalsozialistischen Presse hervor, die ihn mehrfach öffentlich angriff. Im Februar 1939 unterwarf Joseph Goebbels alle Literaturtreffen seiner Genehmigungspflicht, was einer Liquidation des Wartburgkreises gleichkam. Trotz seiner eigenständigen nationalkonservativen Denkweise blieb M. der nationalsozialistischen Politik verhaftet. Um der durch Hitler erreichten großdeutschen Machtstellung willen war er bereit, „den Stacheldraht um die Garbe der geistigen Freiheit in Deutschland" hinzunehmen. Gegen Ende des 2. Weltkrieges nahm sich M., dessen Frau bereits Anfang 1945 verstorben war, das Leben. – Dr. phil. h. c. (Breslau 1924); Ehrenbürger v. Altenburg (Thüringen) u. Göttingen (1937).

Weitere W. u. a. Hofball, Eine Ballade f. meine Jungens, 1913; Die Standarte, Balladen u. Lieder, 1916; M.-Beeren-Auslese, Eine Ausw. aus d. Gesamtwerk, 1920; Dt. Dichterhss.: B. Frhr. v. M., 1920 *(P);* Schloß in Wiesen, Balladen u. Lieder, 1921; Juda, Gesänge, 1922; Fröhl. Woche mit Freunden, 1922; Meister-Balladen, Ein Führer z. Freude, 1923; Drei Idyllen, 1924; Idyllen u. Lieder. 1928; Die Garbe, Ausgew. Aufsätze, 1933; Das dichter. Werk in zwei Bänden, Ausg. letzter Hand, 1950–53. – *Hrsg.:* Das Kgl. Sächs. Garde-Reiter-Rgt. v. 1880 bis 1918, 1926; Arbeiten z. Fam.gesch. d. Frhrn. v. Münchhausen, 2 Bde., 1933–37. – *W-Verz.:* Wilpert-Gühring. – Nach Recherches v. M. gab es 1942 636 Vertonungen seiner Gedichte, u. a. v. Carl Orff.

L A. Soergel, Dichtung u. Dichter d. Zeit, 1911; H. Langenbucher, Volkhafte Dichtung d. Zeit, 1941; Gesch. d. dt. Lit., Vom Ausgang d. 19. Jh. bis 1917, IX, 1974 *(X);* W. Mittenzwei, Der Untergang e. Ak. od. Die Mentalität des ewigen Deutschen, 1992; Rhdb. *(P);* Kosch., Lit.-Lex.³; Killy.

P Bildnisbüste v. F. Hofer, 1918; Gem. als Domherr zu Wurzen v. C. Felixmüller, 1934/35 (Altenburg, Staatl. Lindenau-Mus.), Abb. b. Wilpert; Phot. in: GHdA Freiherrl. Häuser A VI, 1966, v. S. 345.

Werner Mittenzwei

Müncker, *Theodor,* kath. Moraltheologe, * 3. 3. 1887 Uerdingen b. Krefeld, † 27. 12. 1960 ebenda.

V Theodor (1847–1902), Kaufm. in U., *S* d. Kaufm. Theodor (* 1796) u. d. Antoinette Illisch (Illig ?) (* 1806); *M* Wilhelmine Maria Robertine Caroline (* 1861); *T* d. Kaufm. Gustav Cremer (* 1825) u. d. Josephine Elfes (* 1830).

Nach dem Abitur 1906 in Krefeld studierte M. Jura in Lausanne und München, 1907–10 Theologie in Bonn. Im März 1911 wurde er im Kölner Dom zum Priester geweiht. Es folgten drei Kaplansjahre in Deutz. Seit Ostern 1914 Rendant (Assistent) am Collegium Leoninum in Bonn, setzte er seine Studien fort, wobei er sich besonders biologischen, psychologischen und psychiatrischen Grenzfragen zur Moraltheologie widmete. 1922 wurde er mit einer Arbeit über „Die Psychologie des seelischen Zwanges und ihre Bedeutung für die Moral- und Pastoraltheologie" zum Dr. theol. promoviert. Im Juli 1923 habilitierte er sich mit der Schrift „Das sittliche Gefühl in seiner Bedeutung für die sittliche Kenntnisnahme und das Gewissen". Seitdem Privatdozent in Bonn, erhielt er 1926 einen besoldeten Lehrauftrag zur Vertretung des Faches Ethik. Daneben betrieb er die Erforschung der bislang in der Fundamentalmoral nur bruchstückweise behandelten psychologischen Grundfragen weiter. Wie M. u. a. in seinem Aufsatz „Kath. Seelsorge und Psychoanalyse" darlegte, waren bisher die für das sittliche Leben bedeutsamen Akte in ihrer psychologischen Eigenart nicht genügend bedacht worden. Geistiges und sittliches Leben sollten nicht ohne die Leibverfaßtheit des Menschen beurteilt und die Frage nach dem Wesen des Gewissens neu gestellt werden. Auf Grund dieser Forschungsarbeit qualifiziert, die Nachfolge Ignaz Klugs anzutreten und dessen Werk fortzuführen, wurde M. nach dessen Tod 1929 als beamteter ao. Professor an die Phil.-Theol. Hochschule Passau berufen. 1932 ging er als o. Professor nach Breslau. Dort vollendete er 1934 sein Hauptwerk „Die psychologischen Grundlagen der kath. Sittenlehre", erschienen als 2. Band des von Fritz Tillmann in Zusammenarbeit mit Theodor Steinbüchel und M. herausgegebenen „Handbuchs der kath. Sittenlehre". Auf dem Gebiet der Moralpsychologie galt M. inzwischen als der führende Fachmann. Sein Moralprinzip hat er im Sinne seines Lehrers Tillmann und unter Berufung auf ihn formuliert: „Das Sein in Christo zur Auszeugung bringen in der Nachfolge des Herrn zur Verherrlichung des Vaters". 1935 folgte M. einem Ruf nach Freiburg (Breisgau), wo er 1956 emeritiert wurde. Der modernen Fragen gegenüber aufgeschlossene Moraltheologe war ein hochangesehener Universitätslehrer. – Päpstl. Hausprälat (1953).

W u. a. Der psych. Zwang u. seine Beziehungen zu Moral u. Pastoral, 1922; Kath. Seelsorge u. Psychoanalyse: Krisis d. Psychoanalyse, hrsg. v. A. Prinzhorn u. K. Mittenzwei, 1928; Die psycholog. Grundlagen d. kath. Sittenlehre, 1934, ⁴1953; Psychoanalyse u. Seelsorge, in: Bonner Zs. f. Theol. u. Seelsorge 1, 1924; Das Gewissen als Äußerung menschl. Wesensbestimmung, in: Das Bild d. Menschen, FS f. F. Tillmann, 1934.

L F. X. Eggersdorfer, Die Phil.-Theol. Hochschule Passau, 1933, S. 352 f. *(P);* FS z. 60. Geb.tag, hrsg. v. W. Heinen u. J. Höffner, 1948; FS f. Th. M., hrsg. v. F. Scholz u. R. Hauser, 1958 *(P);* E. Kleineidam, Die Kath.-Theol. Fak. d. Univ. Breslau 1811–1945, 1961, S. 100, 108, 117, 143; LThK²; Kürschner, Gel.-Kal. 1961.

P Phot. (Archiv d. Univ. Passau).

Karl-Heinz Kleber

Mündel, Fabrikanten in Riga. (ev.)

Die Familie gehörte seit dem Beginn der Industrialisierung in der ersten Hälfte des

19. Jh. über drei Generationen – bis zur Umsiedlung der Deutschbalten 1939 – zu den führenden Fabrikbesitzern in Riga. Gründer der drei im Familienbesitz befindlichen Fabriken war *Johann Wilhelm* (1820–87), Sohn des Tischlermeisters *Johann Christoph* aus dem kurländ. Bauske. In Riga, das seit der Mitte des Jahrhunderts die erste Stelle in der Zigarrenfabrikation Rußlands einnahm, gründeten er und August Klau 1849 mit bescheidenen Mitteln die Fabrik „Mündel & Klau" zur Herstellung von Zigarren und Pfeifentabak. Nach zwei Jahren führte Johann Wilhelm die Firma unter der Bezeichnung „Mündel & Co." allein weiter und baute sie in der Folgezeit kontinuierlich aus. 1864 waren in der Fabrik 252 Arbeiter beschäftigt, 1872 bereits 318. Eine weitere Expansion erfolgte seit 1888 durch die Produktion von Papyros und türk. Rauchtabaken. Den geschäftlichen Höhepunkt erreichte das Unternehmen vor dem 1. Weltkrieg mit ca. 500 (fast ausschließlich weiblichen) Beschäftigten. – 1864 gründete Johann Wilhelm, seit 1867 Ältester der Großen Gilde, mit der Firma „J. W. Mündel" die erste Rigaer Fabrik zur Herstellung von Gummiwaren, die sich ebenfalls zu einem bedeutenden Unternehmen entwickelte. Hauptprodukt neben Erzeugnissen für technischen Bedarf waren Gummigaloschen, der wichtigste Ausfuhrartikel der Rigaschen Gummiindustrie. Im 1. Weltkrieg wurde die Gummiwarenfabrik nach Moskau evakuiert und anschließend liquidiert. Eine dritte Gründung, die Rigaer Eisenindustrie „Mündel & Co.", bestand nur 1878–96.

Seine beiden Söhne *August* (1851–1919) und *Carl* (1853–1926), ebenfalls Älteste der Großen Gilde, wurden Mitbesitzer und Erben der Fabriken. August leitete die Gummiwarenfabrik, Carl die Tabakfabrik. Carl war ehrenamtlich in kirchlichen und sozialen Einrichtungen tätig, außerdem Mitglied des Direktoriums der Gegenseitigen Feuer-Versicherungsgesellschaft. Sein Sohn *Erich* (1882–1954) trat nach dem Studium in Riga und Karlsruhe als Chemiker in die Familienunternehmen ein. 1908–15 war er Direktor und technischer Leiter der Gummiwarenfabrik, 1920–39 Leiter der 1927 in eine Aktiengesellschaft umgewandelten Tabakfabrik. 1925 wurde er Direktor-Kandidat und 1932 Vorstandsmitglied der Kreditgenossenschaft beim Verein „Große Gilde". Eine führende Rolle spielte er in der Selbstverwaltung der deutschen Minderheit in Lettland nach dem 1. Weltkrieg, insbesondere in der politischen und kulturellen Spitzenvertretung der Deutsch-Baltischen Volksgemeinschaft. Obwohl er während seiner Präsidentschaft 1935–38 um einen friedlichen Ausgleich mit der nationalsozialistischen Bewegung, die der Volksgemeinschaft die Führungsrolle streitig machte, bemüht war, sah er sich schließlich zum Rücktritt veranlaßt. Nach dem 2. Weltkrieg betätigte er sich ehrenamtlich in der Deutschbaltischen Landsmannschaft. Seine Schwester *Margarethe* (1884–1965) war über viele Jahre in verantwortlichen Positionen auf dem sozialen Sektor der deutschen Volksgruppenarbeit in Lettland tätig.

L Btr. z. Gesch. d. Industrie Rigas, hrsg. v. Techn. Ver. zu Riga, 2, 1911; Dt.balt. Biogr. Lex. *(zu Johann Wilhelm, Erich u. Margarethe).*

Wilhelm Lenz

Mündler, *Otto,* Kunsthistoriker, * 3. 2. 1811 Kempten (Allgäu), † 14. oder 17. 4. 1870 Paris. (ev.)

V Otto Philipp (1772–1851), Lehrer d. franz. Sprache am Gymnasium in K., später Rektor d. Gewerbeschule in K., S d. David (1737–86 ?) aus Memmingen, Bortenmacher u. Hochzeitlader, u. d. Ursula Ellhardt (Elhardt) († 1786 ?) aus K.; M Maria (1786–1843), T d. Elias Pilgram (1724–1803), Mechanikus u. Gürtler in Memmingen, u. d. Elisabeth Margarethe Hummel (Hommel) (* 1741) aus Memmingen; 8 jüngere *Geschw;* – ledig.

M. bezog 17jährig die Univ. München und widmete sich dort ein Jahr lang vor allem philologischen Studien. Anschließend studierte er drei Jahre Theologie in Erlangen, wo er u. a. Kontakt zu Friedrich Rückert aufnahm. Sein fünftes und letztes Semester verbrachte er in Berlin und besuchte dort auch die kunsthistorischen Vorträge von Gustav Friedrich Waagen. Im Herbst 1833 bestand M. seine theologische Prüfung in Ansbach, bemühte sich danach jedoch nicht um eine Anstellung als Prediger, sondern übernahm 1834 eine Stelle als Hauslehrer in Launay am Genfer See, im Frühjahr 1835 die eines Haushofmeisters bei dem Sohn eines Deputierten aus Bordeaux, Pierre-François Guestier. Dieser überließ ihm auch die Betreuung und schließlich sogar den Verkauf seiner privaten Bildersammlung. Vor allem letzteres scheint M. endgültig bewogen zu haben, sich als marchand amateur in Paris niederzulassen. Bereits in diese frühe Pariser Zeit fiel die erste Begegnung mit dem später als Kunstschriftsteller berühmt gewordenen Giovanni Morelli, der ihm von Rückert empfohlen worden war und mit dem ihn zeitlebens eine enge Freundschaft verband.

Ausgedehnte Studienreisen nach England (1837) und Italien (1842) zur gründlichen Erforschung von Galeriebeständen vermittelten M. die für seine neue Tätigkeit erforderlichen Kenntnisse und Erfahrungen, welche durch Beziehungen zu Sir Charles Lock Eastlake (1842), Waagen (1846) und Johann David Passavant zusätzlich vertieft wurden. Wesentlich zur Begründung seines künftigen Ansehens trugen jene Beobachtungen zu den ital. Gemälden des Louvre bei, die er 1850 in gewandtem Französisch veröffentlichte. Das vor allem bei gemeinsamen Museumsreisen gefestigte Vertrauensverhältnis zu Eastlake führte schließlich zur Berufung M.s als „Travel Agent" an die eben begründete Londoner National Gallery. Diese Tätigkeit 1855–58 beschrieb M. selbst in engl. abgefaßten „Travel Diaries". 1860 wurde er mit der Aufstellung einer verbindlichen Schätzliste für die Bestände der Galerie Esterhazy vor ihrer Übertragung in das Budapester Museum betraut; die Rothschilds in Paris ließen sämtliche Ankäufe alter Bilder durch ihn besorgen. Daneben verfolgte M. mit kritischem Interesse die Aktivitäten der deutschen Museen. Noch dem jungen Wilhelm Bode stand er vor Beginn von dessen Museumskarriere mit Rat und Ermunterung zur Seite. Jacob Burckhardt, dem er für die 2. Auflage des „Cicerone" (1869) Beiträge geliefert hatte, schätzte M.s Kennerschaft hoch; mit dem in Zürich lebenden Industriellen und Sammler Otto Wesendonck aus Düsseldorf war er persönlich befreundet.

W Essay d'une Analyse Critique de la Notice des Tableaux Italiens du Musée National du Louvre, Accompagné d'Observations et de Documents relatif à ces Tableaux, 1850; The Travel Diaries of O. M., 1855–1858, Edited and Indexed by C. T. Dowd, Introduction by J. Anderson, 1985 (Rez. in: Kunstchronik 42/10, 1989, S. 597 ff.); Die Apokryphen d. Münchener Pinakothek u. d. neue Kat., in: Rezensionen u. Mittheilungen üb. bildende Kunst, 4. Jg., 1865, S. 353–57, 363–65, 369–74; Btrr. zu Burckhardts Cicerone, ²1869 (vollst. publiziert in ³1874). – *Nachlaß:* Zentralarchiv d. Staatl. Museen, Berlin.

L C. v. Lützow, O. M., in: Beibl. z. Zs. f. bild. Kunst, V (14), 1870, S. 113–15; K. Raab, O. M. (1811–1870), e. Kunstgelehrter aus d. Allgäu, in: Allgäuer Gesch.freund NF 36, 1934, S. 143–52 *(P);* Jacob Burckhardt, Briefe, vollst. u. krit. Ausg., bearb. v. M. Burckhardt, V, 1963, S. 69 f., 84; R. Kultzen, O. M. als Briefpartner Wilhelm v. Bodes, in: FS f. Martin Gosebruch, 1984, S. 184–91; ders., Giovanni Morelli als Briefpartner v. O. M., in: Zs. f. Kunstgesch. 52, 1989, S. 373–401 *(P);* ders., Einiges üb. d. kunsthist. Leitbilder O. M.s, in: FS f. Tilmann Buddensieg, 1993, S. 323–35; Jb. d. Berliner Museen, 36, 1994, S. 313 f.; T. v. Stockhausen, Ein Michelangelo für Berlin? O. M. u. Gustav Friedrich Waagen (mit e. unveröff. Brief M.s), in: Kunstchronik 48, 1995, S. 177–82.

Rolf Kultzen

Münemann, *Rudolf,* Finanzier, * 8. 1. 1908 Berlin, † 22. 10. 1982 München.

V August, Warenhauskaufm. in B., dann Inh. e. Textilgroßhandels mit zahlr. Filialen im norddt. Raum, *S* e. Wollarbeiters; *M* N. N. Zarffs; ∞ München 1931 Lucia, *T* d. Arztes N. N. Minck in M.; 1 *S,* 1 *T.*

M. besuchte die Schule in Braunschweig. Als das Unternehmen seines Vaters 1926 fallierte, verzichtete er auf das geplante Jurastudium und übernahm stattdessen mit dem Kredit eines Hamburger Kaufmanns aus der Konkursmasse ein kleines Textilgeschäft in Alfeld bei Hannover. 1928 gab er diese Firma auf und gründete in München ein Inkasso- und Kreditbüro, das zunächst Kleindarlehen von Witwen- und Waisenkassen an Rentner und Bauern sowie durch Grundschulden gesicherte Zwischenkredite vermittelte. Seit einer Entscheidung des Reichsaufsichtsamts für das Versicherungswesen (1931), die es den Versicherungen ermöglichte, Schuldscheindarlehen zu geben, spezialisierte sich M. auf Kreditvermittlungen an Industrieunternehmen nach dem „Revolving-System". Dabei nahm er von einer Vielzahl wechselnder Geldgeber (zunächst hauptsächlich Versicherungen, später auch öffentlich-rechtliche Kreditinstitute und Privatbanken) gegen Schuldscheine kurzfristige Darlehen auf, um diese Mittel mit Zinsgewinn langfristig weiterzuverleihen. Zu seinen Kunden zählten schon bald namhafte Unternehmen (u. a. Harpener Bergbau, Gieshes Erben, Flick, Stinnes, Mitteldeutsche Stahlwerke, Maximilianshütte). Während des 2. Weltkriegs betreute M. zudem als Generalbevollmächtigter die Finanzverwaltung des Messerschmitt-Konzerns.

Schon 1947 nahm M. seine Kreditgeschäfte wieder auf. Wenige Wochen nach der Währungsreform vom Sommer 1948 vermittelte er ein dem Bau von Omnibussen dienendes langfristiges Darlehen von 25 Mio. DM der auftraggebenden Deutschen Bundespost an die Daimler-Benz AG. Seine „Rudolf Münemann Industriefinanzierungen GmbH" und die in deren Besitz befindliche „Rudolf Münemann Industrie-Handels GmbH" („Müne-Handel") – eine Einzelfirma mit nur etwa 30 Mitarbeitern und 100 000 DM Kapital – arbeiteten bald mit zahlreichen großen Industrie-

und Handelsunternehmen (u. a. Ruhrchemie, Hibernia, Philips, Petrofina, Mannesmann, Horten, Krages, Flick) zusammen. 1958 gründete M. in Frankfurt durch Umwandlung einer kleinen Darmstädter Getreidehandelsbank die „Investitions- und Handelsbank AG". 1961/62 erwarb er Beteiligungen an der „Bau- und Handelsbank AG", Berlin, und an der „Allgemeinen Hypothekenbank AG", Köln. Bei seinen Finanzgeschäften stieß der Außenseiter jedoch zunehmend auf den Widerstand des etablierten Bankgewerbes, das schon 1959 erreicht hatte, daß der Gesetzgeber – wenn auch nur vorübergehend – M.s Schuldscheindarlehen der Wertpapier- und der Börsenumsatzsteuer unterwarf („Lex Münemann"). Nach einem seine Liquidität gefährdenden Engagement bei der in Schwierigkeiten geratenen Firma Hugo Stinnes jr. entschied sich M. 1964 zum Verkauf seines Bankhauses, dessen Kapitalmehrheit samt der Stinnes-Beteiligung von der Bank für Gemeinwirtschaft und dem Land Hessen übernommen wurde. Mit seiner „Münemann-Industrie-Anlagen GmbH" betätigte sich M. auch im damals neuen Leasing-Geschäft (Verpachtung von Industrieanlagen), das allerdings seine Erwartungen nicht erfüllte. 1964 übernahm er die Filialkette der Uhren-Weiß AG, in die er große Summen investierte, doch endete dieses Engagement mit hohen Verlusten. Die gleichzeitigen Gewinne im Kreditgeschäft, das er – vorsichtiger werdend – seit etwa 1960 nicht mehr ausweitete, ließen ihn jedoch diese Fehlinvestition zunächst verschmerzen.

In ernste Schwierigkeiten geriet M. Ende der 60er Jahre, als unter dem Einfluß einer restriktiven Bundesbankpolitik die kurzfristigen Zinsen anstiegen. M., der nun für neue Schuldschein-Darlehen mit Laufzeiten von einem Monat bis zu einem Jahr mehr als 10 % zahlen mußte, hatte es versäumt, seine langfristigen Ausleihungen mit Laufzeiten bis zu 35 Jahren, die meist weniger als 6 % erbrachten, durch Anpassungsklauseln abzusichern. Anfang 1970 wurde die „Müne-Handel" zahlungsunfähig. Ein Konkurs konnte zwar durch Übertragung der langfristigen Forderungen M.s auf die knapp 100 Gläubiger vermieden werden, die abgesehen von Zinseinbußen nicht geschädigt wurden, doch mußte M. seine etwa 25 Firmen und Beteiligungen (u. a. Ordiam Uhren- und Schmuck GmbH; Finultra Zürich) veräußern und verlor den größten Teil seines auf 50 Mio. DM geschätzten Privatvermögens.

M.s Tätigkeit als Industriefinanzier ist kontrovers beurteilt worden. Nach dem 2. Weltkrieg leistete er in einer Zeit schwieriger Kapitalmarktverhältnisse mit seiner gegen eine „goldene" Bankregel verstoßenden „Revolver"-Finanzierung einen beachtlichen Beitrag zum wirtschaftlichen Wiederaufbau. Sein Fehler lag in der Annahme, daß wegen eines stets vorhandenen „Liquiditäts-Bodensatzes" bei Versicherungen und anderen Kapitalsammelstellen der Geldzins dauerhaft unter dem Kapitalzins liegen würde. Bis in die 60er Jahre behielt er recht und konnte als Ertrag eines jährlichen Geschäftsvolumens von zeitweilig mehr als 2 Mrd. DM ein großes Vermögen ansammeln. Zuletzt aber wurde er zum Gefangenen desselben auf die ständige Verfügbarkeit billigen Geldes angewiesenen Systems, mit dem er jahrzehntelang erfolgreich gewesen war.

L K. Pritzkoleit, Die neuen Herren, 1955, S. 428–38; E. Obermeier, M.s Revolving-Formel, in: Der Volkswirt 13, 1959, S. 2140 f.; Die Millionen-Affäre, ebd. v. 30. 1. 1970 *(P)*; R. Herlt, M. gräbt Kriegsbeil aus, in: Die Welt v. 10. 10. 1959; ders., Aufstieg u. Fall d. Maklers R. M., ebd. v. 29. 1. 1970 *(P)*; Der Fall M., in: Handelsbl. v. 2./3. 10. 1959; M. – Der Revolver, in: Der Spiegel 13, 1959, Nr. 17, S. 33–45 *(P)*; M.-Boykott – Frieden mit d. Revolver, ebd. 14, 1960, Nr. 10, S. 24–27 *(P)*; B. Engelmann, Meine Freunde, d. Millionäre, 1963; ders., Die neuen Reichen, 1968; M. Kruk, Ehe zu dritt, in: FAZ v. 27. 2. 1964; H. Rasch, Unternehmer u. Manager, Wie man Erfolg macht u. wie man scheitern kann, 1967; B. Hagelstein, Vom Finanzierungsmakler z. Bankier u. zurück, in: Industriekurier v. 22. 1. 1970 *(P)*; M.s Moratorium, in: Zs. f. d. ges. Kreditwesen 23, 1970, H. 4, S. 1–3; M.s Millionen, in: Capital 9, 1970, Nr. 7, S. 42–44 *(P)*.

Hans Jaeger †

Münnich, *Burchard Christoph* Graf v. (russ. Graf 1728, Reichsgraf 1741), General und Staatsmann, * 9./19. 5. 1683 Neuenhuntorf b. Elsfleth (Gfsch. Oldenburg), † 16./27. 10. 1767 St. Petersburg. (ev.)

V Anton Günther (Mönnich) (1650–1721, dän. Adel 1688, Reichsadel 1702), Rittmeister, 1699–1709 Drost d. Amtes Esens (Ostfriesland), Oberdeichgräfe in d. Gfsch. Oldenburg-Delmenhorst (s. L), *S* d. Rudolf (1608–67) u. d. Elsabe Eva v. Nutzhorn (1611–79); *M* Sophia Catharina (1659–1710), *T* d. Landrentmeisters Johann Ötken (1629–79) u. d. Helene Dagerath (1637–78); *B* Johann Rudolf v. M. (1678–1730), Deichgräfe, Kanzleirat in Oldenburg, Christian Wilhelm v. M. (1686–1768), seit 1710 Drost v. Esens, folgte 1731 M. nach Rußland; – ∞ 1) 1705 Christine Lukretia (1685–1727), *T* d. Hans Heinrich v. Witzleben u. d. Anna Deborah v. Seebach, 2) 1728 Barbara Eleonora v. Maltzahn (1691–1774); 17 *K* aus 1), u. a. Ernst Johann (1708–88), russ. GHR, Präs. d. Kommerzkollegiums; *E* Johann Gottlieb (1740–1813), 1772–98 livländ. Landrat, seit 1782 Präs. d. livländ. Oberkonsistoriums (s. Dt.balt. Biogr. Lex.); *Ur-E* Juliane v. Krüdener (1764–1824), pietist. Schriftst. (s. NDB 13).

M. erlernte von seinem Vater die Wasserbaukunst und erwarb sich auf Reisen durch Holland und Frankreich (1700/01) Kenntnisse im militärischen Ingenieurwesen. 1702 nahm er als Hauptmann in hessen-darmstädt. Diensten an der Belagerung und Eroberung Landaus teil, 1706 trat er als Major in das hessen-kasselsche Corps ein und kämpfte im Span. Erbfolgekrieg unter dem Oberbefehl Prinz Eugens von Savoyen in Oberitalien (1706), den Niederlanden (Tournai 1708) und Frankreich (Malplaquet 1709). Bei Denain wurde M. 1712 schwer verwundet und geriet für ein Jahr in franz. Kriegsgefangenschaft. Er kehrte nach Kassel zurück und wurde dort zum Oberst des Kettlerschen Infanterieregiments ernannt. In den folgenden Jahren beteiligte er sich am Bau des Diemelkanals und der Hafen- und Kanalanlagen bei Karlshafen/Weser. 1716 trat er als Oberst in den Dienst des poln. Kg. August II. und wurde 1717 zum Generalmajor und Generalinspektor der poln. Truppen ernannt. 1721 nahm M. seinen Abschied und trat in den Dienst des russ. Zaren Peter I. Als Generalingenieur im Range eines Generalleutnants übernahm er 1723 auf kaiserl. Befehl den Bau des Ladogakanals, der den Wolchow mit der Newa verbinden sollte. Dieser 1732 fertiggestellte, mit 111 km längste Schiffskanal seiner Zeit verbesserte den Wasserweg von der Wolga zur Ostsee und erleichterte die Versorgung des 1703 gegründeten St. Petersburg.

In der nachpetrinischen Zeit, die von häufigen Thronwechseln geprägt war, gelang dem ehrgeizigen und machtbewußten M. ein rascher und steiler Aufstieg in höchste Ämter. Bereits 1727 wurde er von Peter II. zum General der Infanterie befördert und zum Oberdirektor aller Reichsfestungen ernannt. M. wurde Gouverneur von St. Petersburg und Oberbefehlshaber der Truppen in Ingermanland, Karelien und Finnland, 1729 Generalfeldzeugmeister und damit zugleich Befehlshaber der Artillerie und des Ingenieurkorps. Als Mitglied des Geheimen Kabinetts (1731), als Präsident des Kriegskollegiums und als Generalfeldmarschall (1732) wurde M. neben Heinrich Johann Friedrich Ostermann und Ernst Johann v. Biron zum mächtigsten Mann an der Spitze des Russischen Reiches. 1731 übernahm er den Vorsitz der Militärkommission und reorganisierte in dieser Funktion wirkungsvoll die russ. Armee nach preuß. Vorbild. Für den Ausbau der Armee beanspruchte er jedoch zeitweise bis zu vier Fünftel des Staatshaushaltes, so daß besonders die bäuerliche Bevölkerung unter der erhöhten Kopfsteuer zu leiden hatte. Im Poln. Thronfolgekrieg (1733–35) leitete M. die Belagerung und Eroberung Danzigs (1734) und trug damit maßgeblich zum Sieg des Kf. Friedrich August II. von Sachsen bei. In dem 1735 begonnenen Krieg gegen die Türkei, in dem Rußland an der Seite Österreichs kämpfte, erhielt M. den Oberbefehl über die Armee in der Ukraine. Er arbeitete einen Operationsplan aus, der nicht nur die Einnahme Asows und der Krim, sondern auch Konstantinopels vorsah, wo die Zarin Anna Iwanowna zur griech. Kaiserin gekrönt werden sollte. Mit der Eroberung Perekops, Otschakows und Asows sowie der Zerstörung der Residenz des Tatarenchans in Bachtschiserai (1736) gelang ihm die Einnahme der Krim. Nachschubprobleme und der Ausbruch der Pest zwangen ihn jedoch bald zum Rückzug in die Ukraine. 1739 drang M. unter Verletzung der poln. Neutralität in die Moldau ein und eroberte deren Hauptstadt Jassy. Das vorzeitige Ausscheiden des Bündnispartners Österreich aus dem Krieg zwang jedoch auch das wirtschaftlich und finanziell erschöpfte Rußland zum Friedensschluß mit den Türken (Friede von Belgrad, 18. 9. 1739) und zur Rückgabe fast aller eroberten Gebiete. Trotz der Verluste an Menschenleben und Material wurde M. für seine herausragenden strategischen Leistungen mit der Ernennung zum Oberstleutnant des von Peter I. errichteten Preobraschensker Garderegiments belohnt.

Nach dem Tod der Zarin Anna (28. 10. 1740) erreichte M. kurzzeitig eine Schlüsselrolle in der russ. und europ. Politik. Er avancierte zum ersten Minister des Reiches, nachdem er den als Regent des minderjährigen Neffen der Zarin, Iwan VI., eingesetzten Biron gestürzt und dessen Mutter Anna Leopoldowna von Mecklenburg zur Regentin erklärt hatte. Es gelang M., dem Vizekanzler Ostermann vorübergehend die Leitung der Außenpolitik zu entreißen. In dieser Zeit schloß der stets antihabsburgisch eingestellte M. eine Defensivallianz mit Preußen (27. 12. 1740) und verließ damit den Weg der von Ostermann vorgezeichneten russ.-österr. Bündnispolitik. Doch schon wenige Monate später erwirkte Ostermann M.s Demission aus allen Ämtern (14. 3. 1741) und führte Rußland an die Seite des – auch von der Zarin Anna Leopoldowna favorisierten – österr. Bündnispartners zurück. Nach einem neuerlichen Staatsstreich Anfang Dezember 1741, der Elisabeth, die Tochter Peters des Großen, auf den Zarenthron brachte, wurden sowohl M. als auch Ostermann als Parteigänger der gestürzten Zarin 1743 zum Tode auf dem Schafott verurteilt und dort zu lebenslanger Verbannung nach Sibirien begnadigt. M. lebte im sibir. Dorf Pelim, bis er 1762 unter dem neuen Zar Peter III. nach St. Petersburg zurückkehren und seinen alten Posten als Generalfeldmarschall wieder einnehmen durfte. Noch im selben Jahr übertrug ihm Katharina II. das Generaldirektorat der balt. Kanäle und der Seehäfen Baltischport und Nerva. Auch beauftragte sie ihn mit dem Bau einer Hafenanlage bei Reval, deren Fertigstellung M. jedoch nicht mehr erlebte.

W Ebauche pour donner une idée de la forme du Gouvernement de l'empire de Russie, 1774, Neudr. u. d. T.: Maréchal d. M., „Ebauche" du gouvernement de l'empire de Russie, hrsg. v. F. Ley, 1989; Tagebuch d. russ.-kaiserl. GFM Gf. v. M. üb. d. ersten Feldzug d. unter ihm in d. J. 1735–1739 geführten russ.-türk. Krieges, in: E. Herrmann (Hrsg.), Btrr. z. Gesch. d. russ. Reiches, III, 1843; Tagebuch d. Gen. B. Ch. v. M. v. 1683 bis z. 6. Mai 1727, in: Denkwürdigkeiten d. Odessaer Ges. f. Gesch., IV, 1858, S. 422 ff.

L ADB 23; G. A. v. Halem, Lebensbeschreibung d. russ. kaiserl. GFM B. Ch. Gf. v. M., 1803; M. Vischer, M., Ing., Feldherr, Hochverräter, 1938; M. Aschkewitz, in: Gr. Deutsche im Ausland, hrsg. v. H. J. Beyer u. O. Lohr, 1939, S. 41–59; E. Seraphim, Führende Deutsche im Zarenreich, 1942, S. 29–67; F. Ley, Le Maréchal de M. et la Russie au XVIIIᵉ siècle, 1959; G. Nutzhorn, Die Vorgesch. d. oldenburg. Fam. v. M., in: Oldenburger Fam.kde. III, 1961, S. 10–40; ders., Geneal. d. Fam. d. russ. GFM B. Ch. v. M., ebd. 16, 1974, S. 3–30 (P); ders., Ergg. u. Berichtigungen z. Geneal. v. M., ebd. 18, 1976, S. 339–41; Ch. Duffy, Russia's Military Way to the West, Origins and Nature of Russian Military Power, 1700–1800, 1981; K.-H. Ruffmann, Vom schwierigen Weg Rußlands z. europ. Großmacht, Die Karriere d. Oldenburgers B. Ch. v. M., in: Oldenburger Jb. 83, 1983, S. 21–36 (P); Biogr. Hdb. z. Gesch. d. Landes Oldenburg, 1992 (P). – L zu Anton Günther: ADB 23; Biogr. Hdb. z. Gesch. d. Landes Oldenburg, 1992; Biogr. Lex. f. Ostfriesland I, 1993. – Qu. Fam.archiv im StA Oldenburg.

Ursula Feder

Münster, v. bzw. **zu,** Herren, Freiherren, Grafen (seit 1792), Fürsten (1899). (luth. u. kath.)

Die Familie, die ein rot-gold geteiltes Wappen führt, ist zu unterscheiden von einer ebenfalls westfäl., um 1820 in Litauen erloschenen Familie, deren Wappen zwei blaue Balken auf silbernem Feld zeigt (sog. „blaue Münster"), und von einer kath. fränk. reichsritterschaftlichen Familie gleichen Namens. Die v. oder van M., Monster, de Monasterio werden zu den ältesten noch bestehenden dt. Adelsgeschlechtern gerechnet. Der Name leitet sich vermutlich von der Schultenfunktion am domkapitularischen Brockhof in der Stadt Münster her, dessen Ursprung in spätkaroling. Zeit angenommen wird; frühe Leitnamen sind Hermann und Rolof. Die M. erscheinen zuerst in enger Verbindung oder Stammesgleichheit mit den Edelherren v. Meinhövel (Wappenähnlichkeit), denen v. Bevern, v. Steinfurt und anderen westfäl. Dynasten. Etwa seit 1200 wurde für 150 Jahre ein Reitersiegel geführt. Die Familie besaß allodiale und Lehngüter, u. a. der Abtei Werden und zählt zu den frühen Förderern des 1142 gegründeten Benediktinerklosters St. Marien und Georg in Hohenholte bei Münster (seit 1188 Augustiner-Chorfrauen, 1577–1811/12 Damenstift). Eine gesicherte Stammreihe kann ab 1139, spätestens um 1170 an, aufgestellt werden. Die M. treten als Ministeriale, Burgmannen und Drosten besonders der Bischöfe von Münster und Osnabrück sowie der Grafen v. Bentheim auf und erscheinen in vielen Urkunden vor allem des westfäl. und niederländ. Raumes, wo sie häufig in Fehden und Erbstreitigkeiten verwickelt waren. Neben den „blauen Münster" sind sie auch im Baltikum nachweisbar; *Jasper* († 1577), Landmarschall des Deutschen Ordens, wurde durch die Moskowiter umgebracht.

Ein verlorenes sog. „Freiherrndiplom" Kaiser Maximilians I. von 1510 ist in seiner Bedeutung umstritten; das Wappenbuch des Virgil Solis (Nürnberg 1555) führt die Familie unter den „Freyhern" auf. 1792 wurden drei Brüder (einer postum) durch den Reichsvikar Karl Theodor von Bayern in den Reichsgrafenstand erhoben. Sie bzw. die von ihnen begründeten Linien nannten sich zusätzlich laut Grafendiplom nach den Vorbesitzern der von ihnen jeweils ererbten oder erheirateten Güter: Freiherren v. Oër, Freiherren v. Schade (ausgestorben) und Freiherren v. Grothaus. Aus der letztgenannten Linie stammten der Vertreter Hannovers bzw. Englands auf dem Wiener Kongreß, *Ernst* (1766–1839, s. 1), sowie der I. und II. Fürst M. v. Derneburg, *Georg* (1820–1902, s. 2), Botschafter in London und Paris und Vertreter des Deutschen Reiches auf der 1. Haager Friedenskonferenz, und sein Sohn *Alexander* (1858–1922).

Die Familie stellte bis zur Annahme der luth. Konfession Domherren in Osnabrück und Münster, hier auch einen Dompropst: *Bernhard* (1553–57), den Stifter des Laurentius-Altars im Dom zu Münster, vor welchem er begraben wurde. Später finden sich die M.

in niederländ., osnabrück., welf., sächs. und preuß. Hof-, Militär- und Verwaltungsdiensten. *Gustav Maximilian Ludwig Unico* (1782–1839, s. Priesdorff, V, S. 325 f.) war kaiserl. Kämmerer und preuß. Generalmajor, sein Sohn *Hugo Eberhard Leopold Unico* (1812–80, s. Priesdorff, VII, S. 81–83), General der Kavallerie und Generaladjutant, kommandierte 1864 eine Kavalleriedivision und war 1866 Kommandeur der 14. Division bei Königgrätz.

Schwerpunkte der Besitzungen lagen bis zum Ende des 17. Jh. vor allem südlich der Stadt Münster (Meinhövel, Botzlar, Geisbeck und Dahl), seit der Mitte des 15. Jh. auch in den Niederlanden und in Friesland (Herrschaft Ruinen bei Meppel, Prov. Drenthe, bis zur Mitte des 17. Jh.), Loppersum und Dursum bei Groningen (15.-18. Jh.), Herzford bei Lingen (15.-17. Jh.), im Tecklenburgischen mit Surenburg (1597–1786), im (ehemaligen) Hochstift Osnabrück: Langelage, Ledenburg, Burgmannssitz in Quakenbrück, Hof in der Stadt Osnabrück (1745–1839), seit dem ausgehenden 18. und im 19. Jh. vermehrt in Sachsen: Herrschaft Königsbrück (Ende 18. Jh.), Linz mit Ponickau (1900–45) und Königsfeld mit Köttwitzsch und Heida, aber auch zeitweise in Schlesien. Aufgrund einer 1910 genehmigten Namensänderung nannte sich der jeweilige Besitzer von Linz mit Ponickau Gf. M.-Linz. 1814 schenkte Kg. Georg III. von Großbritannien und Hannover seinem Staatsminister Ernst Friedrich für seine Verdienste bei der Erhebung von Hannover zum Königreich das zuvor von Preußen säkularisierte Zisterzienserkloster Derneburg bei Hildesheim als Dotation. In der Familie verblieb der Grundbesitz bis 1955, das Schloß bis 1974. Zu diesem Besitzschwerpunkt trat um 1837–1938 Kniestedt bei Salzgitter, das für die „Reichswerke Hermann Göring" enteignet wurde. Die erloschene Linie M.-Schade besaß auch Güter in Sachsen (Königsbrück) und in Mecklenburg und Pommern (Damerow, Carow, Schwartow, Klein-Massow). In der drittletzten Generation nahmen die M.-Schade den Beinamen Meinhövel an und begründeten 1883 das Gräflich zu M.-Meinhövelsche Familien-Seniorat als juristische Person, dessen Inhaber jeweils den Namen M.-Meinhövel zu führen hatte. Das Stiftungsvermögen ging im 2. Weltkrieg zum größten Teil verloren, an die Stelle des Seniorates trat 1972 die M.-Meinhövelsche Familienstiftung.

Georg Ludwig (1827–90) und dessen Söhne *Ernst Karl* (1857–1938) und *Karl Herbert* (1860–1938) leisteten als Landstallmeister in Moritzburg Beachtliches für die sächs. Pferdezucht; Georg Ludwig betrieb agrartechnische Studien auf seinen schles. Besitzungen, deren Wirtschaft er laufend modernisierte; er erfand u. a. die nach ihm benannte „Münstersche Kartoffelrode-Maschiene". *Johann Georg* (1866–1929) wurde als Jagdschriftsteller bekannt. *Hermann* (1865–1928, s. *L*) veröffentlichte 1928/29 sein Werk „Münster-Palmsche Ahnen". *Georg* (1776–1844, s. 3) wird zu den Pionieren der Paläontologie, insbesondere der Saurierforschung, gerechnet. Eleonore Freiin v. Grothaus (1734–94, s. *L*), Erbin der Güter Ledenburg und Holte, seit 1759 zweite Frau *Georg Hermanns* (1721–73) und Mutter Ernst Friedrichs, veröffentlichte mehrere literarische Werke unter ihrem Ehenamen.

Die verwandtschaftlichen Beziehungen reichen über den westfäl. Raum hinaus in die Niederlande, ins Braunschweigische, nach Sachsen, Brandenburg-Preußen und Mecklenburg, im 19. Jh. auch in den engl. Adel, heute auch nach Polen und in die USA.

Qu. Archiv Derneburg im HStA Hannover (Dep. 110, Findbuch, bearb. v. C. Haase, 1978).

L F. Philippi, Die Standesverhältnisse d. Herren v. M. u. Meinhövel, in: Westfalen 10, 1919, S. 49–56; Hermann Gf. zu Münster, Die Standesverhältnisse d. Herren v. M.-Meinhövel, o. J. [1925]; ders. Münster-Palmsche Ahnen, 2 Bde., 1928–29; W. Schwarze, Eleonore v. M., 1929; R. v. Bruch, Die Rittersitze d. Fürstentums Osnabrück, 1930; Ernst-Georg Gf. zu Münster, Die Grafen zu M., Familienkundl. Notizen v. 1139–1993, masch. 1981, ³1993; W. Kohl, Das Domstift St. Paulus zu Münster, 3 Bde., 1982–89; C. Steinbicker, Die Herren v. M. u. Meinhövel, in: Ernst Friedrich Herbert Gf. zu M., Staatsmann u. Kunstfreund 1760–1839, 1991, S. 47–58; GHdA, Gräfl. Häuser 13, 1991, S. 205–27; L. Fenske u. K. Militzer (Hrsg.), Ritterbrüder im livländ. Zweig d. Dt. Ordens, 1993.

Rudolfine Freiin v. Oer

1) *Ernst* Friedrich Herbert Graf zu (Reichsgraf u. bayer. Graf 1792), großbrit. u. hann. Minister, * 1. 3. 1766 Osnabrück, † 20. 5. 1839 Hannover.

V Georg Frhr. v. M. (1721–73), auf Surenburg, Erbburgmann zu Quakenbrück, Drost zu Iburg, Hofmarschall d. ev. Fürstbischofs v. Osnabrück Hzg. Friedrich v. York (s. NDB VII*), *S* d. Johann Heinrich (1694–1735), auf Surenburg, u. d. Mechtild Freiin v. Ledebur (1699–1728); *M* Eleonore (1734–94), Erbtochter v. Ledenburg, *T* d. Ernst Philipp Frhr. v. Grothaus (1703–76), auf Ledenburg, braunschweig. Gen. d. Kav., u. d. Anna Friederike v. Oldershausen (1715–73); *Halb-B* Georg Gf. zu Münster-Meinhövel, Frhr. v. Schade (1751–1801),

Freier Standesherr zu Königsbrück, Erbburgmann zu Quakenbrück, dän., osnabrück. u. kurtrier. WGR, Erbmarschall d. Hochstifts Herford (s. NDB IV*); – ∞ Wien 1814 Wilhelmine (1783–1858, s. L), T d. Philipp Gf. zu Schaumburg-Lippe (1723–87), köln. Geh. Kriegsrat, u. d. Juliane Landgfn. zu Hessen-Philippsthal (1761–99, s. NDB X); 1 S Georg (s. 2, L), 7 T; *Schwager* Georg Wilhelm (1784–1860), Fürst zu Schaumburg-Lippe (s. ADB VIII); N Hans Frhr. v. Hammerstein-Equord (1771–1841), Gen. (s. NDB VII), Georg (s. 3).

Nach dem Besuch des Basedowschen Philanthropinums in Dessau (1778–80) und der Lüneburger Ritterakademie (1781–84) studierte M. bis 1788 Jura in Göttingen und zählte dort zum Kreis um die jüngeren Söhne des engl. Königs. Nachdem er zunächst als Auditor in der Hofkanzlei in Hannover (seit 1791 als Hof- und Kanzleirat) tätig gewesen war, wurde er von Georg III. als Prinzenbegleiter berufen. Seine Italienaufenthalte in dieser Eigenschaft 1793 und 1794–98 ließen M. zu einem bedeutenden Kunstkenner und -sammler werden; zudem betätigte er sich selbst als Maler und schmückte das ehemalige Kloster Derneburg, das ihm von Georg IV. zum Dank für die Erhebung Hannovers zum Königreich (1815) als Schloß geschenkt wurde, selbst aus. Politische Freundschaften schloß M. in Italien und Rußland u. a. mit Kardinal Consalvi und dem Grafen Stadion. Überhaupt gewann er in den ital. Jahren diplomatische Erfahrungen, die er als Gesandter Hannovers in St. Petersburg (1801–05) einzusetzen verstand. Sein Bemühen, den Zarenhof für die Einbeziehung des Bistums Hildesheim in Hannover zu gewinnen, mißlang zwar, aber dafür war er bei der Vorbereitung des gegen Frankreich gerichteten Bündnisses Englands mit Rußland und Österreich erfolgreich.

Da Georg III. für die Besetzung Hannovers durch franz. Truppen 1803 den Minister v. Lenthe verantwortlich machte, ernannte er 1805 M. zu dessen Nachfolger. Dessen Versuch, zu einer personellen und sachlichen Reorganisation der Verwaltung des Kurfürstentums zu gelangen, scheiterte Anfang 1806 am Einmarsch der Preußen. Seine nach Berlin gesandte Protestnote fand keine Beachtung. M. verließ Hannover und kehrte dorthin erst 1813 kurzzeitig zurück. Auch wenn das preuß. Vorgehen durch die militärische und politische Entwicklung in Mitteleuropa keine dauerhaften Folgen hatte, setzte sich bei ihm Argwohn gegenüber preuß. Expansionswünschen fest, dem er wiederholt deutlichen Ausdruck gab. Andererseits gehörte M. zu den deutschen Politikern, die sich nachdrücklich gegen die Herrschaft Napoleons über Europa wandten. So sorgte er für die finanzielle Unterstützung der Freischaren des Oberst v. Dörnberg, seines Neffen, und des „schwarzen Herzogs" Friedrich Wilhelm von Braunschweig. Nach dem Rückzug der franz. Besatzung aus Hannover 1813 leitete M. unparteiisch die Untersuchungen gegen Kollaborateure. In London galt er über die Napoleonische Ära hinaus als Kenner kontinentaler Politik und war gefragter Gesprächspartner sowohl Georgs IV. als auch Cannings und Castlereaghs. M. pflegte Verbindungen zum Freiherrn vom Stein, zu Hans v. Gagern und zu Gneisenau.

Im Gegensatz zu Steins Vorstellungen über eine staatsrechtliche Neuordnung in Deutschland war M. der Verfassungsordnung des Alten Reiches verhaftet und vertrat während der Verhandlungen zum Pariser Frieden und während des Wiener Kongresses, wo er als einer der einflußreichsten Diplomaten galt, restaurative Ansichten. Erfolgreich setzte er sich für die Wiederherstellung Hannovers nun im Rang eines Königreiches ein, das durch Tausch mit Lauenburg um Hildesheim, Goslar, Lingen und Ostfriesland vergrößert wurde. Der Widerstand, auf den M. bei seinem Versuch, einen großwelf. Staat in Nordwestdeutschland zu schaffen, stieß, veranlaßte ihn, während der Krise um Sachsen dem antipreuß. Bündnis beizutreten. Gleichfalls ohne Erfolg bemühte sich M. um die Anerkennung Württembergs als fünfte Führungsmacht im Deutschen Bund, um damit die kleineren Staaten zu beruhigen. Er setzte sich für eine Neuformung der landständischen Verfassungen in den deutschen Staaten ein, die vor allem alte Rechte wahren und durch einige Garantien den Ständen Sicherheiten bieten sollten. M., inzwischen von Georg IV. zum Erblandmarschall Hannovers ernannt, unterzeichnete die von ihm für unvollkommen gehaltene Wiener Bundesakte, weil er auf Veränderungen in seinem Sinne hoffte. In der Folge unterblieben durch M.s enger Einbindung in das System Metternich in Hannover durchgreifende Reformen. So wurden im agrarischen Bereich bäuerliche Ablösungen verhindert; entsprechende Zahlungen, die in der Zeit des Kgr. Westphalen geleistet worden waren, galten als verfallen. Andererseits wurden die Garantien für die Wahrung alter ständischer Rechte und zur gesellschaftlichen Sicherung des Adels und Erhalt des Großgrundbesitzes erneuert.

Durch seine restaurative Einstellung verlor M. das Ansehen in der Öffentlichkeit, das er während der Napoleonischen Kriege und als Diplomat auf dem Wiener Kongreß gewonnen hatte. Die Stimmung, die in der bäuerlichen Bevölkerung und im kleinen städtischen Bürgertum Hannovers, die keine ständische Vertretung besaßen, entstand, hat M. ebensowenig zur Kenntnis genommen wie die Opposition, die in der fortschrittlichen Beamtenschaft gegen das Ministerium erwuchs. Seine persönliche Bindung an den kgl. Hof und die Wertschätzung, die er durch Georg IV. erfuhr, dürften im gleichen Maß wie die von ihm gewünschte Nähe zur großen Politik in London dazu beigetragen haben, daß M. bis 1830 nur selten nach Hannover kam und die dortige Entwicklung nicht unter direkter Kontrolle behielt, so daß die Minister Weisungen für die Tagespolitik verschleppen konnten, was ihm zum Vorwurf gemacht wurde. M. legte auch keinen Widerspruch ein, als sein Neffe v. Scheel eine den Adel begünstigende Zweiteilung der Stände betrieb. Ein zusätzlicher Bereich, aus dem seit Ende der 20er Jahre Unmut erwuchs, war die von M. wahrgenommene Vormundschaft der brit. Krone über den ungebärdigen Sohn des „schwarzen Herzogs". Der „Diamantenherzog" Karl v. Braunschweig warf M. vor, ihn persönlich benachteiligt und widerrechtlich in braunschweig. Angelegenheiten eingegriffen zu haben; er forderte M. zum Duell auf und ließ eine Schmähschrift gegen ihn verfassen, auf die M. öffentlich, aber ohne viel Resonanz zu finden, antwortete. Außerdem verlangte er vergeblich die Bundesexekution gegen den Herzog, was dazu führte, daß sich sogar Metternich von ihm distanzierte. Ein weiteres Pamphlet gegen M. verfaßte ein Osteroder Notar, der darin alle „Gravamina" der hann. Bevölkerung zusammenfaßte. In England, wo Wilhelm IV. 1830 auf den Thron gelangte, schadeten M. diese Angriffe ebenso wie die Unruhen im Harz und in Göttingen im Winter 1830/31, bei denen ihm die alleinige Schuld an allen Mißständen im Königreich zugeschrieben wurde. Der Herzog von Cambridge, Vertreter des Königs in Hannover, sah die Angriffe als berechtigt an und trat für ein Entgegenkommen gegenüber dem Bürgertum ein. Daraufhin wurde M. zur Demission aufgefordert. Tief gekränkt trat er zurück, verzichtete auf Pension und Erhebung in den Fürstenstand und sah nicht einmal die Verleihung des Hosenbandordens als Genugtuung an. Er begab sich mit seiner Familie nach Derneburg, das er bis 1837 nur verließ, um seinen Aufgaben als Erblandmarschall der hann. Stände nachzukommen. Nach der Thronbesteigung Ernst Augusts (1837) lebte M. zwar in Hannover, aber er griff nicht mehr in die Politik ein. – Großkreuz d. hann. Guelphen-Ordens.

L ADB 23; G. H. Gf. Münster, Pol. Skizzen üb. d. Lage Europas v. Wiener Congreß bis z. Gegenwart (1815–1867) nebst d. Depeschen d. Gf. E. F. zu M. üb. d. Wiener Congreß, 1867; H. Ullmann, E. Gf. zu M., in: HZ 10, 1868, S. 338–92; Allg. hann. Biogr. II, 1914, S. 347–76; K. Krausnick, E. Gf. M. in d. europ. Pol. 1806–1815, 1936; K. F. Brandes, Gf. M. u. d. Wiederentstehung Hannovers 1809–1815, 1938 (P); C. Haase, Ernst Brandes, 1973/74 (P); ders., Die Finanzlage d. Kgr. Hannover 1821/22, in: Niedersächs. Jb. 46/47, 1974/75, S. 195–229; ders. (Hrsg.), Das Leben d. Gf. M. (1766–1839), Aufzeichnungen seiner Gemahlin Gfn. Wilhelmine, geb. Fürstin zu Schaumburg-Lippe, 1985; ders., Pol. Säuberungen in Niedersachsen 1813–1815, 1983; H.-J. Beer, Georg v. Scheel, 1771–1844, Staatsmann od. Doktrinär?, 1973; J. Nolte (Hrsg.), E. F. H. Gf. zu M., Staatsmann u. Kunstfreund 1760–1839, 1991; N. Strube, Ästhet. Lebenskultur nach klass. Muster, Der hann. Staatsmin. E. F. H. Gf. zu M. im Lichte seiner Kunstinteressen, 1992; W. Achilles, Die Persönlichkeit d. Gf. E. F. H. zu M. im Spiegel seiner Agrarpol., in: Niedersächs. Jb. 65, 1993, S. 161–212; M. Bertram, Der „Mondminister" u. „General Killjoy", Ein Machtkampf im Hintergrund d. Ernennung d. Hzg. Adolph Friedrich v. Cambridge z. Gen.gouverneur v. Hannover (1813–16), ebd., S. 213–62; A. Hartlieb-Wallthor, Der Frhr. vom Stein u. Hannover, ebd. 66, 1994, S. 233–59; A. v. Reden-Dohna, Die Rittersitze d. vormaligen Fürstentums Hildesheim, 1995, S. 218–29 (Derneburg); B. Simms, "An odd question enough", Charles James Fox, the Crown and British Policy during the Hanoverian Crisis of 1806, in: Hist. Journal 38, 1995, S. 567–96; H. Barmeyer, in: Persönlichkeiten d. Verw., hrsg. v. K. G. A. Jeserich u. H. Neuhaus, 1991, S. 84–88 (P).

P Gem. v. Ströhling (Schloß Derneburg), Abb. b. C. Haase, Ernst Brandes (s. L).

Martin Vogt

2) *Georg* Herbert Graf zu **M.-Ledenburg**, seit 1899 Fürst **M. v. Derneburg**, Diplomat, * 23. 12. 1820 London, † 27. 3. 1902 Hannover.

V Ernst (s. 1); M Wilhelmine Prn. zu Schaumburg Lippe; Vt Georg (s. 3); ∞ 1) Weimar 1847 (oιo 1864) Alexandrine (1823–84), Wwe d. Dimitri Nikolajewitsch Fürst Dolgoroukow († 1846), russ. Kollegienassessor, T d. Michail Michailowitsch Fürst Galitzin (1793–1856), russ. Gen.major, u. d. Maria Arkadiewna Fürstin Suworow-Italijsky (1802–70), 2) Dysart House (Schottland) 1865 Lady Harriet Elizabeth (1831–67), T d. James Alexander St. Clair Erskine, Earl of Rosslyn (1762–1837), großbrit. Privy Councillor, Gen. u. Unterstaatssekr., u. d. Frances Wemyss; 3 S, 4 T aus 1), u. a. Alexander (1858–1922), Dr. iur. et cam., hann. Erblandmarschall, erbl. Mitgl. d. preuß. Herrenhauses (s. DBJ IV, Tl.).

Nach seinen Kinder- und Jugendjahren in London, Derneburg und Hannover studierte M. in Bonn, Göttingen und Heidelberg Jura.

Achtzehnjährig übernahm er von seinem Vater neben dem Amt des Erblandmarschalls der hann. Stände einen großen Landbesitz, der zeitlebens seine wirtschaftliche Unabhängigkeit sicherte. Ebenso konservativ wie sein Vater, lehnte M. Reformen im Kgr. Hannover ab. In den Revolutionsjahren 1848/49, die er als Katastrophe ansah, widersprach er der Aufhebung der Privilegien des Adels und stimmte gegen die Berechtigung der Nationalversammlung, für Hannover gültige Gesetze zu erlassen. Als 1857 die hann. Vertretung in St. Petersburg nach langer Zeit wieder von einem Gesandten geleitet werden sollte, erhielt M. diesen Posten, den er bis 1865 innehatte. Obwohl er immer nur kurzfristig anwesend war, verstand er es, sich neben dem preuß. Gesandten Otto v. Bismarck Ansehen zu verschaffen. Im Gegensatz zu diesem, aber ohne Erfolg, trat M. 1859 für die Unterstützung Österreichs im ital. Krieg ein. Den gewünschten Gesandtschaftsposten in London erhielt M. nicht, da er gegen die hann. Politik im Deutschen Bund gegenüber Preußen opponierte. Seine Befürchtungen bewahrheiteten sich 1866. In realistischer Betrachtung der Verhältnisse und trotz aller Vorwürfe des bisherigen Königs und des welf. Adels sprach sich M. in Wort und Schrift für die Integration Hannovers in Preußen aus. Er publizierte auch seine Vorstellungen über eine grundlegende Umformung der deutschen Länder zu einem preuß. geführten Einheitsstaat mit verantwortlichen Bundesministerien. Hier ging M. von regionalen Selbstverwaltungen aus, die den bisherigen Landesherren Teile ihrer Kompetenzen beließen. Zugleich setzte sich M., der bis 1895 Landmarschall des hann. Provinziallandtages war, für die hann. Interessen in Preußen und seit 1871 im Deutschen Reich ein. Damals entstand eine lebenslange Freundschaft mit Rudolf v. Bennigsen. Dem Norddeutschen Reichstag gehörte M. in der freikonservativen Fraktion seit 1867 an und dem Deutschen Reichstag bis 1873. Anschließend war er bis 1885 deutscher Botschafter in London.

M., der diesen Posten sehr schätzte, weil er dem engl. Lebensstil zuneigte, war bei der Regierung und in den Kreisen der adeligen Gesellschaft Englands dank seines verbindlichen Wesens beliebt. Vor allem nach der Krieg-in-Sicht-Krise 1875, als sich das deutsch-engl. Verhältnis zu verschlechtern begann, bewies M. eine weitgehende Eigenständigkeit des Urteils gegenüber dem von ihm gering geachteten Berliner Auswärtigen Amt wie auch gegenüber dem Reichskanzler, so daß er den Ruf der Unbotmäßigkeit erlangte. Hinzu kam, daß M. unter Umgehung des Auswärtigen Amtes direkt Berichte an Wilhelm I. sandte. Wie während des Jahres 1875 bemühte sich M. auch in der Zeit des Berliner Kongresses, in Deutschland Verständnis für die Haltung der brit. Regierung zu erreichen; zugleich erkannte er die Gefahren, die aus den Kongreßergebnissen für das deutschruss. Verhältnis erwuchsen. Zur Zuspitzung der Spannungen zwischen Bismarck und M. kam es 1884/85. M. hatte bisher die Notwendigkeit deutscher Kolonien bestritten, zumal das Deutsche Reich nicht über die erforderliche Marine und Schiffahrtslinien verfüge. Dennoch bemühte er sich, auftragsgemäß der Regierung in London die deutschen Ansprüche in Afrika und in der Südsee auseinanderzusetzen. Doch tat er dies nach Meinung Bismarcks nicht mit genügendem Einsatz, was diesen zu heftigen Vorwürfen und dazu veranlaßte, u. a. seinen Sohn Herbert, der zuvor unter M. in der Londoner Botschaft tätig gewesen war, auf Sondermissionen nach England zu schicken. Obwohl Bismarck M. den Auftrag erteilte, wegen der engl. Haltung gegenüber deutschen Kolonialvorstellungen auf der Ägyptenkonferenz 1884 den franz. Standpunkt zu vertreten, enthielt sich M. bei der Vertagung der Stimme. Dies und der Kabinettswechsel in London 1885 von Gladstone zu Salisbury führte gegen M.s Protest zu dessen Versetzung auf den Botschafterposten in Paris, der nach zeitgenössischer Anschauung weniger wichtig als der Londoner war. Bismarcks Entlassung 1890 wurde von M. aufgrund der tiefgehenden sachlichen und persönlichen Kontroversen begrüßt.

M. betrachtete zwar die franz. Republik als Staat und Staatsform mit großer Skepsis, doch hielt er Rußland für weitaus bedrohlicher und warnte wiederholt vor zu engen deutschen Bindungen. Wie in London bemühte er sich auch in Paris nachdrücklich um einen Interessenausgleich, was ihm die Kritik Wilhelms II., der ihn sonst schätzte, einbrachte. Vor allem war M. betroffen, als er feststellte, daß der Militärattaché Max v. Schwartzkoppen ihn hintergangen und gezielt über seine Tätigkeit in der Dreyfus-Affäre (1894) falsch informiert hatte. Daraufhin unterbreitete M. – mit Erfolg für die Pariser Botschaft – den Vorschlag, den auswärtigen Vertretungen generell keine Militärattachés zuzuordnen, da ihr geheimdienstliches Wirken die diplomatische Arbeit schädige. Höhepunkt der diplomatischen Tätigkeit M.s stellte seine Leitung der deutschen Delegation während der ersten Haager Friedenskonferenz 1899 dar. Trotz seines Bemühens, mit allen Delegationen sachliche Beziehungen zu pflegen, erblickte er in dieser Konferenz nur eine Komödie, da kein Staat zur Abrüstung bereit schien. Außerdem sah sich M. in seiner Ablehnung Rußlands bestätigt, da er den Eindruck gewann, die russ. Konferenztaktik sei darauf ausgerichtet, Deutschland die Schuld für ein Scheitern zuzuschieben. Zwar wurde M. nach Konferenzende in den Fürstenstand erhoben, aber zugleich drängten Bülow und Holstein auf seine Entlassung, die kurz vor dem 80. Geburtstag ausgesprochen wurde.

W Hannovers Schicksal v. Juni bis September 1866, 1866; Pol. Skizze üb. d. Lage Europas v. Wiener Kongreß bis z. Gegenwart, 1867; Mein Anteil an d. Ereignissen 1866, 1868; Der Norddt. Bund u. dessen Übergang zu e. dt. Reich, 1868; Dtld.s Zukunft – d. Dt. Reich, 1870.

L Ch. Fürst Hohenlohe-Schillingsfürst, Denkwürdigkeiten, 1907; ders., Denkwürdigkeiten d. Reichskanzlerzeit, 1931; H. v. Oncken, Rudolf v. Bennigsen, 1910; A. Gf. v. Waldersee, Denkwürdigkeiten, 1923; B. Gf. v. Hutten-Czapski, 60 Jahre Pol. u. Ges. I, 1936; U. Koch, Botschafter Gf. M., Stud. zu seiner Lebensgesch., 1937; Die geh. Papiere Friedrich v. Holsteins, III/IV, 1961/63; E. Czempiel, Das dt. Dreyfus-Geheimnis, 1966; H. v. Nostiz, Bismarcks unbotmäßiger Botschafter, 1968 *(P);* W. Sühlo, G. H. Gf. zu M., Erblandmarschall im Kgr. Hannover, Ein biogr. Btr. z. Frage d. pol. Bedeutung d. dt. Uradels für d. Entwicklung v. Feudalismus z. industriellen Nationalstaat, 1968 *(P);* P. Gf. v. Hatzfeld, Nachgelassene Papiere, 1976; Ph. Fürst Eulenburg, Pol. Korr., 1976–1983; J. Dülffer, Regeln gegen d. Krieg?, Die Haager Friedenskonferenzen v. 1899 bis 1907 in d. internat. Pol., 1981; R. Lahme, Dt. Außenpol. 1890–1894, Von d. Gleichgewichtspol. Bismarcks z. Allianzstrategie Caprivis, 1990; BJ VII, Tl. u. BJ 15, S. 277–86.

Martin Vogt

3) *Georg* Graf zu, Paläontologe, * 17. 2. (od. 12. 7.) 1776 Langelage (Westfalen), † 23. 12. 1844 Bayreuth.

V Ludwig (1750–90), hann. Oberlandesmarschall, *S* d. Georg u. d. N. N. Freiin v. Hammerstein (1730–58); *M* Charlotte (1755–1830), *T* d. Otto v. Münchhausen (1716–74), Landdrost in Harburg; *Stiefonkel* Ernst (s. 1); *Vt* Georg (s. 2); – ledig.

M. trat nach dem Studium der Kameralistik als Kriegs- und Domänenrat in den preuß. Staatsdienst ein und war zunächst 1800–06 in Ansbach, danach in Bayreuth tätig. Nach dem Übergang der Mgfsch. Ansbach-Bayreuth an Bayern wurde er als Kammerherr in bayer. Dienste übernommen. M., der in engem Kontakt mit führenden Geologen und Paläontologen Europas stand, hatte entscheidenden Anteil an der intensiven wissenschaftlichen Bestandsaufnahme, die die Paläontologie in der ersten Hälfte des 19. Jh. prägte. Während zahlreicher Reisen, die nicht nur in die nähere und weitere Umgebung Bayreuths, sondern auch in andere Gegenden Deutschlands und Europas führten, widmete er sich dem Sammeln von Fossilien. Als vermögender Mann konnte er auch ganze Sammlungen ankaufen oder durch Mittelsmänner sammeln lassen. Seine Sammeltätigkeit erstreckte sich auf sämtliche Formationen Mitteleuropas. Schwerpunkte waren der Bayreuther Muschelkalk, wo er das erste zusammenhängende Skelett eines Sauriers bergen konnte, die paläozoischen Formationen des Frankenwaldes, ganz besonders die oberjurassischen Plattenkalke von Solnhofen, Kelheim und Monheim, von denen er als Glanzstücke einen von ihm selbst beschriebenen Flugsaurier („Pterodactylus medius") sowie zwei Seeschildkröten erwerben konnte, sowie später auch die triassischen Kalkmergel von St. Cassian (Südtirol). Für das Kreisnaturalienkabinett in Bayreuth stiftete er 15 200 Dubletten seiner Sammlung. Seine Hauptsammlung von 150 000 Exemplaren wurde nach seinem Tod vom bayer. König angekauft und bildete den Grundstock der Bayer. Staatssammlung für Paläontologie und historische Geologie. M. bearbeitete seine Funde zum großen Teil selbst. In über 70 Publikationen machte er etwa 900 neue Arten bekannt. Für das von August Goldfuß 1826–44 herausgegebene prächtige Tafelwerk „Petrefacta Germaniae" lieferte M. zahlreiche Beiträge. 1839 begründete er die Reihe „Beiträge zur Petrefaktenkunde", von der bis 1846 sieben Bände erschienen. Die meisten darin veröffentlichten Arbeiten stammen von M. selbst, so über die Clymenien und Goniatiten (paläozoische Ammoniten) oder die wichtige Monographie über die fossilen langschwänzigen Krebse in den Kalkschiefern Bayerns. Er beschränkte sich nicht auf Fossilbeschreibungen, sondern konnte auch Wesentliches zur Klärung stratigraphischer Fragen (altersmäßige Einstufung von Gesteinsschichten) beitragen. So erklärte er die Gosauschichten von Wiener Neustadt aufgrund ihres Fossilgehaltes entgegen der herrschenden Lehrmeinung als der Kreidezeit zugehörig. Er erkannte die Zugehörigkeit der Nummulitenschichten am Kressenberg bei Traunstein zum Tertiär und stufte tertiäre Meeressande zwischen Osnabrück und Kassel richtig als pliozän ein. Zahlreiche Gattungen und Arten von Fossilien wurden nach M. benannt, z. B. Muensteroceras (Goniatit), Muensterella (Tintenfisch), Muensteria (Spurenfossil), Selenocarpus muensterianus (Farn), Belonostomus muensteri (Fisch).

W u. a. Über d. Versteinerungen aus d. feinkörnigen Thoneisenstein u. d. grünen Sande am Kressenberg b. Traunstein in Baiern, 1828; Bemerkungen z. näheren Kenntnis d. Belemniten, 1830; Sur le gisement géognostique des Ammonées en Allemagne, 1830; Über d. Planuliten u. Goniatiten im Übergangskalk d. Fichtelgebirges, 1832; Über einige neue Pflanzen in d. Keuper-Formation b. Bayreuth, 1836; Bttr. z. Petrefacten-Kunde, 7 Hh., 1839–46.

L ADB 23; K. A. v. Zittel, Gesch. d. Geol. u. Paläontol. bis Ende d. 19. Jh., 1899; W. Weiss, Bayreuth als Stätte alter erdgeschichtl. Entdeckungen, 1937; H. Döbereiner, in: Jber. 1965/66 d. Gf.-Münster-Gymnasiums; B. v. Freyberg, Das geolog. Schrifttum üb. Nordost-Bayern (1476–1965), Tl. I, Bibliogr., in: Geologica Bavarica 70, 1974; H. Mayr, G. Gf. zu M., Kat. d. Mineralientage München 1988, S. 52–58 *(P);* G. Weiss, in: Aufschluß 40, S. 403–11, 1989 *(P);* Pogg. II.

P Pastellporträt v. J. L. Kreul (Schloß Langelage).

Günter Viohl

Münster, *Hans* Amandus, Zeitungswissenschaftler, * 12. 2. 1901 Hamburg-Harvestehude, † 17. 1. 1963 Bad Mergentheim. (luth.)

V Carl (1868–1926), Architekt in H., *S* d. Jakob (1841–77) u. d. Wilhelmine Fedder (1844–75); *M* Käthe (1873–1955), *T* d. Ferdinand Paap (1838–76) u. d. Sophia N. N. (1845–1922); ∞ 1) Koblenz 1927 Melanie (1889–1946), *T* d. Hermann Schott (1852–1920) u. d. Anna Josefine Schauber (1848–1920), 2) Starnberg 1948 Ruth (1923–88), Dr. phil, Publizistikwissenschaftlerin, seit 1982 Leiterin d. Praxisreferats am Inst. f. Kommunikationswiss. d. Univ. München (s. *L*), *T* d. Richard Göldner (1887–1949) u. d. Annemarie N. N. (1896–1978); 3 *Stief-S* (alle ⚭) aus 1), 1 *S*, 1 *T* aus 2), Anne-Marie Whiting (* 1949), Dr. rer. pol., Soziologin in Starnberg, Carsten (* 1953), Dipl.-Ing., Architekt in Starnberg.

Der Oberrealschüler aus Hamburg-Eppendorf leistete 1918 beim 1. Westfäl. Jungmannen-Etappen-Kommando in Nordfrankreich Landarbeit; 1919/20 gehörte M. einem Zeitfreiwilligenkorps an und beteiligte sich am Kapp-Putsch. Nach dem Abitur (1920) studierte er in Köln, Hamburg, Berlin und Kiel Nationalökonomie, Staatsphilosophie, Soziologie und Zeitungskunde. 1924 promovierte er bei Ferdinand Tönnies mit einer Arbeit über „Die öffentliche Meinung in Johann Josef Görres' politischer Publizistik". Im selben Jahr ging er als Lokalberichterstatter zur „Ostpreuß. Zeitung" in Königsberg. 1925 amtierte er kurz als Hauptgeschäftsführer der Fichte-Gesellschaft in Hamburg. Im selben Jahr wurde M. Assistent Wilhelm Kapps am Seminar für Publizistik und Zeitungswesen der Univ. Freiburg (Breisgau), Anfang 1927 Mitarbeiter Martin Mohrs am Deutschen Institut für Zeitungskunde (DIZ) in Berlin. 1928 gehörte er dem von Karl d'Ester geleiteten historischwissenschaftlichen Ausschuß der Kölner „Pressa" an und war an der Neuherausgabe von Görres' „Rheinischem Merkur" beteiligt. Seit 1930 gab M. mit Emil Dovifat zeitungskundliche Kurse an der Volkshochschule Berlin, 1931–33 am DIZ Zeitungskurse für Lehrer; Medienpädagogik betrieb er überdies praktisch als Schriftleiter der Halbmonatsschrift „Der Zeitspiegel" sowie forschend in seiner Monographie „Jugend und Zeitung" (1932). Im Juli 1933 wurde M. im DIZ zum Stellvertreter des Direktors Dovifat bestellt. Nachdem Erich Everth aus politischen Gründen beurlaubt und im Herbst 1933 emeritiert worden war, vertrat M. im Wintersemester 1933/34 dessen Lehrstuhl für Zeitungswissenschaft an der Univ. Leipzig und wurde 1934 zum o. Professor und Direktor des Leipziger Instituts berufen. Verkürzte er schon in seiner Antrittsvorlesung die Zeitungswissenschaft programmatisch auf politische Publizistik, so vermengte M. Wissenschaft und nationalsozialistische Überzeugung vollends in nachfolgenden Veröffentlichungen wie „Zeitung und Politik" (1935) und „Publizistik" (1939). Gleichzeitig gab er dem Fach jedoch auch sozialwissenschaftliche Impulse, u. a. durch Leserforschung auf dem Dorf. Ein Exponent heftiger innerfachlicher Auseinandersetzungen, wurde M. 1944 zum Leiter des Fachkreises Publizistik in der Reichsdozentenführung berufen.

Nach Kriegsende im Lager Ludwigsburg interniert, kam M. 1948 nach Starnberg (Oberbayern) und betätigte sich dort zunächst in der Lokalpresse und als heimatkundlicher Schriftsteller. Sein Versuch, an die Universität zurückzukehren, scheiterte. Seit 1950 lehrte er am Werbefachlichen Institut München (auch: Werbewissenschaftl. Institut). Seit 1956 bearbeitete M. in der neugegründeten Fachzeitschrift „Publizistik" das Sachgebiet Werbung, 1959–63 gab er die Fachzeitschrift „Verlags-Praxis" heraus. In seinem Werk „Die moderne Presse" (1955/56) stellte er das Zeitungs- und Zeitschriftenwesen im In- und Ausland umfassend dar; zahlreiche weitere Publikationen befaßten sich mit Marktforschung und Werbung. Sein letztes Buch „Die Presse – Trumpf in der Werbung" (1963) führte die beiden Gegenstandsbereiche noch einmal zusammen.

L U. G. Albrecht, in: Ztg.wiss. 8, 1933, S. 407 f.; W. Haacke, in: Publizistik 6, 1961, S. 110 f.; Wirtsch. u. d. Werbung 17, 1963, S. 95 *(P)*; R. Fröhner, in: Publizistik 8, 1963, S. 117–24 *(W-Verz.)*; ders., in: Zs. f. Markt- u. Meinungsforschung 6, 1963, S. 1481–88 *(W-Verz.)*; S. Straetz, H. A. M. (1901–63), sein Btr. z. Entwicklung d. Rezipientenforschung, Mag.arb. München 1983 *(ungedr.)*; Von d. Ztg.kde. z. Publizistik, hrsg. v. R. vom Bruch u. O. B. Roegele, 1986; J. Heuser, Ztg.wiss. als Standespol., 1994; Kürschner, Gel.-Kal. 1935, 1940–41, 1961. – *Qu.* Bundesarchiv Koblenz (Lebenslauf). – *Zu Ruth:* C. Holtz-Bacha u. A. Kutsch, in: Publizistik 34, 1989, S. 158 f.

Heinz Starkulla jr.

Münster, *Sebastian,* Kosmograph, Hebraist, * wahrsch. 20. 1. 1488 Nieder-Ingelheim, † 26. 5. 1552 Basel. (seit 1529 ref.)

V Andreas (Endres), Spitalmeister in N. († 1527/34); *M* N. N.; ∞ um 1530 Anna (um 1490–1570), *Wwe* d. Adam Petri (1454–1525), Drucker u. Verleger in B. (s. ADB 25), *T* d. Notars Sixtus Selber (Silber) in B.; 1 *T, Stief-S* Heinrich Petri (1508–79), Drucker u. Verleger in B. (s. ADB 25).

M. wurde durch Privatunterricht auf das Studium vorbereitet. Zu unbestimmter Zeit verließ er seine Heimat und trat in die Heidelberger Ordensschule der Franziskaner ein. Verschiedene Anzeichen deuten darauf hin, daß er seit 1505 in Heidelberg studierte und 1507 dem Orden beitrat. Möglicherweise verbrachte er einen kurzen Studienaufenthalt in Löwen und in Freiburg (Breisgau), um Vorlesungen bei Gregor Reisch (1467–1525) zu hören. Sicher ist, daß M. seit 1509 im elsäss. Minoritenkloster Ruffach studierte. Hier wurde Konrad Pellikan (1478–1556) sein erster bedeutender Lehrer, der M. mit der hebräischen und griech. Sprache vertraut machte, ihm aber auch Kenntnisse in der Mathematik und der „Kosmographie" genannten Weltbeschreibung vermittelte. 1511 begleitete er Pellikan zu einer Ordensversammlung nach Basel und anschließend nach Pforzheim, wohin dieser als Klosterguardian gesandt worden war. M. erteilte dort auch selbst Unterricht. 1512 erhielt er die Priesterweihe, 1514 befand er sich an der Univ. Tübingen, wo er Melanchthon und Johannes Reuchlin kennenlernte und Vorlesungen bei Johann Stöffler hörte, der ihn in Mathematik und Astronomie sowie dem kartographischen Vermessungswesen und dem Bau von Sonnenuhren, Globen und Astrolabien unterwies. Ein Aufenthalt in Wien um 1517/18 läßt sich nicht nachweisen.

M.s erste Publikationen behandeln sämtlich das Gebiet der Hebraistik. Die erste nachweisbare Veröffentlichung, eine hebräische Grammatik, erschien 1520 bei Joh. Froben in Basel. Von den folgenden Schriften seien die „Grammatica hebraica Eliae Levitae" und das „Dictionarium hebraicum" genannt, die beide 1523 erschienen und zahlreiche Auflagen erlebten. M. weilte zu dieser Zeit häufig in Basel und traf dort seinen Lehrer Pellikan wieder, der dem Gedankengut der Reformation nahestand und auch M. entsprechend beeinflußte. 1524 wurde M. von Kf. Ludwig dem Friedfertigen von der Pfalz an die Univ. Heidelberg berufen und lehrte dort neben der hebräischen Sprache auch Mathematik und Geographie. Die Annahme dieses Rufes geschah wahrscheinlich auf Wunsch des Ordens; M. selbst wäre vermutlich lieber in Basel geblieben. Das Klima an der konservativen Univ. Heidelberg sagte ihm nicht zu; häufig unternahm er Reisen nach Basel. Aus diesem Grund (nicht wegen finanzieller Forderungen) kam es wiederholt zu Unstimmigkeiten. 1526 schrieb er ein Entlassungsgesuch, das er indes wieder zurücknahm. Allem Anschein nach weilte M. danach wie zuvor öfter in Basel, schließlich wurde er um die Mitte des Jahres 1529 als Nachfolger Pellikans auf den dortigen Lehrstuhl für Hebraistik berufen.

In den religiösen Auseinandersetzungen jener Zeit zurückhaltend, teilte M. jedoch aufgrund seiner Kenntnis des Hebräischen die luth. Ansicht von der Fehlerhaftigkeit der Vulgata, auf deren Text sich die kath. Lehre stützte. Diese Haltung, der Einfluß Pellikans und Oekolampads sowie der Wunsch, seine Professur zu behalten und praktisch ausüben zu können, dürften M. bewogen haben, im Jahr der Berufung nach Basel den Orden zu verlassen und zum Protestantismus überzutreten. Die Universität befand sich in einem beklagenswerten Zustand, da viele Lehrer und Studenten die Stadt verlassen hatten; 1529–32 war sie geschlossen. Ist der Aufschwung, den die Hochschule in den folgenden Jahren nahm, großenteils den Bestrebungen Oekolampads zu danken, so gebührt M. das Verdienst, Basel zu einem anerkannten Zentrum der Hebraistik gemacht zu haben. 1542–44 vertrat er auch den Lehrstuhl für Theologie, 1547/48 wurde er Rektor der Universität. Auch während seiner letzten Lebensjahre führte er ein zurückgezogenes, ganz auf seine Studien ausgerichtetes Gelehrtendasein. Sein Jahresgehalt – mit 60 Gulden eher bescheiden – wurde nie erhöht. Mit seinem Stiefsohn Heinrich Petri, der die meisten seiner Werke verlegte, stand er in enger geschäftlicher Beziehung, ohne jedoch Teilhaber an dessen Druckerei zu sein. M.s philologisch-theologisches Hauptwerk ist die 1534/35 erschienene hebräische Fassung des Alten Testaments mit einer lat. Übersetzung, bei der er sich vorwiegend auf seine umfangreiche Sammlung rabbinischer Kommentare stützte und ferner die Übersetzungen von Santes Pagnino (1527) und Augustin Steuchus (1529) heranzog. Er strebte eine möglichst wortgetreue Übersetzung unter Erhaltung des hebräischen Sprachduktus an. Für M. bestand eine direkte Verbindung zwischen seinen hebraistischen Arbeiten und der Weltbeschreibung: Erstere wiesen den Weg zum Alten Testament und damit zur Wurzel des Christentums und zur theol.-philosophischen Erkenntnis der göttlichen Schöpfung, die letztere war der Schlüssel zur räumlichen wie zeitlichen Erfassung der Welt als Ergebnis dieser Schöpfung. In seiner kleinen Schrift „Erklärung des neuen Instruments der Sunnen" (1528) forderte er alle „Liebhaber der lustigen Kunst Geographia" auf, ihm Datenmaterial zu einer Beschreibung Deutschlands zu übermitteln. Um zu einigermaßen verläßlichen Angaben zu kommen, gab M. eine Anleitung, wie man von einem bestimmten Punkt aus die Umgebung kartographisch erfassen solle. Offenkundig plante er bereits damals eine umfassende Beschreibung der Gebiete des Deutschen Reiches; die erhoffte Reaktion blieb allerdings aus, und M. begnügte sich vorerst mit einer kleinen Schrift „Germaniae descriptio" (1530), der die Überarbeitung einer Karte von Mitteleuropa des Nikolaus Cusanus zugrunde lag. 1536 publizierte M. in deutscher Sprache die „Mappa Europae" und in der Folge vor allem Ausgaben der antiken Geographen Gaius Julius Solinus, Pomponius Mela und Claudius Ptolemäus. Insbesondere das erstmals 1540 veröffentlichte Werk des Ptolemäus war für die Entwicklung der neuzeitlichen Geographie wichtig. Studienreisen durch Süd- und Westdeutschland und die Schweiz (kartographische Vermessung des Wallis 1546) dienten der Vorbereitung bzw. Verbesserung seiner geographischen wie ethnographischen Beschreibung der damals bekannten Welt in seiner „Cosmographia".

1544 erschien die „Cosmographia", die M. einen hervorragenden Platz unter den Geographen des 16. Jh. verschaffen sollte, in sechs Büchern. Ihr methodisches Konzept verbindet die Kompilation von durch zeitgenössische Mitarbeiter vor Ort gesammelten aktuellen Daten mit der Auswertung schriftlicher Quellen von der Antike bis in M.s Gegenwart. Das erste Buch enthält eine physische Geographie, im zweiten und dritten werden eine Übersicht über Lage und Grenzen Europas und eingehende Beschreibungen der einzelnen Länder gegeben. Das vierte, fünfte und sechste Buch behandeln in knapper und insgesamt dem zeitgenössischen Wissen nicht entsprechender Weise Nord- und Osteuropa, Asien, Afrika und die Neue Welt. M. verwendete den bereits bekannten Ausdruck „Amerika" nicht, hielt auch zeitlebens am ptolemäischen Weltbild fest. Als zur Kosmographie gehörig betrachtete er aber auch ausführliche Darstellungen zur Erd- und Menschheitsgeschichte, zu Lebensweisen, Sitten, Bräuchen und charakteristischen Besonderheiten der Länder und ihrer Bewohner. Dazu lieferten die 1550 erschienenen Ausgaben in deutscher und lat. Sprache hervorragende Illustrationen, teilweise die ältesten bekannten Ansichten einzelner Orte überhaupt. Zu den Künstlern gehörten Hans Rudolf Manuel (gen. Deutsch), David Kandel und Jakob Clauser, in Holz geschnitten wurden deren Zeichnungen von Christoph Stimmer und Heinrich Holzmüller. Alle geographischen Schriften M.s enthalten auch Landkarten; insgesamt zeichnete er 142 Kartenblätter, mehr als alle deutschen Kartographen vor ihm. Die Qualität der Karten schwankt erheblich, da sich M. bei ihrer Erstellung nicht auf eigene Vermessungen, sondern auf die Angaben der Literatur oder seiner Mitarbeiter stützte. Die Erstausgabe der Kosmographie enthielt 26 Blätter, in der Ausgabe von 1550 wurden 14 davon wiederverwendet, 53 neue Karten kamen hinzu. Ein ganz neuer Kartensatz wurde in die postum erschienene Auflage von 1588 übernommen. Bewußt in deutscher Sprache verfaßt, entfaltete die „Cosmographia" eine enorme Breitenwirkung. Keine andere Erdbeschreibung des 16. Jh. ist in dieser Hinsicht mit M.s Werk vergleichbar.

W u. a. Germaniae atque aliarum regionum ... descriptio ... ex Historicis atque Cosmographis, pro Tabula Nicolai Cusae intelligenda excerpta, Basel 1530; Mappa Europae, Eygentlich fürgebildet, ausgelegt u. beschribenn, Vonn aller Land u. Stett ankunfft, Gelegenheyt, sitten, ietziger Handtierung u. Wesen ..., Frankfurt 1536 (Faks. 1965); Geographia Universalis, Vetus et Nova, complectens Claudii Ptolemaei Alexandrini Ennarationis libros VIII, Basel 1540; Cosmographia, Beschreibung aller Lender Durch Sebastianum Munsterum, In welcher begriffen, Aller völcker, Herrschafften, Stetten, u. namhafftiger flecken, herkommen: Sitten, gebreüch, ordnung, glauben, secten, u. hantierung, durch d. gantze welt, u. fürnemlich Teütscher nation ..., Basel 1544, weitere Aufll. Basel 1545-52, [27]1650.

L ADB 23; O. Schreckenfuchs, Leichenrede auf M., Basel 1553 (dt. Übers. v. E. Emmerling, in: Bttr. z. Ingelheimer Gesch., H. 12, 1960); V. Hantzsch, S. M., Leben, Werk, wiss. Bedeutung, Abhh. d. phil.-hist. Cl. d. Sächs. Ak. d. Wiss. 18, 1898, H. 3; M. T. Hodgen, in: Osiris 11, 1954, S. 504–29; H. Burmeister, S. M., Versuch e. biogr. Gesamtbildes, 1963 *(P)*; H. J. W. Horch, Bibliogr. Notizen zu einigen Ausgg. d. „Kosmographie" v. S. M. u. ihren Varianten, in: Gutenberg Jb. 1974, S. 139–51; P. H. Meurer, Der neue Kartensatz v. 1588 in d. Kosmographie S. M.s, in: Cartographica Helvetica 1993, H. 7, S. 11–20; DSB. – *Bibliogr.:* H. Burmeister, S. M., e. Bibliogr., 1964.

Claus Priesner

Münsterberg.

1) *Emil,* Jurist, Sozialpolitiker, * 13. 7. 1855 Danzig, † 25./26. 1. 1911 Berlin. (isr., dann ev.)

V Moritz (1825–80), Holzexporteur, Leiter d. Fa. Hermann Weinberg & Co. in D., *S* d. Mayer u. d. N. N. Weinberg; *M* Rosalie († 1857), *T* d. Richard Bernhardy u. d. Fanny N. N. († 1888); *B* Otto (1854–1915), KR, Kaufm. in D., 1903–08 u. 1912–15 Mitgl. d. preuß. Abg.hauses (Freisinn/Fortschritt) (s. *W, L*); *Halb-B* Hugo (s. 2), Oskar (s. 3); – ∞ Berlin 1883 Emma (1857–1920), *T* d. preuß. Oberförsters Arthur v. Spangenberg u. d. Elly v. Hanstein (1835–62) aus Coburg; 1 *T* Else (1884–1955, ∞ William H. Dawson, 1860–1948, engl. Soz.reformer), Sozialarbeiterin u. Übersetzerin.

M. studierte seit 1874 in Zürich, Leipzig und Göttingen Rechts- und Staatswissenschaften, promovierte 1877 zum Dr. iur. und schlug die Justizlaufbahn ein. Nach dem Assessorexamen (1882) und einem längeren Italienaufenthalt war er seit 1883 zunächst in Danzig, dann als Magistrats-Assessor in Berlin tätig, wo er auch volkswirtschaftliche und kameralistische Vorlesungen und Übungen, u. a. bei G. Schmoller, besuchte. 1887–89 war er Amtsrichter in Menden (Westfalen), wo er auch als Vertrauensmann der nationalliberalen Partei wirkte. 1889–92 war er Bürgermeister in Iserlohn, 1892–95 Berater für die Durchführung einer Reform des Armenpflegewesens in Hamburg; dabei setzte er sich erfolgreich für eine erhebliche Vermehrung der Zahl der Armenpfleger und ihre fachliche Schulung, vor allem aber für eine radikale Reform des Grundstücks- und Wohnungswesens ein.

M. hatte sich bereits während seiner Assessorenzeit mit dem Armenwesen beschäftigt, für die Durchführung der Reichsarmenstatistik von 1885 war er zum Berliner Magistrat abgeordnet. Aus weiteren Studien ging 1887 seine Monographie „Die deutsche Armengesetzgebung und das Material zu ihrer Reform" hervor, in der erstmals die geschichtlichen, begrifflichen und tatsächlichen Grundlagen des Armenwesens seiner Zeit systematisch dargelegt wurden. Im 1880 gegründeten „Deutschen Verein für Armenpflege und Wohltätigkeit" wurde M. bald der organisatorisch und wissenschaftlich führende Kopf, 1892 wurde er dessen Geschäftsführer, 1911 auch Vorsitzender. Als die Verlängerung seiner Beratertätigkeit in Hamburg am Widerstand der Hamburger Grundbesitzerfraktion scheiterte, ging der vermögende M. 1896 wieder nach Berlin, zunächst als Privatgelehrter. 1898 wurde er unbesoldeter Stadtrat für Armenwesen, 1901 besoldeter Dezernent und Vorsitzender der Armendirektion. In dieser Funktion reorganisierte er das Armenwesen grundlegend durch die von ihm verfaßte „Anweisung, betreffend die Verwaltung der offenen Armenpflege" (1902). Damit begann auch in der Reichshauptstadt die Abkehr von der ehrenamtlichen, nichtfachlichen Armenpflege zugunsten einer modernen, methodisch vorgehenden beruflichen Armenpflege, die bis dahin nur in Straßburg und Frankfurt/Main verwirklicht worden war. – M. war nicht nur der bedeutendste Theoretiker des Armenwesens im Deutschen Kaiserreich, sondern versuchte auch, dessen Praxis unter Einbeziehung wissenschaftlicher Erkenntnisse und internationaler Erfahrungen zu reformieren. Hierbei war ihm allerdings mehr allgemeine Anerkennung als unmittelbarer Erfolg beschieden.

Weitere W u. a. Die Armenpflege, 1897; Das ausländ. Armenwesen, 1899/1901; Gen.ber. üb. d. Tätigkeit d. Dt. Ver. f. Armenpflege u. Wohltätigkeit … 1880–1905, 1905; Bibliogr. d. Armenwesens, 1900 (Nachträge 1902–05); Amerikan. Armenwesen, 1908. – *Gründer u. Hrsg.:* Zs. f. d. Armenwesen, 1900 ff. – *Zu Otto:* Der Handel Danzigs, 1906; Die Bodenpol. Danzigs, 1911; Vor 40 J., Streifzüge in d. Entwickelung d. Danziger Handels, 1911; Die wirtsch. Verhältnisse d. Ostens, 1912.

L Zs. f. d. Armenwesen 12, 1911, S. 33–39 *(P)*; G. Müller, Die theoret. u. allg.prakt. Fürsorgelehren E. M.s, Eine Darst. u. Würdigung, 1933; F. Tennstedt, Anfänge soz.pol. Intervention in Dtld. u. England, in: Zs. f. Sozialreform 29, 1983, S. 631–48 *(P);* ders., in: Soz. Arbeit 33, 1984, S. 258–65; ders. u. Ch. Sachße, Bettler, Gauner u. Proleten, Armut u. Armenfürsorge in d. dt. Gesch., 1983 *(P);* Altpreuß. Biogr. IV. – *Zu Otto:* DBJ I, Tl.; P. Simson, in: Mitt. d. westpreuß. Gesch.ver. 14, 1915, S. 76 f.; B. Mann, Biogr. Hdb. f. d. preuß. Abg.haus 1867–1918, 1988; Kosch., Biogr. Staatshdb.; Altpreuß. Biogr. IV.

Florian Tennstedt

2) *Hugo,* Psychologe, * 1. 6. 1863 Danzig, † 16. 12. 1916 Cambridge (Massachusetts, USA). (isr., dann ev.)

V Moritz (s. Gen. 1); *M* Anna Bernhardy († 1875), Malerin u. Zeichnerin, *N* d. Rosalie Bernhardy (s. Gen. 1); *B* Oskar (s. 3); *Halb-B* Otto (s. Gen. 1), Emil (s. 1); – ∞ Weißenburg/Lauter (Elsaß) 1887 Selma, Malerin, *T* d. Oberstabsarztes Dr. Oppler in Straßburg; 2 *T,* u. a. Margaret (* 1889, s. *L*).

M. besuchte 1873–82 das Gymnasium in Danzig. Mit 14 Jahren veröffentlichte er einen Gedichtband unter dem Pseudonym Hugo Terberg, mit 15 schrieb er ein deutsches Fremdwörterbuch. Danach erlernte er autodidaktisch Arabisch und Sanskrit. Er studierte 1882/83 in Genf und anschließend in Leipzig Medizin. 1884 legte er die ärztliche Vorprüfung ab, wandte sich aber unter dem Einfluß Wilhelm Wundts der Philosophie und Psychologie zu. 1885 promovierte M. in Philosophie mit der Arbeit „Die Lehre von der natürlichen Anpassung in ihrer Entwicklung, Anwendung und Bedeutung", 1887 in Heidelberg auch in Medizin. Im selben Jahr habilitierte er sich in Freiburg für Philosophie aufgrund der Schrift „Die Willenshandlung". 1887–91 wirkte M. als Privatdozent in Freiburg, wo er ein privates psychologisches Laboratorium errichtete (ao. Prof. 1891). In dieser Zeit wurde er mit Wilhelm Riehl und Heinrich Rickert näher bekannt und trat u. a. mit Theodor Lipps, Wilhelm Windelband, Georg Simmel, Paul Natorp, Hans Vaihinger und Max Dessoir in Korrespondenz. Nachdem sich – z. T. aus antisemitischer Ablehnung trotz seiner Taufe – in Deutschland keine o. Professur für M. eröffnete, wurde er 1892 von William James an die Harvard-Universität gerufen, wo er eine Professur für experimentelle Psychologie erhielt und ein großes psychologisches Laboratorium nach dem Vorbild des Instituts von Wundt in Leipzig aufbaute. 1895 kehrte er nach Deutschland zurück. Da ihm aber keine vergleichbare Stelle angeboten wurde, entschloß er sich 1897 zur endgültigen Übersiedlung nach Harvard. 1904 organisierte M. einen Wissenschaftskongreß zur Weltausstellung in St. Louis mit über 200 Gelehrten verschiedenster Disziplinen. 1908 wurde er nach Berlin gerufen, um dort ein Amerika-Institut aufzubauen; danach kam er als Austauschprofessor 1910/11 wieder nach Berlin, übernahm die Leitung des Amerika-Instituts und hielt u. a. die erste Vorlesung über Wirtschaftspsychologie in Deutschland. Nach Ausbruch des 1. Weltkriegs warb M. als deutscher Patriot in den USA mit Reden und Veröffentlichungen für sein Heimatland, trat – u. a. im Briefwechsel mit Reichskanzler Bethmann Hollweg – für Friedensverhandlungen ein und versuchte, Amerikas bevorstehenden Eintritt in den Krieg zu verhindern. Diese deutschfreundliche Einstellung – man sprach sogar von „Münsterbergism" – trug M. solche Anfeindungen ein, daß er um seine Stellung fürchten mußte. 1916 ereilte den 53jährigen während einer Vorlesung der Tod.

Von M.s zahlreichen Veröffentlichungen, die von Lyrik über Philosophie, Psychologie bis zur Soziologie reichen, werden heute vorwiegend seine wirtschaftspsychologischen Schriften beachtet. Der Begriff „Psychotechnik" der kurz nach der Jahrhundertwende von William Stern geprägt worden war, wurde von M. popularisiert und ist bis heute eng mit seinem Namen verbunden. Verstand M. die Psychotechnik als Wissenschaft von der „praktischen Anwendung der Psychologie im Dienste der Kulturaufgaben", also praktisch als angewandte Psychologie mit Einschluß von Gebieten wie Psychotherapie und forensischer Psychologie, so erfuhr dieser Begriff bald nach M. eine Einengung auf die angewandte Wirtschaftspsychologie. Angelehnt an die Methodologie der klassischen Naturwissenschaften, mit der Erfahrung der experimentellen Psychologie in der Tradition von Fechner, Helmholtz und Wundt, wandte M. die Psychotechnik auf Felder an, auf denen die Psychologie ihren wirtschaftlichen Nutzen unter Beweis stellen konnte. So führte er im Anschluß an die frühen werbepsychologischen Untersuchungen von Walter Dill Scott (1908) verschiedene Versuchsreihen durch, um die Wirkungen der Anzeigenwiederholung auf die Erinnerungsleistung zu überprüfen. Angeregt durch Industrie, Verbände und Verwaltungen entwickelte M. 1910 die ersten Verfahren zur Ermittlung der Berufseignung für Straßenbahnfahrer. Daneben befaßte er sich auch mit Psychotherapie und der Psychologie des Films. Mit seiner Vielseitigkeit, seinem Sinn für die Lösung praktischer Probleme, seinem Organisationstalent und seinem Bemühen, die Psychologie als Einzelwissenschaft zu etablieren, erscheint M. heute als Wissenschaftler, der der deutschen und der amerikan. Psychologie starke Impulse verliehen hat. – Der Berufsverband Deutscher Psychologen vergibt seit 1981 die H.-M.-Medaille für besondere Verdienste um die angewandte Psychologie.

W u. a. Philos.: Der Ursprung d. Sittlichkeit, 1889; Philos. d. Werte, 1901; The Eternal Values, 1909. – *Allg. Psychol.:* Über Aufgaben u. Methoden d. Psychol., 1893; Grundzüge d. Psychol., 1900,

²1918, hrsg. v. M. Dessoir *(W-Verz., L)*; Frühe Schrr. z. Psychol., Eingel., mit Materialien z. Rezeptionsgesch u. e. Bibliogr. versehen v. H. Hildebrandt u. E. Scheerer, 1990. – *Soz.psychol.:* Psychology and Life, 1899; Psychotherapy, 1909; Psychology and Crime, 1909; Social Studies of Today, 1913; Grundzüge d. Psychotechnik, 1914; Psychology and Social Sanity, 1914. – *Wirtschaftspsychol.:* Die Psychol. u. d. Wirtsch.leben, 1912; Psychology and Industrial Efficiency, 1913. – *Päd. Psychol.:* The Principles of Art Education, 1905; Psychology and the Teacher, 1909. – *Pol. Psychol.:* American Traits from the Point of View of a German, 1901 (Neudr. 1971); Die Amerikaner, 2 Bde., 1904; American Problems from the Point of View of a Psychologist, 1910 (Neudr. 1969); The War and Amerika, 1914 (dt. 1915); Tomorrow, 1916. – *Film:* The Film, A Psychological Study, The Silent Photoplay in 1916, 1970. – *Hrsg.:* Btrr. z. experimentellen Psychol., 1889–92; Harvard Psychological Studies, 1903–15.

L G. Heinzel, Versuch e. Lösung d. Willensproblems im Anschluß an e. Darst. u. Kritik d. Theorien v. M., Wundt u. Lipps, 1898; M. Dessoir, Zur Erinnerung an H. M., in: H. M., Grundzüge d. Psychol., ²1918, S. V–XVIII *(P)*; ders., in: DBJ I; F. Wunderlich, H. M.s Bedeutung f. d. Nat.ökonomie, 1920; Margaret Münsterberg, H. M., his Life and his Work, 1922 *(P)*; H. Kaiser, Die erkenntnistheoret. Entscheidung üb. d. Verhältnis v. Philos. u. Psychol. nach Dilthey, M. u. Rickert, Diss. Erlangen 1923; M. Hale, Human Science and Social Order, H. M. and the Origin of Applied Psychology, 1980; H. Hildebrandt u. E. Scheerer, Einl. zu: Frühe Schrr. z. Psychol., 1990 (s. *W*); J. u. L. Spillmann, The Rise and Fall of H. M., in: Journal of the History of the Behavioral Sciences 29, 1993, S. 322–38; Dict. Am. Biogr.; Ziegenfuß; Ueberweg IV; Enc. Jud. 1971 *(P)*; Kosch, Lit.-Lex.³; Altpreuß. Biogr. IV.

P H. E. Lück u. R. Miller (Hrsg.), Ill. Gesch. d. Psychol., 1993, S. 179, 254.

Helmut E. Lück

3) *Oskar,* Fabrikant, Kunsthistoriker, * 23. 7. 1865 Danzig, † 12. 4. 1920 Berlin. (isr., später ev.).

V Moritz (s. Gen. 1); *M* Anna Bernhardy; *Halb-B* Emil (s. 1), Otto (s. Gen. 1); *B* Hugo (s. 2); ∞ 1913 Helen (1886–1960), *T* d. Edward R. Rice († 1912) u. d. Mary F. N. N. († 1915); 1 *S* Hugo (* 1916), Prof. f. Kunstgesch. in New York (s. BHdE II; *W*), 2 *T*.

Nach dem Besuch des Gymnasiums in Danzig studierte M. bis 1896, unterbrochen durch eine Tätigkeit als Fabrikant in Detmold 1886–93, Volkswirtschaft und Kunstgeschichte in München und Freiburg (Breisgau). 1906 wurde er Direktor der Deutschen National-Zeitung in Berlin, drei Jahre später übernahm er eine Verlagsleitung in Leipzig und kehrte 1912 als Direktor der W. Hagelberg A. G. nach Berlin zurück. Auf berufsbedingten Reisen, die M. unter anderem nach Ostasien führten, konnte er auch intensiver seinen geisteswissenschaftlichen Neigungen nachgehen. M.s Publikationen befaßten sich einerseits mit wirtschaftlichen, andererseits mit kunsthistorischen Themen. In seiner Freiburger Dissertation „Japans Edelmetallhandel 1542–1854" (erweitert u. d. T. „Japans auswärtiger Handel von 1542 bis 1896", 1896) behandelte er einen Ausschnitt der japan. Wirtschaftsgeschichte. Hiervon ausgehend wandte M. sich der Kunst zu und verfaßte sein erstes Hauptwerk, die „Japanische Kunstgeschichte" (3 Bde., 1904–07). Der Abhandlung „Die Reform Chinas, Ein historisch-politischer und volkswirtschaftlicher Beitrag zur Kenntnis Ostasiens" (1895), ließ er sein zweites grundlegendes Werk, die „Chinesische Kunstgeschichte" (2 Bde., 1910–12, ²1924) folgen.

Obwohl M. nach Generation und Ausbildung nicht zu der sich erst formierenden und von Otto Kümmel (1874–1957) angeführten Zunft der ostasiatischen Kunstgeschichte gehörte, handelt es sich bei seinen Werken – noch vor den in der Konzeption ähnlichen „Epochs of Chinese and Japanese Art" von E. F. Fenollosa (1818/19–1908) – um die ersten umfassenden Darstellungen ihrer Art. M. beherrschte zwar keine ostasiatische Sprache, er machte sich jedoch die Ergebnisse der neuen Ostasienwissenschaften und deren Japan- und Chinabild zu eigen, so daß er sich weitgehend auf der Höhe des Wissens seiner Zeit befand. Bemerkenswert ausführlich behandelte er das Kunsthandwerk, aber auch der Malerei widmete er schon den ihrem Rang entsprechenden breiten Raum. Die methodische Anlage ist in beiden Werken dieselbe; M. wandte sich von der bloßen Materialsammlung ab, wie sie noch S. W. Bushells „Chinese Art" (1906) aufweist, und versuchte, eine Stilgeschichte der chines. Kunst zu schreiben – trotz geteilten Urteils ein bedeutender Schritt für die Entwicklung der ostasiatischen Kunstwissenschaft des Westens.

Weitere W Japans Kunst, 1895, ²1909; Die japan. Kunst u. d. japan. Land, 1896; Das Ostasiat. Mus. in Berlin, 1910; Neudtld.s Wirtsch., 1918; *Aufsätze u. a. in:* Kunst u. Handwerk, 1908 u. 1911; Revue des études ethnographiques et sociologiques, 1909; Oriental. Archiv, 1911; Zs. f. bildende Kunst, NF 20, 1909. – *W-Verz.:* Ostasiat. Zs. 7, 1920/21, S. 272. – *Zu Hugo (* 1916):* A Short History of Chinese Art, 1949; The Arts of Japan, 1957; Zen and Oriental Art, 1965; Art of the Far East, 1968, dt. 1970. – *W-Verz.:* Directory of American Scholars I, hrsg. v. J. C. Press, ⁶1974; The T. L. Yuan Bibliography of

Western Writings on Chinese Art and Archaeology, hrsg. v. H. A. Vanderstappen, 1975.

L Kunstchronik 55, NF 31, 1920, S. 574; Wi. 1905–20; DBJ II, Tl.; Altpreuß. Biogr. IV.

Gert Naundorf

Münsterer, *Hanns (Hans) Otto,* Schriftsteller, Volkskundler, Arzt, * 28. 7. 1900 Dieuze (Lothringen), † 30. 10. 1974 München. (kath.)

V Otto Wilhelm (1873–1920) aus Landshut, Major im 4. bayer. Cheveaulegers-Rgt., S d. Otto (1841–83) aus Ergoldsbach, Rentamtmann in M., u. d. Anna Höflinger (1849–1916); M Paula (* 1878) aus Neu-Ulm, T d. Johann Baptist Zimmermann (1849–1926), Dr. med., Obergen.arzt, u. d. Therese Schreyer (1844–82); ∞ München 1933 Elsa Bertha (1901–92) aus Bayreuth, T d. Max Nebelung (* 1868, ev.) aus Drengfurt, Telegraphenmechaniker, u. d. Josepha Lotter (* 1873) aus Pfronten-Ried; kinderlos.

M., der seine Kindheit in Pasing bei München und Augsburg verbrachte, wurde von einem Privatlehrer unterrichtet. Die enge Freundschaft mit Bertolt Brecht, aber auch der Umgang mit dem Bühnenbildner Caspar Neher, mit Otto Müller und Otto Bezold sowie die Erfahrungen während der Revolution 1918/19, die er in seinen Tagebüchern festhielt, prägten ihn während der Augsburger Jahre. M. studierte 1919–24 in Wien und München Medizin. Danach arbeitete er an der Landesimpfanstalt in München und 1938–45 als Oberarzt an der Dermatologischen Universitätsklinik in München, wo er sich 1942 mit einer virologischen Arbeit habilitierte. 1945 ließ er sich als Facharzt in München-Harlaching nieder.

Neben seinen zahlreichen wissenschaftlichen Publikationen aus dem Bereich der Medizin verfaßte M. grundlegende volkskundliche Studien und Aufsätze, insbesondere über Amulette. In verschiedenen Untersuchungen über Volksmedizin konnte er Abgrenzungen zwischen Medizin und naturheilkundlicher Praxis herausarbeiten und die Begründung der Volksmedizin in kosmologischen Theorien, in der Kabbala und der mittelalterlichen Signaturenlehre deutlich machen. Ein Thema dieser Forschungen sind auch die Praktiken des volksreligiösen medizinischen Brauchtums, das mit dem Glauben an die Heiligenpatronate (Votation) und mit dem Wallfahrtsbrauchtum verbunden ist. Aufgrund seines medizinischen Wissens über Krankheitsbilder und Therapiemöglichkeiten gelangte er zu plausiblen Erklärungen vermeintlicher Wunderheilungen. M. baute auch eine bedeutende volkskundliche Sammlung auf, die sich heute zum Teil im Bayer. Nationalmuseum in München und im Diözesanmuseum in Freising befindet.

Erste Gedichte und Prosaerzählungen veröffentlichte M. 1920–24 in literarischen Beilagen von Zeitungen und Zeitschriften. 1926 wurde als Privatdruck unter dem Titel „Passional deutsch" eine Folge von 48 religiösen Gedichten veröffentlicht. In den 30er Jahren erschienen M.s Gedichte in verschiedenen Anthologien. 1932 und 1934 sendete der Bayer. Rundfunk mehrere Gedichtzyklen („Von den Helden der Gegenwart" mit Musik von Werner Egk, „Sechs Balladen von den Freuden des kleinen Mannes", „Die Entdeckung Amerikas"). 1937 wurde M. aus der Reichsschrifttumskammer ausgeschlossen und erhielt Schreibverbot. Seit 1947 erschienen wieder Gedichte in den Zeitschriften „Das goldene Tor" und „Hochland". Der weitaus größte Teil von M.s literarischen Arbeiten – vor allem Balladen der 20er Jahre, in denen Seefahrer und Waldgänger die Protagonisten einer exotischen Abenteuerwelt darstellen – blieb unveröffentlicht. Ähnlich wie in den gleichzeitigen Gedichten des jungen Brecht drückt sich in ihnen ein vitalistisch-romantisches Lebensgefühl aus. Später treten die Leiden der Schwachen, das Schicksal der Unscheinbaren, die leisen Alltagswahrnehmungen in den Vordergrund. Die Auseinandersetzung mit dem Tod ist ein Thema, das M.s Werk von Anfang an durchzieht. In den 30er Jahren entstanden die Manuskripte von drei Romanen („Föhn", „Die Dampfwalze", „Bückelroman"), in denen persönliche Krisenerfahrungen verarbeitet sind. In der Komödie „Boston" nimmt M. die Amerika-Motive der frühen Balladen wieder auf. – 1955 begegneten sich M. und Brecht nach fast 25 Jahren wieder in München anläßlich der Aufführung von „Mutter Courage". M.s Studie „Bert Brecht" ist die genaueste Darstellung der Augsburger Jahre dieses Dichters.

Weitere W Fünf Balladen, 1925; Bert Brecht, Erinnerungen aus d. J. 1917–22, 1963, ²1966 *(P);* Mancher Mann, Gedichte, ausgew. u. mit e. Nachwort versehen v. M. Brauneck, 1980; Amulettkreuze u. Kreuzamulette, Stud. z. rel. Volkskde., hrsg. v. dems. unter Mitarb. v. H. Brauneck, 1983. – *Nachlaß:* München, Bayer. Staatsbibl., Hss.abt; ebd., Bayer. Nat.mus.; ebd., Bayer. Ak d. Wiss., Inst. f. Volkskde. (Bibl.); Freising, Diözesanmus.

L G. Kapfhammer, in: Bayer. Bll. f. Volkskde. 1, 1974, S. 136; N. Gockerell, Schenkung Münsterer an d. Bayer. Nat.mus., in: Schönere Heimat 65, 1976, S. 335; G. M. Ritz, in: Bayer. Jb. f. Volkskde.

1976/77, 1978, S. 284 f. *(Verz. d. volkskdl. Arbb.);* H. Bender, H. O. M.s poet. Werk, in: SZ v. 24. 5. 1980 *(P);* H. J. Schütz, „Ein dt. Dichter bin ich einst gewesen", Vergessene u. verkannte Autoren d. 20. Jh., 1988, S. 218–22 *(P);* Kürschner, Lit.-Kal. 1973; Autorenlex. dt.sprach Lit. d. 20. Jh., hrsg. v. M. Brauneck, ⁵1995; H. Alzheimer, Volkskde. in Bayern, Ein biobibliograph. Lex. d. Vorläufer, Förderer u. einst. Fachvertreter, 1991; Killy.

Manfred Brauneck

Münstermann *(Munsterman), Ludwig (Ludewich, Lütke),* Bildhauer, * um 1574/75 vermutl. Bremen, † 1637/38 Hamburg. (luth.)

V vermutl. Johann, Tischlermeister („Snitker") in B.; *M* N. N.; *B* vermutl. Tönnies, Tischler in B.; – ∞ 1) 1599 Katharina († 1602), *T* d. Dirich Meier u. d. Anneke N. N., 2) 1605 Anna N. N.; wahrsch. 2 *S*, 1 *T* aus 1), Johann, Bildhauer, Mitarb. u. seit 1638 Leiter d. väterl. Werkstatt, Claus, Bildhauer, Mitarb. d. väterl. Werkstatt, Gesche (∞ Daniel Sasse, Drechslermeister in H.); mindestens 3 *S*, 2 *T* aus 2), u. a. Lüteke (Ludwig) (* 1616), Bildschnitzer in Oldenburg.

Nach einer Ausbildung als Steinmetz und Bildhauer – vielleicht im heimatlichen Bremen und wahrscheinlich in Braunschweig, Hildesheim oder Magdeburg, den Zentren der norddeutschen städtisch-zünftisch organisierten Bildhauerkunst – wurde M. 1599 als Meister in die Drechslerzunft zu Hamburg aufgenommen. 1604 leistete er dort den Bürgereid. 1624–26 ist M. als Beigeordneter, 1628–35 als Ältermann des Amtes bezeugt. 1629 erwarb er ein Haus „auf der Kayen". Hier befand sich offenbar die von ihm geleitete Bildhauerwerkstatt, in der er neben seinen Söhnen Johann und Claus auch den Gesellen Onno Dierksen beschäftigte. M. arbeitete fast ausschließlich für Auftraggeber in der Gfsch. Oldenburg-Delmenhorst: wohl zuerst (1612 und davor) für Gf. Anton Günther (1583–1667) in den Residenzen Oldenburg – am Schloß und für die vom Hof genutzte Lambertikirche – und Rastede; gleich darauf (bis 1618) für dessen Onkel, Gf. Anton II. (1550–1619), in seinen Residenzen Delmenhorst und Varel, wobei offenbar die Mutter Anton Günthers, Elisabeth von Schwarzburg-Sondershausen (1541–1612), und die Gemahlin Antons II., Sibylle Elisabeth von Braunschweig-Lüneburg (1576–1630), entscheidende Impulse gaben. Gf. Anton II. beauftragte M. erstmals in der Schloßkirche in Varel mit einer umfassenden Neugestaltung des Kirchenraumes (Altar, Taufbecken, Kanzel, Orgel und Grafenstuhl, vor 1612–18). Das vorgegebene ikonographische Programm folgt – neben einer offenbar mit der Gemahlin geteilten ganz persönlichen Komponente, die eine unionstheologische Haltung gegen die vom Stammhaus vertretene luth.-orthodoxe Auffassung propagierte – einer theologischen Konzeption, die mit der prot. Lehre an der Univ. Helmstedt zu verbinden oder gar auf sie zurückzuführen ist und allen folgenden Aufträgen an M. in gleicher Weise zu Grunde lag. Im weiteren fungierte offenbar die oldenburg. Kirchenleitung mit ihren Konsistorialräten Mag. Hermann Velstein (1555–1634) und Dr. Gottfried Schlüter (1562–1637) als Vermittler und Förderer der Kunst M.s in den übrigen, auch zu Zeiten der sie verschonenden Kriegsläufte durchaus vermögenden Kirchspielen der Grafschaft, z. B. der Wesermarsch oder des Jeverlandes.

M.s bildhauerisches Schaffen zeigt ein Höchstmaß an individueller Gestaltung. Zwar galt das durch den ital. geprägten Manierismus vorgegebene und postulierte Prinzip der figura serpentinata für Komposition und Betrachtungsweise der Skulptur – als Einzelstück wie in der Gruppe – in vermittelter Form auch für M. Sein persönlicher Gestaltungswille jedoch führte ihn weg vom kühl kalkulierten Maß klassisch idealisierter Schönheit hin zu einer bildnerischen Sprache von ekstatischer und exzentrisch-pointierter Ausdruckskraft. Der Stil wie die besondere Ästhetik der Haarlemer Manieristen, wie Hendrik Goltzius, mögen vorbildhaft auf ihn gewirkt haben. Eingefügt wurden diese vorwiegend eigenhändigen Arbeiten der Plastik in einen Apparat von gekistelter Architektur und Ornamentik, wie er vor allem durch die „Säulenbücher" z. B. des Wendel Dietterlin d. Ä. (Architektura, 1598) oder die phantastischen, bühnenhaften Architektur-Kompositionen des Hans Vredeman de Vries mit den Mitteln der Druckgraphik weite Verbreitung gefunden hatte. M. setzte diese Eindrücke höchst wirkungsvoll in den kompliziert gebauten Bühnenräumlichkeiten seiner Altäre um. Die zentrale Darstellung der Einsetzung des Hl. Abendmahles erhielt durch eine entsprechende Lichtregie dramatisch gesteigerte Wirkung. Für die Ausführung dieser umfangreichen tektonischen und dekorativen Holzarbeiten wurden vor allem die Werkstattgenossen herangezogen. Integraler Bestandteil des künstlerischen Effekts war die in jedem Falle aufwendige Farbfassung, die mit dem Einsatz von Gold und Silber sowie Lüstrierungen in Krapp und Malachit neben einer Holzsichtigkeit der konstruktiven Glieder stilistisch etwa den Hausaltärchen der Münchener Schatzkammer für die bayer. Herzöge Albrecht V. und Wilhelm V. zu vergleichen ist. Die Farbfassung entspricht also durchaus dem Geschmack der zeitgenössischen europ. Hofkunst; den Zunftregeln gemäß mußte sie an andere Meister vergeben werden. – Im Lauf der Jahrhunderte wurden viele Werke M.s durch Verfall und Unverstand vernichtet. Erst Albert E. Brinckmann leitete 1917 die Wiederentdeckung und Würdigung M.s ein; seit 1955 wurden durch die denkmalpflegerische Tätigkeit Herbert Wolfgang Keisers, des Direktors des Landesmuseums Oldenburg, die erhaltenen Hauptwerke M.s vor dem drohenden Untergang gerettet und damit das Werk eines einzigartigen Künstlers im Kreis der Bildhauer des deutschen Manierismus.

Weitere W u. a. Eckwarden, Lambertikirche, Epitaph Siassen, 1631; Schwei, Secunduskirche, Kanzel, 1618; Hohenkirchen, Sixtuskirche, Altar, 1620, Kanzel, 1628; Tossens, Bartholomäuskirche, Taufe, 1623, Altar, 1631, Kanzeldeckel, 1632; Holle, Dionysiuskirche, Taufe, 1624 (heute Oldenburg, Landesmus.), Kanzel, 1637; Rodenkirchen, Matthäuskirche, Altar, Taufe, Kanzel, 1631, Epitaph Dethmers, 1637; Blexen, Hippolytuskirche, Vier Evangelistenfiguren zum Altar, 1637.

L A. E. Brinckmann, Barockskulptur, 1917; M. Riesebieter, L. M., in: Jb. f. Kunstwiss., 1929, S. 1–60; H. W. Keiser, Ergebnisse d. Restaurierung an d. M.-Kanzel in d. Kirche zu Rodenkirchen (Wesermarsch), in: Dt. Kunst- u. Denkmalpflege 22, 1964, S. 112–20; ders., Bemerkungen z. Restaurierung d. M.-Altars in Hohenkirchen, in: Niedersächs. Denkmalpflege VI, 1965–69, 1970, S. 131 f.; J. Rasmussen (Hrsg.), Barockplastik in Norddtld., Ausst.kat. d. Mus. f. Kunst u. Gewerbe, 1977; W. Knollmann, D. J. Ponert, R. Schäfer, L. M., 1992; H. Reimers, L. M., Zwischen Askese u. gegenrefomator. Sinnlichkeit, 1993 *(W-Verz., L)*; Biogr. Hdb. z. Gesch. d. Landes Oldenburg, 1992; ThB.

Dietmar Jürgen Ponert

Münter, *Gabriele,* Malerin, * 19. 2. 1877 Berlin, † 19. 5. 1962 Murnau (Oberbayern).

V Carl Friedrich (1826–86), aus westfäl. Kaufm.- u. Pfarrerfam., wanderte 1848 in d. USA aus, bis 1864 Zahnarzt in Jackson (Tennessee), *S* d. Friedrich (* 1786) u. d. Juliane Margarete Ehrlich; *M* Wilhelmine (1835–97), aus schwäb.-fränk. Schreinerfam., kam als Kind nach USA, *T* d. Johann Gottlieb Scheubler od. Scheuber u. d. Christine Magdalene Meister; *Lebensgefährten* 1902–14 Wassily Kandinsky (1866–1944), Maler (s. NDB XI); seit 1929 Johannes Eichner (1886–1958) aus B., Dr. phil., Kunsthistoriker u. Philologe.

M., deren Eltern wegen der amerikan. Sezessionskriege 1864 nach Deutschland zurückgekehrt waren, wuchs in Herford und Koblenz auf. 1897 begann sie ein Zeichenstudium in Düsseldorf, das sie jedoch nach Krankheit und Tod der Mutter bald wieder abbrach. 1898–1900 hielt sie sich in Amerika auf. Im Frühjahr 1901 ging sie nach München, um ihr Studium an der Schule des „Künstlerinnen-Vereins" fortzusetzen. Im Winter dieses Jahres belegte sie Kurse an der neugegründeten „Phalanx"-Kunstschule und lernte dort Wassily Kandinsky kennen, der Lehrer der Malklasse war. 1903 kam es während eines Sommeraufenthaltes der „Phalanx"-Klasse in Kallmünz zur Verlobung von Kandinsky und M. In der folgenden Zeit unternahm das Paar zahlreiche Reisen, u. a. nach Holland, Tunis, Rapallo, und wohnte 1906/07 in Paris. 1908 gaben M. und Kandinsky ihr unstetes Wanderleben auf und ließen sich in München nieder. Während dieser frühen Jahre malte M. überwiegend kleinformatige Freilichtstudien im Stil des Spätimpressionismus, mit naturalistisch gedämpfter Palette in Grün-, Grau- und Brauntönen. In der Pariser Zeit entstand mehr als ein Viertel ihres graphischen Werkes, wobei besonders die Farbholz- und Linolschnitte zu erwähnen sind.

Im Sommer 1908 entdeckten M. und Kandinsky am Staffelsee den malerisch gelegenen Marktflecken Murnau. Zusammen mit ihren Malerfreunden Alexej Jawlensky und Marianne v. Werefkin arbeiteten sie bis zum Herbst 1908 in Murnau und Umgebung; für M. bedeutete dieser Aufenthalt den Durchbruch zu einer neuen Sehweise, den sie rückblickend in der berühmt gewordenen Formulierung zusammenfaßte: „Ich habe da nach einer kurzen Zeit der Qual einen großen Sprung gemacht – vom Naturabmalen – mehr oder weniger impressionistisch – zum Fühlen eines Inhalts – zum Abstrahieren – zum Geben eines Extrakts." In kurzer Zeit stellte sich M. von dem kleinteiligen, gespachtelten Farbauftrag der frühen Ölstudien um auf einen breiten, flüssigen und spontanen Pinselstrich, der mit leuchtenden, unvermischt nebeneinandergesetzten Farben Ansichten des Ortes und der Umgebung festhält. Weitere Kennzeichen dieser neuartigen, expressiven Bilder sind der zunehmende Verzicht auf gegenständliche Details, die Aufgabe der Tiefenperspektive zugunsten einer Entfaltung der Bildelemente in der Fläche sowie eine zunehmende Emanzipation der Darstellung vom Naturvorbild.

Im Zuge des produktiven Austauschs zwischen den Freunden schloß sich Anfang 1909 die „Neue Künstlervereinigung München" zusammen, deren Mitglied auch M. wurde.

Im selben Jahr kaufte M. ein Sommerhaus in Murnau, wo sie mit Kandinsky bis zum Ausbruch des 1. Weltkrieges viele Wochen verbrachte. Neue künstlerische Anregungen fand sie in diesen Jahren in der bayer. und böhm. Hinterglasmalerei sowie in der überwiegend religiösen regionalen Volkskunst. Nach der Spaltung der „Neuen Künstlervereinigung" im Winter 1911 bildete M. zusammen mit Kandinsky, Franz Marc und Alfred Kubin die Kerngruppe des „Blauen Reiters". Auf dessen erster Ausstellung sowie im gleichnamigen „Almanach" war sie u. a. mit ihren großen Stilleben von 1911 vertreten, auf denen die Gegenstände – meist religiöses Kunsthandwerk und Glasbilder – ein geheimnisvolles Leben zu gewinnen scheinen. Auch mit diesen mystifizierenden, dunklen Bildern setzte M., neben den farbstarken Murnauer Landschaften und den lapidar vereinfachten Porträts der Malerkollegen, in der Malerei des „Blauen Reiters" ihren eigenen unverwechselbaren Akzent.

Bei Ausbruch des 1. Weltkrieges emigrierten M. und Kandinsky zunächst in die Schweiz. Nach der Rückkehr Kandinskys in seine russ. Heimat fuhr M. im Sommer 1915 nach Stockholm, um im neutralen Ausland auf ihn zu warten. Im Winter 1915/16 sahen sich beide hier zum letzten Mal. Während Kandinsky 1917 zum zweiten Mal heiratete und erst 1921/22 als Lehrer am Bauhaus nach Deutschland zurückkehrte, blieb M. bis 1920 in Skandinavien, zuletzt in Kopenhagen. Hier entstanden überwiegend weibliche Porträts, aber auch figürliche Interieurs und Straßenszenen, an deren gedämpften Farben und dekorativen Linien sich ein deutlicher Stilwandel unter dem Einfluß der schwed. Matisse-Schüler ablesen läßt. Die frühen 20er Jahre bedeuteten für M. eine Zeit der persönlichen und künstlerischen Depression. Nach Jahren in Murnau und München ging sie 1925 nach Berlin und entwickelte hier ihre Bleistiftporträts nach meist weiblichen Modellen mit knappen Umrißlinien zur Meisterschaft. Ein Paris-Aufenthalt 1929/30 sowie eine zusammen mit ihrem zweiten Lebensgefährten Johannes Eichner unternommene Reise nach Südfrankreich gaben M.s künstlerischem Schaffen neue Impulse. Sie kehrte zu einer vitalen Malerei mit kräftiger Palette zurück und knüpfte dabei stilistisch an ihre Errungenschaften aus der Zeit des „Blauen Reiters" an. 1931 ließ sich M. endgültig in Murnau nieder; erneut entstanden zahlreiche Gemälde, überwiegend Landschaften und Stilleben. Die Kriegsjahre brachten eine Zeit des Rückzugs mit deutlich verminderter künstlerischer Produktivität; in ihren späten Arbeiten bevorzugte sie eine charakteristische, sparsame Ölmalerei auf Papier, insbesondere für Blumenstilleben und abstrakte Studien. – Zu ihrem 80. Geburtstag 1957 übergab M. die noch in ihrem Besitz befindlichen Werke Kandinskys sowie weiterer Mitglieder des „Blauen Reiters" und eigene Bilder der Städtischen Galerie im Lenbachhaus, München.

W u. a. Allee im Park v. St. Cloud, 1906; Blick aufs Murnauer Moos, 1908; Jawlensky u. Werefkin, 1909; Zuhören (Bildnis Jawlensky), 1909; Stilleben mit Hl. Georg, 1911; Kandinsky u. Erma Bossi am Tisch, 1912; Sinnende, 1917; Das Russen-Haus, 1931; Blick aufs Gebirge, 1934 (alle Städt. Gal. im Lenbachhaus, München).

L J. Eichner, Kandinsky u. G. M., Von Ursprüngen moderner Kunst, 1957; H. K. Röthel (Hrsg.), Kandinsky u. G. M., Werke aus fünf J.zehnten, Ausst.kat. München 1957; G. M. 1877–1962, Ausst.kat. München 1962; P. Lahnstein, M., 1971; A. Mochon (Hrsg.), G. M., Ausst.kat. Cambridge, Mass./Princeton, N. J., 1980/81; K.-E. Vester (Hrsg.), G. M., Ausst.kat. Hamburg 1988; G. Kleine, G. M. u. Wassily Kandinsky, Biogr. e. Paares, 1990; A. Hoberg (Hrsg.), G. M. 1877–1962, Ausst.kat. München 1992 *(P)*; R. Gollek, Das Münter-Haus in Murnau, ⁵1992 *(P)*; ThB; Vollmer.

P 2 Ölgem. v. W. Kandinsky, G. M. b. Malen in Kallmünz, 1903, Bildnis G. M., 1905 (beide Städt. Gal. Lenbachhaus, München); zahlr. Phot. im Archiv d. G. M.- u. Johannes Eichner-Stiftung (ebd.).

Annegret Hoberg

Müntzer, *Thomas,* ev. Prediger und Theologe, * um 1490 Stolberg (Harz), † (hingerichtet) 27. 5. 1525 bei Mühlhausen (Thüringen).

V N. N.; *M* N. N. († 1521); ∞ 1523 Ottilie v. Gersen; 1 *S.*

M. stammt vermutlich aus stadtbürgerlichen Kreisen. Erste gesicherte Daten sind die Immatrikulationen in Leipzig 1506 und in Frankfurt/Oder 1512. Offen bleibt, wo er seine akademischen Grade erwarb (baccalaureus artium, magister artium, baccalaureus biblicus). Das Studium wurde wohl durch berufliche Tätigkeit – vielleicht als Hilfslehrer in Aschersleben – unterbrochen. Die Aussage in dem Verhör von 1525, „in der Jugend" habe er ein Verbündnis gestiftet, konnte bisher nicht entschlüsselt werden. In der Diözese Halberstadt wurde M. zum Priester geweiht, was ihm 1514 ermöglichte, eine niedrig dotierte Altarpfründe an der Michaeliskirche in Braunschweig anzunehmen, die er bis 1522 – davon mehrere Jahre in absentia – innehatte. Hier verkehrte er in einem Kreis angesehener Bürgerfamilien, die sich frühreformatorischen Anschauungen öffneten, die

M. teilte und vielleicht auch beeinflußte. Da er von der Braunschweiger Pfründe allein seinen Lebensunterhalt nicht bestreiten konnte, übernahm er 1515/16 das Amt eines Präfekten im Kanonissenstift Frose bei Aschersleben und unterhielt hier eine Privatschule, in der er u. a. Söhne aus seinem Braunschweiger Bekanntenkreis unterrichtete. Als M. sich zwischen 1517 und 1519 länger oder mehrmals für kürzere Zeit in Wittenberg aufhielt, war er bemüht, eine Wirkungsstätte zu finden, besuchte aber auch eine humanistische Vorlesung. Ostern 1519 vertrat er in Jüterbog den Prediger Franz Günther, als dieser mit den Franziskanern in Konflikt geriet. M.s dortige Predigten zeugen von frühreformatorisch geprägter Kirchenkritik, die er aber schärfer als die Wittenberger artikulierte. Im Verlauf des Jahres 1519 wurde er Beichtvater im Zisterzienserinnenkloster Beuditz bei Weißenfels, wo er sich intensiv mit antiken, patristischen, mystischen, humanistischen und reformatorischen Schriften befaßte. M. drängte es, seine Erfahrungen anderen zu vermitteln. Gelegenheit dazu bot sich, als er im Mai 1520 für ein halbes Jahr die Vertretung für den Prediger Johannes Egranus an der Marienkirche in Zwickau übernahm und nach dessen Rückkehr an die Katharinenkirche wechselte. Erstmals standen ihm jetzt Kanzeln in einer großen Stadtgemeinde zur Verfügung. Als er mit den Franziskanern in Auseinandersetzungen geriet, deckte ihn der Rat, doch als nach der Rückkehr Egrans auch mit diesem ein heftiger Streit entbrannte und M. gar der Aufruhrstiftung verdächtigt wurde, entließ der Rat den Prediger am 16. 4. 1521. Die Quittung für sein letztes Gehalt unterschrieb er selbstbewußt als „Thomas Müntzer, qui pro veritate militat in mundo". In Briefunterschriften bezeichnete er sich von nun an wiederholt als „Knecht der Auserwählten Gottes", ein Zeichen dafür, daß er seine eigene Rolle in einer apokalyptischen Perspektive sah.

Von Zwickau ging M. nach Böhmen. Der in Prag verfaßte, aber nicht publizierte Sendbrief („Prager Manifest") gibt erstmals genauer über seinen Standort Auskunft. Der von ihm wahrgenommene Verfall der Kirche seit dem Tod der Apostel sollte durch eine „neue apostolische Kirche" zuerst in Böhmen, dann überall in der Welt überwunden werden. Die apokalyptische Erwartungshaltung und die Befürwortung einer umfassenden Reformation zielten auf die Sammlung der Auserwählten in der Zeit des Gerichts. M. fand in Prag jedoch nicht die erhoffte Resonanz und angesichts einsetzender Repressionen verließ er im November 1521 die Stadt. Stationen seiner anschließenden Wanderschaft waren wahrscheinlich Jena, Erfurt, Stolberg, Nordhausen, Weimar und ein Ort nahe Wittenberg. Ende 1522 wurde M. für kurze Zeit Kaplan des Nonnenklosters St. Georgen in Glaucha bei Halle. Er sah sich spätestens von jetzt an als „eyn williger botenleuffer Gots".

Kurz vor Ostern 1523 wurde M. in der kursächs. Amtsstadt Allstedt Prediger an der Johanniskirche. Die von ihm eingeleitete Liturgiereform beabsichtigte, den Hörern das Evangelium in deutscher Sprache zu vermitteln und die Gemeinde in den Gottesdienst einzubeziehen (Deutsches Kirchenamt, 1523; Deutsch-ev. Messe, 1524). Seine liturgischen Schriften fanden über Allstedt hinaus Verbreitung. Sie dienten teilweise als Vorlage für die Einrichtung deutscher Messen in Erfurt und Nürnberg, im Hzgt. Braunschweig-Calenberg, in der Gfsch. Lippe und im Hzgt. Pommern. Da M.s Predigten viele Besucher anzogen, suchte der altgläubige Gf. Ernst von Mansfeld unter Berufung auf ein Mandat des Reichsregiments den Zulauf zu unterbinden, vermochte aber weder ein Eingreifen des Allstedter Rats noch des sächs. Kurfürsten zu bewirken. M. war dadurch erstmals herausgefordert, sein Verhältnis zu den fürstlichen Obrigkeiten zu bedenken. Auch erbot er sich, seine Lehre öffentlich prüfen zu lassen. In diesem Zusammenhang dürften seine Schriften „Protestation oder Erbietung... von dem rechten Glauben und der Taufe" und „Von dem gedichteten Glauben" (1524) verfaßt worden sein. Kritisch beleuchtete er den nach seiner Überzeugung von altgläubigen Geistlichen und auch von Reformatoren verbreiteten falschen Glauben, womit die zunächst nur schwer faßbare Distanz zu Luther, der M.s Wirken aufmerksam verfolgte, deutlichere Konturen gewann. Am Morgen des 13. 7. 1524 bot sich M. die Gelegenheit, Hzg. Johann und seinem Gefolge auf dem Allstedter Schloß seinen Standpunkt vorzutragen. In einer Predigt über Daniel 2 entfaltete er seine Reformationsauffassung und forderte die sächs. Fürsten auf, als sich zu Christus bekennende Regenten dieses Werk zu befördern, da ihnen sonst das Schwert genommen werde (Auslegung des andern Unterschieds Daniels des Propheten, 1524).

Nachdem im März 1524 die Mallerbacher Kapelle nahe Allstedt zerstört und die Tat Anhängern M.s angelastet worden war, eskalierten die Ereignisse, zumal sich verfolgte ev. Untertanen aus benachbarten Gebieten nach Allstedt flüchteten. Der vielleicht schon während des Konflikts mit Gf. Ernst entstandene Bund zur Verteidigung des Evangeliums gewann in dieser Situation eine neue Gestalt. Da nach M.s Meinung der Landfrieden gebrochen wurde und die sächs. Fürsten sich seinen Appellen versagten, sah M. nunmehr ein Widerstandsrecht gegen gottlose Obrigkeiten als gegeben an. Nach einem Verhör in Weimar am 1. 8. 1524 wurde ihm auferlegt, seinen Bund aufzulösen und den von ihm beschäftigten Drucker zu entlassen. Der Rat sollte zudem endlich die Beteiligten von Mallerbach bestrafen. Nachdem M.s Wirkungsmöglichkeiten dadurch erheblich eingeengt wurden, verließ er in der Nacht vom 7. zum 8. August heimlich Allstedt.

In der Freien Reichsstadt Mühlhausen ist M. seit Mitte August 1524 nachweisbar. Er wurde freundlich aufgenommen und begann seine Tätigkeit ebenfalls mit einer Gottesdienstreform. Im Gefolge von am 19. 9. durch einen Streit zwischen einem Kirchner und einem der Bürgermeister ausgelösten Unruhen wurden 11 Artikel verbreitet, an deren Erarbeitung er beteiligt gewesen sein dürfte. Sie verlangten die Einsetzung eines neuen Rates, der „zu Gots ehr und der stadt nutz" handeln sollte. Während dieser Ereignisse entstand vermutlich ein militärisch organisierter Bund („Ewiger Bund Gottes"). Doch die Bewegung scheiterte, und Anfang Oktober wurden M. und Heinrich Pfeiffer, der schon zuvor in Mühlhausen gewirkt hatte, vom Rat aus der Stadt gewiesen.

Im Südwesten des Reiches begann zu dieser Zeit der Bauernkrieg. Obwohl Reaktionen M.s auf die Ereignisse nicht bekannt sind, ist es auffällig, daß er sich nach der Ausweisung aus Mühlhausen nach Nürnberg begab, ohne öffentlich aufzutreten. Dort wurden vor bzw. nach seinem Aufenthalt seine Schriften „Ausgedrückte Entblößung des falschen Glaubens der ungetreuen Welt" und „Hochverursachte Schutzrede und Antwort wider das geistlose und sanftlebende Fleisch zu Wittenberg" im Oktober bzw. Dezember 1524 gedruckt. Letztere war M.s Antwort auf Vorwürfe Luthers, dessen Theologie er kritisch durchleuchtete. Den Fürsten drohte er an, angesichts ihres Versagens werde die Schwertgewalt der Gemeinde übertragen werden. Von Nürnberg führte M.s Weg über Basel nach Griesen im Klettgau, wo er erstmals mit der bäuerlichen Aufstandsbewegung konfrontiert war, ohne daß über seine Aktivitäten Genaueres ausgesagt werden kann. Im Februar 1525 kehrte er nach Mühlhausen zurück und wurde von der Gemeinde als Prediger der Marienkirche angenommen. Unter seinem Einfluß wurde am 17. 3. gemäß den elf Artikeln des Vorjahres ein neuer Rat gewählt.

Orientiert an der Bibel und in Auseinandersetzung mit der kirchlichen Tradition, zudem beeinflußt von mystischen und apokalyptischen Überlieferungen, formte M. eine von Luther abweichende reformatorische Theologie, die stark von der spiritualistischen Unterscheidung zwischen dem „lebendigen Reden Gottes" und dem „toten Buchstaben der Schrift" geprägt war. Da nach M. die Ordnung, die Gott seiner Schöpfung gegeben hatte, durch den Sündenfall „verkehrt" wurde, sah er in der Gewinnung des rechten Glaubens durch die Nachfolge Christi in seinen Leiden und das „Gleichförmigwerden" mit ihm, in der Abkehr von der kreatürlichen Welt mit ihren Lüsten, ihrer Gier nach Gütern und Herrschaft die Voraussetzung für die Wiederherstellung dieser Ordnung. M. wollte die Menschen auf diese „Veränderung der Welt" vorbereiten. Hinter seinem ständigen Drängen und Ermahnen stand die Überzeugung, in der apokalyptischen „Zeit der Ernte" zu leben, in der die Scheidung der Auserwählten von den Gottlosen erfolge, um das Gericht und das Reich Christi, eine Welt ohne Herrschaft und Ausbeutung, vorzubereiten. Da die Fürsten sich versagt hatten, dieses Werk zu befördern, meinte M., Gott benutze nunmehr die aufständischen Bauern als sein Werkzeug. Deshalb verband er seine Sache mit der Aufstandsbewegung in Thüringen.

Seit Mitte April 1525 unterstützte M. die Aktionen der thür. Aufständischen. Als aus dem in Frankenhausen sich formierenden Bauernlager ein Hilfeersuchen an Mühlhausen erging, brach nach Verzögerungen ein Mühlhauser Aufgebot unter Führung M.s dorthin auf. In der Wagenburg, die auf einer Anhöhe bei Frankenhausen errichtet wurde, suchte er dann die Aufständischen im Zeichen des Bundes mit Gott – Symbol war der Regenbogen – für den endzeitlichen Kampf zu motivieren. Doch dem plötzlichen Angriff der fürstlichen Truppen am 15. 5., die möglicherweise einen zuvor geschlossenen Waffenstillstand brachen, vermochten die Aufständischen nicht standzuhalten. Die meisten wurden erschlagen, nur einer kleinen Zahl gelang es, sich in die Stadt Frankenhausen zu retten. Dort wurde M. entdeckt und an Ernst v. Mansfeld übergeben, der ihn am 16. 5. auf Schloß Heldrungen verhören ließ. Seinen letzten Willen bekundete M. in einem Brief an die Mühlhauser Gemeinde vom 17. 5.: Das Volk habe ihn nicht recht verstanden, es habe nur den Eigennutz gesucht und sei deshalb von Gott gestraft worden. Die Bauern und Städtebürger, die eine Neuordnung des sozialen und politischen Lebens erkämpfen wollten, und M., der darin nur einen vorbereitenden Schritt auf dem Weg zur Wiederherstellung der Ordnung Gottes sah, hatten kurzzeitig zusammengefunden, verfolgten aber unterschiedliche Ziele. M. und Pfeiffer wurden im Feldlager der Fürsten bei Mühlhausen die Köpfe abgeschlagen und allen zur Mahnung aufgespießt.

Für M., der sich als von Gott gesandten Propheten verstand, waren Reformation und apokalyptische Erfüllung eins. In seiner Auseinandersetzung mit dem städtischen Milieu, mit den fürstlichen Obrigkeiten und den Aufständischen während des Bauernkrieges, entstand seine Lehre nicht als direkte Antwort auf die jeweils spezifischen Konfrontationen, aber er formte sie in deren Kenntnis. Sein seelsorgerisches Bemühen richtete sich auf die Verwirklichung seiner Reformationsvorstellung, die letztlich die Rückführung der Menschen in die Ordnung Gottes anstrebte. Dies war aber nicht ohne radikale Umgestaltung der Gesellschaft möglich, so daß der Prediger und Seelsorger zum Revolutionär wurde. Nach M.s Tod wurden Person und Werk verteufelt, aber auf lange Sicht lieferte er kirchenkritischen Strömungen und seit der Franz. Revolution auch revolutionären Bewegungen Argumente für ihre oppositionelle Haltung.

W Schrr. u. Briefe, hrsg. v. G. Franz, 1968.

L ADB 23; M. Bensing, Th. M. u. d. Thüringer Aufstand, 1966; W. Elliger, Th. M., Leben u. Werk, ³1976; E. Wolgast, Th. M., Ein Verstörer d. Ungläubigen, 1981, ²1989; M. Steinmetz, Th. M.s Weg nach Allstedt, 1988; S. Bräuer u. H. Junghans (Hrsg.), Der Theologe Th. M., Unterss. zu seiner Entwicklung u. Lehre, 1989; U. Bubenheimer, Th. M., Herkunft u. Bildung, 1989; H.-J. Goertz, Th. M., Mystiker – Apokalyptiker – Revolutionär, 1989 *(W, L, P)*; G. Vogler, Th. M., 1989 *(W, L, P)*; I. Warnke, Wb. zu Th. M.s dt. Schrr. u. Briefen, 1993; G. Seebaß, Th. M., in: TRE 23, 1994, S. 414–36 *(W, L)*; BBKL.

P Kupf. v. Ch. van Sichem, 1608 (Porträtähnlichkeit nicht belegt).

Günter Vogler

Münz (bis 1913 *Minz*), *Ludwig,* Kunsthistoriker, * 6. 1. 1889 Wien, † 7. 3. 1957 München. (isr.)

V Bernhard Minz (* 1859, seit 1913 Münz) aus Lipnik (Galizien), Redakteur d. „Neuen Wiener Tagbl.", *S* d. Löbl Minz u. d. Circa N. N.; *M* Josefine Labin (Pesche Blime); ∞ N. N.

Nach der Matura studierte M. Jura sowie Kunstgeschichte in Wien bei Max Dvořák und zeitweise in Hamburg. 1914 wurde er in Wien als Jurist promoviert. Während des 1. Weltkriegs diente er als Offizier. Danach nahm er seine kunsthistorischen Studien wieder auf und lehrte an der Volkshochschule in Wien. Seit dem Ende des Weltkriegs gehörte er zum Freundeskreis um Karl Kraus, der dem „Kunstfreund" 1922 sein dramatisches Gedicht „Traumstück" widmete. 1923 begab sich M. zur weiteren Ausbildung an die Warburg-Bibliothek in Hamburg. 1926 kehrte er nach Wien zurück, wo er am Israelitischen Blindeninstitut „Hohe Warte" tätig war und sich mit Studien über Gestalt- und Raumvorstellungen bei Blindgeborenen beschäftigte, die er unter dem Titel „Plastische Arbeiten Blinder" (1934, mit V. Löwenfeld) veröffentlichte. 1932 erschien M.s erste größere wissenschaftliche Arbeit, eine kritische Ausgabe von Alois Riegels zuerst 1902 veröffentlichtem Werk „Das holländ. Gruppenporträt". 1933 fand seine zusammen mit Ernst Garger vorgenommene Neuaufstellung der Antikensammlung des Wiener Kunstgewerbemuseums starke Beachtung. In diesen Jahren widmete er sich zugleich Studien über Rembrandt und seine Nachfolger, eine Thematik, der bis zuletzt sein besonderes kunsthistorisches Interesse galt. Seine Schrift „Die Kunst Rembrandts und Goethes sehen" (1934) steht auch am Beginn einer Auseinandersetzung mit Goethes Handzeichnungen.

Nach dem Anschluß Österreichs 1938 emigrierte M. nach England, wo er am Maudsley Mental Hospital arbeitete und sich mit den Zeichnungen Kranker beschäftigte. 1947 kehrte er auf Einladung der österr. Bundesregierung nach Wien zurück und wurde Professor für Kunstgeschichte an der dortigen Akademie der bildenden Künste sowie Leiter von deren Gemäldegalerie; ihre durch den Krieg stark beeinträchtigte Sammlung gestaltete er neu. Sein Band „Goethes Zeichnungen und Radierungen" (1949) galt für Jahrzehnte als Standardwerk und eröffnet bis heute einen ersten Zugang zum zeichnerischen Werk Goethes. 1952 folgte die zweibändige Ausgabe „Rembrandts Radierungen" mit einer umfangreichen Abhandlung und einem vollständigen Katalog. Zuletzt konnte er noch den ersten Teil einer Ausgabe der Zeichnungen Pieter Bruegels d. Ä. fertigstellen (Bruegel, Zeichnungen, Gesamtausg., 1962), mit deren Vorbereitung er bereits in England begonnen hatte.

Weitere W u. a. Rembrandts Altersstil u. d. Barockklassik, in: Jb. d. kunsthist. Slgg. in Wien, NF 9,

1935, S. 183–222; Rembrandts Bild v. Vater u. Mutter, ebd. 50, 1953, S. 141–90; Maes, Aert de Gelder, Barent Fabritius u. Rembrandt, in: Die graph. Künste, NF 2, 1937, S. 95–108, 151–60; A Newly Discovered Late Rembrandt, in: The Burlington Magazine 90, 1948, S. 64–67; Rudolf v. Alt, 24 Aquarelle, 1954; Üb d. Bildsprache v. Jean Ignace Isidore Gérard dit Grandville (1803–47), in: Alte u. neue Kunst 3, 1954, S. 133–54; Claudius Civilis, sein Antlitz u. seine äußere Erscheinung, in: Kunsthistorisk Tidskrift 25, 1956, S. 58–69; Rembrandts Vorstellung v. Antlitz Christi, in: FS f. K. Bauch, hrsg. v. B. Hackelsberger, 1957, S. 205–26; Chronol. d. späten Rembrandt-Radierungen, in: Kunstchronik 10, 1957, S. 150–52; Der Architekt Adolf Loos, Darst. seines Schaffens nach Werkgruppen, 1964 (mit G. Künstler); Rembrandt, 1967 (engl. 1954); Adolf Loos, Mit Verz. d. Werke u. Schrr., 1989 (P, ital. 1956). – *Kataloge* d. Ak. d. bildenden Künste in Wien 1948–56. – *Bttr. in:* H. Kulka, Adolf Loos, Das Werk d. Architekten, 1931; Blick in die Welt, 1946/47, H. 1–8 (u. a. üb. O. Kokoschka, A. Altdorfer, P. Nash, A. Canale). – *Hrsg.:* Wiener kunstwiss. Bll. (mit F. Novotny u. K. M. Swoboda). – *W-Verz.:* Mitt.bl. d. Museen Österreichs, Erg.h. Nr. 6, hrsg. v. A. Mais, 1956, S. 71–73.

L F. Glück, in: Wiener Ztg. v. 6. 1. 1949; M. Poch-Kalous, ebd. v. 4. 1. 1959; G. Künstler, in: Alte u. moderne Kunst 2, 1957, Nr. 3, S. 27–29; The Burlington Magazine 99, 1957, S. 419 f.; J. Q. van Regteren Altena, in: Kunstchronik 10, 1957, S. 153–55; F. Novotny, Einl. in: L. M., Bruegel, Zeichnungen, 1962; K. Kraus, Briefe an S. Nádherny, 1974, I, S. 693; G. Stieg, Der Brenner u. d. Fackel, 1976; Schrifttum z. dt. Kunst 1–5, 1933–38, 11–15, 1943–51, 16–21, 1952–57; F. Czeike, Hist. Lex. Wien, IV, 1995; Teichl.

Friedrich Nemec

Münzberg, *Johann,* Textilfabrikant, * 3. 8. 1799 Schönlinde (Böhmen), † 1. 9. 1878 Schloß Libotschan (Böhmen). (kath.)

V Johann Gottfried Lorenz (1758–1824), Textilfabr. in Sch.; *M* N. N.; *B* Josef (1794–1867), Textilfabr.; – ∞ 1) Theresia Pfeiffer, 2) Eleonore Pohl, 3) Elisabeth Lutz; mindestens 3 *S* u. 3 *T*, u. a. Julius († 1899), Hermann († 1902), Textilfabrikanten, führten d. väterl. Betriebe fort, Anna (∞ Dr. iur. Franz Klier, 1819–84, Politiker, 1867–84 Reichsratsabg., s. ÖBL; BLBL), Johanna (∞ Franz Pfeiffer, 1832–97, Politiker, 1879–85 Reichsratsabg., s. ÖBL; BLBL), Hedwig (* 1850, ∞ Adolf Rr. v. Obentraut, 1833–1909, Verw.beamter u. Politiker, 1877–85 Reichsratsabg., s. ÖBL; BLBL).

M. erlernte das Weberhandwerk, arbeitete in der 1786 gegründeten väterlichen Kattundruck-, Zwirn- und Leinwandfabrik und dann als Geselle und selbständiger Kaufmann in Rumburg und Georgswalde. Gemeinsam mit seinem Bruder Josef errichtete er 1828 die Baumwollspinnerei Theresienau in Altstadt bei Tetschen. Diese Fabrik war der Ausgangspunkt einer durch M. aufgebauten bedeutenden Firmengruppe. Weitere Gründungen waren die Baumwollspinnereien Eleonorenhöhe in Bensen sowie Elisenthal in Höflitz bei Poltzen. 1856 erwarb M. die Streichgarnspinnerei seines Bruders im Eulauer Schloß bei Bodenbach und reorganisierte sie als Baumwollspinnerei, 1876 erweiterte er sein Unternehmen durch den Erwerb der Baumwollspinnerei von F. W. Seele in Bodenbach und verfügte hiernach über 60 000 Spindeln. Damit waren die „Textilwerke Johann Münzberg & Co." des „Spinnerkönigs" M. das führende Unternehmen der Branche in Böhmen.

M. wandte sich auch anderen Industrien zu. Auf seinem Gut in Libotschan richtete er eine Brauerei ein und beteiligte sich am Bau einer Zuckerfabrik in Saaz. Er widmete sich zudem öffentlichen Angelegenheiten, setzte sich für die Errichtung der 1855 eröffneten Elbe-Kettenbrücke in Tetschen, den Bau der Böhmischen Nordbahn und die Gründung von Schulen und einer Sparkasse in Tetschen ein. M.s Söhne und Enkel führten die Textilfabriken weiter, doch wurden die meisten davon in der Zwischenkriegszeit unrentabel, mußten stillgelegt werden oder wurden von tschech. Firmen übernommen. Der Betrieb in Bensen-Eleonorenhain blieb bis 1945 im Besitz der Familie. – Franz-Joseph-Orden.

L A. Eckstein, Industrielle, I, 1884; J. Slokar, Gesch. d. österr. Industrie u. ihrer Förderung unter Franz I., 1914; G. Sehring, Chronik d. Gemeinde Altstadt b. Tetschen, 1969; A. Herr, Heimatkreis Tetschen-Bodenbach, 1977; Bohemia v. 2. 9. 1878; Prager Tagbl. v. 3. 9. 1878; Teplitzer Ztg. v. 4. 9. 1878; ÖBL; BLBL.

Josef Mentschl

Münzenberg, Herren v.

Das in der nördlichen Wetterau beheimatete Geschlecht der M. zählt zu den bedeutendsten Reichsministerialen der salischen und staufischen Zeit. Die urkundlich faßbare Ahnenreihe beginnt mit Kuno v. Arnsburg (erw. 1057–v. 1093), aus dessen Verbindung mit Gfn. Mathilde v. Bilstein die Tochter Gertrud hervorging. Diese heiratete in die am Untermain ansässige, ebenfalls im Königsdienst stehende Familie v. Hagen mit Stammsitz in Hain in der Dreieich ein. Die Verschmelzung des Wetterauer Erbes mit dem nicht unbeträchtlichen Besitz derer v. Hagen, der vom Fiskus Trebur, dem Wildbann Dreieich bis zum Bachgau und Rodgau reichte, bildete die Grundlage für den raschen Aufstieg des Geschlechts. Die Herren v. Hagen verlagerten ihren Lebens- und Tätigkeitsbereich zu Beginn des 12. Jh. zunehmend in die Wetterau: Konrad II. (erw. 1138-52), der Enkel Gertruds, nannte sich bereits nach Hagen und Arnsburg. Er stiftete 1151 in unmittelbarer Nähe der vorväterlichen Burg Arnsburg das Benediktinerkloster Altenburg. In seinem Sohn *Kuno I.* (s. u.) begegnet die markanteste Gestalt der Familie. Auf ihn geht die Gründung der Burg Münzenberg zurück, nach der er und seine Nachkommen sich fortan nannten. Nicht zuletzt aufgrund seiner königsnahen Stellung konnten die M. die Lehnsnachfolge der um 1171 ausgestorbenen Grafen v. Nürings antreten. Damit rundete sich der Besitz in der Wetterau entscheidend ab. Er umfaßte in nahezu geschlossener Dichte das Gebiet zwischen Butzbach-Lich-Hungen-Laubach mit Münzenberg als Mittelpunkt, im südlichen Bereich Assenheim, die Gegend um Oberursel, Königstein und an der unteren Nidda. Zusammen mit dem ehedem hagenschen Besitz südlich der Mainlinie verfügten die M. über eine breite territoriale Basis und nahmen innerhalb der Adelslandschaft eine grafengleiche Stellung ein.

Schon bald nach der Jahrhundertwende zeichnete sich indes der Niedergang ab. Im stauf.-welf. Thronstreit standen die Söhne Kunos I. in verschiedenen Lagern: *Kuno II.* (erw. 1192-1210) auf Seiten Ottos IV. und *Ulrich I.* (erw. 1211-39) auf Seiten Friedrichs II. Diese Konstellation führte nach dem Entzug der Herrschaftsrechte Kunos II. durch Kaiser Friedrich II. trotz ihrer 1216 erfolgten Rückübertragung auf dessen Bruder Ulrich I. zu erheblichen Einschränkungen des Machtbereichs der M. Der Verlust wichtiger Rechtstitel, hervorgerufen u. a. durch die neueingerichtete Wetterauer Reichslandvogtei, veranlaßte Ulrich I., im Gegensatz zu den übrigen kgl. Ministerialen der Region offen die Partei Heinrichs (VII.) zu ergreifen und selbst nach dem Zusammenbruch von dessen Empörung 1235 antistaufisch zu bleiben. Mit *Ulrich II.* (erw. 1231-55) starben die M. im Mannesstamm aus. Das trotz Verlusten immer noch reiche Erbe fiel an mehrere Töchter und bildete nach langen Auseinandersetzungen besonders für die Herren von Falkenstein und von Hanau, die beide den Namen Münzenberg fortführten, eine wichtige territoriale Basis.

L K. Bosl, Die Reichsministerialität d. Salier u. Staufer, 1950 f., S. 290-96; W.-A. Kropat, Reich, Adel u. Kirche in d. Wetterau v. d. Karolinger- bis zu Stauferzeit, 1964, S. 159-84; H.-O. Keunecke, Die Münzenberger, Qu. u. Stud. z. Emancipation e. Reichsdienstmannenfam., 1978 *(Stammtafeln u. umfangr. Regg.slg.);* A. Löffler, Die Herren u. Gf. v. Falkenstein (Taunus) (1255-1418), 1994; B. Jost, Die Reichsministerialen v. M. als Bauherren in d. Wetterau im 12. Jh., 1995; Möller I; Isenburg III, Tafel 87 a; Frankfurter Biogr. II.

Dieter Rübsamen

Kuno (I.), Reichskämmerer (spätestens seit 1161), nachweisbar 1156-1207, seither in den Quellen schwer von seinem Sohn Kuno (II.) zu trennen.

Im Unterschied zu seinem Vater trägt M. gleich bei seinem ersten Auftreten wohl 1156 den Zusatz „de Minzenberch". Er plante und errichtete die Burg Münzenberg in der Wetterau als neuen und von da an namengebenden Sitz der Familie wahrscheinlich zwischen den 1150er Jahren und der Mitte der 1160er Jahre. Dabei nahm er sich Bauten mächtiger Adelsfamilien zum Vorbild; gleichzeitig ging er mit der Verwendung neuer, vor allem repräsentativer Elemente weit über deren traditionelle Anlagen hinaus. Seit 1161 wird M. als Kämmerer genannt und begleitete in dieser Funktion Friedrich I. und vor allem dessen Sohn Heinrich VI. auf zahlreichen Zügen und bei wichtigen Verhandlungen innerhalb des deutschen Reichsgebiets und in Italien. Auch am Mainzer Hoftag, der Pfingsten 1184 abgehalten wurde, nahm er teil; Gislebert de Mons nennt ihn bei dieser Gelegenheit einen reichen und klugen Mann, der über viele Güter und Ritter zu gebieten habe.

Im Thronstreit seit 1198 stand M. auf stauf. Seite und unterstützte Philipp von Schwaben, für den er 1199 einen Feldzug gegen den welfentreuen Landgf. Hermann von Thüringen führte. Zum engeren Kreis der kgl. Gefolgschaft gehörig, bildete M. gemeinsam mit einigen anderen Reichsministerialen eine der wichtigsten Stützen des Königtums. Von dieser Stellung aus gelang ihm der weitere Ausbau einer Besitz- und Machtposition in der Wetterau und in der Dreieich, dem südlich von Frankfurt gelegenen Reichsforst. In Münzenberg, wo er gleichzeitig mit der Burg auch eine Siedlung angelegt hatte, trat er als Münzherr auf; etwa ein Dutzend verschiedene Gepräge werden ihm sicher zugeschrieben. Die jüd. Gemeinde nahm er in seinen besonderen Schutz und ließ u. a. einen Brakteaten mit hebr. Umschrift ausmünzen. 1174 wandelte er das von seinem Vater 1151 gegründete Benediktinerkloster Altenburg nahe der den Münzenbergern ebenfalls gehörenden Arnsburg bei Lich Kr. Gießen in die Zisterze Arnsburg um. Zahlreiche Stiftungen gehen auf ihn zurück, u. a. das Spital in Sachsenhausen bei Frankfurt, aus dem die spätere Deutschordenskommende hervorging. In Arnsburg, das der Familie als Grablege gedient haben dürfte, war noch im 18. Jh. M.s Grabstein vorhanden.

L G. Binding, Burg Münzenberg, Eine stauf. Burganlage, 1963; Münzen d. Stauferzeit, in: Die Zeit d. Staufer, Ausst.kat. Stuttgart 1977, I, S. 108–88, bes. S. 129 ff., II; H.-O. Keunecke, Die Münzenberger, 1978 (Qu., L); I. Seltmann, Heinrich VI., Herrschaftspraxis u. Umgebung, 1983, bes. S. 120–24; B. Jost, Die Reichsministerialen v. Münzenberg als Bauherren in d. Wetterau im 12. Jh., 1995.

Hans-Otto Keunecke

Münzenberg, *Willi (Wilhelm),* kommunistischer Politiker und Publizist, * 14. 8. 1889 Erfurt, † 21./22. 6. 1940 Le Caugnet b. St. Marcellin (Frankreich). (ev., dann konfessionslos)

V Friedrich Karl, Güteragent u. Gastwirt, angebl. unehel. S d. Wilhem Adolf Frhr. v. Seckendorff, 1801–66; M Wilhelm Luise Ernestine Meister († 1893); *Lebensgefährtin* (seit 1924/25) Babette Gross (1898–1990), Publizistin, seit 1924 Prokuristin d. Neuen Dt. Verlags, Mitarbeiterin u. Biographin M.s, 1949 Mitgründerin u. bis 1951 Mithrsg. d. FAZ (s. BHdE I; W), T d. Heinrich Thüring (1866–1942), Braumeister in Potsdam, u. d. Else Merten (1871–1960); *Schw d. Lebensgefährtin* Margarete Buber-Neumann (1901–89, ⚭ 1] 1922 Rafael Buber, Mitgl. d. KPD, 2] Heinz Neumann, 1902–37, kommunist. Parteifunktionär, s. BHdE I), Publizistin, Mitarbeiterin in M.s Verlagen (s. BHdE I; Gorzny; W).

M. kam als Arbeiter in der Erfurter Schuhfabrik Lingel schon früh in Kontakt mit linkssozialdemokratischen Kreisen, wie dem Arbeiterbildungsverein „Propaganda". 1909/10 ging er auf Wanderschaft und wurde Hausbursche der Zürcher Josef-Apotheke. Seit 1912 führendes Mitglied der sozialistischen Jugendorganisation der Schweiz, übernahm er die Redaktion der Monatszeitschrift „Die freie Jugend". Um 1915 geriet der radikale Kriegsgegner unter den Einfluß Lenins. Als Vertreter der Jugend nahm M. an der Internationalen Sozialistischen Konferenz in Kienthal teil („Zimmerwalder Linke"). 1917 wurde er nach Arbeiterdemonstrationen verhaftet und fünf Monate inhaftiert. Im Mai 1918 erfolgte eine erneute Verhaftung. Am 10. 11. wurde er als „mißliebiger Ausländer" und Anhänger der Oktoberrevolution aus der Schweiz ausgewiesen.

In Stuttgart schloß sich M. der Spartakusgruppe an und wurde nach der Gründung der Kommunistischen Jugendinternationale im November 1919 deren Vorsitzender (Lenin nannte ihn scherzhaft einen „Berufsjugendlichen"). Nach einem Konflikt mit der Zentrale der Kommunistischen Internationale (Sinowjew) wurde er von Lenin mit der Organisation einer Internationalen Arbeiterhilfe (IAH) für die von Hungersnot bedrohten Menschen in der Sowjetunion betraut. Hier zeigte sich zum ersten Mal die organisatorische und propagandistische Begabung M.s. Seit 1924 Mitglied des ZK der KPD und Reichstagsabgeordneter für den Wahlkreis Frankfurt/Hanau, blieb M. als Leiter der Propaganda-West der Komintern von den Fraktionsauseinandersetzungen weitgehend unbehelligt, zog sich aber durch seine Unabhängigkeit die dauernde Feindschaft Walter Ulbrichts und Wilhelm Piecks zu. Bis 1933 ging M. ganz in der Öffentlichkeitsarbeit auf. Er gründete 1921 die „Arbeiter-Illustrierte-Zeitung", betrieb den „Neuen Deutschen Verlag" und die „Universum-Bibliothek", die Tageszeitungen „Welt am Abend" (seit 1926) und „Berlin am Morgen" (seit 1931), den „Weg der Frau", die „Neue Montags-Zeitung" und den „Eulenspiegel" sowie einige Filmfirmen. Die Aufführung des Films „Panzerkreuzer Potemkin" in Deutschland ist ihm zu verdanken. Während der Zeit der Weimarer Republik war M. der einzige Verleger der Linken, der mit seiner Propaganda auch bei großen Teilen der Intelligenz Resonanz fand, da seine Methoden unorthodox waren und nicht parteigebunden erschienen. 1929 organisierte M. mit seinen Mitarbeitern den Internationalen Kongreß gegen Kolonialismus und Imperialismus in Brüssel, an dem u. a. Nehru teilnahm. 1931/32 griff er zusammen mit Heinz Neumann und Hermann Remmele in die Fraktionsauseinandersetzungen innerhalb der KPD ein. Diese Initiative scheiterte jedoch an der auf Weisung Stalins durchgeführten „Bolschewisierung" der KPD.

Nach dem Reichstagsbrand konnte M. Ende Februar 1933 in letzter Minute nach Frankreich fliehen. Ein Großteil seiner Mitarbeiter, darunter seine Lebensgefährtin Babette Gross, sein Sekretär Hans Schulz, aber auch Arthur Koestler, Gustav Regler und Otto Katz konnten ihm folgen und setzten die gemeinsame Arbeit im Rahmen des „Welthilfskomitees für die Opfer des deutschen Faschismus" fort. Das wichtigste Ergebnis dieser Arbeit war das „Braunbuch über Reichstagsbrand und Hitlerterror" (Vorwort v. Lord Marley, 1933); weitere „Braunbücher" folgten. Angesichts der Gefahren, die von dem nationalsozialistischen Deutschland ausgingen, drängte M. auf die Gründung einer „Volksfront". Diese Koalition sollte alle Hitler-Gegner vereinen, also Vertreter der Kirchen, Gewerkschaften, Arbeiterparteien und der Konservativen. Wegen der strukturellen Differenzen der möglichen Partner und des Widerstands seitens der stalinistischen Führung der Exil-KPD kam eine solche „Volksfront" nicht zustande. Aus Enttäuschung hierüber und aus Empörung über die Moskauer Prozesse, aufgrund derer seine früheren Weggefährten ermordet wurden, verließ M., der 1936 selbst in Moskau gewesen war, ohne Aufhebens zu machen, 1937 die KPD. Nach dem Stalin-Hitler-Pakt zwei Jahre später schlug M. eine strikt antikommunistische Haltung ein. Er widmete sich nun vor allem seiner 1937 gegründeten Zeitschrift „Die Zukunft", an der zahlreiche prominente Intellektuelle, mit denen er in Verbindung stand, mitarbeiteten.

Nach einer Internierung, von der nahezu alle deutschen Emigranten in Frankreich betroffen waren, floh M. im Juni 1940 vor den anrückenden Truppen der Wehrmacht in den Süden Frankreichs. Hier wurde er im Oktober erhängt aufgefunden. Ungeklärt bleibt, ob M. Selbstmord begangen hat, was eher unwahrscheinlich ist, oder ob sowjet. Agenten einen der letzten überlebenden Freunde Lenins umgebracht haben. M., dessen Biographie mit der Geschichte der Arbeiterbewegung eng verknüpft war, gehörte zu den bedeutendsten Verlegern und politischen Propagandisten der ersten Hälfte des 20. Jh.

W u. a. Die Dritte Front, 1930, Nachdr. 1972, 1978 *(Autobiogr.);* Propaganda als Waffe, 1937, Neuaufl. 1972, 1977). – *Zu Babette Gross:* Frankreichs Weg z. Kommunismus, 1971. – *Zu Margarete Buber-Neumann:* Als Gefangene b. Stalin u. Hitler, 1948; Von Potsdam nach Moskau, 1957; Kafkas Freundin Milena, 1963; Kriegsschauplätze d. Weltrev., Ein Bericht aus d. Praxis d. Komintern 1919–43, 1967; Der kommunist. Untergrund, 1970; Die erloschene Flamme, 1976.

L B. Gross, W. M., 1967 (Vorwort v. A. Koestler; *W, L, P*); H. Lademacher, Die Zimmerwalder Bewegung, 2 Bde., 1967; Hermann Weber, Die Wandlung d. dt. Kommunismus, 2 Bde., 1969; B. Bouvier, Die dt. Freiheitspartei, Diss. Frankfurt/Main 1972; H. Duhnke, Die KPD v. 1933 bis 1945, 1972; H. Willmann, Gesch. d. Arbeiter-Illustrierten-Ztg. 1921–38, 1974; R. Surmann, Die Münzenberg-Legende, 1978; H. Wessel, M.s Ende, 1991; B. Lazitch u. M. M. Drachkovitch, Biographical Dictionary of the Comintern, ²1986; T. Schlie u. S. Roche (Hrsg.), W. M., 1995; Biogr. Lex. z. Weimarer Rep., hrsg. v. W. Benz u. H. Graml, 1988; BHdE I; Schumacher.

Tilman Schulz

Münzenberger, Ernst *Franz* August, Kunstsammler und -historiker, * 1. 7. (nicht 5. 7.) 1833 Düsseldorf, † 22. 12. 1890 Frankfurt/Main. (kath.)

V Georg (1804–70), Zeichenlehrer, Immobilien- u. Kunsthändler (s. ThB), *S* d. Particuliers Jakob in Meckenheim u. d. Marianne Lange; *M* Franziska Wilhelmine (um 1800–49), *T* d. Franziska Reckum.

Nach dem Abitur studierte M. in Münster, Tübingen und Bonn Theologie und Philosophie. 1855 trat er in das Priesterseminar in Köln ein und empfing am 30. 8. 1856 die Priesterweihe. Seine Arbeit als Seelsorger begann er im selben Jahr als Kaplan in Kettwig/Ruhr, wo er in kurzer Zeit für die arme Arbeiterbevölkerung ein blühendes Gemeindeleben schuf. 1858 ging er nach Dernbach (Westerwald) als Hausgeistlicher an das Mutterhaus der dortigen Schwesterngenossenschaft. Durch intensives Studium der theologischen, philosophischen und vor allem kunsthistorischen Literatur erwarb er sich in dieser Zeit u. a. eine genaue Kenntnis der gotischen Kunst, was ihn befähigte, vernachlässigte oder vergessene Stücke in Kellern, auf Dachböden und in Kirchen aufzufinden sowie ihre Herkunft wie auch ihren Wert richtig zu beurteilen.

1862 kehrte M. als Kaplan an der Hofkirche St. Andreas in seine Heimatstadt Düsseldorf zurück. Er engagierte sich für die Arbeit des Bonifatiusvereins, wobei er besonders die Pflege und Instandsetzung historischer Paramente und die Anfertigung neuer Stücke im gleichen Stil betrieb. Zur Unterstützung seiner Arbeit gründete er 1867 das „Düsseldorfer Sonntagsblatt". 1868 berief ihn der Limburger Bischof Klein als Referenten für Bausachen und Regens des Priesterseminars und bestellte ihn 1870 zudem als Pfarrverweser der Domgemeinde in Frankfurt/Main. Damit eröffnete sich für M. ein weites und vielseitiges Tätigkeitsfeld. Er organisierte das Gemeindeleben neu, rief die Dernbacher Schwestern, die Franziskanerinnen sowie die Barmherzigen Brüder nach Frankfurt und trat für einen stilgerechten Wiederaufbau des Domes ein. 1871 wurde er zum Stadtpfarrer bestellt. Er gründete eine Sonntagszeitung, aus der binnen eines Jahrzehnts eine Tageszeitung, das „Frankfurter Volksblatt", hervorging, förderte die soziale Arbeit und trat für Privatschulen sowie im Kulturkampf für die Freiheit der Religionsausübung ein. Als Publizist äußerte er sich zu einer Vielzahl von tagespolitischen, aber auch kulturhistorischen Themen, wobei die Religionsgeschichte Afrikas einen Schwerpunkt bildete. Vor allem wandte er sich immer mehr der kirchlichen Kunst zu. Im ganzen deutschen Sprachgebiet umherreisend, erwarb er gotische Altäre, Figuren, Paramente und Erzeugnisse des Kunsthandwerks, besonders Goldschmiedearbeiten, und versorgte zahlreiche Gemeinden mit Altären.

In Frankfurt arbeitete M., dem die Innenausstattung des Domes übertragen worden war, eng mit dem Historiker Johannes Janssen und dem Maler Edward v. Steinle zusammen. Seine Begeisterung für die mittelalterliche Sakralkunst teilten der Zentrumspolitiker August Reichensperger, der Archäologe Stephan Beissel – ein Fachmann für die Heiligen- und Marienverehrung – sowie der Kölner Domkapitular Alexander Schnütgen, in dessen „Zeitschrift für christliche Kunst" M. mehrere Aufsätze veröffentlichte. Die Ergebnisse von M.s unermüdlicher Forscher-, Sammel- und Sichtungsarbeit vereinigt das großangelegte, seit 1885 in Lieferungen erscheinende Werk „Zur Kenntnis und Würdigung der mittelalterlichen Altäre Deutschlands. Ein Beitrag zur Geschichte der vaterländischen Kunst", mit zahlreichen Abbildungen, Nachweisen und Statistiken (1. Bd., 1890, 2. Bd., hrsg. v. St. Beissel, 1905). M.s Altarwerk, das auch praktische Bedeutung für die kirchliche Denkmalpflege hatte, ist eine unerschöpfliche Fundgrube für die Kunstgeschichte geblieben. – Wirkl. Geistl. Rat (1872); Ehrendomherr.

Weitere W Der Kreuzgang am Dom zu Frankfurt, 1876; Zur Restauration d. Frankfurter Doms, 1877; Die Entstehung d. Frankfurter Schulwesens im letzten J.zehnt, 1880; Das Frankfurter u. Magdeburger Beichtbüchlein u. d. „Buch vom sterbenden Menschen", e. Btr. z. Kenntnis d. ma. religiösen Volkslit., 1888; Afrika u. d. Mohamedanismus, 1889; Communionbuch f. alle, ²1890; Abessinien u. seine Bedeutung f. unsere Zeit, 1892.

L A. M. Benevolus (= A. M. v. Steinle), E. F. A. M., e. Lebensskizze, 1891; F. Ranft, E. F. A. M., Stadtpfarrer v. Frankfurt (1870–1890), Stud. z. seinem Wirken u. seiner Persönlichkeit, T. 1, 1926; ders., Das kath.-prot. Problem, Stadtpfarrer E. F. A. M. v. Frankfurt a. M. u. d. Glaubenseinheit, 1947; E. F. A. M. (1833–1890), Frankfurter Stadtpfarrer u. Kunstsammler, Ausst.kat. Dommus. Frankfurt 1990; E. de Weerth, Die Altarslg. d. Frankfurter Stadtpfarrers E. F. A. M. (1833–1890), 1993; Kosch, Kath. Dtld.; Nassau. Biogr.; Frankfurter Biogr. II.

P Gem. v. H. Nüttgen, 1895 (M. kniend mit Franz v. Assisi), Innenseite d. rechten Flügels d. Annenaltars im Frankfurter Dom (Stiftung v. A. Schnütgen, 1898), Abb. in: Ausst.kat. Dommus. Frankfurt 1990 (s. *L*).

Franz Lerner †

Münzer, *Adolf,* Maler und Graphiker, * 5. 12. 1870 Pleß (Oberschlesien), † 24. 1. 1953 Landsberg/Lech, ☐ Holzhausen/Ammersee. (kath.)

V Eduard (1829–77), Kreisrichter in Falkenberg, Rechtsanwalt u. Notar in P., *S* d. Georg (* 1790), Gerber in Oppeln, u. d. Dorothea Wieczorek (* 1801); *M* Bertha (1842–90), *T* d. Gottfried Frenzel (1816–65), Wirtschaftsinsp. in Hohenliebenthal, u. d. Charlotte Bittner (1817–84); *Schw* Eva (1867–1932), Vinzentinerin in Metz; *B* Alfred (1868–1924), Gymnasialdir. in Rybnik (Oberschlesien); – ∞ München 1908 Marie Therese („Mimi", 1878–1958, ∞ 1] N. N. Dreesen), *T* d. österr. Offz., Schriftst. u. Malers August Hoffmann v. Vestenhof u. d. Maria Fiala; 2 *S* Florian (1909–44, ✕), Dr. phil., Wolfgang (1916–94), Dipl.-Ing., Richter am Bundespatentger.; *E* Florian (* 1948), Schausp., Regisseur.

M. besuchte in Breslau das Gymnasium bis zum „Einjährigen", absolvierte eine Lehre als Dekorationsmaler und begann eine Ausbildung an der Kunstgewerbeschule. 1890 ging er an die Kunstakademie in München, wo Karl Raupp, Otto Seitz und Paul Höcker, der mit seinen Schülern Studien vor der Natur machte, seine Lehrer waren. Seit 1896 arbeitete M., dessen zeichnerisches Talent anfangs vorherrschte, als Illustrator für den „Simplicissimus" und besonders für Georg Hirths „Jugend". 1899 schloß er sich mit Fritz Erler u. a. zur Vereinigung „Die Scholle" zusammen, mit der er 1900–09 regelmäßig im Münchener Glaspalast ausstellte. 1900–02 ermöglichte ihm Hirth einen Studienaufenthalt in Paris, wo er von Steinlen, Toulouse-Lautrec und Chéret beeinflußt wurde. In seinen Illustrationen bevorzugte er noch mehr als bisher Themen aus der kultivierten, bürgerlich-eleganten, mondänen Welt, gestaltete Künstlerfeste und entwarf Plakate (u. a. für Faschingsfeste im Dt. Theater). 1909–32 leitete M., nun Mitglied der Künstlervereinigung „Malkasten", die Malklasse der Kunstakademie in Düsseldorf. Akademiedirektor Fritz Roeber, der noch in der Tradition des 19. Jh. stand, bestärkte ihn in der Porträt- und besonders in der Monumentalmalerei. M. schuf für eine Reihe von öffentlichen Gebäuden Wand- und Deckengemälde mit mythologischer und allegorischer Thematik: in Düsseldorf für das Landeshaus, das Malkasten-Vereinshaus und den Hauptbahnhof, in München für das Park-Kasino, in Stuttgart für Littmanns Hoftheater, in Gleiwitz für das Haus Oberschlesien; sie wurden im 2. Weltkrieg zerstört. Erhalten sind nur das Deckengemälde (1909) und acht Wandbilder (1919) im Plenarsaal des Regierungsgebäudes in Düsseldorf. Seitdem Walter Kaesbach, ein Förderer der Moderne, 1924 die Akademieleitung übernommen hatte, schwand M.s Einfluß. 1938 zog er mit seiner Familie nach Holzhausen, wo er – wie weitere Künstler der „Scholle" – seit 1902 ein Ferienhaus besaß. Seine späten Bilder, häufig Personen im Wald darstellend, erreichten nicht mehr die Lebendigkeit und Grazie, Farbigkeit und Originalität der „Scholle"-Zeit. – Dr.-Ing. E. h. (TH Aachen 1931), Ehrenbürger v. Rieden / Ammersee.

W u. a. Die Badende, 1905 (Museo Civico, Venedig); Im Birkenwald, 1905 (Neue Pinakothek, München); d. meisten Gem. u. Zeichnungen sowie d. hs. Erinnerungen (ca. 1950) in Privatbes.

L G. Hirth (Hrsg.), 3000 Kunstbll. d. Münchner „Jugend", 1908, S. 194–223; Kat. d. farbigen Kunstbll. aus d. Münchner „Jugend", 1916; G. J. Wolf, in: Velhagen & Klasings Mhh. 39, 1924/25, S. 513–28; E. Zahn (Hrsg.), Facsimile-Querschnitt durch d. „Jugend", 1966; E. Trier (Hrsg.), 200 J. Kunstak. Düsseldorf, 1973; G. Knopp, Das Reg.gebäude in Düsseldorf, in: Dt. Kunst u. Denkmalspflege 33, 1975; W. Münzer, in: 1200 J. Holzhausen am Ammersee, 1976, S. 76–79; Ruth Stein, Leo Putz, Ausst.kat. Meran 1980; dies., Die Scholle, Ausst.kat. Eppan 1991; M. Weisser, Titelbll. d. „Jugend", Dokumente z. gesellschaftl. Situation u. Lebensstimmung d. Jh.wende, 1981; E. Koenigsfeld, A. M. u. d. Fresken im Hotel „Haus Oberschlesien" in Gleiwitz, in: Schlesien 4, 1986, S. 229–35; S. Schroyen (Bearb.), Qu. z. Gesch. d. Künstlervereinigung Malkasten, 1992; ThB.

P Selbstbildnis, Ölgem. (Fam.bes.).

Franz Menges, Edith Schmidt

Münzer, *Friedrich,* Althistoriker, * 22. 4. 1868 Oppeln (Oberschlesien), † 20. 10. 1942 KZ Theresienstadt. (isr., seit 1891 ev.)

V Emanuel (1840–1904) aus O., KR, Zigarrenfabrikbes. in Hamburg; *M* Olga Unger (1845–1922) aus Oels; ∞ 1) Bonn 1897 Clara († 1918), *T* d. Weinhändlers Carl Engels in Bonn u. d. Anna N. N.; 2) Münster 1924 Clara Lunke († 1935), geb. Ploeger; *Schwäger d. 1. Ehefrau* Paul Wolters (1858–1936), Archäologe, Bruno Sauer (1861–1919), Archäologe (beide s. *L*); 1 *Adoptiv-T;* 1 *Stief-S* (✕), 1 *Stief-T*.

M. studierte seit 1886 in Leipzig und Berlin Geschichte und klassische Philologie, in Berlin vor allem bei Th. Mommsen, H. Diels und O. Hirschfeld. Dieser betreute auch die Dissertation „De gente Valeria" (1891), die den Beginn von M.s prosopographischen Forschungen darstellte. Nach Ablegung des Oberlehrerexamens 1892 und wissenschaftlichen Aufenthalten in Rom und Athen habilitierte sich M. 1896 mit der Arbeit „Beiträge zur Quellenkritik der Naturgeschichte des Plinius" (1897) an der Univ. Basel, wo er einen Lehrauftrag für röm. Altertumskunde erhielt. 1912 folgte er einem Ruf auf den Lehrstuhl für Alte Geschichte in Königsberg, 1921 wechselte er als Nachfolger Otto Seecks nach Münster. M. entging im Frühjahr 1933 einer Entlassung aus dem Staatsdienst und wurde im Sommer 1935 „in allen Ehren" emeritiert. Zum 31. 12. 1935 entzog man ihm dann jedoch aufgrund der nationalsozialistischen Rassegesetze die Lehrbefugnis und belegte ihn 1938 mit Publikationsverbot, das allerdings von Kollegen und Freunden mehrfach umgangen wurde; auch die Arbeit in der Universität war ihm seit dieser Zeit untersagt. Mit 74 Jahren wurde M. Ende Juli 1942 nach Theresienstadt deportiert; er engagierte sich noch kurze Zeit in der dort entstandenen kleinen ev. Gemeinde.

Schon früh war M. für die Bearbeitung der Prosopographie der röm. Republik im Rahmen der Realencyclopädie der Klassischen Altertumswissenschaft gewonnen worden, ein Thema, das fast 5000 Einzelbeiträge umfaßte. Aus diesem Material entstand auch das Werk „Röm. Adelsparteien und Adelsfamilien" (1920, Nachdr. 1963). Seine Beiträge haben der modernen personen- und familiengeschichtlichen Forschung wichtige Anregungen gegeben. Als bestem Kenner der verwandtschaftlichen und politischen Beziehungen innerhalb der führenden röm.-republikan. Familien gelangen ihm neue Erkenntnisse über den Aufstieg angesehener und vermögender Plebejerfamilien, über die Zugehörigkeit italischer Adelsfamilien zur röm. Nobilität schon im 4. Jh. v. Chr. sowie über das Geflecht verwandtschaftlicher Beziehungen innerhalb der röm. Führungsschicht. M.s Fragestellungen und Methoden waren der antiquarischen Tradition verpflichtet, sozialwissenschaftliche Untersuchungskriterien und Problemstellungen erweiterten erst später den Horizont althistorischer Erkenntnis, vor allem dank der Pionierarbeit von M.s Schüler Matthias Gelzer.

Weitere W Cacus d. Rinderdieb, 1911; Die pol. Vernichtung d. Griechentums, 1925; Die Entstehung d. röm. Prinzipats, 1927.

L M. Gelzer, in: Historia 2, 1954, S. 378–80; K. Christ, Röm. Gesch. u. dt. Gesch.wiss., 1982, S. 164 f.; A. Kneppe u. J. Wiesehöfer, F. M., Ein Althistoriker zw. Kaiserreich u. Nat.sozialismus, 1983 (*W-Verz.* v. H.-J. Drexhage, *P*); dies., in: Westfäl. Lb. 13, 1985, S. 213–32 *(P);* W. Weber, Biogr. Lex. z. Gesch.wiss., ²1987. – *Zu Paul Wolters u. Bruno Sauer:* R. Lullies u. W. Schiering, Archäologenbildnisse, 1988.

Josef Wiesehöfer

Münzer *(Monetarius), Hieronymus,* Humanist, Arzt und Geograph, * um 1437/1447 Feldkirch (Vorarlberg), † 27. 8. 1508 Nürnberg.

V Heinrich († 1463 ?), angebl. aus N.; *M* Elisabeth N. N. († n. 1476); *B* Ludwig (um 1450–1518), Kaufmann, Fernhändler in N., 1507–17 Bes. v. Schloß Gwiggen (Vorarlberg) (s. *L*); *Schw* Barbara (∞ Johannes Furtenbach); – ∞ Nürnberg 1480 Dorothea († 1505), *T* d. ratsfähigen Bürgers Ulrich Kiefhaber in N.; 2 *S* (beide früh †), 1 *T* Dorothea (um 1481–1539, ∞ Hieronymus Holzschuher, 1469–1529, Bgm. in N., s. NDB IX, Fam.art.), 1 illegitime *T.*

M. studierte 1464–74 in Leipzig, erwarb 1466 den Grad eines Baccalaureus und 1470 den eines Magister artium. Danach war er als Dozent der artes liberales tätig und studierte 1476/77 als Begleiter von Anton Tetzel Medizin in Pavia. Nach seiner Promotion kam M. 1477 nach Nürnberg, am 29. 2. 1480 erwarb er als Stadtarzt das Bürgerrecht und heiratete im selben Jahr in eine ratsfähige Familie ein. Einzelne Consilia, die in der Schedelschen Bibliothek erhalten sind, geben Auskunft über seine medizinische Tätigkeit. So gutachtete er über die Gesundheitsschädlichkeit des Schwefelns von Weinen, über Lepra bei einem Diener des bayer. Herzogs und zum Verhalten bei Pestausbruch. Er selbst floh 1483 vor der Pest nach Italien und reiste 1484 in die Niederlande. Bis dahin hatte M. sich als Arzneimittelhersteller und Stadtarzt ein ansehnliches Vermögen erworben, das er teilweise in kaufmännische Unternehmungen seines Bruders investierte. Er konnte es sich leisten, sich ganz seinen Studien zu widmen und eine umfangreiche Bibliothek aufzubauen. Soweit diese rekonstruieren läßt, hatte er als Grundlage in Pavia Aristoteles' „De animalibus" erworben. In Nürnberg wurde er zum Neuplatonisten. Generell überwogen die klassischen Autoren wie Cicero, Juvenal, Lukan, Ovid, Quintilian, Sallust, Sueton, dazu kamen „wissenschaftliche" Werke – Avicenna, Rhazes, Plinius, Solinus –, zu denen auch die Kosmographie von Enea Silvio Piccolomini und „Imago Mundi" von Petrus de Allicao gerechnet werden müssen, außerdem theologische Werke wie Kobergers Bibel, Schriften von Augustinus und Petrus Lombardus sowie die Arbeiten zeitgenössischer Humanisten. M. gehörte der Kommission an, die 1496 vom Rat mit dem Aufbau einer Poetenschule in Nürnberg beauftragt wurde.

Seiner philosophischen Interessen wegen hatte er besonders engen Kontakt zu Konrad Celtis, der ihm 1487 Verse widmete, verkehrte aber auch mit anderen Mitgliedern des Nürnberger Humanistenkreises wie Hartmann Schedel, Sebald Schreyer und dem Patrizier Sixtus Tucher. Diese waren zum großen Teil an der Produktion der Schedelschen Weltchronik (1493) beteiligt. M. überprüfte und korrigierte dabei Aussagen zu Europa, die aus alten und veralteten Quellen, hier speziell Enea Silvio Piccolomini, entnommen waren. Vieles konnte er aus eigener Reiseerfahrung oder aufgrund seines Buchwissens zurechtrücken, wie Ethiopia zu Ethiolia, Troyam zu Croyam (Albanien), Sostratenses (Soest) in Susatenses, einiges verschlechterte er jedoch, wie Achelous amis (Achaia) in Acheolus, Anasum (bayer.-österr. Grenze) in Ysaram. Dazu kamen für einzelne Gebiete umfangreichere Ergänzungen, so in den Abschnitten über das Rheinland, über Österreich und Böhmen und vor allem die Orte Feldkirch und Leipzig. Den Höhepunkt seines Schaffens als Geograph bildete die doppelseitige, noch sehr fehlerhafte Deutschlandkarte ohne Orientierungslinien und -punkte nach der Vorlage des Nicolaus von Cues, bei der die Ortsbezeichnungen meist sehr ungenau eingesetzt sind und z. B. Rhein und Maas parallel ins Meer münden. Es handelt sich dabei nach derzeitigem Forschungsstand um die erste gedruckte Deutschlandkarte. M.s Bemühen um Aktualisierung entspricht es, daß er im Abschnitt über Spanien die Eroberung Granadas nachgetragen hat. Als erster deutscher Humanist würdigte er die Bedeutung der neuesten Entdeckungsfahrten der Portugiesen, an denen der Nürnberger Martin Behaim teilgenommen hatte. Bei der Gestaltung des ältesten erhaltenen Erdglobus, den Behaim 1492/93 anfertigen ließ, brachte M., ebenso wie andere Nürnberger Humanisten, seine Kenntnisse ein, ohne daß sich seine Beteiligung bisher im Detail nachweisen läßt. M. schlug Kg. Johann II. von Portugal 1493 sogar brieflich vor, Behaim auf dem Westweg nach China zu schicken. Diese Empfehlung konnte er nochmals persönlich vortragen, als er 1494 bei ausbrechender Pest erneut zu einer großen Reise, diesmal an den span. und portugies. Hof und zu einer Pilgerfahrt nach Santiago de Compostela aufbrach, worüber er einen in Tagebuchform abgefaßten detaillierten Reisebericht verfaßte. Dieser enthält als Beilage eine Schilderung der Entdeckungsfahrten der Portugiesen nach Afrika und insbesondere an die Guinea-Küste (De inventione Africae maritime et occidentalis videlicet Guineae per Infantem Heinricum Portugaliae).

Die große Reise und der ausgezeichnete Bericht darüber, dazu die Deutschlandkarte haben M. bekanntgemacht. Über eine besondere Qualität als Arzt läßt sich aus den Quellen weniger sagen. Eine besondere Stellung unter den deutschen Humanisten dieser Epoche nahm M. durch seine praktischen Reiseerfahrungen und deren Verwertung sowie durch vielseitige Kompetenz ein.

W Itinerarium hispanicum Hieronymi Monetarii (1494–1495), ed. v. L. Pfandl, in: Revue hispanique 48, 1920, S. 1–179, Nachdr. 1964; F. Kunstmann (Hrsg.), H. M.s Bericht üb. d. Entdeckung der Guinea, in: Abhh. d. hist. Cl. d. Bayer. Ak. d. Wiss. 7, Abt. 2, 1854, S. 289–346 *(Teiled. d. Reiseber.);* Lepraschaubriefe aus d. 15. Jh., in: Sudhoffs Archiv 4, 1911, S. 370–78; Viaje por España y Portugal, 1991.

L J. Fischer, Der Nürnberger Arzt H. M. aus Feldkirch als Mensch u. Gel., in: Stimmen d. Zeit 96, 1918, S. 149–68; E. Ph. Goldschmidt, H. M. u. seine Bibl., in: Studies of the Warburg Institute 4, 1938; Th. Feurstein u. N. Schnetzer (Hrsg.), H. M., Der Feldkircher Arzt u. d. Entdeckung Amerikas, 1996; Ch. v. Imhoff (Hrsg.), Berühmte Nürnberger aus 9 Jhh., ²1989; Killy; Vf.-Lex. d. MA. – *Zu Ludwig:* A. Schulte, Gesch. d. Großen Ravensburger Handelsges. 1380–1530, II/III, 1964; K. H. Burmeister, in: Feurstein u. Schnetzer (s. o.).

Ulrich Knefelkamp

Münzinger. (ev.)

1) *Adolf,* Agrarwissenschaftler, ~ 12. 1. 1876 Kirchentellinsfurt b. Tübingen, † 8. 9. 1962 Stuttgart-Hohenheim.

V Wilhelm (1845–96), Dr. med., Arzt in Metzingen, S d. Georg Philipp (1818–98), Wundarzt u. Chirurg, u. d. Friederike Wagner (1824–90); M Sophie (1846–93), T d. Georg Friedrich Schwindratsheim (1816–93), Kaufm. in Metzingen, u. d. Anna Maria Detzel (1813–78); B Friedrich (s. 2); – ∞ 1) 1905 Sofie Wilhelmine (1879–1945), T d. Karl Kehrer (1849–1924) aus Worms, preuß. Gen. d. Artillerie (s. NDB XI, Fam.art), u. d. Luise Urich (1857–1919), 2) 1946 Margarete (1898–1987), T d. Dr. N. N. Boekmann, Chemiker in Weimar; 1 S, 1 T aus 1).

Nach dem Einjährigen-Examen wurde M. Landbaupraktikant auf Burg Lichtenberg (Württemberg) sowie anschließend auf dem Karlshof bei Ellingen (Mittelfranken). An den Militärdienst beim 1. Jägerbataillon in Kempten schloß sich Ende 1895 ein zweimonatiger Besuch der Hildebrand'schen „Privaten landwirtschaftlichen Beamtenschule" in Braunschweig an. Neujahr 1896 trat M. auf dem Dominium Lobsenz (Prov. Posen) die Stelle eines Inspektors an. 1897–99 studierte er in Hohenheim Landwirtschaft (Diplom 1899), ehe er als Lehrer an der Landwirtschaftsschule Ladenburg (Baden) tätig wurde. Um promovieren zu können, immatrikulierte sich M. im Frühjahr 1900 an der Univ. Jena, der damals einzigen Hochschule, an der man ohne Abitur den Doktorgrad erwerben konnte. 1901 bestand M. die Diplom-Hauptprüfung und 1902 die Doktorprüfung. 1901–09 wirkte er als wissenschaftlicher Assistent in Hohenheim und Darmstadt, wo ihm der Agrikulturchemiker Paul Wagner die Leitung der Abteilung Felddüngeversuche übertrug. Nach einem Streit mit diesem wechselte M. als Güterdirektor in die Dienste des böhm. Grafen Waldstein. Von Hirschberg aus war M. für die Reorganisation der ca. 10 000 ha umfassenden gfl. Landwirtschaftsbetriebe zuständig. Nach kurzer Tätigkeit als Direktor des Vereins Mährischer Zuckerfabriken in Olmütz avancierte M. 1917 zum Direktor der Ungar.-Deutschen Landwirtschafts-AG in Budapest. Verantwortlich für ca. 33 000 ha Land, sollte er eine Umstellung von extensiver auf intensive Wirtschaftsweise bewirken.

1922 erhielt M. den Ruf auf die Professur für Wirtschaftslehre des Landbaus an der Landwirtschaftlichen Hochschule Hohenheim, die verbunden war mit der Leitung der Hohenheimer Gutswirtschaft und der Oberleitung der Ackerbau- und Gartenbauschule. Das Ziel „Erforschung der bäuerlichen Familienwirtschaft" erreichte M. durch Projekte wie den einjährigen Einsatz von diplomierten Landwirten in bäuerlichen Betrieben (sog. „Diplom-Knechte") und den Aufbau von Dorf-Genossenschaften („genossenschaftl. Dorfprojekt Häusern", 1930–34). Er konnte nachweisen, daß den Bauern für ihre Produkte erzielbaren Erträge in einem Mißverhältnis zu der dafür aufgewendeten Arbeit standen, diese also unterbezahlt war. Ferner machte er auf die strukturelle Arbeitsüberlastung der Bäuerinnen aufmerksam. Auch für eine umfassende Flurbereinigung lieferte M. Argumente. Die Selbständigkeit der relativ kleinen Landwirtschaftlichen Hochschule war durch die nahegelegene TH Stuttgart stets bedroht. M. setzte sich während seiner drei Amtsperioden als Rektor (1926/27, 1939–41, 1945–47) erfolgreich für den Fortbestand Hohenheims als eigenständiger Hochschule ein. – Dr. h. c. (Tübingen 1946); Ehrenbürger d. TH Stuttgart (1946); Ehrensenator d. Landwirtsch. Hochschule Hohenheim (1948); Präs. d. Dt. Ges. f. Landbauwiss. (1948–51); korr. Mitgl. d. Dt. Ak. d. Wiss. (1950); Stiftung d. Adolf-Münzinger-Preises (1951); Goldene Max-Eyth-Gedenkmünze d. DLG (1952); Gr. Bundesverdienstkreuz (1956).

W Kalkstickstoff als Düngemittel, 1915; Organisation im landwirtsch. Großbetrieb, 1916; Der Arbeitsertrag d. bäuerl. Fam.wirtsch., 2 Bde., 1929; Bäuerl. Maschinengenossenschaft Häusern, 1934; Die Aussiedlung als letztes Mittel z. Erhaltung d. Bauerntums, 1938; Lothringens Landwirtsch., wie sie war u. wie sie werden sollte, 1941, ²1942; Die Erzeugungskosten d. württ. Landwirtsch., 1948; Aus meinem Leben, 1963 (P).

L E. Klein, Die akad. Lehrer d. Univ. Hohenheim (Landwirtsch. Hochschule) 1818–1968, 1968, S. 98; O. Rosenkranz, in: Jb. d. Dt. Ak. d. Wiss. zu Berlin 1964, 1965, S. 231–33; 150 J. Promotion an d. Wirtsch.wiss. Fak. d. Univ. Tübingen, bearb. v. I. Eberl u. H. Marcon, 1984; Kürschner, Gel.-Kal. 1925–61. – *Nachlaß:* Univ.archiv Hohenheim.

P Gem. (Schloß Hohenheim); Phot. (Bildslg. Univ.-archiv Hohenheim).

Klaus Herrmann

2) *Friedrich,* Ingenieur, Kraftwerksbauer, * 25. 3. 1884 Metzingen (Württemberg), † 14. 10. 1962 Berlin. (ev.)

B Adolf (s. 1); – ∞ Irene Fritz († n. 1962).

M. studierte Maschinenbau an der TH Berlin-Charlottenburg. Nach Abschluß des Studiums wurde er Assistent bei Emil Josse, 1913 erfolgte die Promotion zum Dr.-Ing. Noch im selben Jahr holte Georg Klingenberg M. zur Allgemeinen Elektrizitäts-Gesellschaft (AEG) und übertrug ihm die Bearbeitung des Gebietes der Dampfkesselanlagen im Rahmen des Gesamtkraftwerksbaues der AEG. 1913–53 gehörte M. diesem Unternehmen an. Er war an der Planung und dem Bau aller Dampfkraftwerke, die von der AEG in dieser Zeit gebaut wurden, maßgeblich beteiligt. Schon 1916 stellte sich ihm mit dem Bau des Großkraftwerks Tschornewitz-Golpa (Sachsen), dessen 64 Dampferzeuger von acht Firmen geliefert wurden, eine große Aufgabe. M. setzte sich für gleiche Blockabmessungen bei den verschiedenen Fabrikaten ein. Der Bau des Berliner Großkraftwerks Klingenberg gab ihm Gelegenheit, den deutschen Kraftwerks- und Kesselbau wieder an den Stand der Entwicklung in anderen Ländern heranzuführen. Das Kraftwerk erhielt 16 Dampferzeuger für je 77 t/h bei 37 at mit Kohlenstaubfeuerung, wassergekühlten Feuerräumen und Luftvorwärmern. Bei den mehr als 70 von der AEG gebauten Kraftwerken, deren Kesselanlagen M. entwarf, stellte er stets die Frage nach der Wirtschaftlichkeit bestimmter Maßnahmen und zog auch die Auswirkungen auf Nachbargebiete in Betracht. Ihm ist die Einführung wissenschaftlich fundierter anstelle empirischer Methoden zur Berechnung von Dampfkesseln zu verdanken.

Noch im ersten Jahrzehnt des 20. Jh. war es üblich, Feuerungen und Kessel in einfacher Weise aufgrund von Erfahrungswerten zu bemessen. M. entwickelte ein Verfahren zur wärmetechnischen Berechnung des Wasserumlaufes sowie der Feuerräume und der Heizflächen von Wasserrohrkesseln. In seinem Werk „Berechnung und Verhalten von Wasserrohrkesseln" (1929) gab er dem Dampfkesselbau erstmals Kurventafeln an die Hand, mit denen ganze Kessel schnell und zuverlässig berechnet werden konnten. Als erster in Deutschland behandelte er eingehend die damals neuartige Kohlenstaubfeuerung und schuf so die wissenschaftlichen Grundlagen für den Bau von Hochdruckkesseln. In seiner Arbeit „Die Leistungssteigerung von Großdampfkesseln" (1922) behandelte er besonders die Wärmeübertragung durch Strahlung in den Feuerräumen. Er gab eine Gleichung zur schnellen Ermittlung der ungefähren Feuerraumtemperaturen an und entwickelte ein Verfahren zur Berechnung des Wasserumlaufs in Wasserrohrkesseln. 1924 folgte sein Buch „Höchstdruckdampf" (damals verstand man darunter Drucke über 30 at). Die Entwicklung des Dampfkesselbaues in den USA, wo man vor allem in der Verwendung von Kohlenstaubfeuerungen und beim Bau sehr großer Dampferzeuger weiter fortgeschritten war, beleuchtete M. 1923 („Amerikan. und deutsche Großkessel"). Sein 1933 veröffentlichtes Werk „Dampfkraft, Wasserrohrkessel und Dampfkraftanlagen", das in drei weiteren Auflagen erschien, galt lange Jahre als Standardwerk der Dampfkesseltechnik. Mit der Stellung des Menschen zur Technik und mit der Ethik des Ingenieurberufs setzte sich sein vielbeachtetes Buch „Ingenieure, Baumeister einer besseren Welt" auseinander (1941, ³1947). Darin vertrat er den Standpunkt, daß Ingenieure das Rüstzeug der Technik vollkommen beherrschen und den Einfluß der Technik auf das Leben der Gesellschaft genau kennen sollten. Jedermann müsse einsehen lernen, daß die Technisierung der Welt die Menschen zwar von vielen alten Fesseln befreit, ihnen dafür aber anders geartete Bindungen auferlegt habe, denen man sich nicht ungestraft entziehen könne. Schließlich sei die Technik als Ganzes in jenem Geist einzusetzen, dem sie im einzelnen ihre erstaunlichen Erfolge verdankt. Dieser Geist der Technik ist nach M. gekennzeichnet durch die Bereitschaft zur Gemeinschaft, durch Logik, Objektivität und Leistung. M. bildete zahlreiche Mitarbeiter weiter, er war Berater und Helfer in allen Fragen seines Fachgebiets. Nach seinem Eintritt in den Ruhestand blieb er seiner Firma weiterhin verbunden und beschäftigte sich mit der neuesten Entwicklung der Dampferzeugungstechnik in Kernkraftwerken. – Dr.-Ing. E. h. (TU Berlin 1958); Guilleaume-Gedenkmünze f. Verdienste um d. dt. Dampfkesselwesen (Vereinigung d. Großkesselbesitzer, 1952), Goldmedaille d. Inst. Français des Combustibles et de l'Energie, Paris (1958).

Weitere W u. a. Unterss. an e. 15-pferdigen Dieselmotor d. Maschinenfabr. Augsburg-Nürnberg, Diss. TH Berlin 1913; Kohlenstaubfeuerungen f. ortsfeste Dampfkessel, 1921; Dampfkesselwesen in d. Vereinigten Staaten v. Amerika, 1925; Kesselanlagen f. Großkraftwerke, 1928; Leichte Dampfantriebe an Land, z. See, in d. Luft, 1937; It-Tafeln z. schnellen Ermitteln d. Verlaufes d. Rauchgastemperatur, 1939; Atomkraft, 1955; Menschen, Völker u. Maschinen, 1955 *(Erinnerungen).*

L Brennstoff–Wärme–Kraft 11, 1959, S. 109; A. Zinzen, ebd. 14, 1962, S. 568; Dt. Ztg. v. 19. 5. 1960 *(P);* A. Bachmair, in: VDI-Archiv, 1962; Wi. 1935; Pogg. VI.

Kurt Mauel

Müsebeck, *Ernst* Friedrich Christian, Archivar, Historiker, * 4. 4. 1870 Conerow (Pommern), † 17. 11. 1939 Kassel-Wilhelmshöhe. (ev.)

Aus vorpommer. Bauernfam., die ihre Abstammung bis 1497 zurückführt; *V* Johann († 1888), Landwirt; *M* Luise Eggert († 1894), *T* e. Ankerschmieds in Wolgast; ∞ Kassel 1901 Agnes (* 1878), *T* d. Peter Wilhelm Pfeiffer (1845–1914), aus Hanau, Gen.sup. in Kassel (s. NDB 13*), u. d. Sophie Kunz (1848–1909).

Nach der Reifeprüfung in Stettin 1890 und einem Studium der Geschichte und Germanistik in Greifswald, Halle und Marburg absolvierte M. seit 1894 die Marburger Archivschule. 1896 promovierte er mit einer Dissertation über „Die Feldzüge des Großen Kurfürsten in Pommern und Rügen 1675–77". 1898 nahm er als Hilfsarbeiter den Dienst am Marburger Staatsarchiv auf und vertiefte in staatl. Archiven in Breslau und Schleswig seine Kenntnisse; 1900/01 war er zum Dienst am Kaiserl. Bezirksarchiv in Metz beurlaubt. 1906 in Marburg zum kgl. Archivar ernannt, wechselte M. 1908 zum Preuß. Geheimen Staatsarchiv Berlin-Dahlem, wo er 1918 zum Geheimen Staatsarchivar aufrückte. Zum 15. 12. 1920 wurde M. mit der Leitung der Archivabteilung des 1919 gegründeten Reichsarchivs betraut. Von Anfang an konzipierte er eine Umgestaltung der primär militärgeschichtlich und kriegswissenschaftlich orientierten Institution zu einer „archivalischen Zentralstelle für die Gesamtheit der obersten Reichsbehörden". Ergänzend zu deren Akten ließ M. auch nichtstaatliche Dokumente sammeln, übernahm Teile der Überlieferung des Reichskammergerichts und des Deutschen Bundes und veranstaltete Archivalienausstellungen. Die politischen Umstände und Zielvorgaben, besonders die Dominanz militärischer Belange unter dem Blickwinkel einer Revision des Versailler Vertrages, erlaubten aber keine vollständige Umsetzung seiner weitergespannten kulturellen und nationalen Ziele. Dennoch ist der zivile Ausbau des Reichsarchivs und der enorme Aufschwung seiner Archivabteilung als Hauptergebnis von M.s Tätigkeit zu bewerten. Nach einer ohne sein Mitwirken durchgeführten Umorganisation erlitt er 1931 einen Nervenzusammenbruch. 1932 trat er zwar nochmals seinen Dienst an, doch überforderte den gesundheitlich bereits angegriffenen M. die 1934 übertragene kommissarische Leitung des Reichsarchivs. 1935 wurde er in den Ruhestand versetzt.

Bis zu seiner Anstellung im Reichsarchiv publizierte M. primär landes-, geistes- und religionsgeschichtliche Untersuchungen. Die aus seiner patriarchalisch-pietistischen Erziehung resultierenden Impulse führten ihn früh zur Beschäftigung mit Ernst Moritz Arndt. In weiteren Forschungen wandte er sich Schleiermacher, Fichte, den Freiheitskriegen, der deutschen Burschenschaft und der deutschen Einheitsbewegung zu. Als Leiter der Archivabteilung des Reichsarchivs konzentrierte er sich darauf, auf der Grundlage des Provenienzprinzips einen flexibel der Verwaltungsgeschichte anpaßbaren Archivkomplex aufzubauen, und befaßte sich intensiv mit archivwissenschaftlichen Grundsatzfragen sowie einer Erneuerung des Berufsbildes des Archivars.

W Hist. Schrr.: Christentum, Kirche, Persönlichkeit, 1902; E. M. Arndt u. d. kirchl.-rel. Leben seiner Zeit, 1905; Carl Candidus, e. Lb. z. Gesch. d. rel.-spekulativen Idealismus u. d. elsäss. Geisteslebens vor 1870, 1909; Freiwillige Gaben u. Opfer d. preuß. Volkes in d. J. 1813–15, 1913; Das Verhalten d. preuß. Regierung im Fichteschen Atheismusstreit, in: HZ 115, 1913, S. 278–310; Ernst Moritz Arndt, e. Lb., I (1769–1815), 1914; Das preuß. Kultusministerium vor 100 J., 1918; Schleiermacher in d. Gesch. d. Staatsidee u. d. Nat.bewußtseins, 1927; *Hrsg.:* Ein Jh. dt. Gesch. 1815 bis 1919, Reichsgedanke u. Reich, 1928 (mit Kaiser, Goldschmidt u. Thimme); Wandlungen des rel. Bewußtseins in d. dt. akadem. Jugend während d. Weltkrieges, 1936. – *Archivwiss. Schrr.:* Der systemat. Aufbau d. Reichsarchivs, in: Preuß. Jbb. 191, 1923, S. 294–318; Die nat. Kulturaufgaben d. Reichsarchivs, in: Archiv f. Pol. u. Gesch. 3, 1924, S. 393–408; Publikation v. Inventaren üb. Archivbestände z. neuesten Gesch., ebd. 7, 1926, S. 310–27; Der Archivar, Merkbl. f. Berufsberatung d. dt. Zentralstelle f. Berufsberatung d. Akademiker, Neuausg., B 5, 1926; Wesen u. Wert v. Archivalienausstellungen, in: Minerva-Zs., hrsg. v. G. Lüdtke, 3, 1927, S. 72–77; Gesch.vereine u. örtl. Weltkriegschroniken, ebd., Sp. 192; Der Einfluß d. Weltkrieges auf d. archival. Methode, in: Archival. Zs. 38, 1929, S. 135–50; Grundsätzliches z. Kassation moderner Aktenbestände, in: Archivstud. (FS Lippert), 1931, S. 160–65; Ansprache am 2. 8. 1934 im Reichsarchiv, in: Wissen u. Wehr 15, 1934, S. 503–07.

L Mitt.bl. d. Gen.dir. d. (Preuß.) Staatsarchive, 1940, 1 Ziff. 1 A, S. 2 ; H. Rogge, in: Der Archivar 9, 1956, Sp. 327–36; K. Demeter, Das Reichsarchiv, 1969 *(P);* E. Henning, Ch. Wegeleben, Archivare beim Geh. StA in d. Berliner Kloster- u. Neuen Friedrichstr. 1874–1924, in: Jb. f. brandenburg. Landesgesch. 29, 1978, S. 53; M. Herrmann, Das Reichsarchiv (1919–1945), Eine archiv. Institution im Spannungsfeld d. dt. Pol., Diss. Berlin 1993 *(P);* W. Vogel, Der Kampf um d. geistige Erbe, Zur Gesch. d. Reichsarchividee u. d. Reichsarchivs als „geistiger Tempel dt. Einheit", 1994 *(P);* Rhdb. *(P);* Kürschner, Gel.-Kal. 1931; Kosch, Biogr. Staatshdb.; W. Leesch, Die dt. Archivare, II, 1992.

Matthias Herrmann

Müser, *Robert,* Bergbauindustrieller, * 12. 10. 1849 Dortmund, † 30. 10. 1927 ebenda. (ev.).

V Friedrich Wilhelm (1812–74), Dr. med., Arzt, Mitbegründer u. Vors. d. Verw.rats d. Harpener Bergbau AG, S d. Hof- u. Brennereibes. Johann Wilhelm (1781–1855) u. d. Johanna Katharina Elisabeth Brinkmann (1784–1845); M Friederika Caroline Amalie (1817–78), T d. Heinrich Johann Dietrich Lührmann (1788–1839), Kolonialwarengroßhändler in D., u. d. Gertrud Dorothea Hammacher (1788–1865); 14 *Geschw;* ledig.

Nach dem Besuch des Gymnasiums in Dortmund ging M. 1866 nach Amerika, wo sich bereits drei ältere Brüder niedergelassen hatten. Auf eine Banklehre in New York folgte eine mehrjährige kaufmännische Tätigkeit bei einem dortigen Handelshaus. M. erwarb die amerikan. Staatsbürgerschaft, da er beabsichtigte, in den USA zu bleiben. Auf Wunsch des erkrankten Vaters kehrte er jedoch 1874 nach Dortmund zurück und wurde in den Verwaltungsrat der Harpener Bergbau AG (HBAG) berufen. Gemeinsam mit Bergmeister v. der Becke übernahm er 1875 die Leitung des Unternehmens; nach dessen Ausscheiden wurde er 1893 als Generaldirektor alleiniger Vorstand der HBAG. M. setzte das Werk seines Vaters in zunächst schwieriger Zeit fort. In der wirtschaftlichen Krise der 70er Jahre war die Nachfrage nach Kohle stark rückläufig, doch M. gelang nicht nur eine Stabilisierung des Absatzes, sondern sogar eine stetige Vergrößerung des Grubenbesitzes und der Erwerb zahlreicher wertvoller Beteiligungen. 1893 gehörte er mit Emil Kirdorf zu den Gründern des Rhein.-westfäl. Kohlen-Syndikats. 40 Jahre lang hat er die HBAG geprägt und zu einem der bedeutendsten Bergbaukonzerne in Deutschland ausgebaut. Als er 1914 sein Amt als Generaldirektor niederlegte und den Vorsitz im Aufsichtsrat übernahm, war die Zahl der betriebenen Schächte von 4 auf 46, die Belegschaft von 1755 auf über 33 000 gestiegen. M. begnügte sich nicht damit, als Generaldirektor die großen Linien der Unternehmenspolitik zu bestimmen, sondern beschäftigte sich auch intensiv mit Detailfragen. Besonders am Herzen lag ihm der Ausbau der betrieblichen Sozialleistungen. Er förderte den Wohnungsbau für Arbeiter und Angestellte, die Einrichtung von Kindergärten in den Siedlungen, von Speise- und Konsumanstalten und ließ ein Erholungsheim für Kinder bauen. In Geeste bei Meppen (Emsland) verwandelte er 2500 Morgen Ödland in einen landwirtschaftlichen Musterbetrieb, um seine Bergleute mit Nahrungsmitteln zu versorgen.

Neben seiner Tätigkeit für die HBAG wirkte M. in Vorständen und Aufsichtsräten zahlreicher Unternehmen und Körperschaften mit. Dazu zählten neben Zechenunternehmen des Ruhrgebiets und mitteldeutschen Kaligruben sowie Braunkohlen- und Brikettwerken die Rhein. Dynamitfabrik in Köln, die Rombacher Hüttenwerke, der Bochumer Verein für Bergbau und Gußstahlfabrikation, die Deutsche Petroleum AG und die Berliner Handelsgesellschaft. M. war Mitglied des Reichseisenbahnrats, des Wasserstraßenbeirats für den Dortmund-Ems-Kanal und des Vereins für die Kanalisierung der Lippe. Er bekleidete führende Positionen beim Verein für die bergbaulichen Interessen in Essen und bei der Westfälischen Berggewerkschaftskasse in Bochum. Nach seinen Tode wurde eine Großschachtanlage in Bochum-Langendreer nach ihm benannt. – KR (1902), GKR (1910).

L O. Martens, R. M., in: Jb. f. d. Oberbergamtsbez. Dortmund 9, 1908–09, 1910 *(P);* Glückauf 63, 1927, S. 1776 *(P);* Der Bergbau 40, 1927, S. 609 f.; Stahl u. Eisen 47, 1927, S. 2060 *(P);* A. Heinrichsbauer, Harpener Bergbau-AG 1856–1936, 80 J. Ruhrkohlen-Bergbau, 1936 *(P);* W. Serlo, Bergmannsfamilien in Rheinland u. Westfalen, 1936, S. 167–69; F. Mariaux, Gedenkwort z. hundertj. Bestehen d. Harpener Bergbau-AG, 1956 *(P);* G. Gebhardt, Ruhrbergbau, 1957; H. Radzio, Am Anfang war d. Kohle, 125 J. Harpener AG 1856–1981, 1981.

Gabriele Unverferth

Muestinger, *Georg (I.),* Augustiner, Propst von Klosterneuburg (seit 1418), Diplomat, Astronom, * vor 1400 Petronell (Niederösterreich), † 30. 9. 1442 Klosterneuburg (Niederösterreich).

V Reinprecht, *S* d. Peter; *M* Anna, *T* d. Chunrat Harmanstorffer.

Unter M.s Regentschaft 1418–42 erlebte das Chorherrenstift Klosterneuburg kulturell wie wissenschaftlich einen ersten Höhepunkt. M. trug maßgeblich zur Blüte des Buchwesens in Klosterneuburg bei und reformierte die Stiftsschule, die die Scholaren auf das Studium an der Univ. Wien vorbereiten sollte. Mit dem dort tätigen Astronomen und Mathematiker Johannes von Gmunden wohl persönlich befreundet, betätigte sich M. selbst als Astronom und – möglicherweise – als Hersteller von Himmelsgloben, welche jedenfalls zu seiner Zeit in Klosterneuburg entstanden. Hier wurde auch die lat. Fassung der „Geographia" des Ptolemäus rezipiert und zwischen 1440 und 1442 ein bedeutendes Kartenwerk – wohl eine Mappa mundi – erstellt, von dem heute nur noch Koordinatenlisten von 703 Orten und Gewässerverlaufsskizzen Mitteleuropas in einem Münchener Codex (Bayer. Staatsbibl., Clm 14504, fol. 26^r) erhalten sind. Diese kartographische Arbeit ist mutmaßlich auf eine Initiative M.s zurückzuführen und – wohl unter Mitarbeit des Johannes von Gmunden – vermutlich von Reinhard Gensfelder (Reinhard von Prag), einem aus Nürnberg stammenden, an der Univ. Prag und in Italien wirkenden Magister, geschaffen worden. Der Null-Strahl dieser Rumbenkarte wurde wahrscheinlich M. zu Ehren neben einem Ort südlich von Salzburg durch Klosterneuburg gelegt.

M., der auch Generalvikar der Erzdiözese Salzburg war, stand bei Kg. Albrecht II. in diplomatischen Diensten und vertrat diesen 1439 als Sprecher auf dem Mainzer Reichstag. Mit den Abgesandten der Wiener Theologischen Fakultät hielt sich M. auch auf dem Basler Konzil auf.

L M. Fischer, Merkwürdigere Schicksale d. Stiftes u. d. Stadt Klosterneuburg, 1815, I, S. 200–08; A. Starzer, Gesch. d. landesfürstl. Stadt Klosterneuburg, 1900; D. B. Durand, The Vienna Klosterneuburg Map Corpus of the Fifteenth Century, 1952, S. 56–61; H. Grössing, Humanist. Naturwissenschaft, Zur Gesch. d. Wiener math. Schulen d. 15. u. 16. Jh., 1983, S. 76–78; F. Wawrik, Österr. kartograph. Leistungen im 15. u. 16. Jh., in: SB d. Österr. Ak. d. Wiss., phil.-hist. Kl., 497, 1988, S. 103–18; M. Herkenhoff, Vom langsamen Wandel d. Weltbildes, Die Entwicklung v. Kartographie u. Geographie im 15. Jh., in: Focus Behaim Globus, Ausst.kat. Nürnberg 1992, S. 143–55, bes. S. 149.

Helmuth Grössing

Müthel, *Johann Gottfried,* Komponist, Pianist, Organist, * 17. 1. 1728 Mölln, † 14. 7. 1788 Bienenhof b. Riga. (ev.)

V Christian Caspar (1696–1764) aus Neuhaus/Elbe, Organist u. Stadtmusikus in M., *S* d. Hans Peter (* 1664) aus Dellien/Elbe, Musiker, u. d. Sophia Christina Ebel (1671–1733) aus Parchim; *M* Anna Dorothea (1693–1752), *T* d. Heinrich Scheven, Pastor in Gadebusch, u. d. Catharina Lucia Dolch; *B* Anthon Christian (1725–73), Oberfiskal am kaiserl. Hofger. in R., Ernst Gottlieb (1730–65), Organist, Pianist, Komp., zuletzt in Avignon, Gottlieb Friedrich (1735–1806), Pastor in Seßwegen (Livland), M.s Universalerbe; – ledig; *N* Johann Ludwig (1764–1812), Prof. d. livländ. u. estländ. Provinzialrechts in Dorpat (s. ADB 23; Dt.balt. Biogr. Lex.).

M. erhielt seit dem 6. Lebensjahr von seinem Vater Klavierunterricht und erlernte daneben auch das Violin- und Flötenspiel. Die weiterführende praktische und theoretische Unterweisung übernahm Johann Paul Kuntzen (1696–1757), Organist bei St. Marien in Lübeck. 1747 wurde M. Kammermusikus und Organist am Mecklenburg-Schweriner Hof unter Hzg. Christian Ludwig II. (1683–1756), wo ihm auch die musikalische Betreuung von dessen drei Kindern oblag. Im Mai 1750 erhielt er die Erlaubnis, zur Weiterbildung andere Höfe sowie J. S. Bach in Leipzig aufzusuchen. Gemeinsam mit dessen Schwiegersohn Johann Christoph Altnikol, der als Organist in Naumburg tätig war, und Johann Christian Kittel genoß M. den Unterricht des bereits erblindeten Meisters, der ihn auch in seinen Haushalt aufgenommen hatte. Nach dem Tod Bachs am 28. 7. 1750 folgte M. Altnikol nach Naumburg und setzte dort seine Studien fort. Danach besuchte er in Dresden Johann Adolf Hasse, den Meister des ital. Stils, in Berlin Carl Philipp Emanuel Bach, mit dem er sich befreundete, und in Hamburg Georg Philipp Telemann. Auf dieser Reise bekam sein Geschmack „eine neue Richtung". Wohl im Sommer 1751 kehrte M. an den Schweriner Hof zurück; im Juni 1753 erhielt er den erbetenen „Abschied in Gnaden". Er ließ sich in Riga nieder, leitete 2 Jahre lang die Hauskapelle des Geschäftsmanns und russ. Geheimrats Otto Hermann v. Vietinghoff (1720/22–92) und erhielt 1767, nach 11jähriger Anwartschaft, den Organistenposten bei St. Petri. Obwohl ihm „glänzender scheinende Dienste" angeboten wurden, blieb M. zeitlebens in dieser bürgerlich-liberalen und außerordentlich musikfreundlichen Atmosphäre.

Als Komponist und Instrumentalist von Zeitgenossen wie Ch. Burney, J. F. Reichardt und Ch. F. D. Schubart hoch geschätzt, geriet M. nach seinem Tode allmählich in Vergessenheit. Die neueste Forschung hat jedoch erwiesen, daß in ihm einer der profiliertesten und innovativsten Musiker zwischen J. S. Bach und den Wiener Klassikern gesehen werden muß. M. war ein virtuoser Organist und schrieb meisterlich für dieses Instrument, wovon die beiden Manuskriptsammlungen „Technische Übungen" zeugen. Die darin enthaltenen expressiv-virtuosen Fantasien erwarben der Orgel zusätzliche Bedeutung als Konzertinstrument. Deutlicher noch zeigt sich M.s kompositorische Leistung in den Werken für Klavier. Sie sind Ergebnis seiner geistreichen Auseinandersetzung mit der Tradition, vor allem mit der polyphonen Kunst J. S. Bachs und dem expressiven Klavierstil des Sohnes Carl Philipp Emanuel. M.s „Neuheit der Gedanken" (Reichardt), d. h. die melodisch-rhythmische Struktur in Verbindung mit angemessener klanglicher und harmonischer Differenzierung, hob den Unendlichkeitshabitus des barocken Kontinuums auf. Wenngleich M. für seine brillanten Klavierkonzerte Bewährtes aufgegriffen hat – die tradierte Ritornellform handhabe er flexibel –, gelang ihm eine eigentümliche stilistische Einheit; die Adagio-Sätze dienten als Experimentier- und Ausdrucksfeld. Von besonderer Bedeutung ist das Duetto (eine Sonate) in Es-Dur für 2 Klaviere (1771), beispielhafter Ausdruck aufklärerischen Denkens. Durch die strenge Thematisierung bestimmter Intervalle in Verbindung mit der für M. grundlegenden Kunst des Variierens ist es ein in die Zukunft weisendes Werk.

Weitere W u. a. Klavier: 9 Sonaten, 2 Ariosi mit 12 Variationen. – *Orgel:* 5 Fantasien, 4 Choralvorspiele, 5 Choräle. – *Fagott:* 2 Konzerte. – *Vokalwerke:* 45 „Auserlesene Oden u. Lieder". – *CD-Einspielungen u. a.:* Konzerte für Cembalo u. 2 Fagotte, Kammermusik, Orgelwerke.

L E. Kemmler, J. G. M. (1728–1788) u. d. nordostdt. Musikleben seiner Zeit, 1970 *(vollst. Bibliogr., W);* ders., in: Schleswig-Holstein. Biogr. Lex. I, 1970, S. 205–08; R. Ude, Die Möllner Organistenfam. M.

(1696–1788), in: Lauenburg. Heimat, NF, H. 72, 1971; W. Braun, Einl. u. krit. Ber. z. Ausg. d. 5 Klavierkonzerte v. J. G. M., in: Denkmäler norddt. Musik, Bd. 3/4, 1979, S. VII, 297–302; R. Wilhelm, J. G. M., Orgelwerke, Bd. 1/2, 1982/85; L. Hoffmann-Erbrecht, in: Ostdt. Gedenktage 1988, 1987, S. 115 f. *(P);* H. Scheunchen, F. Kessler, W. Schwarz, Musikgesch. Pommerns, Ospreußens u. d. balt. Lande, in: Die Musik d. Deutschen im Osten Mitteleuropas, 3, 1989, S. 144 ff.; P. Reidemeister, J. G. M.s „Techn. Übungen" od. Von d. Mehrdeutigkeit d. Qu., in: Baseler Jb. f. hist. Musikpraxis 13, 1989, S. 55–98; R. Rapp, in: Musica 43, 1989, S. 476–82; dies., J. G. M.s Konzerte f. Tasteninstrument u. Streicher, 1992; MGG; Riemann; Dt.balt. Biogr. Lex.

P Gem. v. unbek. Künstler (Fam.bes.), Abb. b. G. u. W. Salmen, Musiker im Porträt III, 1983, n. S. 108.

Erwin Kemmler

Müthel (eigtl. *Lütcke),* **Lothar,** Schauspieler, Regisseur, * 18. 2. 1896 Berlin, † 4. 9. 1964 Frankfurt/Main. (ev.)

Natürl. V Andreas Cornella, aus d. Ukraine, Landwirt u. Kunstmäzen; *M* Mathilde Amalie Lütcke (um 1864–n. 1918, ∞ Max Müthel, Ing.); ∞ Darmstadt 1918 (o|o 1936) Marga (* 1898), Schausp., Sängerin, *T* d. Gustav Reuter, Bücherrevisor in B., u. d. Martha Marie Bendler (um 1871–n. 1918); 1 *T* Lola (* 1919, ∞ 1] Erik Hilger, schweizer. Kaufm., 2] Hans Caninenberg, * 1917 od. 1919, Schausp.), Schausp. (s. Kosch, *L);* 1 *natürl. T* Viola Weißner, aus Verbindung mit Hilde Weißner.

Nach der Realschule begann M. eine Ausbildung an der Schauspielschule des Deutschen Theaters Berlin. Hier erhielt er 1913 ein Engagement und spielte in den Zweitbesetzungen großer Inszenierungen Max Reinhardts, etwa Don Carlos oder Melchior Gabor in „Frühlings Erwachen". Während des 1. Weltkriegs war er vorübergehend auch am Bukarester Nationaltheater tätig, in der Spielzeit 1918/19 am Landestheater Darmstadt und 1919/20 am Schauspielhaus München. 1920–23 engagierte ihn Leopold Jessner ans Staatliche Schauspielhaus Berlin, wo er 1927–39 erneut tätig war. M. galt früh als eleganter, sprechtechnisch perfekter Darsteller, dem vor allem die lyrischen Heldenrollen zu liegen schienen. Am Staatstheater Berlin gelang es ihm, seinen Rollen auch scharfe Charakterkonturen zu geben, etwa als Junger Sedemund in Barlachs „Die echten Sedemunds" (1921), als Sohn in Lasker-Schülers „Die Wupper" (1927) und in Bronnens „Die katalaunische Schlacht" (1928). Daneben spielte er in vielen Klassikeraufführungen, neben Posa und Don Carlos etwa den Oranien in „Egmont" (1932) oder – 1924–27 wieder am Deutschen Theater – den Cassio in „Othello". In seinen Rollen versuchte er, nicht immer gelungen, Weichheit und Glut, Glätte und Schärfe zu vereinen, weshalb die zeitgenössische Einschätzung in ihm bald den schwärmerischen Liebhaber, bald den Charakterdarsteller sah. 1927 debütierte M. bei dem Matineeverein „Junge Bühne" mit der Uraufführung von Burris „Tim O'Mara" als Regisseur. Es folgten u. a. die „Faust"-Aufführung 1932 am Berliner Schauspielhaus, für die ihm eine „sinnlich-unterhaltende" Inszenierung bescheinigt wurde, noch ohne einheitliche Form, aber mit einem brillanten Gustaf Gründgens als Mephisto. 1933–35 spielte M. in den Uraufführungen von Dramen des Präsidenten der Reichsschrifttumskammer, Hanns Johst, die Hauptrollen, so in „Schlageter", „Propheten" und „Thomas Paine". In zumeist großer Werktreue und einer um Harmonie bemühten Musikalität inszenierte er die Klassiker „Die Braut von Messina" (1934), „Wallenstein" (1936) und „Hamlet" (1937). An seiner Inszenierung von Hauptmanns „Michael Kramer" (1937) lobte Bernhard Minetti rückblickend den „einfachen Realismus". M. zeichnete als Schauspieler wie als Regisseur ein intensives „Gefühl für Ausdruck" (Minetti) aus, besonders für die Melodie der Sprache. 1939 wurde M., der Mitglied der NSDAP war und kurzzeitig mit den Ideologien des NS-Abweichlers Otto Strasser sympathisiert haben soll, Intendant des Wiener Burgtheaters, das er bis 1945 leitete. 1941–45 war er zugleich Generalintendant der Staatsoper Wien. Am Burgtheater spielte er seltener, brachte als Regisseur die Hauptmann-Stücke „Ulrich von Lichtenstein" (UA), „Florian Geyer", „Iphigenie in Delphi" und „Iphigenie in Aulis" (1943, UA) heraus. Interessant erscheint seine Deutung des „Kaufmann von Venedig" (1943), den er als komisch-tölpelhafte Figur zeigte. Daneben inszenierte er Grillparzer-Dramen, Klassiker wie „Maria Stuart" und „Torquato Tasso" sowie kurz vor der kriegsbedingten Schließung des Burgtheaters Mells „Der Nibelunge Not" (1944). Nach Kriegsende arbeitete er als Gastregisseur in Wien, vorwiegend am Akademie-Theater, wo er Ibsens „Gespenster" (1943 und 1947), den „Jedermann" (1955) sowie „Nathan der Weise" (1958) herausbrachte. 1947–50 war M. als Schauspieler (u. a. als Mephisto in „Faust") und Regisseur in Weimar, 1951–56 als Direktor am Frankfurter Schauspiel tätig. Hier inszenierte er vor allem klassische Stücke und Komödien. – Staatsschausp. (1934).

W Wenn Ihr Affen nur öfter schreiben wolltet!, Briefwechsel zw. F. W. Murnau u. L. M. 1915–1917, hrsg. v. E. Spiess, 1991.

L J. Günther, Der Schausp. L. M., 1934 (P); R. Biedrzynski, Schauspieler, Regisseure, Intendanten, 1944, S. 29–44; F. Herterich, Das Burgtheater u. seine Sendung, 1948, S. 92–95; I. Dunser, L. M. u. d. Burgtheater, Diss. Wien 1959; B. Minetti, Erinnerungen e. Schausp., 1988, S. 122–24, 192–97; Dt. Bühnenjb. 73, 1965, S. XXX (P), 112; Wi. 1935; Kosch, Theater-Lex.; M. Havemann, Theater, Film, Fernsehen, 1970 (auch zu Lola Müthel u. H. Caninenberg); H. Rischbieter (Hrsg.), Theater-Lex., 1983; Frankfurter Biogr. II.

Jürgen Kasten

Müttrich, *Anton,* Meteorologe, * 23. 10. 1833 Königsberg (Preußen), † 16. 12. 1904 Eberswalde. (ev.)

V Johann August (1799–1898), Oberlehrer am Altstädt. Gymnasium in K. (s. Pogg. II); M Juliane Eleonore Antonia Ohlert aus K.; ∞ 1863 Franziska (1834?-1901) aus Stargard, T d. Theodor v. Knoblauch (1798–1872), auf Prantlack, Oberstlt. u. Kommandeur d. Gendarmeriebrigade in K., u. d. Charlotte Wolf (1806–62); kinderlos.

M. studierte in Königsberg bei F. J. Richelot, L. O. Hesse und E. Luther Mathematik sowie bei Franz Neumann Physik und Mineralogie. 1857 erwarb er die Lehrfähigung für Gymnasien und war seit 1858 am Altstädtischen Gymnasium in Königsberg tätig. 1863 promovierte er bei Neumann mit einer Arbeit über die Temperaturabhängigkeit der optischen Konstanten von Natriumtartrat, wobei er an Untersuchungen von Neumann, A. Beer und F. Rudberg anknüpfte. 1866 übernahm M. eine Lehrerstelle für Physik und Mathematik am Kneiphöfischen Gymnasium in Königsberg, 1872 am Johannes-Gymnasium in Breslau. 1873 wurde er Professor der Mathematik an der Forstakademie in Eberswalde, 1874 Dirigent der „Meteorologischen Abtheilung des forstlichen Versuchswesens in Preußen", die er bis 1896/97 leitete. Ferner unterrichtete er dort auch Physik und Meteorologie.

Die Abteilung befaßte sich mit der Ermittlung und dem Vergleich meteorologischer Daten auf eng benachbarten Meßstationen im Walde und auf freiem Feld, um den Einfluß des Waldes auf klimatische Faktoren zu untersuchen. Damit sollte die seit dem Altertum kontrovers diskutierte, sog. „Waldklimafrage" (in Deutschland erst seit 1855 durch H. Krutzsch und E. Ebermayer) beantwortet werden. Die Beobachtungen Ebermayers führten nach ihrer Veröffentlichung 1873 zur Errichtung von insgesamt 16 Stationen in verschiedenen deutschen Ländern. Die dort bis 1896 nach einheitlichen Normen durchgeführten Beobachtungen ergaben, daß in Wäldern die Temperatur im Durchschnitt um 0,7 – 0,8° C niedriger ist als im freien Feld, die relative Luftfeuchtigkeit bis zu 20 % höher liegt und die Verdunstung um bis zu 90 % herabgesetzt ist. Damit war die wichtige Ausgleichsfunktion des Waldes für das Mikroklima eindeutig erwiesen. Die Zusammenfassung und Auswertung der Daten erfolgte durch M. und seine Mitarbeiter. Seit 1899 befaßte sich M. im Auftrage des 1892 gegründeten „Internationalen Verbandes forstlicher Versuchsanstalten" mit der Ermittlung des Einflusses des Waldes auf die Niederschlagsmengen (u. a. Einrichtung von Regenmeßfeldern in fünf deutschen Provinzen, 1899–1901), ohne daß die Fernwirkung des Waldes auf klimatische Parameter dadurch hätte geklärt werden können. M. war maßgeblich an der Vereinheitlichung der Beobachtungsrichtlinien für forstlich-meteorologische Stationen in Deutschland im Jahr 1879 beteiligt und gab 1877–99 deren „Jahresbericht" und 1875–97 deren „Beobachtungs-Ergebnisse" heraus. – Geh. Reg.rat (1898).

Weitere W Quid valeat temperatura ad variandos constantes opticos tartari natronati, Diss. Königsberg 1863 (mit Lebenslauf); Beobachtungen d. Erdbodentemperatur auf d. forstl.-meteorolog. Stationen in Preußen, Braunschweig u. Elsaß-Lothringen, in: FS f. d. 50j. Jubelfeier d. Forstak. Eberswalde, 1880, S. 146–78.

L A. Schwappach, Gesch. d. forstl. Versuchswesens in Preußen, 1904; Leipziger Ill. Ztg. v. 29. 12. 1904, S. 999; Zs. f. Forst- u. Jagdwesen 37, 1905, S. 6–11 *(W)*; Geographen-Kal. III, 1905/06, S. 195 f; E. Schwartz, 120 J. forstl. Versuchswesen in Eberswalde, 1990 *(W, P)*; Pogg. III–V; BJ X, Tl.; Altpr. Biogr. II.

Hans-Joachim Ilgauds

Muff, *Wolfgang,* General, * 15. 3. 1880 Ulm, † 17. 5. 1947 Bad Pyrmont. (ev.)

V Karl Ludwig v. M. (1846–1935), württ. Gen.lt., *S* d. Ludwig, Oberamtmann, u. d. Emilie Stängel; *M* Anna Luise (1856–1933), *T* d. Wilhelm Eisenbach, Kameralverw. in Echingen, u. d. Ida Bohnenberger; *B* Friedrich Erich (1881–1948), Major, Dir. d. schweizer. Mercedes-Benz AG in Zürich; – ∞ Berlin 1919 Käthe Sternberg, geb. Heckert; 1 *Adoptiv-T.*

Nach dem Besuch des Karlsgymnasiums in Stuttgart trat M. 1899 als Fahnenjunker im 8. württ. Infanterie-Rgt. Nr. 126 in Straßburg in das kaiserl. Heer ein (1900 Leutnant). Zunächst Kompanieoffizier und Adjutant im III. Bataillon des Regiments, wurde er 1908 zur Kriegsakademie in Berlin kommandiert. Zu Beginn des 1. Weltkriegs wurde M., seit 1913 Hauptmann, in den Großen Generalstab versetzt. Er diente in mehreren Stäben – u. a. 1915 im Generalstab des Beskidenkorps, 1916 im Stab des Chefs des Feldeisenbahnwesens, 1918 (inzwischen Major) im Generalstab der Heeresgruppe Gallwitz – und nahm als Führer des I. Bataillons des 2. württ. Infanterie-Rgt. Nr. 120 an der Frühjahrsoffensive der 2. Armee in Frankreich teil, wo er schwer verwundet wurde. Von Ende 1916 bis Anfang 1918 war M. Bevollmächtigter in Wien. Nach dem Krieg wurde er dem Stab des Wehrkreiskommandos V in Stuttgart zugeteilt. Seit April 1924 führte er das II. Bataillon des 14. Infanterie-Rgt. in Tübingen (1925 Oberstleutnant). Seit Dezember 1926 gehörte er der Völkerbunds-Abteilung im Reichswehrministerium an, die an die Stelle der aufgelösten Heeres-Friedenskommission trat. 1928 wurde M. als Oberst Chef des Stabes der 3. Kavalleriedivision und zwei Jahre später Kommandeur des 13. württ. Infanterie-Rgt. in Ludwigsburg. 1931 zum Generalmajor befördert, erhielt er die Ernennung zum Infanterieführer V in Stuttgart, ein Jahr später zusätzlich zum Landeskommandanten in Württemberg. Als solcher hatte M. die Landesregierung über alle wichtigen Vorgänge im Heereswesen zu unterrichten und innerhalb der Reichswehr die Belange des Landes zu vertreten.

1932 nahm M. seinen Abschied aus der Reichswehr. Bis zu seiner Reaktivierung am 1. 4. 1933 nahm er Lehraufträge für Kriegswissenschaften an der Univ. Tübingen und der TH Stuttgart wahr. Im April 1933 wurde M. als Militärattaché zu den Gesandtschaften in Wien, Bern und Sofia mit Sitz in Wien entsandt (1. 8. 1936 Generalleutnant). Er unterstützte mit allen ihm zur Verfügung stehenden Mitteln den Anschluß Österreichs an das Deutsche Reich, ohne jedoch in seinen Attaché-Berichten auf kritische Stellungnahmen über das ungeschickte Vorgehen der Parteizentrale in München 1934 zu verzichten. Es war auch M., der dem österr. Bundespräsidenten Miklas am 11. 3. 1938 das Ultimatum der Reichsführung überbrachte, Seyß-Inquart zum Bundeskanzler zu ernennen, da andernfalls die Wehrmacht in Österreich einmarschieren werde. Schon im Juli 1934 hatte er dem Kopf des Umsturzversuches in Österreich, Otto Gustav Wächter, Unterschlupf in seinem Haus in Wien gewährt. Nach dem Anschluß Österreichs beriet M. Generaloberst Walther v. Brauchitsch und Generalleutnant Erich v. Manstein bei der Eingliederung des österr. Heeres in die Wehrmacht. Er wurde Leiter der „Personalgruppe" beim Heeresgruppenkommando 5, die die ehemaligen Offiziere des Bundesheeres erfaßte und für eine Weiterverwendung in der Wehrmacht beurteilte. Am 1. 8. 1939 zum XI. Armeekorps in Hannover versetzt, wurde M. ein Jahr später stellvertretender Kommandierender General und Befehlshaber im Wehrkreis XI (1. 2. 1940 General der Infanterie, 30. 4. 1943 Verabschiedung). M. war von der Legitimität eines Großdeutschen Reiches innerhalb der europ. Ordnung und seiner Verwirklichung durch die nationalsozialistische Reichsführung überzeugt. Nach dem Krieg lebte er auf der Hämelschenburg bei Hameln. In seinen Schriften und Vorträgen – meist vor der Deutschen Gesellschaft für Wehrpolitik und Wehrwissenschaften – legte M. seine Vorstellung von einem Heer dar, das zum einen von den von der Reichswehr aufrechterhaltenen soldatischen Tugenden, zum anderen vom neuentfachten Wehrwillen der Nation getragen wird.

W Was muß bleiben im Wandel d. Wehrmacht, in: Wehrgedanken, Eine Slg. wehrpol. Aufsätze, hrsg. v. F. v. Cochenhausen, 1933, S. 33–74; Friedrich d. Gr. u. England, 1940; Das Geheimnis d. Sieges, in: Stahl u. Eisen 62, 1942, H. 1, S. 2–9; Die Philos. Friedrichs d. Gr., 1944. – Attaché-Berr. aus Wien, in: Akten z. Dt. Auswärtigen Pol. 1918–1945, Serie C, 1933–1937, hrsg. v. Archiv d. AA, 1973.

L L. Frhr. Geyr v. Schweppenburg, Erinnerungen e. Militärattachés, London 1933–37, 1949; E. v. Manstein, Aus e. Soldatenleben, 1887–1939, 1958; M. Kehrig, Die Wiedereinrichtung d. dt. mil. Attaché-Dienstes nach d. Ersten Weltkrieg (1919–33), 1966; ders., Zwischen Anpassung u. Widerstand, Die Militärbeziehungen zw. Österreich u. Dtld. 1918–38, in: Bll. f. Österr. Heereskde., 1987, S. 45–60; R. Stumpf, Die Wehrmacht-Elite, Rang- u. Herkunftsstruktur d. dt. Generale u. Admirale 1933–1945, 1982; P. Broucek (Hrsg.), Ein Gen. im Zwielicht, Die Erinnerungen Edmund Glaises v. Horstenau, II, 1983 *(P)*.

P Phot. (Bundesarchiv/Militärarchiv, Freiburg/Br.).

Helmut R. Hammerich

Muffat, Komponisten. (kath.)

1) *Georg,* ~ 1. 6. 1653 Mégève (Savoyen), † 23. 2. 1704 Passau.

Die Vorfahren sollen aus konfessionellen Gründen unter Kgn. Elisabeth aus Schottland od. England nach Savoyen ausgewandert sein, wo d. Name seit Anfang d. 17. Jh. vorkommt. – *V* Andreas; *M* Margarita Orsy; ⚭ Anna Elisabeth N. N.; 7 *S*, 2 *T*, u. a. Franz Maximilian Joseph (1680–1745), Hofkontrollor in Wien, Franz Georg Gottfried (1681–1710), Hof- u. Kammermusiker in Wien (s. Riemann), Friedrich Sigmund (1684–1723), Stabkammerdiener u. Hofmusiker in München, Johann Ernst (1686–1746), Hofviolinist in Wien (s. Wurzbach; Riemann), Gottlieb (s. 2); *E* Ignaz Berhandtsky v. Adlersberg (* 1720), Jurist, Vf. v. „Aechte Einl. z. Übung im Gerichts- u. Urbarwesen" (1767); *Ur-E* Placidus Berhandtsky (1735–1813), Benediktiner in Salzburg, Vf. v. „Auszug d. neuesten Chron. v. St. Peter" (1782), Josef Berhandtsky v. Adlersberg († 1789), Beamter, zählte z. Bekanntkreis W. A. Mozarts in Salzburg, Vf. v. „Gedanken e. Patrioten bey d. .... Jubelfeyer Salzburgs" (1782).

Wohl schon als Kind kam M. ins Elsaß, danach nach Paris, wo er seine musikalische Grundausbildung von besten Meistern erhielt und den Stil J. B. Lullys kennenlernte. 1669 läßt er sich am Schlettstadter und 1671 am Jesuitengymnasium in Molsheim nachweisen, wo er auch das befristete Organistenamt an der Pfarrkirche übernahm. Kriegswirren zwangen ihn schließlich zur Flucht. 1674 immatrikulierte er sich an der Univ. Ingolstadt, um Jura zu studieren. Über Wien, wo er sich vergeblich um eine besoldete Anstellung bei Hofe bemühte, kam er schließlich nach einem Aufenthalt in Prag 1677 spätestens im Dezember 1678 nach Salzburg. Hier trat er als Hoforganist und Kammerdiener in die Dienste des Erzbischofs Max Gandolph Gf. Kuenburg, in dessen Kapelle bereits seit 1670 Heinrich Ignaz Franz Biber tätig war. Hochrangige Patenschaften für seine in Salzburg geborenen sieben Kinder zeugen von der Protektion, die vermutlich über seinen Gönner, den Salzburger Domherrn Maximilian Ernst Gf. Scherffenberg, zustandegekommen war. Aufgrund von dessen Empfehlung gewährte der Erzbischof seinem Hoforganisten einen Studienaufenthalt in Rom, wo dieser bei Bernardo Pasquini „die Welsche Manier auff dem Clavier erlernet" und in Arcangelo Corellis Haus die „mit grosser Anzahl Instrumentisten auffs genaueste producirten Concerten ... mit grossem Lust und Wunder gehört" hat. Die Früchte seiner röm. Eindrücke und Studien legte M. 1682 im „Armonico tributo" vor, einer Sammlung von „Sonate di camera comodissime a pocchi ò a molti stromenti", die unter Corellis Einfluß entstanden waren. Einige Concerti aus dieser Sammlung übernahm M. in erweiterter Form später in seine „Instrumental=Music" (1701), deren 12 „Concerten" teils in Rom, teils in Salzburg entstanden und aus einer organischen Vereinigung von Elementen der franz. Suite, der ital. Kirchensonate, der venezian. Orchesterkanzone und der deutschen Fugentechnik hervorgegangen waren.

Mißgunst und Neid, vermutlich aber auch fehlende Aufstiegschancen bewogen M., den Salzburger Dienst zu quittieren. Im Januar 1690 reiste er nach Augsburg, um anläßlich der Krönung Erzhzg. Josephs Kaiser Leopold I. den „Apparatus musico-organisticus" persönlich zu überreichen und vorzutragen. Diese bei Johann Baptist Mayr in Salzburg in erster Auflage erschienene Sammlung von 12 Tokkaten nebst anderen Orgelwerken widmete M. dem Kaiser, obgleich die Kosten noch der Salzburger Erzbischof Johann Ernst Gf. Thun getragen hatte. Ob M. damit abermals versuchen wollte, Aufnahme in kaiserl. Dienste zu erwirken, läßt sich nicht nachweisen. Unmittelbar darauf traf M. in München mit Fürstbischof Johann Philipp Gf. Lamberg zusammen, der ihm das Amt des Hofkapellmeisters und Pageoberhofmeisters in Passau anbot. Noch vor Ostern 1690 traf M. samt Familie in Passau ein. Zunächst nur für die Musik bei Hof verantwortlich, übernahm er 1693 auch das Amt des Domkapellmeisters, wenngleich er nach dem Zeugnis seines Nachfolgers Benedikt Anton Aufschnaiter für die Kirche offenbar kaum etwas geschrieben hatte. Sein einziges erhaltenes Vokalwerk, die „Missa In labore requies" zu 23 Vokal- und Instrumentalstimmen, war noch in Salzburg entstanden. Von M.s musikdramatischem Schaffen ist nichts erhalten. Nachweislich schrieb er jedoch in Salzburg für das Universitätstheater die Musik zu zwei Schuldramen und das Dramma per musica „La fatali felicita di Plutone" (1687) für das Hoftheater; für Passau ließ sich bisher nur die Huldigungskomposition „Il volo perpetuo della fama verace" zur Inthronisation von Fürstbischof Johann Philipp Gf. Lamberg im Mai 1690 nachweisen. Neben der „Instrumental=Music" publizierte M. in Passau noch zwei weitere umfangreiche Sammlungen unter dem Titel „Florilegium primum" (1695) bzw. „Florilegium secundum" (1698); beide enthalten fünfstimmige, mit Programmtiteln versehene Ballettsuiten, die durchwegs franz. Stileinflüssen verpflichtet sind; in den viersprachigen Vorreden zu beiden Sammlungen vermittelt M. außerdem wichtige Zeugnisse zur franz. Aufführungspraxis seiner Zeit.

W Drucke: Armonico tributo, Salzburg 1682, neu ed. E. Schenk, DTÖ 89, 1953, Nachdr. 1970; Apparatus musico-organisticus, Salzburg 1690 (spätere Aufl. Passau u. Wien zw. 1704 u. 1709 bzw. um 1721), mehrere Neueditionen; Suavioris harmoniae instrumentalis hyporchematicae Florilegium primum, Augsburg 1695, neu ed. DTÖ I/2 (2), 1894, Nachdr. 1959; Suavioris harmoniae instrumentalis hyporchematicae Florilegium secundum, Passau 1698, neu ed. DTÖ II/2 (4), 1895, Nachdr. 1959 (e. angekündigtes Florilegium III ist nicht mehr erschienen); Exquisitoris harmoniae instrumentalis gravi-jucundae selectus primus (= Außerlesener mit Ernst= u. Lust=gemengter Instrumental=Music Erste Versamblung), Passau 1701, neu ed. DTÖ IX/2 (23), 1904, Nachdr. 1959. – Hss.: Missa In labore requies f. 8 Vokal- u. 16 Instrumentalstimmen (Autograph, Széchényi-Nat.bibl., Budapest), ed. Denkmäler d. Musik in Salzburg 5, 1994, ²1995; Sonata Violino solo (Prag 1677; Autograph, Kremsier, Musikslg. d. Olmützer EB), ed. Diletto musicale 474, 1977 u. Denkmäler d. Musik in Salzburg, Faks.-Ausgg. 4, 1992; Regulae concentuum partiturae (Abschr. 1699, Minoritenkonvent Wien, I B 7), ed. v. H. Federhofer, A Treatise on Thorough-bass by G. M., 1960; Präludien u. Tanzsätze (sehr wahrscheinl. M. zuzuschreiben, in e. Abschr. 1707–09, Minoritenkonvent Wien, XIV 743).

L ADB 22; E. Hintermaier, G. M.s „Missa In labore requies", in: De editione musices, FS f. G. Croll, 1992, S. 261–84; G. Haberkamp, Ein neu aufgefundener Text zu e. Huldigungskomp. v. G. M., in: FS f. H. Leuchtmann, 1993, S. 207–51; MGG; Riemann mit Erg.bd.; New Grove.

Ernst Hintermaier

2) *Gottlieb (Theophil*, eigtl. *Liebgott*), Komponist, ~ 25. 4. 1690 Passau, † 9. 12. 1770 Wien.

V Georg (s. 1); ∞ Maria Rosalia Einöder († 1781); 2 S, u. a. Joseph (1721–56), Hofscholar an d. Hofkapelle in W.

Nach dem Tod des Vaters dürfte M. zu seinen Brüdern nach Wien gezogen sein. Dort fand er 1711 als Hofscholar Aufnahme in der kaiserl. Hofkapelle und studierte nach eigener Aussage unter der Anleitung von J. J. Fux „Schlag-Kunst" und Komposition. 1717 wurde er als „wirklicher" Organist bestellt und erhielt einen Zuschuß für eine Studienreise, die ihn vermutlich nach Italien führte. 1723 begründete Hofmusikkapellmeister Fux M.s Gesuch um Gehaltsaufbesserung u. a. mit dem Hinweis, dieser würde wegen seines virtuosen Akkompagnements zu allen Opern- und Kammermusikaufführungen herangezogen und ließe auch seine Kompositionen bei Hof zum Vergnügen des Kaisers hören. Im selben Jahr wirkte M. bei der glanzvollen Aufführung der Fuxschen Festoper „Costanza e Fortezza" in Prag mit, die anläßlich der Krönung Karls VI. stattfand. 1729 noch als zweiter Organist in den Listen der Hofmusikkapelle geführt, rückte er im Zuge der Reorganisation unter Kaiserin Maria Theresia 1741 zum ersten Organisten auf und stand zugleich als Organist in Diensten der Kaiserinwitwe Amalia. Ebenso wie sein von ihm über die Maßen bewunderter Lehrer Fux war auch M. als Instruktor sehr geschätzt; u. a. zählten G. Ch. Wagenseil, Kaiser Franz I. und Kaiserin Maria Theresia zu seinen Schülern. Ihr verdankte er auch 1763 (oder 1764) die Pensionierung bei vollen Bezügen.

Wie sein Vorgänger J. J. Froberger scheint M. fast ausschließlich Musik für Tasteninstrumente komponiert zu haben. Zwei Sammlungen sind im Druck erschienen, der Rest ist in Abschriften überliefert, teilweise mit falschen Zuschreibungen an prominente Komponisten wie Händel, dem M.s „Componimenti musicali" selbst eine Fülle von Anregungen boten. Die hohe Anerkennung, die sich in der weiten Verbreitung seiner Werke und in den kurz nach 1800 einsetzenden Neudrucken zeigte, sicherte ihm einen bedeutenden Platz unter den Klavierkomponisten der ersten Hälfte des 18. Jh. Seine Ausbildung durch Fux im strengen Stil, die sich nicht auf Vokalmusik beschränkte, sondern u. a. auch Frescobaldis „Fiori musicali" berücksichtigte, vervollkommnete M. durch das Studium älterer und zeitgenössischer Klaviermusik. Neben Frescobaldis Werk muß er jenes von Froberger und A. Poglietti gekannt haben, auch Couperins Einfluß ist deutlich spürbar. Das Werk seines Vaters, vor allem dessen Tokkatensammlung „Apparatus musico-organisticus" von 1690, die er selbst ein drittes Mal auflegte, hatte für M. zweifellos Vorbildcharakter. Wie Bach bevorzugte M. den konservativen und strengen Stil, während er gleichzeitig in der Einfachheit und Klarheit des melodischen Verlaufs starke Affinität zu Händel zeigte.

W Drucke: 72 Versetl Sammt 12 Toccaten bes. z. Kirchen=Dienst bey Choral=Aemtern u. Vesperen dienlich, Wien 1726, neu ed. DTÖ, XIX/2 (58), 1922, Nachdr. 1960 (F. W. Riedel, Werkverz. 1–84, unveröff.); Componimenti Musicali per il Cembalo, Augsburg 1739, neu ed. DTÖ, III/3 (7), 1896, Nachdr. 1959 (s. Riedel, wie oben, 85–135). – Hss.: Tokkaten, Capriccios, Präludien, Ricercare, Kanzonen, Fugen u. a. (s. Riedel, wie oben, 136–350, zweifelhafte Werke 351–495, Anh. 1–11); Sonata pastorale f. 2 Violinen u. Basso continuo; Salve Regina f. 2 Singstimmen, 2 Violinen u. Basso continuo.

L ADB 22; MGG; Riemann mit Erg.bd.; New Grove.

Ernst Hintermaier

Muffel, v.

Die Familie zählt zu den ältesten Patriziergeschlechtern Nürnbergs. Die frühesten Nennungen stammen aus dem späten 13. Jh.: 1286 wird *Conrad* als Salmann in Nürnberg, 1288 *Otto* als Zeuge erwähnt. In der ältesten erhaltenen Ratsliste von 1319 ist *Friedrich* als einer der 13 Schöffen vertreten. Wahrscheinlich entstammt die Familie der Ministerialität. Dafür sprechen die Verwandtschaft und die Wappengleichheit mit den um dieselbe Zeit auftretenden Familien Weigel und Neumarkter. Von diesen sind hervorzuheben die „reiche" Weiglin († 1360) und Konrad von Neumarkt († 1296), Gründer des Katharinenklosters in Nürnberg. Im Handel traten die M. zwar nicht so stark wie andere Patriziergeschlechter hervor, doch liegen Belege für eine wirtschaftliche Tätigkeit vor. Im 14. Jh. war die Familie ununterbrochen im Rat vertreten. Mit dem Erwerb der Dörfer Eschenau (1383) und Eckenhaid (1387) legte *Nikolaus I.* († 1392) eine sichere Grundlage zu einem stattlichen Landbesitz. Als Losunger (= reg. Bürgermeister) spielte er in der Zeit des Städtekrieges (1388) eine wichtige Rolle. Bei einem Besuch in Nürnberg nahm König Wenzel im Hause Nikolaus' I. Wohnung. Sein Bruder *Paulus* († 1399) ließ in Eschenau ein „festes" Haus bauen, legte 1387 über die der Familie gehörenden Güter ein Salbuch an und stattete die Nürnberger Pfarrkirche St. Sebald reich mit Stiftungen aus. In der Person *Nikolaus' III.* (s. u.) erlebte die Familie zugleich glänzenden Aufstieg und jähen Sturz.

Nach seinem schmachvollen Tod teilten seine Söhne das väterliche Erbe und verließen die Stadt. Nach nur neun Jahren kehrte *Gabriel* († 1498, s. NDB X*), einer der Söhne, nach Nürnberg zurück, wurde in den Rat gewählt und begründete die Linie, die sich nach Eschenau, dem ihm zugefallenen böhm. Lehen, benannte. Sein Sohn *Jakob d. Ä.* (1471–1526) stieg im Rat zu einem der sieben Älteren Herren auf. Durch das Porträt, das Dürer 1526 von ihm schuf, erlangte er einen hohen Bekanntheitsgrad. Sein Sohn *Jakob d. J.* († 1569) wurde ebenfalls einer der Septemvirn sowie Kriegshauptmann. 1555 gehörte er der städtischen Abordnung an, die auf dem Reichstag zu Augsburg für Nürnberg den Religionsfrieden unterschrieb. In den folgenden beiden Jahrhunderten waren die M. v. Eschenau immer wieder im Rat vertreten. Mit dem Tode von *Georg Marquard* (1715–84) erlosch der patrizische Zweig der Familie.

Der andere an der Erbteilung von 1469 beteiligte Sohn *Nikolaus IV.* († 1496) und seine Nachkommen kehrten nicht mehr nach Nürnberg zurück. Nach dem ihnen zugefallenen Ermreuth nannten sie sich M. v. Ermreuth. Zeitweilig gehörten einige von ihnen zur fränk. Reichsritterschaft. Sie waren bis zu Beginn des 19. Jh. als Beamte oder Offiziere in fürstl. Diensten tätig. *Johann Karl Heinrich* (1736–88), ein Sohn des Pfarrers *Johann Christoph Helmhard* (1707–60), stand zunächst im Militärdienst der Bayreuther Markgrafen, dann in preuß. und seit 1758 in russ. Diensten. Im russ.-türk. Krieg und bei der Niederwerfung des großen Kosakenaufstandes unter J. Pugatschew zeichnete er sich aus. Unter Verleihung des Generalmajorstitels wurde er 1788 ehrenvoll verabschiedet, doch noch im selben Jahr von Baschkiren ermordet. 1813 fand dieser Zweig der Familie als Freiherren Aufnahme in die bayer. Adelsmatrikel. Der letzte Angehörige des Geschlechtes war der unverheiratet gebliebene *Adolf* Frhr. v. M. (1848–1912), zuletzt Oberst und Kommandeur des 4. bayer. Chevauxlegers-Regiments. Seinen Ruhestand nutzte er zur Niederschrift einer umfangreichen Familiengeschichte.

Qu. Fam.archiv im StA Nürnberg.

L Adolf Frhr. v. Muffel, Fam.gesch. M., Hs., 10 Bde., 1912, je ein Expl. im StA Nürnberg u. in d. Stadtbibl. Nürnberg; G. Hirschmann, Die Fam. M. im MA, in: Mitt. d. Ver. f. Gesch. d. Stadt Nürnberg 41, 1950, S. 257–392 (Diss. Erlangen 1948); ders., Johann Karl Heinrich v. M. (1736–1788), Ein fränk. Pfarrerssohn als russ. Gen., in: ders., Aus sieben Jhh. Nürnberger Stadtgesch., 1988, S. 117–21.

Nikolaus III. (Niklas), vorderster Losunger, * 1410 Nürnberg, † 28. 2. 1469 ebenda.

V Nikolaus II. (1379/82–1415), Ratsherr in N.; *M* Brigitte Tetzel; ∞ Nürnberg 1431 Margarete († 1483/84), *T* d. Konrad v. Laufenholz; 6 *S*, 3 *T*, u. a. Gabriel († 1498), Begründer d. Eschenauer Linie (s. Einl.), Nikolaus IV. († 1496), Begründer d. Ermreuther Linie (s. Einl.); *E* Katharina (1467–1536, ∞ Hans Imhof, 1461–1522, Kaufm., s. NDB X).

Da seine Eltern frühzeitig starben, wuchs M. in der Obhut seiner Großmutter auf. Nachdem er 1425 mündig geworden war, wurde er ein Jahr später mit dem reichen Landbesitz belehnt und schon 1433 in den Rat gewählt. 1445 wählte man ihn zu einem der sieben Älteren Herren. Nachdem er vier Jahre lang die politischen Interessen Nürnbergs beim Schwäb. Städtebund zu vertreten hatte, wurde ihm während des 1. Markgrafenkrieges eine wichtigere diplomatische Aufgabe übertragen. 1449/50 hielt sich M. bei Kg. Friedrich III. in Wiener Neustadt auf und wurde zum entscheidenden Gegenspieler des Markgf. Albrecht Achilles. Den äußeren Höhepunkt seines politischen Wirkens bedeutete für M. die Teilnahme als Vertreter Nürnbergs an der Kaiserkrönung Friedrichs III. 1452, zu der er die Reichskleinodien nach Rom zu überbringen hatte. Seiner eigenen Aussage zufolge widerfuhren ihm und Nürnberg dabei die größten Ehren. Drei Jahre später endete M.s Tätigkeit im auswärtigen Dienste der Stadt. Nachdem er schon 1452 zu einem der drei obersten Hauptleute gewählt worden war, folgte 1457 die Wahl zum vordersten Losunger (erster Bürgermeister). Damit stand M. zusammen mit dem zweiten Losunger an der Spitze des Rates und des städtischen Gemeinwesens.

Der einflußreiche Lenker der Nürnberger Stadtpolitik widmete sich gleichzeitig intensiv eigenen Geldgeschäften. Außerdem war M. von einer Reliquien-Sammelleidenschaft besessen, deren Ziel es war, für jeden Tag des Jahres eine Reliquie zu erwerben. Der Ankauf von insgesamt 308 Stücken dürfte seine Mittel stark überfordert haben. Das führte dazu, daß er aus der Stadtkasse Geld entwendete. Der kurze Prozeß, der ihm deshalb im Februar 1469 gemacht wurde, endete mit dem Todesurteil. Daß man die Höchststrafe verhängte und diese trotz Gnadengesuchen hochgestellter Persönlichkeiten sofort vollzog, ließ Fragen nach der Rechtmäßigkeit des Verfahrens aufkommen. Daß M. ohne Rücksicht auf seine Verdienste um die Stadt in voller Schärfe bestraft wurde, war wohl eine Folge seines selbstherrlichen und hochmütigen Auftretens im Rat, das ihm die Feindschaft eines Teils seiner Amtskollegen zugezogen hatte.

W Gedenkbuch 1468, hrsg. v. C. Hegel, in: Chroniken d. dt. Städte XI, 1874, S. 735–51; Beschreibung d. Stadt Rom [1452], hrsg. v. W. Vogt, 1876.

L ADB 22; Das Lied v. N. M., in: R. Frhr. v. Liliencron, Die hist. Volkslieder d. Deutschen, I, 1865 (Nachdr. 1966); C. Hegel, N. M.s Prozeß u. Verurtheilung, in: Chroniken d. dt. Städte XI, 1874, S. 752–77; ders., N. M.s Leben u. Ende, in: Mitt. d. Ver. f. Gesch. d. Stadt Nürnberg 14, 1901; E. Mummenhoff, Der geschichtl. N. M, in: Sonntagskurier, Beil. z. „Fränk. Kurier", Jg. 1923, Nr. 6/7; Die Nürnberger Ratsverlässe I, 1449–1450, hrsg. v. I. Stahl, 1983; J. Müllner, Die Ann. d. Reichsstadt Nürnberg, II, hrsg. v. G. Hirschmann, 1984; G. Hirschmann, in: Fränk. Lb. III, 1969, S. 69–84, Neudr. in: ders., Aus sieben Jhh. Nürnberger Stadtgesch., 1988, S. 31–49; Vf.-Lex. d. MA VI, Sp. 713–18.

Gerhard Hirschmann

Mugdan, *Otto,* Arzt und Sozialpolitiker, * 11. 1. 1862 Breslau, † 15. 9. 1925 Berlin. (isr., 1893 ev.)

V Joachim (1822–1900) aus Kempen (Posen), Textilkaufm., *S* d. Joseph (um 1789–1864), Kaufm., u.

d. Rebecka (um 1790–1870); *M* Nanni (1828–92), *T* d. Joseph Heymann (um 1802–46), Kaufm. in Breslau, u. d. Caroline Samosch (um 1810–97); *Urgr-Ov* David (1757/58–1828), Vors. d. Rabbinatsgerichts in Kempen; *Vt* Abraham (um 1849–1927), Rabbinatsassessor in Breslau, Benno (1851–1928), Kammerger.rat in Berlin, GJR, Hrsg. u. Bearb. d. „Gesammten Materialien z. BGB f. d. Dt. Reich", 5 Bde., 1899, Nachdr. 1978, Leo (1857–1926, ∞ Charlotte, 1861–1942, *T* d. Salomon Kauffmann, s. NDB XI), Stadtrat in Berlin u. Stadtältester; *Vt 2. Grades* d. *V* David (1840–1921), Kaufm. in Breslau, Stadtverordneter, Vizepräs. d. Handelskammer; – ∞ Magdeburg 1895 Philippine (1865–1942), *T* d. Heinemann (Hermann) Rosenthal (1825–1906) aus Ermsleben (Harz), Dr. med., Oberstabsarzt in Magdeburg (s. Kürschner, Lit.-Kal. 1893–1906; BJ XI, Tl.) u. d. Bertha Kauffmann (um 1830–81, *Schw* d. Salomon Kauffmann, s. o.); kinderlos; *N* Bertha (1884–1959, ∞ Julius Stenzel, 1883–1935, Prof. f. Philos. in Breslau, Kiel u. Halle, s. Ziegenfuß), Dr. phil., Vfn. v. „Die theoret. Grundlagen d. Schillerschen Philos." 1910, Nachdr. 1970, emigrierte 1939 nach England, später in d. USA, *N* Rudolf Weigert (1883–1953), Mühlenbes. in Breslau (s. Rhdb.).

M. besuchte 1872–79 das Magdalenengymnasium in Breslau und studierte dann an der dortigen Universität Medizin. 1882 wechselte er nach Erlangen, wo er 1884 mit einer Arbeit zur Ätiologie der Urämie promovierte. 1885 ließ er sich in Berlin als praktischer Arzt und Kinderarzt nieder. Er war Mitbegründer des Berliner „Ärztevereins zur Einführung freier Arztwahl", gehörte ab 1892 der Berlin-Brandenburger Ärztekammer an und wirkte viele Jahre lang im Geschäftsführenden Ausschuß des Dt. Ärztevereinsbundes und im Aufsichtsrat des Hartmannbundes. In zahlreichen Vorträgen und Aufsätzen zu Sozialmedizin und Versicherungsrecht bewies er großes Geschick, diese Materie seinen Kollegen in verständlicher Form nahezubringen. Zu den vielen Fachtagungen, an denen er aktiv teilnahm, zählten u. a. die Internationalen Kongresse für Arbeiterversicherung in Wien 1905 und Rom 1908.

Von 1903 an vertrat M. für die Freisinnige Volkspartei (ab 1910 Fortschrittliche Volkspartei) den Wahlkreis Görlitz-Lauban im Reichstag. Als einer der profiliertesten Sprecher seiner Fraktion befaßte er sich insbesondere mit der Kranken-, Unfall- und Invalidenversicherung und forderte u. a. deren Ausweitung, Vereinheitlichung und Vereinfachung, Verbesserungen der Leistungen sowie freie Arztwahl für Kassenpatienten. In vielen Bereichen des Gesundheitswesens hielt er reichseinheitliche Regelungen für nötig, so bei der Krankenpflege, die er als Beruf und nicht nur als Wohltätigkeit betrachtete. Wiederholt betonte er die Bedeutung von Unfallverhütung, Betriebshygiene, Mutterschutz und praxisnaher medizinischer Ausbildung. Nur wenige seiner Reformwünsche wurden 1911 in der Reichsversicherungsordnung verwirklicht, an deren Ausarbeitung er als einziger Arzt beteiligt war. Trotz punktueller Zusammenarbeit in Sachfragen war M. ein entschiedener Gegner der Sozialdemokratie, deren Politik seinem Ideal von sozialem Frieden widersprach und nach seiner Auffassung den Interessen der Arbeiter zuwiderlief.

M. erklärte bereits 1886 seinen „Austritt aus dem Judentum" und ließ sich mehrere Jahre später taufen. Daß er 1908 bei den Berliner Stadtverordnetenwahlen in einem Wahlkreis mit hohem jüd. Wähleranteil kandidierte und von prominenten Mitgliedern des „Centralvereins deutscher Staatsbürger jüdischen Glaubens" (CV) unterstützt wurde, führte zu einer Kontroverse um die Haltung des CV gegenüber getauften Juden, die Julius Moses in seinem „General-Anzeiger für die gesamten Interessen des Judentums" monatelang zum Hauptthema machte. Als M. 1912 sein Reichstagsmandat an die SPD verlor, wurde er bei einer Nachwahl zum Preuß. Abgeordnetenhaus im Wahlkreis Berlin I aufgestellt, was erneut heftige Kritik, besonders in der zionistischen „Jüdischen Rundschau", auslöste. Dennoch wurde M. gewählt und setzte seine sozialpolitische Arbeit bis zum Ende des Kaiserreichs fort. In der Weimarer Republik hielt er am Liberalismus im Sinne Eugen Richters fest und führte 1920 mit Otto Wiemer eine Gruppe an, die von der DDP zur DVP wechselte. Politische Ämter konnte M. nicht mehr erringen, aber er setzte seine Vortragstätigkeit fort, lehrte an der Sozialhygienischen Akademie in Charlottenburg und nahm in ärztlichen Standesorganisationen bis zu seinem Tod eine bedeutende Rolle ein. – Geh. Sanitätsrat.

W u. a. Das Krankenversicherungsgesetz, Kommentar f. Ärzte, 1900; Kommentar f. Ärzte z. Gewerbe-Unfallversicherungsgesetze, 1902; Die Reichsversicherungsordnung, 1911; zahlr. Art. z. Arbeiterversicherung u. Sozialpolitik, u. a. in Berliner klin. Wschr., Med. Reform., Dt. Vjschr. f. öff. Gesundheitspflege.

L E. Loewy-Hattendorf, in: Med. Klinik 21, 1925, S. 1520; S. Alexander in: Dt. med. Wschr. 51, 1925, S. 1751; Münchener med. Wschr. 72, 1925, S. 1670; Klin. Wschr. 4, 1925, S. 1896; E. Hamburger, Juden im öff. Leben Dtld.s, 1968, S. 366 f.; W. Stephan, Aufstieg u. Verfall d. Linksliberalismus 1918–1933, 1973, S. 30, 169 f.; M. Lamberti, Jewish Activism in Imperial Germany, 1978, S. 93–104 *(L)*; E. Friesel, The Political and Ideological Development of the Centralverein before 1914, in: Leo Baeck Institute Yearbook 31, 1986, S. 138 *(L)*; Reichs-Medizinal-

Kal., 1887–1914; Amtl. Reichstags-Hdb., 1903, S. 282 f; Hdb. f. d. Preuß. Abg.haus, 1914, S. 409 f. u. 510 *(P);* Wi. 1905–22. – *Qu.* Fam.archiv Mugdan.

Joachim Mugdan

Muheim *(Mucheim, Muchenheim, Muhaheim),* Urner Familie. (kath.)

Vermutlich aus der Freigfsch. Belp, wurden die M. 1321 erstmals in Bürglen als Zinsbauern des Zürcher Frauenmünsters erwähnt. Um 1500 erscheint die Familie auch in Altdorf, Erstfeld und Flüelen. Die Erstfelder und Altdorfer Linien gelangten durch Sold- und Staatsdienst zu Reichtum und Ansehen. *Jakob* († 1591), Tagsatzungsgesandter 1571–91, gehörte 1586 zu den 14 Gesandten, die im Namen der sieben kath. Orte die prot. Städte Zürich, Schaffhausen, Basel und Bern besuchten. Sein Enkel *Johann Sebastian* (1611–94), Hauptmann in span. Diensten, 1647–93 Tagsatzungsgesandter, 1679–81 Landammann von Uri, gehört zu den bedeutendsten Vertretern der Familie, von denen einige auch im kirchlichen Bereich hervortraten. *Meliora* († 1628), gelehrte Priorin zu Hermetschwyl, war im Besitz eines Auszugs aus der Kolmarer Liederhandschrift; sie schrieb das „Große Gebet der Eidgenossen" ab. Ihr Bruder *Hieronymus* (um 1575–um 1650), Landschreiber von Uri und 1606–09 Dorfvogt in Altdorf, dichtete das Lied „Wilhelm bin ich der Telle" (gedr. 1613).

Während diese beiden Linien im 17. Jh. erloschen, entfalteten sich die Flüeler M. zu den vier Ästen „Mätteli-M.", „hinter dem Ochsen", „von Göschenen" und „vom Axen", von denen Zweige u. a. auch in Luzern, Bern, Freiburg und den USA nachweisbar sind. Viele von ihnen waren Industrielle, hohe Beamte und Parlamentarier. Den wichtigsten Ast bilden die „Mätteli-M.": *Georg Franz Josef* (1712–76), ein Lederhändler, zog 1734 von Flüelen nach Altdorf und begründete den jüngeren Altdorfer Zweig. Dieser gelangte durch Gewerbeunternehmungen und eine Lotterie zu Reichtum und stellte im 19. und 20. Jh. vier Landammänner und sieben Bundesparlamentarier, aber auch Industrielle und Künstler; diese Linie prägte die Urner Politik und Gesellschaft von 1848 bis ins beginnende 20. Jh. am nachhaltigsten. *Anton* (1765–1830), Landesfürsprech, war Speditor und Handelsmann, Inhaber der Urner Geldlotterie, 1810 Mitbegründer der Schweizer. Gemeinnützigen Gesellschaft, Erbauer des repräsentativen Stammhauses in Altdorf. *Carl* (1800–67), Sohn des Anton, dessen Geschäfte er weiterführte, stieg als erster seiner Familie in die Regierung auf und war 1838–42 Landammann, 1866/67 Ständerat. *Alexander* (1809–67), Geschäftspartner seines Bruders Carl, gehörte 1842–67 der Regierung an, 1850–56 und 1859–64 als Landammann; er festigte die durch die Kantonsverfassung von 1850 neu entstandene Ordnung im Kanton und Bezirk Uri; 1859–66 war er Nationalrat. Sein Vetter *Jost* (1808–80), 1848–50 und 1863–66 erster Ständerat von Uri, zog 1866 nach Luzern und wandte sich der Malerei zu. Sein Sohn *Jost* (1837–1919) wurde als Landschaftsmaler berühmt. Zwei Söhne Alexanders, Carl und Gustav, bekleideten wie ihr Vater das Landammannamt. *Karl* (1835–83) förderte in Altdorf das Schul- und Armenwesen, indem er bedeutende Summen für schulische und soziale Zwecke testierte; als Regierungsrat (1874–82) und Landammann (1880–82) reorganisierte er das kantonale Finanzwesen. *Gustav* (1851–1917), 1875–78 Gemeindepräsident von Altdorf, 1882–1903 Regierungsrat (1884–88, 1892–96, 1898–1902 Landammann), 1877–1901 Ständerat und 1905–12 Nationalrat, machte sich als Schöpfer der Kantonsverfassung von 1888, Erbauer der Klausenstraße, Gründer des Kollegiums Karl Borromäus und Gründerpräsident des Historischen Vereins Uri (1892) sowie als Initiator des Historischen Neujahrsblattes (1895), des Historischen Museums Uri (1906) und des Tell-Denkmals in Altdorf (1895) einen Namen. Er sammelte die konservativen Kräfte Uris, deren Sprachrohr das 1876 gegründete „Urner Wochenblatt" war; sie organisierten sich 1890 in der Konservativen Partei, welche auf eidgenössischer Ebene in der Kath. Volkspartei, die Gustav als Gründerpräsident leitete, einen Dachverband erhielt. Die politische Tradition der Familie führte Gustavs Sohn *Karl* (1887–1954) fort, der der Freisinnigen Partei beitrat; er war 1919–23 Gemeindepräsident, 1920–40 Landrat und 1931–47 Nationalrat.

L J. P. Zwicky, in: Schweizer. Geschlechterbuch 10, 1955, S. 397–471; J. A. Muheim, Fam.chronik d. M. hinter dem Ochsen, später Hirschen u. Flüelen, 1986; U. Kälin, Die Urner Magistratenfamilien, 1991; HBLS. – *Zu Carl († 1867)* u. *Alexander († 1867):* Die Schweizer. Bundesverslg. 1848–1920, 1966. – *Zu Gustav († 1917):* J. J. Stadler, Landammann u. Ständerat G. M. (1851–1917) v. Altdorf, 1971; HBLS *(P).* – *Zu Karl († 1883):* Zur Erinnerung an Herrn Landammann K. M. sel., 1883; HBLS *(P).* – *Zu Karl († 1954),* in: Gotthard Post 1954, Nr. 8 *(P).*

P Gem. d. Fam. v. Franz Josef Anton M. (im Bes. v. Dr. Hans M., Altdorf); Porträtgem. d. Gustav

(† 1917) (Hist. Mus. Uri, Altdorf); Porträtlith. d. Karl († 1883) (StA Uri, Altdorf); Marmorbüste dess. (Rathaus Uri, Altdorf).

Hans Stadler-Planzer

Muhler, *Emil,* kath. Pfarrer, Publizist und Sozialpolitiker, * 21. 4. 1892 München, † 19. 2. 1963 ebenda.

V Josef (* 1860), Kaufm., *S* d. Mathias u. d. Walburga Körner; *M* Crescentia (* 1863), *T* d. Georg Fuchsbichler u. d. Crescentia Kaming.

Aufgewachsen in Giesing, einem „ausgesprochen proletarischen Münchner Vorstadtviertel" (Muhler), entwickelte sich in M. frühzeitig ein Gefühl für soziale Fragen. Daß er bereits mit 16 Jahren Vollwaise wurde, hat seinen eigenwilligen Charakter gewiß mitgeprägt. Nach dem Besuch des Luitpoldgymnasiums in München studierte M. Theologie in München und Innsbruck. Am 1. Weltkrieg nahm er als Freiwilliger teil. Nach der Priesterweihe 1919 trat er eine Kaplansstelle in Dachau an, studierte 1922/23 in Berlin und wurde 1924 in München mit einer Arbeit über die „Idee des gerechten Lohnes" zum Dr. oec. publ. promoviert. Im selben Jahr übernahm er in seiner Heimatstadt die Pfarrstelle der neugegründeten Pfarrei St. Andreas, die er bis zu seinem Tod betreute.

Seine publizistische Tätigkeit im „Bayerischen Kurier", dem Organ der Bayerischen Volkspartei, machte ihn auch als Politiker bekannt, dessen Staatsverständnis sich an Christentum und Demokratie orientierte. 1929 wurde M. Vorsitzender des Kartells der kath. Männervereine, 1930 kam er für die Bayer. Volkspartei in den Münchener Stadtrat. Seit dieser Zeit trat er den Nationalsozialisten, die er bereits 1924 als ernste Gefahr erkannt hatte, und den Kommunisten entschieden entgegen. Um Priester und Laien gegen diese Ideologien besser zu wappnen, organisierte er Rhetorikkurse und gründete 1932 die „Zentralstelle der Katholischen Aktion", für die Kardinal Faulhaber das Patronat übernahm. Nach der „Machtergreifung" der Nationalsozialisten mußte er sich aus der Politik zurückziehen. Wegen der Verbreitung angeblicher Greuelmärchen über das KZ Dachau wurde M. am 30. 11. 1933 verhaftet und zu vier Monaten Haft verurteilt. Nach dem Freisinger Seminardirektor Joseph Roßberger hatte sich M. als erster Geistlicher vor dem Münchener Sondergericht zu rechtfertigen. Als seine diesbezügliche Denkschrift „Erlebtes und Erlittenes" von 1936/37 bei einer Hausdurchsuchung gefunden wurde, kam er am 2. 4. 1940 für acht Monate in Gestapohaft. Am 18. 9. 1944 wurde er im Rahmen der „Aktion Gitter" nach Dachau deportiert. Auf dem „Evakuierungsmarsch" der Häftlinge am 26. 4. 1945 gelang ihm in Percha die Flucht.

Die Jahre des Neubeginns sahen M. als Mitbegründer der CSU und 1946–63 als Mitglied ihres Landesvorstands. Er gehörte dem Flügel um den ersten Landesvorsitzenden Josef Müller an und favorisierte den Namen „Union", um die Partei auch ev. Christen zu öffnen. Seit 1947 vertrat er die kath. Kirche im Bayer. Senat. 1948 erhielt M. einen Lehrauftrag für Sozial- und Wirtschaftsethik an der Univ. München; 1959 folgte die Ernennung zum Honorarprofessor. – Päpstl. Hausprälat (1959); Bundesverdienstkreuz (1952), Bayer. Verdienstorden (1959).

W Die christl. Weltanschauung im Kampf d. Geister, Sieben Vorträge, 1933; Vom hl. Sakrament d. Ehe, 10 Predigten, 1936; Der Christ in d. Zeitenwende, 1947; Die soz. Frage im Rel.unterricht, Material f. d. Katechese an Berufs- u. höheren Schulen, 1949; Der Christ u. d. soz. Frage, Material f. Unterricht u. Bildungsarbeit, ²1953; Lehrbuch d. Sozialkde. (mit M. Scherer, M. Eichmeier u. W. Stöbe), hrsg. v. K. Bosl, 1953, S. 9–32; Gesch. d. dt. Arbeiterbewegung, in: Christl.-soz. Werkbriefe 31/32 (Werkgemeinschaft christl. Arbeitnehmer), 1956, S. 819–72; Die Sozialehre d. Päpste, 1958; Die roten Patriarchen, Stud. z. Marxismus 1961.

L O. Gritschneder, Die Akten d. Sondergerichts üb. Stadtpfarrer Dr. E. M., in: Btrr. z. altbayer. KG 29, 1975, S. 125–49; ders., Unbekannte Akten aus d. NS-Zeit, Priester vor d. Sondergericht München u. d. bayer. Justiz, in: Oberbayer. Archiv 107, 1982, S. 331–45; P. Pfister, in: Christenleben im Wandel d. Zeit, II, hrsg. v. G. Schwaiger, 1987, S. 388–407; K. Wagner, in: Münchner Kath. Kirchenztg. v. 7. 2. 1988 *(P);* F. H. Hettler, Josef Müller („Ochsensepp"), 1991; B. Fait u. A. Mintzel (Hrsg.), Die CSU 1945–1948, Protokolle u. Materialien, 3 Bde., 1993; J. Pörnbacher, Stadtpfarrer Dr. E. M. in d. Auseinandersetzung mit d. Nationalsozialisten, in: Btrr. z. altbayer. KG 41, 1994, S. 113–47; Winfried Müller, Schulpol. in Bayern im Spannungsfeld v. Kultusbürokratie u. Besatzungsmacht 1945–1949, 1995.

P Phot. (Archiv d. Erzbistums München u. Freising); Relief v. G. J. Lang, 1965 (St. Andreas, München).

Johann Pörnbacher

Mukarovsky, *Hans Günther,* Afrikanist, * 2. 10. 1922 Wien, † 29. 11. 1992 ebenda. (kath.)

V Geza Engelbert (1887–1956), k. u. k. Major, Teilh. e. Bank, *S* d. Vinzenz (1855–1923), k. u. k. Militär-Verpflegungs-Official in Szegedin (Ungarn), u. d. Helene Reimer († 1940); *M* Elisabeth Auguste (1896–1980), Schausp., *T* d. Ernst Weiss,

Oberstlt., u. d. Berta Gabriele Porubsky; *Verwandter* Geza (1917–1990), Wirtsch.journalist in Casablanca (Marokko); – ledig.

Seit 1940 Schüler Wilhelm Czermaks (1889–1953) in Wien, befaßte sich M. intensiv mit afrikan. Sprachen, Ägyptologie, Völkerkunde sowie Arabisch und besuchte im Sommersemester 1941 an der Univ. Berlin afrikanistische Vorlesungen und Seminare bei Diedrich Westermann, ehe er 1942–44 Dolmetschereinheiten für die „Kolonial"-Sprachen Hausa, Ful, Swahili und dann für Arabisch zugeteilt wurde. 1948 legte er bei Czermak seine Dissertation „Die Sprache der Kisi in Liberia, Abriß einer Grammatik mit Texten und Vokabular, bearb. nach Aufzeichnungen von Dora Earthy" vor, die eine bis dahin fast unbekannte westafrikan. Sprache untersucht. Seit 1953 Lektor für afrikan. Sprachen in Wien, beschäftigte sich M. eingehend mit dem Ful und dem Berberischen sowie der vergleichenden afrikan. Sprachwissenschaft. 1961 erschien mit „Afrika, Geschichte und Gegenwart" (franz. 1964) nach D. Westermann (1952) die zweite deutschsprachige Gesamtdarstellung der Geschichte Afrikas. 1963 habilitierte sich M. über „Die Grundlagen des Ful und das Mauretanische", ausgezeichnet mit dem Kardinal-Innitzer-Preis, und wurde 1969 zum ao. Professor ernannt. Bis zu seiner Ernennung zum o. Professor in Wien 1977 war M. als Beamter im Bundespressedienst tätig.

Schwerpunkte seiner wissenschaftlichen Arbeiten waren u. a. die deskriptiven und genetischen Probleme des Ful als der weitest verbreiteten Sprache Westafrikas. In Weiterführung von Westermanns Arbeiten befaßte sich M. mit Vergleichen der westnigritischen Sprachen und ihrer Beziehungen zum Bantu sowie des Baskischen mit den erythräischen Sprachen. Darüber hinaus bemühte er sich um eine Identifizierung der in ihrer Verwandtschaft mit dem „Hamitosemitischen" noch nicht erkannten afrikan. Sprachen und untersuchte Probleme der prähistorischen, euro-saharanischen Spracheinheit. Seine Arbeiten über afrikan.-bask. Verbindungen und über das Euro-saharanische, mit denen M. ungesichertes Terrain betrat, fanden geteilte Aufnahme. – M. äußerte sich auch in vielen Zeitungsartikeln zu politischen Problemen Afrikas. Nebenbei war er als Mitbegründer des Vereins „Österreichisches College" auch literarisch tätig und veröffentlichte 1982 unter dem Titel „Am Rande der Wirklichkeit" eine Auswahl seiner Gedichte. Auf M.s Initiative fand 1978 in Wien das Leo-Reinisch-Symposion statt, das die Leistungen des Begründers der Afrikanistik in Österreich neben denen von Richard Lepsius hervorhob. – Theodor-Körner-Preis (1957/58); Wirkl. Hofrat (1973); zahlr. Orden, u. a. belg. Leopoldsorden II. Kl.

Weitere W u. a. A Study of Western Nigritic, 2 T., 1977; Mande-Chadic, Common Stock, A Study of Phonological and Lexical Evidence, 1987. – *Aufsätze* in: Wiener Zs. f. d. Kunde d. Morgenlandes 54, 1957, S. 130–40, ebd. 59/60, 1963/64, S. 552–94; Wiener Völkerkundl. Mitt. 13, H. 8, 1966, S. 9–36; Groupe linguistique d'études Chamito-Sémitiques XI, 1967/68, S. 160–77; Euskera, Trabajos y actas de la Acad. de la Lengua Vasca 17, 1972, S. 5–49; Afrika u. Übersee 62, 1979, S. 81–106, ebd. 64, 1981, S. 187–226, 72, 1989, S. 161–90; Zs. f. Phonetik, Sprachwiss. u. Kommunikationsforschung 34, 1981, S. 511–26, ebd. 43, 1990, S. 447–56; Sprache, Gesch. u. Kultur in Afrika, hrsg. v. R. Voßen u. U. Claudi, 1983, S. 255–77. – *Hrsg.:* Leo Reinisch, Werk u. Erbe, 1987.

L E. Sommerauer, H. G. M. – Lebensweg u. Werk, in: Komparative Afrikanistik, Sprach-, geschichts- u. literaturwiss. Aufsätze zu Ehren v. H. G. M. anläßl. seines 70. Geb.tags, hrsg. v. E. Ebermann, E. R. Sommerauer u. K. E. Thomanek, 1992, S. III–XVII *(W-Verz., L, P).*

Erich René Sommerauer

Mulberg *(Maulperg), Johannes,* Dominikaner, * um 1350 Basel, † 4. 12. 1414 Überlingen/Bodensee, □ Zisterzienserkloster Maulbronn.

V N. N., vielleicht Schumacher; *M* N. N.

Ob M. bis zum Eintritt in das Basler Dominikanerkloster 1370 als Flickschuster tätig war, ist umstritten. Nach diesem Zeitpunkt hielt sich M. zum Studium der „artes liberales" in Prag auf, das er 1381 mit dem Bakkalaureat beendete. Anschließend besuchte er in Köln das Generalstudium und ist 1391 als Cursor in Colmar belegt. In dieser Zeit schloß er sich den führenden Vertretern der dominikanischen Observanzbewegung an, dem Ordensgeneral Raimund von Capua und dem Prior des ersten observanten Konvents der Teutonia in Colmar, Konrad von Preußen. 1395 wurde M. als Prior in das Würzburger Kloster gesandt, wo sich der Konvent aber erfolgreich gegen die Einführung der Observanz wehrte; nach wenigen Monaten wurde M. abgesetzt. Mit Unterstützung von Papst Bonifaz IX. führte Raimund von Capua 1396 die Observanz in Nürnberg ein; Konrad von Preußen, der gemeinsam mit Colmarer Brüdern nach Nürnberg kam, wurde Prior und M. Vikar. 1399 wurde M. Prior in Colmar, seit 1400 ist er wieder in Basel bezeugt. Dort spielte er eine maßgebliche Rolle im Beginenstreit (1400–11), bei dem sich der Bischof, die Dominikaner, der Säkularklerus, der Rat und die Augustiner-Eremiten gegen die Beginen und Franziskaner wandten. 1405 wurden die Beginen vorübergehend und 1411 endgültig aus Basel vertrieben. M. hatte den Lebenswandel der Beginen in einer aufsehenerregenden Predigt am 25. 6. 1405 vor dem versammelten Basler Klerus attackiert und ihnen vorgehalten, sich sowohl den Stand der Religiosen anzumaßen, obwohl sie Laien seien, als auch unrechtmäßig vom Bettel und kirchlichen Einnahmen zu leben, statt sich von der eigenen Hände Arbeit zu ernähren. Deshalb seien sie zu exkommunizieren. 1404/05 hielt er in Straßburg über 90 Lehrpredigten. Im Verlauf des Beginenstreits begab er sich 1406 an die röm. Kurie, wo er bis 1411 blieb und sein Anliegen erfolgreich verteidigte; Gregor XII. ernannte ihn 1411 zum päpstlichen Ehrenkaplan und erteilte ihm den Auftrag, in Deutschland für seine Obödienz zu predigen.

Nach der Rückkehr aus Rom hielt M. eine viel beachtete Predigt gegen Wucher, Hurerei des Klerus und für den röm. Papst. Dadurch verlor er aber auch noch seine letzten Anhänger, und da Basel in seiner Abwesenheit zum Pisaner Papst übergewechselt war, wurde er mit dem Argument, ein Schismatiker zu sein, 1411 aus der Stadt vertrieben. Im Herbst 1414 war er in Konstanz, wo bereits die ersten Konzilsteilnehmer eintrafen. Er erkrankte schwer an Ruhr und starb vermutlich im Beisein des Kardinals Johannes Dominici im Überlinger Franziskanerkonvent, wie der Sterbebericht Konrad Schlatters, der sich sein Knecht und Schüler nannte, eindrücklich schildert. Nur unter großen Mühen gelang es Schlatter, den Leichnam im Zisterzienserkloster Maulbronn bestatten zu lassen.

W Tractatus contra statum Beginarum, hrsg. v. S. v. Heusinger *(in Vorbereitung);* Sermones de VII sacramentis (Basel, Univ.bibl. A VI 28, fol. 2va–276rb); Predigten üb. d. erste Weltzeitalter (St. Gallen, Stiftsbibl., 1915, fol. 101r–191v); Utrum contractus reemptionis sit usurarius (Basel, Univ.bibl. C V 36, fol. 78v); Sterbebericht M.s v. Konrad Schlatter, hrsg. v. S. v. Heusinger *(in Vorbereitung).*

L ADB 52; A. Patschovsky, Beginen, Begarden u. Terziaren im 14. u. 15. Jh., Das Beispiel d. Basler Beginenstreits (1400/04–11), in: FS f. E. Hlawitschka z. 65. Geb.tag, hrsg. v. K. R. Schnith u. R. Pauler, 1993; S. v. Heusinger, Der Basler Dominikaner J. M. (1350–1414) u. d. Reform seines Ordens, Diss. Konstanz *(in Vorbereitung);* Vf.-Lex. d. MA².

Sabine v. Heusinger

Mulert, *Oskar,* Kommunalpolitiker, * 29. 12. 1881 Kanditten (Ostpreußen), † 8. 11. 1951 Berlin. (ev.)

Aus preuß. Pfarrerfam.; *V* Alwin Theodor (1845–1901), Pfarrer in K., *S* d. Franz (1807–95), Pfarrer in Wussow, u. d. Wilhelmine Zernin; *M* Marie Schröder; *B* Botho (1883–1963), Dr. phil., Min.dirigent im Reichswirtsch.min. (s. Wi. 1935); – ∞ 1909 Ilse, *T* d. Bankiers Hermann Wallich (1833–1928), 1870–93 Vorstand d. Dt. Bank, u. d. Anna Jacoby; *Schwager* Paul Wallich (1882–1938), Bankier u. Wirtschaftshist., Teilh. d. Fa. J. Dreyfus & Co., Frankfurt/Main, Leiter d. Niederlassung in B. (s. *L*); 1 *S,* 1 *T.*

Nach dem Besuch des Gymnasiums in Königsberg und Schulpforta studierte M. in Königsberg und Tübingen Jurisprudenz, daneben auch Geschichte und Philosophie. 1904 wurde er zum Dr. iur., 1907 zum Dr. phil. promoviert. Schon früh begann er, Kunst zu sammeln, vor allem Skulpturen und Drucke der Reformationszeit. Seit 1907 im Justiz- und Verwaltungsdienst, wurde M. im Februar 1919 Regierungsrat im Preuß. Innenministerium. 1920 erfolgte seine Ernennung zum Ministerialdirektor und Leiter der Kommunalabteilung. Hierbei wurde er weitgehend von Innenminister Carl Severing gefördert. 1925 wurde M. auf Vorschlag des Kölner Oberbürgermeisters Konrad Adenauer zum geschäftsführenden Präsidenten des Deutschen und Preuß. Städtetages bestellt. Seine Aufgabe war es, den kommunalen Erfahrungsaustausch zu organisieren. Im übrigen verhandelte er selbständig mit den Reichs- und Staatsministerien. M. verfügte über eine ungewöhnliche Arbeitskraft und setzte eine solche auch bei seinen Mitarbeitern voraus. Da er sich nicht als Geschäftsführer, sondern als Präsident und alleiniger Vertreter des Deutschen Städtetages fühlte, kam es besonders mit dem Berliner Oberbürgermeister Gustav Böß zu Auseinandersetzungen; mit dessen Nachfolger, dem früheren Danziger Senatspräsidenten Heinrich Sahm, verstand sich M. besser. Im Städtetag arbeitete man u. a. an der Neuordnung und Vereinheitlichung des kommunalen Verfassungsrechts und beteiligte sich an der Diskussion um eine Reichsreform. M. erblickte eine vorrangige Aufgabe darin, die Städte im Preuß. Staatsrat, im Reichsrat und im Reichswirtschaftsrat möglichst stark zu integrieren. Er forderte zudem die Einrichtung einer Kommunalabteilung im Reichsinnenministerium. Die Denkschrift des Deutschen Städtetages „Städte, Staat und Wirtschaft" (1926) führte zu erheblichen Kontroversen mit dem Reichsverband der Deutschen Industrie und mit Reichsbankpräsident Hjalmar Schacht, u. a. wegen der ausufernden Anleihepolitik der Großstädte. M. verfolgte das Ziel, die kommunalen Interessen als eine Art dritter Säule in der Weimarer Verfassung zu verankern, wie dies schon Hugo Preuß in seinem Verfassungsentwurf 1919 gefordert hatte. Die Länder lehnten die politischen Aktivitäten des Städtetages, durch die sie nicht zu Unrecht den Föderalismus bedroht sahen, weitgehend ab. Um die Position der Kommunen zu stärken, strebte M. die Fusion des Städtetages mit dem Reichsstädtebund an, was am Widerstand des letzteren scheiterte. Nach Hitlers Machtergreifung bot M., der seit 1926 der DVP angehörte, dem neuen Reichskanzler die Mitarbeit aller kommunalen Spitzenverbände an. Dieser lehnte jedoch ab, da er in der Arbeit dieser Verbände eine Zersetzung der Staatsautorität und die Gefahr eines Staates im Staate erblickte. M. schied im Mai 1933 aus seinem Amt aus, nachdem die kommunalen Spitzenverbände zum Deutschen Gemeindetag zusammengeschlossen worden waren. Er bewirtschaftete seither das seiner Frau gehörende Gut Jerchel bei Brandenburg. Nach 1945 gelang es M. nicht mehr, in dem neu gebildeten Deutschen Städtetag Einfluß zu erlangen.

W u. a. Kommunalfinanzen u. Reichssteuerreform, 1925; Kommunalsteuern u. Finanzausgleich, in: Hdwb. d. Kommunalwiss., Erg.bd., 1927, S. 1487-1542; Die Bedeutung d. Auslandskredites f. d. dt. Gemeinden, in: Schrr. d. Ver. f. Sozialpol. 174, 1928, S. 25-48; Die Entwicklung d. Selbstverw., in: Zehn J. Dt. Gesch. 1918-1928, ²1928, S. 375-90; Die wirtsch. Betätigung d. dt. Gemeinden, in: Ann. d. Gemeinwirtsch. 6, 1930, S. 1-76; Staatl. Vfg.- u. Verw.reform, Verhältnis v. Staat zu Gemeinde, in: Kommunales Jb. NF 3, 1932, S. 1-11; Kommunale Vfg.- u. Verw.reform, ebd. S. 11-16. – *Nachlaß:* Geh. StA Preuß. Kulturbes. u. Ver. f. Kommunalwiss., Berlin. – *Kunstslg.* als Oskar-u.-Ilse-Mulert-Stiftung in d. Niedersächs. Staats- u. Univ.bibl. Göttingen (Drucke d. Reformationszeit) u. im Liebieg-Haus Frankfurt (Skulpturen).

L H. Lohmeyer, in: Der Städtetag NF 4, 1951; E. Carlsohn, Oskar-Mulert-Slg. in Göttingen, in: Börsenbl. f. d. Buchhandel 13, 1957; O. Ziebill, Gesch. d. Dt. Städtetages, 1955, ²1956; Wolfgang Hofmann, Städtetag u. Vfg.ordnung, Position u. Pol. d. Hauptgeschäftsführer e. kommunalen Spitzenverbandes, 1966, S. 40-130; ders., Zw. Rathaus u. Reichskanzlei, 1974; H. Kind, Die Luthersig. d. Niedersächs. Staats- u. Univ.bibl. Göttingen, 1970; K. G. A. Jeserich, in: Persönlichkeiten d. Verw., 1991, S. 391-96 *(W, L, P)*; Rhdb. *(P)*; Altpreuß. Biogr. III. – *Zu Paul Wallich:* Wenzel; Rhdb.; Leo Baeck Inst., Year Book 33, 1988, S. 43-65 *(P)*.

Kurt G. A. Jeserich

Multhopp, Hans, Aerodynamiker und Flugzeugkonstrukteur, * 17. 5. 1913 Alfeld/Leine, † 30. 10. 1972 Cincinnati (Ohio, USA). (ev.)

V Heinrich Karl Wilhelm Ludwig, Kaufm.; M Marie Wilhelmine Auguste Sandvoß; ∞ Bremen 1940 N. N.; 3 *S*, 1 *T.*

Sein Studium an der TH Hannover mußte M. aus wirtschaftlichen Gründen abbrechen. Seit 1934 arbeitete er am Windkanal der Aerodynamischen Versuchsanstalt (AVA) Göttingen. Bei dieser Tätigkeit und dem Besuch der Univ. Göttingen lernte er Ludwig Prandtl, den Begründer der modernen Strömungsmechanik, kennen. M.s instinktives Erfassen von Strömungsvorgängen und seine Begabung, diese anschaulich zu erklären und zu beschreiben, machte ihn zu einem der bedeutendsten Schüler Prandtls. Von ihm stammen die ersten brauchbaren Methoden zur Berechnung der Auftriebsverteilung an Tragflügeln nach der Prandtlschen Theorie der tragenden Linie (1938) bzw. der tragenden Fläche (1950). Diese und andere theoretische Beiträge zur Aerodynamik des Flugzeugs und der Flugantriebe, voll genialer Ideen und mathematischer Geschicklichkeit, wurden zur Grundlage für zahlreiche Weiterentwicklungen durch andere.

Im Grunde war M. ein Entwurfs- und Systemingenieur. Dank der großen Spannweite seines ingenieurwissenschaftlichen Könnens war er bemerkenswert schöpferisch bei den verschiedensten technischen Aufgabenstellungen der Luft- und Raumfahrt sowie auch des Bodentransports. Er ging 1938 zu den Focke-Wulf Flugzeugwerken und wurde dort leitender Aerodynamiker und Oberingenieur für Entwicklungsentwurf. Während des Krieges konzipierte M. ein Pfeilflügelkampfflugzeug, den ersten Flugzeugentwurf mit einem T-Leitwerk, das die Entwicklung der russ. MiG-15 beeinflußte. Nach Ende des 2. Weltkrieges arbeitete M. zunächst 1946-50 in Großbritannien am Royal Aircraft Establishment, Farnborough, sowie am Imperial College der Univ. London. Hier beschäftigte er sich mit transsonischer und supersonischer Aerodynamik (Überschallströmung). 1950 folgte er einem Angebot der Glenn L. Martin Corp. (heute Martin Marietta Corp.) in Baltimore (Maryland) und wurde als Chief of New Design and Advanced Concepts sowie als Principal Scientist tätig. Seine Entwürfe, Beiträge und Anregungen zu den verschiedensten Bereichen der Flugzeug- und Raketentechnologie stellen Pionierleistungen besonders in Fragen des Hochtemperaturschutzes und des

Energiemanagements von Raumflugkörpern dar. 1968 wechselte M. zur General Electric Company, Philadelphia. Dort befaßte er sich mit Durchführbarkeitsstudien und der Abstimmung von Entwurfsanforderungen für den Space-Shuttle und andere Raumfahrtprogramme. 1971 untersuchte er in Zusammenarbeit mit der NASA in Langley Field (Hampton, Virginia) die Übertragung von Shuttle-Technologie auf den hypersonischen Transport. – Mitgl. d. Dt. Akad. d. Luftfahrtforschung (1941).

W. u. a. Die Berechnung d. Auftriebsverteilung v. Tragflügeln, in: Luftffahrt-Forschung 15, 1938, S. 153–69; Die Anwendung d. Tragflügeltheorie auf Fragen d. Flugmechanik, in: Lilienthal-Berr. 2, 1939, S. 53–64; Methods for Calculating the Lift Distribution of Wings, in: Aeronautical Research Council (ARC), Reports and Memorandum No. 2884, 1955.

L P. F. Jordan, in: Jb. d. DGLR 1972, S. 462.

Erich Truckenbrodt

Multscher, *Hans,* Bildhauer, * um 1400 Reichenhofen (Allgäu), † vor 13. 3. 1467 Ulm.

Aus seit 1304 im Allgäu nachweisbarer Fam. freier Leute auf d. Leutkircher Heide; *V* wahrsch. Hans Nuoltscher (Muoltscher), 1405–37 Inh. d. Waibelhub b. R.; *M* N. N.; *B* Heinrich, Bildhauer, in M.s Werkstatt tätig; – ∞ Ulm 1427 Adelhaid († v. 1467), *T* d. Bildhauers N. N. Kitzin, dessen Fam. u. Werkstatt seit 1370 in U. nachweisbar sind; *K* (alle früh †).

Nach einer Lehre wahrscheinlich im Allgäu begab sich M. auf eine lange Gesellenwanderung durch die Niederlande, Nordfrankreich und Burgund. Eine Zeitlang hielt er sich sicher auch in Paris auf; die Meisterwürde scheint er seinem Meisterzeichen zufolge in Aachen erworben zu haben. Wohl um 1424/25 kam er nach Ulm, wo er nach einer Zeit des „Mutens" 1427 steuerfrei das Bürgerrecht erhielt. Bei seiner Eheschließung besaß er dort bereits ein eigenes Haus, zudem verschiedene Grundstücke im Wert von 37 Gulden 2 Ort Ulmer Währung. Die Stadtregierung, interessiert an einer Ausweitung der Produktion und an der Steigerung des Fernhandels, bestellte M. zum amtlich vereidigten Sachverständigen („geschworener Werckmann") und befreite ihn vom Zunftzwang. Rat und Patriziat der Stadt erteilten M. auch erste anspruchsvollere Aufträge, deren Bewältigung einen umfangreichen Werkstattbetrieb voraussetzte. Außer dem Meister waren darin gleich nach M.s Einbürgerung eine größere Anzahl von Gesellen und Lehrlingen aus mehreren artverwandten Handwerken tätig.

1427–30 gestaltete M. ein Prunkfenster für das Ulmer Rathaus, dessen Figuren deutlich die auf der Wanderschaft gewonnenen Eindrücke (König David des Claus Sluter, Dijon; Propheten des André Beauneveu, Ste. Chapelle, Bourges) widerspiegeln. Sehr wahrscheinlich ist M. auch ein in Alabaster gearbeiteter Gnadenstuhl aus Sandizell (um 1429, heute Liebieghaus, Frankfurt) zuzuschreiben. Wie genau M. den Realismus der Monumentalskulptur in Burgund und Nordfrankreich (z. B. am Mosesbrunnen der Kartause von Champmol) studiert hatte, bezeugt sein differenziert modellierter Schmerzensmann am Hauptportal des Ulmer Münsters (1429). 1430 lieferte M. den Bozzetto (Bayer. Nat.-mus., München) für das von Hzg. Ludwig d. Gebarteten von Bayern-Ingolstadt in Auftrag gegebene, jedoch nicht zur Ausführung gelangte Hochgrab. Der Herzog bestand auf einer Ausführung in Rotmarmor; M. dürfte jedoch – nicht zuletzt der extrem feinen Reliefierung wegen – an einen Bronzeguß gedacht haben, ähnlich der für Georg Truchseß von Waldburg († 1467) ausgeführten Grabplatte. Bis 1433 erfolgten Planung und Einbau eines von Konrad Karg, dem reichsten und einflußreichsten Ulmer Patrizier seiner Zeit und Finanzier Hzg. Ludwigs, bestellten Retabels in die Stirnwand des südlichen Seitenschiffs im Ulmer Münster. M. griff dabei die in Burgund, den Niederlanden und in Frankreich empfangenen Anregungen, z. B. das Motiv der Halbfiguren, die durch das Fenster in den „Kapellenschrein" hineinsehen, oder Engel, die eine Draperie tragen, auf und schuf damit ein Retabel in einer bis dahin völlig neuen Form.

Hatte M. das Karg-Retabel sowohl selbst entworfen als auch mit eigener Hand ausgeführt, so trat er nach dem Wortlaut seiner Signatur bei dem 1437 vollendeten Landsberger Retabel (sog. „Wurzacher Altar") als Meister an der Spitze seiner Werkstatt auf, der das Werk allein plante und einen – wahrscheinlich vertraglich festgelegten – Teil der Skulpturen und Malarbeiten selbst ausführte, den größten Teil der Arbeiten aber von seinen Mitarbeitern ausführen ließ. Die erhaltene lebensgroße Hauptfigur der Muttergottes (heute Pfarrkirche, Landsberg/Lech), deren rechte Assistenzfigur, eine hl. Katharina (heute zur Halbfigur verkürzt, Städt. Kunstslgg., Augsburg) und die später in acht Einzeltafeln zersägten Flügel (Gem.gal. Staatl. Museen, Preuß. Kulturbes. zu Berlin) bezeugen M.s endgültigen Übergang vom sog. Weichen zum „Knitterfaltenstil", sein Interesse an tiefenräumlicher Ausformung mit entsprechendem Faltenwurf sowie den Durchbruch zu einem neuen Realismus in den Flügelbildern. Inwieweit M. selbst sich auch als Maler betätigte, ist aufgrund der Quellenlage freilich nicht eindeutig zu klären. Das Landsberger Retabel hatte ein geschnitztes Corpus mit einer monumentalen Dreifigurengruppe, wie bereits das Karg-Retabel, und sicher eine diesem vergleichbare, auf räumliche Wirkung bedachte Gestaltung. Möglicherweise besaß es auch ein Gesprenge wie das Sterzinger Retabel (1456-58/59), in dem M. die Form des spätgotischen Schnitzaltars mit skulptierten, hierarchisch gestaffelten Monumentalfiguren im Schrein und gemalten Flügeln für die Werk- und Feiertagsseiten zur Vollendung führte. In Sterzing läßt sich eine Vielzahl von Händen – zeitweise waren 16 Gesellen beschäftigt – archivalisch nachweisen; drei sind sogar namentlich bekannt. Für Planung und Ausarbeitung der Risse und Tafeln zog M. begabte Maler heran, die eine jüngere Kraft, die eine Generation nach ihm in den Niederlanden geschult worden war.

Den Ausbau des Werkstattbetriebs zu einem Großunternehmen, wie ihn M. durchgeführt hatte, vollzogen ähnlich Hans Schüchlin, Friedrich Herlin, der ältere und der jüngere Syrlin, Jörg Töber und Nikolaus Weckmann. Als Bildhauer war M. der führende Meister der 1. Hälfte des 15. Jh. und – neben Nikolaus Gerhaert von Leyden – der eigentliche Vermittler franz.-niederländ.-burgund. Formensprache in der Skulptur des süddeutschen Raumes. Stilistisch und formal wurde M.s Retabelschema für viele Künstler der nachfolgenden Generation wie Hans Klocker, Jörg Syrlin d. Ä., Ivo Striegel, Veit Stoß und Michael Pacher zum entscheidenden Vorbild.

Weitere W u. a. Stehende Muttergottes mit Kind, Bronze, um 1430/33 (Bayer. Nat.mus., München); Thronende Muttergottes, 1435-37 (ebd., ursprüngl. Vesperbild mit nicht zugehörigem Kind zur Thronmadonna umgestaltet); Hll. Barbara u. Katharina, 1435-40 (Württ. Landesmus., Stuttgart); Hll. Barbara u. Magdalena, um 1450-55 (Dominikanermus., Rottweil, ehemals Heiligkreuztal); Grabmalfigur d. Gfn. Mechthild v. Württemberg-Urach, um 1450-55 (Stiftskirche, Tübingen); Hl. Johannes d. Täufer, 1456-58 (Bayer. Nat.mus., München); Sog. Bihlafinger Madonna, um 1460 (Städt. Mus., Ulm); Hl. Katharina, Reliquienbüste, Bronze, um 1460 (The Frick Collection, New York); Christus als Schmerzensmann, um 1460 (Hess. Landesmus., Kassel); Hl. Magdalena, um 1465-67 (Liebieghaus, Frankfurt/M.).

L F. Stadler, H. M. u. seine Werkstatt, 1907; K. Gerstenberg, H. M., 1928; A. Schädler, Die Frühwerke H. M.s, in: Zs. f. Württ. Landesgesch. 14, 1955, S. 385 ff.; M. Schröder, Das plast. Werk M.s in seiner chronolog. Entwicklung, 1955; W. Paatz, Süddt. Schnitzaltäre d. Spätgotik, 1963; M. Tripps, H. M., Seine Ulmer Schaffenszeit 1427-67, 1969 *(Qu., W, L, P)*; ders., H. M. – Meister d. Spätgotik, Sein Werk, Seine Schule, Seine Zeit, Ausst.kat. Leutkirch 1993 *(W, L, P)*; ders., Neue Beobachtungen u. Erkenntnisse zu verlorenen Altarretabeln v. H. M., in: Pantheon 52, 1995, S. 4 ff.; I. Dietrich, H. M., Plast. Malerei – Maler. Plastik, Zum Einfluß d. Plastik auf die Malerei d. Multscherretabel, 1992; ThB.

Manfred Tripps

Mulvany, *William Thomas*, Bergbauindustrieller, Verbandspolitiker, * 11. 3. 1806 Sandymount b. Dublin, † 30. 10. 1885 Pempelfort b. Düsseldorf.

V Thomas James (1779-1845), Maler u. Dir. d. Royal Hibernian Academy in Dublin (s. ThB); *M* Mary (1779-1865), *T* d. Dr. Cyrus Field; *Ov* John George (um 1766-1838), Maler (s. ThB); *B* George (1809-69), Maler, seit 1864 Dir. d. Nat.gal. in Dublin (s. ThB), Thomas John (1821-92), Bergbauindustrieller in Westfalen; – ⚭ 1832 Alicia (1800-86) aus Cloghan, Gfsch. Fermanagh, *T* d. Daniel Winslow u. d. Elisabeth Nesbitt; 1 *S* Thomas Robert (1839-97), brit. Gen.konsul f. d. preuß. Provinzen Rheinland u. Westfalen, 4 *T*.

Nach einem kurzen Studium der Medizin, das er wegen mangelnder Geldmittel der Familie aufgeben mußte, trat M. mit 19 Jahren als Lehrling in das irische Vermessungsamt ein, wo er jahrelang Straßen, Wege und Grenzen vermaß. 1835 erhielt er eine Anstellung als Zivilingenieur beim Board of Public Works in Dublin. Mit Gutachten und Denkschriften war er am Shannon-Schiffahrtsgesetz (1839) beteiligt und als einer von zwei Bezirksingenieuren anschließend für die Durchführung der Regulierung des Flusses verantwortlich. Aufgrund der dabei bewiesenen administrativen Kompetenz und seines technischen Geschicks erfolgte 1842 die Berufung in den Regierungsausschuß für Entwässerung und die Ernennung zum Fischereiinspektor. 1846 wurde M. Kommissar des Amtes für öffentliche Bauten, das angesichts von Mißernten und Hungersnöten zu einer riesigen Organisation mit Wohlfahrtsaufgaben ausgebaut wurde. Neben zahlreichen infrastrukturellen Maßnahmen setzte sich M. vor allem für die Verbesserung der Verkehrsverbindungen ein. Nach einem Regierungswechsel schied er 1853 nach 27jähriger Tätigkeit aus dem irischen Staatsdienst aus.

Kurz darauf erreichte ihn das Angebot einer Gruppe irischer Kapitalgeber unter Führung des in Belgien lebenden Michael Corr van der Maeren, für diese Steinkohlenfelder in Westfalen zu erwerben und die Leitung der Abteufarbeiten für ein Bergwerk zu übernehmen. Mit dieser neuen Aufgabe – M. nahm 1855 seinen Wohnsitz in Düsseldorf – begann seine zweite berufliche Karriere als Unternehmer und Pionier des Ruhrbergbaus, dessen Übergang zum Tiefbau und dessen wirtschaftlichen Aufschwung er fast drei Jahrzehnte begleitete und maßgeblich beeinflußte. 1856 gründete M. im Auftrag seiner irisch-belg. Geldgeber die Zeche „Hibernia" bei Gelsenkirchen und wurde zugleich Anteilseigner, Repräsentant und technischer Leiter des Unternehmens. Bei dem unter seiner Verantwortung abgeteuften Förderschacht, mit dem bereits 1858 die Kohlenförderung aufgenommen werden konnte, kamen erstmals im deutschen Bergbau sog. Tübbinge, gußeiserne Ringe, zum Einsatz, mit deren Hilfe der Schacht ausgekleidet wurde. Dafür hatte M. den engl. Bergingenieur William Coulson, den Erfinder des eisernen Tübbingbaus, gewonnen. Für die Abteufarbeiten warb er ausschließlich engl. Arbeiter an. Die Eigentümer der Gewerkschaft Hibernia erwarben 1857 fünf Bergbauberechtigungen, die unter dem Namen „Shamrock" (Kleeblatt), dem Wahrzeichen Irlands, vereinigt wurden. Zum Direktor der neuen Gesellschaft bestimmte M. seinen Bruder Thomas John. In den 70er Jahren gehörte die Gesellschaft „Ver. Hibernia und Shamrock" zu den drei größten Bergbauunternehmen des Ruhrgebiets. Die Erschließung neuer Kohlenfelder an der Ruhr wurde nun vorwiegend nach dem Tübbing-Verfahren vorgenommen. M. hatte sich durch sein unternehmerisches und technisches Engagement im Steinkohlenbergbau schnell einen ausgezeichneten Ruf erworben: 1860 begleitete er die preuß. Kohlenkommission als Sachverständiger auf einer Studienreise nach Großbritannien. Gleichzeitig weitete er seine industriellen Aktivitäten weiter aus: 1866 gründete er die Preuß. Bergwerks- und Hütten-Aktiengesellschaft, die die Dortmunder Zechen „Hansa" und „Zollern" erwarb, und teufte die Zeche „Erin" ab. Mit dem Erwerb der Eisenhütte „Vulkan" bei Duisburg erfolgte die Ausweitung zu einem gemischten Unternehmen.

In einer Periode stürmischen, aber unkontrollierten Wachstums der rhein.-westfäl. Industrie war M. einer der ersten, die nach Regelungen für ein gemeinsames wirtschaftliches Handeln suchten. 1858 war er Gründungsmitglied des Vereins für die bergbaulichen Interessen im Oberbergamtsbezirk Dortmund, dessen Vorstand er bis zu seinem Tod angehörte. In zahlreichen verkehrs- und wirtschaftspolitischen Denkschriften trat er für die Verbesserung der Verkehrswege bei günstigen Frachtraten für die Bergbauunternehmen ein. Aus seiner Tätigkeit im irischen Staatsdienst rührte dabei seine Vorliebe für den Ausbau der Wasserstraßen, ohne daß zu seinen Lebzeiten größere Kanalbauprojekte realisiert worden wären. Zunächst bis in die 1870er Jahre als Freihändler agierend, suchte er unentwegt nach Wegen zur Ausdehnung des Absatzgebietes für Steinkohle auf den deutschen und ausländischen Märkten. Im Zusammenhang mit der Abwendung rhein.-westfäl. Montanindustrieller von wirtschafts-liberalen Prinzipien und ihrem Streben nach interessenpolitischer Konzentration und Schutzzöllen wurde unter M.s Führung 1871 der Verein zur Wahrung der gemeinsamen wirtschaftlichen Interessen in Rheinland und Westfalen (Langnamverein) gegründet, dessen erster Präsident er bis 1883 war. Schließlich gehörte M. auch dem 1874 gegründeten Verein deutscher Eisen- und Stahlindustrieller als Vorstandsmitglied an. Nach Auseinandersetzungen mit Gewerken schied M. zwar Mitte der 70er Jahre aus der Führung der Zechen „Hibernia" und „Shamrock" aus, behielt aber den Aufsichtsratsvorsitz in dem von der Berliner Handelsgesellschaft und dem Bankhaus S. Bleichröder gekauften Bergwerksunternehmen bis zu seinem Tod. – Ehrenbürger v. Gelsenkirchen (1880).

W u. a. Dtld.s Fortschritte d. Kohlen- u. Eisenindustrie in ihrer Abhängigkeit v. d. Eisenbahnen, 1868; Prakt. Vorschläge z. Beseitigung d. Transportnot, hrsg. v. Ver. z. Wahrung d. gemeinsamen wirtsch. Interessen in Rheinland u. Westfalen, 1872; Der Strike d. Bergleute im Essener Revier d. Oberbergamtsbez. Dortmund, 1872; Dtld.s Handelspol. u. deren Wirkung auf d. dt. Nationalwohlstand, 1876; Dtld.s Wasserstraßen, 1881.

L K. Bloemers, W. Th. M. (1806–1885), 1922; J. Winschuh, Der Ver. mit d. langen Namen, 1922, S. 24 ff.; W. Serlo, Westdt. Berg- u. Hüttenleute u. ihre Familien, 1936, S. 1–18; ders., Männer d. Bergbaus, 1937, S. 107 f.; A. Pilz, in: Glückauf 81/84, 1948, S. 189–94; J. Wilden, Gründer u. Gestalter d. Rhein-Ruhr-Industrie, 1951, S. 174–78; W. O. Henderson, W. Th. M., 1970; W. Salewski, Personalien u. Dokumente z. Vorgesch. d. dt. Eisenverbände, 1974 *(P)*; H. Radzio, Unternehmen Energie, 1979, S. 33–47; H. Seeling, W. Th. M. u. d. Hibernia in Düsseldorf (1855), in: Düsseldorfer Jb. 65, 1994, S. 87–98.

P Phot. (Bergbau-Archiv b. Dt. Bergbau-Mus., Bochum).

Evelyn Kroker

Mumenthaler, *Hans (Johann) Jacob,* Optiker, Mechaniker, * 21. 8. 1729 Langenthal Kt. Bern, † 7. 3. 1813 ebenda.

Der Name d. Fam. leitet sich wohl v. d. Weiler Mumenthal b. Aarwangen Kt. Bern her. – *V* Hans Jacob (1702–74), Kaufm. in L., *S* d. Heinrich, Krämer u. Posauner in L., seit 1721 Obmann d. Handels- u. Gewerbsleute d. Krämerzunft d. 3. oberaargau. Ämter Aarwangen, Wangen u. Bipp, u. d. Barbara Lauen(d)er; *M* Anna Maria (1708–91) aus L., *T* d. Friedrich Dennler u. d. Maria Buchmüller; ∞ Langenthal 1759 Maria Elisabeth (1738–1832), *T* d. Melchior Bär (* 1711), vermutl. Tuchhändler in Aarburg Kt. Aargau, u. d. Catrine Straub; 2 *S* (1 früh †), 2 *T*, u. a. Johann David (1772–1838), Anhänger d. Rev., Munizipalbeamter, Gemeindeammann, Literat u. Brieffreund Jean Pauls; *Verwandte* Johann Jakob (1733–1820), Kaufhaus- u. Zollverw. in L., Oberstlt., Vf. hist., geograph., statist. u. ökonom. Schr., Jakob (1737–87), Chirurg, auf See in holländ. Diensten (beide s. HBLS).

Der geistig regsame, lesefreudige und manuell sehr begabte M. erlernte das Buchbinderhandwerk, nutzte die damit verbundene Gelegenheit zur Lektüre und erwarb als Autodidakt gründliche naturwissenschaftliche, insbesondere physikalische, Kenntnisse. Zeitweise nahm der in Physik und Chemie bewanderte Lengnauer Pfarrer Johann Jacob Tribolet (1689–1761) die Stelle eines Lehrers von M. ein. Bei Tribolet lernte M. u. a. das „Sonnen-Mikroskop" Georg Friedrich Branders kennen, dessen Konstruktion er später verbesserte. Nach Ende seiner Wanderschaft als Geselle in Deutschland und Frankreich ließ sich M. als Buchbinder in Langenthal nieder. Sein Interesse für die Naturwissenschaften führte indes zu einer schrittweisen Aufgabe der Buchbinderei und dem Aufbau einer Werkstätte, in der er neben physikalischen Instrumenten und Apparaten auch chemische Erzeugnisse herstellte und vertrieb. In einer Notiz für das erste bernischkantonale Firmenadreßbuch (1795) gibt M. einige Hinweise auf seinen Werdegang und präsentiert eine Liste der von ihm angebotenen Produkte. Demnach verfertigte er nicht näher beschriebene elektrische Apparate (wohl Elektrisiermaschinen), Spiegelteleskope, Laternae Magicae und Camerae Obscurae unterschiedlicher Größen, „optische Feuerwerkmaschinen", Kaleidoskope und Mikroskope. Das Sonnenmikroskop Branders benutzte die Sonne als Lichtquelle in einem Durchlichtmikroskop; M. entwickelte eine Spiegelkonstruktion, die das Ausrichten und Nachführen des ganzen Mikroskops auf die bzw. nach der Sonne überflüssig machte und dadurch die Handhabung wesentlich vereinfachte. Ferner vermochte er mit Hilfe eines Kippspiegels das Gerät auch als Auflichtmikroskop zu verwenden und ermöglichte so die mikroskopische Untersuchung undurchsichtiger Objekte. Bis in die Mitte des 20. Jh. wurde diese Erfindung dem Engländer Benjamin Martin zugeschrieben, doch hat M. sein Mikroskop zumindest gleichzeitig mit und unabhängig von Martin gebaut. Neben diesen konstruktiven Neuerungen im Bereich des Mikroskopbaus fertigte M. auch neuartige Papierelektrophore, die leistungsfähiger als die damals üblichen Glas- oder Harzelektrophore waren. An chemischen Präparaten stellte er u. a. Tinten, Lacke und Firnisse her. Er zählt zu den Gründern der 1797 ins Leben gerufenen „Allgemeinen helvet. Gesellschaft der Freunde der vaterländischen Physik und Naturgeschichte". Die in der älteren Literatur (Lutz) behauptete Prüfung und Auszeichnung des Instrumentes M.s durch die franz. Akademie der Wissenschaften wird durch neuere Untersuchungen nicht bestätigt. M. reiste zwar 1773 nach Frankreich, seine mitgeführten Intrumente wurden aber nicht von der Akademie der Wissenschaften, sondern von einem Ingenieur Bernières geprüft, der Mitglied der Naturforschenden Gesellschaft in Metz und der Akademie der Schönen Künste in Caen war und über einschlägige Fachkenntnisse verfügte.

In seiner Bedeutung ist M. etwa mit dem Instrumentenbauer Georg Merz vergleichbar, allerdings bildete sich M. unter weniger günstigen Umständen autodidaktisch heran, da er keinen mit Fraunhofer vergleichbaren Mentor besaß. Die Werkstatt M.s erlangte nie die Bedeutung der Fraunhoferschen, dennoch ist M. ein beachtenswerter Vertreter der heute weithin in Vergessenheit geratenen Gruppe autodidaktisch gebildeter Techniker und Konstrukteure des ausgehenden 18. Jh.

L M. Lutz, Moderne Biogrr. II, 1826, S. 230–35; E. Kohler, Alt Langenthal 1932, S. 39 f.; R. Feller, Gesch. Berns III, 1953, S. 551; J. R. Meyer, Kleine Gesch. Langenthals, 1961, S. 108; E. Hintzsche, H. J. M. (1729–1813), ein bern. Opticus u. Mechanicus, in: Gesnerus 24, 1967, S. 135–45; HBLS.

Max Jufer

Mumm *(v. Schwarzenstein),* niederrheinische, dann Solinger Familie mit Frankfurter Zweig. (ref.)

Die vielfach verzweigte Familie, die sich auch „Mumme" oder „Momm(e)" nannte, führt ihre Stammreihe auf einen 1130 bezeugten *Mummo* zurück. Die Familie war 1160 in Didam b. Arnheim ansässig. *Rudolf* Mumme wurde dort 1369 mit Hevesberg belehnt. Sein gleichnamiger Verwandter *Rudolf* Momm (Mumme) war 1444 Bürgermeister in Arnheim, 1459-63 Richter in Didam und wird 1460 auf dem Ritterzettel in Nymwegen aufgeführt; danach könnte die Familie dem Niederadel angehört haben, der von den Herren von Cleve abhängig war. Der Sohn des Vorgenannten, *Rudolf* Mumme, kaufte 1514 von der Familie Amelunxen den Besitz Schwarzenstein. Im Dreißigjährigen Krieg waren Angehörige der Familie Offiziere, und einige stiegen in den Freiherrenstand auf. Von Schwarzenstein war in dieser Zeit nicht mehr die Rede, und der Name wurde nicht mehr geführt. *Rudolf Peter* war 1662-72 Bürgermeister von Solingen, sein Sohn *Peter* Herr zu Clausberg und Klingen-Kaufmann. Damit ist ein Bezug zu den Frankfurter Messen gegeben, auf denen Solinger Messer und Scheren sowie Klingen für Handwaffen seit dem Spätmittelalter eine bedeutende Rolle spielten.

Peter Arnold (1733-97, s. Gen. 1), der 1761 in Köln eine Firma gründete, die Weinhandel und Geldgeschäfte trieb, wurde 1772 durch seine Ehe mit der Frankfurter Bürgerstochter Elisabeth Amalie Ziegler (1748-1828) Bürger der Reichsstadt und damit Begründer des Frankfurter Zweiges der Familie. Seine drei Söhne teilten das väterliche Unternehmen auf. *Wilhelm* (1774-1832, s. Gen. 1) gründete 1805 das Bankhaus Wilhelm Mumm & Co., das wenig später bereits zum Kreis der bedeutenden Frankfurter Geldinstitute gehörte. 1810 wurde er gemeinsam mit anderen Geschäftsleuten wegen Verstoßes gegen Napoleons Kontinentalsperre mit einer hohen Geldstrafe belegt. Nach dem Wiederaufblühen des Geschäftslebens um 1820 gehörte er als Befürworter einer vorsichtigen Geldpolitik zu den tonangebenden Frankfurter Bankherren. Der zweite Sohn, *Jacob Wilhelm*, ging nach Köln, der dritte, *Gottlieb* (1781-1852, s. Gen. 2), übernahm den väterlichen Weinhandel, gründete 1827 die Firma G. H. Mumm in Reims und erwarb Weingüter in der Champagne, auf denen er die Sektherstellung einführte. Seine Firma erlangte Weltruf, er selbst sowie sein Sohn und Geschäftsnachfolger *Hermann* v. M. (1816-87) und dessen Nachkommen blieben jedoch in Frankfurt ansässig. Dessen Sohn *Alfons* v. M. (1859-1924) war Botschafter in Peking und Tokio (s. 2). Erst die Urenkel wurden in Reims geboren und wuchsen dort auf. Die auf Gottlieb folgende Generation führt unter Bezugnahme auf den früheren Sitz der Familie den Namenszusatz „v. Schwarzenstein". 1873 wurde für einen Teil des Frankfurter Zweiges eine preuß. Bestätigung des Adels gewährt. *Heinrich* v. M. (1818-90) war Oberbürgermeister von Frankfurt (s. 1), sein Neffe *Christian* v. M. (1832-1906, s. NDB V*), Chef d. Großhandelshauses P. A. Mumm in Köln. *Herbert* v. M. (1898-1945, s. L), Dr. iur., war Legationssekretär im Auswärtigen Amt, schloß sich einer Widerstandsgruppe an, wurde 1943 verhaftet und kurz vor Kriegsende hingerichtet. Sein Bruder *Bernd* v. M. (1901-81) war 1928-39 und 1952-66 als Diplomat im Auswärtigen Dienst tätig, u. a. als Botschafter in Luxemburg und erster Leiter der deutschen Handelsvertretung in Warschau.

L A. Fahne, UB, Denkmäler u. Ahnentafeln d. Geschl. Mumm od. Momm, 3 Bde., 1876-80; Gesch. d. IHK Frankfurt am Main, 1908; Frankfurter Bll. f. Fam.gesch., hrsg. v. K. Kiefer, 2. Jg., 1909, S. 119 f.; A. Weyersberg, Der Solinger Bgm. Peter M. u. seine Fam., in: Mschr. d. Berg. Gesch.ver. 16-25, 1909-18; A. Dietz, Frankfurter Handelsgesch., 5 Bde., 1910-25; A. Majer-Leonhard, Mit Frankfurt verwandt, 1939, S. 52 f.; B. Müller, Stiftungen f. Frankfurt, 1958, S. 60; GHdA Adelige Häuser B XI, 1974. – Zu Herbert: Lex. d. dt. Widerstandes, hrsg. v. W. Benz u. W. H. Pehle, 1994.

Franz Lerner †

1) *Heinrich* M. *v. Schwarzenstein* (preuß. Adel 1873), Oberbürgermeister von Frankfurt/Main, * 18. 12. 1818 Frankfurt/Main, † 29. 4. 1890 ebenda.

V Wilhelm M. (1774-1832) aus Solingen, gründete 1805 e. Bankhaus in F., S d. Peter Arnold M. (1733-97), Klingenkaufherr in Solingen u. Weingutsbes. in Johannisberg, gründete 1761 e. Handelshaus in Köln u. Johannisberg, 1772 in F., u. d. Elisabeth Ziegler (1748-1828) aus F.; M Marie (1779-1858) aus Elberfeld, T d. Kaufm. Peter Schlösser u. d. Elisabeth Rübel; Ov Gottlieb M. (s. Gen. 2); – ∞ Frankfurt 1851 Klara (1832-77), T d. Bankiers Georg Kinen in F. u. d. Emile Jordan; 1 S.

M. besuchte das Gymnasium Francofurtanum und bezog im Wintersemester 1836 die Univ. Heidelberg, um Jurisprudenz zu studieren. Nach zwei Semestern an der Univ. Berlin kehrte er nach Heidelberg zurück und promovierte dort 1840 zum Dr. iur. Noch im selben Jahr wurde er in seiner Vaterstadt zur Advokatur zugelassen und erlangte bald hohes Ansehen. 1856 trat er als Stadtgerichtsrat in den Dienst der Freien Stadt. 1865 kam er bei der Kugelung in den Senat. Als dessen jüngstem Mitglied fiel ihm nach der Besetzung Frankfurts durch die preuß. Armee im Sommer 1866 die undankbare Aufgabe zu, die Verhandlungen über die hohen preuß. Kontributionsforderungen zu führen. Durch Hartnäkkigkeit und Verhandlungsgeschick gelang es ihm, Bismarck zu Konzessionen zu bewegen. Kg. Wilhelm I. ernannte M. 1868 auf Vorschlag der Frankfurter Stadtverordnetenversammlung zum Oberbürgermeister der nunmehr preuß. Stadt. Während die Mehrheit der Stadtverordneten in Opposition gegen alles Preußische verharrte, nutzte M. von Beginn seiner Amtszeit an konsequent die Möglichkeiten der preuß. Gemeindeordnung. In Vermögensauseinandersetzungen mit dem Finanzministerium und dem Oberpräsidenten sicherte er der Stadt durch einen Vergleich 3 Mio. Gulden und damit eine solide Basis für weitere Pläne. Von Amts wegen Mitglied des preuß. Herrenhauses, hielt er sich dort völlig zurück. Als Oberbürgermeister förderte er gezielt die Anfänge der Industrialisierung in Frankfurt und den Ausbau der dafür erforderlichen Infrastruktur, wobei ihn als Fachleute des Wasser- und Tiefbaus die engl. Ingenieure William und Walter Lindley unterstützten. Zielbewußt betrieb er so gegen oft erhebliche Widerstände der Stadtverordneten den Wandel der alten Handels- und Bankenstadt zu einem Zentrum vielseitiger gewerblicher Produktion und schuf für die wachsende Arbeiterbevölkerung neue Wohnquartiere. In M.s Amtszeit entstanden drei Mainbrücken (Eiserner Steg, Ober- und Untermainbrücke) und zahlreiche Schulen. 1875 betrieb er zum Mißvergnügen vieler Altfrankfurter die Eingemeindung von Bornheim als erstem Vorort. Das Stiftungswesen der Stadt hat M. vorbildlich geordnet. Die Auseinandersetzungen um seine Amtsführung wurden heftiger, als er seit 1872 den Bau des Opernhauses in Angriff nahm und immer wieder die dafür bewilligten Mittel überschritt. Als seine Amtszeit 1880 ablief, schlugen ihn die Stadtverordneten nicht zur Wiederwahl vor, sondern wählten stattdessen den für seine Sparsamkeit bekannten Johannes Miquel. – Im Ruhestand widmete M. seine ganze Kraft dem Frankfurter Musikleben. Als Vorsitzender der Museumsgesellschaft betreute er die von dieser im Prachtbau der Oper veranstalteten Konzerte. Viele Jahre lang leitete er das Hochsche Konservatorium als private Stiftung.

L A. Varrentrapp, Drei OB v. Frankfurt am Main, 1915; W. Emrich, Das Goldene Buch d. Stadt Frankfurt am Main, 1958, S. 64 ff.; K. Maly, Gesch. d. Stadtverordnetenverslg. I, 1867–1900, 1992; O. Kanngießer, in: Frankfurter Neue Presse v. 26. 2. 1957; B. Häußler, in: FAZ v. 3. 5. 1990, S. 47; Frankfurter Biogr. II *(P)*.

P Gem. v. F. Brütt (Römer, Frankfurt/M.)

Franz Lerner †

2) *Alfons* Frhr. **M.** v. *Schwarzenstein* (preuß. persönl. Frhr. 1903), Diplomat, * 19. 3. 1859 Frankfurt/Main, † 10. 7. 1924 Portofino (Ligurien).

V Hermann v. M. (1816–87), GR, Leiter d. Champagnerhauses G. H. Mumm & Co. in Reims, dän. Gen.konsul, S d. Gottlieb M. (1781–1852), Leiter d. Handelshauses in F., gründete 1822 d. Weingut in Johannisberg u. 1827 d. Champagner-Haus P. A. Mumm, Gießler & Co. in Reims, dän. Gen.konsul, u. d. Elisabeth v. Scheibler (1786–1864); *M* Eugenie (1822–88), *T* d. Gottfried August Lutteroth (1781–1839), Handelsmann in F., u. d. Marianne Gontard (1798–1871); *Gr-Tante-m* Clotilde Koch-Gontard (1813–69), beide führten Salons in F. (beide s. Frankfurter Biogr.); *Ur-Gvv* Peter Arnold (s. Gen. 1); – ∞ Dresden 1918 Jeannie Mackay-Watt (* 1866) aus Glasgow.

M. besuchte das Gymnasium Francofurtanum und bezog 1879 die Univ. Göttingen zum Studium der Jurisprudenz. Von dort wechselte er nach Leipzig, dann nach Heidelberg und schließlich nach Berlin. Dort legte er die Referendarprüfung ab und promovierte 1882 in Göttingen zum Dr. iur. Nach der Referendarzeit am Kammergericht in Berlin wurde er 1885 in den diplomatischen Dienst übernommen, war zunächst als Attaché den Botschaften in London und Paris zugewiesen, seit 1888 Legationssekretär in Washington, 1892 in Bukarest und 1893 beim Vatikan. 1894 wurde er Legationsrat im Auswärtigen Amt und Referent in Orientangelegenheiten, 1897 Geh. Legationsrat, 1898 Ministerresident in Luxemburg. 1899 war er für kurze Zeit als Geschäftsträger erneut in Washington. Nach der Ermordung des Gesandten Klemens v. Ketteler beim Boxeraufstand (1900) wurde M. dessen Nachfolger in Peking und organisierte den Bittbesuch des kaiserlichen „Sühneprinzen" Chun bei Wilhelm II. in Berlin. M.s 1903 veröffentlichtes Tagebuch ist mit seinem reichhaltigen Bildmaterial eine hervorragende Quelle für die ersten Jahren seiner Pekinger Botschafterzeit. Die politische Linie des als sinophil geltenden M. war durch Rücksichtnahme auf das wachsende chines. Nationalbewußtsein und Zurückhaltung bei der Geltendmachung deutscher Wirtschaftsinteressen bestimmt. Seit 1906 Botschafter in Tokio, sprach er sich gegen Pläne einer Allianz des Deutschen Reiches mit Japan als Gegengewicht gegen die franz.-brit.-russ. Entente aus, verwies auf die japan. Anerkennung des deutsch-brit. Abkommens von 1900 über die Unabhängigkeit und territoriale Integrität Chinas sowie die Politik der offenen Tür, die ein solches Abkommen überflüssig mache, und riet generell zur Vorsicht angesichts der Gefahr einer Isolierung des Reiches. Sorgfältig beobachtete er die japan. Politik und besonders das Verhältnis Japans zu den USA, wobei er eine militärische Auseinandersetzung der beiden Mächte um die Vorherrschaft im pazifischen Raum langfristig für unvermeidbar, jedoch jede offene Parteinahme des Deutschen Reiches für verfehlt hielt.

1911 schied M. wegen eines Augenleidens aus dem diplomatischen Dienst aus und zog sich auf seinen Besitz in Castello Giorgio bei Portofino zurück. Beim Kriegsausbruch 1914 stellte er sich erneut dem Auswärtigen Amt zur Verfügung und übernahm in der Nachrichtenabteilung die Betreuung der ausländischen Presse. 1918 war er in Kiew Leiter der deutschen Delegation, die über Getreidelieferungen der Ukraine verhandelte, und dann Geschäftsträger bei der Volksrepublik Ukraine. – WGR; Roter Adlerorden I. Kl.; Kronen-Orden.

W Meinen Mitarbeitern (*Tagebuch v. M.s Botschafterzeit in Peking mit 620 Abb.*), 1903; Kriegslyrik 1914–18 *(mehrere Bändchen, Privatdr.).*

L O. Franke, Die Großmächte in Ostasien von 1894–1914, Ein Btr. z. Vorgesch. d. Krieges, 1923; V. Valentin, in: Frankfurter Ztg. v. 17. 7. 1924; Die auswärtige Pol. d. Dt. Reiches 1871–1914, hrsg. v. Inst. f. Auswärtige Pol. Hamburg, Bd. 4/2, 1928; B. Ruland, Dt. Botschaft Peking, Das Jh. dt.-chines. Schicksals, 1973; C.-H. Bütow, in: H. Schwalbe u. H. Seemann (Hrsg.), Dt. Botschafter in Japan 1860–1973, 1974, S. 69–75 *(P);* W. Stingl, Der ferne Osten in d. dt. Pol. vor d. 1. Weltkrieg (1902–1914), II, 1978; Wi. 1922; Kosch, Biogr. Staatshdb.

Franz Lerner †

Mumm, *Reinhard,* christlich-sozialer Politiker, * 25. 7. 1873 Düsseldorf, † 25. 8. 1932 Berlin. (ev.)

V Reinhard (1839–91), Kaufm. in D., S d. Reinhard (1794–1854), Kaufm. u. Ratsherr in Ruhrort, u. d. Sophie Scholten; M Susanne Marie (1843–1926), T d. Fabr. Johann Jacob Kayser (1803–56) in Kreuznach u. d. Agnesa Neubauer; ∞ 1909 Elisabeth (1890–1967), T d. Ernst Kähler (1842–1903), Sup. in Neuteich b. Danzig, u. d. Pauline Wilhelmine Krüger (N u. *Pflege-T* d. Hofpredigers Adolf Stoecker, † 1909); Ov d. Ehefrau Martin Kähler (1835–1912), ev. Theol. (s. NDB X); 2 S, 2 T.

Seit 1893 studierte M. Theologie in Bonn, Halle und Berlin; daneben hörte er auch volkswirtschaftliche Vorlesungen. Auf das erste theologische Examen 1897 folgte ein Studienaufenthalt in Utrecht, wo er seine Lizentiatenschrift über Martin Chemnitz abschloß und in enge Beziehungen zu dem Theologen und Politiker Abraham Kuyper trat. M. bestand 1900 die zweite theologische Prüfung und wurde noch im selben Jahr Generalsekretär der Freien kirchlich-sozialen Konferenz (seit 1918 kirchlich-sozialer Bund). In dieser Eigenschaft gab er die „Kirchlich-sozialen Blätter" heraus. Zudem bemühte er sich intensiv um die Förderung der christlich-nationalen Arbeiterbewegung, der er 1903 mit dem Deutschen Arbeiterkongreß einen organisatorischen Zusammenhang gab und für die er 1907 eine eigene sozialpolitische Theorie entwarf. M., der bereits während seines Studiums Anschluß an die Christlich-Sozialen gefunden hatte und seit 1898 auch persönlich Kontakt zu deren Führer Adolf Stoecker aufnahm, wurde 1912 in den Reichstag gewählt.

In der Hoffnung, in einer großen konservativen Partei sozialpolitisch arbeiten und hier der christl.-nationalen Arbeiterschaft eine politische Heimat geben zu können, beteiligte er sich 1918 an der Gründung der Deutschnationalen Volkspartei (DNVP), deren Fraktion er in der Weimarer Nationalversammlung und in der Folgezeit im Reichstag angehörte. Als Alfred Hugenberg 1928 die Parteiführung übernahm, führten schwere Differenzen auf sozial- und kulturpolitischem Gebiet zu M.s Ausscheiden aus der Partei. Er gehörte 1930 zu den Mitbegründern des Christlich-sozialen Volksdienstes und war bis 1932 Reichstagsabgeordneter dieser Partei. Im Reichstag bemühte sich M. insbesondere um ein Reichsschulgesetz mit Absicherung der Bekenntnisschule, um ein Filmgesetz zum Verbot sittenwidriger Filme, um die Jugendschutzgesetzgebung und um ein Schankstättengesetz, das den Alkoholausschank einschränken sollte. Am Zustandekommen des Filmgesetzes (1920) und des Gesetzes gegen Schund und Schmutz (1926) hatte er wesentlichen Anteil. In seiner kirchlichen Arbeit vertrat M. die Richtung der Positiven Union. Er gehörte verschiedenen kirchlichen Gremien an: dem Zentralausschuß für Innere Mission seit 1918, dem Dt. Ev. Kirchentag seit 1921, der Verfassunggebenden preuß. Kirchenversammlung 1921, der Preuß. Generalsynode seit 1919, der Weltkonferenz für Praktisches Christentum 1925 in Stockholm. 1923–31 war er der erste Sozialpfarrer für Westfalen. – D. theol. (Berlin 1917).

W u. a. Die Polemik d. Martin Chemnitz gegen d. Konzil v. Trient, 1905; Eine eigene soz.-pol. Theorie f. d. christl.-nat. Arbeiterbewegung, 1907; Der Christ u. d. Krieg, [10]1918; Die Lichtbühne, Ein

Lichtblick aus d. Verhh. d. Dt. vfg.gebenden Nat.verslg., 1920; Das Reichsschulgesetz z. Ausführung v. Art. 146 Abs. 2 d. Reichsvfg., 1922; Was jeder Christ v. d. heutigen Parteien wissen muß, ⁶1924; German. Glaube? Ein Wort üb. Christentum u. Volkstum, 1925; Schein u. Sein d. heutigen Kulturpol., 1926; Christl.-sozial u. dt.-national, Ein Wort gegen d. Zersplitterungssucht, 1928; Die christl.-soz. Fahne empor!, 1930; Der Christ u. d. Pol., 1931; Der christl.-soz. Gedanke, Ber. üb. e. Lebensarb. in schwerer Zeit, 1933 *(P)*.

L A. Evertz, Wer kennt sie? Gestalten aus unserer kirchl. u. vaterländ. Vergangenheit, 1960, S. 86 ff.; E. Brinkmann, Der erste westfäl. Soz.pfarrer, in: Jb. d. Ver. f. Westfäl. KG 65, 1972, S. 177 ff.; H. Busch, R. M. als RTabg., ebd., S. 189 ff.; R. Mumm, Kirchlich-sozial, Zum 100. Geb.tag v. D. R. M., in: Die Innere Mission 63, 1973, S. 384 ff.; RGG²; RGG³; BBKL.

Helmut Busch †

Mummendey, *Richard,* Bibliothekar, Buchwissenschaftler, * 14. 7. 1900 Angelsdorf b. Bergheim/Erft, † 24. 9. 1978 Bad Kissingen. (kath.)

V Ernst, Weingutsbes.; *M* Susanne Dreling; ∞ 1) Elisabeth (Lily) Schumacher, 2) Hilde (Mady) Meyer-Oelschig; 1 *S* aus 1) Dietrich (1929–84), Dr. rer. pol., Journalist.

Nach dem Abitur am Städt. Realgymnasium Bonn und dem Wehrdienst studierte M. seit dem Wintersemester 1918/19 Chemie, Physik, Mineralogie, Maschinenbau und Elektrotechnik an den Universitäten Bonn und München sowie an den Technischen Hochschulen Aachen und Hannover. 1922 legte er die Diplom-Hauptprüfung in Hannover ab und promovierte mit dem Thema „Der Einfluß verschiedener Entsäuerungsmittel auf die chemische Zusammensetzung und den Geschmack des Weines" zum Dr.-Ing. Eine Assistentenstelle im Chemischen Laboratorium der Staatl. Lehr- und Forschungsanstalt für Obst-, Wein- und Gartenbau in Geisenheim im besetzten Rheinland 1923/24 mußte er aufgeben. 1925–35 war er privater Weinsachverständiger. Erst 1935 trat er als Volontär bei der Universitätsbibliothek in Berlin ein und legte 1937 seine Fachprüfung als Bibliothekar ab. Bis 1939 versah er eine Bibliotekarstelle am Arbeitswissenschaftlichen Institut in Berlin, kehrte dann an die Preuß. Staatsbibliothek zurück und wurde 1942 zum Leiter der Bibliothek der TH Aachen ernannt. 1945–50 befand er sich nach Kriegsgefangenschaft und Entnazifizierung infolge eines zeitlich begrenzten Berufsverbots im Wartestand. 1950 konnte er als Bibliotheksrat an die Universitätsbibliothek in Bonn zurückkehren, 1962–65 war er Stellvertreter des Direktors.

In der schwierigen Etatsituation der wissenschaftlichen Bibliotheken in der 2. Hälfte der 30er Jahre erkannte M. die Bedeutung der Gesamtzeitschriftenverzeichnisse (GZV). Er systematisierte sie in nationale, regionale und lokale GZV und wies den letzteren in seiner Bibliographie (1939) die Funktion des lückenloses Nachweises von Spezialbeständen auch in kleinen Instituts- und Firmenbibliotheken zu. In aktuellen Ausgaben sollten diese GZV die naturwissenschaftlich-technischen Bestände im nationalen Rahmen optimal für Mikrofilmbestellungen erschließen. Die Masse dieser Verzeichnisse erschien erst nach dem 2. Weltkrieg und ermöglichte einen schnellen Anschluß an die wissenschaftliche, technische und wirtschaftliche Entwicklung außerhalb Deutschlands. – In der Nachkriegszeit schrieb M. die aus einer Vortragsreihe im Kriegsgefangenenlager hervorgegangene erfolgreiche Buchkunde „Von Büchern und Bibliotheken" (1950, ⁵1976, Nachdr. 1985) und betätigte sich vor allem als Übersetzer amerikan. u. engl. Schriftsteller wie J. Buchan, D. Defoe, Ch. Dickens, H. Melville, E. A. Poe, J. Conrad, N. Hawthorne, I. P. Redburn, R. L. Stevenson, S. Styles und J. Swift. Dabei entstanden auch seine Bibliographien zur angelsächs. Sprache und Literatur in Deutschland (1954) und zur Belletristik der Vereinigten Staaten in deutschen Übersetzungen (1961). – Ehren-Sekr. d. Bibliographical Society of the University of Virginia (Charlottesville) (1953–78).

Weitere W Die Bibliothekare d. wiss. Dienstes d. Univ.bibl. Bonn 1818–1968, 1968 *(W-Verz.)*. – *Hrsg.:* Bonner Btrr. z. Bibl.- u. Bücherkde., 1954–74.

L Ch. Schürfeld, Die Univ.bibl. Bonn 1921–68, 1974, S. 113 *(P)*; A. Habermann, Lex. dt. wiss. Bibliothekare 1915–80, 1985; Kürschner, Gel.-Kal. 1954–76; Kürschner, Lit.-Kal. 1973; Kosch, Lit.-Lex.

Johannes Buder

Mummenhoff, *Ernst,* Historiker und Archivar, * 22. 12. 1848 Nordwalde (Kr. Steinfurt, Westfalen), † 15. 4. 1931 Nürnberg. (kath.)

V Franz (1812–95) aus Herten Kr. Recklinghausen, seit 1837 Lehrer u. Küster in Nordwalde, *S* d. Johann Theodor (* 1779), Schuster in Eickel b. Bochum, u. d. Anna Maria Elisabeth Hiltrop; *M* Eleonore Zentner (1816–66) aus Münster; ∞ Nürnberg 1880 Mathilde Söllner (1860–1955); 3 *S*, u. a. Oskar (1882–1947), Oberamtsrichter in Eichstätt, Wolfgang (1901–1993), Reg.dir. im niedersächs. Landwirtsch.ministerium in Hannover, 2 T; E Gerhard (* 1920), Dr. iur., Dipl.kaufm. in Nürnberg.

M. besuchte die Gymnasien in Recklinghausen und Münster, wo er 1869 das Abitur ablegte, um an der Akademie in Münster und an der Univ. München, besonders bei Wilhelm v. Giesebrecht, Konrad Hofmann und Franz v. Löher, klassische und deutsche Philologie sowie Geschichte und geschichtliche Hilfswissenschaften zu studieren. Nach einer Ausbildung an der Münchener Archivschule arbeitete M. 1877 zunächst am Kreisarchiv in Nürnberg, 1883 wechselte er an das 1865 gegründete städtische Archiv und wurde 1891 auch mit der Leitung der Stadtbibliothek betraut (Archivrat 1897, Archivdirektor 1920). Gestützt auf moderne Verzeichnungsprinzipien ordnete er die Bestände, sorgte für eine Erweiterung der Räumlichkeiten und eröffnete 1885 eine Dauerausstellung mit Zimelien. Ein umfangreicher Austausch mit dem Allgemeinen Reichsarchiv und dem Kreisarchiv Nürnberg (1887 bzw. 1909) brachte einen Teil der 1806 in staatlichen Besitz übergegangenen Archivalien der Stadt zurück, führte aber wegen einer Abgrenzung nach Pertinenzen zu weiterer Zersplitterung der Nürnberger Archivbestände. Erfolgreicher war M. bei der Akquirierung privater Provenienzen, die den Grundstock heutiger Sammelbestände im Stadtarchiv bilden. 1895 holte er das Archiv des Handelsvorstands als zentrale Überlieferung zur neuzeitlichen Wirtschaftsgeschichte als Depositum ins Stadtarchiv. Die Herausgabe des „Nürnberger Urkundenbuchs" (1. Lfg. 1959) konnte M. zwar nicht bewältigen, doch die Arbeiten hierzu begründeten seine hervorragenden Quellenkenntnisse. Aus der Vielzahl der Vorträge, Aufsätze und Monographien zur Nürnberger Kultur-, Wirtschafts-, und Sozialgeschichte, zur Topographie, Verfassungs-, Medizinal- und Agrargeschichte sowie zu Nürnberger Biographien sind auch heute noch seine Forschungen zur Bedeutung Nürnbergs im 14. Jh., zu den ältesten Stadtmauern, zum Rathaus und zur Burg zu nennen. 1901 verfaßte er für die „Monographien zur deutschen Kulturgeschichte" den vielgelesenen Band „Der Handwerker in der deutschen Vergangenheit" (²1924, Nachdr. 1979). Neben den archivisch-historischen Arbeiten zu zahlreichen offiziellen Festschriften, etwa für die Versammlung deutscher Naturforscher und Ärzte (1892), das Bundesschießen (1897), den 5. Deutschen Historikertag (1898), das Turnfest (1903), die 3. Bayer. Landesausstellung (1906) und das Sängerbundesfest (1912) wurde M. zunehmend als Organisator solcher Feiern herangezogen; 1894 konzipierte er den Festzug zum Hans-Sachs-Jubiläum und trat mit selbst verfaßten Lobsprüchen, Liedern und Festspielen an die Öffentlichkeit. In der Rolle des Hans Sachs wurde M. bekannt als eifriger Inszenator des historischen Ambientes der einstigen Reichsstadt, die sich in der Wilhelminischen Ära zu einem industriellen Zentrum entwickelte und gleichzeitig mit patriotischem und nationalem Pathos zum Inbegriff des deutschen Mittelalters stilisiert wurde. 1878 gehörte M. zu den Gründungsmitgliedern des Vereins für Geschichte der Stadt Nürnberg, 1891 zweiter, 1911–26 erster Vorsitzender des Vereins, repräsentierte er diesen im Gesamtverein deutscher Geschichts- und Altertumsvereine und begründete die „Mitteilungen des Vereins für Geschichte der Stadt Nürnberg", deren alleinige Redaktion er bis 1926 ausübte. – Dr. phil. h. c. (Erlangen 1903); Michaelsorden (1908); Ehrenvors. d. Ver. f. Gesch. d. Stadt Nürnberg (1927); Ehrenbürger v. Nordwalde u. Nürnberg (1928); Ehrengrab auf d. Johannisfriedhof, Nürnberg.

Weitere W Die öff. Gesundheits- u. Krankenpflege im alten Nürnberg, in: FS z. Eröffnung d. neuen Krankenhauses d. Stadt Nürnberg, 1898, S. 1–122, Nachdr. 1986; Btrr. in ADB.

L Th. Hampe, in: Fränk. Kurier v. 24. 12. 1920, S. 11 f.; Nürnberger Ztg. v. 25. 10. 1928; K. Goldmann, Gesch. d. Stadtbibl. Nürnberg, 1957; E. Reicke, in: Mitt. d. Ver. f. Gesch. d. Stadt Nürnberg 31, 1933, S. 1–16; ders., in: Ll. aus Franken, V, 1936, S. 244–62; G. Pfeiffer, in: Archival. Zs. I, 1949; W. Schultheiß, in: Nürnberg heute, 1. Jhg., H. 2, 1949, S. 42 f.; ders. u. G. Hirschmann, Stadtarchiv Nürnberg 1865–1965, 1964; A. Bartelmeß, in: Ch. v. Imhoff, Berühmte Nürnberger, 21968 (P); H.-D. Beyerstedt, H. Schmitz, 125 J. Stadtarchiv Nürnberg, 1990; W. Leesch, Archivare als Dichter, in: Archival. Zs. 78, 1993, bes. S. 66 u. 162; ders., Die dt. Archivare, II, 1992; A. Habermann u. a., Lex. dt. wiss. Bibliothekare 1925–1980. – Eigene Archivstud. (Stadtarchiv Nürnberg).

P Ölgem. v. F. Mayerfelice, 1928 (Museen d. Stadt Nürnberg).

Michael Diefenbacher

Muncker (ev.)

1) *Theodor* v. (bayer. Personaladel 1887), Bürgermeister von Bayreuth, * 29. 5. 1823 Bayreuth, † 14. 2. 1900 ebenda.

V Konrad M. (1753–1825), Kreishauptkasse-Diener in B.; *M* Anna Kunigunda (1795–1859) aus Limmersdorf, *T* d. Johann Friedrich Rosenmerkel, Lehrer u. Organist in Thurnau; ∞ Bayreuth 1854 Wilhelmine (Mina) (1826–91), *T* d. Heinrich Kroher (1797–1861), Rentamtsassistent in B., u. d. Johanna

Barbara (Babette) Feistel (1804–44); 3 S, u. a. Franz (s. 2, Qu., L), 3 T (1 früh †).

Aufgewachsen in äußerst bescheidenen Verhältnissen, konnte M. das Gymnasium nur unter großen Entbehrungen besuchen. Das Studium der Theologie, dann der Jurisprudenz seit 1843 in Erlangen und München mußte er durch Nachhilfeunterricht selbst finanzieren. Nach der Konkursprüfung Ende 1849 war er Praktikant am Landgericht Bayreuth und seit 1851 zweiter, seit 1857 erster rechtskundiger Magistratsrat seiner Heimatstadt. Am 29. 3. 1863 wurde M. als gewählter rechtskundiger Bürgermeister von Bayreuth vom König bestätigt.

Seit der Mitte des 19. Jh. wurde auch Bayreuth von der Industrialisierung erfaßt, und die Einwohnerzahl verdoppelte sich bis zum Ende des Jahrhunderts auf 30000. Zugleich vollzog sich ein umfassender kommunaler Modernisierungsprozeß, den der Bürgermeister entscheidend vorantrieb. M. sorgte für Bayreuths Anschluß an das Eisenbahn- und Telefonnetz und ließ die neue Wasserleitung von der Saas bauen, die erst die Trinkwasserversorgung möglich machte. Er setzte die Kanalisierung der Hauptstraßen und vor allem die Mainregulierung zur Bannung der Hochwassergefahr durch und führte die elektrische Straßenbeleuchtung ein. Besonders nachhaltig wurde von M. das Schulwesen gefördert, ebenso das Gesundheitswesen und die medizinische Versorgung. Als Vertreter der Kreishauptstadt war M. seit 1864 Mitglied des Oberfränk. Landrates. Zunächst als Sekretär und seit 1880 als Präsident leitete er die Arbeit des Landrates mit Geschick und Erfolg, unter steter Betonung der Rechte der Landräte gegenüber der Regierung. M., der durchaus Verständnis für die sozialen Probleme der Arbeiter aufbrachte, wandte sich dennoch entschieden gegen die „Sozialisten". Mit dem Erlaß des Sozialistengesetzes 1878 verbot er sogleich alle Arbeitervereine in der Stadt. – Die wohl wichtigste und folgenreichste Entscheidung M.s als Bürgermeister war sein Eintreten für Richard Wagner und dessen Festspielidee. Als sich Wagner am 1. 11. 1871 in dieser Angelegenheit an den Bankier und Gemeindebevollmächtigten Friedrich v. Feustel (1824–91) wandte, konnte dieser seinen Freund M. rasch überzeugen. Der an sich nüchterne und sparsame Bürgermeister war von den Plänen Wagners begeistert und brachte auch die städt. Kollegien dazu, der Festspielidee zuzustimmen. M. suchte selbst das Grundstück für das Festspielhaus auf dem Grünen Hügel aus und war Mitglied des dreiköpfigen Verwaltungsrates der Bayreuther Bühnenfestspiele. Zusammen mit Feustel vermittelte er auch den Grund für das Haus Wahnfried, in das die Familie Wagner schon 1874 einziehen konnte. Zwei Jahre später fanden die ersten Festspiele statt. M. blieb bis in die letzten Jahre Präsident des Allgemeinen Richard-Wagner-Vereins und Vorsitzender des Bayreuther Zweigvereins. – Komtur d. Verdienstordens d. Bayer. Krone (1889); GHR (1891).

Qu. Stadtarchiv Bayreuth; Archiv d. Stadtkirche Bayreuth; Richard Wagners Briefe an Th. M., hrsg. v. Franz Muncker, in: Bayreuther Bll. 23, 1900, S. 178–81, 191–222.

L Das Bayerland 11, 1900, S. 285–87 (P); H. v. Wolzogen, in: Bayreuther Bll. 23, 1900, S. 178–81; Franz Muncker, in: BJ V, 1903, S. 318–20 (L); ders., in: Ll. aus Franken, I, 1919, S. 327–35 (L); W. Müller, Ein Wegbereiter Wagners in Bayreuth, in: Nordbayer. Kurier v. 29. 5. 1973 (P); I. Dallmeyer, Richard Wagner u. Bayreuth, Diss. Bayreuth 1991; K. Müssel, Bayreuth in acht Jhh., 1993; R. Trübsbach, Gesch. d. Stadt Bayreuth 1194–1994, 1993; F. Spotts, Bayreuth, Eine Gesch. d. Wagner-Festspiele, 1994.

Rudolf Endres

2) *Franz,* Literaturhistoriker, * 4. 12. 1855 Bayreuth, † 7. 9. 1926 München.

V Theodor v. M. (s. 1); ⚭ 1890 Magdalena, T d. Hermann Kaula († 1876) aus Harburg b. Hamburg, Bankier in M., u. d. Emilie Ettlinger (1833–1912) aus Karlsruhe, Gesangslehrerin in M. (s. BJ 17); *Schwager* Friedrich Kaula, Papierfabr.; kinderlos.

Nach dem Gymnasialexamen immatrikulierte sich M. zum Wintersemester 1873/74 an der Univ. München; hier hat er sein gesamtes akademisches Leben verbracht. M. widmete sich vor allem philologischen und historischen Studien; seine wichtigsten Lehrer waren Konrad Hofmann für altdeutsche und altromanische Sprachen und Literatur und Michael Bernays für neuere Sprachen und Literatur, beide waren Verfechter einer an der Lachmannschen Methode der Textkritik orientierten strengen Philologie. M.s Forschungen konzentrierten sich schon früh aufs 18. Jh., wobei eine 1875 von der Münchener Philosophischen Fakultät ausgeschriebene Preisaufgabe über Lessings Verhältnis zu Klopstock die Weichen gestellt hat; die Schrift, mit der M. 1876 den Preis gewann, blieb zunächst ungedruckt. Mit einer zwei Bogen umfassenden Charakteristik Klopstocks promovierte M. 1878. Die Habilitation für Geschichte der deutschen Literatur erfolgte 1879 mit einer Studie „Über zwei kleinere deutsche Schriften Aventins" (1879). Zum Wintersemester 1879/80 nahm M. als Privatdozent die Lehrtätigkeit an der Univ. München auf. 1890 wurde er als Nachfolger von Bernays ao. Professor für „neuere, insbesondere deutsche Literaturgeschichte" (o. Prof. 1896). M. lehrte hier 47 Jahre lang, bis zum Sommersemester 1926.

M.s äußerlich ereignisarmes Leben war der unermüdlichen Tätigkeit in Forschung und Lehre gewidmet, in deren Zentrum jene beiden Namen standen, die schon im Titel der frühen Preisschrift erscheinen: Klopstock und Lessing. Als Buch erschien „Lessings persönliches und literarisches Verhältnis zu Klopstock" 1880 nach ausgedehnten Archivstudien, die M. bereits „als Vorarbeiten für eine Biographie und kritische Ausgabe des Dichters" betrachtete. Während der Plan einer kritischen Klopstock-Ausgabe unverwirklicht blieb – immerhin konnte M. 1883 einen Neudruck der ersten drei Gesänge des „Messias" und 1889 mit Jaro Pawel eine zweibändige kritische Edition von Klopstocks Oden vorlegen –, wurde die große Biographie „Friedrich Gottlieb Klopstock, Geschichte seines Lebens und seiner Schriften" (1888, ²1900) M.s bedeutendste literaturgeschichtliche Leistung. Das Werk weist die typischen Vorzüge, aber auch die Nachteile der großen Dichterbiographien des Positivismus auf: Der auf einer souveränen Kenntnis der gedruckten und ungedruckten Quellen beruhenden Darstellung der Biographie, der Werkgeschichte und der literaturgeschichtlichen Einflüsse stehen eine weitgehende Abstinenz gegenüber der interpretatorischen Werkanalyse und die Tendenz entgegen, bei der ästhetischen Wertung die Maßstäbe der Goethezeit absolut zu setzen. M.s dem Wissenschaftsprogramm des Positivismus entsprechende Neigung zur Biographie hat ihren Niederschlag außerdem in zahlreichen Artikeln für die ADB und in kleineren Büchern über „Johann Kaspar Lavater" (1883), „Friedrich Rückert" (1890) und „Richard Wagner" (1891) gefunden. Als Sohn des Bayreuther Bürgermeisters, der sich große Verdienste um den Bau des Festspielhauses erworben hatte, erhielt M. schon in seiner Jugend wesentliche geistige und künstlerische Anregung durch Wagner.

M.s zweite bedeutende Leistung ist seine grundlegende Erneuerung von Karl Lachmanns Lessing-Ausgabe (23 Bde., 1886–1924), die ihn über vier Jahrzehnte beschäftigt hat. Sie ist das Werk eines einzelnen, der das gesamte handschriftliche und gedruckte Material geprüft und die Lesarten der älteren Ausgaben im Variantenapparat verzeichnet hat. Zahlreiche andere editorische Unternehmungen haben die Arbeit an der Lessing-Ausgabe begleitet. So gab M. 1882 Wielands bisher unveröffentlichtes Epenfragment „Hermann" (Dt. Litt.denkmale d. 18. Jh., Bd. 6) heraus, und in Joseph Kürschners „Deutscher National-Literatur" besorgte er die Bände 43/44 (Bremer Btrr., 1882) und 45 (Anakreontiker u. preuß.-patriotische Lyriker, 1894). Die Betreuung verschiedener populärer Leseausgaben – u. a. von Kleists (1882), Wielands (1889) und Immermanns Werken (1897) sowie des Schiller-Goethe-Briefwechsels (1893) in der Cottaschen Bibliothek der Weltliteratur – trug ihm gelegentlich den Vorwurf ein, er ediere allzu „gewerbsmäßig" (Erich Schmidt).

Als Bibliograph wirkte M. an der 3. Auflage von Goedekes „Grundriß zur Geschichte der deutschen Dichtung" mit, wo er u. a. den Lessing- und den Klopstock-Paragraphen übernahm. Seine umfassende Kenntnis der deutschen Literatur fand ihren Niederschlag in zahlreichen großen Abhandlungen, die in den Sitzungsberichten der Bayer. Akademie der Wissenschaften erschienen sind; in ihnen tritt freilich die theoretische und interpretatorische Erschließung zugunsten der breiten Materialerhebung zurück („Anschauungen vom engl. Staat u. Volk in d. dt. Lit. d. letzten 4 Jh.", T. 1, 1918, T. 2, 1925). – Während M. selbst in seinen Hauptarbeitsgebieten Edition, Biographie und Bibliographie dem Positivismus verpflichtet blieb, vertrat er doch die Auffassung, daß die Literaturgeschichte mit ihrer Aufgabe, „den Werdegang des geistigen Lebens der Völker" zu erkennen, die „engeren Schranken der Philologie" überschreite und sich als eine „Grenzwissenschaft" darstelle, „die zwischen Philosophie, Philologie und Geschichte in der Mitte liegt, sich nahe mit Kunst- und Musikgeschichte berührt und gleich ihnen einen wichtigen Teil der allumfassenden Kulturgeschichte bildet" („Wandlungen in den Anschauungen über Poesie während der zwei letzten Jh.", 1906). Dies erklärt, weshalb aus M.s großem Schülerkreis, der ihm Festschriften zum 60. und 70. Geburtstag gewidmet hat („Abhh. z. dt. Lit.gesch.", 1916; „Die Ernte", 1926), führende Repräsentanten der geistesgeschichtlichen Neuorientierung der Germanistik seit ca. 1910 hervorgegangen sind (u. a. Rudolf Unger, Christian Janentzky, Fritz Strich). – Mitgl. d. Bayer. Ak. d. Wiss. (ao. 1901, o. 1906); Michaelsorden III. Kl. (1911); GHR (1917).

Weitere Abhh. in d. SB d. Bayer. Ak. d. Wiss. u. a.: Die Gralssage b. einigen Dichtern d. neueren dt. Litt., 1902; Wielands „Pervonte", 1903; Zu Schillers Dichtungen, 1906; Über einige Vorbilder f. Klopstocks Dichtungen, 1908; Neue Lessing-Funde, 1915. – *Hrsg.:* Forschungen z. neueren Lit.gesch. (1896 ff.).

L C. v. Kraus, in: Jb. d. Bayer. Ak. d. Wiss. 1926, S. 14–21 *(L);* H. H. Borcherdt, in: Bayer. Bildungswesen, 1, 1927, S. 195–202; J. Petersen, in: ZDP 53, 1928, S. 89–98 *(Verz. v. M.s Lehrveranstaltungen);* R. A. Müller, Aspekte z. Gesch. d. dt. Philol. an d. Univ. Ingolstadt-Landshut-München (1799–1949), in: Die Ludwig-Maximilians-Univ. in ihren Fakultäten, hrsg. v. L. Boehm u. J. Spörl, II, 1980, S. 236–38; M. Bonk, Dt. Philol. in München, 1995.

P F. Behrend, Gesch. d. dt. Philol. in Bildern, 1927, S. 62; Phot. in: Geist u. Gestalt, Biogr. Btrr. z. Gesch. d. Bayer. Ak. d. Wiss., III, 1959, Nr. 185; Phot. in: P. Boden u. B. Fischer, Der Germanist J. Petersen (1878–1941), 1994, S. 35.

Ernst Osterkamp

Mundt, *Johann Heinrich,* Orgelbauer, ~ 15. 11. 1632 Köln, † 18. 3. 1691 Prag, □ ebenda, Krypta v. St. Aegidius.

M. kam vor 1668 nach Böhmen, um sein Handwerk bei dem Prager Orgelbauer Hieronymus Artmann zu erlernen. Seine erste nachweisbare Arbeit ist eine Reparatur der Orgel der Thomaskirche auf der Prager Kleinseite 1668 in Zusammenarbeit mit Matthäus Köhler (Kehler) aus Zwittau. Der erste vollständige Neubau entstand zeitgleich 1668–70 in der Zisterzienser-Klosterkirche in Osseg bei Dux mit II Manualen und 26 Registern (II/26, nur Prospekt erhalten). Von dort aus bewarb sich M. für den Neubau der Orgel in der Prager Teinkirche. Im September 1670 erhielt er den Zuschlag und erbaute das Werk (II/29) bis 1673 für 3122 Gulden, 21 Kreuzer und 3,5 Denare. Dieses größte und heute noch erhaltene Instrument M.s verhalf ihm schon während der Bauphase zu Ruhm und Anerkennung und außerdem zum unentgeltlichen Erwerb des Prager Bürgerrechts. Bei der Examinierung der Orgel am 28. 4. 1673 kam es jedoch zu Beanstandungen durch die offenbar konservative Prüfungskommission. Deshalb sowie wegen eines Brands der Kirche 1682 nahm M. mehrere Nachbesserungen vor allem in klanglicher Hinsicht vor. Zu den weiteren herausragenden Orgelbauten gehören die Instrumente in der Zisterzienserkirche von Hohenfurth (II/27, 1679) und in der Kirche St. Nikolaus in der Prager Altstadt (II/16, 1685). Im März 1691, wenige Tage vor seinem Tod, kaufte M. das Haus „Zum goldenen Sessel" in Prag.

M., in dessen Schaffen sich Elemente der böhm. wie auch der ital. Orgelbaukunst vereinen, zählt zu den markantesten Meistern des 17. Jh. in Böhmen. Mit seiner progressiven Konzeption stellt er ein Bindeglied zwischen den Orgelstilen des 15./16. und des 18. Jh., dem klassischen Zeitalter des barocken Orgelbaues, dar. Die beiden dominierenden Klanggruppen seiner Orgeln sind einerseits die Principal- und andererseits die Flötenstimmen. In auffälliger Minderheit befinden sich die Aliquotregister und die Lingualstimmen. Eine besondere Funktion nimmt in den M.schen Dispositionen das Register Copula aus dünnwandigen Eichenholzpfeifen ein. Es unterstreicht den grundtönigen Charakter der Orgeln und steht als Mittler zwischen den Principalen und den Flötenstimmen. Der Anteil der Zinnpfeifen überwiegt in seinen Orgeln. Die Mixturen sind terzhaltig. Im Werkaufbau der Orgeln, die oft Cymbelsterne besitzen, orientierte sich M. an den klassischen Regeln, wobei dem Hauptwerk eindeutig die dominierende Rolle zukommt. Das Pedal ist in hohem Maße als selbständige Klanggruppe angelegt. In der Prospektgestaltung bevorzugte M. eine flächige Anordnung der Pfeifen und Ornamente.

Weitere W u. a. Prag, Neustadt, St. Wenzel I/10, 1684; Prag, Altstadt, St. Nikolaus (Benediktinum) Positiv I/3; Sassau, Klosterkirche (Chororgel), jetzt in Stolmir b. Böhm.-Brod II/?, 1688 (?) (teilw. erhalten); Kralowitz b. Pilsen I/12, 1689 (erhalten); Welwarn, St. Katharina, jetzt in d. Friedhofskapelle I/10, 1689 (teilw. erhalten); Skripel b. Beraun, kath. Kirche, Positiv (Prospekt erhalten, Autorschaft M.s zweifelhaft).

L J. Gartner, Kurze Belehrung üb. d. innere Einrichtung d. Orgeln u. d. Art selbe in gutem Zustande zu erhalten, 1832; J. Hutter, Varhany v Týně 1670–1682, in: Kniha o Praze, 1931; V. Němec, Dějiny varhan u Matky Boží před Týnem v Starém městě Pražském, in: Cyril 65, 1939, Nr. 5/7, S. 62; ders., Pražské varhany, 1944; R. Quoika, Die Orgel d. Teinkirche zu Prag, 1948; ders., Über altböhm. Orgeln, in: Zs. f. Kirchenmusik 72, 1952, S. 195–98; E. Flade, Lex. d. Orgelbauer d. dt. Sprachgebietes (Ms., Musikabtlg. d. Staatsbibl., Berlin), um 1960; L. Tomši, Z činnosti Varhanáře J. J. Mundta, in: Hudební nástroje 19, 1982, H. 4, S. 137–138; BLBL.

Felix Friedrich

Mundt, *Robert,* Maschinenbauer, * 5. 6. 1901 Berlin, † 20. 2. 1964 Schweinfurt. (ev.)

V Alfred (1875–1945), Kriminalpolizeirat in B., *S* d. Gustav Robert (1851–1928) aus Neuwedel (Mark Brandenburg), Polizeihptm. in B., u. d. Dr.-Ing. Marie Louise Pohlmann (1854–1937) aus Müncheberg (Mark Brandenburg); *M* Ella (1877–1952), *T* d.

Philipp Vender (1830–98) aus Kreuznach, Fabr. in. B., u. d. Bertha Auguste Elisabeth Mingie (1841–98); ⚭ Berlin 1927 Louise (1902–90), T d. Johann Georg Bär (1877–1952), Rektor in Sulzbach-Rosenberg, u. d. Luise Rauber (1882–1958) aus Spielberg (Oberfranken); 3 S, 1 T, u. a. Manfred (* 1932), Dipl.-Ing. in Sch., Bernhard (* 1935), Dipl.-Ing. in Passau.

Nach dem Abitur am Friedrich-Realgymnasium in Berlin studierte M. 1920–25 an der TH Charlottenburg Maschinenbau, u. a. bei Otto Kammerer. Dieser empfahl ihn nach der Diplom-Hauptprüfung an die Norma GmbH Berlin, die seit 1914 mehrheitlich zur Svenska Kullagerfabriken (SKF), Göteborg, gehörte. M. lernte dort Josef Kirner, den Erfinder des Zylinder-Rollenlagers, und dessen Vorgänger Wilhelm Jürgensmeyer (1893–1963) sowie die schwed. Wälzlagerpioniere Sven Gustaf Wingquist und Nils Arvid Palmgren kennen, mit denen gemeinsam er an der Weiterentwicklung der Wälzlager-Theorie arbeitete. M. gelang es, einem stetig wachsenden Kreis von Anwendern die Vorteile der Wälzlagerung zu erläutern und die Konstrukteure entsprechend zu beraten. Er gestaltete auch viele Gleitlagerungen auf Wälzlager um, z. B. bei den Güterwagen der Deutschen Reichsbahn. In seiner Dissertation bei Kammerer über „Ermüdungsbruch und zulässige Belastung von Wälzquerlagern" (1928) ermittelte M. die zulässige Belastung der Wälzlager aufgrund der vorgegebenen Lebensdauer aus Drehzahl und Lagerabmessung, indem er eine Beziehung zwischen der spezifischen Belastung und der Zahl von Belastungswechseln bis zum Ermüdungsbruch aufstellte. Seinen Ergebnissen kam große praktische Bedeutung zu, weshalb die Arbeit in Fachkreisen Aufmerksamkeit fand. Die Firma Norma übertrug ihm die Leitung der Abteilung Triebwerksbau; er entwarf Wälzlagerungen für Elektromaschinen und den Schiffbau und für Hebezeuge mit kleiner Drehzahl.

Als 1931 Schweinfurt Sitz der Vereinigten Kugellagerfabriken (VKF, gegr. 1929) wurde und eine eigene Technische Abteilung mit Prüf- und Versuchsanlagen für die zwei deutschen Werke Cannstatt und Schweinfurt erhielt, kam M. als Sachbearbeiter für technisch-wissenschaftliche Fragen dorthin. Seit 1932 mit Handlungsvollmacht, bearbeitete er die Konstruktion, Normung, Erprobung und Entwicklung der Wälzlager erfolgreich weiter und wurde zum wichtigsten Fachmann in allen Lagerungsfragen in Deutschland. Seit 1941 leitete er (seit 1942 als Direktor) das Technische Büro der VKF, das die gesamte deutsche Industrie wälzlagertechnisch beriet und betreute. Er hielt es nun für notwendig, die Berechnung der Wälzlager zu normen, da ihre Hersteller Tragfähigkeit und Lebensdauer noch verschieden ansetzten. Verwirklicht wurden diese Absichten aber erst nach dem 2. Weltkrieg durch die schwed. Normen-Kommission, die sich auf die Studien von Palmgren stützte. Nach der Wiederaufnahme der Wälzlagerproduktion in der Bizone 1947 übernahm M. erneut die Technische Abteilung der VKF (bis 1959, seit 1953 als Direktor). 1948–64 gehörte er dem DIN-Arbeitsausschuß Wälzlager an; er war zudem Mitglied der deutschen Delegation im ISO-Wälzlager-Komitee, das 1958 die Berechnungsempfehlung für Wälzlager verabschiedete. Nachdem sich M. schon 1938 an der TH München habilitiert hatte (Theorie d. parabol. Druckflächen, wie sie bei Berührung kegeliger Oberflächen entstehen; s. a. Forschungen Ing. Wesen 9, 1938, S. 298–306), wurde er 1949 Mitarbeiter am Ingenieur-Taschenbuch „Hütte" und verfaßte für dieses bis 1954 den Wälzlager-Abschnitt. 1950 veröffentlichte er eine allgemein verständliche Darstellung der Hertzschen Theorie über die Berührung fester elastischer Körper. 1954 berief ihn Gustav Niemann an sein Institut für Maschinenelemente an der TH München als Dozent für Wälz- und Gleitlagertechnik (1961 Professor). Daneben hielt M. Vorlesungen an den Technischen Hochschulen Karlsruhe, Hannover, Braunschweig, Stuttgart, Berlin und Istanbul. – Rettungsmedaille am Bande (1926).

L Automobil-Revue (Frankfurt) 26, 1951, Nr. 4, S. 60 (P); E. Kruppke, in: Schmiertechnik 8, 1961, S. 272 (P); Graue, ebd. 11, 1964, S. 113 f.; Jb. d. Schiffbautechn. Ges. 58, 1964, S. 64 f.; Glasers Ann. 88, 1964, S. 113 f. (P); H. Rausch, in: DIN-Mitt. 43, 1964, S. 184 (P); H. C. v. Seherr-Thoß, Die Entwicklung d. Zahnrad-Technik, 1965, S. 438; Pogg. VII a; Kürschner, Gel.-Kal. 1966. – Mitt. v. Dipl.-Ing. Manfred Mundt.

Hans Christoph Graf v. Seherr-Thoß

Mundt, *Theodor,* Schriftsteller, Publizist, Literaturkritiker, * 19. 9. 1808 Potsdam, † 30. 11. 1861 Berlin.

V N. N., Rechnungsbeamter; M N. N.; ⚭ 1839 Clara Müller (Ps. Luise Mühlbach, 1814–73), Schriftst. (s. NDB 18); 2 T, u. a. Theodora (* 1847), Schausp.

M. besuchte das Joachimsthalsche Gymnasium zu Berlin. Dort schloß er Freundschaft mit Gustav Kühne, der später sein engster publizistischer Mitstreiter wurde. Seit 1825 studierte M. in Berlin Jura, Philologie und

Philosophie. Seine Lehrer waren u. a. August Boeckh, Karl Lachmann, Friedrich v. Raumer, Leopold Ranke und Hegel. 1828 wandte sich M. nach Halle, 1830 promovierte er in Erlangen mit einer Arbeit über den Ursprung der athen. Beredsamkeit bei den Siculern. Bemühungen um eine Anstellung als Hochschullehrer in Berlin blieben erfolglos, zumal M. mit publizistischen Äußerungen gegen die restaurative Politik hervorgetreten war.

Seine frühen erzählerischen Versuche standen unter dem Einfluß von E. T. A. Hoffmann, L. Tieck und Jean Paul. 1832 stieß er zu den Beiträgern der Leipziger „Blätter für literarische Unterhaltung" und schloß sich der liberalen, restaurationskritischen Opposition an. Im Gefolge Heines, Börnes und Pückler-Muskaus verstand sich M. als „Zeitschriftsteller" der „Bewegungspartei", wobei er das polemische Literaturkonzept seiner Vorbilder mit Vehemenz ausschrieb: Die aristokratische „Literaturperiode" Goethes sei beendet; an ihre Stelle trete eine „mehr republikanische Literaturverfassung", die „Philosophie, Religion und Kunst, überhaupt alle geistige Tendenzen" vereinige („Kritische Wälder", 1833). M.s Schriften der 1830er Jahre gaben Proben dieses literarisch-synkretistischen und politisch-operativen Programms; hier verflossen die Grenzen zwischen Novellistik, philosophischer Betrachtung, Literatur-, Religions- und Gesellschaftskritik sowie politischem Appell (Aufsätze und Novellen der Jahre 1833; „Moderne Lebenswirren", 1834). Mit dem saint-simonistisch getönten Reiseroman „Madonna, Unterhaltungen mit einer Heiligen" (1835), der sich scharf antikatholisch gebärdete und provokativ von der „Wiedereinsetzung des Fleisches" handelte, geriet M. ins Visier der Bundes- und Landeszensur. Preußen verbot seine sämtlichen Schriften. Im Bundestagsbeschluß gegen das „Junge Deutschland" vom 10. 12. 1835 wurde M. als einer der Hauptvertreter der vorgeblich sitten-, religions- und staatsfeindlichen neuen Schule aufgeführt. Nach fortdauernden Auseinandersetzungen mit der Berliner Zensur bereiste M. 1837/38 Frankreich, England und die Schweiz („Spaziergänge und Weltfahrten", 1838/39). Während eines Besuches in Hamburg knüpfte er Verbindungen zum Verlag Hammerich im liberalen dänischen Altona, um den heimischen Publikationshemmnissen auszuweichen. 1839 scheiterte ein erneuter Versuch, sich in Berlin zu habilitieren und im akademischen Staatsdienst unterzukommen. Unterstützt von seiner Frau, betrieb M. bei der preuß. Regierung seine Rehabilitierung und die Aufhebung der Ausnahmezensur. Er versicherte, von seinen früheren Auffassungen, vor allem den junghegelianischen Ideen, Abstand genommen zu haben. 1842 fielen die preuß. Sanktionen gegen die Jungdeutschen. M. erhielt durch Vermittlung Schellings und nach Zusicherung künftigen politischen Wohlverhaltens eine Privatdozentur an der Philosophischen Fakultät der Univ. Berlin. Gleichwohl erregte er wenig später erneut literarisch-politischen Anstoß („Kleines Skizzenbuch", 1844); noch 1848 wurde er deshalb kurzzeitig als Professor der allgemeinen Literatur und Geschichte an die Univ. Breslau versetzt. Seit 1850 war M. als akademischer Lehrer, vorwiegend aber als Bibliothekar der Univ. Berlin tätig; 1853 wurde er nach einem Streit mit dem starr konservativen Historiker und Oberbibliothekar Georg Heinrich Pertz vorzeitig pensioniert.

Seinem Naturell nach wie aus existenziellen Gründen war M. ein Mann der rastlosen, vielseitigen und stilgewandten Feder. Seine Zeitschriften und Almanache („Literarischer Zodiakus", 1835/36; „Dioskuren für Kunst und Wissenschaft", 1836/37; „Der Delphin", 1838/39; „Der Freihafen", 1838–41; „Der Pilot", 1840–43) zeigten gelehrten Ehrgeiz, blieben jedoch meist kurzlebig: die Konkurrenz ähnlicher Unternehmen war groß, beständige Einwirkungen durch die Zensur taten ein übriges. Poetische Mittel standen M. nur in begrenztem Maße zu Gebote, oft neigte er zu pathetischen Phrasen. Seine Novellen und Romane sind heute aus anderem als kultur- und literaturgeschichtlichem Interesse kaum noch lesbar. Sie dokumentieren die vormärzlich-oppositionelle, teilweise aus der Poetologie der deutschen Romantik stammende Technik der Verschmelzung heterogener Textarten, Diskursformen und Themenbereiche. Schon die zeitgenössische Kritik zweifelte an der Lebensfähigkeit dieser „Zwittergattung von Poesie und Raisonnement" (Ludwig Wihl, 1838). Weniger verbraucht wirken M.s Reiseberichte und Kulturbilder („Völkerschau auf Reisen", 1840; „Pariser Kaiser-Skizzen", 1856/57; „Italienische Zustände", 1858/60) sowie seine biographischen Schriften („Charlotte Stieglitz, Ein Denkmal", 1835). Seine dickleibigen historischen Romane („Thomas Müntzer", 3 Bde., 1841; „Gf. Mirabeau", 4 Bde., 1858; „Robespierre", 3 Bde., 1859) ersticken an ihrer eigenen historiographischen Masse. Schätzbar als Dokumente vormärzlicher Literaturtheorie und -geschichtsschreibung sind M.s „Die Kunst der deutschen Prosa" (1837), die „Geschichte der Literatur der Gegenwart vom Jahre 1789 bis zur neuesten Zeit" (1842, ²1853) sowie die „Ästhetik" (1845), die der Systematik Hegels folgte, sich jedoch gegen dessen These vom geschichtlichen „Ende der Kunst" wandte.

Weitere W Ausg.: Ges. Schrr., 2 Bde., 1847. – *W-Verz.:* Wilpert-Gühring.

L ADB 23; O. Draeger, Th. M. u. seine Beziehungen z. Jungen Dtld., 1909 (Neudr. 1968); H. H. Houben, Jungdt. Sturm u. Drang, 1911 (Neudr. 1974); W. Grupe, M.s u. Kühnes Verhältnis zu Hegel u. seinen Gegnern, 1928 (Neudr. 1973); W. Moog, Hegel u. d. Hegelsche Schule, 1930; H. Quadfasel, M.s Lit.-kritik u. d. Prinzipien seiner „Ästhetik", Diss. Heidelberg 1932; W. Dietze, Junges Dtld. u. dt. Klassik, 1957 (⁴1981); F. Sengle, Biedermeierzeit, I, 1971; J. L. Sammons, M., A Revaluation, in: ders., Six Essays on the Young German Novel, 1972; W. Hömberg, Zeitgeist u. Ideenschmuggel, 1975; A. Gethmann-Siefert, Hegelsches gegen Hegel, Zu Th. M.s anti-hegelschem Entwurf e. Ästhetik, in: Hegel-Stud. 15, 1980, S. 271–78; M. Meyer, The Depiction of Woman in Gutzkow's „Wally, d. Zweiflerin" u. M.s „Madonna", in: Beyond the Eternal Feminine, hrsg. v. S. L. Cocalis u. K. Goodman, 1982, S. 135–58; H. Koopmann, Das Junge Dtld., 1993; Brümmer; Kosch, Lit.-Lex.³; Killy; DLB 133.

P Holzstich nach Phot. (Bildarchiv Preuß. Kulturbes., Berlin), Abb. in: Dt. Schriftst. im Porträt, IV, hrsg. v. H. Häntzschel, 1981.

Johannes Weber

Mundy (urspr. *Munthe*), Freiherren v. (erbländ.-österr. Adel 1789). (kath.)

1) *Wilhelm,* Wolltuchfabrikant, * 1742, † 22. 5. 1805 Brünn.

∞ 1) 1789 (?) Josepha Freiin v. Forgách, 2) Johanna Mikowini v. Malowany; 1 S, 1 T; E Jaromir (s. 2).

M. kam 1771 aus Monschau (Eifel) nach Brünn, um in der Feintuchfabrik Johann Leopold Köffillers, der ältesten Fabrik in Brünn, zu arbeiten, deren Leiter Johann Bartholomäus Seitter zahlreiche Arbeiter und Angestellte aus dem Rheinland angeworben hatte. Unsicher ist, ob M. als Geselle oder schon als Werkmeister eintrat. 1774 machte er sich als Tuchfabrikant selbständig. Obwohl ihm zunächst nur ein geringes Kapital seiner Mutter zur Verfügung stand, brachte er seinen Betrieb rasch in die Höhe. 1780 bemühte er sich bei Kaiser Joseph II. um ein Darlehen von 30 000 fl., das aber nicht gewährt wurde. 1786 hatte M. schon 60 Webstühle in Betrieb und konnte wenig später in einem ehemaligen Zisterzienserinnen-Kloster in Tischnowitz bei Brünn eine zweite Tuchfabrik einrichten. 1791 waren in beiden Betrieben insgesamt 120 Webstühle aufgestellt. 1800 erwarb M. von der Staatsgüteradministration um 270 000 fl. die Herrschaft Tischnowitz und 1802 um 400 000 fl. die Herrschaft Eichhorn. Aufgefordert durch Hzg. Albert von Sachsen-Teschen, errichtete M. noch eine dritte Fabrik in Teschen, die aber 1805 nach seinem Tode den Betrieb einstellte. Ein damals angefertigtes Inventar zeigt, daß er in kurzer Zeit ein außergewöhnlich großes Vermögen von etwa 1,5 Mio. fl. angesammelt hatte. M. trug durch seine Unternehmungen, in denen zuletzt 2000 Personen beschäftigt waren, wesentlich dazu bei, daß aus der kleinen Provinzhauptstadt Brünn ein bedeutendes Zentrum der frühen Textilindustrie wurde.

L Ch. d'Elvert, Die Culturfortschritte Mährens u. österr. Schlesiens im Landbaue u. in d. Industrie, 1854; J. Slokar, Gesch. d. österr. Industrie u. ihrer Beförderung unter Kaiser Franz I., 1914; Die Großindustrie Österreichs IV, 1898, S. 55; H. Freudenberger, The Industrialization of a Central European City, 1977; F. Mainuš, Vlanřství a bavlnářství na Moravě a ve Sleszku v XVIII. stoleti, 1960; BLBL. – Eigene Archivstud. (Hofkammerarchiv Wien; Allg. Verw.archiv Wien; StA Brünn).

Herman Freudenberger

2) *Jaromir,* Militärarzt, * 3. 10. 1822 Schloß Eichhorn b. Brünn, † (Freitod) 23. 8. 1894 Wien.

V Johann, Tuchfabr. in Brünn, S d. Wilhelm (s. 1); M Isabella Gfn. Kálnoky v. Köröspatak (1798–1866); Vt Gustav Gf. Kálnoky v. Köröspatak (1832–98), österr. Diplomat, 1881–95 Min. d. kaiserl. Hauses u. d. Äußeren (s. NDB XI); – ledig.

Vom Vater zunächst zum Theologiestudium, später zum Militärdienst gezwungen, interessierte sich M. stets für die Medizin. Schon während seiner Militärzeit (1848 Oberleutnant, 1852 Hauptmann) nutzte er seine freie Zeit für entsprechende Studien. M. quittierte 1855 den Dienst und studierte Medizin in Würzburg, wo er 1859 promoviert wurde. Sein Ziel war zunächst die Reform der gesamten Irrengesetzgebung, d. h. freie Behandlung der Geisteskranken, Abschaffung jeder Zwangsmaßnahme, Unterbringung der Kranken in eigenen Dörfern im Sinne der belg. „Irrenkolonie" von Gheel, dabei Arbeitstherapie unter ständiger Aufsicht von eigens dazu ausgebildeten Wärtern und deren Familien. Bei Kriegsausbruch 1866 arbeitete M. als Regimentsarzt im Feldspital Pardubitz. Nach der Schlacht von Königgrätz organisierte er die Sanitätszüge von Böhmen nach Wien. 1867 legte er, entmutigt durch die geringen Fortschritte des Militärsanitätswesens, die Stabsarztcharge ab und begann, Vorlesungen über Psychiatrie an der medizinisch-chirurgischen Josephsakademie in Wien zu halten. Im selben Jahre nahm er auch teil an der Pariser Konferenz, die der Erweiterung der Genfer Konvention gewidmet war, und traf dort mit Henry Dunant zusammen.

In Wort und Schrift kämpfte M. für eine Verbesserung der allgemeinen Hygiene und der Prophylaxe bei Infektionskrankheiten. Während des deutsch-franz. Krieges war er Direktor dreier Feldspitäler in Paris. Seit dieser Zeit verband ihn eine lebenslange Freundschaft mit der dort als Pflegerin arbeitenden Schauspielerin Sarah Bernhardt. 1872–76 lehrte M. als Professor für Militärsanitätswesen an der Univ. Wien. Bei den Weltausstellungen in Paris (1867) und Wien (1873) erfolgte die Vorstellung seiner zum Verwundetentransport konstruierten Pferdewagen bzw. Eisenbahnwaggons. Die Einführung eines Korridors in den Abteilen, später auch bei allen zivilen Eisenbahnzügen übernommen, war seine Idee. 1874 wurde M. Chefarzt des Souveränen Malteser-Ritterordens; von diesem wurde 1878 erstmals ein Lazarettzug mit Arzt-, Proviant-, Speise- und Monturwaggons bei der Okkupation von Bosnien eingesetzt. M. wirkte 1877 als oberster Sanitätschef im serb.-türk. Krieg, 1885/86 im serb.-bulgar. Krieg. Sein Wunsch war es, die Verletztenversorgung bei beiden kriegführenden Parteien zu verbessern. Mit Theodor Billroth eng befreundet, war M. auch beteiligt an der Gründung des „Rudolfinerhauses", der ersten Lehranstalt für weltliche Krankenpflegerinnen in Wien. Am Tag nach dem Brand des Wiener Ringtheaters am 8. 12. 1881, der 386 Menschenleben forderte, gründete M. gemeinsam mit den beiden Grafen Hans Wilczek und Eduard Lamezan die „Wiener freiwillige Rettungsgesellschaft". Der Kaiser subventionierte die Gesellschaft, allseits wurde gespendet, und Johann Strauß komponierte für die Rettungsgesellschaft einen Marsch. Dennoch mußte M. stets um ihr Bestehen bangen. Er war Chefarzt und Schriftführer der Gesellschaft, fungierte aber bei Bedarf auch als Kutscher. 1887 zollte ihm Rudolf Virchow anläßlich des VI. Internationalen Hygiene-Kongresses in Wien höchste Anerkennung. 1889 erlebte M. noch den Bau eines eigenen Hauses für die Gesellschaft. Er verstand sich als Sozialreformer und bekämpfte jeden Klassenunterschied, weshalb man ihn in Wien vielfach als „Original" belächelte. Tatsächlich lag in seinem Wesen – offenbar ererbt von der geisteskranken Mutter – auch ein psychopathologischer Zug. In manischen Phasen steigerte sich seine Leistungsfähigkeit weit über den Durchschnitt, in einer depressiven Phase aber hat er sich nach dem Tod seiner besten Freunde, des Hoch- und Deutschmeisters Erzhzg. Wilhelm und Th. Billroths, am Wiener Donaukanal erschossen.

W Eröffnungsvortrag üb. Psychiatrie, 1866; Btrr. z. Reform d. Sanitätswesens in Österreich, 1868; Über d. Transport d. im Felde Verwundeten u. Kranken, 1874 (mit Th. Billroth); Stud. üb. d. Umbau u. d. Einrichtung v. Güterwaggons zu Sanitätswaggons, 1875; Organ. Bestimmungen u. d. Reglement f. d. inneren freiwilligen Sanitätsdienst im Kriege, 1876, ⁴1889 (mit H. Zipperling); Die freie Behandlung d. Irren auf Landgütern, 1879; Kleiner Katechismus üb. d. Nothwendigkeit u. Möglichkeit e. radicalen Reform d. Irren-Wesens, 1879; Des Souveränen Malteser-Ritterordens, Großpriorat v. Böhmen etc. Santiätsdienst im Kriege ..., 1879; Die Militärsanität d. Zukunft, 1882; Der Transport v. Kranken u. Verletzten in großen Städten, 1883; Wiener Freiwillige Rettungsges., 41 gemeinverständl. Vorträge, 1884–91; Btrr. z. Reform d. Irrenpflege, 1887; Eine Denkschr. üb. d. Irrenfrage in Mähren, 1887; Ein Vorschlag f. prakt. Übungen d. Sanitätstruppen z. Friedenszeit, T. 1–3, 1890; Ein weiterer Btr. zu. d. Stud. üb. Sanitäts-Züge, 1890; Das elektr. Licht in seiner Anwendung auf d. Kriegsheilkde., 1883, ²1891.

L ADB 52; S. Kirchenberger, Lb. hervorragender österr.-ungar. Militär- u. Marineärzte, 1913; Dt. Irrenärzte, hrsg. v. Th. Kirchhoff, II, 1924; L. Schönbauer, Das med. Wien, 1944; ders., Das österr. Militär-Sanitätswesen, 1948; H. Wyklicky, Über J. M. u. d. Anfänge e. ärztl. Rettungsdienstes in Wien 1881–94, in: Wiener med. Wschr. 105, 1955, S. 1030 f.; ders., Ein Praktiker d. Nächstenliebe, in: Die Furche v. 15. 8. 1964; ders., Die Bedeutung J. M.s f. d. Stadt Wien, in: Wiener Gesch.bll. 21, 1966, S. 15 ff.; ders., Zur Entwicklung d. Rettungswesens in Wien, ebd. 34, 1979, S. 1207 ff.; H. Moser, Prof. Dr. Frhr. v. M., General-Chefarzt d. Souveränen Malteser Ritter-Ordens im Großpriorat v. Böhmen u. Österreich, Ausst. im Maltesermus. Mailberg, 1975; E. Lesky, Die Wiener med. Schule im 19. Jh., ²1978; BLÄ; Fischer; ÖBL.

P Marmorbüste v. F. Rieß, 1898 (Wien, Nordseite d. Gebäudes d. Rettungsges.).

Helmut Wyklicky

Muneles, *Otto,* Judaist, * 8. 1. 1894 Prag, † 4. 3. 1967 ebenda.

∞ 1) N. N. (in Auschwitz ermordet); 2) n. 1945 Milada Vilimkova, Dr.; K aus 1) (in Auschwitz ermordet).

M. besuchte 1904–12 in seiner Vaterstadt das Gymnasium und studierte anschließend an der Deutschen Universität klassische Philologie und Orientalistik. Gleichzeitig absolvierte er die Rabbinerschule; 1921 erhielt er die Approbation zum Rabbiner, machte jedoch keinen Gebrauch davon. Bis 1938 bei der Prager Beerdigungsbruderschaft angestellt, widmete er sich vor allem seinen historischen und philologischen Studien. 1924 wurde er mit der Dissertation „Die Transkription der hebräischen Eigennamen in der Septuaginta im Verhältnis zum Masoretischen Text" zum Dr. phil. promoviert. Während des 2. Weltkriegs wurde M. in Theresienstadt inhaftiert; seine Frau und seine Kinder wurden in Auschwitz umgebracht. Nach Prag zurückgekehrt, fand er eine völlig veränderte Situation vor. Jetzt dominierten die aus Osteuropa zugewanderten orthodoxen Juden, die M., der seinen Glauben verloren hatte, ausgrenzten. Seit 1945 leitete er die Bibliothek des Jüdischen Museums in Prag. Daneben lehrte „der letzte Polyhistor auf jüd. Gebiet in Prag" (Davidovic) 1954–56 an der Universität Judaistik; deren Neuaufbau in der Nachkriegs-Tschechoslowakei ist in erster Linie ihm zu verdanken. Seine Forschungen galten der Geschichte der böhm., speziell der Prager Juden.

L E. Davidovic, in: Allg. unabhäng. jüd. Wochenztg. 22 v. 31. 3. 1967, S. 5; Judaica Bohemiae 3, 1967, S. 73–80; BLBL *(W, L).*

Franz Menges

Munggenast, *Joseph,* Baumeister, * 5. 3. 1680 Schnann (Stanzertal, Tirol), † 3. 5. 1741 St. Pölten. (kath.)

V Severin (1655–1712), *S* d. N. N. u. d. Catharina Prandtauer; *M* Juliane Wolf; 5 jüngere *Geschw,* u. a. Sigismund (1694–1770), ließ sich 1728 als Bauhandwerker in Echternach nieder (s. *L*); – ∞ N. N.; *K* u. a. Franz (1724–48, s. *L*), Matthias (1729–98), beide Baumeister in St. P. (beide s. ThB); *N* Paul (1735–97), Feldmesser, Baumeister d. Abtei Echternach (s. ThB, *L*).

In denselben Kultur- und Lebenskreis wie Jakob Prandtauer (1660–1726) hineingeboren, erhielt auch M. seine Grundausbildung zunächst bei lokalen Bauhandwerkern. An solchen Praktikern des Maurerhandwerks hatte man in den nach dem Sieg über die Türken aufblühenden Donauländern großen Bedarf. So kam es auch, daß Prandtauer ihm in St. Pölten, Dürnstein und Herzogenburg die ersten Arbeiten, Keller und Lesehöfe, anvertraute. Entscheidend für M. wurde die Mitarbeit am Bau des Stiftes Melk, vor allem an dem Rohbau der 1702 durch Prandtauer begonnenen Stiftskirche. 1712 ernannte ihn Prandtauer zu seinem Polier beim Bau der Wallfahrtskirche am Sonntagberg; 1717 verlieh ihm der Stadtrat von St. Pölten das Bürger- und Meisterrecht. Neben dem organisatorischen und technischen Geschick, das er sich bei Prandtauer erwarb, wurde M. auch mit dessen künstlerischen Ausdrucksformen vertraut. So war es selbstverständlich, daß er nach Prandtauers Tod an den Stiften Melk (Nordflügel, Bibliothek und Altane), St. Pölten und Herzogenburg weiterbaute und sie vollendete.

Einen weiteren entscheidenden künstlerischen Impuls empfing M. durch seine Auseinandersetzung mit den raumgreifenden Entwürfen des genialen Inventors und Plastikers Matthias Steinl (1644–1727). Obwohl sich M. (seit 1722 Stiftsbaumeister in Zwettl) mit seinen eigenen Entwürfen für die Türme der Stifte Zwettl und Dürnstein nicht durchsetzen konnte, war er es, der sie zur Zufriedenheit Steinls und der Bauherren ausführte (1722–27 bzw. 1729–33). In der Zusammenarbeit mit Steinl erwarb sich M. den Sinn für Plastizität und Dekor. Gewiß sind seine Fassaden- und Portalentwürfe für Herzogenburg, Seitenstetten und Geras gegenüber jenen Steinls für Dürnstein flächiger und dekorativer, unterscheiden sich aber stets deutlich von den strengen Konzepten Prandtauers. M. entwickelte ein Formenrepertoire, das sehr geschickt Neues in Bestehendes einband. Das zeigen u. a. die Portal-, Fenster- und Oberlichtumrahmungen am Torpavillon des Stiftes Geras, der Torbau vor der Nordfront des Stiftes Herzogenburg mit den dekorativ verwendeten Rustikabändern oder der Giebel am Meierhof dieses Stiftes, der ein Motiv Lukas v. Hildebrandts abwandelt. Auch die Nachahmung textilen Schmuckes mit Bändern und Quasten findet sich im profanen Bereich.

Diese Fähigkeit, Überkommenes in Neues umzuwandeln, wird bei der einmaligen Lösung der Ostfront des Stiftes Altenburg wohl am deutlichsten sichtbar. Über steil abfallendem Gelände errichtete M. die 208 Meter lange Stützmauer und formte durch Arkaden und Figurenschmuck die Streben der gotischen Apsis der Stiftskirche zum dominanten Mittelrisalit der barocken Fassaden um. Im Inneren seiner Bauten schuf er der Freskomalerei die Möglichkeit freier Entfaltung. In die gotischen Langhauskirchen von Altenburg und Herzogenburg ließ er ovale, alle Schiffe umfassende Kuppelräume einbauen, und im Stift Altenburg wurden die Sala terrena, die Krypta und die darüber liegende Bibliothek von den Malern im Sinne eines barocken Welttheaters interpretiert. M. wurde in der Nachfolge Prandtauers ein Wegbereiter spätbarocker Raum- und Bildkunst. Sein Werk übergab er Johann Gotthard Hayberger (1695-1764), der den Bau seines Stiftes Seitenstetten vollendete.

W Stift Seitenstetten, Bauleitung seit 1717; Stift Dürnstein, Bauleitung seit 1718 (Kreuzgang 1722, Altar in d. Gruft 1725); Stift Herzogenburg, Plan u. Bau d. Meierhofes 1727-29; Stift Altenburg, Bauleitung seit 1730; Stift Herzogenburg, Nordtrakt, Hauptportal 1730-32; Stift Melk, Altane 1731; Stiftskirche Zwettl, Hochaltar 1731, Hl.-Kreuz-Altar 1732; Stift Altenburg, Marmorzimmer 1736; Stift Geras, Torpavillon mit Marmorsaal u. Feststiege 1736; Stift Herzogenburg, Georgen- u. Au-Tor 1736-38; Melk, Neue Turmhelme f. d. Stiftskirche 1738-42; Stift St. Pölten, Ostportal, Bischofstor 1739; Stift Altenburg, Hauptstiege 1739, Krypta u. Bibl. 1740.

L G. Wagner, J. M. (1680-1741), Die Grundzüge seiner architekton. Leistungen, Diss. Wien 1940 *(ungedr.);* R. Feuchtmüller, J. M., Das barocke Gesamtkunstwerk zur Zeit Paul Trogers, in: Paul Troger, Ausst.kat. Altenburg 1963, S. 13 ff.; E. Mungenast, J. M., 1963; Th. Karl, Die Baumeister-Fam. M., Ausst.kat. St. Pölten 1991 *(W, L, zahlr. Abb.);* ThB. – *Zu Franz:* K. Güthlein, Der österr. Barockbaumeister F. M., Diss. Heidelberg 1973; *zu Sigismund u. Paul:* Michel Schmitt, Die Bautätigkeit d. Abtei Echternach im 18. Jh., 1970.

Rupert Feuchtmüller

Munk, *Esra (Esriel)*, Rabbiner, * 25. 11. 1867 Altona b. Hamburg, † 2. 11. 1940 Jerusalem.

V Elias (1818-99), Rabbiner, Dajan (Religionsrichter) in A.; M Jenny Hildesheimer; Om Israel Hildesheimer (1820-99), Gründer d. orthodoxen Rabbinerseminars in Berlin (s. NDB IX); B Leo (1851-1917), Dr. phil., 1876 Bez.rabbiner in Marburg (s. Enc. Jud. 1971), Samuel (* 1868, † KZ Theresienstadt), Kaufm. in A., Meier (1869-1928), Dr. phil., Rabbiner, Pädagoge u. Chemiker in Berlin; ∞ 1897 Selma Sandler (1877-1958) aus Hohensalza (Posen), seit 1938 in Tel Aviv; 3 S, 1 T, Elias (Eli) (1900-78), 1934-68 Rabbiner in London, dann in Jerusalem (s. W, L), Arthur (Abraham) (* 1903), emigrierte 1934, seit 1935 in Palästina, Bankier, Michael L. (1905-84), Dr. phil., 1930-38 Rabbiner in Berlin, emigrierte über Holland nach London, seit 1941 in d. USA (s. BHdE I, W, L), Hilde (Judith) Hildesheimer (* 1909), Lehrerin, emigrierte 1935 nach Palästina; Vt Hirsch Hildesheimer (1855-1910), Rabbiner; *Cousine* Rosa Hildesheimer (∞ Jakob Barth, 1851-1914, Prof. d. semit. Sprachwiss. in Berlin, s. NDB I; Lex dt.-jüd. Autoren I); N (?) Elie (* 1900), Dr. phil., 1927-37 Bez.rabbiner in Ansbach, emigrierte 1937 nach Frankreich, 1945-74 Rabbiner in Paris (s. BHdE I), Felix Baruch (* 1903), Dipl.-Ing., Chemiker, emigrierte 1933 nach Palästina.

M. entstammte einer Rabbinerfamilie aus dem aufgeklärten, torahtreuen Milieu Hamburgs. Nach dem Besuch des Gymnasiums übersiedelte er nach Berlin, um seine Ausbildung am dortigen, von seinem Onkel Israel Hildesheimer 1873 gegründeten Rabbinerseminar zu beginnen. Das parallele Universitätsstudium der Philosophie und der oriental. Sprachen beendete er 1890 in Königsberg mit der Promotion zum Dr. phil.; 1893 erhielt er das Rabbinatsdiplom. Im selben Jahr trat M. seinen ersten Posten in Königsberg an. Als Rabbiner der dortigen jüdisch-gesetzestreuen Vereinigung Adass Jisroel initiierte er deren völlige Loslösung von der religiös-liberalen Mehrheit und die Konstituierung als eigenständige Austrittsgemeinde. 1900 kehrte M. nach Berlin zurück, um als Nachfolger seines Onkels das Rabbinat der Berliner Adass Jisroel zu übernehmen. Dieses Amt übte er bis 1938 aus; seine letzten Lebensjahre verbrachte er in Jerusalem.

Obwohl sein literarisches Œuvre nur von geringem Umfang ist, gehört M. zu den Leitfiguren des orthodoxen deutschen Judentums seiner Zeit. Seine eigentliche Wirksamkeit entfaltete er als Rabbiner in Berlin, wo er maßgeblich für die Interessen des gesetzestreuen Judentums eintrat. Anders als viele Vertreter der Frankfurter Austrittsorthodoxie war er bereit, in einzelnen Sachfragen auch mit nichtorthodoxen jüd. Organisationen zu kooperieren. Neben seinen rabbinischen Funktionen bemühte sich M. um die Erhaltung und Erweiterung des jüd. Schulwerks in und außerhalb Berlins. Er betrieb zwar niemals Parteipolitik, doch führten die gemeinsamen Interessen religiöser Erziehung zu wiederholten Allianzen mit der kath. Zentrumspartei. Auch nach der Machtübernahme durch die Nationalsozialisten bemühte sich M. in Zusammenarbeit mit der Reichsvertretung der deutschen Juden um die Gewährleistung der höheren jüd. Bildung. – M. nahm eine führende Stellung in zahlreichen Organisationen des orthodoxen Judentums ein. Er saß im Vorstand der Vereinigung traditionell-gesetzestreuer Rabbiner Deutschlands und war Mitglied des Rabbinischen Landesrates der Agudat Israel, der Freien Vereinigung für die Interessen des orthodoxen Judentums und weiterer Verbände. Bei seinen wiederholten Kontakten mit der Regierung – M. fungierte nach dem 1. Weltkrieg als Sachverständiger für jüd. Angelegenheiten beim preuß. Kultusministerium und beim Reichsinnenministerium – versuchte er, Beschränkungen der Religionsausübung (z. B. hinsichtlich der Sonntagsruhe oder der Versorgung der jüd. Bevölkerung mit koscheren Lebensmitteln) zu verhindern. Als Leiter des Büros für Schächtschutz (später Reichszentrale für Schächtangelegenheiten) mußte er den Angriffen der Tierschutzvereine begegnen, die häufig auch eine antisemitische Tendenz hatten. 1924 wandte sich M. in der Broschüre „Falsche Talmudzitate" gegen die difamierende Propaganda des Antisemiten Theodor Fritsch. Trotz des virulenten Judenhasses während der Weimarer Republik blieb M. ein Gegner des Zionismus. Seine Niederlassung in Palästina erfolgte nicht freiwillig, sondern wurde durch das von den Nationalsozialisten ausgesprochene Rückkehrverbot erzwungen, als er 1938 seine emigrierten Kinder besuchte.

Weitere W u. a. Des Samaritaners Marqah Erzählung üb. d. Tod Moses', Diss. Königsberg 1890; Die jüd. Töchter, 1894; Die Tendenz u. Methodik unserer Schule, 1894; Welche Stellung soll d. jüd. Religionsunterricht zu d. jüngsten Ergebnissen d. Wiss. nehmen?, 1895; Judentum u. Monarchismus 1895 (Predigt); Vertrautheit mit d. Pentateuch, 1898; Offener Brief im Auftrage d. Vorstandes d. Adass Jisroel in Königsberg i. Pr. gerichtet an d. Vorstand d. Synagogen-Gemeinde daselbst, 1900; Die Entwicklung d. Verhältnisse d. preuß. Synagogengemeinden, in: FS f. Jacob Rosenheim, 1931, S. 172–95; Kahena Messaje'a Kahena (Responsa), 1938; Some Halachic Aspects of Shechita and of the Consumption of Meat, in: Michael L. Munk u. Eli Munk, Shechita, 1976, S. 31–49.

L H. Schwab, The History of Orthodox Jewry in Germany, 1950, S. 96 f.; Elie Munk u. H. Seidman, in: Leo Jung (Hrsg.), Guardians of our Heritage, 1958, S. 551–61; E. Hildesheimer, in: Max Sinasohn (Hrsg.), Adass Jisroel Berlin, 1966, S. 72–83 *(P)*; J. Levy, Adass Jisroel – Jugenderinnerungen, ebd., S. 125–29; M. L. Munk, Austrittsbewegung u. Berliner Adass Jisroel-Gemeinde 1869–1939, in: H. A. Strauss u. K. R. Grossmann (Hrsg.), Gegenwart im Rückblick, 1970, S. 142–48 *(P)*; M. Offenberg (Hrsg.), Adass Jisroel, 1986, S. 254 *(P);* M. Breuer, Jüd. Orthodoxie im Dt. Reich, 1871–1918, 1986; Juden in Berlin 1671–1945, 1988, S. 176 f., 219–21; The Universal Jewish Encyclopaedia VIII, 1942, S. 37; Enc. Jud. 1971; BHdE I.

Andreas Brämer

Munk, *Franz,* Farbchemiker, * 29. 4. 1900 Teplitz-Schönau (Erzgebirge), † 24. 2. 1964 Goslar. (Christengemeinschaft)

V Paul (* 1852) aus Schwerin/Warthe, Kaufm., *S* d. Schausp. Jens Otto († 1853) aus Aarhus u. d. Schausp. Johanna Christiane Hock aus Schwerin; *M* Aurelia (* 1863) aus T., *T* d. Schneidermeisters u. Kaufm. Josef Theodor Kleinert u. d. Julie Tschiersche aus T.; ∞ Teplitz-Schönau 1927 Henriette (1895–1967), *T* d. Karl Meixner (1863–1919) aus Waltsch b. Komotau, Schulleiter in Honau (Böhmen), u. d. Elisabeth Friedl (1866–1919), Lehrerin in Honau; 1 *S* Fritz (* 1929), Konstrukteur in Rimbach (Odenwald), 1 *T.*

M. besuchte die Oberrealschule seiner Heimatstadt und legte dort 1917 das Abitur ab. Dann begann er ein Chemiestudium an der Deutschen TH in Prag, das er 1921 als Diplomchemiker abschloß. 1925–32 arbeitete M. als Chemiker beim Verein für Chemische und Metallurgische Produktion in Aussig (Sudetenland) auf dem Gebiet der anorganischen Pigmente. Für Verbesserungen von Produktionsverfahren wurden ihm verschiedene Patente erteilt. 1935–38 war er Betriebsleiter in einer Farbenfabrik in Prag, dann wechselte er in das Werk Leverkusen der I. G. Farbenindustrie, um dort als Anwendungstechniker für Weißpigmente zu arbeiten. Der Versuch, nach Kriegsende 1945 wieder in der Tschechoslowakei als Chemiker Fuß zu fassen, schlug fehl. Als Sudetendeutscher mußte er ein Jahr später das Land verlassen. Weil er in der weitgehend zerstörten deutschen Industrie keine Stelle finden konnte, unterrichtete M. zunächst einige Jahre als Chemielehrer an einer Oberschule in Amberg (Oberpfalz). 1949 konnte er in die Pigmentindustrie zurückkehren und wurde leitender Chemiker in einer Zinkoxidfabrik in Langelsheim bei Goslar. 1963 mußte er wegen einer schweren Erkrankung seine aktive Laufbahn aufgeben.

In der Fachwelt bekannt geworden ist M. vor allem durch seine theoretischen Arbeiten über die Deckfähigkeit von Pigmenten. Bereits 1931 hatte er – zusammen mit Paul Kubelka – eine Theorie veröffentlicht, nach der aus dem gemessenen Reflexionsgrad und zwei Materialkonstanten (Absorption und Streuung des Lichts) das Deckverhalten von Anstrichen zu berechnen ist. Dies war die Grundlage der „Zwei-Konstanten-Theorie", die später nach den beiden Erfindern auch als „Kubelka-Munk-Theorie" bezeichnet wurde. Allerdings erkannte man die praktische Bedeutung des theoretischen Ansatzes erst 20 Jahre später, als amerikan. Wissenschaftler (vor allem D. B. Judd) der Theorie den Weg geebnet hatten. Das Prinzip der Zwei-Konstanten-Theorie wurde später auch bei farbigen Pigmenten bzw. Beschichtungen angewandt. Auf diese Weise wurde es möglich, Farbeindrücke zahlenmäßig anzugeben und Farbstoff- bzw. Pigmentkombinationen im Hinblick auf eine gewünschte Farbnuance vorauszuberechnen. Die Kubelka-Munk-Theorie ist heute die Grundlage wichtiger Verfahren zur farbmetrischen Vorberechnung von Färberezepturen auf vielen technischen Gebieten, nicht nur in der Lackindustrie, sondern auch in der Textil- und Papierfärberei. M. arbeitete jahrelang in Fachnormenausschüssen mit; zahlreiche DIN-Normen über die Prüfung von Anstrichstoffen tragen seine Handschrift.

W Beziehungen zw. Färbevermögen u. Deckkraft, in: Zs. f. angew. Chemie 43, 1930; Die opt. Prüfung d. Weißpigmente, ebd. 44, 1931, S. 941 (mit A. Weigl); Ein Btr. z. Optik d. Farbanstriche, in: Zs. f. techn. Physik 11a, 1931, u. 13, 1932 (mit P. Kubelka); Die opt. Eigenschaften v. Weißpigmenten u. Weißanstrichen u. deren Prüfungen, in: Zs. f. Farben, Lacke, Anstrichstoffe 2, 1948; Über d. Lichtempfindlichkeit v. Zinksulfid, ebd. 3, 1949; Über Harzer Zinkoxyde, in: Dt. Farben-Zs. 1953, H. 2; Über d. derzeitigen Stand d. Bestimmung d. Deckvermögens v. Weißfarben, ebd. 1957, H. 1; Die Zwei-Konstanten-Theorie nach Kubelka u. M. u. deren Bedeutung für d. Bestimmung d. Deckvermögens, ebd., H. 3; Zinkoxyde in d. Farben- u. Lack-Industrie, in: Der Farben-Chemiker 1, Teilausg. „Fette, Seifen, Anstrichmittel", 63, 1961.

L E. A. Becker, in: Farbe u. Lack 70, 1964, S. 299 f. *(P);* M. Richter, in: Die Farbe 13, 1964, S. 1–3.

Ernst Schwenk

Munk, *Hermann,* Physiologe, * 3. 2. 1839 Posen, † 1. 10. 1912 Berlin. (isr.)

B Immanuel (1852–1903), Prof. f. Physiol. in B. (s. BJ VIII); – ∞ Olga Jaffe.

Nach Absolvierung seines Medizinstudiums in Berlin und Göttingen wurde M. als Schüler von Johannes Müller, Emil Du Bois-Reymond, Rudolf Virchow und Ludwig Traube 1859 zum Dr. med. promoviert. 1862 habilitierte er sich an der Berliner Universität für das Fach Physiologie und erhielt daraufhin den Titel eines Privatdozenten. 1869 erfolgte seine Ernennung zum ao. Professor an derselben Hochschule, 1876 wurde er zum Professor für Physiologie berufen. Im selben Jahr trat er sein Amt als Vorstand des Physiologischen Laboratoriums der Berliner Tierärztlichen Hochschule an. 1897 wurde M. zum o. Honorarprofessor ernannt.

Als einer der bedeutendsten Physiologen des 19. Jh. erwarb sich M. besondere Verdienste um die Erforschung der Großhirnrinde. Sein Spezialgebiet war die Lokalisationsforschung, d. h. das Auffinden und die Untersuchung der verschiedenen für die Sinnesleistungen verantwortlichen Bereiche des Gehirns, der „sensorischen Rindenfelder". Seine epochemachenden Resultate erzielte M. 1877–90 in erster Linie nicht durch die damals bereits praktizierte elektrische Stimulation der entsprechenden Hirnsphären, sondern auf Grund von systematischen Exstirpationen umgrenzter Großhirnrinden-Bezirke bei Affen und Hunden sowie durch die Auswertung pathologischer Prozesse. Als Pioniertat gilt M.s Lokalisation der Sehsphäre im Hinterhauptlappen, die er in seiner Schrift „Ueber die Functionen der Grosshirnrinde" (1881, ²1890) ausführlich beschrieb. Daneben beschäftigt sich M. in diesem Werk auch mit den für das Gehör und den Tastsinn zuständigen Gehirnsegmenten. – Fanden M.s Erkenntnisse zu seinen Lebzeiten nur wenig Beachtung, wirkten sie jedoch später – vor allem was die Bestimmung des Sehzentrums betrifft – bahnbrechend für die Lokalisationsforschung, insbesondere in den Bereichen Gehirnanatomie, Physiologie, Pathologie und Psychologie. – o. Mitgl. d. Preuß. Ak. d. Wiss. (1880); Geh. Reg.rat.

W u. a. Unterss. üb. d. Wesen d. Nervenerregung, 1868; Die elektr. u. Bewegungserscheinungen am Blatte d. Dionaea muscipula, in: Archiv f. Anatomie, Physiol. u. wiss. Med., 1876, S. 167–203; Über cerebrale Epilepsie, ebd., 1876, S. 169 f.; Über Großhirn-Exstirpation b. Kaninchen, ebd. 1884, S. 470–566; Zur Physiol. d. Grosshirnrinde, in: Berliner klin. Wschr. 14, 1877, S. 505 f.; Of the Visual Area of the Cerebral Cortex and its Relation to Eye Movements, in: Brain 13, 1890, S. 45–67; Über Functionen v. Hirn u. Rückenmark, Ges. Mitt., NF, 1909.

L R. Wrede (Hrsg.), Das geistige Berlin, III, 1898, Neudr. 1975, S. 136; M. Rothmann, in: Dt. med. Wschr. 35, 1909, S. 258 f. *(P);* ders., in: Neurolog. Cbl. 31, 1912, S. 1343 f.; Rubner, in: SB d. Preuß. Ak. d. Wiss., 1913, S. 613–17; G. v. Bonin, The Cerebral Cortex, 1960; E. Clarke u. C. D. O'Malley, The Human Brain and Spinal Cord, 1968, S. 528–33; F. Schiller, in: Founders of Neurology, hrsg. v. W. Haymaker, 1970; M. A. B. Brazier, A History of Neurophysiology in the 19th Century, 1988, S. 174–76, 183 f. *(P);* Pagel *(P);* Fischer; BJ 18, Tl.; S. R. Kagan, Jewish Medicine, 1952; Enc. Jud. 1971.

Werner E. Gerabek

Munk, *Marie,* Juristin, Frauenrechtlerin, * 4. 7. 1885 Berlin, † 17. 1. 1978 Cambridge (Mass., USA). (ev.)

V Wilhelm (isr., dann ev.) aus Posen, Landgerichtsdir.; *M* Paula Joseph († 1935, isr., dann ev.) aus Stargard (Pommern); ledig.

M., die bis 1900 nur die höhere Mädchenschule besuchen konnte, bereitete sich in Privatkursen bei Helene Lange auf den Beruf der Lehrerin vor, entschloß sich dann aber zur Ausbildung als Kindergärtnerin am Pestalozzi-Froebel-Haus in Berlin. Weil das dort erlangte Zeugnis ihr nicht ermöglichte, Leiterin eines Kindergartens zu werden, ließ sie sich an der Sozialen Frauenschule von Alice Salomon zur Sozialarbeiterin ausbilden. Als ihr durch die Arbeit mit unterprivilegierten Kindern klargeworden war, daß man auf diesem Wege nur die Symptome, nicht aber die Ursachen der Vernachlässigung bekämpfen konnte, entschied sie sich für eine akademische Laufbahn. Nach privater Vorbereitung legte sie 1907 am Kaiserin-Augusta-Gymnasium in Berlin-Charlottenburg das Abitur ab. Anschließend studierte sie Rechtswissenschaft in Berlin, Freiburg (Breisgau), Bonn und Heidelberg, wo sie oft nur einzige Studentin und als Gasthörerin zugelassen war. Gegen die Diskriminierung weiblicher Studenten verfaßte sie das Pamphlet „Frauen im Gesetz". Nebenbei hörte sie Vorlesungen in Philosophie, Psychologie und Logik. Auf Anregung von E. Zitelmann schrieb sie 1911 bei K. Heinsheimer in Heidelberg eine Doktorarbeit, damals für Frauen der einzige mögliche Abschluß des juristischen Studiums. Hiernach sammelte sie praktische Erfahrungen als Volontärin bei Zitelmann, dann in einem renommierten Rechtsanwaltsbüro und bei einer Organisation in München, die Frauen juristischen Rat anbot.

Während des 1. Weltkriegs arbeitete M. zunächst beim Roten Kreuz, dann beim Sozialamt Berlin-Schöneberg sowie im Nationalen Frauendienst und in Gefängnissen. 1919/20 war sie Referentin des Reichsjustizministers Eugen Schiffer, dessen Reformbestrebungen sie unterstützte. Nachdem sie 1920 das Referendarexamen abgelegt hatte, wurde sie 1924 aufgrund eines Gesetzes von 1922, das es Frauen ermöglichte, die richterliche Laufbahn zu ergreifen, als erste Frau zur Gerichtsassessorin am Kammergericht ernannt und als erste Juristin im preuß. Justizministerium beschäftigt. In den folgenden Jahren arbeitete sie in Berlin als Rechtsanwältin. 1930 wurde sie zur Amts- und zur Landgerichtsrätin in Berlin und damit zur ersten Richterin in Deutschland ernannt. Gleichzeitig unterrichtete sie an der Schule der Inneren Mission für Sozialarbeiter. Auch engagierte sie sich in Frauenverbänden; so war sie 1930–33 Präsidentin des Deutschen Vereins berufstätiger Frauen. M., die unverheiratet blieb, widmete ihre ganze Kraft dem beruflichen Engagement zur Verbesserung der Stellung der Frau und der Hilfe für Jugendliche. 1933 wurde M. aus dem Justizdienst entlassen, nachdem sie zuvor auf eigenen Wunsch für 6 Monate beurlaubt worden war, um einer Einladung der Präsidentin des amerikan. Nationalen Frauenrats Lena Madesin Phillips in die USA zu folgen. Ihre dortige Arbeit in Jugendgefängnissen und Heimen für straffällig gewordene oder schwer erziehbare Jugendliche half ihr später bei der Immigration in die USA. Nach dem Tode ihrer Mutter ging M. 1935 ein zweites Mal in die USA, wo sie in der Nähe von New York zunächst in einem Heim für schwer erziehbare Mädchen arbeitete. 1936 wanderte sie endgültig aus. Nach einem zweijährigen Aufenthalt in Philadelphia erhielt sie 1939 Gastprofessuren an Colleges in Maryland und Massachusetts. 1943 wurde sie amerikan. Staatsbürgerin, erhielt im selben Jahr die Zulassung als Rechtsanwältin und nahm ihren Wohnsitz in Cambridge (Massachusetts). 1944/45 war sie als Marriage Counselor in Toledo (Ohio) tätig. 1945 kehrte sie nach Cambridge zurück, wo sie sich neben ihrer anwaltlichen Tätigkeit an der Harvard University weiterbildete. 1953 erhielt sie dort eine ao. Professur (Adjunct of Arts Degree). Nach dem Ende des 2. Weltkriegs kehrte M. mehrfach vorübergehend nach Deutschland zurück, hielt Vorträge und nahm an Veranstaltungen des Deutschen Juristentages und des Deutschen Juristinnenbundes teil.

M. veröffentlichte wichtige Aufsätze auf dem Gebiet des Familienrechts und machte Vorschläge zu Gesetzesänderungen. Sie kämpfte gegen die Stellung minderen Rechts, die der Ehefrau und Mutter nach dem Bürgerlichen Gesetzbuch von 1900 zukam. Als Vorstandsmitglied und Vizepräsidentin (1920–33) des Deutschen Juristinnenvereins verfaßte sie hierzu Denkschriften. Auf dem 33. Deutschen Juristentag 1924 in Heidelberg hielt sie als erste Frau ein Referat. Eines ihrer Hauptanliegen war, den gesetzlichen Güterstand der politischen und wirtschaftlichen Selbständigkeit der Frau anzupassen. Während ihres über 40jährigen Aufenthaltes in den USA setzte sie ihre wissenschaftliche Arbeit vor allem auf den Gebieten des Familienrechts und der Jugendkriminalität fort. Ihr besonderes Engagement galt Frauenverbänden, etwa der International Federation of Business and Professional Women. Eine umfangreiche Korrespondenz mit bedeutenden Persönlichkeiten bezeugt ihre bis ins hohe Alter ungebrochene Schaffenskraft.

W Autobiogr. (Ms. im Helene-Lange-Archiv, Landesarchiv Berlin); Die widerrechtl. Drohung d. § 123 BGB in ihrem Verhältnis zu Erpressung u. Nötigung, Diss. Heidelberg 1911; Vorschläge z. Änderung d. Fam.rechts, Denkschr. 1921, abgedr. in: Juristinnen in Dtld. (s. *L*); Vorschläge z. Umgestaltung d. Rechts d. Ehescheidung u. d. elterl. Gewalt,

Denkschr. 1923, abgedr. ebd.; Welche Richtlinien sind f. d. künftige Gestaltung d. ehel. Güterrechts aufzustellen?, in: Verhh. d. 33. Dt. Juristentages in Heidelberg, 1924, S. 339 f., 369 f. (dass., in: Jurist. Wschr. 1924, S. 1816); Die elterl. Gewalt u. ihre Reform, ebd. 1925, S. 309; Recht u. Rechtsverfolgung im Fam.recht, 1929; Justizreform u. amtsgerichtl. Verfahren, in: Dt. Juristenztg. 1929, Sp. 1538; Our Common Case Civilization, hrsg. v. National Council of Women of the USA, 1933; Reminiscences of a Pioneer Woman Judge in Pre-Hitler Germany, 1945.

L Juristinnen in Dtld., e. Dokumentation 1900–1984, hrsg. v. Dt. Juristinnenbund, 1984, S. 14, 29; H. Göppinger, Juristen jüd. Abstammung im „Dritten Reich", ²1990; 1945: Jetzt wohin?, Exil u. Rückkehr nach Berlin, Ausst.kat. Berlin 1995, S. 102 *(P)*; Who is who of American Women, ³1964/65.

P Phot. im Helene-Lange-Archiv (s. o.).

Erika Scheffen

Munkácsi *(eigtl. Marmorstein), Martin,* Photograph, * 18. 5. 1896 Klausenburg (Siebenbürgen), † 14. 7. 1963 New York.

M., der eine Malerlehre absolviert hatte, ging als 17jähriger nach Budapest. Dank seiner Begeisterung für den Sport – er spielte Fußball und fuhr später Motorradrennen – sowie seiner visuellen und schriftstellerischen Begabung wurde er bereits im folgenden Jahr Sportreporter bei der Zeitung „AZ EST". Seit der Veröffentlichung reportagehaft angelegter Aufnahmen einer Spanienreise (1923) arbeitete er nur noch als Bildberichterstatter. Von einem sicheren, betont ästhetischen Gestaltungswillen bei der Bildkomposition beseelt, gelangen M. vor allem bei Aufnahmen von Sportlern, die sich unbeobachtet wähnten, Photos von großer Natürlichkeit und Authentizität. 1927 übersiedelte M. nach Berlin, wo er Bildjournalist bei Ullstein wurde. Daneben arbeitete er u. a. für die „Dame" und das „Studio" (London). So berichtete er für die „Berliner Illustrirte" über die Weltreise des Luftschiffes „Graf Zeppelin", über Liberia (1931), Brasilien (1932) und in einer Sondernummer vom 21. 3. 1933 über die Staatsfeierlichkeiten bei der Reichstagseröffnung. Anfangs arbeitete er mit einer Reflexkamera 9 x 12, seit 1931 mit einer Rolleiflex und einer Leica. Laufend verbesserte er seine Techniken, baute einige seiner Kameras und entwickelte seine Filme selbst.

Die nationalsozialistischen Pressionen veranlaßten M., frühere Kontakte mit der Hearst Press zu erneuern und 1934 in die USA zu emigrieren. Neben Sportreportagen und politischen Bildberichten verlegte er sich auf Modeaufnahmen und Porträts, u. a. für „Pictorial Review", „Town and Country", „Good House Keeping" und „Harper's Bazaar". 1936 erhielt M. als einer der ersten Photographen einen festen Vertrag bei „Life". Er photographierte die Prominenz in Kunst, Politik und Gesellschaft. Für „Ladies Home Journal" kreierte er die „How America lives"-Serie. Besonders revolutionierend wirkte er als Modephotograph, indem er das Studio verließ und unter freiem Himmel photographierte. Außerdem lichtete er seine Modelle in alltäglichen Situationen und in Bewegung ab. So wurde er zu einem der gefragtesten und bestbezahlten Photographen im Bereich der Mode und des Bildjournalismus.

L T. N. Gidal, Dtld., Beginn d. modernen Photojournalismus, 1972 *(W)*; R. Hoghe, M. M., Ausst.kat. Düsseldorf 1980 *(W, L, P)*; Contemporary Photographers, ²1988 *(W, L, P)*; Das dt. Auge, Photojournalismus in Dtld., Ausst.kat. Hamburg 1996.

Franz Menges

Munkácsy (bis 1868 *Lieb,* bis 1880 *Munkácsi*), *Michael (Mihály) v.* (ungar. Adel 1880), Maler, * 20. 2. 1844 Munkatsch (Munkács, heute Mukatschewo/Ukraine), † 1. 5. 1900 Bonn-Endenich, □ Budapest, Kerepesi-Friedhof. (kath.)

V Michael Lieb († 1850), Salzsteuereinnehmer in M., *S* d. Benedikt; *M* Cäcilie Reök († 1849) aus d. Burgenland; *Urur-Gvv* Johann Lieb d. J., Bildhauer; *Ur-Gvv* Franz Johann Lieb, kam 1730 als Beamter d. Salzamtes aus Bayern nach Bartfeld; *Om* István Reök († 1877), Rechtsanwalt in Pest, seit 1849 in Békéscsaba, Vormund M.s; – ∞ Colpach (Luxemburg) 1874 Cécile (1845–1915, s. *L,* ∞ 1] Edouard Baron de Marches, 1820–73, österr. Offz., Bgm. v. Ell, Kunstliebhaber), *T* d. Charles Papier (1811–98), Schreiber am Diekircher Gericht, dann Beamter in Luxemburg, u. d. Marguerite Valérius (1817–1902); 1 *S* (früh †).

M. kam nach dem Tod seiner Eltern als 6jähriger zu seinem Onkel, dem Rechtsanwalt István Reök, nach Békéscsaba Bez. Gyula, wo er 1855–58 eine Tischlerlehre absolvierte. Danach war er in Arad als Tischler tätig und widmete sich unter Elek Szamossys Anleitung dem Zeichnen. 1863 ging er nach Pest, um Malerei zu studieren. Er setzte seine Studien 1865 in Wien bei C. Rahl, 1866 in München bei S. Wagner, W. Kaulbach und den Brüdern Adam, 1868 in Düsseldorf bei Ludwig Knaus fort, an den er von Wilhelm Leibl empfohlen worden war. Unter dem Einfluß seiner Vorbilder Eduard Schleich, Leibl und Knaus sowie Courbet und der Schule von Barbizon, die er 1867 anläßlich eines Parisbesuches kennengelernt hatte, fand M. seinen eigenen, romantisch gefärbten realistischen Stil, der sich durch einen temperamentvollen Pinselstrich, glühendes Kolorit und wirkungsvolle Kontraste auszeichnete. 1869 entstand in Düsseldorf M.s erstes großes Bild „Letzter Tag eines Verurteilten" (Acad. of Fine Art, Philadelphia), das im folgenden Jahr mit einer Goldmedaille des Pariser Salons ausgezeichnet wurde, 1871 „Die Charpiezupferinnen" (Nat.gal., Budapest, hier auch die folgenden Gemälde). 1872 ging M. auf Veranlassung des Barons de Marches nach Paris, wo seine effektvollen, oft großformatigen Genre-, Salon- und Landschaftsbilder sowie seine Porträts sehr geschätzt wurden. Auf der Wiener Weltausstellung 1873 erregten seine volkstümlichen Genrebilder „Nächtliche Vagabunden" und „Frau beim Buttern" große Aufmerksamkeit. 1874 malte M. den an Manet erinnernden „Mann mit Mantel", zwei Jahre darauf „Im Atelier", eines seiner schönsten Salonbilder. Um seinen aufwendigen Lebensstil in seinem Pariser Palais und auf Schloß Colpach sowie seine ausgedehnten Reisen finanzieren zu können, schloß er mit seinem Kunsthändler Charles Sedelmeyer einen Vertrag, der ihn zwang, dem Publikumsgeschmack entgegenzukommen. Seit Ende der 70er Jahre bevorzugte M., zeitlebens ein Gegner der Impressionisten, religiöse und historische Themen. Das Gemälde „Der blinde Milton diktiert sein Werk ‚Das verlorene Paradies'" (1877, New York Public Library), auf der Pariser Weltausstellung 1878 mit der Großen Goldenen Medaille prämiert, verschaffte ihm internationales Ansehen. Ausgehend von Renans Lebensbeschreibung Christi entstanden in den 80er Jahren „Christus vor Pilatus" und „Golgatha", die nach Philadelphia verkauft wurden, 1890 „Ecce Homo". 1886–90 schuf M. für das Treppenhaus des Wiener Kunsthistorischen Museums das barock anmutende Deckengemälde „Die Apotheose der Renaissance", 1891–93 für das ungar. Parlament das Monumentalgemälde „Die Landnahme". Als einer der gesuchtesten Maler und Porträtisten seiner Zeit mit Aufträgen überhäuft, erlitt M. 1896 einen Zusammenbruch, der eine zunehmende Geisteskrankheit zutage treten ließ. Im selben Jahr schrieb Augustin Boyer anhand von M.s Erzählungen dessen Kindheitserinnerungen nieder („Souvenirs, L'Enfance"), die sein Neffe F. W. Ilges 1897 deutsch herausgab. M. hielt sich seither in Sanatorien bei Baden-Baden und Bonn auf. Seine Werke, soweit sie nicht 1898 in Paris und 1908 auf Schloß Colpach versteigert worden sind, vermachte er der Ungar. Nationalgalerie in Budapest.

L F. W. Ilges, M. v. M., 1899 *(W, P);* C. Sedelmeyer, M. v. M., Sein Leben u. seine künstler. Entwicklung, 1914 *(W, P);* L. Végvári, Leben u. Werk v. M. M., 1958 *(W, L, P);* ders., Kat. d. Gem. u. Zeichnungen M. M.s, 1959 *(630 Nummern);* ders., M., 1961 *(W, L, P);* G. Pogány, M. M., Ausst.kat. Dresden 1967 *(W, L, P);* K. J. Hartner, in: Volkskal. d. Deutschen in Ungarn, 1969, S. 76–81; G. Perneczky, M., 1970 *(W, L, P);* V. Oberhammer, in: Jb. d. Kunsthist. Slgg. in Wien 70, 1974; A. Székely, M. M., 1977 *(W, L, P,* wieder 1993); J. Kohnen, M. u. Luxemburg, 1984 *(P);* Z. Bakó, M. M. u. László Paál, Führer z. ständigen Ausst. d. Ungar. Nat.gal., 1992 *(W, P);* B. Hammacher, Ungarn u. d. Münchner Schule, Ausst.kat. München 1995 *(W, L, P);* ThB; KML; ÖBL; A. Treszl (Hrsg.), Wer ist wer?, Erstes ungarndt. Biogr.lex., 1993 *(P). – Zu Cécile:* J. Mersch, in: Biogr. Nat. du Pays de Luxembourg, VI, 1957, S. 417–503 *(P).*

Franz Menges

Muntner, *Süßmann,* Arzt, Medizinhistoriker, * 17. 9. 1897 Kolomea (Galizien), † 20. 2. 1973 Jerusalem. (isr.)

V Jakob (*1863), Kaufm. in K.; M Mariasse (*1866) aus K.; ∞ 1931 Nelly Taussig (*1899) aus Brünn (Mähren); kinderlos.

Die Familie siedelte 1902 aus dem österr. Galizien nach Berlin über. Nach Kriegsdienst im österr.-ungar. Heer studierte M. Medizin in Berlin und eröffnete 1927 eine Privatklinik in Berlin-Charlottenburg. Anfang März 1933 emigrierte M., der sich schon als Student zionistisch engagiert hatte, nach Palästina und eröffnete erneut eine Klinik in Jerusalem. Seine Eltern und ein Bruder folgten ihm 1934, während ein anderer Bruder in Deutschland blieb und später in einem Konzentrationslager umkam. M. nahm aktiv am israel. Unabhängigkeitskrieg 1948/49 teil und fuhr anschließend als Schiffsarzt auf einem der letzten illegalen Einwanderungsschiffe. Wegen seiner Verdienste um den Zionismus bezeichnete ihn David Ben Gurion einmal als einen „Chaluz (= landwirtsch. Pionier) der Ärzte".

M. beschäftigte sich schon früh mit der Geschichte des Judentums. 1925 veröffentlichte er eine „Geschichte der Leibesübungen bei den Juden". Sein medizinhistorisches Interesse entsprang zunächst einem tief empfundenen Bedürfnis, dem modernen Hebräisch eine medizinische Terminologie zu verschaffen, die die autochthone jüd. Tradition berücksichtigte. M.s Hauptverdienst liegt daher in seinen philologisch-editorischen Arbeiten. Ihm ist es zu verdanken, daß die medizinischen Schriften des Philosophen, Theologen und Arztes Maimonides (Rabbenu Moshe

Ben Maimon, 1135–1204), die in der hippokratischen Tradition stehen, dem Vergessen entrissen wurden (Edition des hebr. Textes sowie engl. und – Regimen Sanitatis, 1966 – dt. Überss.) ebenso das medizinische Werk des Rabbi Shabtai Donnolo (913–985), der vor allem die Schule von Salerno beeinflußt hat (1949, hebr. u. engl., mit Vorwort). M.s Hauptinteresse galt aber Asaph dem Arzt (ca. 600 n. Chr.) und seinem „Buch der Medizin", das als ältester Text der hebr.-jüd. Heilkunde gilt. Leider konnte nur der von M. rekonstruierte, auf 17 Manuskripten basierende Text veröffentlicht werden (1949). Die geplante kritische, kommentierte Ausgabe, an der er 30 Jahre gearbeitet hatte, blieb unveröffentlicht. M. verfaßte 25 Bücher und mehr als 400 Aufsätze zu medizinhistorischen und allgemeinmedizinischen Themen. Neben seiner medizinischen Praxis, die er bis an sein Lebensende führte, hatte M. seit 1958 eine Gastprofessur für Geschichte der Medizin an der hebräischen Univ. in Jerusalem inne. Er war Mitbegründer und Mitherausgeber von „Koroth", der ersten israel. medizinhistorischen Zeitschrift. – Mitgl. zahlr. wiss. Gesellschaften, u. a. der Ak. d. hebr. Sprache, d. Jerusalemer Ak. d. Med., d. Société Internationale de la Médecine (Rom), d. Sociedad Española de la Medicina; Ehrenmitgl. d. Académie Nationale de Médecine, Paris (1967); Goldmedaille d. Karls-Univ. Prag (1948); Burgkly-Preis d. Académie Internationale d'Histoire des Sciences (1970); Maimonides-Preis d. Michael-Reese-Hospitals, Chicago (1970).

W u. a. The Antiquity of Asaph the Physician and his Editorship of the Earliest Hebrew Book of Medicine, in: Bull. of the History of Medicine 25, 1951, S. 101–31; Introduction to the Book of Asaph the Physician (hebr.), in: Koroth 3, 1965, S. 396–422; sämtl. Stichworte z. Gesch. d. Med. in d. Encyclopedia Judaica, 1971. – *Bibliogr.:* S. M., Bibliography of his Papers and Books, 1958 (hebr. u. engl.).

L S. R. Kagan, Jewish Medicine, 1952, S. 344 (P); J. O. Leibowitz u. a., Obituary and Bibliography, in: Koroth 6, 1973, S. LXXVIII–XC; L. Nelken, Bibliography of Books and Papers Written by M., ebd., S. CXLVII–CXLIX; Kürschner, Gel.-Kal. 1970; BHdE II. – Eigene Archivstud. (Inst. f. Zeitgesch., München; Archiv d. Hebr. Univ., Jerusalem).

Hans-Peter Kröner

Munzinger. (kath.)

Die Familie ist seit 1592 im Bürgerbuch von Olten Kt. Solothurn eingeschrieben. Dem Salzfaktor *Konrad* (1759–1835, s. Gen. 1) gelang der soziale Aufstieg. 1798 wurde er Aide-major, 1801 Mitglied der helvet. Tagsatzung, 1803 Regierungskommissar, 1804–14 gehörte er dem Großen Rat an. Sein Sohn *Ulrich* (1787–1876), der das Handelshaus fortführte, war 1830–60 Stadtammann. Er trat als Komponist zahlreicher Gesangs- und Musikstücke hervor. Sein Bruder *Viktor* (1798–1862), ein Arzt, sowie sein Sohn *Emil* (1821–77), Kaufmann, teilten diese Vorliebe und komponierten Lieder. Während Viktors Sohn *Eugen* (1830–1907) 1880 Chefarzt am Kantonsspital in Olten wurde, verschrieb sich *Eduard* (1831–99, s. ADB 52) ganz der Musik; er komponierte Kantaten und Oratorien und spielte im Musikleben der Schweiz eine große Rolle. Konrads zweiter Sohn *Josef* (s. 1) war ein bedeutender freisinniger Staatsmann. Dessen Söhne waren der Jurist *Walter* (1830–73, s. Gen. 1) und der Forschungsreisende *Werner* (s. 2). Walter, Dr. iur., seit 1863 o. Prof. der Rechte in Bern, bemühte sich um die Rechtsvereinheitlichung in der Schweiz. 1862 wurde er mit der Ausarbeitung eines Handels-, 1869 mit der eines Obligationenrechts beauftragt. Engagiert wandte er sich gegen den päpstlichen Absolutismus, wie er im Unfehlbarkeitsdogma gipfelte, u. a. in seiner Schrift „Papsttum und Nationalkirche" (1860). Konrads gleichnamiger vierter Sohn (1803–67) prägte als Baumeister das Stadtbild von Olten. Dessen Sohn *Arnold* (1830–1903) führte die väterliche Fabrik fort, betätigte sich aber auch als Landschaftsmaler (s. ThB).

Zu weiteren Linien der Familie gehören der Landschafts- und Porträtmaler *Hans* (1877–1953, s. ThB) und die Nachkommen *Bernhards* (1787–1832) und dessen Sohns *Viktor* (1809–53), beide Gerichtspräsidenten in Olten. *Karl* (1842–1911, s. BJ 16, Tl.) und *Edgar* (1847–1905) wirkten als Komponisten, *Oskar* (1849–1932) als Regierungsrat des Kantons Solothurn und Ständerat (s. HBLS).

1) *Josef,* Schweizer Staatsmann, * 12. 11. 1791 Olten, † 6. 2. 1855 Bern, ☐ Solothurn, St.-Niklausen-Kirche.

V Konrad (1759–1835), Kaufm. u. Politiker (s. HBLS), *S* d. Drahtzugmeisters u. Statthalters Benedikt (1735–1806) u. d. Katharina (1730–1801); *M* Elisabeth (1763–1834), *T* d. Krämers u. Gerichtssässen Ulrich Schmid (1734–1804) u. d. Elisabeth Göldli († 1797) aus Sursee; ∞ 1) 1815 Magdalena Brunner († 1818), 2) 1819 Anna Maria Lüthi († 1859) aus Solothurn; 5 *S,* 6 *T,* u. a. Wilhelm (1826–78), Rechtsanwalt, seit 1866 Oberrichter, Walter (1830–73), Jurist (s. *L*), Werner (s. 2).

M. besuchte das Gymnasium in Solothurn, Muri und Freiburg. Nach dem Abitur in Solothurn absolvierte er eine kaufmännische

Lehre in Bologna. In seine Heimat zurückgekehrt, erhob er sich gegen das Solothurner Patriziat, das hier im Januar 1814 die Herrschaft zurückerobert hatte. Er mußte fliehen, wurde jedoch noch im selben Jahr amnestiert. Angesichts der Pariser Julirevolution schloß sich M., obwohl praktizierender Katholik, den Liberalen an. Auf der Volksversammlung am 22. 12. 1830 in Balsthal trug er deren 17 Forderungen vor und forderte die uneingeschränkte Souveränität des Volkes. Nach Annahme der neuen demokratischen Kantonsverfassung wurde M. in den Kleinen Rat gewählt. Seit 1833 Landammann, lag während der nächsten 15 Jahre die Politik des Kantons Solothurn in seinen Händen. Er bediente sich hierbei durchaus auch autoritärer Methoden. So schüchterte er 1841 die von Theodor Scherer geführte agrarisch-konservative Opposition durch Einsatz der Polizei und der Langendorfer Schützen massiv ein. In der Tagsatzung, der er 1831–48 angehörte, griff M. den Sonderbund scharf an und wandte sich gegen die Diffamierung der Juden und der Katholiken, insbesondere von deren Ordensgemeinschaften. Auf seinen Antrag hin kam es zur Wiederherstellung des vierten aargauischen Frauenstifts. An der eidgenössischen Verfassungsrevision vom Frühjahr 1848 arbeitete er rege mit; er setzte das Zweikammersystem durch. Im November 1848 wurde M. – neben Furrer, Ochsenbein und Druey – in den Bundesrat gewählt. Als Finanzminister war er bemüht, die Bundeskasse in Ordnung zu bringen und eine neue Währung zu schaffen: den Schweizer Franken (1850). 1851 wurde ihm als Bundespräsidenten das Politische, zwei Jahre später das Post- und Bau- und 1855 schließlich das Handels- und Zolldepartement übertragen. Sein Nachruhm beruht in erster Linie auf der Schöpfung der neuen Landeswährung.

L ADB 23; H. Haefliger, Bundesrat J. M., 1953 *(P)*; E. Studer, in: Die Schweizer Bundesräte, hrsg. v. U. Altermatt, ²1992, S. 121–26 *(L, P)*; HBLS *(P)*; Schweizer Lex. *(P). – Zu Walter:* ADB 23; P. Dietschi u. L. Weber, W. M., e. Lb., 1874; P. Stadler, Der Kulturkampf in d. Schweiz, 1984; HBLS; M. Stolleis (Hrsg.), Juristen, 1995, S. 446 f.

Edgar Bonjour †

2) *Werner* **M.-Pascha** (seit 1873), Kaufmann, Forschungsreisender, Sprachforscher, * 21. 4. 1832 Olten, † 16. 11. 1875 Aussa (Abessinien).

V Joseph (s. 1); ∞ Keren (?) (Abessinien) 1855 (?) N. N. († 1875); 1 *Adoptiv-S*, 1 *S.*

Nach dem Besuch des Gymnasiums in Solothurn und einem kurzen Aufenthalt an der Univ. Bern studierte M. seit 1850 oriental. Sprachen in München und Paris. 1852 begab er sich zur Vervollkommnung im Arabischen nach Kairo, trat nach sechs Monaten in eine Firma in Alexandria ein und begann für die „Triester Zeitung" zu schreiben. Im folgenden Jahr ging er als stellvertretender Leiter einer Handelsexpedition ans Rote Meer und gelangte zuerst nach Dschidda und von da nach Suakin und Massaua. Nach dem Tode seines Vorgesetzten betreute er die Liquidation des Unternehmens, nutzte die Zeit aber auch zum Studium von Sprache und Sitten der Einwohner und publizierte seine Ergebnisse in der „Zeitschrift für allgemeine Erdkunde". Aus wissenschaftlichem Interesse übersiedelte er 1855 nach Keren, wo er weiterhin Handel trieb, eine Witwe aus dem christl. Stamm der Bogos heiratete und ihren Sohn adoptierte. Eine neuartige anthropologische Untersuchung jenes Volkes machte ihn so bekannt, daß er 1861 zur Teilnahme an der von Deutschland ausgesandten Expedition Theodor Heuglins zur Auffindung des 1856 in Wadai verschollenen Afrikareisenden Eduard Vogel aufgefordert wurde. Er konnte aus El Obeid in Kordofan verläßliche Kunde von Vogels Tod beibringen. 1864 wurde ihm das franz. und 1865 das brit. Vizekonsulat in Massaua übertragen. In dieser Eigenschaft half er, eine Strafexpedition gegen den äthiop. Kaiser Theodorus II. zur Befreiung europ. Gefangener vorzubereiten, und führte 1868 die brit. Armee unter Lord Robert Napier nach der Felsenfestung Magdala in Abessinien. Unmittelbar nach dem Sieg hob England aus ungeklärten Gründen das Vizekonsulat auf und entließ den verdienten Mitarbeiter. M.s Parteinahme für England kostete ihn in Äthiopien viele Sympathien; wenig später wurde er im Land der Bogos bei einem Mordanschlag schwer verwundet. 1871 ernannte ihn Ismael Pascha, der Khedive von Ägypten, zum Bey und Gouverneur von Massaua, 1872 auch zum Gouverneur von Suakim, 1873 zum Pascha und Generalgouverneur des ganzen ägypt. Sudan, wozu auch das Gebiet der Bogos und Nordabessinien zählte. In knapp vier Jahren verbesserte M. das Steuersystem, baute vor allem mit europ. Ingenieuren Straßen und Brücken, verband Massaua durch einen Damm mit dem Festland, richtete eine Trinkwasserversorgung ein und führte eine Telegraphenleitung nach Kassala. Ferner förderte er den Anbau von Indigo, Virginiatabak und Baumwolle. Vermutlich machte seine Zurückhaltung gegenüber ägypt. Expansionsgelüsten in Abessinien ihn in Kairo verdächtig, weshalb er 1875 mit einer gefährlichen militärischen Expedition beauftragt wurde. Nördlich des Aussa-Sees geriet er mit seiner 350 Mann starken Truppe in einen Hinterhalt islamischer Gallas und fand zusammen mit seiner Frau und dem größten Teil seiner Leute den Tod. – M.s Verhältnis zu den afrikan. Völkern gründete in der damals ungewöhnlichen Überzeugung von der Gleichwertigkeit aller Menschen und der Vervollkommnungsfähigkeit des Individuums.

W Briefe v. Roten Meere, 1856; Beschreibung d. nordöstl. Länder v. Habesch, 1859; Sitten u. Recht d. Bogos, 1859; Ostafrikan. Stud., 1864; Vocabulaire de la langue Tigré, 1865; Routes in Abyssinia, 1867. – *Nachlaß:* Bundesarchiv Bern; Stadtarchiv Olten; Staatsarchive Paris u. London.

L ADB 23; P. Dietschi, W. M.-P., 1875; ders., in: Große Schweizer, 1938, S. 619–23; G. Wild, Von Kairo nach Massaua, 1879; J. Keller-Zschokke, W. M.-P., Sein Leben u. Wirken, 1891; ders., Betätigung W. M.s bei d. Aufsuchung Dr. E. Vogels, 1912; F. J. Cox, M.s Observation on the Sudan 1871, in: Sudan Notes and Records 33, 2, 1952, S. 189–200; P. A. Bloch, Das Attentat (v. 1869) auf W. M.-P., ebd. 34, 1976; U. Bitterli, in: Tagesanz.-Mag. 45, 1975, S. 6–14; T. Kaiser, W. M.-P. im Spiegel v. Fam.briefen, in: Jb. f. solothurn. Gesch. 63, 1990, S. 5–85; D. Henze, Enz. d. Entdecker u. Erforscher d. Erde, III, 1993; Schweizer Lex.

Rolf Max Kully

Munzinger, *Ludwig,* Journalist und Verleger * 28. 8. 1877 Saarburg (Lothringen), † 15. 11. 1957 Ravensburg (Württemberg). (ev.)

Aus ursprüngl. schweizer. Fam., d. im 17. Jh. in d. Pfalz auswanderte. – *V* Ludwig (1849–97) aus Pirmasens (Pfalz), Verw.beamter in Elsaß-Lothringen, Geh. Reg.rat, *S* d. Friedrich Ludwig (1818–94) aus Saalstadt (Pfalz), Bez.gerichtspräs., u. d. Sofie Marie Schwalb (1826–80) aus Saarbrücken; *M* Amélie Johanna (1857–1941) aus Paris, *T* d. Kaufm. Jakob Andreas Becker u. d. Albertine Sibylle Voelcker aus Edenkoben (Pfalz); *Gr-Ov* d. *Ehefrau* Gustav Hartenstein (1808–90), Philosoph (s. NDB VII); – ∞ Kötzschenbroda b. Dresden 1910 Cora (1888–n. 1983), *T* d. Bernhard Hartenstein (1840–89) aus Waldheim (Sachsen), Kreisdir. in Mülhausen (Elsaß), u. d. Marie Voigtländer-Tetzner (1858–1907) aus Burgstädt (Sachsen); 1 *S,* 2 *T,* u. a. Ludwig (* 1921), Dr. iur, führt seit 1957 das väterl. Unternehmen weiter; *E* Ernst (* 1953), Dipl.-Ing., seit 1986 in d. Geschäftsleitung d. Munzinger-Archiv GmbH.

Nach dem Schulbesuch in Mülhausen und Straßburg wurde M. 1888 für drei Jahre zu einem Pfarrer in die Nähe von Freiburg (Br.) geschickt; er beendete die Gymnasialzeit in Weißenburg (Elsaß). 1896 begann er in Würzburg mit dem Studium der Jurisprudenz, das er – nach kurzem aktivem Militärdienst in Colmar 1898–1900 – in München und Heidelberg wieder aufnahm und um Volkswirtschaft und Finanzwissenschaften erweiterte. 1901 wurde er in Heidelberg mit der Dissertation über „Die Entwicklung des Inseratenwesens in den deutschen Zeitungen" zum Dr. phil. promoviert, im November 1902 bestand er das juristische Referendarexamen. Unmittelbar danach trat M. in die Redaktion der Münchener „Allgemeinen Zeitung" ein, übernahm jedoch 1908 – nach einer mehrmonatigen Südamerikareise – die Chefredaktion der „Badischen Landeszeitung" in Karlsruhe. 1910 ging er als Korrespondent des „Dresdner Anzeigers" nach London. 1911 nahm M. das Angebot Rudolf Dammerts, eines Kollegen aus der Münchener Zeit, an, sich an dessen „Berliner Dienst" zu beteiligen, der durch gebündelte Informationen aus der Hauptstadt der deutschen Provinzpresse kostspielige eigene Vertretungen in Berlin ersparen wollte.

Obwohl das Unternehmen florierte, zog M. die Selbständigkeit vor und gründete 1913 in Berlin das „Archiv für publizistische Arbeit", das als wöchentlich erscheinende Loseblattsammlung den Redaktionen der deutschen Zeitungen „zu erschwinglichen Kosten" ermöglichen sollte, „über den gesamten Stoff des abgelaufenen Tagesgeschehens, insbesondere auch über die Personalien der ins Licht der Öffentlichkeit tretenden Menschen rasch und zuverlässig" nachzuschlagen. Der erfahrene Zeitungsmann kam mit seiner Idee einem breiten Bedarf entgegen. Die erste Lieferung am 17. 3. 1913 hatte eine Flut von Bestellungen zur Folge. Besonders bekannt wurde der Informationsdienst „Internationales Biographisches Archiv – Personen aktuell". Erst später bürgerte sich die Bezeichnung „Munzinger-Archiv" ein. 1914 wurde M. eingezogen; nach kurzem Fronteinsatz gab er seit 1915 eine Armee-Feldzeitung und Nachrichtenblätter für die Truppe heraus. Das „Archiv" wurde von seiner Frau notdürftig weitergeführt, seit 1917 vom Hähnlehof bei Ravensburg aus, den die Familie erworben hatte. Seit 1926 erschien das „Archiv" wieder in Berlin, seit 1930 in Dresden, der Heimat seiner Frau. Schon 1933 mußte das „Archiv" erste Einbußen durch die „Gleichschaltung" der Presse hinnehmen. 1936 wurde M. wegen angeblicher Verbindungen zu Otto Strasser kurze Zeit inhaftiert, 1938 wurden Bibliothek und Archiv vorübergehend beschlagnahmt. Im ganzen konnte M. jedoch das „Archiv" als der sachlichen Chronologie verpflichtete Institution auch unter den schwierigen Bedingungen der NS-Zeit am Leben erhalten. Nachdem 1928 ein Sportarchiv angegliedert worden war, entwickelte er seit 1939 eine Vorstufe des heute weit verbreiteten achtbändigen „Internationalen Handbuchs – Länder aktuell". Von der Zerstörung Dresdens am 13. 2. 1945 waren auch wesentliche Teile des Archivs betroffen. M. übersiedelte nach Ravensburg und widmete sich hier seit Anfang 1946 dem Wiederauf- und Ausbau des „Munzinger-Archivs".

Weitere W Zukunftsländer am La Plata, 1907; Bürokratie od. Demokratie, 1948; – *Übers.*: Jean Edouard Spenlé, Der dt. Geist v. Luther bis Nietzsche, 1949.

L E. Dovifat u. a., 50 J. Munzinger Archiv, Archiv f. publizist. Arbeit 1913–63, 1963 *(P);* 70 J. im Dienst d. Publizistik, Munzinger Archiv 1913–83, 1983; Ludwig Munzinger jun. u. a., 75 J. Munzinger-Archiv 1913–1988, 1988 *(P).*

Erika Dillmann

Muralt *(Muralti, Muralto, Moralt),* **v.,** Zürcher u. Berner Familie. (ref.)

Das Adelsgeschlecht erscheint urkundlich schon im 12. Jh. Es gehörte zur Korporation der capitanei von Locarno. Seine Mitglieder waren Reichsvasallen und Vasallen des Bischofs von Como, von dem sie um 1190 u. a. die Türme von Muralto (b. Locarno), nach denen sie sich künftig nannten, zu Lehen erhielten. *Franciscus* (15. Jh.) war Arzt des Gerichtsbezirks Locarno, sein Sohn *Laurentius* († v. 1532) Arzt des Herzogs von Mailand. Während *Giovanni Galeazzo* († 1557), seit 1528 Erzpriester von Locarno, auf der Disputation von Locarno 1549 die kath. Kirche verteidigte, wanderte *Martinus* († 1567), Dr. iur., hzgl. Podestà zu Vigevano und Luino, als Anhänger der Reformation 1555 mit seiner Familie nach Zürich aus.

Der Wundarzt *Johannes* († 1579), der sich ihm angeschlossen hatte, erhielt 1556 das Zürcher Bürgerrecht mit Regimentsfähigkeit; er wurde der Stammvater der Zürcher M. Seine Nachkommen, darunter der Enkel *Johannes* (1577–1645), waren meist Kaufleute und Ratsmitglieder, dessen Enkel *Johannes* (1645–1733) jedoch wieder Arzt und Anatom (s. 1). Ein weiterer *Johannes* (1780–1850) war Mitarbeiter Pestalozzis und seit 1810 Pfarrer der deutsch-ref. Kirchengemeinde in St. Petersburg. *Hans Conrad* (1779–1869) wurde 1828 Staatsrat für das Finanz- und Militärwesen und 1839 Bürgermeister von Zürich (s. 3). *Leonhard* (1900–70) machte sich als Historiker einen Namen (s. 4), dessen Vetter *Alexander* (1903–90) war ein bedeutender Physiologe (s. 5).

Hans Ludwig (1546–1606), Sohn des Martinus, ließ sich als Wundarzt in Bern nieder und trat dort ins Bürgerrecht ein. Er begründete den Berner Zweig der Familie, der es im Staats- und Militärdienst zu hohem Ansehen brachte. *Beat Ludwig* (1665–1749) gehörte zu den Literaten, die die europ. Bewegung der Anglomanie auslösten (s. 2). Sein Onkel *Johann (Hans) Bernhard* (1634–1710), Mitglied des Kleinen Rats und Deutsch-Seckelmeister, opponierte gegen die Härte der Berner Religionskommission. Johann Bernhards Sohn *Georg* (1678–1754) und sein Enkel *Johann Bernhard* (1709–80) gehörten dem Kleinen Rat an, der Urenkel *Anton Salomon Gottlieb* (1757–1818) wurde 1798 Mitglied der provisorischen Regierung. Dessen Söhne und Neffen traten vor allem im Militärdienst hervor. *Abraham Rudolf* (1783–1859), seit 1814 in holländ. Diensten, wurde 1838 Generalmajor, 1840 Kommandant von Nordbrabant; er ist der Begründer des holländ. Zweigs der Familie. Sein Bruder *Ludwig Bernhard Karl* (1795–1854) brachte es im Dienst des Königs von Neapel zum Brigadegeneral. *Amedée* (1829–1909), ein Enkel des Anton Salomon Gottlieb, baute 1862 die Strecke Sitten-Siders der Simplonbahn, war 1900/01 Präsident des Großen Rats im Kt. Bern und machte sich in der Berner Kommunalpolitik verdient.

Mitglieder des kath. gebliebenen Zweiges in Locarno wanderten unter der Namensversion „Moralt" nach Deutschland und Österreich aus. *Adam* (um 1741–1811), kurfürstl. Hofkalkant in Mannheim, seit 1778 in München, wurde der Stammvater einer Musikerfamilie (s. NDB 18).

L Leonhard v. M.-Baumgartner, Stammtafeln d. Fam. v. M. in Zürich, 1926; HBLS.

Edgar Bonjour †

1) *Johannes,* Anatom und Chirurg, * 18. 2. 1645 Zürich, † 12. 1. 1733 ebenda.

V Johann Melchior (1614–88), Kaufm. in Z., *S* d. Johannes (1577–1645), Kaufm. (beide s. HBLS); ⚭ 1672 Regula Escher; *S* Johann Conrad (1673–1732), Stadtarzt in Z.

M. besuchte das Gymnasium Carolinum in Zürich und veröffentlichte schon mit 20 Jahren eine wissenschaftliche Schrift über das geistige Leben der Taubstummen (Schola mutorum ac surdorum). Im Rahmen akademischer Reisen studierte er Anatomie, Chirurgie und Geburtshilfe in Basel, Leiden, London, Oxford, Paris und Montpellier. Zu seinen Lehrern gehörten der bekannte Anatom C. Bauhin (Basel) und der Arzt F. Sylvius (Leiden). Mit der Dissertation „De morbis parturientum et accidentibus, quae partum insequuntur" schloß M. 1671 seine akademische Ausbildung in Basel ab und ließ sich 1672 in Zürich als Chirurg und Geburtshelfer in eigener Praxis nieder. Die chirurgische Tätigkeit M.s und öffentliche Sektionen von Tieren in Zürich führten bald zu Unstimmigkeiten mit der dortigen Chirurgenzunft „Zum Schwarzen Garten". Nach fünf Jahren war jedoch M.s Ruf als Arzt so gefestigt, daß man ihm erlaubte, auch Sektionen an den Leichen Hingerichteter vorzunehmen, ihn mit dem Namen „Aretäus" in die Leopoldina aufnahm und zum Ehrenmitglied der Chirurgenzunft ernannte. Seit 1686 hielt M. anatomische Vorlesungen in deutscher Sprache vor Chirurgen, Studenten und gebildeten Laien. Die Thematik umfaßte Anatomie, Physiologie, Organpathologie, medizinische und chirurgische Therapie, den Gebrauch medizinischer Pflanzen sowie Instruktionen für Militärchirurgen. 1688 wurde er zum Stadtarzt (Archiater) ernannt und war somit für die Seuchenbekämpfung, das Hebammenwesen, die Apotheken und das Stadtkrankenhaus zuständig. M. führte selbst alle Fraktur-, Stein- und Katarakt-Operationen durch. 1691 erhielt er eine Physikprofessur am Chorherrnstift zum Großen Münster und eine Professur am Gymnasium. M. kann als Begründer des anatomischen Unterrichts in Zürich gelten, das durch ihn zu einem bedeutenden Zentrum für das Studium der Anatomie und Chirurgie wurde.

Der Erfolg M.s beruhte hauptsächlich auf seinen außerordentlichen praktisch-chirurgischen Fähigkeiten und seiner scharfen Beobachtungsgabe. Zwar werden in M.s Schriften auch neuartige Behandlungsverfahren dargestellt, seine Veröffentlichungen sind jedoch mehr durch die Menge und Vielfalt des Materials gekennzeichnet als durch Erkenntnistiefe. Mit Anatomie, Medizin und Physiologie befassen sich 21 Werke und 13 mit Mineralogie, Zoologie und Botanik. Etwa 100 Aufsätze (Acta d. Leopoldin. Ak. I, II) waren der Anatomie der Tiere gewidmet. M.s naturhistorisches Hauptwerk ist das „Systema physicae experimentalis, integram naturam illustrans" (4 Bd., 1705–14). Eine handschriftliche regionale Pharmakopoe M.s ist erhalten. M. äußerte die Vermutung, daß die Infektion mit der Pest auf „animalischen" Ursachen beruhe. Nach seiner Auffassung sollten mikroskopisch kleine „Mücklein" die Krankheit durch die Atemluft übertragen. Tatsächlich wird der Mensch durch Rattenflöhe mit dem Pestbakterium (Yersinia pestis) infiziert, was zur Beulenpest führt. Durch Tröpfcheninfektion mit dem Atem können dann andere Menschen mit der Lungenpest angesteckt werden. M. legte eine wohldurchdachte Darstellung der Pesterkrankung vor, die der u. a. auf Athanasius Kircher zurückgehenden Lehre von der lebendigen Natur des Pesterregers entsprach: Unter dem Mikroskop glaubte M. diese Erreger in Blut und Eiter der Erkrankten als kleine „Würmchen" ausmachen zu können. In seiner Krankheitstheorie finden sich gelegentlich Elemente zeitgenössischer volksmedizinischer Glaubensvorstellungen, die er mit Erfolg in seine praktischen Behandlungskonzepte integrierte. Aus heutiger Sicht verdienstvoll war insbesondere sein Bestreben, naturwissenschaftliche Kenntnisse durch Lehre und anschauliche Darstellung weiterzuvermitteln.

Weitere W Vademecum anatomicum sive clavis medicinae, 1677; Anatom. Collegium, 1687; Curationes medicae observationibus et experimentis anatomicis mixtae, 1688; Kinder- u. Hebammenbüchlein, 1689, 1697; Chirurg. Schrr., 1691 *(P);* Hippocrates helveticus od. d. Eydgenöss. Stadt-, Land- u. Hauss-Artzt, 1692; Eydgenöss. Lust-Garte, 1715 *(P);* Schrr. v. d. Wund-Artzney, 1711; Kriegs- u. Soldaten-Diaet, 1712; Sichere Anleitung wider d. dissmal grassirenden Rothen Schaden, 1712; Kurtze u. Grundlich Beschreibung d. ansteckenden Pest, 1721.

L ADB 23; K. Meyer-Ahrens, Die Arztfam. v. M., insbes. J. v. M., in: Schweizer. Zs. f. Heilkde. 1, 1862, S. 268–89; ebd. 2, 1863, S. 25–47; C. Brunner u. W. v. Muralt, Aus d. Briefen hervorragender Schweizer Ärzte d. 17. Jh., 1919; O. Obschlager, Der Zürcher Stadtarzt J. v. M. u. d. med. Aberglaube seiner Zeit, Diss. Zürich 1926; U. Boschung (Hrsg.), J. v. M. 1645–1733, Arzt, Chirurg, Anatom, Naturforscher, Philosoph, 1983; Pogg. II; BLÄ; HBLS *(P);* DSB; Schweizer Lex. *(P).*

P Kupf. v. C. N. Schurtz, 1685, u. Johs. Meyer d. J., 1691 u. 1711.

Eberhard J. Wormer

2) *Beat Ludwig (Béat Louis de),* Schriftsteller, ~ 9. 1. 1665 Bern, † 20. 11. 1749 Colombier (Neuchâtel).

V Franz Ludwig (1638–84), Brigadier in franz. Diensten (s. Slg. Bern. Biogrr. I, 1884, S. 394 f.), *S* d. Jost (1601–76), Vogt v. Gottstatt u. St. Johannsen (s. HBLS), u. d. Marie Schweizereisen; *M* Salome († 1684), *T* d. Beat Ludwig Sturler (1615–80) u. d. Ursula Zeender (* 1617); *Ov* Johann (Hans) Bernhard (1634–1710), 1684 Mitgl. d. Kleinen Rats u.

Rentmeister d. dt. Lande v. B. (s. Einl.; *L*); *B* Franz Ludwig (1669–1753), reiste mit M. 1694 nach Holland, England u. Frankreich; – ∞ 1) Oberdiessbach b. Bern 1699 Margarete (1678–1732), *T* d. Niklaus v. Wattenwyl (1653–91) u. d. Salome Steiger (1660–1723), 2) 1737 Anna Cleopha (1712–41) aus Zürich, *T* d. Jakob Rahn (1677–1766) u. d. Anna Cleophea Lochmann; 1 *S*, 1 *T* aus 1); *E* Charles-Emmanuel de Charrière († 1808, ∞ Isabelle van Tuyll van Serooskeerken, 1740–1805, Schriftst., s. HBLS).

M. kam 1681 zum Studium nach Genf, wo er sich gute Kenntnisse der franz. Sprache aneignete, in der er seine späteren Werke schrieb, während, nach eigener Angabe, seine Muttersprache Deutsch war. Danach war er wie sein Vater in franz. Militärdienst in Versailles. 1694 brach er, zusammen mit seinem Bruder Franz Ludwig, über Holland zu einer Reise nach England auf, wo er vermutlich vor allem in London verweilte. Noch im selben Jahr kehrte er über Frankreich in seine Heimat zurück, heiratete und ließ sich bei Bern auf seinem Landgut nieder. Wegen Fernbleibens vom öffentlichen Gottesdienst und pietistischer Neigungen wurde er 1701 aus Bern verbannt und fand erst nach mehreren Jahren des Umherirrens, wobei er auch aus Genf verwiesen wurde, in Colombier im damals preuß. Neuenburg, wo seine Frau ein Landgut besaß, eine dauerhafte Bleibe. In der arbeitsamen Zurückgezogenheit des Landlebens betrieb er weiterhin philosophische und theologische Studien und hielt Verbindung zu deutschen und schweizer. Pietisten-Kreisen. M.s Hauptwerk sind die „Lettres sur les Anglais et les Français et sur les Voyages", die im wesentlichen bereits vor 1700 entstanden und handschriftlich zirkulierten. Erst 1725 erschienen sie in Buchform, erreichten noch im 18. Jh. ein Dutzend weitere Auflagen und wurden ins Englische (1727) und Deutsche (1761) übersetzt. Auf dem Höhepunkt der franz. Vorherrschaft in Europa stellen diese „Briefe" einen ersten systematischen und kohärenten Angriff gegen die franz. kulturelle Hegemonie und eine Warnung vor der von Frankreich ausgehenden politischen Bedrohung dar. Gleichzeitig wird das wirtschaftlich und politisch fortgeschrittene England zum Vorbild erhoben. Die den beiden Nationen zugeordneten zentralen Begriffe sind der die aristokratische Hochkultur auszeichnende „bel esprit" und der bürgerliche „bon sense". Das Buch wurde zum Ausgangspunkt einerseits der „Anglomanie" des 18. Jh., andererseits des Kampfs um die Emanzipation von franz. Vorherrschaft vor allem in der deutschen Literatur. Sein Einfluß erstreckte sich in der franz. Literatur besonders auf Voltaire, Marivaux, Abbé Prévost, Montesquieu und Rousseau, in der deutschen u. a. auf die Schweizer Albrecht v. Haller, Johann Jakob Bodmer und Johann Jakob Breitinger sowie auf Hamann, Herder und Lessing.

Weitere W u. a. Lettres..., nouvelle édition, corrigée et augmentée par l'auteur même, 4 Bde., 1728 (III: Lettres sur l'esprit fort, IV: L'instinct divin recommandé aux hommes); Lettres fanatiques, 2 Bde., 1739; Fables nouvelles, 1753.

L ADB 23; O. v. Greyerz, B. L. v. M., 1888; Ch. Gould, Einl. zu d. „Lettres" (1728), 1933; A. Ferrazini, B. d. M. et Jean-Jacques Rousseau, 1952; Gr. Schweizer, hrsg. v. M. Hürlimann, 1938, S. 243–49 u. 275 *(P)*; G. C. Roscioni, B. L. v. M. et la ricerca dell'umano, 1961; J. Riesz, B. L. v. M., Lettres sur les Anglais et les Françaçis et sur les voyages u. ihre Rezeption, 1979; Slg. Bern. Biogrr. II, 1898, S. 1–7; Kosch, Lit.-Lex.³; Killy. – *Zu Johann Bernhard:* Slg. Bern. Biogrr. I, 1884, S. 387–93.

Janos Riesz

3) *Hans Conrad,* Bürgermeister von Zürich, schweizer. Staatsmann, * 31. 10. 1779 Zürich, † 7. 12. 1869.

V Heinrich (1747–1823), Kaufm., Dir. d. zürcher. Kaufm.schaft, *S* d. Kaufm. Hans Conrad (1715–95) u. d. Anna v. Orelli; *M* Regula (1747–81), *T* d. Hans Caspar Landolt (1702–81), Bgm. v. Z. (s. HBLS), u. d. Regula v. Wyß; ∞ 1801 Anna Cleopha (1785–1865), *T* d. Hans Conrad Escher u. d. Anna Werdmüller; 2 *S*, 1 *T*, u. a. Hans Heinrich (1803–65), Kaufm., Teilh. im väterl. Geschäft.

Der Vater nahm M. schon früh als Mitarbeiter auf; beide brachten ihr Geschäft, Baumwollspinnerei und Maschinenfabrik, zu großer Blüte. Daneben diente M. dem zürcher. Gemeinwesen in verschiedenen Funktionen. Er trat als Nachfolger seines Vaters 1812 ins Direktorium der Kaufmannschaft ein, wurde Oberst der Kavallerie und 1813 Chef der sog. Standeslegion, amtete als Sekretär der Tagsatzungskommission und gewann so Einblick in die eidgenöss. Politik. Im Auftrag des Großen Rates, dessen Mitglied er seit 1814 war, gelang es ihm 1818, im Verein mit dem Basler Carl Wieland, von Frankreich die Rückerstattung der von General Masséna 1799 auferlegten Zwangsanleihe zu erreichen. 1823 stieg er in den Kleinen Rat auf und 1828 in dessen Ausschuß, den Staatsrat. Nun entfaltete er eine ausgedehnte Tätigkeit in der Eidgenossenschaft, als Tagsatzungsgesandter 1823–30, als Vizepräsident der eidgenöss. Militärbehörde und als Delegierter für Verhandlungen in Wirtschaftsfragen mit dem Ausland. Als Mediator in den Basler Wirren richtete er aber gegen die revolutionäre Strömung nichts aus. Als diese Bewegung auch Zürich ergriff, trat M. aus der Regierung aus und widmete sich als Präsident der Handelskammer den wirtschaftlichen Angelegenheiten seiner Vaterstadt, besonders den Bank- und Eisenbahnfragen. Daneben schrieb er aufgrund von Primärquellen eine inhaltsreiche Biographie seines Freundes, des Bürgermeisters Hans Reinhard, die sich zu einer Schweizergeschichte der verflossenen Jahrzehnte ausweitete. Nach dem Züriputsch wurde er, der sich öffentlich gegen eine Berufung des Theologen David Friedrich Strauß ausgesprochen hatte, 1839 zur Würde eines Bürgermeisters erhoben und führte, als 1840 der Vorort an Zürich kam, das Bundespräsidium als Landammann der Schweiz. Aber der stets heftiger werdende Kampf um die Bundesreform – Aufhebung der Klöster im Aargau und Berufung der Jesuiten nach Luzern – war seiner ausgleichenden Natur so zuwider, daß er 1844 vom Bürgermeisteramt zurücktrat und auch sein Mandat als Mitglied des Großen Rates, dem er 30 Jahre lang angehört hatte, aufgab, jedoch in der zürcher. Handelskammer und in anderen kantonalen und eidgenöss. Kommissionen verblieb. – Anhänger der Restauration und des städtischen Patriziats, versuchte M. dennoch, dem Zeitgeist Konzessionen zu machen, ohne die Staatsform von Grund auf ändern zu wollen. Der nationalen Kraft mißtraute er seit 1798; deshalb vernachlässigte er die Außenpolitik und beschränkte sich auf die Innenpolitik.

L ADB 23; G. v. Wyß, in: Schweizer Zs. f. Gemeinnützigkeit 9, 1870; F. v. Wyß, Leben u. Werk d. beiden Bgm. David v. Wyß, 1895; HBLS *(P)*.

Edgar Bonjour †

4) *Leonhard,* Historiker, * 17. 5. 1900 Zürich, † 2. 10. 1970 St. Tropez.

V Leonhard (1867–1924), Maschinen-Ing., *S* d. Leonhard (1834–89), Kaufm., Inh. d. Seidenfirma Muralt u. Ernst, u. d. Julie Friederike Gysi; *M* Anna Thekla (1876–1917), *T* d. Stadtrats Conrad Caspar Ulrich u. d. Luise Dorothea Junghans; ∞ 1925 Margareta (* 1900), *T* d. Dr. med. Traugott Albert Baumgartner u. d. Maria Röthlisberger; 3 *K*.

M. besuchte das Gymnasium seiner Vaterstadt und wurde wegen seiner mathematisch-technischen Begabung zum Ingenieurberuf bestimmt. Seine Neigung galt jedoch der Geschichte. An der heimischen Universität studierte er bei Ernst Gagliardi und Karl Meyer, wurde aber besonders von dem Kirchenhistoriker Walther Köhler beeindruckt, der ihm den Weg zu einem christlichen Geschichtsbild wies. Bei Köhler promovierte M. 1925, habilitierte sich 1930 und übernahm die Redaktion der Zeitschrift „Zwingliana". Bevor er 1940 zum Ordinarius für Schweizergeschichte und Neuere Allgemeine Geschichte ernannt wurde, unterrichtete M. am Gymnasium der Töchterschule.

M. ging in seinen Forschungen von Zwinglis Wirken aus und beschäftigte sich immer wieder mit Problemen der Zürcher Reformationsgeschichte. Er untersuchte die Badener Disputation, sammelte Urkunden zur Geschichte der Täufer, arbeitete an der neuen, vollständigen Ausgabe der Werke Zwinglis mit und gelangte so zur – freilich parteiischen – Darstellung der Reformation und der Gegenreformation in der Schweiz. Neben dem 16. fesselte ihn hauptsächlich das 19. Jh.; er stellte es in Aufsätzen über fest umrissene Themen dar und stieß vereinzelt bis ins 20. Jh. vor. Dabei reizte ihn weniger die Wirtschafts- und Sozialgeschichte als vielmehr die Staatengeschichte im Sinne Rankes, dem er sich auch in seiner christlichen Grundhaltung verbunden fühlte. Besonderes Interesse widmete er auch erkenntnistheoretischen Fragen nach den Grundlagen seiner Wissenschaft und Problemen des Historismus. Mit stets sich erneuernder Spannung versuchte er, geschichtliche Persönlichkeiten zu ergründen: Zwingli und Luther, Bismarck und Machiavelli. Der Analyse des letzteren (Machiavellis Staatsgedanke, 1945) hatte M. eine große Darstellung der Renaissance vorausgeschickt (in: Propyläen Weltgesch. III, 1941). Gegen Ende seines Lebens kehrte er zu Themen der Reformation und Gegenreformation zurück. M. war in politischen Fragen konziliant, in konfessionellen unduldsam; sein evangelischer Standpunkt ließ unverblümt die Subjektivität seiner Geschichtsschreibung, die er in schlichter Sprache vortrug, erkennen. – D. theol. (Bern 1960).

Weitere W Die Badener Disputation 1526, 1926; Ref. u. Gegenref., in: Gesch. d. Schweiz, hrsg. v. H. Nabholz, R. Feller, L. v. M. u. E. Bonjour, 1932; Ueber d. Sinn d. Schweizergesch., 1936; Zürich im Schweizerbund, 1951; Bismarcks Verantwortlichkeit, 1955; Zum Problem d. Theokratie b. Zwingli, in: FS f. E. Bonjour, 1968, S. 367 ff.; Renaissance u. Ref., in: Hdb. d. Schweizergesch. I, 1972, S. 389 ff. – *Hrsg.:* Huldreich Zwinglis sämtl. Werke (Mitarb.), 1956 ff.; Qu. z. Gesch. d. Täufer in d. Schweiz (mit Walter Schmid), 1952. – *W-Verz.:* FS z. 60. Geb.tag, 1960, S. 339 ff., u. z. 70. Geb.tag, 1970, S. 321.

L K. Zimmermann, in: Ref. Volksbl. Basel 17, 1970, S. 296 ff.; R. Hauswirth, in: Schweizer Zs. f. Gesch., 1970, S. 637 ff.; H. Halbling, in: NZZ 1970, Nr. 461;

E. Bonjour, in: Die Schweiz u. Europa III, 1973, S. 239 ff.; R. Feller u. E. Bonjour, Gesch.schreibung d. Schweiz II, ²1979, S. 769–71.

Edgar Bonjour †

5) *Alexander*, Physiologe, * 19. 8. 1903 Zürich, † 28. 5. 1990 Grosshöchstetten Kt. Bern.

V Ludwig (1869–1917), Dr. med., Tuberkulosearzt, Priv.doz. f. gerichtl. Med. in Z., seit 1905 Leiter d. Lungensanatoriums Davos (s. BLÄ), S d. Leonhard (1834–89, s. Gen. 4); M Florence Hull (* 1867), Dr. med., T d. Dr. med. Goodmin (John) Watson, Arzt in Philadelphia (USA), u. d. Annie Austin; Vt Leonhard (s. 4); – ∞ Zürich 1927 Alice Victoire (* 1904), T d. Johann Conrad Baumann (* 1866) aus Z., Maschinening., u. d. Alice Stockar (* 1877) aus Z.; 3 T.

M. begann 1922 an der Univ. Zürich ein Medizin- und Physikstudium, setzte es in München und Heidelberg fort und wurde 1928 in Zürich mit einer experimentellen Arbeit über die Stromdichte bei der Glimmentladung im Fach Physik zum Dr. phil. promoviert. Nach einem Aufenthalt an der Harvard Medical School in Boston (1928–30), wo er mit John T. Edsall optische Untersuchungen an Muskelglobulin vornahm und das Auftreten einer starken Strömungsdoppelbrechung an Myosinlösungen fand, ging M. 1930 als wissenschaftlicher Mitarbeiter zu Otto Meyerhof an das physiologische Institut des Kaiser-Wilhelm-Instituts für medizinische Forschung in Heidelberg, um dort das Medizinstudium zu beenden. Er entwickelte ein Verfahren zur Messung der Doppelbrechung des quergestreiften Muskels während der isometrischen Kontraktion, deren negative Schwankung Hinweise auf die Reaktion der Muskelmicellen im Sinne der Kontraktionstheorien von A. V. Hill und O. Meyerhof sowie besonders von K. H. Meyer gab. Danach stellen diese stäbchenförmigen, die Doppelbrechung verursachenden Strukturelemente das eigentliche Verkürzungssubstrat des Muskels dar und bewirken gleichzeitig tiefgreifende Zustandsänderungen – u. U. als „innere Salzbildung" aufzufassen – an den Myosin-Hauptvalenzketten. 1932 wurde M. mit dieser Arbeit an der Univ. Heidelberg zum Dr. med. promoviert. Gemeinsam mit E. v. Baeyer untersuchte er die Zusammenhänge zwischen Lichtdurchlässigkeit und Tätigkeitsstoffwechsel des Muskels und setzte die physikalisch-chemischen Zustandsänderungen der Muskelproteine mit den Reaktionen der von O. Meyerhof und K. Lohmann untersuchten physiologischen Reaktionen der Kreatinphosphorsäurederivate (ATP, ADP) und der Milchsäurebildung in Verbindung. 1935 habilitierte sich M. an der Univ. Heidelberg. Im selben Jahr wurde er als Nachfolger Leon Ashers zum o. Professor für Physiologie und Direktor des Physiologischen Instituts (Hallerianum) der Univ. Bern berufen und trat dort nach einem Studienaufenthalt in England im April 1936 den Dienst an. 1931 war ihm von W. R. Hess, auf dessen Initiative hin die Hochalpine Forschungsstation Jungfraujoch gegründet worden war, deren Leitung angetragen worden, was M. mit Hinweis auf den beabsichtigten Abschluß des Medizinstudiums jedoch ablehnte. Eine 1934 mit H. Hartmann ausgeführte Untersuchung über den Blutmilchsäurespiegel bei der Körperarbeit im Höhenklima hielt die Verbindung mit der Forschungsstation aufrecht und steht am Beginn einer Reihe von Arbeiten über die vegetativen Regulationsmechanismen im Höhenklima, wobei 1948 eine besondere Form der als Amphotonie bezeichneten vegetativen Reaktionen beschrieben wurde. 1937 übernahm M. als Nachfolger von Hess das Amt des Präsidenten der Schweizer. Jungfraujoch-Kommission, in Verbindung damit auch das des Präsidenten des Internationalen Stiftungsrates für die Hochalpine Forschungsstation Jungfraujoch und 1943 die Präsidentschaft der Eidgenössischen Kommission für Klimaphysiologie.

Nach dem 2. Weltkrieg befaßte sich M. vor allem mit Problemen der Erregungsleitung im Nervensystem und untersuchte an isolierten Nervenfasern zahlreiche Aspekte der Wirkungsweise des Aneurins. Dabei war eines seiner Ziele, den Aktionsstoffwechsel bei den neurophysiologischen Vorgängen als gleich wichtig neben die rein elektrischen Erscheinungen zu stellen, was er mit dem schon 1939 geprägten Begriff der Aktionssubstanzen auch programmatisch zum Ausdruck brachte. In späteren Jahren traten Untersuchungen über die photochemische Wirkung von Ultraviolettstrahlen auf Nervenfasern in den Vordergrund. Bei diesen Untersuchungen, wie auch in seiner Lehrtätigkeit waren die Entwicklung und Anwendung exakter physikalischer Meßmethoden ein wichtiger Aspekt.

M. gehörte zu den führenden Wissenschafts- und Hochschulpolitikern der Schweiz. 1942–48 war er Präsident der Stiftung für biologisch-medizinische Stipendien, die auf seine Initiative unter Beteiligung vor allem der pharmazeutischen und chemischen Industrie gegründet wurde, 1946 Zentralpräsident der Schweizer. Naturforschenden Gesellschaft und 1949–52 Präsident des Internationalen Forschungsrates. Auf seine Anregung geht die Gründung des Nationalen Forschungsrates der Schweiz (1952), dessen erster Präsident er wurde, und der Schweizer. Akademie der medizinischen Wissenschaften zurück. Auch in der Schweizer Armee nahm er höhere Funktionen wahr, zuletzt als Artilleriechef des 1. Armeekorps. 1968 trat M. in den Ruhestand, setzte aber die elektroneurophysiologischen Untersuchungen – z. T. gemeinsam mit dem engl. Physiologen Richard Keynes – an solchen Nervenfasern bzw. Membransystemen fort, die sich u. a. für die Anwendung der Methoden der optischen Doppelbrechung, Lichtstreuung und Fluoreszenzmessung eigneten. – Mitgl. d. Leopoldina (1938), d. Ak. d. Wiss. in Wien, Göttingen u. Heidelberg, d. Bayer. Ak. d. Wiss. (korr. 1954), d. American Academy of Sciences, d. Schweizer Ak. d. med. Wiss., d. Schwed. Ak. d. Wiss., d. Kgl. Ak. d. Med. u. d. Ak. d. Wiss. (beide in Brüssel); Dr. h. c. (9 Univ., u. a. Basel 1962, Köln 1963).

W u. a. Über d. normale Stromdichte b. d. Glimmentladung, phil. Diss. Zürich 1928 (Ann. d. Physik 85, 1928, S. 1117–51); Über d. Verhalten d. Doppelbrechung d. quergestreiften Muskels während d. Kontraktion, med. Diss. Heidelberg 1932 (Pfügers Archiv f. d. gesamte Physiol. 230, 1932, S. 299–326); Zehn J. Hochalpine Forschungsstation Jungfraujoch, 1942 (15 J., 1946; 25 J., 1958); Einf. in d. prakt. Physiol., 1943, ³1948; Die Signalübermittlung im Nerven, 1946; Die Grundlagen d. Entwicklung d. Neurophysiol., 1956; Neue Ergebnisse d. Nervenphysiol., 6 Vorträge, 1958; Das Höhenklima u. sein Einfluß auf d. Menschen, 1958; Le problème de l'avancement de la science, 1958; Die Förderung d. Forschung als Aufgabe d. Demokratie, 1959.

L Schweizer Biogr. Archiv 5, 1955, S. 92 f. *(P);* A. v. M. z. 60. Geb.tag, in: Schweizer. Med. Wschr. 93, 1963, S. 1011 f. *(P);* A. v. M., in: 20 J. Schweizer. Ak. d. med. Wiss. 1943–63, S. 23 f. *(P);* Pro Medico 37, 1968, S. XI *(P);* A. v. M., in: Annual Review of Physiology 46, 1984, S. 1–13 *(P);* S. Weidmann, in: Experientia 46, 1990, S. 985 f. *(P);* J. Dudel, in: Jb. d. Bayer. Ak. d. Wiss., 1990, S. 265 f. *(P);* Pogg. VII a; Schweizer Lex. *(P).*

Michael Engel

Murer *(Maurer).* (ref.)

1) *Jos (Jodocus),* Glasmaler, Zeichner, Kartograph, Dramatiker, ~ 5. 9. 1530 Zürich, † 14. 10. 1580 Winterthur.

V Hans († 1564), Gürtler aus Grüningen, Bürger (1526), Ratsherr (1533) u. Zunftmeister in Z., Amtmann zu Ötenbach u. W., *S* d. Jakob, Schreiber v. Grüningen, erwarb 1496 d. Bürgerrecht in Z. u. war in pol. Ämtern tätig; *M* Barbeli Seiler; ∞ Zürich 1556 Barbara (* 1535), *T* d. Caspar Schön; 6 *S,* 6 *T,* u. a. Christoph (s. 2), Josias (1564–1630), Glasmaler (s. ADB 23); *E* Susanne (1614–89, ∞ Conrad Meyer, 1618–89, Maler u. Radierer in Z., s. ADB 21, NDB 17*); *Verwandter* Heinrich (1774–1822), Landschaftsmaler u. Radierer in Z. (s. ADB 23).

M.s Vita ist nur durch wenige Daten dokumentiert, die keine Rückschlüsse auf seine Persönlichkeit erlauben. Er lebte in Zürich und wurde 1571 als Repräsentant der Safran-Zunft Mitglied des Großen Rats. Einige Zeit nach seiner Wahl zum Amtmann zu Winterthur (1578) bezog er die dortige Amtswohnung, wo er nach kurzer Krankheit starb. Der gesuchte und erfolgreiche Glasmaler, Holzschnittillustrator und Zeichner hat ein umfangreiches bildkünstlerisches und literarisches Œuvre hinterlassen. Zahlreiche Glasfenster, Wappen- und Figurenscheiben, z. T. mit eigenen Bildinschriften, viele Abbildungen in Froschauer-Drucken (z. B. 18 ganzseitige Holzschnitte in J. Fries' Vergil-Ausgabe, 1561 u. ö.) sowie einige Porträts (u. a. Johannes Fries, Conrad Geßner, Conrad Pellican) bezeugen M.s handwerklich-künstlerische Fähigkeiten. 1566 wurde die von M. entworfene erste gedruckte Karte des Zürcher Gebiets herausgebracht, 1576 folgte eine Planvedute der Stadt Zürich (Neudr. 1996).

In der Tradition des Schweizer Reformationsdramas hat M. sieben Stücke nach biblischen Stoffen verfaßt, die zwischen 1556 und 1575 gedruckt und als deutschsprachige Bürgerspiele in Zürich und Winterthur aufgeführt wurden. Im Gegensatz zum „Naboth" (1556), das ausschließlich auf der alttestamentarischen Vorlage beruht (1. Buch Könige, 21), handelt es sich bei den folgenden Dramen um freiere Bearbeitungen, die andere Quellen einbeziehen und teilweise älteren Dramatisierungen verpflichtet sind. So verweist „Der jungen Mannen Spiegel" (1560) nur noch motivisch auf die Parabel vom verlorenen Sohn (Lukas 15) und ist trotz textlicher Bezüge zu Georg Binders „Acolastus" und Hans Salats „Verlorenem Sohn" durchaus eigenständig. Das Drama „Hester" hat M. einem Angehörigen eines der ältesten Adelsgeschlechter Zürichs, Heinrich Krieg v. Bellickon, gewidmet, zu dessen Hochzeit mit Dorothea Zoller es im Februar 1567 in Zürich aufgeführt wurde. Neben den Spielen sind einige Gelegenheitsgedichte M.s überliefert, u. a. ein Nachruf auf den Reformationstheologen Heinrich Bullinger (1575).

Weitere W Sämtl. Dramen, 2 Bde., hrsg. v. H.-J. Adomatis u. a., 1974 *(W-Verz., L).*

L ADB 23; P. Boesch, J. M. als Zeichner u. Holzschn.-Illustrator, in: Zs. f. schweizer. Archaeol. u. Kunstgesch. 9, 1947, S. 181–206; ders., Die Schweizer Glasmalerei, 1955; Ph. J. Manning, J. M. and the Protestant Easter Drama, Diss. Austin

(Univ. of Texas) 1971; A. J. Racine, J. M., 1973 (enthält „Der jungen Mannen Spiegel", *W, L*); A. Dürst, J. M.s Planvedute d. Stadt Zürich v. 1576, 1975; ders., Das älteste bekannte Exemplar d. Holzschnittkarte d. Zürcher Gebiets 1566 v. J. M. u. deren spätere Aufl., 1975; HBLS; ThB; Kosch, Lit.-Lex³; Killy; Schweizer Lex.

Peter Ukena

2) *Christoph*, Glasmaler, Radierer, Dramatiker, * Februar 1558 Zürich, † 27. 3. 1614 Winterthur.

V Jos (s. 1); *M* Barbara Schön (* 1535); *B* Josias (s. Gen. 1), Maler in M.s Werkstatt; – ∞ Zürich 1586 Margareth od. Marina Schmid.

M. wuchs in einem geistig regen Milieu auf. Die Lehrzeit verbrachte er wohl in der Werkstatt seines Vaters. Um 1579/80 war er in Basel tätig, wo er von dem Arzt und Alchemisten Leonhard Thurneysser mit einem Zyklus von Glasgemälden zur Verherrlichung von dessen Gelehrtenleben beauftragt wurde. 1580 entstand eine mehrteilige Radierung mit der Darstellung der eidgenöss. Gründungssage. Seit 1583 ist M. in Straßburg nachweisbar, wo er sich intensiv mit den Holzschnitten von Tobias Stimmer, seinem wichtigsten Vorbild, auseinandersetzte. Mit ihm entwarf er Illustrationsfolgen, die teilweise erst nach dessen Tod (1584) erschienen. Für Mgf. Philipp II. von Baden führte M. um 1586/90 einen Zyklus von Glasmalereien aus. Seit 1586 hielt er sich wieder in Zürich auf, wo er in die Saffranzunft aufgenommen wurde und heiratete. Seine Werkstatt, in die 1588 auch sein Bruder Josias eintrat, erhielt zahlreiche Aufträge für Glasmalereien; M. bemühte sich aber auch um Aufträge für Buchillustrationen bzw. führte Vorhaben der Stimmer-Werkstatt zu Ende. Seit 1587 erschienen bei Bernhard Jobin in Straßburg die Vitenwerke des Nicolaus Reusner mit zahlreichen Holzschnittbildnissen meist deutscher Gelehrter und Reformatoren. 1588 wurden Holzschnitte mit Stadtansichten von Zürich, Straßburg, Lissabon und Wien publiziert, 1590 das „New Jägerbuch" von Jakob von Fouilloux, beide ebenfalls bei Jobin. 1591 brachte Georg Gruppenbach in Tübingen eine Lutherbibel heraus, deren zahlreiche Holzschnitte größtenteils von M. stammen. Bei Johannes Wolf erschien 1597 eine weitere deutsche Bibel. Zudem enstanden Zierleisten, Titelblätter und Druckerzeichen. Hauptsächlich aber unterhielt M. eine florierende Glasmalerwerkstatt, die auch Aufträge von kath. Seite erhielt, so 1591 für mehrere Visierungen zu Fenstern des Kreuzganges des Zisterzienserinnenklosters Rathausen. 1597/98 entstanden vier Scheiben für den Nürnberger Rat, weitere für Speyer und St. Gallen. 1606 erhielt er den Auftrag, für das Rathaus in Luzern Scheiben zu visieren und auszuführen. Acht Jahre nach seinem Tod erschien 1622 das Büchlein „XL Emblemata miscella nova" mit seinen Radierungen. Mit dem Historienspiel „Scipio Africanus", das er 1596 zur Hochzeit von Caspar Nürenberger schrieb, trat M. auch als Schriftsteller hervor. Ende der 90er Jahre schrieb er das monumentale Drama „Edessa", das die Christenverfolgung zum Thema hat. 1600 wurde M. zum Mitglied des Zwölfer Rates, bzw. des Großen Rates der Stadt Zürich gewählt. Als er, wie Jahrzehnte vorher sein Vater, Amtmann von Winterthur wurde, gab er seine künstlerische Tätigkeit weitgehend auf.

M. ist vor allem durch seine Zeichnungen für Glasgemälde und Holzschnitte im Gedächtnis geblieben. Sie zeichnen sich durch einen reichen allegorischen Apparat aus. Die runde und klare Figurenbildung, wie er sie bei Stimmer kennengelernt hatte, wich im Laufe der Jahre einer manieristischen Bewegtheit. Details wurden zunehmend wichtiger und zu einem ornamentalen Teppich verwoben. Außer den Buchillustrationen sind die Holzschnittfolgen zu erwähnen, so jene zur Fabel „Vom Bauer und seinem Esel" (mit einer Maurerkelle signiert), die „Dorfhochzeit", der „Ball", die „kirchliche" und die „weltliche Hierarchie". Im Gegensatz zu Stimmer, der nur für Holzschnitte gezeichnet hat, schuf M. auch Radierungen.

L ADB 23; Schweizer. Künstler-Lex. II, 1908, S. 453–55; F. Thöne, Ch. M.s Holzschnitte, in: Kunst- u. Antiquitäten Rdsch., 43, 1935, S. 25–31; P. H. Boerlin, Leonhard Thurneysser als Auftraggeber, in: Öff. Kunstslg. Basel, Jb. 1967–73, S. 219–429; W. Strauss, The German Single-Leaf Woodcut 1550–1600, II, 1974, S. 772–92; Th. Vignau-Wilberg, Ch. M. u. d. „XL Emblemata Miscella Nova", 1982; Spätrenaissance am Oberrhein, Tobias Stimmer, Ausst.kat. Kunstmus. Basel 1984, S. 483–88; Hollstein's German Engravings, Etchings and Woodcuts, 29, 1990, S. 115–202 (*W-Verz. d. Druckgraphik* v. T. Falk); HBLS; ThB; Kosch, Lit.-Lex.³; Killy; Schweizer Lex.

Paul Tanner

Murer, *Heinrich*, kath. Kirchenhistoriker, Hagiograph, * 2. 3. 1588 Baden Kt. Aargau, † 28. 2. 1638 Ittingen b. Warth Kt. Thurgau.

Aus d. Basler Patrizierfam. d. M. v. Istein, v. der e. Zweig 1482–1575 in Zürich eingebürgert war u. dann nach B. zog. – *V* Kaspar († 1588), Bürger u. Rat in B., Hptm. in franz. Diensten, *S* d. Hans Christof († 1571), Vogt zu Klingnau; *M* Salome (1564–1623), *T* d. Heinrich Bodmer († 1596), Schultheiß in B.; *Stief-V* (seit 1592) Ludwig Pfyffer (1524–94), Schultheiß v. Luzern (s. ADB 25; HBLS); *Urur-Gvv* Kaspar († 1517), 1482 Bürger u. Rat in Zürich; *Ururur-Gvv* Dietrich (1437–88), Stallmeister Kg. Karls VII. v. Frankreich; *Stief-B* Christof Pfyffer v. Altishofen (1593–1673), Schultheiß in Luzern (s. HBLS), Hans Ludwig Pfyffer v. Altishofen (1594–1626).

M. wuchs in der Familie seines Stiefvaters, des erzkath. „Schweizerkönigs" Ludwig Pfyffer, auf und studierte bei den Jesuiten in Luzern und Pruntrut und 1608–10, zusammen mit seinen beiden Stiefbrüdern, an der Sorbonne in Paris, wo er Freundschaft mit den dortigen Kartäusern pflegte. 1614 trat er in die von den Pfyffers geförderte Kartause Ittingen ein, die unter Bruno Müller von Warth (Prior 1614–48) eine gerade auch literarische Blüte erlebte. M. wurde Prokurator des Klosters, widmete sich aber vor allem historischen Studien. Sein großes Werk ist die „Helvetia Sancta, Das ist Schweytzerisch oder Eydgnössisch Heyligenbuch" mit 40 Kupferstichtafeln von Rudolf Meyer (Zürich) nach Hans Asper (Konstanz), 1648 in Luzern bei David Hautt erschienen (ohne Kupf., mit Zusätzen über Bruder Klaus und Fidelis von Sigmaringen, St. Gallen ²1751). Sie stellt eine fleißige und umsichtige, aber reichlich unkritische erbauliche Sammlung von Heiligenviten aus gedruckten und ungedruckten Quellen dar, die trotz ihrer Mängel Schule machte: Gabriel Bucelinus und Johann Kaspar Lang setzten die Tradition fort. Kritik fand die „Helvetia Sancta" durch Johann Jakob Hottinger. M.s übrige Werke, zumal das „Theatrum Ecclesiasticum Helvetiorum", eine unvollendete Geschichte der Bistümer, Stifte und Klöster der Schweiz, aber auch lat. Gedichte, kamen nach Aufhebung der Kartause Ittingen 1848 in die Thurgauische Kantonsbibliothek in Frauenfeld, Abschriften der Jahre 1784/85 aus der Benediktinerabtei Rheinau 1862 in die Zentralbibliothek Zürich. Auch die Anfänge des Pfyfferschen Familienbuchs gehen auf M. zurück. Bei allem Einsatz für seine Kirche war M. ein gelehrter Irenfker. Er starb als letzter seines Geschlechts.

L ADB 23; G. E. v. Haller, Bibl. d. Schweizer-Gesch. III, 1786; A. Ph. v. Segesser, Ludwig Pfyffer u. seine Zeit, 4 Bde., 1880/82; Wetzer-Welte VIII, ²1893, Sp. 2017 f.; P. G. Meier, Der Karthäuser H. M. u. seine Schrr., in: Der Gesch.freund 55, 1900, S. 1–36, 281 f. *(L)*; W. Merz (Hrsg.), Oberrhein. Stammtafeln, 1912, Tafel 58; R. Feller u. E. Bonjour, Gesch.schreibung d. Schweiz I, 1962; HBLS; Schweizer Lex.

Peter Fuchs

Muret, *Eduard* (eigtl. *Gustave Edouard Théodore*), Lexikograph, * 31. 8. 1833 Berlin, † 1. 7. 1904 Groß-Lichterfelde b. Berlin. (franz.-ref.)

Die Vorfahren waren Waldenser Glaubensflüchtlinge aus d. Alpentälern d. Piemont, d. in Württemberg seßhaft wurden. – *V* Salomon (1790–1846), Sattler in B., *S* d. Paul Isaac (1756–1814), Uhrmacher in B.; *M* N. N. Kraatz; *Ur-Gvv* Etienne, übersiedelte v. Stuttgart nach B.; – ∞ N. N. Richter; 2 *S*, 2 *T*.

Nach dem Besuch des Franz. Gymnasiums und einem Studium der Mathematik und Naturwissenschaften in Berlin 1855–58 promovierte M. 1859 in Halle. Nach der Staatsprüfung 1860 absolvierte er als Mitglied des Seminars für neuere Sprachen das Probejahr am Berliner Friedrichs-Realgymnasium. Seine Tätigkeit als Lehrer führte ihn dann an die Realschule in Kulm und an das Gymnasium in Spandau. 1864–99 lehrte er an der Luisenschule in Berlin, deren Rektor 1838–88 Eduard Mätzner war. Vermutlich unter dessen Einfluß erwarb M. 1867 die Fakultas für Französisch und Englisch. 1873 wurde er zum Oberlehrer und 1888 zum Professor ernannt.

Der Verleger Gustav Langenscheidt schloß 1869 mit M. einen Vertrag über die Ausarbeitung eines großen Wörterbuchs der engl. und deutschen Sprache, für dessen deutsch-engl. Teil er Daniel Sanders gewann. Mehr als 30 Jahre arbeitete M. an dem vierbändigen „Muret-Sanders", der durch seinen enzyklopädischen Umfang, die exakte lexikographische Darstellung und eine ausgefeilte Typographie neue Maßstäbe in der zweisprachigen Lexikographie setzte. Im 20. Jh. wurde das Wörterbuch vom Langenscheidt-Verlag immer wieder den Erfordernissen der Zeit angepaßt und blieb das anerkannt größte Wörterbuch der engl. und deutschen Sprache. Die Tradition der hierauf basierenden zweibändigen „Hand- und Schulausgabe" (1897) wurde im „Kleinen Muret-Sanders" (1982/85) fortgesetzt. M.s „Notwörterbuch der engl. und deutschen Sprache" (1884) war der Vorläufer des zweisprachigen Wörterbuch-Bestsellers „Langenscheidts Taschenwörterbuch Englisch".

M. befaßte sich außerdem in zahlreichen Abhandlungen mit der Geschichte der Hugenotten in Deutschland. Er redigierte die 1874 gegründete Zeitschrift „Die Kolonie", das „Organ für die äußeren und inneren Angelegenheiten der franz.-ref. Gemeinden", und war im Vorstand der „Réunion", einer Gesellschaft, die das Gefühl der Zusammengehörigkeit unter den Mitgliedern der franz.-ref. Gemeinden beleben und fördern sollte. Seine „Geschichte der Französischen Kolonie in Brandenburg-Preußen" (1885) ist trotz umstrittener Bewertungen eine quellennahe und bis heute wichtige Publikation.

Weitere W u. a. De fluidorum superficie, Diss. Halle 1859; Gesch. d. ersten städt. höheren Töchterschule, d. Luisenschule in Berlin, FS, 1888; Lb. einiger Réfugiés aus d. Zeit d. Einwanderung, 1891; Muret-Sanders, Enzyklopäd. engl.-dt. u. dt.-engl. Wörterbuch, Gr. Ausg., 1. T. Engl.-Dt., 1891–97, Hand- u. Schulausg., 1. T. Engl.-Dt., 1897. – Zahlr. Schulprogramme u. Abhh. z. engl. Aussprache, z. Wörterbüchern, z. franz. Lit.gesch. u. z. Gesch. d. Hugenotten; Zeichnung d. Schulgebäudes d. Franz. Gymnasiums in B. (Abb. auf Sonderbriefmarke d. Dt. Bundespost, 1989).

L R. Béringuier, Die Stammbäume d. Mitgll. d. franz. Kolonie in Berlin, 1887, S. 59; Allg. Ztg., Beil. 151, 1904, S. 31 f.; G. Caro, in: Engl. Stud. 35, 1905, S. 187 f.; Jubiläumsschr. (1856–1906) d. Langenscheidtschen Verlagsbuchhandlung, 1906 *(P)*; G. Heinrich, Toleranz als Staatsräson, in: FS f. O. Büsch, hrsg. v. W. Treue, 1988, bes. S. 39–45; BJ X, Tl.; G. Haenicke u. Th. Finkenstaedt, Anglistenlex. 1852–1990, 1992.

Walter Voigt

Murhard. (ev.)

1) *Friedrich* Wilhelm August, politischer Publizist, * 7. 12. 1778 Kassel, † 29. 11. 1853 ebenda. (ev.)

Aus vermögender hess. Beamtenfam.; *V* Henrich (1739–1809), Reg.prokurator in K., *S* d. Niclas Conrad (1685–1754), Geh. Kriegs- u. Legationsrat, u. d. Christine Margarethe Scheffer (1715–71); *M* Maria Magdalena (1745–1807), *T* d. Conrad Sebastian Fischer, Reg.advokat u. Prokurator; *B* Karl (s. 2); *Ur-Gvv* Johann Justus Hartmann Scheffer (1675–1733), Geh. Rat u. Kanzler; – ledig.

M. studierte seit 1795 in Göttingen Mathematik, Philologie und Geschichte und promovierte schon 1796 über La Granges Variationsrechnung. Als Privatdozent hielt er 1796–98 Vorlesungen und veröffentlichte zahlreiche mathematische und naturwissenschaftliche Abhandlungen. 1798 trat er aus dem Lehrkörper der Univ. Göttingen aus und unternahm eine große Reise, die ihn durch den Balkan bis nach Konstantinopel und Kleinasien führte. Nach seiner Rückkehr veröffentlichte er mehrbändige Reisebeschreibungen und gab 1805/06 die Monatsschrift „Konstantinopel und St. Petersburg" heraus. Eine Frankreichreise 1806 bestärkte M. in der Bewunderung für Napoleon und in der oppositionellen Haltung gegenüber der kurhess. Regierung. Nachdem er im „Reichsanzeiger" die veraltete kurhess. Gerichtsverfassung kritisiert hatte, wurde er als Jakobiner und Franzosenfreund erstmals verhaftet, kam jedoch schon bald wieder frei, als das Kurfürstentum Hessen von Napoleon aufgelöst und mit anderen Territorien zum Kgr. Westphalen zusammengelegt wurde. M., der die neue Entwicklung begeistert begrüßte, wurde 1808 zum zweiten Bibliothekar der Kasseler Bibliothek und zum Präfekturrat des Fulda-Departements ernannt. Als Redakteur des zweisprachigen „Moniteur Westphalien" pries er unentwegt die Errungenschaften der westphäl. Verfassung und Verwaltung. Nach dem Zusammenbruch des Kgr. Westphalen und der Rückkehr des Kurfürsten wurde M. 1814 aller Ämter enthoben und unter polizeiliche Aufsicht gestellt.

1816 übersiedelte M. nach Frankfurt/Main. Dort übte er scharfe Kritik an der Bundesversammlung und gab 1817 die „Europäische Zeitung" heraus, die jedoch schon Ende des Jahres wegen ihrer freimütigen Artikel verboten wurde. 1821 übernahm er auf Veranlassung Cottas die Redaktion der „Allgemeinen politischen Annalen" und war daneben auch als Frankfurter Korrespondent der Augsburger „Allgemeinen Zeitung" tätig. Als 1823 in Hessen anonyme Briefe über den skandalösen Lebenswandel des Kurfürsten und seiner Mätresse, Gfn. Reichenbach, kursierten, wurde M. der Verfasserschaft verdächtigt. Da er zudem Ende 1823 den polizeilich gesuchten Burschenschafter Wit de Dörring in seinem Haus aufnahm und ihm zur Flucht nach Amerika verhalf, wurde er aus Frankfurt ausgewiesen und im Januar 1824 von der kurhess. Polizei verhaftet. Nach acht Monaten Haft wurde er gegen Stellung einer hohen Kaution freigelassen, erhielt aber ein Publikationsverbot, das auch noch aufrechterhalten wurde, als ihn 1827 die Kasseler Richter weitgehend freisprechen mußten.

Erst die Julirevolution befreite M. 1830 vorerst von Polizeiaufsicht und Zensur. Er veröffentlichte nun in rascher Folge acht staatstheoretische Abhandlungen über Volkssouveränität, Widerstandsrecht, Gesetzesinitiative sowie andere Fragen der konstitutionellen Monarchie (1831–33) und ließ 1834/35 einen zweibändigen Kommentar zur kurhess. Verfassung nachfolgen. Die ihm mehrfach angetragene Bewerbung um ein Landtagsmandat schlug M. jedoch mit der Begründung aus, sich ohne aktive politische Betätigung besser der literarisch-publizistischen Wirksamkeit widmen zu können. M. arbeitete intensiv an dem von Rotteck und Welcker herausgegebenen Staatslexikon mit. Als er im Artikel

„Staatsgerichtshof" die Unzulänglichkeit der rein juristischen Ministerverantwortlichkeit am Beispiel eines von der Regierung manipulierten Prozesses aufzeigte, ließ ihn die kurhess. Regierung 1844 im Alter von 65 Jahren verhaften. M. wurde 1845 zu vier Monaten Gefängnis verurteilt. Er legte zwar sofort Berufung ein, aber das Verfahren wurde erst durch die Revolution von 1848 mit einer landesherrlichen Amnestie beendet. – Mit M. verlor der deutsche Liberalismus nach den Worten Welckers einen „ehrwürdigen Veteran", der seine Lebensaufgabe in der Verbreitung und Vermittlung politischer Aufklärung gesehen hatte. Diesem Zweck sollte auch die Stiftung dienen, die bereits 1845 von M. und seinem Bruder Karl testamentarisch verfügt wurde und aus deren Vermögen eine Bibliothek in Kassel aufgebaut wurde.

Weitere W u. a. Litt. d. math. Wiss., 5 Bde., 1797–1805; Gem. v. Konstantinopel, 3 Bde., 1804 (²1805 in 2 Bdn.); Gem. d. griech. Archipelagus, 2 Bde., 1807 f.; Die unbeschränkte Fürstenschaft, 1831; Über Widerstand, Empörung u. Zwangsübung d. Staatsbürger gegen d. bestehende Staatsgewalt, in sittl. u. rechtl. Beziehung, 1832, Nachdr. 1969; Das kgl. Veto, 1832, Nachdr. 1970; Die Volkssouveränität im Gegensatz d. sog. Legitimität, 1832, Nachdr. 1969; Der Zweck d. Staats, 1832; Das Recht d. Nationen z. Erstrebung zeitgemäßer, ihrem Kulturgrade angemessener Staatsverfassungen, 1832; Die Initiative b. d. Gesetzgebung, 1833; Nouveau Recueil général de traités, conventions et autres transactions remarquables, T. 1–13, 1840–49.

L ADB 23; G. F. Kolb, Der M.'sche Preßprozeß in Kurhessen, in: Konstitutionelle Jbb., hrsg. v. K. Weil, I, 1847, S. 1–41; W. Weidemann, F. W. A. M., Ein Publizist d. Altliberalismus, Diss. Frankfurt/Main 1923 *(ungedr.);* ders., F. M. (1778–1853) u. d. Altliberalismus, in: Zs. d. Ver. f. hess. Gesch. u. Landeskde. 55, 1926, S. 229–76; C. Knetsch, Die Fam. Murhard aus Vacha, in: Nachrr. d. Ges. f. Fam.kde. in Kurhessen u. Waldeck 7, 1932, S. 33–54; Th. Griewank, Aus d. Leben u. Wirken d. Brüder Murhard, in: Hessenland 50, 1938, S. 230–35; ders., Die Brüder Friedrich u. Karl Murhard, in: Lb. aus Kurhessen u. Waldeck I, 1939, S. 212–19 *(W, L);* N. Fuchs, Die pol. Theorie F. M.s 1778–1853, Diss. Erlangen-Nürnberg 1973 *(W-Verz.);* D. Hennig, Die Murhardsche Stiftung, in: Informationen aus Kassel 10, 1979, H. 3, S. 14 f. *(P);* Pogg. II; Kosch, Biogr. Staatshdb.

Peter Michael Ehrle

2) *Karl,* nationalökonomischer Publizist, * 23. 2. 1781 Kassel, † 8. 2. 1863 ebenda.

B Friedrich (s. 1); – ledig.

Nach dem Studium der Rechts- und Staatswissenschaften seit 1797 in Göttingen, wo er mit Anhängern von Adam Smith (vornehmlich Georg Sartorius) in Berührung kam und bei A. L. Schlözer, A. H. L. Heeren und J. Ch. Gatterer hörte, wechselte M. zur Promotion und Anwaltsprüfung 1800 nach Marburg, um sich eine Anstellung im kurhess. Staatsdienst zu sichern. Nach ihn wenig befriedigender archivalischer Tätigkeit an der kurhess. Oberrentkammer bis 1806, dann als mit Sonderaufgaben betrauter Jurist und Finanzexperte im neuen Kgr. Westphalen, das von ihm als Überwindung des absolutistischen kurhess. Systems begrüßt wurde, schließlich als Auditeur im Staatsrat einer der wichtigsten Beamten im Finanzministerium, verlor M. nach der Entlassung seines Gönners, des Finanzministers Hans v. Bülow (1811), seine Stellung. Nach der Restauration 1814 und dem auch für ihn rufschädigenden Verhalten seines Bruders Friedrich schied M. 1816 resigniert aus dem kurhess. Staatsdienst aus. Er lebte einige Jahre wie der Bruder in Frankfurt/Main, wurde nach dessen Verhaftung abgeschoben und verbrachte die weiteren Lebensjahre – unterbrochen durch zahlreiche Reisen ins nord- und westeurop. Ausland – seit 1824 in Kassel.

M. war künstlerisch interessiert und sehr sprachenkundig. Das kam ihm in der Franzosenzeit zugute und war auch Grundlage seiner Übersetzungs- und Rezensionstätigkeit. Im Mittelpunkt seiner publizistischen Aktivitäten standen nationalökonomische, insbesondere finanz- und steuerwissenschaftliche Schriften, mit denen er einer breiten Öffentlichkeit historische und systematische Zusammenhänge nahebringen wollte. Mitunter etwas weitschweifig und in an Julius v. Soden orientierter Begrifflichkeit legt er darin seine Belesenheit in der zeitgenössischen Literatur dar. Dabei macht er aus seiner Sympathie für Adam Smiths Lehren und für liberale und konstitutionelle Ideen keinen Hehl, geht aber auch auf Smithsche Einseitigkeiten (z. B. bei der Betonung des Faktors Arbeit für die Wertschöpfung) kritisch und differenziert ein. Klassische geld-, preis- und steuertheoretische Vorstellungen, an denen er sein Leben lang festhielt, hatte sich M. frühzeitig angeeignet. Er versuchte, eigenständige, manchmal politisch durchaus mutige und den zeitgenössischen Horizont übersteigende Argumentationen (Staatsschuldenfrage, Ansätze zum „deficit spending", Trennung von subjektivistischer Werttheorie und objektivistischer Preistheorie, Besteuerung des Reineinkommens) zu entwickeln. Besonders in seinen frühen Aufsätzen finden sich ordnungspolitische Forderungen: Erst die Veränderung der staatlichen Rahmenbedingungen könne eine freiheitliche Gesellschaft begründen, in der allein Glück und Wohlfahrt der Individuen aufgrund von deren Entscheidungsfreiheit gewährleistet sind. Hier ist M. „orthodoxer Liberaler" (Olten). Ein grundsätzlich liberaler Ansatz kennzeichnet auch seine beiden Hauptwerke „Theorie und Politik des Handels" (1831, dän. Übers.) und „Theorie und Politik der Besteuerung" (1834, Nachdr. 1970).

Die zeitgenössische Kritik sah M. als „unproductiven stehen gebliebenen" Vertreter der Smithschen Lehre in Deutschland, als „borniert freihändlerisch", „unhistorisch" und von geringem Nationalgefühl (W. Roscher). Richtig ist, daß M. eher ein „reproduzierender Nationalökonom" (Olten) als ein origineller Theoretiker war. Immerhin hat er als nationalökonomischer Autor 8 Monographien, 36 Aufsätze, über 100 Lexikonbeiträge und zahlreiche Rezensionen verfaßt und war überdies als Herausgeber von Periodika tätig. Das neuerdings wiederauflebende Interesse an seinem bedeutendsten Werk, der „Theorie und Politik der Besteuerung", läßt manche ältere negative Einschätzungen als zeitbedingt erscheinen. – Bleibend haben M. und sein Bruder durch die mit ihrem ansehnlichen nachgelassenen Vermögen und ihrer Privatbibliothek ermöglichte Stiftung der Murhardschen Bibliothek nachgewirkt, die vor allem dem „Ausbau im Fache der Staatswissenschaften, insbesondere in dem der National- und Staatswirtschaft" dienen sollte. Trotz großer Verluste im 2. Weltkrieg stellt sie bis heute einen wesentlichen Bestandteil der Bibliothek von Stadt und Gesamthochschule Kassel dar.

Weitere W u. a. Ideen üb. wichtige Gegenstände aus d. Gebiete d. National-Oekonomie u. Staatswirtsch., 1808; Theorie d. Geldes u. d. Münze, 1817. – *Aufsätze* u. a. in: Neue Jbb. d. Gesch., d. Staats- u. Cameralwiss., hrsg. v. F. Bülau 1–6, 1838–43.

L ADB 23; W. Roscher, Gesch. d. National-Oekonomik in Dtld., 1874, S. 846 f.; Th. Griewank, in: Lb. aus Kurhessen u. Waldeck, I, 1939, S. 215–19; 125 J. Murhardsche Stiftung d. Stadt Kassel u. ihrer Bibl., 1863–1988, hrsg. v. H.-J. Kahlfuß, 1988 *(P)*; R. Olten, K. M., Gelehrter u. liberaler Nationalökonom in Kassel, 1990 *(vollst. Bibliogr.)*.

Marie-Elisabeth Hilger

Murko, *Mathias (Matija),* Slawist, Literaturhistoriker, Ethnograph, * 10. 2. 1861 Tristeldorf (Drstele u Ptuje) b. St. Urban (Untersteiermark), † 11. 2. 1952 Prag. (kath.)

V N. N., Weinbauer in T.; *M* N. N.; ∞ Graz 1903 Jela (Gabriela), *T* d. Josef Sernec, Dr. iur., Advokat in Cilli (Steiermark); 3 *S,* u. a. Vladimir (1906–86), Prof. f. Finanzwiss. an d. Univ. Laibach, Ivo (1909–84), Jurist u. Diplomat, 1 *T.*

Nach dem Besuch des Gymnasiums zunächst in Pettau, dann in Marburg/Drau (Maribor) (1872–80), wo sein Interesse an Germanistik und Slawistik geweckt wurde, ging M. an die Univ. Wien, um diese Fächer zu studieren. Hier waren seine Lehrer Richard Heinzel und Erich Schmidt sowie Franz v. Miklosich. Trotz schwieriger materieller Verhältnisse – er mußte u. a. als Hauslehrer seinen Lebensunterhalt verdienen – promovierte M. 1886 „sub auspiciis imperatoris" und erhielt den Goldenen Ring des Kaisers. Der im selben Jahr als Nachfolger Miklosichs auf den Lehrstuhl für slawische Philologie in Wien berufene Vatroslav Jagić verhalf M. zu einem Reisestipendium für Rußland, um seine Studien an der Univ. St. Petersburg zu vervollkommnen. Nach seiner Rückkehr 1889 trat M. in den Dienst des Wiener Außenministeriums (Presseabteilung) und war an verschiedenen Lehranstalten als Russischlehrer tätig. Im Wintersemester 1896/97 habilitierte er sich an der Univ. Wien mit der Arbeit „Deutsche Einflüsse auf die Anfänge der böhm. Romantik" (1897). 1902–17 war er o. Professor für slawische Philologie in Graz, 1917–20 als Nachfolger August Leskiens in Leipzig, 1920–31 an der Karls-Universität in Prag an der neuerrichteten Lehrkanzel für südslawische Sprachen und Literaturen. Hier war er am Ausbau der slawistischen Studien wesentlich beteiligt, indem er die Zeitschrift „Slavia" mitbegründete und 1929 den 1. internat. Slawistenkongreß in Prag organisierte. Nach der Emeritierung war er noch bis 1941 Vorstand des von ihm mitbegründeten „Slawischen Instituts" (Slovanský ústav). M.s wissenschaftliches Werk zeugt von großer Vielfalt; seine Bedeutung liegt sowohl auf dem Gebiet der Volkskunde als auch der Literaturgeschichte, insbesondere der Volkslied- und der Wörter- und Sachenforschung, ferner als Biograph (Miklosichs Jugend- und Lehrjahre, in: Forschungen z. slaw. Lit.gesch., Festgabe f. R. Heinzel, 1898, S. 493–567) und als Organisator. In Graz konnte er seit seiner Ernennung zum o. Professor in der Zeitschrift „Wörter und Sachen" wieder mit Freunden und Kollegen seiner Wiener Zeit wie dem Indogermanisten Rudolf Meringer und dem Archäologen Rudolf Heberdey zusammenarbeiten, er fand aber auch neue Kontakte etwa zu dem Germanisten Anton Schönbach und dem Volkskundler Viktor v. Geramb. In Leipzig zählte zu seinen Hörern u. a. Karl Heinrich Meyer.

Methodisch verband M. die Erfahrungen des philologischen Kritizismus eines Miklosich oder Jagić einerseits und der germanistischen Scherer-Schule andererseits mit der Erforschung der individuellen und strukturellen kultur-, sozial- und geistesgeschichtlichen Tatsachen, auf denen die Volkskultur beruht. In seinem Werk können eine vom Interesse an Literaturgeschichte geprägte erste Periode (Die Geschichte von den sieben Weisen bei den Slaven, 1890; Geschichte der älteren südslaw. Literaturen, 1908, Neudr. 1971) und eine zweite, schwerpunktmäßig der Volksdichtung und -kunde gewidmete Periode unterschieden werden, aus der Werke wie „Zur Geschichte des volkstümlichen Hauses bei den Südslawen" (1906) und „La poésie populaire épique en Yougoslavie au début du XXe siècle" (1929) hervorgingen. M.s Hauptthese war, man müsse das Leben des Liedes in seinem Milieu verfolgen und von der Textexegese zum lebendigen Wort und zur Melodie, zur Liedüberlieferung, zum Studium der Funktion des Sängers und des epischen Milieus fortschreiten, Fragen, nach deren Klärung auch die Germanisten und Romanisten verlangten. M. unternahm bis ins hohe Alter Studienreisen in die serbokroat. Länder, um mit Phonograph und Photoapparat die epische Volksdichtung vor Ort näher zu untersuchen.

Politisch gehörte M. zu den herausragenden Vertretern des Austroslawismus, die den österr. Staat bejahten und im Rahmen des Habsburger-Reiches eine positive nationale und kulturelle Entwicklung der österr. Slawen erwarteten. Nationalen Phantastereien – sowohl slawisch-nationalen im Sinne Kollars als auch pangermanischen des Dritten Reichs – war er abgeneigt. Er war sich darüber im klaren, „daß die slawischen Völker weder in der geschichtlichen Zeit noch ihrer kulturellen Seite nach je eine Einheit gebildet haben und diese auch nicht bilden werden". – Dr. h. c. (Prag 1908, Laibach 1951); Mitgl. d. Sächs. Ak. d. Wiss. (1918), d. Ak. d. Wiss. d. UdSSR (1925), d. Poln. (1929) u. d. Slowen. Ak. d. Wiss. (1940).

Weitere W Die Bedeutung d. Ref. u. Gegenref. f. d. geistige Leben d. Südslaven, 1927; Rozpravy z oboru slovanského národopisu (Abhh. aus d. Gebiet d. slaw. Volkskde.), 1947; Paměti, 1949 (slowen., 1951, *Autobiogr.*). – *Hrsg.:* Slavica, 1933–41 (mit K. H. Meyer). – *Nachlaß:* Univ.bibl. Laibach; Nat.-mus. Prag.

L A. Slodnjak, in: Slavistična Revija V–VII, 1954, S. 41–75; J. Matl, in: NÖB 13, 1959, S. 173–83 *(P)*; G. Wiemers, M. M. im Spannungsfeld d. Leipziger Univ. 1917–1920, in: SB d. Sächs. Ak. d. Wiss., Philolog.-hist. Kl., Bd. 128, H. 2, 1988, S. 21–54; Enciklopedija Slovenije IV, S. 239 f.; Slawistik in Dtld. v. d. Anfängen bis 1945, hrsg. v. E. Eichler u. a., 1993, S. 279–81; BLGS; BLBL.

Heinz-Dieter Pohl

Murmellius *(Murmel), Johannes,* Pädagoge, Humanist, neulat. Schriftsteller, * 1480 Roermond (Geldern), † 2. 10. 1517 Deventer.

V Dietrich; *M* N. N.; ∞ N. N.; *S* Johannes, wohl letzter männl. Nachkomme.

M. wurde als einziges Kind mittelloser Eltern geboren. Nach dem frühen Tod seines Vaters besuchte er vermutlich seit 1492 in Deventer die Schule des Alexander Hegius, eines „Altvaters des Humanismus" (Reichling). 1496 immatrikulierte sich M. in Köln, mußte aber vier Jahre später, kurz nach dem Licentiat, wahrscheinlich aus finanziellen Gründen die Universität verlassen. Erst im März 1504 erwarb er in Köln den Magistertitel. 1500 ging M. nach Münster, um dort an der Reform der Domschule mitzuwirken, und erhielt die Stelle des Konrektors. Mit ihm trat der neue Rektor der Schule, Timann Kemner, sein Amt an. Die Arbeit der beiden Lehrer erbrachte dieser Schule einen besonderen Ruf in Humanistenkreisen. M. korrespondierte bald mit den bedeutendsten Humanisten der Zeit. Er edierte und verfaßte selbst Schulbücher bzw. erziehungswissenschaftliche Schriften. Wohl schon 1502 erschien sein erstes Buch, die Grammatik „Opus de verborum compositione" (1504), in der ausführlich die Konjugationen des Verbs im Lateinischen behandelt werden. Es folgten eine Reihe weiterer Lehrbücher, z. B. Kommentare zu Ciceros „Cato maior" und zu Boethius' „De consolatione philosophiae" (o. J.). Am bekanntesten wurde M.s 1513 veröffentlichtes lat.-deutsches Übungsbuch „Pappa puerorum", das in mehreren Ländern Anwendung fand, wie mehr als 30 Auflagen bezeugen. Sein erstes großes Werk zur Pädagogik war das „Enchiridion scholasticorum" (1505), in dem er die Bedeutung guter Ausbildung darlegt und eine Art Pflichtenlehre für Schüler entwirft.

M. trat seit seiner Zeit in Münster auch immer wieder als Dichter hervor. Vor allem seine Elegien („Elegiarum moralium libri quatuor", 1507, überarb. 1508) wurden viel beachtet. Aufgrund dieser Beschäftigung mit Poesie scheint er auch das Fehlen metrischer Lehrbücher für den Unterricht im deutschen Raum erkannt zu haben. Er bearbeitete daher den „Versilogus" des ital. Grammatikers Mancinellus und fügte Erklärungen bei. Diese 1507 veröffentlichte Metrik wurde das ganze 16. Jh. hindurch immer wieder nachgedruckt.

1508 verließ M., wohl wegen Streitigkeiten mit Kemner, die Domschule und wechselte zunächst zur Münsterschen Martinischule, dann zur dortigen Ludgerischule. Kurz vor seinem endgültigen Weggang aus Münster 1513 befürwortete er erfolgreich die Einführung der griech. Sprache als Unterrichtsfach an der Domschule. M. ging nach Alkmaar (Holland) und wurde Rektor der Lateinschule. 1517 zwang die Plünderung Alkmaars ihn und seine Familie zur Flucht. Bald darauf erhielt er einen Ruf an die Schule nach Deventer, wo er vier Wochen nach seinem Amtsantritt als Lehrer starb. M. hinterließ ein gewaltiges Werk, das bis heute noch nicht vollständig erschlossen wurde.

Weitere W u. a. Antonii Mancinelli versilogus cum commentariis, 1507. – *Ausgg.:* D. Reichling, Ausgew. Gedichte v. J. M., Urtext u. metr. Übers., 1881; A. Bömer (Hrsg.), Ausgew. Werke d. münster. Humanisten J. M., 5 T., 1892–95; J. Freundgen (Hrsg.), Des J. M. päd. Schrr., 1894 (Übers.). – *Verz. d. Drucke* s. VD 16, Bd. 14, M6863–M7016.

L ADB 23; D. Reichling, J. M., Sein Leben u. seine Werke, 1880 *(W);* ders., Die Reform d. Domschule zu Münster im J. 1500, 1900; K. Löffler, Rudolf v. Langen, in: Westfäl. Lb. I, 1930, S. 353–55 *(L);* A. Bömer, ebd. II, 1931, S. 396–410 *(L);* H. Bücker, Das Lobgedicht d. J. M. auf d. Stadt Münster u. ihren Gelehrtenkreis, in: Westfäl. Zs. 111, 1961, S. 51–74; Kosch, Lit.-Lex.[3]; Killy.

Joachim Knape, Ursula Kocher

Murmester, *Hinrich,* Bürgermeister, * um 1435 Hamburg, † 19. 4. 1481 ebenda.

V Hinrich, Kaufm. in H.; *M* Hilleke, *T* d. Nikolaus Oldendorp, Bürger in H.; *Stief-V* (seit ca. 1445) Hinrich Frouwenengel, Bürger in H.; *B* Johannes († 1465), Kaufm. in H., Mitgl. d. Flandernfahrerges.; *Halb-B* Jasper Frouwenengel, Mag. d. Theol.; – ∞ 1464 Elisabeth († n. 7. 3. 1505), *T* d. Hamburger Bürgers Goswin Pott u. d. Anneke N. N.; kinderlos.

M. nahm 1452 ein Studium in Erfurt auf, wurde 1458 Magister der Artistenfakultät und wandte sich danach juristischen Studien zu, die er 1461 in Padua fortsetzte. Hier wurde er 1462 und erneut 1463 zum (von den studentischen Nationen gestellten) Rektor der juristischen Fakultät gewählt, war demnach kompetent und wohlhabend. In seinem zweiten Amtsjahr führte er eine durchgreifende Revision der Universitätsstatuten durch, die alsbald vom Dogen Cristoforo Moro bestätigt wurde und noch für die im späten 16. Jh. gedruckten Statuten als Grundlage diente. Anfang 1464 zum Doktor des röm. Rechts promoviert, kehrte M. nach kurzem Aufenthalt in Rom nach Hamburg zurück. Dort wurde er – obgleich jahrelang abwesend – im Februar 1465 als erster promovierter Jurist in den durchweg aus Kaufleuten bestehenden Rat und schon 1467 zu einem der vier Bürgermeister gewählt. M., der sich vor allem der Außenpolitik widmete, vertrat in vielen Gesandtschaften Hamburgs Unabhängigkeitsinteresse gegenüber Kg. Christian I. v. Dänemark; im Auftrag des hamburg. Rates war er im jahrelangen Streit Christians mit dessen Bruder, Gf. Gerhard v. Oldenburg, um die Herrschaft in Schleswig und Holstein vermittelnd tätig und 1471 führend an der Niederschlagung einer Bauernerhebung und Behauptung der hamburg. Herrschaft in den Elbmarschen beteiligt. Daß M. im selben Jahr mit einem hamburg. Truppenkontingent zum Sieg Christians über die Eiderstedter Friesen beitrug, dankte ihm dieser mit einer Kornrente. Der König brachte dem Bürgermeister auch später Achtung und Vertrauen entgegen und nahm noch 1480 in diplomatischen Vermittlungsdienste im Konflikt mit Dithmarschen in Anspruch. M., 1466–78 auf allen Hansetagen anwesend, bemühte sich während des hansisch-engl. Krieges (1469–74) im Interesse des hamburg. Handels zunächst um einen Ausgleich, zog aus dem heftigen hansischen See- und Kaperkrieg dann auch persönlich Gewinn und war am Abschluß des günstigen Friedens zu Utrecht maßgeblich beteiligt. In den anschließenden Verhandlungen der Hanse mit den Niederlanden und Burgund konnte er den Stapelanspruch des Brügger Kontors für den niederländ. Handel nicht durchsetzen, eine hansische Gesamthaftung für Danziger Übergriffe jedoch abwehren. Er erreichte in der Folge die Zustimmung der Hansestädte zum Utrechter Friedensvertrag und bemühte sich um die innere Festigung der Hanse, so beim Schutz- und Trutzbündnis Hamburgs, Lübecks und Lüneburgs 1474 und bei der Aussöhnung mit Köln. Nachdem sich Hamburg Christian I. (seit 1460 auch Hzg. von Schleswig und Holstein) zuletzt mit seiner Hilfe gegen den aufsässigen holstein. Adel verpflichtet hatte, konnte M. 1480 ein (auf 1465 rückdatiertes) hzgl. Stapelprivileg aushandeln, dem 1482 ein kaiserliches folgte; beide ebneten Hamburg den Weg zur Beherrschung des Elbhandels. Besondere Bedeutung erlangte M.s

Testament vom 29. 1. 1481, in dem er aus seinem beachtlichen Vermögen mehrere Legate zu frommen Zwecken aussetzte; seine Büchersammlung übertrug er der Bibliothek, die 1479 wohl auf seine Initiative im Rathaus eingerichtet worden war und jedem interessierten Bürger offenstand.

L ADB 23; O. Beneke, Hamburg. Geschichten u. Sagen, ⁴1888, S. 150–53, 374; H. Nirrnheim, H. M., 1908 (Pfingstbll. d. Hans. Gesch.ver., Bl. 4); P. Gabrielsson, Die letztwillige Verfügung d. Hamburger Bgm. Dr. H. M., in: Zs. d. Ver. f. Hamburg. Gesch. 60, 1974, S. 35–57; E. Zimmermann, Die Bibl. in d. „neuen Schreiberei", H. M. u. d. älteste Hamburger Stadtbibl. (1479/81), in: W. Kayser (Hrsg.), 500 J. wiss. Bibl. in Hamburg 1479–1979, 1979, S. 17–26; G. Theuerkauf, H. M. u. H. Langenbeck, Bgm. v. Hamburg (1467–1517), in: Akteure u. Gegner d. Hanse, Gedächtnisschr. f. K. Fritze, hrsg. v. H. Wernicke u. a., 1996 *(im Druck)*.

Rainer Postel

Murnau (eigtl. *Plumpe*), *Friedrich Wilhelm*, Filmregisseur, * 28. 12. 1888 Bielefeld, † 11. 3. 1931 Santa Barbara (Kalifornien, USA), □ Berlin-Stahnsdorf, Südwestkirchhof (ev.)

V Heinrich Plumpe (1847–1914) aus Gartnich b. Halle, Tuchfabr. in Bielefeld, dann in Kassel, S d. Wilhelm (1804–75) aus Bielefeld, Steuereinnehmer in Lübbecke (Westfalen), u. d. Elisabeth Spiekerkötter (1813–51) aus Steinhagen (Westfalen); M Ottilie (1863–1944) aus Bünde (Westfalen), T d. Robert Volbracht (1837–1909) aus Niedermarsberg, Brauereibes. in Vlotho/Weser, u. d. Auguste Bellmann (1839–93) aus Vlotho; *Halb-B* Heinrich Plumpe (1880–1945), Dipl.-Ing., Dir. b. d. Hanomag AG; B Robert Plumpe (1887–1961), Filmkaufm. in Bielefeld, Bernhard Joachim Plumpe (1893–1932), Photograph in Berlin; – ledig.

M. wuchs in begüterten bürgerlichen Verhältnissen auf; 1892 zog die Familie nach Kassel, 1902 nach Wilhelmshöhe bei Kassel. In seinen künstlerischen und literarischen Interessen von der Mutter gefördert, besuchte M. eine Oberrealschule, die er 1907 mit dem Abitur abschloß. Ein Studium in Berlin (Philologie) und Heidelberg (Kunstgeschichte und Literatur) beendete er vermutlich ohne Examen. Max Reinhardt entdeckte ihn als Schauspieler einer Heidelberger Studentenbühne und ermutigte ihn, sich an einer Berliner Schauspielschule ausbilden zu lassen. Wahrscheinlich seit 1909 benutzte M. das Pseudonym „Murnau", vielleicht angeregt durch eine Reise, die auch nach Murnau in Oberbayern führte, oder nach einem Gastspiel der Reinhardt-Truppe an diesem Ort. Über seinen Freund, den Dichter Hans Ehrenbaum-Degele, erhielt M. Zugang zur Kunstszene Berlins. 1913 trat M. in Nebenrollen am Deutschen Theater auf, in Inszenierungen von Emil Milan, Felix Hollaender und Max Reinhardt. Tourneen führten ihn u. a. nach Wien und Prag. 1914 meldete sich M. als Kriegsfreiwilliger; zunächst an der Ostfront eingesetzt, leistete er seit 1917 Dienst bei der Fliegertruppe. Bei einem Aufklärungsflug mußte er in der Schweiz notlanden und wurde in Andermatt und Luzern interniert. Im Juni 1918 wurde sein patriotisches Volksschauspiel „Marignano" in Luzern uraufgeführt.

Nach Kriegsende kehrte M. nach Berlin zurück. 1919 entstand – mit Ernst Hofmann als Produzenten und Hauptdarsteller – sein erster Spielfilm „Der Knabe in Blau", wesentlich inspiriert von Wildes „The Picture of Dorian Gray" und Gainsboroughs Gemälde „Blue Boy". Nach den Filmen „Satanas" (1919) und „Sehnsucht" (1919/20), bei denen er den im Gestus expressionistisch geprägten Conrad Veidt als Schauspieler einsetzte, begann 1920 mit „Der Bucklige und die Tänzerin" seine kongeniale Zusammenarbeit mit Carl Mayer (1894–1944), der für sieben seiner Filme die Drehbücher schrieb. In diesen und den folgenden Filmen ging M. von trivialen Sujets mit komödiantischen und kriminalistischen Elementen aus, um sie in eine eigene, dramaturgisch stilisierte und pointierte Bildsprache zu übersetzen. In „Schloß Vogelöd", dem ersten Film für den Produzenten Erich Pommer und dessen Firma Decla-Bioscop AG, gelang es M. (1921), vor allem mit Lichtschattierungen die Atmosphäre zu erreichen, die die Kolportage zum Seelenkammerspiel überhöhte und gleichzeitig spielerisch ironisierte. In „Nosferatu, Eine Symphonie des Grauens" (1921/22) verbinden sich Stilelemente der Gothic novel mit der Ästhetik des expressionistischen Films. Das virtuose Spiel von Licht und Schatten, die Erweiterung der Mise en scène zur Mise en ombres et lumières zeichnen diesen Film aus, der das Grauen nicht als Selbstzweck vorführt, sondern als Folge einer bedrängenden psychologischen Situation. Um 1920 begann auch M.s Zusammenarbeit mit Thea v. Harbou, die ihm vier Drehbücher lieferte, darunter „Phantom" (1922), eine Adaption von Gerhart Hauptmanns gleichnamiger Erzählung. Als erste Ufa-Produktion drehte M. 1924 „Der letzte Mann", die tragikomische Geschichte eines Hotelportiers, der zum Toilettenmann degradiert wird, nach einem Drehbuch von Carl Mayer und mit Emil Jannings in der Hauptrolle.

Architektur und Ausstattung, die von jeder Statik gelöste, „entfesselte Kamera" und die dramaturgisch geschickte Erzählweise, die mit nur einem erläuternden Zwischentitel auskommt, machen den Film zu einem herausragenden Beispiel der Modernität des Kinos in der Weimarer Zeit. Seinen Ruf als einer der bedeutendsten Filmregisseure festigte M. mit den beiden Ufa-Produktionen „Herr Tartüff / Tartüff" (1925) und vor allem „Faust" (1925/26), in dem er den filmischen Raum über Kamera- und Montagearbeit erweiterte und neu definierte. Architektur und Landschaft, Körper und Gegenstände sind nicht mehr statisch, sondern in ständiger Bewegung zu einem virtuellen Raum-Bild zusammengefügt – ein Bilderreservoir, flüchtig und der Realität enthoben.

1926 schloß M. einen Vier-Jahres-Vertrag mit dem amerikan. Produzenten William Fox, für den er in Hollywood drei Filme realisierte, darunter „Sunrise – A Song of Two Humans" (1926/27) nach der Erzählung „Die Reise nach Tilsit" von Hermann Sudermann. Noch einmal umkreiste M. darin die erzählerischen Pole seines Schaffens, idyllisches Land und pulsierende Großstadt. 1929 begann er, nach dem Bruch mit seinem amerikan. Studio und zunächst zusammen mit dem Dokumentarfilmregisseur Robert J. Flaherty, mit den Vorbereitungen zu „Tabu", einem semidokumentarischen Liebesfilm über Insulaner in der Südsee, den er schließlich 1930/31 allein fertigstellte. Auf der Fahrt zur New Yorker Premiere des Films verunglückte M. mit dem Auto zwischen Hollywood und Monterey; er starb an seinen Verletzungen in einer Klinik in Santa Barbara.

Weitere W Der Januskopf, 1920; Abend – Nacht – Morgen, 1920; Der Gang in d. Nacht, 1920; Marizza, gen. d. Schmugglermadonna, 1920/21; Der brennende Acker, 1921/22; Die Austreibung, 1923; Die Finanzen d. Ghzg., 1923; Komödie d. Herzens, 1924 (Regie Rochus Gliese, Drehbuch M. unter d. Ps. Peter Murglie zusammen mit Gliese); Four Devils, 1928; City Girl (Unser täglich Brot/Die Frau aus Chikago), 1929/30. – *Nachlaß:* Archiv d. Stiftung Dt. Kinemathek, Berlin; Fam.bes.

L L. H. Eisner, F. W. M., 1964 (franz.), gekürzte dt. Ausg. u. d. T.: Murnau, Der Klassiker d. dt. Films, 1967, erg. Neuausg. u. d.: T. Murnau, 1979 (*W, L*); Ch. Jameux, F. W. M., 1965; P. G. Tone, F. W. M., 1976; Klaus Becker, F. W. M., e. großer Filmregisseur d. 20er J., 1981; K. Kreimeier (Red.), F. W. M. 1888–1988, Ausst.kat. Bielefeld/Düsseldorf 1988 *(P);* J. Nagel, in: FAZ v. 8. 11. 1988 *(P);* F. Gehler u. U. Kasten, F. W. M., 1990; P. W. Jansen u. W. Schütte (Hrsg.), F. W. M., 1990 *(Filmo- u. Bibliogr.);* L. Berriatúa, Los proverbios chinos de F. W. M., 2 Bde., 1990 *(Filmo- u. Bibliogr.);* U. v. Keitz, Die sichtbare Stadt, in: Kino Movie Cinema, hrsg. v. W. Jacobsen, H. H. Prinzler, W. Sudendorf, 1995, S. 44–48; Ch. v. Wahlert, Kamera im Kopf, F. W. M. als Fotograf, in: FAZ v. 7. 10. 1995d; CineGraph.

Wolfgang Jacobsen

Murner, *Thomas,* Franziskaner, Satiriker, Humanist, * angebl. 24. 12. 1475 Oberehnheim (Obernay, Elsaß), † vermutl. zwischen 1. 1. und 23. 8. 1537 ebenda.

V Matthäus († 1506), Bürger (1482) u. Prokurator d. Stadt Straßburg; *M* Ursula Studeler; 3 *B,* u. a. Johannes, Jurist, Beatus (1488/92–1512), Buchdrucker (s. ADB 23; beide s. Enc. de L'Alsace).

Wegen einer schweren, als Behexung verstandenen Erkrankung (vermutlich Poliomyelitis), die ihn als Kind zum Einzelgänger stempelte, wurde M. für den geistlichen Stand bestimmt. Er besuchte die Klosterschule der Franziskaner in Straßburg, trat mit 15 Jahren in den Orden ein und erhielt 1494 die Priesterweihe. 1494 bis Anfang 1498 (Magister artium) studierte M. an der Univ. Freiburg (Breisgau), wo der Humanist Jakob Locher zu seinen Lehrern gehörte. Das anschließende, durch Beschäftigung mit der antiken Dichtung und der Naturkunde ergänzte Studium der Theologie führte M. an mehrere Universitäten, darunter Köln (1498), Krakau (1499/1500), Prag und Wien. Während der Freiburger Studienzeit hatte er engen Kontakt zu dem späteren Dompropst von Basel, Hans Werner v. Mörsperg, den er zusammen mit dessen Vater, dem elsäss. Landvogt Kaspar v. Mörsperg, in einem fiktiven, 1499 gedruckten Gespräch auftreten läßt („Tractatus perutilis de phitonico contractu"). Ausgehend von seiner eigenen Erkrankung, erörtert M. die seit dem „Hexenhammer" von 1487 hochaktuelle Problematik des Hexenzaubers. Auch andere frühe Schriften, u. a. eine Flugschrift aus Anlaß des Schwabenkrieges („Invectiva contra astrologos", 1499), belegen sein Interesse am Zeitgeschehen, das ihn in der Reformationszeit zum publizistischen Wortführer der kath. Seite werden ließ.

Seit 1501 lebte M. wieder in Straßburg, wo er seinem Orden als gelehrter Dozent, glänzender Disputationsredner und volkstümlicher Prediger diente. Vor dem Hintergrund einer sich abzeichnenden Konkurrenzsituation zwischen der Franziskanerschule und einem von Johann Geiler von Kaysersberg, Jakob Wimpfeling und Sebastian Brant geplanten humanistischen Gymnasium wurde M. in eine zunächst brieflich, dann öffentlich ausgetragene literarische Fehde mit Wimpfeling verwickelt, dessen Denkschrift „Germania" er in der „Germania nova" (1502) angriff. Das vorläufige Ende der mit zunehmender Erbitterung geführten, persönliche Invektiven und Spott nicht aussparenden Auseinandersetzung („Murr-narr"), an der sich auch Anhänger Wimpfelings mit Schmähschriften beteiligten, markiert M.s „Honestorum poematum condigna laudatio" (1503).

1505 wurde M. von Kaiser Maximilian zum Poeta laureatus gekrönt. Nachdem er 1506 an der Univ. Freiburg (Breisgau) zum Lizentiaten und Doktor der Theologie promoviert worden war, nahm er in Rom am Generalkapitel seines Ordens teil. Auf einer Freiburger Vorlesung beruht die 1509 gedruckte Schrift „De reformatione poetarum", in der M. unter Berufung auf die Autorität der Kirchenväter für einen christlichen Humanismus plädiert. Seine erste deutschsprachige Reimdichtung, „Von den fier ketzeren Prediger ordens", entstand 1509 in Bern, wo er – als Lesemeister an das dortige Barfüßerkloster versetzt – den berüchtigten Jetzer-Prozeß verfolgen konnte, in dem vier Dominikaner im Zusammenhang mit dem Streit um die conceptio immaculata Marias der Teufelsbündnerei angeklagt und verbrannt wurden.

Nachdem er für kurze Zeit das Amt des Guardians in Speyer innehatte (1510), wirkte M. 1511–13 als Prediger und Lesemeister in Frankfurt/Main. Seine Berufung zum Guardian des Straßburger Hauptklosters im Juli 1513 blieb Intermezzo. Nach nur zehn Monaten wurde er unter dem Vorwurf eigennütziger Amtsführung, den er in einer Flugschrift vehement zurückwies, abgesetzt. 1515 lehrte M. für kürzere Zeit in Trier, wo er als erster juristische Vorlesungen in deutscher Sprache hielt. Anschließend lebte er wohl wieder in Straßburg, wo 1515 seine deutsche Übersetzung von Vergils „Aeneis" erschien. 1518 immatrikulierte er sich an der juristischen Fakultät der Univ. Basel und promovierte dort 1519 trotz heftigen Einspruchs seitens des Freiburger Rechtsgelehrten Ulrich Zasius zum Doktor beider Rechte. Seine deutsche Übersetzung der „Institutiones (1519) bildet den Anfang einer für die Entstehung der neuen deutschen Rechtssprache wichtigen juristischen Literaturgattung.

An Themen und Stoffe seiner Predigten anknüpfend, schrieb M. 1509 mehrere gereimte Moralsatiren, die zu den bedeutendsten deutschen satirischen Dichtungen zählen. In der Tradition Sebastian Brants und Johann Geilers von Kaysersberg tritt er in der Maske des Narren-Exorzisten und Schreibers der Betrügerzunft auf, um den Menschen seiner Zeit den Spiegel der Selbsterkenntnis vorzuhalten („Narrenbeschwörung", „Schelmenzunft", beide 1512, Neudr. bearb. v. G. Stiller, 1968). Mit der „Geuchmat" (1519) und der „Mühle von Schwindelsheim und Gredt Müllerins Jahrzeit" (1515) geißelt er die Torheiten närrischer Buhler und liederlicher Frauen. In immer neuen Variationen entwirft er das Panorama einer zerbrechenden gesellschaftlichen Ordnung, deren Wertesystem von lasterhaften und eigennützigen Narren und Betrügern pervertiert ist. Kein Stand, keine geistliche oder weltliche Institution bleibt von M.s sprachlich virtuos gestalteten satirischen Angriffen verschont.

Obwohl M. die kirchlichen Mißstände kannte und kritisierte, sah er in der Reformation einen Irrweg. Von Straßburg aus, wo er wieder für das Franziskanerkloster tätig war, entfachte er 1520 eine vor allem gegen Luther gerichtete publizistische Kampagne, in deren Verlauf er zum Adressaten wütender Repliken der Anhänger Luthers wurde. Wie seine proreformatorischen Kontrahenten, die ihn persönlich diffamierten und zur Inkarnation des reaktionären Gegners allen Fortschritts stilisierten, nutzte M. die deutschsprachige Flugschrift als wirkungsvolles Instrument antiluth. Propaganda. Das Opus magnum seines Kampfes gegen die Reformation, eine voluminöse Satire „Von dem großen Lutherischen Narren" (1522), die als beste literarische Leistung M.s gilt, wurde wenige Tage nach ihrem Erscheinen vom Straßburger Rat verboten. Ohne satirischen Gestus, ganz von Trauer und Schmerz geprägt, ist das „Lied von dem Untergang des christlichen Glaubens" (1522), das M.s Gefühlslage unmittelbar zum Ausdruck bringt. Nach einem erfolglosen Versuch, in England bei Heinrich VIII. Unterstützung zu finden (1523), mußte sich M. 1524 infolge des Vordringens der Reformation, die auch in Straßburg siegte und zur Auflösung des Franziskanerklosters führte, nach Oberehnheim zurückziehen und dort 1525 „in leyischer Kleidung" vor den aufständischen Bauern fliehen. Bis 1529 lebte er in Luzern, wo er als Stadtpfarrer und Wortführer der Verteidiger des Katholizismus hohes Ansehen erwarb. Noch einmal stand M. im Zentrum des von beiden Seiten mit publizistischen Mitteln (Predigt, Flugschrift, Satire) geführten Streits der Konfessionen, der sich jetzt gegen Zwingli und die Schweizer Reformation richtete. In der Disputation zu Baden im Aargau (1526), deren Akten er 1527 veröffentlichte, vertrat M. gemeinsam mit J.

Eck und J. Faber die altgläubige Position, die er auch in der Predigt „Die gottesheilige Messe von Gott allein erstiftet" (1528) darlegte. Als in den Verhandlungen über den 1. Kappeler Frieden (1529) die prot. Partei seine Auslieferung forderte, um ihn in Basel vor Gericht zu stellen, verließ M. Luzern, hielt sich vorübergehend am Hof des Kf. Ludwig V. in Heidelberg auf und wirkte von 1530 bis zu seinem Tod als Seelsorger in Oberehnheim. Seine letzte literarische Arbeit ist die handschriftlich überlieferte Übersetzung der Weltchronik des Sabellicus (M. A. Sabellici Hystory von anbeschaffener welt, 1532).

Weitere W u. a. Ulrichen v. hutten v. d. wunderbarlichen artzney d. holtz Guaiacum, 1519; Ein christl. u. briederliche ermanung zuo doctor Martin luter, 1520; Von Doctor Martinus luters leren u. predigen, 1520; Von d. babstenthum, 1520; An d. Groszmechtigsten u. Durchlüchtigsten adel tütscher nation, 1520; Wie doctor M. Luter Daz geistlich recht verbrennet hat, 1521; Ob der Künig uß engelland e. lügner sey od. d. Luther, 1522; Murnerus in Lutheranorum perfidiam, 1525; Der Lutherischen Evangelischen Kirchendieb- u. Ketzerkal., 1527; Des alten Christlichen beern Testament, 1528; Von des jungen Beren zenvue im mundt, 1528. – Th. M.s Dt. Schrr., hrsg. v. Franz Schultz, 9 Bde., 1918–31.

L ADB 23; Ch. Schmidt, Histoire littéraire de l'Alsace, 2 Bde., 1879; W. Kawerau, Th. M. u. d. Kirche d. MA, 1890; ders., Th. M. u. d. dt. Ref., 1891; Th. v. Liebenau, Der Franziskaner Th. M., 1913 *(W-Verz.)*; P. Merker, M.stud., 1917; G. Hess, Dt.-lat. Narrenzunft, 1971; J. Schutte, „Schympff Red", Frühformen bürgerl. Agitation in Th. M.s „Großem Lutherischen Narren", 1973; E. Bernstein, Die erste dt. Äneis, 1974; F. Eckel, Der Fremdwortschatz Th. M.s, 1978 *(W-Verz., fehlerhaft)*; H. Heger, Th. M., 1983; dies., Th. M., in: Dt. Dichter d. frühen Neuzeit, hrsg. v. St. Füssel, 1993, S. 296–310 *(W, L)*; E. Iserloh, Th. M., in: Kath. Theologen d. Ref.zeit 3, 1986, S. 19–32; Th. M., Elsäss. Theol. u. Humanist, Ausst.kat. Karlsruhe 1987; S. Raabe, Der Wortschatz in d. dt. Schrr. Th. M.s, 2 Bde., 1990 *(L)*; Goedeke II; RGG³; Schottenloher Nr. 16024–133 u. 57170–77; Enc. de l'Alsace IX, 1984 *(P)*; Kosch, Lit.-Lex.³; HRG; Killy; BBKL; TRE.

P Holzschnitte in: J. Wimpfeling, Defensio Germaniae (Titelbl.), 1502; Th. M., Die Geuchmat, 1519.

Peter Ukena

Murr, *Wilhelm,* nationalsozialistischer Politiker, Gauleiter und Reichsstatthalter in Württemberg-Hohenzollern, * 16. 12. 1888 Esslingen/Neckar, † (Freitod) 14. 5. 1945 Egg (Vorarlberg). (ev., seit 1933 konfessionslos)

V Michael (1843–1903) aus Leutesheim (Baden), Schlosser, städt. Arbeiter in E.; *M* Selma († 1903), *T* d. Steinhauers Friedrich Müller aus Mühlen/Neckar; ⚭ 1920 Lina Halbritter (1893–1945, Freitod) aus Göppingen; 1 *S* Wilfried (1922–44, Freitod).

M., der früh Vollwaise wurde, absolvierte eine kaufmännische Lehre. Er trat dem Deutschnationalen Handlungsgehilfen-Verband bei, dem er seit 1919 als Ortsgruppenleitervorstand. Bis Oktober 1930 in der Maschinenfabrik Esslingen tätig, vertrat er seit 1926 die Angestellten im Aufsichtsrat. Während des 1. Weltkriegs kämpfte M. in einem Infanterieregiment in Rußland, auf dem Balkan und an der Westfront. 1923 trat er der NSDAP bei und wurde Ortsgruppenleiter in seiner Vaterstadt, später zudem Gaupropagandaleiter und im Februar 1928 schließlich Gauleiter in Württemberg-Hohenzollern. Seit dem 8. 3. 1930 gab M. den „Schwäbischen Angriff" als Wochenzeitung der Gauleitung heraus, seit dem 1. 1. 1931 auch die Tageszeitung „NS-Kurier", die seit September 1933 zweimal täglich erschien und 1937 eine Auflage von 47 000 Exemplaren erreichte. Erst 1930 trat die NSDAP, die bei den Reichstagswahlen vom 14. 9. in Württemberg 9,4 % der Stimmen erreichte, aus ihrer bisherigen Bedeutungslosigkeit heraus. Seit 1930 war M. Reichstagsabgeordneter. Die Regierung unter Staatspräsident Eugen Bolz (Zentrum), die seit 1932 nur noch geschäftsführend im Amt war, wurde im März 1933 von der Reichsregierung entmachtet. Am 15. März wählte der Landtag M. zum Staatspräsidenten. Dieser übernahm gleichzeitig die Leitung des Innen- und des Wirtschaftsministeriums. Im Zuge der Gleichschaltung wurde das Amt des Staatspräsidenten nach wenigen Wochen abgeschafft. M. fungierte seit dem 6. 5. 1933 bis zum Kriegsende als Reichsstatthalter. Als solcher erwies er sich als willfähriger und effektiver Arm der Berliner Zentrale, die ihn zwang, seinen innerparteilichen Konkurrenten Christian Mergenthaler (1888–1980) als Ministerpräsidenten und Kultusminister einzusetzen. Bereits im April 1933 richtete M. eine eigenständige Politische Polizei in Württemberg ein (seit Januar 1934 Politisches Landespolizeiamt), um abweichende politische Aktivitäten unterbinden zu können. Sein rigoroses Vorgehen gegen die Kirchen rief wider Erwarten beachtlichen Widerstand hervor: Am 14. und 21. 10. 1934 versammelten sich mehrere tausend Sympathisanten vor der Wohnung des Landesbischofs, um diesem ihre Loyalität zu bekunden. Während es Theophil Wurm gelang, die Position der ev. Kirche einigermaßen zu wahren, wurde der Bischof von Rottenburg, Johannes Sproll, weil er sich nicht an der Volksabstimmung bezüglich des Anschlusses Österreichs am 10. 4. 1938 beteiligt hatte, aus dem Gau Württemberg-Hohenzollern ausgewiesen. Schon im März 1933 setzte M. die Leiter des 1917 gegründeten, in Stuttgart ansässigen Deutschen Auslands-Instituts, Paul Wanner und Fritz Wertheimer, ab. Bei der Neugliederung des Instituts im Dezember unter der Leitung von Richard Csaki (1886-1943) bezeichnete M. Stuttgart als „Stadt der Auslandsdeutschen"; Hitler bestätigte 1936 diesen „Ehrentitel". Alljährlich fanden in Stuttgart die Reichstagungen der Auslandsdeutschen statt, die für die nationalsozialistische Propaganda mißbraucht wurden. Das Deutsche Auslands-Institut arbeitete der Reichsregierung hinsichtlich deren Annexions- und Umsiedlungspolitik zu. Während des 2. Weltkriegs Reichsverteidigungskommissar für seinen Gau, rief M. bis zuletzt zum Durchhalten auf. Ende März 1945 forderte er die Evakuierung der städtischen Bevölkerung und ordnete unter der Parole „Schwabentreue" die – nur teilweise durchgeführte – Zerstörung aller militärischen, industriellen und Versorgungs-Einrichtungen an. Am 20. 4. floh er mit Mergenthaler und anderen Parteigrößen aus Stuttgart, hielt sich einige Wochen versteckt und nahm sich nach seiner Verhaftung durch franz. Truppen zusammen mit seiner Frau das Leben.

L C. Overdyck, in: Die Reichsstatthalter, hrsg. v. K. Ekkehart, 1933 *(P);* G. Schäfer (Hrsg.), Landesbischof D. Wurm u. d. nat.soz. Staat 1940-45, 1968; M. Miller (Hrsg.), Die Vertreibung v. Johannes Baptist Sproll v. Rottenburg, 1938-45, 1971; P. Sauer, Württemberg in d. Zeit d. Nat.sozialismus, 1975 *(P);* Roland Müller, Stuttgart z. Zeit d. Nat.sozialismus, 1988 *(P);* Das Dt. Führerlex., 1934 *(P);* Wi. 1935; Das gr. Lex. d. Dritten Reiches, hrsg. v. Ch. Zentner u. F. Bedürftig, 1985 *(P);* Von Weimar bis Bonn, Esslingen 1919-1949, Ausst.kat. 1991 *(P).*

Franz Menges

Murray, *Johann Andreas,* Botaniker, * 27. 1./ 7. 2. 1740 Stockholm, † 22. 5. 1791 Göttingen. (ev.)

Aus urspüngl. schott. Fam., d. während d. Cromwellschen Unruhen nach Polen u. Preußen auswanderte; *V* Andreas (1695-1771) aus Memel, Prediger in Holstein, seit 1735 b. d. Dt. Gemeinde in St. (s. Jöcher-Adelung); *M* Johanna Christiane Golitz, *T* e. Predigers d. Dt. Gemeinde in St.; *Halb-B* Johann Philipp (1726-76), seit 1755 Prof. d. Eloquenz u. d. Gesch. in Göttingen; *B* Adolph (1750-1803) aus St., Anatom, Mitgl. d. Ak. d. Wiss. in St., Uppsala, Basel, Florenz, Siena, Montpellier u. d. Ges. d. Naturforscher in Berlin (beide s. Jöcher-Adelung); – ∞ 1772 Eleonore Margarethe v. Conradi; 4 *T,* u. a. Sophia (1787-1862, ∞ Joaquim Gf. v. Oriola, 1772-1846, portugies. Gesandter, preuß. WGR); *E* Louise Gfn. v. Oriola (1824-99), Palastdame d. Kaiserin Augusta, s. BJ IV, Tl.); *Verwandter* (?) Philipp Friedrich David (1770-1828), Apotheker u. Bergkommissar in G. (s. NND; Pogg. II).

M.s gründliche, auf dem Deutschen Lyceum in Stockholm erworbene Bildung in den klassischen Sprachen und den Anfangsgründen der Wissenschaften wurde durch einen zweijährigen Privatunterricht seines späteren Göttinger Kollegen August Ludwig Schlözer ergänzt. 1756 ging M. nach Uppsala, wo er an der dortigen Universität bei Johann Gottschalk Wallerius Pharmazie, Mineralogie und Chemie, bei Samuel Aurivillius Anatomie und bei Carl v. Linné Botanik, Naturgeschichte und Pharmazie hörte. Die besondere Hochschätzung, die er für den letzteren hegte, bezeigte er durch die postume Herausgabe der 13. und 14. Auflage des Linnéschen Hauptwerkes unter dem Titel „Systema vegetabilium" (1774 und 1784, die 13. Aufl. aufgrund des Linnéschen Manuskripts). M. zu Ehren hatte Linné einen ostind. Baum „Murraya exotica" sowie einen von ihm entdeckten Käfer „Cassida Murrayi" genannt. 1760 bezog M. die Göttinger Universität, wo sein Halbbruder Johann Philipp als Professor der Eloquenz und Geschichte tätig war, und wurde dort 1768 von der Medizinischen Fakultät aufgrund seiner Dissertation „Fata variolarum insitionis in Suecia", die den Verlauf und die Erfolge der Pockenimpfung in Schweden behandelte, promoviert. Seit 1764 hielt er als ao. Professor der Medizin Vorlesungen nicht nur über sein Hauptgebiet, die Botanik, sondern gemäß seinen vielfältigen gelehrten Interessen u. a. auch über Insektenkunde, Geschichte der Medizin, Pharmazie und pharmazeutische Pathologie.

Als der Ordinarius für Botanik und Direktor des Kgl. Botanischen Gartens, David Sigismund Augustin Büttner, 1769 starb, trat M. dessen Nachfolge an. Sein Verdienst ist es, daß der von Albrecht v. Haller angelegte Garten durch die Errichtung verschiedener Gewächshäuser (Frigidarium, Caldarium, Tepidarium), durch die Erwerbung zahlreicher seltener und exotischer Pflanzen (besonders aus Nordamerika und Sibirien) und durch die wissenschaftliche Anordnung nach dem Linnéschen System zu internationalem Ruhm gelangte. Den von gründlicher Kenntnis und großer Belesenheit geprägten und daher stark frequentierten Unterricht in der Botanik ergänzte M. – wie einst Haller – durch Exkursionen in den Harz. Die Ergebnisse dieser Terrainbeobachtungen legte er in einer

Haller gewidmeten Beschreibung der Flora von Göttingen und der weiteren Umgebung nieder, die 1770 unter dem Titel „Prodromus designationis stirpium Gottingensium" erschien. In den Vorlesungen, die er seit seinem 1770 erfolgten Eintritt vor der Sozietät der Wissenschaften zu Göttingen hielt, widmete er sich vor allem neuen und seltenen Pflanzen, deren Darstellung in den Sozietätsschriften, den „Commentationes", mit Abbildungen veröffentlicht wurden. In Hinblick auf die Medizin gilt sein „Apparatus medicaminum tam simplicium quam praeparatorum et compositorum in praxeos adiuventum consideratur" (5 Bde., 1776–90, Bd. 6 postum hrsg. v. Ludwig Christoph Althof, dt. 1782–92, ²1793–95) als das erste Handbuch der Pharmakognosie, das in Deutschland erschien. Zur Beförderung der Pädiatrie trug seine deutsche Übersetzung von Rosén v. Rosensteins Klassiker in schwed. Sprache aus dem Jahre 1760 bei, die unter dem Titel „Anweisung zur Kenntnis und Cur der Kinderkrankheiten" herausgegeben wurde. Überhaupt hat M. als Übersetzer und Rezensent eine bedeutende Rolle in der Vermittlung der schwed. Wissenschaften seiner Zeit gespielt. – Schwed. Wasa-Orden; Hofrat (1782).

L ADB 23; J. St. Pütter, Versuch e. akadem. Gelehrten-Gesch. v. d. Georg-Augustus Univ. zu Göttingen, I, 1765, S. 189 f., II, 1788, S. 183–142, III (Forts. durch Saalfeld), 1820, S. 72 *(W-Verz.)*; M., e. Linnéschüler, in: Med.hist. Journal 2, 1967, S. 3–12; J. Radke, M. als Lehrer d. Kinderheilkde., ebd. 7, 1972, S. 153–58; H. Goerke, Linnaeus and Murray Family, in: Taxon 25, 1976, S. 17–19; NND; BLÄ.

P Ölgem., anonym, Abb. in: Bildnisse Göttinger Professoren aus 2 Jhh., hrsg. v. M. Voit, 1937; Schattenriß (Niedersächs. Staats- u. Univ.bibl. Göttingen).

F. W. P. Dougherty †

Murrho (eigtl. *Murrh, Murr*), *Sebastian*, Humanist, * um 1450 Colmar, † 1495 ebenda.

1 S Sebastian († um 1514), Humanist (s. *W, L*).

Nach dem Besuch der Schule des in Deventer erzogenen Humanisten Dringenberg in Schlettstadt und dem Studium in Basel und Heidelberg wurde M. 1486 Kanonikus in seiner Heimatstadt. Er führte hier ein zurückgezogenes Humanistenleben, früh berühmt durch bedeutende Kenntnisse in Astronomie, Kosmographie, Geographie, Musik, Jurisprudenz und Geschichte, vor allem durch die Beherrschung der klassischen Sprachen.

M. gehörte zu den ersten in Deutschland, die das Hebräische erlernten. Darüber kam es zu einem Briefwechsel mit Reuchlin, der 1487 – zugunsten seiner eigenen Hebräisch-Studien – von ihm eine Übersetzung des Pentateuch erbat. Sein Schulfreund Jacob Wimpheling regte M. zu Kommentaren zu Gedichten des ital. Humanisten Battista Mantovano an und lenkte ihn auf historische Studien. Daraus entstand die – unvollendete und von Wimpheling später ergänzte – Schrift „De virtutibus et magnificentia Germanorum" (vor 1492), von der Wimpheling in seiner „Epitome rerum Germanicorum" (1505) Gebrauch machte.

W Baptistae Mantuani Poetae Oratorisque clarissimi duarum Parthenicum libri: cum commentario Sebastiani Murrhonis Germani Colmariensis, 1501; Opus Calamitatum Baptistae Mantuani cum Commentario Sebastiani Murrhonis, 1502. – *Zu Sebastian (S), Hrsg.:* Cicero, De officiis; Herodianos, Kaisergesch.; Sueton, Caesarenleben; Briefe d. Politian u. a.; Elogen auf Erasmus, Celtis u. a.

L ADB 23; Ch. Schmidt, Histoire littéraire de l'Alsace à la fin du XVIe siècle et au début du XVIe, II, 1879; Veesenmeyer, Litterar. Bll. III, 1803; Jöcher, 5. Erg.bd.; Enc. de l'Alsace, IX, 1984 (auch zu S).

Günther Böhme

Murschhauser, *Franz Xaver* Anton, Chorleiter, Kirchenkomponist, ~ 1. 7. 1663 Zabern (Elsaß), † 6. 1. 1738 München. (kath.)

V Urban Ludwig († 1666) aus M., lat. Schulmeister in Moosburg/Donau, seit 1655 in Schlettstadt (Elsaß), seit 1658 in Z.; M Apollonia († 1705), seit 1667 in M.; vermutl. B Ignaz († 1734), Hofbassist (s. *L*); – ∞ München 1691 Maria Oberhoffer († 1741); 1 T.

M. besuchte die Petersschule in München, wo u. a. J. Ch. Pez sein Mitschüler war. Seit 1676 war er Mitglied in Chor und Orchester der Peterskirche, unterrichtet zunächst vom dortigen Kantor S. Auer, 1684–93 durch den Hofkapellmeister J. K. Kerll. 1682 hatte M. den Musikverlag von P. Parstorffer, München, gekauft; noch um 1730 vermittelte er dem Lexikographen J. G. Walther Nachrichten über süddeutsche Kirchenmusiker. Wohl auf Empfehlung Kerlls erhielt M. im Juli 1690 die Vertretung für den erkrankten Chorregenten der Münchener Frauenkirche, L. Hölzl. Nach dessen Tod 1691 wurde er definitiver Nachfolger und versah dieses Amt zeit seines Lebens.

In seinen Vesperkompositionen für 4 Vokalstimmen, Instrumente und Orgel (1700) fügte

M. in 9 Psalmen und im Canticum gregorianische Formeln ein, meist im 1. Vers und in der Doxologie. Damit stellte er sich in eine Tradition, die über J. Stadlmayrs Drucke bis zu C. Monteverdis „Vespro della Beata Vergine" (1610) zurückreichte. Die 2. Vertonung von Psalm 112 formte er hingegen als geistliches Solokonzert (Umfang der Solobaß-Stimme A_1 bis e^1). Der Hauptinhalt des Drucks steht stilistisch zwischen den Vesperkompositionen von H. I. F. Biber (1693) und J. C. F. Fischer (1701). In einem undatierten, wohl um 1700 anzusetzenden Verzeichnis seiner Leistungen zählte M. Neukompositionen von einstimmigen Antiphonen, Falsibordoni, Introitus- und Hymnen-Vertonungen „super cantum firmum alla Romana" sowie Orgelbegleitungen zu Choralgesängen auf. Derartige Arbeiten dürfte er auch in den weiteren Dienstjahren ausgeführt haben. In seinem „Octi-Tonium Novum Organicum" von 1696 hatte er 8 Orgelzyklen (und einen alternativen) zu je 6 Versetten in den Kirchentonarten vorgelegt, wofür Kerlls „Modulatio organica" (1686), außerdem J. Speths „Ars magna consoni et dissoni" (1693) als Vorbilder dienten. Auf Choralthemen verzichtete er, um die Sätze für Offizium und Messe verwendbar zu machen. Satztechnisch sind die Kleinformen durchweg gelungen. Im „Prototypon Longo-Breve Organicum" bündelte er 8 Zyklen von wechselnder Satzzahl, wobei er in 20 längeren Nummern Kürzungsstellen anmerkte (longo-breve). Die Themen formulierte wiederum M., in Nr. 4 legte er das gregorianische Kyrie XI zugrunde. Im weihnachtlichen Anhang des „Octi-Tonium" und in Teil II des „Opus Organicum Tripartitum" (1714) versammelte M. Figuralvariationen für Orgel zu Weihnachtsliedern und instrumentalen Arien. Sie dürften für die Elevation in der Messe und für das „Kindlwiegen" in weihnachtlichen Volksandachten bestimmt gewesen sein. Als stilistisches Vorbild für die Variationstechnik ist J. Pachelbel neben J. K. Kerll anzunehmen. Aus der Tätigkeit M.s als Chorleiter erwuchsen die „Fundamentalische Handleitung" (17 Blätter), ein Lehrbuch für Sängerknaben, sowie die „Academia Musico-Poetica" als Kompositionslehre für Regentes chori. Letztere ist wie M.s Kompositionen dem Herkommen verpflichtet, für die Geschichte der kath. Kirchenmusik entgegen J. Matthesons Verdikt jedoch noch immer beachtenswert.

W Octi-Tonium Novum Organicum, 1696; Vespertinus Latriae Hyperduliae Cultus sive Psalmi Vespertini Consueti de Dominica et Beatissima Virgine, 1700, ²1726; Prototypon Longo Breve Organicum, 2 T., o. J. (1703 u. 1707); Fundamentalische, kurz u. bequeme Handtleitung, so wohl zur Figurat- als Choral-Music, 1707; Operis Organici Tripartiti Pars secunda, 1714 (T. 1, 1712, noch nicht gefunden, T. 3 wohl nicht ersch.); Academia Musico-Poetica Bipartita, od.: Hohe Schul d. musical. Composition, I, 1721 (II nicht ersch.). – *Editionen:* Octi-Tonium, in: Süddt. Orgelmeister d. Barock VI, 1961; Prototypon, ebd. X, 1969; Operis Organici Tripartiti Pars Secunda, ebd. 17, 1989; Psalmi Vespertini, in: DTB NF IX, 1992, alle mit wiss. Vorwort hrsg. v. R. Walter. – *Nachlaß:* Bibl. d. Metropolitankapitels, München.

L J. Mattheson, Critica Musica, 1722; J. G. Walther, Musical. Lexicon, 1732, S. 428 u. Vorwort; F. J. Lipowski, Baier. Musiklex., 1811, S. 225; E. L. Gerber, Neues hist.-bibliogr. Lex. d. Tonkünstler, 1812/14, Sp. 529 ff.; F.-J. Fétis, Biographie universelle des Musiciens, T. 5, 1863, S. 268 f.; M. Seiffert, Vorwort zu DTB (Alte Folge) 30, Jg. 18, 1917, S. XXXIX–LIV; L. Söhner, Die Gesch. d. Begleitung d. gregorian. Chorals in Dtld., vornehml. im 18. Jh., 1931; ders., Die Musik im Münchener Dom Unsere Liebe Frau in Vergangenheit u. Gegenwart, 1934, S. 75 ff.; G. Frotscher, Gesch. d. Orgelspiels u. d. Orgelkomposition, I, 1935, S. 527 ff. (mit Verz. d. Nachdrucke); W. Apel, Gesch. d. Orgel- u. Klaviermusik bis 1700, 1967, S. 569 f.; RISM A/I/6, 1976, M 8202, M 8203, M 8204, u. B VI², 1971, S. 605 f.; MGG; Riemann mit Erg.bd.; New Grove; Encyclopédie de l'Alsace IX, 1984. – *Zu Ignaz:* R. Eitner, Biogr.-bibliogr. Quellenlex. d. Musiker, VII, 1902, S. 123 f.; M. Leitschuh, Die Matrikeln d. Oberklassen d. Wilhelmsgymnasiums in München, I, 1561/62–1679/80, 1970.

Rudolf Walter

Musäus.

1) *Johannes,* luth. Theologe, * 7. 2. 1613 Langewiesen b. Ilmenau, † 4. 5. 1681 Jena.

V Johannes (1582–1654), Rektor d. Schule in Ilmenau, dann Pastor in L. u. Danheim b. Arnstadt, *S* d. Johannes (1551–1619) aus Fürstenwalde, Pfarrer in Obermaßfeld b. Meiningen; *M* Sibylla, *T* d. Ratsherrn Johannes Sturm in Ilmenau; *Ur-Gvv* Simon (1521–82) aus Vetschau (Niederlausitz), luth. Theologe (s. ADB 23; NDB X*); *Gr-Ov* Tilemann Hesshusen (1527–88), Daniel Hoffmann (um 1538–1611), luth. Theologen (beide s. NDB IX); *B* Johann Wolfgang (1615/20–54), Sup. in Kranichfeld, Peter (1620–74), ev. Theologe (s. ADB 23; Schleswig-Holstein. Biogr. Lex. IV); – ∞ 1) Jena 1646 Anna Margarete (1630–70), *T* d. Johann Melchior Forster, Ratsherr in Erfurt, 2) 1673 Anna Elisabeth Sörgel, Wwe d. Johann Theodor Schenck (1619–71), Prof. d. Med. in J. (s. ADB 31); 11 *K* aus 1), u. a. Sophia Maria (∞ Georg Goetze, 1633–99, Hofprediger, Gen.sup. in J.), Anna Catharina (∞ Johann Wilhelm Baier d. Ä., 1647–95, luth. Theologe, s. NDB I), Maria Dorothea (1655–1725, ∞ Heinrich v. der Lieth, 1648–82, Stadtpfarrer u. Konsistorialrat in Ansbach), 2 *S* aus 2); *E d. N* Karl August (s. 2).

Nach häuslichem Unterricht durch den Vater besuchte M. die Schule von Arnstadt. 1633 folgte er dem Theologen Georg Großhain nach Erfurt an die von Kg. Gustav Adolf von Schweden begründete luth. Fakultät (1635 wieder eingegangen), wo er auch Johann Matthäus Meyfart und Nikolaus Zapf als Lehrer hatte. Unter Großhain disputierte er im September 1634 und ging dann nach Jena, wo er schon nach weniger als drei Monaten unter dem Philosophen Daniel Stahl disputierte, im August 1635 den Magistergrad erwarb und sodann philosophische Privatkollegs abhielt. Daneben intensivierte er sein Theologiestudium bei Johann Gerhard, Johannes Himmel, Johannes Maior und Salomon Glaß. Im Januar 1643, im Begriff Jena zu verlassen, wurde er, als Nachfolger von Johann Michael Dilherr, zum Professor der Geschichte und Dichtkunst ernannt, sodann „wider Erwarten" von seinem Landesherrn 1645 in die Theologische Fakultät versetzt und im Januar 1646 zum o. Professor ernannt. Die Fakultät promovierte ihn im Mai 1646 auch zum Dr. theol. In diesem akademischen Rahmen verlief dann sein ganzes weiteres Leben; jeweils von August bis Februar der Jahre 1646/47, 1651/52, 1657/58, 1665/66, 1673/74 und 1679/80 war er Rektor. Nach nie aufgegebener Gewohnheit stand er täglich ohne Rücksicht auf die Jahreszeit um 3 oder 4 Uhr auf, um nach Verrichtung seines Gebets zu studieren; seine nicht sehr zahlreichen, vielfach frühere Themen wieder aufgreifenden Schriften zeigen hohe Bildung, argumentieren außerordentlich scharfsinnig und sind sorgfältig formuliert. Sie bewegen sich im Rahmen der orthodox-luth. dogmatischen und polemischen Theologie, lassen aber erkennen, daß M. – gleichrangig Abraham Calov – zu den bedeutenden Vertretern der Spät-Orthodoxie gehört.

Von Beginn an führte M. die Jenaer Fakultät in der Auseinandersetzung mit dem sog. „Synkretismus", d. h. den mit Georg Calixt und seiner Schule von Helmstedt ausgehenden Ideen zur Wiedervereinigung der christlichen Konfessionen. Während er jedoch im Dezember 1648 noch mit Wittenberg und Leipzig die Helmstedter ermahnte, „nicht die Fundamente und Grundlagen ... der ev. Lehre ... zu erschüttern", verhinderte er 1650/51 das Zustandekommen eines gesamtsächs. Theologenkonventes und weigerte sich, einer 1655 von den Kursachsen ausgearbeiteten neuen Bekenntnisschrift, dem „Consensus repetitus fidei vere Lutheranae", beizutreten. Daraus entwickelte sich ein bis an sein Lebensende anhaltender literarischer Konflikt mit Calov. Hzg. Ernst der Fromme sah sich 1679 zu einer Visitation der Univ.

Jena veranlaßt, bei der alle Professoren auf eine Ablehnung des Synkretismus verpflichtet wurden. Diese entsprach auch M.s Einstellung; er vermied aber, alle theologischen Meinungsdifferenzen für fundamental trennend zu halten, und neigte in Konfliktfällen eher dazu, sie aus der schon 100jährigen, differenzierten Geschichte der luth. Theologie zu erklären. Dem entspricht, daß M., wie Calov auf der Höhe der Bildung seiner Zeit und wie dieser aufmerksamer Beobachter der gewaltigen Verschiebungen des Zeitgeistes, doch ein deutlicheres Gefühl für die Zukunftsbedeutung Herberts von Cherbury, Spinozas und Descartes' hatte und daher schon seit 1667 gegen diese mit Einfühlung und Geschick die Orthodoxie verteidigte. Damit hängt zusammen, daß in seiner Theologie Fragen der Glaubenspsychologie und der sog. natürlichen Gotteserkenntnis stärkeres Gewicht als zuvor gewinnen. Wenn ihn Calov als „Mediator" (Vermittlungstheologe) und „mehr Philosoph als Theologe" charakterisiert, ist das nicht völlig abwegig. Es ist jedenfalls kein Zufall, daß in der zweiten Generation nach M. – nach Johann Wilhelm Baier, dessen Dogmatik erfolgreich, aber zurückhaltend M.s Theologie verarbeitete – Jena mit Johann Franz Buddeus bruchlos den Weg in eine maßvolle Frühaufklärung fand.

W De usu principiorum rationis et philosophiae in controversiis theologicis libri tres, 1644, ²1647, ³1665, ⁴1698; De aeterno Praedestinationis decreto an absolutum sit, nec ne, 1646, ²1664, ³1703; Theologisches Bedencken üb. d. Frage: Ob gute Werke nöthig seyen zur Seligkeit, 1650 *(unerlaubt gedr.)*; De Conversione hominis peccatoris ad Deum, Tractatus theologicus, 1661; De Luminis naturae, & ei innixae Theologiae naturalis insufficientia ad salutem, Dissertatio, contra Edoardum Herbert de Cherbury, Baronem Anglum, (1668), ²1668 u. ³1675, u. d. T. Examen Cherburianismi, ⁴1708; Dissertationes duae, una de aeterno Electionis decreto, an eius aliqua extra Deum causa impulsiva detur, nec ne? ... Altera de Luminis naturae insufficientia ad salutem, contra Edoardum Herbert de Cherbury, 1668, ²1675; Tractatus de Ecclesia, 1671, ²1675 (antiröm.); Tractatus theologico-politicus, quo Auctor quidam anonymus (§ 1: „Benedictus Spinosa"), conatu improbo, demonstratum ivit, libertatem philosophandi, h(oc) e(st) de doctrina religionis pro libitu iudicandi, sentiendi & docendi, non tantum salva pietate & Reipublicae pace posse concedi, sed eandem, nisi cum pace Reipublicae ipsaque pietate tolli non posse, (1674) *(Vorwort v. Ch. F. Knorr)*, u. d. T. Spinosismus..., 1708; Der Jenischen Theologen Außführliche Erklärung üb. drey u. neunzig vermeinte Religions-Fragen od. Controversien, 1677; Introductio in Theologiam, qua de natura theologiae, naturalis, et revelatae, itemque de theologiae revelatae principio cognoscendi primo, scriptura sacra, agitur, 1678; Quaestiones Theologicae inter Nostrates hactenus agitatae de Syncretismo et Scriptura Sacra *(Veröff. e. Vorlesung v. 1671),* 1679; Der Theol. Facultät zu Jehn (Jena) Bedencken an Ihre Hoch-Fürstl. Durchlauchtigkeiten Herrn Johann Ernsten u. Herrn Friederich / Hertzogen zu Sachsen..., Vom Consensu repetito u. v. dem Calixtischen Syncretismo, M(ense) April. A(nno) 1680: Abraham Calov, Historia syncretistica, 1681, 999–1089 *(ohne Zustimmung d. Verf. gedr.)*; Praelectiones in epitomen Formulae Concordiae, 1701. – *W-Verz.:* F. W. Buck, De Ioanne Musaeo..., 1862, S. 50–61.

L ADB 23; R. Herrmann, Thüring. KG, II, 1947; PRE; RGG³; Theologenlex., ²1994, S. 195 f.; BBKL.

P Stich, Abb. vor d. Drucken v. 1668 u. 1678.

Theodor Mahlmann

2) Johann *Karl August,* Schriftsteller, Märchendichter, * 29. 3. 1735 Jena, † 28. 10. 1787 Weimar.

V Johann Christoph (1697–1764), Landrichter in J., später Justiz- u. Oberamtmann in Eisenach, *S* d. Johann Ernst (1652–1732), Pfarrer in Mattstedt u. Zottelstedt, u. d. Maria Elisabeth Horn; *M* Wilhelmina Juliane (* 1712), *T* d. August Streit (1674–1737), Pfarrer in Oberoppurg, u. d. Anna Rosina Thierchen; *Ur-Gvv* Johann Wolfgang († 1654, s. Gen. 1); *Ov* Johann Gottlob, Prediger an St. Michael in J.; *Schwager d. Ov* Dr. Johann Weißenborn (1691–1761), Pate M.s, Sup. in Allstedt b. Weimar, seit 1744 Gen.sup. in Eisenach; – ∞ Weimar 1770 Juliane Magdalena (1743–1819), *T* d. Johann Anton Krüger (um 1705–n. 1759), Handelsherr u. Stadtkämmerer in Wolfenbüttel, u. d. Anna Elisabeth Eilers; *Schwager* Christoph Heinrich Krüger (1745–96), Hof- u. Konsistorialrat in J.; *N d. Ehefrau* August v. Kotzebue (1761–1831), Schriftst. (s. NDB XII; *W*); 2 *S* (1 früh †) Carl (1772–1831), russ. Hofrat, Sekr. d. Liv-, Est- u. Kurländ. Schul- u. Univ.wesens in St. Petersburg (s. Meusel; NND).

Nach dem Gymnasium in Eisenach absolvierte M. 1754–58 ein historisch-philologisch ausgerichtetes Theologiestudium in Jena. Als stellungsloser Magister schrieb er seinen ersten Roman, der Friedrich Nicolai auf ihn aufmerksam machte. Seit 1766 diente M. dessen „Allgemeiner Deutscher Bibliothek" als Romankritiker. 1763 zog ihn die Hzgn. Anna Amalia als Pagenhofmeister an den Weimarer „Musenhof", 1769 wurde er Professor für alte Sprachen, Geschichte und Deutsch am Gymnasium zu Weimar.

Alle Nachrufe betonen dieselben Charakterzüge: eine trotz Armut und Krankheit „nie getrübte Heiterkeit, ... unbegrenztes Wohlwollen, herzliche Gutmütigkeit, Dienstfertigkeit gegen jedermann und ungezwungene Bescheidenheit" (anonym). Dieser Charakter des „praktischen Weisen" ist zugleich Standpunkt des Satirikers, der gegen alle Arten der „Schwärmerei" schrieb: das Literarisch-Exaltierte, Modische, das keiner Lebenspraxis erreichbar war. Schon sein erster Roman „Grandison der Zweite" (3 Bde., 1760–62) ist in diesem Sinn Literatur aus und gegen Literatur, indem er den idealen Gentleman in Samuel Richardsons „History of Sir Charles Grandison" (1753–54) der Nachahmung eines deutschen Landjunkers ausliefert. Die Travestie der empfindsamen Modelektüre liefert zugleich ein frühes Muster für den in Deutschland sonst noch nicht vorhandenen realistisch-komischen Gegenwartsroman. Zur zeitgenössischen Zelebrität wurde M. durch seinen zweiten Roman, „Physiognomische Reisen, Voran ein physiognomisch Tagebuch" (4 Bde., 1778/79, ³1781), eine Reaktion auf die physiognomische Manie der Zeit, speziell auf Johann Caspar Lavaters „Physiognomische Fragmente zur Beförderung der Menschenkenntnis und Menschenliebe" (1775–78). Gemäß Lavaters Empfehlung läßt M. einen begeisterten Adepten der Physiognomik zur Erprobung und Beförderung seiner Menschenkenntnis eine Reise unternehmen; in der Anwendung führt seine Wissenschaft jedoch zu den absurdesten Fehlurteilen. Die aufklärerische Kritik an Lavater ist deutlich, doch zeigt der Roman eine heitere Duldung des physiognomischen Enthusiasmus, indem er ihn auf ein harmloses „Steckenpferd" herabsetzt – ganz im Sinn von Laurence Sternes „Tristram Shandy", der auch als Vorbild für die humoristische Erzählweise diente.

Ein klassisches Werk der deutschen Literatur sind M.s „Volksmärchen der Deutschen" (5 Bde., 1782–86), die in zahlreichen Gesamt- und Einzelausgaben verbreitet, mehrfach nachgeahmt und bald ins Englische und Französische übersetzt wurden. Ihr Verdienst liegt nicht nur in der frühen Aufnahme der Volksüberlieferung, sondern auch in der bewußten Schaffung eines eigenen Märchenerzählstils. Wie Wieland in seiner Märchensammlung „Dschinnistan" (1787) war auch M. von der Notwendigkeit freier Gestaltung der „Ammenmärchen" zu „Werken des Geschmacks" überzeugt, da ein Volk ja nicht nur aus Kindern bestehe. So greift er einerseits zurück auf das kernige Deutsch des 16. Jh. und versetzt es andererseits virtuos mit aktuellen Fremdwörtern und Anspielungen, geistreichen Metaphern, Sentenzen und Reflexionen. Der auktorial-artistische Erzähler hält das historische Zeit- und Ortsbewußtsein seiner Leser stets wach, entheroisiert und entmystifiziert Rittertum, Herrschaft und Klerus aus bürgerlicher, ja bisweilen auch plebejischer Perspektive. Trotzdem wahrt die farbige Erzählung die Aura der alten Wundergeschichten. Zahlreiche Anspielungen auf antike Mythen (für M. „griech. Volksmärchen") belegen, daß er seine sorgsam „lokalisierten" einheimischen Gestalten wie Rübezahl, Libussa oder Schneewittchen durchaus denen der griech. Mythologie an die Seite stellen wollte. – Durch den besonderen „Ton" seiner Volkserzählungen wurde M. endgültig zu einem Stilisten ersten Ranges, aufs höchste bewundert von Jean Paul, Schubart und auch Wieland, der 1804/05 den Text der „Volksmärchen" redigierte. Danach standen seine Märchen anderthalb Jahrhunderte lang im Schatten der romantischen Volkstumsideologie und besonders des naivgläubigen, biedermeierlichen Märchenstils der Brüder Grimm und wurden entsprechend bearbeitet. Erst die kritische Distanzierung von diesem Vorbild und die neuere Aufklärungsforschung schufen die Voraussetzung für die Edition und die unbefangene Würdigung von M.s Originaltext.

Weitere W Der dt. Grandison, Auch e. Fam.gesch. (Umarbeitung d. ersten Romans, 2 Bde., 1781/82); Straußfedern, Erzz., I, 1787 (Bde. II–VIII fortgesetzt v. J. G. Müller u. L. Tieck); Volksmärchen d. Deutschen, hrsg. v. N. Miller, 1976. – Nachgelassene Schrr. d. verstorbenen Prof. M., hrsg. v. seinem Zögling A. v. Kotzebue, 1791 *(P)*.

L ADB 22; Moritz Müller, J. K. A. M., 1867; J. Jacobs, Prosa d. Aufklärung, Kommentar zu e. Epoche, 1976; N. Miller, Der Romancier J. K. A. M. u. seine „Volksmärchen d. Deutschen", in: Volksmärchen d. Deutschen, 1976, S. 876–906 (s. *W*); B. M. Carvill, Der verführte Leser, J. K. A. M.s Romane u. Romankritiken, 1985; dies., J. K. A. M., in: Dt. Dichter, hrsg. v. G. E. Grimm u. F. R. Max, III, 1989, S. 294–99 *(P)*; M. Grätz, Das Märchen in d. dt. Aufklärung, Vom Feenmärchen z. Volksmärchen, 1988; Goedeke IV, 1, S. 579 f. *(W-Verz.)*; Kosch, Lit.-Lex.[3]; Killy.

P Kupf. v. M. Steinla nach e. Gem. v. J. E. Heinsius, Abb. b. B. M. Carvill (s. *L*) u. Dt. Schriftst. im Porträt, II, hrsg. v. J. Stenzel, 1980; Porträtbüste (Ton) v. G. M. Klauer, Abb. b. F. Kühnlenz, Weimarer Porträts, [3]1967, S. 224. – *P-Verz.:* Allg. Bildniskat. v. H. W. Singer IX, 1967, S. 105.

Hans Peter Neureuter

Muschg, *Walter,* Literarhistoriker, Germanist, * 21. 5. 1898 Witikon, Kt. Zürich, † 6. 12. 1965 Basel. (ref.)

V Adolf (1872–1946), Primarlehrer in W. u. Zollikon, Kt. Zürich, *S* d. Jakob (1831–91), Bauer in Hombrechtikon, Kt. Zürich, u. d. Elisabetha Gysling (1832–1915); *M* Hermine (1873–1932) aus Winterthur, *T* d. Albert Isler u. d. Barbara Wegmann; *Schw* Elsa (1899–1976), Kinderbuchautorin (s. Kosch, Lit.-Lex.[3]; Kürschner, Lit.-Kal. 1973); *Halb-B* Adolf (* 1934), Prof. f. dt. Sprache u. Lit. an d. ETH Zürich, Schriftst. (s. Kosch, Lit.-Lex.[3]; Krit. Lex. d. Gegenwartslit.; Killy; DLB; – ∞ St. Gallen 1928 Elisabeth (Elli) (* 1906, s. *L*), *T* d. Richard Zollikofer (1871–1963), Chefarzt am Kt.spital St. Gallen, u. d. Johanna Pulver (um 1875–1917) aus Bern; 2 *T.*

M. besuchte das Gymnasium in Zürich und studierte dort seit 1917 Germanistik, Psychologie und Latein. 1922 promovierte er bei Emil Ermatinger aufgrund der Arbeit „Kleists Penthesilea" (1923), zugleich Teil einer Monographie „Kleist" (1923), in der er das „Ineinander von Bild und Abstraktion" in der Symbolik des Dichters analysierte. Nach Studienaufenthalten in Berlin und Italien habilitierte er sich 1928 in Zürich mit der Schrift „Der dichterische Charakter, Eine Studie über Albrecht Schäffers Helianth" (1929). Mit seiner Antrittsvorlesung „Psychoanalyse und Literaturwissenschaft" wies er als erster Germanist auf die Bedeutung der Lehre Freuds für die Literaturwissenschaft hin. Deren tiefenpsychologische Erkenntnisse gehörten auch zu den Grundlagen seiner Monographie „Gotthelf, Die Geheimnisse des Erzählers" (1931, [2]1966), die den bis dahin als Volksschriftsteller abgetanen Pfarrer Albert Bitzius als Epiker ersten Ranges darstellte (fortgesetzt und erweitert in: „Jeremias Gotthelf, Eine Einführung in seine Werke", 1954, [2]1960), sowie zu denen des Werks „Die Mystik in der Schweiz" (1935), das umfangreiche Handschriftenbestände erschloß. 1936 folgte M. einem Ruf nach Basel als Nachfolger Franz Zinkernagels. Seine Antrittsvorlesung 1937 kritisierte nachdrücklich die „stammesgeschichtliche" Grundlage von Josef Nadlers deutscher Literaturgeschichte. M. forderte im Gegensatz dazu eine Literaturgeschichtsschreibung, die ihre historischen Kategorien aus der Dichtung gewinnt und die Erkenntnis der Eigenart des einzelnen Werks anstrebt. Nach Kriegsbeginn gehörte M. in der Fraktion des Landesrings der Unabhängigen bis 1943 dem Nationalrat an, wo er sich u. a. nachdrücklich für eine großzügigere Asylpolitik einsetzte; so appellierte er an die Regierung, wenigstens vorübergehend „die Kinder der Opfer der gegenwärtigen Maßnahmen in Frankreich" (Sept. 1942) aufzunehmen, um ihr Leben zu retten. 1949 Rektor der Universität, hielt M. neben Karl Jaspers eine der Festansprachen zum Goethejahr. Im Jahr zuvor war sein Hauptwerk, die „Tragische Literaturgeschichte" (erweitert [2]1953, ohne die später gesondert veröff. Kap. „Die Phantasie"

u. „Das Wort" ³1957, ⁵1983, span. 1965) erschienen. Es handelt sich um eine historisch vergleichende Geschichte der deutschen Literatur von den Anfängen bis zur Gegenwart, die Texte der Bibel, der griech. und röm. Antike, der mittelalterlichen und neueren europ. Literaturen mit einbezieht. Sie steht auf der Grundlage einer Typologie der Dichter und der dichterischen Phantasie. Nach M. verkörpern sich im Typus des Magiers, des Sängers und des Sehers drei ursprüngliche Weisen der Dichter, sich zur Welt zu verhalten (1. Kapitel). Während für die magische Phantasie Welt und Ich ungetrennt bestehen (Traumbilder) und die mythische Phantasie die Idee im Wirklichen gegenwärtig sieht (Symbole), verweisen die Bilder der mystischen Phantasie auf einen dahinter stehenden Sinn (Gleichnisse). An seinen Bildern ist abzulesen, in welcher der drei Sphären sich ein Dichter bewegt. Die Geschichte der Literaturen zeigt nach M. mannigfaltige Verwandlungen, Vermischungen und Profanationen der Typen (2. Kapitel). M.s Absicht war es nicht, zu „klassifizieren", sondern mit Hilfe des Typus Vergleichbares zu vergleichen, um das Individuelle und Einmalige der Dichter und ihrer Werke umso deutlicher hervortreten zu lassen. Im Unterschied u. a. zu Schopenhauer, der die Behandlung der Dichter durch die Gesellschaft zu Lebzeiten tragisch sieht, hält M. das „vielgestaltige persönliche Unglück der Dichter" und ihrer Werke nicht für äußerlich, sondern im Wesen der Dichtung, der Phantasie und ihrer Sprache begründet, wie er in den folgenden Kapiteln über Armut, Leiden, Liebe, Schuld, Vollendung und Ruhm ausführt. M. verstand Literaturwissenschaft nicht als von Werturteilen gereinigte Betrachtungsweise und Literaturkritik nicht als von der Wissenschaft abgelöstes, bloß subjektives Verfahren. Mit seiner entschiedenen Ablehnung Thomas Manns, seiner Kritik Weinhebers, Hofmannsthals oder Rilkes hat er Widerspruch hervorgerufen, aber auch zu Diskussionen angeregt wie mit seiner Stellungnahme für Gotthelf, Bräker, Trakl, Loerke, Karl Kraus, Döblin, Lasker-Schüler, H. H. Jahnn, Barlach, Brecht und vor allem Kafka, auf den er bereits 1929 aufmerksam gemacht hatte. Die Einheit von Wissenschaft und Kritik verwirklichen auch „Die Zerstörung der deutschen Literatur" (¹⁺²1956, u.a. Kritik an Benn und den Hölderlin-Deutungen Heideggers, erweitert ³1958) und „Von Trakl zu Brecht, Dichter des Expressionismus" (1961, span. 1972). Beide Werke suchen die deutsche Literatur nach dem Ersten Weltkrieg, die durch den Nationalsozialismus um ihre lebendige Wirkung gebracht wurde, für das Bewußtsein der Gegenwart wiederzugewinnen. Die „Studien zur tragischen Literaturgeschichte" (1965) konkretisieren und vertiefen Leitgedanken seines Hauptwerks an einzelnen Gestalten (Goethe, Schiller, Jean Paul, Droste-Hülshoff, Stifter).

M.s Überzeugung war, daß Dichtung mehr ist als ein ästhetisches Phänomen. Karl Jaspers bemerkte, M.s Arbeit sei durch eine Grunderfahrung seines Lebens bestimmt gewesen: das „Bewußtsein der Selbstvernichtung des deutschen Geistes ... gab ihm den Impuls zur ‚Tragischen Literaturgeschichte'" (an H. Arendt). Neben Emil Staiger und Wolfgang Kayser, den Exponenten einer vorsichtig restaurativen, ausschließlich auf die Werkinterpretation abzielenden Richtung, war M. einer der maßgeblichen Vertreter der Germanistik in der Nachkriegszeit.

Weitere W u. a. Gespräche mit H. H. Jahnn, hrsg. v. E. Muschg, 1967; Gestalten u. Figuren, ausgew. v. E. Muschg-Zollikofer, 1968; Pamphlet u. Bekenntnis, hrsg. v. P. A. Bloch mit E. Muschg-Zollikofer, 1968 (span. 1976); Die dichter. Phantasie, Einf. in e. Poetik, 1969 (theoret. grundlegend, auch in Trag. Lit.gesch. ²1953, vollst. *W-Verz*.). – *Dichtungen:* Gedichte, in: Pro Helvetia 3, 1921; Babylon, Ein Trauerspiel, 1926; Das Leben der Vögel, Oratorium, 1934. – *Hrsg.:* Annalen, Eine schweizer. Mschr. 1, 1926/27, H. 1–2, 1928, H. 6; FS f. E. Ermatinger, 1933 (mit R. Hunziker); Slg. Klosterberg, Schweizer. R., 1942–49; J. Gotthelfs Werke in 20 Bdn., 1948–53; A. Döblin, Ausgew. Werke, 11 Bde., 1961–66; H. H. Jahnn, Eine Ausw. aus seinem Werk, 1959; ders., Epilog, Fluß ohne Ufer, T.3, 1961; ders., Dramen, 2 Bde., 1963/65. – *Nachlaß:* Basel, Univ.bibl.

L H. Kaufmann, W. M., Trag. Lit.gesch., in: Weimarer Btrr. 3, 1957, S. 516–24; W. Weber, in: Die Zeit v. 17. 12. 1965, S. 21; F. Martini, in: Stuttgarter Ztg. v. 10. 12. 1965, S. 35; H. R. Linder, in: National-Ztg. Basel v. 8. 12. 1965 *(P)*; NZZ v. 8. 12. 1965, Fernausg. Nr. 337 *(P)*; K. Fehr, ebd. Nr. 345 v. 16. 12. 1965; L. Forster, in: German Life and Letters 19, 1965/66, S. 212; A. Andersch, Verspätetes Epitaph, in: Merkur 20, 1966, S. 290 f.; H. L. Arnold, in: Text u. Kritik 13/14, 1966, S. 78; P. Schick, in: Der Alleingang 3, 1966, Nr. 7, S. 1–3; U. Widmer, in: Jahresringe 1966/67, 1967, S. 314–17; H. Rupp, in: Wirkendes Wort 16, 1966, S. 207 f.; L. Wiesmann, in: Basler Stadtbuch 1967, S. 140–47 (wieder in: Lenau-Alm. 1967/68); A. D. Häsler, Das Boot ist voll, Die Schweiz u. d. Flüchtlinge 1933–45, 1967, ⁹1992, S. 160, 175 f.; A. Glück, in: Zürcher Woche v. 23./24. 8. 1969, S. 27; K. Pestalozzi, W. M. u. d. schweizer. Germanistik in Kriegs- u. Nachkriegszeit, in: Zeitenwechsel, Germanist. Lit.wiss. vor u. nach 1945, hrsg. v. W. Barner u. Ch. König, 1996, S. 282–300; HBLS; Kosch, Lit.-Lex.³; Killy; Scheizer Lex. *(P).*

Alfons Glück, Friedrich Nemec

Musculus (eigtl. *Meusel*), *Andreas,* luth. Theologe und Schriftsteller, * 29. 11. 1514 Schneeberg (Sachsen), † 29. 9. 1581 Frankfurt/Oder.

V Hanß Meusel, Ratsherr in Sch.; M N. N.; B Paul, brandenburg. Hofprediger; – ∞ 1) 1540 (?) N. N. Moßhauer, 2) N. N. aus Berlin, 3) N. N. († n. 1582); *Schwager d. 1. Ehefrau* Johannes Agricola (1494–1566), luth. Theologe u. Pädagoge (s. NDB I); – 8 K, u. a. Johannes, Mag., Prediger in Frankfurt/Oder, 1568 seines Amtes enthoben, ging ins Exil (s. *L*), Dorothea (∞ 1] Andreas Praetorius, um 1550–86, aus Torgau, Dr. theol., Pastor an St. Marien in Frankfurt/Oder, s. ADB 26, 2] Joachim Garcaeus, um 1565–1633, Dr. theol., Gen.sup. in Brandenburg/Havel, s. ADB VIII; NDB VI*); *B d. Schwieger-S* Michael Praetorius (1571 od. 1572–1621), Kirchenmusiker (s. ADB 26; MGG; Riemann).

Nach dreijährigem Besuch der Lateinschule in Schneeberg bezog M. im Sommer 1531 die kath. Univ. Leipzig, erwarb dort im Februar 1534 den artistischen Bakkalar und war 1535–38 in Amberg und andernorts als Hauslehrer tätig. In seiner inzwischen luth. gewordenen Vaterstadt schloß er sich der neuen Lehre an, ließ sich im Sommer 1538 an der Univ. Wittenberg einschreiben und stand mit Melanchthon, vor allem aber mit Luther, dessen Teufelsvorstellungen er übernahm, in nahem Umgang, als er im September 1539 in Wittenberg Magister wurde. Durch den Hofprediger Kf. Joachims II. von Brandenburg, Johann Agricola, dem er im Antinomismusstreit beistand, kam M. 1541 als Kaplan nach Frankfurt/Oder, wo er bis zu seinem Tode tätig blieb. Seit 1542 war M. Geistlicher an der Unterkirche und Dozent der Theologie. 1546 wurde er Oberpfarrer an Sankt Marien und erhielt den Grad eines Dr. theol. Im Sommer desselben Jahres wurde er zum Rektor der Universität gewählt. Danach wirkte er als erster Professor der Theologischen Fakultät. Seit Oktober 1566 war er Generalsuperintendent der Mark Brandenburg mit eigenem Konsistorium zu Frankfurt/Oder. Seit 1545 die kurbrandenburg. Kirchenpolitik unter seinen Gönnern Kf. Joachim II. und Johann Georg entscheidend mitbestimmend, galt der orthodoxe Gnesiolutheraner M., der weder ein Freund des Interims noch ein eindeutiger Anhänger der Konkordienformel war, bald als „märkischer Papst". Zur Sicherung der luth. Rechtgläubigkeit nahm er an Religionsgesprächen teil, hielt Visitationen und Prüfungen ab und beteiligte sich führend an der Ausarbeitung neuer Bücher für die brandenburg. Kirche (Agende, Gesangbuch, Katechismus). In stetem literarischem Kampf gegen alle Abschwächungsversuche der luth. Lehre, wandte er sich im Osiandrischen Streit gegen die alte Kirche, die Calvinisten, gegen Stancarus, gegen Staphylus und jahrelang erbittert gegen seinen milden und gelehrten Kollegen Abdias Praetorius, dem gegenüber er die Notwendigkeit der guten Werke als in jedem Sinne für eine Erfindung des Teufels bezeichnete. Es gelang dem intoleranten, Predigt, Feder und Druckerschwärze ohne Rücksicht handhabenden Eiferer, den besonders unter den Universitätsdozenten verbreiteten Philippismus schließlich ganz aus der Mark zu verdrängen. Damit endete sein Verhältnis zu Melanchthon, der M. noch 1543 dem Nürnberger Rat als trefflichen Prediger für die Sebalduskirche empfohlen hatte. Im jahrzehntelangen Streit mit dem Frankfurter Rat, den M. als Kirchenpatron wegen der von diesem betriebenen Schröpfung des Kirchenvermögens führte, setzte er sich ebenso durch.

Unter den fast 70 erschienenen selbständigen Schriften M.s befinden sich zwei für die deutsche Bildungsgeschichte beachtliche Stücke: die „Oratio de dignitate et necessario usu Academiarum" (1573) und die 1574 verfaßte, recht reale Pädagogik aufweisende erste deutsche Mädchenschulordnung. Schnell fielen die zahlreichen theologischen Schriften M.s mit ihrer katholisierenden Abendmahlslehre als allzu tagesbedingt der Vergessenheit anheim, während der streitbare Gottesgelehrte als volkstümlicher Schriftsteller ungewollt großen Erfolg erzielte. Als Hauptinitiator der „Teufelbücher" seines Zeitalters (Hosenteufel, Fluchteufel, Eheteufel, Von des Teufels Tyranney, Macht und Gewalt) gelang es ihm, mit seinem von der deutschen Kanzleisprache geprägten eigenständigen, wuchtigen und kernigen Sprachstil an das Volk heranzukommen. Befangen in chiliastischen Vorstellungen über das nahende Ende der Welt, das bevorstehende Jüngste Gericht, und verstrickt in seinen Teufelsaberglauben, geißelte er in seinen zu den besten dieser Literaturgattung gehörenden didaktisch-satirischen Teufelspiegeln die Verdorbenheiten seiner Zeit und hinterließ damit zugleich reiches kulturgeschichtliches Material.

Begabt, doch mehr willensstark als weiten und tiefen Geistes, als Gnesiolutheraner nicht im geringsten abweichend von dem, was das electum Dei organon gesagt und geschrieben hatte, waren bei ihm an die Stelle der päpstl. Dekretalen die luth. getreten, und es mischten sich Herrschaftsbedürfnis, Verschlagenheit und offener Glaubenseifer mit einer souveränen Skepsis gegenüber dem wissenschaftlichen Übereinkommen. Seine weitverbreiteten Schriften standen sämtlich auf den Indices verbotener Bücher. Zu seinen Schülern zählte auch der Dichter Bartel Ringwaldt (1530/32–99). Gregor Lange schrieb auf M.s Tod seine ergreifende vierstimmige Motette „Media vita".

W u. a. Betbüchlein, Frankfurt/Oder 1559, Leipzig 1569 u. ö., auch in Wendisch, Wittenberg 1584; Jungfraw Schule Gestellt u. geordnet, 1574 (Neudr.: Päd. Magazin Nr. 222, 1904); Precationes ex veteribus orthodoxis Doctoribus ex ecclesiae Hymnis et Canticis, ex psalmis Davidis collectae, Frankfurt/Oder 1559, Leipzig, Wittenberg 1562, Leipzig 1571, 1586, 1592, Bardi 1590, Lübeck 1610; Compendium Doctrinae Christianae collectum, Ex S. Scriptura, S. Ecclesiae Patribus, S. Luthero, Frankfurt/Oder 1573 *(Hauptwerk).* – Teufel-Bücher: Vom Hosen Teuffel, Frankfurt/Oder 1555 (Neudr. 1894), 1556, 1557 u. ö., Rostock 1556, Innsbruck 1556, Erfurt 1556, Frankfurt/Main 1563 u. ö.; Wider d. Fluchteuffel od. Vom Gotslestern, Frankfurt/Oder 1556, 1561 u. ö., Erfurt 1559, Ursel 1561 (Neudr. 1968), Frankfurt/Main 1562, 1564, 1568; Wider den Ehteuffel, Frankfurt/Oder 1556, 1561, 1564, 1566, 1574, 1587, Erfurt 1559, 1561, Worms 1561, Frankfurt/M. 1562, 1568; Vom Himel vnd der Hellen, Frankfurt/Oder 1559, 1561, Erfurt 1559, 1561, Stettin 1599; Von d. Teufels Tyranney, Macht vnd Gewalt, Erfurt 1561, Worms 1561, Frankfurt/Main 1563, 1564, 1583. – *Teilslg.:* Hosenteufel, Fluchteufel, Ehteufel, Himmel u. Helle, Teufels Tyranney, 1978.

L ADB 23; H. Grosse, Ein Mädchenschul-Lehrplan aus d. 16. Jh., A. M.s „Jungfraw Schule" v. J. 1574, 1904; R. Grümmer, A. M., Diss. Jena 1912 *(W);* P. Palladius, Danske skriften IV, 1919/20, S. 11–78, 217–80; H. Grimm, Meister d. Renaissancemusik an d. Viadrina, 1942; ders., Die dt. Teufelbücher d. 16. Jh., in: Archiv f. Gesch. d. Buchwesens 1960, II, S. 513–70; H.-J. Rehfeld, Die Teufelsbücher d. M., in: Die Oder-Univ. Frankfurt, 1983, S. 227–31; F. Weichert, in: Berlin. Lb., hrsg. v. G. Heinrich, 1990, S. 17–28; PRE; RGG³; LThK²; BBKL. – *Zu Johannes:* Jöcher; Ch. W. Spieker, in: Zs. f. d. hist. Theol. 19, 1849, S. 468–94.

P Holzschn., 1573, v. Frantz Friderich Abb. b. H. Grimm, F. Friderich, in: Gutenberg-Jb. 1959, S. 177; Schaumünze v. dems., 1575, Abb. 336 b. G. Habich, Dt. Schaumünzen d. 16. Jh., 1932, I, 1. – Eigene Archivstud.

Heinrich Grimm †

Musculus, *Johann Conrad* (eigtl. *Mauskopf),* Kartograph, ~ 19. 11. 1587 Straßburg, † nach 12. 11. 1651 Oldenburg.

V Conrad Mauskopf(f), Buchbinder in St.; *M* Anna, Wwe d. Bäckers Michael Hert; ∞ N. N.; mindestens 1 *S,* 1 *T.*

Nachdem M. das väterliche Handwerk erlernt hatte, ging er nach Oldenburg, wo er 1611 erstmals als Buchbinder erwähnt wird. 1629 wurde er von Gf. Anton Günther von Oldenburg zum Wallmeister bestellt, wodurch ihm die Aufsicht über Wälle und Deiche der Stadt Oldenburg oblag (im November 1651 letztmalig als solcher erwähnt). Sein frühester datierter kartographischer Entwurf stammt aus dem Jahr 1621. Nach der großen Sturmflut vom Februar 1625 wurde er zusammen mit zwei Notaren beauftragt, die Schäden zu erfassen. Sein Beitrag war die Darstellung in einem Abriß, d. h. einer auf Augenschein beruhenden Zeichnung auf insgesamt 54 kolorierten Tafeln, deren Maßstab zwar stark variiert (da keine Vermessung erfolgte), die jedoch die Verluste realistisch darstellt. Dieser auch „Deichatlas" genannte Abriß ist wegen seiner prächtigen Ausmalung und wegen der detaillierten Küstendarstellung im frühen 17. Jh. im norddeutschen Raum einmalig. Seinen späteren Karten und Kartenwerken liegen meist Vermessungen zugrunde, die M. z. T. selbst vorgenommen hatte. Hier sind, abgesehen von Einzeldarstellungen, besonders zu nennen der sog. „Vorwerksatlas" mit Vermessungen, Karten und architektonischen Entwürfen der gräflichen Vorwerke, der „Neuenburger Grodenatlas" mit Zeichnungen von eingedeichten Ländereien im Bereich des Ellenser Dammes sowie verschiedene Übersichtskarten über die Gfsch. Oldenburg mit der Teilgfsch. Delmenhorst. Von M. stammen damit die ältesten ganz im Lande Oldenburg geschaffenen Karten des Landes.

L H. Harms, Die Landkarte d. Gfsch. Oldenburg v. J. C. M. aus d. J. 1650, 1967, ²1976; ders., Oldenburg u. d. Wasser, 1990; ders., Wege oldenburg. Kartographie, in: 5. Kartographiehist. Colloquium Oldenburg 1990, hrsg. v. W. Scharfe u. H. Harms, 1991, S. 1–13; A. Eckhardt, J. C. M. u. sein Deichatlas v. 1625/26, ebd. S. 31–40; ders. (Hrsg.), Der Eichatlas d. J. C. M. v. 1625/26, 1985 *(W);* A. W. Lang, Kleine Kartengesch. Frieslands zw. Ems u. Jade, 1985; H. Harms, in: Biogr. Hdb. z. Gesch. d. Landes Oldenburg, 1992.

Uta Lindgren

Musculus (eigtl. *Mäuslin), Wolfgang,* ref. Prediger, * 8. 9. 1497 Dieuze (Lothringen), † 31. 8. 1563 Bern.

V Anton, Küfer; *M* Angela Sartori; ∞ 1527 Margaretha Barth; 6 *S,* traten in d. Berner Kirchendienst ein, u. a. Abraham (1534–91), setzte d. Chronik d. Johs. Haller fort, nahm 1586 am Rel.gespräch v. Mömpelgard teil, Vf. v. M.s Biogr. (s. *L),* 3 *T.*

M. besuchte die Elsässer Humanistenschulen Rappoltsweiler, Colmar und Schlettstadt.

1512 trat er ins Benediktinerkloster Lixheim ein, wo er Theologie studierte. Seit 1518 las er Luther-Schriften. Seiner Predigten wegen als „luth. Mönch" umstritten, genoß er den Schutz des pfälz. Klostervogts Reinhard v. Rottenburg. 1527 verließ M. das Kloster und zog nach Straßburg. Eine Weberlehre brach er wegen Differenzen mit seinem wiedertäuferisch gesinnten Meister ab. Von Martin Bucer, Wolfgang Capito und Bürgermeister Jakob Sturm gefördert, wurde M. 1528 Diakon neben Matthäus Zell am Münster. Er besuchte Bucers und Capitos Vorlesungen, war Bucers Sekretär und lernte Hebräisch. 1531 folgte er einem Ruf nach Augsburg, wo er rasch zum ersten Prediger aufstieg. Er half die Reformation einführen und ein ev. Kirchenwesen aufbauen, unterzeichnete die Wittenberger Konkordie, nahm 1540/41 an den Religionsgesprächen von Worms und Regensburg teil und verhalf 1544 in Donauwörth der Reformation zum Durchbruch. 1548 verließ er Augsburg aus Protest gegen das Interim und gelangte über Zürich, Basel, Konstanz und wieder Zürich 1549 nach Bern, wo er die letzten 14 Jahre seines Lebens als Professor wirkte.

In Augsburg unterstützte M. gemeinsam mit Bucer den Rat in der Frage, ob einem städtischen Magistrat das ius reformationis zustehe. Er arbeitete auch eng mit Bucer zusammen, als es 1537 darauf ankam, in einer neuen Kirchenordnung den zwinglian.-oberdeutschen und den luth. Kräften Rechnung zu tragen. Im Umgang mit abweichenden Vertretern der Reformation plädierte er, ohne die Differenzen zu verwischen, für Milde. In diesem Sinn versuchte er auch auf seinen Freund Calvin einzuwirken. Auf wissenschaftlichem Gebiet trat M. als Patristiker, Exeget und Systematiker in Erscheinung. Er übersetzte zahlreiche Schriften von griech. Kirchenvätern wie z. B. Basilius d. Gr. ins Lateinische. Das Kommentarwerk umfaßt (in der Reihenfolge der Entstehung) Matthäus, Johannes, Psalmen, Genesis, Römer, Jesaja, I–II Korinther, Galater, Epheser, Philipper, Kolosser, I–II Thessalonicher, I Timoteus.

M. lehrte, die Schrift aus sich selber heraus zu verstehen, unterschied zwischen wissenschaftlicher und praktischer Auslegung und war mit der altkirchlichen, mittelalterlichen, jüdischen und zeitgenössischen Exegese vertraut. Neben den Kommentaren und kleineren Schriften erschienen in der Berner Zeit 1560 die „Loci communes Theologiae sacrae". M. vertrat, indem er zwischen dem zeitlichen Noahbund Gottes mit der ganzen Schöpfung und Gottes ewigem Abrahamsbund mit den Erwählten und Gläubigen unterschied, einen doppelten Bundesbegriff. Zudem dachte er seinen schon in Augsburg entwickelten, von Bucer beeinflußten Ansatz in der Lehre vom staatlichen Kirchenregiment zu Ende: Geht man von einem Gemeinwesen aus, das sich als christlich versteht, dann wird man in der Frage der Beziehung zwischen Magistrat und Kirche nicht am Neuen Testament, das in einem nicht christlichen Umfeld entstand, sondern am alttestamentlichen Königtum Maß nehmen; einen Rechtsdualismus gibt es nicht.

M.s Kommentare erlebten wie die „Loci" zahlreiche Auflagen. Auszüge aus dem Bibelwerk und andere Schriften wurden ins Englische, Französische, Deutsche und Holländische, die Dogmatik ins Englische und Französische übersetzt. M.s Werke haben Generationen von reformierten Theologen mitgeprägt. Sein Psalmenkommentar fand Calvins Lob, seine exegetische Methode Richard Simons Anerkennung, während seine „Loci" zu einer wichtigen Quelle für Stephan Szegedins Dogmatik wurden. In der Pfalz berief sich Thomas Erastus auf M.s Staatskirchentheorie, und als „Erastianismus" half diese Konzeption, das anglikan. Staatskirchentum zu konsolidieren. M. zählt zu den bedeutendsten Vertretern der zweiten Reformatorengeneration. Daß er auch der Autor von Kirchenliedern war, wird heute bezweifelt.

W-Verz. P. Romane-Musculus, Catalogue des œuvres imprimés du théologien W. M., in: Revue d'Histoire et de Philosophie Religieuses 43, 1963, S. 260–78.

L ADB 23; Abraham Musculus ΣΥΝΟΨΙΣ Festalium Concionum Authore D. Wolfgango Musculo Dusano, eiusdem vita, obitus, erudita carmina, 1595, S. 1–55 (verfaßt 1564); P. J. Schwab, The Attitude of W. M. towards Religious Tolerance, 1933; H. Kressner, Schweizer Ursprünge d. anglikan. Staatskirchentums, 1953; M. Schuler, Ist W. M. wirklich d. Autor mehrerer Kirchenlieder?, in: Jb. f. Liturgik u. Hymnol., 1972, S. 217–21; R. Dellsperger, W. M. (1497–1563), in: R. Schwarz (Hrsg.), Die Augsburger Kirchenordnung v. 1537 u. ihr Umfeld, 1988, S. 91–110 *(L)*; ders. u. a. (Hrsg.), W. M. u. d. oberdt. Ref. *(in Vorbereitung)*; ders., in: TRE; LThK²; BBKL.

P Gem., anonym (Stadt- u. Univ.bibl. Bern); Holzschn. in: Th. de Bèze, Les vrais pourtraits des hommes illustres en piété et doctrine, 1581, S. 59 (Neudr. 1986).

Rudolf Dellsperger

Musger, *August,* Erfinder, * 10. 2. 1868 Eisenerz (Steiermark), † 30. 9. 1929 Graz. (kath.)

V Augustin (* 1843), Lehrer in E., Kindberg u. Deutschlandsberg, *S* d. Augustin (* 1801), Lehrer in Großklein (Steiermark), u. d. Anna Pirker (* 1819); M Maria (* 1840), T d. Michael Lintner, Eßmeister in Übelbach (Steiermark), u. d. Aloisia Eilender.

M. studierte 1887–91 kath. Theologie an der Univ. Graz. 1890 wurde er zum Priester geweiht und als Kaplan mit der Seelsorge in Preding (Steiermark) betraut. 1892 erhielt er die Berufung als Präfekt an das Fürstbischöfl. Knabenseminar in Graz mit dem Auftrag, den Unterricht in Freihandzeichnen, Mathematik und Physik für das im Aufbau befindliche Gymnasium zu übernehmen. Obwohl M. für Mathematik und Physik keine Lehramtsprüfung abgelegt hatte, unterrichtete er erfolgreich in diesen Fächern. 1899 wurde er als Professor in den Lehrkörper aufgenommen, dem er bis zu seinem Tode angehörte, zuletzt als Geistlicher Rat.

M.s Interesse galt physikalischen Problemen, insbesondere der sich rasch entwickelnden Kinematographie. Er setzte sich das Ziel, das bei dem damaligen Stand der Technik noch sehr störende Flimmern der Kinobilder, hervorgerufen durch die absatzweise Fortschaltung des Filmbands, zu vermeiden. Dabei griff er auf die schon bekannten Anordnungen mit kontinuierlich bewegtem Filmband und optischem Ausgleich der Bildwanderung mittels einer Spiegeltrommel zurück. Wenige Jahre vor M. konnte W. Thorner die Bildruhe und damit die Bildgüte solcher Apparate wesentlich verbessern, indem er die Spiegeltrommel, die bisher zwischen Filmband und Abbildungsobjektiv, also intrafokal, untergebracht war, nunmehr im Strahlengang zwischen Objektiv und Projektionsschirm – extrafokal – anordnete. Die dadurch notwendige sägezahnförmige Anordnung der Einzelspiegel auf der Trommel brachte allerdings einen gewissen Lichtverlust. Außerdem bedeuteten die konzentrische Anordnung von Spiegelkranz und Filmtrommel auf einer gemeinsamen Drehachse und das zwischen den Trommeln befindliche Objektiv eine erhebliche Beschränkung hinsichtlich der Lichtführung und Gerätedimensionierung, so daß die praktische Verwertung scheiterte. Es ist das Verdienst M.s, diese Nachteile überwunden zu haben. Gemäß seiner Erfindung wurden Filmtrommel und Spiegelrad getrennt angeordnet und durch einen Riemenantrieb miteinander gekoppelt. Dadurch konnte das Filmband nunmehr seitlich an der Spiegeltrommel vorbeigeführt werden, was für den konstruktiven Aufbau günstigere Möglichkeiten bot. Außerdem konnte die Spiegeltrommel wieder, wie schon früher, als polygonales Prisma ausgeführt werden, wodurch gegenüber Thorner eine größere Bildhelligkeit erreicht wurde.

M. konnte seine Erfindung nur in einem Versuchsmodell, von ihm Kinetoskop genannt, bauen. Nach günstiger Beurteilung durch die Univ. Graz sollte die kommerzielle Verwertung durch eine zunächst in Berlin und dann 1908 in Ulm gegründete Gesellschaft mit dem Namen „Prof. Musger Kinetoskop GmbH" erfolgen. Diese stellte ihre Tätigkeit aber bald wegen finanzieller Schwierigkeiten ein. Es war nicht gelungen, die technischen Mängel, die sich bei der Weiterentwicklung des Apparates, insbesondere hinsichtlich der Qualität und der Justierung der Spiegel, wie auch hinsichtlich der mechanischen Kopplung zwischen Filmtransport und Spiegeltrommel, herausstellten, zu überwinden. Zudem hatte inzwischen der ruckweise Filmtransport der üblichen Kinogeräte technisch einen so hohen Stand erlangt, daß der wesentlich aufwendigere optische Ausgleich nicht mehr konkurrenzfähig war. Erst Hans Lehmann fand zehn Jahre später eine praktische Verwendung für den optischen Ausgleich nach M. in der von ihm geschaffenen Ernemann-Zeitlupe, dem ersten technisch brauchbaren kinematographischen Zeitdehner überhaupt.

Auch nach dem Scheitern der Kinetoskop-Gesellschaft arbeitete M. weiter an den Problemen des optischen Ausgleichs, dessen Funktionsprinzip er als erster theoretisch erfaßte. Er konstruierte einen Projektor, bei dem die Spiegeltrommel zwei Spiegelkränze trägt, von denen die Spiegel mindestens des einen in Abhängigkeit von der Trommeldrehung gesteuert werden – eine zwar theoretisch interessante, technisch aber außerordentlich aufwendige Lösung, die ebenfalls nicht zur praktischen Anwendung kam. Ein aus Fragmenten zusammengebautes Versuchsmodell befindet sich im Technischen Museum Wien. – In der österr. Literatur ist M. vielfach als „Erfinder der Zeitlupe" bezeichnet worden, was in dieser Form nicht zutrifft. Ein 1977 erstelltes Gutachten der Univ. Wien bescheinigt M. zwar ein großes erfinderisches Verdienst, insbesondere hinsichtlich der wissenschaftlichen Durchleuchtung der Wirkungsweise des Spiegelausgleichs, stellt jedoch klar, daß er „keinesfalls als Erfinder der Zeitlupe bezeichnet werden" kann.

W Österr. Patente 23609 u. 87843; DRP 180944 u. 372087. – *Nachlaß:* Techn. Mus. Wien.

L A. Gf. v. Meran, in: Filmtechnik 5, 1929; W. Thorner, Der opt. Ausgleich durch Vielkantinnenspiegel, in: Kinotechnik 12, 1930; P. v. Schrott, A. M., in: Bll. f. Gesch. d. Technik 4, 1938 *(P);* ders., in: Österr. Naturforscher, Ärzte u. Techniker, hrsg. v. F. Knoll, 1957, S. 169–171 *(P);* H. Joachim, 20 J. Zeitlupe, e. Btr. Österreichs z. Entwicklung d. Hochfrequenzkinematographie, ebd. 20, 1938; Zum 50. Todestag A. M.s, FS d. Bischöfl. Gymnasiums u. Seminars Graz z. 30. 10. 1979 *(P);* R. Niederhuemer, Prof. A. M., in: Sonderpostmarke 50. Todestag v. A. M., Österr. Staatsdruckerei L 61 18269, 1979 *(P);* H. Tümmel, Die Zeitlupe, e. Schöpfung v. H. Lehmann, in: Fernseh- u. Kinotechnik 39/11, 1985; Ch. Hofmann, Die Zeitlupenhochfrequenzkinematographie, e. 70 J. alte Entwicklung d. Dresdener Kamera- u. Kinoindustrie, in: Bild u. Ton 39, 1986, S. 4; ders., Zur Entwicklung d. Zeitlupenkinematographie mit opt. Ausgleich, in: Feingerätetechnik 10–86, 1986; Kosch, Kath. Dtld.; ÖBL.

P Gedenktafel (Bischöfl. Gymnasium Graz); Büste (Burggarten Graz, 1959); Sondermarke d. österr. Post (1979).

Hans Lehmann

Musger, *Erwin,* Flugzeug- und Fahrzeugkonstrukteur, * 20. 3. 1909 Neumarktl (Krain), † 16. 3. 1985 Graz.

V Eustachius (1876–1937), Buchhalter in Wetzelsdorf b. G., *S* d. Peter (* 1828), Bauer in Pöls (Steiermark), u. d. Maria Gutjahr (* 1845) aus Schrötten; *M* Maria (1878–1945), Schneiderin in Wetzelsdorf, *T* d. Anton Janc (* 1841) aus Križe, Schmied in N., u. d. Franciska Alijančič (* 1850) aus N.; ∞ Wien 1938 Hermine (* 1913) aus Wetzelsdorf, *T* d. Georg Streitenberger (1878–1950), Tischlermeister in Wien, u. d. Karoline Roubinek (1881–1921); 1 *T* Ingrid (* 1941, ∞ Fiorenzo Copertini-Amati, akadem. Maler in Florenz), Übersetzerin.

Nach dem Besuch der Grund- und Bürgerschule in seinem Heimatort erhielt M. 1925–27 eine Berufsausbildung an der Bundesanstalt für Maschinenbau und Elektrotechnik in Klagenfurt. 1927–29 besuchte er die Elektro- und Maschinenbau-Gewerbeschule in Wien. Seine erste Stellung erhielt M. als Konstrukteur bei der Firma J. M. Voith in St. Pölten (Niederösterreich), wo er mit dem Bau von Papiermaschinen und von Schiffspropellern nach dem System Voith-Schneider beschäftigt war. 1933 wurde M. wegen Arbeitsmangel entlassen und übersiedelte nach Herzogenburg. Seit 1930 war er Mitglied des dortigen Segelfliegerclubs. Um öfter fliegen zu können, als dies im Rahmen des Clubs möglich war, begann M. mit der Planung und dem Bau eines großen Rumpfsegelflugzeuges, des „Mg I". 1933 übernahm er nach seiner Entlassung die Flugleitung und war bis zu seinem Ausscheiden aus der Fliegergruppe 1937 Geländekommandant. 1934 absolvierte er mit der „Mg IV", die aus Umbauten der „Mg I" hervorging, seine C-Prüfung. In jenen Jahren begann er mit dem Bau einer Motormaschine (Mg III), die aber erst 1937 fertiggestellt werden konnte. M. konstruierte seit 1935 einen neuen Doppelsitzer, die „Mg 9", deren Statik Eduard Walzl von der Akaflieg Graz zu berechnen half. Mit dieser Maschine wurden zahlreiche österr. Dauerflugrekorde aufgestellt, mit einer „Mg 9a" sogar zwei Weltrekorde im Doppelsitzer (mit Toni Kahlbacher als Fluglehrer am 5./6. 9. 1938 mit 23 h 41 min. und am 8.-10. 9. 1938 mit 40 h 41 min.).

1937 entwarf M. für den Österr. Aero-Club (ÖAeC) eine C-Schulmaschine unter den Bezeichnungen „Mg 12/12a", die dann gemeinsam mit der „Mg 9a" in Kleinserie ging. Im Dezember 1937 erhielt er eine Stellung als Konstrukteur und Statiker bei der Wiener Neustädter Flughafen Betriebsgesellschaft mbH. Während des Krieges war M. teilweise in Berlin im Reichsluftfahrtministerium, wo er an der Entwicklung der Steuerung von Lastenseglern arbeitete. 1948 erhielt er aufgrund der Berechnung und Konstruktion eines patentierten Schalenrahmens für Motorräder eine Anstellung bei der Steyr-Daimler-Puch AG in Graz, die daraufhin Motorräder und Mopeds mit diesem Schalenrahmen in das Fertigungsprogramm aufnahm (1950–72), damals eine sensationelle Neuerung im Motorradbau. In seiner Freizeit entwickelte M. mit dem Statiker Leopold Hager die „Mg 9a" zur „Mg 19" weiter, die von der Firma Josef Oberlerchner in Spittal/Drau (Kärnten) in Serie gebaut wurde. 1951–66 wurden insgesamt 45 solche Flugzeuge gebaut. 1957–61 arbeitete M. bei der Firma Innocenti in Mailand, wo er im Zweirad- und Vierradsektor tätig war, 1961–71 wieder bei Puch. Seit 1954 entstand die einsitzige Leistungssegelmaschine „Mg 23", die ebenfalls bei Oberlerchner in Serie ging und bis 1966 hergestellt wurde. M. verwirklichte vor und nach dem 2. Weltkrieg mehr Konstruktionsentwürfe als jeder andere österr. Flugzeugbauer. – Ehrennadel in Gold (1955) u. Goldenes Ehrenzeichen d. Österr. Aero-Clubs (1976).

W Österr. Patent Nr. 173621 v. 1953. – *Nachlaß* in Fam.bes.

L Zweisitziges Leistungsflugzeug „Mg 9", in: Flugsport 1936, S. 406; Vom Rohr z. Schalenrahmen, Konstruktionstendenzen im Motorradbau, Großer Erfolg im Genfer Salon, in: Südost-Tagespost (Graz) v. 13. 1. 1952; J. Zopp, Österr. Segelflugzeuge im Kommen!, in: austroflug 1959, H. 4, S. 8; H. Zoffmann, E. M. – e. österr. Flugpionier, ebd. 1972, H. 12, S. 18 *(P);* ebd. 1973, H. 1, S. 15; ebd., H. 2, S. 14; G. R. Keimel, Ing. E. M., Flugzeug- u. Fahrzeugkonstrukteur aus Österreich, in: Bll. f. Technikgesch., H. 48, 1987, S. 7–106 *(P);* F. Ehn, Die Motorradkonstruktionen, ebd., S. 107–28 *(P).*

Reinhard Keimel

Musil. (kath.)

1) *Alfred* Edler v. (österr. Adel 1918), Maschinenbauer, * 10. 8. 1846 Temeswar, † 1. 10. 1924 Brünn.

V Matthias (1806–89), Dr. med., Rgt.arzt in Salzburg, T. u. Graz, zuletzt Landwirt, *S* d. Kleinbauern Franz; *M* Aloisia (1814–93), *T* d. Hptm.-Rechnungsführers N. N. Haglauer in Salzburg; *B* Rudolf v. M. (* 1838, österr. Adel 1890), FML, Richard (* 1848), Obering. d. Österr. Staatseisenbahnen; – ∞ Klagenfurt 1874 Hermine (1853–1924), *T* d. Franz Xaver Bergauer (1805–86), kaiserl. Rat u. Betriebs-Oberinsp. in Linz, Erbauer d. Pferdebahn v. Linz nach Budweis, u. d. Emmeline Böhm (1820–1905) aus Horowitz; 1 *S* Robert (s. 2), 1 *T; Verwandter* Alois (s. 3).

Nach dem Besuch der Landes-Oberrealschule in Graz studierte M. 1865–67 an der dortigen TH Maschinenbau. Danach ging er als Konstrukteur in die Maschinenfabrik der Friedrich-Wilhelmshütte nach Troisdorf/Rhein. 1869–72 war er Assistent am Lehrstuhl für Maschinenbau an der TH Wien und hielt Vorlesungen und Übungen für den Höheren Artillerie-Kurs ab. Während einer einjährigen Tätigkeit als technischer Inspektor der Dampfkessel-Untersuchungs-Gesellschaft für Mähren und Schlesien erfand M. zwar eine Dampfmaschinen-Steuerung, erkannte aber auch, daß das technische Konzept der Verbrennungskraftmaschine zukunftsträchtiger war. Er hielt diese für das Kleingewerbe und in der Landwirtschaft für brauchbarer. Als Oberingenieur und erster Maschinen-Konstrukteur der Hüttenberger Eisenwerks-Gesellschaft in Klagenfurt 1873–81 veröffentlichte M. 1875 seinen ersten Aufsatz zu diesem Thema. Er verglich darin die Kreisprozesse der Dampf- und Gasmaschine mit den Leucht- und Gichtgasmaschinen, den Erdöl- und Spiritus-Motoren, ihre verwertbaren Brennstoffarten und Wirkungsgrade. So wurde M. zum ersten deutschsprachigen Autor über das allgemeine Gebiet der Verbrennungskraftmaschinen vor Rudolf Schöttler (1882) und Ernst Körting (1886/87) und bereitete so den Weg für die günstige Aufnahme des Ölmotors. 1879 und 1886 erhielt er österr. Privilegien auf Verbrennungsmotoren für das Kleingewerbe. Auf Reisen nach Westfalen, Frankreich, Belgien und England studierte er die Einrichtung der Bessemer-Hütten und der führenden Maschinenbau-Betriebe. 1878 entsandte ihn der k. k. Handelsminister als offiziellen Berichterstatter zur Weltausstellung nach Paris. Danach beauftragte ihn das Ministerium für Kultus und Unterricht mit einer Studienreise nach Remscheid, Solingen, Iserlohn, Dresden, Berlin, Hamburg und Bremen.

Nach einem Direktorat an der maschinengewerblichen Fachschule in Komotau 1881/82 berief ihn die k. k. Vereinigte Fachschule und Versuchsanstalt für Eisen- und Stahlindustrie als Direktor nach Steyr. Hier richtete er eine Lehrwerkstatt ein und veranstaltete 1884 eine Industrie-, Forst- und elektrotechnische Ausstellung. Nach erfolglosen Bewerbungen um eine Professur für Maschinenbau an den Technischen Hochschulen Wien und Graz gelangte M. 1890 an die Deutsche TH Brünn, wo er als Ordinarius für Theoretische Maschinenlehre und Maschinenbau eine vielfältige Tätigkeit entfaltete (1894–96 Dekan der Maschinenbau-Fakultät, 1897/98 und 1905/06 Rektor). Er arbeitete in Prüfungskommissionen, als beeidigter Sachverständiger im Brünner Landesgericht, 1901 auch als Ratsmitglied des Österr. Patentgerichtshofes und des Kuratoriums der Versuchsanstalt für Kraftfahrzeuge in Wien. So bescheinigte M. 1906 dem Viertakt-Ölmotor mit offener Düse von Otto Lietzenmayer einen geringeren Verbrauch als Diesels Motor mit gesteuerter Düse und trug damit maßgeblich zu der Entscheidung über den aussichtsreichsten Motor des 20. Jh. bei. 1917 emeritiert, lehrte M. bis zu seinem Tode weiter in den Fächern Maschinenelemente und Konstruieren. – Franz Joseph-Orden (1889); Hofrat (1908).

W u. a. Die Motoren f. d. Kleingewerbe mit Berücksichtigung d. Verhältnisse v. Klagenfurt, 1875; Die Motoren f. d. Kleingewerbe, 1878, ³1897; Theorie d. Schwungräder u. Regulatoren, Theorie d. Wassermotoren, Skizzen e. Dampfmaschinentheorie, alle 1887 *(ungedr.);* Wärmemotoren, 1899; Grundlagen d. Theorie u. d. Baues d. Wärmekraftmaschinen, 1902; Bau d. Dampfturbinen, 1904; Die Parsons-Dampfturbine, 1905; Gesch. d. Entwicklung d. Wärmekraftmaschinen, 1906. – *Österr. Privilegien:* 23/708 v. 1873 (Dampfmaschinen-Steuerung), 29/713 v. 1879 (Motor f. d. Kleingewerbe mit Luft- u. Wasserdampfbetrieb), 36/1237 v. 1886 (Kleingewerbe-Motor mit rotierendem Dampferzeuger).

Qu. Akten d. Österr. Ministerien d. Innern, d. Cultus u. Unterrichts 1887, 1889, 1917; Österr. StA/ Allgem. Verw.archiv, 1908.

L A. v. Ihering, Die Gasmaschinen, II, ³1909, S. 440–53; Tagesbote Brünn, Nr. 456 v. 2. 10. 1924;

K. Corino, Robert Musil, 1988 (P); P. Otto, Techn. Lit.-Kal., 1918; Pogg. IV–VI; ÖBL. – Mitt. v. Prof. L. Mikoletzky.

Hans Christoph Gf. v. Seherr-Thoß

2) *Robert,* Schriftsteller, * 6. 11. 1880 Klagenfurt, † 15. 4. 1942 Genf. (kath., seit 1910/11 ev.)

V Alfred (s. 1); *M* Hermine Bergauer; ∞ Wien 1911 Martha (1874–1949, isr., seit 1898 kath., seit 1910/11 ev., ∞ 1] 1898 o/o 1911 Enrico Marcovaldi, 1874–1944), *T* d. Benno Heimann (1836–74), Bankier in Berlin, u. d. Franziska Friederike Meyer (1844–93) 1 *Stief-S,* 1 *Stief-T* Annina (∞ Otto Rosenthal, * 1898, Biochemiker, s. BHdE II); *Verwandter* Alois (s. 3).

Die Atmosphäre im Elternhaus war geprägt von aufgeklärten, an den Naturwissenschaften orientierten Vorstellungen und einer ausgesprochenen Glaubenslosigkeit. M. war ein glänzender Schüler, erkrankte aber während seiner Steyrer Schuljahre zweimal schwer an einer „Nerven- und Gehirnkrankheit", die ihn wochenlang ans Krankenbett fesselte und vielleicht die späteren Arbeitshemmungen und neurologischen Störungen (Halluzinationen) verursachte. Um sein 10./11. Lebensjahr kam es zu schweren präpubertären Auseinandersetzungen mit der Mutter, die zu dem Entschluß führten, M. 1892 in eine Kadettenanstalt zu schicken. So besuchte M. die Militärrealschule in Eisenstadt (Burgenland) und Mährisch-Weißkirchen (Hranice). Der Unterricht war ganz auf die künftige Offizierslaufbahn zugeschnitten, so daß sich M. später, da er die alten Sprachen nicht erlernt hatte, unter den Gymnasiasten als Halbbarbar vorkam. In Mährisch-Weißkirchen wurde er Zeuge grausamer Machtspiele, die seine Mitschüler Boyneburg und Reiting mit ihren Opfern Hoinkes und Fabini spielten. „Die Verwirrungen des Zöglings Törleß" sind wohl ein ziemlich getreues Zeugnis jener Vorgänge. Die Ausbildung zum Artillerieoffizier an der Wiener Militärakademie brach M. schon nach einem Vierteljahr im Dezember 1897 ab und wechselte an die TH Brünn über. Die Ausbildung zum Maschinenbauer war gründlich und vielseitig, sie umfaßte auch Geodäsie, Hoch-, Straßen- und Eisenbahn-, Brücken- und Wasserbau sowie Chemie. Bei der zweiten Staatsprüfung bestätigte ein vierköpfiges Professorenkollegium (darunter der eigene Vater) M. am 18. 7. 1901, „sehr befähigt" zu sein. Zwei Monate vorher hatte M. dem Verlag Cotta das „Manuscript eines Buches moderner Richtung" zur Einsicht angeboten. Es sollte den Titel „Paraphrasen" tragen und ihn „im Sterben der Seele" retten. Diese Texte, von denen sich wegen der Ablehnung durch Cotta nur wenige erhalten haben, waren Resultat seiner Lektüre Nietzsches, Emersons, Maeterlincks, Altenbergs (und regionaler Vorbilder wie Schaukal), aber auch einer großen Liebe zu der Münchener Klavierlehrerin Valerie Hilpert, die er im September 1900 in Schladming (Steiermark) kennengelernt hatte. Er hat die kurze, offenbar platonische Beziehung zu dieser acht Jahre älteren Frau später im „Mann ohne Eigenschaften" als die „vergessene, überaus wichtige Geschichte mit der Gattin eines Majors" beschrieben. Sein mystisches Versinken in der Natur rings um den Wallfahrtsort Filzmoos im Salzburger Land verlegte er dabei auf eine südliche Insel. Das von der entfernten Geliebten ausgelöste „ozeanische Gefühl" (Freud), das M. im Herbst 1900 erstmals erfuhr, war wohl seine wichtigste Jugenderfahrung. Der Alltag freilich verschüttete es auf lange Zeit. Nach der Ingenieurprüfung hatte M. in Brünn sein Einjährigen-Freiwilligen-Jahr zu absolvieren, samt dem üblichen Stumpfsinn des Waffendienstes mit Casino-Gesprächen und Bordell-Besuchen. Damals infizierte er sich mit der – seinerzeit noch kaum therapierbaren – Syphilis, mit der er aller Wahrscheinlichkeit nach auch seine damalige Geliebte Herma Dietz ansteckte; sie starb im November 1907 an dieser Krankheit, nachdem sie ihm 1902 nach Stuttgart und 1903 nach Berlin gefolgt war.

1902/03 fungierte M. als Volontär-Assistent an der Materialprüfungsanstalt in Stuttgart bei dem Professor des Maschinenbauwesens Carl v. Bach. Ein sehr eifriger Materialprüfer war M. indes nicht. Er wollte Philosophie studieren, mußte zu diesem Zweck das Abitur nachholen, „drückte" sich deshalb vor seiner Arbeit, lernte die alten Sprachen nach und begann, „Die Verwirrungen des Zöglings Törleß" niederzuschreiben. Als er sich zum Wintersemester 1903/04 an der Univ. Berlin für die Fächer Philosophie, Psychologie, Mathematik und Physik einschrieb, dürfte das Manuskript schon fortgeschritten gewesen sein. Daß sein erstes gedrucktes Werk erst Ende 1906 erschien, lag an verschiedenen Ursachen: am Studium, am Nachholen der Reifeprüfung (Juni 1904) sowie an der Schwierigkeit, einen Verlag zu finden. Dies gelang schließlich mit Hilfe Alfred Kerrs, der dem Buch mit einer glänzenden Kritik im Berliner „Tag" zum Durchbruch verhalf. Das Werk, von den zeitgenössischen Pädagogen und Psychologen als Milieustudie über jugendliche Homosexualität und pubertäre Identitätsstörung gelesen, gewann im nachhinein geradezu prophetische Qualitäten: Es beschrieb anhand der „Klassendiktatoren" von Mährisch-Weißkirchen die Diktatoren des Jahrhunderts – Hitler, Stalin, Mussolini – in nucleo.

Die Promotion über Ernst Mach Ende Februar 1908 hätte M. an der TH München und an der Univ. Graz eine akademische Karriere eröffnet. Er entschied sich indes für die „Liebe zu künstlerischer Literatur" (Brief an A. Meinong vom 18. 1. 1909). Seit dem Frühjahr 1908 arbeitete er an der Novelle „Das verzauberte Haus", aus der „Die Versuchung der stillen Veronika" hervorging, und an der „Vollendung der Liebe", Texten, die zusammen den Band „Vereinigungen" (1911) bilden. Den Stoff dafür lieferte das bewegte erotische Vorleben Marthas, seiner späteren Frau, die er im Sommer 1906 kennengelernt hatte. In seinem zweiten Buch verarbeitete M. Anregungen aus den Hysterie-Studien Freuds und Breuers, z. B. das jugendliche Trauma, wollte aber die kausale Methode der Psychoanalyse nicht einfach übernehmen. Er stellte den Begriff der traumatischen Ursache den des Motivs gegenüber, das dem Reich der Freiheit angehören und von Bedeutung zu Bedeutung führen sollte. Ihm schwebte offenbar die Versöhnung von Notwendigkeit und Freiheit, von Psychoanalyse und Transzendentalphilosophie vor. Von der literarischen Kritik wurden die Texte nicht verstanden, selbst von Alfred Kerr und Franz Blei nicht. Bis auf enthusiastische Rezensionen von Ernst Blaß und Alfred Wolfenstein waren die Kritiken fast durchweg negativ. Eine schriftstellerische Laufbahn ließ sich auf den „Vereinigungen" anscheinend nicht gründen. So mußte sich M. – nicht zuletzt im Hinblick auf die geplante Heirat – 1911 bereitfinden, an der TH Wien eine Stelle als Bibliothekar anzutreten. Er haßte diesen Beruf, floh in essayistische Arbeiten für Bleis „Losen Vogel", in Entwürfe zu seinem Drama „Die Schwärmer" und in eine psychosomatische Erkrankung, die ihm im Sommer 1913 einen halbjährigen Erholungsurlaub in Italien verschaffte. Gesundet, schied er aus dem österr. Staatsdienst aus und schloß mit S. Fischer in Berlin einen Vertrag als Redakteur der „Neuen Rundschau". Er sollte die junge Generation an den Verlag heranführen.

Der Ausbruch des 1. Weltkriegs machte all dem schon nach wenigen Monaten wieder ein Ende. M. gehörte zu denen, die den Krieg begrüßten und sofort ins Feld rückten. Er wurde als österr. Reserveoffizier in Südtirol und an der ital.-serb. Front stationiert. Von Juli 1916 bis April 1917 gab er in Bozen das Propagandablatt „Soldaten-Zeitung", seit März 1918 in Wien ein ähnliches Blatt namens „Heimat" heraus, Organe, für die er zahlreiche anonyme Artikel schrieb. Der unmittelbare literarische Ertrag jener Jahre war jedoch gering: Er schrieb einige Gedichte, bosselte an seinem Drama „Die Schwärmer" und sammelte Material für seine Novellen „Grigia" und „Die Portugiesin". Im nachhinein erschienen ihm die Kriegsjahre als „fünfjährige Sklaverei". Ein Großteil seiner geistigen Anstrengung in der Folgezeit galt der Ergründung des Phänomens Krieg – in den Essays der 20er Jahre nicht anders als in dem großen Roman, den er nach seinem Drama „Die Schwärmer" in Angriff nahm. Dieses Stück, in rund zehnjähriger Arbeit entstanden, wurzelte noch in der Vorkriegszeit, privat in den Irrungen und Wirrungen Marthas aus der Zeit vor ihrer Ehe mit M., moralisch-politisch in der Auffassung, daß schon zwei „neue Menschen", dem „Schöpfungszustand" verschworen, eine neue Menschheit bildeten. Auch in der literarischen Technik knüpfte das Drama bei der M.schen Vorkriegsprosa an: Beim Prinzip der kleinsten, maximal belasteten Schritte, des unmerklichen, chromatischen Übergangs, das auch an den für psychologische Experimente entwickelten M.schen Farbkreisel erinnert. Kritiker und Dramaturgen hielten „Die Schwärmer" für bühnenfremd, für ein Lesedrama, politisch Engagierte für ein Residuum des bürgerlich-individualistischen Dramas. So kam es erst 1929 an einer Berliner Experimentierbühne unter Paul Gordon und Jo Lherman zur Premiere des – notwendigerweise stark gekürzten – Stücks. Sie erntete M.s heftigen Protest und Alfred Kerrs milden Beifall; zu Lebzeiten des Autors wurde das Drama nicht mehr aufgeführt. Ein Regisseur wie Hans Neuenfels bezeichnet das Werk allerdings später als „eines der wichtigsten Dramen des 20. Jh., wenn nicht das wichtigste, das die deutschsprachige Literatur bislang besitzt."

Etwas erfolgreicher war M.s Posse „Vinzenz und die Freundin bedeutender Männer", die er vor allem als Bahnbrecher für die „Schwärmer" gedacht hatte. Er wollte den Regisseuren, Schauspielern, Kritikern und dem Publikum beweisen, daß er ein mit allen Wassern gewaschener Theatermensch sei, etwas von dramatischen Effekten verstehe und die Leute zu unterhalten wisse. Immerhin kam es zu zwei Inszenierungen durch Berthold Viertel (Berliner Lustspielhaus, Dezember 1923) und Rudolf Beer (Deutsches Volkstheater Wien, August 1924). Heute begreift man das Stück als Präludium zu Musils großem Roman. Die Hauptfigur Vinzenz gilt als Vorläufer des

„Mannes ohne Eigenschaften". Dieser Roman, dessen erster Band in rund zehnjähriger Arbeit seine endgültige Gestalt erhielt, hatte zahlreiche Vorstufen: „Der Spion", „Der Erlöser", „Die Zwillingsschwester", Titel, die auf wechselnde Intentionen deuten. M. ging es von Anfang an darum, das letzte Jahr vor dem 1. Weltkrieg und den Zusammenbruch der europ. Kultur zu beschreiben. Eine geniale Erfindung war der Plot: die Parallelaktion. M. läßt das siebzigjährige Regierungsjubiläum Kaiser Franz Josephs und das dreißigjährige Kaiser Wilhelms II. ins Jahr 1918 fallen, woraus sich ein Wettlauf der Patrioten in beiden Lagern entwickelt. Dies bietet dem Autor Gelegenheit, Vertreter der unterschiedlichsten gesellschaftlichen Schichten und Ideologien auftreten zu lassen: den Grafen Leinsdorf, der Feudalismus und Sozialismus verbinden möchte, den Industriellen Paul Arnheim (alias Walther Rathenau), der „Kohlenpreis und Seele" vereinigt, die Salonlöwin Diotima, die Gattin des Sektionschefs Tuzzi, den General Stumm v. Bordwehr, die Chansonette Leona, die nymphomane Juristengattin Bonadea, den jüd. Bankdirektor Fischel, der in seinem Haus ausgerechnet völkisch-antisemitische Spinner wie Hans Sepp verkehren läßt, den Sexualmörder Moosbrugger, dessen Schwester im kranken Geiste Clarisse, den verkrachten Universalkünstler Walter sowie den „Mann ohne Eigenschaften", Ulrich. „Er ist begabt, willenskräftig, vorurteilslos, mutig, ausdauernd, draufgängerisch, besonnen – ... er mag alle diese Eigenschaften haben. Denn er hat sie doch nicht! Sie haben das aus ihm gemacht, was er ist, und seinen Weg bestimmt, und sie gehören doch nicht zu ihm ... In wundervoller Schärfe ... sah er ... alle von seiner Zeit begünstigten Fähigkeiten und Eigenschaften in sich, aber die Möglichkeit ihrer Anwendung war ihm abhandengekommen." M. war nach Publikation des Buches überrascht festzustellen, daß es sich dabei offenbar nicht nur um ein individuelles Problem seines Helden handelte, sondern daß er „einen Zeittypus getroffen" hatte. („Natürlich sind die Männer mit Eigenschaften manchmal auch etwas darüber erstaunt, daß sie keine haben sollen.") Es ging also um eine Ich-Schwäche, die oft genug mit Handlungsschwäche verbunden war. Um dieser allumfassenden, zur Passivität führenden Ambivalenz zu entrinnen, läßt Ulrich sich zum Sekretär der Wiener Parallelaktion ernennen, um ihr schließlich einen utopischen Vorschlag zu machen: Die Errichtung eines Generalsekretariats der Genauigkeit und der Seele, ohne das seines Erachtens alle anderen Fragen nicht zu lösen sind.

Als der 1. Band im Winter 1930 erschien, war die Kritik geradezu überwältigt. Er erhielt rund 200 Rezensionen, deren Tenor fast einhellig der war: „Unter den europ. Romanen der bedeutendste, oder: Kein zweiter deutscher Roman erreicht diese Höhe" (Brief an Johannes v. Allesch v. 15. 3. 1931). An M.s verzweifelter wirtschaftlicher Lage änderte solches Lob indessen nicht viel. Die Vorschüsse, die der Rowohlt-Verlag rund ein halbes Dutzend Jahre gezahlt hatte, waren aufgezehrt. Für die Fortsetzung des Romans war nahezu kein Geld aufzutreiben. Zwar zahlte die Schiller-Stiftung M. 1928 einmal 800 RM, zwar sagte die Preuß. Akademie der Künste, die ihn wohlweislich in ihre Sektion für Dichtkunst nicht aufgenommen hatte – angeblich war M. zu intelligent für einen wahren Dichter –, ihm am Tag von Hitlers Machtantritt 1000 RM zu, aber die wichtigste Institution, die Berliner Musil-Gesellschaft, die sich 1932 gebildet und ca. 8000 RM gesammelt hatte, löste sich bald wieder auf, da ihre Mitglieder in erster Linie reiche und kunstsinnige Juden waren, die bald emigrieren mußten. M., der im Herbst 1931 Wien verlassen hatte und vorübergehend nach Berlin übersiedelt war, weil dort die Spannungen des Geisteslebens deutlicher spürbar seien, sah seine jüd. Frau Martha durch die Rassenpolitik der Nazis gleichfalls gefährdet, kehrte im Mai 1933, elf Tage nach der Bücherverbrennung, Deutschland den Rücken und fuhr nach Wien zurück (Mai 1933). In seinem Gepäck hatte er den Fortsetzungsband II/1, der im Winter 1932 erschienen war, aber mit einem Kapitel (Nr. 38) endete, das noch nicht einmal ein organischer Zwischenabschluß war und das Publikum in völliger Ungewißheit über den Fortgang der Handlung ließ. Dieser von den ökonomischen Notwendigkeiten erzwungene Band II/1 schildert die Begegnung Ulrichs mit seiner lange verschollenen Schwester Agathe. Sie sollte nach den Plänen des Autors die äußerlichen Beziehungen seines Helden zu den Leonas und Bonadeas beenden und ihm gestatten, zu einem Mann mit Eigenschaften zu werden, sich zu akzeptieren, ja zu lieben, denn Agathe sollte die Verkörperung seiner Selbstliebe, seiner Philautia sein. Auf der sog. „Reise ins Paradies" zu einer südlichen Küste am Mittelmeer sollte es zum Inzest zwischen den Geschwistern kommen. Das Scheitern ihrer Liebe nach wenigen Tagen und die Rückkehr in den Wiener Alltag sollte der Mobilisierung vom August 1914 unmittelbar vorausgehen, so daß private und allgemeine Katastrophe Hand in Hand gegangen wären. Aber selbst für Leser mit divinatorischen Fähigkeiten war dies nicht zu ahnen.

In den knapp fünf Jahren, die M. in Wien bis zu seiner Emigration blieben, schrieb er, materiell gestützt von einem in Wien gegründeten Musil-Fonds, 20 weitere Kapitel, die, als Hitler im März 1938 in Österreich einmarschierte, gerade gesetzt waren, aber ebenfalls noch weit von der Peripetie des Romans, vom Inzest der Geschwister, entfernt blieben. M.s neuer Verleger, Gottfried Bermann Fischer, emigrierte sofort, Martha war von den Nürnberger Rassegesetzen bedroht, desgleichen nicht wenige der Wiener Freunde und Förderer. So war es eine Frage von wenigen Monaten, bis M. und Martha ebenfalls emigrierten. Über Italien ging es am 2. 9. 1938 nach Zürich, wo 1936, im Humanitas-Verlag, M.s „Nachlaß zu Lebzeiten" erschienen war, eine Sammlung seiner zuvor verstreut veröffentlichten kurzen Texte, unter ihnen das berühmte „Fliegenpapier" und die Erzählung „Die Amsel".

Da sich kein Verlag fand, der sich um eine Fortsetzung des „Mannes ohne Eigenschaften" gekümmert hätte, nutzte M. die ihm verbleibende Zeit, um die Wiener Druckfahnenkapitel umzuarbeiten, sie gefälliger und verständlicher zu machen. So strebte er danach, aus den essayistischen Abrissen der Gefühlspsychologie dialogisch-erzählende Texte zu machen. Obwohl er – gegen alle gesundheitlichen Indizien (Schlaganfall 1936, lebensgefährliche Hypertonie) – glaubte, bis zum 80. Lebensjahr arbeitsfähig zu bleiben, zweifelte er mitunter daran, ob er den Roman in der geplanten Form würde abschließen können. Er dachte daran, die stockende Handlung abzubrechen und sie von Ulrich selbst in einem „Nachwort/Schlußwort" „epilogisieren" zu lassen. Das hätte ihm erlaubt, die Zeitlücke zwischen dem Ausbruch des 1. und des 2. Weltkriegs zu schließen und eventuell auch noch ein in Arbeit befindliches Aphorismenbuch („Rapial") mit dem Roman zu vereinigen. Dann wieder machte er sich, finanziell unterstützt von Pfarrer Robert Lejeune, der American Guild for Cultural Freedom und anderen Hilfsorganisationen erneut an seine Sisyphusarbeit, tat so, als ließen sich die alten Konzepte doch noch realisieren, und hielt sich, ganz dem von ihm propagierten Möglichkeitssinn entsprechend, alle Optionen offen. Die Gärten Genfs, in das er wegen der Nähe zu Frankreich Anfang Juli 1939 übersiedelt war, verliehen den Gartenkapiteln, an denen er zuletzt arbeitete, so den „Atemzügen eines Sommertags", jene innige Verbindung von Sinnlichkeit und Reflexion, die als „taghelle Mystik" in die Geistesgeschichte des 20. Jh. einging. An seinem letzten Lebenstag vollendete M. besagtes Kapitel, dessen Natureingang zum Schönsten gehört, was er schrieb, und alles, auch das Schicksal Ulrichs und Agathes, in der Schwebe ließ wie jener „geräuschlose Strom glanzlosen Blütenschnees": „der Atem, der ihn trug, war so sanft, daß sich kein Blatt regte. Kein Schatten fiel davon auf das Grün des Rasens, aber dieses schien sich von innen zu verdunkeln wie ein Auge ... Frühling und Herbst, Sprache und Schweigen der Natur, auch Lebens- und Todeszauber mischten sich in dem Bild; die Herzen schienen stillzustehen, aus der Brust genommen zu sein, sich dem schweigenden Zug durch die Luft anzuschließen." Als Martha M. an diesem Tag, ihrem 31. Hochzeitstag, den Gatten zum Essen rufen wollte, fand sie ihn tot im Badezimmer. An M.s Beerdigung nahmen acht Personen teil, Pfarrer Lejeune hielt die Totenrede und bezahlte die Kosten; die Leiche wurde eingeäschert, die Asche später von Martha nach Familienbrauch verstreut. Zu Beginn der 30er Jahre hatte M. in Berlin geklagt, jetzt sei er nicht berühmt, aber nach seinem Tode werde er es sein. Er sollte recht behalten. Martha suchte mit ihrem Nachlaßband von 1943, das Gedächtnis der vom Krieg verstörten Zeitgenossen für den „Mann ohne Eigenschaften" wachzuhalten, und was ihr unter den herrschenden Umständen nur zum Teil gelang, erreichte Adolf Frisé mit seiner Ausgabe von 1952. Er leitete eine Renaissance M.s ein, die bis zum heutigen Tage anhält. Seine Werke sind in alle Weltsprachen übersetzt, und viele bedeutende Schriftsteller der Folgezeit bekennen sich als seine Leser oder Bewunderer, von Guido Morselli bis Milan Kundera, von Christa Wolf bis Peter Handke, von Elias Canetti bis Kenzaburo Oe.

W Tagebücher, hrsg. v. A. Frisé, 1976, ²1983; Ges. Werke, hrsg. v. dems., I, Der Mann ohne Eigenschaften, II, Prosa u. Stücke, Kleine Prosa, Aphorismen, Autobiographisches, Essays u. Reden, Kritik, 1978; Briefe 1901–1942, hrsg. v. dems., 1981; Briefe, Nachlese, hrsg. v. dems., 1994; R. M., Der literar. Nachlaß, hrsg. v. F. Aspetsberger, K. Eibl u. A. Frisé, 1992.

L R. M., Leben, Werk, Wirkung, hrsg. v. K. Dinklage, 1960; R. M. in Selbstzeugnissen u. Bilddokumenten, dargest. v. W. Berghahn, 1965; K. Corino, R. M., Leben u. Werk in Bildern u. Texten, 1988, ²1992. – *Einzelunterss.*: R. Lejeune, R. M., 1942; E. Kaiser u. E. Wilkins, R. M., Eine Einf. in d. Werk, 1962; G. Jäßl, Mathematik u. Mystik in R. M.s Roman „Der Mann ohne Eigenschaften", 1963; W. Bausinger, Stud. zu e. hist.-krit. Ausg. v. R. M.s Roman „Der Mann ohne Eigenschaften", 1964; G.

Baumann, R. M., Zur Erkenntnis d. Dichtung, 1965; D. Kühn, Analogie u. Variation, 1965; R. v. Heydebrand, Die Reflexionen Ulrichs in R. M.s Roman „Der Mann ohne Eigenschaften", 1966; dies., R. M., 1982; W. Rasch, Über R. M.s Roman „Der Mann ohne Eigenschaften", 1967; E. Albertsen, Ratio u. „Mystik" im Werk R. M.s, 1968; C. Hönig, Die Dialektik v. Ironie u. Utopie u. ihre Entwicklung in R. M.s Reflexionen, 1970; K. Corino, R. M.. – Th. Mann, Ein Dialog, 1971; ders., R. M.s „Vereinigungen", Stud. z. e. hist.-krit. Ausg., 1974; A. Reniers-Servranckx, R. M., Konstanz u. Entwicklung v. Themen, Motiven u. Strukturen in d. Dichtungen, 1972; M.-L. Roth, R. M., Ethik u. Ästhetik, 1972; dies., R. M., L'homme au double regard, 1987; D. Goltschnigg, Myst. Tradition im Roman R. M.s, Martin Bubers „Ekstatische Konfessionen" im „Mann ohne Eigenschaften", 1974; J. C. Thöming, Zur Rezeption v. M.- u. Goethe-Texten, 1974; J. Schmidt, Ohne Eigenschaften, Eine Erl. zu R. M.s Grundbegriff, 1975; R. Schneider, Die problematisierte Wirklichkeit, Leben u. Werk R. M.s, 1975; W. Frier, Die Sprache d. Emotionalität in d. „Verwirrungen d. Zöglings Törleß" v. R. M., 1976; S. Mulot, Der junge M., Seine Beziehung zu Lit. u. Kunst d. Jh.wende, 1977; K. Eibl, R. M., „Drei Frauen", Text, Materialien, Kommentar, 1978; H. Arntzen, M.-Kommentar, 2 Bde., 1980 u. 1982; A. Frisé, Plädoyer f. R. M., 1980, [2]1987; P. Henninger, Der Buchstabe u. d. Geist, Unbewußte Determinierung im Schreiben R. M.s, 1980; D. S. Luft, R. M. and the Crisis of European Culture 1880–1942, 1980; H. Hickman, R. M. and the Culture of Vienna, 1984; S. Howald, Ästhetizismus u. ästhet. Ideologiekritik, 1984; R. Willemsen, Das Existenzrecht d. Dichtung, Zur Rekonstruktion e. systemat. Lit.theorie im Werke R. M.s, 1984; E. Heftrich, M., Eine Einf., 1986; M. Mae, Motivation u. Liebe, Zum Strukturprinzip d. Vereinigung b. R. M., 1988; G. Meisel, Liebe im Za. d. Wiss. vom Menschen: Das Prosawerk R. M.s, 1991; B. Cetti Marinoni, Essayist. Drama, Die Entstehung v. R. M.s Stück „Die Schwärmer", 1992; ÖBL; NÖB 21, S. 57–65 *(P);* Kosch, Lit.-Lex.[3]; KLL; Killy; DLB 81, 124.

Karl Corino

3) *Alois,* Orientalist, Forschungsreisender, Historiker, Geograph, Diplomat, kath. Theologe, * 30. 6. 1868 Richtersdorf (Rychtářov, Bez. Wischau, Vyškov, Mähren), † 12. 4. 1944 Otryby (Neuhof, Bez. Böhmisch-Sternberg, Český Štemberk).

V Franz (František) (1843–1930), Bauer in R., *S* d. Jan Tomáš (* 1808), Bauer in R., u. d. Barbara Voáčová (* 1808); *M* Marie (1846–1929), *T* d. Vincenc Plhal u. d. Veronika Sochorová; – ledig; *Verwandte* Alfred (s. 1), Robert (s. 2).

M. besuchte die Gymnasien in Kremsier, Brünn und Hohenmaut und immatrikulierte sich 1887 an der Theologischen Fakultät in Olmütz. Nach der Priesterweihe 1891 war er zunächst Katechet in Mährisch-Ostrau. 1895 wurde er in Olmütz zum Dr. theol. promoviert und ging im selben Jahr an die École Biblique der Dominikaner nach Jerusalem. Hier führten ihn seine biblischen Studien zur Ethnographie und Geographie. 1897 und 1898 reiste er von Beirut (Université St. Joseph) aus u. a. nach Gaza, Petra, Damaskus, Palmyra und in das Nusairi-Gebirge sowie nach [c]Akaba, Kerak und Madaba und zu den Wüstenschlössern Kusair [c]Amra, al-Tuba, Mua[c]akkar und Bayir. Ende 1899 berichtete er zuerst in Wien über seine Entdeckungen, welche zunächst angezweifelt wurden. Nach Studien in London und Cambridge besuchte er im Sommer 1900 erneut Kusair [c]Amra und brachte eine ausführliche Dokumentation der aufgefundenen Inschriften nach Wien mit. Seit Okt. 1900 war M. als Supplent für alttestamentliche Studien an der Theologischen Fakultät in Olmütz tätig; gleichzeitig arbeitete er an den Materialien aus Kusair [c]Amra, die sich als Entdeckung ersten Ranges erwiesen und ihm rasch allgemeine Anerkennung sowie die nötige Unterstützung für weitere Forschungen einbrachten. 1901 hielt er sich mit dem Maler Alphons Mielich (1863–1929, auch Mielichhofer) in Kusair [c]Amra auf und reiste über Moab und Südpalästina nach Jerusalem. Nach Olmütz zurückgekehrt, erhielt er im April 1902 ein Extraordinariat für Studien des Alten Testaments und der oriental. Sprachen. Von September bis Dezember 1902 sammelte er in Südjordanien topographische und historische Daten für seine „Arabia Petraea" und erstellte hierzu eine Karte. 1904 siedelte er nach Wien über, im Dezember desselben Jahres wurde er zum Ordinarius an der Theologischen Fakultät in Olmütz ernannt. Nach der Veröffentlichung von „Arabia Petraea" (3 Bde., 1907–08) erhielt er 1909 das Ordinariat für die biblischen Hilfswissenschaften und arab. Sprachen an der Wiener Universität (1916/17 Dekan, 1917/18 Prodekan der Theol. Fakultät) und stand hier in engem Kontakt u. a. mit David Heinrich Müller und Joseph v. Karabaček.

Seit 1908 unternahm M. vier weitere Forschungsreisen nach Nordarabien und Mesopotamien. Die erste (1908/09, mit Unterstützung der Gelehrten Gesellschaft in Prag) führte zu den Rwala-Beduinen. Im Auftrag der osman. Regierung untersuchte M. 1910 topographisch und geologisch den nördlichen Bereich der Hedschaz-Bahn. 1912 begleitete er den Prinzen Sixtus von Bourbon-Parma bei dessen Palmyra- und Mesopotamien-Reise. Eine weitere Reise 1914/15 diente auch politischen Zielen des Wiener Hofes, der die Differenzen zwischen den arab. Führern und dem osman. Reich beilegen und diese zur Neutralität im 1. Weltkrieg bewegen wollte. Auf Anordnung Kaiser Karls wurde M. im Frühling 1917 als Mitglied einer von Erzhzg. Hubert Salvator geleiteten Delegation berufen mit dem Zweck, engere Kontakte zu den im Orient lebenden Angehörigen des Kaiserreiches herzustellen. Nach Gründung der Tschechoslowak. Republik wurde M. trotz Widerständen wegen seiner engen Kontakte zum Wiener Hof im Jan. 1920 an die Philosophische Fakultät der Karls-Univ. in Prag als o. Professor für oriental. Hilfswissenschaften und modernes Arabisch berufen. Seine wissenschaftsorganisatorische Tätigkeit führte 1922 zur Gründung des Oriental. Instituts in Prag. Nach seiner Emeritierung 1938 beschäftigte er sich auf seinem Gut in Otryby vorwiegend mit Gartenbau.

Die während seiner Reisen 1908–15 gesammelten neuen Erkenntnisse veröffentlichte M. in 6 Bänden sowie auf 3 Karten, die er nach Studien in den USA (1923/24, 1926–28) mit Hilfe der American Geographical Society erstellte. Seine bahnbrechenden, teilweise bis heute unübertroffenen, gründlichen Studien, darunter vor allem die Reihe „Dnešní Orient" und etwa 1250 Aufsätze, sowie die dazugehörigen Karten bilden wegen der reichhaltigen, neuen Materialien bis heute eine wertvolle Fundgrube zur Geschichte, zur materiellen und geistigen, besonders zur literarischen Kultur, zur Ethnographie und Kulturanthropologie der Beduinen sowie zur Geographie und Topographie der von ihm erforschten Gebiete. In einer Serie von Reisebüchern schilderte M. auch eigene Erlebnisse und versuchte, durch historische Abenteuerromane bei jugendlichen Lesern Interesse für die Geschichte und Kultur der arab. Länder zu wecken. – korr. Mitgl. d. Ak. d. Wiss. in Wien (1906); Orden d. Eisernen Krone (1908); Dr. h. c. (Bonn, 1910); o. Mitgl. d. Böhm. Gel. Ges. (1907), d. Tschech. Ak d. Wiss. (1907), d. Tschechoslowak. Forschungsrates, d. Oriental. Inst. in Prag (1922), d. American Geographical Society; Ehrenmitgl. d. Dän. Geograph. Ges. (1911), d. Geograph. Ges. in Wien, d. Arab. Ak. d. Wiss. in Damaskus; Hofrat (1917); Mitgl. d. Höchsten Islam. Rates in Jerusalem; Gr. Goldmedaille Charles D. Daly d. American Geographical Society (1927); Konsistorialrat d. Erzbistums Prag (1933).

Weitere W u. a. Kusejr Amra, 2 Bde., 1907; Zur Zeitgesch. v. Arabien, 1918; The Northern Heǧaz, 1926; The Middle Euphrates, 1927; Arabia Deserta, 1927; Palmyrena, 1928; Northern Neǧd, 1928; The Manners and Customs of the Rwala Bedouins, 1928; In the Arabian Desert, 1931; *Reihe:* Dnešní Orient (Der neue Orient, 11 Bde., 1934–41); *Reisebücher, Jugendbücher; Aufsätze u. a. in:* Anz. d. Österr. Ak. d. Wiss., phil.-hist. Kl., 1901–13, Österr. Mschr. f. d. Orient, 1914–18; – *Karten:* Map of the Northern Heǧaz according to the original investigations, 1926; Map of Northern Arabia according to the original investigations, 1927; Map of Southern Mesopotamia according to original investigations, 1927. – *Nachlaß:* Mus. Vyškovska, Vyškov; Lit. Abt. d. Nat.mus., Prag.

L J. Rypka, in: Archiv Orientální 10, 1938, S. 1–34; ders., ebd. 15, 1946, S. I–VIII; A. Grohmann, in: Alm. d. Wiener Ak. d. Wiss., 1944, S. 233–51; A. M., Kat. výstavy ke 100. výročí narození (Kat. d. Ausst. z. 100. Geb.tag), 1968 *(W-Verz., P);* Th. Procházka Sen., A. M. and Prince Nuri b. Shaᶜlan, in: Proceedings of the Seminar for Arabian Studies, London, XII, 1982, S. 61–66; ders., A. M. – Czech Scholar in the Orient, in: Kosmas, Journal of Czechoslovak and Central European Studies, 6, 1987, S. 61–96; E. Feigl, M. v. Arabien, Vorkämpfer d. islam. Welt, 1988 *(P);* K. J. Bauer, A. M., Der Wahrheitssucher in d. Wüste, 1989 *(Auswahlbibliogr., P);* A. M., český vědec světového jména, Materialien d. Musil-Konferenz (Prag 1994), 1995; Archiv Orientální, IV, 1995 (im Druck); Wi. 1905–35; Enc. Jud. XII; ÖBL; LThK³; BLBL; BBKL.

Rudolf Veselý

Muskatblüt *(Muskatblüt, Conrad)*, Meisterlieddichter u. -sänger, * um 1390, † nach 1458 (?).

M. war einer der bekanntesten Liedautoren seiner Zeit und zusammen mit dem eine Generation jüngeren Michel Beheim der letzte Berufsdichter in der Tradition der Sangspruchdichtung. Er lebte als fahrender Sänger vorwiegend im süddeutschen Raum. Bezeugt sind Auftritte in Nördlingen, Regensburg und Nürnberg. Zugleich stand er aber offenbar jahrzehntelang im Dienst des Mainzer Hofes: 1424 wird er in Nördlingen als „des von Meincz sprecher" bezeichnet, 1441 in Nürnberg als „des von Mencz varender man", und noch aus den 50er Jahren sind in Mainz Lohnzahlungen an ihn verbürgt, zuletzt 1458 (eine abweichende Auffassung, nach der sich nicht alle Belege auf dieselbe Person beziehen, wird von Kiepe-Willms vertreten). Auch für den Reichserbkämmerer Konrad von Weinsberg erledigte M. in den 20er und 30er Jahren verschiedentlich Aufträge, u. a. wurde er 1429 zum Hochmeister des Deutschen Ordens nach Preußen geschickt. Der Beginn seines Schaffens fällt in die Zeit des Konstanzer Konzils: Das früheste sicher datierbare Lied (Nr. 70) stammt von 1415 und behandelt Konzilsereignisse. M. vermerkt, er habe nach der Flucht des Papstes Johannes (März 1415) persönlich in Konstanz geweilt. Das jüngste datierbare Lied entstand 1438 anläßlich der Wahl Kg. Albrechts II. Aus dieser und der späteren Zeit ist vergleichsweise wenig erhalten – vielleicht ließ M.s Schaffenskraft nach, vielleicht aber sind die Gründe auch in den Besonderheiten der Überlieferung zu suchen: Die Lieder M.s sind mit wenigen Ausnahmen in einer Handschrift erhalten, die bereits 1434 von Hermann Ludesdorf, Kaplan der Grafen v. Manderscheid, wohl in deren Auftrag geschrieben wurde und die im Kern auf eine vermutlich von M. selbst angelegte Sammlung zurückgeht. Daneben steht eine breite Sammel- und Streuüberlieferung, in der sich aber nur vereinzelt und eher zufällig echte Lieder finden, die in der Handschrift von 1434 fehlen. Charakteristisch für M.s Werk ist die Verwendung der Autorsignatur in allen Liedern. Es kommt darin ein nicht geringes auktoriales Selbstbewußtsein zum Ausdruck, das in M.s Selbstverständnis als Morallehrer für den Adel wurzelt. Das Œuvre besteht aus knapp 100 Liedern in vier von M. erfundenen Tönen (Melodien). Am häufigsten bediente er sich des Hoftons (66 Lieder), der noch im 16. Jh. populär war; im Langen Ton sind 20 Lieder abgefaßt, im Fröhlichen Ton 10, und in einem vierten Ton, der keinen eigenen Namen trägt, lediglich 3. Die Verwendungsweise der Töne ist unterschiedlich, so diente z. B. der Lange Ton vorwiegend der moralischen Unterweisung, der Fröhliche Ton für Lieder zu kirchlichen Festen sowie für Liebes- und Frühlingslieder, während der Hofton für vielerlei Themen zur Verfügung stand. Die Mehrzahl der Texte ist weltlichen Inhalts: Neben der allgemeinen Morallehre steht die oft kritische Adels- und Fürstenlehre, z. T. mit konkretem politischem Bezug, und auf der anderen Seite das Thema Frauen und Minne, teils wieder mit didaktischer Tendenz, teils preisend und werbend. Die geistlichen Lieder sind vor allem Maria gewidmet und handeln lobpreisend von der Verkündigung und Inkarnation oder von der Geburt Christi, von Marias Leiden und ihrer Himmelfahrt, wobei oft kirchliche Feste den Anlaß der Entstehung und Aufführung bilden. Zuweilen bediente sich M. auch des Verfahrens der Allegorese, ohne damit aber einen gelehrten Anspruch zu verbinden. Er legte in seinen Dichtungen eher auf allgemeine Verständlichkeit Wert als auf gesteigerte Kunstfertigkeit. Dies ist wohl auch die Ursache der Beliebtheit seiner Lieder.

W Ausg.: E. v. Grote (Hrsg.), Lieder M.s, 1852. – *Faks. d. Haupths.:* E. Kiepe-Willms u. H. Brunner (Hrsg.), M., Abb. z. Überlieferung: Die Trierer-Kölner Hs. u. d. Musiküberlieferung, 1983.

L ADB 23; E. Kiepe-Willms, Die Spruchdichtungen M.s, 1976 *(W-Verz., L);* dies., in: Vf.-Lex. d. MA; F. Schanze, Meisterl. Liedkunst, 1983/84, I, S. 145–82, II, S. 14–20, 316 f.; ders. u. B. Wachinger (Bearb.), Rep. d. Sangsprüche u. Meisterlieder IV, 1988, S. 378–436; MGG.

Frieder Schanze

Musper, Heinrich *Theodor,* Kunsthistoriker, Museumsdirektor, * 22. 12. 1895 Heidenheim/Brenz, † 5. 2. 1976 Sillenbuch b. Stuttgart (Württemberg). (ev.)

V August (1865–1939), Kaufm. in. H., *S* d. August, Sattler in Schnaitheim (Württemberg), u. d. Johanna Karoline Katharina Hodum; *M* Helene (1866–1959), *T* d. Robert Moser, Pfarrer in Ostdorf, u. d. Bertha Conradi; *B* Fritz (1892–1943), Dr. rer. nat., Lagerstättengeologe, seit 1921 im Auftrag d. niederländ. Reg. in Indien (s. *L*); *Schwager* Alfred Bentz (1897–1964) aus H., Geologe, 1958–62 Präs. d. Bundesanstalt f. Bodenforschung (s. Pogg. VII a; DBE; *L*); – ∞ 1) Stuttgart 1934 (∞) Wilma Schindele (1902–96) aus Stuttgart, 2) Bad Kissingen 1956 Hildegard Adelheid (* 1909) aus Bromberg, Tanzinst.-inh. in Bad Kissingen, *Wwe* d. Tanzlehrers Karl Schmitt († 1952), *T* d. Max Packhaeuser († 1941), Bahnhofsvorsteher in Bromberg, u. d. Adelheid v. Strobitzki; kinderlos.

M. besuchte das Gymnasium in Schwäbisch Gmünd und studierte in München Kunstgeschichte, Germanistik, Philosophie und Archäologie. 1922 promovierte er bei Heinrich Wölfflin mit einer Arbeit über den Petrarca-Meister. Danach war er als Geschäftsführer der Neuen Sezession in München tätig. 1925 übernahm er die Leitung der Graphischen Sammlung der Stuttgarter Staatsgalerie. 1946 zum Direktor der Staatsgalerie ernannt, bekleidete er dieses Amt bis 1960. M. übernahm zwei ausgebrannte Museumsgebäude und eine alte Wehrmachtsbaracke. Die Bestände der Sammlung waren in 20 Depots zerstreut, z. T. zerstört oder entwendet worden. Der Wiederaufbau des 1958 neu eröffneten Hauses war eine große Leistung M.s, nicht minder bedeutend seine zielstrebige Erweiterung der Sammlungen durch aufsehenerregende Neuerwerbungen, die Stuttgart zu einer Museumsstadt von überregionaler Bedeutung machten. So gelang ihm der Ankauf von Werken von Cranach, Ratgeb, Hals und Rembrandt, vor allem aber der Aufbau der Neuen Abteilung, deren Bestände 1937 durch den Verkauf „entarteter" Kunst dezimiert worden waren. M. erwarb Werke von Munch, Marc, Picasso, Beckmann, Grosz, Kokoschka, Kirchner und Renoir sowie 1959 die Sammlung Moltzau, die 30 Gemälde franz. Impressionisten umfaßte.

Als Wissenschaftler beschäftigte sich M. seit seiner Dissertation mit Tafelbildern und Graphiken des 15. und 16. Jh. Von seinen oft mit ausführlichen Kommentaren versehenen Faksimileausgaben von Holzschnittwerken sind Maximilians „Weißkunig" (1956) und dessen „Theuerdank" (1968) besonders hervorzuheben. 1961 machte er der Forschung die „Urausgaben der holländ. Apokalypse und Biblia pauperum" zugänglich. Ein umfassendes Werk über die Geschichte des Holzschnitts in fünf Jahrhunderten – die erste Auflage war 1944 verbrannt – erschien 1964. Bereits 1952 hatte M. eine Biographie über Albrecht Dürer mit dem Untertitel „Der gegenwärtige Stand der Forschung" vorgelegt. 1965 veröffentlichte er eine kürzere Monographie (ital. 1965, engl. 1966) und 1969 über Dürers seinerzeit kontrovers diskutierte Kaiserbildnisse ein nicht weniger umstrittenes Bändchen. Hinzu kamen zahlreiche Aufsätze über Gemälde und Graphiken, aber auch über Zeichnungen der Spätgotik und der Renaissance in Fachzeitschriften. – Prof.titel (1960).

Weitere W Die Holzschnitte d. Petrarca-Meisters, 1927; Unterss. zu Rogier van der Weyden u. Jan van Eyck, 1948; Kat. d. Staatsgal. Stuttgart, 1957; Got. Malerei nördl. d. Alpen, 1961; Neuere franz. Malerei aus d. Staatsgal. Stuttgart, Ausst.kat. Karlsruhe 1961; Altniederländ. Malerei v. van Eyck bis Bosch, 1968; Der Antichrist u. d. fünfzehn Zeichen, 1970; Altdt. Malerei, 1970; Der Einblattholzschnitt u. d. Blockbücher d. XV. Jh., 1976. – *Verz. d. Aufsätze zu Dürer:* M. Mende, Dürer-Bibliogr., 1971.

L G. Schweier, Namhafte Heidenheimer, I, 1968, S. 51 *(P);* Stuttgarter Ztg. v. 13. 2. 1976 *(P)* u. 22. 12. 1995; FAZ v. 14. 2. 1976; Trauerreden in memoriam H. T. M. (Ms. in d. Staatsgal. Stuttgart). – *Zu Fritz:* A. Bentz, in: Erdöl u. Kohle 1, 1948, S. 97 f. *(W, P).*

Wolfgang Schmid

Mussgay, *Manfred,* Virologe, * 11. 11. 1927 Stuttgart, † 6. 7. 1982 Tübingen. (ev.)

V Paul Friedrich (1892–1946) aus Ludwigsburg, Reg.rat, S d. Georg Friedrich (1847–1919) aus Urach, Hausmeister in Schwäb. Gmünd; M Emma (1892–1950), T d. Wilhelm Schaubacher, Bäcker in Winterbach; ∞ Ingeborg N. N.

Nach der Rückkehr aus franz. Kriegsgefangenschaft (1946) und dem Abitur (1948) am Stuttgarter Zeppelin-Gymnasium nahm M. im selben Jahr an der Univ. München das Studium der Veterinärmedizin auf, wo er 1953 die Tierärztliche Staatsprüfung ablegte und zum Dr. med. vet. promoviert wurde. 1953–55 arbeitete M. als Gastwissenschaftler an Adolf Butenandts Max-Planck-Institut für Biochemie in Tübingen. In der von Werner Schäfer geleiteten Abteilung für Virusforschung befaßte er sich mit der damals noch in den Anfängen stehenden virologischen Grundlagenforschung. 1955–59 war er Mitarbeiter an der Bundesforschungsanstalt für Viruskrankheiten der Tiere in Tübingen. Damals gelang es ihm als erstem, die infektiöse Nukleinsäure des Maul- und Klauenseuche-Virus zu isolieren. 1960–62 stand M. in Caracas (Venezuela) dem Laboratorium für Viruskrankheiten der Haustiere vor, einer Abteilung des renommierten „Instituto Venezolano de Investigaciones Cientificas". Nach Deutschland zurückgekehrt, wurde er zum Assistenten am Institut für Medizinische Mikrobiologie der Univ. Mainz ernannt, wo er die Virussektion leitete und sich 1963 für das Fach Virologie habilitierte. 1964 wurde M. an die Tierärztliche Hochschule Hannover berufen, wo er als o. Professor die Leitung des Instituts für Virologie übernahm. 1967 erfolgte seine Ernennung zum Präsidenten der Bundesforschungsanstalt für Viruskrankheiten der Tiere in Tübingen – ein Amt, das er bis zu seinem Tod innehatte – sowie zum Honorarprofessor an der Tierärztlichen Hochschule Hannover. Im Dezember 1969 verlieh ihm die Medizinische Fakultät der Univ. Tübingen ebenfalls eine Honorarprofessur. Drei Hauptforschungsgebieten galt M.s besonderes Interesse. Bis etwa 1973 arbeitete er über Viren, die durch Insekten auf Tier und Mensch übertragen werden (sog. Arboviren). Er untersuchte den Vermehrungsmechanismus der Viren, die antigenen Verwandtschaftsverhältnisse sowie die Virusstruktur und entwickelte einen wirkungsvollen Impfstoff. 1974 nahm M. die Erforschung virusinduzierter Tumore bei Mäusen auf. Hauptziele seiner damaligen Arbeiten waren die Entwicklung eines Modells für die Genese und den Verlauf tumoröser Tiererkrankungen sowie die Klärung jener Mechanismen, die es der Tumorzelle ermöglichen, die Immunabwehr des Organismus zu umgehen. In seinen letzten Lebensjahren rückten zunehmend gentechnologische Fragestellungen in den Vordergrund. In interdisziplinärer Zusammenarbeit beabsichtigte er, einen Impfstoff gegen die Maul- und Klauenseuche zu entwickeln, der später mit Hilfe von Bakterien preiswert und in großen Mengen hergestellt werden sollte. Etwa 120 Veröffentlichungen im in- und ausländischen Fachschrifttum belegen den hohen wissenschaftlichen Rang M.s, der auch auf internationaler Ebene zu den bekanntesten Veterinärvirologen zählt. – Dr. med. vet. h. c. (Gießen 1982);

Mitgl. d. Leopoldina (1974); Ludwig-Schunk-Preis d. Univ. Gießen (1971).

W u. a. Unterss. üb. Struktur u. Vermehrungsmodus menschen- u. tierpathogener Virusarten, Habil.schr. Mainz 1963; Growth Cycle of Arboviruses in Vertebrate and Arthropod Cells, in: Progress in Medical Virology 6, 1964, S. 193–267 (erweiterte Fassung: ebd. 19, 1975, S. 257–323, mit P.-J. Enzmann, M. C. Horzinek u. E. Weiland); Menschl. Infektionen durch tierpathogene Viren, in: R. Haas u. O. Vivell (Hrsg.), Virus- u. Rickettsieninfektionen d. Menschen, 1965, S. 977–93; Arbovirusinfektionen, in: Die Infektionskrankheiten d. Menschen u. ihre Erreger, hrsg. v. A. Grumbach u. a., 1969, S. 1574–1649 (mit Ch. Kunz); Progress in Studies on the Etiology and Serological Diagnosis of Enzootic Bovine Leukosis, in: Current Topics in Microbiology and Immunology 79, 1978, S. 43–72 (mit O. R. Kaaden); Virus u. Krebs, in: Tierärztl. Praxis 9, 1981, S. 287–94; Transformed Cell Lines Derived from Progressor Sarcoma Virus (Moloney) Induced Tumors, I, Differences in Pathogenicity between C Type Viruses from Producer and Helper Virus Infected Nonproducer Cells, in: Archive of Virology 71, 1982, Nr. 4, S. 343–47 (mit E. Weiland).

L G. Wittmann, in: Südwestpresse / Schwäb. Tagbl. v. 10. 7. 1982 *(P);* Kürschner, Gel.-Kal. 1983. – Eigene Archivstud. in d. Bundesforschungsanstalt f. Viruskrankheiten d. Tiere, Tübingen, u. im Inst. f. Gesch. d. Med. d. Univ. Würzburg.

Werner E. Gerabek

Musso, *Hans,* Organischer Chemiker, * 17. 8. 1925 Camby Kr. Dorpat (Estland), † 20. 7. 1988 Karlsruhe. (ev.)

V Alexander Friedrich Wilhelm (1888–1959), Rechtsanwalt in Riga, *S* d. Ernst (1857–1936) u. d. Elisabeth Ammon (1857–1924), aus Kaufm.fam. in D.; *M* Ellinor (1891–1972), *T* d. Heinrich Gernhardt (1852–1901) u. d. Minna Hagen (1862–1938), aus hess. u. schleswigscher Fam.; *Ov* Emil (1885–1945), Pädagoge, Dir. d. Dt. Schule in Reval (s. Dt.balt. Biogr. Lex.); – ∞ Göttingen 1953 Eve-Maria (* 1930), *T* d. Erhard Konstantin Thomson (1895–1983), Richter, u. d. Anneliese v. Dehn (1900–74); *Ov d. Ehefrau* Paul Thomson (1891–1957), Dr. rer. nat., Geologe u. Paläontologe, 1928–39 Doz. in Dorpat, Mitgl. d. Naturforschenden Ver. in Riga (s. Pogg. VII a; Dt.balt. Biogr. Lex.), Waldemar Thomson (1897–1945), 1934–39 Oberpastor an d. St.-Nikolai-Kirche in Pernau (s. Dt.balt. Biogr. Lex.); 3 *S*, u. a. Andreas (* 1954), Rechtsanwalt in Regensburg.

M. konnte sich bereits in seiner Gymnasialzeit in Riga einen breiten Wissensfundus über Pflanzen und Tiere aneignen und seine zeichnerische Begabung entwickeln. Nach der durch den Hitler-Stalin-Pakt erzwungenen Umsiedlung nach Posen beendete er dort Anfang 1943 seine Schulausbildung, gefolgt von Reichsarbeitsdienst und Kriegseinsatz. 1946 nahm M. das Chemiestudium in Göttingen auf, wobei er von Hans Brockmann wesentliche Impulse empfing. 1951 legte er die Diplomprüfung ab, 1953 wurde er zum Dr. rer. nat. promoviert, 1957 habilitierte er sich mit der Schrift „Über Orceinfarbstoffe". Bei der Arbeit mit diesen komplizierten Naturfarbstoffen entwickelte M. zwei, seine weiteren Forschungen kennzeichnenden, Interessensschwerpunkte: Trennung komplexer Stoffgemische und Strukturaufklärung der Komponenten. Die Richtigkeit der postulierten Struktur suchte er immer mittels der entsprechenden Totalsynthese zu beweisen. Seine erfolgreichen Arbeiten über Lackmus und Orcein brachten M. 1961 die Berufung als ao. Professor für Organische Chemie an die Univ. Marburg. Von Januar bis Juni 1963 war M. als Gastprofessor an der University of Wisconsin in Madison (USA). Seit November 1963 füllte er neben seiner Marburger Tätigkeit auch noch die „Gründungsprofessur" für Chemie an der neuen Ruhr-Universität in Bochum aus. Im März 1969 wurde M. als Nachfolger von Rudolf Criegee auf den Lehrstuhl für Organische Chemie an der Univ. (TH) Karlsruhe berufen. Danach wurden ihm immer häufiger auch über seine Funktion als Lehrer und Forscher hinausgehende Aufgaben übertragen. So wurde er Gutachter für die Deutsche Forschungsgemeinschaft (seit 1971; 1982–88 auch Senatsmitglied der DFG), Hauptherausgeber der „Chemischen Berichte" (seit 1972) und Mitherausgeber der „Annalen der Chemie" (seit 1980). Mitglied des Engeren Kuratoriums des Fonds der Chemischen Industrie war er schon seit 1965. Mit der Präsidentschaft der Bürgenstock-Konferenz 1971 begann M. sich auch international zu engagieren, seit 1975 u. a. als Mitglied des Komitees für Organische Chemie der International Union for Pure and Applied Chemistry (IUPAC).

Die Arbeiten M.s betrafen u. a. Strukturuntersuchungen bestimmter Kohlenwasserstoffe, besonders der Asterane, ferner organische Metallkomplexe sowie die Farbstoffe des Fliegenpilzes. Ein zusätzliches Thema wurden die Kraftfeldverfahren. Bei letzteren arbeitete M. eng mit der Arbeitsgruppe von Eiji Osawa von der japan. Hokkaido-Universität zusammen. Obwohl M. vom Ansatz her der traditionellen Naturstoffchemie verbunden war und diese auch wesentlich bereichert hat, liegt seine Bedeutung doch mehr in der Vielzahl der Stoffe, die er untersuchte und deren Struktur er aufklärte, sowie in der systematischen Ordnung, in die er diese Verbindungen stellte. – Mitgl. d. Ges. z. Beförderung d. gesamten Naturwiss., Göttingen (1961); Chemiepreis d. Göttinger Ak. d. Wiss. (1961); o. Mitgl. d. Heidelberger Ak. d. Wiss. (1977); Emil-Fischer-Medaille d. Ges. Dt. Chemiker (1978).

W Orcein u. Lackmus, Konstitutionsermittlung u. Konstitutionsbeweis durch d. Synthese, in: Planta Medica 8, 1960, S. 432; Asterane – bemerkenswerte Molekülformen, in: Umschau, Wschr. üb. d. Fortschritte in Wissenschaft u. Technik, 68, 1968, S. 209; Über d. Farbstoffe d. Fliegenpilzes, in: Naturwiss. 69, 1982, S. 326 (mit E. Osawa); Molekül-Mechanik-Rechnungen in d. Organ. Chemie, in: Angew. Chemie 95, 1983, S. 1. – *Nachlaß:* Univ.-archiv Karlsruhe.

L H. Hopf, Über H. M. (1925–1988) u. sein wiss. Werk, in: Chem. Berr. 125, 1992, S. I–XXIV *(W-Verz., P);* Nachrr. aus Chemie, Techik u. Laboratorium 26, 1978, S. 672–74 *(P);* ebd. 36, 1988, S. 939; Pogg. VII a. – Eigene Archivstud.

Wolfgang A. W. Götz

Muster, *Wilhelm,* Schriftsteller, Übersetzer, * 12. 10. 1916 Graz, † 26. 1. 1994 ebenda. (kath.)

V Josef (1887–1950), Zollwachbeamter in Spielfeld, Mureck, Radkersburg u. G., S d. Franz (1844–1926), Bahnangestellter in Marburg/Drau, u. d. Maria Jauk (1849–1927), Bäuerin in Brunndorf; M Johanna (1890–1976) aus G., T d. Johann Mauerhofer (1842–1905), Postamtsdiener in Bruck/Mur, u. d. Johanna Hochegger (1858–1932); ∞ Graz 1967 Anneliese (* 1922), T d. Leopold Petz (1894–1922), Maschinenbauing., u. d. Hedwig Scheibein (1901–76); kinderlos.

M. verbrachte einen großen Teil seiner Kindheit in Mureck an der österr.-slowen. Grenze. Der zweisprachige Charakter der Südsteiermark fand in seinem späteren Romanwerk einen produktiven Niederschlag. Dem Besuch einer Internatsschule in Wiener Neustadt folgte ein selbstentworfenes, allerdings häufig unterbrochenes studium generale an der Univ. Graz. Die Vielfalt der Fachrichtungen von der Germanistik bis zur Zoologie, denen er sich dabei widmete, spiegelt sich in seinem fiktionalen Werk wider. Frühe schriftstellerische Versuche führten zum Kontakt mit Josef Weinheber, der ihm zur Fortsetzung seiner Arbeit riet, jedoch auch einen Brotberuf als Lehrer empfahl. 1941 erwarb M. daher eine zweite Matura an der Lehrerbildungsanstalt in Graz und unterrichtete zunächst an Volks- und Hauptschulen, dann an der Lehrerbildungsanstalt in Maribor (Marburg/Drau). Nach mehrjähriger Arbeit als Erzieher und der Wiederaufnahme des Studiums, das er 1947 aufgrund der Dissertation „Schamanismus im deutschen Märchen" mit der Promotion beendete, lehrte er seit 1952 als Lektor für Deutsch in Madrid. In dieser Zeit beschäftigte er sich intensiv mit span. Literatur, auch des Mittelalters und der frühen Neuzeit. 1958 übersiedelte M. als Übersetzer nach Ibiza; Spanien wurde ihm zur „zweiten Heimat". Mit seinem ersten Roman „Aller Nächte Tag" (1960, Neuaufl. u. d. T. „Silbermeister", 1983), der unter dem Pseudonym Ulrich Hassler erschien, war er selbst noch wenig zufrieden. Seit 1962 unternahm M. größere Reisen, u. a. durch Afrika und nach Israel. Nach Österreich zurückgekehrt, arbeitete er 1965–78 als Universitätslehrer für Spanisch in Graz.

M.s Erzählpraxis nähert ihn eher den spanischsprachigen und amerikan. Varianten der Postmoderne als der sprachkritisch-reduktionistischen Schule ihrer österr. Vertreter (wie P. Handke oder Th. Bernhard) an. Die genaue Kenntnis der span. Literatur läßt sich gerade in seiner Fabulierlust und den Erzählstrukturen seines Werkes auffinden. Obwohl M.s Texte bereits in den 50er und 60er Jahren entstanden (und in den 70er und 80er Jahren lediglich vollendet wurden), werden sie seit 1980 als wichtige Beiträge zur Gegenwartsliteratur rezipiert. Seine Romane, insbesondere der Afrikaroman „Der Tod kommt ohne Trommel" (1980, span. 1994) und „Pulverland" (1986), sind komplexe erzählerische Gebilde, in denen Mythen und Fiktionen einem permanenten Prozeß literarischer De- und Rekonstruktion unterworfen werden. Die fiktionale Verstrickung und das Verschwinden der Erzähler im Labyrinth der Texte gehören zu den typischen Verfahrensweisen postmoderner Literatur, die bei M. auch aus akademischem Wissen und seinen fremdkulturellen Erfahrungen resultieren. Mit seinen vielfältigen Bezügen zu einem mehreren Kulturen verpflichteten Österreich erweist sich M.s Werk darüber hinaus als metakritischer Kommentar zum „habsburg. Mythos" (C. Magris) in d. österr. Literatur. – Lit.preis d. Steiermark (1983), Übersetzerpreis d. span. Kultusmin. (1985), Österr. Staatspreis f. Übers. (1987), Lit.preis d. Stadt Graz (1991).

Weitere W u. a. Vom Nutzen d. Flaschenpost od. d. Umweg üb. Westindien, 1953; Die Reise nach Cerveteri, 1956 (Novelle); Die Hochzeit d. Einhörner, Variation e. Themas, 1981; Gehen Reisen Flüchten, 1983; Monsieur M.s Wachsfigurenkabinett, 1984; Sieger u. Besiegte, 1989 (Erzz.); Mars im zwölften Haus, 1991 (Erzz.); Auf d. Spuren d. Kuskusesser, 1993 (Erzz.). – *Übersss. v.* Ramón Pérez de Ayala, Benito Pérez Galdós, Ramón José Sender,

Francisco de Quevedo, Alfonso Martínez Garrido, Pedro Salinas, Juan Carlos Onetti, Miguel de Unamuno, Pio Baroja. – *Hörspiele:* Die Fledermaus, 1984; Die Verschwörung v. Venedig, 1988. – *Nachlaß:* Franz-Nabl-Inst. f. Lit.forschung, Graz.

L W. Grünzweig, Geschichte u. Geschichten, Zur Dekonstruktion österr. Mythen im Werk W. M.s, in: Modern Austrian Literature, 1990, H. 3/4, S. 187–97; ders., in: Krit. Lex. z. dt.sprachigen Gegenwartslit., 43. Nachlfg. *(W-Verz., L);* E. M. Bogner, Arbeit am Mythos u. gegen d. Tod, W. M. u. seine jüngsten Erzz., in: SZ v. 8. 10. 1991 *(P);* C. Kühnau, in: Schriftst. d. Gegenwart, hrsg. v. K. Nonnenmann, 1963; Killy.

Walter Grünzweig

Musulin v. *Gomirje, Alexander* Frhr. (ungar. Baron 1912), Diplomat, * 27. 10. 1868 Agram, † 9. 1. 1947 Fridau (Niederösterreich). (kath.)

Aus kroat. Soldatenfam.; *V* Emil M. v. G.(1831–1904, ungar. Adelserhebung), FML, Kommandant v. Agram, *S* d. N. N., k. k. Rgt.kdt., u. d. Maria Radakovic (* 1802) aus Kostajenca (Banat); *M* Wilhelmine (1840–1915) aus Prag, *T* d. Franz Ignaz Kunerle (* 1791) u. d. Theresia Maria Elisabeth Kriner (* 1813); ∞ Wien 1908 Elsa (1889–1976), *T* d. Rudolf Frhr. v. Isbary (1858–1932, österr. Adel u. Frhr. 1893) auf Fridau, Industrieller, Mitgl. d. österr. Herrenhauses (s. NDB X*), u. d. Jacqueline Schürer v. Waldheim (1859–1936), 1 *S* Janko (1916–78), Dipl.-Agraring., Schriftst., 1958–64 im S. Fischer Verlag in Frankfurt, dann im Molden Verlag tätig (s. ÖBL), 1 *T* Marga (* 1914, ∞ Gherardo Tacoli Marchese di San Possidonio, * 1911, Land- u. Forstwirt); *E* Marko (* 1948), Dr. iur., Dir. mit Gen.vollmacht b. d. Creditanstalt-Bankverein in Wien.

Nach dem Studium der Jurisprudenz in Wien und der Promotion zum Dr. iur. 1891 trat M., der vier Sprachen beherrschte, als Konzeptspraktikant in das Präsidium der kroat. Landesregierung ein. 1892 legte er die Diplomatenprüfung ab und praktizierte an den Gesandtschaften in Dresden, Paris und Stuttgart sowie im Außenministerium. 1895 ging er als Gesandtschaftsattaché nach Bukarest, vier Jahre später nach St. Petersburg; zwischendurch wurde er in Athen und Belgrad eingesetzt (1900/01). Seit 1903 wieder im Wiener Außenministerium, wurde M. als Legationsrat (seit 1908 ao. Gesandter) dem Orientalischen Referat, 1910 jenem für kirchenpolitische Agenden und für Ostasien zugeteilt. Da M. stilistisch sehr gewandt war, wurde ihm zunehmend die Formulierung wichtiger Noten anvertraut, z. B. jener bezüglich der Annexion von Bosnien und der Herzegowina, des Ultimatums an Serbien sowie des Memorandums an die Großmächte im Sommer 1914. 1916 übernahm M. die Leitung des neugeschaffenen Kriegsreferats, ging aber bereits im folgenden Jahr als Gesandter nach Bern. Kaiser Karl beauftragte ihn persönlich, die Möglichkeiten eines baldigen Friedensschlusses zu sondieren und die entsprechenden Aktivitäten der Prinzen Sixtus und Xavier von Bourbon-Parma zu unterstützen. Diese Bemühungen scheiterten in erster Linie am Widerstand Italiens.

Nach dem Zusammenbruch der Donaumonarchie reichte M. am 18. 11. 1918 seine Demission ein, blieb aber zunächst in der Schweiz. 1921 übersiedelte er nach Graz, 1932 auf das seiner Frau gehörende Schloß Fridau. 1924 veröffentlichte M. seine Memoiren „Das Haus am Ballplatz", die interessante Einblicke in die Außenpolitik jener Jahre, besonders unter dem glücklos agierenden Aloys Gf. Aehrenthal (1906–12), gewähren. Mit großer Sorge verfolgte er die Entwicklung auf dem Balkan und in Osteuropa. Er war überzeugt, daß die Zerschlagung der österr.-ungar. Monarchie den Keim für künftige Umwälzungen in sich trage und daß der Kommunismus noch in diesem Jahrhundert zusammenbrechen werde. Er mußte noch die Beschlagnahme von Schloß Fridau am 9. 5. 1945 durch die russ. Truppen und dessen Umwandlung in eine Kaserne (bis 1955) erleben; die Einrichtung, darunter die Bibliothek und das bis in das 15. Jh. zurückreichende Archiv, wurde zerstört. – Franz Joseph-Orden (Ritter 1896, Komtur mit Stern 1908).

L O. Gf. Czernin, Im Weltkriege, 1919; O. v. Wertheimer, in: HZ 131, 1925, S. 318–22; V. Naumann, Profile, 1925; H. Hantsch, Leopold Gf. Berchtold, 2 Bde., 1963; F. Engel-Janosi, Gesch. auf d. Ballhausplatz, 1963; R. A. Kann, Die Sixtusaffaire u. d. geheimen Friedensverhandlungen Österreich-Ungarns im 1. Weltkrieg, 1966; ÖBL.

Marga Marchesa Tacoli

Muth, *Jakob,* Pädagoge, * 30. 6. 1927 Gimbsheim b. Worms, † 26. 4. 1993 Heiligenhaus b. Düsseldorf. (ev.)

V Friedrich (1887–1937) aus G., Handarbeiter in W., *S* d. Friedrich (1860–1917), Taglöhner in G., u. d. Barbara Rehn (* 1862) aus G.; *M* Klara Dorothea (1894–1968) aus G., *T* d. Jakob Oswald (1868–1955), Fabrikarbeiter in G., u. d. Anna Elisabeth Seib (1875–1955) aus Groß-Rohrheim b. Worms; ∞ Traben-Trarbach 1953 Marianne (* 1927), Lehrerin, *T* d. Heinrich Fölsing (1895–1974) aus Gießen, Schornsteinfegermeister in Traben-Trarbach, u. d. Elisabeth Weber (1894–1983) aus Gießen, Sekretärin; 1 *S* Henning (* 1960), Dr., Spielpädagoge, Sportwiss. in H., 1 *T* Cornelia (* 1955), Sonderschullehrerin in Wuppertal.

M. besuchte seit 1940 die Adolf-Hitler-Schule in Sonthofen. Im letzten Kriegsjahr war er Soldat, danach arbeitete er als Maurer, besuchte das Pädagogium in Alzey (Reifeprüfung 1948), die Pädagogischen Akademien in Bad Neuenahr und in Worms (Erste Prüfung für das Lehramt an Volkschulen 1950). Er unterrichtete acht Jahre lang an einer Volksschule in Mainz und studierte gleichzeitig an der dortigen Universität Pädagogik (bei Otto Friedrich Bollnow und Theodor Ballauff), Philosophie und Vor- und Frühgeschichte. 1958–60 war er Dozent an der Pädagogischen Akademie in Worms, 1960–70 Professor an der Pädagogischen Hoschschule Kettwig/ Duisburg (1962–64 Rektor), seit 1970 o. Professor für Schulpädagogik an der Ruhr-Univ. Bochum. Er gehörte 1968 als Vorsitzender der Kommission für Richtlinien und Lehrpläne für die Grundschule in Nordrhein-Westfalen an, und 1970–75 dem Deutschen Bildungsrat, dessen Ausschuß Sonderpädagogik er 1970–73 leitete.

In seinen Büchern und Aufsätzen zur Didaktik der Grund- und Hauptschule verband M. eine feinfühlige, genau beschreibende Kritik mit praktischen Verbesserungsvorschlägen. Die Schulpädagogik der letzten 30 Jahre ist in ihrer Substanz und ihrer Zielrichtung wesentlich durch Arbeiten von ihm mitgeprägt worden. Themenschwerpunkte sind u. a. Schule in der modernen Arbeitswelt, Unterricht in der Grundschule, besonders Erziehungsfragen (Pädagogischer Takt, Schulleben), Lesenlernen, Differenzierung im Unterricht. Mit seinem dezidiert pädagogischen Ansatz hängt die von ihm mit Nachdruck vertretene Forderung der Integration behinderter Kinder und Jugendlicher in Schule und Gesellschaft zusammen. Es kamen ihm hierbei seine gründliche Kenntnis der Geschichte der Erziehung, besonders der Pädagogik Johann Friedrich Herbarts und der Schulreformversuche um die Jahrhundertwende, zugute. M. war Mitherausgeber wissenschaftlicher Reihen („neue pädagogische bemühungen", seit 1963; „Grundthemen der Pädagogischen Praxis", seit 1969) und ein produktiver Schulbuchautor. M. gab in der Reihe „Gutachten und Studien der Bildungskommission" die Bände Sonderpädagogik I–VII heraus.

M. wurde als Schulreformer zum Heilpädagogen (Sonderpädagogen). Insofern schließt er an Johann Heinrich Pestalozzi an, der pädagogische Fragen bis zu den Problemen behinderter Kinder durchdachte, sowie an Jan Daniel Georgens und Heinrich Marianus Deinhardt, die als Reformpädagogen begannen und dann „die Heilpädagogik" mit ihrem gleichnamigen Werk (1861) erstmals wissenschaftlich begründeten. Die schulpolitische Grundrichtung der am 14. 12. 1973 veröffentlichten Empfehlung der Bildungskommission „Zur pädagogischen Förderung behinderter und von Behinderung bedrohter Kinder und Jugendlicher" (1973) geht auf M. zurück. Sie stellte nach dem Beispiel der skandinav. Länder den Gedanken der Integration behinderter Kinder in den Mittelpunkt. Die „Kooperative Schule" wurde zwar in der vorgeschlagenen Weise in keinem Bundesland verwirklicht, bestimmte jedoch in den folgenden zwei Jahrzehnten die wissenschaftliche Diskussion, besonders der Sonderpädagogen, zunehmend auch die der Grundschuldidaktiker. Selbst dort, wo Schulverwaltungen die Forderung der Integration behinderter Kinder eher skeptisch einschätzten, regte die Empfehlung Modellversuche oder Gegenmodelle an. Bis zuletzt beriet M. Schulen und Schulverwaltungen, auch in Polen, der Schweiz, in Brasilien und Japan, unterstützte und ermutigte Initiativen von Eltern behinderter Kinder. Es ist sein Verdienst, daß der Integrationsgedanke in der Bundesrepublik Deutschland bei Vertretern der Grundschule und darüber hinaus in der Öffentlichkeit Fuß gefaßt hat. – Comenius-Preis (1992).

W u. a. Vorberufl. Erziehung in d. Volksschule, Btrr. zu ihrer theoret. Grundlegung u. prakt. Durchführung, Diss. Mainz 1958; Die Aufgabe d. Volksschule in d. modernen Arbeitswelt, 1961, ³1968 u. d. T.: Die Aufgabe d. Schule in d. modernen Arbeitswelt; Päd. Takt, Monogr. e. aktuellen Form erzieher. u. didakt. Handelns, 1962, ³1982; Das Ende d. Volksschule, 1963; Von acht bis eins – Situationen aus d. Schulalltag u. ihre didakt. Dimension, 1967, ³1970; Schülersein als Beruf, 1966; Zur päd. Förderung behinderter u. v. Behinderung bedrohter Kinder u. Jugendlicher, 1973; Integration v. Behinderten, 1986; Wege z. Gemeinsamkeit, Modelle integrativer Schulen in Nordrhein-Westfalen, 1988 (mit B. Hüwe); Tines Odyssee z. Grundschule, Behinderte Kinder im allg. Unterricht, 1991; Schule als Leben – Prinzipien, Empfehlungen, Reflexionen, hrsg. v. H. Susteck u. E. Birr-Chaarana, 1992. – *Nachlaß:* Marianne Muth, Heiligenhaus.

L H. Susteck u. E. Birr-Chaarana, Nachwort d. Anthologen, in: J. M., Schule als Leben, 1992, S. 323–28; ders., Integration ist unteilbar, in: Grundschule 12, 1993, S. 41–43; B. Hüwe, J. M., Wegbereiter d. Integration v. behinderten Kindern u. Jugendlichen, in: Gemeinsam leben, Zs. f. integrative Erziehung, 1, 1993, S. 100 f.; A. Kniel u. W. Topsch, Päd. d. Integration, in: Geistige Behinderung 32, 1993, S. 355–56; W. Tyssen, in: Montessori-Mitt., Nr. 14, Aug. 1993, S. 4; R. Winkel, in: Dt. Lehrerztg. 1993, Nr. 18, S. 2, u. Zs. f. Heilpäd. 44, 1993,

S. 424 f.; ders., in: Pädagogik 45, 1993, H. 9, S. 50; ders., in: FAZ v. 29. 4. 93.

Andreas Möckel

Muth, *Hermann,* Biophysiker, Strahlenschutzfachmann * 3. 2. 1915 Bad Vilbel (Hessen), † 24. 1. 1994 Homburg/Saar.

V Wilhelm (1892–1967), Bauleiter, *S* d. Wilhelm Hartmann (1862–1938), Maurer, u. d. Karoline Hummel (1862–1943), Näherin; *M* Elise (1892–1951), Hebamme, *T* d. Johannes Kohl (1861–1943), Schäfer, u. d. Elisabethe Dickhardt (1863–1929); ∞ Bad Vilbel 1945 Margarete (* 1922), Sekr., *T* d. Valentin Hack (1892–1956), Bankangestellter, u. d. Martha Fey (1892–1952); 5 *T.*

Nach dem Studium der Physik an der Univ. Frankfurt/Main (seit 1935) promovierte M. 1941 mit einer experimentellen Arbeit über Infrarotspektrometrie. Auf Vermittlung von Hermann Dänzer wurde er 1942 an das Kaiser-Wilhelm-Institut für Biophysik in Frankfurt abgeordnet, um sich dort an den Arbeiten zum Aufbau einer Höchstspannungsanlage für 3 Mio. Volt zu beteiligen. Er übernahm dabei die Berechnungen und experimentellen Untersuchungen von Schutzwänden gegen die Neutronenstrahlung, die mit diesem Generator erstmalig mit großer Intensität erzeugt werden konnte. Die Wirkung von Neutronenstrahlung auf Lebewesen war damals noch völlig unbekannt und sollte mit dieser neuartigen Anlage untersucht werden.

Nach dem Ende des 2. Weltkrieges bearbeitete M. gemeinsam mit dem Institutsleiter Boris Rajewsky Fragen der Radiumvergiftung und des natürlichen Gehalts von Radium im Menschen. Seit 1949 war er Lehrbeauftragter an der Univ. Frankfurt/Main, 1952 habilitierte er sich dort für das Fach Biophysik und Physikalische Grundlagen der Medizin und 1955 wurde er zum Diätendozent und 1958 zum apl. Professor ernannt. 1959 erhielt er einen Ruf auf den Lehrstuhl für Biophysik und Physikalische Grundlagen der Medizin an der Univ. des Saarlandes in Homburg. Gleichzeitig erfolgte die Ernennung zum Direktor des Instituts für Biophysik. Mit Unterstützung der damals zuständigen Bundesministerien baute M. bis 1965 ein neues Institutsgebäude auf, das Boris-Rajewsky-Institut, wo zukunftsweisende Forschungsarbeiten über die Wirkung radioaktiver Substanzen auf den menschlichen Organismus durchgeführt wurden. Insbesondere bestimmte man den natürlichen Gehalt an verschiedenen Radionukliden im Menschen und bemühte sich, durch statistische Methoden die biologische Wirkung kleiner Strahlendosen abzuschätzen. Die quantitativen Ergebnisse dieser Untersuchungen beeinflußten nachhaltig die internationale und nationale Strahlenschutzgesetzgebung, indem sie sichere Grenzwerte für die Beschäftigten in strahlenbelasteten Betrieben und die Bevölkerung lieferten. M. koordinierte ferner die in Deutschland durchgeführten Studien über die Folgen der Anwendung von Thorotrast in der Röntgendiagnostik. Thorotrast wurde früher in der klinischen Diagnostik als Kontrastmittel eingesetzt, führte aber wegen der Radioaktivität des enthaltenen Thoriums zu Strahlenschäden in den Patienten, insbesondere auch zu Tumoren. M. wurde 1980 emeritiert. – Gr. Bundesverdienstkreuz (1974); Boris-Rajewsky-Preis (1974); Rieder-Medaille d. Dt. Röntgengesellschaft (1975); Röntgen-Plakette d. Stadt Remscheid (1981); Mitgl. d. Internat. Komm. f. Strahlenschutz (1974–81); Vors. d. Dt. Ges. f. Biophysik (1965/66).

W u. a. Neue Probleme d. allg. Strahlenschutzes, Habil.schr. Frankfurt 1951; Unterss. z. Problem d. Radiumvergiftung, in: Strahlentherapie 94, 1954, S. 126–36; Zum normalen Radiumgehalt d. menschl. Körpers, Strahlenforschung u. Strahlenbehandlung, 1955 (mit A. Schraub u. K. Aurand); Unterss. im Ganzkörperzähler nach Inkorporation v. Radionukliden, Internat. Congress Radiology, Montreal 1962 (mit E. Oberhausen); Thorotrast Kinetics and Radiation Dose, Radiation and Environmental Biophysics, 1978 (mit A. Kaul).

L Pogg. VII a; Wi 1990.

Wolfgang Pohlit

Muth, *Carl (Karl),* kath. Publizist, * 31. 1. 1867 Worms, † 15. 11. 1944 Bad Reichenhall.

V Ludwig (1836–1903), Dekorationsmaler, Zeichenlehrer an d. Gewerbeschule in W., *S* d. Jakob (1798–1876) aus Pfiffligheim b. W., Malermeister, u. d. Anna Eva Alker (Alcker, 1795–1868) aus Mölsheim; *M* Katharina (1836–80), *T* d. Georg Ebinger (1804–76) aus Odernheim, Schreinermeister, Kaufm. in Osthofen, Weinhändler in W., u. d. Elisabeth Jungkenn (1804–45); *Ov* Peter (1828–1904), Maler (s. ThB); – ∞ Straßburg 1894 Anna (1872–1920), *T* d. Reinhard Thaler (1833–1901), Gutspächter in Schakau, Insp. in Fulda, u. d. Franziska Josepha Klüber (1834–1913); 4 *S* (1 ✕), u. a. Wolfgang Karl Heinrich (1899–1979), Kaufm. in München, 1 *T* Luise Maria Theresia (1897–1961, ∞ Jacob Friedrich Muth, 1885–1968, Vorstandsvors., s. Wi. 1967); *Vt* Georg (* 1864), Dr. phil., Chemiker in München, Fritz (1865–1943), Dekorations- u. Kirchenmaler in W., seit 1917 in München (s. ThB; *L*), Peter (Pedro) (1868–1913), Kunstmaler in Rom u. W., Heinz (* 1871), Kunstmaler in Wien, W. u. München.

M. besuchte das Gymnasium in Worms (1877–81), die Internatsschule der Steyler Missionare in Steyl (1882–84), die Missionsschule der Weißen Väter in Algier (1884/85), und – nachdem er seinen Plan, Missionar zu werden, aufgegeben hatte – das Gymnasium in Gießen (1887), das er ohne Abschluß verließ. Es folgten Jahre des Selbststudiums, in denen er mit einer von ihm und seinem Vetter Fritz Muth herausgegebenen Festschrift zur Einweihung des „Spiel- und Festhauses der Stadt Worms am Rhein" (1889) erstmals publizistisch hervortrat. Nach dem Militärdienst in Mainz (1890/91) begann er in Berlin Volkswirtschaft, Staats- und Verfassungsrecht, Philosophie, Geschichte und Literatur zu studieren (1891/92), wechselte aber dann zu historischen und kunsthistorischen Studien nach Paris (1892/93) und Rom (1893). An beiden Orten knüpfte er vielfältige, ihn fördernde Kontakte, und es bot sich ihm die Möglichkeit, seine Eindrücke und Beobachtungen, vor allem auch zu sozialen Problemen, im „Mainzer Journal" zu schildern („Pariser" und „Römische Briefe"). 1893 wurde er Volontär bei der kath. Zeitung „Germania" in Berlin, 1894 Redakteur bei der Tageszeitung „Der Elsässer" in Straßburg, 1895 Chefredakteur der Monatsschrift „Alte und neue Welt, Illustriertes Kath. Familienblatt" in Einsiedeln. Er übersetzte Werke Georges Goyaus ins Deutsche (1898) und machte den poln. Schriftsteller Henryk Sienkiewicz im deutschsprachigen Raum bekannt. Angeregt durch die von Georg v. Hertling ausgelöste Debatte über die wissenschaftliche Inferiorität der deutschen Katholiken, publizierte M. 1898 unter dem Pseudonym „Veremundus" seine erste Streitschrift „Steht die Katholische Belletristik auf der Höhe der Zeit?". In ihr thematisierte er nunmehr auch die Frage der „litterarischen Inferiorität" der deutschen Katholiken seit der Romantik und forderte seine Glaubensgenossen auf, endlich aus ihrer kulturkampfbedingten Abschließung herauszutreten, an den allgemein künstlerischen Bestrebungen in Deutschland teilzunehmen und eine von moralisierender Engherzigkeit und Prüderie freie kath. Unterhaltungsliteratur (Novellen und Romane) zu schaffen. Seine an Friedrich Schlegel, Joseph v. Eichendorff und an der Kunsttheorie und Anthropologie des kath. Philosophen und Theologen Martin Deutinger orientierten literarkritischen Thesen provozierten eine heftige Diskussion, auf die M. 1899, nunmehr unter seinem Namen, mit der Replik „Die Litterarischen Aufgaben der deutschen Katholiken, Gedanken über kath. Belletristik und litterarische Kritik" antwortete. In dieser zweiten Streitschrift bekräftigte er, daß kath. Dichtung dem Gedanken christlicher Sittlichkeit verpflichtet sein müsse, freilich ohne sich von der „theoretisierenden Theologie" oder einer „auch in Laienkreisen herrschenden kleinlichen Auffassung der Seelsorge" bestimmen zu lassen.

Um „den im Keim vorhandenen Begabungen" zum Durchbruch zu verhelfen und eine literarische Plattform zu schaffen, begründete M. in Kempten eine kath. Revue avantgardistischer Prägung, die unter dem von Friedrich Lienhards „Hochlandliedern" inspirierten Titel „Hochland, Monatsschrift für alle Gebiete des Wissens, der Literatur und Kunst" seit Oktober 1903 erschien. Es gelang M., aus allen Bereichen der Wissenschaft, Kunst und Kultur hervorragende Mitarbeiter, darunter auch Nichtkatholiken, zu gewinnen. So entwickelte sich die Zeitschrift rasch zu einem Forum echter geistiger Auseinandersetzung und erwarb sich im kath. Geistesleben Deutschlands eine führende Stellung. Die Zahl der Abonnenten betrug 1906 an die 10 000, 1933 etwa 5000, 1936–39 stieg sie auf 12 000.

Während viele die Lektüre der neuen Zeitschrift mit ihrem „aufwühlenden Vielerlei" und dem „cantus firmus kath. selbstsicheren Offensein für alles von gestern und heute" (J. Bernhart) als befreiend empfanden, bezogen die Gegner von M.s literarkritischem Standpunkt sofort auch gegen „Hochland" Front, allen voran die jesuitischen „Stimmen aus Maria Laach" unter Führung P. Alexander Baumgartners SJ sowie der Wiener „Gralbund" mit seiner konfessionalistisch ausgerichteten Zeitschrift „Der Gral, Monatsschrift für schöne Literatur" und ihrem Mentor Richard Kralik v. Meyrswalden. An M.s Streitschriften und dem „Hochland" entzündete sich – im Schatten der scharfen „Modernismus"-Kontroverse in Philosophie und Theologie – der „Kath. Literaturstreit", der im Grunde bis zum 1. Weltkrieg dauerte. M. setzte sich in diesen Jahren u. a. durch die Veröffentlichung des um konfessionelle Toleranz werbenden Romans „Jesse und Maria" der österr. Schriftstellerin Enrica v. Handel-Mazzetti (1904/05) und des kirchenkritischen Romans „Der Heilige" des ital. Reformisten Antonio Fogazzaro (1905/06) massiven Angriffen aus, und als nach dem Erscheinen der antimodernistischen Enzyklika „Pascendi" Pius' X. (1907) M. in seiner Schrift „Die Wiedergeburt der Dichtung aus dem religiösen Erlebnis, Gedanken zur Psychologie des kath. Literaturschaffens" (1909) erneut – und in Abgrenzung gegenüber Kralik – sein literarisches Programm darlegte und wiederum vor dem Mißbrauch der schönen Literatur als Mittel für eine „kirchliche und kath. Propaganda" warnte, bezichtigte man ihn schließlich des „modernismus litterarius". „Hochland" wurde zu einem „Fall" der röm. Indexkongregation, die 1911 mit päpstl. Billigung beschloß, die Zeitschrift zu verbieten. Daß das Indexdekret dann doch nicht publiziert wurde und „Hochland" vor dem kirchlichen Verbot bewahrt blieb, war insbesondere der klugen Vermittlung des Münchener Nuntius Andreas Frühwirth zu verdanken; auch vermochte M., dem Kg. Ludwig III. von Bayern 1914 den Professortitel verlieh, dem Ansinnen, in die Redaktion des „Hochland" einen kirchlichen Zensor aufzunehmen, zu widerstehen.

Daß M. – zusammen mit dem Romanisten Hermann Platz – die „Hochland"-Leserschaft in zahlreichen Beiträgen mit dem politischen und religiösen Ideengut Frankreichs und mit dem franz. „Renouveau catholique" bekannt machte, hatte für den literarischen Aufbruch im deutschen Katholizismus der frühen 30er Jahre (Gertrud v. Le Fort, Werner Bergengruen, Reinhold Schneider, Elisabeth Langgässer, Ruth Schaumann u. a.) große Bedeutung. Während der Weimarer Republik warb M. für eine innere Akzeptanz der demokratischen Staatsform und für eine soziale Öffnung des Bürgertums. Insbesondere aber diagnostizierten M. und sein „Hochland" frühzeitig die Gefährlichkeit des heraufziehenden Nationalsozialismus. Auch nach 1933 wandte sich die Monatsschrift immer wieder dezidiert, wenn auch literarisch oder theologisch verhüllt, gegen die nationalsozialistische Pervertierung des einer christlichen Idee verpflichteten Reichsbegriffs und die Zerstörung der staatlichen Ordnung. Nachdem das Dezemberheft 1939 wegen Joseph Bernharts apokalyptischer Weihnachtsbetrachtung „Hodie" hatte eingestampft werden müssen, wurde „Hochland" 1941 endgültig verboten. M., der Hans Scholl in seiner Bibliothek beschäftigt und für Pius XII. eine Denkschrift über die Zustände in Deutschland verfaßt hatte, entging nach der Verhaftung der Widerstandsgruppe der „Weißen Rose" 1943 nur knapp einer Festnahme. Er starb im Jahr darauf nach schwerer Krankheit. „Hochland" aber, das sich als sein eigentliches Lebenswerk zu einem Brennpunkt der „Wiederbegegnung von Kirche und Kultur in Deutschland" entwickelt hatte, wurde unmittelbar nach Kriegsende wiederbelebt und in seinem Geist noch drei Jahrzehnte fortgeführt.

Weitere W u. a. Wem gehört d. Zukunft? Ein Lit.-bild d. Gegenwart, 1893; Rel., Kunst u. Poesie, 1914; Die neuen „Barbaren" u. d. Christentum, in: Hochland 16/I, 1918/19, S. 585–96; Res publica 1926, Gedanken z. pol. Krise d. Gegenwart, ebd. 24/I, 1926/27, S. 1–14; Das Reich als Idee u. Wirklichkeit, ebd. 30/I, 1932/33, S. 481–92; Schöpfer u. Magier, Drei Essays, 1935, ²1953; Begegnungen I–III, Hinterlassene Notizen, ebd. 46, 1953/54, S. 10–19, 127–31, 235–40; – *W-Verz.:* M. Ettlinger, Ph. Funk u. F. Fuchs (Hrsg.), Wiederbegegnung v. Kirche u. Kultur in Dtld., Eine Gabe f. K. M., 1927, S. 383–95.

L J. Pfeneberger, Kralik od. Muth? Ein Wort z. kath. Lit.streit d. Gegenwart, 1910; Begegnungen mit K. M., 1937 (Sonderdr. aus: Hochland 34, 1937); F. J. Schöningh, in: Hochland 39, 1946/47, S. 1–19; J. Bernhart, Zu M.s Charakterbild, ebd. 59, 1966/67, S. 248–52; ders., Erinnerungen 1881–1930, 2 Bde., hrsg. v. M. Weitlauff, 1992; A. W. Hüffer, K. M. als Lit.kritiker, 1959; K. Ackermann, Die geistige Opposition d. Mschr. Hochland gegen d. nat.sozialist. Ideologie, 1965; C. J. H. Villinger, in: ders. (Hrsg.), Wormser Profile, 1966 (auch zu *Fritz*); C. Bauer, C. M.s u. d. Hochlands Weg aus d. Kaiserreich in d. Weimarer Republik, in: Hochland 59, 1966/67, S. 234–47; W. Ferber, in: R. Morsey (Hrsg.), Zeitgesch. in Lb. I, 1973, S. 94–102, 301 f.; E. Hanisch, Der kath. Lit.streit, in: E. Weinzierl (Hrsg.), Der Modernismus, 1974, S. 125–60; Wulfried C. Muth, C. M. u. d. MAbild d. Hochland, 1974; ders., in: G. Schwaiger (Hrsg.), Christenleben im Wandel d. Zeit II, Lb. aus d. Gesch. d. Erzbistums München u. Freising, 1987, S. 247–64; B. Doppler, Kath. Lit. u. Lit.politik, E. v. Handel-Mazzetti, 1980; C. Hohoff, Das Hochland u. d. Führer, in: Internat. kath. Zs. „Communio" 11, 1982, S. 73–83; W. Frühwald, Kath. Lit. im 19. u. 20. Jh. in Dtld., in: A. Rauscher (Hrsg.), Religiös-kulturelle Bewegungen im dt. Katholizismus seit 1800, 1986, S. 9–26; M. Weitlauff, „Modernismus litterarius", Der „Kath. Lit.streit", d. Zs. „Hochland" u. d. Enzyklika „Pascendi dominici gregis" Pius' X. v. 8. Sept. 1907, in: Btrr. z. altbayer. KG 37, 1988, S. 97–175 *(L)*; Susanna Schmidt, „Handlungen d. Vergänglichkeit", Die Lit. d. kath. Milieus 1880–1950, 1994; K. Hausberger, „Dolorosissimamente agitata nel mio cuore cattolico", Vatikan. Qu. z. „Fall" Handel-Mazzetti (1910) u. z. Indizierung d. Kulturzs. „Hochland" (1911), in: R. Zinnhobler, D. A. Binder u. a. (Hrsg.), FS f. M. Liebmann, 1994, S. 189–220; O. Weiß, Der Modernismus in Dtld., 1995; LThK²; Kosch., Lit.-Lex.³, Staatslex. III, ⁷1987; BBKL.

Manfred Weitlauff

Muth, *Kaspar,* Politiker, * 15. 1. 1876 Lovrin (Banat, damals Ungarn), † 9. 2. 1966 Temeswar (Rumänien). (kath.)

Die Vorfahren kamen im 18. Jh. aus Kirchhausen b. Heilbronn ins Banat; *V* Franz, Bauer, *S* d. Anton u. d. Katharina Schneider; *M* Anna, *T* d. Nikolaus

Hügel u. d. Maria Anna Jung; ∞ Johanna Roßner; K u. a. Franz (1905–79, Ps. Frank Togo), Dr. phil., Pädagoge, Schriftst. (s. L).

Nachdem das deutsche Schulwesen im Banat madjarisiert war, machten das Piaristengymnasium zu Groß-Betschkerek (heute: Zrenjanin im Serb. Banat) und das Gymnasium zu Szeged (1887–95) aus M. und seinem Landsmann und späteren Abgeordnetenkollegen Emmerich Reitter (1875–1971) überzeugte madjar. Patrioten. Beide promovierten in Budapest zum Dr. iur., nachdem sie Studienreisen nach Österreich, Deutschland, Frankreich und in die Schweiz geführt hatten (Genf, Paris und Berlin). 1901 ließ sich M. als Rechtsanwalt in Temeswar nieder und ging seinem Beruf bis 1944 nach. Dann wurde er vom kommunistischen Regime Rumäniens enteignet; belassen wurde ihm lediglich ein Zimmer in seiner Wohnung am Domplatz. Der einstige „König des Banats" starb vereinsamt und vom Staat geächtet.

M. war 18 Jahre lang die politische Leitfigur der Deutschen im rumän. Banat, ähnlich wie es Jakob Bleyer (1874–1933) in Ungarn und Stefan Kraft (1884–1959) in Jugoslawien waren. Erst im Laufe der Revolution 1918 wandte sich M. wieder dem Deutschtum zu. Noch am 31. 10. 1918 organisierten die Sozialdemokraten (in der Mehrzahl Deutsche) eine Kundgebung gegen die neue ungar. Regierung des Grafen Hadik und gegen M., den lokalen Vorsitzenden der „Unabhängigkeits-(„Kossuth-) Partei". Am 1. 11. 1918 gründete Bleyer in Budapest den „Deutsch-Ungarischen Volksrat", der sich zum ungar. Gesamtstaat bekannte und für die Deutschen bescheidene kulturelle Rechte forderte. Auf demokratischer Basis beruhte der „Deutsche Volksrat für Ungarn", der am 10. 11. 1918 konstituiert wurde; an ihm war auch die organisierte deutsche Arbeiterschaft beteiligt. Am 8. 12. wiederum verkündete M. im Namen des „Großen Komitees des Deutschen Nationalrates zu Temesvár" ein Manifest mit den Forderungen des „schwäbischen Volkes" im Banat und in der Batschka nach einem Zusammenschluß beider Gebiete zu einer territorialen Einheit im Rahmen des ungar. Staates. Man forderte eine Kantonalverwaltung in einer zu schaffenden „östlichen Schweiz", vor allem kulturelle Autonomie. Diese Forderungen fanden Anklang auch bei Intellektuellen anderer Nationalitäten, auch bei Juden. Die Banater Schwaben lehnten die Beschlüsse des Serbischen Nationalrates zu Neusatz (Novi Sad) und des Rumänischen zu Karlsburg (Alba Iulia) ab, die jeweils das ganze Banat für sich beanspruchten. Am 19. 11. hatten serb. und franz. Truppen das ganze Banat besetzt; die Serben blieben bis Juli 1919. Am 5. 4. 1919 sprach sich M. in einer Verhandlung mit dem rumän. Vertreter Oancea für eine Banater Republik aus, stimmte aber angesichts der serb. Besetzung Temeswars schließlich einem Anschluß an Serbien zu, was von den anwesenden deutschen Delegierten mit Befremden aufgenommen wurde. Schließlich entschieden sich tausend Delegierte der „Schwaben", die immer gegen eine Teilung des Banats waren, am 10. 8. 1919 in Temeswar für den Anschluß an Rumänien. Doch die Entscheidungen waren bereits gefallen: Der westliche Teil des Banats wurde dem Königreich der Serben, Kroaten und Slowenen, der östliche Rumänien zugesprochen, während ein im Norden gelegenes Restgebiet bei Ungarn verblieb. Bereits am 3. 8. waren rumän. Truppen in Temeswar eingerückt. M. wurde interniert; erst nach Abgabe einer Loyalitätserklärung gegenüber Rumänien konnte er ins politische Leben zurückkehren.

Die „Deutschbewußten", auch „Radikale" genannt, die aus der „Ungarländischen Volkspartei" gekommen waren, erzielten als „Deutsche Volkspartei" bei den ersten Parlamentswahlen (1919) sechs Sitze in der Abgeordnetenkammer und zwei im Senat in Bukarest. Dies war bedeutsam, hatten doch die Banater Schwaben in der Zeit der ungar. Herrschaft keinen einzigen Abgeordneten ins Budapester Parlament entsenden können und waren doch die Donauschwaben im Königreich der Serben, Kroaten und Slowenen zur ersten Wahl gar nicht zugelassen worden. Bereits 1920 gründeten die „Gemäßigten" die „Schwäbische Autonomiepartei". M. wurde ihr Vorsitzender und hatte auf Anhieb Erfolg, während die „Radikalen" leer ausgingen. Am 13. 3. 1921 schlossen sich die beiden rivalisierenden Parteien zur „Deutsch-Schwäbischen Volksgemeinschaft" unter der Führung M.s zusammen. Ihr Ziel war es, das „Schwabentum in allen politischen und nationalen Belangen einheitlich zu vertreten und seine kulturellen und wirtschaftlichen Interessen zu fördern". Als Organisation gehörte die Partei dem „Verband der Deutschen in Rumänien" an, dessen parlamentarische Vertretung die „Deutsche Partei" wahrnahm. Die von M. 1918 geforderte kulturelle Autonomie konnte zwar nicht erreicht werden, wohl aber beachtliche Zugeständnisse: 1920 erhielt M. die Zustimmung zu einer konfessionellen deutschen Lehrerbildungsanstalt in Temeswar. Auf seine Anregung hin wurden Schulstiftungen gegründet. Er bereiste 1922 die USA und brachte ansehnliche Spenden von Auswanderern für die Errichtung von Schulen mit. Alljährlich spendete er auch selbst beachtliche Summen. 1926 wurde die „Banatia" in Temeswar als größtes deutsches Schulzentrum in Südosteuropa erbaut (nach der Enteignung 1944 Medizinische Fakultät der Universität). M.s Bemühungen ist auch die Ackerbauschule zu verdanken. 1926 wurde der „Deutsche Kulturverein" gegründet; die „Banater Deutschen Kulturhefte" (1927–31) zeugen vom Geistesleben dieser Gruppe. M.s Sprachrohr war die „Schwäbische Volkspresse" (seit 18. 2. 1919, seit 1925 „Banater Deutsche Zeitung"), deren Schriftleiter Karl v. Möller war.

Nach außen hin die Einheit wahrend, fanden 1933 innerhalb der „Volksgemeinschaft" Volksratswahlen statt. M. erzielte mit seiner Gruppe 74 Mandate, die „Jungschwaben" gemeinsam mit der „Freien Deutschen Gemeinschaft" 47, die dem Nationalsozialismus nahestehende „Nationale Erneuerungsbewegung" nur 29. Mit der Regierungsbildung durch die Liberalen Ende 1933 begann eine schwere Zeit für die deutsche und die ungar. Minderheit in Rumänien. Unter dem Schlagwort „Numerus Valachicus" wurden die staatliche und kommunale Verwaltung, Handel und Industrie sowie die oberen Klassen der staatlichen Volksschulen rumänisiert. M., der 1932 Vorsitzender des „Verbandes der Deutschen in Rumänien" geworden war, konnte die von Berlin gesteuerte Spaltung der Banater Schwaben nicht verhindern; am 9. 11. 1936 mußte er zurücktreten. – Zur politischen Untätigkeit verurteilt, schrieb M. seine „Betrachtungen über die Entwicklung des Banater deutschen Volkes", die postum in der Zeitung „Der Donauschwabe" (20. 8. 1978–21. 1. 1979) veröffentlicht wurden. In seinem Vermächtnis zitiert M., der als Politiker eng mit der Kirche zusammengearbeitet hat, aus seinen aufrüttelnden Reden der Zwischenkriegszeit und warnt vor „innerem Verfall". Vielmehr müsse ein Minderheitenvolk „besonders lebensbejahend sein".

Weitere W u. a. Deutsches Volkswerden im Banat, Reden u. Aufsätze, hrsg. v. Josef Rieß, 1935.

L M. Annabring, Volksgesch. d. Donauschwaben in Rumänien, 1956; W. Marin, Kurze Gesch. d. Banater Deutschen, 1980; H. Fassel, Dr. K. M. u. d. Dt.-Schwäb. Volksgemeinschaft in Rumänien, in: Btrr. z. dt. Kultur, 1988, H. 4, S. 5–17; A. Scherer, Die Donauschwaben in Rumänien seit 1918, in: Der Weg in d. neue Heimat, 1988, S. 146–68; ders., Donauschwäb. Bibliogr. 1935–1955, 1966, 1955–65, 1974 *(L)*; A. P. Petri, Biogr. Lex. d. Banater Deutschtums, 1992 *(auch zu Franz).*

Anton Scherer

Muth, *Peter* v. (österr. Adel 1834), Polizeidirektor von Wien, * 7. 3. 1784 Wien, † 9. 9. 1855 Vorderbrühl (Oberösterreich). (kath.)

V N. N., Schnallenmacher; *M* N. N.; ∞ N. N.; *K; E* Richard (1848–1902), Dr. phil., Gymnasiallehrer, Germanist, Schriftst. (Ps. Paul Wallner, Hermann Nordermann), beschäftigte sich bes. mit mittelhochdt. Lit. (u. a. Nibelungenlied), schrieb Gedichte, Lustspiele u. Erzz., Mitarbeiter d. christsozialen Politikers Albert Gessmann (s. ÖBL).

M. trat nach Abschluß seines Rechtsstudiums in Wien 1806 bei der Wiener Polizeidirektion als Konzeptspraktikant ein, avancierte zum Unter- und nach fünf Jahren zum Oberkommissär. In dieser Eigenschaft war er Leiter der Bezirks-Polizeidirektion Landstraße. 1817 wurde M. zum Gubernialrat und Polizeidirektor von Brünn ernannt. Er trat bei der Organisation des Troppauer Kongresses, bei der Bekämpfung der Cholera (1830/31) und durch sein energisches Vorgehen gegen Maschinenstürmer sowie gegen die Infiltration demokratischen und liberalen Gedankenguts (vor allem aus dem nahen Leipzig) hervor. Dadurch innerhalb des Metternichschen Bespitzelungssystems in hohem Maße bewährt, wurde er 1837 zum Stadthauptmann von Prag und 1845 schließlich zum Polizeioberdirektor von Wien berufen. Seine Tätigkeit beschränkte sich hierbei nicht nur auf Prag bzw. Wien, sondern erstreckte sich auch auf gezielte Bespitzelungen im Deutschen Bund. So versuchte er in Hamburg – erfolglos –, den Namen des Autors des 1842 von Julius Campe herausgebrachten Werks „Oesterreich und seine Zukunft" zu ermitteln.

Als im März 1848 die Ständevertretung mit den Forderungen der Bürger zur Hofburg marschierte, kam es zu blutigen Zusammenstößen mit dem Militär und zu einem Schußwechsel vor dem Gebäude der Polizeidirektion, bei dem zwei Angehörige der dort versammelten Bürgermiliz getötet wurden. Dadurch radikalisierte sich die revolutionäre Bewegung entschieden. Die Empörung richtete sich gegen M., der beschuldigt wurde, den Schießbefehl gegeben zu haben. Seitens der Regierung wurde ihm vorgehalten, auf die Ereignisse nicht vorbereitet gewesen zu sein. Noch tags zuvor hatte M. jedoch versichert, daß alle möglichen polizeilichen Vorkehrungen gegen Unruhen getroffen worden seien. Er war nun der erste unter den hohen

Staatsfunktionären, die während der Revolutionstage ihren Abschied nehmen mußten (13. 3. 1848); Metternich folgte noch am selben Tag, Josef Gf. Sedlnitzky, der Leiter der Polizei-Hofstelle, drei Tage später. – Hofrat 1836.

L H. Reschauer u. H. Smets, Das J. 1848, I, 1872, S. 162 ff.; V. Bibl, Die Wiener Polizei, Eine kulturhist. Studie, 1927; J. Oberhummer, Die Wiener Polizei im Rev.jahr 1848, 1928; ders., Dienstlaufbahn d. Leiter u. Stellvertreter d. Wiener Polizeibehörde seit 1782, 1929; ders., Die Angehörigen d. Wiener Polizeidirektion (1754–1900), 1939; J. Marx, Die wirtsch. Ursachen d. Rev. v. 1848 in Österreich, 1965; F. T. Hoefer, Pressepol. u. Polizeistaat Metternichs, 1983; R. Wittmann, Gesch. d. dt. Buchhandels, 1991, S. 222 f.; ÖBL.

Elisabeth Babnik

Muther, *Richard,* Kunsthistoriker und Journalist, * 25. 2. 1860 Ohrdruf (Thüringen), † 28. 6. 1909 Wölfelsgrund b. Glatz (Schlesien). (ev.)

V Ernst Carl Wilhelm (1828–92) aus Coburg, Kaufm. u. Geschäftsführer in O., S e. Kirchenrates u. Archidiakons; M Mathilde (* 1838), T d. Subdiakons N. N. Krügelstein in O.; ∞ N. N.

M. besuchte das Progymnasium in Ohrdruf und das Gymnasium in Gotha. Nach dem Abitur studierte er Kunstgeschichte und Literaturwissenschaft in Heidelberg (1877/78) und Leipzig. 1879/80 verbrachte er einen halbjährigen Studienaufenthalt in Florenz, Rom und Neapel. 1881 wurde er bei Anton Springer mit einer Dissertation über Anton Graff promoviert. Nach dem Militärdienst in Berlin setzte M. seine Studien in München fort und habilitierte sich dort 1883 mit einer Untersuchung über „Die ältesten deutschen Bilderbibeln". In den folgenden Jahren lehrte er als Privatdozent an der Universität und wurde 1885 zweiter Konservator am Kgl. Kupferstichkabinett. Seine Bemühungen um eine Professur in München (gleichzeitig mit Berthold Riehl, der berufen wurde, und Heinrich Wölfflin) scheiterten 1890.

Außerordentliches Aufsehen erregte M. 1893/94 mit seiner dreibändigen „Geschichte der Malerei im XIX. Jh.", in der er sehr eigenwillige Umwertungen traditioneller Positionen vornahm und sich nachdrücklich zugunsten der Moderne engagierte. Durch seine anschauliche Darstellungsweise gewann er eine begeisterte Anhängerschaft, zu der u. a. Hofmannsthal, Rilke, Felix Dahn, Werner Sombart und Sigmund Freud zählten. Den publizistischen Erfolg steuerte er geschickt durch die Übernahme redaktioneller Aufgaben erst bei der Wiener Wochenzeitung „Die Zeit", später beim Berliner „Morgen" (zusammen mit Sombart, Strauss, Brandes, Hofmannsthal) und auch durch die Zusammenarbeit mit dem Münchner Verleger Georg Hirth („Münchner Neueste Nachrichten", „Die Jugend"). Darüber hinaus belebte er die allgemeine Diskussion über kunstgeschichtliche Fragen durch eine Fülle von Zeitschriftenartikeln (in Buchform hrsg. als „Studien und Kritiken", 2 Bde., 1901). M.s Interesse galt vor allem dem Entstehungskontext der Werke (Biographie, Zeit- und Kulturgeschichte) und den Stoffen und war insgesamt mehr auf Effekt und Unterhaltung ausgerichtet. Seine Wirkung auf ein breites, interessiertes Publikum beruhte denn auch auf einer kulinarischen („Farbensalat", „braune Sauce", „Pfeffer und Salz") und erotischen Bildlichkeit, auf forschen Wertungen, einfachen Mythisierungen („Kampf und Sieg des Neuen über das Alte") und Aktualisierungen („der Leonardo von heute"). Unterhaltsam wirkten sodann die in seine Beschreibungen eingebundenen Zitate und Ausflüge in die schöne Literatur. Wegen seines unbekümmerten Umgangs mit den Forschungsergebnissen anderer geriet M. jedoch ins Kreuzfeuer der Kritik; die Plagiatsvorwürfe schadeten seinem Ruf. Die Breslauer Fakultät, die M. eben zu dieser Zeit (1895) berufen hatte, sprach einen Tadel aus, das Offizierskorps eröffnete ein ehrengerichtliches Verfahren gegen ihn. Für die Berufung nach Breslau hatten sich zwei fachfremde Professoren, Felix Dahn und Werner Sombart, eingesetzt, Herman Grimm, Georg Dehio, Carl Justi, Robert Vischer und Franz Wickhoff hatten gegen ihn und seinen „erotisierten Feuilletonismus" (E. Hüttinger) gestimmt.

Weitere W u. a. Die dt. Bücherill. d. Gotik u. Frührenaissance (1460–1530), 2 Bde., 1883/84; Die Muther-Hetze, Ein Btr. z. Psychol. d. Neides u. d. Verleumdung, 1896; Gesch. d. Malerei, 5 Bde., 1899/1900; Ein Jh. franz. Malerei, 1901; Gesch. d. engl. Malerei, 1903; Die belg. Malerei im 19. Jh., 1904; Rembrandt, 1904; Gesch. d. Malerei, 3 Bde., 1909 (P). – Hrsg.: Die Kunst, Slg. ill. Monogr., 1902 ff. (darin v. ihm selbst: Courbet; Lucas Cranach; Goya; Die Renaissance d. Antike; Leonardo da Vinci; Jean François Millet; Velasquez).

L A. Gold, Persönliches üb. R. M., in: Neue Revue u. Morgen, 1909, II, S. 934 f.; H. v. Hofmannsthal, Ges. Werke in Einzelausg., Prosa II, 1959 (zuerst 1909), S. 358–61; H. Uhde-Bernays, Mittler u. Meister, Aufsätze u. Stud., 1948, S. 142–61; U. Kultermann, Gesch. d. Kunstgesch., 1966 (erweiterte Neuausg. 1990, P); A. Stahl, Rilke u. R. M., Ein Btr. z. Bildungsgesch. d. Dichters, in: E. Mai, S. Waetzoldt u. G. Wolandt (Hrsg.), Ideengesch. u. Kunstwiss.,

Philos. u. bildende Kunst im Kaiserreich, 1983, S. 223–51; E. Hüttinger, R. M. – e. Revision, in: Schweizer. Inst. f. Kunstwiss., Jb. 1984–1986, 1986, S. 9–24; R. Schleinitz, R. M. – e. provokativer Kunstschriftst. z. Zeit d. Münchener Secession, Die „Gesch. d. Malerei im XIX. Jh.": Kunstgesch. od. Kampfgesch.?, 1993; BJ 14, Tl.; Kosch, Lit.-Lex.³.

P Gem. v. E. Spiro, Abb. in: Die Kunst, V, 1902, S. 491D; Phot., Abb. in: Gesch. d. Malerei I (s. o.).

August Stahl

Muther, *Theodor,* Jurist, * 15. 8. 1826 Rottenbach b. Coburg, † 29. 11. 1878 Jena. (ev.)

V Georg Friedrich, Pfarrer in R., *S* d. Theodor Rudolf, Pfarrer in Weißenbrunn, u. d. Johanna Vogtmann; *M* Christine Luise Alexandra Antoinette Schmidt; *B* Ferdinand (1838–67), Advokat in C.; *Vt* Rudolf (1823–98), OB v. C. u. Präs. d. Coburg. Landtags (s. BJ V, Tl.); – ∞ 1) Frankfurt / Main 1864 Maria (1835–65), *T* d. Albert Mumm v. Schwarzenstein (1805–80) aus Frankfurt/Main u. d. Sophie Michelhausen (1815–69), 2) 1868 Emma (1843–1931), *T* d. Carl Conrad Kraiß (1809–99), Finanz- u. Magistratsrat in C., u. d. Caroline Holzhey; 1 *S* (früh †).

Nach dem Besuch der Schule in Coburg studierte M. in Jena und Erlangen Rechtswissenschaft. Nach Promotion und kurzer Anwaltstätigkeit begann er unter dem Einfluß von F. L. v. Keller und F. J. Stahl mit der Vorbereitung einer wissenschaftlichen Laufbahn. Die Habilitation in den Fächern römisches Recht und Zivilprozeß erfolgte 1853 in Halle. 1856 wurde M. ao. Professor in Königsberg, 1863–72 lehrte er in Rostock. Seit 1872 war er Oberappellationsgerichtsrat und Professor in Jena. Sein Interesse an der Lehre und an akademischen Angelegenheiten war sehr groß. Daneben fand der streng religiöse und politisch konservative Gelehrte auch Zeit, am politischen Leben aktiv teilzunehmen.

In seiner wissenschaftlichen Arbeit war M. von unglaublichem Fleiß und immenser Fruchtbarkeit. Er begann mit Untersuchungen zum geltenden römischen Recht, in denen er mit großer Vehemenz gegen nach seiner Meinung verfehlte Ansichten polemisierte. Seinen Bekanntheitsgrad verdankte er wenigstens teilweise einem überaus heftigen Angriff auf B. Windscheids bekanntes Buch über die „Actio" (1856). Damit meldete M. sich in einer der wichtigsten juristischen Kontroversen des 19. Jh., der Frage nach der Möglichkeit der Übertragung von Forderungen, zu Wort. Dieser Streit berührte Grundfragen von großer Relevanz, den methodischen Umgang mit den Quellen des römischen Rechts, das Verhältnis von wissenschaftlicher Logik und praktischem Bedürfnis und schließlich die Berücksichtigung liberaler Verkehrsinteressen im Vertragsrecht. M. vertrat hier gegen den oft, aber wohl zu Unrecht, als eher ängstlich angesehenen Windscheid einen sehr konservativen Standpunkt, mit dem er der Lehre Ch. F. Mühlenbruchs und den wissenschaftlichen Prinzipien Savignys die Treue halten wollte, aber letztlich doch unterlag.

In späteren Jahren wandte sich M. mehr der historischen Forschung zu, wobei er sich von Iherings dogmatisch-historischem Ansatz absetzte. In der Sache galt sein Hauptinteresse der Geschichte der Rezeption des römischen Rechts in Deutschland und in engem Zusammenhang damit der Universitätsgeschichte und der Geschichte des juristischen Unterrichts. Dieses Fach nahm damals nicht zuletzt durch die Arbeiten M.s einen großen Aufschwung und führte schließlich zur Privatrechtsgeschichte der Neuzeit. Sein Spezialgebiet in diesem weiten Feld, dem M. bahnbrechende Studien insbesondere biographischer Art gewidmet hat, die auch heute noch Bestand haben, war die Geschichte des mittelalterlichen Prozeßrechts nach den Grundsätzen des römischen und des kanonischen Rechts. Nur kurze Zeit (1857–63), aber äußerst erfolgreich gab er gemeinsam mit E. I. Bekker das „Jahrbuch des gemeinen deutschen Rechts" heraus, in dem zahlreiche epochemachende Aufsätze erschienen.

W u. a. Zur Lehre v. d. röm. actio, d. heutigen Klagerecht, d. Litiskontestation u. d. Singularsukzession in Obligationen, 1857, Nachdr. 1984; Die Gewissensvertretung im gemeinen dt. Recht, mit Berücksichtigung v. Partikulargesetzgebungen, bes. d. sächs. u. preuß., 1860; Aus d. Univ.- u. Gelehrtenleben im Za. d. Ref., 1866; Zur Gesch. d. Rechtswiss. u. d. Universitäten in Dtld., 1876; Johannes Urbach, bearb. u. hrsg. v. E. Landsberg, 1882.

L ADB 23; K. Schulz, in: Krit. Vj.schr. f. Gesetzgebung u. Rechtswiss. 21, 1879, S. 321–27; Stintzing-Landsberg III / 2, S. 770–72; U. Falk, Ein Gelehrter wie Windscheid, 1989, S. 157; K. Luig, Zur Gesch. d. Zessionslehre, 1966, S. 101; Altpr. Biogr. II.

Klaus Luig

Muthesius. (ev.)

1) *Karl,* Pädagoge, * 16. 1. 1859 Wolferstedt (Thüringen), † 18. 2. 1929 Weimar.

V Ehrenfried (1831–91), Maurermeister in Jena, *S* d. Georg Wilhelm (* 1796) aus Vogelsberg, Maurer in Großneuhausen b. Buttstädt, u. d. Johanna Maria Rödiger († 1861); *M* Henriette (1833–1919), seit 1892 in Weimar, *T* d. Christian Müller (1797–1892),

Maurermeister in Wolferstedt, u. d. Sophie Elisabeth Kaiser (1790–1855); *B* Hermann (s. 2); – ∞ Jena 1884 Bianca (1864–1940), *T* d. Karl Zeuner (1821–69) aus Naumburg, Nadler u. Gastwirt in Jena, u. d. Henriette Hintzel (1829–1914) aus Jena; 2 *S*, 1 *T*, Hans (s. 3), Volkmar (1900–79), Dr. iur., Wirtsch.journalist, Mitinh. u. Geschäftsführer d. Fritz Knapp Verlags, Chefredakteur d. „Zs. f. d. gesamte Kreditwesen", 1961–72 Präs. d. Bundes d. Steuerzahler (s. Kürschner, Gel.-Kal. 1980; Nassau. Biogr.); *E* Peter (1930–93), Wirtsch.journalist, seit 1977 Chefredakteur d. „Zs. f. d. gesamte Kreditwesen" u. Geschäftsführer d. Fritz Knapp Verlags.

M. besuchte die Volksschule und das Lehrerseminar in Weimar. Danach war er zwei Jahre Mitglied des pädagogischen Seminars des Herbartianers Karl Volkmar Stoy an der Univ. Jena. 1881 wurde er ohne abgeschlossenes Universitätsstudium Seminarlehrer in Weimar. 1905/06 war er dort auch Bezirksschulrat und seit 1906 Direktor des Lehrerseminars. Im Zuge der Einheitsschulpolitik des sozialdemokratischen Kultusministers Greil und der Verlagerung der Lehrerbildung an das Institut für Erziehungswissenschaft der Univ. Jena schied er 1923 aus dem Dienst aus.

M. gehörte zwischen 1890 und 1920 zu den literarisch und politisch aktivsten Volksschulpädagogen in Deutschland. Er wirkte maßgeblich im 1871 gegründeten „Deutschen Lehrerverein" und seiner „Erziehungswissenschaftlichen Hauptstelle" und nach 1914 im „Deutschen Ausschuß für Erziehung und Unterricht". Befreundet u. a. mit Georg Kerschensteiner und Eduard Spranger, galt er in der 1902 einsetzenden pädagogischen Reformbewegung als eine der „tragenden Persönlichkeiten" (Spranger). Zunächst orientiert an Schillers Gedanken einer ästhetischen Erziehung, wollte er in Annäherung an Kerschensteiners Arbeitsschulgedanken später der Berufsbildung schon in den Volksschulen größeren Raum gewähren. In einer vielbeachteten Rede auf der Deutschen Lehrerversammlung in Königsberg 1904 plädierte er dafür, die Unterschiede in der Ober- und Volksschullehrerausbildung im Hinblick auf eine einheitliche Volksbildung abzubauen, und forderte, die Universitäten für die Weiterbildung von Seminarabiturienten zu öffnen. Mit seinem pädagogischen Hauptwerk „Die Berufsbildung des Lehrers" (1913) erstellte er ein systematisch bedeutsames Programm seminaristischer Lehrerbildung. Auf der Reichsschulkonferenz von 1920 vertrat M. als Berichterstatter aber mit Nachdruck das Modell einer ausschließlich universitären Ausbildung auch der Volksschullehrer. Von Ausnahmen in Hamburg, Braunschweig und Thüringen abgesehen, folgte die Entwicklung der Lehrerbildung in der Weimarer Republik aber eher den Konzepten seiner Opponenten, zu denen in diesem Fall auch Spranger zählte. Diese favorisierten entweder die alten Seminare oder neu zu gründende pädagogische Akademien. Neben der Lehrerbildung widmete sich M. intensiv schulpädagogischen Fragen, vor allem zur Aufgabe der Volksschule angesichts der Lebenswelt der Jugendlichen. Er engagierte sich 1915 auch mit gemäßigt nationalistischen Tönen für ein einheitliches Bildungswesen sowie für größere Zuständigkeiten des Reiches und sprach sich für eine an der Idee der Gemeinschaft orientierte soziale Erziehung der Jugend aus. Liebevoll-anekdotisch und bewundernd beschäftigte er sich mit den Weimarer Klassikern, deren Lehren er zu popularisieren suchte. – Dr. phil. h. c. (Berlin 1927).

Weitere W u. a. Die Spiele der Menschen, 1899; Kindheit u. Volkstum, 1899; Schulaufsicht u. Lehrerbildung, 1902; Univ. u. Volksschullehrerbildung, 1904; Grundsätzliches z. Volksschullehrerbildung, 1911; Schule u. soz. Erziehung, 1912; Das Bildungswesen im neuen Dtld., 1915; Die Einheit d. dt. Lehrerstandes, 1917; Die Zukunft d. Volksschullehrerbildung, 1919. – *Schrr. z. d. Klassikern:* Schillers Briefe üb. d. ästhet. Erziehung des Menschen, 1897; Goethe, e. Kinderfreund, 1903; Herders Familienleben, 1904; Altes u. Neues aus Herders Kinderstube, 1905; Goethe u. Pestalozzi, 1908; Goethe u. Karl Alexander, 1910; Goethe u. d. Handwerk, 1927. – *Hrsg.:* B. Goltz, Buch d. Kindheit, 1913.

L A. Bähr, in: DBJ XI, 1929, S. 22–26; E. Spranger, in: G. Franz (Hrsg.), Thüringer Erzieher, 1966, S. 343–53 *(W, P)*; Wi. 1905–28; Lex. d. Päd., III, 1954; Kosch, Lit.-Lex.³

Heinz-Elmar Tenorth

2) *Hermann,* Architekt, * 20. 4. 1861 Großneuhausen b. Weimar, † (Unfall) 26. 10. 1927 Berlin-Steglitz.

B Karl (s. 1); – ∞ Wallhausen (Thüringen) 1896 Anna (1870–1961) aus Aschersleben (Thüringen), Sängerin in B., *T* d. Karl Emil Trippenbach (1819–88) aus Groß-Paschleben b. Köthen, Kustos u. Lehrer, u. d. Charlotte Kratz (1824–92) aus Hadersleben; 3 *S*, 2 *T* (1 früh †), u. a. Günther (1898–1974), Architekt in Hannover, Klaus (1900–59), Dr., Dipl.-Landwirt b. Hannover, Eckart (1904–89), Architekt, Designer in B., erstellte d. „Manik Bagh"-Palast d. Maharadscha v. Indore; *N* Hans (s. 3); *Gr-N* Stefan (* 1939), Dr., Kunsthistoriker in Norwich (Norfolk) (s. *W*).

M. erhielt bei seinem Vater eine Maurerausbildung sowie technische und zeichnerische Grundkenntnisse. Daneben wurde er vom Pfarrer des Dorfes in Latein, Französisch und

Musik unterrichtet. Nach einem halben Jahr Vorbereitung in einem privaten Lehrinstitut in Halle absolvierte er das Realgymnasium in Weimar und legte 1882 die Reifeprüfung ab. 1883 zunächst für Philosophie und Kunstgeschichte immatrikuliert, studierte er bis 1887 Architektur an der TH in Charlottenburg. Zu seinen Lehrern gehörte Hermann Ende (1829–1907), der zusammen mit Wilhelm Böckmann (1832–1902) eines der erfolgreichsten Architekturbüros der Kaiserzeit in Berlin führte. Eine Zeitlang arbeitete er auch bei Paul Wallot (1841–1912). Nach bestandener Bauführerprüfung ging M. bis 1891 als Mitarbeiter von Ende & Böckmann nach Tokio; seit 1893 war er im Entwurfsbüro des Preuß. Ministeriums für öffentliche Arbeiten tätig. 1896 wurde er auf kaiserliche Initiative „zur technischen Berichterstattung" an die Deutsche Botschaft in London entsandt, wo er sich mit der neuesten Entwicklung im engl. Kunstgewerbe und in der Architektur vertraut machen sollte. Hier publizierte er eine Fülle von Berichten, Aufsätzen und Schriften, insbesondere „Stilarchitektur und Baukunst" (1902, ²1903), worin er die sinnentleerte Verwendung architektonischer Formen und Stile vergangener Epochen anprangerte, und „Das englische Haus" (3 Bde., 1904/05), das er in seiner prunklosen Behaglichkeit und seiner Verbindung mit der Natur als vorbildlich charakterisierte.

1904 kehrte M. nach Deutschland zurück, wo er bis zu seiner Pensionierung 1926 im preuß. Handelministerium die Verantwortung für die Reform der preuß. Kunstgewerbe- und Fachschulen trug. Gleichzeitig begann er als Architekt für Landhäuser hervorzutreten, wobei er in bewußtem Gegensatz zu den Anschauungen der Gründerzeit auf das Sockelgeschoß verzichtete, den Grundriß nach den Bedürfnissen der Bewohner strukturierte sowie Haus und Garten in engere Beziehung zueinander setzte. Das erste Landhaus, das er 1904 für seinen Vorgesetzten Hermann v. Seefeld in Zehlendorf erbaute, wirkte wie eine Sensation; M. wurde zum gefragtesten Architekten des gehobenen Bürgertums und errichtete Villen in fast allen ländlichen Vororten Berlins.

Im Frühjahr 1907 trat M. in einer Antrittsvorlesung an der Berliner Handelshochschule erneut dafür ein, die Stilimitationen und den „unechten Prunk" der zweiten Hälfte des 19. Jh. aufzugeben. Darauf reagierten Fabrikanten und Händler mit lebhaftem Protest; der „Fachverband zur Wahrung der wirtschaftlichen Interessen des Kunstgewerbes" richtete ein Gesuch an den Kaiser, M. sofort zu entlassen. Die hierdurch ausgelöste Diskussion führte jedoch schließlich dazu, daß sich reformwillige Künstler, Industrielle und Kunstfreunde im Oktober 1907 zur Gründung des „Werkbundes" in München zusammenfanden. M., der in der Befürchtung, sein Auftreten könnte neuerliche Diskussionen auslösen, nicht an der Gründungssitzung teilgenommen hatte, wurde in Abwesenheit zum 2. Vorsitzenden gewählt. In den folgenden Jahren setzte er sich in der Reichshauptstadt nachhaltig für die Verbreitung der Ziele des Werkbundes ein; er vermittelte Kontakte zu Behörden und zwischen den unterschiedlichsten Persönlichkeiten aus Gesellschaft und Industrie. Erst auf der Werkbundtagung 1914 in Köln, als M. in 10 Leitsätzen die Notwendigkeit einer „Typisierung" zur Diskussion stellte, kam es zum Eklat. M. ging es um die Entwicklung gebrauchsfähiger und formschöner Gegenstände für die industrielle Fertigung – er hatte auch schon früher maschinell hergestellten Produkten künstlerischen Wert zugesprochen, wenn sie nur „logisch aus den Bedingungen der Maschine" entwickelt worden waren –, nun aber meldete H. van de Velde heftigen Widerspruch an. In der anschließenden, teilweise sehr polemisch geführten Debatte ging es nur scheinbar um unterschiedliche Überzeugungen; die Angriffe richteten sich eigentlich gegen M.s Einfluß innerhalb der kunstgewerblichen Bewegung überhaupt.

Durch den Ausbruch des Krieges wurden die weitere Auseinandersetzung und die drohende Spaltung zunächst verhindert; M., der die Angriffe der Gruppe um van de Velde zeitlebens nicht verwand, trat jedoch im Januar 1916 als 2. Vorsitzender zurück und nahm an späteren Diskussionen nicht mehr teil. Schon vor dem Krieg hatte er am Bau von Wohnsiedlungen wie der Gartenstadt Hellerau (1910) mitgewirkt; während des Krieges und danach setzte er sich verstärkt mit dem Problem der Wohnungsnot auseinander (Kleinhaus und Kleinsiedlung, 1918; Kann ich auch jetzt noch mein Haus bauen?, 1920). Mit einem meist differenzierten architektonischen Programm (verschiedene Haustypen innerhalb einer Siedlung, gekrümmte Straßen, Plätze) wiesen seine Überlegungen weit voraus, während er unter dem Einfluß der Kritik Friedrich Ostendorfs in seinen Landhäusern bereits seit 1912 zunehmend zu neobarocken und klassizistischen Formen zurückgekehrt war. – M. war einer der herausragenden geistigen Anreger der wilhelminischen Zeit. Seine Ideen, die 1914 beinahe zur

Auflösung des Werkbundes geführt hatten, gingen später „wie selbstverständlich" (H.-J. Hubrich) in dessen weitere Arbeit ein und wurden prägend für die gesamte moderne Entwicklung. – GR (1904).

Weitere W u. a. Über 70 Landhäuser, vorwiegend in Berlin, u. a. „Rehwiese", 1906, „Freudenberg", 1907/08, „de Burlet", 1911, „Cramer", 1911/12; Duisburg, Kleinhäuser, um 1910; Nowawes b. Potsdam, Seidenweberei Michels & Cie., 1912 (mit K. Bernhard); Berlin-Altglienicke, Siedlung mit ca. 60 Einfam.häusern, 1914; Emden, Siedlung „Friesland", um 1914; Nauen, Großfunkstelle „Telefunken", 1917–20; Leipzig-Lößnig, Gartenstadt, vor 1918; Stettin, Siedlung „Ackermannshöhe", vor 1918; Berlin-Wittenau, Siedlung, 1924–28. – *Schrr. u. a.* Der Kirchenbau d. engl. Secten, Diss. Dresden, 1902; Landhaus u. Garten, 1907; Wo stehen wir?, Vortrag auf d. IV. J.verslg. d. Dt. Werkbundes in Dresden, 1911; Die schöne Wohnung, 1922. – *Nachlaß:* Werkbund-Archiv, Berlin. – *Zu Stefan:* Das engl. Vorbild, Eine Studie zu d. dt. Reformbewegungen in Arch., Wohnbau u. Kunstgewerbe im späteren 19. Jh., 1974; ders., The English Terraced House, 1982 (dt. u. d. T. Das engl. Reihenhaus, 1990).

L Th. Heuss, in: Der Heimatdienst VII, 1927, S. 379; F. Schultze, in: Zbl. d. Bauverw. 47, 1927, S. 573 f.; Baugilde 9, 1927, Sp. 1282 f. *(P);* Dt. Bauztg. 61, 1927, S. 728 *(P);* N. Pevsner, Wegbereiter moderner Formgebung, 1957; J. Posener, Anfänge d. Funktionalismus, 1964 *(P, Auszüge aus d. Schrr.);* J. Campbell, Der Dt. Werkbund 1907–1934, 1989 (engl. u. d. T. The German Werkbund, 1978) *(L, P);* S. Günther u. J. Posener, H. M. 1861–1927, Ausst.kat. Berlin 1977 *(Gesamtverz. d. W u. Schrr., Bibliogr., P);* H.-J. Hubrich, H. M., Die Schrr. z. Architektur, Kunstgewerbe, Industrie in d. „Neuen Bewegung", 1980/81; W. Petsch-Bahr, in: W. Ribbe u. W. Schäche (Hrsg.), Baumeister, Architekten, Stadtplaner, 1987, S. 321–40 *(W, P);* H. M. im Werkbund-Archiv, Ausst.kat. Berlin 1990 *(P);* ThB.

Julius Posener †, Regine Sonntag

3) *Hans,* Sozialpolitiker, * 2. 10. 1885 Weimar, † 1. 2. 1977 Frankfurt/Main.

V Karl (s. 1); *M* Bianca Zeuner; *Ov* Hermann (s. 2); ∞ 1) Eisenberg (Thüringen) 1914 (o⁄o 1921) Gertrud (1888–1957), Auslandskorrespondentin, *T* d. Hermann Schöppe (1854–1911), Rechtsanwalt in Eisenberg, u. d. Helene Balthasar (1860–1926), 2) Berlin 1921 Carola Kaysser (1892–1981) aus Höchst/Main; 1 *S*, 1 *T* aus 1), 2 *S* aus 2) (beide ⨯).

M. studierte seit 1904 in Grenoble, Berlin, Jena und Leipzig Rechtswissenschaften. 1908 legte er das Referendarexamen ab und promovierte 1909 in Jena mit einer Dissertation über ein gewerberechtliches Thema. Nach der 2. Juristischen Staatsprüfung trat er 1914 in den Dienst der Gemeinde Schöneberg südwestlich von Berlin, die im Zuge der Industrialisierung durch die Ansiedlung von Großbetrieben innerhalb von zwei Generationen vom Dorf zur Großstadt aufgestiegen war. M. wurde dort 1915 Magistratsassessor und „Armendirektor". Er betrieb individuelle Wohlfahrtspflege, aus der im Laufe der Jahrzehnte die planmäßige Fürsorge für die Unbemittelten und schließlich die kommunale Sozialpolitik hervorging. M. hat diesen Wandel entscheidend mitbestimmt. 1915 nahm er an der Berliner Tagung des Deutschen Vereins für Armenpflege und Wohltätigkeit teil. 1917 wurde er zum besoldeten Stadtrat bestellt und übernahm bald auch die Aufgaben des Stadtsyndikus von Schöneberg. Im 1. Weltkrieg mit der Unterstützung der Kriegsopfer und -waisen befaßt, beteiligte sich M. 1919 an der Gründung einer Deputation für Jugendschutz und richtete ein Jugendamt ein. Zugleich übernahm er eine Dozentur an der Sozialen Frauenschule. Im Zuge der Neuordnung des Groß-Berliner Raumes wurde Schöneberg 1920 der Reichshauptstadt eingegliedert. Als Dezernent für das Jugend- und Wohlfahrtsamt blieb M. Stadtrat und stellvertretender Bezirksbürgermeister. Als zu Beginn der 20er Jahre die Einzelbetreuung in eine planmäßige Fürsorge für ganze Schichten umgewandelt wurde, gehörte M. auch hier zu den maßgebenden Männern. Daneben war er Dozent für die Ausbildung der Mitarbeiter und wurde 1925 in den Vorstand der Akademie für soziale und pädagogische Frauenarbeit gewählt. Im selben Jahr trat er in den Hauptausschuß des Deutschen Vereins für öffentliche und private Fürsorge ein. 1928/29 war er Mitglied der Kommission zur Überprüfung des Fürsorgerechtes. M. nahm an den internationalen Kongressen für Sozialarbeit in Paris (1928) und Frankfurt/Main (1932) teil.

Im März 1933 wurde M., dessen Wahlperiode abgelaufen war, aus seinen kommunalen Ämtern entlassen. Er übernahm nun in der Geschäftsleitung des Deutschen Vereins zwei Referate. 1934 wurde er als Gutachter für das kommunale Sozialwesen vom Reichsrechnungshof eingestellt, war dort seit 1935 Mitarbeiter der Präsidialabteilung und wechselte 1940, gleichzeitig mit seinem Eintritt in die NSDAP, als Referent für „Jugendwohlfahrt" und „Besondere Fürsorgemaßnahmen aus Anlaß des Krieges" in das Reichsministerium des Innern. In dieser Funktion unterzeichnete M. im Dezember 1942 einen Erlaß über die Einrichtung eines „Polen-Jugendverwahrlagers" in Lodz. Von den etwa 10 000 12–16jährigen Jugendlichen, die in dieses Lager eingeliefert und zur Zwangsarbeit eingesetzt wurden, wurden die meisten später in Vernichtungslagern ermordet.

Nach dem 2. Weltkrieg gelangte der im Entnazifizierungsverfahren als Mitläufer eingestufte M. rasch wieder in führende Positionen beim Wiederaufbau der Wohlfahrtspflege und Fürsorgepolitik. 1946/47 beteiligte er sich an der Wiederherstellung des Deutschen Vereins, wurde 1948 in den Vorstand gewählt, war 1948–53 Beigeordneter der Hauptgeschäftsstelle des Deutschen Städtetages und leitete dessen Sozialreferat. 1950–64 war er Vorsitzender, dann Ehrenvorsitzender des Deutschen Vereins, 1951–61 Vorsitzender, dann Mitglied des Exekutiv-Komitees der Internationalen Konferenz für Sozialarbeit. In den 50er Jahren veröffentlichte M. mehrere grundlegende Schriften und war Mitverfasser der 1955 Bundeskanzler Adenauer vorgelegten Denkschrift über die „Neuordnung der sozialen Leistungen". 1956 veranlaßte er beim Deutschen Verein eine gründliche Erhebung über die Jugendarbeit. Im Beirat des Bundesarbeitsministeriums leitete er den Fürsorgeausschuß und war Gutachter und Berater mehrerer Bundes- und Länderminister. 1954–61 war er Mitglied des Exekutivkomitees der Internationalen Konferenz für Sozialarbeit. Seit 1953 hatte M. einen Lehrauftrag an der Juristischen Fakultät der Univ. Frankfurt für Fürsorge-, Jugendwohlfahrts- und Sozialversicherungsrecht, 1956 wurde er Honorarprofessor. Der Deutsche Verein nannte sein neues Verwaltungshochhaus in Frankfurt/Main „Hans-Muthesius-Haus". Erst seit 1985 wurde M.s Rolle in der NS-Zeit zunehmend kritisch gesehen. 1990 trat ein Zeuge auf, der das „Jugendverwahrlager" Lodz überlebt hatte und die dortigen Verhältnisse beschrieb. Der Deutsche Verein nahm daraufhin die Namengebung für sein Verwaltungsgebäude zurück und stellte die Vergabe einer „Hans-Muthesius-Ehrenplakette" ein. – Prof.titel (1950); Gr. Bundesverdienstkreuz mit Stern (1960); Dr. rer. pol. h. c. (Frankfurt/M. 1961).

W Bibliogr. b. Schrapper, S. 287–307 (s. L).

L Neue Wege d. Fürsorge, FS z. 75. Geb.tag v. H. M., hrsg. v. F. Achinger, 1960 (P); E. Orthbandt, Der Dt. Verein in d. Gesch. d. dt. Fürsorge 1880–1980, 1980; ders., H. M., Sein Lebenswerk in d. soz. Arbeit, 1985 (W, L, P); E. Klee, in: Die Zeit v. 14. 9. 1990; FAZ v. 19. 9. 1990; Ch. Schrapper, H. M. (1885–1977), Ein dt. Fürsorgejurist u. Sozialpolitiker zw. Kaiserreich u. Bundesrepublik, 1993 (W, L, P); Frankfurter Biogr. II (P).

P Büste v. Walter Schmidt, 1980.

Franz Lerner †

Muthmann.

1) *Wilhelm,* Chemiker, * 8. 2. 1861 Elberfeld, † 3. 8. 1913 München.

V Wilhelm (1833–1908), Fabrikbes. u. Stadtverordneter in E., S d. Wilhelm (1800–81) aus Eickel, Möbelschreiner, Weinhändler, Likörfabr., Möbelstoffabr. in E., u. d. Wilhelmina Ibach (1807–67) aus Barmen; M Emilie (1834–1924), T d. Peter Holzrichter (1788–1878), Eisenhändler u. Ofenfabr. in Unterbarmen, u. d. Anna Maria Ibach (1799–1887) aus Barmen; ∞ Nürnberg 1895 Hildegard (* 1878, kath.), T d. Johann Seibert, Schirmfabr. in Nürnberg, u. d. Hildegard Bischofsrieder; 6 S, 4 T; N Günther (s. 2).

M. studierte Chemie in Leipzig, Berlin und Heidelberg (bei Robert Bunsen). 1884 trat er in das chemische Staatslaboratorium in München ein, wo er bei Clemens Zimmermann 1886 mit einer Arbeit über die Oxide des Molybdäns promoviert wurde. M. folgte einer Berufung nach Boston, kehrte aber bald zurück und trat 1888 als Assistent in das von Paul Groth geleitete Institut für Mineralogie in München ein, an dem er schon vor seinem Weggang nach Amerika kurzzeitig tätig gewesen war. 1894 habilitierte er sich an der Univ. München mit seinen „Beiträgen zur Volumtheorie kristallisierter Körper". Hatten M.s bisherige Arbeiten der Chemie des Schwefels und Selens gegolten, so wandte er sich nun den chemischen und physikalischen Eigenschaften der Seltenerdmetalle und -minerale zu. 1895 erhielt er die Ernennung zum ao. Professor am chemischen Staatslaboratorium, 1899 folgte er Wilhelm v. Miller auf dem Lehrstuhl für anorganische und physikalische Chemie an der TH München.

M. wissenschaftliches Denken und seine Forschungsrichtung wurden durch Robert Bunsen und besonders durch Paul Groth beeinflußt. Ersterem verdankte er seine Orientierung hin zur anorganischen Experimentalchemie, letzterem seine Ausrichtung auf kristallographisch-mineralogische Fragen in der Tradition Eilhard Mitscherlichs, des Lehrers von Groth. M. war somit ein Vertreter der klassischen Anorganik und Physikochemie, weniger bestimmt von theoretischen Ansätzen als vielmehr von sorgfältiger Experimentalforschung. Dementsprechend untersuchte er in mannigfachen Arbeiten die Seltenerdelemente, insbesondere der Cergruppe. Die Reindarstellung der Salze dieser Elemente, die Bestimmung ihrer physikalischen und spektroskopischen Eigenschaften und die Reindarstellung der Metalle bilden den Inhalt zahlreicher Arbeiten M.s. Die von ihm erhoffte Entdeckung eines noch unbekannten

Elements blieb ihm dagegen versagt. Ausgehend von der elektrolytischen Darstellung reinster Seltenerdmetalle gelangte er zum Problem der Reaktion von Luftstickstoff mit Sauerstoff unter den Bedingungen des elektrischen Lichtbogens. Seine 1903 veröffentlichte Arbeit „Verbrennung des Stickstoffs zu Stickstoffoxyd in der elektrischen Flamme" wurde maßgebend für die Entwicklung der industriellen Salpetersäureproduktion aus Luftstickstoff, dem „Luftverbrennungsverfahren". Unter M.s Leitung erfolgte der Neubau des chemischen Laboratoriums der TH München. – ao. Mitgl. d. Bayer. Ak. d. Wiss. (1903, o. Mitgl. 1909).

W u. a. Unterss. üb. d. Selen, in: Chem. Berr. 26, 1893, S. 1008–16 (mit J. Schäfer); Trennung d. Ceritmetalle u. Löslichkeit ihrer Sulfate in Wasser, ebd. 31, 1898, S. 1718–31 (mit H. Rölig); Über d. Wertigkeit d. Ceritmetalle, ebd., S. 1829–36; Btrr. z. Spektralanalyse v. Neodym u. Praseodym, ebd. 32, 1899, S. 2653–77 (mit L. Stützel); Über d. Verbrennung d. Stickstoffs zu Stickstoffoxyd in d. elektr. Flamme, ebd. 36, 1903, S. 438–53 (mit H. Hofer); Über d. Darst. d. Metalle d. Cergruppe durch Schmelzelektrolyse, in: Liebigs Ann. d. Chemie 320, 1902, S. 231–70 (mit dems. u. L. Weiss); Unterss. üb. d. Cer u. Lanthan, ebd. 325, 1902, S. 261–78 (mit K. Kraft); Über d. Dissoziation d. Lanthanwasserstoffs u. d. Cerwasserstoffs, ebd., S. 281–91 (mit E. Baur); Unterss. üb. d. Metalle d. Cergruppe, ebd. 331, 1904, S. 1–45 (mit L. Weiss); Über einige Legierungen d. Cers u. Lanthans, ebd., S. 46–57 (mit H. Beck); Versuche üb. d. Darst. v. Metallen d. Seltenen Erden u. Erdsäuren u. deren Verwendung, ebd. 355, 1907, S. 58–136 (mit L. Weiss, R. Riedelbauch, A. Mai, J. Scheidemantel).

L E. Baur, in: Chemiker-Ztg. 37, 1913, S. 1253; P. Groth, in: Jb. d. Bayer. Ak. d. Wiss. 1914, S. 80–82; W. Prandtl, Die Gesch. d. chem. Laboratoriums d. Bayer. Ak. d. Wiss. in München, 1952 (P); BJ 18, Tl.; Pogg. IV–V.

Claus Priesner

2) *Günther,* Fahrzeugfabrikant, * 15. 9. 1903 Vohwinkel b. Wuppertal, † 3. 8. 1985 Wuppertal.

V Friedrich (Fritz) (1869–1926), Kaufm. u. Fabr. in V., Kreistagsabg., S d. Wilhelm (s. Gen. 1) u. d. Emilie Holzrichter; M Elfriede (Frieda) (1879–1946), T d. August Langenbeck (1843–1909) Seidenschwarzfärbereibes. in Elberfeld, u. d. Mathilde Seippel (1853–1918) aus Unterbarmen; Ov Wilhelm (s. 1); B Friedrich (1901–81), Dr. phil., Dr. phil. h. c., Archäologe, 1937 Dir. d. Kaiser Wilhelm-Mus. in Krefeld, Kulturattaché in Bern u. Athen, Mitgl. d. Dt. Archäolog. Inst. (s. Kürschner, Gel.-Kal. 1980), Walter (* 1902), Reg.- u. Kulturrat im Reichsmin. f. Ernährung u. Landwirtsch., Wilhelm (* 1912), Fahrzeugfabr., Vorstand u. Vizepräs. d. Hersteller-Gruppe Kfz-Anhänger im Verband d. Dt. Automobilindustrie 1960–85; – ∞ Elberfeld 1934 Käthe (* 1909), T d. Artur Klophaus, Spediteur in Elberfeld, u. d. Auguste Spies; 3 S, 4 T.

Wegen des Todes seines Vaters mußte M. 1926 sein Studium an der TH München abbrechen und die Leitung des Familien-Unternehmens C. Blumhardt in Vohwinkel bzw. Wuppertal übernehmen. Es produzierte damals Schubkarren, Handfuhrgeräte, Paket- und Gepäckkarren für Eisenbahn und Post sowie Feldbahnen und Grubenwagen. Ende der 1920er Jahre erkannte M. die zunehmende Bedeutung des Straßen-Güterverkehrs und erweiterte seit 1928 sein Programm auf Lkw-Anhänger, landwirtschaftliche Fahrzeuge und Spezialaufbauten. Damit überstand er die Krise der Jahre 1929–32. Als 1934 der allgemeine Aufschwung der deutschen Kfz-Branche begann, gehörte die Firma Blumhardt schon zu den führenden Herstellern mehrachsiger Lastanhänger, vor allem von Pritschen- und Kippanhängern. 1935 konnte M. ein Programm von fünf Anhängertypen bis zu 8 t anbieten, dazu Sattelauflieger und einen dreiachsigen Elftonner. Seit 1939 spezialisierte er sich auch auf Tiefkühlzüge. Der 2. Weltkrieg schien das Unternehmen für immer vernichtet zu haben. Jedoch gelang es M. und seinem Bruder Wilhelm, die Werkstätten rasch wieder instandzusetzen, neu mit Maschinen und Pressen auszustatten und 1948 um eine Lackiererei und eine eigene Profilfertigung zu vergrößern. Während dieser Zeit gewann der Straßen-Gütertransport wegen seiner günstigeren Verladebedingungen und seiner größeren Beweglichkeit das Übergewicht über die Schiene. Dafür sorgte der Nutzfahrzeugbau durch geeignete Neukonstruktionen, wobei die Vergrößerung der Ladekapazität durch Anhänger eine bedeutende Rolle spielte. An den neuen Entwicklungen war M.s Firma Blumhardt neben dem Branchenführer Kässbohrer maßgeblich beteiligt und sicherte sich einen wachsenden Marktanteil, zumal die vor 1945 wichtigen mittel- und ostdeutschen Betriebe Gothaer Waggonfabrik AG, Gottfried Lindner AG (Ammendorf b. Halle), Christoph & Unmack AG (Niesky, Oberlausitz) und Bleichert AG (Leipzig) als Anbieter für den westdeutschen Markt ausfielen. Das Fertigungsprogramm erweiterte M. neben Pritschen-, Kipp- und Sattelanhängern auf Omnibus-Karrosserien (für Büssing), Fahrzeuge für Speditionen, für die Bau- und die Landwirtschaft sowie für den Rollbehälter-Transport. Er spezialisierte sich auf 3achsige Schweranhänger und setzte den Bau von Isolierfahrzeugen fort. Seit 1952 erhielt M. auch öffentliche Aufträge für Spezialfahrzeuge. Der Export spielte eine immer wichtigere Rolle. Bald zählten die arab. Staaten sowie Länder Nordafrikas und des Ostblocks zu seinen Hauptabnehmern. Großkunden wurden die Erdölgesellschaften, die für ihre Bohrmannschaften in der Wüste Sattelanhänger mit Spezialaufbauten zu Wohn-, Büro- und Transportzwecken bestellten. Auch den Bau von Kühl-Sattelschleppern entwickelte M. weiter. 1965 führte er die Hartmoltopren-Füllbauweise ein und wickelte einen rumän. Großauftrag auf 100 Sattelauflieger für Kühltransporte ab. Für das Inland konstruierte er Aufbauten für den Frischdienst der Lebensmittel-Großhändler und Tiefkühlkost-Rollbehälter als Verteilerwagen für deren Filialbetriebe. 1970 erwarb M. ein zweites Werk in Erfstadt-Liblar hinzu, wo er 1975 einen Großauftrag für die zweite Radfahrzeug-Generation der Bundeswehr ausführte. 1971 schuf er eine dritte Produktionsstätte durch Fusion mit der Fahrzeugfabrik Heinrich Rehme GmbH in Lingen/Ems, die er auf Sattelanhänger und Serien für den Export spezialisierte.

Auch in der Folgezeit trat M. mit neuen technischen Entwicklungen und Spezialfahrzeugen hervor. 1973 stellte er einen dreiachsigen 22 t-Sattelkippanhänger vor, den er später mit 25 t-Leichtmetall-Mulde baute. Sein Programm reichte bis zum 12 400 Liter-Tanklastzug für Heiz- und Dieselöl-Transporte. Ende der 70er Jahre begann eine Periode zunehmender internationaler Konkurrenz und angespannter Ertragslage. Im Export forderten die Abnehmer immer längerfristige Kredite. Nach M.s Tod veräußerte deshalb seine Familie 50% des Kapitals der Blumhardt GmbH & Co (7 Mio. DM) an die bedeutendste europ. Gruppe der Branche, die brit. Craven Tasker Ltd. in Doncaster, die 1993 auch das restliche Kapital übernahm und das Unternehmen als Blumhardt Fahrzeugkontor GmbH & Co. KG weiterführte.

W Dt. Patentschr. 1055 975 v. 1956 (Kippfahrzeug mit pneumat. Entleerung), 1136 223 v. 1957 (Gelände-Lkw mit gelenkigem Mittelträger), 1907 290 v. 1964 (3achs. Tankwagen-Anhänger); Dt. Gebrauchsmuster 7027 490 v. 1970 (Transporter f. Rollbehälter); Dt. Offenlegungsschr. 2146 320 u. 2206 442 v. 1971/72 (Kleidertransporter).

L E. Muthmann, Stammlisten u. Abriß d. Chronik d. Geschl. M., 1939; 100 J. Entwicklung im Transportwesen 1870–1970 (P); J. Clemens, Jeder Kundenwunsch wird erfüllt, in: Auto – Motor – Zubehör 48, 1960, H. 12, S. 749; Autohaus 16, 1973, S. 1494 (P); L. K. Schlebusch, Vom Schiebkarren z. Tiefkühlfahrzeug, in: Verkehrs-Rdsch., 1973, Nr. 7, S. 12–14; B. Regenberg, Die dt. Lastwagen d. Wirtsch.wunderzeit, 2 Bde., 1988; Wi. 1985. – Mitt. v. Wilhelm Muthmann, Wuppertal-Vohwinkel.

Hans Christoph Graf v. Seherr-Thoß

Mutianus Rufus, Conradus (eigtl. *Konrad Muth*), Humanist, * 15. 10. 1470 Homberg/Efze (Oberhessen), † 30. 3. 1526 Gotha.

V Johannes Muth, Ratsherr u. Bgm. in H.; M Anna v. Crutzburgk; B Johann (1468–1504), Dr. iur. utr., Kanzler d. Landgf. Wilhelm II. v. Hessen u. Beisitzer am Hofgericht.

M., der weder ein Universitätslektorat innehatte, noch publizistisch hervortrat, war eine skeptisch-quietistische, zeitweise zum Zynismus neigende, mehr kritisch-rezeptive als produktive Natur. Ganz der „beata tranquillitas" ergeben und Freund des Zölibats, vertrat er die radikale Form der humanistischen „vita solitaria". Sein Ziel war, allein und für sich selbst frei und rechtschaffen zu leben, kein „homo illiteratus" zu sein und den auf seinem Bildungsweg zur Erkenntnis und Weisheit Mitstrebenden reformerisch beizustehen. Die unmittelbar von ihm ausgehende Wirkung erstreckte sich in persönlichem Umgang und vertrautem Briefwechsel mit Gönnern, Freunden und Scholaren vor allem auf die nahe Univ. Erfurt, deren humanistisches Wesen er nach Marschalks Wegzug neben Johann Sömmering 1505–16 mit seinem Einsatz für Jacob Wimpheling und mit Demarchen für Johann Reuchlin prägte. Sein lat. Briefwechsel mit führenden Humanisten der Zeit (Erasmus, Reuchlin u. a.), geistl. und weltl. Fürsten (Kurmainz, die sächs. Linien, Fürstabt von Fulda u. a.) und ihren Diplomaten (Eitelwolf v. Stein, Valentin v. Sunthausen) zeichnet sich durch vollendeten Stil, außerordentliche Kenntnis der antiken Literatur und philosophische Gedankentiefe aus. Dies vor allem trug dazu bei, daß M. nach Erasmus und Reuchlin als bedeutendster Geist der deutschen Hochrenaissance genannt wurde. Dem Juristen Ulrich Zasius galt er schon 1506 als „Germanorum doctissimus, nostrae aetatis Cicero".

Mit dem Humanismus und Erfurt war M. von Jugend auf verbunden. Der früh Verwaiste besuchte die Schule des Alexander Hegius zu Deventer, an der Erasmus sein Mitschüler war. Seit Sommer 1486 studierte er in Erfurt, wo er noch Conrad Celtis hörte, wurde 1488 Baccalaureus und 1492 Magister. Auf dem Weg zum Rechtsstudium in Italien hielt er sich im Frühjahr 1496 in Mainz auf, wo er Gresemund, Wimpheling und Trithemius mit seiner Sponheimer Bibliothek kennenlernte. Von diesem Zeitpunkt an läßt sich die grenzenlose Bücherliebe und der Aufbau seiner eigenen kostbaren Bibliothek, für den er sein beträchtliches Vermögen und seine Beziehungen einsetzte, verfolgen. Wie kein anderer war M. über alle Neuerscheinungen auf dem europ. Büchermarkt, über Handschriftenfunde und literarische Vorhaben unterrichtet. In Italien, wo er sechs Jahre zubrachte, hörte er neben den Bologneser Glossatoren den älteren Philipp Beroald und Urceus Codrus. Er promovierte 1498 in Ferrara zum Dr. decretorum und lernte in Padua Baptista Mantuanus kennen. In Florenz, Venedig und Rom, wo er mit Pomponius Laetus bekannt wurde, vervollkommnete sich M. in den humanen Wissenschaften. Im Ringen um eine eigene Philosophie wandte er sich, Marsilius Ficinus und Pico della Mirandola folgend, neuplatonischen Lehren zu und gelangte dabei mehr zu einem universalistischen Theismus als Pantheismus, verquickt mit einer auf einer Synthese von christl. Theologie und antiker Philosophie beruhenden spiritualisierten Religiosität, die für das überlieferte Christentum keinen Raum ließ. 1502 kehrte M. mit der Absicht in seine Heimat zurück, dorthin zumindest für sich den Lebensstil einer exklusiven Geistesaristokratie zu übertragen. Nach kurzer Tätigkeit in der landgräfl. hess. Kanzlei bot sich ihm hierzu ein Kanonikat in Gotha an, das ihm volle Unabhängigkeit gewährte. Um es einnehmen zu können, wurde er 1503 Geistlicher, was ihn jedoch nicht hinderte, weiterhin scharfe Kritik an den Institutionen der Kirche und deren Trägern zu üben. Seit 1505 kamen die jungen Erfurter Humanisten in sein gastliches Gothaer Haus und bildeten um den „Meister" einen literarischen Kreis in humanistischem Sinn (u. a. der Jurist Herbord v. der Marthen sowie Georg Spalatin und Heinrich Urban aus dem nahen Kloster Georgenthal). Auch Helius Eobanus Hessus und Johann Crotus Rubianus verkehrten in M.s Haus und nutzten die philologische Kritik, die philosophische Erkenntnis und die Metrikkunde des Meisters. Der häufiger einkehrende Euricius Cordus schildert in seinem lat. Gedicht „Besuch bei Mutian" die Dichterklause mit ihrem Hang zum Idyllischen. Hermann Trebelius, Peter Eberbach und sein Bruder, Justus Jonas, Johann Pyrrhus (Roth) u. a. erbaten und erhielten Briefe. Der Lyriker Christoffer Hack, Tremonius und Ulrich v. Hutten zählten als Tischgäste zur mutianischen Jüngerschaft, die ein geistiges Symposion, jedoch keine große, geheime Satirenwerkstatt (Kampschulte) darstellte. M. selbst verfaßte keine Satiren, und auch die seinem Kreis zugeschriebenen „Epistolae obscurorum virorum", die dem Rhein-Main-Gebiet entstammen, weisen nur schwache Verbindungslinien nach Gotha auf. Nach 1516 wurde es um M. ruhiger; in Erfurt wurde nun vor allem Erasmus gefeiert. M., der 1515 Luther als Prediger gehört und geschätzt hatte, rückte früh von „dem lutherischen tumultus" ab. Befangen in seiner ästhetischen Bildungsreligion, fühlte er sich erhaben über den Glauben des einfachen Volkes. Als in seinen letzten Lebensjahren infolge des kirchl. Umsturzes und der Bauernunruhen die Pfründen ausblieben, geriet er in große wirtschaftliche Not.

W Der Briefwechsel d. M. R., Ges. u. bearb. v. C. Krause, 1885 *(Biogr.);* Der Briefwechsel d. C. M., Ges. u. bearb. v. K. Gillert, 1890. *In beiden Ausgg. Chronol. d. Briefe vielfach irrig bzw. ungeklärt.*

L ADB 23; P. Kalkoff, Humanismus u. Ref. in Erfurt (1500–30), 1926; M. Burgdorf, Der Einfluß d. Erfurter Humanisten auf Luthers Entwicklung bis 1510, 1928; F. Halbauer, M. R. u. seine geistesgeschichtl. Stellung, 1929; L. W. Spitz, The Conflict of Ideals in M. R., in: Journal Warburg 16, 1953, S. 121–43; F.-W. Krapp, Der Erfurter Mutiankreis u. seine Auswirkungen, Diss. Köln 1954; J.-E. Margolin, M. et son modèle erasmien, in: L'humanisme allemand, 1979, S. 169–202; F. Anzelewsky, Ein humanist. Altar Dürers, ebd., S. 525–36; I. Höss, Georg Spalatin, ²1989; Schottenloher 16175, 16180, 16182, 16185 f., 48422; LThK²; Kosch, Lit.-Lex.³.

Heinrich Grimm †

Mutschele, Bamberger Bildhauer. (kath.)

Der älteste Vertreter der Familie, *Johann Georg* (um 1690–1746), stammt möglicherweise aus dem Schwäbischen und wird erstmals 1722 mit dem Erwerb des Bamberger Bürgerrechts urkundlich faßbar. Wohl im selben Jahr heiratete er die Stieftochter des Hofbildhauers Sebastian Degler, Maria Kunigunda Götz, und übernahm 1730 dessen Werkstatt. Neben Supraporten für die bischöfl. Residenz in Bamberg und Gebrauchskunst für die Hofhaltung lieferte er den Bauschmuck des Domkapitelhauses in Bamberg und Gartenskulpturen für Schloß Reichmannsdorf. Seinen beiden aus zweiter Ehe mit Maria Barbara Brückner stammenden Söhnen *Bonaventura Joseph* (1728–80/82) und *Johann* (gen. *Franz*) *Martin* (1733–1804) vermittelte er eine gediegene Grundausbildung für das Arbeiten mit Holz und Stein.

Bonaventura Joseph war um 1745 in Augsburg in der Werkstatt des Ägid Verhelst tätig und 1751 in Straßburg als Geselle von Stephan Lamy. Seit 1752 führte er mit seinem Bruder die Bamberger Werkstatt. 1758 verließ er seine Heimatstadt; 1759 heiratete er in Augsburg die Witwe des Bildhauers Verhelst. Da dessen bereits erwachsene Söhne Placidus und Ignaz Wilhelm die Werkstatt seit 1749 eigenverantwortlich führten, übersiedelte M. nach etwa zwei Jahren nach Schweinau bei Nürnberg, wohin seine Schwester nach ihrer Heirat mit dem Bildhauer Johann Christoph Berg gezogen war. 1764–68 lebte M. in Fürth, danach als Schutzverwandter in Nürnberg. 1771 ging er nach Moskau, wo er bis zu seinem Tod als Modelleur für Porzellan gearbeitet haben soll.

Franz Martin ging nach dem Tod des Vaters bei dem Bamberger Bildhauer Georg Reuß in die Lehre und kam auf seiner anschließenden kurzen Wanderschaft bis an den Mittelrhein. Während seiner ersten Schaffensphase gemeinsam mit seinem Bruder erlebte die Werkstatt ihre Blütezeit. Die Werke Bonaventura Josephs – vorwiegend in Stein – lassen Einflüsse von Verhelst und Ferdinand Dietz erkennen. Ihr besonderer Reiz liegt in der phantasievollen Gestaltung der Themen, der Originalität des Dekors und der virtuosen Behandlung des Materials. Auch in den 60er Jahren arbeiteten die Brüder gelegentlich zusammen, wobei Franz Martin überwiegend Holz als Werkstoff verwendete. Neben Gebrauchskunst für die Hofhaltung schuf er Wandvertäfelungen mit Rahmen, Konsolischen und Reliefs. Darüber hinaus lieferte er Ausstattungen für mehrere Kirchen des Bamberger Umlandes, darunter eine Reihe liebenswürdiger Heiligenfigurentypen. In späteren Jahren meißelte er zahlreiche Epitaphe. Im Schaffen beider Brüder besitzt das kraftvoll-schwere, oft naturalistische Ornament einen hohen Rang und vielfach die Aufgabe, Schwierigkeiten in der Proportion von Figur und Architektur zu überspielen. 1780 erhielt Franz Martin den Titel „Bildhauer des Domkapitels". Sein Sohn *Georg Joseph* (1759–1817) übernahm nach einer Wanderschaft nach Straßburg (1779/80) und Paris (1782) um 1785 die Leitung der Werkstatt. In seinen Schnitzarbeiten für das Stauffenberg-Palais oder das Naturalienkabinett in Bamberg, in sparsamer Bauskulptur und zahlreichen Epitaphen, zeigt sich ein neues, von kühlem Klassizismus bestimmtes Formenrepertoire. 1796 wurde er zum Hof- und Kabinettbildhauer ernannt. Von seinen fünf Kindern aus der Ehe (1807) mit Margaretha Brenzer überlebte nur eine Tochter.

W zu Bonaventura Joseph: Franckenstein-Epitaph (St. Michael, Bamberg); Seitenaltäre (St. Gangolph, ebd.); Bauskulptur (Altes Rathaus, ebd.); Mang-Epitaph (St. Martin, Herrieden); Gartenskulpturen „Fünf Sinne" u. Sphingen (German. Nat.mus., Nürnberg); Pfinzing-Epitaphe (Pfarrkirchen v. Großgründlach u. Henfenfeld). – *Zu Franz Martin:* Seiten- u. Hochaltar (St. Gangolph, Bamberg); Raumausstattungen (Schloß Rentweinsdorf); Altäre, Kanzel u. Bauskulptur (St. Elisabeth, Scheßlitz); Wandvertäfelung d. Sommerrefektoriums (Priesterseminar, Bamberg); Altäre u. Kanzel (Pfarrkirche, Kirchehrenbach); Altäre u. Kanzel (Pfarrkirche, Scheinfeld); Sebastian-Gruppe (vor St. Gangolph, Bamberg); Seinsheim-Epitaph (St. Michael, ebd.).

L B. Trost, Die Bildhauerfam. M., 1987 *(Abb.);* T. Breuer u. R. Gutbier (Hrsg.), Die Kunstdenkmäler v. Bayern, Reg.bez. Oberfranken VII, Stadt Bamberg, Innere Inselstadt, 1990; C. Maué, Die Bildwerke d. 17. u. 18. Jh., T. 1, 1995; LThK²; ThB.

Beatrice Trost

Mutschelle, *Sebastian,* kath. Moraltheologe, * 18. 1. 1749 Allershausen, † 28. 1. 1800 München.

V Johann Georg Mutscheller, Mühlenbes.; *M* Margarethe Zaunmiller; *Ov* Franz Xaver, Dr. theol. et iur. can.

Nach dem Besuch des Jesuitengymnasiums in München trat M. 1765 in Landsberg/Lech in das Noviziat der Jesuiten ein und lehrte dann am Jesuitengymnasium in München als Grammatiker. Nach der Aufhebung des Ordens durch Papst Clemens XIV. 1773 wurde er von der Diözese Freising übernommen und 1774 in Freising zum Priester geweiht. Seine Studien setzte er an der Univ. Ingolstadt fort. Im Anschluß an eine Tätigkeit als Erzieher in der Familie des Hofzahlmeisters v. Peltz in München wirkte M. als Wallfahrtsprediger in Altötting und Pfarrvikar in Mattingkofen. Mit Unterstützung seines Onkels Franz Xaver Mutschelle wurde er 1775 zum Kanoniker am Kollegiatstift St. Veit in Freising ernannt. 1779 erhielt er als Konsistorialrat das Schulkommissariat in Freising, wo er sich für eine umfassende Bildungsreform einsetzte und insbesondere die Verbesserung und Aufwertung der Volksschule forderte. 1793 geriet er aufgrund seiner Reformbestrebungen, aber auch seiner Orientierung an der Philosophie Kants in den Verdacht unkirchlicher Gesinnung und mußte unter Kf. Karl Theodor seine Ämter niederlegen. M. verließ Freising und übernahm bis 1799 die Pfarrei Baumkirchen bei München. Erst in diesem Jahr wurde er unter Kf. Maximilian IV. Joseph von Josef Frhr. v. Schroffenberg rehabilitiert und unter dem Rektorat Cajetan v. Weillers (1751–1832) an das Lyzeum in München als Professor für Moral berufen. Im März 1800 erhielt er einen Ruf der preuß. Regierung nach Königsberg, den er zunächst nicht annahm. Als er jedoch fälschlich als Autor der Schrift „Neue Erde – neuer Himmel", die 1799 unter dem Namen Gottlieb Frey erschien, bezichtigt wurde, nahm er die Verhandlungen wieder auf. Er starb, ohne den Ruf angenommen zu haben. Freundschaftlich verbunden war M. mit Johann Michael Sailer, an dessen Gebetbuch er während seiner Zeit in Freising mitgearbeitet hatte. Franz Ignaz Tanner (1779–1825) setzte 1801 sein Werk „Moraltheologie" (1800) fort.

M. strebte besonders eine Verbindung der theologischen Morallehre mit der Philosophie Kants an, wobei er den Namen Kants – wohl um das Interesse vom Vorurteil gegenüber dem Aufklärer weg auf die Sache zu lenken – in seiner „Moraltheologie" nicht, in seinen übrigen Schriften nur selten erwähnt. Das Prinzip der Moral grenzte er gegenüber den Positionen des Eudämonismus und des Utilitarismus ab, ebenso gegenüber den Ableitungen aus dem Willen Gottes. Das moralisch Gebotene entspricht nach M. nur deshalb Gottes Willen, weil es gut ist. Wie in der praktischen Philosophie Kants erhielt in M.s Morallehre die Vernunft den Primat vor der Offenbarung. M. versuchte dabei, die Kantische Lehre durch lebensnahe Beispiele anschaulicher zu machen und in die christliche Moral zu integrieren. So identifizierte er den kategorischen Imperativ mit dem Hauptgebot des Evangeliums und übersetzte ihn etwas vereinfachend in die Formel: „Handle so (gegen andere), wie du wollen kannst, daß jeder andere (gegen dich) auch handeln soll". Im Gegensatz zu zeitgenössischen Vertretern der Moraltheologie beharrte M. auf der inneren Zustimmung bei der Befolgung des Gesetzes und rückte damit die christliche Morallehre wieder in die Nähe der Kantischen Gesinnungsethik. Auch die Aufgabe der Kirche bestimmte M. über den moralischen Auftrag des Christentums. Er verstand die kirchliche Gemeinschaft als eine Gemeinde, die sich für die Verwirklichung des Sittengesetzes einsetzt und ihre Mitglieder in den Gottesdiensten belehrt. Den Predigten kommt so eine wichtige pädagogische Aufgabe zu, der M. viel Aufmerksamkeit und Vorbereitung widmete.

Weitere W u. a. Bemerkungen üb. d. sonntägl. Evangelien, 1786; Über d. sittl. Gute, 1788; Vermischte Schrr., 2 Bde., 1793 f. (Neudr. 1973); Krit. Beytträge z. Metaphysik, 1795; Versuch e. faßl. Darstellung d. Kantischen Philos., 1799.

L ADB 23; C. v. Weiller, Zum Andenken an unseren unvergeßl. M., 1800; ders., M.s Leben, 1803 *(P)*; W. Hunscheidt, S. M., e. kantian. Moraltheologe, 1948 *(P)*; ders., S. M., in: G. Schwaiger, Christenleben im Wandel d. Zeit, I, 1987, S. 334–43; Ch. Keller, Das Theologische in d. Moraltheol., Eine Unters. hist. Modelle aus d. Zeit d. dt. Idealismus, 1976, S. 87 ff. *(L)*; D. Mieth, Dichtung, Glaube u. Moral, 1976; A. Auer, Autonome Moral u. christl. Glaube, 1977; C. A. Baader, Lex. verstorbener baier. Schriftst. d. 18. u. 19. Jh., I/2, 1824, Nachdr. 1971, S. 61 ff.; LThK²; L. Brandl, Die dt. kath. Theologen d. Neuzeit, Ein Rep., 1978 *(L)*; BBKL.

Andrea Esser

Mutschmann, Martin, nationalsozialistischer Politiker, Gauleiter von Sachsen, * 9. 3. 1879 Hirschberg/Saale (Thüringen), † 14. 2. 1947 Moskau (Gefängnis Lubjanka). (ev.)

V Johann August Louis (* 1852), Schlosser u. Monteur in Göritz Kr. Schleiz, *S* d. Johann Christoph Erdmann (1810–73), Schuhmachermeister u. Bgm. in Göritz, u. d. Eva Marie Langheinrich (1814–1902); *M* Sophie Karoline Henriette (* 1855), *T* d. Heinrich Lieber (1819–84), Bürger u. Buchdrucker zu Rudolstadt, u. d. Marie Sophie Hinzpeter; ∞ Brockau Kr. Plauen (Vogtland) 1909 Minna (1884–1971), *T* d. Friedrich August Popp, Ziegeleibes. in Christgrün Kr. Reichenbach (Vogtland).

Nach dem Besuch der Bürgerschule in Plauen begann M. dort 1893 eine Lehre als Sticker und absolvierte die Handelsschule. Die Tätigkeit als Stickmeister, Abteilungs- und Lagerchef in Spitzen- und Wäschefabriken in Plauen, Herford (Westfalen) und Köln wurde 1901–03 unterbrochen durch den Militärdienst in Straßburg. 1907 gründete M. eine eigene Spitzenfabrik in Plauen, danach in Brockau und schloß sich später auch mit anderen Unternehmern zusammen. Er nahm als Freiwilliger am 1. Weltkrieg teil und kehrte 1916 als Kriegsverletzter zurück. Seit Ende 1918 Mitglied des Deutsch-völkischen Schutz- und Trutzbundes, trat M. 1923 der NSDAP bei. Er gründete den Völkischen Block, wurde 1924 dessen Landesführer und überführte ihn geschlossen in die am 27. 2. 1925 neuentstandene Hitlerpartei, die er auch finanziell unterstützte. Im selben Jahr erfolgte seine Ernennung zum Leiter des Gaues Sachsen, der damals bereits zu den größten in Deutschland zählte. Von September 1930 bis November 1933 vertrat er die NSDAP im Deutschen Reichstag.

Seit dem 5. 5. 1933 war M. Reichsstatthalter für Sachsen, am 28. 2. 1935 löste er Ministerpräsident Manfred Frhr. v. Killinger (1886–1944) als „Führer der sächs. Landesregierung" ab (von Sept. 1936 bis Mai 1945 „Der Reichsstatthalter in Sachsen – Landesregierung"). Im Laufe der Jahre übernahm M., der 1937 den Rang eines SA-Obergruppenführers erhielt, weitere Ämter, wurde mit Kriegsausbruch Reichsverteidigungskommissar für Sachsen und 1944 Beauftragter für die Aufstellung des Volkssturms in Sachsen. Schwerpunkte seiner Tätigkeit sah er in politischen Säuberungen und in der Verwirklichung des antisemitischen Programms seiner Partei. Nach 1939 mußte er die Leistungsfähigkeit der Kriegswirtschaft garantieren, und seit Herbst 1944 stand die organisatorische Abwicklung des Transports von Kunstschätzen aus dem Osten im Vordergrund. Maßnahmen zum Schutz der Zivilbevölkerung vor Bombenangriffen vernachlässigte er. Am 8. 5. 1945 begann M.s Flucht, acht Tage später wurde er im damals noch besatzungsfreien Kreis Schwarzenberg/Tellerhäuser (Erzgebirge) von der deutschen Polizei gefangengenommen und der Roten Armee übergeben. Er wurde in das Moskauer Gefängnis Lubjanka gebracht und am 30. 1. 1947 von einem Militärkollegium des Obersten Gerichts der UdSSR zum Tode verurteilt. Seine Frau, in den Waldheimer Prozessen 1950 als Hauptverbrecherin eingestuft und zu einer Zuchthausstrafe von 20 Jahren verurteilt, kam Ende 1955 durch Gnadenerlaß frei. – M. verkörperte durch seine Ämterhäufung seit 1935 den nahezu unumschränkten Herrscher Sachsens, zumal er auf die Unterstützung Hitlers, seit 1936 durch seine Beziehungen zu dessen Schwester und ihrem Ehemann gefördert, rechnen konnte. Zwar hatte er keinen Anteil an der Artikulierung des nationalsozialistischen Programms, engagierte sich aber zielstrebig und verbissen für dessen Realisierung.

L Kal. f. d. Sächs. Staatsbeamten auf d. J. 1934, 1934, S. 3 f. *(P);* In Treue z. Führer, Zum 65. Geb.tag unseres Gauleiters u. Reichsstatthalters, in: Der Freiheitskampf 14, Nr. 68 v. 9. 3. 1944, S. 1 f. *(P);* Für d. Volkes Wohl, Zum 65. Geb.tag unseres Gauleiters M. M., in: Dresdner Ztg. 214, Nr. 58 v. 9. 3. 1944, S. 1 f. *(P);* W. A. Ruban, Abschaum d. Menschheit, in: Tageszg. f. d. dt. Bevölkerung, Nr. 11 v. 2. 6. 1945, S. 1; P. Hüttenberger, Die Gauleiter, 1969, S. 217; E. Schmidt, M. – Nazi-"König" v. Sachsen, in: Dresdner Neueste Nachrr. 1, Nr. 56–60 v. 6.–10. 11. 1990; E. Stockhorst, Fünftausend Köpfe, Wer war was im Dritten Reich, 1967, S. 303; Ch. Zentner u. F. Bedürftig (Hrsg.), Das große Lex. d. Dritten Reiches, 1985, ²1993, S. 397 f. *(P);* Wi. 1935. – Eigene Archivstud.

Agatha Kobuch

Mutzenbecher, *Hermann* Franz Matthias, Versicherungsunternehmer, * 7. 6. 1855 Eppendorf b. Hamburg, † 29. 9. 1932 Hamburg. (ev.)

Aus alteingesessener Kaufm.fam. in H., d. auf Georg Hinrich (um 1641–1704) zurückgeht. – *V* Hermann (1819–1906), Begr. d. Versicherungsges. v. 1868 bzw. 1873 in H., *S* d. Franz Matthias (1779–1846), Begr. d. Fa. Franz Matthias Mutzenbecher in H., u. d. Helene Friederica Amanda Heise (1785–1858); *M* Emma (1826–1916), *T* d. Ferdinand Schlüter (1792–1867), Gen.konsul, Kaufm. in H., u. d. Laura Scheibler (1801–75); *Gvv* Johann Arnold Heise (1747–1834), Senator, seit 1816 Bgm. v. H. (s. ADB XI; NDB VIII*); *B* Franz Ferdinand (1869–1960), seit 1897 Versicherungsunternehmer in St. Petersburg, maßgebl. am Aufbau d. Mutzenbecher-Konzerns beteiligt (s. Rhdb.; Wenzel); – ∞ 1885 Anna Margaretha (1861–1948), *T* d. Kaufm. Peter Siemsen (* 1825) u. d. Susanne Amsinck (* 1834); 2 *S,* u. a. Hermann Wilhelm (* 1888), Mitinh. d. Fa. Hermann Franz Matthias Mutzenbecher, Vorstandsmitgl. d. Albingia Versicherungs-AG (s. Wenzel), 2 *T,* u. a. Adela Magdalena (* 1885, ∞ Egmont Frhr. v. Ardenne, 1877–1947, Oberreg.rat); *E* Manfred Frhr. v. Ardenne (* 1907), Physiker (s. Pogg. VII a); *N* Geert (1896–1982), Versicherungsmakler; *Gr-N* Geert-Ulrich (* 1922), Versicherungsmakler, Verl. u. Schriftst. in H. (s. *L*).

Nach einer kaufmännischen Lehre und anschließender Tätigkeit bei der Londoner Niederlassung des Handelshauses Adolf Tesdorpf & Co. trat M. 1880 in die von seinem Vater begründete Versicherungs-Gesellschaft von 1873 ein und wurde 1890 neben diesem Direktor des Unternehmens. 1881 gründete er die Firma H. F. M. Mutzenbecher zunächst als Warenvertretung und später als Agentur mit dem Schwerpunkt in der Transportversicherung sowie 1893 zusammen mit seinem Bruder Franz Ferdinand und Carl Christian Stahl die Firma H. Mutzenbecher jr. als Rückversicherungsmakler. Dem Mutzenbecher-Konzern, der nur 30 Jahre lang bestand, gehörten namhafte Versicherungsunternehmen im In- und Ausland an, die z. T. noch heute als wichtige Versicherungsgruppen existieren. Am Anfang stand 1897 die Errichtung der Versicherungsgesellschaft „Hamburg", die sich später auf die Rückversicherung und eine Holdingfunktion beschränkte. Zur Trennung von Erst- und Rückversicherung wurde 1901 die „Albingia Versicherungs-AG" gegründet und ihr das direkte Geschäft in den Zweigen Transport-, Einbruchdiebstahl-, Haftpflicht- und Unfallversicherung übertragen. M. leitete das Unternehmen als Vorstandsvorsitzender und Generaldirektor, während sein Bruder den Vorsitz des Aufsichtsrats innehatte. Aufgrund ihrer internationalen Geschäftsbeziehungen arbeitete die

Gesellschaft von Beginn an weltweit. Mit der Übernahme des Geschäfts der Transatlantischen Feuer-Versicherungs-AG 1907 und der Fusion mit der Düsseldorfer Feuer-Versicherungs-AG 1913 erhielt sie weitere Impulse. Als Geschäftsgebäude des Konzerns wurde 1910 das repräsentative Europahaus an der Alster bezogen. 1913 kam die 1899 gegründete „Vita"-Lebensversicherung in Mannheim zum Konzern, verlegte ihren Sitz nach Hamburg und änderte die Firma in Hamburg-Mannheimer Versicherungs-AG. Nachdem der Mutzenbecher-Konzern aufgrund der Weltwirtschaftskrise seit 1929 in Schwierigkeiten geraten war, wurden die Konzerngesellschaften 1930 veräußert und die „Hamburg" liquidiert. Die Aktien der Albingia gingen in engl., diejenigen der Hamburg-Mannheimer in schwed. Besitz über. Die Familie legte ihre Vermittlungsfirmen 1931 zu Mutzenbecher & Co. zusammen und konzentrierte die Versicherungsaktivitäten im wesentlichen auf das Maklergeschäft.

L F. Plaß u. F. R. Ehlers, Gesch. d. Assecuranz u. d. Hanseat. Seeversicherungsbörsen Hamburg, Bremen, Lübeck, 1902 *(P);* 60 J. Hamburg-Mannheimer Versicherungs-Aktien-Ges., 1959; Albingia 1901–1976, 1976 *(P);* G.-U. Mutzenbecher, Die Versicherer – Gesch. e. Hamburger Kaufm.fam., 1993 *(L, P);* P. Koch, Der hamburg. Btr. z. Entwicklung d. Versicherungswesens in Dtld., in: Versicherungswirtsch. 49, 1994, S. 274–87 *(P);* Wenzel.

P Ölgem., anonym; Plastik v. G. Kolbe, ca. 1927 (beide Albingia, Hamburg).

Peter Koch

Myconius, *Friedrich* (eigtl. *Mekum*), luth. Theologe, * 26. 12. 1490 Lichtenfels/Main, † 7. 4. 1546 Gotha.

V N. N.; *M* N. N.; ∞ Margarita (∞ 2] Justus Menius, 1499–1558, luth. Theologe, s. NDB 17; *W, L*), T d. Barthel Jäck, Bürger in G.; 9 *K* (5 v. 1542 †), u. a. Johann Friedrich (1537–65), Student in Leipzig, Wittenberg u. Jena, Barbara (∞ Cyriacus Lindemann, 1516–68, Rektor d. Landesschule in G., s. ADB 19); *E* Dorothea Lindemann (∞ Cyriacus Schneegaß, 1546–97, Kirchenlieddichter, s. ADB 32; MGG XI; Riemann; *L*).

M. besuchte zunächst die Schule in Lichtenfels, seit 1503 die Lateinschule in Annaberg. 1504 erlebte er dort den Einzug der Reliquien der hl. Anna. 1508 forderte er in lat. Rede von Tetzel vergeblich einen „kostenlosen Ablaßbrief" für die Armen. Sein Landsmann, Rektor Andreas Staffelstein, führte ihn 1510 in das Franziskanerkloster. Dort träumte er, daß der Apostel Paulus ihn aus der Einöde zu Christus führe. Diese Vision deutete er später auf Luther, den er 1518 im Weimarer Kloster sah. Über Leipzig war M. dorthin gekommen, hatte 1516 die Priesterweihe erhalten und predigte in der Stadtkirche. Lutherschriften waren den Weimarer Mönchen von Kurprinz Johann Friedrich verschafft worden.

Zum Jahreswechsel 1522/23 wurde M. nach Eisenach, von dort nach Leipzig in das Gebiet des lutherfeindlichen Hzg. Georg versetzt, dann als Gefangener nach Annaberg gebracht. Man drohte ihm das Schicksal des Eisenacher Franziskaners Johann Hilten an. Anfang März 1524 gelang ihm die Flucht nach Buchholz auf kurfürstliches Territorium. Zu Ostern 1524 predigte er und sein mit ihm geflohener Klosterbruder Johann Voit in Zwickau. Als er im Juli in Buchholz auftrat, strömten große Scharen aus dem benachbarten Annaberg herbei. Kf. Friedrich d. Weise schickte ihn im August 1524 nach Gotha. Gegen die Schule des dortigen Marienstifts hatte sich der „Pfaffensturm" gerichtet. M. führte den Lateinunterricht in der deutschen Schreibschule an der Margaretenkirche fort und verlegte ihn 1529 in das verwaiste Augustinerkloster; Melanchthon beriet M. bei der Schulreform. Visitationen führte M. 1526 im Amt Tenneberg und 1528/29 in den Ämtern Eisenach, Gotha und Weimar durch, er wurde zum Gothaer Superintendenten bestellt und auch bei späteren Visitationen herangezogen. Der zusammen mit Menius geführte Kampf gegen die Wiedertäufer beanspruchte seine Kräfte. 1529 begleitete er Luther nach Marburg zum Religionsgespräch. Auf der Rückreise beauftragte ihn Luther, Nachforschungen nach Schriften und Schicksal des Johann Hilten anzustellen, der während Luthers Schulzeit im benachbarten Kloster eingekerkert war. Was M. erfuhr, nannte Melanchthon 1531 in Kapitel 27 seiner Apologie der Augsburgischen Konfession. 1536 war M. an der Wittenberger Konkordie beteiligt, 1537 begleitete er den schwerkranken Luther von Schmalkalden nach Gotha, 1538 gehörte er zur Delegation, die sich sechs Monate vergeblich in England aufhielt, um über die Artikel der Augsburger Konfession zu verhandeln. 1539 führte M. nach dem Tod Hzg. Georgs die Reformation im Hzgt. Sachsen mit ein. Krankheitshalber mußte er nach Gotha zurückkehren. Die beginnende Schwindsucht raubte ihm in den folgenden Jahren die Stimme, so daß er nur noch flüstern konnte. In jenen Jahren verfaßte er seine „Historia reformationis", in die viele persönliche Erlebnisse einflossen (hrsg. v. E. S. Cyprian, 1715).

Weitere W Trostbrief an d. Annaberger, 1524; Die Düsseldorfer Disputation, 1527; Vorwort zu Luthers Galaterkommentar, 1535; „Der Widderteufer leere u. geheimnis" d. Justus Menius, 1530 (Mitverf.); Von d. wohlriechenden u. köstl. Salbe, 1543.

L ADB 23; Cyriacus Sneegass, XVI selectiores vereque theologicae clarorum virorum epistolae ... ad Frid. Myconium, 1593; ders., LXVI selectiores Phil. Melanchthoni ad Frid. Myconium conscriptae ... epistolae, 1596; P. Scherffig, Friedrich Mekum v. Lichtenfels, 1909 *(L)*; ders., Die Briefe d. F. M. an Justus Menius, in: Btrr. z. thür. KG 4, 1938, H. 2, S. 177 ff.; U. Delius, M., d. Leben u. Werk e. Thür. Reformators, Diss. Münster 1956 *(ungedr.)*; ders., Der Briefwechsel d. F. M. (1524–46), Schrr. z. Kirchen- u. Rechtsgesch. 18/19, 1960; ders., in: Luthers Freunde u. Schüler in Thüringen, I, 1961, S. 35 ff.; H. Ulbrich, F. M. 1490–1546, Lb. u. neue Funde z. Briefwechsel d. Reformators, 1962; E. Koch, Aktenstücke z. Visitation in Thüringen 1528/29 als Ergg. z. Briefwechsel Melanchthons u. F. M.s, in: Herbergen d. Christenheit, Jb. 1987, S. 53 ff., u. 1995; Luthers Briefe an M., in: ders., Weimarer Ausg. 13; PRE 13 u. 24, S. 91; Rößler-Franz[2]; RGG[3]; BBKL.

P Gedenkmünze, Leipzig 1539; Holzschnitt in: Cyriacus Sneegass 1593 u. 1596 (s. *L*).

Herbert v. Hintzenstern

Myconius (auch *Molitoris, Geißhüsler, Geisthauser), Oswald (Osvaldus),* ref. Theologe, * 1488 Luzern, † 14. 10. 1552 Basel.

V N. N.; *M* N. N.; ∞ 1514 N. N.; 1 S.

M. soll unter dem Humanisten Michael Rubellus in Rottweil/Neckar und Bern seine Schulbildung erhalten haben, bevor er sich im Mai 1510 an der Univ. Basel immatrikulierte und hier um 1514 das Baccalaureat erwarb. 1514–16 wirkte er als Lehrer an den Schulen zu St. Theodor sowie St. Peter in Basel und trat mit Erasmus, Glarean und dem jungen Hans Holbein in Kontakt. Mit einem Empfehlungsschreiben für Johann Altensteigs „Vocabularius theologiae" (1514) begann er seine schriftstellerische Tätigkeit. 1516–19 lehrte M. an der Lateinschule des Zürcher Großmünsterstiftes, wo er sich für die Berufung Zwinglis als Leutpriester einsetzte, und 1520–22 am Chorherrenstift seiner Heimatstadt Luzern, von wo er als Anhänger Zwinglis jedoch vertrieben wurde. Nachdem seine Bemühungen um eine dauerhafte Anstellung in Baden, Freiburg (Üechtland) und Kloster Einsiedeln vergeblich waren, kehrte M. 1523 nach Zürich zurück und unterrichtete am Fraumünsterstift. Zusammen mit Zwingli hielt M. neutestamentliche Vorlesungen und veröffentlichte 1524 eine Apologie der Zürcher Reformation. Nach Zwinglis Tod wollte M. nicht länger in Zürich bleiben. Auf Anregung seines Schülers Thomas Platter wurde er nach Basel berufen, wo ihn der Rat im Dezember 1531 zum Diakon bei St. Alban und im August 1532 als Nachfolger Oekolampads zum Pfarrer und Antistes am Münster wählte. Dieses Amt, mit dem eine Professur für Neues Testament an der Universität verbunden war, versah M. bis zu seinem Tod.

Durch den Humanismus eines Erasmus und Vadian fand M. zur Reformation und bekannte sich seit 1519 öffentlich als enger Freund Zwinglis, dessen erster Biograph er werden sollte (1532). 1534 entstand unter M.s Leitung das „Basler Bekenntnis", das auch von Mülhausen angenommen wurde. 1536 erarbeitete er zusammen mit Heinrich Bullinger und Simon Grynäus die „Confessio Helvetica prior". Seit 1536 befaßte sich M. vor allem mit der Frage, wie die Kirche gegenüber der weltlichen Obrigkeit ihre Unabhängigkeit bewahren könne; real wurden die Pfarrer jedoch der Universität in Basel unterstellt. Als er sich im sogenannten „Titelstreit" der Forderung nach einem akademischen Grad für alle Universitätslehrer widersetzte, kam es zu heftigen Auseinandersetzungen mit Andreas Karlstadt, den er auf Anregung Bullingers nach Basel gezogen hatte. Im Abendmahlsstreit bewertete M. – nach anfänglicher Ablehnung – seit August 1536 die „Wittenberger Konkordie" positiv, was seine Freundschaft mit Bullinger beeinträchtigte. Zu weiteren Verstimmungen mit diesem und Calvin kam es, als beide 1549 den „Consensus Tigurinus" ohne Basler Beteiligung schlossen. – Schriftstellerisch trat M. vor allem mit einem Kommentar zu Glareans „Descriptio Helvetiae" (1519) sowie mit exegetischen Arbeiten über das Markus-Evangelium (1538) und den Psalm 101 (bzw. 102, 1546 u. 1548) hervor; ferner gab er Predigten und Vorlesungen Oekolampads heraus und bearbeitete dessen Katechismus. M., der sich neben Oekolampad und Grynäus als Reformator Basels Ansehen erworben hat, war als Theologe wenig eigenständig und kreativ. In seinem irenisch-unionistischen Bemühen, Dispute zu vermeiden, mangelte es ihm bisweilen an diplomatischem Geschick.

W u. a. Ad sacerdotes Heluetiae, qui Tigurinis male loquuntur suasoria, ut male loqui desinant, 1524; De Tumultu Bernensium intestino MDXXVIII Commentarius, in: Hist. u. Crit. Beyträge zu d. Historie der Eidsgenossen, IV, 1739, S. 1–163; De D. Huldrichi Zvinglii vita et obitu, 1532, Neudr.: Vom Leben u. Sterben Huldrych Zwinglis, Das älteste Lb.

Zwinglis, Lat. Text mit Übers., Einf. u. Kommentar, hrsg. v. E. G. Rüsch, 1979 *(P)*; Epistola Osvaldi Myconii Lvcernani paraenetica ad fratres ditionis Basiliensium, 1534; Verz. u. Edition d. Briefwechsels in Vorbereitung.

L ADB 23; K. R. Hagenbach, Johann Oekolampad u. M., die Reformatoren Basels, 1859; Das Buch d. Basler Ref., hrsg. von E. Staehelin, 1929 *(P);* W. Brändly, Myconiana, in: Zwingliana 8, 1945, S. 169–71; ders., M. in Basel, ebd. 11, 1960, S. 183–92; E. Bonjour, Die Univ. Basel, 1960; F. Buri, Vermächtnis d. Väter, Die Vorsteher d. Basler Kirche seit d. Ref., 1963, S. 21–27; E. G. Rüsch, in: Der Ref. verpflichtet, hrsg. v. Kirchenrat d. ev.-ref. Kirche Basel-Stadt, 1969, S. 33–38 *(P);* V. Vest, Stud. z. Biogr. d. O. M., Lizentiatsarb. Basel (masch.), 1972; H. R. Guggisberg, Basel in the sixteenth century, 1982; C. Bonorand, Personenkommentar II z. Vadian. Briefwerk, 1983, S. 349–53; J.-C. Margolin, Un échange de correspondance humaniste à la veille de la Réforme, Henri Glarean – O. M. (1517–1524), in: La correspondance d'Erasme et l'epistolographie humaniste, 1985, S. 145–81; U. Gäbler, Die Basler Ref., in: Theol. Zs. 47, 1991, S. 7–17; E. Fabian, Zur Biogr. u. geplanten Erstausgabe d. Briefe u. Akten v. O. M. u. seiner Basler Mitarbeiter, in: FS f. G. W. Locher, I, hrsg. v. H. A. Oberman u. a., 1992, S. 115–30; H. Bullinger, Briefwechsel, 6 Bde., 1973–95; PRE; HBLS *(P);* RGG³; LThK³; BBKL.

P Gem. (anonym) im Bischofshof Basel, Abb. in: Myconius, Vom Leben u. Sterben Zwinglis (s. *W*); Gem. (anonym) in d. Aula d. Naturhist. Mus., Basel; Stiche v. J. H. Schönauer in d. Porträtslg. d. Univ.-bibl. Basel.

Thomas Konrad Kuhn

Mylius, v. (Reichsadel 1512, Ritter 1698, Freiherren 1775), Kölner Patrizier. (kath.)

Die Familie läßt sich seit 1380 in Köln nachweisen, wo sie gegen Ende der Geschlechterherrschaft ins Patriziat aufrückte. *Hermann* (Myle) wurde nach der Revolution von 1396 mit anderen Patriziern aus der Stadt gewiesen. Er trat in die Dienste der Grafen von Moers. Kaiser Maximilian I. erhob 1512 seinen Urenkel *Arnold* (1477–1525), Hauptmann zu Arnheim, der als kaiserl. Oberst in der Schlacht bei Pavia fallen sollte, in den Reichsadelsstand. Sein Enkel *Arnold* (1540–1604, s. ADB 23; NDB II*), dessen Vater *Hermann* (1516–83) Statthalter des zur Gfsch. Moers gehörigen Dorfes Friemersheim war, verlor während der Religionsunruhen seine Güter in der Gfsch. Moers, ging nach Köln, erlernte den Buchhandel in der Antwerpener Filiale der Kölner Buchhandlung Birckmann und heiratete Arnold Birckmanns Tochter Barbara († 1596), die die Buchhandlung 1582 zur Hälfte, drei Jahre später ganz erbte.

Arnold kehrte nach Köln zurück und gliederte der ererbten Buchhandlung Birckmann eine Druckerei an. 1586–1604 erschienen in seinem Verlag, der das Birckmannsche Markenzeichen der „Fetten Henne" beibehielt, über 200 Bücher, darunter Christian Adrichomius' bedeutendes „Theatrum Terrae Sanctae" (1590) sowie auch einige eigene Werke. Er unterhielt eine lebhafte Korrespondenz mit deutschen und niederländ. Gelehrten, u. a. mit Gerhard Mercator und Franz Rapheling, dem Schwiegersohn des Antwerpener Buchhändlers Christoph Plantin, und gehörte als Senator dem Rat von Köln an. Die Buchhandels- und Verlagstradition wurde von Arnolds Sohn *Hermann* (1584–1657, s. *W*) und Vertretern weiterer vier Generationen in Köln fortgeführt. Noch heute erinnert die Straße „Unterfettenhennen" an den Verlagssitz.

Zahlreiche Nachkommen erscheinen bis Ende des 18. Jh. als Kleriker bzw. Stiftsdamen. Drei Söhne Hermanns – *Arnold* (1611–80), *Markus* (1614–82) und *Paul* – sowie sein gleichnamiger Urenkel (1670–1735) wurden Jesuiten, zwei Töchter Nonnen. Seinem ältesten Sohn *Hermann* (1609–67), Buchhändler und Bürgermeister zu Köln, wurde 1654 von Kaiser Ferdinand III. der Reichsadel bestätigt, 1698 ebenso dessen Sohn *Hermann* (1638–98), der 1660 das juristische Lizentiat erworben und den Buchhandel fortgeführt hatte und seit 1666 mehrmals Bürgermeister seiner Vaterstadt gewesen war; gleichzeitig wurde er 1698 in den Reichsritterstand erhoben. Sein Sohn *Johann Arnold* (1676–1731) war ebenfalls Buchhändler und Bürgermeister wie sein Enkel *Johann Heinrich Arnold* (1709–74). Inzwischen hatte es sich in Köln eingebürgert, alle drei Jahre denselben zum Bürgermeister zu wählen, der während der beiden dazwischenliegenden Jahre als Präsident der Freitagsrentkammer und anschließend als Rentmeister amtierte. Zwischen den Bürgermeisterfamilien bildeten sich zunehmend auch enge verwandtschaftliche Verbindungen. Johann Arnolds Söhne begründeten die beiden Linien der Familie.

Stammvater der 1. Linie ist *Johann Joseph* (1705–66). Sein Enkel *Friedrich* (1782–1852) trat 1798 in das Infanterie-Rgt. Erzhzg. Karl ein. Für die Verteidigung der Feste Scharnitz im November 1805 erhielt er 1808 den Maria Theresien-Orden, für seine Verdienste in der Schlacht am Mincio im Februar 1814 das Ritterkreuz des Leopold-Ordens. 1835 wurde er Badehauskommandant in Baden b. Wien (1850 Oberst). Mit den beiden Söhnen seines Neffen, des k. u. k. Obersten *Viktor* (1817–97), *Friedrich* (1842–86) und *Heinrich* (1848–

1910, seit 1898 Frhr.), k. u. k. Oberst, starb die Linie im Mannesstamm aus.

Die 2. Linie geht auf Johann Heinrich Arnold zurück. Seine drei Söhne *Hermann* (1738–86), sard. Major, *Anton Ulrich* (1742–1812), österr. General, und *Kaspar* (1749–1831), österr. Generalfeldwachtmeister, wurden 1775 in den erbländ.-österr. Freiherrenstand erhoben. Zu dem auf Hermann zurückgehenden, immer noch blühenden, auf Linzenich b. Euskirchen sitzenden Ast gehört Hermanns Sohn *Karl* (1778–1838), 1815–19 Bürgermeister zu Köln und Präsident der Handelskammer, dann als preuß. Justiz- und Regierungsrat Senatspräsident beim Appellationsgerichtshof zu Köln. Er trat für die Erhaltung der während der franz. Herrschaft eingeführten Gerichtsverfassung ein, die auf den Prinzipien der Gleichberechtigung vor dem Gesetz und der Öffentlichkeit des Verfahrens beruhte (s. *L*). Sein Urenkel *Ulrich* (1896–1974) war Landrat (s. *L*), *Dietrich* (1897–1944) fiel als Major in Rumänien. Ulrichs gleichnamiger Sohn (* 1941), Dr. rer. nat., ist Diplom-Physiker. Dietrichs Sohn *Hermann* (1928–95), Dr. agr., war Diplom-Landwirt und Tierzüchter.

Anton Ulrich, der 1759 in die österr. Armee eintrat, zeichnete sich bei der Belagerung und Einnahme von Glatz (Schlesien) aus; er erhielt als erster Leutnant den kurz zuvor gestifteten Militär-Maria Theresien-Orden. Seit 1790 kämpfte er als Bataillonskommandant, seit 1793 als Kommandant des Infanterie-Rgt. Nr. 36 in den Niederlanden, am Rhein und in Italien. 1796 wurde er zum Generalmajor, 1800 zum Feldmarschalleutnant befördert. Er wurde Divisionär in Prag und schließlich Kommandant von Böhmen (s. *L*). Sein Sohn *Carl Franz Emmerich* (1789–1839) war k. k. Oberstleutnant. Seine Tochter *Maria* (1794–1880) heiratete den in dän. Diensten stehenden Diplomaten Friedrich Gf. v. Baudissin (1786–1866, s. NDB I), während zwei weitere Töchter als Stiftsdamen in Prag bzw. Brünn lebten.

Zu dem auf Kaspar zurückgehenden Ast gehört dessen Sohn *Eberhard Gereon* (1783–1865), der 1799 in das Infanterie-Rgt. Nr. 50 eintrat und 1822 zum Major, 1832 zum Oberstleutnant avancierte (s. Wurzbach). Sein Sohn *Franz* (1827–1904), Dr. iur., war Oberlandesgerichtsrat und Senatspräsident in Hermannstadt. Mit dessen Sohn *Eberhard* (1864–1922), Dr. iur., Vizepräsident der niederösterr. Landesregierung, starb dieser Ast im Mannesstamm aus.

W zu Hermann († 1657): Catalogus Officinae Birckmannicae Hermanni Mylii, 1626.

L Joh. Carl Mylius, Gesch. d. Familien Mylius, Geneal.-biogr. Fam.chronik d. Mylius aller Zeiten u. Länder, 1895; R. Steimel, Mit Köln versippt, I, 1955, Tafel 130; ders., Kölner Köpfe, 1958; W. Herborn, Zur Rekonstruktion u. Edition d. Kölner Bgm.liste, in: Rhein. Vj.bll. 36, 1972, S. 89–183; P. Fuchs (Hrsg.), Das Rathaus zu Köln, 1973; Horst G. Mylius, Gesch. d. Familien Mylius-Schleiz aus d. Hause Gerung u. Mylius-Ansbach 1375–1990, 1992; GHdA FB VII. – *Zu Arnold:* J. J. Merlo, A. M. aus Moers, Buchhändler zu Köln, o. J.; S. Corsten, Unter d. Zeichen der „Fetten Henne", Franz Birckmann u. Nachfolger, in: Gutenberg-Jb. 1963, S. 267–72, u. in: ders., Studien z. Kölner Frühdruck, 1985, S. 262–74. – *Zu Anton Ulrich:* ADB 23; F. Paiir, Gesch. d. k. k. 36. Linien-Infanterie-Rgt., 1875; A. Frhr. v. Wrede, Gesch. d. k. u. k. Wehrmacht, 2 Bde., 1898; Wurzbach. – *Zu Karl u. Ulrich († 1974):* H. Romeyk, Die leitenden staatl. u. kommunalen Verw.beamten d. Rheinprov., 1994.

Franz Menges

Mylius. (luth.)

1) *Gottlieb Friedrich,* Jurist und Naturforscher, * 7. 4. 1675 Halle / Saale, † 6. 8. 1726 Leipzig.

Aus seit 1398 in Sachsen, Thüringen, Hessen u. Franken nachweisbarer Gelehrtenfam.; der Augsburger Sup. Georg (1548–1607), Dr. theol., mußte als Initiator d. luth. Opposition gegen d. Einführung d. Gregorian. Kalenders seine Heimatstadt verlassen, seit 1603 Theol.-Prof. in Wittenberg (s. ADB 23); – *V* Heinrich Otto (1635–1703), seit 1675 Kammermeister in H., *S* d. Joachim Friedrich (1591–1669), Pastor in Joditz u. Ahornberg (Oberfranken), Adjunkt d. Diözese Hof, u. d. Pfarrers-*T* Margarete Gertrud Lessner; *M* Clara Elisabeth (1642–1708), *T* d. Bruno Stisser, Dr. iur., Kabinettsältester in Magdeburg; *B* Johann Heinrich d. Ä. (1659–1722), Jurist (s. ADB 23), Christian Otto (1678–1760), Dr. iur., führte 1730 als Gen.auditeur d. preuß. Armee d. Ermittlungen gegen Kronprinz Friedrich u. Lt. Katte wegen versuchter Desertion (s. ADB 23); *Schw* Clara Elisabeth (* 1672, ∞ Johann Georg Francke, 1669–1747, Pastor u. Archidiakon an d. Marienkirche in H., preuß. Konsistorialrat); *Vt* Andreas (1649–1702), Jurist, Univ.-Syndikus in Leipzig (s. ADB 23); – ∞ 1700 od. 1710 Johanne Christiane, *T* d. Johann Friedrich Scipio, Erbherr in Zweinaundorf b. L.; kinderlos; – *N* Gustav Heinrich (1684–1765), sächs. Appellationsger.rat (s. ADB 23); *Gr-N* Johann Christoph (1710–57), Univ.-Bibliothekar in Jena (s. ADB 23), Johann Heinrich d. J. (1710–33), Jurist, Beisitzer am sächs. Oberger.hof (s. ADB 23), Ernst Heinrich M., Edler v. Ehrengreif (1716–81, erbl. Reichsadel 1768), württ. Gesandter in Wien (s. ADB 23); *Verwandter* Franz (s. 2).

M. studierte seit 1693 Jura in Halle und Leipzig, wo einflußreiche Verwandte wirkten und er sich als Advokat beider Rechte niederließ. Er wurde Oberaktuarius (Schöppenschreiber) beim kurfürstl.-sächs. Gerichtshof in Leipzig und Sekretär des Kurfürsten und Königs August II. von Sachsen und Polen. Durch Erwerbungen, Tausch und eigene Sammeltätigkeit gelang es ihm, ein bedeutendes Naturalienkabinett anzulegen. Angeregt durch Philipp Jacob Spener, August Hermann Francke und Johann Jacob Scheuchzer und wie diese vorwiegend physikotheologisch motiviert, gehörte M. zu den wissenschaftlich interessierten Laien der Aufklärung, die sich der Naturforschung in ihren jeweiligen Heimatregionen widmeten. In seinem zweibändigen Werk über die sächs. Fossilfunde (Memorabilium Saxoniae subterraneae, 1709–18) nennt er darüber hinaus neben fachlichem Interesse auch „Ruhm für das Vaterland" als Motiv seiner Sammel- und Publikationstätigkeit.

M. war der erste, der fossile Pflanzen aus Mitteldeutschland naturgetreu wiedergab. Deshalb wurden seine Abbildungen als Erstbelege später mehrfach in Standardwerken dieser Disziplin reproduziert. Seine Objekte (Farne, Calamiten, Farnsamer, Coniferen, außerdem Muscheln, Korallen und Fische) stammen vorwiegend aus dem Rotliegenden und Zechstein des Harzes und des Thüringer Waldes und sind größtenteils identifizierbar. Mit seinem Werk begründete M. den Ruf von Manebach (Thüringen) als überragendes Fundgebiet fossiler Rotliegendpflanzen und als eine der heute noch zugänglichen Ursprungsstätten der Paläobotanik. Da M. mit Scheuchzer in Verbindung stand und ihm schon 1708 auch druckfertige Abbildungstafeln übersandte, die dieser in sein „Herbarium diluvianum" (1709) übernahm, galt bisher irrtümlich dieser als Erstbeschreiber der Thüringer Pflanzenfossilien. M. verglich die echten paläobotanischen Objekte, die neben zahlreichen Pseudofossilien (meist Dendriten) dargestellt sind, mit rezenten Pflanzen und benannte sie danach. Die Natur der Fossilien blieb ihm unklar, er übernahm daher auch spekulative Deutungen älterer Autoren als „Naturspiele", glaubte an unterirdische Keimungen, spontane Zeugungen oder „Opfer der Sintflut" und verbrämte seine Beschreibungen im Stile physikotheologischer Naturbeschreibungen mit Bibelzitaten und Glaubensbekenntnissen.

M.s Arbeit basierte auf seiner bedeutenden Sammlung von Mineralien, Gesteinen und Fossilien, die bis 1716 auf 5197 Nummern anwuchs. Sie wurde wahrscheinlich in diesem Jahr an den Leipziger Apotheker Johann Heinrich Linck verkauft, dessen Naturalienkabinett ebenfalls überlokale Bedeutung hatte und von dessen Sohn weitergeführt wurde. 1840 gelangte die Sammlung in das Fürstlich Schönburg-Waldenburgsche Naturalienkabinett und von dort in das Heimatmuseum Waldenburg (Sachsen).

W Memorabilium Saxoniae subterraneae, Des Unterirdischen Sachsens seltsame Wunder d. Natur, 2 T., 1709 / 18; Museum sive Catalogus rerum naturalium et Fossilium tam exoticarum quam domesticarum ... = Gottlieb Friedrich Mylii Cabinet od. kurze Beschreybung aller Natürlicher u. aus d. Erden so wohl frembder als absonderlich im Sachsen-Lande gefundener Sachen, Auktionskat. Oster-Messe Leipzig 1716.

L ADB 23; Johann Christoph Mylius, Historia Myliana ..., 3 Bde., 1751–52; Johann Carl Mylius, Gesch. d. Familien Mylius, 1895; M. Barthel, Von M. bis Schlotheim, in: A. Grote (Hrsg.), Macrocosmos in Microcosmo, 1994, S. 707–20; A. Seifert, Das Lincksche Naturalien- u. Kunstkab. in Leipzig (1670–1840) u. seine teilweise Neuaufstellung im Fürstl. Schönburg. Naturalienkab. in Waldenburg (Sachsen), in: Mus.kde. NF 7, 1935, S. 1–15. – *Qu.*: Zentralbibl. Zürich, Nachlaß Scheuchzer; Archiv d. Franckeschen Stiftungen, Halle/Saale; Univ.-Archiv Halle/Saale. – *Zur Fam.:* J. C. Mylius, Gesch. d. Familien M., 1895, S. 50–58.

Ilse Jahn

2) *Franz* Benno, Chemiker, * 27. 5. 1854 Soldin (Neumark), † 6. 3. 1931 Berlin.

V Carl (1810–80), Apothekenbes. in S., Vf. pharmazeut. Aufsätze, S d. Christian Ludwig (1768–1845) aus Schönberg, Bes. e. Knopfmachergeschäfts in B., belieferte d. preuß. u. franz. Armee mit Goldborten u. Tressen, u. d. Dorothea Louise Gerhardt (1772–1844); M Bertha Auguste Rosa (1823–90), T d. Ökonomie-Kommissionsrats Gottlob Keller; B Ernst (1846–1929, s. L), nach d. pharmazeut. Staatsexamen in Berlin Promotion im Priv.laboratorium A. W. Hofmanns 1873, Betriebschemiker bei d. BASF, Bes. d. Elephanten-Apotheke in Freiberg (Sachsen) seit 1876, d. Engel-Apotheke in Leipzig seit 1885, in d. er z. B. seinen „Liquor Colchici compositus" herstellte, führte als Inh. e. Handelslaboratoriums in Freiberg analyt.-chem. Unterss. durch, Gerichts- u. Polizei-Gutachter, techn. Dir. d. Gasanstalt, Vors. d. Gewerbever., trug mit seiner Kritik an d. „Pharmacopoea Germanica" (²1882) maßgebl. z. Wechsel v. Latein zu Deutsch in d. nächsten Ausgabe bei, Hermann August Paul (* 1851), Reg.baumeister, kgl. Wasserbauinsp., Carl (1864–1914, s. L), Apotheker in Leipzig u. Buttstädt, Vf. e. Fam.gesch.; – ⚭ 1889 Antonie (Toni) (1864–1941), aus Schievelbein (Pommern), T d. Wilhelm v. Schütz (1831–1912), auf Lübtow (Kr. Lauenburg), Bahnhofsstand in Eberswalde, u. d. Mathilde Goltz (1837–1901) aus Schneidemühl; 2 S, u. a. Werner (1890–1940), Dr. phil., Dipl.-Chemiker, seit 1924 am

Chem.-Techn. Inst. d. TH Karlsruhe, wo er v. a. Studien über Glas durchführte; *N* Georg (s. *L*), Apotheker, seit 1914 Teilh. e. Kosmetik-Fa. in Hamburg, befaßte sich mit d. Gesch. d. Fam.; *Verwandter* Gottlieb Friedrich (s. 1).

M. absolvierte nach Abgang vom Gymnasium in Guben 1871 wie seine Brüder Ernst und Carl eine Apothekerausbildung, zunächst als Lehrling in der väterlichen Apotheke zu Soldin, dann als Gehilfe in Kassel, Überlingen/Bodensee und wieder Soldin. 1876 nahm er das Pharmaziestudium in Berlin auf und legte 1878 das Staatsexamen ab. 1879/80 diente er als Militärapotheker im I. Berliner Garnisonslazarett. Nach dem Tode des Vaters übernahm er die Apotheke in Soldin, die er 1881 verpachtete, um im Privatlaboratorium A. W. Hofmanns in Berlin mitarbeiten zu können. Mehr noch als zuvor sein Bruder Ernst gewann er bald ein enges freundschaftliches Verhältnis zu Hofmann, der für ihn seiner ungewöhnlichen Talente wegen trotz fehlenden Abiturs eine Ausnahmegenehmigung zur Promotion erwirkte, die 1883 in Göttingen mit einer in Berlin angefertigten Arbeit stattfand. Danach folgte er E. Baumann als Assistent nach Freiburg (Breisgau), wo er sich 1885 habilitierte. Als 1887 in Charlottenburg die Physikalisch-Technische Reichsanstalt (PTR) gegründet wurde, berief ihn H. v. Helmholtz auf Vorschlag Hofmanns zum Leiter der chemischen Abteilung. 1889 wurde er zum Mitglied der PTR, 1893 zum Professor dortselbst ernannt. Auch nach der Versetzung in den Ruhestand 1923 ging M. hier regelmäßig seinen Untersuchungen nach.

Bei Hofmann hatte M. über Aminothiophenole gearbeitet, in Freiburg u. a. über chinoide Pflanzeninhaltsstoffe und Gallensäuren; er entdeckte die Desoxycholsäure und eine der Jodstärke analoge farbige Jod-Einschlußverbindung der Cholsäure. Seine Arbeiten in der PTR gehören überwiegend zum Gebiet der anorganischen Chemie. Er schuf eine Klassifikation der Hydrolysebeständigkeit von Gläsern, untersuchte die Trennung der Platin-Metalle, ermittelte präzise Löslichkeitsdaten für Salze, bereitete und charakterisierte hochreine Metalle, bearbeitete aber auch Fragen der Denaturierung von Brennspiritus und der Lagerstabilität rauchschwachen Schießpulvers. In der Deutschen Chemischen Gesellschaft wirkte er aktiv im Verwaltungsausschuß, in der Redaktions- und der „Hofmannhaus"-Kommission sowie jahrzehntelang als Schriftführer im Vorstand. – Geh. Reg.rat (1906).

W Zahlr. Experimentalarbb. in: Berr. d. Dt. Chem. Ges.; Zs. f. anorgan. Chemie; Zs. f. angew. Chemie; Zs. f. analyt. Chemie; Zs. f. Instrumentenkde.; Abhh. d. PTR.

L Berr. d. Dt. Chem. Ges. 47, 1914, S. 1951; ebd. 57, 1924, S. 53 f.; F. Foerster, ebd. 64, 1931, S. 167–194 *(W-Verz., P)*; Pogg. IV–VI; Dt. Apotheker-Biogr. II, 1978. – *Zu Ernst:* Pharmazeut. Ztg. 57, 1912, S. 781 *(P)*; ebd. 68, 1923, S. 275 *(P)*; ebd. 74, 1929, S. 108; Dt. Apotheker-Biogr. II, 1978. – *Zur Fam.:* Johann Carl Mylius, Gesch. d. Familien M., 1895, S. 124–37 *(P)*; Georg Mylius, Die Fam. M. u. ihre Apotheker, in: Pharmazeut. Ztg. 71, 1926, S. 429–31; H. G. Mylius u. a., Gesch. d. Familien M.-Schleiz aus d. Hause Gerung u. M.-Ansbach 1375–1990, 1992, S. 490–93 *(P)*.

Herbert Teichmann

Mylius, *Christlob,* Schriftsteller, * 11. 11. 1722 Reichenbach b. Kamenz (Sachsen), † 6. od. 7. 3. 1754 London. (ev.)

V Caspar (1676–1742, ∞ 1] Anna Dorothea, 1687–1716, *T* d. Theophilus Lessing, 1647–1735, Bgm. in Kamenz, s. NDB 14*) aus Papitz b. Leipzig, seit 1718 Pastor in R. (s. Jöcher-Adelung), *S* d. Caspar, 1643 an d. Univ. Frankfurt/Oder immatrikuliert, Gutsverw. in Papitz u. Elstra b. Kamenz; *M* Marie Elisabeth († 1729), *T* d. Christian Ehrenhaus (1627–1703), Mag., Pastor in Pulsnitz (Sachsen) (s. Jöcher-Adelung); *1. Ehefrau d. V* Anna Dorothea Lessing (1687–1716), e. Schwester v. Gottfried Lessing (1693–1770), ev. Theologe, u. Tante v. Gotthold Ephraim Lessing (beide s. NDB 14); – ledig; *N* Wilhelm Christhelf Sigmund (1754–1827), Schriftst. u. Übersetzer (s. Kosch, Lit.-Lex.; Killy).

M. verbrachte die ersten anderthalb Jahrzehnte in der erzieherischen Obhut seines Vaters und des örtlichen Kantors. Danach besuchte er die Stadtschule in Kamenz und wurde über die Schulbühne mit Komödien Holbergs und mit Gottscheds „Sterbendem Cato" bekannt. Er unterrichtete hier später selbst einige Zeit, ehe er sich 1742 in Leipzig in der medizinischen Fakultät immatrikulierte. Daneben hörte er Philosophie und Naturwissenschaften, vor allem Astronomie. Zu seinen Lehrern gehörten Abraham Kästner und Gottsched, in dessen „Vertraute Rednergesellschaft" M. aufgenommen wurde. Er war zunächst ganz Gottschedianer, veröffentlichte in Schwabes „Belustigungen des Verstandes und Witzes", polemisierte gegen Gottscheds schweizer. Gegner Bodmer und Breitinger und arbeitete in seinem Auftrag an einer Lukian-Übersetzung. Bald knüpfte er Verbindungen zu den jungen Opponenten des literarischen Diktators, den Bremer Beiträgern, und beschritt mit seiner Wochenschrift „Der Freygeist" eigene Wege. Seinen Vetter Lessing führte er, als dieser im Herbst

1746 zum Studium nach Leipzig kam, in literarische Zirkel und in das Theaterleben der Stadt ein und bewog ihn zur Mitarbeit an einigen Zeitschriften meist eigener Herausgeberschaft. 1747 gründete M. das Organ „Der Naturforscher", in dem er populärwissenschaftlich Themen aus der Meteorologie, Astronomie und Mineralogie behandelte und sich auch über die Vivisektion von Hunden unter moraltheologischem Aspekt, über den Walfang oder über Schnürbrüste ausließ. Auch trat er mit einer Schrift über die Entstehung der Winde, verfaßt 1746 als Preisarbeit für die Berliner Akademie, sowie dem gynäkologischen „Sendschreiben von den Saamentierchen" (1746) und „Gedanken über die Atmosphäre des Mondes" (1746) hervor. Er wurde in der wissenschaftlichen Welt bekannt und erhielt Einladungen, unter anderem zu Leonhard Euler nach Berlin; hier sollte er im Juli 1748 auch an der Beobachtung einer Sonnenfinsternis teilnehmen. Im selben Jahr stellte ihn die „Vossische Zeitung" in Berlin auf zwei Jahre als Redakteur ein. Seit 1751 leitete M. die „Critischen Nachrichten aus dem Reich der Gelehrsamkeit" und gab die „Physikalischen Belustigungen" heraus. Zwei Jahre zuvor war die satirische Wochenschrift „Der Wahrsager" nach kurzem Erscheinen von der preuß. Zensur verboten worden. Auch das mit Lessing gemeinsam gestartete ehrgeizige Unternehmen „Beyträge zur Historie und Aufnahme des Theaters" (1749/50) kam über vier Nummern nicht hinaus. Auf Empfehlung Albrecht v. Hallers, der ihn 1753 zum Korrespondenten der Göttinger Akademie der Wissenschaften machte, wurde M. für ein Gemeinschaftsprojekt mehrerer naturwissenschaftlicher Gelehrter engagiert, eine Forschungsreise zunächst nach Nordamerika, dann nach Surinam auszurüsten. Er reiste über Göttingen, nahm im Harz Luftdruck- und Temperaturmessungen vor und begab sich im August 1753 über Hamburg und Bremen nach London, wo er gelehrte Kontakte knüpfte, wissenschaftliche Übersetzungen für deutsche Zeitungen anfertigte, es sich aber auch mit dem bereits erhaltenen Expeditionsgeld wohl sein ließ. Nach einem halben Jahr starb M. an einer Lungenentzündung.

Einer der ersten Wissenschaftsjournalisten und freien Schriftsteller, war M. zu steter und rascher publizistischer und poetischer Produktion genötigt. Mit vielen seiner Abhandlungen aus den Gebieten der Naturwissenschaft hat er der populärwissenschaftlichen Darstellungsweise einer späteren Aufklärungsphase vorgearbeitet. Seine „Drey Gespräche über wichtige Wahrheiten" sind mit ihrer Skepsis gegenüber der Lehre von der wörtlichen Inspiration der Hl. Schrift ein leiser Vorklang der Bibelkritik von Reimarus und Lessing. Von seiner literarischen Theorie („Schreiben von den Reimen und dem Sylbenmaaße in Schauspielen", 1743) und Kritik hat Lessing Anstöße erfahren. Überhaupt wies der Ältere dem Jüngeren den Weg vom universitären Brotstudium zum freien Schriftsteller. Weniger bedeutend sind die im engeren Sinn dichterischen Werke von M. Er tat sich in der Nachfolge des franz. Rokoko und Johann Christian Krügers mit Lustspielen und einem Libretto hervor, verfaßte Trinklieder, Hymnen und zahlreiche Gelegenheitsgedichte auf Personen. Sein Bestes leistete er auf dem Feld der poetischen Didaktik. Das wichtige „Lehrgedicht von den Bewohnern der Kometen" ist anläßlich einer Kometenerscheinung 1744 verfaßt und gilt – wie die gleichzeitige Didaskalie von M.s Lehrer Kästner („Philosophisches Gedicht von den Kometen") – einem die rationalistische Kosmosvorstellung irritierenden Phänomen. M. begründet in diesem Gedicht seine Vermutung von menschenähnlichem Leben im Weltall damit, Vernunft, Empfindung und Moralität seien an keine bestimmte körperliche Konstitution gebunden – ein Zeugnis eines kosmopolitischen Denkens der Aufklärung.

W Vermischte Schrr., Mit e. Vorrede hrsg. v. G. E. Lessing, 1754 (Neudr. 1971).

L ADB 52; E. Thyssen, Ch. M., Diss. Marburg 1912; R. Trillmich, Ch. M., Diss. Halle 1914 (W, L); D. Hildebrandt, Ch. M., e. Genie d. Ärgernisses, 1981; H.-W. Jäger, Weltbürgertum in d. dt. Lehrdichtung d. 18. Jh., in: G. L. Fink (Hrsg.), Cosmopolitisme, Patriotisme et Xénophobie en Europe au Siècle des Lumières, 1985, S. 175–86; B. Bauer, Der Weg wiss. Aufklärung v. Gelehrten z. Laien, 1995; Goedeke IV/1; Pogg. II; Kosch, Lit.-Lex.³; Killy.

Hans-Wolf Jäger

Mylius, Johannes *Daniel,* Iatrochemiker, Theologe, Musiker, * 1585 Gemünden/Wohra (Hessen), † nach 1628. (ev.)

V Johannes (Molitor) († 1584), Schulmeister, später Diaconus in Wetter (Hessen), seit 1576 Pfarrer in Gemünden/Wohra, S d. N. N. Molitor, Müller in d. Walkmühle in Wetter; M Catharina Happel († n. 1608); Ov Johannes Siegfried (Walkemüller, Molitor) († um 1584), Pfarrer in Viermünden, Friedrich (Molitor) († 1584), Präzeptor im Pädagogium in Marburg, Pfarrer in Wetter, später in Wächtersbach (∞ Charitas, T d. Conrad Matthaeus, 1519–80, Dr. iur., Prof. d. Rhetorik u. Univ.syndikus in Marburg,

s. ADB 23); *B* Franz, Kastner in Haina; *Schw* Susanne (∞ Johannes Hartmann, 1568–1631, Prof. d. Math., später d. Chemiatrie in Marburg, s. NDB VII); – ∞ Frankfurt/Main 1606 Maria, *T* d. Bäckermeisters Bernhard Marxheim; 2 *S*.

1596 am Marburger Pädagogium immatrikuliert, dürfte M. dort Gymnasium und philosophische Fakultät durchlaufen haben. 1606 erhielt er das Frankfurter Bürgerrecht und war zunächst als Korrektor im Buchgewerbe sowie als Hauslehrer tätig. Wann er seine medizinischen und theologischen Studien begann, ist ungewiß. Verbürgt sind Aufenthalte in Gießen, wo er 1612 als „chymiatriae studiosus" mit landgräflicher Erlaubnis und Unterstützung chemische Übungen durchführte, sowie in Marburg, wo er 1613/14 und 1616 Stipendiatenmaior der Mediziner war, unter dem Vorsitz des Professors für Anatomie und Chirurgie Heinrich Petraeus (1589–1620) zwei Disputationen absolvierte und, wohl 1616, mit Thesen „de diarrhoea" bei demselben das Lizentiat, also die Erlaubnis zur ärztlichen Praxis erwarb. Im September 1616 edierte er für den Frankfurter Verleger Lukas Jennis, der in der Folgezeit die meisten Werke M.s herausbrachte, den „Iatrochymicus" des Schotten Duncan Bornett. Sowohl diesen wie auch seinen 1628 bei Jennis erschienenen Traktat „Anatomia auri" widmete M. dem Frankfurter Stadtschultheißen Johann Martin Baur v. Eysseneck (1577–1634). Dem Rat der Stadt Frankfurt sind zwei weitere seiner Schriften gewidmet, „Opus medico-chymicum" (1618–30) und „Antidotarium medico-chymicum reformatum" (1620). 1618 wurden ihm von der Stadt 16 Gulden jährlich dafür bewilligt, daß er sonntags in der Barfüßerkirche die Laute spielte. Daß er 1626 um eine Erhöhung dieses Salärs ersuchte, ist ein weiteres Indiz dafür, daß M. in Frankfurt seinen eigentlichen Lebensmittelpunkt hatte, auch wenn er sich 1622/23 für längere Zeit am Hof Landgf. Moritz' des Gelehrten in Kassel aufhielt, um in dessen Auftrag eine Reihe alchemischer Experimente durchzuführen. Belege für eine andauernde Verbindung zum Kasseler Hof fehlen indes ebenso wie Hinweise auf Ort und Zeitpunkt der Verleihung des medizinischen Doktorgrades, den M. sich in beiden letzten Veröffentlichungen beilegt. Danach verliert sich die Spur dieses vielseitigen Gelehrten, der nicht nur als Autor alchemischer und medizinisch-pharmazeutischer Fachschriften, sondern auch als Verfasser eines theologischen Werkes und Kompilator einer umfänglichen Sammlung von Lautenstücken hervortrat.

Weitere W u. a. Christl. ref. Theologia, 1621; Thesaurus gratiarum, 1622 (u. ö.); Philosophia Reformata, 1622 (engl. Teilübers. v. P. Tahil, hrsg. v. A. McLean, 1984); Pharmacopoea Spagyrica, 1628. – *Hs. Abhh. u. Briefe:* Bibl. d. Gesamthochschule Kassel.

L J. C. Mylius, Gesch. d. Fam. Mylius, 1895, S. 168 f.; C. Valentin, Gesch. d. Musik in Frankfurt a. M., 1906, S. 121 f.; J. Ferguson, Bibliotheca Chemica II, ²1906, S. 120 f. *(W, L);* J. Read, Prelude to Chemistry, ³1961, S. 260 ff.; D. Duveen, Bibliotheca Chemica, ²1965, S. 419–21 *(W);* J. Telle, Sol u. Luna, 1980, S. 64 ff., 113 f.; S. Klossowski de Rola, The Golden Game, 1988, S. 133 ff., 167 ff., 198 ff.; B. T. Moran, The Alchemical World of the German Court, 1991, S. 111–14; H. Hild, Das Stammbuch d. Medicus, Alchemisten u. Poeten D. Stolcius, Diss. TU München 1991, S. 56, 187 f., 262; BLÄ; MGG IX; New Grove.

P Kupf. in: Opus medico-chymicum, 1618 (s. o.).

Ulrich Neumann

Mylius, *Heinrich,* Kaufmann, Bankier, Mäzen, * 14. 3. 1769 Frankfurt/Main, † 21. 4. 1854 Mailand.

V Johann Christoph (1715–91), seit 1741 Bankier in F., *S* d. Johann Ernst Andreas (um 1681–1722) aus Ansbach (Franken), seit 1704 als Bandfabr. in Wien, u. d. Sophie Weidinger (1684–um 1773) aus Rust (Burgenland); *M* Dorothea Kraus (1728–84) aus Weimar; *Om* Georg Melchior Kraus (1737–1806), Kupferstecher, Dir. d. Zeichenschule in Weimar (s. NDB XII); *B* Johann Jakob (1756–1835), Kaufm. u. Bankier in F.; – ∞ Weimar 1799 Friederike (1771–1851), Literatin (s. NND), *T* d. Friedrich Christian Schnauss, sächs. Hof- u. Reg.rat; 1 *S* Julius (Giulio) (1800–30, ∞ Luigia Vitali, 1809–84, kath., aus lombard. Adel, ∞ 2] Ignazio Vigoni, † 1860), Kaufm., seit 1825 Mitinh. d. Fa. Mylius & Co.; *Gr-N* Karl Jonas (1839–83), Architekt, Erbauer d. Hamburger Rathauses (s. ThB; *L*).

M. trat nach kurzer Schulzeit in das von seinem Vater mitbetriebene Frankfurter Handelshaus „Mylius und Aldebert" ein. Als erfolgreicher Textilkaufmann bereiste er zahlreiche Länder Europas und übernahm nach dem Tode des Vaters um 1792 die Mailänder Filiale des Unternehmens. Von dort aus baute er systematisch den Aktionsbereich der Handelsfirma aus und gründete ein Bankhaus sowie eine Seidenfabrik. 1811 machte M. sich selbständig und wandelte die bisherige Filiale in die Firma „Enrico Mylius" um, in die 1818 sein Neffe Georg Melchior, 1825 sein Sohn Giulio und 1837 ein weiterer Neffe eintraten. Giulios früher Tod (1830) stellte den Erfolg des Unternehmens nur vorübergehend in Frage, zumal M. in seinem Schwiegersohn Ignazio Vigoni und dem Chemiker Antonio

Kramer (1806–53), dem Sohn eines ebenfalls aus Frankfurt stammenden Mailänder Stofffabrikanten, hervorragende Mitarbeiter fand. 1833 wurde der unrentabel gewordene Handel mit Manufakturwaren eingestellt und nur die Bank mit Filialen in Genua und Rom sowie die Seidenproduktion im Werk Boffalora (Tessin) fortgeführt. 1839 zog sich M. von der aktiven Leitung seiner Geschäfte zurück. Seit Beginn seiner Mailänder Tätigkeit unterhielt M. Beziehungen zu zahlreichen Künstlern und Wissenschaftlern in der Lombardei. 1841 gehörte er zu den Gründern einer Gesellschaft zur Förderung der Künste und des Handwerks (Società d'Incoraggiamento d'Arti e Mestieri) und fungierte als deren langjähriger Leiter. Darüber hinaus förderte er einzelne Künstler durch Auftragsarbeiten und die Stiftung von Preisen. In Mailand unterstützte er soziale Einrichtungen, u. a. Kinderkrippen, ein Hilfswerk für mittellose Arbeiter und Handwerker und ein Blindeninstitut. Daneben blieb er auch seiner Heimatstadt Frankfurt eng verbunden, wo er Schulen, wohltätige Stiftungen und die Senckenbergische Naturforschende Gesellschaft mit hohen Zuwendungen bedachte. Mit Goethe und dem Ghzg. Carl August von Sachsen-Weimar im Briefwechsel stehend, bemühte er sich um die Förderung der deutsch-italien. Kulturbeziehungen und organisierte u. a. ein Stipendienprogramm für Weimarer Maler in Mailand. Zentrum seiner vielfältigen Aktivitäten wurde eine 1829 in Loveno am Comer See erworbene Villa, die er zu einem prächtigen Landsitz ausbaute. Jahrzehntelang bis zu M.s Tod war sie regelmäßiger Treffpunkt für eine deutsch-italienische „Großfamilie" von Künstlern, Wissenschaftlern und Geschäftsleuten. 1983 ging die „Villa Vigoni" durch Stiftung in den Besitz der Bundesrepublik Deutschland über.

L J. C. Mylius, Gesch. d. Familien Mylius, 1895, S. 195–202 *(P);* J. Rumpf-Fleck, H. M., e. Mittler zw. Weimar u. Italien, in: Goethe-Kal. auf d. J. 1942, 1942, S. 192–243; R. Jakoby u. F. Baasner, Lombard. Wahlverwandtschaften, Eine kulturelle Biogr. d. Familien Mylius-Vigoni, in: Jb. d. Villa Vigoni 1985–89, 1990, S. 165–82; H. G. Mylius u. a., Gesch. d. Familien Mylius-Schleiz aus d. Hause Gerung u. Mylius-Ansbach 1375–1990, 1992, S. 780–85 *(P);* F. Baasner (Hrsg.), Die Mylius-Vigoni, 1992, S. 5–20; C. G. Lacaita, Enrico M. u. d. Società d'incorregiamento d' Arti e Mestieri in Mailand, ebd., S. 21–35; Künstlerleben in Rom, B. Thorvaldsen (1770–1844), Ausst.kat. Nürnberg/ Schleswig/ Kopenhagen, 1992, S. 682–85; Wurzbach 19; Frankfurter Biogr. II. – *Zu Karl Jonas:* H. G. Mylius (s. o.), S. 792–94 *(P);* Frankfurter Biogr. II.; ThB.

Hans Jaeger †

Mylius v. *Gnadenfeld* (latinisiert aus *Möller, Müller), Hermann,* oldenburg. Diplomat (Reichsadel 1652), * 10. 11. 1603 Berne, † November 1657 Oldenburg. (ev.)

V Ocko († 1625), Müllermeister in B. u. Hahnenknoop; *M* N. N. († 1615); ∞ Oldenburg 1637 Catharina (1613–55, s. *L), T* d. oldenburg. Rentmeisters u. Advokaten Johannes Mausolius († 1631/34) aus Uelzen u. d. Ilse Bremes; *Gvm d. Ehefrau* Bernd Bremes, Bgm. in Diepholz; 1 S.

M. eignete sich an den Universitäten Helmstedt (1616), Rostock (1626), Straßburg (1627), Tübingen (1628), Basel (1632) und Leiden (1633) eine gründliche humanistische und juristische Bildung an und begleitete vermutlich als Informator und Hofmeister junge Adelige auf ihren Bildungsreisen. 1632 erwarb er in Basel den Grad eines licentiatus iuris utriusque und wurde 1634 als Sekretär in der Kanzlei des Gf. Anton Günther v. Oldenburg angestellt, dessen Vertrauen er gewann. Seine beiden wichtigsten diplomatischen Aufgaben in den folgenden Jahren waren die Behauptung der oldenburg. Neutralität sowie die völkerrechtliche Anerkennung des 1623 vom Kaiser verliehenen Weserzollprivilegs, dessen Ertrag bis 1820 eine sichere Grundlage für den oldenburg. Staatshaushalt bildete. Seit 1636 war M. fast jedes Jahr als Sondergesandter in Europa unterwegs, um in meist zähen und geduldigen Verhandlungen Schutzbriefe der kriegführenden Staaten für Oldenburg zu erlangen. Er leistete damit einen entscheidenden Beitrag, um die Neutralitätspolitik des Gf. Anton Günther abzusichern und sein Land erfolgreich aus dem verheerenden 30jährigen Krieg herauszuhalten. 1644–48 gelang es M. in Osnabrück und Münster, den Weserzoll in den Friedensverträgen zu verankern und ihm damit internationale Anerkennung zu verschaffen. Er war auch daran beteiligt, den erbitterten Widerstand Bremens gegen diesen seinen Handel belastenden Zoll zu brechen; M. selbst konnte 1653 beim Reichstag in Regensburg die förmliche Unterwerfung der brem. Vertreter entgegennehmen. Im Rahmen seiner diplomatischen Sondermissionen hielt M. sich 1651/ 52 in London auf, um durch einen Schutzbrief Cromwells eine Garantie für die Sicherheit der oldenburg. Schiffe im engl.-holländ. Seekrieg zu erwirken. Bei diesen Verhandlungen lernte er den Dichter und Parlamentssekretär John Milton kennen, mit dem er in diesen Monaten auch Briefe wechselte; M.s Gesandtschaftstagebuch bildet eine wichtige Quelle zur Biographie Miltons und seiner Freunde. Gf. Anton Günther honorierte die erfolgreiche Tätigkeit seines Sekretärs: 1646 ernannte er ihn zum Rat und Landrichter in Kniphausen, 1648 schenkte er ihm das Gut Gnadenfeld am Jadebusen, 1652 erwirkte er beim Kaiser die Erhebung M.s in den Adelsstand und 1656 berief er ihn schließlich zum Mitglied des als Zentralbehörde der Grafschaft vorgesehenen Geheimen Rats. In diesem kam M. aber offenbar keine wichtige Funktion mehr zu, nachdem er 1654 einen ersten Schlaganfall erlitten hatte.

W De Cessione Bonorum, 1632, in: Disputationes Juridicae Basiliensium, 1658 (Univ.bibl. Basel); Kurzer, jedoch gründl. Ber., was in d. Hochgräfl. Oldenburg. Weser-Zoll-Sache v. d. Zeit d. Münster. Friedens-Tractates bis auf Ostern 1653 vorgegangen, 1653. – *Briefe:* Corr. of Milton and M., in: The Works of John Milton, XII, hrsg. v. Th. O. Mabbot, 1936, S. 337–79. – *Diarium:* The Chief Passages relating to Milton in the MS Relatio or Tagebuch of M., ebd., XVIII, 1938, S. 484–92.

L ADB 23; K. Düßmann, Gf. Anton Günther v. Oldenburg u. d. Westfäl. Frieden 1643–53, 1935; M. Richter, Die Anfänge d. Elsflether Weserzolls, 1967; H. Lübbing, in: Oldenburg. Fam.kde., 9, 1967, S. 539–57; L. Miller, John Milton and the Oldenburg Safeguard, New Light on John Milton and His Friends in the Commonwealth from the Diaries and Letters of H. M., 1985 *(P);* H. Friedl, in: Biogr. Hdb. z. Gesch. d. Landes Oldenburg, 1992 *(P).*

P Kupf. v. A. van Hulle, 1696/97, Abb. b. Miller u. Friedl (beide s. L).

Hans Friedl

Mynona (Ps. seit 1909, eigtl. *Salomo Friedlaender*, gesetzl. Name *Salomon*), Schriftsteller und Philosoph, * 4. 5. 1871 Gollantsch Kr. Wongrowitz (Prov. Posen), † 9. 9. 1946 Paris. (isr.)

V Ludwig (Eliezer) Friedlaender († 1898), Arzt u. Stadtverordneter in G.; M Ida Weiss († 1892); *Schw* Anna (1874–1942), ∞ Salomon Samuel, 1867–1942, Oberrabbiner in Essen, beide zuletzt in Theresienstadt); – ∞ Berlin 1911 Marie Luise Schwinghoff (1883–1968); *Schwager* Ernst Samuel (Ps. Anselm Ruest, 1878–1943), Schriftst., emigrierte 1933 nach Frankreich (s. W, L); 1 S Heinz-Ludwig Friedlaender (1913–88), Radiotechniker (s. L).

Nach dem Abitur in Freiburg (Breisgau) studierte M. seit 1894 Medizin und Zahnheilkunde in München und Berlin, seit 1896 Philosophie, Geschichte und Germanistik. 1899 lernte er in Essen den Philosophen Ernst Marcus kennen, der ihn nachhaltig beeinflußte. 1902 wurde er in Jena mit der Dissertation „Versuch einer Kritik der Stellung Schopenhauer's zu den erkenntnistheoretischen Grundlagen der ‚Kritik der reinen Vernunft'" promoviert. Im selben Jahr übersiedelte M. nach Berlin, wo er sich zunächst als Autor populärwissenschaftlicher Schriften einen Namen machte („Julius Robert Mayer", 1905). Zugleich wurde er durch die 1904–08 in der Zeitschrift „Charon" veröffentlichten Jugendstil-Gedichte als Lyriker bekannt („Durch blaue Schleier", 1908). In diesen frühen, im Stil der Boheme verbrachten Jahren kam M. auch mit zahlreichen Schriftstellern in Kontakt; befreundet war er mit Paul Scheerbart, Samuel Lublinski, Herwarth Walden, Georg Simmel und Martin Buber.

Seit 1910 spielte M. in den Berliner expressionistischen Kreisen eine wichtige Doppelrolle als Philosoph und Schriftsteller. 1911 erschien unter seinem bürgerlichen Namen die vielbeachtete theoretische Studie „Friedrich Nietzsche, Eine intellektuale Biographie". 1918 veröffentlichte er unter demselben Namen sein philosophisches Hauptwerk „Schöpferische Indifferenz"(²1926). Mit der auf Schopenhauer, Nietzsche, Kant und Stirner aufbauenden These vom absoluten einheitlichen Selbst, das sich in den von ihm geschaffenen polar-gegensätzlichen Differenzen der äußeren Welt verwirklichen soll, reagierte er auf in diesen Jahren virulente metaphysische Fragestellungen. Als Querdenker beeinflußte er neben anderen Zeitgenossen die bildenden Künstler Alfred Kubin, Arthur Segal und Raoul Hausmann.

Parallel zu den zahlreichen Publikationen unter bürgerlichem Namen veröffentlichte er, angeregt durch Ludwig Rubiner, unter dem Namen „Mynona" (Anagramm v. „anonym") seit 1909 auch belletristische Texte. So prägte M. als Schriftsteller und Mitarbeiter von Herwarth Waldens „Sturm" und Franz Pfemferts „Aktion" die Kurzprosaform der Groteske. Mit den ersten Sammlungen „Rosa die schöne Schutzmannsfrau" (1913), „Schwarz-Weiß-Rot" (1916) und dem Roman „Die Bank der Spötter" (1919) begeisterte er die Berliner Boheme und beeinflußte Expressionisten und Dadaisten. Seine zahlreichen literarischen Texte verfolgen die Intention, die philosophischen Thesen umzusetzen, sind aber zugleich auch durch sprachlich und inhaltlich groteske Einfälle bestimmt. Bereits in den zwanziger Jahren ließ das Interesse an seinen Arbeiten nach. Mit dem Roman „Graue Magie" (1922, ²1931, ³1989), der Tarzan-Parodie „Tarzaniade" (1924) oder den Groteskensammlungen „Das widerspenstige Brautbett" (1921), „Das Eisenbahnglück oder der Anti-Freud" (1925) und „Mein hundertster Geburtstag" (1928) konnte M. sein Publikum zwar weiterhin unterhalten, seine didaktischen Schriften aber, die von Thesen des späten Kant und des Philosophen Ernst

Marcus ausgehen (S. Friedlaender, Kant für Kinder, 1924), fanden ebenso wie seine satirischen Polemiken gegen die Moderne (Hat Erich Maria Remarque wirklich gelebt?, 1929) nur wenige Leser. – Im Oktober 1933 emigrierte M. mit seiner Familie nach Paris, wo er die deutsche Besatzung überlebte und verarmt und vergessen starb. 1935 erschien in einem Pariser Exilverlag seine letzte Buchveröffentlichung (Der lachende Hiob und andere Grotesken); das umfangreiche philosophische Spätwerk (u. a. Das magische Ich; Experiment Mensch) ist bis heute unpubliziert.

Weitere W u. a. Ich, Autobiogr. Skizze, 1936 *(ungedr.).* – *Hrsg.:* Der Einzige (Berlin) 1, 1919 (mit A. Ruest, eigtl. Ernst Samuel, Neudr. 1980). – *Ausgg.:* Ich verlange e. Reiterstandbild, Der Schöpfer – Tarzaniade – Der antibabylon. Turm, Prosa, 2 Bde., hrsg. v. H. Geerken, 1980 *(Bibliogr.* in II, S. 219–76). – *Nachlaß:* Dt. Lit.archiv, Marbach / Neckar; Ak. d. Künste, Berlin; Friedlaender / M.-Archiv Geerken, Herrsching / Ammersee.

L M. Weyembergh-Boussart, S. Friedlaender-M., in: Revue des Langues Vivantes (Bruxelles) 41, 1975, S. 498–516, 614–34, 42, 1976, S. 37–55; M. Kuxdorf, S. Friedlaender / M., Werk u. Wirkung, Forschungsber., in: Zeitgesch. 5, 1977, H. 3, S. 95–105; P. Cardorff, Friedlaender (M.) zur Einf., 1988; Maßnahmen d. Verschwindens, S. Friedlaender / M., Anselm Ruest, Heinz-Ludwig Friedlaender im franz. Exil, Ausst. u. Hörspiele v. H. Geerken, Bayer. Rundfunk u. Kulturreferat München, 1993 *(L, P);* L. Exner, Ergg. z. Bibliogr. S. Friedlaender / M., in: dies., M., Die Bank d. Spötter, Mag.arb. Wien 1990 *(ungedr.),* S. 163–76; dies., Fasching als Logik, Über S. Friedlaender / M., 1996 *(P);* Kosch, Lit.-Lex.³; Kunisch-Wiesner; Killy; BHdE (jeweils unter „Friedlaender"). – *W-Verz.:* P. Raabe u. I. Hannich-Bode, Die Autoren u. Bücher d. literar. Expressionismus, 1985, S. 353–56; J. Serke, Die verbrannten Dichter, 1977, S. 263.

P Zeichnungen, Aquarelle, Collagen v. M. Oppenheimer, L. Meidner u. a., Abb. in: S. Friedlaender / M. 1871–1946, Ausst.kat., Ak. d. Künste, Berlin, 1972.

Lisbeth Exner

Mynsicht, *Adrian* v. (vermutl. kaiserl. Adel, eigtl. *S(e)umenicht,* Ps. *Tribudenius, Hinricus Madathanus, Harmannus Datichius),* Arzt und Apotheker, * um 1588 Lügde od. Ottenstein (Hzgt. Braunschweig), † Ende Oktober 1638 Schwerin. (luth.)

V Anton S(e)umenicht (1555–1643), seit 1588 Pastor in O.; *M* Anna Trope; ∞ N. N.; 3 *S,* 1 *T,* u. a. Ernst, Jurist, Domherr in Magdeburg u. Havelberg.

M. studierte in Helmstedt (seit 1605) und Rostock (als Magister artium, seit 1610) und promovierte zum Doktor der Medizin. Nach Tätigkeit in Magdeburg ist er 1618 als Leibmedicus des Hzg. Julius Ernst zu Braunschweig und Lüneburg bezeugt. Seit 1631 diente er in gleicher Funktion bei Hzg. Adolph Friedrich I. von Mecklenburg-Schwerin. In letzterer Stellung betrieb er eine eigene Apotheke, auch hatte er freie Praxis inner- und außerhalb des Landes. M. war ein erfolgreicher Arzt und Anhänger der iatrochemischen (chemiatrischen) Lehre von Paracelsus, die, im Gegensatz zur herkömmlichen Humoralpathologie Galens, Krankheiten durch chemische Vorgänge erklärte und durch chemische (synthetische) Arzneien zu heilen versuchte. In seiner Hauptschrift führte er zahlreiche Komposita sowie 15 pharmakopoeähnliche Arzneipräparationen auf. Die bekannteste unter ihnen ist der um 1630 erstmals von ihm beschriebene Brechweinstein, der allerdings zu seinen Lebzeiten noch keine allgemeine Anerkennung fand. Vermutlich stand M. der Rosenkreuzerbewegung nahe. Nach eigener Angabe war er Comes Palatinus Caesareus und Poeta Laureatus.

W Thesaurus medicus-chymicus, Hoc est: Selectissimorum pharmacorum confiendorum secretissima ratio ... cui in fine adjunctum est Testamentum Hadrianeum de aureo philosophorum lapide, 1631 (bis 1726 mehr als 20 postum vermehrte Aufl., seit 1636 u. d. T.: Thesaurus et armamentarium medico-chymicum, dt. Übers.: Medicin. Schatz- u. Rüstkammer, 1682, weitere Aufl. bis 1792, engl. 1682); Aureum saeculum redivivum, 1621 (Theosoph. Traktat, unter d. Ps. Hinricus Madathanus, mehrfach nachgedr.).

L ADB 23; H. Henke, Btrr. z. Gesch. d. Fam. Seumenicht, 1940 *(ungedr.);* A. Blanck, Die meckl. Aerzte von d. ältesten Zeiten bis z. Gegenwart, 1874, S. 29 (Neuausg. v. G. Willgerodt, 1929, S. 354, *P);* J. R. Partington, A History of Chemistry, II, 1961, S. 178 f.; C. S. Picht, in: „Die Drei", 7, 1927, S. 305–11; K. Bosch, Zur Vorgesch. chemiatr. Pharmakopoepräparate im 16./17. Jh., in: Veröff. aus d. Pharmaziegeschichtl. Seminar d. TU Braunschweig 21, 1980, S. 62–64; O. Puffahrt, 300 J. Einhorn-Apotheke Dannenberg 1689–1989, 1989, S. 98–101; F. Ferchl, Chem.-Pharmazeut. Bio-Bibliographicon, 1984, S. 376; BLÄ. – Eigene Archivstud.

P Medaillon v. Diricksen (Meckl. Landeshauptarchiv Schwerin, Bilderslg.).

Rolf Gelius

Mynsinger v. *Frundeck* (auch: *Münsinger, Minsinger*), *Joachim* (Beiname *Dentatus*), Jurist und Humanist, * 13. 8. 1514 (oder 1517?) Stuttgart, † 3. 5. 1588 Großalsleben / Bode. (kath.)

Die Fam. stammt aus d. Schweiz, vermutl. aus d. Dorf Münsingen b. Bern. Im 14. Jh. siedelte sie nach

Schwaben über u. wurde dort v. Kg. Wenzel mit Schloß Frundeck/Neckar belehnt. – *V* Joseph († 1560), Dr. iur., kaiserl. österr. Kanzler in Württemberg, *S* d. Johann Mynsinger (1423–mind. 1502), Stadtphysikus in Ulm; *M* Agnes Breuning († bald n. 1560); *Urgr-Ov* Johannes IV. Naso († 1440), seit 1418 Bischof v. Chur (s. HBLS); *B* Joseph, studierte 1533 gleichzeitig mit M. in Tübingen, Statthalter in Nürnberg, Johann u. Werner, beide in kaiserl. österr. Kriegsdiensten, Hieronymus, in kgl. span. Kriegsdiensten; *Verwandter* Heinrich (um 1397–um 1476), nach Studium in Padua Leibarzt d. Pfalzgf. Ludwig III. u. Friedrich I., Vf. v. med. Traktaten (s. Vf.-Lex. d. MA²); – ∞ 1) Augsburg ? 1533 Barbara Kastenkeller († 1556), 2) 1557 Agnes (1535–1603), *T* d. Heinrich v. Oldershausen, braunschweig. Erbmarschall; 4 *S* (2 früh †), 3 *T* aus 2), u. a. Siegmund Julius († 1597), braunschweig. Erbkämmerer, Dichter, seine lat. Gedichte 1602 in Helmstedt hrsg. v. Heinrich Meibom (d. Ä.), Heinrich Albert (1564–1613, ∞ Catharina v. Krosigk), braunschweig. Erbkämmerer u. kursächs. Stiftshptm. in Quedlinburg; *E* Joachim d. J. (1600–37), Dichter, mit ihm starb d. Fam. in männl. Linie aus.

M. studierte in den 30er Jahren des 16. Jh. Jurisprudenz in Dôle, Padua, wo vermutlich der damals bekannte Jurist Vigelius van Zuichem (van Aytta) sein Lehrer war, in Tübingen und zuletzt in Freiburg (Breisgau), wo er 1536 zum Dr. iuris utriusque promoviert wurde. Obwohl er hier nur kurze Zeit von Ulrich Zasius unterrichtet worden war, erklärte M. später, alle seine Rechtskenntnisse habe er von diesem berühmten „Humanistenjuristen" erworben. 1543 erhielt M. in Freiburg einen Lehrstuhl für röm. und 1544 für kanonisches Recht. Wiederholt wurde er zum Dekan der juristischen Fakultät gewählt und war mehrere Jahre Rektor der Universität. Für den Oberrheinischen Kreis berief man ihn 1548 als Beisitzer an das Reichskammergericht nach Speyer. Acht Jahre später übernahm er das Amt eines Hofkanzlers unter Hzg. Heinrich d. J. v. Braunschweig-Lüneburg. 1573 beendete er seine berufliche Laufbahn, war aber weiterhin als Privatgelehrter und politischer Berater tätig.

Durch seine neulat. Elegien, Hymnen u. Epigramme erwarb sich M. einen guten Ruf als „poeta". Zu seinem literarischen Werk gehören nicht nur Lobeshymnen wie die „Neccharides" (1553), ein Panegyricus auf Pfalzgraf Philipp, den habsburg. Statthalter in Württemberg, oder das Epos „Austriades", in dem er die Geschichte der Habsburger und ihre Verdienste für das Reich verherrlicht, sondern auch Äußerungen zu aktuellen Themen mit zeitkritischem Gehalt. Sein mehrfach aufgelegtes „Bethbüchlein" (Erstdr. 1566, verschollen), das auch unter dem lat. Titel „Enchiridion religiosum" (1595) verbreitet war, bildet einen wichtigen Schritt in der Entwicklung der ev. Gebetsliteratur und dokumentiert durch die Kompilation ev. und kath. Quellen eine überkonfessionelle Haltung, die sich an humanistischen Idealen orientierte. Noch 1585 besorgte Heinrich Meibom (d. Ä.) eine Ausgabe v. M.s „Poemata".

Der Schwerpunkt von M.s Schaffen liegt allerdings eindeutig auf dem Gebiete der Jurisprudenz. Er gehört zu jenen humanistisch gebildeten Juristen, die entscheidend an der Rezeption des röm.-kanonischen Rechts in Deutschland mitgewirkt haben. Neben einigen Lehrschriften zum röm. Recht war seine bedeutendste Leistung die Veröffentlichung von Arbeiten, in denen er Entscheidungen und Gutachten aus seiner reichskammergerichtlichen Tätigkeit verwertete. Dazu gehören seine „Responsa iuris" und vor allem seine bis 1697 vielfach aufgelegten „Observationes", deren Veröffentlichung wegen des am Reichskammergericht bestehenden Grundsatzes, Urteilsgründe seien nur für den internen Gerichtsgebrauch bestimmt, ein gewagter Schritt war. M. wurde daher beschuldigt, er habe seinen, ihn zur Geheimhaltung verpflichtenden Richtereid gebrochen. Dem hielt M. entgegen, er habe die wichtigsten Entscheidungen zunächst nur zu seiner eigenen Belehrung aufgezeichnet. Erst als ihn die Beisitzer des Reichskammergerichts wiederholt um Informationen aus dieser Sammlung gebeten hätten, habe er sich zu einer Veröffentlichung entschlossen. M.s Beispiel machte Schule und ermutigte weitere Juristen des Reichskammergerichts, gerichtsinterne Entscheidungsgründe zu publizieren, darunter auch Andreas Gail, der von M. nicht ohne Grund beschuldigt wurde, seine „Observationes" plagiiert zu haben. Die zunehmende Verbreitung reichskammergerichtlicher Judikatur förderte deren praktische und wissenschaftliche Verwertung und damit zugleich die Weiterentwicklung des Gemeinen Rechts in Deutschland.

Erfolgreich wirkte M. auch als Kanzler des Hzgt. Braunschweig-Lüneburg in der Verwaltung, im Justizwesen und in der Gesetzgebung. Für das dortige Hofgericht, dessen Vorsitz er später führte, verfaßte er eine Ordnung, die zwar in wesentlichen Teilen der Reichskammergerichtsordnung von 1555 folgte, sich aber durchaus eigenständig den Bedürfnissen des Herzogtums anpaßte. Allerdings gelang es M. nicht, die Trennung von Justiz und Verwaltung gegen die absolutistischen Machtansprüche des Herzogs durchzusetzen. Im übrigen sind in seiner Amtszeit zahlreiche Reformgesetze wie z. B. die Kanzlei-, Halsgerichts-, Polizei-, Steuer-, Münz- und Kirchenordnung ergangen. M. begleitete schließlich nicht nur beratend die Prozesse des Herzogtums vor dem Reichkammergericht, sondern versuchte auch als Mitglied der Reichskammergerichtsvisitation Justizreformen im Reich durchzusetzen. Sein Vorschlag, zur schnelleren Erledigung der Prozesse „mehr als ein Cammergericht Im Reich Teutscher Nation einzurichten", hatte allerdings keinen Erfolg. – Die Idee zur Gründung einer Universität, an der Beamte und Geistliche für das welfische Territorium ausgebildet werden sollten, geht auf M. zurück. Die Durchführung dieses Planes, die Errichtung der Universität Helmstedt am 15. 10. 1576, wurde allerdings nach neuerer Ansicht nicht von M., sondern von anderen vollzogen.

W u. a. Singulares Obseruationes Iudicij Imperialis Camerae [uti uocant] Centuriae quatuor ..., 1563; Responsa Iuris, sive consilia ..., 1573.

L ADB 23; S. Schumann, J. M. v. F. (1514–88), 1983 *(W, L, P)*; W. Ludwig, J. M. u. d. Humanismus in Stuttgart, in: Zs. f. Württ. Landesgesch. 52, 1993, S. 91–136; Kosch, Lit.-Lex.; Killy; HRG; M. Stolleis, Juristen, 1995.

Wolfgang Sellert

Myrbach v. *Rheinfeld, Franz* Frhr., Finanzwissenschaftler, * 3. 12. 1850 Zaleszczyki (Galizien), † 11. 2. 1919 Innsbruck. (kath.)

Die Fam. stammt v. Peter Mirbach (17. Jh.) aus Straßfeld b. Euskirchen ab. – *V* Franz Xaver (1818–82, österr. Frhr. 1870), Landespräs. d. Bukowina, *S* d. Karl M. v. R. (1784–1844), Gen.major (s. Wurzbach), u. d. Theresia Freiin v. Pillerstorff (* 1787); *M* Friederike (1820–95), *T* d. Joseph Gf. v. Bolza (1787–1834) u. d. Anna Gfn. v. Batthyáni; *Ur-Gvv* Joseph Mirbach (1751–1826, 1810 österr. Adel mit d. Prädikat „v. Rheinfeld") aus Rheinpreußen, k. k. Major; *B* Felician (1853–1940), Maler u. Graphiker (s. ThB; NÖB 13; ÖBL; *W*); – ∞ Oberdöbling b. Wien Ernestine (1855–1912), *T* d. Albert Frhr. v. Pillerstorff (1819–69), k. u. k. Oberstlt., u. d. Franziska Gfn. v. Kolowrat-Krakowský; *S* Otto (1886–1969), Dr. phil., Meteorologe in Wien (s. Teichl; Pogg. VII a).

M. beschloß seinen Militärdienst als Leutnant der Reserve, studierte dann Rechtswissenschaft in Wien und Graz und promovierte 1873 zum Dr. iur. Er begann seine Berufslaufbahn bei der niederösterr. Finanzprokuratur und ließ sich 1876 zur Landesregierung nach Czernowitz versetzen. 1878 in den Finanzdienst zurückgekehrt, war er als Steuerinspektor und später als Finanzrat in Graz tätig. An der dortigen Universität habilitierte sich M. für Finanzwissenschaft und österr. Finanzgesetzeskunde, später auch für politische Ökonomie, und wurde 1893 als o. Professor für Volkswirtschaftslehre, Volkswirtschaftspolitik und Finanzwissenschaft an die Univ. Innsbruck berufen (Dekan 1895, 1907; Rektor 1900/01). Seit 1908 war er Vorstand des Staatswissenschaftlichen Seminars. 1915 trat er in den Ruhestand.

M. befaßte sich in seinen Publikationen mit einer Vielzahl wirtschaftlicher und administrativer Materien, u. a. mit der Reform der politischen Verwaltung in Österreich, mit Fragen des Fremdenverkehrs, mit dem Betrieb elektrischer Anlagen und mit dem Ausbau der Staatsbahnlinien. Seine wichtigsten wissenschaftlichen Leistungen liegen aber auf dem Gebiet des Finanzrechts und des Steuerwesens, das er in seinem „Grundriß des Finanzrechts" (1906, ²1916, franz. 1910) sowie in mehreren speziellen Untersuchungen systematisch behandelte. – Hofrat (1912).

W. u. a. Die Übertretung d. Zinsverheimlichung nach österr. Gesetzgebung, 1881, ²1891; Die Besteuerung d. Gebäude u. Wohnungen in Österreich, 1886; Die Molkereigenossenschaften in Österreich u. deren Besteuerung, 1894; Wirtsch.wiss. Seminar, ²1916; Über d. Begriff d. Gebühr u. d. Taxe, 1917. – *Zu Felician:* Die Fläche, 1902, Neudr. 1986.

L Reichspost v. 13. 2. 1919; Ber. üb. d. Studienj. 1918/19 d. Univ. Innsbruck, o. J. (1920), S. 33 f.; Hdwb. d. Staatswiss., ⁴1925; ÖBL.

Josef Mentschl

Myrdacz, *Gustav* v. (österr. Adel 1917), General, * 7. 12. 1874 Wien, † 14. 4. oder 7. 11. 1945 Albanien.

V Paul (1847–1930), seit 1908 Gen.stabsarzt, Vf. v. Schrr. z. Militär-Sanitätsgesch. (s. Fischer; ÖBL); *M* N. N.

M. wurde nach dem Besuch des Gymnasiums in Wien und der Theresianischen Militärakademie in Wiener Neustadt 1897 zum k. u. k. Feldjägerbataillon Nr. 32 in Galizien ausgemustert. 1901–03 absolvierte er die Kriegsschule (Generalstabsakademie) und stand seit 1904 bei verschiedenen Infanteriebrigaden als Generalstabsoffizier in Verwendung. Seit 1909 war er Taktiklehrer an der Technischen Militärakademie in Mödling. Zu Kriegsbeginn 1914 und bis in das Jahr 1915 hinein fungierte M. als Generalstabschef des Militärkommandos Sarajevo, was einer Dienstleistung an der Front fast gleichkam. Seit Dezember 1915 war er in der Generalstabsabteilung des XIX. Korps tätig, zeitweise auch als dessen Generalstabschef. Jenes

Korps war nach der Eroberung Serbiens durch österr.-ungar., deutsche und bulgar. Truppen weiter nach Nordalbanien vorgedrungen; M. plante weitgehend den Vorstoß nach Durazzo. Etwa in der Landesmitte mit ihren malariaverseuchten Sumpfgebieten entwickelte sich ein Stellungskrieg gegen die inzwischen gelandeten Italiener. Seit dem 1. 5. 1917 kommandierte M. dort das Grenzjägerbataillon IV., bevor er als Generalstabschef der 14. Infanterie-Division auf den ital. Kriegsschauplatz versetzt wurde. Hier nahm er an der 11. Isonzoschlacht teil (1. 5. 1918 Oberst im Generalstabskorps). Seit dem 16. 7. 1918, also bereits nach der letzten Offensive Österreich-Ungarns in Venetien, kommandierte M. das Infanterie-Regiment Nr. 117 am Tonalepaß (Südtirol). Einen Tag nach Abschluß des Waffenstillstandes (3. 11. 1918) geriet er in ital. Kriegsgefangenschaft, aus der er nach einem Jahr entlassen wurde. Er wurde beim Landesbefehlshaberamt Steiermark der Deutschösterr. Volkswehr als Stellvertreter der Stadtkommandant von Graz zugeteilt. 1920 trat er in den Ruhestand. 1920 war auch der alban. Staat nach zweijähriger Besetzung des Landes durch die Armee des Königreichs der Serben, Kroaten und Slowenen wieder errichtet worden. Noch im selben Jahr ging M. auf ein finanziell attraktives Angebot hin als Leiter einer Gruppe technisch versierter ehemaliger Angehöriger der k. u. k. Armee nach Albanien, um Straßen zu bauen. Schon im folgenden Jahr wurde er, wahrscheinlich in ital. Sold, Ausbildungsleiter der alban. Wehrformationen. M. stellte sich schließlich dem Politiker und Tabakhändler Ahmed Bey Zogu zur Verfügung, als sich dieser 1928 von der Nationalversammlung zum König ausrufen ließ. Zogu ernannte M. zum Generalstabschef der alban. Armee. Als Italien am 7. 4. 1939 das Land besetzte, flüchtete der König. M. blieb, obwohl er nach Auflösung der alban. Armee sein Amt verlor. Nach dem Übertritt Italiens 1943 in das Lager der Alliierten marschierten deutsche Truppen in Albanien ein. Ob M. an der 1945 noch nicht abgeschlossenen Aufstellung der 21. Waffen-SS-Gebirgsdivision „Skanderbeg" mitgewirkt hat, läßt sich ebenso wenig belegen wie der Zeitpunkt und die Umstände seines Todes. Vermutlich wurde M. von Partisanen des Kommunistenführers Enver Hoxha, der Anfang Januar 1945 eine Volksfrontregierung bildete, umgebracht.

L Anton Wagner, Der Erste Weltkrieg, ²1981; H. Schwanke, Zur Gesch. d. österr.-ungar. Militärverw. in Albanien 1916–18, Diss. Wien 1982 (ungedr.); J. Piekalkiewicz, Krieg auf d. Balkan 1940–45, um 1985; N. v. Preradovich, Österreichs höhere SS-Führer, 1987; M. Schmidt-Neke, Albanien, Geschichtl. Grundlagen, in: Südosteuropa-Hdb. VII, 1993, S. 26–56; ÖBL.

Peter Broucek

Myslenta *(Mislenta), Coelestin(us),* luth. Theologe, * 27. 3. 1588 Kutten (Ostpreußen), † 20. 4. 1653 Königsberg (Preußen).

V Matthäus (Myslonius), poln. Adliger, Hofmeister d. Fürsten Radziwill v. Statzko, studierte als Stipendiat d. Hzg. v. Preußen in Königsberg, 1581–99 luth. Pfarrer in Kutten; M Euphrosina Wirczinski; ∞ Königsberg 1637/38 (?) Regina Winter (1612–78), Wwe d. Henning v. Wegner (1584–1636, poln. Adel 1635), Jurist, Bgm. d. Königsberger Altstadt (s. Jöcher); 2 K (beide früh †); 1 Stief-T Elisabeth Wegner (∞ Conrad Neufeld, 1623–56, Rektor d. Kneiphöfer Schule in Königsberg, s. ADB 23); E Georg Coelestin Wegner (1653–1715), seit 1692 luth. Pfarrer in Königsberg.

Der vorwiegend polnischsprachig aufgewachsene M. besuchte nach väterlichem Privatunterricht und der schulischen Grundbildung in Angerburg und Friedland seit 1603 das Pädagogium und anschließend die Univ. Königsberg. 1609 wechselte er nach Wittenberg, wo er sich theol. Studien, u. a. bei Leonhard Hutter, Friedrich Balduin und Balthasar Meisner, widmete und als Disputant hervortrat. Nach wenigen Monaten in Leipzig 1615 wechselte M. an die Univ. Gießen, wo eine von ihm 1616 auf Hebräisch geführte Disputation Aufsehen erregte. Seine stupende Kenntnis der oriental. Sprachen (u. a. Aramäisch, Syrisch und Arabisch) erwarb er außer bei den Hebraisten Christopher Helvicus und Johannes Gisenius bei Frankfurter Juden, die ihn in die rabbinische Literatur einführten. Nach Fortsetzung seiner theol. Studien unter Anleitung der Gießener Theologen Balthasar I. Mentzer und Johannes Winckelmann wurde er Anfang 1619 zum Dr. theol. promoviert. Eine Bildungsreise führte ihn an deutsche (Tübingen, Jena) und ausländische Universitäten, wo er insbesondere seine Kenntnisse der oriental. Sprachen bei Johannes Buxtorf (I.) in Basel und Thomas Erpenius in Leiden vertiefte. Im September 1619 wurde M. von dem 1613 zum ref. Bekenntnis übergetretenen brandenburg. Kurfürsten und Herzog von Preußen, Johann Sigismund, als Professor nach Königsberg berufen. Seit 1622 gehörte M., zunächst vertretungsweise, seit 1626 als o. Mitglied, dem samländ. Konsistorium an. 1626 übernahm er mit dem Amt des Dompfarrers die führende, seit 1640 mit Visitationsrechten verbundene geistliche Stellung in der Pregelstadt und wechselte auf das zweite theol. Ordinariat (1628–53 siebenmal Rektor). Die für die führenden luth. Theologen des konfessionellen Zeitalters charakteristische Verbindung akademischer und geistlicher Ämter sicherte M. einen auf das gesamte Herzogtum Preußen ausstrahlenden Einfluß.

M. war ein ambitionierter Kontroverstheologe. Die spezifisch preuß. Konfliktsituation mit einem ref. Landesherrn war dafür verantwortlich, daß M. besonders von innerprot. Auseinandersetzungen in Anspruch genommen wurde. In den 1620er Jahren war er in eine heftige literarische Auseinandersetzung mit dem luth. Theologen Caspar Movius verwickelt, die vor allem auf die im Gefolge Johann Arndts und Hermann Rathmanns kontroversen Fragen nach dem Verhältnis des Hl. Geistes zu den äußeren Vermittlungsinstanzen des geschriebenen und gepredigten Wortes und die Sakramente konzentriert war. Seit der Mitte der 1640er Jahre war M. Exponent des von weiten Teilen der luth. Geistlichkeit, der preuß. Landstände und der Universität getragenen Widerstandes gegen die Religionspolitik des Kurfürsten Friedrich Wilhelm I. Er stemmte sich gegen die im Gefolge des Thorner Religionsgesprächs von 1645 intensivierten Versuche des Landesherrn, Anhänger des Helmstedter Theologen Georg Calixt als Theologieprofessoren an der Albertina zu installieren (Michael Behm, Johannes Latermann, Christian Dreier). Der von M. und seinem Schüler Abraham Calov geführte Kampf gegen den Calixtinismus prägte das konfessionelle Luthertum tiefgreifend. – Als M.s bedeutendste theologische Arbeit kann das 1626 erschienene „Manuale Prutenicum", eine sorgfältige, auf die Praxis der preuß. Pfarrer abgestellte, mit reichem historischen Anschauungsmaterial zur Kirchengeschichte Preußens verbundene Auslegung des preuß. Bekenntnisses von 1567 gelten. In dem monumentalen exegetischen Lebenswerk Calovs dürften Impulse M.s nachwirken.

L ADB 23; G. v. Selle, Gesch. d. Albertus-Univ. zu Königsberg in Preußen, ²1956, S. 88–98; W. Hubatsch, Gesch. d. ev. Kirche Ostpreußens, I, 1968, bes. S. 144–49; I. Gundermann, C. M., Luthertum u. Calvinismus in Preußen, in: Altpreuß. Geschlechterkde. NF, Bll. d. Ver. f. Fam.forschung in Ost- u. Westpreußen, 30, Bd. 13, 1982, S. 121–33; Th. Kaufmann, Königsberger Theologieprofessoren im 17. Jh., in: D. Rauschning u. D. v. Nerée (Hrsg.), Die Albertus-Univ. zu Königsberg u. ihre Professoren, 1995, S. 49–86; Jöcher III (unvollst. W-Verz.); Altpreuß. Biogr. II; RGG³; BBKL.

P Epitaph mit Gem., ehemals Königsberger Dom, Beschreibung in: E. A. Hagen, Beschreibung d. Domkirche zu Königsberg, 1833, S. 348; Kupf., Staatsbibl. Preuß. Kulturbes., Berlin, Slg. F. Wadzeck (vgl. H. W. Singer, Allg. Bildniskat. IX, 1933, S. 109, Nr. 21748).

Thomas Kaufmann

Mysliveček *(Misliweczek), Josef* (seit 1766 auch *Il Boëmo, Venatorini*), Komponist, * 9. 3. 1737 b. Prag, † 4. 2. 1781 Rom. (kath.)

V Mathias (Matěj, 1697–1749), aus d. Eichenmühle in Šárka b. Prag, Altstädter Bürger, Müller in d. Sova-Mühle auf d. Prager Kleinseite u. Oberältester Müller (seit 1729), *S* d. Pavel „alias dictus Chybil" u. d. Ludmila „molitoressa"; *M* Anna Červenková (1706–67), *T* d. Marie u. d. Jiří Červenka; *Zwillings-B* Joachym (1737–88), Altstädter Oberältester Müller (1767), Flößer d. Gf. Vincenz v. Waldstein; *Schw* Marie Anna (* 1741), Zisterzienserin (soror Bernarda) in Altbrünn.

Nach dem Trivium bei den Dominikanern von St. Ägidius (bis 1747) und einem nicht beendeten Studium auf dem Jesuitengymnasium ging M. 1753–56 bei dem Altstädter Müller Václav Klika in die Lehre. Zusammen mit seinem Bruder wurde er 1758 in die Zunft aufgenommen und legte 1761 seine Meisterprüfung ab. Schon 1749 galt M. als „guter Violinspieler". Nach Unterricht bei Franz Habermann (1760) und Franz Seeger (1761) komponierte er bereits nach einem halben Jahr Sinfonien. Sechs davon mit den Titeln „Januar" bis „Juni" ließ er anonym aufführen und gewann damit Gf. Vincenz v. Waldstein als Mäzen. Widmung und anschließende Aufführungen der Kantate „Il Parnasso confuso" sowie anderer geistlicher Arien belegen die dauerhafte Verbundenheit mit dem Zisterzienserkloster in Ossegg sowie den Benediktinern in Břevnov, die ihm u. a. 3000 Gulden für eine Reise nach Italien liehen. Ende 1763 brach er auf, um sein Können in Venedig bei Giovanni Battista Pescetti zu vervollkommnen. Nach Pelzel errang er in Parma mit einer ersten Oper einen glänzenden Erfolg (1764 / 65?).

1767 wurden die „Gratulationskantate" und die Oper „Bellerofonte" für das Teatro San Carlo in Neapel mit Begeisterung aufgenommen. In der Folge erhielt M. zahlreiche Aufträge für Opern und Oratorien auch für Turin, Pavia, Prag, Padua, Venedig, Bologna, Florenz und Mailand, wobei er sich stilistisch im Rahmen der spätneapolitanischen Opera seria bewegte. In Bologna schloß er 1770 Freundschaft mit Leopold und Wolfgang

Amadeus Mozart, die aber 1778 zerbrach, nachdem er Wolfgang einen versprochenen Auftrag für eine Oper in Neapel nicht verschafft hatte. Dagegen sicherte ihm Leopold zu, sich um den Absatz seiner Werke in Salzburg zu bemühen und setzte sich vielleicht auch schon früher für eine Ernennung M.s zum Kapellmeister ein. 1771 wurde M. in die bolognes. Accademia Filarmonica aufgenommen, 1772 reiste er nach Wien und München. Zurück in Neapel, konnte er an seine früheren Erfolge mühelos anknüpfen; aufgrund seines aufwendigen Lebensstils befand er sich dennoch ständig in Geldnöten.

Auf Einladung von Kf. Max III. Joseph kam M. 1777 wiederum nach München. Mit einer Neubearbeitung seines 1776 entstandenen Oratoriums „Isacco, figura del Redentore", die lange Zeit für ein Werk Mozarts gehalten wurde, begeisterte er nun das Münchener Publikum ebenso wie mit einer überarbeiteten Fassung der Oper „Aethius". Die genannten Werke und vor allem das Melodram „Theoderich und Elisa" (um 1780) belegen M.s Reaktion auf die Diskussion über die Deutsche Nationalmusik. Letzteres ist das einzige Melodram M.s („per il Clavicembalo e Fortepiano") und gleichzeitig sein einziges Werk mit deutschem Text. Für die Münchener Aufführungen erweiterte er seine Opern und Oratorien, vergrößerte das Orchester und fügte Chöre ein. Nach dem Tod des Kurfürsten bereiste M. zwei Jahre lang wieder die wichtigsten Theater Italiens. Erst mit „Armida", die 1779 in Mailand aufgeführt wurde, und danach vor allem in Rom ließ die allgemeine Wertschätzung M.s nach. Seine finanzielle Situation wurde immer bedrückender; die von Gf. Franz Hrzan angeordnete Hinterlassenschaftsbeschreibung bestätigte M.s Tod in völligem Elend. Das prächtige Leichenbegängnis wurde von seinem Schüler Sir Barry bezahlt. M., der dem Typ der Opera seria verbunden geblieben war, überzeugte mit seinem Talent u. a. Kardinal Pallavicini und Charles Burney und gewann die Bewunderung Mozarts. Seine Produktivität, Stilsicherheit, Erfindungsgabe und sein kompositionstechnisches Geschick weisen ihn als den bedeutendsten böhm. Komponisten des 18. Jh. aus.

Weitere W u. a. Opern: Il Demofoonte, Venedig 1769 (1. Version), Neapel 1775 (2. Version); L'Ipermestra, Florenz 1769; La Nitteti, Bologna 1770; Il gran Tamerlano, Mailand 1771; Il Demetrio, Pavia 1773 (1. Version), Neapel 1779 (2. Version); Romolo ed Ersilia, Neapel 1773; La Clemenza di Tito, Venedig 1774; Ezio, Neapel 1775 (1. Version), Aethius/ Ezio, München 1777 (2. Version); L'Adriano in Siria, Florenz 1776; L'Olimpiade, Neapel 1778; Antigono, Rom 1780. – *Oratorien:* Adamo ed Eva, Florenz 1771; La Passione di Gesu Cristo, Prag 1773; Isacco, figura del Redentore, Florenz 1776, u. d. T. Abramo ed Isacco (2. Version), München 1777. – 82 *Sinfonien.* – *Instrumentalkonzerte u. Kammermusik, geistl. u. weltl. Vokalmusik.* – *Qu.* Archivio Capitolino, Rom; County Record Office, Hereford (England).

L ADB 22 (unter Misliweczek); F. M. Pelzel, Abb. böhm. u. mähr. Gel. u. Künstler, IV, 1782; H. Winkelmann, J. M. als Opernkomp., Diss. Wien 1905; J. Čeleda, J. M., 1946; M. Schaginjanova, Woskreschenie iz mjortwych, 1964; R. Pečman, J. M. u. sein Opernepilog, 1970 *(L–Verz.);* ders., J. M., 1981; D. della Porta, J. M., 1981; A. Nascimbene, Le due Versioni del „il Demetrio" di J. M., Diss. Pavia 1987; ders., M. e Mozart a Bologna, in: Atti del convegno internazionale, Cremona 1991; S. Bohadlo, in: Musiknachrr. aus Prag 2/3, 1988; ders., Dt.-tschech. Aspekte d. Biogr. J. M.s, Sudetendt. Inst. d. Musik, Konferenz Regensburg 1991 *(im Druck);* ders., M. a Mozartové, nedokončené přátelství, in: Hudební věda 4/1991, S. 305–08; ders., J. M. v dopisech, in: Opus Musicum (Brünn) 1, 2, 4–10/1987, 1/1988 (3. Kap. v. E. Mikanová), Nachdr. 1989; ders., J. M. ve světle soupisu jeho pozůstalosti, in: Hudební věda VI/1996 *(im Druck);* D. E. Freeman, J. M. and the Piano Sonatas K. 309 (284b) and K. 311 (284c), in: Mozart-Jb. 1995, S. 95–109; Wurzbach 18; MGG; Riemann; BLBL; New Grove; New Grove Dict. of Opera.

P Kupf. v. A. Niderhofer, 1782 (?), Abb. bei Pelzel (s. *L*); Zeichnung (Bibl. Nat., Paris, Ms. 2367).

Stanislav Bohadlo

N

Naab, *Ingbert* (Taufname *Karl*, Ps. *Karl Dahner*), Kapuziner, kath. Publizist, * 5. 11. 1885 Dahn (Rheinpfalz), † 28. 3. 1935 Straßätt, ☐ (1953) Eichstätt.

V Friedrich (1843–1916), Ackerer in D., S d. Johannes (1814–77) aus Erfweiler (Rheinpfalz), Bauer in D., u. d. Anna Maria Lambert (1818–72); M Karoline (1845–1925), T d. Johann Jakob Naab (1818–74), Bauer in Erfweiler, u. d. Magdalena Mörgen (1822–99).

N. trat 1898 in das Bischöfl. Konvikt in Speyer ein und legte 1905 das Abitur ab. Im selben Jahr wurde er in Laufen/Salzach Novize der Bayer. Provinz des Kapuzinerordens und erhielt den Namen „Ingbert von Dahn". 1906–10 studierte er in Eichstätt Philosophie und Theologie, legte 1909 die feierlichen Ordensgelübde ab und wurde 1910 in Eichstätt zum Priester geweiht. N. wirkte zunächst in der Seelsorge und Jugendarbeit in Laufen, Neuötting, Altötting und St. Ingbert (Saarpfalz). 1916–21 war er als Lektor der Theologie und als Magister der Kleriker im Studienkloster in Eichstätt für die geistige und geistliche Ausrichtung des Ordensnachwuchses verantwortlich. Im Sommer 1919 betreute er außerdem die Akteure der Räterepublik, die in Eichstätt und Niederschönenfeld in Untersuchungshaft saßen. Zwei zum Tode verurteilte Zwanzigjährige begleitete er auf ihrem letzten Gang. Ernst Toller, den er sehr schätzte, verehrte ihm sein Werk „Die Wandlung" und las ihm Gedichte vor. Im August 1921 übernahm N. das Amt des Seminardirektors in Regensburg, im April 1923 jenes des Guardians des Klosters Mariahilf in Passau. Im August 1926 wurde er erneut Klerikermagister im Kapuzinerkloster Eichstätt; gleichzeitig war er bis 1932 Guardian und erster Generalkustos. Im Mai 1932 nahm er an der Wahl des Ordensgenerals in Rom teil.

Der erfahrene Jugendseelsorger war 1921–32 Landespräses des Verbandes der Bayer. Marianischen Studentenkongregationen. Am 11./12. 4. 1928 gelang ihm in Fulda der Zusammenschluß der drei Landesverbände Bayern, Mittel- und Westdeutschland sowie Schlesien zum „Reichsverband der Marianischen Studentenkongregationen" an höheren Schulen. Seit Oktober 1922 gab er das Verbandsblatt „Das große Zeichen" heraus. 1923 gründete er den Verein „Zeichenring" „zur Förderung der literarischen Seelsorge für die studierende Jugend", in dessen gleichnamigem Verlag u. a. N.s Erzählungen unter dem Ps. „Karl Dahner" erschienen.

In seinen literarischen Arbeiten war N. bestrebt, den Lesern klare Grundsätze zu vermitteln, ihren christlichen Glauben zu vertiefen und sie für die befürchtete antichristliche Zeit des Nationalsozialismus zu rüsten. Schon nach dem Hitlerputsch 1923 stellte N. fest, ein Katholik könne nie Anhänger der Hitlerbewegung sein und müsse die deutschvölkische Bewegung ablehnen. Er erkannte, daß Hitlers Rassenlehre alle innen- und außenpolitischen Überlegungen bestimmte, daß sein Führerprinzip zur Verletzung der Menschenwürde und in die Unfreiheit führe. Der Kampf gegen den Nationalsozialismus bekam mit dem „Eichstätter Freundeskreis", der von den Gegnern auch „Konnersreuther Kreis" genannt wurde, eine neue Dimension. Im Hause des mit ihm befreundeten Eichstätter Alttestamentlers Franz Xaver Wutz (1882–1938) lernte N. Therese Neumann und Fritz Gerlich kennen. Im Juli 1928 wurde der bisherige Skeptiker Zeuge der außerordentlichen Vorgänge um die Stigmatisierte. Damals schloß sich Fürst Erich von Waldburg-Zeil N.s Kreis an; er schuf mit dem Kauf der Zeitung „Illustrierter Sonntag", aus der am 1. 1. 1932 „Der gerade Weg, Deutsche Zeitung für Wahrheit und Recht" wurde, die äußeren Voraussetzungen für das publizistische Wirken Gerlichs und N.s gegen den Nationalsozialismus. In der Neujahrsnummer 1932 zeigte N. das Selbstverständnis der Zeitung „Der gerade Weg" auf, für Wahrheit und Recht, für die christlichen Grundsätze und die Gewissensfreiheit einzutreten. Am 20. 3. 1932 folgte der „Offene Brief an Hitler", in dem er die nationalsozialistischen Wählerschichten analysierte und Hitler den Spiegel vorhielt. Zahlreiche Zeitungen übernahmen den Brief, der so eine Auflage von rund 20 Millionen erreichte. Noch am 5. 3. 1933 gab er seinem letzten Aufsatz den Titel: „Die Flammenzeichen rauchen". Seitdem mußte sich N. meist verborgen halten. Der großen Verhaftungswelle am 28. 6. 1933 konnte er sich durch die Flucht in die Schweiz entziehen, wo er sich „Pater Peregrinus" nannte. Trotz Krankheit, die sein Leben begleitete, raffte er sich im Exil noch einmal auf, um die Bischöfe in einer Denkschrift zur Fuldaer Bischofskonferenz 1934 zu einem geschlossenen Auftreten zu drängen. Am 22. 12. 1934 begab sich N. in das Kloster Königshofen bei Straßburg.

Weitere W Der Gymnasiast, 1914; Kampf um die kath. Lehrer, 1929 (Sonderh. aus: Der Weg); Lb. d. Dieners Gottes P. Viktrizius Weiß, 1930; Die Brüder Kommunisten, 1932 (Sonderh. aus: Der Weg); Die kath. Beicht, 1933 (Sonderh. aus: Der Weg). – Zahlr. Art. in d. Zss. „Jugendpflege", „Präsides-Korrespondenz", „Die Jugend", „Prediger u. Katechet", „Ill. Sonntag", „Mitt.bl. d. bayer. Kapuziner-Provinzboten", „Franziskusbl. d. Elsäß. Kapuzinerprovinz". – *Hrsg.:* Das große Zeichen, Verbandsbl. d. Marian. Studentenkongregation Bayerns, 1922–1926; Meeresstern, Bl. f. d. Altsodalen, 1924/25; Der Weg, Kath. Studentenbll., Mschr. f. d. oberen Klassen d. höheren Lehranstalten, 1924–33; Frohe Fahrt, Mschr. f. d. mittleren u. unteren Klassen d. höheren Lehranstalten, 1925–32; Das neue Leben, Zs. f. d. studierende Mädchenwelt, 1928–32.

L J. Steiner (Hrsg.), Prophetien wider d. Dritte Reich, Aus d. Schrr. d. Dr. Fritz Gerlich u. d. Paters I. N., 1946; M. Neumayr, Pater I. N., 1947; P. L. Witt, Pater I. N., 1953; O. Bender, Der gerade Weg u. d. Nat.sozialismus, Diss. München 1953 *(ungedr.);* M. v. Gumppenberg, in: Korr. d. Präsides u. Theologen Marian. Kongregation 3, 1953, S. 11–27; E. Frhr. v. Aretin, Fritz Michael Gerlich, mit e. zeitgeschichtl. Kommentar v. K. O. Frhr. v. Aretin, 1983; H. Witetschek, Pater I. N., Ein Prophet wider d. Zeitgeist 1885–1935, 1985 *(P);* R. Morsey, Fritz Gerlich (1883–1934), Publizist – Prophet – Märtyrer, 1994; H. G. Richardi u. K. Schumann, Geheimakte Gerlich-Bell, 1993; BHdE I; BBKL.

Helmut Witetschek

Nabholz, *Hans,* Historiker, * 12. 6. 1874 Bachs b. Zürich, † 5. 5. 1961 Zürich. (ref.)

Väterlicherseits aus Pfarrerfam., mütterlicherseits aus Patrizierfam.; Stammvater d. Zürcher Nabholz ist Sebastian († 1586) aus Ravensburg, Mönch im Kloster Walchsee, 1548 in Z. als ref. Pfarrer ordiniert, 1549 Pfarrer in Hausen, seit 1554 in Knonau, 1574 Bürger v. Z.; zur Fam. gehören Hans Ulrich (1613–78), Schneider, 1670 Obervogt in Laufen, Hans Ulrich (1667–1740, s. ADB 23), e. bedeutender Ratsherr in Z., u. dessen Sohn Salomon (1706–49), Landvogt zu Knonau, Walter Karl (* 1918), Prof. f. Geol. in Bern, Andreas (* 1912) ebenda Prof. f. Veterinärmed. (beide s. Die Dozenten an d. bern. Hochschule, 1984). – *V* Johannes (Hans) (1844–1923), Pfarrer in B., seit 1876 in Kloten, Dekan d. Bülacher Kapitels, *S* d. Johann Caspar (1811–70), Pfarrer in Flaach, u. d. Susanna Louise Morf (1811–83); *M* Martha (1852–1919), *T* d. Johann Heinrich Kirchhofer (1807–1901), Pfarrer in Oberhallau, seit 1840 in Neunkirch, u. d. Julie v. Mandach (1814–87), beide aus Schaffhausen; *Ur-Gvv* Hans Caspar (1785–1833), Pfarrer in Rorbas; *Vt* Adolf (1870–1931), Dr. phil., Rektor d. Höheren Stadtschule in Glarus, Vf. von hist. Schrr.; – ∞ 1905 Bertha (1879–1967) aus Unterengstringen Kt. Zürich, *T* d. Ulrich Karrer (1849–1904), Notar in Z., u. d. Bertha Huber (1852–88); 1 *S* Hans (1906–43), Dr. med.

N. besuchte das Stadtgymnasium in Winterthur. Seit 1895 studierte er in Zürich, Berlin und Paris Geschichte und Germanistik. 1898 wurde er in Zürich bei G. Meyer v. Knonau mit der Dissertation „Die Bauernbewegung in der Ostschweiz 1524–25" zum Dr. phil. promoviert. Bevor er 1903 zum Staatsarchivar seines Heimatkantons avancierte, unterrichtete er an der Bezirksschule in Seengen, dann am Freien Gymnasium in Zürich. Sehr bald trat sein organisatorisches Talent zutage: N. setzte die Edition von Urkundenbüchern fort, gab selber „Die Zürcher Stadtbücher des 14. und 15. Jh." (3 Bde., 1906) heraus und leitete später die Arbeiten der Editionskommission, aus denen das große Quellenwerk zur Entstehung der Schweizerischen Eidgenossenschaft hervorging. 1911 habilitierte sich N. in Zürich mit der Schrift „Die Eingaben des Zürcherischen Volkes zur Verfassungsrevision von 1830". 1924 wurde er zum ao., 1931 zum o. Professor für Verfassungs- und Wirtschaftsgeschichte sowie für Historische Hilfswissenschaften an der Univ. Zürich ernannt. Seine verfassungsgeschichtlichen Vorlesungen fanden ihren Niederschlag in einem vielbenützten Quellenwerk. In seinen Aufsätzen ging es ihm darum, die eidgenöss. Bünde im Zusammenhang mit der gleichzeitigen deutschen und europ. Bündnispolitik zu sehen. N.s Hauptaugenmerk galt zunehmend den wirtschaftlichen Komponenten in der schweizer. Entwicklung vom Mittelalter bis in die Neuzeit, zumal Wirtschaftsgeschichte in der Schweiz damals nur in Zürich gelehrt wurde.

N., ein profiliertes Mitglied der Neuen Helvetischen Gesellschaft, seit 1928 Präsident der Allgemeinen Geschichtforschenden Gesellschaft der Schweiz und seit 1947 Präsident des Internationalen Verbandes für Geschichtswissenschaft, nahm wiederholt in der Öffentlichkeit zu politischen Tagesfragen Stellung. Während des 1. Weltkriegs und in den Jahren danach bemühte er sich um eine Versöhnung zwischen den deutschen und welschen Eidgenossen. Er setzte sich mit Nachdruck für die Völkerverständigung und für den Eintritt der Schweiz in den Völkerbund ein. Gewaltanwendung zwischen den Völkern sollte durch allgemein anerkannte Rechtsnormen unterbunden werden. Seit 1945 emeritiert, arbeitete N. nach dem 2. Weltkrieg rastlos an einer Wiederaufnahme der internationalen Beziehungen. Gegen heftigen Widerstand ermöglichte er 1950 einer deutschen Delegation die Teilnahme am internationalen, von ihm präsidierten Historikerkongreß in Paris.

L FS f. H. N., 1934 *(P)*; Festgabe f. H. N. z. 70. Geb.tag, 1944 *(W-Verz., P)*; M. Silberschmidt, in: Schweizer. Zs. f. Gesch. 11, 1961, S. 224–28; O. Vasella, in: Zs. f. Schweizer KG 55, 1961, S. 256–60; A. Largiadér, in: Archival. Zs. 58, 1962, S. 165; ders., in: Neujahrsbll. z. Besten d. Waisenhauses in Zürich, 1963 *(P)*; E. Bonjour, Die Schweiz u. Europa V, 1977, S. 283–88; ders. u. R. Feller, Gesch.schreibung d. Schweiz II, 1979, S. 771 f.; Wolfgang Weber, Biogr. Lex. z. Gesch.wiss., ²1987; HBLS; Kosch, Biogr. Staatshdb.; W. Leesch, Die dt. Archivare 1500–1945, II, 1992. – *Zur Fam.:* Schweizer. Geschlechterbuch I, 1905, S. 352–358; Zürcher Pfarrerbuch 1519–1952, hrsg. v. E. Dejung u. W. Wuhrmann, 1953, S. 445 f.

Edgar Bonjour †

Nabl, *Franz,* Schriftsteller, Journalist, * 16. 7. 1883 Lautschin (Böhmen), † 19. 1. 1974 Graz. (kath., später ev.)

V Franz (1839–1913), Thurn- u. Taxisscher Forst- u. Domänenrat in L., später Privatier in Wien u. Baden (Niederösterreich); *M* Antonia Unterstein (1852–1940); ∞ 1) 1907 Hermenegild (1887–1937), *T* d. Johann Lampa, Maschinen-Ing., Insp. d. Staatsbahn, 2) 1940 Ilse Meltzer (1905–78); *Schwager* Anton Lampa (1868–1938), Physiker u. Volksbildner (s. NDB 13).

N. studierte 1902–07 in Wien zunächst Jus, später Germanistik. Nach seiner Heirat lebte er bis 1911 als freier Schriftsteller in Enzesfeld/Triesting (Niederösterreich), danach in Wien. Vor allem durch den Roman „Ödhof" (1911, ⁶1975) wurde er bekannt. Die Erbschaft nach dem Tode seines Vaters ermöglichte N., sich in Baden bei Wien niederzulassen. Fehlspekulationen des Bruders Arnold brachten ihn 1919 um sein Vermögen. Durch den Mißerfolg des Romans „Die Galgenfrist" (1921, ²1949) entmutigt, arbeitete er 1924–27 als Feuilletonredakteur für das „Grazer Tagblatt". Aufgrund dieser Tätigkeit machte er Bekanntschaft mit der „Südmarkrunde", die durch Mitglieder wie den Volkskundler Viktor v. Geramb und den Heimatschriftsteller Hans Kloepfer Einfluß auf N.s Werk ausübte. Die Einkünfte aus den zahlreichen Aufführungen des 1924 entstandenen Theaterstückes „Trieschübel", das vor allem in konservativen und nationalen Kreisen als Gegenbeispiel zu moderner Dramatik gelobt wurde, ermöglichten ihm die Rückkehr nach Baden. Die Hoffnung, an den Erfolg dieses Stückes anknüpfen zu können, erfüllte sich jedoch nicht. Erst seine Verbindungen zum Bremer Verlag Carl Schünemann sowie seine Kontakte zu Exponenten des österr. Nationalsozialismus verhalfen ihm zu neuer Popularität. 1934 ließ er sich endgültig in Graz nieder. 1938 erschien das Landschaftsbuch „Steirische Lebenswanderung" (⁶1973), das N.s Ruf als Heimatschriftsteller begründete. Er arbeitete 1940–44 als Kulturredakteur bei der „Grazer Tagespost" und nahm an Dichterlesungen teil. In dieser Zeit entstanden einzelne Novellen, vor allem jedoch kurze Aufsätze, die in erster Linie die heimische Natur und Landschaft behandelten. Nach dem 2. Weltkrieg geriet N. außerhalb der Steiermark trotz der Verleihung mehrerer Literaturpreise weitgehend in Vergessenheit. Die kurzen Texte für den steir. Regionalsender wurden auszugsweise im Band „Der erloschene Stern, Eine Kindheit um die Jahrhundertwende" (1962) veröffentlicht. Erst 1973 wurde N. von den jungen Schriftstellern des „Forums Stadtpark" in Graz wiederentdeckt, die die psychologische Genauigkeit seiner frühen Texte schätzten.

N. sah sich selbst in der Tradition des Realismus des 19. Jh. Zunächst an Wiens Literatur um 1900 orientiert und von A. Schnitzler gefördert, schuf er mit dem „Ödhof" ein Werk, das auch als Heimatroman eingestuft werden konnte. Heute gilt als wichtigstes Werk der Roman „Das Grab des Lebendigen" (1917, ⁵1976), in dem eine kleinbürgerliche Familie eindrucksvoll analysiert wird. Obwohl sich N. als unpolitischer Schriftsteller verstand, paßte er die Thematik seiner Werke dem NS-Regime an; er wurde nun als Schilderer von Mensch und Natur jenseits politischer und sozialer Fragestellungen gefeiert. Dieses einseitige Bild N.s hat sich bis heute auch in den Kontroversen über seine Rolle während des Nationalsozialismus erhalten. – Dr. phil. h. c. (Graz 1943); Bauernfeld-Preis (1921), Mozart-Preis (1938), Lit.preis d. Stadt Wien (1952), Gr. Staatspreis f. Lit. d. Republik Österreich (1957); Vorstandsmitgl. d. österr. PEN; Mitgl. d. Dt. Ak. in Prag (1918); Korr. Mitgl. d. Dt. Ak. f. Sprache u. Dichtung (1960).

Weitere W u. a. Romane: Der Mann v. gestern, 1935, ³1947; Vaterhaus, 1974, ²1976. – *Erzz.:* Der Tag d. Erkenntnis, 1919, ⁴1961; Der Fund, 1937, ²1955; Johannes Krantz, Erzz. in e. Rahmen, 1948, ³1981; Frühe Erzz., Einl. v. P. Handke, 1975; Meistererzz., 1978. – *Autobiogr. Erzz.:* Das Rasenstück, 1953; Die zweite Heimat, 1963; Spiel mit Blättern, 1973 (Skizzen); Meine Wohnstätten, 1975 *(P)*. – Ausgew. Werke, 4 Bde., 1965. – *Nachlaß*: F. N.-Inst. f. Lit.forschung, Graz; Dt. Lit.archiv, Marbach (Briefwechsel mit E. Ackerknecht).

L E. Ackerknecht, F. N., 1938; J. Rieder, Das epische Schaffen F. N.s, Diss. Wien 1949 *(ungedr.)*; Studium Generale, Sonderh. F. N., 24, 1971 (darin u. a. F. u. I. Nabl, Leben u. Werdegang, *W-Verz., L*); G. Smola, Sonderausst. F. N., 1973 *(P)*; K. Bartsch, G. Melzer, J. Strutz (Hrsg.), Über F. N. (mit Btrr. v. W. Schmidt-Dengler, P. Handke, H. Himmel, H. Keiper, J. Holzner, Z. Skreb, K. Amann, B. Doppler, E. Canetti, *P*); K. Rossbacher, F. N.s Roman „Ödhof" in d. ersten Rezensionen, in: J. Holzner (Hrsg.), FS f. A. Doppler z. 60. Geb.tag, 1981; E.-E. Keil, in: Ostdt. Gedenktage, 1984, S. 36–38 *(P)*; H. Arlt, in: ders. u. M. Diersch, Sein u. Schein – Traum u. Wirklichkeit, Zur Poetik österr. Schriftst. / innen im 20. Jh., 1994, S. 103–20; M. Walser, „Die Ortliebschen Frauen", Über d. erste Bekanntschaft mit F. N., in: NZZ v. 18. 3. 1994 (Rede z. Verleihung d. F.-N.-Preises d. Stadt Graz am 26. 1. 1994); B. Noelle, F. N., Diss. Wien 1995 *(W-Verz., L)*; BLBL; Kosch, Lit.-Lex.³; Killy. – Eigene Archivstud.

Brigitte Noelle

Nablas, *Johannes,* Benediktiner, Abt von Metten und St. Emmeram, Regensburg, * 1560 Niederlauterbach b. Pfaffenhofen/ Ilm, † 29. 11. 1639 Regensburg, □ Stiftskirche St. Emmeram, Regensburg.

N. trat 1582 in die Benediktinerabtei St. Emmeram zu Regensburg ein, empfing vier Jahre später die Priesterweihe und wurde anschließend zum Ökonom des bedeutenden Reichsstiftes bestellt. In dieser Funktion erwarb er sich rasch großes Ansehen mit der Konsequenz, daß man ihn 1595 zum Abt des in seiner Existenz bedrohten Klosters Metten berief. Bis 1628 bekleidete N. sein schwieriges Amt in der niederbayer. Abtei, wobei er das ihm anvertraute Stift mit Umsicht und Tatkraft einer neuen Blüte zuführte. N. ordnete nicht nur die zerrütteten wirtschaftlichen Verhältnisse, sondern richtete sein besonderes Augenmerk auch auf eine gediegene aszetische und wissenschaftliche Ausbildung der Konventualen, wachte streng über die Einhaltung der klösterlichen Disziplin und bemühte sich eifrig um eine Förderung des religiös-sittlichen Lebens, was nicht zuletzt in der Gründung einer Sebastiani-Bruderschaft (1620) Ausdruck fand. Ein bleibendes Andenken sicherte sich der Prälat darüber hinaus durch seine rege Bautätigkeit an den Konvent- und Wirtschaftsgebäuden sowie durch die Anschaffung einer Orgel und einer Glocke für die Klosterkirche. Dank seiner guten Beziehungen zu den Regensburger Bischöfen erreichte er außerdem, daß die beiden der Abtei inkorporierten Pfarreien Michaelsbuch und Stephansposching künftig mit Religiosen besetzt werden durften. 1623 wurde N. zum Vorsteher seines Heimatklosters St. Emmeram gewählt. Gleichwohl behielt er für weitere fünf Jahre die Leitung Mettens bei. Aus seiner 16jährigen Amtszeit in Regensburg ist, von einzelnen baulichen Maßnahmen abgesehen, bislang nur bekannt, daß er 1630 als Assistent dem Direktorium der neuen Salzburger Benediktineruniversität angehörte, für deren Gründung er sich ebenso eingesetzt hatte wie für die damals allerdings noch nicht zustande gekommene Errichtung einer Bayer. Benediktinerkongregation.

L R. Mittermüller, Das Kloster Metten u. seine Aebte, 1856; W. Fink, Entwicklungsgesch. d. Benedictinerabtei Metten, I, 1926, S. 34; ders., in: StMBO 44, 1926, S. 193–201; M. Piendl (Hrsg.), Qu. u. Forschungen z. Gesch. d. ehem. Reichsstiftes St. Emmeram in Regensburg, 1961; W. Rußer, Neuaufbau d. benediktin. Fam. in Metten durch Abt J. N. (1595–1628), in: Alt u. Jung Metten 33, 1966/67, S. 43–51 *(P)*; J. Hemmerle, Die Benediktinerklöster in Bayern, 1970; Kosch, Kath. Dtld.

P Gem. in Regensburg, St. Emmeram, Sakristei.

Anton Landersdorfer

Nachmann, *Werner,* jüdischer Verbandspolitiker, * 12. 8. 1925 Karlsruhe, † 21. 1. 1988 ebenda.

Der Fam. wurde 1712 d. Bürgerrecht in d. Mgfsch. Baden-Durlach zugestanden. *V* Otto (1893–1961), Kaufm. in K., Vors. d. jüd. Gemeinde in K. u. Präs. d. Oberrates d. Israeliten Badens (s. BHdE I), *S* d. Samuel u. d. Fanny Meier; *M* Hertha (1900–89), gründete d. jüd. Frauenver. in K., *T* d. Versicherungskaufm. Ludwig Homburger aus K. u. d. Selma Stern aus Würzburg; ∞ 1) Karlsruhe 1955 (o|o 1970) Evelyne (* 1935) aus Paris, *T* d. Armand Rapoport (1910–66), Dir. e. Kinoges., u. d. Hélène Dembo (* 1913), 2) 1970 Aviva Errera (* 1943) aus Israel; 1 *S* (früh †) aus 1), 1 *S* aus 2).

N. floh mit seiner Familie 1938 vor der nationalsozialistischen Judenverfolgung nach Frankreich, wo er das Gymnasium in Aix-en-Provence besuchte. 1945 kehrte er als franz. Offizier nach Karlsruhe zurück. Er wurde Juniorchef und 1954 Alleininhaber des von seinem Vater nach dem Krieg wiederbegründeten Verarbeitungs- und Handelsunternehmens für industrielle Rohstoffe „Otto Nachmann". Später kaufte und gründete er weitere Firmen. Schon 1954 wurde N. Vorsitzender der Karlsruher jüd. Gemeinde, 1961 auch Vorsitzender des Oberrates der Israeliten Badens. Gleichfalls ehrenamtlich fungierte er als Vorsitzender des Rohstoffverbandes Baden-Württemberg und seit 1965 als Vorsitzender des Direktoriums des Zentralrats der

Juden in Deutschland sowie später auch als Vizepräsident der europ. Sektion des Jüd. Weltkongresses.

Aufgrund seiner Bodenständigkeit erschien N. eher als in Osteuropa aufgewachsene und sich mit dem Staat Israel identifizierende Juden geeignet, die Kluft zu den nichtjüd. Deutschen zu überwinden und jüd. Interessen in der deutschen Politik zu vertreten. Er trat mit großer Entschiedenheit für die Integration der kleinen jüd. Gruppe in die deutsche Gesellschaft ein, von der er allerdings die Anerkennung ihrer historischen Schuld gegenüber den Juden verlangte. N. verstand sich als Fürsprecher israel. außenpolitischer Interessen, stand aber dem israel. Werben um jüd. Einwanderung nach Deutschland ablehnend gegenüber; entsprechend versuchte er, den starken zionistischen Einfluß auf die jüd. Gemeinden einzudämmen. Seit 1964 gehörte N. zu den Herausgebern der „Allgemeinen Jüd. Wochenzeitung". Auf seine Initiative hin entstand 1971 in Karlsruhe der erste Neubau einer Synagoge im Deutschland der Nachkriegszeit sowie 1979/82 in Heidelberg die Hochschule für jüd. Studien. N. galt vielen deutschen Politikern als wichtiger Helfer beim Bemühen um Aussöhnung mit den Juden im Staat Israel und in aller Welt. Gegen vereinzelte jüd. Kritiker vertrat er stets den Standpunkt, Konzilianz und stille Diplomatie seien der Sache der Juden förderlicher als laute Proteste. Zum offenen Streit innerhalb der jüd. Gemeinschaft kam es 1978, als N. öffentlich Partei für den wegen seiner Mitwirkung an Todesurteilen in der NS-Zeit attackierten baden-württ. Ministerpräsidenten Hans Filbinger ergriff. Im In- und Ausland entwarf er ein freundliches Bild der deutschen Gegenwart, das sich mit einem gesellschaftlich und politisch konservativen Weltbild verband. N. wollte die Juden in Deutschland weder als privilegierte noch als diskriminierte Minderheit behandelt sehen, sondern als gesellschaftliche Gruppe, wie sie die Katholiken und die Protestanten auch darstellten. Unter N.s Führung erreichte der Zentralrat 1980 in Verhandlungen mit der Bundesregierung eine Regelung für ungelöste Fragen der sog. Wiedergutmachung: Für jüd. NS-Opfer, die bis dahin keine materielle Entschädigung erhalten hatten, stellte der Bund 400 Mio. Mark zur Verfügung. Die Mittel flossen in den folgenden Jahren aus der Bundeskasse über den Zentralrat der Juden in Deutschland und eine internationale jüd. Dachorganisation an die Anspruchsberechtigten. N. verschaffte sich die alleinige Verfügungsgewalt über diese durchfließenden Gelder. Erst nach seinem Tod wurden Belege für finanzielle Unregelmäßigkeiten gefunden. 29 Mio. Mark waren in seinen inzwischen konkursreifen Unternehmen versickert oder anderweitig verschwunden. Da der mutmaßliche Alleintäter verstorben war, beendete die Staatsanwaltschaft rasch ihre Ermittlungen. – Gr. Bundesverdienstkreuz (1975) mit Stern (1979) u. Schulterband (1983); Verdienstmedaille d. Landes Baden-Württemberg; Ehrensenator d. Univ. Heidelberg (1985); Theodor-Heuss-Preis (1986).

L H. Maor, Über d. Wiederaufbau d. jüd. Gemeinden in Dtld. seit 1945, Diss. Mainz 1961; D. Kuschner, Die jüd. Minderheit in d. Bundesrepublik Dtld., Diss. Köln 1977; M. Brumlik u. a. (Hrsg.), Jüd. Leben in Dtld. seit 1945, 1986; R. Vogel, in: Das Parlament Nr. 6 v. 5. 2. 1988 *(P);* Y. Meroz, In schwieriger Mission, Als Botschafter Israels in Bonn, 1988; A. Nachama u. J. H. Schoeps (Hrsg.), Aufbau nach d. Untergang, Dt.-jüd. Gesch. nach 1945, Gedenkschr. f. H. Galinski, 1992; A. Silbermann u. H. Sallen, Juden in Westdtld., Selbstbild u. Fremdbild e. Minorität, 1992; Gorzny.

Hans Jakob Ginsburg

Nachmansohn, *David,* Physiologe, Biochemiker, * 17. 3. 1899 Jekaterinoslav (Dnjepropetrowsk, Rußland), † 2. 11. 1983 New York. (isr.)

V Moses (1866–1944) aus Litauen, Kaufm., emigrierte 1933 in d. Schweiz, dann n. Italien; *M* Regina Klinkowstein († 1943) aus Lublin; ∞ Berlin 1929 Edith Berger (* 1903) aus Berlin, Dr. med.; 1 *T* Ruth Deborah Rothschild (* 1931), Ph. D., Kunsthistorikerin in N. Y.

N. entstammte einem liberalen, kulturell und künstlerisch sehr engagierten Elternhaus. Kindheit und Jugend verlebte er in Berlin. Klassisch-humanistische Bildungsinhalte, naturwissenschaftliche Neigung und aktiver Einsatz für den Zionismus prägten seine Jugend- und Studienzeit. Die Wahl des Studienfachs Medizin wurde auch davon beeinflußt, eventuell später in Palästina eine nützliche Tätigkeit aufnehmen zu können. Nach dem Studium in Heidelberg und Berlin (Dr. med. 1926) arbeitete er bei Peter Róna in der chemischen Abteilung des Pathologischen Instituts der Charité in Berlin, wo er moderne biochemische Arbeitsmethoden erlernte, und wurde dann Mitarbeiter Otto Meyerhofs am Kaiser-Wilhelm-Institut für Biologie in Berlin-Dahlem. Aus dieser Zeit datiert die lebenslange Freundschaft mit Severo Ochoa und Hans A. Krebs. Damals wurde N. wesentlich geprägt durch den engen Kontakt zu

Meyerhof sowie zu den Arbeitskreisen von Otto Warburg, Fritz Haber und Carl Neuberg. Nachdem er es aus wirtschaftlichen Erwägungen abgelehnt hatte, Meyerhof an das neue KWI für medizinische Forschung in Heidelberg zu folgen, setzte er die klinische Ausbildung in der Hoffnung fort, auf dem Gebiet der medizinischen Chemie in der Forschung eine dauerhafte Stelle zu bekommen. 1933 emigrierte N. und setzte seine Untersuchungen, u. a. über den Kohlenhydratstoffwechsel im Muskel, bei René Wurmser am Laboratoire de Physiologie générale in Paris und der Meeresbiologischen Station in Arcachon fort. Seit 1936 wandte er sich jedoch – angeregt durch die Untersuchungen O. Loewis und H. H. Dales – dem Acetylcholin zu und erkannte 1937, daß diese Substanz die elektrischen Phänomene im Zentralnervensystem und an der Muskelendplatte auslöst. Er führte das elektrische Gewebe der Zitterrochen und Zitteraale als Modellsysteme zur Erforschung der synaptischen Transmission und der cholinergen Reizung ein. 1939 entdeckte er das Acetylcholin spaltende Enzym Acetylcholinesterase.

1939 folgte N. einer Einladung an die Medical School der Yale University und nahm 1942 einen Ruf an das College of Physicians and Surgeons der Columbia University an, wo er 1955–68 die o. Professur für Biochemie innehatte. Noch in Yale entdeckte N. die Cholin-Acetyltransferase, die die Synthese des Neurotransmitters Acetylcholin aus Cholin katalysiert. Dabei beobachtete er erstmals die Mitwirkung des Adenosyltriphosphats (ATP) bei einer nichtphosphorylierenden Reaktion, sowie einen acetylierenden Cofaktor, der später von Fritz Lipmann als Coenzym A identifiziert und als wichtigster Acyltransferfaktor erkannt wurde. Als Marksteine der Neurochemie gelten die in N.s Laboratorium gelungene Isolierung der Elektroplaques aus Zitterrochen sowie des Acetylcholinrezeptors und dessen Charakterisierung als Proteinkomplex. N. entwickelte eine erste Theorie der bioelektrischen Erscheinungen auf molekularer Ebene, wobei das Acetylcholinsystem im Mittelpunkt stand. Ein großer Teil seiner theoretischen Vorstellungen ließ sich später experimentell bestätigen, dennoch mußte er sich auch den Vorwurf der Überbewertung des Acetylcholinsystems und einer gewissen Einseitigkeit gefallen lassen. Die eingehende Untersuchung der enzymatischen Hydrolyse von Acetylcholin ermöglichte das Verständnis der Wirkungsweise verschiedener Insektizide und Giftkampfstoffe, woraufhin N. mit Irwin B. Wilson im Auftrag des amerikan. Verteidigungsministeriums ein Antidot gegen diese Stoffe entwickelte. Damit war zugleich ein bemerkenswerter Schritt in die molekulare Pharmakologie getan. – N. setzte sich zeitlebens für die Zusammenarbeit von Wissenschaftlern aus allen Ländern und Kontinenten ein. Mehr als hundert Schüler und Mitarbeiter aus vielen Nationen arbeiteten in seinem Laboratorium und waren am Aufbau und der Entwicklung der Neurobiochemie aktiv beteiligt. Die Suche nach der biochemischen Reaktion hinter jeder physiologischen Lebensäußerung war sein zentrales Anliegen. Gleich nach Kriegsende nahm N. wieder Kontakte mit Deutschland auf und besuchte mehrfach die Bundesrepublik und Berlin. – Ehrenmitgl. d. Berliner Med. Ges.; Mitgl. d. Leopoldina (1963), d. Nat. Ac. of Sciences (USA, 1965), d. American Ac. of Arts and Science; Dr. h. c. (FU Berlin 1964, Liège 1975, Tufts Univ. Boston, 1981); Pasteur- (1952), Neuberg- (1953) u. A. v. Graefe-Medaille (1980).

W u. a. Zur Frage d. „Schlafzentrums", e. Betrachtung d. Theorien üb. Entstehung d. Schlafes, Diss. Berlin 1927; Chemical and Molecular Basis of Nerve Activity, 1959, ²1975; German-Jewish Pioneers in Science 1900–33, 1979; Highlights in Atomic Physics, Chemistry, and Biochemistry, 1979 (dt. u. d. T.: Die große Ära d. Wiss. in Dtld. 1900–33, überarb. u. erw. v. R. Schmid, 1988); Biochemistry as part of my life, in: Annual Review Biochemistry 41, 1972, S. 1–28 *(Autobiogr.);* Berlin in the Twenties and the Rise of Dynamic Biochemistry, in: M. Balaban (Hrsg.), Molecular Mechanisms of Biological Recognition, 1979, S. 5–12.

L E. Schoffeniels, in: ders. u. E. Neumann (Hrsg.), Molecular Aspects of Bioelectricity, 1980, S. 3–12; J.-P. Changeux, Molecular Basis of Nerve Activity, 1985, S. 1–32; F. Hucho, E. Bartels u. A. Maelicke, in: Nachrr. d. Chem. Techn. Labor. 32, 1984, S. 34–36; dies. in: FAZ v. 15. 2. 1984; S. Ochoa, in: Biographical Memoirs, Nat. Academy of Sciences of the USA 58, 1989, S. 357–404 *(W, P);* BHdE II.

Michael Engel

Nachtigal, Gustav, Afrikaforscher, * 23. 2. 1834 Eichstedt b. Stendal, † 20. 4. 1885 auf See vor der Küste Guineas, □ Duala (Kamerun). (ev.)

V Carl Friedrich (1804–39), Pastor in E., *S* d. Johann Sigismund (1770–1823) Ökonomiekommissar; *M* Friederike (1806–66), *T* d. Karl Friedrich Köppen, Pfarrer in Niedergörne (Prov. Sachsen); *Ov* Dietrich, in Köln, Mentor N.s; *Om* Karl Köppen, Prof. am Joachimsthaler Gymnasium; – ledig; *Verwandter* Rudolf Prietze, Germanist (s. *W*).

Nach dem frühen Tod seines Vaters übersiedelte N.s Mutter nach Stendal, wo er die Schule besuchte. Nach dem Abitur 1852 begann er das Medizinstudium am Berliner Friedrich-Wilhelm-Institut für Militärärzte. Nach zwei Semestern setzte er sein Studium an den Universitäten Halle, Würzburg, Bonn und Greifswald fort, wo er 1857 promoviert wurde. N. praktizierte zunächst als Militärarzt in Köln, begab sich jedoch erneut nach Berlin, um dort die Augenheilkunde eingehender zu studieren. Eine schwere Lungenerkrankung zwang ihn zum Abbruch seiner Studien und zum Verlassen Deutschlands, da nur ein warmes und trockenes Klima Heilung versprach. Im Oktober 1862 gelangte er daher nach Bona an der alger. Küste. Er begann mit dem Studium der arab. Sprache und stellte naturkundliche Beobachtungen an. Im Juni 1863 ging er nach Tunis, wo er unter relativ kümmerlichen Bedingungen als Arzt praktizierte. Im Dezember 1868 machte N. die Bekanntschaft des Afrikaforschers Gerhard Rohlfs, der auf der Suche nach einem geeigneten Mann für die Überbringung einer wertvollen Geschenksendung des Königs von Preußen an den Sultan des im Gebiet des Tschadsees gelegenen Reiches Bornu war. Die Geschenke waren als Dank für die Unterstützung deutscher Forschungsreisender (u. a. Heinrich Barth) durch Sultan Scheich Omar gedacht. N. nahm gerne diese Mission an und brach im Februar 1869 zu seiner großen Reise auf, die bis zum August 1874 dauern sollte. Für N. spielte dabei der offiziell-diplomatische Zweck der Reise nur eine untergeordnete Rolle; er plante seine Unternehmung von vornherein als Forschungsreise. Obwohl die geographisch-topographischen Kenntnisse des nördlichen Afrika durch die Unternehmungen Mungo Parks, Hugh Clappertons und insbesondere Heinrich Barths seit Beginn des 19. Jh. erheblich vermehrt worden waren, existierten noch weite, von Europäern bislang unbetretene Räume. N. setzte sich zum Ziel, möglichst viele dieser Gebiete zu erforschen. Zwar besaß er keinerlei Kenntnis der für die Kartographierung nötigen astronomischen Vermessungsmethoden und verfügte auch über kein ausreichendes Wissen im Bereich der Geologie, Botanik und Zoologie, machte diese Mängel jedoch großenteils durch die äußerst penible Beschreibung seiner Route und aller dabei beobachtbaren Erscheinungen wett. N.s außergewöhnliche Sprachbegabung befähigte ihn, sowohl die Ethnologie und Ethnographie wie die Sprachwissenschaft für das nördliche Afrika entscheidend zu fördern.

Von Tripolis ausgehend erforschte N. zunächst das Gebiet des Tibesti-Gebirges. Die folgenden drei Jahre verbrachte er im Gebiet der Tschadsee-Länder Bornu, Kanem, Bagirmi, Égueï, Bodélé und Borku. Die letzten eineinhalb Jahre durchreiste N. die Gebiete Wadai, Darfur und Kordofan. Mit Ausnahme Kordofans sowie der Wegstrecke bis Mursuk am Beginn der Reise waren alle von N. berührten Gebiete vorher entweder überhaupt nicht oder nur sehr ungenau bekannt. N. sind die ersten Beschreibungen des Tibesti-Gebirges zu verdanken, er war der erste, der den zwischen dem Tibesti und dem Tschad liegenden Raum erkundete, er konnte die lange ungeklärten hydrographischen Verhältnisse des Raumes im Nordosten des Tschadsees klären, und er war der erste Europäer, der vom Tschadsee aus nach Osten bis zum Nil vorstieß. Im August 1874 erreichte N. el-Obeïd, die Hauptstadt Kordofans, und kehrte über Khartum und Kairo nach Deutschland zurück. Bisher existierte eine Reihe von Einzelpublikationen, die aus brieflichen Mitteilungen N.s während seiner Reise entstanden waren. Nun faßte N. die Resultate seiner Forschungen in dem dreibändigen Werk „Sahara und Sudan" zusammen, einem der bedeutendsten Beiträge zur Afrikaforschung überhaupt.

In Deutschland erregten N.s Reisen enormes Aufsehen, und ihm wurden zahlreiche Würdigungen zuteil. N. konzentrierte sich auf die wissenschaftliche Auswertung seines Materials und wurde im Rahmen angesehener geographischer Gesellschaften tätig. 1882 wurde er zum Generalkonsul des Deutschen Reichs in Tunis ernannt, 1884 entsandte man ihn als Reichskommissar nach Westafrika. N. trat diese Mission an, obwohl ihm bewußt war, daß seine angegriffene Gesundheit dem dortigen feuchtheißen Klima nicht gewachsen sein würde. Der Zweck der Mission war der Schutz deutscher Handelsinteressen an der westafrikan. Küste und die Sicherung des Zugangs zu weiter im Binnenland liegenden Regionen. Bismarck orientierte sich bei seinen Instruktionen für N. an einem Entwurf des Unternehmers Adolph Woermann, betonte jedoch, daß anstelle regulärer Kolonien nur die Errichtung von Schutzgebieten anzustreben sei, in denen nur die Wahrung der Sicherheit dort tätiger Handelshäuser durch die deutsche Militärmacht garantiert wurde. In Begleitung von Max Bucher reiste N. von Tunis über Marseille nach Lissabon und stach dort im Mai 1884 mit drei Kriegsschiffen in See. In kurzer Zeit schuf er 1884 die deutschen Schutzgebiete Togo, Kamerun und

Südwestafrika. Auf der Rückreise nach Deutschland fiel er der Malaria zum Opfer. Er wurde zunächst in Kap Palmas, 1887 endgültig in Kamerun beigesetzt. – Vors. d. Dt. Ges. z. Erforschung Zentralafrikas (1873), Vors. d. Ges. f. Erdkde., Berlin (1879–81), Mitgl. d. Commission internationale d'exploration et de civilisation de l'Afrique centrale (1876).

W Reise Dr. N.s nach Tibesti, aus briefl. Mitt., in: Zs. d. Ges. f. Erdkde. Berlin, 5, 1870, S. 69–75; Die Tibbu, Ethnograph. Skizze, ebd., S. 216–42; Neueste Nachrr. v. Dr. N. in Kuka (bis Jan. 1871), Ethnographie v. Wadai, in: Petermanns Mitt. 17, 1871, S. 326–34; Dr. G. N.s Reise nach dem Bahr el Ghasal, Kanem, Egai, Bedeé u. Borku, 1871, ebd. 19, 1873, S. 201–06; Dar För, d. neue Ägypt. Prov., u. Dr. N.s Forschungen zw. Kuka u. Chartum, ebd. 21, 1875, S. 281–86; Der Hofstaat d. Königs v. Baghirmi in Central-Afrika, in: Globus 24, 1873, S. 119–21, 137–39, 153–55; G. N. in Wadai, ebd., S. 350 f; Sahara u. Sudan, Ergebnisse sechsjg. Reisen in Afrika, I, 1879, II, 1881, III, hrsg. v. E. Groddeck, 1889, Nachdr. mit Vorwort v. D. Henze, 1967.

L ADB 23; E. G. Ravenstein, Dr. G. N.s Explorations in Africa, 1869–74, in: Geographical Magazine, Okt. 1874; G. N.s Reisewerk, in: Globus 36, 1879, S. 220–22, 233–35, 248–51; R. Prietze, Ein Vermächtnis Barths u. N.s, in: Zs. d. Ges. f. Erdkde. Berlin, 1918, S. 213–45; S. Hübschmann, in: Mitteldt. Lb. 5, 1930, S. 472–89 *(P)*; H. Plischke, in: Frühe Wege z. Herzen Afrikas, hrsg. v. K. Schleucher, 1969, S. 398–442 *(P)*; H. Weis, G. N.s Reise nach Tibesti 1869, in: Mitt. d. Österr. Geogr. Ges. 114, 1972, S. 324–52 *(P)*; Gedenkschr. G. N., hrsg. v. H. Ganslmayr u. H. Jungraithmayr, 1977; H.-U. Wehler, Bismarck u. d. Imperialismus, 1984; D. Henze, Enz. d. Entdecker u. Erforscher d. Erde, 1986, S. 556–69; Pogg. III. – *Nachlaß:* Staatsbibl. Preuß. Kulturbes., Berlin, Hss.abt.

P Marmorbüste v. O. Büchting (1895, Leipzig, Geogr. Inst.); Silberplakette v. K. Goetz, Münzkab. Berlin, Abb. in: Die Gr. Deutschen im Bild, hrsg. v. A. Hentzen u. N. v. Holst. 1937, S. 438; Relief v. D. v. Sengbusch-Eckardt, 1969 (Fort Lamy, Tschad).

Claus Priesner

Nachtigall, *Konrad,* Nürnberger Meistersinger, † 1484/85.

V Michel (erw. 1414–27), Bäckermeister u. Meistersinger; M N. N.; S Sebald (um 1460–1518), Komp. u. Organist an St. Sebald in N. (s. New Grove).

N. war wie sein Vater von Beruf Bäckermeister (seit 1436) sowie Meisterliedichter und -komponist. Die Meistersinger des 16. Jh. zählten ihn zu den zwölf besten Meistern der Nürnberger Tradition. Sein Ruhm beruht vor allem auf seinem Erfindungsreichtum als Tonautor: 13 Töne (Liedmelodien) sind mit seinem Namen verbunden; vier davon sind jedoch erst aus nachreformatorischer Überlieferung bekannt. Wie im Meistersang üblich, wurden seine Töne nicht nur von ihm selbst, sondern auch von anderen Textdichtern verwendet; entsprechend bediente sich auch N. für eines seiner Lieder des Unbenannten Tones des Nestler von Speyer. Von den überlieferten Liedern in seinen eigenen Tönen ist nur ein geringer Teil ihm selbst zuzuweisen. Es handelt sich dabei fast ausschließlich um Marienlieder und damit um ein zentrales Thema der Meisterliedichtung: eines im Abendton, drei im Sanften Ton (sie wurden noch zu Lebzeiten N.s in die „Kolmarer Liederhandschrift" aufgenommen, allerdings unter dem Namen des Liebe von Giengen) und eines im Schönen Ton (Cramer IV, S. 227 f., 185–94, II, S. 390/92 f.). Sein bekanntestes Lied, das sich mit einem Text des Hans Folz berührt, ist ein literarhistorisch wichtiger Namenkatalog im Leidton mit der Nennung von 80 verstorbenen Meistern, denen N. am Schluß den eigenen Namen beigesellt (Cramer II, S. 384–90).

W *Ausg.:* Th. Cramer (Hrsg.), Die kleineren Lieddichter d. 14. u. 15. Jh., 1977–85, II, S. 376–95, IV, S. 182–231.

L ADB 23; Rep. d. Sangsprüche u. Meisterlieder IV, bearb. v. F. Schanze u. B. Wachinger, 1988, S. 437–48; H. Brunner, Dichter ohne Werk, in: FS f. K. Ruh, 1989, S. 1–31; ders., in: Vf.-Lex. d. MA; MGG.

Frieder Schanze

Nachtsheim, *Hans,* Biologe, Genetiker, * 13. 6. 1890 Koblenz, † 24. 11. 1979 Boppard/Rhein. (altkath.)

V Friedrich (1859–1942), Geh. Justizrat, Oberlandesger.rat in Köln, S d. Friedrich (1833–1908), Berging., Gasanstaltsdir. in B., u. d. Christine Alken (1831–1902); M Anna (1864–1939), T d. Matthias Mallmann (1823–83), Weingutsbes., u. d. Josefine Brust (1823–1901); ⚭ Düsseldorf 1923 Dorothea (1891–1956), Lehrerin, T d. Otto Freiwald (1860–1945), Zollrat in Zeitz, u. d. Dorothee Rohlfing (1865–1958); 1 T Gisela (* 1929, ⚭ Manfred Eysser, Ministerialrat), Med.-techn. Assistentin.

N. absolvierte das humanistische Gymnasium, studierte in Bonn und München Naturwissenschaften mit Schwerpunkt Biologie sowie Medizin bis zum Vorklinikum. 1913 wurde er in München zum Dr. phil. promoviert. Nach kurzem Aufenthalt bei Franz Doflein in Freiburg kehrte N. 1916 als Assistent Richard Hertwigs nach München zurück, wo er sich 1919 für Zoologie und vergleichende Anatomie habilitierte (Zytologische und experimentelle Untersuchungen über die Geschlechtsbestimmung bei Dinophilus apatris). Während des 1. Weltkriegs konnte er als Mitglied der Mazedon. Landeskommission hydrobiologisch forschen und als Angehöriger der Zensurbehörde ungehindert die ausländische Fachliteratur studieren. Dabei wurde er auch zur Übersetzung von Thomas Hunt Morgans wegweisendem Buch „The physical basis of heredity" angeregt, die 1921 unter dem Titel „Die stoffliche Grundlage der Vererbung" erschien. Im selben Jahr wurde N. zum Oberassistenten und Abteilungsleiter an das von Erwin Baur geleitete Institut für Vererbungsforschung an der Landwirtschaftlichen Hochschule Berlin berufen und 1923 nach der Umhabilitation für Vererbungslehre zum ao. Professor ernannt.

Standen zunächst Studien zur Biologie der Honigbiene im Vordergrund, wandte sich N. zunehmend der Säugetiergenetik zu, speziell der der landwirtschaftlichen Nutztiere. Dabei wurde das Kaninchen zu seinem bevorzugten Versuchstier. Seine Ansichten zur Entwicklung von Haustieren sowie ihrer Domestikation und Rassebildung stellte er 1936 in einer zusammenfassenden Monographie dar (Vom Wildtier zum Haustier, ²1949, ³1977). Die seit 1934 intensivierten erbpathologischen Untersuchungen am Tier führten ihn zu der Annahme, daß die Pathogenese genetisch bedingter Krankheiten bei Mensch und Säugetier denselben Gesetzen unterworfen und – sich hier auf den Anthropologen Eugen Fischer (1874–1967) beziehend – bevorzugt unter dem Gesichtspunkt veränderter Selektionsbedingungen (weitgehender Wegfall der natürlichen Auslese beim Menschen) zu betrachten sei. Rassebildung beim Tier setzte er im wesentlichen mit der beim Menschen gleich. Mit dieser Betrachtungsweise wurde er zu einem Begründer und führenden Vertreter der vergleichenden Erbbiologie und -pathologie.

Schon seit den 20er Jahren hatte sich N. auch auf dem Gebiet der Eugenik engagiert und war in Vorträgen für die Sterilisation aus eugenischen Gründen eingetreten. Seine Berufung 1940 zum Leiter der neuen Abteilung für experimentelle Erbpathologie an das von Eugen Fischer geleitete Kaiser-Wilhelm-Institut (KWI) für Anthropologie, Eugenik und menschliche Erblehre ermöglichte es ihm, sich stärker der Humangenetik zuzuwenden und die am Tier gewonnenen Erkenntnisse gezielt auf den Menschen zu übertragen. Insbesondere die Untersuchung der Krampfbereitschaft, z.B. des provozierten Cardiazolkrampfes als Nachweis einer erblichen Epilepsie am Kaninchen, betrachtete er als Ergänzung und Untermauerung der von anderen ausgeführten Versuche am Menschen. Die Auslösung von epileptischen Krämpfen durch Sauerstoffmangel wurde im Tierversuch und an epileptischen Kindern untersucht. Das Ende des Krieges verhinderte die Fortsetzung dieser Experimente, die N. mit den Grundsätzen der wissenschaftlichen und medizinischen Ethik vereinbaren zu können glaubte. N., der nicht der NSDAP oder einer ihrer Organisationen angehörte und dessen Integrität auch nach 1945 nie in Zweifel gezogen wurde, befand sich dennoch insofern im Einklang mit nationalsozialistischen Zielen, als auch er sich im Sinne einer in sich geschlossenen Rassenbiologie nur zum Wohle des Volkskörpers und nicht des Individuums orientierte. Anfang 1945 verlagerte der Direktor des KWI, Otmar v. Verschuer, die Unterlagen des Instituts nach Westdeutschland, nur N., zum kommissarischen Leiter eingesetzt, und einige wenige Institutsangehörige blieben in Berlin. N.s Abteilung für experimentelle Erbpathologie gehörte 1947–49 zur Deutschen Akademie der Wissenschaften und stand somit unter sowjet. Kontrolle, blieb aber in dem zum Westteil Berlins gehörenden Dahlem. 1949 wurde sie in die Deutsche Forschungshochschule Berlin-Dahlem eingegliedert und 1953 als Max-Planck-Institut (MPI) für vergleichende Erbbiologie und Erbpathologie fortgeführt. 1960 trat N. in den Ruhestand. Nachdem N. 1939 zum apl. Professor an der Univ. Berlin ernannt worden war, übernahm er 1946 zusätzlich zur Leitung des KWI/MPI das dort neu eingerichtete Ordinariat für Genetik. 1949 wechselte er aus politischen Gründen auf das Ordinariat für allgemeine Biologie und Genetik an der 1948 gegründeten FU Berlin und wurde Direktor des Instituts für Genetik. 1955 wurde er emeritiert.

N. wandte sich in den folgenden Jahren vehement gegen den Lyssenkoismus und die Unterdrückung der Genetiker im sowjet. Machtbereich, hielt den Kommunismus für gefährlicher als den Nationalsozialismus, nahm aber als einer der ganz wenigen deutschen Genetiker den politischen Sündenfall seiner Wissenschaft ernst. Als einziger deutscher Genetiker wirkte N. an der von der UNESCO 1949 beschlossenen Erklärung gegen den Rassismus mit. Er gewann erheblichen Einfluß als einer der Begründer der Humangenetik in der Bundesrepublik Deutschland, der sich anfangs merklich von den kontinuierlichen Entwicklungen der Anthropologie, Rassen- und Konstitutionsbiologie absetzte. Durch die Ergebnisse der Strahlengenetik und die Diskussion um die drohende Überbevölkerung der Erde äußerst beunruhigt, wurde N. seit den 50er Jahren als einziger Genetiker in der Bundesrepublik Deutschland zu einem nachdrücklichen Verfechter der Sterilisierung aus eugenischer Indikation und erklärte auch das Gesetz zur Verhütung erbkranken Nachwuchses für rechtmäßig und nicht aus dem Geist des Nationalsozialismus entstanden. Während sich andere Rassenhygieniker, Anthropologen und Genetiker den veränderten politischen Bedingungen anpaßten, isolierte sich N. schließlich völlig innerhalb der von ihm selbst mit angeregten Neuentwicklung der Humangenetik in Deutschland. – Gr. BVK mit Stern (1955).

Weitere W u. a. Cytolog. Stud. üb. d. Geschlechtsbestimmung b. d. Honigbiene, Diss. München 1913; Die Grundgesetze d. Vererbung, 1934; Ein halbes Jh. Genetik, 1951; Für u. wider d. Sterilisierung aus eugen. Indikation, 1952; Das MPI f. vgl. Erbbiol. u. Erbpathol., in: Münchener med. Wschr. 96, 1954, Beil. zu Nr. 43 nach S. 1274 (mit H. Lüers); Kampf d. Erbkrankheiten, 1966; zahlr. Btrr. in Fachzss.

L W. Ulrich, in: Moderne Biol., FS z. 60. Geb.tag v. H. N., 1950, S. 7–22 *(P, W)*; F. Vogel, in: Münchener med. Wschr. 102, 1960, S. 1254 f. *(P)*; ders., Das MPI f. vgl. Erbbiol. u. Erbpathol., in: Jb. d. MPG 1961, T. 2, S. 291–300; ders., in: MPG Berr. u. Mitt. 1980, Nr. 3, Sonderh., S. 25–29 *(P)*; ders. u. B. E. Wolf, in: Verhh. d. Dt. Zoolog. Ges. 73, 1980, S. 374–76 *(P)*; D. Opitz, Bibliogr. H. N., 1970 *(P)*; In memoriam H. N., in: Zs. f. Tierzüchtung u. Züchtungsbiol. 97, 1980, S. 250 f. *(P)*; B. E. Wolf, in: SB d. Ges. Naturforschender Freunde zu Berlin NF 20/21, 1981, S. 29–36 *(P)*; W. Plarre, A contribution to the history of science of heredity in Berlin, in: H. Scholz (Hrsg.), Botany in Berlin, 1987, S. 147–217 *(P)*; P. Weingart, J. Kroll u. K. Bayertz, Rasse, Blut u. Gene, Gesch. d. Eugenik u. Rassenhygiene in Dtld., 1988; U. Deichmann, Biologen unter Hitler, 1992, S. 267–80. – Eigene Stud. im Archiv z. Gesch. d. MPG, Berlin.

Michael Engel

Nacke, Emil, Maschinenfabrikant, * 29. 10. 1843 Groß-Wiederitzsch b. Leipzig, † nach 1926 Johannisberg b. Kötzschenbroda. (ev.)

V Emil Hermann Julius, Maureraufseher in Werdau; *M* Agnes Thusnelde Joseph aus Wildenhain.

Als Student des Polytechnikums Dresden wurde N. 1869 beurlaubt, um für die Thodesche Papierfabrik in Hainsberg eine Strohstoffabrik nach dem Verfahren des Ingenieurs Weber aus Kopenhagen zu entwerfen. Der Aufschluß des Strohs erfolgte dabei mit Natron (Natriumbicarbonat) in rotierenden Kugelkochern, die direkt mit Dampf beheizt wurden. Erst nach Fertigstellung dieser Anlage legte N. am Polytechnikum die Schlußprüfung ab. Im Anschluß an eine Studienreise nach Paris trat er 1870 in die Maschinenfabrik Gruson in Magdeburg ein. Dann kehrte er nach Dresden zurück und ließ sich als Zivilingenieur nieder.

N. erwarb von Weber eine Lizenz auf dessen Verfahren zur Strohstoffabrikation und baute eine entsprechende Anlage für die der Leipziger Firma Ferdinand Flinsch gehörige Patentpapierfabrik in Penig. Weitere Strohstoffabriken folgten, u. a. für die Firmen C. H. Kallert in Altöls bei Sprottau, Scheerer in Göritzhain, Hahn & Roth in Dohna, Linke in Hirschberg und die Winterschen Papierfabriken in Altkloster bei Buxtehude. Neben dem franz. Ingenieur Hector J. Lahouse spielte N. so eine entscheidende Rolle beim Aufbau der deutschen Strohzellstoffindustrie, die um 1880 mit 50 Fabriken ihre größte Entfaltung erreichte und 1913 (es existierten noch 16 Fabriken) mit 50 000 Jahrestonnen ihr bestes Produktionsergebnis erzielte. N. erfand einen eigenen Raffineur mit liegender Welle und vertikalen Steinen, der in Lizenz von der Maschinenfabrik J. M. Voith in Heidenheim gebaut wurde, und einen Bleich- und Waschholländer mit neuartigem Zirkulationsapparat. Stroh ist als Papierrohstoff grundsätzlich sehr gut geeignet; der zunehmende Einsatz von Holz als Rohstoff wurde nicht zuletzt durch die mit einer über das ganze Jahr gleichmäßigen Versorgung der Fabriken mit Stroh verbundenen Probleme bewirkt.

N. plante gemeinsam mit der Firma Ferdinand Flinsch die Gründung einer Strohzellstoffabrik in Kötitz bei Coswig (Sachsen). Nachdem sich der Geschäftspartner zurückgezogen hatte, liierte sich N. mit der Firma C. H. Kallert in Altöls, reorganisierte den dortigen Fabrikbetrieb und nahm das Werk in Kötitz in Betrieb. Zur selben Zeit bemühte sich, unter dem Eindruck einer wachsenden Zahl preisgünstig mit Holz als Rohstoffbasis arbeitender Sulfitzellstoffabriken, ein Konsortium um den Zusammenschluß der deutschen Strohzellstofferzeuger unter dem Namen „Vereinigte Strohstoffabriken". Die Fabriken in Altöls, Kötitz, Ingelheim, Gengenbach, Dohna und Rheindürkheim verbanden sich unter diesem Namen, und N. fungierte 1885–90 als Vorstandsmitglied des Konzerns und technischer Leiter der Fabriken in Altöls und Kötitz.

1890 zog sich N. vollständig aus diesem Tätigkeitsgebiet zurück und konzentrierte sich auf seine bereits zu Beginn der 1870er Jahre in Dresden gegründete Maschinenfabrik, die sich vor allem mit dem Bau von Maschinen und Einrichtungen für die Papier- und Pappenindustrie befaßte und die er nun ebenfalls nach Kötitz verlegte. 1895 erfand N. einen Gasmotor und kam dadurch 1900 zum Automobilbau. Schon 1898 und erneut 1906/07 und 1909 beteiligte er sich an Automobilrennen und zwar auch mit Autos aus eigener Fertigung. Er war der erste Automobilhersteller Sachsens, noch vor August Horch (1903). N. baute zunächst große Pkw unter dem Markennamen „Coswiga", 1910–12 auch zwei kleinere Typen, 1911 folgte ein Zweitonner, 1913 ein Dreitonnen-Lkw und ein Omnibus. Das Programm bestand seit 1926 aus 2,5-, 3,5 und 5 t-Lkw-Chassis mit eigenen Ottomotoren und verschiedenen Aufbauten sowie Omnibussen. 1930 stellte N.s Automobilfabrik die Fertigung von Nutzfahrzeugen ein und beendete 1932 auch die übrige Automobilproduktion. 1902 erfand N. das Prinzip der sog. Innenbackenbremse. 1902–12 war er Vorstandsmitglied d. 1901 gegründeten Vereins Dt. Motorfahrzeug-Industrieller (VDMI).

W DRP 39 534 v. 1886 (Papierstoff-Holländer mit vertikal od. schräg stehender Welle), 69 077 v. 1892 (Papierstoff-Raffineur mit horizontaler Welle u. vertikalen Steinen), 86 659 v. 1895 (Gasmaschine mit extra Kompressionsraum u. erhitztem Verbindungskanal), 129 663 v. 1901 (Antrieb f. Motorwagen), 152 330 v. 1903 (Antrieb f. Motorwagen), 143 154 v. 1902 (Innenbackenbremse), 146 283 v. 1903 (Reibungskupplung), 189 744 v. 1906 (Reibungskupplung), 129 115 v. 1901, 143 154 v. 1902, 146 283 v. 1903.

L Carl Hofmann, Prakt. Hdb. d. Papierfabrikation, ²1891/97, S. 1163–67; W. Schacht, Strohzellstoff, in: Ver. Dt. Papierfabrikanten, FS z. 50j. Jubiläum d. Ver., 1922, S. 275–81; Uhlemann, E. N., Ein Btr. z. Gesch. d. Papierfabrikation, in: Der Papier-Fabrikant 22, 1924, H. 24 a, S. 120–20c *(P);* H. Ch. Gf. v. Seherr-Thoß, Die dt. Automobilindustrie, ²1979.

Frieder Schmidt

Nacken, *Richard,* Mineraloge, Kristallograph, Petrograph, Physikochemiker, * 4. 5. 1884 Rheydt b. Mönchengladbach, † 8. 4. 1971 Oberstdorf. (ev.)

V Wilhelm Jakob, Kaufmann; *M* Luise Vogt; ∞ 1912 Berta Dreibrodt; 1 *S*, 1 *T*.

N. absolvierte das Progymnasium in Rheydt und das Gymnasium in Gütersloh. Seit 1903 studierte er in Tübingen Mathematik und Naturwissenschaften. 1906/07 promovierte er in Göttingen bei Th. Liebisch über die „Bildung und Umwandlung von Mischkristallen und Doppelsalzen in dem binären System der dimorphen Sulfate von Lithium, Natrium, Kalium und Silber". 1907/08 war er bei seinem Lehrer Assistent für Mineralogie und Petrographie und folgte Liebisch 1908 an das mineralogische Institut Berlin, wo er bis 1911 als 1. Assistent tätig war. Dann wurde er als ao. Professor für physikalisch-chemische Mineralogie und Petrographie an die Univ. Leipzig, Abteilung für angewandte Mineralogie, berufen. 1914 folgte N. einem Ruf an die Univ. Tübingen als ao. Professor für physikalisch-chemische Mineralogie und Petrographie. 1918 übernahm er die o. Professur für Mineralogie und Petrographie an der Univ. Greifswald und wurde dort Institutsdirektor. 1921–45 war N. Direktor des Mineralogischen Instituts der Univ. Frankfurt/Main und seit 1936 zusätzlich Direktor des von ihm eingerichteten Edelsteinforschungsinstituts in Idar-Oberstein. Nach der Zerstörung des Instituts in Frankfurt ging er 1946 an die Univ. Tübingen, wo er 1952 emeritiert wurde.

N.s Arbeitsgebiete waren die physikalisch-chemische Mineralogie (insbes. die Zementforschung), die Petrographie und die Kristallzüchtung (vor allem Quarz- u. Edelsteinsynthese). Er hatte einen wichtigen Anteil am Aufbau der angewandten Mineralogie, seine Ergebnisse fanden Anwendung in der Industrie. So leistete er Pionierarbeit bei der Entwicklung von Apparaturen zur Kristallzüchtung, nach ihm ist die Nacken-Kyropoulos-Methode für Kristallzüchtung aus Schmelzen benannt. Vor allem die von ihm durch Hydrothermalsynthese gezüchteten Piezo-Quarze wurden in der Funktechnik vielfach angewandt. In Frankfurt beschäftigte er sich hauptsächlich mit den physikalisch-chemischen Prozessen bei Abbinde- und Erhärtungsvorgängen von Zement. Am Edelsteinforschungsinstitut befaßte sich N. mit der Unterscheidung natürlicher und synthetischer Edelsteine und Perlen und entwickelte eine Methode zur Identifikation von Zuchtperlen. Neben der rein wissenschaftlichen Tätigkeit hielt er zahlreiche populärwissenschaftliche Vorträge über Mineralogie. – Dr. h. c. (Gießen 1962); Michaelis-Gedenkmünze (1962).

W u. a. Kristallzüchtungsapparatur, 1916; Reaktionen beim Erhitzen v. Zementrohmehlen, 1920; Apparat z. Unters. v. geschliffenen Steinen, insbes. v. Edelsteinen, 1935; Unterss. am System $CaO-SiO_2-H_2O$ (mit R. Mosebach), 1935; Probleme d. Zementverfestigung, 1937; Die hydrothermale Mineralsynthese als Grundlage z. Züchtung v. Quarzkristallen, 1950.

L H. Schloemer, in: Fortschritte d. Mineral. 50, 1973, S. 34–36; W. Kleber, in: Naturwiss. Rdsch., 1954, H. 7, S. 309; ders., in: Geologie, 1950, H. 4, S. 441–44 *(P);* Pogg. VII a.

P Abb. in: W. v. Engelhardt u. H. Hölder, Mineral., Geol. u. Paläontol. an d. Univ. Tübingen v. d. Anfängen bis z. Gegenwart, 1977, Abb. 7.

Gerhard Lehrberger

Nadel, *Siegfried* Ferdinand (Frederick), Musikwissenschaftler, Psychologe, Sozialanthropologe, * 24. 4. 1903 Lemberg (Galizien), † 14. 1. 1956 Canberrra (Australien). (isr.)

V Moriz (* 1871), Dr. iur., Oberbahnrat in L.; M Adele Hirschsprung (* 1880); ∞ Wien 1926 Dr. Lisbeth Braun (* 1900), Musikwissenschaftlerin; 1 T.

Nach der Matura 1921 in Wien studierte N. an der dortigen Musikakademie Klavier und Komposition sowie an der Universität Musikwissenschaft bei Guido Adler und Robert Lach, Philosophie bei Moritz Schlick und Psychologie. 1925 promovierte er bei Karl Bühler mit der Dissertation „Psychologie des Konsonanzerlebens" (Zs. f. Psychol. 101, 1927, S. 33–158). Er betätigte sich anschließend u. a. als Dirigent, Musiklehrer und -schriftsteller. Wohl unter dem Eindruck der Zurückweisung seines Habilitationsansuchens durch die Univ. Wien 1931 wandte er sich unter dem Einfluß von Erich M. v. Hornbostel und Curt Sachs in Berlin dem Studium afrikan. Sprachen (Dietrich Westermann) zu. Aufgrund des zunehmenden Antisemitismus emigrierte er 1932 nach Großbritannien und begann im selben Jahr an der London School of Economics bei Bronislaw Małinowski und Charles G. Seligman ein Studium der Anthropologie (Social Anthropology), das er nach einjähriger Feldforschung bei den Nupe 1935 mit dem Ph. D. („Political and religious structure of Nupe society") abschloß. Nach neuerlicher Feldforschung in Nord-Nigerien (1935/36) und einer Tätigkeit als Government Anthropologist für die Regierung des anglo-ägypt. Sudan, verbunden mit Feldforschungen bei den Nuba, diente N. 1941–46 als Major bzw. Oberstleutnant im Afrikakorps der brit. Armee. Anschließend lehrte er an der London School of Economics und seit 1948 an der Univ. Durham, King's College, Newcastle, bis er 1950 auf den neugeschaffenen Lehrstuhl für Anthropologie an der Australian National University in Canberra berufen wurde. N.s musikwissenschaftliches Oeuvre reicht von der phänomenologisch ausgerichteten Diskussion der Konsonanz/Dissonanz-Problematik (Diss.) über musikhistorisch-biographische Arbeiten (Ferruccio Busoni, 1931) und musikästhetisch/philosophische Kunstbetrachtungen (Der duale Sinn der Musik, 1931) bis zu ethnomusikologischen Darstellungen. Die „Georgischen Gesänge" (1933) stellen die erste monographische, auf Schallaufnahmen fußende, quellenkritisch korrekte Behandlung kaukasischer Mehrstimmigkeit in einer westeurop. Sprache dar. Der psychologische, z. T. experimentelle Ansatz durchdringt auch die sozialanthropologischen Studien N.s, welche sich durch eine ausgewogene Verbindung von Feldforschung, Theoriebildung und angewandter Forschung auszeichnen. Die an kleinen pazifischen Gruppen entwickelten Feldforschungstechniken fand er im Falle differenzierter Kulturen wie der der Nupe (A Black Byzantium, 1942) inadäquat und entwickelte eine Methode, in welcher dem Individuum besonderer Stellenwert zukommt. Dessen Rollenverhalten erklärte er – beeinflußt hauptsächlich von der Handlungstheorie Max Webers und der Philosophie des Kreises um Moritz Schlick – aus einer dynamischen Wechselbeziehung von biologischem Unterbau und sozio-kulturellem Überbau. Die hieraus resultierenden Sozialbeziehungen versuchte er zum ersten Mal (The Theory of Social Structure, 1957) unter Zuhilfenahme eines formalen Systems zu erklären.

Weitere W u. a. Marimba-Musik, in: SB d. Wiener Ak. d. Wiss., phil.-hist. Kl. 212/3, 1931, S. 1–63; The Nuba, 1947; The Foundations of Social Anthropology, 1951; Nupe Religion, 1954.

L J. D. Freeman, in: Oceania 27/1, 1956, S. 1–11 *(W-Verz., P);* R. Firth, in: American Anthropologist 59, 1957, S. 117–24 *(W-Verz.);* M. Janowitz, Anthropology and the Social Sciences, in: Current Anthropology 4/2, 1963, S. 139 u. 149–54; J. Salat, S. F. N. (1903–56), Ein Btr. z. anthropolog. Wiss., Diss. Wien 1976 *(W-Verz.);* Enc. Jud. XII; Enc. Brit. VII.

Franz Födermayr

Nadherny (ältere Linie: österr. Adel 1838, *Nádherný* Ritter v. *Borutin* 1865, Freiherren v. *Borutin* 1882/98; jüngere Linie: österr. Adel 1833, Ritter 1838, Freiherren 1882), böhm. Adelsgeschlecht. (kath.)

Stammvater ist der Prager Bürger *Martin* (1672–1746) aus Narisov. Seine Söhne begründeten die beiden später freiherrlichen

Linien: *Bartholomäus* (1727–1805) die „Nádherný v. Borutin", *Franz* (1734–1804) die „v. Nadherny". Die ältere Linie schuf ihr Vermögen in der Eisenindustrie und erweiterte die landwirtschaftlichen Güter, während sich in der jüngeren Linie vorwiegend Beamtenkarrieren finden.

Johann (1772–1860, s. u.), Sohn des Bartholomäus, erwarb die Herrschaften Chotowin, Adersbach und Jistebnitz in Böhmen, den Kern des Grundbesitzes der Nádherný v. Borutin. Sein Sohn *Ludwig Karl* (1800–67, Rr. v. Borutin 1865) studierte Rechtswissenschaft und modernisierte als Verwalter die väterlichen Domänen. 1863 gründete er die Familienstiftung der N. Mit ihm begann auch das Konnubium mit dem österr. Alt- und Geldadel. Seine Tochter Victoria heiratete Fürst Cantacuzino, sein Sohn *Johann* (1838–91, Frhr. 1882) war langjähriger Bürgermeister von Tabor und 1882–91 Reichsratsabgeordneter, dessen Bruder *Othmar* (1840–1925, Frhr. 1898) 1875–1907 mit Unterbrechungen Abgeordneter zum böhm. Landtag. *Oskar* (1871–1952) und *Erwin* (1876–1944), Johanns Söhne, wechselten nach dem Besuch des Gymnasiums in Wien an die tschech. Univ. nach Prag, wo beide zum Dr. iur. promovierten. Oskar war 1918–29 im tschech. Handelsministerium in Prag tätig, Erwin, Eigentümer des Gutes Chotowin, war Landtagsabgeordneter und Vizepräsident des tschech. Verbandes der Großgrundbesitzer. *Sidonie* (1885–1950), die gebildete Tochter von Johanns zweitem Bruder *Carl* (1849–95), verband eine langjährige Freundschaft und Korrespondenz mit R. M. Rilke und K. Kraus. Othmars Söhne *Constantin* (1877–1952), Besitzer der Güter Adersbach und Jistebnitz, und der Schriftsteller *Joseph* (1882–1970) emigrierten nach der kommunistischen Machtübernahme aus der Tschechoslowakei nach Österreich.

Für die jüngere Linie erwarben 1838 der Kanzleidirektor der Vereinigten Hofkanzlei in Wien, Hofrat *Franz* (1786–1848), Sohn des gleichnamigen Vaters, und sein Bruder *Ignaz* (1789–1867) den Ritterstand. Dieser promovierte 1812 in Prag zum Dr. med. und übernahm 1813 den Lehrstuhl für Gerichts-, Polizei- und theoretische Medizin, 1814 jenen für Staatsmedizin an der Karls-Universität. 1820–49 Direktor des med. Studiums in Prag, gründete er hier 1838 den ersten Lehrstuhl für pathologische Anatomie in Österreich. Seit 1857 war er als Ministerialrat im Wiener Unterrichtsministerium für das Medizinstudium im Kaiserreich verantwortlich (s. ÖBL). Ein dritter Bruder, *Kajetan* (1791–1857), war kaiserl. Rat und Archivdirektor und wurde als Herausgeber von Gesetzessammlungen bekannt. Franz' Sohn *Julius* (1821–1900) war ebenfalls Hof- und Ministerialrat; dessen Söhne waren *Franz* (1853–1919), Hofrat im k. k. Haus-, Hof- und Staatsarchiv (s. ÖBL), und *Ernst* (* 1856), Ministerialrat im Ackerbauministerium. Der Finanzfachmann *Robert* (1824–1905) war 1870–79 stellvertretender Generalsekretär der Österr. Nationalbank. *Kurt* († 1964) machte sich als Mitglied der Obersten Nationalen Sportkommission des Österr. Automobil- u. Touring-Clubs um den Motorsport verdient.

Qu. Österr. StA, Allg. Verw.archiv Wien (Adelsakten).

L J. Slokar, Gesch. d. österr. Industrie u. ihrer Förderung unter Kaiser Franz I., 1914, S. 119, 376; Gotha, Geneal. Taschenbuch d. Freiherrl. Häuser, 1917, S. 653–55; Wurzbach 20; BLBL.

Johann v. (österr. Adel 1838), Großgrundbesitzer, Eisenindustrieller, * 10. 3. 1772 Borutin (Böhmen), † 7. 3. 1860 Chotowin (Böhmen).

V Bartholomäus (1727–1805) aus Prag; *M* Anna Czernoch; ∞ 1) Antonie John (1774–1816), 2) Katharina Handwerk († 1848); *S* Ludwig Karl N. Rr. v. Borutin (1800–67, s. Einl.).

N.s unternehmerischer Aufstieg war gekennzeichnet durch den systematischen Erwerb und wertsteigernden Ausbau eines umfangreichen Grundbesitzes, auf dem er bestehende Bergwerke und Industriebetriebe modernisierte und neue Industriewerke begründete. So erwarb er 1799 die Herrschaft Kamenitz/Eger (Kr. Tabor), wo er schon im Jahr zuvor ein Eisenwerk errichtet hatte. Hier schuf er Beschäftigungsmöglichkeiten für mehrere hundert Menschen, die in vier neuen Dörfern angesiedelt wurden. N. besaß umfangreiche Ländereien, die er teilweise mit hohem Gewinn weiterverkaufte. Er behielt die Herrschaften Chotowin/Zahorzi und Jistebnitz (beide Kr. Tabor), Adersbach (Kr. Königgrätz) und das Gut Dub (Kr. Prachin). Diese Besitzungen umfaßten ein Areal von über 30 000 Joch (17 250 ha) mit einer Bevölkerung von fast 16 000; bis zum Jahre 1805 hatte sich ihr Wert verdoppelt.

N. betrieb 1801–13 pachtweise die Eisenhütten und das Hammerwerk auf der Staatsherrschaft Saar (Mähren) und steigerte dort rasch Produktion und Gewinn mit Hilfe technischer Innovationen und einer Verbesserung der Erzversorgung; außerdem reaktivierte er seit 1805 das in Verfall geratene Eisenwerk Zawieschin auf der Herrschaft Schlüsselburg (Kr. Prachin). Auch auf seinen ausschließlich land- und forstwirtschaftlich genutzten Gütern führte N. zahlreiche Verbesserungen ein (Landgewinn durch Urbarmachung, Einführung neuer Nutzpflanzen, Verbesserungen in der Tierzucht). Er errichtete neue Meierhöfe, baute die Verkehrswege aus, errichtete Schulen und förderte das Gesundheitswesen, besonders durch die Einführung von Impfungen. Die vielseitigen unternehmerischen und sozialen Aktivitäten N.s ermöglichten in einer frühen Phase der Industrialisierung des böhm.-mähr. Raumes die erfolgreiche Modernisierung einer Region mit gemischter Wirtschaftsstruktur.

Qu. Österr. StA, Allg. Verw.archiv Wien (Adelsakt).

L Wurzbach 20; ÖBL; BLBL.

Josef Mentschl

Nadler, *Josef,* Germanist, Literarhistoriker, * 23. 5. 1884 Neudörfl (Nordböhmen), † 14. 1. 1963 Wien. (kath.)

V Josef (* 1858), Werkmeister in e. Stahlwarenfabrik in N.; *M* Maria Maaz aus Lobendau; ∞ Pürstein Kr. Kaaden 1916 Irma (* 1897) aus Weipert Kr. Kaaden, *T* d. Ludwig Breitfeld (* 1868) aus Schmiedeberg Kr. Kaaden u. d. Katharina Schmal (* 1873) aus Tschernowitz b. Komotau; 3 *T*.

Nach dem Besuch des Jesuitenkonvikts Mariaschein (Erzgebirge) und des Gymnasiums in Böhmisch-Leipa, wo er 1904 die Reifeprüfung ablegte, studierte N. an der Karls-Univ. in Prag Germanistik (Nebenfach klassische Philologie) bei Carl v. Kraus, Adolf Hauffen und August Sauer. Bei diesem wurde er 1908 mit der Dissertation „Eichendorffs Lyrik, Ihre Technik und ihre Geschichte" promoviert. Nach seinem Einjährig-Freiwilligenjahr erhielt er vom Verlag J. Habbel in Regensburg den Auftrag, eine zwei Bände umfassende populäre Literaturgeschichte zu schreiben. Angeregt von Sauer, der 1907 in seiner Rektoratsrede vorgeschlagen hatte, bei der Darstellung der Literaturgeschichte „von den volkstümlichen Grundlagen nach stammheitlicher und landschaftlicher Gliederung" auszugehen, um festzustellen, „wie tief sie im deutschen Volkstume wurzeln", veröffentlichte N., nach umfangreichen Vorarbeiten in München, 1912 einen ersten Band unter dem Titel „Literaturgeschichte der deutschen Stämme und Landschaften" (II, 1913; III, 1918; IV, [1+2]1928; I–III, [2]1923/24; [3]1929–32). Dieser war Grundlage für N.s Berufung als Nachfolger von Wilhelm Kosch nach Fribourg (Schweiz) Anfang desselben Jahres (ao. Prof., o. Prof. 1914). Unterbrochen durch den Kriegsdienst 1914–17, lehrte er dort bis 1925. In diesem Jahr folgte er einem Ruf nach Königsberg als Nachfolger Rudolf Ungers, 1931 einem nach Wien als Nachfolger Paul Kluckhohns. 1932 erschien seine „Literaturgeschichte der deutschen Schweiz". Neben den Vorbereitungen für die historisch-kritische Hamann-Ausgabe, die er in Königsberg begonnen hatte (seine Photokopien retteten die Überlieferung des 1945 vernichteten Nachlasses), widmete er sich in der Folge vor allem der Arbeit an der 4. Auflage seiner Literaturgeschichte (1938–41 u. d. T. Literaturgeschichte des deutschen Volkes, Dichtung und Schrifttum der deutschen Stämme und Landschaften). Besonders den 4. Band dieses Werks näherte N., seit 1938 Mitglied der NSDAP, den ideologischen Vorstellungen des Regimes an, obwohl er den von Rosenberg formulierten Rassentheorien mit entschiedenen Vorbehalten begegnete. Noch 1935 war er erfolgreich gerichtlich gegen die Unterstellung einer rassentheoretischen Ausrichtung durch Oskar Benda (der 1945 sein Nachfolger werden sollte) mit dem Argument vorgegangen, seine Vorstellungen von „Blut und Boden" seien von den Nationalsozialisten „sehr verändert" angeeignet worden. 1945 wurde er außer Dienst gestellt, 1947 pensioniert. In dem folgenden Streit um seine Rehabilitierung wurde N. zu einer Leitfigur des sich neu formierenden deutschnationalen Lagers in Österreich. Als Literarhistoriker trat er nach 1945 vor allem mit der Literaturgeschichte Österreichs (1948), Monographien über Grillparzer (1948), Hamann (1949), Weinheber (1952) sowie Editionen der Werke Hamanns (Sämtl. Werke, 6 Bde., 1949–57) und Weinhebers (Sämtl. Werke, 5 Bde., 1953–56) in Erscheinung. Eine Biographie Henry Benraths blieb unveröffentlicht.

N.s Literaturgeschichte ist als letzte große Gesamtdarstellung nach einem beherrschenden Grundgedanken ein wesentliches Dokument der Germanistik als einer „deutschen Wissenschaft" wie auch der Zeitgeschichte. Ihr öffentlicher Erfolg war durch den in ihr gefaßten Reichtum an Kenntnissen und die eigentümlich literarische Form der Darstellung mitbestimmt. Das Werk blieb bis 1918 dem kulturell-politischen Rahmen des österr. Vielvölkerstaats verbunden, schwenkte während der 20er Jahre in eine bewußt großdeutsche Zielsetzung um, deren nationalsozialistische Realisierung der Verfasser dann zustimmend begleitete. Sie schloß an die Tradition der regionalen Literaturgeschichten an und suspendierte die Vorstellung einer einheitlichen Nationalliteratur. Wie schon sein Lehrer Sauer, nahm N. sich vor, die Germanistik im Anschluß an die Brüder Grimm durch Wissenschaften wie Anthropologie, Volkskunde, Familiengeschichte bzw. Genealogie kulturgeschichtlich zu fundieren. Über die Masse neu herangezogener Textzeugnisse wollte er den romantischen Ursprungsmythos von den Stämmen als den eigentlichen Subjekten der Geschichte (E. M. Arndt, J. Görres, W. H. Riehl) empirisch nachweisen, ohne dabei auf spekulative Aussagen über das „Wesen" der Stämme verzichten zu können. Er ersetzte den individuellen Autor durch den „Stamm" – für N. eine empirische Größe zwischen dem seiner Meinung nach nicht faßbaren Individuum und dem zu allgemeinen Begriff der Nation. Unabhängig von ihrem künstlerischen Rang erscheinen die Akteure der Literaturgeschichte als Vertreter ihres Herkunftsraums und damit zugleich als Träger einer vorherrschenden Begabung („fränk. Formgenie", „alemann. Sprachgeist", „bair. Spieltrieb", „urgerman. epischer Trieb" bei den Sachsen). Völkerverschiebung und -vermischung sollten erklären, wie aus „german.-röm. Zweiheit" seit der Völkerwanderung und „deutsch-slaw. Zweiheit" seit der mittelalterlichen Ostkolonisation sich unterschiedliche literarische Kulturen entwickelten. Die folgende Aneignung der antiken Bildung führe bei Franken und Alemannen, den „Altstämmen" des Westens, kontinuierlich zur „Klassik", im bayr.-österr. Süden durch die Verbindung aller Kunstformen zur Theaterkultur des „Barock" ($^{2/3}$I, „Die altdeutschen Stämme", 800–1740), während die verspätete Übernahme antiker Tradition bei den östlichen „Neustämmen" nach der „Verdeutschung der Erde und des Blutes" in die „Romantik" münde (II, „Sachsen und das Neusiedelland", 800–1786). Die Annahme homogener, an den Stammesraum gebundener Literaturen wird nach N. seit der Mitte des 18. Jh. abgelöst durch das Bild eines beginnenden kulturellen Ausgleichs zwischen Ost und West, „Klassik" und „Romantik" im Zeichen eines neu entstehenden „Geistvolks" (III, „Der deutsche Geist"). In der Darstellung des bis 1914 reichenden 19. Jh. setzt sich dieser Prozeß der Vereinheitlichung weiter fort (IV, „Der Deutsche Staat"). Trotz der Einwände der Fachkritik gegen N.s zirkuläres, die Literatur in Voraussetzungen auflösendes Verfahren, fand das Werk in der Fassung der 20er Jahre nachdrückliche Zustimmung u. a. von Ernst Robert Curtius, Hermann Bahr, Rudolf Borchardt und Hugo v. Hofmannsthal, der, angesichts des Zerfalls der Donaumonarchie, in der Erschließung der österr. Literatur und des Barocktheaters durch N. „die authentische Erfahrung des Elements, das mich trägt", sah. Im Band ^{4}IV („Das Reich") deutete N. die Gegenwartsliteratur bis 1940 als Vollzug einer völkisch-rassischen und geopolitischen „Deutschwerdung". Die „volkhafte" Germanistik des Nationalsozialismus konnte so, trotz bleibender Vorbehalte gegen N.s partikularistischen Ansatz, einen entscheidenden Teil ihrer Kategorien von N. beziehen. Das Urteil Walter Muschgs, N. habe die Geschichte der Deutschen Literatur zur „heimlichen Vorgeschichte des 3. Reichs" erklärt, bestätigt N. selbst indirekt in seiner Autobiographie. Unter Berufung auf ein Diktum Hamanns meint er hier, Geschichte müsse „teleologisch geschrieben werden", d. h. aus der jeweiligen „Perspektive", die die Gegenwart der Vergangenheit vorgibt. Einer neuen Perspektive entsprechend hat er nach 1945 in einer einbändigen Fassung (Geschichte der deutschen Literatur, 1950) inkriminierte Stellen der 4. Auflage getilgt. Seit dieser Zeit persona non grata in der offiziellen Germanistik, blieb sein Werk des Materialreichtums und der ansprechenden Darstellungsweise wegen eine verborgene Quelle der Ausschöpfung für die Literaturgeschichtsschreibung. – Mitgl. d. Ges. d. Wiss. u. Künste in Prag (1918); Gottfried-Keller-Preis (1929), Kant-Medaille d. Stadt Königsberg (1931), Kant-Preis d. Stadt Königsberg (1942), Mozart-Preis (1952); Mitgl. d. Österr. Ak. d. Wiss. (1933), d. Wiener kath. Ak. (1949); Dr. phil. h. c. (Sofia 1939).

Nachlaß: Österr. Nat.bibl., Wien; Dt. Lit.archiv, Marbach.

L J. Körner, Metahistorik d. dt. Schrifttums, in: Dt. Rdsch., Sept. 1919, S. 466–68; E. R. Curtius, in: Dt. Geist in Gefahr, 1932; W. Muschg, J. N.s Lit.gesch., in: Basler Nachrr. v. 31. 12. 1937, erweitert in: ders., Die Zerstörung d. dt. Lit., 1961, S. 185–200; K. Roßmann, Über nat.soz. Lit.gesch.schreibung, in: Die Wandlung 1, 1945/46, S. 870–84; V. Suchy, J. N. u. d. österr. Lit.wiss., in: Wort in d. Zeit 9, 1963, H. 3, S. 19–30; M. Enzinger, in: Alm. d. Österr. Ak. d. Wiss. 113, 1963 (1964), S. 385–415 *(W-Verz., L, P);* W. Volke, H. v. Hofmannsthal u. J. N. in Briefen, in: Jb. d. Dt. Schillerges. 18, 1974, S. 37–88; M. Kob, J. N. im Urteil d. Dichter, Diss. Innsbruck 1977; A. Frisé (Hrsg.), R. Musil, Briefe, 1901–41, 1981; S. Meissl, Germanistik in Österreich, in: F. Kadrnoska (Hrsg.), Aufbruch u. Untergang, Österr. Kultur zw. 1918 u. 1938, 1981, S. 475–96; ders., Stamm, Volk, Rasse, Reich, Üb. J. N.s lit.wiss. Position, in: K. Amann u. A. Berger (Hrsg.), Österr. Lit. d. 30er J., 1985, S. 130–46; ders., Der „Fall N." 1945–50, in:

Verdrängte Schuld, verfehlte Sühne, Entnazifizierung in Österreich 1945–55, 1986, S. 281–301; K. Hopf, Hermann Bahr u. J. N., in: Vj.Schr. d. A.-Stifter-Inst. d. Landes Oberösterreich 33, 1984, S. 19–51; Gedenkschr. f. J. N., 1984; H.-Ch. Kraus, in: Jb. d. Albertus-Univ. Königsberg, 1994, S. 1–15; G. Schuster (Hrsg.), R. Borchardt, Ges. Briefe, IV u. V, 1995; A. Berger, Der tote Dichter u. sein Prof., Weinheber u. N. in d. Diskussion 1945, in: W. Schmidt-Dengler u. a. (Hrsg.), Konflikte – Skandale – Dichterfehden, 1995, S. 191–201; U. Wyss, Lit.landschaft u. Lit.gesch., Am Beispiel R. Borchardts u. J. N.s, in: Interregionalität d. dt. Lit. im europ. MA, hrsg. v. H. Kugler, 1995, S. 45–63; W. Schmidt-Dengler, Nadler u. d. Folgen, Germanistik in Wien 1945 bis 1957, in: Zeitenwechsel, Germanist. Lit.wiss. vor u. nach 1945, hrsg. v. W. Barner u. Ch. König, 1996, S. 35–46; Kosch, Lit.-Lex.³; Teichl; Killy.

Sebastian Meissl, Friedrich Nemec

Nadolny, *Rudolf* (Ps. *Rolf Lodan, Oestling, Ostmann*), Diplomat, * 12. 7. 1873 Groß-Styrlack b. Lötzen (Ostpreußen), † 18. 5. 1953 Düsseldorf-Benrath. (ev.)

V Heinrich (1847–1944) aus G., Gutsbes., dessen Vorfahren bis in d. 14. Jh. als Landwirte in Ostpreußen nachzuweisen sind; M Agnes Trinker (1847–1910), aus Salzburger Emigrantenfam.; ∞ 1905 Änny (1882–1977), T d. Berliner Kaufm. N. N. Matthiessen; S Burkard (1905–68, ∞ Isabella Peltzer, * 1917, Schriftst.), Schriftst. (beide s. Wi. 1968); E Sten (* 1942), Dr., Historiker u. Schriftst. (s. L).

Nach der am Rastenburger Gymnasium 1892 abgelegten Reifeprüfung absolvierte N. bis 1895 ein Jurastudium in Königsberg. Dort schloß er sich dem „Verein deutscher Studenten" an und begann nach dem Referendar- und dem Assessorexamen 1902 die konsularische Laufbahn im Auswärtigen Dienst, die ihn 1903–07 an das Generalkonsulat in St. Petersburg führte und die erste russ. Revolution und die Auswirkungen des russ.-japan. Krieges erleben ließ. Bereits vor dem 1. Weltkrieg mit Sondermissionen nach Persien, Bosnien und Albanien betraut, leitete N. seit Dezember 1914 die Sektion Politik des Generalstabes des Feldheeres, war an diversen Revolutionierungsbestrebungen in den besetzten Gebieten beteiligt und suchte seit Juli 1916 als deutscher Geschäftsträger in Persien die Verbindung nach Afghanistan und die pers. Unabhängigkeit zu sichern. Seit November 1917 kommissarischer Leiter der Ostabteilung des Auswärtigen Amtes, beteiligte er sich – trotz mancher Differenzen mit dem damaligen Staatssekretär Richard v. Kühlmann – an den Friedensverhandlungen in Brest-Litowsk und an der Ausweisung des sowjetruss. Botschaftspersonals aus Berlin am Vorabend der Novemberrevolution. Zunächst Vertreter des Auswärtigen Amtes beim Reichspräsidenten, nahm der damals der DDP nahestehende N. als Chef des Ebertschen Präsidialbüros in der Zeit des innenpolitischen Umbruchs eine Schlüsselstellung ein. Seit Januar 1920 als Geschäftsträger mit der Leitung der Gesandtschaft Stockholm beauftragt, wechselte er im Mai 1924 mit dem persönlichen Rang als Botschafter nach Ankara, wo er vor allem die deutsch-türk. Wirtschafts- und Kulturbeziehungen förderte. Gleichzeitig fungierte er von Februar 1932 bis zum Oktober 1933 als Chef der deutschen Delegation bei der Genfer Abrüstungskonferenz, konnte aber den durch Hitler vollzogenen Austritt des Reiches aus der Abrüstungskonferenz und dem Völkerbund nicht verhindern.

Nach einigen vergeblichen Bemühungen um den Moskauer Botschafterposten – eine solche war im November 1928 nach dem Tod Gf. Brockdorff-Rantzaus am Veto Gustav Stresemanns gescheitert und hatte zu einem Kompetenzkonflikt zwischen dem Außenminister und Reichspräsident v. Hindenburg geführt – gelangte N. im Herbst 1933 an sein Ziel, als er nach Moskau berufen wurde. Trotz einer auf der Rapallo-Tradition basierenden Instruktion mußte er aber bald erkennen, daß seine Versuche einer Normalisierung der durch die Nationalsozialisten belasteten deutsch-sowjet. Beziehungen und der beabsichtigte Ausbau des Berliner Freundschafts- und Neutralitätsvertrages am Widerspruch Außenminister v. Neuraths und Hitlers scheiterten. Daraufhin trat N. am 16. 6. 1934 zurück und betätigte sich seither als Gutsverwalter. Nach der Denunziation eines angeblich prosowjet. Vortrages über „Deutschland und der Osten" in Tilsit wurde er am 13. 4. 1937 in den „dauernden Ruhestand" versetzt. Möglicherweise noch kurzfristig an der Vorbereitung des Hitler-Stalin-Paktes beteiligt, agierte N. 1939–42 als Hauptmann und Major im Oberkommando der Wehrmacht im Stab des Admirals Canaris.

Nach Kriegsende war der parteilose und politisch nicht kompromittierte N. zeitweise Präsident des Deutschen Roten Kreuzes und arbeitete am Institut für Völkerrecht in Berlin. Durch Kontakte mit deutschen Politikern und Repräsentanten der Besatzungsmächte und zahlreiche außenpolitische Memoranden suchte er nach 1945 auf vielfältige Weise – zunächst in der sowjet. Besatzungszone und dann als Mitstreiter der „Gesellschaft für eine Wiedervereinigung Deutschlands" und des „Deutschen Einheitsbundes" auch im Westen – die deutsche Teilung zu verhindern und den Nationalstaat zu erhalten, dem er die Aufgabe einer Brücke zwischen Ost und West zuwies. Wegen seiner bis Herbst 1947 dauernden Verbindung mit der sowjet. Militäradministration in der Presse oft als russ. Agent diffamiert, blieb N. mit seinen Bemühungen angesichts des zum Kalten Krieg ausufernden Ost-West-Antagonismus und der Gründung der beiden deutschen Staaten der Erfolg versagt. – Dem ehrgeizig-eigensinnigen, im Auswärtigen Amt nicht unumstrittenen N. gelang weder der große politische Durchbruch, noch erfüllten sich seine Hoffnungen auf eine Übernahme des Außenministeriums. Der national-konservative Bismarckianer genoß jedoch als analytisch begabter Rußlandexperte hohes Ansehen. Als solcher hinterließ er ein vielfältig anregendes publizistisches Œuvre.

W Verkehr nach Rußland, Eine Slg. d. für d. Handels- u. Reiseverkehr nach Rußland zu beobachtenden Vorschriften, Im Anschluß an d. dt.-russ. Handelsvertrag bearb. u. mit Genehmigung d. Auswärtigen Amtes veröff., 1908, ²1913; Germanisierung od. Slavisierung? Eine Entgegnung auf Masaryks Buch: Das neue Europa, 1928; Dtld. v. draußen u. unsere außenpol. Verantwortung, Ein Schulungsvortrag, 1934; Mein Beitrag, 1955 (Autobiogr., P), erweitert u. d. T.: Mein Beitrag, Erinnerungen e. Botschafters d. Dt. Reiches, ²1985, hrsg. v. G. Wollstein (P); Völkerrecht u. dt. Frieden, 1949. – Bibliogr.: Verz. d. publizist. Arbeiten (Nachlaß Nadolny im Pol. Archiv d. Auswärtigen Amtes, erstellt durch H. Eilsberger).

L S. Nadolny, Abrüstungsdiplomatie 1932/33, Dtld. auf d. Genfer Konferenz im Übergang v. Weimar zu Hitler, 1978; G. Wollstein, R. N., Außenminister ohne Verwendung, in: VfZ 28, 1980, S. 47–93 (Bibliogr.); H. v. Herwarth, Zwischen Hitler u. Stalin, 1982, S. 93–96; Das Dt. Führerlex., 1934 (P); Rhdb. (P); Kosch, Biogr. Staatshdb.; Altpreuß. Biogr. III.

Wolfgang Müller

Nadorp, *Franz,* Zeichner, Maler und Graphiker, * 23. 6. 1794 Anholt b. Bocholt, † 17. 9. 1876 Rom. (kath.)

Aus niederländ. Bildhauer- u. Malerfam., seit d. 18. Jh. in A.; V Johann Theodor (1761–1802), Bildhauer u. Maler in A., S d. Johann Franz (1735–98), Bildhauer in A., u. d. Agatha Wilhelmina Königsfeld; Ur-Gvv Johann Theodor (1698–n. 1742), Maler u. Bildhauer in A.; – ledig.

Fürst Constantin zu Salm-Salm (1762–1828) ermöglichte N. 1814 den Eintritt in die Kunstakademie von Prag, wo er bei Joseph Bergler eine Ausbildung als Historienmaler erhielt. Josef Führich, einer seiner Mitschüler, beschrieb N. in seinen Erinnerungen als eine „poetische, geistreiche, etwas heftige Natur". Zunächst mit Zeichnungen nach Antiken und Aktdarstellungen in klassischer Manier beschäftigt, löste sich N. allmählich von den starren Akademieregeln. Studienreisen führten ihn u. a. nach Wien und Dresden. 1822 erhielt er in Prag die goldene Akademiemedaille. Im Sommer 1827 beendete N. seine Ausbildung; im Herbst desselben Jahres begleitete er den Prinzen Franz zu Salm-Salm auf dessen Italienreise und schuf dabei eine Reihe von Stadtansichten und detailgetreuen Landschaftsdarstellungen. Nach der Rückkehr des Prinzen verbrachte N. einige Monate in der Toskana; im Januar 1828 erreichte er Rom, wo er Führich wiedertraf und sich zunächst der Gruppe der Nazarener anschloß. Zahlreiche religiöse Darstellungen bezeugen die Vorliebe N.s für die christliche und antike Kultur. Sein Ziel, als Historienmaler Ruhm und Ansehen zu gewinnen, konnte er jedoch nicht erreichen. Größere Aufträge blieben trotz bedeutender Fürsprecher aus; nach dem Tod seines Mäzens mußte sich N. seinen Lebensunterhalt mit Zeichenunterricht in vornehmen Familien Roms verdienen. Es entstanden reizvolle Ansichten der Villen der Umgebung sowie Porträts von Familienangehörigen seiner Schüler. N. gehörte zu den Mitbegründern des „Römischen Künstlerbundes" (1829) und des deutschen Künstlervereins (1845), für den er auch die Vignette entwarf. In vielen Skizzen und Zeichnungen schilderte er das gesellige Leben seiner Kunstbrüder, wie z. B. das Cervarofest 1832 und die jährlichen Frühlingsfahrten der Ponte-Molle-Gesellschaft. Die Jahre 1840–50 waren seine fruchtbarsten; danach wurden seine Skizzenbücher jedoch immer mehr zu Dokumenten persönlicher, zunehmend bedrückender Erlebnisse.

Im August 1862 reiste N. in seine Heimat, kehrte aber – nach erfolglosen Bemühungen um eine Unterstützung – über Antwerpen und London wieder nach Rom zurück. Von dem romantischen Schwung und dem großen Gestus seiner früheren Zeichnungen war nichts mehr zu erkennen. Auf eine neuerliche Initiative des mit ihm befreundeten deutschen Buchhändlers in Rom, Joseph Spithöver, in Anholt bewilligte Alfred I. (1814–86) 1876 schließlich eine Leibrente; N. starb jedoch im September desselben Jahres. Vereinbarungsgemäß ging sein gesamter Nachlaß an die Fürsten zu Salm-Salm über.

W 517 Zeichnungen, 122 Aquarelle, 26 Lith., 29 Ölgem., 70 Skizzenbücher, 8 Kupferplatten u. 16 Gipsmodelle in Isselburg-Anholt (Wasserburg Anholt, Hist. Kunstslgg. d. Fürsten zu Salm-Salm).

L J. v. Führich, Lebenserinnerungen, o. J., S. 38; N. Didier, Übersicht d. Nachlasses in Anholt, 1921; C. Nitsch u. C. Roessing, Oeuvre-Verz. d. Nachlasses in Anholt, 1993; H. W. van Os u. a., Der Zeichner F. N. 1794–1876, e. romant. Künstler aus Anholt, 1976 *(P);* B. Bosse, in: Kreisjb. d. Kreises Borken, 1987, S. 141–44 *(P);* Künstlerleben in Rom, Ausst.-kat. Nürnberg, 1991; ThB.

P Mehrere Selbstbildnisse (Ölgem. u. Zeichnungen) im Nachlaß.

Duco van Krugten

Näf, Seidenfabrikanten. (ref.)

1) **N.-***Enz, Johannes,* * 14. 10. 1826 Kappel am Albis Kt. Zürich, † 16. 1. 1886 Zürich.

Aus bäuerl. Fam. in K., d. seit d. 16. Jh. Bürgerrecht d. Stadt Z. besaß u. seit 1680 d. Zunft „Zur Meisen" angehörte. – *V* Hans (Johann) Rudolf (1788–1865), Landwirt, Branntweinhändler u. Seidenfabr., *S* d. Hans Rudolf (1758–1851), Landwirt, u. d. Barbara Weber (1762–89); *M* Regula (1798–1874), *T* d. Hans Rudolf Gallmann (1747–1813), Landwirt, u. d. Barbara Hägi (1754–1832) aus K.; *B* Rudolf (s. 2), Gottlieb N.-Hegetschweiler (1833–84), Seidenfabr. in K.; – ∞ Altstätten Kt. St. Gallen 1851 Anna Elisabetha (1829–99), *T* d. Hans (?) Conrad Enz (1805–62) aus Herisau Kt. Appenzell Außerrhoden, Unternehmer in Gais, u. d. Anna Küng (1807–82); *Gvv d. Ehefrau* Johann Conrad Enz († 1825), Großrat, betrieb in Herisau d. erste Baumwollspinnerei in Kt. Appenzell Außerrhoden; 2 *S*, 4 *T*, u. a. Edwin Naef-Michel, Gründer e. Seidenweberei in Linden (New Jersey, USA).

2) **N.-***Gallmann, Rudolf,* * 17. 1. 1829 Kappel am Albis, † 3. 12. 1883 Zürich.

B Johannes (s. 1); – ∞ Kappel 1854 Anna Barbara (1828–94), *T* d. Hans (?) Kaspar Gallmann (1790–1866), Landwirt u. Armenpfleger, u. d. Barbara Steinmann (1794–1881) aus K.; 2 *S*, 4 *T*.

Die Brüder dürften in Kappel aufgewachsen sein und dort die Dorfschule besucht haben. Johannes ergänzte 1846 seine Schulbildung an einer Privatschule in Zürich, während Rudolf in einer Seidenfirma eine Lehre absolvierte. Ihr Vater führte neben dem Landwirtschaftsbetrieb ein Branntweingeschäft und war auch im Seidengeschäft tätig. 1846 ließ er die Firma „Johann Rudolf Näf" in Kappel für die „Fabrication von Seiden- und Halbwollen-Stoffen" in das Handelsregister eintragen. Johannes und Rudolf arbeiteten darin von Anfang an mit, während ihr jüngerer Bruder Gottlieb wohl etwas später eintrat. Schon 1851 wurden Johannes und Rudolf Teilhaber, die Firma in „Joh. Rud. Näf & Söhne" umgewandelt und die Produktion auf Seidenstoffe begrenzt. Die Anfänge waren bescheiden: Bis 1852 unternahmen die Brüder zum Verkauf der Seidentücher Geschäftsreisen zu Fuß bis nach Württemberg und Bayern. Erst 1853 wurden in einer Scheune eine kleine Webstube sowie Geschäftsräume eingerichtet, der Großteil der Produktion erfolgte jedoch in Heimweberei in der Umgebung. In diesen Jahren waren die Brüder auch in der Gemeinde aktiv. 1857–61 wohnte Johannes mit seiner Familie in Gais. Hier versuchte er, wohl zusammen mit seinem Schwiegervater, in dem von der Krise 1857 betroffenen Appenzellerland eine Ferggerei der Firma Näf für Seidenweberei einzurichten, letztlich ohne Erfolg. Rudolf führte den Betrieb in Kappel weiter. Anfang der 60er Jahre, nach der von England durchgesetzten Freihandelspolitik, reiste er nach London und knüpfte Beziehungen zu den ersten engl. Handelshäusern an, was für das Unternehmen den Durchbruch bedeutete.

Nach dem Tode des Vaters 1865 führten Johannes und Rudolf das Unternehmen als solidare Teilhaber weiter, Gottlieb erhielt Prokura. Im selben Jahr verlegten sie den Geschäftssitz nach dem Bezirkshauptort Affoltern am Albis an die 1864 eröffnete Bahnlinie Zürich-Zug und errichteten dort ein kleines Fabrikgebäude. In den Räumlichkeiten wurde bis in die 80er Jahre hinein nur gezettelt und gespult. Die Winderei und die Weberei wurden wie bisher in Heimarbeit in der näheren Umgegend, zunehmend auch in den entfernter liegenden ländlichen Niedriglohngebieten der Innerschweiz mit Ferggereien (Arbeitszentren) betrieben. Hier entstanden die für den Export bestimmten leichten Zürcher Tafte. Diese Produktion von Massenartikeln in Heimweberei mit billigen Arbeitskräften unter den Bedingungen des Freihandels führten in der Firma, wie in der Zürcher Seidenindustrie insgesamt, zu einer stetigen Ausweitung von Handelsbeziehungen und -volumen: 1859–82 stieg die Bilanzsumme um das Neunfache. 1872 verlegte die Firma ihren Sitz nach Zürich, wo sie an der Bahnhofstraße ein Geschäfts- und Wohnhaus erbauen ließ. Hier zogen auch Johannes und Rudolf mit ihren Familien ein. Auf die aufkommende Schutzzollpolitik reagierte Rudolf, indem er 1881 in Säckingen eine mechanische Seidenweberei einrichtete, 1882 gründete sein Sohn Edwin Naef-Michel eine Seidenweberei in Linden (New Jersey). An beiden Unternehmen war Johannes nicht beteiligt, da er

Konkurrenz für die Stammfirma befürchtete. 1883 trennten sich die Brüder: Johannes stand mit seinen Söhnen den späteren „Seidenstoffwebereien vormals Gebrüder Näf AG" mit dem Betrieb in Affoltern vor. Rudolf führte die Fabriken in Säckingen und Linden weiter, die nach seinem Tod von seinem Sohn übernommen wurden, die spätere „Seidenwarenfabrik vormals Edwin Naef A.-G." Dazu kam schon 1884 die 1883 von Gottlieb in Hedingen Kt. Zürich gegründete Seidenwebereifabrik. Beide Firmen wurden in den 90er Jahren in Aktiengesellschaften umgewandelt und durch Tochterfirmen im Ausland erweitert. Damit war die Periode des patriarchalisch geführten Familienbetriebs beendet, die das unternehmerische Wirken der Brüder Johannes und Rudolf N. prägte.

L E. Usteri, Die Webereien d. Fam. N. v. Kappel u. Zürich, 1846–1946, 1946; ders., Kappel u. d. Fam. N., 1951; ders., Naefsche Seidenunternehmungen in USA, in: Zürcher Taschenbuch auf d. J. 1965, S. 118–47; H. R. Schmid, J. N.-E. (1826–86), in: Schweizer Pioniere d. Wirtsch. u. Technik, XI, 1960, S. 9–28 (*P* v. Johannes).

Markus Bürgi

Näf, *Matthias,* Verleger, Textilfabrikant und Kaufmann, * 14. 5. 1792 Schwarzenbach b. Wil Kt. St. Gallen, † 29. 12. 1846 Niederuzwil Kt. St. Gallen. (ref.)

V Matthias (1764–1834), Baumwollweber; *M* Susanne Riemensperger (1769–1800), *T* e. Bauern aus Schwarzenbach; ∞ 1) 1816 Anna Maria Wetter (1785–1833), Magd, 2) 1833 Susanna Gähwiler (1770–1874), *Wwe* d. Johannes Weber, Müller in Uzwil; 9 *K* (6 früh †), u. a. Johann Jakob (1817–80), Anna Maria (1819–90), Maria Verena (1822–81), führten d. Unternehmen fort.

Nach dem frühen Tod der Mutter mußte N. mit seinen Brüdern dem Vater beim Weben helfen. Als der Vater, der mehr im Wirtshaus als daheim am Webstuhl saß, 1805 den Haushalt auflösen und sich als Knecht verdingen mußte, kam N. zu einem verwandten Bauern nach Oberuzwil, für den er als Knecht und Weber arbeitete. 1811 trat er als Weberknecht in den Dienst des Oberuzwiler Fabrikanten Hans Jakob Spitzli. Mit seiner Arbeitsdisziplin und seinem bescheidenen Lebenswandel ersparte er sich bis 1816 1100 Gulden. 1820, nach dem Tod von Spitzli, vermittelte ihm dessen Witwe einen Auftrag für einen Kaufmann in Herisau. Das Geschäft glückte, worauf N. auf eigene Rechnung zu produzieren begann. Die ersten zwei Weber, die er beschäftigte, waren sein Bruder Jakob und ein Bekannter. Der Ausbau des Unternehmens war nicht einfach. Die immer wiederkehrenden Stockungen und Krisen des Marktes machten N. als Aufsteiger aus der Unterschicht mußte er zunächst ohne Fremdkapital auskommen. Dank seiner Geschicklichkeit, seinem Fleiß und seiner Solidität genoß er als Fabrikant aber schon bald einen guten Ruf. Das Unternehmen in Niederuzwil wuchs. Zunächst beschränkte sich N. auf die Weißweberei, um 1825 weitete er die Produktion auf die Buntweberei aus, wenig später auf die Jacquard-Weberei. Erst spät stellte er einen Buchhalter ein.

Mit dem Bau der ersten Färberei 1826 begann N. eine Reihe von Erweiterungen seines Unternehmens, mit denen er – ausgenommen das Bleichen – nach und nach den ganzen Produktionsprozeß in seinem Gewerbe bei sich konzentrierte. Die Bauten waren: 1828 eine neue Färberei, 1833 eine Zettlerei, 1835 eine Weberei (28 Jacquard-Handwebstühle), 1837 eine Spinnerei (4080 Spindeln), 1839 eine Appretur, 1841 ein Lufttrockenturm und eine Sengerei, 1842 eine zweite Jacquard-Weberei (in Algetshausen), 1845 eine neue Färberei. Ein Dampfkessel mit Dampfmaschine machte ihn 1843 vom Wasserstand des Bachs unabhängig. In den 1830er Jahren nahm N. auch den Verkauf selbst in die Hand, seine Buntwaren gingen vor allem in die Nahen und Fernen Osten. Sein Unternehmen beschäftigte schließlich über 2000 Menschen: ca. 200 Arbeiter in den Fabriken von Niederuzwil und Algetshausen, ca. 1000 Heimweber im Untertoggenburg und in der Gegend von Mörschwil sowie etliche hundert Spuhler, meist ältere Leute und Kinder. N. war – wie die meisten Unternehmer seiner Zeit – ein autoritärer und patriarchalischer Fabrikherr. Auf seinen landwirtschaflichen Gütern beschäftigte er Angehörige seiner Arbeiter. In Niederuzwil saß N. in der Schulpflege und im Gemeinderat, 1830 war er Verfassungsrat, 1846 Kantonsrat. Sein Aufstieg vom einfachen Weberknecht zum führenden Textilunternehmer ist für seine Zeit einmalig. Mit Energie und Zähigkeit erarbeitete N. sich die Fähigkeiten, Kenntnisse und Beziehungen, die in den großen Fabrikantenhäusern Toggenburgs (Mettler, Anderegg, Raschle) selbstverständlich waren. Seine Lebensgeschichte diente der Literatur des 19. Jh. als Exempel dafür, daß man es nur mit Arbeit, Fleiß und Sparsamkeit im Leben zu etwas bringt. N.s Nachkommen führten die Firma als Familienbetrieb weiter. 1910 ging sie an den Textilindustriellen Peter Zweifel, der sich auf die 1864 erbaute mechanische Buntweberei

Felsegg bei Henau konzentrierte und die übrigen Gebäude und Liegenschaften nach und nach verkaufte.

L ADB 23; J. M. Hungerbühler, Der Toggenburger Fabr. aus d. 1. Hälfte d. 19. Jh., dargest. in d. Leben d. M. N. v. Niederutzwyl, in: Verhh. d. st. gall.-appenzell. gemeinnützigen Ges., 1855; O. Widmer, Niederuzwil u. d. Haus M. N., in: Untertoggenburger Neujahrsbll. 1935/36, S. 32–47 (mit Stammtafeln); Adolph Näf, in: Heimatbuch, 1955, S. 226–30; A. Tanner, Das Schiffchen fliegt – d. Maschine rauscht, 1985, S. 53–56 *(P)*; ders., Vom Weberknecht z. Unternehmer, in: Toggenburger Ann. 1986, S. 61–66 *(P)*.

Peter Müller

Näf, *Werner,* Historiker, * 7. 6. 1894 St. Gallen, † 19. 3. 1959 Gümligen b. Bern. (ref.)

V Gustav (1847–1930), in Budapest geboren, Kaufm. u. a. in Hinterindien, seit 1890 Bürger v. St. G.; M Hermine Billwiller (1860–1922); Om Karl Reinhold Billwiller (1850–1919), Kaufm., Bez.- u. Kt.richter in St. G. (s. HBLS); *Stief-Schw* Anna Rosalie (1883–1923), ⚭ Karl August Wegelin, 1879–1968, Prof. f. Pathologie in B.); – ⚭ 1920 Hanna (1885–1962), Heilgymnastikerin, T d. Emanuel Linder, Pfarrer in Basel, u. d. Elisabeth Baader; kinderlos; N d. Ehefrau Heinz Haffter (* 1905), o. Prof. f. klass. Philologie in Zürich.

N. besuchte das Humanistische Gymnasium seiner Vaterstadt und studierte seit 1914 in Genf, Berlin und München Geschichte, Latein und Germanistik. 1917 wurde er in München mit der Dissertation „Der Schweizer Sonderbundskrieg als Vorspiel der deutschen Revolution von 1848" bei Erich Marcks zum Dr. phil. promoviert. Nach einer Lehrtätigkeit an der Töchterschule und an der Handelshochschule in St. Gallen folgte N. 1925 einem Ruf auf den Lehrstuhl für Allgemeine Geschichte an der Univ. Bern (1947/48 Rektor). Als Vizepräsident des Nationalfonds zur Förderung der wissenschaftlichen Forschung und als Mitglied der Eidgenössischen Maturitätskommission übte er einen beachtlichen Einfluß auf die Bildungspolitik seines Landes aus.

Seine Vorlesungen fanden ihren Niederschlag in der Sammlung „Staat und Staatsgedanke" (1935) und in dem zweibändigen Werk „Die Epochen der Neueren Geschichte" (1945 f.), mit dem sich N. bewußt auch an gebildete Laien wandte, denen Geschichte noch als unentbehrliche geistige Orientierung galt. Grundlage beider Werke ist der universalhistorische Ansatz, mit dem N. einer provinziellen Verengung der Schweizer Historiographie gegenzusteuern versuchte. Derselben Intention sollten die von ihm 1943 gegründete und herausgegebene Zeitschrift „Schweizer Beiträge zur Allgemeinen Geschichte" und die Editionsreihe „Quellen zur neueren Geschichte" sowie seine Mitarbeit in der Commission internationale pour l'histoire des assemblées d'états dienen. Überzeugt von einer organischen Einheit zwischen schweizerischer und allgemeiner Geschichte, begab sich N. schon früh auf das Feld außerschweizerischer Themen, wenn er die Bemühungen der Heiligen Allianz um eine gesamtschweizerische Organisation schilderte (1944), Bismarcks Außenpolitik untersuchte (1925) und sich in die Diskussion um die Kriegsschuldfrage einschaltete (1932 bzw. 1934 f.). Die vielfältige Beschäftigung mit der Geschichte seiner Heimatstadt gipfelte in der Biographie über den Humanisten, Reformator und Bürgermeister von St. Gallen Joachim von Watt (Vadian und seine Stadt St. Gallen, 1944). Sie zeugt von N.s Verankerung im Protestantismus und seiner subtilen Kenntnis des Humanismus. – Mitgl. d. Hist. Komm. b. d. Bayer. Ak. d. Wiss. (1947); Reuchlinpreis (1955).

Weitere W u. a. Die Schweiz u. d. dt. Rev., 1929; Staat u. Staatsgedanke, 1936; Wesen u. Aufgabe d. Univ., 1951. – *Nachlaß:* Vadiana, St. Gallen.

L Schweizer Btrr. z. Allg. Gesch. 18/19, 1961 *(W-Verz., P)*; A. Largiadèr, in: Schweizer. Zs. f. Gesch. 9, 1959, S. 240–47; W. Andreas, in: HZ 190, 1960, S. 78–86; E. Bonjour, Die Schweiz u. Europa, II, 1961, S. 167–71; R. Feller u. E. Bonjour, Gesch.-schreibung d. Schweiz, II, ²1979, S. 790–92; P. Wegelin, Stadtrepublik u. Weltgesch., W. N. (1894–1959) u. sein Werk, 1994 *(W, L, P)*; HBLS; Kosch, Biogr. Staatshdb.; Wolfgang Weber, Biogr. Lex. z. Gesch.wiss., ²1987; R. vom Bruch u. A. R. Müller (Hrsg.), Historikerlex., 1991.

P Büste (Vadiana, St. Gallen)

Edgar Bonjour †

Nägel, *Adolph,* Maschinenbauer, * 16. 12. 1875 Döhlen b. Freital Bez. Dresden, † 17. 9. 1939 Dresden. (ref.)

V Andreas (1843–1926), Bergrat, 1873–1907 techn. Leiter d. Sächs. Gußstahlfabr. in Döhlen (s. L), S d. Johann George (1818–50), Land- u. Forstwirt in Waldau b. Kassel, u. d. Anna Elisabeth Schaub (1814–70); M Friederike Auguste (1848–1908), T d. Georg Wilhelm Kollmar u. d. Elise Emilie Jacobi; ⚭ Kassel 1904 Luise (1880–1956), T d. Adolph Jacobi (1847–1927), Kaufm. in Kassel, u. d. Wilhelmine Margarethe Buddelmann (1859–1946); 3 S, Adolph (1905–88), Oberforstmeister in Schondorf,

Andreas (1909–94), Dr. phil., Lektor in Mannheim, Klaus (* 1914), Dipl.-Ing., Baurat, Prof. an d. Fachhochschule Köln.

Nach dem Besuch des Realgymnasiums in Dresden 1886–94 studierte N. Maschinenbau an der TH Dresden. Er unterbrach das Studium zugunsten eines Praktikums in der Maschinenfabrik Gebr. Klein in Dahlbruch bei Siegen und leistete anschließend Militärdienst bei der Artillerie. Danach setzte er sein Studium in Dresden fort, bestand 1903 die Diplomprüfung mit Auszeichnung und wurde erster Assistent am Lehrstuhl für Wärmekraftmaschinen bei Richard Mollier. N. war ein hochbegabter Versuchsingenieur; 1906 wurde er Adjunkt und Privatdozent, 1907/08 führte er Versuche über den Einfluß des Mischungsverhältnisses an der Gasmaschine aus, deren Resultate seine Dissertation wie seine Habilitationsschrift enthalten. 1908 erhielt er die Professur für Kolbenmaschinen, Pumpen und Gebläse sowie die Konstruktion von Gasmaschinen an der TH Dresden. Zusammen mit Mollier maß er 1912–14 im Auftrag des VDI den Wärmeübergang zwischen Dampf und Zylinderwand bei der Gleichstrom-Dampfmaschine. Während des 1. Weltkrieges diente er als Hauptmann der Reserve in der Versuchsabteilung der Kraftfahrtruppen.

Von Mollier auf das noch wenig bearbeitete Gebiet der Verbrennungsmaschinen gelenkt, wandte sich N. in seinem neu eingerichteten Maschinenlaboratorium der Untersuchung des Dieselmotors zu. Sein Labor entwickelte sich zur bedeutendsten Forschungsstätte für Dieselmotoren in Deutschland. N. war inzwischen Mitglied des Forschungsrates beim ersten Reichsverkehrsministerium geworden; seine Schüler waren gefragte Ingenieure in der Industrie. 1926 führte N. bei Junkers in Dessau Versuche mit einem Doppelkolben-Zweitakt-Lastwagen-Dieselmotor aus, die er 1927 in Dresden durch seinen Assistenten Ludwig Richter (1888–1970) fortführen ließ. Anschließend widmete er sich der Entwicklung des gleichartigen Flugdieselmotors in Zusammenarbeit mit Hugo Junkers, Otto Mader und Johannes Gasterstedt († 1937). Es wurde der erfolgreichste Flugdieselmotor, den es je gab. Aber auch mit Karl Maybach, Richard Rosen (* 1901), dem Schweizer Reuter-Sulzer und den Engländern Harry Ricardo und S. J. Davies stand er in Verbindung. 1928 wurde N. in den neugegründeten Deutschen Forschungsrat für Luftfahrt berufen, und der Verein Deutscher Ingenieure (VDI) wählte ihn in den Vorstand. In den 30er Jahren konzentrierte N. seine Forschungen am Dieselmotor auf die Bereiche Kraftstoff-Zerstäubung und -Einspritzung, Zündung und Verbrennung. 1934 übernahm N. auch den Lehrstuhl für Kraftfahrzeuge. Als Otto Holfelder (1902–81) 1932 bei N. über die Strahlzerstäubung promoviert hatte, regte ihn N. zum Entwurf und zum Bau einer größeren Versuchsanlage in seinem Labor an. Außer den Strahlformen sollten hier auch Zündung und Verbrennung photographiert, Temperaturverlauf und Druck mit Piezoquarzen gemessen werden. Diese 1933–45 in Betrieb befindliche Anlage lieferte für die Dieselmotorenforschung fundamentale Versuchsergebnisse. 1934 veranlaßte N. seinen Assistenten Siegfried Meurer, die Meßtechnik der Holfelder-Anlage zu verbessern. Aufgrund der dabei erzielten Fortschritte beauftragte Ludwig Prandtls Göttinger Kaiser-Wilhelm-Institut für Strömungsforschung N. 1938 mit der Entwicklung eines Quarzgebers für Druckindizierungen. 1936 vergab N. an Kurt Blume eine Diplomarbeit über den „Einfluß der physikalischen Kraftstoffeigenschaften auf den Einspritzvorgang". Deren grundlegende Ergebnisse führten zu Blumes Promotion über den Aufspritzvorgang eines Kraftstoffstrahles in heißer Luft an der Brennraum-Wand (1941). Diese Arbeiten lieferten die von N. lange angestrebten Erkenntnisse, bestätigten sein Institut als Zentrum der deutschen Dieselmotorenforschung und bildeten die Grundlage für die künftige Konstruktion der Motorenindustrie. – Rektor d. TH Dresden (1923–25, 1928–30); Dr. rer. pol. h. c. (Berlin 1928), Dr.-Ing. E. h. (TH München 1929); Laval-Denkmünze d. Kgl. Schwed. Ing.-Ak. Stockholm (1927), Goethe-Medaille f. Kunst u. Wiss. (1932), Goldener Ehrenring d. Dt. Mus., München (1932); Mitgl. d. Preuß. Ak. d. Wiss. u. d. Dt. Ak. in München.

W Übersicht üb. d. Probleme, d. zur tieferen Erkenntnis d. Arbeitsvorganges in d. Wärmekraftmaschine d. Lösung bedürfen, o. J.; Ottomotor, in: VDI-Zs. 80, 1936, S. 1289. – Ca. 40 weitere Arbeiten u. a. in: VDI-Zs. 51–82, 1907–38 u. in: Forschung auf d. Gebiet d. Ing.wesens 4–10, 1933–39.

L C. Matschoss, in: VDI-Zs. 83, 1939, S. 1113/14 *(P)*; F. Dreyhaupt, in: Motortechn. Zs., 1939, S. 200 *(P)*; O. Holfelder, ebd. 1965, S. 31 *(P)*; C. Kutzbach, in: FF 1939, S. 390 f.; E. Schmidt, in: Forschung auf d. Gebiet d. Ing.wesens 10, 1939, S. 253 f. *(W, P)*; Jb. d. Preuß. Ak. d. Wiss. 1940, S. 147–51 *(P)*; Zs. f. Flugwiss. 5, 1957, S. 382 *(P)*; G. Buchheim u. R. Sonnemann, Lb. v. Ing.wissenschaftlern, 1989; P. Otto, Techn. Lit.-Kal., ³1929; Kürschner, Gel.-Kal. 1931; DVL-Jb. 1939; Pogg. VII a. – *Zu Andreas:* Stahl u. Eisen 46, II, 1926, S. 1816 *(P)*.

Hans Christoph Graf v. Seherr-Thoß

Nägele. (ev.)

1) *Eugen,* Heimatforscher, * 10. 2. 1856 Murrhardt (Württemberg), † 16. 12. 1937 Tübingen.

V Ferdinand (1808–79), Schlossermeister, Stadtrat u. Stiftungspfleger in M., 1848/49 Mitgl. d. Frankfurter Nat.verslg. (Fraktion „Dt. Hof"), 1848–70 MdL (s. *W, L*), *S* e. Schlossermeisters u. Gastwirts in M.; *M* Luise Kübler (1823–1901), *T* d. Gastwirts „Zum Adler" in M.; ∞ Tübingen 1881 Louise Friederike Letsche, *T* e. Zimmermeisters aus T.; *N* Reinhold (s. 2).

N. besuchte seit 1865 die Lateinschule seiner Vaterstadt und seit 1870 das Seminar in Urach. 1874–78 im Tübinger Stift, studierte er Altphilologie, deutsche Literatur und Geschichte. In der Studentenverbindung „Königsgesellschaft Roigel" lernte er den nachmaligen Germanistikprofessor Hermann Fischer (1851–1920) kennen, an dessen Schwäbischem Wörterbuch er lebhaften Anteil nahm. Einfluß übten ferner die Geologen Friedrich August Quenstedt (1809–89) und Theodor Engel (1842–1933), die Erforscher des Schwäbischen Jura, auf ihn aus. Nach dem Studium kam er als Gymnasiallehrer nach Esslingen und Waiblingen, 1884 nach Geislingen, 1889 nach Tübingen. – Im November 1888 hatte N. maßgeblichen Anteil an der Gründung des „Albvereins" (seit 1888 stellv. Vorstand, 1913–33 Vorstand); 1889–1930 gab er die „Blätter des Schwäbischen Albvereins" heraus, die eine Auflage von fast 100 000 erreichten und N. über Jahrzehnte zur „volkstümlichsten Erscheinung in Württemberg" (Heuss) werden ließen. In ihnen veröffentlichte er eine Fülle anregender heimatgeschichtlicher Abhandlungen. Aufgrund seiner jahrzehntelangen Beschäftigung mit dem Verlauf des röm. Grenzwalls und der röm. Straßen im Bereich der Schwäb. Alb wurde N. 1895 in die Reichs-Limeskommission berufen. 1898 gründete er als stadtgeschichtliches Forum die „Tübinger Blätter", die er bis 1928 redigierte. 1907–18 gehörte N. für die Deutsche Volkspartei (seit 1910 „Fortschrittliche Volkspartei") dem Landtag an, wo er sich in Fragen der Schule, der sozialen Sicherheit und des Naturschutzes engagierte. – Dr. phil. h. c. (Tübingen 1926); Ehrenbürger v. Murrhardt (1926).

Weitere W u. a. Tübingen u. seine Umgebung, 1876, ²1884–89 (3 Hh.); Aus Schubarts Leben u. Wirken, 1888, ²1921; Zur Erinnerung an Ferdinand Nägele, 1908; Alblimes, 1909; Grinario, Das röm. Kastell b. Köngen, 1911; Joh. Georg Fischer, Kurzer Abriß üb. sein Leben u. seine Dichtungen, 1913; Hölderlin in Tübingen, 1933. – *Nachlaß:* Schwäb. Albver., Stuttgart.

L FS z. 70. Geb.tag, hrsg. v. P. Goeßler, 1926 *(W, L, P)*; ders., Prof. E. N., sein Leben u. Wirken, 1947 *(W, L, P)*; Th. Heuss, in: Stuttgarter Ztg., 1947, Nr. 104; A. Vatter, in: Lb. aus Schwaben u. Franken XVI, 1986 *(W, L, P)*. – *Zu Ferdinand:* D. Langewiesche, Liberalismus u. Demokratie in Württemberg zw. Rev. u. Reichsgründung, 1974; Heilbronner Berr. aus d. dt. Nat.verslg. 1848/49, Louis Hentges – F. N. – Adolph Schoder, hrsg. v. B. Mann, 1974; ders., Die Württemberger u. d. dt. Nat.verslg. 1848/49, 1975; ders., in: Stadtvfg. – Vfg.staat – Pressepol., FS f. E. Naujoks z. 65. Geb.tag, hrsg. v. F. Quarthal u. W. Setzler, 1980, S. 349–58.

Franz Menges

2) (seit 1940 *Naegele*), *Reinhold,* Maler und Graphiker, * 17. 8. 1884 Murrhardt (Württemberg), † 30. 4. 1972 Stuttgart.

V Reinhold (1848–1940), Dekorationsmaler in St., *S* d. Ferdinand (1808–79) u. d. Luise Kübler (1823–1901); *M* Albertine Zügel (1862–1924), *T* d. Gastwirts „Zum Engel" in M.; *Ov* Eugen (s. 1); *B* Otto (* 1886), Arzt; ∞ Stuttgart 1921 Alice (1890–1961) aus St., Dr. med., Dermatologin, *T* d. N. N. Nördlinger († 1928); 3 *S,* u. a. Thomas (* 1924, s. *L*); *N* Elisabeth Banzhaf, Leiterin d. Schullandheimes Hallwangen b. Freudenstadt, vermachte ihre Slg. v. Werken N.s d. Schiller-Nat.mus.

N. besuchte das Dillmann-Realgymnasium in Stuttgart und absolvierte 1899–1904 bei seinem Vater eine Malerlehre. Anschließend bildete er sich in der Lehr- und Versuchswerkstätte der Kunstgewerbeschule bei Bernhard Pankok fort und ging als Dekorations- und Kirchenmaler nach Berlin (1905–09), wo er mit Karl Walser (1877–1943) Freundschaft schloß. Der Kunsthändler Paul Cassirer, der Temperabilder N.s ausstellte, bestärkte ihn in seinem Schaffen. 1910/11 hielt sich N. mit dem Bildhauer Jakob Wilhelm Fehrle (1884–1974) in München auf und erlernte die Radierkunst. Die Stuttgarter Schauspielerin Anna Eichholz (1868–1951), zu der er bis 1920 eine Beziehung unterhielt, führte ihn in die literarische und gesellschaftliche Welt des Theaters ein. Anfang 1914 weilte er mit Fehrle in Paris, um die dortige Avantgarde kennenzulernen und sich im Aktzeichnen zu üben. 1915 wurde er zum Landsturm eingezogen und als Militärschreiber nach Böblingen, Stuttgart und Diest (Belgien) abgeordnet. Seit 1919 wieder in Stuttgart, widmete sich N. intensiv der Graphik und der Hinterglasmalerei. Für seine Gemälde verwandte er bevorzugt Temperafarben, die ihm die minuziöse Ausführung von Details erleichterten. Als Malgrund wählte er kleinformatige Tafeln aus Karton oder Sperrholz. Er schloß Freundschaft mit Eduard Reinacher (1892–1968), zu dessen Gedichten er Gemälde und Radierungen fertigte. 1923 gehörte N., obwohl Außenseiter in diesem Kreis, zu den Begründern und jahrelang zum Vorstand der Secession in Stuttgart. 1933 verlor N.s jüd. Frau die Kassenzulassung, 1937 die ärztliche Approbation; N. wurde wegen „jüd. Versippung" aus der Reichskammer der bildenden Künste ausgeschlossen und erhielt Malverbot. Am 25. 8. 1939 emigrierte N., der während der schweren Jahre von dem Bankier Alfred Mörike (1886–1958) und dem Industriellen Hugo Borst (1881–1967) unterstützt worden war, mit seiner Familie nach England, im September 1940 nach New York. Als Angestellter eines Kunstverlages lernte er die Reproduktionsmethode des Siebdrucks kennen; sie regte ihn zu abstrakten Kompositionen an. Das Angebot von Theodor Heuss, eine Professur für Graphik an der Stuttgarter Akademie zu übernehmen (1946), lehnte er ab. 1952 besuchte N. wieder seine Heimat, wo ein Großteil seines Werkes den Bomben zum Opfer gefallen war. Zwei Jahre später wurde in Stuttgart eine Retrospektive seiner Werke veranstaltet. Nach dem Tod seiner Frau kehrte N. 1963 nach Murrhardt zurück.

N. war ein Autodidakt von hoher handwerklicher Präzision, dessen Originalität, Phantasie und distanzierte, liebevoll-ironische Sicht, mit der er die Unzulänglichkeit seiner Umwelt und seiner Mitmenschen aufzeigt, besticht. Vermitteln seine frühen Darstellungen in ihrer feinpinseligen Grazie eine märchenhafte und erotische Stimmung in der Art des Jugendstils, ändert sich dies 1909 mit der „Schwäbischen Hochzeit" und dem „Cannstatter Volksfest". Beide Motive sind aus der Vogelschau gesehen, einer distanzierten Sehweise, die N.s Städte-, Architektur- und Ballonbilder sowie seine Landschaften fortan beherrscht. Suggestiv poetisch wirken seine Nachtansichten mit ihren filigranen Lichterketten. Seine künstlerische Auffassung, die bis Ende der 20er Jahre Anklänge an den Impressionismus zeigt, weist auf die Neue Sachlichkeit und den Surrealismus voraus. Im Spätwerk dominiert die Hinterglasmalerei; bei der Darstellung von Clowns und Schauspielern, arkadischen Szenen und surrealpoetischen Träumen konnte N. seiner Phantasie freien Lauf lassen. – Prof.titel (1952); Ehrenbürger v. Murrhardt (1960).

L R. N., Bilder aus fünf J.zehnten, eingel. v. O. Rombach, mit Btrr. v. H. Borst, J. Eberle, O. Fischer, Th. Heuss u. W. Pfleiderer, 1962; K. Ebert, R. N., 1966 (Fernseh-Porträt); ders. u. Thomas Naegele, R. N., 1987 (Fernseh-Porträt); B. Reinhardt, R. N., mit e. Einf. v. Th. F. Naegele, Werkverz. v. B. Reinhardt u. D. Hannemann, 1984 *(W, L, P)*; R. N., Exlibris, Werkverz. d. Exlibris, mit e. Einf. v. E. Schutt-Kehm, zusammengestellt v. Th. Naegele, 1989. – *Ausst.kat.:* Stuttgart 1954 (Württ. Kunstver.), Ulm 1963 (Kunstver.), Stuttgart 1969 (Staatsgal., Gal. d. Stadt u. Kunsthaus Schaller), Stuttgart 1984 (Staatsgal. u. Gal. d. Stadt), Albstadt 1995 (Städt. Gal.); ThB.

Franz Menges

Naegele, *Franz Carl Joseph,* Geburtshelfer, Gynäkologe, * 12. 7. 1778 Düsseldorf, † 21. 1. 1851 Heidelberg. (kath.)

V Joseph (1741–1813), kurpfalz.-bayer. Stabschirurg, Lehrer d. Anatomie u. Chirurgie an d. militärärztl. Schule in D.; *M* Magdalena Winter († 1807); ∞ 1806 Johanna Maria Anna (1784–1857), *T* d. Franz Anton May (Mai) (1742–1814), Prof. f. Med. in H. (s. ADB 21; *L*), u. d. Seraphina Sylvia v. Verschaffelt (1752–1807); 5 *K,* u. a. Hermann (1810–51), Prof. f. Med. in H. (s. *L*).

N. begann seine Studien unter Leitung seines Vaters in Düsseldorf und studierte danach in Straßburg, Freiburg (Breisgau) und Bamberg, wo er 1800 promoviert wurde. Anschließend ließ er sich in den Ämtern Barmen und Beyenburg als Physikus nieder. Dort beschäftigte er sich vorzugsweise mit Geburtshilfe und Frauenkrankheiten, erteilte angehenden Chirurgen und Hebammen Unterricht und war in der Armenpflege tätig. 1807 wurde er für die Fächer Physiologie und Pathologie zum ao. Professor an die Univ. Heidelberg berufen; 1810 wurde er dort o. Professor und Direktor der Heidelberger Entbindungsanstalt als Nachfolger seines Schwiegervaters. Seit 1813 war er auch Oberhebearzt des Neckar-, Main- und Tauberkreises.

N. gilt als Urheber einer streng systematischen Darstellung der Geburtshilfe. Sein besonderes Augenmerk widmete er dabei dem methodischen Aufbau des Faches. Er bestimmte dessen Grenzen und gab eine Definition der „gesundheitgemäßen" und der „fehlerhaften" Schwangerschaft und Geburt; als geburtshilflichen Grundsatz empfahl er, die Naturkräfte so lange wie möglich walten zu lassen. In seinen Forschungen legte er die Grundlage für die Darstellung des normalen Geburtsmechanismus und erweiterte die anatomischen und physiologischen Kenntnisse vom weiblichen Becken. So erkannte N., daß die Neigung des Beckens (inclinatio pelvis) in der Regel 60 Grad beträgt und korrigierte hierin die herrschende Forschungsmeinung. Darüber hinaus sind ihm viele neue Kenntnisse über die Beckenhöhle, das schräg verengte und das exostotische Becken zu verdanken. 1812 publizierte N. eine „Schilderung des Kindbettfiebers", das 1811/12 in der Heidelberger Entbindungsanstalt geherrscht hatte. Im selben Jahr veröffentlichte er eine Sammlung von Aufsätzen mit dem Titel „Erfahrungen und Abhandlungen aus dem Gebiete der Krankheiten des weiblichen Geschlechts, nebst Grundzügen einer Methodenlehre der Geburtshülfe", die neben einer längeren Abhandlung zur Methodik der Geburtshilfe u. a. Arbeiten zur Menstruation und zur Zurücklegung der schwangeren Gebärmutter (retroversio uteri) umfaßt.

1830 erschien N.s „Lehrbuch der Geburtshülfe für die Hebammen" (^{14}1883). Neben der Darstellung der anatomischen und physiologischen Mechanismen von Schwangerschaft, Geburt und Wochenbett bietet es den Hebammen Anhaltspunkte, in welchen Fällen der „fehlerhaften" Geburt ein Arzt zu rufen sei. Damit wollte N. den Wirkungskreis der Hebammen begrenzen. Medizinhistorisch und wissenschaftssoziologisch ist er damit in den Prozeß der Etablierung der Superiorität der Ärzteschaft gegenüber dem Hebammenstand einzuordnen, da seit dem ausgehenden 18. Jh. die Ärzte und deren naturwissenschaftliches Wissen den Tätigkeitsbereich und die Wissensform der Hebammen entscheidend bestimmten und strukturierten. Gleichwohl verblieb N. im Rahmen der „traditionellen" Berufsauffassung der Hebammen, insofern als die Hebamme auch für ihn durch moralische Tugenden für die Ausübung ihres Berufes qualifiziert sein mußte. – bad. Hofrat (1815), Geh. Hofrat (1821).

W u. a. Btr. zu e. naturgeschichtl. Darst. d. krankhaften Erscheinung am thier. Körper, welche man Entzündung nennt, 1804; Über d. Zweck, Nutzen u. d. Einrichtung v. Armenanstalten, 1807; Über d. Mechanismus d. Geburt, 1822; Das weibl. Becken, betrachtet in Beziehung auf seine Stellung u. d. Richtung seiner Höhle nebst Beyträgen. z. Gesch. d. Lehre v. d. Beckenachsen, 1825; Das schräg verengte Becken nebst e. Anhange üb. d. wichtigsten Fehler d. weibl. Beckens überhaupt, 1839.

L ADB 23; Meusel, Gel. Teutschland, VI, S. 802 f.; F. A. Kehrer, in: Heidelberger Professoren d. 19. Jh., II, 1903, S. 116–28; E. Stübler, Gesch. d. med. Fak. d. Univ. Heidelberg 1386–1925, 1926 *(P)*; Chronik d. Ärzte Heidelbergs, Ein Fragment, 1985, S. 138, 254 ff. *(P);* D. Drüll, Heidelberger Gelehrtenlex. 1803–1932, 1986 (auch zu *Hermann N.* u. *Franz Anton Mai*).

Stefan Büttner

Naegeli, *Hans Franz,* Berner Ratsherr, * 1496 Aelen (Aigle) Kt. Waadt, † 9. (3.?) 1. 1579 Bern. (ref.)

Aus Berner Ratsgeschl., d. aus Klingnau (Aargau) stammt, seit Ende d. 15. Jh. z. städt. Patriziat zählte u. 1741 mit d. Ohmgeldner Rudolf erlosch. – *V* Hans Rudolf († 1522), auf Münsingen, Ratsherr zu B., Landvogt in A., 1506–09 in Thun, zeitweise in päpstl. u. franz. Diensten, *S* d. Burkhard, seit 1444 Mitgl. d. Kl. Rates zu B.; *M* N. N.; *B* Sebastian († 1549), Chorherr in Neuenburg, 1526 Stiftspropst in B., schloß sich 1528 d. Ref. an, d. er, seit 1536 Landvogt in Lausanne, bes. in d. Waadt rücksichtslos durchsetzte; – ∞ N. N.; *K,* u. a. Burkhard († 1574), in kaiserl. Diensten, dann Landvogt in Ternier u. Romainmôtier, Benedikt (1539–77), Landvogt in Aarburg, dann in Diensten d. Prinzen v. Condé, Magdalena, Gattin dreier Schultheißen (u. a. ∞ Johannes Steiger, 1518–81); *Nachfahren* Hans Rudolf († 1702), Stiftschaffner in Zofingen, Burkhard (1658–1715), Landvogt in St. Johannsen u. Oberhofen, Hans Franz († 1724), Gubernator in Peterlingen.

Von den Zeitgenossen als imposante Erscheinung gerühmt, trat N. in den päpstl. Militärdienst. 1522 wurde er Mitglied des Großen, 1529 des Kleinen Rates in Bern, 1533 Sekkelmeister und war schließlich 1540–68 Schultheiß. 1531 befehligte N. die bernischen Truppen gegen den Kastellan von Musso sowie im 2. Kappelerkrieg 1536 gegen Savoyen. Damals eroberte er, ohne eigene Verluste beklagen zu müssen, im Handstreich die Waadt. „Der Bär flog", sang man im siegreichen Bern. Um Genf und die savoyische Provinz Chablais vor der Begehrlichkeit des franz. Königs Franz I. zu sichern, eroberte N. auch das Südufer des Genfer Sees, so daß dieser ein schweizerisches Binnengewässer wurde. Als die internationale Mächtekonstellation sich zu Ungunsten Berns veränderte und der Herzog von Savoyen die Rückgabe seiner Erblande forderte, wobei er Rückhalt beim Kaiser, bei Frankreich und Spanien gewonnen hatte, mußte Bern einlenken. Gegen den Willen seiner Landsleute schloß N. 1564 den Frieden von Lausanne, wonach Bern zwei Drittel seiner Eroberungen von 1536 wieder zurückgeben mußte. – Durch Kauf und Heirat erwarb N. einen ausgedehnten Güterbesitz, u. a. Bremgarten; das Schloß in Münsingen ließ er renovieren und ausbauen. Seine militärischen und politischen Führungsqualitäten sowie seine Beredsamkeit wurden hoch gerühmt. Weitschauend und streng, aber ohne persönliche Wärme bestimmte er vier Jahrzehnte lang die Geschicke Berns.

L ADB 23; R. v. Sinner, in: Berner Taschenbuch 1873, S. 1–114; R. Feller, Gesch. Berns II, 1953; HBLS *(P).*

Edgar Bonjour †

Naegeli, *Hans Georg,* Musikverleger und -pädagoge, * 26. 5. 1773 Wetzikon Kt. Zürich, † 26. 12. 1836 Zürich. (ref.)

Die Fam. besaß seit 1605 Bürgerrecht in Z. u. gehörte d. Schneidernzunft an; *V* Hans Jakob (1736–1806), Pfarrer u. Leiter d. Musikkollegiums in W., seit 1798 Schulinsp. (s. HBLS), *S* e. Pfarrers; *M* Emerentiana (1734–1810), *T* d. N. N. Wirz, Pfarrer in Z.; ∞ 1805 Anna Elisabeth (Lisette) Rahn (1784–1862), *T* e. Buchbinders; 4 *S* (2 früh †), 2 *T* (1 früh †), u. a. Hermann (1811–72), als Musikalienhändler Nachf. N.s, Pianist u. Komp., Ottilie (1807–75), Sängerin (s. *P*).

N. gründete nach musikalischer Ausbildung durch den Lavater nahestehenden J. D. Brünings 1791 in Zürich eine Musikalienhandlung und -leihbibliothek, der er einen Musikverlag anfügte. Nach anfänglichen Erfolgen, die mit dem Erstdruck des Liedes „Freut euch des Lebens" einsetzten, folgte nach 1800 der Niedergang. 1807 mußte N. die Leitung der Firma dem um seine Investitionen bangenden Pfarrer J. Ch. Hug abtreten und nach einem Prozeß gegen diesen 1818 ganz aus dem Geschäft ausscheiden. Er gründete aber sogleich eine neue Musikalien- und Verlagshandlung. Diese wurde durch seinen Sohn weitergeführt, ging aber 1849 ebenfalls an Hug über.

Aus N.s frühen verlegerischen Produktionen, vor allem Liedersammlungen und Klavierkompositionen, ragen zwei auf musikalischen Kontrast angelegte Reihen hervor: Die „Kunstwerke der strengen Schreibart" (1801 ff.), die N. vor allem mit dem Druck Bachscher Kompositionen bestritt, und das „Répertoire des Clavecinistes" (1803 ff.), in dessen virtuose und künstlerisch-freie Ausrichtung sich auch die Originalausgaben von Beethovens drei Sonaten op. 31 einfügten; erst 1833 sollte die schon 1818 angekündigte Teil-Erstausgabe der Bachschen h-moll-Messe folgen. An äußerem Umfang wurden die Editionen dieser Art jedoch übertroffen durch ein seit 1808 herausgebrachtes riesenhaftes Corpus von musikpädagogischer Vokalmusik: 1807 war N., nachdem er schon 1805 mit der Gründung eines „Zürcherischen Singinstituts" pädagogisch tätig geworden war, zu einem überzeugten Anhänger Pestalozzis geworden. Das Anliegen, in der Breite Menschen durch Musik zu bilden, ließ ihn zu einem Begründer und Anreger des Chorwesens in der deutschsprachigen Schweiz werden („Sängervater N."). Die nötige – auch von Dilettanten ausführbare – Gesangsliteratur verschiedenster Art schuf und publizierte er weitgehend selbst, ebenso die theoretischen musikpädagogischen Grundlagen, hierbei vor allem die zusammen mit Michael Traugott Pfeiffer geschaffene mehrbändige „Gesangbildungslehre nach Pestalozzischen Grundsätzen" (1810/21/32). Seit 1831 war N. für verschiedene Schweizer Kantone auch als pädagogischer Gutachter tätig.

Vom Pestalozzianismus aus muß auch manches in N.s späterem politischen Wirken als Zürcher Erziehungsrat (seit 1832) und Großrat (1836) verstanden werden; von unerschrockenem, aber auch streitbarem Charakter, der einmal gefaßte Meinungen ungern preisgab, diente N. dem politischen Freisinn. Namentlich dem Schul- und Sozialwesen galten seine Bemühungen; in Publikationen trat der streng gläubige N. überdies für religiöse Toleranz, gegen die Theologie von David Friedrich Strauß und gegen übertriebenen juristischen Formalismus ein. – Musikhistorisch von Gewicht sind, neben zahlreichen kleineren Beiträgen, seine zunächst in süddeutschen Städten im Hinblick auf eine mögliche Übersiedlung nach Frankfurt/Main gehaltenen „Vorlesungen über Musik mit Berücksichtigung der Dilettanten" (1826, Nachdr. 1983), ein musikphilosophisches und -historisches Werk von sehr persönlicher Prägung; zu nennen sind außerdem seine die Offenheit des Musiklebens verfechtenden polemischen Texte gegen die sich auf ältere Kirchenmusik einschränkende Programmschrift „Über Reinheit der Tonkunst" des Heidelberger Juristen A. F. J. Thibaut (1825 ff.). – In der Jugend stark von den kritischen Schriften Kants beeindruckt, stand der gebildete und belesene N. mit bedeutenden Zeitgenossen in persönlicher oder brieflicher Verbindung – neben Pestalozzi mit Lavater, Herder, Zelter, Beethoven, Schubert und Mendelssohn-Bartholdy sowie mit zahlreichen Musikverlegern. Seine Leistungen insgesamt erheben ihn zu einer bedeutenden Persönlichkeit nicht nur der schweizer. Musik-, sondern der schweizer. Geistesgeschichte des frühen 19. Jh. überhaupt. – Dr. phil. h. c. (Bonn 1833).

Weitere W u. a. Die Pestalozzische Gesangbildungslehre, nach Pfeiffers Erfindung kunstwiss. dargest., 1809 ff.; Hist.-krit. Unterss. u. Notizen üb. d. dt. Gesangskultur, in: Allg. Musikal. Ztg. 13, 1811; Das Gesangbildungswesen in d. Schweiz, ebd. 36, 1834/35 (erweiterte Fassung 1858); Zeichen d. Zeit im Gebiete d. Musik, in: Lit.bl. Nr. 86–91, 1825, sowie Intelligenzbl. Nr. 13 (Beil. z. Morgenbl. Nr. 75), 1826; Vorlesungen üb. Musik, 1826 (Nachdr. 1983, mit Vorwort v. M. Staehelin); Päd. Rede, ..., enthaltend e. Charakteristik Pestalozzis u. d. Pestalozzianismus, 1830; Päd. Memorial, d. Verfassungskomm. d. Kt. Zürich eingereicht, 1831; Umriß d. Erziehungsaufgabe f. d. gesamte Volksschul-, Industrieschul- u. Gymnasialwesen, 1832; Laienworte üb. d. Hegel-Straußische Christologie, 1836; Das Recht aus d. Standpunkte d. Kultur, 1836.

L ADB 23; H. C. Ott-Usteri, in: 26. Neuj.stück d. Allg. Musikges. in Zürich, 1838 *(P);* R. Hunziker, H. G. N., Gedächtnisrede, 1924 *(P);* ders., in: Schweizer. Musikztg. 76, 1936; G. Walter, Der musikal. Nachlaß H. G. N.s, ebd. *(Verz. d. gedr. u. ungedr. Kompositionen);* I. I. Hassan, Die Welt- u. Kunstanschauung H. G. N.s, 1947 *(W-Verz.);* H. J. Schattner, Volksbildung durch Musikerziehung, Leben u. Wirken H. G. N.s, 1960; M. Staehelin, H. G. N. u. Ludwig van Beethoven, 1982; ders., Der Musik-Streit zw. H. G. N. u. Anton Friedrich Justus Thibaut, in: Helvetien u. Dtld.... 1770–1830, 1994; ders., H. G. N., Leben u. Werk, 2 Bde. (in Vorbereitung); E. Refardt, Hist.-Biogr. Musikerlex. d. Schweiz, 1928 *(Verz. d. gedr. u. ungedr. Kompositionen);* HBLS *(P);* MGG.

P Lith. nach J. Billeter, 1829 (Abb. in: Hunziker, Gedächtnisrede, s. L); Kupf. v. M. Esslinger nach J. J. Oeri (in: Ott-Usteri, s. L); Bleistiftzeichnung v. Ottilie Nägeli, 1833 (Abb. in: R. Hunziker, Der junge H. G. N., Achtzehn Briefe aus d. J. 1790–1808, 1937).

Martin Staehelin

Nägeli, *Carl* Wilhelm v. (bayer. Personaladel 1875), Botaniker, Biologe, * 26. 3. 1817 Kilchberg b. Zürich, † 10. 5. 1891 München. (ref.)

Aus in K. u. d. umliegenden Orten am Zürichsee seit d. MA nachweisbarer, in Gemeindeverw. u. Schulwesen tätiger Fam. – V Hans Caspar (1785–1849), Arzt u. Reg.rat in K., S d. Hans Jakob (1750–1829), Distriktsrichter u. Hptm., u. d. Regula Stapfer (1761–1835); M Susanna (1788–1855), T d. Jakob Sigrist (1757–1822), Gastwirt, u. d. Katharina Toggenburger (1766–1846); ∞ Baden Kt. Aargau 1845 Henriette (1819–1909), T d. Hans Conrad Ott (1775–1858), Kaufm. u. Bez.rat in Z., u. d. Margaretha Henriette v. Edlibach (1790–1869); 1 S Walter (1851–1919), Dr. phil., Chemiker, Konservenfabr. in M. u. Mainz, 3 T (1 früh †), u. a. Bertha (Betty) (* 1853), Landschaftsmalerin in M. (s. ThB); N Elisabeth Widmer (1862–1952), ∞ Carl Erich Correns, 1864–1933, Botaniker, s. NDB III; DSB; DBE; L), Botanikerin; E Walter (* 1888), Dr. phil., Konservenfabr. in Mainz (s. Rhdb.).

N. begann 1836 ein Studium der Medizin an der Univ. Zürich, widmete sich aber bald vorwiegend der Botanik (bei Oswald Heer) und weiteren Naturwissenschaften. 1839 ging er nach Genf, um bei Alphonse de Candolle eine Arbeit über die Cirsien (Kratzdisteln) der Schweiz anzufertigen, mit der er 1840 an der Univ. Zürich promoviert wurde. Anschließend erweiterte N. seinen Gesichtskreis durch Studien an der Univ. Berlin und bei M. J. Schleiden in Jena. Im März 1842 habilitierte er sich in Zürich. Auf Studienreisen zur Nordsee und ans Mittelmeer sammelte er Wasserpflanzen, hauptsächlich Algen, deren Entwicklungsgeschichte, Morphologie, Anatomie und Systematik sowie Zytologie er studierte. Ergebnisse seiner frühen Forschungen, u. a. über das Wachstum und den zellulären Aufbau der Thalli und der Stamm- und Blattorgane mittels Scheitelzellen, ferner die Entdeckung der Spermien bei Farnen und Rhizocarpeen (1850) legte N. in der von ihm gemeinsam mit Schleiden gegründeten und 1844–46 herausgegebenen „Zeitschrift für wissenschaftliche Botanik" vor. Er gehörte neben Hugo v. Mohl zu den Biologen, die in der Frühzeit der Zytologie in der Zellteilung den regelmäßigen Vorgang der Zellenvermehrung beim Wachstum, im Zellkern eine Art Steuerungsorganelle für die frühesten Entwicklungsphasen und im Protoplasma („Schleimschicht") den wesentlichen lebenden Bestandteil der Zellen erkannten. N. trug zum Verständnis von Erscheinungen der Osmose und des Turgors bei, indem er die Außenschicht des Protoplasten als semipermeable Membran auffaßte. 1849 wurde N. zum Extraordinarius an der Univ. Zürich ernannt. 1852 folgte er einem Ruf als Ordinarius an die Univ. Freiburg (Breisgau). Dort führte er seine Studien über Rotalgen, Florideen und Characeen weiter und entwarf seine Monographie über die Stärke und den Aufbau der Stärkekörner und Zellmembranen (1858). 1855 übernahm N. die Professur für allgemeine Botanik am neu errichteten Polytechnikum in Zürich. Seit 1857 wirkte er an der Univ. München. Hier errichtete er im Anschluß an Studienreisen nach St. Petersburg (1858) und Paris (1858/59) bis 1860 ein hervorragendes pflanzenphysiologisches Institut mit Laboratorien und Gewächshäusern und leitete den Botanischen Garten. Zugleich waren ihm als Konservator die botanischen Sammlungen der Bayer. Akademie der Wissenschaften unterstellt, deren Mitglied er 1859 wurde. 1889 ließ er sich emeritieren.

N. förderte als vielseitiger Botaniker die biologischen Wissenschaften, indem er die Erkenntnisse der Chemie und Physik einschließlich ihrer Anwendung in der Mikroskopie (1865–67) einbezog und nach einer Quantifizierung und Mathematisierung seiner Aussagen über physiologische Erscheinungen strebte. N. bearbeitete weiterhin entwicklungsgeschichtliche, anatomische und stoffwechselphysiologische Fragen, u. a. an „niederen Pilzen", zu denen er auch Bakterien zählte. Gestützt auf Experimente versuchte er, Probleme der Hygiene und der „niederen Pilze in ihren Beziehungen zu den Infectionskrankheiten" zu lösen (1877, 1882), wobei er „die spezifische Wirkung der Infectionspilze" anerkannte, obwohl ihm die Existenz von zahlreichen verschiedenen Spezies der Infektionserreger, die noch nicht durch Züchtung in Reinkulturen nachgewiesen worden waren, zweifelhaft erschien. 1879 stellte er eine für sämtliche Fermentwirkungen geltende „Theorie der Gährung" auf, die er in molekularen Mechanismen zu begründen suchte. Eine Zurückführung wahrnehmbarer Erscheinungen auf „Kräfte und Gestaltungen im molecularen Gebiet" (1884) leitete er mit seinen Arbeiten über die Stärke (1858) theoretisch ein und trug damit zur Begründung der Molekuralbiologie bei. Die von N. begründete Micellartheorie ermöglichte Einsichten in die Unterschiede zwischen kristallinen und morphologisch organisierten organischen Substanzen, welche die Anfänge der Physikochemie der Kolloide förderten.

Gleichermaßen mittels Experiment und Theorie bemühte sich N. in die Hauptproblemkreise der Biologie seiner Zeit, die Vererbungs- und Abstammungslehre, einzudringen. Er untersuchte seit seiner Ansiedlung in München während ungefähr 30 Jahren durch Bastardisierungsexperimente und auf Alpenexkursionen die Erscheinungen der Variabilität, wobei er zutreffend zwischen erblichen Varietätsmerkmalen und „Standortmodifikationen" unterschied. Trotz seiner Bemühung um eine theoretische Ableitung von „Erbschaftsformeln" (1865/66) aufgrund intermediärer Vererbung, lieferten seine Versuche keine generelle Bestätigung der Mendelschen Regeln, da er überwiegend Vertreter von Hieracium beobachtete, deren durch Apomixis abweichendes Verhalten bei der Reproduktion damals noch unbekannt war. Daher bezweifelte N. die Allgemeingültigkeit der Regeln Mendels, pflegte aber dennoch seit 1867 eine freundschaftliche Zusammenarbeit mit diesem. N. fand qualitativ zwei der auch durch Mendel formulierten Regeln, die der Uniformität der Hybriden und die der Aufspaltung unterschiedlicher Erbanlagen in folgenden Generationen, ohne die Regelmäßigkeit der dabei auftretenden Zahlenverhältnisse zu erkennen. N.s Werk über die Hieracien (1885/86), an denen er die „Speziesbildung" zu erforschen trachtete, wurde als experimentell begründete taxonomische Monographie mit Ansätzen zur Populationsgenetik richtungweisend. Erst der Fortsetzung seiner Bastardisierungsforschungen durch Carl Correns, der zusammen mit N.s Nichte Elisabeth Widmer zum engsten Mitarbeiterkreis während seiner letzten Lebensjahre zählte, war die endgültige Bestätigung der Regeln Mendels beschieden.

Als einer der ersten beachtete N. die Verknüpfung des Vererbungsgeschehens mit der stammesgeschichtlichen Entwicklung der Organismen (1884), indem er Teile der Evolutionstheorien von Darwin und Lamarck übernahm und sie in einer eigenen „Abstammungslehre" weiterzubilden versuchte. Dem Gedanken der Evolution stimmte er grundsätzlich zu, nachdem er seit den 50er Jahren eine Variabilität der Arten erkannt hatte. Auch Selektionsmechanismen wie Konkurrenz um Lebensraum und Nahrung, Isolation usw. erkannte er an, aber er versuchte außerdem, den physiologischen, in der materiellen Zusammensetzung und Struktur der sich höher differenzierenden Organismen begründeten Bedingungen Rechnung zu tragen, deren Wirkung er als ein kausal-mechanisches „inneres Prinzip" der nicht gänzlich richtungslosen evolutiven Entfaltung betrachtete. Ähnliche Ansätze vertritt in jüngster Zeit eine „kritische Evolutionstheorie". – In mehreren Werken, in denen N. zur Deutung allgemeiner Gesetzmäßigkeiten vorzudringen suchte, blieben weitgehende Analogieschlüsse der Spekulation verhaftet. Dennoch förderten die gründliche Methodik und die strenge Logik seiner Gedankengänge den Wandel von der vergleichend beschreibenden Pflanzenkunde zur exakten Pflanzenphysiologie und Biologie. – Verdienstorden d. Bayer. Krone (1875); Dr. h. c. (Bologna 1888).

Weitere W u. a. Die neueren Algensysteme u. Versuch z. Begründung e. eigenen Systems d. Algen u. Florideen, 1847; Gattungen einzelliger Algen, physiolog. u. systemat. bearb., 1849; Pflanzenphysiolog. Unterss. I–II, 1855–58 (z. T. mit C. Cramer); Btrr. z. wiss. Botanik I–IV, 1858–68; ca. 60 Btrr. in: SB d. Kgl. Bayer. Ak. d. Wiss. in München, 1861–81; Das Mikroskop, I. Theorie, II. Anwendung, 1865–67 (mit S. Schwendener), ²1877; Unterss. üb. niedere Pilze aus d. pflanzenphysiolog. Inst. in München, 1882; Mechan.-physiolog. Theorie d. Abstammungslehre, Anhang: 1. Die Schranken d. naturwiss. Erkenntnis, 2. Kräfte u. Gestaltungen im molekularen Gebiet, 1884; Die Hieracien Mitteleuropas I–II, 1885 f. (mit A. Peter); Über oligodynam. Erscheinungen in lebenden Zellen, 1893; Die Micellartheorie, Auszüge aus d. grundlegenden Originalarbb. N.s, hrsg. v. A. Frey, 1928.

L ADB 52; S. Schwendener, in: Berr. d. Dt. Botan. Ges., 9, 1891, Abt. 1, S. 26–42 *(W-Verz. bis 1884, P)*; C. Cramer, Leben u. Wirken v. C. W. N., 1896 *(W-Verz., P)*; C. Correns, Gregor Mendels Briefe an C. N. 1866–73, in: Abhh. d. kgl. sächs. Ges. d. Wiss., math.-physikal. Kl. 29, 1905, S. 189–265 (engl. Übers. in: Genetics 35, 1950, S. 1–29); E. Almquist, Große Biologen, 1931, S. 33 f., 52–55, 102–10 *(P)*; A. Barthelmess, in: Orbis Academicus II/2, 1952,

S. 109–12, 138–56; M. Ulmann, 100 J. „Die Stärkekörner" v. C. N., in: Die Stärke 10, 1958, S. 31–38; O. Renner, in: Geist u. Gestalt II, 1959, S. 260–65; J. S. Wilkie, N.s Work on the Fine Structure of Living Matter I, II, III a, III b, in: Ann. of Science 16, 1960, S. 11–40, 171–207, 209–39; ebd. 17, 1961, S. 27–62; B. Hoppe, Die Beziehung zw. J. G. Mendel u. C. W. N. aufgrund neuer Dokumente, in: Folia Mendeliana 6, 1971, S. 123–38; dies., Die Entwicklung d. biolog. Fächer an d. Univ. München im 19. Jh. unter Berücksichtigung d. Unterrichts, in: Die Ludwig-Maximilians-Univ. in ihren Fakultäten, hrsg. v. L. Boehm u. J. Spörl, I, 1972, S. 378–88; dies., Umbildungen d. Forschung in d. Biol. im 19. Jh., in: Konzeption u. Begriff d. Forschung in d. Wiss. d. 19. Jh., 1978, S. 161–76; DSB; Catalogue of Scientific Papers IV, VIII, X, XII *(Verz. d. Zss.-Aufsätze)*, 17 *(L)*. – Eigene Archivstud.

P Gem. v. K. Rexhäuser, 1896 (München, Ak. d. Wiss.), Abb. in: Geist u. Gestalt III, 1959.

Brigitte Hoppe

Naegeli, *Carl* Wilhelm, organischer Chemiker, * 8. 3. 1895 Zürich, † 25. 6. 1942 ebenda.

Die Fam. stammte aus d. Mühle in Hirslanden u. besaß seit d. Eingemeindung 1893 Bürgerrecht in Z.; *V* Hans Rudolf (1865–1932), Müller u. Säger in Hirslanden, *S* d. Hans Rudolf (1825–1908), Müller, u. d. Anna Magdalena Rinderknecht (1835–69) aus Enge Kt. Zürich; *M* Augusta (1869–1940), aus Thal Kt. St. Gallen, *T* d. Christoph Tobler u. d. Elisabeth Lutz.

Nach Schulbesuch in Zürich studierte N. an der dortigen Universität Chemie bei Alfred Werner. Nach dessen Erkrankung wechselte er zu Paul Karrer und schloß seine Studien mit der Dissertation „Synthese von Glucosiden der α-Oxycarbonsäuren" (1921) ab. Ein Ramsay Memorial Fellowship ermöglichte N. eine vertiefte Ausbildung in physikalischer Chemie bei Bertram Lambert in Oxford. Hier eignete er sich auch eine umfassende Kenntnis der in England entwickelten Elektronentheorie an (A. Lapworth, R. Robinson, C. K. Ingold). In der Folge schloß sich N. eng an die von Ingold vertretene Nomenklatur und Schreibweise an und lehnte andere, wie die von Robinson, E. Hückel, B. Eistert und P. Baumgarten, ab. An der Univ. Zürich habilitierte sich N. im Wintersemester 1925/26 mit einer Arbeit über eine neue Titrationsmethode mit sog. Trübungsindikatoren. Dabei handelt es sich um Azofarbstoffe mit relativ hohem Molekulargewicht, welche, einer wäßrigen Lösung von schwachen Säuren und Basen zugesetzt, beim Erreichen des Äquivalenzpunktes schlagartig ausflocken oder einen Tyndall-Effekt zeigen. Die Flockung tritt in einem engeren pH-Bereich ein als der Umschlag der Farbindikatoren; das Verfahren setzte sich indes in der Praxis nicht durch. 1929 wurde N. zum Abteilungsvorsteher am Chemischen Institut und 1931 zum Titularprofessor ernannt.

N.s wichtigste wissenschaftliche Arbeiten verfolgten zunächst das Ziel, die Struktur der Chaulmoograsäure aufzuklären, eines in Asien seit alters her verwendeten Naturproduktes zur Bekämpfung der Lepra. Hier stieß er aber bald auf Probleme beim Abbau in der Chaulmoograsäure enthaltener langkettiger Fettsäuren mit Hilfe des sog. Curtius-Abbaus. Dieser Thematik widmete N. in der Folge mehrere ausführliche und von der Fachwelt anerkannte Arbeiten. P. A. S. Smith bemerkte 1946, daß N. und seine Schüler das Hydrazidverfahren kritisch überprüft hätten und der Nachweis gelungen sei, daß die Natriumazidmethode zufriedenstellend und häufig vorzuziehen sei. Angeregt durch die damals Aufsehen erregenden Veröffentlichungen von G. Domagk, J. Tréfouël, D. Bovet und E. Fourneau über die bakterizide Wirkung von Sulfonamiden, verfolgte N. ähnliche Ziele, wobei er systematisch Benzol- durch Pyridinringe ersetzte. Diese Untersuchungen führten zu zahlreichen Patenten der CILAG (Chemisches Industrielles Laboratorium AG) in Schaffhausen, deren wissenschaftlicher Berater er war. Ein wichtiges Produkt dieser Forschungen war das „Sulfapyridin", ein Derivat des 2-Aminopyridins, das beträchtliche Bedeutung in der Chemotherapie erlangte. Nach N.s frühzeitigem Tod durch eine Blutkrankheit wurden diese Ansätze in Zürich nicht mehr weiterverfolgt. Mit den von ihm formulierten theoretischen Deutungen der verschiedenen Reaktionen der Hydrazide, Azide und Isocyanate wurde N. zum Vorläufer auf einem Arbeitsgebiet, welches nach den Pionierarbeiten von Otto Bayer (1902–82) für die technische Chemie große Bedeutung erlangt hat. N. hat außerdem das „Lehrbuch der Organischen Chemie" von Oppenheimer im Sinn der modernen Elektronentheorie umgestaltet. Er zählt damit im deutschsprachigen Raum zusammen mit F. Arndt und B. Eistert zu den Wegbereitern der Anwendung der Elektronentheorie auf die Reaktionen der organischen Chemie.

Weitere W Grundriss d. organ. Chemie, 1938; zahlr. Aufsätze in Helvetica Chimica Acta.

L P. Karrer, in: Vj.schr. d. naturforschenden Ges. Zürich, 87, 1942, S. 525–27 *(W)*; ders., in: Helvetica Chimica Acta 26, 1943, S. 730–33 *(W)*; ders., in: Jber. d. Univ. Zürich 1942/43, S. 61 f. *(P)*; Pogg. VI, VII a.

Conrad Hans Eugster

Naegelsbach, *Karl Friedrich* v. (bayer. Personaladel 1857), klassischer Philologe, * 28. 3. 1806 Wöhrd b. Nürnberg, † 21. 4. 1859 Erlangen. (luth.)

V Georg Ludwig N. (1773–1826), preuß. Justizamtmann, seit 1812 bayer. Landrichter in Pegnitz u. Gräfenberg b. N., *S* d. Johann Wilhelm Friedrich N. (1725–1805), fürstl. Sayn'scher Kanzlist, später Registrator u. Sekr. in Ansbach, u. d. Maria Margaretha Kretschmann (1741–1830); *M* Barbara (1784–1821) aus Schnabelwaid, *T* d. Sigmund Schaeffer (1752–1817), Kaufm. in N., u. d. Margareta Barbara Schmid (1755–90); *Stief-M* Magdalena (Madelon), *T* d. nürnberg. Syndikus Dr. Zahn; *B* Eduard (1815–80), D. theol., Dr., Pfarrer, Dekan in Gunzenhausen, Vf. e. hebr. Grammatik, e. Kommentars zu Jeremia u. Jesaia sowie v. „Der Gottesmensch, Die Grundidee d. Offenbarung in ihrer Einheit u. geschichtl. Entwicklung"; – ∞ 1829 Rosalie († 1867), *T* d. Friedrich Christian Wanderer (1764–1825) aus Bayreuth, Pfarrer in Creussen; 3 *S* Ludwig N. (1832–52), Mediziner, Karl N. (1837–1909), Gymnasialprof. f. Religionslehre in Bayreuth, Hans N. (1838–99), Gymnasialprof. f. Mathematik in E. (s. Pogg. III; BJ IV, Tl.); *N* Friedrich N. (1855–1932), Oberkonsistorialrat in München; *Gr-N* Ernst N. (1885–1945), Gymnasialprof. in Regensburg, Elisabeth N. (1894–1984), Vors. d. Landesverbandes Ev. Arbeiterinnen-Vereine Bayerns, 1954–66 MdL (CSU, s. Kosch, Biogr. Staatshdb.); *Ur-E* Brigitte N. (1913–94, ∞ Dr. Eberhard Oldenbourg, * 1911, Verleger in München).

N. besuchte die Gymnasien in Bayreuth, wo er besonders durch Johann Christoph Held und Georg August Gabler gefördert wurde, und in Ansbach. 1822 begann er in Erlangen bei Ludwig Heller und Ludwig Döderlein ein Studium der Philologie und Theologie, das er in Berlin bei August Boeckh und Hegel ergänzte. Neben dem burschenschaftlichen Umfeld wurde die Erweckungsbewegung um den Erlanger deutsch-reformierten Pfarrer Christian Krafft bestimmend für N.s religiöse Entwicklung. Nach dem philologischen Examen 1826 in Ansbach wurde er zunächst aushilfsweise, 1827 förmlich Professor am Gymnasium in Nürnberg unter dem Rektorat von Karl Ludwig Roth. 1840 erhielt N. in Erlangen den Dr. phil. h. c. und wurde 1842 zum o. Professor der Philologie an die dortige Universität berufen (1849/50 Prorektor).

Lehre und Forschung waren für N. untrennbar miteinander verbunden. Er betonte als Pädagoge stets die praktische Bedeutung der Philologie für die gymnasiale Erziehung und vertrat einen entschiedenen christlichen Humanismus, der im Evangelium die notwendige Voraussetzung für eine angemessene Erkenntnis der Antike sah. Breite Anerkennung als Homer-Forscher fand N. durch seine „Anmerkungen zur Ilias" (1834, ²1850, ³1864 bearb. v. G. Autenrieth), die den bisher erreichten philologischen Kenntnisstand zusammenfaßten und in gründlichen Exkursen zu Grammatik und Textüberlieferung durch eigene Studien ergänzten. Seine „Homerische Theologie" (1840, ²1861, ³1886 bearb. v. G. Autenrieth) und deren Fortsetzung „Die nachhomerische Theologie des griech. Volksglaubens bis auf Alexander" (1857) untersuchten in Abgrenzung zur mythologischen Forschung den Gottesbegriff, das allen Gottheiten gemeinsame „numen divinum", und die praktischen Wirkungen der Religion im täglichen Leben. Von der Kritik wurde N. vorgeworfen, das religiöse Bewußtsein der Griechen nach christlichen Überzeugungen zu systematisieren. Als Sammlung und Kritik der literarischen Überlieferung galten beide Werke für die Religionsgeschichte als grundlegend und beeinflußten u. a. die religionsgeschichtlichen Kapitel von J. Burckhardts „Griech. Kulturgeschichte".

1846 erschien N.s bis heute wichtigstes Werk, die „Lateinische Stilistik für Deutsche" (²1852, ⁹1905 bearb. v. I. Müller, Neudr. 1963 u. 1980). Aus sprachdidaktischen Überlegungen heraus gelangte er zu einer nach grammatischen Kategorien systematisierten, komparativen Darstellung der deutschen und lat. Sprachmittel. Er fügte den Regeln der Grammatik spezielle Muster eines vorbildlichen, an Cicero orientierten Sprachgebrauchs hinzu. Obwohl N. die textuelle Basis der Sprachelemente vernachlässigte, bildet seine „Stilistik" weiterhin eine nützliche Materialsammlung für die lat. Sprachpraxis und kann zur Grundlage für den Aufbau einer kontrastiven Grammatik dienen. – Sekr. d. 1. Verslg. dt. Philologen u. Schulmänner in Nürnberg (1838); Mitgl. d. Bayer. Ak. d. Wiss. (korr. 1844, o. auswärtiges 1859); Mitgl. d. bayer. Ministerialkomm. z. Revision d. Studienordnung (1849); D. theol. (Erlangen 1856); Verdienstorden d. Bayer. Krone (1857).

Weitere W u. a. Gymnasialpädagogik, 1861, ²1879 hrsg. v. G. Autenrieth *(P)*.

L ADB 23; O. Gruppe, Gesch. d. klass. Mythol. u. Rel.gesch. während im MA im Abendland u. während d. Neuzeit, 1921, S. 215 f.; O. Bock in: Ll. aus Franken, III, 1927, S. 379–84; O. Stählin, Das Seminar f. klass. Philol. an d. Univ. Erlangen, 1928, S. 16–34 *(P)*; H. Naegelsbach, in: F. Nägelsbach, Ber. üb. d. 2. Naegelsbach-Fam.tag am 1. u. 2. Mai 1959 in Erlangen, 1960, S. 29–33 *(P)*; W. Ax, Probleme d. Sprachstils als Gegenstand d. lat. Philol., 1976, S. 123–34.

P Phot. (Univ.bibl. Erlangen).

Christoph Hafner

Naegle, *August,* kath. Kirchenhistoriker und Politiker, * 23. 7. 1869 Annweiler am Trifels (Pfalz), † 12. 10. 1932 Prag.

V Thomas (1839–1920), Hauptlehrer in A., S d. Thomas (1812–85), Glaser in A., u. d. Magdalena Michel (1814–91); M Josephine (1842–1909), T d. Franz Schmitt (1805–76), Winzer, Gutsbes. in Edesheim, u. d. Catharina Friedmann (1815–50).

Nach dem Besuch der Annweiler Lateinschule und des Speyerer Gymnasiums (Abitur 1887) studierte N. Philosophie und Theologie an den Universitäten München und Würzburg, empfing 1891 in Speyer die Priesterweihe und wirkte einige Zeit als Seelsorger, ehe er seine wissenschaftlichen Studien fortsetzte. 1898 in Würzburg zum Dr. theol. promoviert und fünf Jahre später an der Theol. Fakultät der Univ. München habilitiert, kam der junge Privatdozent – er war zwischenzeitlich als kgl. Hofgeistlicher und Religionslehrer in München tätig gewesen – noch 1903 als ao. Professor an die Phil.-Theol. Hochschule Passau. Dort dozierte er drei Jahre lang Kirchengeschichte und Patrologie, dann erfolgte seine Berufung zum o. Professor für dieselben Fächer an die Deutsche Universität nach Prag, wo er fortan bis zu seinem Tod eine reichhaltige Tätigkeit in Lehre und Forschung entfaltete. Hatte sich N. bislang vornehmlich mit verschiedenen Gestalten und Problemkreisen der allgemeinen Kirchengeschichte beschäftigt, so wandte er sich nun verstärkt der böhm. Kirchengeschichte zu. Frucht dieser auf sorgfältigem und kritischem Quellenstudium basierenden Arbeit waren zahlreiche Publikationen, in denen N. nicht zuletzt seine These von einem „vorbyzantin. bayr. Missionseinfluß" in Böhmen und Mähren zu beweisen suchte. Sein Hauptwerk „Kirchengeschichte Böhmens" blieb allerdings unvollendet; 1915 und 1918 erschienen die beiden Teile des ersten, bis zum Jahre 1039 reichenden Bandes „Einführung des Christentums in Böhmen".

Noch größere Bekanntheit als auf wissenschaftlichem Gebiet erlangte N. durch sein politisches Auftreten nach Ausrufung der Tschechoslowak. Republik 1918, besonders als deutscher Gegenkandidat Masaryks bei der Präsidentschaftswahl 1921. Als dreimaliger Rector Magnificus (1918/19, 1919/20, 1929/30) und als Senator der Nationalversammlung (1920–25) focht N., volkstümlich als „eiserne Magnifizenz" bezeichnet, mit Vehemenz und Leidenschaft für die Anerkennung und die Rechte der Deutschen Universität in Prag sowie für die Beibehaltung der Theol. Fakultät im Rahmen der Universität.

Neben seiner Tätigkeit als Hochschullehrer und Politiker (Mitglied der Deutschen Nationalpartei) engagierte sich N. in der „Deutschen Gesellschaft der Wissenschaften und Künste" sowie im „Verein für Geschichte der Deutschen in Böhmen"; außerdem war er seit 1926 Senator der „Deutschen Akademie" in München. – Dr. phil. h. c. (Bonn 1919).

Weitere W u. a. Die Eucharistielehre d. hl. Johannes Chrysostomus, d. Doctor Eucharistiae, 1900; Ratramnus u. d. hl. Eucharistie, zugleich e. dogmatisch-hist. Würdigung d. ersten Abendmahlstreites, 1903; Die sechs Bücher (d. Johannes Chrysostomus) üb. d. Priestertum, übers., neu besprochen u. gewürdigt, 1916; Die Dt. Univ. zu Prag nach d. Umsturz v. 28. Okt. 1918 (Rektoratsber.), 1922; Der hl. Wenzel, d. Landespatron Böhmens, 1928; Husitismus u. Katholizismus (Rektoratsrede), 1930.

L F. Wertheimer, Von dt. Parteien u. Parteiführern im Ausland, ²1930, S. 196; Mitt. d. Ver. f. Gesch. d. Deutschen in Böhmen 70, 1932, S. 132; Bohemia 105, Nr. 242 v. 13. 10. 1932; F. X. Eggersdorfer, Die Phil.-Theol. Hochschule Passau, 1933, S. 372 f. *(W, P);* J. Schlenz, in: ZSRG^K 53/22, 1933, S. 464–66 *(W);* Volksbote, Ausg. f. Sudetendeutsche, 9. Jg., Nr. 46 v. 16. 11. 1957 *(P);* E. Nittner, A. N., 1988; Kürschner, Gel.-Kal. 1931 *(W);* LThK; Kosch, Kath. Dtld. *(W);* ÖBL *(W);* BLBL; BBKL.

P Phot. (Kath.-Theol. Fak. d. Univ. Passau).

Anton Landersdorfer

Naeke *(Naecke), Gustav Heinrich,* Maler, Zeichner und Illustrator, * 4. 4. 1785 Frauenstein (Erzgebirge), † 10. 1. 1835 Dresden. (ev.)

V Johann Gottlieb, Amtmann in F., später in D.; B August Ferdinand (1788–1838), Philologe (s. ADB 23; Verz. d. Professoren ... Bonn 1818–1968, hrsg. v. O. Wenig, 1968).

N., den sein Vater eigentlich für ein Jurastudium bestimmt hatte, erhielt wegen seines Zeichentalents zunächst Privatunterricht bei Gaetano Toscanini an der Dresdener Akademie. 1803 durfte er dort endgültig das Kunststudium aufnehmen, wo der Füger-Schüler und Bildnismaler Joseph Grassi und vor allem der Historienmaler Ferdinand Hartmann seine Lehrer waren. Beide vertraten die Richtung des deutschen Klassizismus in der Nachfolge von Asmus Jakob Carstens. Ausdruck klassizistischer Themenwelt und Komposition sind neben Zeichnungen N.s frühe Gemälde „Chiron lehrt Achilles die Lyra zu spielen" (1805) und „Amor und Jupiters Adler" (wohl 1805). Den jungen N. beeindruckte Grassis Kolorismus; zugleich wurde er durch Hartmann, der sich dem Studium der altdeutschen und ital. Quattrocentomalerei widmete, auf die religiöse Thematik hingewiesen. 1807 malte er „Die drei Marien am Grabe", 1808 den „Besuch der Elisabeth bei Anna und Maria" und zwei Jahre später eine veränderte, an Raffael orientierte Fassung als „Hl. Familie". Seit 1808 entstanden Bilder zu Goethes eben erschienenem „Faust" und zu Kleists „Käthchen von Heilbronn". Mit romantisierender Idealität und voller Empfindung wurde hier die Welt des Mittelalters vor Augen geführt. Mit Moritz Retzsch illustrierte N. gleich nach 1813 Friedrich de la Motte-Fouqués Ritterroman „Der Zauberring"; in denselben geistigen Kontext gehört seine „Hl. Genoveva in der Wildnis" (1814). Wie schon in früheren Arbeiten konnte er sich auch hier auf die nazarenischen Vorbilder der Gebrüder Riepenhausen stützen. Sein Erfolg mit Buchillustrationen insbesondere zu Goethes Werken, aber auch anderen Autoren der Zeit führte schließlich zu seiner Mitarbeit bei den Leipziger Jahrbüchern und dem von Motte-Fouqué herausgegebenen Nürnberger „Frauentaschenbuch".

N.s endgültigen Beitritt zum Kreis der Nazarener brachte eine Reise nach Italien 1817. Als Stipendiat des sächs. Königs schloß er sich besonders Friedrich Overbeck und Philipp Veit an und betrieb das Studium der Antike, der ital. Renaissancemeister sowie der ital. Landschaft und Lebensweise. Zahlreiche Zeichnungen belegen seine genaue Beobachtungsgabe und den nazarenischen Stil altmeisterlicher Zeichnungspraxis. Er wohnte zunächst mit Theodor Rehbenitz zusammen und verkehrte im Kreis von Friedrich Olivier und Julius Schnorr v. Carolsfeld. Letzterer vermittelte ihm auch den Kontakt zu dem Dresdener Kunstkenner und Mäzen Johann Gottlob v. Quandt, der seit 1819 sein Haus den jungen Deutschrömern geöffnet hatte. N. verdankte ihm den Auftrag zu seiner anspruchsvollsten und figurenreichsten Komposition „Die hl. Elisabeth im Hofe der Wartburg Almosen spendend" (Priv.bes., Frankfurt / M.), die er in seiner gewissenhaften und langsamen Arbeitsweise 1827 vollendete. Ebenfalls noch in Rom entstand das Bild „Christus, den Jüngern zum letzten Mal erscheinend" (1824 / 25) für den Naumburger Domherrn I. C. Leberecht v. Ampach, der sich einen ganzen Zyklus zum Leben Jesu von den Nazarenern malen ließ. Es war der dritte bedeutende Gemeinschaftszyklus der Nazarener nach denen der Casa Bartholdy und des Casino Massimo, wo N. beinahe für den zunächst ablehnenden Joseph Anton Koch eingesprungen wäre.

N.s Ruf und Verbindungen sorgten dafür, daß man ihn 1824 als zweiten Nazarener und Historienmaler nach Carl Vogel an die Dresdener Kunstakademie berief (seit 1828 Professor). Während der zehn Jahre bis zu seinem Tod vertrat er die nazarenischen Ideale der altmeisterlichen Figurenkomposition, ohne dieser Richtung in Dresden zu einem Durchbruch verhelfen zu können. Neben der Fertigstellung alter Aufträge entwarf er eine Reihe biblischer Szenen wie „Ruth und Boas", „Das Opfer Noahs", „Die klugen und die törichten Jungfrauen", erreichte aber nicht mehr seine frühere Produktivität. Zeichnerische Präzision und plastisches Formempfinden mit einer Begabung für harmonische und empfindsame Darstellung zeichnen nahezu sein ganzes Schaffen aus.

Weitere W In Marthes Garten, 1811 (Mus. d. bildenden Künste, Leipzig); Faust u. Gretchen vor d. Dom, um 1812 (ehem. Prof. Gebhardt, Dresden); Jakob u. Rahel, 1823; Die Auffindung d. Mosesknaben, 1823 (beide Kunsthalle, Bremen). – *Nachlaß:* (Zeichnungen) Kupf.kab., Dresden.

L ADB 23 u. 52; J. G. Hzg. zu Sachsen, in: FS zum 60. Geb.tag v. Paul Clemen, 1926, S. 466 ff.; H. J. Neidhardt, Die Malerei d. Romantik in Dresden, 1976, S. 278 ff.; ders., G. H. N.s Hl. Elisabeth, in: Romantik u. Gegenwart, FS f. J. Ch. Jensen z. 60. Geb.tag, 1988, S. 157 ff.; ders., in: Zs. d. Dt. Ver. f. Kunstwiss., 1993, S. 32 ff.; Die Nazarener, Ausst.kat. Frankfurt / M. 1977; Die Nazarener in Rom, Ein dt. Künstlerbund d. Romantik, Ausst.kat. Rom / München 1981.

P Selbstbildnis, 1814 (Gem.gal. Neue Meister, Dresden), Abb. b. Neidhardt, 1993, s. *L*, S. 33.

Ekkehard Mai

Naeser, *Gerhard,* Chemiker, Metallurg, Erfinder, * 10. 4. 1900 Dresden, † 4. 9. 1985 Konstanz. (ev.)

V (Hermann) Walter (1869–1943 / 50), Dr. iur., Justizrat am Oberlandesger. in D., *S* d. Hermann († n. 1896), Kaufm. in Dippoldiswalde (Sachsen), u. d. Elise Leander († n. 1896); *M* Anna Helene (1872–v. 1950), *T* d. Friedrich Theodor Carl Fuchs († v. 1896), Ratszimmermeister in Seidnitz b. D., u. d. Bertha Helene Ebert († n. 1896); ∞ Rheinberg (Rheinland) 1950 Frieda Hildegard (* 1903), *T* d. Friedrich Hermann Otto Browarsky (1861–v. 1950), Garnison-Bauschreiber in D., u. d. Frieda Müller (* 1873).

Nach dem Abitur 1920 studierte N. an der TH Braunschweig Chemie und legte dort 1924 seine Diplomprüfung ab. Er wurde wissenschaftlicher Mitarbeiter von Walther A. Roth, einem Schüler von Walter Nernst. Sein Arbeitsgebiet war die physikalische Chemie, insbesondere kalorimetrische Untersuchungen, aber auch das Studium von Problemen bei der Herstellung von Amalgamen. Seine Dissertation (1925) befaßte sich mit den Eigenschaften von Cadmium-Amalgamen. 1926–34 war N. als Assistent in der Physikalischen Abteilung des Kaiser-Wilhelm-Instituts für Eisenforschung in Düsseldorf tätig. Hier führte er neben kalorimetrischen Arbeiten, z. B. die Bestimmung der spezifischen Wärme von Eisen und anderen Metallen, auch zahlreiche optische Untersuchungen durch, die schließlich zur Entwicklung des „Biotix", eines optischen Meßgerätes zur Bestimmung der wirklichen Temperatur von Metallschmelzen, führten. Dieses Meßinstrument wurde von ihm in den folgenden Jahren weiterentwickelt und dann als „Tricolor" vielfach im industriellen Betrieb eingesetzt. 1934 wurde N. zum Leiter der Abteilung „Physik" im Forschungsinstitut der Mannesmannröhren-Werke AG bestellt.

Die wissenschaftliche Tätigkeit N.s ist durch große Vielseitigkeit gekennzeichnet. Er arbeitete erfolgreich sowohl auf rein physikalischem Gebiet als auch auf chemischem und metallurgischem Sektor. Viele seiner Ideen reiften nach gründlicher Erprobung im Laboratorium zu Verfahren heran, die in der Technik von großem Nutzen wurden. 1939–42 wurde von ihm das sog. „Rinnenfrischverfahren" entwickelt, das es erlaubt, aus Roheisen vanadinreiche Schlacken zu gewinnen und reines Vanadium darzustellen. Nach einem anderen, gleichfalls von N. vorgeschlagenen und 1943 bekannt gemachten Verfahren, bei dem der Frischwind seitlich in den Blaskonverter eingeführt wird, gelang es den Mannesmannröhren-Werken schon damals, einen gut vergießbaren, stickstoffarmen Thomasstahl zu erzeugen, der die Eigenschaften der an sich qualitativ besseren Siemens-Martin-Stähle hatte. N. entwickelte auch eine Methode zum Zerstäuben von Thomasschlacke mittels Spezialdüsen. Die danach gewonnene Schlackenwolle war den im Handel befindlichen Glas- und Gesteinswollequalitäten ebenbürtig. Breiten Raum in seinem Schaffen nahm die Pulvermetallurgie ein, der sich N. seit 1943 widmete. Auf seine Gedanken und seine Vorschläge geht das 1943 entwickelte „RZ-Verfahren" zurück. Es ermöglicht die Herstellung eines gut verpreßbaren, weichen Eisenpulvers aus Spezialroheisen durch Zerstäuben und nachfolgendes Glühen. Mehrere Unternehmen in Deutschland, den USA und Frankreich erwarben die Rechte zur Anwendung des Verfahrens. Neben der weiteren Vervollkommnung des RZ-Verfahrens und der Entwicklung von Methoden zur Herstellung von Eisen- und Metallpulvern der verschiedensten Zusammensetzungen bemühte sich N. um die Lösung von Problemen, die die Weiterverarbeitung aufwarf. In Zusammenarbeit mit verschiedenen Unternehmen des In- und Auslandes gelang es ihm, aus Nickel-, Kupfer- und nichtrostenden Stahlpulvern endlose Bänder guter Qualität herzustellen. Dabei wird das jeweilige Metallpulver zwischen rotierende Walzen gebracht und zu Bändern verformt; diese Bänder erhalten anschließend eine Sinter- oder Warmwalzbehandlung. Ferner widmete sich N. der Herstellung von Fertigerzeugnissen aus Pulvern unter Verwendung von Walzen und Pressen, insbesondere von Strangpressen. Dem Mannesmann Forschungsinstitut blieb N. auch nach dem Ausscheiden aus dem aktiven Dienst bis 1973 als Berater verbunden. – Powder Metallurgy Pioneer Award d. Metal Powder Industries Federation (1965).

W Die Grundlage d. Roheisen-Zunder-Verfahrens z. Herstellung v. Eisenpulvern, in: Stahl u. Eisen 68, 1948, S. 346–53; Das Walzen v. Bändern aus Eisenpulver, ebd. 70, 1950, S. 995–1004; Die Beeinflussung d. Sintereigenschaften v. Metallpulvern durch e. Oberflächenbehandlung, in: Archiv f. d. Eisenhüttenwesen 24, 1953, S. 251–55; ebd. 34, 1963, S. 871–78; Unterss. üb. d. Reaktionsgeschwindigkeit b. d. Entkohlung v. Ferrochrom u. Chromkarbiden durch verschiedene Oxyde im festen Zustand u. ihre Beeinflussung durch Katalysatoren, ebd., S. 27–36; Der Einfluß e. mechan. Bearbeitung auf d. Reaktionsvermögen v. festen Stoffen, in: Kolloid-Zs. 156, 1958, S. 1–8; ebd. 188, 1963, S. 147–51; Die Herstellung v. Blechen u. Bändern aus Metallpulver, in: Metallurgical Reviews 4, 1958, Nr. 14, S. 179–87; Mechan. Reaktionen u. Sintervorgänge, in: Die Naturwiss. 48, 1961, S. 715; Herstellung v. Eisenpulver, in: Hütte, Taschenbuch f. Eisenhüttenleute, ^{5}1961, S. 597–99; Berr. d. Dt. Keram. Ges. 39, 1962, S. 106–14, 280–85; Silicates Industrials 28, 1963, S. 503–11. – 36 dt. u. internat. Patente.

L Zs. f. Metallkde. 56, 1965, S. 200; Pogg. VI, VII a.

Horst A. Wessel

Nagel, *August,* Kamerakonstrukteur und -fabrikant, * 5. 6. 1882 Pfrondorf b. Tübingen, † 30. 10. 1943 Stuttgart. (ev.)

V Wilhelm, Bes. e. Bauernhofs in P.; M Marie N. N.; 8 jüngere *Geschw*, u. a. Wilhelm (1887–1941), Mitarbeiter N.s seit d. Gründung d. Fa. Drexler & Nagel, 1911 Leiter d. Contessa-Filiale in Reutlingen, seit 1917 Betriebsleiter d. Contessa-Werke in St., seit 1928 d. Fa. Dr. August Nagel in St., seit 1934 Leiter d. Teilefertigung d. Kodak AG in St., zuletzt in Einsingen b. Ulm (s. *L*); – ∞ Berta Kurrle

(1883–1954) aus St.; 2 S, 1 T, u. a. Helmut (* 1914), führte d. väterl. Fa. weiter, 1953–79 Vorstandsvors. u. Gen.manager d. Kodak AG in St.

N. widmete sich nach Schul- und Lehrzeit (in einer Werkzeugmaschinenfabrik) insbesondere der Konstruktion von Kameramodellen. 1908 gründete er zusammen mit A. Drexler die Firma Drexler & Nagel in Stuttgart und begann, leichte und handliche Taschenkameras mit der Markenbezeichnung „Contessa" herzustellen. Die Firma florierte, und zwei Jahre später wies das Lieferprogramm bereits 23 verschiedene Modelle auf. N. knüpfte weltweite Verbindungen an und konnte so am aufblühenden Exportmarkt teilnehmen. Die 1911 vorgestellte „Pixie-Westentaschen-Kamera" für Rollfilme im Bildformat 4×6 cm war, lange vor der Leica, eine Pionierleistung als Präzisionskamera.

N. vereinte in seltener Weise kaufmännischen Geist und technische Fähigkeiten. Der 30jährige war ein begeisterter Anhänger des Ballon- und Flugsports und erkannte als einer der ersten die Bedeutung spezieller Kameras für Aufnahmen aus Ballonen, Luftschiffen und Flugzeugen sowohl für militärische Operationen wie auch für Forschungszwecke bei kartographischen und geographischen Erfassungen. Die von ihm konstruierte Ballonkamera „Atlanta" stellte eine besondere Leistung auf diesem Gebiet dar. Zu Beginn des 1. Weltkrieges beschäftigten die Contessa-Werke, die ihre Produktion bald darauf für Rüstungszwecke umstellen mußten, bereits 500 Mitarbeiter, deren humane Arbeitsbedingungen N. sehr am Herzen lagen. 1919 erwarb er die renommierte Firma Nettel Cameraworke in Sontheim und integrierte deren gesamte Produktion in seine Werke in Stuttgart, Reutlingen und Böblingen. So konnte eine weitreichende Produktpalette vielseitiger Kameramodelle angeboten werden, darunter auch die „Deckrullo-Nettel", eine der beliebtesten Presse- und Reisekameras der Zeit. Die Produktion von Brennstoffmeßgeräten für Automobile belegt die Vielseitigkeit von N.s ingenieurtechnischer Begabung.

Die Wirtschaftslage machte nach dem Krieg eine weitere Konzentration der Kamera-Industrie notwendig; 1926 fusionierte N. seine Unternehmen mit der Zeiss Ikon AG in Dresden und übernahm die Stelle eines Vorstandsmitgliedes und leitenden Fabrikdirektors. Sein impulsives Temperament und sein Streben nach kaufmännischer und konstruktiver Freiheit führten indes bereits 1928 zur Trennung von Zeiss Ikon. Mit dem zur Verfügung stehenden Kapital gründete N. eine eigene Firma, die „August Nagel Fabrik für Feinmechanik" in Stuttgart-Wangen. Er begann wieder mit schönen, eleganten Kameras; seine „Librette"-Modelle und „Recomar" Plattenkameras bezeugen noch heute die hohe Qualität seiner Produkte. Weitere Konstruktionen folgten; immer ließ sich N. vom Grundprinzip einer kleinen, handlichen Kamera leiten. Bald wurden jedoch die Kapazitätsgrenzen der Fertigung erreicht und machten eine Erweiterung des Betriebes unumgänglich. So nahm N. unter der Bedingung größtmöglicher Selbständigkeit das Angebot der Eastman Kodak Co. an, sein Werk an die Kodak AG Berlin zu verkaufen und damit neues Kapital einfließen zu lassen. Dies ermöglichte es ihm, 1934 eine bahnbrechende Schöpfung im deutschen Kamerabau zu realisieren: die Kleinbildkamera „Retina" zum volkstümlichen Preis von 75 RM. Damit beeinflußte N. wesentlich den endgültigen Durchbruch der Kleinbildfotografie. Neben laufenden Verbesserungen der „Retina" konnte er, unter anderen Neukonstruktionen, vor allem seine beliebte „Vollenda"-Rollfilmkamera-Serie in vielen Varianten fertigen. Erst der Ausbruch des 2. Weltkrieges setzte wieder eine Zäsur. Die Fertigung mußte erneut auf Kriegsproduktion umgestellt werden. Die teilweise Zerstörung seines Werkes durch Bombenangriffe erlebte N. nicht mehr. – Dr. phil. nat. h. c. (Freiburg/Breisgau 1918).

W Über d. Werdegang d. Handcamera, 1918.

L H. Nagel, Zauber d. Camera, 1977; Bild d. Wiss., 1982, Nr. 6, S. 145–47 *(P)*; K. O. Kemmler, Contessa, Gesch. d. Contessa-Camera-Werke u. ihrem Gründer A. N. 1908–26, 1984 *(P)*; Wenzel. – *Zu Wilhelm:* Retina, Werkzs. f. d. Betriebsgemeinschaft Kodak AG, Dr. Nagel-Werk, Stuttgart-Wangen, 2. Jhg., Nr. 1, 1942, S. 1 *(P)*.

Karl Otto Kemmler

Nagel, *Christian Heinrich* v. (württ. Personaladel 1875), Mathematiker, * 28. 2. 1803 Stuttgart, † 26. 10. 1882 Ulm. (ev.)

V Johann Heinrich N. († 1822) aus Pleidelsheim (Württemberg), Schneider; *M* Christiane Friederike Huntzinger; ∞ 1) 1831 Johanna Braun († 1839), *T* e. Schuhmachers in Tübingen, 2) 1840 Wilhelmine Friederike Buxenstein (1811–69), *T* e. Speisemeisters u. Musiklehrers († 1847) in Urach; 3 *K* aus 1) (1 früh †), 2 *K* aus 2) (1 früh †).

Für N., der in bescheidenen Verhältnissen aufwuchs, kam aus finanziellen Gründen nur ein Studium der Theologie in Frage. Nach einigen Klassen am Gymnasium in Stuttgart legte er deshalb 1817 das sog. Landexamen ab und besuchte anschließend einen vierjährigen Kurs am ev.-theol. Seminar Blaubeuren. 1821 trat er in das Ev. Stift in Tübingen ein und begann das Theologiestudium an der dortigen Universität. Daneben hörte er mathematische und physikalische Vorlesungen bei Johann Gottlieb v. Bohnenberger und Friedrich Joseph Pythagoras Riecke. 1825 legte N. das theologische Dienstexamen ab und trat in den Kirchendienst ein. Im Dezember 1826 wurde er zum Lehrer für Mathematik und Naturwissenschaften am Lyceum und an der Realschule in Tübingen ernannt. Er befaßte sich mit geometrischen Untersuchungen, wobei er an Arbeiten des Tübinger Euklid-Experten Christoph Friedrich v. Pfleiderer anknüpfte. Im Oktober 1827 promovierte N. mit einer Arbeit über Konstruktionsaufgaben für rechtwinklige Dreiecke. Anschließend hielt er als Privatdozent Vorlesungen an der Univ. Tübingen. Die Hoffnungen auf eine Professur zerschlugen sich jedoch.

1830 übernahm N. die Professur für Mathematik und Naturwissenschaften am Gymnasium in Ulm und wurde gleichzeitig Hauptlehrer an dem angegliederten, neugegründeten Realinstitut. Den Ausbau dieser neuen Schulform machte er sich zur Lebensaufgabe. Allgemeine Bekanntheit erlangte er 1840 durch sein umfangreiches Werk „Die Idee der Realschule". Zwei Jahre später unternahm er eine viermonatige Studienreise durch zahlreiche deutsche Staaten, um das dortige Real- und Gewerbeschulwesen kennenzulernen und eine vergleichende Würdigung vorzunehmen. Im September 1844 erfolgte seine Ernennung zum Rektor der von diesem Zeitpunkt an selbständigen Realanstalt in Ulm. Neben seiner Tätigkeit als Schulleiter nahm N. aktiv am öffentlichen Leben in Ulm teil. Als technischer Berater des Magistrats wirkte er 1856 maßgeblich bei der Einrichtung der Ulmer Gasbeleuchtung mit, er initiierte und leitete eine Fortbildungsschule für den Gewerbestand, und er begründete einen mathematischen Verein zu Ulm.

1833 erschien N.s „Lehrbuch der ebenen Geometrie", das insgesamt 15 Auflagen erlebte und von dem es auch Ausgaben in ital. und ungar. Übersetzung gibt. Vorbild war ein Geometriebuch des Holländers Jan Hendrik van Swinden in der deutschen Übersetzung von Carl Ulrich Gaab. Mit N.s Namen wird ein Schnittpunkt von bestimmten Dreieckstransversalen bezeichnet. Die geometrische Bedeutung dieses Punktes findet sich erstmals in der Schrift „Untersuchungen über die wichtigsten zum Dreiecke gehörigen Kreise" (1836) beschrieben. – Ehrenbürger v. Ulm (1869); württ. Friedrichsorden, Orden d. Württ. Krone (1875).

W u. a. Theorie d. period. Dezimalbrüche, 1845; Geometr. Analysis, 1850, ²1876; mehrere math. u. physikal. Schulbücher u. Lex.btrr.

L ADB 23; O. Krimmel in: Korr.bl. f. d. Gelehrten- u. Realschulen Württembergs 31, 1884, H. 1 u. 2; P. Baptist, Ch. H. v. N. (1803–1882), Elementargeometer u. Lehrer, in: Bausteine z. Tübinger Univ.-gesch., VI, hrsg. v. V. Schäfer, 1992, S. 77–90; ders., Die Entwicklung d. neueren Dreiecksgeometrie, 1992.

P Ölbild v. Freidal (Friedel), um 1850 (Mus., Ulm).

Peter Baptist

Nagel, *Lorenz Theodor,* Publizist, * 28. 2. 1828 Schwabach b. Nürnberg, † 13. 9. 1895 Hamburg. (luth.)

V Bartholomäus (1808–58), Konrektor in Sch.; *M* Elisabetha Sara Weiginger (um 1800–64) aus Langenzenn; ⚭ 1867 Wilhelmine Johannette Koch, geb. Lamsbach; 1 *S* Hermann (1871–1945), Dr. iur., Dir. d. Oberversicherungsamts u. Versorgungsgerichts in H. (s. Das Dt. Führerlex., 1934; Wi. 1935), 1 *T*.

Nach dem Gymnasium in Nürnberg studierte N. 1845–48 erst Philosophie, dann Jurisprudenz in Erlangen und 1848/49 in Leipzig. Als radikaler Burschenschafter kämpfte er während der 1848er Revolution auf den Barrikaden an der Seite von Johannes Miquel und Wilhelm Wehrenpfennig für die Ziele der Demokratie. Sein Studium beendete er 1850 in München mit dem 1. juristischen Examen. In den Jahren der Reaktion trat er zunächst in eine Anwaltskanzlei in Nördlingen ein, ging dann aber nach Braunschweig, wo er von März 1854 bis März 1855 die Redaktion der „Blätter der Zeit", des „Organs der Nationalen Demokratie", übernahm. Nach deren Verbot wandte er sich 1856 nach Wiesbaden und arbeitete dort bei einem Hofgerichtsprokurator, blieb aber weiterhin auch journalistisch tätig. Ende der 50er Jahre engagierte ihn Karl Brater, der erste Geschäftsführer des preußenfreundlichen liberalen Nationalvereins, als seinen Sekretär. 1865–67 war N. selbst Geschäftsführer des Nationalvereins und Chefredakteur von dessen „Wochenblatt".

In dieser Zeit vollzog N. eine Abkehr von den 1848er Idealen, ließ sich von seinen politischen Ziehvätern Ludwig v. Rochau und Rudolf v. Bennigsen von Preußens „nationalem Beruf" überzeugen und wurde selbst zum

Wegbereiter einer gouvernementalen Politik des nationalen Liberalismus. Nachdem sich dieser 1867/68 mehrheitlich auf die Seite der Bismarck-Regierung gestellt hatte und der Nationalverein einer ganz auf Wahl- und Parlamentspolitik orientierten Partei gewichen war, zog sich N. zunächst aus dem öffentlichen Leben zurück, um theologische und philosophische Studien in Dettingen und Neuwied zu treiben. Dabei kam er mit führenden Kreisen der Inneren Mission in Berührung, die sich unter dem Einfluß J. H. Wicherns der Arbeiterfrage zuzuwenden begannen. Durch die gezielte Ansprache von christlich gesonnenen Industriellen sollte ein Forum geschaffen werden für die Anregung sozialer Reformarbeit auf Betriebsebene. Zur publizistischen Unterstützung dieses Vorhabens wurde 1870 die Herausgabe einer Wochenschrift angeregt, als deren Redakteur N. Wichern empfohlen worden war. Dessen Vertrauen hatte N. vor allem durch den Prospekt der neuen Zeitschrift gewonnen. Darin ermahnte die Redaktion die Arbeitgeber, „die aus den Grundsätzen des Christenthums und der Humanität für sie entspringenden Pflichten" besser zu erkennen und praktisch zu üben. Durch Wohltätigkeit gegenüber ihren Arbeitern sollten sie diese davon überzeugen, daß die Unternehmer ihre „natürlichen Bundesgenossen" sind, wohingegen die Staatsgewalt eigentlich „nicht zur Lösung der Arbeiterfrage berufen" sei. Im Oktober 1871 trat die so ausgerichtete „Concordia" als „Zeitschrift für die Arbeiterfrage" in Berlin ins Leben und konnte sich unter N.s Regie erfolgreich in den eben beginnenden sozialpolitischen Diskurs der Reichsgründungszeit einbringen. Das war nicht zuletzt auch N.s freien Mitarbeitern zu verdanken, die in ihrer Mehrzahl dem Milieu des Kathedersozialismus bzw. des Sozialprotestantismus entstammten. Auch der wichtigste Sozialpolitiker in den Reihen der Staatsbürokratie, Theodor Lohmann, unterstützte das Blatt durch gezielte Informationen und eigene Beiträge. 1876 mußte die „Concordia", nachdem sich ihre Mäzene mehr und mehr zurückgezogen hatten, ihr Erscheinen einstellen. N. zog sich nun zu einem mehrjährigen Aufenthalt in die Schweiz zurück und widmete sich dort wieder theologischen Fragen. Frucht dieser Studien war die 1880 veröffentliche Schrift „Der christliche Glaube und die menschliche Freiheit". 1879 ging er nach Hamburg, wo er zunächst als Journalist beim „Hamburgischen Correspondenten" und danach 1881–95 als sozialpolitisch sehr aktiver Sekretär der Gewerbekammer arbeitete. Im November 1890 wurde er vom Hamburger Senat zum Staatskommissar für die Invaliditäts- und Altersversicherung ernannt. N. besaß die Fähigkeit, unterschiedliche Positionen auf dem Boden eines sozialpolitischen Grundkonsenses zusammenzuhalten. Nach Lujo Brentano war er von einer Wärme des religiösen Gefühls erfüllt, wie sie bei politisch freisinnigen Deutschen nur selten zu finden ist. Das hinderte ihn freilich nicht, in theologischen oder kirchenpolitischen Fragen einen aufklärerisch-liberalen, durchaus kritischen Standpunkt einzunehmen. Er erklärte es für einen „Hauptirrthum" des Liberalismus, die mit den „besten Vorzügen unseres nationalen Wesens" ausgestattete Eigentümlichkeit des „luth. Konfessionalismus" zu verkennen, und rief seine Parteiführer dazu auf, „auch in ihrer Kirchenpolitik liberal zu sein". Erst eine christlich-liberale Partei war nach seiner Überzeugung eine wahrhaft liberale Partei. Auf der Basis dieser Weltanschauung wird N.s Beurteilung der sozialen Frage als Ausdruck einer nicht zuletzt sittlichen Erkrankung des Volkes verständlich.

W Der christl. Glaube u. d. menschl. Freiheit, 1880; zahlr. Art. in Schmollers Jb. u. a. wiss. Zss. – Hrsg.: Concordia, Zs. f. d. Arbeiterfrage, 1870–76.

L ADB 55; J. v. Eckardt, Zum Gedächtniß d. Herrn Th. L. Nagel, o. J. (1895); L. Machtan (Hrsg.), Mut z. Moral, Aus d. privaten Korr. d. Ges.reformers Theodor Lohmann, I (1850–1883), 1995; Kosch, Biogr. Staatshdb.

Lothar Machtan

Nagel, Otto, Maler, * 27. 9. 1894 Berlin-Wedding, † 12. 7. 1967 Berlin-Biesdorf.

V Friedrich Karl (1845–1915), Tischler in Berlin-Wedding; M Emma Barschin (1855–1929); ⚭ 1) N. N., 2) Leningrad 1925 Valentina (Walli) Nikitina (1904–83, s. W, L); 1 T aus 1) (früh †), 1 T aus 2) Sibylle (* 1943, ⚭ Götz Schallenberg, Maler, Graphiker), Kunsthistorikerin (beide s. L).

N. stammte aus einer Arbeiterfamilie; der Vater war aktiver Sozialdemokrat und von August Bebel hoch geschätzt. Bereits im Kindesalter zeigte sich N.s zeichnerische Begabung. Nach dem Rat Bruno Pauls begann er 1908 eine Lehre als Glasmaler, die er jedoch 1911 wegen seiner Aktivitäten in der Freien Sozialistischen Arbeiterjugend abbrechen mußte. Danach arbeitete er in verschiedenen Betrieben; als Künstler blieb er Autodidakt. Der Spartakusgruppe nahestehend, wurde er 1917 Mitglied der USPD; als Kriegsdienstverweigerer kam er 1917 in das Strafgefangenenlager Köln-Wahn. Im Dezember 1918 war er wieder in Berlin als Transportarbeiter tätig. Nach einer Phase innerer Zweifel über seine künstlerische Berufung fand er 1919 mit seinen Bildern erstmals öffentliche Anerkennung. Bis dahin unter dem Einfluß des Expressionismus (August Mackes ebenso wie Ludwig Meidners) stehend, kam N. erst durch die Porträtmalerei zu einem eigenständigen Realismus. Nach 1923 begann er seinen „Roman in Bildern vom Berlin-Wedding" (darunter zwei montierte Mehrtafelbilder „Die Budike/Weddinger Kneipe", 1926 und „Weddinger Familie", 1932). Seine politischen Aktivitäten führte er in den der KPD nahestehenden Organisationen fort. 1924 organisierte er die „Erste Allgemeine Deutsche Kunstausstellung" und begleitete sie nach Moskau und Leningrad. Seit 1928 gab er mit Heinrich Zille die satirische Zeitschrift „Eulenspiegel" heraus; mit Käthe Kollwitz arbeitete er am Zille-Film „Mutter Krausen's Fahrt ins Glück" (UA 1929). Nach 1933 wurde N. mehrmals inhaftiert. In seinen Bildern wurde jetzt der Wedding zur Stadtlandschaft, Selbstbildnis und Kinderbildnisse gewannen zunehmend an Bedeutung. Gleichzeitig vervollkommnete er seine Pastelltechnik. 1937/38 fielen 27 seiner Werke der Aktion „Entartete Kunst" zum Opfer. Briefwechsel mit Ernst Barlach und Freundschaft mit Käthe Kollwitz bewahrten die alten Verbindungen. 1949 begann er den Zyklus „Menschen unserer Zeit", den er jedoch bald wieder abbrach. Verstärkt trat er als Politiker und Publizist an die Öffentlichkeit; 1949–54 war er Abgeordneter der Volkskammer. 1952 brachte er seine Autobiographie heraus, der Bücher über Heinrich Zille (1955) und Käthe Kollwitz (1963) folgten. Als Präsident des „Verbandes Bildender Künstler Deutschlands" (1955) und als Präsident der Deutschen Akademie der Künste (1956–1962) trat er gegen manche Verirrungen in der Kulturpolitik der DDR auf (Formalismusdebatte, Barlach-Ausstellung, Bitterfelder Weg). Der Zyklus „Abschied vom Fischerkietz" (1965), mit dem er noch einmal an seine Zeit als „Klassiker vom Wedding" (F. Servaes) anknüpfte, wurde zu seinem künstlerischen Vermächtnis. – Prof. (1948); Gründungsmitgl. d. Dt. Ak. d. Künste in Berlin (1950/51); Vaterländ. Verdienstorden in Gold (1964).

Weitere W u. a. Ölgem.: Wochenmarkt am Wedding, 1926; Weddinger Jungen, 1928; Anilinarbeiter, 1928; Lorenkipper, 1929; Straßenarbeiter II, um 1935; Berlin 1945 I, 1948/55. – *Pastelle:* In d. Volksküche, um 1924; Kinderbildnis „Dedy", um 1934; Am Leopoldplatz, um 1934; Großdestille am Wedding, 1937; Brunnenstraße, um 1938; Berlin brennt, 1942; Trümmerfrauen␣auf␣d.␣Heimweg, 1947. – *Schrr.:* Leben u. Werk, Selbstbiogr., 1952; Die weiße Taube od. Das nasse Dreieck, 1978 (Roman, aus d. Nachlaß). – *Nachlaß:* Ak. d. Künste d. Länder Berlin u. Brandenburg; Archiv Otto u. Walli Nagel, Kuhwalk-Brandenburg.

L O. N. zu seinem 65. Geb.tag, FS u. Ausst.kat. Berlin 1959; E. Frommhold, O. N., Zeit – Leben – Werk, mit e. Einl. v. Walli Nagel *(Autobiogr., Schrr., L, P)*, 1974; S. Schallenberg-Nagel u. Götz Schallenberg, O. N., d. Gem. u. Pastelle, 1974; Walli Nagel, Das darfst du nicht! Erinnerungen, 1981 *(P);* O. N., bearb. v. W. Hütt, ⁴1988; ThB; Vollmer; KML. – Ständige Ausst. im Otto-Nagel-Haus, Berlin, Märk. Ufer (mit Publikationen 1973–1995).

P Selbstbildnisse in Öl, 1920, 1933, um 1936; Gem. v. O. Fischer, 1923 (Ak. d. Künste, Berlin); Bronzeplastik v. W. Förster, 1972 (Otto-Nagel-Haus, Berlin).

Erhard Frommhold

Nagel, *Willibald,* Sinnesphysiologe, * 19. 6. 1870 Tübingen, † 13. oder 14. 1. 1911 Rostock.

V Albrecht (1833–95), Prof. d. Ophthalmologie in T. (s. ADB 52; BLÄ; Altpreuß. Biogr. II), *S* d. Heinrich Ferdinand, Dir. d. Petrischule in Danzig, u. d. Emilie Albrecht; *M* N. N.

Nach Absolvierung sowohl des naturwissenschaftlichen wie auch des medizinischen Studiums wurde N. 1892 zum Dr. rer. nat., 1893 zum Dr. med. promoviert. 1895 habilitierte er sich als Assistent des Physiologen Johannes Adolf v. Kries in Freiburg (Breisgau). 1902 wurde N. zum ao. Professor nach Berlin berufen, wo er am Physiologischen Institut die Leitung der Sinnesphysiologischen Abteilung übernahm. 1908 erhielt er den Lehrstuhl für Physiologie in Rostock. Nach langer Krankheit starb N. drei Jahre später im Alter von 40 Jahren.

N.s Hauptarbeitsgebiete waren die physiologische Optik, die Physiologie des Geruchs- bzw. Geschmackssinns, die Erforschung der Lage- und Bewegungsempfindungen, die Physiologie der Stimmwerkzeuge sowie der männlichen Geschlechtsorgane. Weitere Forschungsschwerpunkte waren die Sinnesphysiologie der Insekten und verschiedene Phänomene der Farbenblindheit. N.s Bedeutung für das Fachgebiet Sinnesphysiologie liegt besonders in der Neuentwicklung von augenheilkundlichen Apparaten und Hilfsmitteln. So konstruierte er ein Adaptometer zur Messung der Dunkeladaption der Augen und ein Anomaloskop, den sog. „Nagel-Vierling", für die Untersuchung der Farbenblindheit. Ferner entwickelte er die „Nagelschen Farbtäfelchen" zur Prüfung des Farbensinnes. Bleibende Verdienste erwarb sich N. auch durch die Herausgabe des weitverbreiteten fünfbändigen „Handbuchs der Physiologie des Menschen" (5 Bde., 1904–10) und die Mitherausgabe der „Zeitschrift für Psychologie und Physiologie der Sinnesorgane".

W u. a. Die niederen Sinne d. Insekten, 1892; Vergleichend physiol. u. anatom. Unterss. üb. d. Geruchs- u. Geschmackssinn u. ihre Organe, 1894; Der Lichtsinn augenloser Tiere, Eine biolog. Stud., 1896; Tafeln z. Diagnose d. Farbenblindheit, 1898; Die Diagnose d. praktisch wichtigen angeborenen Störungen d. Farbensinnes, 1899; Der Farbensinn d. Tiere, Vortrag, 1901; – *Mithrsg.:* Zs. f. Psychol. u. Physiol. d. Sinnesorgane, Einf. in d. Kenntnis d. Farbsinnstörungen u. ihre Diagnose, 1908; Hdb. d. physiolog. Optik, 1909–11 (mit H. v. Helmholtz, J. A. v. Kries, A. Gullstrand).

L Fischer; BJ 16, Tl.

Werner Gerabek

Nagl, *Johann (Hans) Willibald,* österr. Mundart- und Namenforscher, Literarhistoriker, * 11. 5. 1856 Natschbach b. Neunkirchen (Niederösterreich), † 23. 7. 1918 Diepolz b. Neunkirchen. (kath.)

V Johann, Bauer in Natschbach; *M* Gertraud Pinkl; ∞ N. N.

N. zeigte bereits im Wiener Neustädter Gymnasium großes Interesse an Dialekt und Sprache. Dieses wurde dann im Wiener Schottenstift, in das N. 1875 als Novize eingetreten war, durch P. Hugo Mareta und P. Coelestin Wolfsgruber besonders gefördert. 1879 verließ N. jedoch das Kloster und wechselte von der Theologie zum Studium der deutschen und klassischen Philologie an der Univ. Wien. Von der positivistischen Textphilologie Richard Heinzels enttäuscht, bildete sich N. auf dem Gebiet der Dialektologie, die noch kein Studienfach war, autodidaktisch weiter. Hierbei beeinflußte ihn die Lautphysiologie von Eduard Sievers und Ernst Brücke und deren Anwendung durch Jost Winteler ebenso nachhaltig wie die auf den Zusammenhang von Sprache und Denken ausgerichtete Sprachpsychologie von Heymann Steinthal. In Verbindung mit sozialpädagogischen Bestrebungen, das Bildungsniveau der Landbevölkerung zu fördern, übertrug N. allmählich das Tierepos „Der Fuchs Roaner" (1889, ²1909) in seinen südostniederösterr. Heimatdialekt und benutzte den IV. Gesang als Grundlage für seine „Grammatische Analyse des niederösterr. Dialektes" (1886), eine Untersuchung in Form kommentierender Anmerkungen. Daraus entstand die Untersuchung „Die Conjugation des schwachen und starken Verbums im niederösterr. Dialekt" (1883), mit der N. 1886 promovierte, sowie die Studie „Die Declination der drei Geschlechter des Substantivs im niederösterr. Dialekt" (1884). Zur Förderung und Etablierung der Dialektologie besonders im Hinblick auf die Erforschung des Lautwandels strebte N. eine Universitätslaufbahn an. Vorbehalte Heinzels gegenüber einer nicht textphilologisch orientierten neuen Fachrichtung und der Vorwurf zu geringer sprachhistorischer Durchdringung der bisherigen Untersuchungen führten N. von Wien zunächst nach Graz, wo er sich 1890 bei Anton Emanuel Schönbach, der die Bedeutung der lebenden Dialekte für die Interpretation dialektal beeinflußter Texte des Spätmittelalters erkannt hatte, habilitierte. Seine Lehr- und Forschungstätigkeit, besonders auf den Gebieten der Phonetik, Lautgeschichte, Lehnwortforschung, Dialektdichtung und Ortsnamenkunde, übte N. aber 1891–1918 als Dozent an der Univ. Wien aus. Von seinen Kollegen mangels neuer Konzepte und wegen seiner aggressiv-konzessionslosen Art wenig geschätzt und hintangestellt, hatte er weder mit seiner Zeitschrift „Deutsche Mundarten" (I, 1895–1901, II, 1906) Erfolg, noch wurde er von Joseph Seemüller in die Arbeit der 1911 gegründeten Akademiekommission zur Schaffung des Österr.-Bayer. Wörterbuches eingebunden. Da N. nicht die neuen junggrammatisch-dialekthistorischen und die von Tübingen und Marburg ausgehenden dialektgeographischen Entwicklungen mitvollzog, geriet er zunehmend ins wissenschaftliche Abseits und zog sich enttäuscht und verbittert in seine Heimat zurück. Erfolgreich war dagegen die mit Jakob Zeidler konzipierte und mit weiteren Gymnasiallehrern erarbeitete „Deutsch-österr. Literaturgeschichte" (2 Bde., 1898/1914), zu der N. die Kapitel zum Mittelalter beisteuerte.

Die Ablehnung N.s in Wien vor allem durch die dort vorherrschende junggrammatische „Wiener dialektologische Schule" erweist sich im Rückblick angesichts seiner wenig fortschrittlichen wissenschaftlichen Ausrichtung zwar als verständlich, aber nicht als gerechtfertigt. Für die ersten namhaften und methodisch bestimmenden Vertreter Primus Lessiak und Anton Pfalz war N. insofern wesentlich, als sie die Grundlagen ihrer entwickelten Prinzipien und Methoden durch N.s Übungen und Schriften kennengelernt hatten. Auf N. gehen in der Dialektologie zurück die Heranziehung der Phonetik und die sog.

„direkte Methode" der Materialgewinnung, die von Pfalz zur „Reihenschritttheorie" ausgebaute Erkenntnis korrespondierender Entwicklungen palataler und velarer Vokale, die synchrone Darstellung der Flexionsmorphologie, die von Lessiak ausgebauten lautlichen Substitutionsregeln im Lehnwortaustausch sowie die Erkenntnis einer zu jeder Zeit herrschenden soziologischen Differenzierung der gesprochenen Sprache in eine Ober- und Unterschicht mit einem geographischen Stadt-Land-Gegensatz. In der Namenkunde verlangte N. für die Erarbeitung der Etymologie die Zugrundelegung der gesamten urkundlichen Überlieferung, die Einbeziehung der rezenten dialektalen Aussprache und bei Lagenamen die Realprobe sowie die Berücksichtigung der typologischen und landschaftlichen Zusammenhänge. – Prof. d. Handelsak. Wien (1906); Reg.rat (1912); Franz-Joseph-Orden.

Weitere W u. a. Lehrer, Bauernabende u. Volksstudien, 1883, ²1888; Päd. Bedeutung d. Wirtsstube im Bauernleben, 1886; Die wichtigsten Beziehungen zw. d. österr. u. d. čechischen Dialect, in: Bll. d. Ver. f. Landeskde. v. Niederösterreich 21, 1887, S. 356–88, u. 22, 1888, S. 417–34; Vocalismus d. bair.-österr. Mundart hist. beleuchtet, 1895; Über d. Gegensatz zw. Stadt- u. Landdialekt in unseren Alpenländern, in: Zs. f. österr. Volkskde. 1, 1895, S. 33–36, 166–67; Geogr. Namenkde., 1903; Dt. Sprachlehre f. Mittelschulen, 1905, ²1906; Dialektforschung u. geogr. Namenskde., in: Jb. f. Landeskde. v. Niederösterreich, NF 13/14, 1915, S. 90–111.

L A. Pfalz, Zum Gedächtnis H. W. N.s, in: Mbll. d. Ver. f. Landeskde. v. Niederösterr. 9, 1918, S. 190–92; ders., Mundartforschung, in: Nagl-Zeidler-Castle III, 1930, S. 91 f. *(P);* E. Leitner, Die neuere dt. Philol. an d. Univ. Graz, 1973, S. 158–63 *(P);* P. Wiesinger, J. W. N. (1856–1918), d. Pionier d. bair.-österr. Mundarten- u. Namenforschung in Wien, in: F. Debus u. K. Puchner (Hrsg.), Name u. Gesch., H. Kaufmann z. 80. Geb.tag, 1978, S. 349–72; ders., Die Wiener dialektolog. Schule, 1983, S. 3–6; ders., Namenforschung in Österreich, in: Namenforschung, hrsg. v. E. Eichler u. a., I, 1995, S. 140–47; Wi. 1914; ÖBL; Kosch, Lit.-Lex.³

P Phot. auch in: Der Fuchs Roaner, ²1909.

Peter Wiesinger

Nagler, *Georg Kaspar,* Antiquar, Kunsthistoriker, * 6. 1. 1801 Obersüßbach b. Mainburg (Oberbayern), † 20. 1. 1866 München. (kath.)

V Johann Georg (1776–1867), Zimmermeister, *S* d. Joseph († v. 1799), Hirte, Zimmermann in Furth b. Landshut, u. d. Maria N. N.; *M* Theresia (1773–1854), Hebamme, *T* d. Martin Peidlhauser (Beutelheuser) (um 1744–1817), Zimmermeister in O., u. d. Anna Piperger (Biberger) (um 1746–1826); 11 *Geschw;* – ∞ 1) München 1827 Maria Johanna (um 1772–1845), Wwe d. Georg Ehrentreich, Antiquar in München, *T* d. N. N. Kramann, 2) N. N.; 1 *Stief-S*, 1 *Stief-T* aus 1), u. a. Joseph, Benediktiner, Lehrer bei St. Stephan in Augsburg, 2 *K* aus 2).

N. kam 1815 an die Kgl. Studienanstalt in München. 1823 begann er das Studium der Philosophie und der Naturwissenschaften, wechselte aber 1826 auf Wunsch seiner Eltern zur Theologie über. Kurze Zeit später gab er dieses Studium auf und heiratete die Witwe eines Münchener Antiquars, wodurch er als Bürger und Antiquar in München aufgenommen wurde. 1829 wurde er mit einer Arbeit „De Rhapsodis" an der Univ. Erlangen zum Dr. phil. promoviert und begann, an der von J. H. Wolf herausgegebenen „Bayerischen Nationalzeitung" mitzuarbeiten. Mit zahlreichen Artikeln über Themen der bildenden Kunst und der Geschichte kam er zu seiner eigentlichen Lebensaufgabe, der Kunstgeschichte. Mit unermüdlichem Fleiß sammelte er Material aus Zeitschriften, Galeriekatalogen, Archivalien und Mitteilungen zeitgenössischer Künstler. Die Verbindung zum Antiquariat seiner Frau erleichterte ihm den Aufbau einer umfangreichen Bibliothek und den Austausch mit fachkundigen Kollegen. In rund 20jähriger Arbeit verfaßte N. – auf der Grundlage insbesondere von J. R. und J. H. Füsslis „Allgemeinem Künstlerlexikon" (8 Bde., 1763 ff.) – sein „Neues allgemeines Künstler-Lexicon" (22 Bde., 1835–52), das noch immer seiner zahlreichen Quellenangaben wegen Beachtung findet. Größeren Wert für die heutige Forschung besitzen „Die Monogrammisten", die er 1858–63 herausbrachte, ohne sie jedoch vollenden zu können. Unterstützung erhielt er dabei u. a. durch den Inspektor der Städelschen Kunstsammlung in Frankfurt, Johann David Passavant, sowie durch Rudolf und Theodor Oswald Weigel in Leipzig. Die Bedeutung dieses Werkes liegt in der überwiegend verläßlichen Faksimilierung von Schriftzeichen, die N. aus Tausenden von Originalquellen im eigenen Archiv, im Reichsarchiv und in der Staatsbibliothek in München gesammelt hatte. Kg. Friedrich Wilhelm IV. von Preußen und Herzog Max in Bayern verliehen N. Goldene Medaillen für Kunst und Wissenschaft; breitere Anerkennung, vor allem auch finanzielle Unterstützung wurde N. jedoch nicht zuteil.

Weitere W u. a. Acht Tage in München, 1834 (¹⁶1888 neu bearb. v. C. Wetzstein, Nachdr. d. Ausg. v. 1863, 1983); Gesch. d. Porcellan-Manufactur zu München, 1834; Michel-Angelo Buonarotti als Künstler, 1835; Neues allg. Künstler-Lex., 22 Bde., 1835–52 (²1870, Nachdr. d. 1. Aufl. in 25 Bden.,

1904–14, 1924 u. 1968); Raphael als Mensch u. Künstler, 1836; A. Dürer u. seine Kunst, 1837; Die Monogrammisten, I–III, 1858–63, IV, 1871, hrsg. v. A. Andresen, V, 1879, hrsg. v. C. Clauss, VI (Index), 1920 (Nachdr. I–VI, 1966, Forts. f. d. Zeit n. 1850 u. d. T. Monogramm-Lex., v. F. Goldstein, 1964); A. Senefelder u. d. geistl. Rath S. Schmidt als Rivalen in d. Gesch. d. Erfindung d. mechan. Steindrucks, 1862.

L ADB 23; R. Marggraff, G. K. N., 1868; J. Kiermeier, Lb. dt. Antiquare: G. K. N., in: Börsenbl. f. d. Dt. Buchhandel, Nr. 48, 1951, S. A 533; Kosch, Kath. Dtld.

Thomas Hilka

Nagler, *Johannes,* Jurist, * 22. 2. 1876 Reichenbach (Vogtland), † 27. 12. 1951 Ballenstedt (Harz). (luth.)

V Franz Eckhard, Obersekr. in R.; *M* Agnes Olga Kohlmeyer; ∞ Reichenbach 1908 Martha Lydia (1884–1963), *T* d. Fabrikbes. Robert Peßler u. d. Lydia Grimm; 1 S.

N. studierte 1894–97 Rechtswissenschaft in Leipzig. Nach der 2. Staatsprüfung 1901 wurde er zum Assessor und Hilfsrichter beim dortigen Landgericht ernannt. 1903 habilitierte er sich in Leipzig bei Karl Binding für Strafrecht und Strafprozeßrecht. Seit 1906 war er Ordinarius für diese Fächer sowie für Internationales Recht in Basel, seit 1913 für Straf- und Strafprozeßrecht, Zivilprozeßrecht und Allgemeine Rechtslehre in Freiburg (Breisgau) und seit 1928 für Straf- und Strafprozeßrecht, Zivilprozeßrecht und Kirchenrecht in Breslau. 1945 verließ er Breslau und zog sich an seinen Geburtsort Reichenbach zurück. – N. war mit mehreren Beiträgen an der monumentalen „Vergleichenden Darstellung des Deutschen und Ausländischen Strafrechts" (1905–08) beteiligt. Mit Karl v. Birkmeyer gründete er 1908 die Schriftenreihe „Kritische Beiträge zur Strafrechtsreform", ein Organ der sog. klassischen Schule. 1913 war er Mitbegründer der Zeitschrift „Der Rechtsgang", seit 1931 Mitherausgeber der renommierten Strafrechtszeitung „Der Gerichtssaal"; er war ferner Mitarbeiter der „Deutschen Rechtswissenschaft" und der nationalsozialistischen „Zeitschrift der Akademie für Deutsches Recht". Die 6./7. Auflage des „Leipziger Kommentars zum Strafgesetzbuch" (1944/51) stammt in wesentlichen Teilen aus seiner Feder.

N.s Hauptinteresse galt zeit seines Lebens dem Wesen und Zweck der Strafe. Dieser Thematik ist auch sein umfangreichstes Werk „Die Strafe, Eine juristisch-empirische Untersuchung" (1918, Neudr. 1970) gewidmet.

Nach N.s Auffassung besteht der eigentliche Zweck staatlichen Strafens im gerechten Ausgleich der Verletzung der Autorität des Gemeinwesens. Mit dieser Auffassung, die er immer wieder überprüfte, bezog N. Position im Streit zwischen der klassischen Strafrechtsschule, als deren Begründer und Protagonist sein akademischer Lehrer Karl Binding gilt, und der soziologischen Strafrechtsschule Franz v. Liszts. Die von Liszt postulierte Trennung zwischen dem Wesen der Strafe (Wiedervergeltung) und ihrem Zweck hält N. für undurchführbar. Wesen und Zweck könnten bei der Strafe ebenso wenig getrennt werden wie bei einem Werkzeug. Der Vorwurf der soziologischen Strafrechtsschule, die klassische Schule vertrete einen zweckfreien Strafbegriff und verhänge Strafe um ihrer selbst willen, gehe daher ins Leere. Der entscheidende Unterschied sei nicht derjenige zwischen Zweckstrafe und zweckfreier Strafe, sondern derjenige zwischen rechtlicher und außerrechtlicher Zwecksetzung. Letztere – General- und Spezialprävention, insbesondere Sicherung und Besserung – komme bloß als Reflex staatlichen Strafens („Nebenzweck") in Betracht. N. akzeptierte freilich Sicherungsmaßregeln als Sanktionen neben der Strafe, also die sog. Zweispurigkeit, wie sie dann 1933 im Strafgesetzbuch verwirklicht wurde und in modifizierter Form noch heute existiert. Für seine Analyse des Wesens der Strafe stellte N. umfangreiche historische und sozialpsychologische Untersuchungen an. In dieser Zusammenführung historisch-empirischer Befunde mit Rechtsprinzipien zeigen sich Gemeinsamkeiten mit dem Werk Adolf Merkels.

Wie bei Binding zeigt sich auch bei N., daß das Bekenntnis zu den Positionen der sog. klassischen Strafrechtsschule ungeachtet einer Affinität zum Rechtsstaatsgedanken nicht frei von obrigkeitsstaatlichen, autoritären und sozialdarwinistischen Beimengungen ist. So rekurriert N., wie vor ihm Binding, auf die „Lebensbedingungen der Untertanen", welche es dem widerstrebenden Einzelnen gegenüber zu wahren gelte – freilich nur in dem durch rechtliche Überlegungen vorher festgelegten Rahmen. Nach dem Reichstagsbrand verfaßte N. im März 1933 zusammen mit F. Oetker und H. v. Weber für das Reichsjustizministerium ein Rechtsgutachten, in dem entgegen der damals herrschenden Auffassung eine rückwirkende Einführung der Todesstrafe für schwere Brandstiftung als verfassungsgemäß bezeichnet wird. Das Gutachten spielte die rechtlichen Argumente gegen die Zulässigkeit der

Rückwirkung herunter und betonte die Wortlautinterpretation, die in diesem Falle die Verfassungsmäßigkeit und damit die Zulässigkeit der Rückwirkung unterstützt. – Ehrensenator d. Univ. Freiburg (Breisgau).

Weitere W Die Teilnahme am Sonderverbrechen, Habil.schr. 1903; Der heutige Stand d. Lehre v. d. Rechtswidrigkeit, in: FS f. K. Binding, II, 1911; Verbrechensprophylaxe u. Strafrecht, 1911, Neudr. 1978; Das Erziehungsproblem im modernen Strafvollzug, 1926; Das Massenverbrechen, 1926; Der Begriff d. Rechtswidrigkeit, in : Festgabe f. Reinhard Frank zum 70. Geb.tag, I, 1930; Gutachten z. Reichstagsbrandprozeß, abgedr. b. M. Seebode, Zur Rückwirkung v. Strafgesetzen, in: Vom ma. Recht z. neuzeitl. Rechtswissenschaft, 1994, S. 425 ff.

L D. Lang-Hinrichsen, Zum 75. Geb.tag J. N.s, in: Jur. Rdsch. 1951, S. 97 f.; ders., J. N. z. Gedächtnis, in: Zs. f. d. gesamte Strafrechtswiss. 64, 1952, S. 436 ff.; ders., J. N., Ein Nachruf, in: Jb. d. Schles. Friedrich-Wilhelms-Univ. zu Breslau, I, 1955, S. 22–32; R. Maurach, J. N. z. Gedächtnis, in: Juristenztg. 1952, S. 124; A. Wegner, in: Jur. Rdsch. 1952, S. 41 f.

Thomas Vormbaum

Nagler, *Josef,* Physiker, Erfinder, Technikhistoriker, * 5. 3. 1901 Wien, † 26. 1. 1990 Preßbaum b. Wien. (kath.)

V Ferdinand (* 1864), Hilfsämterdir., *S* d. Ferdinand (1835–1907), Schustermeister, u. d. Theresia Holzer (1842–1908); *M* Josefa (1868–1938), *T* d. Johann Mally (1840–1900), Tischlermeister, u. d. Josefa Sicherer (* 1833); ∞ Wien 1927 Henriette (* 1903), *T* d. Heinrich Zehetbauer (* 1875), Notariatsbeamter, u. d. Leopoldine Böhm (1877–1928); 1 *S*, 1 *T*.

N. legte 1920 in Wien die Reifeprüfung ab und studierte anschließend an der dortigen Universität Physik. 1925 wurde er mit der Arbeit „Über eine neue Methode zur Bestimmung spezifischer Wärme" promoviert. 1925/26 war N. Demonstrator am Mineralogischen Institut der Univ. Wien und wissenschaftlicher Mitarbeiter der Firma C. P. Goerz. Seit 1927 war er im Technischen Museum Wien tätig (seit 1950 Direktor). Bereits während seiner Studienzeit beschäftigte sich N. mit Erfindungen: 1917 Musterschutz auf eine neuartige Fußprothese, 1921 Patentanmeldung für einen elektrischen Zeichenstift für Batikmalereien auf Seidenstoffe. Bei Untersuchungen auf dem Gebiet der Radiolumineszenz entdeckte N. 1922 mit C. Doelter das Ausleuchten der Lenardschen Zentren. Im Technischen Museum arbeitete er 1931/32 an dem ersten elektrischen Modell des Gehirns für den Berliner Neurologenkongreß. 1932 entstand die erste „Lesende Maschine" der Welt, gebaut mit E. Reingruber, nach Patenten von Gustav Tauschek, gleichzeitig erfolgte die erste magnetische Speicherung der Zwischenresultate bei Rechenmaschinen. Im selben Jahr erfand N. die sog. „Schrägtonschrift". Bei Arbeiten mit Eugen Weissenberg an der Kurzwellenstation des Allgemeinen Krankenhauses entdeckte N. 1934 den sog. „Nahfeldeffekt", der von dem Amerikaner Henry Hallberg auf dem ersten Internationalen Kurzwellenkongress des Jahres 1937 vorgeführt wurde und in den USA „Nagler-Effekt" genannt wird. Ferner gelang N. der Nachweis von Leberschäden durch Kurzwellenbestrahlung. 1934 folgte die Gesamtkonzeption und technische Leitung der Ausstellung „10 Jahre RAVAG" am Technischen Museum. Dort führte N. auch von ihm konstruierte fernlenkbare Schiffsmodelle vor. Danach entwickelte er ein neues Verfahren zur Schriftalterbestimmung, die „Silberspiegelmethode". 1935 meldete er ein Patent auf dem Gebiet des Farbfernsehens mit Dreifarbenzeilenauflösung an. Verhandlungen mit der amerikan. Standard Electric zogen sich indes so in die Länge, daß das Patent verfiel. Erfolgreicher war N. 1935 mit einem Patent für eine elektrooptische Steuerung für Photo-, Kino- und Kopierapparate, die in allen damals modernen Kameras verwendet wurde. 1938 erfand N. für den Gewerkebesitzer Franz Mayr-Melnhof ein Holzaufschlußverfahren. 1952 entstand ein zweites elektrisches Gehirnmodell für den Anthropologenkongreß, das später im Naturhistorischen Museum in Wien aufgestellt wurde. 1953 erfand N. das „subjektive Farbfernsehen", das 1956 in London vorgeführt wurde (durch die Independent Television von Norman Collins). 1957 folgte eine elektrooptische Schachtellegemaschine für die Zündholzindustrie. Daneben beschäftigte sich N. aber auch mit Entwürfen für neue Technische Museen in Calcutta und Neu Delhi und arbeitete bei den Weltausstellungen in Paris 1937 und Brüssel 1958 sowie den Österreich-Ausstellungen in Mailand, Genf und Kopenhagen mit. Von ihm stammten Gesamtkonzeption und Ausführung der Ausstellung „Auslandsösterreicher" in Klagenfurt (1960) sowie drei Ausstellungen auf dem Gebiet der Raketentechnik. Im Wiener Technischen Museum wurden zahlreiche andere Ausstellungen während seiner Dienstzeit eröffnet; mit der Witwe Viktor Kaplans rief er die Viktor-Kaplan-Stiftung zur Studentenförderung ins Leben. 1966 trat N. in den Ruhestand und war auch danach noch für zahlreiche Institute als Gutachter tätig. – Päpstl. Goldenes Ehrenzeichen Pro ecclesia et pontifice (1933); Goldmedaille d. Wiener Photograph. Ges. (1962); Diesel-Medaille in Gold d. Dt. Erfinderbandes, Nürnberg (1964); Hofrat (1964); Prechtl-Medaille d. TH Wien (1965); Archimedesplakette d. Genossenschaft d. Mechaniker u. Maschinenbauer.

L Ein Riesen-Hirn reist um d. Welt, in: Wiener Ztg. v. 12. 2. 1953; Die Schöpferin d. ersten Wiener gläsernen Gehirnmodells, in: Neues Österreich v. 6. 2. 1953; Die rote Kuh im Schwarzweiß-Fernsehen, Zwei Österreicher erfanden d. physiolog. Farbfernsehen, ebd. v. 14. 10. 1958; Hofrat Dr. J. N. – Ein Leben voll Erfindungen u. für d. Erfinder, in: Österr. Patentinhaber- u. Erfinderverband, Informationen d. Pressebüros, Nr. 1–2, 1970; J. Braunbeck, in: Bll. f. Technikgesch. 50, 1988, S. 189–92.

P Abb. in: Bll. f. Technikgesch. 30, 1968, S. 116.

Reinhard Keimel

Nagler, *Carl Ferdinand Friedrich v.* (preuß. Adel 1823/24), preuß. Generalpostmeister, Politiker, * 22. 1. 1770 Ansbach, † 13. 6. 1846 Berlin. (luth.)

V Simon Friedrich (1728–93), Hof-, Reg.- u. Justizrat in A., S d. Friedrich Zacharias († 1766), Bgm., Wirt, Richter u. Zolleinnehmer in Obernbreit/Main; M Charlotta Juliana Catharina (1736–1815), T d. Sigmund Carl Cramer, Geh. Rat, Dir. d. Burggerichts-Collegiums u. vorderster Landgerichtsassessor in A.; ∞ 1) Ernestine Marianne Philippine (1778–1803), T d. Friedrich Ernst v. Stein zum Altenstein (1731–79), brandenburg-ansbach. Kammerherr u. Garde-Rittmeister, u. d. Juliane Wilhelmine Philippine v. Adelsheim (1747–1813) auf Ober-Mögersheim, 2) N. N., jüngste Schw d. 1. Ehefrau, 3) Emilie (1790–1845), T d. preuß. Kriegsrats Herft in B.; Schwager Karl Frhr. v. Stein zum Altenstein (1770–1840), preuß. Staatsmin. (s. NDB I); 1 S aus 3).

N. studierte an den Universitäten Erlangen und Göttingen Rechts- und Staatswissenschaften, trat 1793 bei der Kriegs- und Domänenkammer in Ansbach in preuß. Dienste, wurde Assessor und später Kriegsrat. 1798 berief der als Dirigierender Minister für Ansbach und Bayreuth nach Berlin zurückbeorderte Hardenberg N. als Vortragenden Rat in das dort neugebildete Ansbach-Bayreuther-Departement. Als ihm 1804 die Leitung des Außenministeriums übertragen wurde, zog er N., der zwei Jahre zuvor zum Geh. Legationsrat ernannt worden war, auch für Aufgaben auf diplomatischem Gebiet heran. Nachdem er die unter napoleonischem Druck erzwungene Abtretung der fränk. Fürstentümer als Übergabekommissar in Ansbach geleitet hatte, folgte N. Regierung und Hof nach Ostpreußen. 1808 wurde er Vizegeneralpostmeister (mit diesem Titel sollte die Anwartschaft auf das Amt des Generalpostmeisters verdeutlicht werden), im Jahr darauf Geh. Staatsrat und Direktor der 2. Sektion des Departements für auswärtige Angelegenheiten. Über das enge Verhältnis zu Hardenberg, zu seinem Schwager Altenstein und zum Königspaar konnte er weitreichenden Einfluß erringen, den er u. a. in den gegen Stein gerichteten Ränkespielen nutzte, die im November 1808, ausgelöst durch die Ablösungsforderung Napoleons, zu dessen Demission führten. Im Juni 1810 wurde auch N.s politische Karriere unterbrochen: Hardenberg, der sich hinsichtlich seiner privaten und politischen Interessen während des Ministeriums Dohna-Altenstein nicht zuletzt von seinem bisherigen Günstling zunehmend auf Distanz gehalten, in seinem gegen ein von Altenstein favorisierte Abtretung Schlesiens gerichteten Alternativvorschlag zur Finanzierung der Kontributionszahlungen an Frankreich sogar bekämpft sah, stufte diesen nun als Opponenten ein und machte dessen Entlassung und die anderer potentieller Widersacher seines Reformkurses zur conditio sine qua non seiner Amtsübernahme als Staatskanzler.

In den folgenden elf Jahren betrieb N. Kunststudien und baute sowohl eine bedeutende Sammlung von Gemälden, Kupferstichen und Handzeichnungen als auch eine Bibliothek mit einer Vielzahl alter Drucke und Handschriften auf. Infolge der zunehmend restaurativen Ausrichtung der preuß. Politik und des schwindenden Einflusses Hardenbergs wurde er 1821 als Präsident des Generalpostamtes in den Staatsdienst zurückberufen. Im selben Jahr gründete N. das „Geheime Postarchiv", das erste Postarchiv der Welt, das einen Überblick über die Geschichte des Postwesens und die deutschen und ausländischen Postverhältnisse vermitteln sollte. 1823 wurde er zum Generalpostmeister ernannt. 1824–35 vertrat N. außerdem Preußen als Gesandter beim Bundestag in Frankfurt/Main. In dieser Eigenschaft gehörte er der „Preßkommission" an und beteiligte sich u. a. wesentlich an der Ausarbeitung der repressiven Bundesmaßregeln gegen Presse und Publizistik wie auch der gegen die konstitutionellen Bestrebungen in den Einzelstaaten gerichteten sechs Artikel vom 28. 6. 1832. Seit 1826 gehörte er der Zentraldirektion der „Gesellschaft für ältere deutsche Geschichtskunde" an, die die „Monumenta Germaniae Historica" herausgab. Nach Beendigung seiner Gesandtentätigkeit wurde er 1836 zum Geh. Staatsminister ernannt.

Als Generalpostmeister hat N. die Effizienz des preuß. Postwesens durch die Modernisierung der verwaltungs-, betriebs- und verkehrstechnischen Infrastruktur erheblich verbessert sowie die Qualifikation, Disziplin und Motivation der Postbediensteten durch neue Ausbildungsordnungen und bessere Besoldung angehoben. Andererseits hatte er in dieser Funktion das Aufbrechen und die Zensur von Briefsendungen zu verantworten. Aus ressortpolitischen und fiskalischen Gründen opponierte er zeitweise heftig gegen den Eisenbahnbau und trug dazu bei, daß der preuß. Staat sich 1838 das Recht sicherte, die Eisenbahnen für den Postverkehr zu nutzen. Insgesamt gesehen, hat sich N. aus seiner konservativen Grundhaltung heraus als wichtige Stütze des Metternichschen Systems und der reaktionären Politik in Preußen sowie als begabter Technokrat erwiesen.

W E. Kelchner u. K. Mendelssohn-Bartholdy (Hrsg.), Briefe d. kgl. preuß. Staatsmin., Gen.-Postmeisters u. ehemal. Bundestags-Gesandten K. F. F. v. N. an e. Staatsbeamten, 2 Bde., 1869.

L ADB 23; H. v. Stephan, Gesch. d. Preuß. Post v. ihrem Ursprunge bis auf d. Gegenwart, 1859, Nachdr. 1987; K. Sautter, Gen.-Postmeister v. N. u. seine Stellung zu d. Eisenbahnen, in: Archiv f. Post u. Telegraphie 1917, S. 169–73; W. Küsgen u. a. (Hrsg.), Hdwb. d. Postwesens, 1927, S. 375; G. Meyer-Erlach, Der preuß. Gen.postmeister v. N. u. d. Erforschung seiner Würzburger Ahnen, in: Archiv f. Sippenforschung 19, 1942, S. 145; A. Gallitsch, C. F. F. v. N., Diplomat u. Gen.postmeister, in: Archiv f. dt. Postgesch. 1955/2, S. 3–11, 1956/1, S. 3–8, 1956/2, S. 3–13, 1957/1, S. 3–16, 1957/2, S. 3–12, 1958/1, S. 3–14, 1958/2, S. 3–14; W. Forstmann, in: W. Lotz (Hrsg.), Dt. Postgesch., 1989, S. 149–69 *(P)*; NND. – Postarchiv d. Bundesministeriums f. d. Post- u. Fernmeldewesen.

P Bronzemedaille v. H. F. Brandt, 1831 (Schloß Charlottenburg); Gem. v. M. Unger, Abb. b. Forstmann (s. *L*).

Uwe Meier, Erwin Müller-Fischer

Naglo, *Emil* Ottomar, Elektroindustrieller, * 15. 2. 1845 Laurahütte (Oberschlesien), † 12. 9. 1908 Berlin-Treptow.

V Moritz, Dir. d. Königs- u. Laurahütte; *M* Lina Harnisch; *B* Wilhelm (* v. 1845), Elektroindustrieller in Berlin; – ∞ 1) 1878 Margarethe, *T* d. P. C. Borjeau, 2) 1891 Elisabeth Sponnagel; 2 *S*, 1 *T* aus 1).

N. kam 1855 nach Berlin, besuchte dort das Gymnasium und absolvierte eine Lehre. Danach ging er für 7 Jahre zu Siemens Brothers nach London. Nach seiner Rückkehr gründete er gemeinsam mit seinem älteren Bruder Wilhelm 1872 in Berlin die Firma Gebr. Naglo, die sich zunächst der Schwachstromtechnik (Verkehrs- und Eisenbahntelegraphie, elektrisches Signalwesen, Telephone, Telegraphen, elektrische Meß- und Kontrollinstrumente), dann jedoch der Starkstromtechnik (Dynamomaschinen, Straßenbahnen, elektrische Beleuchtung, Elektrochemie) zuwandte. Durch den Nachbau der nicht patentierten Dynamomaschine von Siemens wurde N.s Unternehmen zum ersten ernsthaften Konkurrenten von Siemens in Berlin. 1894/95 verlegte N. das Werk nach Treptow bei Berlin. 1897 verkaufte er das Unternehmen, das zu diesem Zeitpunkt 600 Arbeiter beschäftigte, an die Firma Schuckert & Co. in Nürnberg. N. behielt die Leitung der Fabrik, bezog als Direktor ein hohes Gehalt und war am Gewinn beteiligt. Bei der Gründung der Siemens-Schuckertwerke GmbH (1903) wurde die N.sche Fabrik, mit Ausnahme der Maschinen für die Starkstromtechnik, nicht mit in das neue Unternehmen übernommen. 1904 erwarb die Firma G. Feibisch die Berliner Betriebsanlagen. – Gründungsmitgl. d. Elektrotechn. Ver. in Berlin (1901/02 u. 1905–08 stellv., 1904 1. Vors.); Mitgl. d. Vorstandes d. Ver. Dt. Elektrotechniker (VDE) (1895–97).

W Hrsg.: Die ersten 25 J. d. Elektrotechn. Ver., 1904.

L Berlins Großindustrie, geschildert v. P. Hirschfeld, hrsg. v. R. Jannasch, 1897, S. 123–25; Elektrotechn. Zs. 29, 1908, H. 46, S. 1112; W. Feldenkirchen, Siemens 1918–1945, 1995; K. Jäger (Hrsg.), Lex. d. Elektrotechniker, 1996. – Eigene Archivstud. (Feldhausarchiv im Mus. f. Verkehr u. Technik, Berlin).

Helmut Lindner

Nagy, *Käthe* v. (eigtl. *Ekaterina Nagy v. Czisier*), Schauspielerin, * 4. 4. 1904 Sathmar (Ungarn, heute Rumänien), † 20. 12. 1973 bei Los Angeles (Kalifornien, USA).

V N. N., Bankdir.; *M* N. N.; ∞ 1) (∞) Constantin J. David (* 1900), Regisseur, 2) Jacques Fattini, Schausp.

N. absolvierte das Gymnasium in Subotica (Wojwodina) und die Klosterschule in Frohsdorf (Niederösterreich). Sie nahm Schauspielunterricht und schrieb für Budapester Zeitungen. Um 1926 ging sie nach Berlin. 1927 erhielt sie eine Rolle in dem Film „Männer vor der Ehe", den ihr späterer erster Ehemann inszenierte. In ihrem nächsten Film

„Gustav Mond, du gehst so stille" spielte sie ein sportbegeistertes Mädchen und in „Die Republik der Backfische" (1928) eines, das mit ihren Freundinnen einen eigenen Staat gründen will. Aufgrund ihres burschikosen, temperamentvollen Auftretens galt N. zunächst als „Backfischdarstellerin", doch sollte das Sportive, dabei Selbstbewußte und wenig Damenhafte ihrer Erscheinung bald zum Kennzeichen eines neuen Frauentyps im deutschen Film werden. Als Frau von nebenan verkörperte sie ein Barmädchen in „Ihre Majestät die Liebe" (1930), eine Maniküre in „Ich bei Tag und du bei Nacht" (1932) oder bereits in filmischer Travestie eine Prinzessin, die als Stubenmädel auf den Gesindeball geht, in „Ihre Hoheit befiehlt" (1931). Stets ging es darum, als adrette, natürlich wirkende Durchschnittsfrau tatkräftig dazu beizutragen, den geliebten Mann und den gemeinsamen sozialen Aufstieg zu erobern. N. tat dies mit vitalem Charme und erstaunlicher „Echtheit" in der „Unechtheit" operettenhafter Musikkomödien. Sehr verinnerlicht war ihr Spiel in dem ital. Film „Rotaie" (1929), wo sie die vertraute Arbeit in der Fabrik dem Luxusleben vorzog, und in dem nationalistischen Heimkehrerdrama „Flüchtlinge" (1933), wo sie an der Seite von Hans Albers eine sanftmütige Wolgadeutsche verkörperte. In den 30er Jahren gab sie auch den Salondamen oder Gräfinnen burschikose Züge, wenn sie als Kostümdesignerin in „Ronny" (1931) den Nachstellungen eines Fürsten parierte, als verarmte Grafentochter in „Das schöne Abenteuer" (1932) einer berechnenden Verheiratung widerstand oder resolut als „Die Pompadour" (1935) agierte.

1936 übersiedelte N. vorwiegend aus privaten Gründen nach Frankreich, wo sie aufgrund synchronisierter Versionen ihrer deutschen Erfolgsfilme sehr bekannt war. Sie spielte hier sowohl in Filmen von Emigranten als auch bis 1939 in deutschen Produktionen. Nach dem Krieg war ihr Typ der optimistischen, mädchenhaften Frau kaum mehr gefragt. Sie wirkte noch in zwei Filmen mit, zuletzt 1952 als kokette Gräfin Paalen in „Die Försterchristl".

W Es gibt keine Backfische, in: Mein Film v. 30. 8. 1929, S. 5; Du u. ich u. wer noch?, in: Ufa-Feuilleton v. 6. 3. 1934, S. 4.

L K. v. N., in: H. Treuner (Hrsg.), Filmkünstler, Wir üb. uns selbst, 1928 (P); Aros (d. i. Alfred Rosenthal), K. v. N., 1932 (P); O. Behrens (Hrsg.), K. v. N., Hans Söhnker, Elga Brink, 1934 (P); Bezaubernde Frauen, in: Reihe d. Filmschr. (Berlin), H. 9, 1938; Frauen um Hans Albers, ebd., H. 12, 1938; H. J. Schlamp, K. v. N., 1939 (P); H. E. Weinschenk, Wir v. Bühne u. Film, 1939, S. 265–74 (P); C. Romani, Die Filmdivas d. Dritten Reiches, 1982, S. 158–66 (P); CineGraph.

Jürgen Kasten

Nagy v. *Alsó-Szopor, Ladislaus* Freiherr (österr. Freiherr 1854), k. k. General, * 23. 6. 1803 Vukovar (Syrmien), † 23. 9. 1872 Graz.

V Joseph N. v. A. (1777–1839), Rittmeister; M Franziska Bessenyei († 1832); Vt Imre N. v. A. (1822–94), Notar, dann Richter, Historiker, Mitbegründer d. Ungar. Hist. Ges. (1867) u. d. Ungar. Herald. u. Genealog. Ges. (1883) (s. ÖBL); – ∞ 1854 Marie, verw. v. Kesaer.

N. absolvierte 1816–23 die Wiener Neustädter Militärakademie, war 1824 bei der Armee in Neapel und arbeitete 1828–30 in Dalmatien sowie 1830/31 in Kroatien bei der Mappierung mit (1831 Oberleutnant, 1832 Kapitänleutnant). 1831 in Verwendung beim Hofkriegsratspräsidenten Ignaz Gf. Gyulai, ging N. im folgenden Jahr als Adjutant des Generalmajors Carl Gf. Clam-Martinitz in diplomatischer Mission nach Berlin. Im Februar 1835 dem Generalquartiermeisterstab zugeteilt, machte N. 1836–39 die Operationen des Okkupationskorps in der Romagna mit. Im April 1839 wurde er als Major zum Generalstabschef des 2. Armeekorps in Verona ernannt; in dieser Stellung erwarb er sich das besondere Vertrauen Radetzkys. 1841–44 mit der Leitung der Vermessungsarbeiten im Kirchenstaat und in der Toskana betraut, leistete N. äußerst wertvolle kartographische Arbeiten. Im Mai 1845 wurde er zum Generalstabschef des 1. Armeekorps in der Lombardei ernannt; bis zum Ausbruch der Revolution befaßte sich N. mit operativen Studien und mit Fragen des Befestigungswesens (1847 Oberstleutnant, 1848 Oberst). Den Feldzug 1848/49 machte er zunächst in der Lombardei mit; seit April 1849 war er als Generalstabschef bei der in der Romagna operierenden Armee eingeteilt, wo er sich besonders bei der Belagerung und Einnahme von Bologna und Ancona auszeichnete (11. 11. 1849 Generalmajor). Nach dem Feldzug war N. Generalstabschef der 1. Armee in Wien, von April 1852 bis November 1854 Kommandant der zur Ausbildung der Generalstabsoffiziere neu eingerichteten Kriegsschule in Wien. 1853 arbeitete er als Stellvertreter des Chefs des Generalquartiermeisterstabes, Feldzeugmeister Heinrich Frhr. v. Heß, den Operationsplan für die Besetzung der Donaufürstentümer aus. Seit Ende 1854 wirkte N. als Direktor sämtlicher Landesbeschreibungsarbeiten. Im Februar 1857 wurde er zum Chef der II. Sektion des Armeeoberkommandos ernannt, welche die operativen Angelegenheiten zu bearbeiten hatte. Am 28. 2. 1857 folgte seine Beförderung zum Feldmarschalleutnant. Während des Feldzuges von 1859 als Stellvertreter des Gouverneurs in Dalmatien mit der Sicherung der österr. Adriaküste betraut, wirkte N. nach dem Kriege wieder im Armeeoberkommando bzw. im Kriegsministerium, wo er maßgeblichen Anteil an allen Arbeiten zur Heeresorganisation, Reichsbefestigung und für die Mobilisierungsvorbereitungen bzw. Aufmarschplanungen hatte. Seit Februar 1861 leitete er den Generalquartiermeisterstab. Im November 1864 zum Festungskommandanten in Theresienstadt ernannt, trat N. im Oktober 1865 als Feldzeugmeister ad honores in den Ruhestand. Nach der Niederlage bei Königgrätz 1866 führte er in Wiener Neustadt den Vorsitz der Kommission, die mit der Untersuchung der Maßnahmen der Armeeführung in Böhmen betraut war. – GR (1859); Inh. d. Inf.Rgt. Nr. 70 (1860).

W Malariakarte v. Mittelitalien, 1842; Sanitäts- u. Fieberkarte d. Österr. Monarchie, 1858; Ideen üb. tragbare Tag- u. Nacht-Telegraphen z. Feldgebrauche, in: Österr. Mil. Zs. I, 1828, S. 57–67; Bemerkungen üb. d. Feldzug d. k. k. Nord-Armee 1866, ebd. II, 1867, S. 157–214; Österreichs Verhältnisse zu Rußland u. zur europ. Türkei aus mil. u. speciell österr. Gesichtspunkten betrachtet (im Sommer 1853 geschrieben), in: Mitt. d. k. k. Kriegsarchivs, 3. Jg., 1878, S. 127–41.

L ADB 23; Wiener Ztg. v. 25. 9. 1872, S. 1060; Streffleur's Österr. Mil. Zs., 13. Jg., 1872, 4. Bd., S. 190–96; J. Svoboda, Die Theresian. Mil.-Ak. zu Wiener Neustadt u. ihre Zöglinge I, 1894, S. 461–65; Gesch. d. k. u. k. Peterwardeiner Inf.-Reg. Nr. 70, III. u. IV. Theil, 1898, S. 57 ff. *(P)*; W. Wagner, Gesch. d. k. k. Kriegsmin. I, 1848–1866, 1966; O. Regele, Gen.stabschefs aus vier Jhh., 1966; M. Rauchensteiner, Zum „operativen Denken" in Österreich 1814–1914, Der „schulmäßige" Aufmarsch, in: Österr. Mil. Zs., 12. Jg., 1974, S. 285–91; ÖBL.

Rainer Egger

Nahl, Künstler. (ev.)

1) *Johann August d. Ä.,* Bildhauer, Innenarchitekt, * 22. 8. 1710 Berlin, † 22. 10. 1781 Kassel.

V Samuel (1664–1728), Hofbildhauer in B., Mitgl. d. Ak. d. Künste u. d. Wiss. in B., *S* d. Matthäus (Matthias) (1618–68) aus Finsterloh b. Creglingen / Tauber ?, Hofschreiner in Ansbach; *M* Eva Maria Borsch, *T* e. Goldarbeiters in B.; ⚭ Straßburg 1736 Anna Maria, aus Schwanenehe b. Straßburg, *T* d. Hans Jacob Gütig, Steinhauer, Bgm. in Straßburg; 2 *S,* Samuel (1748–1813), Bildhauer, Leiter d. Kunstak. in K. (s. ADB 23; Lb. aus Kurhessen u. Waldeck, IV, 1950), Johann August d. J. (s. 2), 1 *T; E* Georg Valentin Friedrich (1791–1857), Kupferstecher in K.; *Ur-E* Carl (1818–78), Maler, Lithograph in San Francisco (s. ThB).

Nach dem Tod des Vaters, bei dem er vermutlich seine erste Ausbildung erhalten hatte, begann N. eine Gesellenreise, die ihn 1728/29 nach Bern, Sigmaringen und Straßburg führte. 1731-ca. 1734 lebte er in Paris, wo er die Arbeiten der bedeutendsten franz. Ornamentisten kennenlernte. Danach bereiste er Italien (u. a. Rom, Florenz, Genua, Bologna, Venedig und Neapel). 1736 ließ er sich in Straßburg nieder und erwarb durch Heirat das Bürgerrecht. Seine dortige Tätigkeit – er soll am Palais Rohan unter Robert Le Lorrain gearbeitet haben – ist nicht genauer erforscht. Seit 1741 war er in Berlin und Potsdam maßgeblich an der Ausstattung der Schloßneubauten Friedrichs II. beteiligt (Schloß Charlottenburg, Neuer Flügel, 1740–46, Berliner Schloß [Friedrichswohnung], Stadtschloß in Potsdam [Ost- und Westwohnung], 1743/44, Schloß Sanssouci, 1746). Seit 1745 in der Position des „Surintendent des Ornements", soll ihm nach dem Zerwürfnis zwischen Friedrich II. und Wenzeslaus v. Knobelsdorff (wahrscheinlich Sommer 1746) dessen Generalintendantur über alle kgl. Bauten angeboten worden sein. 1746 verließ N. heimlich Preußen wegen Arbeitsüberlastung, unbezahlter Arbeiten und der zwangsweisen Einquartierung von Soldaten in seinem Haus und seiner Werkstatt. Über Straßburg reiste er in die Schweiz und erwarb ein Gut bei Bern. Hier lebte er bis 1755 und führte aufgrund zahlreicher Aufträge seine umfangreiche künstlerische Tätigkeit weiter. 1755 wurde er von Landgf. Wilhelm VIII. von Hessen an den Kasseler Hof gerufen. Er war dort an der Ausstattung von Schloß und Park Wilhelmsthal wesentlich beteiligt. 1767 wurde er zum Professor für Bildhauerei am Collegium Carolinum ernannt. Seit 1777 bekleidete er dieselbe Position an der in Kassel neugegründeten Kunstakademie.

N. war der bedeutendste Vertreter der vom 17. bis zum 19. Jh. erfolgreichen Bildhauer- und Malerfamilie und gehörte zusammen mit den Brüdern Johann Michael und Johann Christian Hoppenhaupt und dem Architekten v. Knobelsdorff zu den herausragendsten Künstlern des friderizianischen Rokoko. Mit der aus seiner Pariser Zeit stammenden Kenntnis der franz. Rocailledekoration prägte N. nachhaltig den Ausstattungsstil der Schloßbauten Friedrichs II. Problematisch ist aber immer noch die genaue Bestimmung des persönlichen Anteils der einzelnen Künstler an den jeweiligen Projekten, da Entwurf und Ausführung in vielen Fällen nicht klar zu trennen sind. Bei N.s späteren Ausstattungsarbeiten für das von François Cuvilliés entworfene Kasseler Schloß nahm sein Dekorationsstil auch Einflüsse des süddeutschen Rokoko auf. Weniger bekannt ist sein umfangreiches bildhauerisches Werk, in dem er ebenso wie in seinen ornamentalen Arbeiten hauptsächlich franz. Einflüsse verarbeitete.

Weitere W Grabmal f. Hieronymus v. Erlach in Hindelbank b. Bern, 1751; Grabmal f. Magdalena Langhans, ebd., 1751/52; Rossebändiger d. Kassler Rennbahn, 1770; Statue Friedrichs II. in Kassel, 1771 begonnen, postum v. seinem Sohn vollendet.

L ADB 23; F. Bleibaum, J. A. N., d. Künstler Friedrichs d. Gr. u. d. Landgf. v. Hessen-Kassel, 1933; R. Petras, Berliner Plastik im 18. Jh., 1954; E. Goens, Die Gartenskulpturen v. Schloß Hindelbank, Ein Btr. z. Tätigkeit J. A. N.s d. Ä. in d. Schweiz, in: Marburger Jb. f. Kunstwiss. 18, 1969, S. 153–60; T. Eggeling, Stud. z. friderizian. Rokoko, 1980; ders., Probleme d. dekorativen Ausgestaltung d. Friderizian. Schlösser, in: Zs. d. dt. Ver. f. Kunstwiss., 42, H. 1, 1988, S. 9–22; U. Schmidt (Hrsg.), Die Künstlerfam. N., Rokoko u. Klassizismus in Kassel 1994 *(Qu, W, L, P);* ThB.

P Ölgem. v. E. Handmann, 1755 (Staatl. Kunstslg., Kassel), Abb. b. E. M. Fallet, Der Bildhauer J. A. N. d. Ä., 1970, Frontispiz; Ölgem. v. J. H. Tischbein d. Ä., um 1770 (Hist. Mus., Bern), Abb. ebd. Nr. 2; Selbstbildnis (Gipsbüste), um 1775–80 (Hess. Landesmus., Kassel), Abb. b. Schmidt, s. *L,* S. 40.

Katharina Blohm

2) *Johann August d. J.,* Maler, * 2. od. 7. 1. 1752 Gut Tanne b. Zollikofen od. b. Ostermundigen Kt. Bern, † 30. 1. 1825 Kassel.

V Johann August d. Ä. (s. 1); *M* Anna Maria Gütig; ∞ Kassel 1798 Christiane Emilie West (1766–1835); *K* u. a. Wilhelm (1803–80), Maler, Kopist u. Sammler in K. (s. ADB 23; ThB), Alexander Theodor (1805–75), Priv.gel. in K.; *E* Emilie Wepler (1819/26–93), Schriftst. (s. ADB 41; Brümmer).

N. wuchs in Kassel auf, wo ihn zunächst sein Vater in der Bildhauerei unterrichtete. Seiner Neigung folgend, erlernte er anschließend bei Johann Heinrich Tischbein d. Ä. (1763/64) die Malerei, die er in Straßburg bei Tanesch und Christoph v. Bemmel (1765–67) im Landschafts- und in Bern bei Emanuel Handmann (1767–70) im Porträtfach vervollkommnete. 1771/72 stattete N. in Kassel das väterliche Wohnhaus mit alttestamentarischen, mythologischen und allegorischen Szenen aus, die noch seine barocke Auffassung belegen. 1773 lernte N. in Paris, wo er die Akademie besuchte, die Werke des frühen Klassizisten Eustache Le Sueur kennen. Die folgenden Jahre verbrachte er in Rom; hier war er zunächst mit dem Zeichnen nach den Antiken und dem Kopieren alter Meister beschäftigt. Erst 1781 kehrte er nach Kassel zurück und malte anläßlich der Hochzeit seines Bruders im Jahr darauf das „Brautbild" (Staatl. Museen, Neue Gal., Kassel) im klassizistischen Stil. Danach fuhr er für 15 Monate nach London. Ein zweiter römischer Aufenthalt seit 1783 währte, unterbrochen von Reisen nach Neapel (1786), London (1787), Kassel (1787/88) und in die Schweiz (1791), bis 1792. Die bis 1786 in Rom gemalten Historienbilder zeigen Einflüsse der römischen Akademie und der Schule Jacques Louis Davids. Auf Anregung Philipp Hackerts in Neapel widmete sich N. dem Studium der Natur. Seit 1788 entstanden in Sepia gezeichnete Landschaften und Gemälde mythologischen Inhalts mit wenigen Figuren vor landschaftlicher Kulisse, wie „Merkur und Diana beim Knöchelspiel" und „Pyramus und Thisbe" (beide Staatl. Museen, Neue Gal., Kassel). 1792 lebte er in Basel, wo er Porträtaufträge entgegennahm, die er in der mittlerweile von ihm bevorzugten Sepia-Technik ausführte. Seit 1793 endgültig in Kassel seßhaft, konzentrierte sich N. auf das Zeichnen seltener historischer und mythologischer Themen. Mehrmals nahm er erfolgreich an den von Goethe ausgeschriebenen Weimarer Preisaufgaben teil. Mit seinen Zeichnungen „Hektors Abschied" (1800) und „Achill auf Skyros" (1801, beide Kunstslgg., Weimar) gewann er jeweils den ersten Preis. Er erhielt größere Aufträge u. a. für das Weimarer Schloß und seit 1814 vom Erbprinzen Wilhelm von Hessen-Kassel. 1815 nahm N. einen Ruf als Direktor und Professor der Malereiklasse an die Kasseler Akademie an. Sein graphisches Alterswerk seit 1822 unterscheidet sich in der farbmalerischen Wirkung von seinen früheren, in der akademischen Tradition des 18. Jh. stehenden Arbeiten. Neben Johann Erdmann Hummel und Wilhelm Böttner bildet N.s Historienmalerei den Abschluß des Klassizismus in Kassel. In seinem Œuvre verbinden sich antike Thematik, feiner Malstil und klare Komposition mit delikater Farbharmonie und anmutigem, gefühlvollem Pathos der Figuren. Das Gemälde „Orpheus und Eurydike" (1807, Staatl. Museen, Neue Gal., Kassel) repräsentiert N.s Position innerhalb der idyllischen Richtung des reifen Klassizismus in Deutschland.

Weitere W u. a. Entstehung d. roten Rose, 1790 (Staatl. Museen, Neue Gal., Kassel); Apoll mit d. Pythonschlange, um 1813 (ebd.); Ölstudie zu Hektors Abschied, nach 1816 (ebd.); Stiche nach N. mit Ansichten v. Wilhelmshöhe, 1795/96 (Staatl. Museen, Graph. Slg., Kassel); Odysseus in d. Höhle d. Polyphem, 1803/16 (ebd.).

L ADB 23; Der Schloßpark Wilhelmshöhe in Ansichten d. Romantik, Ausst.kat. Kassel 1993, Kat. Nr. 34–38, Abb. 31–34 u. Kat. Nr. 4 f.; U. Schmidt (Hrsg.), Die Künstlerfam. Nahl, Rokoko u. Klassizismus in Kassel, 1994 *(Qu., L, P)*; ThB.

P Selbstbildnis, 1775–80 (Staatl. Museen, Neue Gal., Kassel); Gem. v. J. F. A. Tischbein, 1774, Abb. b. E. M. Fallet, Der Bildhauer J. A. Nahl d. Ä., 1970; Gem. v. J. W. Tischbein, um 1780 (Staatl. Museen, Neue Gal., Kassel); Gem. v. W. Nahl, 1826 (ebd.), Abb. im Bestandskat. d. Gem. d. 19. Jh., bearb. v. M. Heinz, Kat. d. Staatl. Kunstslgg. Kassel, Neue Gal. I, 1991.

Sabine Fett

Nahm, *Peter Paul,* Journalist, Vertriebenenpolitiker, * 22. 11. 1901 Gensingen b. Bingen, † 15. 1. 1981 Lorch. (kath.)

V Paul (1874–1954), Glasermeister; *M* Margarete Thörle (1875–1950); ⚭ 1927 Christine-Anna (1902–94), *T* d. Weingutsbes. u. Gastwirts Adam Jost (1869–1934) u. d. Katharina Henrich (1876–1965); 1 *T* Dorothea (⚭ Dr. Paul Wilhelm Kolb, Präs. d. Bundesamts f. zivilen Bevölkerungsschutz).

Nach dem Abitur am Alten Gymnasium im Mainz 1921 studierte N. in Innsbruck Philosophie, Geschichte und Kunstgeschichte. 1925 wurde er mit einer Arbeit über „Kultur- und Siedlungsgeschichte der röm.-fränk. Zeit in Bingen und Umgebung" summa cum laude zum Dr. phil. promoviert. Eigentlich wollte er Beamter in einem Museum werden, hatte aber während des Studiums seine journalistische Neigung entdeckt. 1924 nach Bingen zurückgekehrt, wurde N. bei der „Mittelrhein. Volkszeitung", einem Blatt der Zentrumspartei, der er 1919 beigetreten war, Redakteur, dann Chefredakteur und Verlagsprokurist. Auch war er 1931 Mitgründer und ständiger Mitarbeiter der Zeitschrift „Der Katholik". Seit 1928 leitete er das Heimatmuseum in Bingen. Seine entschiedene Gegnerschaft zum Nationalsozialismus trug ihm nach Hitlers Machtergreifung nicht nur einen kurzen Aufenthalt im KZ Osthofen, sondern auch Berufsverbot ein und das Verbot, öffentlich aufzutreten. Bis 1945 lebte er in Lorch vom Weinbau und Weinhandel.

Mit der Berufung zum Landrat des Rheingau-Kreises durch die Amerikaner im Juni 1945 kam N. mit den Problemen der Vertriebenen in unmittelbare Berührung. Seine Erfolge bei der Beseitigung von Spannungen zwischen Vertriebenen und Einheimischen trugen ihm 1946 das Amt des Beraters des hess. Ministerpräsidenten in Vertriebenenfragen ein. 1947–49 leitete N., inzwischen CDU-Mitglied, das Hess. Landesamt für Vertriebenen- und Flüchtlingsfragen. Nachdrücklich forderte er ein länderübergreifendes einheitliches Vorgehen wie auch die gesetzliche Regelung eines gerechten Lastenausgleichs. Seit 1949 Ministerialdirektor im hess. Innenministerium, wurde er 1951 zu einem der beiden Bundeskommissare bestellt, die die Binnenumsiedlung der Vertriebenen zwischen stark besetzten Aufnahmeländern und solchen mit größeren Arbeitsplatzkapazitäten zu organisieren hatten.

Als im Februar 1953 der Flüchtlingsstrom nach West-Berlin anschwoll, erhielt N. den Ruf nach Bonn als Leiter der Zentralstelle für Sowjetzonenflüchtlinge. Noch im selben Jahr wurde er Staatssekretär im Bundesvertriebenenministerium. Er blieb in diesem Ministerium bis zum Eintritt in den Ruhestand im November 1967 und überdauerte dabei acht Minister. Im April 1969 wurde er in seine frühere Funktion zurückgeholt, die er auch nach Eingliederung des Ministeriums in das Innenministerium Ende 1969 weiter ausübte. Erst am 15. 10. 1970 schied er endgültig aus dem Dienst. Sein Amt als Präsident des kath. Flüchtlingsrats (seit 1960) behielt er bei. Intensiv widmete er sich weiterhin der Pflege ostdeutscher Kulturarbeit. – N.s Name ist mit dem Erfolg der ungemein schwierigen Aufgabe der Integration der Vertriebenen in der Bundesrepublik Deutschland eng verbunden. – Dr. phil. h. c. (Innsbruck 1975); Gr. Bundesverdienstkreuz mit Stern u. Schulterband (1961); Lodgman-Plakette (1960) u. Guttenbrunn-Medaille; Commandeur de l'ordre de la Santé Publique (1963); Ehrenzeichen d. DRK; Magistralritter d. Malteserordens (1967); päpstl. Sylvesterorden (1968).

Weitere W u. a. Der kirchl. Mensch in d. Vertreibung, ³1961; Flüchtlinge u. Vertriebene in Westdtld., in: Hdwb. d. Soz.wiss., 1961, S. 760–76; Der Lastenausgleich, ²1967; Lastenausgleich u. Integration d. Vertriebenen u. Geflüchteten, in: Die zweite Republik, 25 J. Bundesrepublik Dtld. – e. Bilanz, hrsg. v. R. Löwenthal u. H.-P. Schwarz, 1974, S. 817–42.

L W. Henkels, 111 Bonner Köpfe, 1963, S. 230–32 *(P)*; ders., in: FAZ v. 15. 5. 1964; F. Lorenz, in: Publik v. 9. 10. 1970; Völkerwanderung heute, Zum 70. Geb.tag v. P. P. N., 1970 *(P)*; Nassau. Biogr., 1992.

Günter Buchstab

Nahmer, von der, Industrielle. (ev.)

1) *Alexander,* ∗ 19. 4. 1832 Wiesbaden, † 15. 2. 1888 Remscheid.

V Wilhelm (1792–1834), Dr. iur., hessen-nassau. Oberappellationsger.-Prokurator (s. Meusel, Gel. Teutschland 18, 1821); M Franziska Clementine Schenk (1802–65); ∞ Wiesbaden 1857 Susanne Luise Bayer (1827–1901) aus Darmstadt; S Wilhelm (s. 2), Adolf (s. 3).

Nachdem der frühe Tod des Vaters ein Studium der Ingenieurwissenschaften verhindert hatte, eignete sich N. autodidaktisch umfangreiche Kenntnisse besonders auf dem Gebiet der Eisen- und Stahlverarbeitung an. Ende der 50er Jahre leitete er das Walzwerk der Friedrich-Wilhelms-Hütte bei Troisdorf (Siegkreis) als Betriebsdirektor. 1862 ging er auf eine Anzeige der Exportkaufleute Gebr. Böker, deren Walzwerksgesellschaft und Dampfschleiferei schwere Verluste hatte hinnehmen müssen, nach Remscheid. Die Firma wurde liquidiert und an deren Stelle die Handelsgesellschaft „Gebr. Böker und Alexander von der Nahmer" an der Wendung in Remscheid gegründet. N., von Haus aus mittellos, konnte sich immerhin mit einer Kapitaleinlage von 10 000 Talern an dem Unternehmen beteiligen und wurde zum alleinigen kaufmännischen und technischen Direktor bestellt. Er vermochte das Unternehmen rasch zu sanieren; bereits im dritten Geschäftsjahr konnte es einen Gewinn verbuchen. In den folgenden Jahren wurden der Betrieb ausgebaut und die Produktpalette erweitert. Nach einer verheerenden Kesselexplosion 1871 wurden die Werkstätten schrittweise in die Nähe des 1868 eröffneten Remscheider Hauptbahnhofs verlegt, die Gesellschaft in eine Aktiengesellschaft mit dem Namen „Bergische-Stahl-Industrie AG" umgewandelt und N. zum ersten (techn.), sein Sohn Adolf zum zweiten Direktor bestellt. 1875 übernahm dessen Stelle Moritz Böker, mit dem es in den 80er Jahren immer häufiger zu Meinungsverschiedenheiten kam. Deshalb beschloß N. 1884, ein eigenes Werk zu gründen, das auch die Zukunft seines ältesten Sohnes Wilhelm sichern sollte. Im November 1885 nahm das „Alexanderwerk A. von der Nahmer. Stahl-, Eisen- u. Metall-Giesserei, Maschinen-, Werkzeug- u. Armaturen-Fabrik", die Produktion auf.

L *(auch zu Wilhelm)* Dtld.s Städtebau: Remscheid, 1922, S. 72–77; W. Rinne, Moritz Böker, 1940; K.-W. Heuser, Die Gründung d. Alexanderwerkes, in: Die Heimat spricht zu Dir, Monatsbeil. d. Remscheider Gen.anz., April-Juni 1986 (Teilabdr. von: Wilhelm v. d. Nahmer, Die Gesch. d. Fa. Alexanderwerk A. von der Nahmer zu Remscheid [1885–99]).

2) *Wilhelm,* ∗ 16. 9. 1858 Friedrich-Wilhelms-Hütte b. Troisdorf (Siegkreis), † 29. 8. 1938 Düsseldorf.

V Alexander (s. 1); B Adolf (s. 3); – ∞ Remscheid 1889 Lydia Korff (1868–1945); 4 T.

N. übernahm nach dem Ingenieurstudium und Praktikum die Leitung der Abteilung Wendung der Bergischen-Stahl-Industrie-AG. 1885–88 unterstützte er seinen Vater beim Aufbau und der Leitung des Alexanderwerks. Danach übernahm er die alleinige Führung des Familienbetriebs, der 1896 in eine GmbH und 1899 in eine Aktiengesellschaft umgewandelt wurde. Das anfänglich zu groß angelegte Produktionsprogramm wurde von ihm auf die vier Hauptgruppen reduziert: Haushalts- und Küchenmaschinen, Fleischerei- und Großküchenmaschinen, Kopierpressen, Armaturen u. Installationsbedarf. Durch laufende Qualitätsverbesserungen erlangten die Erzeugnisse binnen weniger Jahre Weltruf, die Produktionszahlen stiegen kontinuierlich an. N.s Wissen und Können, seinem unermüdlichen Einsatz und der Fähigkeit, Mitarbeiter für eine Aufgabe zu begeistern, verdankte das Unternehmen den Aufstieg zum Marktführer in seinem Bereich. Aus gesundheitlichen Gründen übergab N. 1909 die Unternehmensleitung an seinen Bruder Adolf, legte sein Mandat als Stadtverordneter (seit 1904) und andere Ehrenämter nieder und zog sich als Zeitschriftenverleger nach Düsseldorf zurück.

3) *Adolf,* ∗ 28. 6. 1866 Remscheid(-Wendung), † 8. 4. 1939 Remscheid.

V Alexander (s. 1); B Wilhelm (s. 2); – ∞ Remscheid 1896 Elenita (Helene) (1873–1965), T d. Max Böker u. d. Helene Müller; 4 K.

N. absolvierte nach dem Abitur eine Kaufmannslehre und trat 1886 als Reisender in das von seinem Bruder Wilhelm geleitete Alexanderwerk ein. 1891 übernahm er die Filiale London mit den Vertretungen Paris und Brüssel. Ein Jahr später nahm ihn Wilhelm als Teilhaber auf. Nach der Umwandlung in eine GmbH 1896 wurden Wilhelm, Karl B. Luckhaus und er gleichberechtigte Geschäftsführer. Nach dem Ausscheiden von Wilhelm 1909 wurde N. Generaldirektor des 1899 in eine Aktiengesellschaft umgewandelten Unternehmens. Unter seiner Leitung erlangte es Weltgeltung und wurde zum führenden Hersteller von Haushalts- und Küchenmaschinen, Großkücheneinrichtungen und Fleischereimaschinen. Neben dem Ausbau des Werks am Ort konnten mehrere Zweigwerke und Zulieferfirmen errichtet bzw. erworben werden, u. a. in Berlin, Witten, Aalen und Gummersbach. 1925 beschäftigte das Unternehmen über 2800 Mitarbeiter bei einer Jahresproduktion von 1,4 Mio. Haushalts- und 40 000 Großküchen- und Fleischereimaschinen. 1929 legte N. die Leitung des Werks und seine Ehrenämter nieder. Trotz weitgehender Kriegszerstörung 1943 ist die Alexanderwerk AG (jetzt ohne den Namen des Gründers) wieder weltweit einer der größten Produzenten von Nahrungsmittelmaschinen und Maschinen für die chemische und pharmazeutische Industrie. – 1923–29 Präsident d. Berg. Industrie- u. Handelskammer in Remscheid; Mitbegr. u. über 20 J. Vors. d. Reichsbundes d. Dt. Metallindustrie sowie Vorstandsmitgl. in mehreren Wirtschafts- u. Sozialorganisationen.

L R. Thom, Berg. Unternehmer in d. Selbstverw., 1965, S. 89–104 (P); Wenzel.

Walter Lorenz

Nakatenus, *Wilhelm,* Jesuit, geistlicher Schriftsteller, * 26. 11. 1617 Mönchengladbach, † 23. 6. 1682 Aachen.

V Everhard Nakaten aus M.; M Adelheit Brewers aus M.

Nach der Ausbildung an Jesuitengymnasien in Neuss und Köln 1628–36 trat N. dort in die Societas Jesu ein. 1636–38 absolvierte er das Noviziat in Trier, anschließend war er bis 1644 als Magister am dortigen Jesuitengymnasium tätig. 1644–48 studierte N. in Münster Theologie und empfing 1647 die Priesterweihe. Während seines Tertiats 1648/49 in Köln verfaßte er das Widmungsgedicht für die Erstausgabe der „Trutznachtigall" (1649) seines Ordensbruders Friedrich v. Spee. 1649–52 wirkte er zunächst als Studienpräfekt am Ordensgymnasium in Coesfeld, 1652–55 dann als Professor in Münster. Seit Herbst 1655 übte er das Amt eines Predigers in Jülich aus. 1657–73 war N. vorwiegend in Köln als Prediger auf der Domkanzel, als Katechet und Beichtvater tätig. 1660–64 war er, vom Kölner Kurfürsten Maximilian Heinrich gerufen, Prediger an der Bonner Hofkirche. 1662 erschien sein Hauptwerk, das Gebetbuch „Himmlisch Palm=Gärtlein", dem 1667 eine lat. Fassung „Coeleste Palmetum" folgte. 1673–79 wirkte N. am pfalz-neuburg. Hof in Düsseldorf erneut als Prediger. Seine letzten Lebensjahre verbrachte er als Katechet und Prediger in Aachen.

Wenn auch die lange Zeit vertretene Auffassung, N. sei der Herausgeber der Erstausgaben von Friedrich v. Spees „Trutznachtigall" und dem „Güldenen Tugendbuch" gewesen, nicht zutrifft, so zeigt sich N. in seinem eigenen Dichten durchaus von Spee beeinflußt. Er gilt als einer der fruchtbarsten und bedeutendsten Gebetbuchautoren der frühen Neuzeit. Seine Werke wurden während einer mehr als 300 Jahre anhaltenden Wirkungs- und Rezeptionsphase in wenigstens 670 Editionen im deutschen Sprachgebiet, in den Niederlanden und den frankophonen Nachbarländern verbreitet. Sein „Himmlisch Palm=Gärtlein" (zahlr. Aufl., 1662–1909, zuletzt niederländ. 1947) ist ein Buch für alle Bereiche des geistlichen Lebens. Neben der Bibel, den Schriften der Kirchenväter und zahlreichen Gebeten sind vor allem die Offizien (Tagzeiten) von größter Bedeutung für die Laienspiritualität geworden, da sie dem einfachen Beter Elemente des offiziellen Breviergebetes vermittelten. In Spee ebenbürtiger Weise übertrug N. für die Offizien eine Reihe lat. Hymnen in deutsche Verse, denen er eigene Dichtungen zufügte. N. war – mittelbar – an der Einrichtung der noch heute bestehenden Wallfahrt nach Hardenberg/Neviges beteiligt: ein Kupferstich aus seinem „Himmlisch Palm=Gärtlein" wird dort seit 1681 als Gnadenbild verehrt.

W u. a. Thesaurus Sacrae Supellectilis, zahlr. Aufl. 1642–1720; Coeleste Palmetum, zahlr. Aufl. 1667–1922; Seelen=Hülff, zahlr. Aufl. 1672–1755. – Geistl. Lieder v. W. N., hrsg. v. W. Bremme, 1903 (W, L, P).

L ADB 23; Duhr II/2, S. 756, III, S. 595–97; W. Bäumker, Das kath. dt. Kirchenlied in seinen Singweisen, 1883–1911, III, S. 34 f., IV, S. 49 u. ö.; L. Bopp, Zu e. 300j. Gebet- u. Gesangbuch-Jubiläum, in: Oberrhein. Pastoralbl. 61, 1960, S. 210–17; K. Kammer, W. N., in: Neues Trierer-Jb., 1961, S. 66 ff.; K. Küppers, W. N. S. I., Biogr. Daten e. geistl. Schriftst., in: Archivum Historicum Soc. Jesu 48, 1979, S. 204–47; ders., Das Volks-Stundengebet im „Himmlisch Palm=Gärtlein" d. Jesuiten W. N., in: Trierer Theol. Zs. 90, 1981, S. 305–16; ders., Das Himmlisch Palm=Gärtlein d. W. N., Unterss. zu Ausgg., Inhalt u. Verbreitung e. kath. Gebetbuchs d. Barockzeit, 1981; Sommervogel, V 1544–54, IX, 712; Koch; LThK; LThK²; Dict. de Spiritualité XI, S. 36 f.; Kosch, Lit.-Lex.³; BBKL.

Kurt Küppers

Nallinger. (ev.)

1) *Friedrich,* Maschinenkonstrukteur, Unternehmensleiter, * 23. 5. 1863 Stuttgart, † 17. 2. 1937 Mannheim.

Die Fam. stammt aus Nellingen/Alb; der Winzer Alban (1554–1615) ließ sich Ende d. 16. Jh. in Stuttgart nieder u. nannte sich „Nallinger". – V Friedrich (1828–79), Weingärtner in St., S d. Weingärtners Johann Gottlob (1788–1833) u. d. Katharina Fausel (1789–1861); M Karoline (1833–1911), T d. Weingärtners Heinrich Kurz (um 1802–82) in St. u. d. Barbara Löffel (1808–87); ⚭ Stuttgart 1890 Maria (1865–1954), T d. württ. Schloßdieners Wilhelm Kötzle (1813–1903) in Ludwigsburg u. d. Wilhelmine Schmidt (1823–82); 2 S, 2 T, u. a. Fritz (s. 2), Martha (1892–1974, ⚭ Kurt Eltze, 1878–1973, Dipl.-Ing., Leiter d. Abt. Dieselmotoren b. Benz & Cie).

Nach dem Besuch der Oberrealschule in Stuttgart arbeitete N. ein Jahr in der Maschinenfabrik Esslingen, Filiale Cannstatt. 1883–86 studierte er am Stuttgarter Polytechnikum Maschinenbau und schloß sein Studium mit dem 1. Staatsexamen ab. Anschließend arbeitete er als Konstrukteur von Dampfmaschinen und -kesseln in den Maschinenfabriken Esslingen und Gotthilf Kuhn in Stuttgart-Berg. Dann holte ihn Carl Bach zum Württ. Dampfkessel-Revisionsverein, wo er 1886–95 als stellvertretender Oberingenieur Kesselanlagen prüfte. Nach seinem 2. Staatsexamen trat N. 1895 als Regierungsbaumeister bei den Württ. Staatseisenbahnen ein und war Vorstand der Wagenwerkstätte Cannstatt, der Lokomotiv-Werkstätten Esslingen und des Maschinentechnischen Büros der Generaldirektion. Seit 1904 gehörte er dem Vorstand der Daimler-Motoren-Gesellschaft (DMG) an und richtete zusammen mit Adolf Daimler das neue Werk Untertürkheim ein. 1909 wurde er als technischer Leiter in das Werk Berlin-Marienfelde entsandt, wo er die Erweiterung des Lastwagenbaues plante. In diesen Funktionen hatte N. großen Anteil an der Entwicklung des deutschen Automobilbaues und der beiden Pionierfirmen DMG und Benz & Cie. Er kehrte 1899–1904 nochmals zum Württ. Revisionsverein zurück und wurde Direktor und Sachverständiger für dessen neuen Bereich „Prüfung von Kraftfahrzeugen und Führern von solchen".

1912 holte das geschäftsführende Aufsichtsrats-Mitglied Karl Jahr (Rhein. Creditbank) N. als Chefingenieur zu Benz & Cie nach Mannheim. Mit Georg Diehl (* 1866) und Hans Nibel bildete er dort ein Ingenieurteam, das eine Erweiterung des Produktionsprogramms erwarten ließ. Von Beginn seiner Tätigkeit bei Benz an teilte er Jahrs Idee eines Zusammenschlusses mit der DMG und einer Typenverringerung bei den Personenwagen. Diesem Plan stimmten aber die Benz-Vertreter nicht zu. Erfolg hatte N. mit dem neuen Produktionszweig Flugmotoren. 1912 schrieb Kaiser Wilhelm II. einen Preis für den besten deutschen Flugmotor aus. Mit dem wassergekühlten Vierzylindermotor des Konstrukteurs Arthur Berger (1879–1958) gewann Benz diesen Preis 1913 gegen 26 konkurrierende Firmen. Seit 1908 erhielt N. auch von der Heeresleitung große Lastwagen-Aufträge; das Werk Gaggenau fertigte bis 1914 Armee-Lastzüge, dazu Sanitätswagen und Artillerie-Schlepper. Als Neuerung ließ N. 1913 eine elektrische Licht- und Startanlage in dem 20/40 PS-Typ von Hartmann & Braun einbauen.

Die Waffenstillstands-Bedingungen von 1918 trafen das Unternehmen hart. Die Abteilungen für stationäre Gasmotoren und Flugmotorenbau mußten geschlossen werden, seit 1919 durfte Benz nur noch stationäre Motoren und Schiffsmaschinen bauen. N. suchte ein neues Pkw-Programm aufzustellen, das der erfolgreiche Kleinwagen von 1911 anführen sollte. Hohe Gestehungspreise und die starke amerikan. Konkurrenz mit ihren billigen Personenwagen und Leicht-Lastwagen erschwerten aber dieses Vorhaben. Deshalb besprach N. 1919 mit Karl Jahr und Ernst Berge (1868–1952) die Möglichkeit einer Interessengemeinschaft oder Fusion von DMG und Benz. Diese kam aber erst 1924 zustande. Inzwischen hatte N. 1922 den Dieselmotor für landwirtschaftliche Zugmaschinen und Lastwagen marktfähig gemacht. Er trat in den Vorstand der Interessengemeinschaft und der fusionierten Daimler-Benz AG ein. Als technischer Vorstand gestaltete er die neuen Fahrzeugprogramme mit, bis er 1929 in den Aufsichtsrat gewählt wurde, dem er bis 1934 angehörte.

N. genoß hohes Ansehen über seine Firmen hinaus. Immer war er auf rationelle Fertigung bedacht. Schon 1915 leitete er die Normalien-Kommission der deutschen Automobilindustrie, die eine einheitliche Bezeichnung von Ersatzteil- und Stücklisten sowie die genormte Ausführung von Kfz-Teilen anstrebte. Als Präsidiums-Mitglied des Deutschen Normen-Ausschusses (DNA) 1921–23 führte er diesem den Reichsverband der Automobilindustrie (RDA) zu und war 1925 Mitbegründer des Fachnormen-Ausschusses der Kraftfahrzeug-Industrie (FAKRA). 1927–30 war N. stellvertretender Vorsitzender des RDA. Als Vorstand des Verbandes der Metallindustrie Badens und der Pfalz sowie des Gesamtverbandes Deutscher Metall-Industrieller in Berlin beeinflußte er arbeitsrechtliche Entscheidungen. Beim Aufbau des ersten Reichs-Verkehrsministeriums wirkte N. seit 1920 in einem Reichs-Ausschuß für das Kraftfahrwesen mit. – Württ. Baurat (1903); Dr. med. h. c. (Heidelberg 1918).

W Die neue Fabrik d. Daimler-Motorenges. in Untertürkheim, in VDI-Zs. 49, 1905, S. 584 f.; Erinnerungen e. Kraftwagenbauers, in: Neue Mannheimer Ztg. Nr. 176 v. 15./16. 4. 1933.

L RDA-Mitt. 1929, Nr. 9, S. 112 (P); Allg. Automobil-Ztg. 30, 1929, Nr. 18, S. 13 f. (P); ebd., 35, 1934, Nr. 48, S. 1 f. (P); ADAC-Motorwelt 30, 1933, Nr. 20, S. 28–30 (P); Motor 25, 1937, Nr. 4, S. 47 (P); P. Siebertz, Karl Benz, 1943, ²1950; K. Ludvigsen, Mercedes-Benz Renn- u. Sportwagen, ²1982, S. 30, 63, 65; Braunbecks Sportlex. 1910 (P); Rhdb. (P); – Mitt. v. Jörg Nallinger u. Ulrich Eltze.

Hans Christoph Graf v. Seherr-Thoß

2) *Fritz*, Motoren- und Kraftfahrzeugkonstrukteur, * 6. 8. 1898 Esslingen/Neckar, † 4. 6. 1984 Stuttgart.

V Friedrich (s. 1); ∞ Stuttgart 1925 Frohmut Irmingard (* 1904), T d. Albert Panther, Dr. iur., Rechtsanwalt in Mannheim, u. d. Elisabeth Charlotte Pohly; 1 S Jörg (* 1928), Abt.dir. d. Daimler-Benz AG, 3 T.

Schon als Schüler arbeitete N. zeitweise in Mannheim bei Benz & Cie an Flugmotoren und Automobilen. Nach dem Abitur am Mannheimer Realgymnasium 1916 rückte er als Flugzeugführer ein. 1918–22 studierte er an der TH Karlsruhe Maschinenbau und trat anschließend bei Benz & Cie als Ingenieur ein. Zu dieser Zeit bildete Karl Benz noch Ingenieure und Meister seiner Firma als Renn- und Sportfahrer aus. So konnte auch N. 1922–33 an Sportveranstaltungen und Erprobungsfahrten teilnehmen, wobei er den Wert des Automobilsports für die Konstruktion erkannte. Mit dem technischen Direktor Hans Nibel suchte er nach neuen Wegen in der Konstruktion, wobei ihn die Schwingachse und der Heckmotor sowie der Dieselmotor nach P. L'Orange besonders beschäftigten.

1924 ging N. als Versuchsingenieur zur neugebildeten Interessengemeinschaft Daimler-Motoren-Gesellschaft/Benz nach Untertürkheim, wo er den Lastwagen-Dieselmotor nach dem Benz-Verfahren weiterentwickeln sollte. Er veranlaßte W. Lippart (Bosch), die Konstruktion von Einspritzpumpen und -düsen fortzusetzen, und beteiligte sich 1923 an Versuchen mit der Bosch-Glühkerze. Nach der Fusion DMG/Benz 1924 setzte sich eine in Mannheim von N.s Schwager Kurt Eltze entwickelte Lösung durch. N. erhielt 1928 in Untertürkheim die Leitung der gesamten Versuchsabteilung und wirkte auch am neuen Pkw-Programm mit, vor allem am 1,7 l-Sechszylinder-Schwingachswagen, der wegen seiner fortschrittlichen Technik trotz der Wirtschaftskrise gut verkauft wurde. Als Versuchsleiter betreute er auch die Marine-, Triebwagen- und Aggregatmotoren und seit 1930 auch die Flugmotoren. Hier wirkte N. bei der Entwicklung des Zwölfzylinder-Ottomotors mit hängenden Zylindern mit, den Arthur Berger (1879–1958) und Albert Friedrich (1902–61) konstruiert hatten. Die 1934 durchgeführten Versuche mit der direkten Benzin-Einspritzung führten zum ersten deutschen 1000 PS-Flugmotor.

Als die Nachfrage nach Großmotoren zunahm und 1935 ein Serienauftrag für den neuen Flugmotor einging, wurde N. zum „Leitenden und Technischen Direktor" für den Großmotorenbau bestellt, 1940 zum ordentlichen Vorstandsmitglied, verantwortlich für das gesamte Daimler-Benz-Programm. In dieser Stellung bewies er vielseitige Kompetenz und Organisationstalent. Sein erster öffentlicher Erfolg waren 1937 mehrere Weltrekorde für seine Flugmotoren sowie 1939 Geschwindigkeitsrekorde mit Heinkel- und Messerschmitt-Flugzeugen. 1936 wurde das LZ 129 „Hindenburg" als erstes Luftschiff mit Dieselmotoren bestückt. In der Entwicklung von Kolbentriebwerken für Flugzeuge gelangte N. 1939–42 bis zum X-förmigen Reihenmotor zu 24 Zylindern mit 2500 PS sowie Motoren mit Drehschiebersteuerung. Als der Kolbenmotor im Flugzeug durch die Turbine abgelöst werden sollte, schuf N. 1939 die Abteilung Sondertriebwerke unter Karl Leist (1901–60), die 1942 ein Zweikreis-Strahltriebwerk und eine Propellerturbine herausbrachte. Während M.s Amtszeit wurden bis 1945 100 000 Flugmotoren hergestellt.

Im November 1945 stellten die Franzosen in Bregenz eine Gruppe von Strömungsmaschinen-Ingenieuren unter N.s Leitung zusammen, die bei J. Szydlowski in Pau (Pyrenäen) große Flugzeugturbinen entwickeln sollte. Als das Vorhaben abgebrochen wurde, konnte N. 1948 nach Untertürkheim zurückkehren. Hier bestellte ihn Daimler-Benz erneut zum Chefingenieur für die Konstruktions- und die Entwicklungsabteilung. N. sammelte hier wieder viele seiner früheren Mitarbeiter um sich. Den Verkehrsproblemen einer neuen Zeit wollte er mit neuen Konstruktionen begegnen, die 1951–55 bei der Entwicklung von Sport- und Rennwagen erprobt wurden. 1952 trug er an der TH Berlin seine Ideen für ein Pkw-Programm der Zukunft mit hohen Sicherheitsanforderungen vor. Seit 1951 schuf er 6 Programme mit Typen zu 1,8, 2,2 und 3,0 Litern mit den Neuerungen selbsttragende Breitkarosserie, breitere Spur, Fahrschemel, kleinere Räder, Eingelenk-Pendelhinterachse, Kugelumlauflenkung, kopfgesteuerte Kurzhub-Motoren, Benzineinspritzung, Automatik-Getriebe, Scheibenbremsen. Mit dem Typ 600 brachte N. 1963 ein Spitzenmodell auf den Markt, das an die Tradition der „Großen Mercedes" der Vorkriegszeit anknüpfte.

N. zeigte besonderes Interesse an technischen Innovationen. 1955 schuf er den Bereich Strömungsmaschinen neu und ließ 1956–62 eine 300 PS-Gasturbine für Fahrzeuge, Lokomotiven und Schiffe bauen. Seit 1951 wurde in Gaggenau der „Unimog" produziert, der sich in der Land- und Forstwirtschaft, in Kommunalbetrieben und als Militärfahrzeug bewährte. 1955 lief ein Transporter- und Kleinbus-Programm an. Auf Geheiß des Großaktionärs Friedrich Flick wurde die Nutzfahrzeug-Produktion verstärkt. Im Omnibusbau ging N. seit 1954 zur Großserie mit Rahmen-Bodenanlage und mittragendem Aufbau, Gepäckraum unter dem Fußboden, Frontlenker und Heckmotor über. Im Lastwagenbau gestaltete er 5 Programme mit Nutzlasten von 3,5 bis 9 t. Seit 1949 wurden Sattelzugmaschinen gebaut, allerdings erst seit 1957 in größeren Stückzahlen verkauft. Als 1958 neue Längen und Gewichte für Lkw verordnet wurden, führte N. 1959 als Kompromiß zwischen Haubenwagen und Frontlenker die Kurzhaube ein, bei der der Motor nur z. T. in das Fahrerhaus ragt. Um die vorgeschriebene Achslast von 12 t für die Doppelachse einzuhalten, brachte er einen dreiachsigen 18-Tonner als Frontlenker mit zwei Lenkachsen auf den Markt. Unter N.s Leitung entwickelte sich Daimler-Benz zum weltgrößten Hersteller von Nutzfahrzeugen. Daneben nahm N. 1950 auch den Großmotorenbau für Lokomotiven, Schiffe und Kraftwerke wieder auf. Am Ende seiner Tätigkeit 1966 hatte N. die Weichen gestellt für den nächsten sehr erfolgreichen Abschnitt in der Geschichte von Daimler-Benz unter J. Zahn und H. Scherenberg. – Lilienthal-Gedenkmünze (1937); Ehrenring d. VDI (1938); Dr.-Ing. E. h. (TH Karlsruhe 1951); Prof.titel (1955); Gr. Bundesverdienstkreuz mit Stern (1963).

W Obengesteuerter Sechszylinder-Hochleistungsmotor, Dipl.-Arbeit 1922; Btr. z. Entwicklung d. Höhenleistung v. Flugmotoren, in: Motortechn. Zs. 5, 1943, S. 344–49; Vergleichende Betrachtungen üb. Antriebsquellen f. Schwerlastwagen, ebd. 57, 1955, S. 133–35; Automobil-Konstruktion u. Verkehrssicherheit, in: Automobiltechn. Zs. 55, 1953, S. 321–26; Rückschau auf d. wichtigsten Entwicklungen d. letzten 40 J. im Hause Daimler-Benz, ebd. 68, 1966, S. 67–71, 223–29; 50 J. Mercedes-Benz Diesel-Lastwagen, 1955 (mit P. Siebertz). – Ca. 300 dt. Patente.

L P. Siebertz, Karl Benz, 1943, ²1950; ders., Mercedes-Konstruktionen in 5 J.zehnten, 1951 (P); Automobiltechn. Zs. 53, 1951, S. 172 (P); ebd. 54, 1952, S. 264 (P); ebd. 57, 1955, S. 239 (P); ebd. 60, 1958, S. 232 (P); ebd. 64, 1962, S. 345 f. (P); ebd. 65, 1963, S. 251; ebd. 67, 1965, S. 426 (P); ebd. 86, 1984, S. 350; Motortechn. Zs. 12, 1951, S. 153; ebd. 16, 1955, S. 276; ebd. 23, 1962, S. 465 (P); K. v. Gersdorff u. K. Grasmann, Flugmotoren u. Strahltriebwerke, ²1985 (P); W. A. Boelcke, in: Baden-Württ. Biogrr. I, 1994; 40jähr. Dienstjubiläum b. Daimler-Benz, 1962 (Ms.). – Mitt. v. J. Nallinger u. U. Eltze.

Hans Christoph Graf v. Seherr-Thoß

Namuth, *Hans,* Photograph, * 17. 3. 1915 Essen, † (Unfall) 13. 10. 1990 East Hampton, Long Island (New York/USA). (ev.)

V Adolph (1889–1948) aus Lenne, Kaufm. in E., Leiter e. Molkerei; M Johanna Weiskirch (1888–1970) aus Frankfurt/Main; ∞ 1943 Carmen P. de Herrera (* 1916, kath.) aus Deauville (Normandie); 1 S Peter (* 1948), Photograph, 1 T.

N., der nach dem Besuch der Realschule (1925–32) eine Buchhändlerlehre begann, wurde in seiner Jugend vom „Wandervogel" geprägt. Als er 1933 antifaschistische Flugblätter verteilte, geriet er in Haft. Sein Vater, Mitglied der NSDAP und SA, erreichte im September seine Freilassung aus dem Gestapogefängnis in Recklinghausen und verschaffte ihm ein Touristenvisum für Frankreich. Dort schloß N., der zunächst als Tellerwäscher und Zeitungsverkäufer arbeitete, Freundschaft mit Georg Reisner (1911–40) und André Friedmann (1913–54); ersterer führte ihn in die Photographie ein, letzterem sollte er später in Spanien als „Robert Capa" wieder begegnen. Seit 1935 hatten N. und Reisner zunehmend als Pressephotographen Erfolg, aber auch – während des Sommers auf Mallorca – als Porträtphotographen. Sie arbeiteten vor allem mit den Agenturen „Alliance Photo" (Maria Eisner) und „Three Lions" (Gebr. Löwenherz) zusammen sowie mit Henri Daniel und dessen Bruder Leon, der nach New York emigriert war. Im Auftrag der franz. Zeitschrift „Vu" reisten die beiden im Juli 1936 über Mallorca nach Barcelona zur Arbeiter-Olympiade, wo sie vom Ausbruch des Bürgerkriegs überrascht wurden. Neun Monate photographierten sie für verschiedene Blätter direkt an den Kriegsschauplätzen, neben „Vu" für „Life", „Regards", die „Schweizer Illustrierte" und die Photo-Jahresbände 1936–38 der „Arts et Metiers Graphiques". Seit März 1937 wieder in Paris, eröffneten N. und Reisner ein Photostudio in Neuilly-sur-Seine. Um der Internierung zu entkommen – Reisner nahm sich im Lager „Les Milles" bei Aix-en-Provence das Leben –, diente N., der sich selbst als „Überlebenskünstler" bezeichnete, 1939/40 in der Fremdenlegion. 1941 emigrierte er in die USA, wo er sich zunächst als Sach- und Modephotograph etablieren konnte und für „Life", „Harper's Bazaar", „Vogue", „Time", „Newsweek", „Look", „Fortune" und „Artnews" arbeitete. Nach seiner Einbürgerung 1942 wurde er in die Armee eingezogen. Seit 1947 betrieb N., der sich an der New School for Social Research (New York) bei Joseph Breitenbach und Alexej Brodovitch weitergebildet hatte, in New York ein eigenes Photo- und Filmstudio (zusammen mit Paul Falkenberg). In Guatemala entstanden Porträtaufnahmen von Maya-Indianern, 1950–56 die berühmten Porträts, die den Aktionskünstler Jackson Pollock u. a. bei der Arbeit zeigen und den internationalen Durchbruch brachten. N. verzichtete auf Effekte und raffinierte Einstellungen. Vornehmlich bei den Künstlerporträts wählte er – in der Tradition der Neuen Sachlichkeit eines August Sander und Albert Renger-Patzsch – die Frontalperspektive. Im statisch unverwandten Blick auf das Objekt sowie in der Konzentration auf die unscheinbare Geste des Augenblicks versuchte N., das Wesen der Porträtierten sichtbar zu machen.

W u. a. (Bildbde.) Fifty-Two Artists, 1973; American Masters, 1973; Early American Tools, 1975; L'Atelier de Jackson Pollock, 1978; Pollock Painting, 1980; Artists 1950–81, A Personal View, 1981; Span. Tagebuch 1936, Fotografien u. Texte aus d. ersten Monaten d. Bürgerkriegs (mit G. Reisner), hrsg. v. D. Kerbs, 1986 *(P)*. – Zahlr. Filme (mit Paul Falkenberg), u. a. über Willem de Kooning, Alfred Stieglitz u. Jackson Pollock. – *Nachlaß:* Archive of American Art, Photographer Department, Mus. of Modern Art, New York.

L Ausst.kat. München (Lenbachhaus) 1986 *(W, L, P)*; Contemporary Photographers, ²1988 *(W, L, P)*; N. Kuhn, in: FAZ v. 23. 10. 1990; BHdE II.

Franz Menges

Nanker, Bischof von Krakau (seit 1320) und Breslau (seit 1326), * um 1265/70 Kamien (Oberschlesien), † 10. 4. 1341 Neiße, □ Breslau, Dom.

V Imram, aus d. Geschl. Kołdów, Wappenstamm Oksza; *M* N. N.; *B* Pasco (erw. 1322), Richter in Oppeln (s. *L*); *N* Pascho (Pacold) (erw. 1335–47), Domherr in B., vermutl. auch Kanoniker in Oppeln (s. *L*).

Einer im schles. Hzgt. Beuthen begüterten Familie adliger Grundherren entstammend, schlug N. nach 1290 eine Laufbahn als Kleriker ein. 1304 erscheint er als Domherr von Krakau, seit 1304/05 als Archidiakon in Sandomir. 1305/06 ging er zum Studium des Kirchenrechts nach Bologna, wo er 1306 als Vertreter der poln. Nation auftrat. 1308 nach Krakau zurückgekehrt, knüpfte er enge Beziehungen zu Władysław Łokietek, dem Herzog v. Großpolen, der N.s vielfältige juristische und kirchenpolitische Dienste durch die Förderung von dessen weiterer kirchlicher Karriere (1316/17 Dompropst, 1319 Domdekan von Krakau) belohnte. Władysławs Fürsprache verdankte N. auch die Wahl zum Bischof durch das Domkapitel von Krakau, die der Papst im März 1320 bestätigte. Zu N.s vorrangigen Anliegen gehörte der Kampf gegen die zahlreichen Mißstände in seinem Bistum. Mit den auf der Diözesansynode im November desselben Jahres erlassenen 50 Statuten normierte er nicht nur die geistlichen Pflichten und moralisch-religiösen Verhaltensweisen seines Klerus, sondern verschaffte auch den einschlägigen päpstl. Bestimmungen Eingang in die – von ihm begründete – Diözesan-Gesetzgebung. Die bischöfl. Autorität und Stellung stärkte N. auch durch den Rückgewinn vieler seiner Kirche entfremdeter Güter und Rechte, selbst auf Kosten eines Konflikts mit Kg. Władysław (1325), und durch den 1320 begonnenen Neubau der St. Wenzels-Kathedrale im gotischen Stil.

N.s in Krakau erzielte Erfolge und sein hohes Ansehen bei Papst und poln. König ließen ihn als den geeigneten Kandidaten erscheinen, um den seit 1319 vakanten Breslauer Bischofsstuhl einzunehmen und damit den Einfluß beider in Schlesien auf Kosten des böhm. Königs zu erhöhen. Seine ständigen Bitten um Rückkehr nach Krakau dokumentieren jedoch, daß N. nur widerwillig der von Papst Johannes XXII. 1326 befohlenen Translation nach Breslau gehorchte. Die Opposition, mit der die deutsche Mehrheit des Domkapitels und die Bürgerschaft von Breslau N. während seiner Amtszeit begegneten, überschattete auch alle seine dortigen Reformbemühungen. N.s letzte Pontifikatsjahre waren entscheidend durch den Konflikt mit Kg. Johann v. Böhmen geprägt, der die bischöfliche Festung Militsch, die als Schlüssel zum poln. Königreich galt, nach ergebnislosen Verkaufsverhandlungen im Juli 1339 gewaltsam besetzt hatte. N. quittierte Johanns Weigerung der Rückgabe Militschs mit der Verhängung der Exkommunikation, die er 1340 in seinem Exil in Neiße erneuerte und auch auf dessen Helfer, die Ratsherren und Bürger von Breslau, ausweitete. Seinen Zeitgenossen galt N. wegen des entschlossenen Eintretens für die Belange seiner Kirche und seiner gelebten Frömmigkeit und Askese als Heiliger.

W Najstarsze Statuty Synodalne Krakowskie Biskupa Nankera z 2 października 1320 r. (Die älteren Krakauer Synodalstatuten d. Bischofs N. aus d. J. 1320), ed. J. Fijałek, 1915; Constitutiones domini Nankeri episcopi Wratislaviensis, 1327–1331, ed. J. Sawicki, in: Śląski Kwartalnik Historyczny Sobótka XVI, 1961, S. 588–97 (mit e. Zusammenfassung u. d. T. Die gesetzgeberische Tätigkeit Bischof N.s u. seine Slg. Breslauer Konstitutionen).

L ADB 23; E. Maschke, Der Peterspfennig in Polen u. dem dt. Osten, 1933, ²1979, S. 159–61; F. Meltzer, Die Ostraumpol. Kg. Johanns v. Böhmen, 1940, S. 132–38, 161–73, 179–82; W. Urban u. R. Gustaw, in: Hagiografia Polska II, 1972, S. 149–60; Z. Budkowa, in: Polski Słownik Biograficzny XXII, 1977, S. 514–17; J. Gottschalk, Die Grabstätten d. Breslauer Bischöfe, in: Archiv f. Schles. KG 37, 1979, S. 191 f.; E. Walter, Die Begleiter d. Breslauer Bischofs N. (1326–41) auf seinem Monument im Breslauer Dom, ebd., 47/48, 1990, S. 323–31. – Zu Pasco u. Pascho: D. Veldtrup, Prosopograph. Stud. z. Gesch. Oppelns als hzgl. Residenzstadt im MA, 1995, S. 391 bzw. 156 f.

Hubertus Seibert

Naogeorg, *Thomas* (eigtl. *Kirchmaier, Kirchmeyer,* auch *Neumeyer, Neubauer*), ev. Pfarrer, neulat. Dichter, * 21. 12. 1508 Straubing, † 29. 12. 1563 Wiesloch (Pfalz).

V Ulrich Kirchmaier, Gastwirt in St.; M N. N.; B Stephan Kirchmair, Karmelit in Wien.

Nach dem frühen Tod der Eltern trat N. in Regensburg in den Dominikanerorden ein; um 1526 verließ er ihn und ging nach Nürnberg. 1535 begegnet er als luth. Geistlicher in Mühltroff (Vogtland), anschließend, von Melanchthon gefördert, in Sulza/Ilm, seit 1542 als Pfarrer in Kahla bei Saalfeld. Wegen Querelen mit Kollegen und kryptocalvinistischer Neigungen nahm N. 1546 Zuflucht bei Freunden in Augsburg (Georg Laetus, Wolfgang Musculus), wurde im selben Jahr als Prediger nach Kaufbeuren, 1548 nach Kempten (St. Mang) berufen, aber wegen seiner scharfen Kritik am Interim 1550 entlassen. Mit einem Stipendium Johann Jakob Fuggers studierte er in Basel 1551 Rechtswissenschaften und fand Anschluß an Bonifacius Amerbach, Ulrich Iselius, den Drucker Oporinus u. a. Im selben Jahr berief ihn der württ. Herzog als Spitalprediger nach Stuttgart. Nach vielfältigen Querelen ging N. 1561 als Oberpfarrer nach Esslingen und 1563 als Pfarrer nach Wiesloch in die calvinist. Kurpfalz.

N.s Dramen, z. T. mehrfach ins Deutsche übersetzt, erlangten bereits zu ihrer Zeit europ. Ruhm. Die „Tragoedia nova Pammachius" (1538), ein geniales Ideendrama, bietet den weltgeschichtlichen Prozeß von Kirche und Reich seit der Christianisierung in einem großen Furioso, das mit der Wittenberger Reformation endet. Im „Mercator seu Iudicium" (1539) führt N. in satirisch-aristophanischer Manier und drastischer Bildlichkeit die Vor- und Nachteile der kath. und der luth. Rechtfertigungslehre vor. Ein politisches Schlüsseldrama auf Hzg. Heinrich d. J. v. Braunschweig-Lüneburg-Wolfenbüttel (Luthers „Hans Worst"), der angeblich im Auftrag Roms prot. Gebiete brandschatzen ließ, sind die „Incendia seu Pyrgopolinices" (1541). In drei Bibeldramen – „Hamanus" (1543), „Hieremias" (1551) und „Judas Iscariotes" (1552) – legt N. in der Folie der biblischen Stoffe sozial- und konfessionspolitische Gravamina seiner Zeit bloß; am Gebaren der Minister und Räte bei Hofe, an der Verstocktheit weltlicher Instanzen gegenüber prophetischen Mahnungen und Ratschlägen, am Verrat der ev. Sache um schnöder Vorteilnahme und materiellen Gewinns willen übt er schärfste Kritik. Seine fünf Bücher „Satyren" (1555) thematisieren Probleme der Heilsgeschichte, des christlichen Tugendsystems und des lasterhaften Verhaltens der Menschheit; die Invektiven sind auch kulturgeschichtlich von großem Interesse. Seine umfangreichen Lehrgedichte, wie die „Agricultura sacra" (1550) und das „Regnum Papisticum" (1553), greifen in stupender Beschlagenheit Fragen des Lebens, der geistlichen Amtstätigkeit und der konfessionellen Spaltung auf. Seine lat. Übersetzungen aus dem Griechischen weisen N. als einen für diese Zeit überragenden Kenner der antiken Sprachen aus. Noch Lessing erwähnt rühmend N.s Sophokles-Übertragung.

W Ausg.: Sämtl. Werke, hrsg. v. H.-G. Roloff, 1975 ff.

L ADB 23; L. Theobald, Th. N., d. Tendenzdramatiker d. Ref.zeit, in: Neue kirchl. Zs. 17, 1906, S. 764–94, 18, 1908, S. 65–90, 327–50, 409–25; ders., Das Leben u. Wirken N.s, 1908; A. Hübner, Stud. zu Th. N., in: ZDA NF 42, 1913, S. 297–338, 45, 1920, S. 193–222; P. Vetter, N.s Flucht aus Kursachsen, in: Archiv. f. Ref.gesch. 16, 1919, S. 1–53, 144–89; B. R. Jenny, Basler Qu. z. Lebensgesch. d. Th. N., in: Basler Zs. f. Gesch. u. Altertumskde. 60, 1969, S. 205–22; H.-G. Roloff, N.s Judas, in: Archiv f. d.

Stud. d. neueren Sprachen u. Lit. 208, 1971/72, S. 81–107; ders., Th. N. u. d. Problem v. Humanismus u. Ref., in: L' Humanisme Allemand, 1979, S. 455–75; ders., Heilsgesch., Weltgesch. u. aktuelle Polemik, in: Daphnis 9, 1980, S. 743–62; ders., N.s Satiren, ebd. 16, 1987, S. 363–85; F. G. Sieveke, in: Dt. Dichter d. frühen Neuzeit, hrsg. v. St. Füssel, 1993, S. 477–93; PRE; Kosch, Lit.-Lex.[3]; Killy; BBKL.

Hans-Gert Roloff

Naphtali, *Fritz (Perez)*, Journalist, Politiker, * 29. 3. 1888 Berlin, † 30. 4. 1961 Tel Aviv. (isr.)

V Hugo (1846–1909), wahrsch. aus schles. Fam., Lederhändler in B.; M Ida Troplowitz (* 1858, verschollen 1942) aus Gleiwitz (Oberschlesien), 1942 nach Theresienstadt deportiert; ∞ 1916 Lucya Suess († 1920), Sekr. u. Kassiererin in B.; 1 T.

N. absolvierte das Falk-Realgymnasium in Berlin bis zur Obersekunda (1904) und machte dann eine kaufmännische Lehre bei einer Importfirma für Häute und Felle. 1907–09 besuchte er die Berliner Handelshochschule, wo er u. a. W. Sombart und I. Jastrow hörte, und legte das Examen als Diplomkaufmann ab. 1911 trat N. in die SPD ein, mit deren revisionistischem Flügel um E. Bernstein er sympathisierte. 1910–12 arbeitete er als kaufmännischer Angestellter bei der Deutschen Gasglühlicht AG in Berlin und Brüssel, 1913–16 war er Wirtschaftsredakteur bei der „Berliner Morgenpost" und der „Vossischen Zeitung". Nach Kriegsteilnahme 1917/18 nahm N. 1919 seine journalistische Tätigkeit bei denselben Zeitungen wieder auf. 1921–26 war er Wirtschaftsredakteur bei der „Frankfurter Zeitung". Gleichzeitig gab er mit seinem Freund Ernst Kahn die erfolgreiche Zeitschrift „Die Wirtschaftskurve" heraus. Danach wirkte er als freier Schriftsteller und war 1927–31 Leiter der Berliner „Forschungsstelle für Wirtschaftspolitik", die der SPD und dem Allgemeinen Deutschen Gewerkschaftsbund (ADGB) nahestand. 1928–33 gehörte N. – zunächst als Stellvertreter, dann als Nachfolger des Reichswirtschaftsministers Rudolf Hilferding – dem Vorläufigen Reichswirtschaftsrat an. Er war auch Direktoriumsmitglied der dem ADGB gehörenden „Bank der Arbeiter, Angestellten und Beamten".

N. übte als Dozent an der Freien Sozialistischen Hochschule in Berlin sowie als Vortragsredner und Fachschriftsteller maßgeblichen Einfluß auf die wirtschaftspolitischen Vorstellungen der deutschen Gewerkschaften in der Weimarer Zeit aus. Auf ihn gehen wichtige theoretische Ausformungen der seit etwa 1925 intensiv diskutierten Idee der „Wirtschaftsdemokratie" zurück, deren Kernvorstellung eine Mitbestimmung der Arbeiter in den Betrieben war, die aber mit der Zeit zu einem umfassenden wirtschafts- und sozialpolitischen Reformkonzept mit dem Ziel einer am Gemeinwohl orientierten Umgestaltung der bestehenden privatwirtschaftlichen Strukturen weiterentwickelt wurde. 1928 veröffentlichte N. hierzu den vom ADGB unter Theodor Leipart in Auftrag gegebenen Sammelband „Wirtschaftsdemokratie – ihr Wesen, Weg und Ziel" und hielt auf dem Hamburger Kongreß des ADGB im September desselben Jahres das vielbeachtete Grundsatzreferat „Die Verwirklichung der Wirtschaftsdemokratie", in dem er zur Überwindung der „Anarchie des Kapitalismus" eine schrittweise „Überführung der Produktionsmittel auf die Gemeinschaft" forderte, im Hinblick auf konkrete Funktionsbestimmungen der propagierten neuen gemeinwirtschaftlichen Ordnung allerdings unbestimmt blieb. Auch in der 1929 einsetzenden Weltwirtschaftskrise vertrat N. eher wirtschaftsreformerische als staatsinterventionistische Vorstellungen. Er meinte, daß zunächst die Krise durchgestanden werden müsse, bevor eine grundsätzliche Korrektur der Wirtschaftsordnung stattfinden könne. Im Gegensatz zu anderen der SPD und den Gewerkschaften nahestehenden Nationalökonomen (etwa W. Woytinsky) glaubte N. nicht an die Möglichkeit einer „wirtschaftlichen Sanierung von der Währungs- und Preisseite her" (Könke).

Das Ziel sozialistischer Wirtschaftspolitik war für den „Reformisten" und „Revisionisten" N., der an der Idee einer klassenlosen Gesellschaft nur als Fernziel festhielt, nicht wie für die orthodoxen Marxisten eine Verschärfung der Krisen des Kapitalismus, sondern ihre „Überwindung, Milderung und Verhütung", da die Sache der Arbeiter nur in Zeiten guter Konjunktur vorangebracht werden könne; der Kampf der Arbeiterklasse habe deshalb „in der Praxis ein Kampf für die Erhaltung guter Konjunkturen" zu sein. Ausgehend von solchen Überlegungen, führte er den wachsenden Erfolg der NS-Bewegung nicht zuletzt auf eine innere Krise des Sozialismus zurück, der in einer radikal-revolutionären Attitüde erstarrt sei und es nicht verstanden habe, die Ideale von Freiheit und Gerechtigkeit und den Sinn für vernünftige Reformen in sich wach zu erhalten. Nach 1945 haben die SPD und die Gewerkschaften an N.s Vorstellungen von einer „Wirtschaftsdemokratie" wieder angeknüpft. Man verstand darunter vor allem eine Mitbestimmung der organisierten Arbeiterschaft, wie sie bei Groß- und insbesondere Montanunternehmen durch die Gesetze von 1951 und 1976 teilweise realisiert werden konnte.

N., der sich schon im Ersten Weltkrieg der zionistischen Bewegung angeschlossen hatte, unternahm 1925 eine Palästinareise und knüpfte Kontakte zu erez-israelischen Arbeiterführern. 1928 wurde er zum Vorsitzenden der „Liga für das arbeitende Palästina" gewählt und nahm 1930 als Delegierter der „Zionistischen Vereinigung für Deutschland" am zionistischen Weltkongreß teil. Im Juli 1933 emigrierte er nach kurzzeitiger Inhaftierung nach Palästina und lehrte dort 1934–36 am Technion in Haifa Nationalökonomie. 1936/37 war er Dozent an der Hochschule für Rechts- und Wirtschaftswissenschaft in Tel Aviv. 1938–49 leitete er als Generaldirektor die Arbeiterbank („Hapoalim") in Tel Aviv. 1937–50 war N. Stadtverordneter in Tel Aviv, 1949–59 Abgeordneter der Knesseth für die Arbeiterpartei („Mapai"). 1948/49 fungierte er als Vorsitzender des Wirtschaftsberatungsausschusses im Amt des Ministerpräsidenten. 1951/52 war N. mit Unterbrechungen Minister ohne Portefeuille sowie Finanzminister im Kabinett Ben Gurion, dann bis 1955 Landwirtschaftsminister, wiederum Minister ohne Geschäftsbereich und 1958/59 Minister für Sozialordnung. Zuletzt war N. Vorsitzender des Finanzausschusses im Stadtrat von Tel Aviv. Seit 1937 Mitglied des Zentralausschusses der Gewerkschaft „Histadrut", blieb er bis an sein Lebensende einer der einflußreichsten Berater der israel. Gewerkschafts- und Genossenschaftsbewegung. Mit zahlreichen Publikationen in hebräischer Sprache nahm er auch in seiner neuen Heimat zu wirtschafts- und sozialpolitischen Fragen Stellung. An N.s Wirken erinnert die „Fritz-Naphtali-Stiftung" in Tel Aviv.

W u. a. Kapitalkontrolle, 1919 (mit E. Kahn); Wie liest man d. Handelsteil e. Tagesztg.?, 1921, zahlr. weitere Aufll. (mit dems.); Wirtsch.demokratie, Ihr Wesen, Weg u. Ziel, ¹⁻³1928 (Nachdr. 1966, 1977); Konjunktur, Arbeiterklasse u. sozialist. Wirtsch.pol., 1928; Die Reparationsfrage, 1929; Wirtsch.pol. u. Soz.pol., 1929; Wirtsch.krise u. Arbeitslosigkeit, 1930; Demokratiyah kalkalit (Ges. Aufsätze z. Wirtsch.demokratie), hrsg. v. K. Mendelssohn, 1965.

L F. Baade, in: Internat. Hdwb. d. Gewerkschaftswesens II, 1932, S. 1136 f.; A. J. Fischer, Ein junger Staat sucht seinen Wirtsch.stil, Sonderinterview mit d. israel. Wirtsch.min. P. N., in: Die Neue Ztg. v. 19./20. 7. 1952, S. 6; Werner Becker, Demokratie d. soz. Rechts, Die pol. Haltung d. Frankfurter Ztg., 1965; Stiftung f. Israel, F.-N.-Stiftung gegründet, in: FAZ v. 1. 11. 1967; W. Hesselbach, Die F.-N.-Stiftung, in: Das Parlament 22, 1972, Nr. 45, S. 13; J. Riemer, P. (F.) N., Ein Soz.demokrat im Zionismus u. in Israel, Diss. Tel Aviv 1983; ders., F. P. N., Soz.demokrat u. Zionist, 1991 *(W, L, P);* G. Könke, Organisierter Kapitalismus, Sozialdemokratie u. Staat, Eine Studie z. Ideologie d. soz.demokrat. Arbeiterbewegung in d. Weimarer Republik (1924–1932), 1987; H. Jaeger, Gesch. d. Wirtschaftsordnung in Dtld., 1988, S. 167, 216 f., 240–42; H. Hagemann u. C. D. Krohn, Die Emigration dt.sprachiger Wirtsch.wissenschaftler nach 1933, ²1992; R. Rürup (Hrsg.), Wirtsch.demokratie, Sozialismus u. Zionismus, Stud. zu Leben u. Werk F. N.s in Dtld. u. Israel (in Vorbereitung); Wenzel; Rhdb.; BHdE I.

Hans Jaeger †

Napiersky, *Karl Eduard* v. (russ. Adel 1852), Historiker, * 21. 5. 1793 Riga, † 2. 9. 1864 ebenda. (ev.)

V Jakob N., Eichenholzbraker; *M* Johanna Helene Ölfeld (?); ⚭ 1815 Louise, *T* d. Christopher Reinhold Girgensohn (1752–1814), Pastor seit 1775 in Erlaa-Ogershof, seit 1791 in Neu-Pebalg, Redaktor d. lett. Gesangbuchs f. Livland (s. Dt.balt. Biogr. Lex.), u. d. Dorothea Renata Elisabeth Fitkau († 1802); *S* Leonhard (1819–90), Rechtshist., seit 1853 Ratssekr., seit 1867 Ratsherr in R. (s. Dt.balt. Biogr. Lex.), August (1823–85), Meteorologe, seit 1847 in Mitau Gymnasiallehrer, seit 1877 in St. Petersburg am Physikal. Zentral-Observatorium bzw. bei d. Ak. d. Wiss. (s. Pogg. II, III; Dt.balt. Biogr. Lex.).

N. besuchte in seiner Heimatstadt die Domschule und das Gouvernements-Gymnasium. Sein Interesse für die Landesgeschichte wurde durch seinen Lehrer Joachim Christoph Brotze geweckt. 1810 nahm er in Dorpat das Studium der Theologie auf, das er 1812 als Kandidat abschloß. Nach einer vorübergehenden Tätigkeit als Hauslehrer übernahm er 1815 das Pastorat in Neu-Pebalg im lett. Teil Livlands. In dieser Stellung machte er sich um die Pflege der lett. Sprache und Kultur verdient. So gehörte er zu den Gründungsmitgliedern der Kurländ. Gesellschaft für Literatur und Kunst zu Mitau (1823) und der Lett.-litterärischen Gesellschaft zu Riga (1827). 1829–49 Direktor der Gouvernementsschulen und des Gymnasiums in Riga, brachte es N. im russ. Staatsdienst bis 1844 zum Kollegienrat. 1851 wurde er Mitglied im neugegründeten Rigaschen Zensurkomitee, 1852 erfolgten seine Beförderung zum Staatsrat und die damit verbundene Verleihung des erblichen Adels.

Das Programm seiner wissenschaftlichen Tätigkeit verkündete N. bereits 1824, als er in seiner „Fortgesetzten Abhandlung von livländ. Geschichtsschreibern" auf vier Desiderate der balt. Historiographie hinwies: die Erstellung eines balt. Autorenlexikons, die Edition der livländ. Chroniken, die Veröffentlichung der Livland betreffenden Urkunden des Königsberger Ordensarchivs und die Erfassung des in balt. Archiven und Bibliotheken befindlichen handschriftlichen Materials zur Landesgeschichte. 1833/34 gehörte er zu den Begründern der „Gesellschaft für Geschichte und Alterthumskunde der Ostseeprovinzen Rußlands". 1840–59 redigierte er ihre „Mittheilungen aus dem Gebiete der Geschichte Liv-, Ehst- und Kurlands", seit 1853 war er ihr Präsident, bis ihn ein Beinbruch 1860 ans Krankenlager fesselte. – N. hat sich trotz seiner teilweise unkritischen Editionsmethode durch die Sammlung von Materialien zur balt. Landesgeschichte sowie durch seine bis heute wertvollen bio-bibliographischen Nachschlagewerke verdient gemacht. Für das Regestenwerk zu den Ordens-Urkunden, das den Zeitraum 1450–1631 umspannt (1833–35), wurden ihm Auszeichnungen durch die Herrscherhäuser Rußlands, Preußens und Schwedens zuteil, für den 5. Band der Monumenta Livoniae antiquae (1847) wurde er durch den preuß. König geehrt. – Dr. phil. h. c. (Königsberg 1832); Mitgl. d. Ak. d. Wiss. zu St. Petersburg (1843); St. Stanislaus-Orden 2. Kl. (1857).

Weitere W u. a. Allg. Schriftst.- u. Gelehrtenlex. d. Provinzen Livland, Esthland u. Kurland, 4 Bde., 1827–32 (mit J. F. Recke, *W-Verz.* in III), Neudr. 1966; Nachträge u. Fortsetzungen, 2 Bde., 1859–61, bearb. v. Theodor Beise (*W-Verz.* in II); Chronolog. Conspect d. lett. Lit. v. 1587 bis 1830, 1831 (Erste Fortsetzung ... d. J. 1831 bis 1843 umfassend, 1844; Zweite Fortsetzung ... d. J. 1844 bis 1855 umfassend, 1858); Btrr. z. Gesch. d. Kirchen u. Prediger in Livland, 4 Hh., 1843–52 (*W-Verz.* in H. 3). – *Hrsg.:* Index corporis historico-diplomatici Livoniae, Esthoniae, Curoniae, 2 T., 1833–35; Russ.-Livländ. Urkk., Russko-Livonskie akty, 1868. – *Mithrsg.:* Monumenta Livoniae antiquae, Slg. v. Chroniken, Berr., Urkk. u. a. schriftl. Denkmalen u. Aufsätzen, 5 Bde., 1835–47, Neudr. 1968; Scriptores rerum Livonicarum, Slg. d. wichtigsten Chroniken u. Gesch.denkmale v. Liv-, Ehst- u. Kurland, 2 Bde., 1848–53.

L ADB 23; N. Angermann, in: Ostdt. Gedenktage 1993, 1992, S. 79–81 *(P);* Goedeke 15 *(W, L);* Dt.balt. Biogr. Lex.

P Gem. v. G. W. Rosenberg (1842); Lith. v. K. F. Deutsch.

Thomas M. Bohn

Napoleon II. *François Joseph Charles (Franz),* Kaiser der Franzosen, König von Rom, Prinz von Parma, Herzog von Reichstadt, * 20. 3. 1811 Paris, † 22. 7. 1832 Schönbrunn, ☐ Wien, Kapuzinergruft, seit 1940 Paris, Invalidendom. (kath.)

V Napoleon I. (1769–1821), Kaiser d. Franzosen; *Stief-V* (seit 1821) Adam Adalbert Gf. v. Neipperg (1775–1829), Obersthofmeister in Parma; *M* Marie Louise (1791–1847), Kaiserin d. Franzosen, Hzgn. v. Parma (s. NDB 16), *T* d. Kaisers Franz II. (seit 1804 Kaiser Franz I. v. Österreich, 1768–1835, s. NDB V) u. d. Maria Theresia v. Neapel-Sizilien (1772–1807); *Halb-B* Charles Macon (* 1806, Comte Léon), Alexandre Comte Walewski (1810–68), franz. Dipl. u. Min., Wilhelm Albrecht Gf., seit 1864 Fürst v. Montenuovo (1819–95), österr. Gen. (s. ÖBL; NDB 18*); – ledig.

Die Geburt eines unehelichen Sohns aus der Verbindung mit Éléonore Denuelle de la Plaigne Ende 1806 überzeugte Napoleon I., daß er Vater werden könne, der Tod seines Lieblingsneffen Napoléon Charles, des ältesten Sohns seines Bruders König Ludwig von Holland und seiner Stieftochter Hortense de Beauharnais, im Mai 1807 ließ ihn von seinen Plänen einer Nachfolge durch Adoption abrücken, und die Ehen seines Bruders Jérôme sowie seiner Stiefkinder Eugène und Stéphanie de Beauharnais mit Vertretern des Reichsfürstenstands wiesen ihm den Weg zu einer entsprechenden Verbindung. So heiratete Napoleon nach der Scheidung von Joséphine (Dez. 1809) im März 1810 Marie Louise, die älteste Tochter Kaiser Franz' I. von Österreich und einer Bourbonin. Die Bonapartes hatte er durch Senatsbeschluß vom 30. 1. 1810 von der Erbfolge ausschließen und für seinen Erben am 17. 2. 1810 den Titel eines Königs von Rom (in Analogie zum Röm. König des Alten Reichs) beschließen lassen. Für dessen Stellung, Erziehung und Hofstaat nahm er sich die Regelungen des Ancien Régime für die Enfants de France zum Vorbild, und mit der Gfn. Montesquiou machte er eine ausgesprochene Repräsentantin des alten Adels zur nur ihm verantwortlichen kgl. Gouvernante. Der kolossale Königspalast auf dem Hügel von Chaillot blieb allerdings Projekt.

Die Geburt N.s und seine Taufe am 9. Juni in Notre-Dame wurden zum Höhe- und Wendepunkt von Napoleons Laufbahn: Begründung einer legitimen Dynastie, endgültige Trennung von der Revolution, Distanzierung von der Armee, fortschreitende Monarchisierung und Aristokratisierung des Empire. Die Vaterrolle machte Napoleon Freude, und er nahm sich, wenn er in Paris bzw. Saint-Cloud war, wo Marie Louise mit N. gewöhnlich lebte, Zeit für seinen kleinen Sohn. Aber anläßlich der Verschwörung des Generals Malet im Oktober 1812, die den Kaiser totsagte, nahm man von N. keine Notiz. Um dem abzuhelfen, suchte Napoleon den Thronfolger in der Öffentlichkeit aufzuwerten. Im März 1813 wollte er ihn vom Papst krönen lassen, was Pius VII. jedoch ablehnte. Im April 1813 und erneut am 24. 1. 1814, als Napoleon Frau und Sohn zum letzten Mal sah, wurde Marie Louise nun jedoch zur Regentin bestellt. Am 29. März verließen sie auf Napoleons Befehl Paris in Richtung Süden. Am 4. April dankte der Kaiser zugunsten N.s ab, schloß ihn aber zwei Tage später in seinen Verzicht ein. Marie Louise reiste mit N. auf Wunsch ihres Vaters nach Wien. Nach Napoleons Rückkehr von Elba fürchtete man in Wien eine Entführung. Die Gfn. Montesquiou und ihr franz. Personal wurden entlassen. An ihre Stelle traten der hochgebildete Moritz Gf. v. Dietrichstein, Hauptmann Johann Baptist v. Foresti und weitere deutsche Lehrer. Am 22. 6. 1814 hatte Napoleon zugunsten seines Sohnes abgedankt. N. wurde von den Kammern der Hundert Tage als Kaiser anerkannt. Aber mit Ludwigs XVIII. Rückkehr nach Paris am 8. Juli begann die Zweite Restauration.

Der Wiener Kongreß bestimmte, daß Parma, Piacenza und Guastalla nach Marie Louises Tod nicht, wie im Vertrag von Fontainebleau vom 11. 4. 1814 vorgesehen, an N. fallen sollten, sondern zurück an die span. Bourbonen. Daraufhin übertrug Kaiser Franz, der seinen Enkel gern hatte, aber sich Metternich und der großen Politik fügte, in der vor allem England keinen Bonaparte auf einem europ. Thron sehen wollte, die sog. pfalzbayer. Güter Ghzg. Ferdinands III. von Toskana in Nordböhmen an N. als „Franz Hzg. v. Reichstadt", mit der Anrede Durchlaucht und Rang nach den Erzherzögen (Patent vom 22. 6. 1818), und stufte ihn damit wie einen deutschen Mediatisierten ein. Die Einkünfte von 500 000 Gulden sollten ihm jedoch erst nach Marie Louises Tod zufließen. Seine Erziehung zum österr. Prinzen gestaltete sich schwierig. Der hübsche blonde Knabe vermochte zwar in Gesellschaft zu gefallen, zeigte jedoch am Unterricht wenig Interesse. Kaiserin Maria Ludovika wollte einen Kleriker aus ihm machen. Dann entsprach man jedoch den Wünschen N.s und entschied sich für die Offizierslaufbahn. 1822 Korporal, 1828 Hauptmann bei den Kaiserjägern, wurde er 1832 schließlich Oberst bei der Infanterie. Er träumte von einem zweiten Don Juan d'Austria oder einem neuen Prinzen Eugen. Ein ungestümer Reiter, ging er gerne auf die Jagd und war von den Frauen umschwärmt. Ein herzliches Verhältnis verband ihn mit Sophie von Bayern (1805–72), der Frau Erzhzg. Franz Karls (1802–78), deren zweiten Sohn, den späteren Kaiser Maximilian von Mexiko (1832–67), man immer wieder für ein Kind N.s erklärte. Marie Louise, zumeist abwesend, konnte ihm nie eine wirkliche Mutter werden, obwohl er an ihr hing. Von den Onkeln standen ihm wohl die Erzherzöge Johann (1782–1859) und Rainer (1783–1853) am nächsten. 1831 ließ er sich detailliert von Marschall Marmont über die Feldzüge seines Vaters berichten. Eine echte Freundschaft verband ihn mit dem Generalstäbler Anton Gf. Prokesch v. Osten (1795–1876), den er 1830 in Graz kennengelernt hatte. In den Gesprächen N.s mit Prokesch wie mit Kaiser Franz ist von einem Königtum in Griechenland, Polen, Belgien, Italien oder wenigstens Korsika die Rede. Revolutionär hätte es nach N.s Vorstellungen freilich nicht sein dürfen. Dem Bonapartismus in Frankreich blieb er durchaus fremd, und daß ihn Metternich als Druckmittel gegen Louis Philippe benützte, wußte er nicht. Er wußte auch nicht, wie krank er war. Sein starkes Längenwachstum hatte seinen Organismus überfordert. Er litt schließlich an Tuberkulose. Den Militärdienst mußte N. widerwillig aufgegeben. Daß sein Tod, über den Metternich sicher nicht unglücklich war, auf böse Machenschaften des Kanzlers zurückgeführt wurde, lag nahe. Man kann den Wiener Hof- und Regierungskreisen höchstens den Vorwurf machen, daß sie die Warnungen der Ärzte, zumal des Leibarztes Johann Malfatti (1775–1859), nicht ernst genug genommen, N.s Militarismus nicht unterbunden und ihn nicht in das günstigere Klima Italiens gelassen haben. Als Prätendent des Bonapartismus wurde N. von seinem Vetter Charles Louis Napoléon abgelöst, der mit ganz anderem, eben doch revolutionärem Einsatz 20 Jahre später Napoleon III. werden sollte.

Die Legende vom seiner franz. Wurzeln beraubten jungen Aar im goldenen Wiener Käfig geht auf Auguste Barthélemys und Joseph Mérys Gedicht „Le Fils de l'Homme, ou Souvenirs de Vienne" (1829) zurück und durchzieht das 19. Jh., über Hugo und Dumas, aber auch August Gf. v. Platen, bis zu Edmond Rostands poetischem Drama „L'Aiglon" (1900), auf dem die Oper von Arthur Honegger und Jacques Ibert (1937) basiert. Auch der Film hat sich ihrer bemächtigt. Der Vergleich mit Kaspar Hauser ist nicht unbegründet. – Nachdem Napoleon III. vergeblich versucht hatte, Österreich zur Herausgabe der sterblichen Überreste N.s an Frankreich zu bewegen, ließ Hitler sie am 15. 12. 1940, dem 100. Jahrestag der Überführung Napoleons I. von St. Helena, in den Invalidendom an die Seite seines Vaters überführen.

L A. Gf. Prokesch-Osten, Mein Verhältniß zum Hzg. v. Reichstadt, 1878; F. Masson, Napoléon et son fils, 1904; O. Aubry, Le Roi de Rome, 1932 *(L, P,* dt. 1935); A. Castelot, L'Aiglon, Napoléon Deux, 1959 *(L, P,* dt. 1960); J. Tulard, Napoléon II, 1992 *(L);* S. Normington, Napoleon's Children, 1993 *(L, P);* J. Tulard (Hrsg.), Dict. Napoléon, 1987, S. 1230 f. *(P).*

P Gem. v. F. Gérard 1812 (Musée de Versailles, Abb. in.: G. Martineau, Le Roi de Rome, 1982); Gem. v. Sir Thomas Lawrence 1818/19 (Fogg Art Mus., Harvard Univ., Cambridge, Mass., Abb. in: K. Garlick, Sir Thomas Lawrence, A complete catalogue of the oil paintings, 1989, Nr. 591); Kupf. v. T. Benedetti nach e. Gem. v. M. M. Daffinger (Österr. Nat.bibl. Wien, Abb. in: E. Wertheimer, Der Hzg. v. Reichstadt, Ein Lb., 1902); Totenmaske (Schloß Schönbrunn, Wien, Abb. in: G. Holler, Napoleons Sohn, Der unglückl. Hzg. v. Reichstadt, 1987).

Peter Fuchs

Napp, *Cyrill* (Taufname *Franz),* Augustinereremit, Abt von Altbrünn (Mähren), * 5. 10. 1792 Gewitsch Bez. Mährisch-Trübau, † 21. (22.) 7. 1867 Altbrünn.

V Ludwig (Nab) (1757–1809/10, ev., später kath.) aus Dexheim (Rheinhessen), Handschuhmachermeister in G., S d. Jost Peter (1714–58) aus Schwabsburg b. Nierstein (Rheinhessen) u. d. Anna Maria Bergesin; M Johanna († n. 1809), T d. Johann Grindl (od. Friedl) († v. 1783) aus Mittendorf.

Nach Absolvierung des Olmützer Gymnasiums studierte N. zunächst Philosophie an der dortigen Universität. 1810 trat er in das St. Thomas-Kloster der Augustinereremiten zu Altbrünn ein, legte drei Jahre später die Ordensgelübde ab und empfing 1815, nachdem er seine Studien an der Theologischen Lehranstalt des Brünner Priesterseminars beendet hatte, die Priesterweihe. Für die wissenschaftliche Laufbahn bestimmt, erhielt N. bald darauf die Professur für Altes Testament und orientalische Sprachen an der Theologischen Lehranstalt in Brünn, doch schon 1824 wurde er zum Abt seines Stiftes gewählt. Über 40 Jahre sollte er fortan dessen Geschicke leiten, wobei ihm die Förderung junger Talente ein besonderes Anliegen bedeutete, so daß sich das St. Thomas-Kloster bald zu einem Zentrum der Gelehrsamkeit entwickelte. N. war es auch, der durch die Errichtung eines Gewächshauses und einer Orangerie im Stiftsgarten die langjährigen Versuche seines Nachfolgers Gregor Mendel, des Begründers der modernen Vererbungslehre, möglich machte. Neben seinen Aufgaben als Abt bekundete N. ein lebhaftes Interesse an den politischen, wirtschaftlichen, kulturellen und sozialen Belangen Mährens. Als Mitglied der mähr. Ständeversammlung, des Landesausschusses wie diverser Kommissionen war er an zahlreichen Maßnahmen zur Hebung und Besserung der kulturellen und wirtschaftlichen Verhältnisse seiner Heimat maßgeblich beteiligt, so an der Errichtung einer Technischen Hochschule in Brünn, der Schaffung einer Lehrkanzel für tschech. Sprache und Literatur, der Gründung einer Forstschule und einer Brandschaden-Versicherungsanstalt. Große Verdienste erwarb er sich darüber hinaus als langjähriges Mitglied, seit 1865 als Direktor der mähr.-schles. Gesellschaft zur Beförderung des Ackerbaues, der Natur- und Landeskunde. – Leopold-Orden (1836), Franz-Joseph-Orden (1850), Kommandeurkreuz d. Ordens der Eisernen Krone (1859).

W Theol. u. agrarkundl. Abhh. in versch. Zss.

L Jb. f. österr. Landwirte 1868, S. 485 f.; F. Weiling, F. C. N. u. J. G. Mendel, Ein Btr. z. Vorgesch. d. Mendelschen Versuche, in: Theoretical and Applied Genetics 38, 1968, S. 144–48 *(P);* ders., Zur Herkunft v. Prälat F. C. N., d. geistl. Vorgesetzten J. G. Mendels, in: Sudhoffs Archiv, Zs. f. Wiss.-gesch. 55, 1971, S. 80–85; Wurzbach 20; ÖBL; BLBL.

Anton Landersdorfer

Narath, *Albert,* Photochemiker, Kino- u. Filmingenieur, * 29. 1. 1900 Utrecht, † 4. 9. 1974 Eichberg. (ev.)

V Albert (1864–1924), aus Wien, Prof. d. Chirurgie in U. u. Heidelberg, GHR (s. ÖBL; Drüll I), S d. Friedrich Albert (1827–1908) u. d. Johanna Bauer; M Anna (1876–n. 1924), T d. Theodor Wilhelm Engelmann (1843–1909), Prof. f. Physiologie in U. u. Berlin (s. NDB IV), u. d. Emma Brandes (* 1854), Pianistin; B Rudolf (* 1903), Dr., Astronom.

N. besuchte in Heidelberg die Schule, studierte dort Physik, Chemie und Mathematik und promovierte 1926 bei Max Trautz. 1925–27 war er Assistent von Adolf Miethe am Photochemischen Institut der TH Berlin und trat dann als Entwicklungsingenieur in das Forschungslabor der AEG ein, wo er innerhalb von zwei Jahren ein praxisreifes, insbesondere von den Triergon-Patenten von Hans Vogt, Joseph Massolle und Jo Engl unabhängiges Tonfilmverfahren entwickelte und gemeinsam mit dem Laborleiter Hugo Lichte zahlreiche Patente erhielt. Diese waren mitentscheidend dafür, daß sich AEG und Siemens nicht an der Gründung des deutschen Tonfilmsyndikats (Tobis) beteiligten und 1928 die Klangfilm GmbH gründeten. 1931 wurde das Tonfilmlaboratorium der AEG von Telefunken übernommen, wo N. bis 1945 beschäftigt war, zuletzt als Laborleiter. 1941–45 leitete er zusätzlich das Forschungslaboratorium der Klangfilm GmbH. 1936 habilitierte er sich an der TH Berlin und wurde 1939 Dozent am Institut für Angewandte Photochemie. Nach dem Kriege schuf N. in Babelsberg auf dem Ufa-Gelände ein Forschungsinstitut für Kinematographie und Tonfilmtechnik und bemühte sich gleichzeitig um den Wiederaufbau des zerstörten Instituts für Angewandte Photochemie, das 1947 den Betrieb wieder aufnahm. 1946 wurde er Dozent, 1948 ao. Professor für Angewandte Photochemie an der TU Berlin. 1956 nahm er den Ruf auf eine o. Professur an der TH Aachen an, kehrte aber im selben Jahr in gleicher Stellung an die TU Berlin zurück. Es gelang ihm, dem Lehrstuhl erneut internationale Anerkennung zu verschaffen. Nach N.s Emeritierung 1965 wurde das Institut für Angewandte Photochemie und Filmtechnik aufgelöst.

N. leistete wichtige Beiträge zur Entwicklung der Filmtechnik; neben photochemischen und technischen Problemen untersuchte er auch theoretische Fragen. So befaßte er sich mit dem Auflösungsvermögen photographischer Emulsionen, dem elektrooptischen Kerr-Effekt, dem Schwarzschild-Effekt und der Theorie des Rauschens. Weitere Arbeiten galten der photographischen Strahlendosismessung, der Photochemie von Emulsionen, der Untersuchung und Herstellung von Kernspuremulsionen sowie von Emulsionen für die Autoradiographie, wie auch der Entwicklung automatisch arbeitender Auswerteapparaturen. Auch die Film- und Lichttechnik und die photographische Optik wurden am Institut gepflegt. Große Aufmerksamkeit schenkte N. den Reproduktionsverfahren, besonders der Mikroreproduktion, deren Wert für die wissenschaftliche Dokumentation er früh erkannte und propagierte. – Vors. (1951), Ehrenvors. (1971) d. Dt. Kinotechn. Ges. f. Film u. Fernsehen; Oskar-Messter-Medaille d. Dt. Kinotechn. Ges. f. Film u. Fernsehen (1961).

Weitere W u. a. Die innere Reibung v. Gasen u. ihr Zusammenhang mit d. Komplexbildung d. Molekeln, Diss. Heidelberg 1926; Physik u. Technik d. Tonfilms (m. H. Lichte), 1941, ³1945; Der gegenwärtige Stand d. Filmtechnik, 1957; Über d. Herstellung v. Kernspuremulsionen, 1961; Berlin u. seine Bedeutung f. d. Photochemie in Wiss. u. Technik, für d. Photoindustrie u. für d. Photowirtsch., 1964 (mit J. Eggert u. H.-G. Kindermann); Oskar Messter, d. Begründer der dt. Kino- u. Filmindustrie, in: Kinotechnik 20, 1966.

L 100 J. Lehrstuhl u. Inst. f. Angew. Photochemie u. Filmtechnik d. TU Berlin 1863–1963, 1963; Kinotechnik 19, 1965, Nr. 2, S. 28; Fotoprisma 21, 1970, S. 190; H. Jossé, Die Entstehung d. Tonfilms, 1984, S. 250 ff.; Pogg. VIIa. – Eigene Archivstud.

Michael Engel

Nardini, *Paul Josef,* kath. Theologe, Kongregationsgründer, * 25. 7. 1821 Germersheim (Pfalz), † 27. 1. 1862 Pirmasens, ☐ Kapelle d. Nardini-Hauses, Pirmasens.

Natürl. V N. N., österr. Mil.ing.; *M* Margaretha († 1864), *T* d. Josef Lichtenberger, Glasermeister; *Adoptiv-V* Joseph Anton Nardini († 1836, *Gr-Om*), Schuhmachermeister; *Adoptiv-M* Maria Barbara Lichtenberger *(Gr-Tante-m)*.

1823 von Verwandten adoptiert und ursprünglich für das Schuhmacherhandwerk bestimmt, durfte N. seit 1834 die Lateinschule in Germersheim besuchen, von der er 1838 auf das Speyerer Gymnasium wechselte. 1840 wurde er in das bischöfl. Konvikt aufgenommen. Nach dem Abitur 1841 und dem philosophischen Studium in Speyer begab sich N. zum Theologiestudium nach München, wo er 1846 zum Dr. theol. promoviert wurde. Nach der Priesterweihe im selben Jahr war er zunächst Stadtkaplan in Frankenthal, dann Präfekt im bischöfl. Konvikt. 1850 wurde er zum Pfarrverweser in Geinsheim und 1851 zum Pfarrer von Pirmasens ernannt. Um der sozialen Not in der jungen Industriestadt zu begegnen, errichtete N. – gegen starke Widerstände insbesondere der Stadtverwaltung – eine Niederlassung der Niederbronner Schwestern aus dem Elsaß. Da diese jedoch als Ausländerinnen galten und von Ausweisung bedroht waren, gründete N. 1855 eine neue Schwesterngemeinschaft, die er „Arme Franziskanerinnen von der hl. Familie" nannte. Bereits ein Jahr später konnte er die ersten Schwestern von Pirmasens aus in andere pfälz. Orte schicken, um in der Armen- und Krankenpflege zu arbeiten und sich um die Erziehung verwahrloster Kinder zu kümmern. Der bayer. Staat und der Speyerer Bischof, die sich übergangen fühlten, versagten N.s Werk zunächst die Anerkennung; erst im März 1857 erteilte der Bischof seine Zustimmung. Während seiner Bemühungen um die staatl. Genehmigung seiner Kongregation erkrankte N. Anfang 1862 an einer Lungenentzündung. Zu dieser Zeit befanden sich rund

220 Schwestern in 36 Niederlassungen. 1869 übersiedelte das Mutterhaus der Kongregation von Pirmasens aus in die ehem. Benediktinerabtei Mallersdorf (bei Landshut). Das Werk N.s entwickelte sich in den folgenden Jahrzehnten stetig weiter. Heute leben etwa 1700 „Mallersdorfer Schwestern" in 160 Niederlassungen im In- und Ausland.

L L. Schranz, Die Kongregation d. Armen Franziskanerinnen v. Mallersdorf, 1925; M. R. Bauer, Auf daß es brenne, Dr. P. J. N., e. Lb. zum 100. Todestag, 1962; dies., Dr. P. J. N., Leben u. Wirken, 1987; dies., Dr. P. J. N., Ein Lb., 1990, ²1994 *(P);* N. Rönn, in: G. Beaugrand (Hrsg.), Die neuen Heiligen, 1990, S. 201–11; Kosch, Kath. Dtld.; BBKL.

Hans Ammerich

Narjes, *Theodor Gustav,* Eisenhüttenmann, * 9. 7. 1847 Lingen (Emsland), † 4. 12. 1905 Essen. (ev.)

V Johann Heinrich Ludwig (1803–46), Kaufm. in L.; M Gesine Maria Benoit v. Santen; ∞ Essen 1881 Maria (1856–1942), T d. Franz Eduard Hintze (1825–76), Zechendir. in E. (s. NDB II*), u. d. Johanna Wilhelmine Hüllstrung (1826–96); 4 S, 2 T, u. a. Hermann (1891–1972), Unternehmer (s. *L); Schwager d. Ehefrau* August Bender (1847–1926), Eisenhüttenmann (s. NDB II).

Nach dem Besuch des Gymnasiums in Lingen studierte N. Chemie und Hüttenkunde am Kgl. Gewerbeinstitut und der Bergakademie in Berlin. Er absolvierte ein Volontariat auf der Alexishütte in Wietmarschen bei Lingen, arbeitete 1869/70 im Laboratorium der Hütte Phönix in Duisburg-Ruhrort und war anschließend als Chemiker, dann als Betriebsingenieur im Hochofenbetrieb der Gutehoffnungshütte in Oberhausen tätig. 1872 trat N. als Betriebsingenieur in das Bessemerwerk des Unternehmens Fried. Krupp ein und wechselte später in das Siemens-Martin-Werk. Eine fruchtbare fachliche und freundschaftliche Verbindung entstand schon bald zu dem gleichzeitig bei Krupp als Betriebsingenieur eingetretenen August Bender. Beide ergänzten sich ideal: N. hatte die neuen erfinderischen Ideen, Benders Stärke lag in ihrer praktisch-technischen Umsetzung. So gelang es ihnen 1876, auf der Basis eines Vorschlags von N., ein Verfahren zur Entphosphorung von Roheisen zu entwickeln, das 1877 für Krupp patentiert wurde. In einigen nordamerikan. Unternehmen wurde dieses neue sog. „Waschverfahren" längere Zeit angewendet. In Deutschland konnte es sich aber nicht durchsetzen. Hier wurde es von dem ebenfalls 1879 eingeführten Thomasverfahren verdrängt. Vor allem aber hatte Alfred Krupp das neue Verfahren reserviert betrachtet und sein Bekanntwerden zunächst verzögert, weil es nicht in seine Konzernstrategie paßte. Krupp besaß nämlich span. Gruben mit phosphorarmen Erzen, speziell für die Verarbeitung im Bessemerwerk. Daher fürchtete er, daß ihm mit der neuen Möglichkeit der billigen Verarbeitung phosphorreicher deutscher Erze unliebsame Konkurrenz entstehen würde. So zahlte er zwar N. und Bender je 25 000 Mark Prämie, aber das Waschverfahren wurde in der Essener Fabrik nur kurze Zeit, bis 1880 angewandt.

Auch unabhängig davon fühlten sich die beiden jungen Ingenieure bei Krupp in ihrem Bemühen um technische Modernisierung der Stahlerzeugungsverfahren durch Hierarchie und konservatives Denken eingeengt. Deshalb wollten sie sich selbständig machen. N. hatte 1880 beobachtet, daß Hochofenschlacke im Freien erhärtet, und kam auf die Idee, Zement daraus herzustellen. Tatsächlich gelang ihm dies in schwierigen Versuchen gemeinsam mit Bender. Erstmals wurde damit die bis dahin als lästiger Abfall betrachtete Hochofenschlacke in Verbindung mit Kalkstein als Rohstoff für die Herstellung von Portlandzement verwendet. Im November 1883 gründeten N. und Bender in Kupferdreh bei Essen die Portlandzementfabrik Narjes und Bender. Für die Bearbeitung der Schlackenteile entwickelte N. eine Rohr- oder Kugelmühle, die – nach seinen Angaben noch bei Krupp gebaut – das später erst für ein anderes Unternehmen patentierte Rohrmühlenprinzip selbständig vorwegnahm. Das Unternehmen entwickelte sich ohne fremdes Kapital erfolgreich, 1897 wurde eine Zementwarenfabrik angegliedert. – Vorstandsmitgl. d. Ver. dt. Portland-Zementfabriken; Kreistagsabg. in Essen; Mitgl. d. Gemeinderates u. unbesoldeter Beigeordneter d. Bürgermeisterei Kupferdreh.

L Tonindustrie-Ztg., 29. Jg., Nr. 151 v. 23. 12. 1905; – Eigene Archivstud. – *Zu Hermann:* B. Gerstein, Lb. aus d. Rhein.-Westfäl. Industriegebiet 1968–1972, 1980, S. 113 f.

Renate Köhne-Lindenlaub

Narutowicz, *Gabriel,* Wasserbauingenieur, poln. Politiker, * 17. 3. 1865 Telsze (Litauen), † (ermordet) 16. 12. 1922 Warschau. (kath.)

V Johannes, Gutsbes. in T.; M Viktoria Szezpowska; B Stanislaw (1862–1930), Jurist (s. Polski Słownik Biograficzny); – ∞ Eva Maria Krzyzanowska (1875–1920); 1 S, 1 T.

N. studierte in St. Petersburg Mathematik und Physik. Infolge einer Lungentuberkulose mußte er diese Ausbildung 1886 abbrechen und in Davos eine einjährige Kur antreten. Anschließend schrieb er sich an der ETH Zürich ein und erlangte 1891 das Diplom eines Bauingenieurs. Diesen Beruf übte er zunächst 3 Jahre im Baubüro für Wasserversorgung und Kanalisation der Stadt St. Gallen aus. Dann war er ein Jahr lang Sektionsingenieur des Kantons St. Gallen beim Bau des rheintalischen Binnenkanals (Teil der österr.-schweizer. Rheinregulierung). 1895 trat er in das Ingenieurbüro von Louis Kürsteiner (1862–1922) in St. Gallen ein. Im selben Jahr erwarb er das Bürgerrecht der benachbarten Gemeinde Untereggen. Das Ingenieurbüro Kürsteiner nahm in der Schweiz eine führende Position im Wasserbau ein. N. hatte hervorragenden Anteil an den Kraftwerkbauten Kubel bei St. Gallen, Andelsbuch bei Bregenz, Refrain im Jura und Monthey im Wallis sowie an mehreren bedeutenden Wasserversorgungs- und Kanalisationsanlagen. In kurzer Zeit stieg er vom Ingenieur zum Bürochef und schließlich zum Teilhaber auf. 1906 erhielt er von der ETH Zürich einen Lehrauftrag für Wasserversorgung und Kanalisation, 1907 wurde er vom Schweizerischen Bundesrat zum o. Professor für Wasserbau mit Amtsantritt 1908 gewählt. N. zog darauf mit seiner Familie nach Zürich. Bei den Studenten war seine praxisnahe Lehre beliebt. Der Forschung widmete er sich nur wenig. Mit großem Einsatz betrieb er aber nebenher ein eigenes Ingenieurbüro für Wasserbau. Dort erhielt er Aufträge aus der Schweiz und später auch aus Italien und Spanien. Zudem vertrat er die Schweiz in der österr.-schweizer. Rheinregulierungskommission. Als Krönung seiner Ingenieurlaufbahn gilt das Aarekraftwerk Mühleberg unterhalb von Bern. Es wurde unter seiner Projekt- und Oberbauleitung 1917–20 erstellt und fand damals als modernstes Mitteldruck-Speicherwerk europaweit Beachtung. Die damit verbundene berufliche Belastung zwang ihn 1919 zum Rücktritt von seiner Professur an der ETH Zürich.

N. unterhielt in der Schweiz sehr viele Kontakte mit Exilpolen. Er trat jedoch keiner ihrer Parteien bei, versuchte zwischen den zerstrittenen Flügeln zu vermitteln und den Opfern des 1. Weltkriegs zu helfen. Infolge seines Ansehens und weil er mit Marschall Josef Pilsudski befreundet war, wurde er 1920 in die poln. Regierung berufen. Er übernahm das Amt des Ministers für öffentliche Arbeiten und übersiedelte zunächst provisorisch und dann definitiv nach Warschau. Dort erlebte er mehrere Regierungsumbildungen und wurde 1922 schließlich Außenminister. Anfang Dezember 1922 wählte ihn die poln. Nationalversammlung zum ersten Präsidenten der noch jungen Republik. Eine Woche später erlag er dem Attentat eines politischen Fanatikers.

W Vom Elektrizitätswerk Mühleberg, in: Schweizer. Bauztg. 72, 1918, S. 65–67.

L F. Iselin, in: Schweizer. Bauztg. 80, 1922, S. 295–97; A. Rohn, in: Vj.schr. Naturforschende Ges. Zürich 67, 1922, S. 426–29; ders., Erinnerung an Prof. G. N., ersten Präs. d. Poln. Republik, 1938; M. Andrzejewski, in: Schweizer. Zs. f. Gesch., 1989, S. 304–10; Polski Słownik Biograficzny; P.-G. Franke u. A. Kleinschroth, Kurzbiogrr. Hydraulik u. Wasserbau, 1991, S. 326 (P); N. Schnitter, in: Wasser, Energie, Luft 85, 1993, S. 148–50.

P Gedenktafel v. H. Gisler, 1932 (ETH Zürich).

Daniel Vischer

Nas *(Nasus, Naß, Nase), Johannes,* kath. Theologe, Weihbischof von Brixen, * 19. 3. 1534 Eltmann/Main b. Bamberg, † 16. 5. 1590 Innsbruck.

V Valentin; *M* Madalene Schuman.

Mit 12 Jahren begann N. eine Schneiderlehre. Nach ihrem Abschluß ging er als Geselle auf Wanderschaft, u. a. nach Nürnberg, Regensburg, München und Augsburg. Hier hörte er Predigten der Prädikanten. 1551 beeindruckte ihn die Lektüre der „Nachfolge Christi" von Thomas a Kempis so tief, daß er 1552 in München in den Franziskanerorden eintrat, wo er im August 1553 Profeß ablegte. Im Kloster arbeitete er als Schneider. Daneben begann er mit dem Studium der lat. Sprache und später der Theologie. 1557 wurde er in Freising zum Priester geweiht. Seit 1559 besuchte er theologische Vorlesungen an der Univ. Ingolstadt, wo er 1560 Konventsprediger wurde und sich zum beliebten Volksprediger entwickelte. So gelang es ihm durch seine Predigten, die Stadt Straubing 1566 im alten Glauben zu erhalten. In München hielt er 1568 vor zahlreichen Zuhörern die Fastenpredigten. 1569 wurde er Guardian des Klosters Ingolstadt. 1571 nahm er am Generalkapitel der Franziskaner in Rom teil. Das Brixener Domkapitel ernannte ihn im selben Jahr zum Domprediger, eine Aufgabe, die er mit Erfolg wahrnahm. Erzhzg. Ferdinand II. machte ihn 1572 zu seinem Hofprediger in Innsbruck. Auch hier fanden seine Predigten großen Zuspruch. 1577 hielt er die Fastenpredigten in Augsburg und predigte ferner in verschiedenen Städten des Bistums Trient. 1580 wurde er Weihbischof von Brixen (päpstl. bestätigt im Mai). Als Bischof unternahm er zahlreiche Pastoralreisen. 1582 beauftragte ihn der Brixener Fürstbischof Johann Thomas v. Spaur (1578–91) mit der Visitation der Diözese.

Großen Einfluß übte N. auch als Schriftsteller aus. Sein Hauptwerk sind die „Centurien", eine Antwort auf eine Schmähschrift des Hofpredigers H. Rauscher von Neuburg/Donau. Diese erregte den Unwillen N.s wegen der Angriffe auf Franz von Assisi, das Konzil von Trient und die kath. Kirche, die darin als des Teufels Braut bezeichnet wurde. In seiner Schrift „Centuria prima" (1565) entgegnete er Rauscher, er könne nur schwer glauben, daß eine solche Schmäh- und Lasterschrift unter dem Namen deutscher Fürsten gedruckt worden sei. Diese Schrift N.s, die drei Auflagen erlebte, löste eine Reihe von Gegenschriften aus, auf die N. mit fünf weiteren Bänden antwortete, obschon die polemische Schriftstellerei nicht seiner Neigung entsprach. „Ich wollte wohl am liebsten dem Volk den kath. Glauben gelehrt haben, aber die unzähligen Lästerschriften der Prädikanten haben mich ins Feld geführt". – Der 5. Band der Centurien, „Centuria quinta" (1570), beschäftigt sich mit Luther. Er beantwortete darin dessen Angriffe auf „Das Papsttum zu Rom vom Teufel gestiftet" (1545) mit einer „Anatomie des Luthertums vom Teufel gestiftet" und setzte sich mit dem Lutherbild prot. Lobredner auseinander. Er versuchte zu zeigen, daß mit dem Aufkommen des neuen „Evangeliums" die Zucht und Ehrbarkeit geschwunden sei. Die Wurzel dieser Übel liege in der Auffassung, daß der Glaube allein den Menschen rechtfertige und die guten Werke nicht zur Seligkeit notwendig seien. Mit Witz und Schlagfertigkeit suchte er die Schwachstellen im Leben und Werk Luthers aufzuzeigen. Diese Schrift wurde viel gelesen und benutzt. Die 6. Centurie antwortete auf Osiander, der in seiner Schrift 72 Schimpfnamen für N. angeführt hatte. Er verfaßte ferner einen Katechismus, Predigtbücher, didaktische Schriften und kleinere Texte, die in Einblattdrucken Verbreitung fanden. – N. zählt zu den bedeutendsten Weihbischöfen von Brixen und nimmt in der Geschichte der kath. Erneuerung eine wichtige Stellung ein.

W-Verz. J. B. Schöpf, J. N., 1866, S. 73–77; Analecta Franciscana 8, 1946, S. 466–70.

L ADB 23; E. Redlhammer, J. N., Diss. Innsbruck 1920; A. Herte, Das kath. Lutherbild im Bann d. Lutherkommentare d. Cochläus, I, 1943, S. 52–59; A. Venn, Die polem. Schrr. d. Georg Nigrinus gegen J. N., Diss. Heidelberg 1933; H. Lukasser, Die Centurien d. J. N., Diss. Innsbruck 1952; J. Hepp, Das Predigtwerk d. J. N., Diss. Würzburg 1963 *(ungedr.)*; J. Schilling, Das Lebensschicksal d. Franziskanerbischofs J. N., 1976; F. Stopp, Der religiös-polem. Einblattdruck „Ecclesia militans" d. J. N. u. seine Vorgänger, in: DVjS 39, 1965, S. 588–638; R. E. Walker (Hrsg.), The „Corpus Christi" Sermons of J. N., 1988; J. Gelmi, Eine weitgehend unbek. Kurzbiogr. üb. J. N., in: Ecclesia militans, FS f. R. Bäumer, II, 1988, S. 475–90; T. Nelson, „O du armer Luther", Sprichwörtliches in d. antiluth. Polemik d. J. N., 1992; Goedeke II; Dictionnaire de théologie catholique, hrsg. v. A. Vacant u. E. Mangenot, fortgesetzt v. E. Amann, 1930 ff.; LThK²; Kosch, Lit.-Lex.³; Killy.

Remigius Bäumer

Nassau, Grafen (z. T. gefürstet 1366, 1652 bzw. 1688).

Um 1100 ist an der mittleren Lahn ein Grafengeschlecht bezeugt, das sich nach der Laurenburg bei Nassau nannte. Nachdem die Brüder *Rupert I.* (erw. 1124–52) und *Arnold* († 1148) um 1120 die Burg Nassau erbaut hatten, begegnen sie seit 1159/60 unter dem Namen ihres neuen Wohnsitzes. Ihr Territorialbesitz basierte hauptsächlich auf dem Erbe der Grafen von Arnstein, auf Lehen des Reiches und der Erzstifte Mainz und Köln sowie auf Vogteirechten des Hochstifts Worms und der Abtei Bleidenstadt im Lahn- und Dillgebiet, Taunus, Westerwald und Siegerland. Von der Bedeutung des Geschlechtes zeugt seine Königsnähe während der Stauferzeit. Nach dem Niedergang der staufischen Reichsgewalt und mit dem Erstarken der Nachbarterritorien beschlossen die Brüder *Walram II.* (erw. 1235, † 1266/74, s. ADB 40) und *Otto I.* (erw. 1247, † 1289, s. ADB 24) 1255 eine Hausteilung: Ersterer stiftete die walramische Linie und übernahm das Gebiet südlich der Lahn mit Idstein, Weilburg und Wiesbaden, während der Besitz der ottonischen Linie mit Siegen, Dillenburg, Herborn und der Herrschaft auf dem Westerwald nördlich der Lahn lag. Gemeinsam blieben der Stammsitz auf der Burg Nassau und einige kleinere Gebiete im Taunus und an der mittleren Lahn. Zu dieser Zeit gehörten die N. bereits zu den bedeutenden mittelrhein. Adelsfamilien.

Die walramischen Linien

Walrams II. Sohn *Adolf* (1255–98, s. NDB I) setzte die Politik der engen lehnsrechtlichen Bindungen an das Reich und an die rhein. Kurfürsten fort. Es waren vornehmlich die Erzbischöfe von Köln und Mainz, die 1292 seine Wahl zum König betrieben. Später gelang es keinem der Nassauer Grafen mehr, die Königskrone zu erwerben, doch wirkte dieser Aufstieg sich noch lange Zeit günstig für das Haus aus. Adolfs Sohn *Gerlach I.* (um 1283–1361) festigte die Position Nassaus in der Reichshierarchie durch geschickte Heiratspolitik und verstärkten Einfluß auf das Erzstift Mainz. Neben seinem Sohn *Gerlach* (1322–71, s. NDB VI) stellte die walramische Linie noch drei weitere Mainzer Erzbischöfe: *Adolf I.* (1353–90, s. NDB I), *Johann II.* (1360–1419) und *Adolf II.* (um 1422/23–75, s. NDB I). Auch in der Territorialpolitik war Gerlach erfolgreich. 1326 erwarb er die Herrschaft Neuweilnau mit Usingen als Pfand.

In einem Erbvertrag teilten seine Söhne 1355 das Erbe: *Adolf I.* (um 1307–70) begründete die ältere Linie N.-Wiesbaden-Idstein, sein Bruder *Johann I.* (um 1309–71, s. ADB 14) die Linie N.-Weilburg. Für die Söhne aus Gerlachs 2. Ehe wurde eine Linie Wiesbaden-Sonnenberg geschaffen, die aber bereits 1404 wieder an die Stammlinie zurückfiel. Die Weilburger Linie war territorialpolitisch am erfolgreichsten. Johann I., seit 1366 gefürsteter Graf, erwarb durch seine 1. Ehe die Herrschaft Merenberg. Durch die 2. Ehe fiel seinem Sohn *Philipp* (1368–1429, s. ADB 26) 1381 die Gfsch. Saarbrücken als Erbe zu. 1442 entstand nach einer weiteren Teilung die Linie N.-Saarbrücken, die 1602, nach einer erneuten Teilung 1544 in die Linien Saarbrücken, Ottweiler und Kirchheim, ausstarb und an Weilburg zurückfiel. *Ludwig II.* (1565–1627, s. NDB 15) vereinigte nach dem Aussterben der Wiesbaden-Idsteiner Linie 1605 alle walramischen Gebiete. 1629 teilten seine Söhne den Besitz und gründeten die Linien Saarbrücken mit Usingen und Neuweilnau, Wiesbaden-Idstein mit der Herrschaft Lahr in Baden und Weilburg mit Kirchheim. Wegen ihrer mangelnden Loyalität im 30jährigen Krieg entzog der Kaiser den luth. Grafen der walramischen Linien ihre Territorien. Nach ihrer Restituierung im Westfäl. Frieden nahmen die Grafen im Gothaer Rezeß 1651 eine Revision der Teilung von 1629 vor. Danach spaltete sich die Linie Saarbrücken 1659 in die Linien Saarbrücken, Ottweiler und Usingen. Die Linien wurden 1688 gefürstet ohne Sitz und Stimme im Reichsfürstenrat, nahmen aber zunächst nicht alle den Titel an. Nach dem Aussterben der Linie Wiesbaden-Idstein 1721, der Linie Saarbrücken 1723 und der Linie Ottweiler 1728 vereinigte die Usinger Linie deren Besitz und baute Wiesbaden und Biebrich zur Residenz aus. 1735 spaltete sich von ihr die Linie Saarbrücken ab, die 1797 ausstarb. Im selben Jahr fielen die linksrhein. Besitzungen an Frankreich. N.-Weilburg erbte 1799 die Gfsch. Sayn-Hachenburg. Infolge der Säkularisation und des Beitritts zum Rheinbund veränderte sich der Territorialbestand erheblich. Fürst *Friedrich August* von N.-Usingen (1738–1816, s. ADB VII) nahm 1806 als Rheinbundfürst den Titel eines Hzg. von N. an. Nach seinem Tod folgte mit Hzg. *Wilhelm* (1792–1839, s. ADB 43) die Weilburger Linie. Durch mehrere Reformgesetze wurde das Herzogtum bis 1816 zu einem fortschrittlichen konstitutionellen Staat umgestaltet. Hzg. *Adolf* (1817–1905, s. NDB I) mußte wegen seiner österreichfreundlichen Haltung 1866 auf sein Herzogtum verzichten, das der preuß. Monarchie einverleibt wurde. Aufgrund der nassau. Erbverträge bestieg Adolf 1890 den Thron des Ghzgt. Luxemburg, nachdem das dort regierende niederländ. Haus Oranien-N. im Mannesstamm ausgestorben war. Mit Ghzg. Adolfs Sohn *Wilhelm* (1852–1912) starb der letzte männliche Nachkomme des walramischen Stammes.

Die ottonischen Linien

Ottos I. Söhne teilten sich 1303 ihren Besitz. *Emich* (um 1267–1334, s. ADB VI) gründete die Linie Hadamar, *Heinrich I.* (um 1265?–1343, s. NDB VIII) die Linie Siegen und *Johann* († 1328) die Linie Dillenburg. Nach dessen Tod fiel Dillenburg an die Linie Siegen, die sich 1343 in die Linien Dillenburg-Siegen und Beilstein spaltete. *Otto II.* von N.-Dillenburg (⚔ 1350/51, s. ADB 24) bereitete durch seine Ehe mit Adelheid von Vianden den Erwerb der Herrschaft Breda in Brabant vor. Sein Enkel *Engelbert I.* (um 1380–1442) eröffnete 1403 die Linie N.-Breda. Dessen Bruder *Adolf* (1362–1420) erwarb durch Heirat die Gfsch. Diez. 1450–72 vereinigte *Johann IV.* (1410–75, s. ADB 14) den dillenburg. mit dem niederländ. Besitz. *Heinrich III.* von N.-Breda (1486–1538, s. ADB XI) erwarb durch seine Ehe mit Claudia von Châlons 1530 das Fürstentum Orange in der Provence. 1544 übernahm sein Neffe *Wilhelm*, gen. der Schweiger, von N.-Dillenburg (1533–84, s. ADB 43) dieses Erbe und begründete die Linie Oranien. Mit ihm sowie seinen Brüdern und seinem Sohn, dem Prinzen *Moritz* von Oranien (1567–1625, s. NDB 18) aus der Dillenburger Stammlinie ist der Freiheitskampf der Niederlande aufs engste verbunden. Nach dem Aussterben der Linie Beilstein 1561 vereinigte *Johann VI.* von N.-Dillenburg (1536–1606, s. NDB X) die Stammlande in seiner Hand und modernisierte die Verwaltung. Mit seiner Unterstützung des niederländ. Freiheitskampfes, seiner Hinwendung zum Calvinismus und seiner Führungsrolle im Wetterauer Grafenverein stellte er sich gegen Habsburg. Die 1607 von seinen Söhnen durchgeführte Hausteilung schuf die jüngeren Linien Siegen, Dillenburg, Beilstein, Diez und Hadamar. Die Teilung verschärfte sich noch durch eine konfessionelle Spaltung. In Siegen entstand 1623 eine kath. und eine ref. Linie. Auch *Johann Ludwig* von N.-Hadamar (1590–1653, s. ADB 14) konvertierte 1629 zum Katholizismus. 1652 wurde N.-Hadamar als erste der nassau. Linien gefürstet. Die übrigen otton. Linien folgten bis 1664. Während des 17. Jh. gingen aus diesen Linien mehrere Diplomaten, Militärtheoretiker und Heerführer hervor. Der letzte männliche Erbe der oranischen Linie gelangte 1688 als *Wilhelm III.* (1650–1702) auf den engl. Thron. Im 18. Jh. erloschen die Linien Oranien 1702, Hadamar 1711, Siegen (ref.) 1734, Dillenburg 1739 und Siegen (kath.) 1743. Die Linie Diez vereinigte schließlich alle otton. Länder und regiert als Erbstatthalter und Fürsten von Oranien-N. die Niederlande. Infolge der Revolutionskriege verlor Oranien-N. bis 1806 seinen Besitz; 1802 hatte es als Entschädigung u. a. das säkularisierte Hochschrift Fulda erhalten. 1815 wurde *Wilhelm Friedrich* von Oranien-N. (1772–1843) als Wilhelm I. König der Vereinigten Niederlande.

Qu. H. Dors, Genealogia od. Stammregister d. durchläuchtigen hoch- u. wohlgeborenen Fürsten, Grafen u. Herren d. uhralten hochlöbl. Hauses N. samt etlichen konterfeitlichen Epitaphien (1632), hrsg. unter Mitwirkung d. Hist. Komm. für Nassau v. d. Komm. f. Saarländ. Landesgesch. u. Volksforschung, 1983 *(P).*

L J. v. Arnoldi, Gesch. d. Oranien-Nassau. Länder u. ihrer Regenten, 1799–1819; F. W. Th. Schliephake u. K. Menzel, Gesch. v. Nassau, 1879–89; F. u. A. Köllner u. A. Ruppersberg, Gesch. d. ehem. Gfsch. Saarbrücken, 1908–11; Ch. Spielmann, Gesch. v. Nassau (Land u. Haus) v. d. ältesten Zeiten bis z. Gegenwart, 1909–11; R. Heck, Die Regenten d. ehem. Diezer Lande aus d. Häusern Diez u. N.-Diez, 1912 *(P);* K. W. Rudorff, Die Erhebung d. Grafen v. N. in d. Reichsfürstenstand, Diss. Berlin 1921; P. Wagner, Unterss. z. älteren Gesch. Nassaus u. d. nassau. Grafenhauses, in: Nassau. Ann. 46, 1920/25, S. 112–88; ders., Neue Unterss. z. älteren Gesch. Nassaus u. d. nassau. Grafenhauses, ebd. 54, 1934, S. 135–232; H. Gensicke, Unterss. üb. d. Anfänge d. Hauses Laurenburg-N., ebd. 66, 1955, S. 1–10; G. W. Sante, Strukturen, Funktionen u. Wandel e. hist. Raumes, ebd. 85, 1974, S. 151–64; W. Schüler, Die Hzge. v. N., Macht u. Ohnmacht e. Regentenhauses im Za. d. nat. u. liberalen Bewegung, ebd. 95, 1984, S. 155–72; J. Schoos, Die Hzge. u. Ghzge. v. Luxemburg, S. 173–92 *(P);* K. E. Demandt, Gesch. d. Landes Hessen, ²1972; J. Schoos, Thron u. Dynastie, 1978 *(P);* Hzgt. Nassau 1806–66, Ausst.-kat. Wiesbaden, 1981 *(P);* M. Huberty, A. Giraud, F. et B. Magdelaine, L'Allemagne dynastique, III, 1981; C. A. Tamse (Hrsg.), Nassau u. Oranien, Statthalter u. Könige d. Niederlande, 1985 *(P);* HRG; Nassau. Biogr.

Klaus Eiler

Nassauer, *Max,* Gynäkologe, Schriftsteller, * 3. 10. 1869 Würzburg, † 23. 5. 1931 Bad Kissingen. (isr.)

V Jean (eigtl. Jesajas, * 1841), Weinhändler in W., seit 1900 in Frankfurt/M.; *M* Ida (* 1840), *T* d. Lazarus Seligmann Sonnemann; 5 *B,* 1 *Schw.* u. a. Siegfried (1868–1940, ⚭ Else Horkheimer, 1877–1973, Künstlerin, Schülerin Clara Schumanns u. Engelbert Humperdincks, kehrte n. 1945 aus Theresienstadt nach Frankfurt/M. zurück), Geschäftsführer d. Societäts-Druckerei in Frankfurt/M., Lokalhist. u. Journalist (s. Rhdb.), Alfred (1882–1939), Kaufm. in Frankfurt/M.; – ⚭ Anna Oberndörfer; 2 *T; E* Pierre Rosenberg, Dir. d. Louvre, Konrad O. Bernheimer, Kunsthändler in München; *N* Hans (1904–81), Journalist, bis 1933 Redakteur d. Frankfurter Ztg., Kurt N.-Müller (* 1911, ev.), Dr. phil., Parteifunktionär d. DSP (beide s. BHdE I).

Nach Absolvieren des Medizinstudiums in Würzburg, Berlin und München wurde N. 1894 in Würzburg zum Dr. med. promoviert. Nachdem er an der Münchner Frauenklinik als Volontärassistent unter Franz v. Winckel und in Berlin bei dem Gynäkologen Sigmund Gottschalk gearbeitet hatte, ließ sich N. in München als Facharzt für Frauenkrankheiten und Geburtshilfe nieder.

N. trat besonders durch die Einführung des Styptizins in die gynäkologische Therapie hervor, eines Mittels gegen verschiedene Formen krankhafter Gebärmutterblutungen. Hervorzuheben sind des weiteren seine Bemühungen um die künstliche Befruchtung sowie die von ihm erfolgreich durchgeführte Trockenbehandlung des Vaginalfluors mit Hilfe des „Nassauerschen Sikkators". Daneben beschäftigte sich N. intensiv mit aktuellen sozialmedizinischen Fragen wie dem Findelhauswesen (Neuzeitliche Findelhäuser, 1922) und der Gesundheitsvorsorge (Gebirge und Gesundheit, 1908). Weite Verbreitung fanden N.s Novellen und Romane, die u. a. auch Themen aus dem ärztlichen Leben aufgreifen. N.s „Doktorschule" (⁴1925) und seine „Hohe Schule für Aerzte und Kranke" (1914) waren einem größeren Publikum bekannt. Ein weiteres Sujet N.s waren Ärztesatiren und -humoresken. Der bisweilen unter dem Pseudonym „Dr. Harmlos" publizierende N. wurde auch durch seine Übersetzungen aus dem Spanischen und Tschechischen bekannt. – Sanitätsrat.

W u. a. Ein Fall beginnender Tuberculose d. Gebärmutterschleimhaut bei fortgeschrittenem Cancroid d. Portio vaginalis, Diss. Würzburg 1894; Doktorsfahrten von gestern u. von heute, Ärztliches u. Menschliches, 1902, ³1926; Der gute Doktor, Ein nützlich Bilderbuch f. Kinder u. Eltern, 1905, ⁸1924; Der Arzt d. großen u. d. kleinen Welt, Aerztl. Skizzen, 1908; Pasmis, Novellen, 1909; Sterben ... ich bitte darum!, 1911; Das Nessushemd, Roman, 1913; Die hohe Schule f. Aerzte u. Kranke, 1914; Soldatenfrauen, Novellen, 1915; Der moderne Kindermord u. seine Bekämpfung durch Findelhäuser, 1919; Die künstl. Befruchtung, 1920; Des Weibes Leib u. Leben in Gesundheit u. Krankheit, 1923, ⁴1929.

L R. Strätz, Biogr. Hdb. Würzburger Juden 1900–1945, II, 1989, S. 400a; Kürschner Lit.-Kal., Nekr. 1901–35, 1936; Kosch, Lit.-Lex.³; BLÄ. – *Zur Fam.:* J. Bollack, Durchgänge, in: Zeitenwechsel, Germanist. Lit.wiss. vor u. nach 1945, hrsg. v. W. Barner u. Ch. König, 1995, bes. S. 389–92.

Werner E. Gerabek

Nasse. (ev.)

1) *Christian Friedrich,* Internist und Psychiater, * 18. 4. 1778 Bielefeld, † 18. 4. 1851 Marburg.

V Johann Christian (1724–88), Dr. med., Kreisphysikus in B., *S* d. Justus Hermann, Dr. med., Arzt in B.; *M* N. N. († 1788); ∞ Hamburg 1805 Henriette Weber (1788–1878) aus B.; 4 *S,* Hermann (1807–92), Prof. d. Chirurgie u. patholog. Anatomie in M., Werner (1822–89), Dr. med., Dir. verschiedener Irrenanstalten, Psychiater, Honorarprof. in Bonn, 1867 Gründer d. Psychiatrischen Ver. d. Rheinprov. (s. *L*), Erwin (s. 2), Berthold v. N. (1831–1906), preuß. Adel 1905), Dr. iur. h. c., Oberpräs. d. preuß. Rheinprov. (s. NDB IV*; BJ XI, Tl.; Nassau. Biogr.), 3 *T* u. a. Theodora (∞ Ernst Ranke, 1814–88, Prof. d. Theol. in Marburg, s. NDB IX*); *E* Otto (1839–1903), Prof. d. Pharmakol. u. physiolog. Chemie in Rostock (s. Pogg. III–V; BJ VIII), Dietrich (s. 3), Sieglinde Ranke (∞ Theodor Saemisch, 1833–1909 Prof. d. Augenheilkde. in Bonn, s. BJ 14, Tl.), Linda v. N. (1868–1917, ∞ Friedrich Saemisch, 1869–1945, Staatsmin., Präs. d. Rechnungshofes d. Dt. Reiches, s. Persönlichkeiten d. Verw., 1991); *Ur-E* Carl H. v. Noorden (1858–1944), Prof. d. Med. in Wien (s. ÖBL), Werner v. Noorden, Geh. Sanitätsrat (s. *L*).

Nach der Grundschule in Bielefeld besuchte N. Handelsschulen in Frankfurt, Offenbach und Hamburg, legte 1797 im Grauen Kloster zu Berlin die Matura ab und begann das Studium der Medizin in Berlin und Halle. 1800 wurde er mit einer Dissertation „De neuritide" promoviert. 1810 ließ er sich als Armenarzt in seiner Vaterstadt nieder. Studienreisen führten ihn 1814/15 nach Göttingen, Dresden, Leipzig und Weimar. 1815 wurde er als Nachfolger seines Lehrers Johann Christian Reil nach Halle berufen; einen Ruf nach Berlin lehnte er ab, folgte jedoch 1819 einem Ruf an die Univ. Bonn. Das Bonner Klinikum bestand damals aus dem „Hospitalklinikum" sowie einem „Poliklinikum". Mit der Einführung moderner Untersuchungsmethoden wie Auskultation, Perkussion oder Spirometrie in den Unterricht konnte er frühzeitig der physiologischen Richtung der neueren Medizin zum Durchbruch verhelfen.

N. gilt als erster deutscher Kliniker, der die physiologische Diagnostik am Krankenbett ausgeübt und in die Vorlesungen eingebracht hat. Das Lehren am Krankenbett, die sorgfältige Beobachtung seiner Patienten wie auch das Eingehen auf deren Lebensumstände wurde bald schon als „Nasse-Schulung" gerühmt. Als Zusammenfassung seiner diagnostischen und therapeutischen Erfahrungssätze erschien sein „Handbuch der speciellen Therapie" (2 Bde., 1830/38). Die Therapie sollte demnach neben der Heillehre auch das Verhüten der Krankheiten und die Pflege der Kranken bis zum Tod umfassen. Darüber hinaus widmete N. sich der öffentlichen Gesundheitspflege und nahm zu zeitgenössischen Reformbestrebungen in seinem Werk „Die Stellung der Aerzte im Staate" (1823) energisch Stellung. Neben einer physiologischen Grundlegung der Heilkunde und einer Ausweitung der Therapeutik auf alle Bereiche der Praxis strebte N. die Grundlegung einer medizinischen Anthropologie an, die er „die Lehre von dem ganzen Sein und Leben des Menschen" nannte. Als Spezialist auf vielen Gebieten habe der „anthropologische Arzt" ein „Zeuge der großen und kleinen Szenen des Lebens" zu sein. Bereits 1819 hatte N. für Bonn eine „Klinik für psychiatrische Krankheiten" mit einem eigenen „Psychiatrischen Klinikum" gefordert; für seine Studenten richtete er das „Siegburger Hauspraktikum" in der 1825 von Jacobi übernommenen Siegburger Anstalt ein. 1850 wurde N. zu Ehren eine „Nassestiftung" zur Versorgung der Witwen und Waisen von Ärzten ins Leben gerufen. – Mitgl. d. Leopoldina (1818).

Weitere W Ueber d. Begriff u. d. Methode d. Physiol., 1826; Hdb. d. allg. Therapie, 1840/45; Die Isogenesis, e. Naturgesetz, 1844; Zahlr. Btr. bes. in: Zs. f. psychische Aerzte (1818–1822), Zs. f. d. Anthropol. (1823–1826), Zs. f. d. Beurteilung u. Heilung krankhafter Seelenzustände (seit 1837, hrsg. mit M. Jacobi).

L ADB 23; J. F. H. Albers, in: NND 29, 1851, S. 296–310; F. Sioli, in: Th. Kirchhoff, Dt. Irrenärzte, I, 1921, S. 105–17; W. v. Noorden, Der Kliniker F. Ch. N., 1929, in: Westfäl. Lb. II, 1931, S. 274–88

(P); H. Schipperges, Zum Organismus d. Anthropol. b. Ch. F. N., in: Sudhoffs Archiv 59, 1975, S. 184–201; ders., in: Bonner Gelehrte, 1992, S. 23–35; W. U. Eckart u. Ch. Gradmann (Hrsg.), Ärztelex., 1995. – *Zu Werner:* ADB 52; Th. Kirchhoff, Dt. Irrenärzte, II, 1922, S. 40–43.

P Lith., gez. v. Schmidt, lith. v. A. Schütter, Abb. in: Bonner Gelehrte (s. *L*, vor S. 17); Gipsbüste v. B. Afinger (Med. Klinik Bonn).

Heinrich Schipperges

2) *Erwin,* Nationalökonom, * 2. 12. 1829 Bonn, † 4. 1. 1890 ebenda.

V Christian Friedrich (s. 1); *M* Henriette Weber; ∞ 1858 Hermine v. Hogendorp; 6 *S,* u. a. Dietrich (s. 3), Leopold Rudolf Theodor (1870–1945), Dr. iur., Gen.bevollmächtigter d. Fürsten v. Pleß (s. Wenzel), 2 *T.*

N. begann, ebenso wie andere namhafte Vertreter der historischen Schule der Nationalökonomie, seine philologisch-historischen Studien in Bonn und Göttingen. Nach seiner Promotion 1851 in Bonn konzentrierte er sich auf die Nationalökonomie und habilitierte sich hier 1854 in diesem Fach. Im Frühjahr 1856 wurde er als Professor nach Basel und im Herbst 1856 nach Rostock berufen. 1860 folgte er einem Ruf als o. Professor nach Bonn (1872/73 Rektor), wo er bis zu seinem Tod lehrte.

N. stand der historischen Schule nahe, ohne sich mit ihr völlig zu identifizieren. Als Kathedersozialist, gemäßigter Freihändler und Gegner der Manchesterdoktrin verfaßte er zahlreiche Abhandlungen über die verschiedensten wirtschaftstheoretischen, -politischen und -historischen Themen. Besondere Bedeutung besaßen seine Schriften auf dem Gebiet des Geld- und Bankwesens, die nach Schumpeter zu den besten deutschen Publikationen zählten. N. war an den Veröffentlichungen des Vereins für Sozialpolitik, dem er seit der Gründung 1872 angehörte (seit 1874 Vorsitzender), beteiligt und gab mit Adolf Wagner die Neuauflage von Karl Heinrich Raus „Lehrbuch der Politischen Ökonomie" heraus. Neben seiner Lehr- und Forschungstätigkeit war er 1869–79 als freikonservativer Abgeordneter im preuß. Abgeordnetenhaus vor allem in der Budgetkommission tätig. Seit 1889 hatte er, als Vertreter der Univ. Bonn, einen lebenslangen Sitz im preuß. Herrenhaus inne. – Korr. Mitgl. d. Inst. de France; Geh. Reg.rat.

W u. a. Bemerkungen üb. d. preuß. Steuersystem, 1861; Die preuß. Bank u. d. Ausdehnung ihres Geschäftskreises in Dtld., 1866; Über d. ma. Feldgemeinschaft u. d. Einhegungen d. 16. Jh. in England, 1869 (engl. 1871). – *W-Verz.:* K. Lamprecht, Die Schrr. E. N.s, in: Jbb. f. Nat.ökonomie u. Statistik, NF 20, 1890, S. 201–04.

L ADB 55; G. F. Knapp, Grundherrschaft u. Rittergut, 1897, S. 123–30; F. Boese, Gesch. d. Ver. f. Soz.pol. 1872–1932, 1939; J. A. Schumpeter, Gesch. d. ökonom. Analyse, 1965, S. 1340; M. E. Kamp u. F. H. Stamm, in: Bonner Gel., Btrr. z. Gesch. d. Wiss. in Bonn, Staatswiss., 1969, S. 18 f. *(P);* M.-L. Plessen, Die Wirksamkeit d. Ver. f. Socialpol. v. 1872–1890, 1975; Hdwb. d. Staatswiss. V, 1893, S. 8 f.; L. Elster, Wb. d. Volkswirtsch., II, 1932; Kosch, Biogr. Staatshdb.; B. Mann u. a., Biogr. Hdb. f. d. preuß. Abg.haus 1867–1918, 1988.

P Gem. im Iuridicum, Finanzwiss. Abt. (Bonn).

Hans Pohl

3) *Dietrich,* Chirurg, * 5. 11. 1860 Bonn, † (Unfall) 1. 9. 1898 b. Pontresina (Schweiz).

V Erwin (s. 2), *S* d. Christian Friedrich (s. 1); *M* Hermine v. Hogendorp; ledig.

N. studierte 1878–82 in Bonn, Tübingen und Berlin Medizin. 1882 in Bonn mit einer Dissertation zur Anatomie niederer Würmer (Lumbriciden) zum Dr. med. promoviert, arbeitete er zunächst in Genf bei dem Pathologen Friedrich Wilhelm Zahn, dann 1884–86 als Assistent am patholog. Institut in Göttingen bei Johannes Orth. Hier beschäftigte er sich mit der Arterientuberkulose und dem bakteriologischen Befund bei Magenschleimhautnekrose. 1887 wurde N. Assistent Ernst v. Bergmanns an der chirurgischen Universitätsklinik in Berlin, wo er sich 1893 für Chirurgie habilitierte. 1896 als ao. Professor und Staatsexaminator für Chirurgie bestallt, leitete er hier die Poliklinik. Im Rahmen eines Einsatzes des Roten Kreuzes während des griech.-türk. Krieges (1897) war N. vorübergehend im Yildiz-Spital in Konstantinopel tätig. Er verwandte hier bereits die 1895 von W. C. Röntgen entdeckten X-Strahlen zur Diagnostik von Schußverletzungen. Das Angebot, die Leitung der Medizinschule von Konstantinopel dauerhaft zu übernehmen, lehnte er ab.

N.s Forschungstätigkeit in Berlin galt neben dem klinisch-chirurgischen Bereich weiter der Pathologie. So untersuchte er die Entstehung von Lymphgeschwülsten, Mischtumoren der Speicheldrüsen, Teratomen der Kreuzbein-Steißbein-Region und Knorpel-Knochen-Tumoren sowie Abszeßbildungen durch Amöbenbefall und Gelenkentzündungen nach einer Tripperinfektion. Ausgiebig widmete er sich den klinischen Erscheinungen, Ausbreitungswegen und geweblichen Formen bösartiger Knochentumoren (Sarkome). Zur meist notwendigen Radikalbehandlung solcher Geschwülste am Oberarm gab er eine spezielle Operationsmethode für die Absetzung des Arms zusammen mit dem Schlüsselbein und Schulterblatt an. Für den chirurgischen Unterricht lieferte er eine geschätzte Monographie über die Krankheiten des Fußes, Unterschenkels und der Kniegelenksgegend sowie ein Lehrbuch über Fußverletzungen und -erkrankungen. Den neuen Typus des wissenschaftlich gebildeten Chirurgen verkörpernd, gelang es N., die Methoden der noch jungen Disziplinen der pathologischen Anatomie und der Bakteriologie für chirurgische Fragestellungen nutzbar zu machen.

W u. a. Die Sarkome d. langen Extremitätenknochen, in: Archiv f. klin. Chirurgie 39, 1889; Die Exstirpation d. Schulter u. ihre Bedeutung f. d. Behandlung d. Sarkome d. Humerus, in: Slg. klin. Vorträge, NF, 86, 1893; Über multiple cartilaginäre Exostosen u. multiple Enchondrome, ebd., 124, 1895; Die gonorrhoischen Entzündungen d. Gelenke, Sehnenscheiden u. Schleimbeutel, ebd., 181, 1897; Chirurgische Krankheiten d. unteren Extremitäten, 1. Hälfte, 1897, ²1910 (bearb. v. M. v. Brunn).

L E. v. Bergmann, in: Berliner klin. Wschr. 35, 1898, S. 1029–31; R. Wrede (Hrsg.), Das geistige Berlin III, 1898; BLÄ.

Andreas-Holger Maehle

Natalis, *Friedrich,* Ingenieur, * 16. 4. 1864 Braunschweig, † 9. 7. 1935 Berlin. (ev.)

V Albert Julius, Fabr. in Braunschweig; *M* Caroline Sophie Marie Meyer (* 1838); ∞ 1892 Martha Nienstädt (1869–1942); 2 S, 1 T.

N. besuchte in Braunschweig 1871–84 die Bürgerschule und das Gymnasium. Dem Abitur ließ er mit Blick auf den angestrebten Ingenieurberuf eine halbjährige praktische Ausbildung in der Maschinenfabrik F. Dippe in Schladen bei Braunschweig folgen. Seit 1885 studierte er Maschinenbau an der TH Braunschweig und legte dort 1889 die Hauptprüfung als Regierungsbauführer ab. 1890 trat N. in die Abteilung für elektrische Bahnen der Firma Siemens & Halske (S & H) in Berlin ein. 1891 kehrte er von Berlin nach Braunschweig zurück, um als Konstrukteur auf dem Gebiet des Eisenbahn-Sicherungswesens für die „Eisenbahnsignal-Bauanstalt Max Jüdel & Co." tätig zu werden. Er entwarf zahlreiche Vorrichtungen, die zur selbsttätigen Verriegelung und Entriegelung von Eisenbahnstrecken eingesetzt wurden. 1897 wechselte N. zur „Elektrizitäts-AG vormals Schuckert & Co." in Nürnberg. In deren Bahnbüro gelang ihm 1898 die Konstruktion einer neuen Blocksicherungsanlage, die in der von Schuckert gebauten Wuppertaler Schwebebahn zwischen Barmen und Elberfeld erfolgreich eingesetzt wurde. Im Zusammenhang mit seinen Beschreibungen dieser Anlage wurde N. vorübergehend Vorstand des Literarischen Büros bei Schuckert. 1899 übertrug man ihm die Leitung des sog. „Regulatorenbüros". Seine Erfindung eines selbsttätigen Starkstrom-Hebelschalters mit elektrischer Freiauslösung erwies sich als bahnbrechend. Von N. stammen auch die ersten Steuerschalter mit Kupfer-Kohle-Kontakten und Funkenbläser, die im Peiner Walzwerk erfolgreich verwendet wurden. Als 1903 durch Zusammenlegung der „Elektrizitäts-AG" mit den Starkstromabteilungen von S & H die Siemens-Schuckertwerke (SSW) entstanden, übernahm er die Leitung des „Büros für Kraftübertragungsapparate" in Charlottenburg. 1912 wurde er Vorstand aller technischen Abteilungen, Versuchs- und Prüffelder im Charlottenburger Werk. N. hat in jenen Jahren mit seinen Konstruktionen das gesamte Gebiet der Anlaß-, Schalt- und Regelgeräte maßgeblich beeinflußt und zahlreiche Patente erhalten. 1907 legte er die Diplomprüfung im Fach Maschinenbau ab und wurde mit einem Thema über die Regelung elektrischer Generatoren im selben Jahr zum Dr.-Ing. promoviert. Kriegsbedingt wurde seine Tätigkeit für Siemens 1915/16 unterbrochen. Seit 1917 war er dann bei den SSW im Dynamowerk Berlin-Siemensstadt tätig, wo er den Flugzeugbau leitete. 1919 kehrte er wieder zum Charlottenburger Werk in seinen früheren Tätigkeitsbereich zurück. 1928 trat N. zum Siemens-Archiv in Berlin (Archiv-Verwaltung von S & H und SSW) über, das er dann als Nachfolger des 1929 verstorbenen August Rotth bis zu seinem Tode leitete. Seine praktischen Erfahrungen und die Archivbestände erlaubten ihm fruchtbare technikgeschichtliche Arbeiten, wobei ihm seine ausgeprägten literarischen Fähigkeiten zugute kamen. Hervorzuheben sind vor allem seine umfangreiche Zusammenstellung der wesentlichen „Pionierarbeiten" des Hauses Siemens, zunächst für die Zeit von 1847–1929 (später weitergeführt unter dem Titel „Siemens – Technische Leistungen/Wirtschaftliche Ereignisse") und seine meßtechnische Untersuchung der ersten Dynamomaschine von Werner Siemens (1866).

W u. a. Die selbsttätige Regulierung d. elektr. Generatoren, in: Elektrotechnik in Einzeldarst., H. 11, 1908 (Abdr. d. Diss. v. 1907); Die Entwicklung d. Regulier- u. Anlaßapparate, Aufzüge, Krane, Hebemagnete, in: Elektrotechnik u. Maschinenbau 31, 1913, Festnr. 1883–1913, März, S. 37–39; Kreisdiagramme in verketteten Wechselstromkreisen, in: Wiss. Veröff. aus d. Siemens-Konzern 1, 1921, H. 2, S. 65–75 (mit H. Behrend); Vektorverhältnisse u. Vektorprodukte, ebd. 2, 1922, S. 275–92; Krit. Betrachtungen üb. d. Vertikalbewegung v. Lasten u. ihre Regelung b. elektr. Aufzügen u. Kranen, ebd. 7, 1928/29, H. 1, S. 1–32; Die erste Dynamomaschine v. Werner Siemens im Lichte neuzeitl. Meßtechnik, ebd. 14, 1935, H. 1, S. 1–15; Regler u. Anlasser, in: E. v. Rziha u. J. Seidener (Hrsg.), Starkstromtechnik, Taschenbuch f. Elektrotechniker I, ^{7}1930, S. 740–848.

L F. Heintzenberg, in: Wiss. Veröff. aus d. Siemens-Werken 15, 1936, H. 1, S. 1–6.; K. Jäger (Hrsg.), Lex. d. Elektrotechniker, 1996; Pogg. VI.

P Phot. im Siemens-Forum München.

Lothar Schoen

Nathan, *Fritz,* Kunsthändler, * 30. 6. 1895 München, † 28. 2. 1972 Zürich. (isr., seit 1938 ref.)

V Alexander (1845–1908), Kaufm. in M.; *M* Irene (1867–1949), *T* d. Sigmund Helbing (1821–95), Kunsthändler in M.; *Om* Hugo Helbing (1863–1938), GR, Kunsthändler u. Auktionator in M.; *Stief-B* Otto (1885–1930), seit 1913 selbständiger Kunsthändler in M.; – ∞ 1) Schneverdingen 1922 Erika (1894–1953, ev.), *T* d. Landwirts Wilhelm Heino u. d. Marie Beneke aus Lünzmühle (Lüneburger Heide), 2) Zürich 1955 Gabriele (* 1920, ev.), *T* d. Arztes Dr. med. Alban Nast-Kolb (1874–1940) u. d. Gertrud Steiner (1890–1961) aus Stuttgart; *Gvv d. 2. Ehefrau* Adolf v. Nast-Kolb (1839–1921, bis 1869 Nast), Bankier, Konsul in Rom (s. NDB XII*); 1 *S*, 2 *T* aus 1), u. a. Peter (* 1925), Dr. phil., Kunsthistoriker, seit 1972 Alleininh. d. Fa. in Z. (s. *L*).

N.s Interesse für Kunst wurde durch die Familientradition frühzeitig geweckt und zudem in starkem Maß von der künstlerischen Atmosphäre in München geprägt. Bereits als Gymnasiast hielt er Lichtbildervorträge über Leibl, Spitzweg und Raffael. Nach dem Abitur 1914 nahm er zunächst das Studium der Medizin auf; im 1. Weltkrieg diente er als Sanitätsunteroffizier. Nach Staatsexamen und Promotion (1922) und einem Praktikum an der Münchener Ohrenklinik trat er jedoch 1923 auf Anraten seines Stiefbruders in dessen Firma, die Ludwigsgalerie in München, ein. Nach dessen Tod führte N. seit 1931 die Galerie als Alleininhaber. 1935 emigrierte er mit seiner Familie in die Schweiz, zunächst nach St. Gallen, wo er 1948 eingebürgert wurde und vielfältig mit dem kulturellen Leben der Stadt verbunden war. Von 1951 bis zu seinem Tod führte er seine Kunsthandlung in Zürich, seit 1954 zusammen mit seinem Sohn.

N. selbst, der durch fundierte Kenntnis, Gewissenhaftigkeit und persönliche Liebenswürdigkeit bald zu einem der angesehensten Vertreter seines Fachs wurde, empfand seine Tätigkeit als einen „künstlerischen Beruf". Hatte er sich anfänglich der noch vernachlässigten Malerei der deutschen Romantik zugewandt, so dehnte er sein Interesse zunehmend auch auf die Impressionisten und Vorimpressionisten und die alten Meister aus. Auf diesen Gebieten wirkte er als einer der kompetentesten Berater und Kunsthändler für Sammler und Museen in Europa und USA, wie z. B. das Folkwang Museum in Essen und das Städelsche Kunstinstitut in Frankfurt, das Kunsthaus Zürich und das Kunstmuseum Bern, die National Gallery in Ottawa und das Museum of Fine Arts in Boston. Die später für die Öffentlichkeit zugänglich gemachten schweizer. Privatsammlungen von Oskar Reinhart in Winterthur und Emil G. Bührle in Zürich entstanden mit seiner Hilfe.

Trotz aller bitterer Erfahrungen und Erlebnisse im Dritten Reich verband ihn eine unwandelbare Anhänglichkeit mit der alten Heimat und den dort ansässigen Freunden wie Ludwig Grote, Eberhard Hanfstaengl, Max Hirmer, Kurt Martin und Alfred Winterstein. Enge freundschaftliche Kontakte bestanden auch zu Hans Curjel, Christoph Bernoulli, Hans E. Bühler, Arthur Kauffmann und Oskar Reinhart. Während vieler Jahre war N. Vizepräsident des Kunsthandelsverbandes der Schweiz, der ihm auch die Führung der Expertenstelle des Verbandes anvertraute. – Ehrenmitgl. d. Kunsthandelsverbandes d. Schweiz (1963).

W Dr. F. N. u. Dr. Peter N. 25 Jahre 1936–1961, 1961; Erinnerungen aus meinem Leben, 1965. – *Nachlaß* (u. a. Vortragsmss. u. Tonbandaufzeichnungen) in Priv.bes.

L F. N. 70 Jahre, in: SZ v. 1. 7. 1965 u. in: Die Weltkunst v. 15. 7. 1965; H. Curjel, in: NZZ v. 3. 3. 1972; FAZ v. 10. 3. 1972; Handelsbl. v. 13. 3. 1972; P. Nathan, Dr. F. N. u. Dr. Peter Nathan 1922–1972, 1972 (mit e. Vorwort v. F. N., *P*).

Gabriele Nathan-Nast-Kolb

Nathan, *Hans,* Jurist, * 2. 12. 1900 Görlitz, † 12. 9. 1971 Berlin-Pankow. (isr.)

V Albert, Justizrat, Rechtsanwalt u. Notar in G.; *M* Gertrud Borchert; ⚭ Görlitz 1925 Marianne Staat (* 1901) aus Löwenberg (Schlesien); 2 *T.*

Nach dem Abitur (1918) in Görlitz und einer anschließenden halbjährigen Militärdienstzeit studierte N. 1919–21 Rechtswissenschaft in Berlin, Marburg, München und Breslau. 1922 promovierte er in Breslau über „Die arglistige Erschleichung eines Urteils" zum Dr. iur. Er absolvierte seinen juristischen Vorbereitungsdienst in Görlitz und Breslau und trat in dieser Zeit dem Friedrich-Naumann-Bund bei. Nach der Ablegung des Assessor-Examens führte er 1925–33 die väterliche Anwaltspraxis in Görlitz. In verschiedenen Fällen übernahm er für die Rote Hilfe die Strafverteidigung von angeklagten Kommunisten. 1930–32 war er Mitglied der Deutschen Staatspartei. Aufgrund seiner jüdischen Abstammung mußte er im März 1933 nach Prag fliehen. Er gründete dort unter Einsatz seines gesamten Vermögens einen Verlag zur Herausgabe antifaschistischer Literatur (u. a. der „Weltbühne") und organisierte deren illegalen Vertrieb nach Deutschland. 1934–36 publizierte er in Prag die satirische Zeitschrift „Der Simpl", die von ihm auch kaufmännisch geleitet wurde. 1937 trat er einer mit den Kommunisten sympathisierenden Gruppe bei, 1938 erfolgte sein Beitritt zur KPD. 1939 emigrierte der inzwischen verarmte N. mit seiner Familie über Polen und Schweden nach England. Er arbeitete in Manchester in einer Fabrik und als Busfahrer, betätigte sich in einer Gewerkschaft und war Mitgründer des Freien Deutschen Kulturbundes und einer Gruppe des Nationalkomitees Freies Deutschland.

Im September 1946 kehrte N. nach (Ost-)Berlin zurück, bewarb sich bei der Deutschen Zentralverwaltung für Justiz und wurde Mitglied der Hauptabteilung Gesetzgebung, deren Leitung ihm im August 1948 übertragen wurde. Ende 1949 übernahm er die entsprechende Stellung im Justizministerium der DDR. Seit 1948 war er auch an der Humboldt-Univ., als Referent an der Parteihochschule Karl Marx sowie an der Deutschen Verwaltungsakademie in Potsdam-Babelsberg tätig. Als Präsident des Berliner Justizprüfungsamtes wurde er Ende 1952 auf den Lehrstuhl für Zivil-, Familien- und Zivilprozeßrecht an der Humboldt-Univ. berufen. Zugleich war er bis 1953 Justitiar der Universität. Ende desselben Jahres erfolgte seine Umberufung zum Professor mit Lehrstuhl für Gerichtsverfassungs- und Prozeßrecht. Später wurde er stellvertretender Direktor des Instituts für Zivilrecht. 1952–66 war er – mit einer kurzen Unterbrechung – Dekan der Juristischen Fakultät. Seit 1955 war er Vorsitzender des wissenschaftlichen Beirats für Staats- und Rechtswissenschaft beim Staatssekretariat bzw. beim Ministerium für Hoch- und Fachschulwesen der DDR. 1963 wurde er Direktor des neuerrichteten Instituts für Erfinder- und Urheberrecht an der Humboldt-Univ. (1966 emeritiert).

N., der für die Schaffung einer eigenständigen sozialistischen Gesetzlichkeit eintrat, war maßgeblich an der Justizgesetzgebung der DDR beteiligt. Vor allem arbeitete er auf den Gebieten Zivil-, Familien- und Zivilprozeßrecht, wo er zeitweilig vier Gesetzgebungskommissionen angehörte. Er war Mitglied des Kollegiums des Ministeriums der Justiz, der Wirtschaftspolitischen Beratungsstelle der Regierung, der Sektion Recht bei der Kammer für Außenhandel sowie des Büros für Urheberrechte beim Ministerium für Kultur der DDR. 1952/53 war er Chefredakteur der Zeitschrift „Neue Justiz". – Medaille f. Verdienste in d. sozialist. Rechtspflege in Gold (1965), Orden Banner d. Arbeit (1966), Vaterländ. Verdienstorden in Gold (1971); Ehrenbürger v. Görlitz (1971).

W Das Zivilprozeßrecht d. Dt. Demokrat. Republik, Lehrb., 2 Bde., 1957/58 (Leitung d. Autorenkollektivs); Erfinder- u. Neuererrecht d. DDR, 2 Bde., 1968 (Leitung d. Autorenkollektivs); zahlr. Art. in d. Zs. „Neue Justiz".

L H. Toeplitz, in: Neue Justiz, 1960, S. 789 f.; J. Göhring, H. N. u. d. Entwicklung d. Rechts u. d. Rechtswissenschaft in d. DDR, in: H. N. – Zum 85. Geb.tag e. vielseitig wirkenden sozialist. Juristen, FS, 1986, S. 3–13; D. Breithaupt, Rechtswiss. Biogr. DDR, 1993; BHdE I.

Dirk Breithaupt

Nathan, *Henry,* Bankier, * 8. 3. 1862 Hamburg, † 9. 11. 1932 ebenda.

V Hermann, Kaufm.; *M* Johanna Premsel; ⚭ Frieda (Fridel) Renner; 3 *S,* u. a. Oskar (1899–1985), Vorstandsmitgl. d. Dt.-Südamerikan. Bank, Berlin, dann d. Dresdner Bank.

Nach dem Besuch eines Gymnasiums trat N. 16jährig als Lehrling in das Bankhaus Paul Mendelssohn-Bartholdy in Hamburg ein. Im November 1884 ging er zur Privatbank Mendelssohn & Co. nach Berlin, 1890 wechselte er dort als Prokurist in das Bankhaus Arons & Walter. Anfang 1895 kam N. als höherer Beamter zur Dresdner Bank und erhielt schon wenige Monate später Prokura. Er arbeitete zunächst in der Konsortial-Abteilung. Eugen Gutmann, der Initiator der Dresdner Bank, erkannte rasch seine überragenden Fähigkeiten, schwierige finanzielle und juristische Verhältnisse zu analysieren. Schon 1897 wurde N. stellvertretender Direktor und 1903 Mitglied des Vorstands, dem er fast drei Jahrzehnte lang angehörte.

Gemeinsam mit Gutmann führte N. die Dresdner Bank zu internationaler Geltung. Als Gutmann 1920 aus dem Vorstand ausschied, wurde N. der eigentliche Leiter der Bank. In der Wiederaufbauphase der Nachkriegszeit war er mit Umsicht und Gewissenhaftigkeit um den sicheren Bestand des Unternehmens besorgt. Die Strategie systematischer Akquisitionen wurde von N. konsequent fortgesetzt. Übernommen wurden u. a. das Leipziger Bankhaus Meyer & Gellhorn (1921) sowie in Berlin die Luisenstädtische Bank (1922) und die Ostbank für Handel und Gewerbe (1929). Auf Wunsch seiner Vorstandskollegen und des Aufsichtsrats blieb N. über die Pensionierungsgrenze hinaus an der Spitze der Bank. Während der schweren Depression seit 1929 setzte diese ihre Expansion mit der Übernahme der Hessischen Landesbank in Bad Homburg (1930) zunächst fort, geriet aber in der Bankenkrise im Sommer 1931 selbst in Schwierigkeiten. Als im Zuge der Sanierungsmaßnahmen der Reichsregierung über die Hälfte des Kapitals der Großbanken in den Besitz des Reiches überging, mußte N. aus seinem Vorstandsamt ausscheiden. An der Übernahme der Darmstädter und Nationalbank durch die Dresdner Bank Anfang 1932 war er nicht mehr beteiligt. – Vors. bzw. Mitgl. d. Aufsichtsrats v. etwa 40 Industrieunternehmen; Mitgl. d. Zentralausschusses d. Reichsbank u. d. Kaiser-Wilhelm-Ges. z. Förderung d. Wiss.

L F. Pinner, Dt. Wirtsch.führer, 1924, S. 188 f.; 120 J. Dresdner Bank, 1992; W. Frisch, Nachruf f. H. N., anläßl. d. Gedenkfeier am 13. 11. 1932; Wenzel; Rhdb. *(P)*. – Eigene Archivstud. (Archiv d. Dresdner Bank AG, Frankfurt/Main).

Rolf Weigand

Nathan, *Paul,* jüd. Politiker und Publizist, * 25. 4. 1857 Berlin, † 15. 3. 1927 ebenda.

V Wilhelm (1809–77), Bankier in B.; M Henriette (1819–1904), T d. Heymann Cohn (1777–1863), Bankier in Dessau; Om Moritz Frhr. v. Cohn (1812–1900), Bankier in Dessau, preuß. Schatullenverw.

Nach dem Tod des Vaters, der ihn – entgegen seinen literarischen und politischen Interessen – gedrängt hatte, eine kaufmännische Lehre in einer Ölfabrik zu absolvieren, schrieb M. für die „Berliner Bürger-Zeitung" und den „Berliner Börsen-Courier". Daneben besuchte er an der Berliner Universität Vorlesungen über politische Theorie, Geschichte und Wirtschaft. 1880 ging er nach Heidelberg, wo er Archäologie sowie deutsche und franz. Literatur studierte und über Rabelais promovierte. Nach Berlin zurückgekehrt, wurde er von Ludwig Bamberger und Eduard Lasker für die Nationalliberale Partei und als politischer Redakteur für die 1883 von Theodor Barth gegründete Wochenzeitung „Die Nation" gewonnen. 1885–1907 war N. Mitherausgeber der „Nation". Mehr aufgrund seiner liberalen und rechtstaatlichen Überzeugung als aus religiösem Interesse bezog er Stellung gegen antisemitische Strömungen und trat dem 1890 gegründeten „Comitee zur Abwehr antisemitischer Angriffe in Berlin" bei. In dessen Auftrag verfaßte er 1896 die Schriften „Die Kriminalität der Juden in Deutschland" und „Die Juden als Soldaten". Durch Statistiken wies er nach, daß der Anteil der Juden an der Kriminalität bzw. am soldatischen Einsatz für das Vaterland völlig jenem der Nichtjuden entsprach.

Auf einer Reise durch die Türkei reifte in ihm der Plan, mit Hilfe des Auswärtigen Amtes eine Hilfsorganisation für die Juden in Osteuropa und im Vorderen Orient zu schaffen. Am 20. 5. 1901 gründete N. in Berlin den „Hilfsverein der Deutschen Juden", für den er die Unterstützung reicher Juden und zahlreicher Politiker fand. Der Hilfsverein setzte sich zum Ziel, in Not geratenen Juden in Osteuropa und im Vorderen Orient zu helfen – sei es durch Sachleistungen, durch die Ermöglichung der Auswanderung oder den Aufbau eines Erziehungssystems. Zu diesem Zweck unternahm N. mehrfach ausgedehnte Reisen nach Rußland, auf den Balkan und in die unter türk. Herrschaft stehenden Gebiete des Nahen Orients, darunter Palästina, und konferierte mit den maßgeblichen Politikern. Im Dezember 1904 veranstaltete der Hilfsverein in Frankfurt/Main eine internationale Konferenz zur Unterstützung der osteurop. Emigration. 1905–14 kamen über 700 000 Juden vor allem aus Rußland nach Deutschland; die meisten reisten in die USA weiter. Seit dem Pogrom von Kischinew (6./7. 4. 1903) war N. überzeugt, daß sich die Lage der Juden in Rußland nur nach einer Revolution bessern könne. Daher forderte er von den Westmächten, wirtschaftlichen und politischen Druck auf Rußland auszuüben. Die „Russische Korrespondenz", herausgegeben vom Hilfsverein, sollte die Öffentlichkeit über die schlimmen Zustände in Rußland informieren. Während des 1. Weltkriegs warb N. für eine Unterstützung der Mittelmächte durch das internationale Judentum, um das antisemitische, reaktionäre Regime in Rußland zu stürzen. In Palästina baute N. ein Netzwerk von schulischen Einrichtungen auf, das vom Kindergarten bis zum Polytechnikum („Technicum") in Haifa reichte. Als Unterrichtssprache entschied man sich für Hebräisch, hinsichtlich der technischen Fächer für Deutsch. Nach der Besetzung Palästinas durch Großbritannien 1918 wurden die Bildungseinrichtungen des Hilfsvereins der zionistischen Weltorganisation unterstellt. Die Aktivitäten des Hilfsvereins konzentrierten sich nun auf Ost- und Südosteuropa. N. befürwortete nun Pläne, die Juden in fernöstlichen Gebieten der Sowjetunion anzusiedeln.

N. saß seit 1900 als Mitglied der Fortschrittlichen Volkspartei in der Berliner Stadtverordnetenversammlung; 1919 schloß er sich der DDP, 1921 der SPD an. Das Angebot, nach der Revolution als Gesandter nach Wien zu gehen, lehnte er ab. Vorstandsmitglied des Zentralvereins deutscher Staatsbürger jüdischen Glaubens, war N. überzeugt, daß nur die Assimilation zur völligen Gleichberechtigung der Juden führen könne. Aus diesem Grunde wandte er sich gegen die Aktivitäten der Zionisten.

W u. a. Der jüd. Blutmord u. d. Frhr. v. Wackerbarth-Linderode, 1892; Über d. jüd. rituelle Schächtverfahren, 1896; England u. wir, 1912; Palästina u. palästinens. Zionismus, 1914; Die Ostjuden in Dtld. u. d. antisemit. Reaktion, 1922; Das Problem d. Ostjuden, 1926. – *Hrsg.:* Ludwig Bamberger, Erinnerungen, 1899; Ludwig Bamberger, Gesamte Schrr., 5 Bde., 1915.

L E. Feder, Pol. u. Humanität, P. N., e. Lb., 1929 *(P);* ders., P. N. and His Work for East European and Palestinian Jewry, in: Historia Judaica 14, 1. T., 1952; ders., in: Leo Baeck Inst. Year Book III, 1958, S. 60–80 *(P);* ders., ebd. IV, 1959, S. 135–45; ders., in Dt. Judentum, hrsg. v. R. Weltsch, 1963, S. 120–44 *(P);* E. Cohn-Reiß, Erinnerungen e. Bürgers v. Jerusalem, 1933; A. Wiener, in: Association of Jewish Refugees in Great Britain, Information XII, Nr. 4, 1957; Z. Szajkowski, P. N., Lucien Wolf, Jacob H. Schiff and the Jewish Revolutionary Movements in Eastern Europe (1903–17), in: Jewish Social Studies 29, 1967, S. 3–26, 75–91; Enc. Jud. 1971 *(P).*

Franz Menges

Nathorff, *Hertha,* Ärztin, Publizistin, * 5. 6. 1895 Laupheim, † 10. 6. 1993 New York. (isr.)

V Arthur Emil Einstein (1865–1940), Zigarrenfabr. in L.; *M* Mathilde Einstein (1865–1940); *Ov* Alfred Einstein (1880–1952), Musikforscher; *Verwandte* Albert Einstein (1879–1955), Physiker (beide s. NDB IV), Carl Lämmle, Filmproduzent in d. USA, Gründer d. Fa. Universal Pictures; – ∞ Berlin 1923 Erich Nathorff (1889–1954), Dr. med., Arzt; 1 *S* Heinz (Henry) (1925–88), Ing.

N. besuchte das Gymnasium in Ulm und studierte, unterbrochen durch eine zeitweilige Tätigkeit als Krankenschwester während des 1. Weltkriegs, seit 1914 Medizin in München, Heidelberg, Freiburg (Breisgau) und Berlin (Staatsexamen 1919). Nach der Promotion in Heidelberg (1920) und Assistentenjahren in Freiburg war sie 1923–28 leitende Ärztin im Frauen- und Kinderheim des Roten Kreuzes in Berlin-Lichtenberg, dann in freier Praxis und gleichzeitig am Krankenhaus Charlottenburg als Leiterin der Familien- und Eheberatungsstelle tätig. Standespolitisch in der Medizinischen Gesellschaft und der Berliner Ärztekammer engagiert, wurde sie als erste Frau in den Gesamtausschuß der Berliner Ärzte gewählt. Im Zuge der nationalsozialistischen Rassenpolitik verlor N. 1934 die Kassenzulassung und im Herbst 1938 die ärztliche Approbation, während ihr Ehemann, ehemals leitender Klinikarzt in Berlin-Moabit, die Erlaubnis als „Krankenbehandler" für ausschließlich jüd. Patienten erhielt. Bis zum Novemberpogrom 1938, bei dem er als „Aktionsjude" verhaftet und ins KZ Sachsenhausen eingeliefert wurde, arbeitete sie als seine Sprechstundenhilfe. Beim Versuch, seine Freilassung zu erwirken, um ihre Geldmittel betrogen und mit dem Tode bedroht, organisierte sie mit Hilfe amerikan. Verwandter seit November 1938 die Emigration und schickte den 14jährigen Sohn mit einem Kindertransport nach England voraus. Im April 1939 gelang dem Ehepaar die Ausreise nach London, Anfang 1940 die Weiterreise nach New York. – Während ihr Mann sich auf das amerikan. medizinische Examen vorbereitete, sorgte N. als Krankenpflegerin, Dienstmädchen, Barpianistin und Küchenhilfe für den Lebensunterhalt der Familie. In der 1942 wiedererrichteten Praxis blieb sie Helferin. Der Verlust des Arztberufs und damit der beruflichen Selbständigkeit gehörte zu den quälenden Erfahrungen des Exils. Durch Kurse am Alfred Adler Institut für Individualpsychologie ausgebildet, war sie nach dem Tod ihres Mannes als Psychotherapeutin an der Poliklinik der Alfred Adler Mental Hygiene

Clinic tätig, vor allem aber sozial und kulturell engagiert.

Mit ihren Tagebuchaufzeichnungen aus der NS-Zeit gewann sie 1940 einen Preis im Manuskriptwettbewerb der Harvard University zum Thema „Mein Leben in Deutschland". In der Folgezeit publizierte sie Beiträge über medizinische und psychologische Probleme, Kurzgeschichten und Gedichte in amerikan. deutschsprachigen Periodica (Aufbau, New Yorker Staatszeitung, Die Welt u. a.) und hielt Vorträge in den deutschen Programmen New Yorker Radiostationen. Bald nach der Ankunft in den USA organisierte sie Kurse für Emigranten in Kranken- und Säuglingspflege und kulturelle Veranstaltungen. Im sozialen Leben des deutschsprachigen Exils spielte sie u. a. als Vorsitzende der Frauengruppe und zuletzt als Ehrenmitglied des Präsidiums des New World Club, als Gründerin des Open House für ältere Menschen deutscher Sprache und Kultur eine wichtige Rolle. – Bundesverdienstkreuz am Bande (1967), Award for Creative Literature d. Ges. f. dt.-amerikan. Stud., Cleveland, Ohio (1973).

W Das Tagebuch d. H. N., Berlin – New York, Aufzeichnungen 1933 bis 1945, hrsg. u. eingel. v. W. Benz, ²1988; Stimmen d. Stille, 1966 (Gedichte). – *Nachlaß:* Dt. Bibl., Frankfurt / Main; Zentrum f. Antisemitismusforschung d. TU Berlin.

L W. Benz, Emigration als Schicksal, Das Leben d. jüd. Ärztin H. N., in: SZ v. 16. 5. 1987, Beil. *(P)*; M. Koerner, Central Park West, New York, in: Das Exil d. kleinen Leute, Alltagserfahrung dt. Juden in d. Emigration, hrsg. v. W. Benz, 1991, S. 215–31; H. N. z. Gedenken, in: Aufbau (New York) v. 2. 7. 1993; BHdE II; R. Wall, Verbrannt, verboten u. vergessen, Kleines Lex. dt.sprachiger Schriftstellerinnen 1933–45, 1988.

Wolfgang Benz

Nathusius. (ev.)

1) Johann *Gottlob,* Unternehmer, * 30. 4. 1760 Baruth (Niederlausitz), † 23. 7. 1835 Althaldensleben b. Magdeburg.

Die Fam. stammt aus d. Oberlausitz u. hieß ursprüngl. Netusch od. Natusch. – *V* Heinrich Wilhelm (1717–86), kurfürstl. sächs. Gen.akziseeinehmer in B., *S* d. Rittergutsbes. Heinrich Wilhelm u. d. Anne Sophie Dieters; *M* Christiane Friederike († 1794), *T* d. Amtsschreibers Johann Adam Süßenbach in Dobrilugk; ∞ Kassel 1809 Luise (1787–1875), *T* d. N. N. Engelhard, Geh. Kriegsrat in Kassel, u. d. Philippine Gatterer; 6 *S,* 1 *T,* u. a. Hermann v. N. (s. 2), Philipp v. N. (1815–72, preuß. Adel 1861, ∞ Marie Scheele, 1817–57, Schriftst., s. ADB 23) auf Althaldensleben, Publizist (s. ADB; Mitteldt. Lb. I, 1926), August v. N. (1818–84, preuß. Adel 1861), Landwirt, Mitgründer u. Verwalter d. Elisabethstifts in Neinstedt, Wilhelm v. N. (1821–99, preuß. Adel 1861) auf Königsborn, Dir. d. landwirtsch. Centralver. f. d. Prov. Sachsen (s. BJ IV, Tl.), Heinrich v. N. (1824–90) auf Althaldensleben, Landrat d. Kr. Neuhaldensleben, Johanne (1828–85), Kirchenmalerin, Mitgründerin d. Elisabethstifts in Neinstedt; *E* Philipp v. N.-Ludom (1842–1900), preuß. Politiker u. Publizist (s. Kosch, Biogr. Staatshdb.), Martin (1843–1906), Theol. (s. BJ XI; BBKL); *E* Simon v. N. (1865–1913), Prof. f. Landwirtsch. in Jena u. Halle (s. BJ 18, Tl.); *Ur-E* Martin (* 1883), Dr. rer. pol., Fabrikbes. in Magdeburg (s. Rhdb.), Hans Joachim (1893–1945), Strumpfwarenfabr. in Erfurt (s. Wenzel).

N. absolvierte seit 1774 eine Lehre in einer Berliner Materialwarenhandlung und erarbeitete sich gleichzeitig im Selbststudium gründliche Kenntnisse in allen kaufmännischen Disziplinen (Rechnungswesen und Buchführung, Wechsel- und Münzgeschäft, Handelstechniken). 1780 avancierte er zum Handlungsdiener mit 30 Talern Jahresgehalt, 1784 wurde er erster Buchhalter und Korrespondent bei der Magdeburger Großhandelsfirma Sengewald, die er nach dem Tod des Inhabers 1785 gemeinsam mit einem Teilhaber übernahm und unter der Firma Richter & Nathusius weiterführte.

1787 gründete N. nach der Aufhebung des Staatsmonopols für Tabak durch Kg. Friedrich Wilhelm II. eine Fabrik zur Erzeugung von Schnupf- und Pfeifentabak, die nach einem Jahr schon 60 Arbeiter beschäftigte. Den Grundstock zu einem großen Vermögen legte er 1792, als er in Hamburg eine Schiffsladung durch Wasserschaden angeblich verdorbenen Tabaks billig aufkaufte und mit einem Gewinn von 30000 Talern in seinem Betrieb verarbeitete. Nach der neuerlichen Verstaatlichung der Tabakindustrie in Preußen wurde N. 1797 zum Generaldirektor aller Tabakfabriken ernannt, doch wurde das Staatsmonopol bereits ein Jahr später nach dem Regierungsantritt Friedrich Wilhelms III. wieder aufgehoben, und N. kehrte in sein eigenes Unternehmen zurück, das 1801 schon 300 Personen beschäftigte.

Im Königreich Westphalen gehörte N. seit 1808 dem Reichstag in Kassel an und war Berater des Finanzministers Hans v. Bülow. 1810 kaufte er für 450 000 Francs das aufgehobene kath. Nonnenkloster Althaldensleben und 1811 das in der Nähe gelegene Gut Hundisburg. Auf seinem weitläufigen Landbesitz begründete er in den folgenden Jahren eine florierende Landwirtschaft, vor allem aber, teilweise an diese anknüpfend, in rascher Folge eine Vielzahl gewerblich-industrieller Betriebe, u. a. mehrere Getreidemühlen, eine Fabrik für Teigwaren, eine Brauerei sowie eine Obstwein- und Essigfabrik, Ziegeleien, Steinbrüche, eine Steingut- und eine Gipsfabrik, eine Eisengießerei, einen Kupferhammer und eine Maschinenfabrik. Letztere erwies sich allerdings als ein Fehlschlag und wurde von M. 1815 wieder aufgegeben.

Der von N. begründete Unternehmenskomplex ist wegen seiner engen organisatorischen Verknüpfung als erster gemischter Konzern in Deutschland im Zeitalter der beginnenden Industrialisierung bezeichnet worden. Bemerkenswert ist das von N. entwickelte originelle System der Finanzierung. Die einzelnen Betriebe führten getrennte Kassen, versorgten aber einander bei Bedarf über eine Zentralkasse mit Krediten, wobei ein eigens für diesen Zweck geschaffenes Papiergeld verwendet wurde, das schließlich in der ganzen umliegenden Region als Zahlungsmittel akzeptiert wurde. Die Einwohnerzahl von Althaldensleben wuchs durch N.s wirtschaftliche Unternehmungen von 200 auf 1300.

N.s „Gewerbsanstalten" erlangten internationale Bekanntheit und wurden von Besuchern aus ganz Europa in Augenschein genommen. Literarischen Anklang fanden sie u. a. bei Goethe („Wilhelm Meister"), Clemens Brentano („Kommanditchen") und Immermann („Die Epigonen"). Von N.s Gründungen hatten vor allem die keramischen Betriebe längerfristig Bestand. Aus ihnen entwickelte sich eine Industrie, die für den Wirtschaftsraum um Alt- und Neuhaldensleben bis ins 20. Jh. prägend blieb. Besondere Bedeutung für den Magdeburger Raum erlangte N. auch als Pionier der Rübenzuckerindustrie, die durch die Unterbrechung der Versorgung mit Rohrzucker in der Zeit der Kontinentalsperre einen besonderen Auftrieb erfahren hatte. 1813–16 betrieb N. selbst eine Rübenzuckerfabrik, die dann aber wegen abnehmender Profitabilität durch eine Rohrzuckerraffinerie abgelöst wurde.

Nach dem Ende der Napoleonischen Kriege wurde N. wiederholt von der preuß. Regierung, insbesondere von Finanzminister Friedrich v. Motz, als Berater herangezogen und nahm u. a. zu Fragen des Steuer- und Zolltarifs und des Münzwesens Stellung. Als liberal eingestellter Bürger kritisierte er das Versäumnis einer gründlichen Reform des Staates.

L ADB 23; F. Otto, Der Kaufm. zu allen Zeiten, 1869, S. 283–97 *(P);* E. v. Nathusius, J. G. N., e. Pionier dt. Industrie, ³1915 *(P);* M. Pahncke, in: Mitteldt. Lb. II, 1927, S. 60–81 *(P);* K. Ulrich, Zur Gesch. d. Zuckerfabrik Althaldensleben, 1926; R. E. Grotkass, Die Zuckerfabrikation im Magdeburgischen, 1927; J. Baxa, J. G. N., Zum Gedächtnis seines 200. Geb.tages, 1960; Kosch, Biogr. Staatshdb. – *Zur Fam.:* Heinrich v. Nathusius, Btrr. z. Gesch. d. Fam. v. N., 1902; DGB 39, 1923; GHdA Adelige Häuser, B XI, 1974 *(P).*

Hans Jaeger †

2) *Hermann* v. (preuß. Adel 1840), Tierzüchter, * 9. 12. 1809 Althaldensleben b. Magdeburg, † 29. 6. 1879 Berlin.

V Gottlob (s. 1); *M* Luise Engelhard; ∞ Giebichenstein 1835 Louise (1810–1906), *T* d. preuß. Amtsrats August Ludwig Remigius Bartels in Giebichenstein b. Halle u. d. Wilhelmine Steltzer; 3 *S*, 2 *T*, u. a. Anna Louise (1837–1916, ∞ August Pabst, 1823–1907, preuß. Geh. Oberreg.rat, Schulrat in Hannover), Gottlob (1838–99), Landrat, Polizeidir., Hans (1841–1903), Rittmeister u. Divisions-Adjutant in Erfurt, danach Gestütsleiter in Zirke (Posen), seit 1896 Landstallmeister u. Gestütsdir. zu Dillenburg, Joachim (1848–1915), preuß. Landesökonomierat.

N. verbrachte die Kindheit auf den väterlichen Gütern Althaldensleben und Hundisburg. Er besuchte das Klostergymnasium in Magdeburg, das Realgymnasium in Braunschweig und das Collegium Carolinum in Braunschweig. 1828–30 studierte er an der Univ. Berlin Zoologie und andere Naturwissenschaften. Nachdem er sich im Magdeburger Handels- und Fabrikgeschäft seines Vaters Kenntnisse in der kaufmännischen Buch- und Geschäftsführung angeeignet hatte, kaufte er 1830 das väterliche Gut Hundisburg. N. legte ein bedeutendes Herbar an, trieb anatomische, physiologische und zoologische Studien und pflegte einen regen Austausch mit Wissenschaftlern der Univ. Halle. Er widmete sich in Hundisburg der Reorganisation und Vergrößerung seiner Gutswirtschaft und führte verschiedene moderne Verfahren, beispielsweise das Drillen und Drainagesysteme sowie ertragreiche Nutzpflanzensorten (Weizen) ein, die er auf Reisen nach England kennengelernt hatte. Die größten Verdienste um die deutsche Landwirtschaft erwarb N. sich jedoch auf dem Gebiet der Tierzucht, so mit der Einfuhr von engl. und franz. Schaf- und engl. Schweinerassen zur Veredlung der einheimischen Stämme. Für seine Rinderzucht bevorzugte er die engl. Shorthorns, insbesondere zu Kreuzungszwecken für die Erzeugung von Mastrindern. Selbst ein begeisterter Reiter, widmete er sich erfolgreich der Pferdezucht, zunächst Vollblut-, später Warmblut- und schließlich Kaltblutzucht. Der Begriff Kaltblut ist von N. eingeführt worden, so wie er auch den deutschen Begriff Rasse (statt Race) erstmals verwendete. Seine vielfältigen praktischen Erfahrungen verbanden sich mit einer intensiven wissenschaftlichen Auseinandersetzung mit tierzüchterischen Fragen. Insbesondere sah N. den deutlichen Widerspruch seiner Beobachtungen (z. B. am engl. Vollblutpferd oder den Shorthorn-Rindern) zu der damals allgemein anerkannten Mentzel-Weckherlinschen Konstanztheorie. An zahlreichen Beispielen konnte er beweisen, daß viele der besten Stämme nicht rassereinen Ursprungs waren und daß eine positive Vererbungsfähigkeit nicht durch Rassereinheit bedingt ist. Der Überbewertung der Rasse und ihrer Konstanz bei der Zuchtwahl stellte N. die große Bedeutung des Einzeltieres und seiner Leistungsfähigkeit gegenüber. In der Verwandtschaftspaarung sah N. entgegen gängigen Vorurteilen bei richtiger Anwendung durchaus die Chance, hervorragende Zuchttiere zu erhalten.

1856 wurde N. Mitglied der Zentraldirektion und 1863 Direktor des Zentralvereins der Provinz Sachsen, 1862 Mitglied, 1869 Präsident des preuß. Landes-Ökonomie-Kollegiums. Gleichzeitig trat er mit den Funktionen eines Vortragenden Rates in das Landwirtschaftsministerium ein, wo er das Dezernat für das landwirtschaftliche Unterrichtswesen leitete. 1870 erfolgte seine Ernennung zum Mitglied des Norddeutschen Bundesrates. Er war Mitbegründer des deutschen Jockeyclubs und gab 1868 und 1869 das Deutsche Gestüts-Album heraus, beteiligte sich an der Gründung der deutschen Ackerbaugesellschaft und war Vorsitzender der Berliner Mastviehausstellungen. Sehr verdient machte sich N. bei der Begründung des landwirtschaftlichen Instituts der Univ. Halle und als Leiter des landwirtschaftlichen Lehrinstitutes in Berlin, wo er 1870 das Lehramt für Tierzucht übernahm. – N. ließ sich stets von dem Grundsatz leiten, nur das zu veröffentlichen, was er auf Grund exakter Beobachtung für erwiesen hielt. So hat er Züchtungsgrundsätze aufgestellt, die bis heute Gültigkeit besitzen. Darwins Deszendenztheorie jedoch, der er großes wissenschaftliches Interesse entgegenbrachte, konnte er aus religiösen Gründen nicht folgen. Von Darwin selbst, mit dem er einen sachlichen Meinungsstreit führte, wurde er als ein bedeutender Gegner anerkannt.

W u. a. Ueber Shorthorn-Rindvieh, Mit e. Anhang üb. Inzucht, 1857; Ueber Constanz in d. Thierzucht, 1860; Die Racen d. Schweines, Eine zoolog. Kritik u. Andeutungen üb. systemat. Behandlung d. Hausthier-Racen, 1860; Vorstud. f. Gesch. u. Zucht d. Hausthiere, zunächst am Schweineschädel, 1864; Vorträge üb. Viehzucht u. Rassenkenntniß, 2 Bde. u. Suppl., 1872–80; Über d. sog. Leporiden, 1876; Kl. Schrr. u. Fragmente üb. Viehzucht, hrsg. v. W. v. Nathusius, 1880 *(P).*

L ADB 23; W. v. Nathusius, Rückerinnerungen aus d. Leben d. Vf., in: H. v. N., Vorträge üb. Viehzucht u. Rassenkenntnis, hrsg. v. W. v. Nathusius, 1880; E. Hoffmann-Aleith, Johanne, 1980 (Roman); G. Comberg, Die dt. Tierzucht im 19. u. 20. Jh., 1984; J. Wieland, Die Entwicklung d. Inst. f. Tierzüchtung u. Haustiergenetik zu Berlin bis 1945, Dipl.arb. Berlin 1967; C. Hoffmann, Zur Vorgesch. u. Entwicklung d. zootechn. Inst. in Berlin, Dipl.arb. Berlin 1974.

P Dt. Landwirtschaftl. Presse Nr. 22, 1874, S. 163; Büste v. R. Behmer (Inst. f. Grundlagen d. Nutztierwiss., Berlin).

Kerstin Neumann

Natonek, *Hans* (Ps. *Immanuel, Hans Eff, Hans Egg, Jean und E. Menet, N. O. Kent, Norbert*), Romancier, Theaterkritiker, Feuilletonredakteur, * 28. 10. 1892 Königliche Weinberge b. Prag, † 23. 10. 1963 Tucson (Arizona, USA). (isr., seit 1918 ev.)

V Ignatz, Dir. d. Versicherungsinst. Triester Lloyd in P.; *M* Fanny N. N.; ∞ 1) 1918 Gertrud Hüther, Schuhverkäuferin in Halle / Saale, 2) Erica Wassermann (isr.), Journalistin, 3) 1949 (?) Anne, Wwe d. N. N. Grünwald, *T* d. N. N. Morgenstern; 2 *K.*

N. besuchte das Deutsche Gymnasium Prag-Weinberge (Vinohrady). Nach dem Philosophiestudium in Wien und Berlin war er seit 1914 als Redakteur bei der „Saale-Zeitung" (Halle), 1917–19 bei der „Leipziger Abendzeitung", danach beim „Leipziger Tageblatt", seit 1921 bei der „Prager Presse", 1923–33 als Feuilletonredakteur und Theaterkritiker bei der „Neuen Leipziger Zeitung" tätig. 1932 erschien der im Journalistenmilieu spielende Zeitroman „Kinder einer Stadt" (Neudr. 1987), der als sein Hauptwerk gilt. Bis 1933 publizierte der liberale, parteilose N., der sich in seiner journalistischen Arbeit für die Weimarer Republik und gegen die radikalen Rechte engagierte, Aufsätze, Kritiken, Glossen, politische Feuilletons vor allem in Zeitungen und Zeitschriften des linken, demokratisch-liberalen Spektrums („Die Weltbühne", „Die Aktion", „Das Forum").

Nach der nationalsozialistischen Machtübernahme verlor N., da jüdischer Herkunft, seinen Posten bei der „Neuen Leipziger Zeitung" und lebte nach der Heirat mit der jüdischen Journalistin Erica Wassermann bis zur Emigration nach Prag 1935 in Hamburg. Im November 1938 floh N. nach Paris, wo er Anschluß an den Kreis um Joseph Roth fand. Beschränkte sich N. während seines Prager Exils aus Angst um seine in Deutschland zurückgebliebenen Kinder weitgehend auf zeitlose, unpolitische Beiträge, wandte er sich in Paris in der „Neuen Weltbühne", dem „Neuen Tage-Buch", der „Pariser Tageszeitung" erneut entschieden gegen das NS-Regime. Auf Fürsprache Thomas Manns und mit Hilfe des Emergency Rescue Committee gelang N. Anfang 1941 die Ausreise in die USA. In New York lebte er von Gelegenheitsarbeiten; 1943 erschien N.s von seinem Agenten Barthold Fles ins Englische übersetzte Autobiographie „In Search of Myself". 1944 ließ sich N. mit Anne Grünwald in Tucson (Arizona) nieder.

In N.s Romanen steht die Unbehaustheit des modernen Menschen, seine Suche nach Heimat, Liebe, Identität im Vordergrund. So zeichnet der Adelbert von Chamisso-Roman „Der Schlemihl" (1936) anhand einer historischen Figur ein zeitloses Porträt eines zwischen zwei Kulturen innerlich Zerrissenen. Im autobiographischen Roman „Die Straße des Verrats" (1982) beschreibt N. seine rechtlose Lage im nationalsozialistischen Deutschland. Den in Paris begonnenen Schlüsselroman „Blaubarts letzte Liebe" (1988), der die gescheiterte Beziehung N.s zu seiner zweiten Frau thematisiert, beendete N. in den USA. In Tucson arbeitete der Autor an verschiedenen literarischen Projekten in engl. Sprache, der Erfolg blieb aber aus. – Goethe-Preis d. Stadt Leipzig (1931).

Weitere W u. a. Schminke u. Alltag, Bunte Prosa, 1927; Der Mann d. nie genug hat, 1929; Geld regiert d. Welt od. Die Abenteuer d. Gewissens, 1930. – *Aufsätze u. a.:* Die Straße d. Verrats, Publizistik, Briefe u. e. Roman, hrsg. v. W. Schütte, 1982. – *Nachlaß:* State University of New York at Albany, Library, Dep. of Special Collections; Potsdam, Bundesarchiv, Abt. Dt. Reich.

L W. Schütte, Der Mann ohne Schatten, Vorläufiges zu H. N., in: Die Straße d. Verrats (s. *W*), S. 356–72 *(P);* K. U. Werner: Der Feuilletonist u. Romancier H. N. im Exil, in: Exilforschung, Ein internat. Jb., 7, 1989, S. 155–65; J. Serke, H. N., in: Böhm. Dörfer, Wanderungen durch e. verlassene literar. Landschaft, 1987, S. 87–129 *(P);* M. G. Hall, H. N.s drei Romane, in: Der P. Zsolnay Verlag, Von d. Gründung bis z. Rückkehr aus d. Exil, 1994, S. 135–39; ders. u. G. Renner, Hdb. d. Nachlässe u. Slgg. österr. Autoren., ²1995, S. 241 f.; Kosch, Lit.-Lex.³; Killy.

Susanne Jäger

Natorp (*Natorp-Sessi*), *Maria Anna (Marianne),* Freifrau v., geb. *Sessi,* Sängerin, Gesangspädagogin, * 1773 Rom, † 10. 3. 1847 Wien. (kath.)

V N. N. Sessi, Sänger in R.; *M* N. N., Sängerin in R., beide seit 1793 in W.; *Schw* Impératrice (1784–1808, ∞ N. N. v. Natorp, Major, *Schwager* N.s), Sängerin in W. u. Venedig, Anna-Maria (1790–1864, ∞ N. N. Neumann, Kaufm. in W.), Sängerin in W., Italien, Leipzig, anschließend Gesangspädagogin in Hamburg u. W. (s. ÖBL), Victoria (* 1796, ∞ N. N. Alexander), Sängerin, Carolina (* 1799), Sängerin; – ∞ 1795 (∞∞ 1804) Franz Wilh. Frhr. v. Natorp (Reichsfrhr. 1801), Kaufm. u. Medikamentenlieferant d. kaiserl. Armee in W., *S* d. Johann Theodor v. Natorp (Reichsadel 1788), kurköln. Rentmeister, Bes. e. Kupfer- u. Eisenbergwerks.

N. erhielt ihre Gesangsausbildung – wie auch ihre Schwestern – bei ihrem Vater und debütierte am 16. 5. 1792 bei der Eröffnungsvorstellung des Teatro La Fenice in Venedig in der für diesen Anlaß komponierten Oper „I giuochi d'Agrigento" von Giovanni Paisiello. 1793 übersiedelte sie mit ihrer Familie nach Wien und trat dort bis 1795 mit großem Erfolg in ital. Opern auf. Im selben Jahr heiratete sie und kehrte erst nach der Trennung von ihrem Mann 1805 zur Bühne zurück. Nach erfolgreichen Gastspielen in ihrer Heimat Italien (Venedig, Mailand, Florenz, Turin, 1808–10 Neapel), in Lissabon und London sang sie seit 1816 an verschiedenen deutschen (längere Gastspiele in Leipzig, Dresden, Berlin und Hamburg) sowie skandinav. Theatern (Kopenhagen und Stockholm). Erst 1836 beendete sie in Hamburg ihre aktive Laufbahn und war danach noch einige Jahre Gesangslehrerin an der Berliner Kgl. Oper. Schließlich übersiedelte sie wieder nach Wien und verbrachte dort ihren Lebensabend gemeinsam mit ihrer Schwester Anna-Maria. N., die auch als Komponistin von ital. Arietten und Canzonetten in Erscheinung trat, wurde während ihrer langdauernden, nur durch zehn Ehejahre unterbrochenen Karriere als eine der berühmtesten Gesangsvirtuosinnen in ganz Europa gefeiert. Ihre größten Erfolge erlebte sie mit Opern von Domenico Cimarosa, Giovanni Paisiello, Niccolò Zingarelli und Simon Mayr, auch in Opern Mozarts soll sie reüssiert haben. Sie wurde besonders im Koloraturfach bewundert, war aber auch eine ausgezeichnete Darstellerin.

L Wurzbach ,20; Kosch, Kath. Dtld.; ÖBL; K. J. Kutsch, L. Riemens, Großes Sängerlex., II, 1987, Sp. 2729 f. (teilw. fehlerhaft); New Grove Dict. of Opera, 1992.

P Aquarell v. B. Schrötter (Priv.bes., Wien), Abb. (Phot.) im Hist. Mus. d. Stadt Wien.

Uwe Harten

Natorp, *Paul,* Philosoph, Pädagoge, * 24. 1. 1854 Düsseldorf, † 17. 8. 1924 Marburg. (ev.)

Aus westfäl. Pfarrerfam.; *V* Adalbert (1826–91), Pastor, Konsistorialrat in D., *S* d. Gustav Ludwig (1797–1864), Sup. in D., u. d. Marie Krummacher (1799–1880) aus Moers; *M* Emilie (1826–1900), *T* d. Heinrich Ludwig Keller (1786–1869), Justizrat in Hamm, u. d. Karoline Loschge (1787–1872); *Ur-Gvv* Bernhard Christoph Ludwig (1774–1846), Oberkonsistorialrat (s. *L*), Friedrich Adolph Krummacher (1767–1845), ev. Theologe u. Schriftst. (s. NDB 13); *Gr-Ov* Dr. phil. Gustav (1814–91), Leiter d. Ver. f. bergbaul. Interessen in Essen (s. Rhein.-Westfäl. Wirtsch.biogrr. VIII, 1962); – ∞ Münster 1887 Helene (1861–1942) aus Elversberg/Saar, *T* d. Johannes Natorp (1829–92), Bergassessor in Pless (Oberschlesien), u. d. Marie Adelheid Varnhagen (1839–1908) aus Dortmund; 2 *S*, 3 *T*, u. a. Adelheid (∞ Dr. med. Eduard Krummacher, 1803–91, Arzt in Bremen), Bertha (1803–63, ∞ Dr. iur. Heinrich Johann Wilhelm Lent, 1792–1868, Präs. d. Appellationsger. in Hamm, s. NDB 14*).

N., in dessen Familie das musikalische Erbe des Urgroßvaters Bernhard Christoph Ludwig Natorp besonders gepflegt wurde, behielt ein lebenslanges Interesse an Musik. Nach dem Besuch des Gymnasiums begann er im Herbst 1871 seine breit angelegten Universitätsstudien (u. a. Musik, Geschichte, klassische Philologie) in Berlin und Bonn. Seit Sommer 1874 studierte er in Straßburg und schloß hier 1876 mit Staatsexamen und Doktorat ab. In seiner Straßburger Zeit entschied er sich für die Philosophie, die ihm in Gestalt des Kantianismus von Friedrich Albert Lange und Hermann Cohen durch einen in Marburg studierenden Jugendfreund nahegebracht wurde. Nach vier Jahren Hilfs- und Hauslehrerdasein in Straßburg, Dortmund und Worms trat N. im Juni 1880 eine Stelle als Hilfsbibliothekar an der Universitätsbibliothek Marburg an. Bereits im Wintersemester 1880/81 nahm er an der Universität seine Vorlesungstätigkeit als Privatdozent für Philosophie auf. Daß und wie er sich vom Positivismus seines Straßburger Lehrers Ernst Laas gelöst hatte, zeigt seine Habilitationsschrift „Descartes' Erkenntnistheorie" (1882). In den folgenden Jahren begründete N. seinen Ruf als Gelehrter durch Forschungen im Grenzgebiet von antiker Philosophie und klassischer Philologie sowie durch Studien zur Vorgeschichte des Kritizismus. 1885 wurde er ao. Professor, 1893 erhielt er, als Nachfolger von Julius Bergmann, das Ordinariat für Philosophie und Pädagogik, das er bis zu seiner Emeritierung 1922 innehatte.

Die größte Ausstrahlung hatte N.s geistige Arbeit im Bereich der Pädagogik. Er knüpfte hier, kritisch gegenüber Herbarts und Diltheys Pädagogik-Verständnis, selbständig an die pädagogischen Grundvorstellungen Platons und Pestalozzis an. Bedeutendstes Resultat ist seine „Sozialpädagogik" (1899; ⁷1974, hrsg. v. R. Pippert), in der das Gemeinschaftsprinzip der Bildung philosophisch begründet wird. Ausgehend von einem „Sozialismus der Bildung", war N. überzeugter Sozialdemokrat; 1894 wurde er deswegen heftig angegriffen („Fall Natorp"). Wiederholt nahm er zu bildungspolitischen Fragen, z. B. zur Lehrer- und Erwachsenenbildung sowie gegen den konfessionell-dogmatischen Religionsunterricht, Stellung. Später setzte er große Hoffnungen auf die kulturelle und soziale Erneuerung durch die deutsche Jugendbewegung und nahm an der 1913 erfolgten Gründung der „Freideutschen Jugend" persönlich Anteil. Als spezifisch „Deutscher Weltberuf" (1918) galt ihm die Sorge für den einen menschheitlichen Geist, in dem die nationale Selbstsucht überwunden und ein freier, genossenschaftlicher Sozialismus verwirklicht werden könne. In diesem Sinne verfocht er nach dem Krieg einen differenzierten, „organischen" Pazifismus und bekämpfte jedwede Rassenideologie.

Aus der Zusammenarbeit mit seinem Kollegen und Freund Hermann Cohen erwuchs die „Marburger Schule" des Neukantianismus, deren Ruf im ersten Dezennium des 20. Jh. eine Vielzahl junger Leute aus dem In- und Ausland zum Philosophiestudium nach Marburg zog. In seinem einflußreichen Buch „Platos Ideenlehre" (1903) verficht N. die These, daß die platonischen Ideen als Gesetze, nicht als Dinge zu interpretieren seien. Er umreißt damit bereits das Profil seiner eigenen funktionalen Erkenntnistheorie, die auf der transzendentalen Logik Kants und deren Begriff der „synthetischen Einheit" aufbaut. In der Entfaltung dieser Einheit, verstanden als Grundrelation des Einen und Mannigfaltigen („korrelativistischer Monismus"), erblickte N. das Gesetz des Erkenntnisprozesses. In „Die logischen Grundlagen der exakten Wissenschaften" (1910) entwickelt er die Grundrelation zu einem System der „logischen Grundfunktionen" (Kategorien), dem erkenntnislogischen Fundament von Mathematik und Physik. Die Abgrenzung einer solchen „objektiven" Erkenntnisbegründung von einer „subjektiv-psychologischen" führt N. zu einer neuartigen philosophischen Psychologie („Allgemeine Psychologie nach kritischer Methode", 1912), die in strenger Korrelation zu den objektiven Momenten der Erkenntnis des Gegenstandes deren subjektiv-psychologische Momente rekonstruiert. Aber

N. blieb nicht bei der Aufgabe der Erkenntnisbegründung stehen. In seiner „Philosophie" (1911) reflektiert er den Übergang zur Ethik, indem er schon in der Erkenntnis, begriffen als unendliche Aufgabe, ein „Sollen" eruiert. Wer die Erkenntnisarbeit bewußt diesem Sollen unterstellt, hat es in ein Wollen verwandelt. N. unterscheidet drei Stufen des Wollens: Trieb, Wahl und Vernunftwille. Auf der sozialen Ebene ist der Vernunftwille durch die bildenden Tätigkeiten präsent. Der Anspruch der Religion („Religion innerhalb der Grenzen der Humanität", 1894, ²1908) erscheint im System, unter Berufung auf Schleiermacher, als „Gefühl", nämlich Selbsterlebnis unmittelbarer Einheit. Nach 1912 beschäftigte N. das Projekt einer „Allgemeinen Logik", in der der übergreifende Sinnzusammenhang des „Logos" schlechthin konstruiert und so die philosophische Systematik begründet werden sollte. Im Zeichen der Koinzidenz von Sein und Nichtsein bewegte sich sein Denken auf eine Metaphysik mit Zügen der Mystik Meister Eckharts zu, ohne jedoch seine prinzipiell kritisch-rationale Ausrichtung preiszugeben. Die Begegnung mit dem ind. Weisen Rabindranath Tagore (Thakkur) 1921 in Darmstadt verlief sehr anregend („Stunden mit Rabindranath Thakkur", 1921). N.s Alterswerk ist das Dokument rastloser Fortarbeit an der Bewußtwerdung der Vernunft „bis zu ihrem eigenen letzten Grunde".

Weitere W u. a. Sozialidealismus, Neue Richtlinien soz. Erziehung, 1920; Vorlesungen üb. prakt. Philos., 1925; Phil. Systematik, Aus d. Nachlaß hrsg. v. Hans Natorp, 1958. – Ca. 300 Aufsätze u. Art. – *Autobiogr.:* Die dt. Philos. d. Gegenwart in Selbstdarst., I, 1921, S. 151–76 *(P)*. – *Nachlaß:* Univ.bibl. Marburg.

L F. Trost, in: Lb. aus Kurhessen u. Waldeck, VI, 1958, S. 233–49 *(Qu., L, P)*; R. Pippert, Idealist. Sozialkritik u. „Deutscher Weltberuf", 1969 *(W-Verz.);* H. Holzhey, Cohen u. N., 2 Bde., 1986; N. Jegelka, P. N., Philos., Päd., Pol., 1992; U. Sieg, Aufstieg u. Niedergang d. Marburger Neukantianismus, 1994; Ziegenfuß; Ueberweg IV; Lex. d. Päd., III, 1954; Kosch, Lit.-Lex.³; Killy. – *Zu Bernhard Christoph Ludwig:* ADB 23; NDB VIII*, 14*; Westfäl. Lb. 15, 1990; D. Schneider, B. Ch. L. N. (1774–1846), Sein Btr. z. Reform d. westfäl. Volksschulu. Lehrerbildungswesens in d. 1. Hälfte d. 19. Jh., 1995; R. Weyer, B. Ch. L. N., Ein Wegbereiter d. Musikdidaktik in d. 1. Hälfte d. 19. Jh., 1995.

P Kreidezeichnung v. K. Doerbecker (Bildnisslg. Marburger Univ.lehrer).

Helmut Holzhey

Natter, *Heinrich,* Bildhauer, * 16. 3. 1844 Graun (Südtirol), † 13. 4. 1892 Wien. (kath.)

V Anton (1798–1885), Wundarzt in G., *S* d. Johannes, Landwirt in Rietz/Inn; *M* Maria Stanger (1812–47), *T* e. Gerbers in Rietz; *Stief-M* (seit 1850) Crescenz Weiskopf; – ∞ Wien 1874 Ottilie (1850–1926, ev., s. *L*), verw. Porges, *T* d. Industriellen Moritz Hirschl († 1883) u. d. Charlotte Friedmann; *Schwager d. Ehefrau* Heinrich Porges (1837–1900), Dirigent, Musikschriftst. (s. BJ V; ÖBL; Riemann; Kosch, Lit.-Lex.); *N d. Ehefrau* Elsa (1866–1949, Ps. Ernst Rosmer, ∞ Max Bernstein, 1854–1925, Rechtsanwalt, Schriftst., s. NDB II), Schriftst.; 1 *S,* 1 *T.*

N. wuchs nach dem frühen Tod der Mutter und der erneuten Heirat des Vaters in bedrückenden Verhältnissen auf. Mit 14 Jahren brach er seine Ausbildung am Realgymnasium in Innsbruck ab. 1859 schickte ihn sein Vater zu dem Meraner Bildhauer Franz Xaver Pendl in die Lehre. 1863 wurde er an der Kunstakademie in München angenommen, doch ging er zunächst an die Polytechnische Schule in Augsburg. Das im Frühjahr 1864 begonnene Akademiestudium beendete er 1867 nach Kriegsdienst und mehreren durch Konflikte mit den Professoren bedingten Unterbrechungen. Auf Veranlassung seines Förderers Joseph Geldart, den er 1865 in Venedig kennengelernt hatte, reiste er anschließend nach Florenz und Rom. Im Herbst 1868 kehrte er nach München zurück. Nach ersten künstlerischen Erfolgen mit Porträtbüsten wurde er in den Wagner-Kreis um Heinrich Porges eingeführt. Fortan spielten Themen aus der nordischen Mythologie eine zentrale Rolle in N.s Werk. Eine im Auftrag Anton Höchls für dessen Park in Föhring bei München ausgeführte Kolossalfigur des Wotan war 1873 auf der Weltausstellung in Wien zu sehen. Ein Jahr zuvor hatte er seinen ersten Denkmalauftrag erhalten, eine Stele mit dem Porträtmedaillon Robert Schumanns für Leipzig (Original verschollen, 1980/81 durch Kopie ersetzt). Seit 1875 beschäftigte sich N. mit dem Denkmal Walthers von der Vogelweide, das 1889 in Bozen enthüllt und zu einem Symbol des Deutschtums in Südtirol wurde (1935 vorübergehend entfernt). 1877 übersiedelte N. nach Wien, konnte aber trotz des Auftrags für das Haydn-Denkmal an der Mariahilfer Straße (1880) als Bildhauer nie richtig Fuß fassen. Er pflegte gesellschaftlichen Umgang mit liberal gesinnten Publizisten und Literaten, vor allem mit Ludwig Speidel, aber auch mit konservativen Dichtern wie Richard v. Kralik. Im Januar 1881 reiste er nach Berlin, um Bismarck zu porträtieren. Die Ausführung des Zwingli-Denkmals vor der Wasserkirche in Zürich (1882–85) machte N. endgültig zur Zielscheibe der kath.-konservativen Kunstkritik seiner Heimat. Als er 1887 trotz dieser Vorbehalte den Auftrag zur Errichtung eines Andreas-Hofer-Denkmals in Innsbruck erhielt, willigte er begeistert ein. Die Einweihung des monumentalen, am Berg Isel errichteten Denkmals (1893) erlebte er jedoch nicht mehr. – Bei seinen Denkmalstatuen und Porträtbüsten bemühte sich N. um größtmögliche Naturnähe ohne romantische Idealisierung. Mit Attributen ging er sparsam um, Polychromie lehnte er als bildhauerisches Gestaltungsmittel ab. In seinen letzten Lebensjahren betätigte er sich auch literarisch; bekannt wurde vor allem seine Erzählung „Das Steiner Josele" (1891).

Weitere W u. a. Konkurrenzentwurf f. e. Luther-Denkmal in Berlin, 1885; Statuen Heinrich Laubes u. Franz v. Dingelstedts im Wiener Burgtheater, 1886; Statuen Heinrichs d. Löwen u. Kf. Ernst Augusts f. Schloß Cumberland b. Gmunden, 1886 (heute auf Gut Calenberg b. Hannover); Nornengruppe am Grab d. Fam. Flesch, Ober-St. Veit b. Wien, 1886; Grabdenkmal f. August Zang, Wien, Zentralfriedhof, 1891; Konkurrenzentwurf f. d. Mozart-Denkmal am Albertinaplatz in Wien, 1891; Skizze f. d. Dante-Denkmal in Trient, 1892. – Kl. Schrr., hrsg. v. L. Speidel, 1893 *(P).*

L ADB 52; C. A. Regnet, Stud. z. Charakteristik bedeutender Künstler d. Gegenwart, 97, H. N., in: Die Dioskuren, 19. Jg., Nr. 9–11 (1., 8. u. 15. 3. 1874); Kunstchronik, NF 3, 1892, Sp. 378; L. Hevesi, Wiener Todtentanz, 1899, S. 266 ff.; Ottilie Natter, H. N., Leben u. Schaffen e. Künstlers, 1914 *(P);* I. Spitzbart, Der Bildhauer H. N. (1844–1892), Ausst.kat. Gmunden 1992 *(P);* ThB; ÖBL.

P Zeichnung v. G. Klimt, 1892 (Priv.bes.); Bronzebüste v. P. Fischer, 1984 (Kirchplatz, Graun).

Eugen Trapp

Natterer.

1) *Johann,* Zoologe, Ethnologe, * 9. 11. 1787 Laxenburg b. Wien, † 17. 6. 1843 Wien. (kath.)

V Josef (1754–1823), berittener Falkonier d. kaiserl. Falknerei in L., dann Mitarbeiter d. Tierkab. in W., seine Insekten- u. Vogelslg. bildete d. Grundstock f. e. Abt. d. späteren Naturhist. Mus.; *M* N. N.; *B* Joseph (1786–1852), Naturforscher (s. Gen. 2); – ∞ Barcellos/Rio Negro (Brasilien) Maria do Rego; 3 *K,* u. a. Gertrude (1832–95, ∞ Julius Frhr. Schröckinger v. Neudenberg, 1814–82, österr. Frhr. 1870, Vizepräs. d. Finanzlandesdirektion in Niederösterreich, später Sektionschef im Ackerbauministerium, Vf. e. Biogr. N.s); *N* Johann (s. 2).

N. besuchte das Wiener Piaristengymnasium und die dortige Real-Akademie und hörte naturgeschichtliche Vorlesungen an der Universität. Er erlernte außerdem mehrere Sprachen und bildete sich im Zeichnen sowie, durch den Vater angeleitet, in der Präparierkunst weiter. Erste naturkundliche Sammelreisen führten ihn 1806 nach Ungarn, 1808 in die Steiermark und an die Adria-Küste. 1809 wurde N. zum unbesoldeten Aspiranten beim kaiserl. Zoologischen Museum ernannt. 1812–14 bereiste er Italien bis nach Kalabrien. 1816 erhielt er die Stelle eines Assistenten am kaiserl. Naturalienkabinett.

1817 wurde N. zusammen mit den Naturforschern Johann Emmanuel Pohl, Johann Christian Mikan u. a., zu denen sich Johann Baptist Spix und Carl Friedrich Philipp Martius von der Bayer. Akademie der Wissenschaften gesellten, auf eine Forschungsexpedition nach Brasilien entsandt. Während seines beinahe 18jährigen Aufenthalts durchstreifte er Brasilien nach vielen Richtungen und sammelte eine riesige Zahl von Naturobjekten und ethnographischen Gegenständen, die er in mehreren Transporten nach Europa sandte: 1146 Säugetiere, 12 293 Vögel, 1678 Amphibien und Reptilien, 1671 Fische, 32 825 Insekten, 409 Crustaceen, 1024 Mollusken, 1729 Gläser mit Helminthen, 42 anatomische Präparate, 192 Schädel, 125 Eier, 242 Pakete mit Samenproben, 430 Mineralienproben, 216 Münzen, 147 Holzproben, 1492 ethnographische Gegenstände und etwa sechzig Niederschriften zu diversen Indianersprachen. Als N. 1836 wieder nach Europa zurückgekehrt war, wurde er zum Kustosadjunkt befördert. Zur Vervollständigung besonders des ornithologischen Materials, dem er große Monographie widmen wollte, unternahm er 1838 und 1840 noch zwei längere Reisen durch Europa. N. verstarb, ehe er seine Pläne zur wissenschaftlichen Bearbeitung seiner Sammlungen verwirklichen konnte. Nur die von ihm in Südamerika entdeckten Lurchfische (Lepidosiren) und die Krokodile beschrieb er noch selbst. 1848 fielen große Teile seines im Naturalienkabinett aufbewahrten Nachlasses einem Brand zum Opfer. Die in Wien erhaltenen Sammlungsgegenstände bilden bis heute eine wertvolle Quelle für die naturkundliche Forschung. – Dr. h. c. (Heidelberg, ca. 1830); Mitgl. mehrerer gel. Ges.

L ADB 23; L. J. Fitzinger, Ueber e. höchst interessante zoolog. Entdeckung d. in Brasilien befindl. Dr. N.s vorläufig Bericht erstattet, in: Isis 1837, Sp. 379 f.; ders., Beschreibung d. kaiserl.-kgl. Hof-Naturalien-Cabinetes zu Wien, 1856; J. Schröckinger v. Neudenberg, Zur Erinnerung an e. österr. Naturforscher, in: Verhh. d. zoolog.-botan. Ver. in Wien 5, 1855, S. 727–32; A. v. Pelzeln, Über neue Arten d.

Gattungen Synallaxis, Anabates u. Xenops in d. kaiserl. ornitholog. Slg., nebst Auszügen aus J. N.s nachgelassenen Notizen üb. d. v. ihm in Brasilien ges. Arten d. Subfam.: Furnarinae u. Synallaxinae, in: SB d. kaiserl. Ak. d. Wiss., math.-naturwiss. Cl. 34, 1859, S. 99–134; ders., Ueber vier v. N. in Brasilien ges., noch unbeschriebene Vogelarten, in: Verhh. d. k. k. zoolog.-botan. Ges. in Wien 13, 1863, S. 1124–130; H. Hassinger, Österreichs Anteil an d. Erforschung d. Erde, 1949; G. Hamann, Die Gesch. d. Wiener naturhist. Slg. bis z. Ende d. Monarchie, 1976; P. Kann, Die ethnograph. Aufzeichnungen in d. wiederentdeckten Wortlisten von J. N., während seiner Brasilienreise zw. 1817–1835, in: Archiv f. Völkerkde. 39, 1989, S. 101–46; Die Neue Welt, Österreich u. d. Erforschung Amerikas, hrsg. v. Franz Wawrik u. a., Ausst.kat. Österr. Nat.-bibl., 1992, S. 80–94, 180–85 *(P);* J. Helbig (Hrsg.), Brasilian. Reise 1817–20, Carl Friedrich Philipp v. Martius z. 200. Geb.tag, Ausst.kat. Völkerkde.mus. München, 1994; Wurzbach; ÖBL.

Brigitte Hoppe

2) *Johann,* Arzt, Erfinder, * 13. 10. 1821 Wien, † 25. 12. 1900 ebenda.

V Joseph (1786–1852), Kustos am kaiserl. Naturalienkab. in W. (s. ÖBL, *L), S* d. Josef (1754–1823, s. Gen. 1); *M* N. N.; *Ov* Johann (s. 1); *B* Josef († 1862), Forschungsreisender, Konsularverweser in Khartum, Pionier d. Photographie (s. Wurzbach); – ∞ N. N.; *K,* u. a. Konrad (1860–1901), Chemiker (s. Pogg. IV; ÖBL).

N. studierte in Wien Medizin, interessierte sich aber auch für die Naturwissenschaften. Um 1840 gehörten er und sein Bruder Josef zur sog. Fürstenhofrunde, einem Kreis von Pionieren der Lichtbildnerei in Wien. Die Brüder verfertigten Daguerreotypien und entwickelten ein Verfahren, das die Empfindlichkeit der dabei verwendeten Silberplatten soweit steigerte, daß sie spätestens seit März 1841 Momentaufnahmen herstellen konnten.

Von nachhaltigerer Wirkung war N.s Beschäftigung mit der Verflüssigung von Gasen, bei der er zunächst mit Kohlensäure und Stickstoffoxydul (Lachgas) experimentierte. Die von ihm entwickelte Kompressionspumpe, die ein gefahrloses Arbeiten erlaubte, gehörte in den nachfolgenden Jahrzehnten zur Standardausstattung physikalischer Labors in ganz Europa und machte N. weithin bekannt. Neben der Entwicklung dieser praxistauglichen Apparatur erwarb sich N. auch Verdienste um die Theorie der Gase. Er postulierte und belegte experimentell, daß Gase bei hohem Druck vom Boyle-Mariotteschen Gesetz abweichen. Die von N. zu dieser Frage erzielten Meßergebnisse für Luft, Stickstoff und Wasserstoff wurden später (z. B. durch A. Michels 1936/41) bestätigt. Bei seinen Experimenten erreichte N. Drücke bis zu 3000 Bar. Einen Teil seiner Experimentalbefunde zur Gasverflüssigung beschrieb er in seiner Dissertation. 1851 ließ sich N. in Wien als praktischer Arzt nieder und stellte seine naturwissenschaftlichen Forschungen ein. – Mitgl. d. Leopoldina (1858); Franz-Joseph-Orden (1866).

W Stickstoffoxydul in freier Luft im flüssigen u. festen Zustande dargestellt, in: Poggendorfs Ann. d. Physik, 1844, S. 132; Die coercibilen Gase, med. Diss. Wien 1847.

L Joseph Natterer, Ueber Photographie, in: Polytechn. Notizbl. f. Gewerbetreibende, Fabrikanten u. Künstler 7, 1852, S. 36; A. Bauer, in: Oesterr. Chemiker-Ztg. IV/2, 1901; F. Munczak, in: Bll. f. Technikgesch. 20, 1958, S. 53; B. v. Dewitz, Silber u. Salz, Kat. d. Ausst. z. Frühzeit d. Photographie im dt. Sprachraum, Köln u. Heidelberg 1989, S. 145 f.; Wurzbach; Pogg. II–IV; Kosch, Kath. Dtld.; ÖBL; J. Kriechbaum, Lex. d. Fotografen, 1981.

Anita Kuisle

Natzmer, v., preuß. Offiziersfamilie. (ev.)

Die dem pomm. Adel angehörende Familie ist mit *Nacmarus* (Nachimarus, Nacimer), dem Kastellan von Demmin, 1208 erstmals urkundlich belegt. Die Stammreihe beginnt mit *Peter,* der 1330 als Herr von Järshagen genannt wird. Die N. gliedern sich in zwei Linien, von denen die erste auf *Joachim,* Starost von Draheim und Crone, Landvogt von Stolp, die zweite auf *Klaus,* Herr zu Gutzmin, Ristow und Vellin zurückgeht. Zahlreiche Mitglieder der Familie standen in preuß. Militärdiensten. Der Generalfeldmarschall *Dubislav Gneomar* (1654–1739, s. *L*), Sohn des brandenburg. Landrats *Joachim Heinrich* († 1671), gehörte zu den engsten Freunden des Soldatenkönigs Friedrich Wilhelm I. Nachdem er 1676 aus holländ. in kurbrandenburg. Dienste übergetreten war, nahm er an den Feldzügen gegen Schweden 1677/79, gegen die Türken 1686, im Pfälz. Erbfolgekrieg 1688/97 und im Span. Erbfolgekrieg teil. Für seinen Einsatz als General der Kavallerie gegen die Schweden in Pommern erhielt er 1715 den Schwarzen Adlerorden. Er befaßte sich intensiv mit der Weiterentwicklung der preuß. Kavallerie, deren Kern das von ihm geführte Garde-Reiter-Regiment Gens d'armes war. Generalmajor *Georg Christoph* (1694–1751, s. *L*) leitete im 1. Schles. Krieg das neugebildete Husarenregiment. Oberst *Hans Christoph* (1743–1807, s. Altpreuß. Biogr. II) erhielt als Auszeichnung für seine Beteiligung an der Eroberung von Warschau

1794/95 den Orden Pour le mérite. Sein Sohn Oberst *Gneomar Ernst* (1832–96, s. ADB 52), zuletzt Kommandant von Memel, verfaßte militärhistorische und biographische Schriften, insbesondere auch zur eigenen Familie. Ein Sohn des *Wulf Heinrich* (1735–87), Oberst und Kommandant von Kolberg, *Wilhelm Dubislav* (1770–1842, s. Priesdorff IV, S. 483 f.), nahm 1794/95 ebenfalls an der Belagerung von Warschau teil; für seine Verdienste bei der Verteidigung Danzigs 1806/07 wurde auch er mit dem Orden Pour le mérite ausgezeichnet. Nach den Befreiungskriegen, in denen er ein Grenadierbataillon befehligte, war er Vizegouverneur von Mainz, seit 1821 zweiter Kommandant von Danzig. Sein Bruder *Oldwig* (1782–1861, s. L) wurde während der Befreiungskriege von Scharnhorst mit Arbeiten im Generalstab beauftragt. 1812 begleitete er Kg. Friedrich Wilhelm III. zum Fürstentag nach Erfurt und war in diplomatischen Missionen in Wien und in Kurland tätig. Offiziell verurteilte er die Konvention von Tauroggen, tatsächlich verhandelte er jedoch mit Zar Alexander I. über ein preuß.-russ. Bündnis. Seit 1834 war er Kommandierender General des I. Armeekorps in Ostpreußen. Bei seiner Verabschiedung 1839 wurde er zum Mitglied des Staatsrats ernannt. Neben zahlreichen militärischen Denkschriften erarbeitete er u. a. ein neues Exerzierreglement für die Kavallerie. Generalmajor *Karl Heinrich* (1799–1875, s. Priesdorff VII, S. 203 f.), ein Sohn des Kapitäns im Infanterieregiment Prinz Heinrich *Friedrich Wulf Ernst* (1776–1810), kommandierte bis 1861 das 40. Infanterieregiment, während seinem Bruder *Adolf Albrecht* (1801–84, s. Priesdorff VI, S. 502 f.) zuletzt als Generalleutnant die 25. Infanteriebrigade unterstand. Wegen seines diplomatischen Geschicks übertrug ihm Kg. Wilhelm I. 1866 die Aufgabe, den in der Festung Stettin gefangengehaltenen Kf. Friedrich Wilhelm von Hessen zu beaufsichtigen. *Theodor Wilhelm Ferdinand* (1815–68, s. Priesdorff VII, S. 471) nahm 1864 als Oberst und Kommandeur des 50. Infanterieregiments 1864 am Deutsch-Dän. Krieg und 1866 an der Schlacht bei Königgrätz teil. Anschließend wurde er zum Generalmajor ernannt. *Gert* (1895–1981, s. Kürschner, Gel.-Kal. 1950–80) betätigte sich als Schriftsteller, besonders zu naturwissenschaftlichen und -philosophischen Themen. 1902 wurden eine Familienstiftung und gleichzeitig ein Familienverband der N. gegründet.

L GHdA Adelige Häuser A XVIII, 1985 *(P)*. – *Zu Dubislav Gneomar:* ADB 23; E. Ballestrem, Memoiren d. Frhr. D. G. v. N., 1881; Priesdorff I, S. 67 f. – *Zu Georg Christoph:* ADB 23; G. E. v. Natzmer, G. Ch. v. N., Chef d. Weißen Husaren, 1870; Priesdorff I, S. 365 f. – *Zu Oldwig:* ADB 23; G. E. v. Natzmer, Aus d. Leben d. Gen. O. v. N., 1876; ders., Unter den Hohenzollern, 2 Bde., 1887/88; Priesdorff IV, S. 434–43; Ostdt. Biogrr., 1955; Altpreuß. Biogr. II.

Stefan Hartmann

Nau, *Alfred,* sozialdemokratischer Parteifunktionär, * 21. 11. 1906 Barmen b. Wuppertal, † 18. 5. 1983 Bonn.

V Walter (1879–1969), Angestellter d. Konsumgenossenschaft in Barmen; M Paula Schneider (1879–1935) aus Barmen; ⚭ 1937 Elfriede Zarthe (1905–83); 1 T.

N., der nach dem Besuch der Volksschule eine Lehre als Versicherungskaufmann absolvierte, schloß sich 1920 der Sozialistischen Arbeiterjugend (SAJ), 1923 der SPD an. 1928–33 Angestellter des Parteivorstandes der SPD in Berlin, wurde er ein enger Mitarbeiter der für die Parteikasse verantwortlichen Vorstandsmitglieder Konrad Ludwig und Siegmund Crummenerl. Nach dem Verbot der SPD durch die Nationalsozialisten im Frühjahr 1933 arbeitete er als Versicherungskaufmann. Die notwendigen Autofahrten als Bezirksvertreter nutzte N. zum Auf- und Ausbau illegaler Netze der SPD. Wegen dieser Tätigkeit für seine Partei war er mehrere Male – insgesamt 14 Monate – inhaftiert. 1942–45 mußte er Kriegsdienst leisten. Ende 1945 wurde N. Mitglied des „Büros Dr. Schumacher", d. h. des Neugründungszirkels einer überregionalen Sozialdemokratischen Partei, in Hannover. 1946–75 war er Schatzmeister der SPD, 1946–58 Mitglied des geschäftsführenden Parteivorstandes, 1958–75 Mitglied des Parteipräsidiums. Politische Mandate strebte er nicht an. Als in der Zeit der Großen Koalition nach 1966 die Spitzenpolitiker der SPD mit Ministerämtern betraut wurden, entlastete N. diese 1967/68 durch die Übernahme des Amtes eines „geschäftsführenden Präsidiumsmitgliedes".

N. stellte die Finanzen der SPD durch die frühzeitige Einführung einer Staffelung der Mitgliedsbeiträge nach dem Einkommen auf eine solide Grundlage. Einen Niedergang des nach 1945 zunächst wieder sehr groß gewordenen sozialdemokratischen Presseimperiums konnte er nicht verhindern, als die notwendigen Subventionen aus der Parteikasse zu hoch wurden. – 1946 war N. maßgeblich an der Wiedergründung der Friedrich-Ebert-

Stiftung beteiligt; er leitete sie als Vorsitzender bzw. Vorstandsvorsitzender bis zu seinem Tode. Zunächst diente sie als Unterstützungseinrichtung für bedürftige Studenten aus Arbeiterkreisen. Später kamen neue Aufgaben hinzu, u. a. die Erwachsenenbildung und die Errichtung von Heimvolkshochschulen. Die erste von 1956 trägt heute seinen Namen (Alfred-Nau-Akademie in Bergneustadt). – Gr. Bundesverdienstkreuz mit Stern (1969) u. Schulterband (1978).

W Pol. Willensbildung, Reden u. Aufsätze, Mit Würdigungen z. 60. Geb.tag, hrsg. v. F. Heine, 1966 *(P)*.

L Solidarität, A. N. z. 65. Geb.tag, 1971 (mit Btrr. v. Willy Brandt, Otto Brenner, Georg Eckert, Willi Eichler, Günter Grunwald, Horst Heidermann, Fritz Heine, Walter Hesselbach, Heinz Kühn, Richard Löwenthal, Bruno Pittermann, Ludwig Rosenberg); A. N. z. 75. Geb.tag, 1982 (Ansprachen v. Willy Brandt u. Walter Hesselbach, P); Gorzny.

Willy Albrecht

Naubert, *Benedikte,* Schriftstellerin, * 13. 9. 1756 Leipzig, † 12. 1. 1819 ebenda. (ev.)

V Ernst Hebenstreit (1702–57), Physiologe (s. NDB VIII); *M* Christiane Eugenie, *T* d. Benjamin Gottlieb Bosseck (1676–1758), Assessor d. Schöppenstuhls, Prof. d. Rechte in L., u. d. Sophie Elisabeth Bohn; ∞ 1) Lorenz Holderieder, Kaufm., Rittergutsbes. in Naumburg, 2) Johann Georg Naubert, Kaufm. in Naumburg u. L.; kinderlos.

Nach dem frühen Tod des Vaters lag N.s Erziehung ganz bei der Mutter, die sie in allen „weiblichen Schicklichkeiten" wie Handarbeiten, Klavier- und Harfespiel unterwies. Von ihren älteren Brüdern erhielt sie Privatunterricht in klassischen Sprachen, Philosophie und Geschichte; ihre besonderen Vorlieben aber galten der Mythologie, der mittelalterlichen Geschichte und den modernen Sprachen. Englisch, Französisch und Italienisch lernte sie im Selbststudium. Seit ihrer ersten Ehe lebte sie in Naumburg, nach ihrer eigenen Aussage relativ sorglos und glücklich. Im Alter taub und fast erblindet, begab sie sich zu einer Augenoperation nach Leipzig, wo sie bald darauf starb.

Mit 23 Jahren veröffentlichte N. ihren ersten Roman „Heerfort und Klärchen" (Nachdr. mit Nachwort von G. Sauder, 1982), der noch sehr konventionell der Empfindsamkeit huldigt. Bis zu ihrem Lebensende folgten über 50 Romane, zahlreiche Novellen und Märchen. Alle Werke erschienen anonym, was in dieser Zeit nicht unüblich war, da Erzählprosa noch nicht zu den kanonisierten Gattungen zählte; „schreibende Frauenzimmer" und ihre Werke wurden auch leicht diskriminiert, so daß sich aufgrund ihrer Erziehung und Selbsteinschätzung in dieser Hinsicht keine gesellschaftlichen Blößen geben wollten. N. selbst bezeichnet in einem Brief an ihren Verleger Rochlitz „die viel glücklichere Verborgenheit" als einen „Schleyer vor Lob und Tadel". Daher wurden ihre Werke meist zeitgenössischen Autoren zugeschrieben (Körner an Schiller: „Alle Produkte scheinen von einem Manne, und von keinem mittelmäßigen Kopfe zu seyn"). Erst 1817 lüftete K. F. Schütz in der „Zeitschrift für die elegante Welt" ohne ihre Zustimmung das Inkognito, worauf sie ein Jahr später den letzten Roman „Rosalbe" (1818) unter ihrem Namen erscheinen ließ.

Ihre Werke fanden von Anfang an große Beachtung. Sie übten auch langfristig einen indirekten Einfluß auf Stoffaufbereitung und Erzählstruktur historischer Romane aus. Gegenüber dem bis dahin vorherrschenden historischen Heldenroman nach Heliodor-Schema entwickelte sie nämlich ein neues Verhältnis zwischen Geschichtsschreibung und Phantasie, indem sie eine erfundene „private Geschichte" vor dem Hintergrund der Weltereignisse inszenierte und beides auf besondere Weise miteinander verband: Während die Darstellung von Menschen und Ereignissen der großen Politik auf zugänglichen Quellen und Chroniken beruht, folgt die private Geschichte mit ihren Gefühlen und Konflikten, die sich aus Familienverhältnissen, Liebe, Eifersucht und Verrat nähren, den Bildungsmustern und der Psychologie des 18. Jh. Dadurch werden gesellschaftliche, ethische und psychologische Ansichten der Gegenwart auf die historischen Epochen übertragen – oder umgekehrt: die Historie wird zur ironischen Verkleidung für Zeitkritik. Dieser Zug tritt immer stärker hervor, was sich etwa an damals vielgelesenen Werken wie „Walter von Montbarry, Großmeister des Tempelordens" (1786) und „Herrmann von Unna, Eine Geschichte aus den Zeiten der Vehmgerichte" (1789) deutlich zeigt. Beide Ebenen werden strukturell durch etwas Unerklärbares, Magisches, etwa den Bericht einer Ahnfrau, verbunden. Dieser Einbruch des Phantastischen, Irrationalen oder Magischen bringt die doch scheinbar realistischen Geschichtsromane in die Nähe von Märchen und Sagen. N.s „Märchen" (Neue Volksmärchen der Deutschen, 1789–93; Alme, oder egypt. Mährchen, 1793–97; Velleda, 1797) folgen der im 18. Jh. gepflegten Tradition der

„Contes des Fées" und den arab. Märchen nach „Tausend und einer Nacht", enthalten aber auch realistische Elemente. Diese Art findet in der klassischen und frühromantischen Novelle durchaus ihre Fortsetzung, weicht aber von der spätromantischen Auffassung der Grimmschen Volksmärchen ab. Die Aufhebung der Grenzen zwischen Geschichtsschreibung, Familienroman und Märchen bedeutet eine wesentliche Bereicherung für die Entwicklung nicht nur des historischen Romans im 19. Jh. Einige Autoren, wie Achim v. Arnim, Friedrich de la Motte Fouqué, Matthew Gregory Lewis und Sir Walter Scott beriefen sich direkt auf N.; ihr Einfluß läßt sich – in unterschiedlicher Richtung – bis zu den „Professorenromanen" des 19. Jh. einerseits, den „Fantasy Stories" des 20. Jh. andererseits verfolgen. Eine Wiederentdeckung und neue Bewertung ist seit den 70er Jahren eingeleitet worden.

Weitere W u. a. Die Amtmännin v. Hohenweiler, 1787; Gesch. d. Gfn. Thecla v. Thurn, 1788; Elisabeth, Erbin v. Toggenburg, 1789; Gf. Werner v. Bernburg, 1789; Alf v. Dülmen, od. Gesch. Kaiser Philipps u. seiner Tochter, 1790; Barbara Blomberg, vorgebl. Maitresse Kaiser Karls d. Fünften, 1790; Gebhart, Truchseß v. Waldburg, 1791; Philippine v. Geldern, 1792; Ulrich Holzer, 1793; Der Bund d. armen Konrads, 1795; Joseph Mendez Pinto, 1802. – *Briefe:* Sich rettend aus d. kalten Wirklichkeit, Die Briefe B. N.s, Edition, Kritik, Kommentar, hrsg. v. N. Dorsch, 1986. – *W-Verz.:* Goedeke V, S. 497; T. C. F. Enslin, Bibl. d. schönen Wiss., ²1837, S. 277–79.

L ADB 23; C. Touaillon, Der dt. Frauenroman d. 18. Jh., 1919; K. Schreinert, B. N., Ein Btr. z. Entstehungsgesch. d. hist. Romans in Dtld., 1941, Nachdr. 1969; L. E. Kurth, Historiographie u. hist. Roman, Kritik u. Theorie im 18. Jh., in: Modern Language Notes 79, 1964, S. 337–62; ders., Eine Notiz W. Grimms zu d. Überss. d. B. N., ebd. 84, 1969, S. 457 f.; M. Beaujean, Der Trivialroman in d. 2. Hälfte d. 18. Jh., ²1969, S. 107–13; M. Hardley, The German Novel of 1790, 1973; J. Blackwell, Weibl. Gelehrsamkeit od. d. Grenzen d. Toleranz, Die Fälle Karsch, N. u. Gottsched, in: Lessing u. d. Toleranz, Lessing Yearbook, Sonder-Bd. 1986, S. 325–39; dies., Fractured Fairy Tales, German Women Authors and the Grimm Tradition, in: Germanic Review 62, 1987, S. 162–74; M. Neumann, Novalis u. Walter v. Montbarry, in: Lit.wiss. Jb. NF 33, 1989, S. 317–21; J. Blackwell, Die verlorene Lehre d. B. N., d. Verbindung zw. Phantasie u. Gesch.schreibung, in: Unterss. z. Roman v. Frauen um 1800, 1990, S. 148–59; S. C. Jarvis, The Vanished Woman of Great Influence, B. N.s Legacy and German Women's Fairy Tales, in: The Shadow of Olympus, German Women Writers Around 1800, 1992, S. 191–209; Jöcher-Adelung VI, Sp. CCCIV f.; Meusel 18; Brümmer (18. Jh.); Kosch, Lit.-Lex.³; Killy.

Marion Beaujean

Nauck. (luth.)

1) *August,* klassischer Philologe, * 18. 9. 1822 Auerstedt b. Merseburg, † 3. 8. 1892 Terijoki b. Wibourg (heute Finnland).

V Karl Christian (1766–1830), seit 1794 Pastor in A., seit 1828 Sup. in Prettin, *S* d. Johann Gottlieb (1724–96) aus Dahme (Mark), Pfarrer in Krossen, u. d. Henriette Wilhelmine Lichterfeld (um 1733–1807); *M* Martha Friederike Wilhelmine (1788–1842), *T* d. Johann Friedrich Müller (1756–1820) aus Kühnhausen b. Erfurt, Pfarrer in A., Prof. d. Theol. u. Rektor d. ev. Gymnasiums in Erfurt (s. NDB 18*), u. d. Christine Friederike Wilhelmine Weltz (1757–1829); *B* Karl Wilhelm (* 1813), klass. Philologe, Dir. d. Friedrich-Wilhelms-Gymnasiums in Königsberg (Neumark); *Vt* Fritz Müller-Desterro (1822–97), Biologe (s. NDB 18); – ∞ Mathilde, *T* d. N. N. Albanus, Pastor in Dünamünde b. Riga; *S* August (s. Gen. 2), *T* Marie (* 1862, ∞ Alexander v. Krüdener, 1858–1900, Akziseinsp., russ. Hofrat); *E* Ernst (s. 2).

N. besuchte 1836–41 die Landesschule Schulpforta und studierte anschließend an der Univ. Halle klass. Philologie. Im Gegensatz zu seinen Lehrern Moritz Hermann Eduard Meier und Gottfried Bernhardy war ihm das Studium der Texte wichtiger als das der Realien. So suchte er schon früh Kontakt zu Gelehrten wie August Meineke in Berlin und Friedrich Wilhelm Schneidewin in Göttingen, die ihm in ihrer textphilologischen Richtung bzw. ihren Arbeitsgebieten näherstanden. 1846 promovierte er in Halle, 1847–51 war er als Hauslehrer in Dünamünde tätig. Nach dem Vorbereitungsdienst in Berlin und Prenzlau legte er 1852 in Königsberg das Lehramtsexamen ab. 1853 holte ihn Meineke als Adjunkt an das von ihm geleitete Joachimsthalsche Gymnasium in Berlin, 1858 wechselte N. als Oberlehrer an das Gymnasium zum Grauen Kloster. 1859 folgte er einem Ruf nach St. Petersburg an die Akademie der Wissenschaften (1859 ao., 1861 o. Mitgl.), wo er bis zu seinem Tode wirkte. 1869–83 lehrte er außerdem als o. Prof. am Historisch-philologischen Institut in St. Petersburg.

N. gehört zu den markanten Vertretern der Konjekturalkritik in der klassischen Philologie des 19. Jh. In der Textkritik sah er eine exakte, der Mathematik ähnliche Wissenschaft, die nicht mit unbestimmten Annahmen oder Vermutungen arbeitet, sondern auf festen Gesetzen basiert. Für N. stand die emendatio, die Verbesserung eines verderbten oder unvollständig überlieferten Textes durch Vornahme einer Konjektur, im Vordergrund gegenüber der recensio, der systematischen Überprüfung der Handschriftenüberlieferung. Mit dieser Methode konnte er viele Textstellen überzeugend wiederherstellen, jedoch führte der Absolutheitsanspruch bei diesem Verfahren auch zu Irrtümern. In seinen Veröffentlichungen widmete sich N. ausschließlich der griech. Literatur. Er begann, einer Anregung Bernhardys folgend, zunächst mit Arbeiten über Aristophanes von Byzanz, deren bedeutendste die grundlegende Sammlung der Fragmente war (1848, Nachdr. 1963). Im Rahmen der hierzu erforderlichen Durcharbeitung eines großen Teiles der griech. Literatur sammelte N. zahlreiche Fragmente aus verschiedenen Literaturgattungen. Ein erstes Ergebnis seiner Forschungen zu den griech. Tragikern war die Handausgabe des Euripides (2 Bde., 1854; 3 Bde., ³1869–71). Es folgten die Tragicorum Graecorum fragmenta (1856), die als Gegenstück zu Meinekes Komikerfragmenten gedacht waren, und die durch kühne Textkorrekturen hervorstechende Ausgabe des Sophokles (1867). Mit der in jahrzehntelanger Arbeit erweiterten und berichtigten zweiten Auflage der Tragikerfragmente (1889) schuf N. eine in „Vollständigkeit, Zuverlässigkeit und praktischer Anordnung" (Wilamowitz) für lange Zeit mustergültige Edition. N.s Ausgaben der Odyssee (2 Bde., 1874) und der Ilias (2 Bde., 1877) sowie seine „Kritischen Bemerkungen" (8 T., in: Mélanges Gréco-Romains, 1860–80) verdeutlichen besonders seine textphilologische Arbeitsweise. Für Homer verfocht N. in der Nachfolge Immanuel Bekkers eine sprachgeschichtliche Kritik unter Hinzuziehung von Analogie und Vergleich, womit er so nah wie möglich an die Originalgestalt des Textes herankommen wollte. – Russ. Geh. Rat; Mitgl. zahlr. Ak., u. a. korr. Mitgl. d. Preuß. Ak. d. Wiss. (1861) u. d. Ges. d. Wiss. zu Göttingen (1881).

Weitere W u. a. Aristophanis Grammatici fragmentum Parisinum, 1845; De Aristophane Byzantio glossarum interprete, Diss. Halle 1846, dt. u. d. T.: Über d. glossograph. Stud. d. Aristophanes v. Byzanz, in: Rhein. Mus. f. Philol., NF 6, 1848, S. 321–51 u. 480; Euripideische Stud., 2 T., 1859–62; Sophokles erklärt v. F. W. Schneidewin, 7 Bde., 1856–93 wiederholte Aufl.; Porphyrios, 1860, ²1886; Lex. Vindobonense, 1867; Jamblichos, 1867; Tragicae dictionis index, 1892; Johannis Damasceni Canones iambici, 1894.

L ADB 52; C. Bursian, Gesch. d. class. Philol. in Dtld., 1883, S. 870–72; Ecce d. Kgl. Landesschule Pforta gehalten am 19. Nov. 1892, S. 9–11; P. Nikitin, Žurnal Ministerstva Narodnago Prosvescenija 285, 1893, S. 22–52; Th. Zielinski, in: Bursian-BJ 78, 1893, S. 1–65 *(Bibliogr.);* J. E. Sandys, A History of Classical Scholarship, III, 1908, S. 149–52; U. v. Wilamowitz-Moellendorff, Gesch. d. Philol., ³1927, S. 66; W. Unte, Berliner Klass. Philologen im 19. Jh., in: Berlin u. d. Antike, 1979, S. 58–60.

Wolfhart Unte

2) *Ernst,* Tropenmediziner, * 6. 3. 1897 St. Petersburg, † 19. 10. 1967 Benidorm (Spanien).

V August (1860–1912), Dr. med., Arzt, *S* d. August (s. 1); *M* Mathilde Freiin v. Krüdener (1865–1918), *T* d. Wilhelm v. Krüdener (1806–67), russ. Gen., Kdt. v. St. P. (s. NDB 13, Fam.art.), u. d. Sophie Scalon (1833–1918); ∞ Renate Brüning (* 1917).

N. wuchs in St. Petersburg auf und bestand dort 1914 sein Abitur. Unmittelbar nach Ausbruch des 1. Weltkriegs floh er nach Deutschland und begann im Wintersemester 1914/15 in Leipzig das Studium der Medizin, das er 1920 in Greifswald abschloß (Approbation 1920, Promotion 1921). Er war zunächst als Assistent am Pathologischen Institut des Städtischen Krankenhauses Berlin-Neukölln tätig. 1921/22 nahm er an der Expedition des Deutschen Roten Kreuzes in die Hunger- und Seuchengebiete Rußlands teil. Die Begegnung mit Peter Mühlens, dem Leiter der Expedition und einem der führenden Mediziner am Hamburger Tropeninstitut, war entscheidend für seine weitere berufliche Laufbahn. N. arbeitete von April 1923 bis Oktober 1924 in der Bakteriologischen Abteilung des Hamburger Tropeninstituts. Bevor er sich jedoch endgültig in der Hansestadt niederließ, hielt er sich 1924–27 zu Lehr- und Forschungszwecken in China auf (Wuhan, Tschangscha, Shanghai, Peking) und leitete 1927–29 die Pathologische Abteilung am Hospital San Juan de Dios in San José (Costa Rica). Im Januar 1930 übernahm er die Leitung der Pathologisch-Anatomischen Abteilung des Hamburger Tropeninstituts. 1931 führte ihn eine Studienreise nach Transkaukasien.

Im Februar 1933 habilitierte sich N. an der Hamburgischen Universität für das Fach Tropenmedizin. Im selben Jahr arbeitete er auch einige Wochen am Deutsch-Russ. Laboratorium für Pathologische Geographie in Moskau. 1934 wurde ihm eine ao. Professur übertragen. 1936 reiste N. nach Brasilien und untersuchte zusammen mit Gustav Giemsa die Lebens- und Gesundheitsverhältnisse bei den deutschstämmigen Siedlern in Espírito Santo. Grundlegend für sein Interesse an Akklimatisations- und Siedlungsfragen war die am Hamburger Tropeninstitut handlungsleitende Vision von der Wiedererlangung der ehemaligen deutschen Kolonien. Auch eine Informationsreise in die Dominikanische Republik und nach Kolumbien 1937/38 muß vor dem Hintergrund kolonialrevisionistischer Zielsetzungen gesehen werden und trägt darüber hinaus kulturpropagandistische Züge. Im September 1939 wurde N. zum apl. Professor ernannt. Außerdem wurde eine kurz nach Beginn des 2. Weltkriegs am Tropeninstitut eingerichtete Fleckfieber-Forschungsabteilung seiner Leitung unterstellt. Zwischen Mai und September 1940 arbeitete er mit dieser Abteilung am Staatlichen Institut für Hygiene in Warschau. Im Auftrag der deutschen Besatzungsverwaltung übernahm N. für diesen Zeitraum kommissarisch auch die Gesamtleitung des Warschauer Instituts. Indem er Krankheit und „Rasse" in einen kausalen Zusammenhang stellte, rechtfertigte er Anfang der 40er Jahre unter „seuchenhygienischen" Gesichtspunkten die Zwangsgettoisierung der Juden in den besetzten poln. Gebieten. Vortragsreisen führten N. 1941 nach Madrid und 1944 nach Barcelona und Lissabon. 1942/43 war er als Beratender Hygieniker der Marine-Sanitätsinspektion in Südosteuropa eingesetzt (Ukraine, Krim, Kaukasus). Im September 1943 wurde N., seit 1937 Mitglied der NSDAP, zum kommissarischen Direktor des Hamburger Tropeninstituts ernannt. 1944 wurde ihm auch die Vertretung des Ordinariats für Tropenmedizin übertragen. Im Dezember 1947 folgte die offizielle Ernennung zum Institutsdirektor und zum o. Professor. Die brit. Militärregierung hatte ihn im Oktober 1946 zunächst als apl. Professor bestätigt und im Oktober 1947 als entlastet eingestuft. 1953/54 war N. Dekan der Medizinischen Fakultät, 1958/59 Rektor der Univ. Hamburg. Nach 1945 trat er häufig als Repräsentant der deutschen medizinischen Wissenschaft im Ausland auf. N. war mehrfach deutscher Delegationsleiter bei internationalen Fachtagungen (V. Internationaler Kongreß für Mikrobiologie in Rio 1950, V. und VII. Internationaler Kongreß für Tropenmedizin und Malaria in Istanbul 1953 bzw. Rio 1963). Sein besonderes Interesse galt den wissenschaftlichen Beziehungen zu Süd- und Mittelamerika. 1949/50 führte ihn eine mehrmonatige Studien- und Vortragsreise nach Costa Rica und Venezuela. 1954 hielt er Vorträge in Rio de Janeiro, São Paulo und anderen brasilian. Städten. Als Ehrengast medizinischer Kongresse besuchte er 1955 Caracas und 1957 Lima.

N. war ein außerordentlich vielseitiger Tropenmediziner. Er hat sich in erster Linie mit der pathologischen Anatomie der Tropenkrankheiten beschäftigt, außerdem mit tropischen Hautkrankheiten (vor allem Dermatomykosen), mykologischen und parasitologischen Fragen, immunbiologischen und epidemiologischen Studien, Malariaforschung, Virologie, Gewebezüchtung und Elektronenmikroskopie. N.s Lebenswerk als Tropenmediziner ist außergewöhnlich, der Wert seiner wissenschaftlichen Veröffentlichungen unzweifelhaft. Seine Anpassung jedoch an die Bedingungen der Nazidiktatur ist die Kehrseite einer äußerlich glänzenden Wissenschaftlerkarriere. – Mitgl. d. Komités f. internationale Quarantäne d. WHO; dt. Delegierter bei d. Vollversammlung d. WHO (1955–1962); Dr. med. vet. h. c. (Tierärztl. Hochschule Hannover 1957); Dr. h. c. (Univ. Dakar 1959); Komturkreuz d. Ordens „Stern v. Afrika" (Liberia 1956); franz. Ehrenlegion (1960); Ehrenprof. d. Univ. Lima (1957).

W Framboesia tropica (Framboesie), in: Hdb. d. Haut- u. Geschlechtskrankheiten, hrsg. v. J. Jadassohn, Bd. 12/1, 1932, S. 1–83 (mit M. Mayer); Leishmaniosen d. Haut u. Schleimhäute (Orientbeule u. amerikan. Leishmaniose), ebd., S. 119–79 (mit dems.); Die Dermatomykosen in d. Tropen, ebd., S. 243–365; Tropenkrankheiten, in: Hdb. d. inneren Medizin, begr. v. L. Mohr u. R. Staehelin, hrsg. v. G. v. Bergmann u. R. Staehelin, I, ³1934, S. 1098–1212 (mit C. Hegler); Trop. Viruskrankheiten, ebd., I/1, ⁴1952, S. 593–637; Cholera asiatica, ebd., I/2, S. 61–99; Viruskrankheiten, Rickettsiosen u. Bartonellosen, in: Krankheiten u. Hygiene d. warmen Länder, Ein Lehrb. f. d. Praxis, begr. v. R. Ruge, P. Mühlens u. M. zur Verth, bearb. v. P. Mühlens, E. N., H. Vogel u. H. Ruge, ⁵1942, S. 250–303; Protozoen als Krankheitserreger, in: Hdb. d. allg. Pathol., hrsg. v. F. Büchner, E. Letterer u. F. Roulet, XI/2, 1965, S. 54–171; Rickettsien, ebd., S. 272–314; – Hrsg.: Lehrb. d. Tropenkrankheiten, 1956, ³1967, fortgeführt v. W. Mohr, H.-H. Schumacher u. F. Weyer, ⁴1975; Zs. f. Tropenmed. u. Parasitol., 1949/50 ff. (Begründer u. Mithrsg.).

L W. Kikuth, in: Zs. f. Tropenmed. u. Parasitol. 8, 1957, S. 2 f. *(P);* F. Trautmann, in: Berliner Med. 12, 1961, S. 280 f. *(P);* W. Mohr, in: Hamburger Ärztebl. 22, 1968, S. 32 f. *(P);* H.-H. Schumacher, in: Verhh. d. Dt. Ges. f. Pathol., 52. Tagung, 1968, S. 602–07 *(W, P);* S. Wulf, Das Hamburger Tropeninst. 1919 bis 1945, Auswärtige Kulturpol. u. Kolonialrevisionismus nach Versailles, 1994 *(P).* – Eigene Archivstud.

P Phot. (Bernhard-Nocht-Inst. f. Tropenmed., Hamburg, Archiv).

Stefan Wulf

Nauclerus (eigtl. *Vergenhans*), *Johannes,* Geistlicher, Jurist, Historiograph, * 1430, † 5. 1. 1510 Tübingen.

V N. N., württ. Dienstmann, aus einfachen Verhältnissen z. Ritter aufgestiegen, erhielt 1455 Jettenburg b. T. geschenkt; *M* N. N.; *B* Ludwig Vergenhans († 1512 od. 1513), Dr., Stiftspropst v. Hl. Kreuz in Stuttgart, Kanzler Gf. Eberhards im Bart, Sprecher d. Landstände b. Heilbronner Tag 1484 (s. *L*).

Über N.s Herkunft und erste Ausbildung ist nichts bekannt. Die Stellung seines Vaters förderte frühe Kontakte zum Hof der Grafen von Württemberg-Urach. Der Auftrag zur Unterrichtung Gf. Eberhards im Bart 1450 begründete nicht nur ein lebenslanges enges Verhältnis zwischen Lehrer und Schüler, sondern veranlaßte N. auch, die eigene Karriere zurückzustellen; erst zwischen 1454 und 1458 erlangte er die Magisterwürde. 1459 suchte er als Gesandter des Abts von Hirsau Papst Pius II. in Mantua auf; im selben Jahr richtete er vier Quästionen an drei Theologieprofessoren der Univ. Paris über das Problem des kirchlichen Wucherverbots. Nach seiner Promotion zum Dr. decretorum (um 1462) lehrte N. 1464/65 als Extraordinarius für kanonisches Recht an der Univ. Basel. 1466/67 führten ihn weitere wichtige Gesandtschaften zum Papst nach Rom und zu Karl dem Kühnen nach Péronne. Seine langjährigen treuen Dienste für den Abt von Hirsau und die Grafen von Württemberg wurden mit einer Vielzahl gut dotierter Pfarr- und Stiftspfründen belohnt: u. a. wurde er 1466 Propst in Stuttgart, 1472 Chorherr in Sindelfingen, 1477 Chorherr und 1482 Stiftspropst in Tübingen. An Gründung und Aufbau der von Gf. Eberhard 1477 gestifteten Univ. Tübingen war N. maßgeblich beteiligt; er erwirkte das päpstl. Einverständnis und formulierte den Gründungserlaß und die Universitätsverfassung. Zudem amtierte er 1477/78 als Gründungsrektor und 1482–1508/09 als Kanzler der Universität, nachdem er seine Professur für Kirchenrecht aufgegeben hatte. Von 1480 bis zum Tode Gf. Eberhards 1495 übte N. als dessen Berater und Gesandter Einfluß auf alle wichtigen Staatsgeschäfte aus. Wegen Differenzen mit dessen Nachfolger zog er sich 1496 aus der Politik zurück. Von seinen nicht näher faßbaren juristischen Fachkenntnissen zeugt zumindest seine Berufung zu einem der drei Richter des Schwäb. Bundes zwischen 1500 und 1502.

Der 1500 erschienene Traktat über die Simonie, eine Sammlung der Aussagen führender Juristen des 13.–15. Jh., läßt N.s eigenes Urteil nur selten durchscheinen, zeigt ihn jedoch als konservativen Vertreter der herrschenden Rechtspraxis, die für eine mildere Ahndung dieses Mißstandes plädierte. Seinen wissenschaftlichen Ruhm begründete die zwischen 1498 und 1504 entstandene Weltgeschichte in zwei Bänden, das älteste historiographische Werk des deutschen Humanismus. Auch wenn diese Weltchronik in Aufbau und Darstellungsweise noch stark der mittelalterlichen Geschichtsschreibung und Scholastik

verpflichtet war, so betrat sie in Methodik und Stoffauswahl vielfach Neuland. Als erster deutscher Historiograph unterschied N. prinzipiell zwischen Primärquellen und Literatur; unter Beachtung ihrer zeitlichen Schichtung unterzog er die Quellenüberlieferung einer systematischen Kritik.

W Consilium üb. d. Verfügungsrecht d. Geistlichen üb. d. Einkünfte ihrer Pfründen (Univ.bibl. Tübingen Mc 201, *ungedr.*); Tractatus de symonia perutilis, Tübingen 1500; Memorabilium omnis aetatis et omnium gentium chronici commentarii, I–II, 1504 (bis 1515 fortgeführt u. im Druck hrsg. v. N. Basellius, Tübingen 1516, Auszüge 1534 u. 1545, Neudr. mit zweiter Forts. bis 1544 Köln 1544, 4 weitere Aufl. bis 1675).

L ADB 23; P. Joachimsen, Gesch.auffassung u. Gesch.schreibung in Dtld. unter d. Einfluß d. Humanismus, 1910, S. 91–104; ders., Zwei Univ.geschichten, in: Zs. f. KG 48, 1929, S. 390–415, bes. S. 414 f.; J. Haller, Die Anfänge d. Univ. Tübingen 1477–1537, 2 Bde., 1927/29; H. Haering, Johs. Vergenhans, gen. N., in: Schwäb. Lb. V, 1950, S. 1–25; W. Goez, Translatio Imperii, 1958, S. 249–54; ders., Die Anfänge d. hist. Methoden-Reflexion im ital. Humanismus, in: Archiv f. Kulturgesch. 56, 1974, S. 25–48; U. Moraw, Die Gegenwartschronistik in Dtld. im 15. u. 16. Jh., Diss. Heidelberg 1966 *(ungedr.)*; W. Kögl, Stud. z. Reichsgesch.schreibung dt. Humanismus, Diss. Wien 1972 *(ungedr.)*; K. K. Finke, Die Tübinger Juristenfak. 1477–1534, 1972, S. 81–95, 237–239; G. Theuerkauf, Soz. Bedingungen humanist. Weltchronistik, Systemtheoret. Skizzen z. Chronik N.s, in: FS f. O. Herding, 1977, S. 317–40; U. Muhlack, Gesch.wiss. im Humanismus in d. Aufklärung, 1991; LThK; LThK²; BBKL. – *Zu Ludwig:* A. Nägele, in: Theol. Quartalschr. 115, 1934, S. 224–73; ders., in: Württ. Vj.schr. 41, 1935, S. 32–82; W. Grube, Der Stuttgarter LT, 1957 *(P).*

P Gem., Kopie d. 16. Jh. (Amtszimmer d. Rektors d. Univ. Tübingen), Abb. in J. Haller, Anfänge (s. *L*), n. S. 16 u. LThK.

Hubertus Seibert

Nauen, *Heinrich,* Maler, * 1. 6. 1880 Krefeld, † 26. 11. 1940 Kalkar/Rhein. (kath.)

V Heinrich Franz (1845–1925), Bäckermeister in Krefeld, *S* d. Franz Heinrich (1812–76), Bäcker in Krefeld, u. d. Johanna Margarete Wilhelmine Eßer (1813–94); *M* Adelgunde Louise (1849–1918), *T* d. Virgilius Mooren (1821–88), Bäcker u. Kolonialwarenhändler in Krefeld, u. d. Elisabeth Röttgen (1821–72); ∞ Dresden 1905 Marie (1880–1943) aus Dresden, Malerin (s. ThB), *T* d. Dobrogost Friedrich Wilhelm Karl v. Malachowski, Oberstlt., u. d. Hedwig Margarete v. Hake; 1 *S,* 1 *T.*

Nachdem N. seine künstlerische Ausbildung 1896 bei dem Kirchen- und Dekorationsmaler Wilhelm Pastern in Krefeld begonnen hatte, wurde er 1897 an der Kunstakademie Düsseldorf aufgenommen, wo er bei Eduard v.

Gebhardt, Willi Spatz, Heinrich Lauenstein und Peter Janssen studierte. 1899 besuchte er die Malschule von Heinrich Knirr in München, 1900–02 die Kunstakademie Stuttgart als Meisterschüler Leopold v. Kalckreuths. Entscheidende Impulse erhielt N. 1902–05 in Sint-Martens-Latem bei Gent im Kreis um den Grafiker und Bildhauer George Minne (1866–1941). 1905 besuchte er während eines mehrmonatigen Aufenthaltes in Paris die Académie Julian. Seit 1906 lebte er in Berlin, wurde Mitglied im Deutschen Künstlerbund (1906) und in der Berliner Sezession (1907), und lernte seinen langjährigen Förderer Walter Kaesbach (1879–1961) und Emil Nolde kennen. Künstlerisch suchte N. damals vor allem die Auseinandersetzung mit dem Werk van Goghs (Selbstbildnis mit Hut, 1909, Kaiser-Wilhelm-Mus., Krefeld). Als er bei Kritik und Publikum damit jedoch nur wenig Anerkennung fand, vernichtete er 1910 einen großen Teil seiner Arbeiten. Zu der eigenen, unverwechselbaren Ausdrucksform, bei der mehr und mehr die Farbe zum wesentlichen Gestaltungsmittel und Stimmungsträger werden sollte, fand N. 1911 nach der Übersiedlung ins niederrhein. Dilborn. Als Hauptwerk gelten die 1912/13 für Burg Drove bei Düren im Auftrag von Erwin Suermondt für den Landsitz der Familie ausgeführten monumentalen Wandbilder. Bei der künstlerischen Umsetzung der vielfigurigen Szenen mit Themen aus Mythologie, Religion, bäuerlichem und bürgerlichem Leben orientierte er sich an den Fauves, aber auch an Gauguin und Cézanne. Auf der Internationalen Sonderbund-Ausstellung in Köln 1912 dürfte er Erich Heckel kennengelernt haben. 1913 beteiligte sich N. in Bonn an der Ausstellung „Rheinische Expressionisten", die August Macke ins Leben gerufen hatte. Nach der Rückkehr aus dem Krieg, an dem er 1916–18 als Freiwilliger teilgenommen hatte, gehörte N. im Februar 1919 zu den Gründungsmitgliedern des Künstlerbundes „Das Junge Rheinland" in Düsseldorf. 1920/21 entstand durch Vermittlung Kaesbachs im Haus des Fabrikanten und Kunstmäzens Alfred Hess in Erfurt ein Gemäldezyklus, der unter dem Eindruck einer neuen Gegenständlichkeit das Ende von N.s expressionistischer Phase markierte. 1921 wurde er als Professor an die Kunstakademie Düsseldorf berufen, wo er die Entwicklung seiner neuen Bildlösungen mit beruhigteren Formen und gedämpfteren Farben fortsetzte. Auf Anregung des Galeristen Alfred Flechtheim fertigte er 1922 für „Die Judenbuche" der Annette v. Droste-Hülshoff Radierungen an. 1925/26 konzipierte er für die Gebäude am Ehrenhof in Düsseldorf drei monumentale Mosaiken (Verehrung Mariens durch die Künste; Der Rhein als Spiegel des Lebens; Der Tanz). Seit 1931 lebte N. in Neuss. Nachdem ihm 1937 durch die Nationalsozialisten die Lehrberechtigung entzogen worden war, wurde er im Juni 1939 in den Ruhestand versetzt. Bereits 1938 war er nach Kalkar übersiedelt, wo ein eindrucksvolles Spätwerk, gekennzeichnet von der Suche nach Harmonie und Ausgewogenheit, entstand.

Weitere W u. a. Landschaft b. Klein-Machnow, um 1906 (Städt. Mus. Abteiberg, Mönchengladbach); Herbstwald, 1912; Der Cellospieler Polly Heckmann, 1920 (beide Kunstmus., Bonn); Bildnis Karl Kaesbach, 1914 (IHK Mönchengladbach); Damenbildnis mit Buch (Bildnis Bertha Hofmacher), 1915 (Kunstmus. im Ehrenhof, Düsseldorf); Bildnis Christian Rohlfs II, 1919 (Karl Ernst Osthaus-Mus., Hagen); Bildnis Johan Thorn-Prikker, 1924 (Gemeentemus., s'Gravenhage); Hochwasser am Niederrhein, 1939 (Städt. Mus., Kalkar). – *Nachlaß*: Städt. Mus., Kalkar; Kunstmus., Bonn.

L E. Marx, H. N., 1966; ders., in: Rhein. Lb. IV, 1970, S. 235–50 *(P)*; G. Aust, H. N., in: Die Rhein. Expressionisten, August Macke u. seine Malerfreunde, 1980, S. 335–50; H. N., Begleitveröff. z. Sonderausst. im Städt. Mus. Kalkar 1990, 1991; H. N. 1880–1940, Ausst.kat. Bonn, Wuppertal, hrsg. v. K. Drenker-Nagels, 1996 *(W-Verz.; P)*; Rhdb.; ThB; Vollmer.

P Selbstbildnis, schwarze Kreide, 1918 (Städt. Mus. Abteiberg, Mönchengladbach); Selbstbildnis, Lith., 1919 (Bonn, Kunstmus.); Grabstein, entworfen v. E. Mataré, ausgeführt v. J. Beuys, 1951/52.

Ludwig Tavernier

Naujocks, *Alfred,* NS-Agent, * 20. 9. 1911, † 4. 4. 1960 Hamburg.

V N. N.; *M* N. N.

N. studierte kurze Zeit in Kiel Maschinenbau. 1931 trat er in die SS und drei Jahre später in den Reichssicherheitsdienst (Auslandsnachrichtendienst) ein, wo er bald einer der engsten Vertrauten Reinhard Heydrichs wurde. 1939 avancierte er zum Referatsleiter im Amt VI des Reichssicherheitshauptamtes. Er hatte vor allem die im Ausland tätigen Agenten mit falschen Papieren und Banknoten zu versorgen. Auf Befehl Heydrichs und Heinrich Müllers inszenierte N. mit seinen Mitarbeitern in poln. Uniformen am Abend des 31. 8. 1939 einen Angriff auf den Reichssender Gleiwitz, den die nationalsozialistische Propaganda zur Rechtfertigung für den Einmarsch in Polen am folgenden Tag benutzte. Am 8. 11. 1939 entführten N. und Walter Schellenberg an der deutsch-holländ. Grenze bei Venlo einen holländ. und zwei brit. Geheimagenten, die man zu Unrecht der Verbindung zum Bürgerbräu-Attentäter Georg Elser verdächtigte. Sieben Monate später diente die angebliche holländ.-brit. Konspiration als Vorwand, den Überfall auf die Niederlande, die ihre Neutralitätspflicht verletzt habe, zu rechtfertigen. 1940 initiierte N. das Unternehmen „Bernhard": England wurde mit gefälschten Banknoten überschwemmt, um die brit. Wirtschaft zu schwächen; gleichzeitig wurden damit Devisen zur Finanzierung des weitverzweigten Agentennetzes gewonnen. Nach einem Zerwürfnis mit Heydrich wurde N. 1941 zur Waffen-SS (Leibstandarte) unter Sepp Dietrich abkommandiert. Nach einer Verwundung kehrte er im Frühjahr 1942 in seine frühere Stellung zurück. 1944 war er im besetzten Belgien in der Wirtschaftsverwaltung tätig. Im Oktober lief N. zu den Amerikanern über, die ihn als Kriegsverbrecher internierten. N. konnte sich jedoch 1946 durch Flucht aus dem Camp Langwasser einer Verurteilung in Nürnberg entziehen und nach einigen Jahren unbehelligt als Geschäftsmann in Hamburg eine neue Existenz aufbauen.

L G. Peis, The Man who Started the War, 1960 (P, franz. 1961), ²1962; C. Wighton, Heydrich, Hitler's Most Evil Henchman, 1962; R. Herrmann, Zu Gast bei d. dt. Vergangenheit, Der Fall Gleiwitz u. seine Zeugen, in: Die Zeit v. 20. 9. 1963, S. 20; R. Wistrich, Wer war wer im Dritten Reich, 1983 (P); Ch. Zentner u. F. Bedürftig (Hrsg.), Das gr. Lex. d. Dritten Reiches, 1985. – Film: Der Fall Gleiwitz, 1963 (DEFA).

Franz Menges

Naumann. (ev.)

1) *Johann Gottlieb,* Kapellmeister, * 17. 4. 1741 Blasewitz b. Dresden, † 23. 10. 1801 Dresden.

V Johann George (1706–68), Häusler u. Landaccise-Einnehmer in B., S d. Johann Georg (1676–1757), Huf- u. Waffenschmied in Loschwitz b. D., u. d. Maria Findeisen (um 1680–1750); M Anna Rosina (1722–89), T d. Martin Ebert (* 1681), Schuhmacher in B., u. d. Anna Krauss; B Friedrich Gotthard (s. 2); – ∞ Pretzsch/Elbe 1792 Catharina (1767–1838), T d. Friderich v. Grodtschilling († 1792), dän. Contreadmiral in Kopenhagen, u. d. Maria Susanna Pretieu; *Schwager d. Ehefrau* N. N. Pechier, Bankier in Kopenhagen; 3 S Carl Friedrich (s. 3), Moritz (1798–1871), Prof. f. klin. Medizin in Bonn (s. Pogg. II; BLÄ), Constantin (1800–52), Prof. d. Mathematik an d. Bergak. in Freiberg (Sachsen), 1 T (früh †); E Emil (1827–88), Hofkirchenmusikdir. in Berlin, Lektor am Konservatorium in D., Vf. e. mehrfach aufgelegten „Illustrierten Musikgeschichte" (s. Riemann).

In bescheidenen Verhältnissen aufgewachsen, durfte N. mit 10 Jahren die benachbarte Loschwitzer Schule besuchen und bei dem Organisten Müller ersten Musikunterricht nehmen. Mit 13 Jahren kam er in eine Schlosserlehre nach Dresden, kurz darauf aber schon in die Kreuzschule. 1757 wurde N. von dem schwed. Violinisten A. Wesström als Reisebegleiter und Diener nach Italien mitgenommen, wo er bei berühmten Meistern wie Giuseppe Tartini in Padua und Padre Martini in Bologna mehrere Jahre hindurch Unterricht erhielt. 1763 führte er mit dem Intermezzo „Il tesoro insidiato" einen ersten Auftrag für die Oper von Venedig aus. Offenbar auf Empfehlung Johann Adolf Hasses wurde N. 1764 als 2. „Kirchencompositeur" nach Dresden berufen. Nach weiteren Italien-Reisen (1765–68 und 1772–74), während derer er seine Studien vertiefte und ruhmvolle Opernaufträge erhielt (u. a. für Palermo, Venedig und Padua), wurde er 1776 Kapellmeister und 1786 – nach einem vorteilhaften dän. Vertragsangebot – mit bedeutenden Zulagen zeitlebens verpflichtet. Durch den Erfolg seiner Opern, besonders denen für Gustaf III. in Stockholm (wo er sich zwischen 1777 und 1783 zweimal längere Zeit aufhielt) und für die Kopenhagener Oper (1785/86), war sein Ansehen so gewachsen, daß der Kurfürst nicht riskieren wollte, ihn zu verlieren. Auch der preuß. Hof in Berlin, wo N. 1788/89 gewirkt hatte, zeigte für N. reges Interesse.

Seine 1763–1801 komponierten mehr als 20 Opern spiegeln in eindrucksvoller Weise die Entwicklung der zunächst führenden Gattung der opera seria in der zweiten Hälfe des 18. Jh. wider. Besonders seit N.s berühmtem Vorgänger Hasse besaß die Dresdner Hofoper europ. Rang; Hauptaufgabe des Kapellmeisters bildete es, opere serie zu ital. Libretti (vorwiegend von P. Metastasio und dessen Nachfolgern) zu komponieren. Allmählich aber konnte N. neuere Entwicklungstendenzen berücksichtigen, so daß durch die Verschmelzung von stilistischen Charakteristika der opera seria mit solchen der opera buffa und anderen Elementen, besonders aus der franz. tragédie lyrique, die neue vermischte Gattung einer opera semiseria entstand. Die gustavianische Opernästhetik in Stockholm hatte N. gezwungen, bzw. es ihm erlaubt, die einheimische (schwed.) Sprache zu verwenden und große Chor- und Ballettszenen einzufügen. Durch die Ausbildung einer immer bühnengemäßeren Dramatik (auch mit Hilfe des bedeutenden Librettisten J. H. Kellgren) erreichte N. hier einen Höhepunkt seines Schaffens. „Gustaf Wasa"

(1786), das „beste Werk, das ich je gemacht habe", galt bis ins 19. Jh. als schwed. Nationaloper. Von freimaurerischem Geist zeugt u. a. die Dresdner Oper „Osiride" (1781, Libretto v. C. Mazzolà). Der empfindsame Stil vor allem seiner umfangreichen Kirchen- und Vokalmusik weist auf die Frühromantik voraus; für die Glasharmonika, die er selbst virtuos beherrschte, komponierte N. 17 Sonaten, die zu seiner Zeit gedruckt und gerühmt wurden.

Weitere W u. a. La clemenza di Tito, Dresden 1769; Solimano, Venedig 1773; Amphion, Stockholm 1778; Cora och Alonzo, Stockholm 1782; Orpheus og Eurydike, Kopenhagen 1786; Medea, Berlin 1788; Protesilao, ebd. 1789; La dama soldato, Dresden 1791; Aci e Galatea, ebd. 1801 (jeweils UA). – *Kirchenmusik:* 12 Oratorien, u. a. I pellegrini al sepolcro, 1798; 6 Kantaten; 27 Messen (22 erhalten); Psalmvertonung „Um Erden wandeln Monde", mit d. „Vater unser" v. Klopstock, Dresden 1798. – 5 größere Liederslgg. – *Nachlaß:* Sächs. Landesbibl., Staats- u. Univ.bibl. Dresden.

L ADB 23; A. G. Meißner, Bruchstücke z. Biogr. J. G. N.s, 2 Bde., 1803/04, ²1814; R. Engländer, J. G. N. als Opernkomp., 1922, Neudr. 1970; O. Landmann, Die Dresdener ital. Oper zw. Hasse u. Weber, 1976; dies., Die Dresdner „Ära Hasse", in: Oper in Dresden, FS z. Wiedereröffnung d. Semperoper, 1985; I. Forst, Die Messen v. J. G. N., Diss. Bonn 1988; R. Zimmermann (Hrsg.), J. G. N. (M. J. Nestlers leicht gekürzte Lebensgesch. 1901, mit einführenden Kapiteln u. L-Verz., P), 1991; H. Åstrand, G. Schönfelder u. H.-G. Ottenberg, Zur Tonsezzung v. Gustav Wasa, Btrr. z. Biogr. J. G. N.s, 1991; L. H. Ongley, Liturgical Music in Late Eighteenth-Century Dresden: J. G. N., Joseph Schuster and Franz Seydelmann, 2 Bde., Diss. Yale Univ. 1992 *(W, P)*; MGG; Riemann (mit Erg.bd.); Svenskt Biografiskt Lex.; New Grove; New Grove of Opera.

P Ölgem. v. F. G. Naumann (s. 2); Ölgem. v. J. Küntzel (Kopie n. A. Graff), (beide Stadtmus. Dresden); Kupf.v. Hüllmann nach e. Zeichnung v. J. Seydelmann (Abb. in MGG).

Hans Åstrand

2) *Friedrich Gotthard,* Maler, * 14. 7. 1750 Blasewitz b. Dresden, † (Freitod) 28. 9. 1821 Ansbach.

V Johann George; M Anna Rosina; B Johann Gottlieb (s. 1); – ∞ Ansbach 1792 Anna Barbara (1766–1811), Wwe d. N. N. Heindel; kinderlos; N Carl Friedrich (s. 3).

N. besuchte seit seinem 17. Lebensjahr die Dresdner Kunstakademie, wo er Schüler von Giovanni Battista Casanova war. 1772 unternahm er zusammen mit seinem Bruder eine Italienreise zur Weiterbildung. Über München und Venedig gelangten beide nach Rom, wo N. im Atelier von Anton Raphael Mengs arbeitete und zeitweise auch in dessen Haus lebte. 1775 lernte er in Rom den Markgrafen Alexander von Ansbach (1736–1806) kennen, der ihn in seine Dienste übernahm, ihm jedoch vorerst noch eine Verlängerung seines Studienaufenthalts in Rom bewilligte.

1781 zog N. schließlich nach Ansbach, wo er den Titel eines Hofmalers und die ungewöhnlich hohe Besoldung von 1000 Gulden pro Jahr, zuzüglich Naturalien, erhielt. Er war nun überwiegend als Porträtist tätig. Neben Angehörigen des Hofes malte er – wohl aus freien Stücken und ohne Auftrag – mit genauer Beobachtungsgabe und sorgfältiger Ausführung auch einfache Leute aus den Dörfern um Ansbach. Beim Fürsten stand er in hohem Ansehen, bei seinen übrigen Zeitgenossen war die Qualität seiner Werke, vor allem seiner religiösen Bilder, umstritten. 1789/90 begleitete N. die Bayreuther Markgräfinwitwe Sophie Caroline Marie (1737–1817) auf einer Italienreise. Seit 1790 unterrichtete er an der Univ. Erlangen Malerei und Zeichnen. Mit dem Übergang der Fürstentümer Ansbach und Bayreuth an das Kgr. Preußen endeten die Aufträge des ehemaligen Hofes, doch war N. für Friedrich Wilhelm II. von Preußen als Kunsteinkäufer und Gutachter tätig. Hierbei gelang es ihm u. a., zu verhindern, daß Teile des damals Albrecht Dürer zugeschriebenen Schwabacher Hochaltares entfernt und verschenkt wurden. Daneben erteilte er Privatunterricht im Zeichnen und Malen. Seine Besoldung und seine Räume im Ansbacher Schloß standen ihm weiterhin zur Verfügung, auch als 1806 Ansbach an Bayern fiel. Er blieb zwar finanziell abgesichert, erhielt aber nur noch gelegentlich kleinere Aufträge von Privatpersonen. Vereinsamt und als Künstler längst nicht mehr gefragt, erschoß er sich in seinen Räumen im Ansbacher Schloß. Sein künstlerischer Nachlaß wurde versteigert, sein Vermögen kam laut testamentarischer Bestimmung einem Armenfonds zugute.

W Christus am Ölberg, 1784 (Pfarrkirche, Großhaslach); Christus am Ölberg, 1787 (Pfarrkirche, Unterschwaningen); Frau Schawesberger (Amme d. Mgf. Carl Alexander v. Brandenburg-Ansbach), 1781 (Residenz, Ansbach); Alter Mann blickt aus e. Butzenscheibenfenster; Mädchen in fränk. Tracht, gen. „Die Schöne von der Silbermühle", 1788 (beide Markgrafenmus., Ansbach).

L M. Krieger, Die Ansbacher Hofmaler d. 17. u. 18. Jh., in: Jb. d. Hist. Ver. f. Mittelfranken 83, 1966, S. 368–403 *(W-Verz., Abb., L);* ThB.

P Selbstbildnis in Öl (Markgrafenmus., Ansbach).

Sylvia Habermann

3) *Carl Friedrich,* Mineraloge und Geologe, * 30. 5. 1797 Dresden, † 26. 11. 1873 ebenda.

V Johann Gottlieb (s. 1); M Catharina v. Grodtschilling; ∞ Emma Demiani; K u. a. Ernst (1832–1910), Prof., Univ.-Musikdir. u. städt. Organist in Jena (s. Wi. 1908; BJ 15, Tl.; Riemann); E Karl (* 1872), Kunstmaler, Ernst (1873–1968), Geologe (s. Pogg. IV; F. Deubel, in: Geologie 2, 1953, S. 231–36).

Nach humanistischer Vorbildung auf der Kreuzschule in Dresden und in Schulpforta studierte N. 1816/17 Mineralogie und Bergbaukunde bei Abraham Gottlob Werner in Freiberg und ging dann nach Leipzig und Jena, wo er 1819 promoviert wurde. 1821/22 bereiste er Norwegen (Beiträge zur Kenntniss Norwegens, 1824) und habilitierte sich 1823 als Mineraloge in Jena. Im Jahr darauf wurde N. Dozent in Leipzig und veröffentlichte 1825 einen „Grundriß der Krystallographie". Diesem legte er die Systematik von Christian Samuel Weiß sowie ein Konzept der „Krystallreihen" als Inbegriff aller Kristallgestalten, die aus einer durch ihre besondere Achsendimension bestimmten Grundgestalt abgeleitet werden können, zugrunde. 1826 ging er als Professor der Kristallographie an die Bergakademie Freiberg. In seinem „Lehrbuch der reinen und angewandten Krystallographie" (2 Bde., 1830) führte N. eine neue analytisch-geometrische Methode für die systematische Bezeichnung und Behandlung der Kristallformen ein, welche die Methoden von Weiß und Friedrich Mohs vereinfachte und sich schnell durchsetzte. Nachdem N. 1834 begonnen hatte, eine geologische Karte des Kgr. Sachsen zu erstellen (Geognostische Beschreibung des Kgr. Sachsen, mit B. v. Cotta, 5 Bde., 1834–44), wurde er 1835 zusätzlich Professor der Geognosie; 1842 wechselte er an die Univ. Leipzig (emeritiert 1872). 1846 erschienen seine „Elemente der Mineralogie" als Lehrbuch, das 15 Auflagen erleben sollte. 1850/54 folgte ein zweibändiges „Lehrbuch der Geognosie" (^{2}1958), das u. a. das gesamte zeitgenössische Wissen über Tektonik und Erdbeben zusammenfaßte, 1866 eine „Geognostische Karte des erzgebirgischen Bassins". – o. Mitgl. d. Sächs. Ak. d. Wiss. (1846); korr. Mitgl. d. Preuß. Ak. d. Wiss. (1846).

L ADB 23; H. B. Geinitz, in: Neues Jb. f. Mineral., Geol. u. Paläontol. 1874, S. 147; F. v. Kobell, in: SB d. Bayer. Ak. d. Wiss., Math.-phys. Kl., 1874, S. 81–84; P. Groth, Entwicklungsgesch. d. mineralog. Wiss., 1926, S. 85–89, S. 244 f.; Pogg. I–III; DSB; G. Wiemers u. E. Fischer, Sächs. Ak. d. Wiss. zu Leipzig, Die Mitgll., 1996 *(P).*

Hans-Werner Schütt

Naumann, *Alexander,* Physiker, * 15. 7. 1905 Plauen (Vogtland), † 2. 3. 1983 Aachen. (ev.)

V Rudolf (1868–1927), Kaufm. in P.; M Frieda Martini (1879–1947); ∞ Aachen 1939 Marianne Bresgen (* 1917); 1 S Dieter (* 1942), Prof. f. anorgan. Chemie in Köln.

Nach dem Abitur am Realgymnasium in Plauen studierte N. seit 1925 Mathematik, Physik, technische Physik und Geophysik an der Univ. Leipzig und schloß sein Studium 1931 mit einer Dissertation über die Entstehung der turbulenten Rohrströmung ab. Ein Forschungsstipendium der Notgemeinschaft der Deutschen Wissenschaft ermöglichte ihm die Weiterarbeit. 1933 wurde er Assistent bei L. Schiller am Physikalischen Institut der Univ. Leipzig. 1936 folgte N. einem Angebot von C. Wieselsberger, der ihn mit der Leitung der Abteilung Aerodynamik am Aerodynamischen Institut der TH Aachen betraute. 1937 erhielt er einen Lehrauftrag für Strömungslehre und 1939 als wissenschaftlicher Assistent die Leitung der Abteilung Gasdynamik des Aerodynamischen Instituts. N. habilitierte sich 1941 und wurde im folgenden Jahr Dozent für Strömungslehre und Flugmechanik.

N.s weitere Arbeiten wurden bahnbrechend für die Entwicklung der Überschallwindkanaltechnik und der Hochgeschwindigkeitsaerodynamik. Diese Arbeitsgebiete wurden jedoch nach Kriegsende in Deutschland verboten, weshalb N. 1946 im Bureau d'Études in Emmendingen die wissenschaftliche Leitung einer deutschen Arbeitsgruppe übernahm, die den Auftrag hatte, Überschallwindkanäle für ein franz. Forschungszentrum in Vernon (Normandie) zu entwickeln. Seine Lehrtätigkeit an der TH Aachen setzte er auch während dieser Zeit fort. 1949 zum apl. Professor ernannt, kehrte N. 1951 an das Aerodynamische Institut zurück, wo er mit dem Aufbau der Windkanalanlagen der Deutschen Versuchsanstalt für Luftfahrt (DVL) in Köln beauftragt wurde. 1955 übernahm er die Leitung des DVL-Instituts für Aerodynamik (später Institut für Angewandte Gasdynamik). N. konnte dort seine Forschungsarbeit in der experimentellen Hochgeschwindigkeitsaerodynamik mit großem Erfolg fortsetzen. 1963 wurde er auf den Lehrstuhl für Strömungslehre an der TH Aachen berufen und zum Direktor des Aerodynamischen Instituts ernannt. 1963–66 leitete er das DVL-Institut für Angewandte Gasdynamik nur noch nebenamtlich. Bis zu seiner Emeritierung 1973 war er mit den Aachener Medizinern S. Effert und J. Schoenmackers darum bemüht, die Fakultät für Maschinenwesen, die noch junge Medizinische Fakultät der TH Aachen und die Düsseldorfer Universitätsklinik zu interdisziplinärer Kooperation zusammenzuführen. Diese Initiative führte 1969 zur Einrichtung des Sonderforschungsbereichs „Künstliche Organe, Modelle und Organersatz" und 1970 zur Gründung des Helmholtz-Instituts für Biomedizinische Technik an der TH Aachen. – Mitgl. u. a.: AGARD (Advisory Group for Aerospace Research and Development d. NATO), Board of Directors d. v. Kármán Inst. for Fluid Dynamics (Rhode-Saint-Genèse, Belgien), Wiss. Ges. f. Luftfahrt, Zentralstelle Luft- u. Raumfahrt-Dokumentation, Rhein.-Westfäl. Ak. d. Wiss., Dt. Ges. f. biomed. Technik, Dt. Forschungsgemeinschaft; Ehrensenator (1974) u. Dr. med. h. c. (TH Aachen 1979).

W u. a. Entstehung d. turbulenten Rohrströmung, in: VDI-Zs. 75, 1931, S. 915; The Blow-down Wind Tunnel in Aachen, in: AGARD-Report 69, 1965 (mit A. Heyser u. W. Trommsdorff); Versuche an Wirbelstraßen hinter Zylindern b. hohen Geschwindigkeiten, in: Forschungsberr. d. Wirtsch.- u. Verkehrsministeriums Nordrhein-Westfalen 471, 1958 (mit H. Pfeiffer); Stoßschwingungen an Profilen, in: Abhh. aus d. Aerodynam. Inst. d. RWTH Aachen 1965, H. 9, S. 9 f.; Über Strömungsvorgänge im menschl. Körper, in: Acta Medicotechnica 18, 1970, S. 46 f. – *Hrsg.:* Abhh. aus d. Aerodynam. Inst. d. RWTH Aachen (1963–73).

L E. Krause, in: Abhh. aus d. Aerodynam. Inst. d. RWTH Aachen, 1975, H. 22, S. 9 f.; ebd., 1983, H. 22 *(W-Verz.)* u. H. 26; Pogg. VII a.

Egon Krause

Naumann, *Bruno,* Feinmechaniker und Unternehmer, * 10. 10. 1844 Dresden, † 22. 1. 1903 ebenda. (luth.)

Die Fam. stammt aus Hartha (Sachsen), urkundl. erw. seit 1621, als Bauern, Leinweber, Gemeinderäte u. Bgm. – *V* Moritz Ferdinand (1803–82), Strumpffabr. in Limbach (Sachsen), *S* d. Strumpfwirkers u. Innungs-Obermeisters Karl Sigismund (1759–1821) u. d. Johanna Christiane Hoyer (1773–1853); *M* Johanne (Juliane) Christine (1820–68), *T* d. Schuhmachermeisters Karl Gottlob Haustein (1785–1829) u. d. Christina Friederike Tippmann (1785–1856); ∞ Dresden 1873 Hermine Louise (1854–80), *T* d. Apothekers Emil Ludwig Hoffmann (1821–94) u. d. Ida Hildegard Heim (1825–1917); 2 *S* (1 früh †), Walther N. zu Königsbrück (1874–1944), Dr. phil., Industrieller, sächs. Standesherr, GKR (s. Wenzel); *E* Robert Bruno Eberhard N. zu Königsbrück (1903–74), Dr. rer. nat., Landwirt, Günther N. zu Königsbrück (* 1905), Industrieller, Hermine Marie Erika N. zu Königsbrück (* 1907, ∞ Emil Woermann, 1899–1980, Prof. d. landwirtschaftl. Betriebslehre in Göttingen); *Ur-E* Robert Alexander N. zu Königsbrück (* 1929), Prof. d. Chemie u. Physik, Clas N. zu Königsbrück (* 1939), Prof. d. Biologie, Dir. d. Zoolog. Forschungsinst. u. d. Mus. Alexander Koenig in Bonn.

N. ging 1858–62 bei dem Feinmechaniker und Dresdener Eichamtsdirektor Hugo Schuckert in die Lehre. Nach einigen Monaten bei dem Uhrmacher Moritz Lindig begab er sich auf Wanderschaft, die ihn nach Berlin und Frankfurt/Main führte. In Wien arbeitete er seit 1865 in der Telegraphenbau-Anstalt von Siemens & Halske bei Oskar Kleeberg. Gleichzeitig bildete er sich in Abendkursen weiter. 1868 machte sich N. selbständig und eröffnete in Dresden eine Werkstatt für Maschinenschlosserei und Feinmechanik. Obwohl hier bereits seit 1867 Nähmaschinen gebaut wurden, erwarb er 1869 die Lizenz der amerikan. Nähmaschine von Wheeler & Wilson Co., die sich durch ihren kontinuierlichen Stoffschieber auszeichnete. Da aber sein Betriebskapital nicht ausreichte, gewann N. 1870 den Dresdener Kaufmann Franz Emil Seidel (1838–1916) als Partner für die Firma „Seidel & Naumann OHG" (S & N). Im Wirtschaftsaufschwung von 1872 nahm N. als erster in Deutschland die Langschiffchen-Nähmaschine von Singer in seine Produktion auf. Sein Partner, der jedes Risiko scheute, schied 1876 mit erheblicher Abfindung aus. 1883 kaufte N. 55 000 m² Gelände in Dresden-Friedrichstadt und baute dort sein Stammwerk. Wegen des wachsenden Geschäftsumfanges mußte er 1886 sein Unternehmen in eine Aktiengesellschaft umwandeln („Nähmaschinenfabrik u. Eisengießerei vorm. S & N AG").

Gleichzeitig begann N. den Fahrradbau unter der Marke „Germania". 1888 konnte er die 64 deutschen Fahrrad-Hersteller zur Gründungsversammlung des „Vereins deutscher Fahrrad-Fabrikanten" nach Leipzig einberufen; unter den prominenten Gründungsmitgliedern befanden sich Nikolaus Dürkopp, Josef Goldschmidt, Heinrich Kleyer, Adam Opel und Johann Winklhofer. Im selben Jahr rief er die erste nationale Fahrrad-Ausstellung im Leipziger Kristallpalast ins Leben, seit 1898 mit Motorfahrzeugen die reichhaltigste Fahrzeugmesse in Deutschland bis 1905. 1901 nahm N. auch den Motorradbau nach Lizenz von Laurin & Klement auf. Weiterhin überwog aber die Herstellung von Nähmaschinen, von denen 1889 bereits eine halbe Million das Werk verlassen hatte.

1889 gründete N. den Sächs. Metall-Arbeitgeber-Verband als ersten dieser Art und 1902 den Verband Sächs. Industrieller. 1891 kaufte er das mittlere der drei Albrechtschlösser am rechten Elbufer in Loschwitz und baute es als Tagungsstätte für wirtschaftliche und kulturelle Veranstaltungen aus. Er richtete eine eigene Unterstützungs-, Kranken-, Pensions- und Sterbekasse sowie eine Stiftung für erholungsbedürftige Kinder seiner Betriebsangehörigen ein. Als 1899 eine Absatzkrise im Fahrradgeschäft heraufzog, ließ N. durch Paul Vollrath (* 1851) den Schreibmaschinenbau vorbereiten. Unter der Marke „Ideal" sollte die erste deutsche vierreihige Schwinghebel-Maschine von Edwin E. Barney und Frank J. Tanner gebaut werden, wobei Barney 1899–1901 die Fertigung in Dresden persönlich einrichten mußte. Ihr folgten die „Ideal-Oriental" für slaw. und oriental. Sprachen und die „Ideal-Duplex" mit zwei Schriftarten. Aus der Underwood-Schreibmaschine wandte er eine Typenhebel-Gestaltung nach Franz Xaver Wagner (1837–1907) an. 1902 wurde die „Ideal-Polyglott" mit 200 Schriftzeichen zur Vielsprachenmaschine ausgebaut. In den letzten Lebensjahren dieses bedeutendsten sächs. Feinmechanik-Herstellers wurden in der Firma, die über 100 Patente besaß, täglich 400 Nähmaschinen, 165 Fahrräder und 40 Schreibmaschinen hergestellt. Unter der Leitung seines Sohnes Walther traten 1906 Rechen- und Buchungsmaschinen hinzu, 1910 folgten die erste deutsche Reiseschreibmaschine „Erika" und kleine Addiermaschinen.

L 40 J. Fabrikationsgesch. d. Fa. Seidel & Naumann Dresden 1868–1908, 1908; F. Amberger, 50 Jahre S & N AG 1868–1918, 1918; G. Timpe, 40 J. Ver. Dt. Fahrrad-Industrieller 1888–1928, 1928; W. Stieda, in: Sächs. Lb. I, 1930, S. 250–61; K. A. Kroth, Festrede bei d. 50-J.feier d. VDFI in München, 1938; E. Martin, Die Schreibmaschine u. ihre Entwicklungsgesch., 1949 (P); Verdiente Männer d. Schreibmaschinen-Branche, in: Hist. Bürowelt, Nr. 6, 1984, S. 14 (P); G. Naumann zu Königsbrück, in: Leertaste, Nr. 18, 1986, S. 12–14 (P); H. Kiesewetter, in: Sächs. Heimatbll. 37, 1991, H. 1, S. 32–35 (P); Wenzel; K. Lang u. A. Krüger, Hdb. d. Masch.schreibens, 1936 (P); Mitt. v. Günther Naumann zu Königsbrück.

Hans Christoph Gf. v. Seherr-Thoß

Naumann, *Edmund,* Geologe, * 11. 9. 1854 Meißen (Sachsen), † 1. 2. 1927 Frankfurt/Main. (ev.)

V N. N.; *M* N. N.; ∞ 1891 (◦◦) Yanka, *T* d. Rechnungskommissärs N. N. Haupold in Schweinfurt.

N. studierte seit 1870 in Dresden und München Paläontologie und Geologie. 1874 wurde er mit der Dissertation „Über die Fauna der Pfahlbauten im Starnberger See" promoviert. Nach wenigen Monaten als Assistent am geognostischen Büro des bayer. Oberbergamtes folgte er 1875 einer Einladung der japan. Regierung und übernahm eine Professur für Mineralogie, Geologie und Bergwesen an der Univ. Tokyo. N. erstellte einen Plan zu einer geologisch-topographischen Landesaufnahme, der 1879 von der japan. Regierung gebilligt wurde. Nach einer Studienreise durch die USA und Europa war er 1880–85 als Leiter der Landesaufnahme tätig. Nach seiner Rückkehr nach Deutschland habilitierte sich N. 1887 an der Univ. München und übernahm eine Privatdozentur für Geologie und Physikalische Geographie, die er bis 1899 ausübte. Reisen führten N. 1890, 1893, 1895 und 1897 u. a. nach Griechenland und Kleinasien. Dabei wurden geologische Gutachten erstellt und Eisenbahntrassen untersucht. Seit 1898 war N. in leitender Position für die Metallurgische Gesellschaft (heute Metallgesellschaft) in Frankfurt/Main tätig.

W u. a. Die Vulcaninsel Ooshima u. ihre jüngste Eruption, in: Zs. d. Dt. Geolog. Ges. 29, 1877, S. 364–91; Die Ebene v. Yedo in geogr.-geolog. Hinsicht, in: Petermanns Geogr. Mitt. 25, 1879, S. 121–35; Wirtsch. Verhältnisse u. geolog. Landesaufnahme v. Japan, in: Verhh. d. Ges. f. Erdkde. zu Berlin 7, 1880, S. 33–44; Über d. Bau u. d. Entstehung d. japan. Inseln, 1885; Die Erscheinungen d. Erdmagnetismus in ihrer Abhängigkeit v. Bau d. Erdrinde., Habil.schr. München 1887; Vom Goldenen Horn zu d. Quellen d. Euphrat, Reisebriefe, Tagebuchbll. u. Stud. üb. d. asiat. Türkei u. d. anatol. Bahn, 1893.

L I. u. E. Seibold, Neues aus d. Geologenarchiv (1992), Vier Deutsche in d. Frühzeit d. Geowiss. in Japan, in: Geolog. Rdsch. 82, 1993, S. 601–03 *(P)*; Pogg. III, IV. – *Qu.:* Univ.-Archiv München.

Claus Priesner

Naumann, *Friedrich,* Politiker, * 25. 3. 1860 Störmthal b. Leipzig, † 24. 8. 1919 Travemünde. (luth.)

V Friedrich Hugo (1826–90), Pfarrer, *S* d. August Friedrich (1794–1878), Arzt in Döbeln, u. d. Christiana Elenora Dölitzsch (1798–1879); *M* Agathe Marie (1838–1906), *T* d. Friedrich Ahlfeld (1810–84), D. theol., Pfarrer, Geh. Kirchenrat in Leipzig (s. NDB I), u. d. Rosalia De Marées (1812–87); ∞ Blasewitz 1889 Maria Magdalena (1859–1938), *T* d. Cuno Moritz Zimmermann (1815–98), Pfarrer in Döbeln, seit 1863 in Seifersdorf b. Rabenau (s. BJ III), u. d. Henrietta Maria Luise Pflugradt (1825–1908); 1 *T*.

Das Leipziger Nikolai-Gymnasium und die Fürstenschule St. Afra in Meißen bereiteten den Weg zum Theologiestudium in Leipzig (1879–83). Zwischenzeitlich verbrachte N. zwei Semester in Erlangen, die vor allem für seine Hinwendung zur kirchlichen Sozialpraxis wichtig wurden. 1881 gehörte er zu den Mitbegründern des „Vereins deutscher Studenten", von dem er sich ein Vierteljahrhundert später nach harten Kämpfen wieder zurückzog. Während seiner Tätigkeit als „Oberhelfer" in Wicherns Erziehungsstätte „Rauhes Haus" (Hamburg) seit 1883 vertiefte sich seine Auffassung von der „Inneren Mission". 1886 übernahm er eine Pfarrstelle in Langenberg (sächs. Erzgebirge). Seine Reden und ersten, z. T. noch tastenden Schriften machten ihn allmählich bekannt, so daß er 1890 das Amt eines „Vereinsgeistlichen" der Inneren Mission erhielt. Nun begann sich sein öffentliches Wirken auszuweiten, u. a. als Wortführer der progressiven Christlich-Sozialen im „Ev.-Sozialen Kongreß". Verstärkt befaßte er sich mit marxistischer Literatur, um für die Auseinandersetzung mit der sozialistischen Bewegung gewappnet zu sein. Gleichzeitig vollzog sich die innere Trennung von Adolf Stoecker, der ihn in seiner Jugend stark beeindruckt hatte. Stoeckers Sozialkonservativismus stellte N. nun seinen Christlichen Sozialismus entgegen. 1895 gab er sein Pfarramt auf, zwei Jahre später übersiedelte er nach Berlin. 1896 gründete er, nachdem er sich ein Jahr zuvor in der Wochenschrift „Hilfe" ein Sprachorgan geschaffen hatte, den „Nationalsozialen Verein". Nach sieben Jahren löste er ihn, nachdem sein Versuch, in den Wahlen 1898 und 1903 ein Mandat zu erlangen, gescheitert war, wieder auf. In der deutschen Parteiengeschichte stellt dieser – wesentlich von Pfarrern, Lehrern, Studenten getragene – Versuch eine Randerscheinung dar; sie ist jedoch bezeichnend für die unbefangene, nicht durch Konventionen belastete Art, mit der die unterschiedlichsten deutschen Probleme angefaßt wurden – außenpolitisch mit mancher Naivität und Fehleinschätzung, innenpolitisch nach der sehr akzentuierten Formel des N.schen Programmbuches „Demokratie und Kaisertum" (1900, ⁴1905). Sein Bemühen, die „modernen" Züge Wilhelms II. hervorzuheben, schlug später angesichts der politischen Improvisationen des Kaisers in Enttäuschung um. Wichtig war ihm vor allem, den mechanistischen Illusionismus der traditionellen Sozialdemokratie zu durchstoßen: Mit der zur Wirklichkeit gewordenen, zur Wirksamkeit berufenen demokratischen Grundordnung (Kampf gegen das preuß. Dreiklassenwahlrecht) sollte auch die Anerkennung der Militärnotwendigkeiten verbunden sein. N.s Monarchismus war rein rational, sein Demokratismus als erzieherische Aufgabe begründet. Seine gesamtpolitische These, verantwortete Ordnung in einer sich industrialisierenden Gemeinschaft, beruhte auf den Zwängen, die aus dem starken Volkswachstum um die Jahrhundertwende erwuchsen. N.s Anschauung, in der sich Statistik und Phantasie begegneten, bestimmte auch seine ökonomischen und sozialpolitischen Argumentationen (Neudeutsche Wirtschaftspolitik, 1902, verändert 1906). 1903 schloß sich N. mit der Mehrheit seiner Gefolgschaft der „Freisinnigen Vereinigung" an, jener Gruppe der „Linksliberalen", die sich im Kampf um den neuen Zolltarif am härtesten geschlagen hatte. Es war dann wesentlich sein Werk zäher Geduld, daß sich die zersplitterten Gruppen 1910 in der „Fortschrittlichen Volkspartei" vereinten. Inzwischen war N. Mitglied des Reichstags geworden, 1907–12 für Heilbronn, 1913 für Waldeck; seine politische Position im Parlament mußte er sich erst allmählich erobern auf dem Weg über sozialrechtliche Arbeit in den Spezialausschüssen und als brillanter Redner. Mit seinem Programm eines „Gesamtliberalismus" und eines „Industrieparlamentarismus" warb er für eine Verständigung mit der Sozialdemokratie und für eine freie Entfaltungsmöglichkeit der Gewerkschaften. Durch Reisen kannte er einiges von Europa und dem Vorderen Orient; 1913 hatte er, stark beeindruckt, England besucht.

Während des Krieges setzte sich N. innenpolitisch für den „Burgfrieden" ein, seit 1917 für die Bildung des „Interfraktionellen Ausschusses" aus Parlamentariern der Sozialdemokratie, des Zentrums und der Liberalen sowie für Verfassungsreformen und die Demokratisierung des preuß. Wahlrechts. Außenpolitisch wandte er sich gegen die ausufernde Annexionspropaganda und eine Eskalation des U-Boot-Krieges. In seinem außerordentlich erfolgreichen Buch „Mitteleuropa" (1915) vertrat N. in der Kriegszielfrage eine mittlere Linie und einen Rückzug auf die kontinentale Position durch einen wirtschaftlichen und militärischen Zusammenschluß mit Österreich-Ungarn sowie weiteren Staaten Ost- und Südosteuropas. Dieses „Mitteleuropa" war im Elementaren die Resignation gegenüber der eigenen Jugend, die die Flotten- und Kolonialpolitik bejaht hatte. Als Vertreter Berlins von der neugegründeten „Deutschen Demokratischen Partei" aufgestellt, deren erster Vorsitzender er im Juli 1919 werden sollte, ging er in die Nationalversammlung nach Weimar. Sein

Entwurf „volksverständlicher Grundrechte", eine Apologie sozialer und freiheitlicher Wünschbarkeiten, wurde nicht in die Reichsverfassung aufgenommen. Seine Warnungen vor den Folgen des Verhältniswahlrechts verhallten ebenso ungehört wie jene vor der Unterzeichnung des Versailler Vertrags. Durch Krankheit zunehmend behindert, erreichte er immerhin eine Sicherung der künftigen Rechtsstellung der Kirchen im Staat.

N.s Stellung in der deutschen Geschichte reicht über den politischen Raum hinaus. Die Gründung des „Deutschen Werkbundes" (1907), eine Vereinigung von Künstlern und Industriellen, die für die gewerbliche Produktion neue künstlerisch und qualitativ hochrangige Maßstäbe zu entwickeln versuchte, ging wesentlich auf die Anregung des kunstsinnigen N. zurück. 1917 gründete er die „Staatsbürgerschule", eine Vorläuferin der „Hochschule für Politik" (1920, seit 1959 „Otto-Suhr-Institut" der FU Berlin). Bis 1903 und in seinen letzten Lebensjahren verfaßte er religiöse Betrachtungen („Andachten"), vor allem über die Problematik christlicher Ethik im politischen, wirtschaftlichen und gesellschaftlichen Alltag. Durch seine ungewöhnliche Rednergabe, seine unkonventionelle Denkweise und seine gewinnende, lautere Persönlichkeit übte er auf die junge Generation, die in der Weimarer und der Bonner Republik zu politischer Wirksamkeit gelangte, starken Einfluß aus. Nach dem Zweiten Weltkrieg knüpfte die FDP an sein politisches Vermächtnis an und benannte nach N. die ihr nahestehende Stiftung in Gummersbach. – D. theol. (Heidelberg, 1903).

Weitere W u. a. Arbeiterkatechismus, 1889; Was heißt Christlich-Sozial?, 2 Bde., 1894/96; Nationalsozialer Katechismus, 1897; Die Erneuerung d. Liberalismus, 1906; Geist u. Glaube, 1911; Der Kaiser im Volksstaat, 1917; Erziehung z. Pol., 1918; Gestalten u. Gestalter *(aus d. Nachlaß),* 1919; Ausgew. Schrr., hrsg. v. H. Vogt, 1949; Werke, hrsg. v. W. Uhsadel u. a., 6 Bde., 1964.

L Th. Heuss, F. N., 1937, ²1949, ³1968 *(W, L, P);* ders., F. N.s Erbe, 1959; ders., F. N. u. d. Demokratie, 1960; A. Milatz, F.-N.-Bibliogr., 1957 *(W, L);* A. H. Nuber, F. N., Ausst.kat. Heilbronn, 1962 *(P);* P. G. v. Beckerath u. A. Gröppler, Der Begriff d. sozialen Verantwortung b. F. N., 1962; D. Düding, Der Nationalsoziale Verein 1896–1903, 1972; A. Lindt, F. N. u. Max Weber, 1973; P. Theiner, Sozialer Liberalismus u. dt. Weltpol., F. N. im Wilhelminischen Dtld., 1983; D. Kleinmann, in: Prot. Profile, hrsg. v. K. Scholder u. D. Kleinmann, 1983, S. 267–85 *(P);* W. Spael, F. N.s Verhältnis zu Max Weber, 1985; B. Loew, F. N., 1985 *(P);* W. Göggelmann, Christl. Weltverantwortung zw. sozialer Frage u. Nationalstaat, Zur Entwicklung F. N.s 1860–1903, 1987; J. Campbell, Der Dt. Werkbund 1907–1934, 1989; O. Lewerenz, Zwischen Reich Gottes u. Weltreich, F. N. in seiner Frankfurter Zeit, Diss. Heidelberg 1993; Staatslex.; TRE; BBKL.

P Gem. v. M. Liebermann, 1909 (Kunsthalle Hamburg).

Theodor Heuss †, Redaktion

Naumann, *Hans,* Germanist, * 13. 5. 1886 Görlitz, † 25. 9. 1951 Bonn. (ev.)

V Robert (1840–1917), Rittergutspächter u. Stadtrat in G., *S* d. Christian Gottlieb (* 1804), Gutsbes. in Baderitz b. Oschatz, u. d. Johanna Christiane Schneider; *M* Clara (1854–1907) *T* d. Carl Gotthelf Zwahr (1821–82), Kaufm. in G., u. d. Valerina Mattern; ⚭ Zabern 1914 Ida (1887–1968), Dr. phil., aus Hatten (Elsaß), *T* d. Anton Blum, Katasterbeamter, u. d. Catharina Deck; 3 *S* (2 ✕), Andreas Fürchtegott (* 1928), Oberstltd. d. Luftwaffe, 1 *T* Claudia (* 1921, ⚭ Conrad v. Schubert, 1901–73, Botschafter in Jordanien u. Äthiopien).

Nach dem Abitur am Gymnasium in Zittau 1907 studierte N. Germanistik in München, Kiel, Berlin und Straßburg, wo er 1911 mit der Dissertation „Altnordische Namensstudien" (1912) bei Rudolf Henning promovierte und sich 1913 aufgrund der Schrift „Notkers Boethius, Untersuchungen über Quellen und Stil" habilitierte. 1914 veröffentlichte er eine „Althochdeutsche Grammatik", in der er auch eine gemeinwestgermanische Sprache zu erschließen suchte, 1915 – acht Jahre vor dem grundlegenden Werk Otto Behagels – eine „Kurze historische Syntax der deutschen Sprache". Während seines Kriegsdienstes als Unteroffizier im Osten redigierte er seit 1916 „Die Kriegswoche", danach die Zeitung der 10. Armee „Die Wacht im Osten". Seit 1918 Professor in Straßburg, wurde er nach der Rückgabe Elsaß-Lothringens 1919 als ao. Professor nach Jena berufen. 1920 widmete er dem gefallenen Kollegen und Dichter Ernst Stadler eine Gedenkschrift und trat in freundschaftliche Beziehung zu Eugen Diederichs, in dessen Verlag 1921 seine Aufsatzsammlung „Primitive Gemeinschaftskultur" erschien. Hier wie in den „Grundzügen der deutschen Volkskunde" (1922) exemplizierte N. an zahlreichen Beispielen den im Anschluß an den franz. Ethnologen Levy-Brühl gefaßten, umstrittenen Gedanken des gesunkenen Kulturguts: Der durch eine Oberschicht veranlaßte kulturelle Fortschritt wird demnach von einer Unterschicht jeweils nur rezipiert und umstilisiert. Sein wohl durch Diederichs angeregtes Interesse für die neueste deutsche Literatur zeigt N.s vielbeachteter Band „Die deutsche Dichtung der Gegenwart 1885–1923" (1923, erweitert um das Kapitel

„Versuch über die Neue Sachlichkeit" ⁴1930, zuletzt ⁶1933). 1921 wurde N. als Nachfolger Friedrich Panzers o. Professor in Frankfurt, seit 1932 wirkte er als Nachfolger Rudolf Meißners in Bonn. Im Wintersemester 1934 Rektor, wurde er im Frühjahr 1935 abgesetzt, weil er im Fall der Suspendierung und Entlassung von Karl Barth nicht ganz den Vorstellungen der Regierung entsprechend verfahren war. Während seiner Lehrtätigkeit veröffentlichte er zahlreiche Schriften vor allem zur deutschen Volkskunde und zur german. Mythologie, zur Geschichte der deutschen Sprache sowie zur deutschen Literatur des Mittelalters, die ihn, auch wo sie „nicht … wesentlich neue Resultate" (Spamer) boten, als „großen Anreger" (Betz) dieser Fachrichtungen zu Geltung und hohem Ansehen brachten. Gerade dieses war auch Grundlage für N.s außerordentliche Wirksamkeit als ein aus eigenem Antrieb handelnder, wissenschaftlicher Parteigänger des Nationalsozialismus seit 1933. So veröffentlichte er bereits 1932 in Parallelität zu E. R. Curtius' „Deutscher Geist in Gefahr" seine Schrift „Deutsche Nation in Gefahr", in der er die Aufklärung verurteilte und in „Führer und Gefolgschaftsgedanken" die Rettung der Nation sah. Wie Ernst Bertram und Gerhard Fricke rechtfertigte er denn auch die Bücherverbrennung im Mai 1933 als „Kampf wider den undeutschen Geist" in einer Rede vor der Bonner Studentenschaft. Ähnlich öffentlichkeitswirksame Auftritte hatte er mit seiner Rektoratsrede „Der Hohe Mut und das Freie Gemüte" (1934) sowie mit Reden zu Geburtstagen des „Führers" 1937 und 1939. Gestützt auf das Vertrauen der Studenten in den Kenntnisreichtum des Altgermanisten, stellte er dabei jeweils die Wiederkunft altgermanischer Tugenden in der Person Hitlers dar. Über die Aberkennung von Thomas Manns Ehrendoktor im Dezember 1936, betrieben durch den damaligen Dekan, den Germanisten K. J. Obenauer, äußerte sich N. gegenüber einer dän. Zeitung geringfügig abweichend: er hielt sie für „nicht notwendig". Nach 1945 veranlaßte die Besatzungsmacht den Entzug seiner Lehrbefugnis. In einem von N. angestrengten Verwaltungsgerichtsverfahren wurde im Juli 1952 sein Anspruch auf eine Stelle als o. Professor seit Sept. 1949 festgestellt.

L A. Spamer, in: Hess. Bll. f. Volkskde. 23, 1924, S. 67–108 (üb. N.s „Grundzüge"); K. Ranke, ebd. 46, 1955, S. 1–7; Z. Ponti, Critical Analysis of the implementation of Rosenbergian national socialism in the field of the history of culture by Professor H. N., Diss. Univ. of Maryland, 1950; A. Gail, in: Wirkendes Wort 2, 1951/52, S. 127 f.; K. Korn, Journalistische Lehrjahre, in: Merkur 9, 1955, S. 338; L. Irle, Zs. f. Volkskde. 54, 1958, S. 140 f.; W. Betz, in: Bonner Gelehrte, Sprachwiss., 1970, S. 129–33; E. E. Noth, Erinnerungen e. Deutschen, 1971, S. 187 ff.; P. E. Hübinger, Th. Mann, die Univ. Bonn u. d. Zeitgesch., 1974; Th. Schirrmacher, „Der göttliche Volkstumsbegriff" u. d. „Glaube an Dtld.s Größe u. hl. Sendung", 2 Bde., 1992; Wi. 1935; Kürschner, Gel.-Kal. 1940/41, 1950; Kürschner, Lit.-Kal., Nekr. 1936–70; Kosch, Lit.-Lex.³; Frankfurter Biogr. (P).

Friedrich Nemec

Naumann, *Johann Christoph* v. (Reichsadel 1733), Ingenieuroffizier, Architekt, * 30. 3. 1664 Dresden, † 8. 1. 1742 ebenda. (luth.)

V Johann Friedrich (Reichsadel 1733); M Anna Salome v. Elb; ∞ 1) 1692 Freifrau v. Schmiedel († um 1710/20), 2) gegen 1720 Catharina Elisabeth († 1736), T d. Christian Jauch d. Ä., Hofschuster, Kaufm. in Güstrow, u. d. Ingeborg Nicolai; 2 S, Johann Christoph (1693–1779), kurfürstl. sächs. Ing.offz., Franz Rudolph (* 1703), Offz. (beide s. Zedler); *Schwager* Joachim Daniel Jauch (1684–1754), Architekt (s. NDB X); E Franz Heinrich (1749–95), salzburg. Ing.offz., Zeichner (s. Wurzbach; ThB).

N. erhielt in Dresden eine Ausbildung im Artillerie- und Fortifikationswesen. Im Gefolge des sächs. Kurprinzen Johann Georg bereiste er 1684/85 Dänemark, Schweden, Holland und England. In kaiserl. Diensten nahm er 1686–92 an den Feldzügen in Ungarn und im Reich teil. Als Mitglied der kaiserl. Gesandtschaft für den Karlowitzer Friedensschluß von 1699 zeichnete er die ausgehandelten Grenzfestlegungen kartographisch auf und war anschließend an der ungar.-türk. Grenze mit dem Auftrag tätig, die von den Türken befestigten Plätze an der Maros zu schleifen und neue Festungswerke anzulegen. 1704 trat N. als Ingenieur-Major in den Dienst des sächs. Kurfürsten und poln. Königs August des Starken. 1706 nahm er am Nord. Krieg und 1707/08 am Span. Erbfolgekrieg teil; 1714 wurde er zum Oberstleutnant und 1724 zum Obersten im Ingenieurkorps befördert. Hauptsächlich aber hatte N. als „Cammer-Dessineur" die künstlerischen und technischen Ideen des Königs, der ihn 1707 auf eine Informationsreise nach Holland, England und Italien schickte, zeichnerisch niederzulegen. In dieser Stellung, die N. bis zum Tod Augusts des Starken 1733 innehatte, organisierte er zwischen 1710 und 1715 auch das kgl. Bauwesen in Polen, und errichtete 1721–33 sein Hauptwerk, das Jagdschloß Hubertusburg bei Oschatz (1743–51 vollständig umgebaut). 1711 wurde N. die neugeschaffene Akzisbaudirektion übertragen. Die damit verbundene Aufsicht über die bürgerlichen Bauvorhaben im Lande, für die staatliche Zuschüsse in Anspruch genommen werden sollten, wurde in der Folge N.s wichtigstes und nach 1733 alleiniges Aufgabengebiet.

Weitere W Straßenbeleuchtung in Dresden, 1705; Gestaltung d. Leipziger Rosenthales, 1707; Reithaus, Leipzig, 1716; Garten- (nachmals Marcolini-) Palais, Dresden-Friedrichstadt, 1728. – *Entwürfe:* Taschenbergpalais, Dresden, 1705; e. kgl. Palais in Leipzig, 1705 u. 1707; Prunkschiff, Umbau d. Schlosses Wilanów, 1710; Sächs. Palais u. Schloß Mariemont, Warschau, gegen 1715; städtebaul. Regulierung d. Dresdner Neumarktes, um 1717/18; – *Schrr.:* Kurtzer Discours v. e. neuverbesserten Maniere in d. Circular-Fortification, 1706; Vorstellung d. Jagd-Palais Hubertusburg, 1727; Architectura practica, 1736.

L ADB 23; H. E. Scholze, J. C. N. 1664–1742, Ein Btr. z. Baugesch. Sachsens u. Polens im 18. Jh., Diss. Dresden 1958; ders., Palais Wilanów, in: Wiss. Zs. TH Dresden 8, 1958/59, S. 31–48; ders., Baugeschichtl. Betrachtungen z. Entstehung d. Form d. Frauenkirche u. z. Gestaltung d. Neumarktes in Dresden, ebd. 18, 1969, S. 31–38; ders., Schloß Hubertusburg, 1966; W. Hentschel, Die sächs. Baukunst d. 18. Jh. in Polen, 1967; K. Milde, Zur Baugesch. d. Taschenbergpalais – e. Btr. zu Pöppelmann-Stil, in: M. D. Pöppelmann 1662–1736 u. d. Architektur d. Zeit Augusts d. Starken, 1990, S. 146–69; H. Laudel u. K. Milde, Schloß Hubertusburg, seine erste Bauphase unter August d. Starken, in: Saxonia, Bd.1, 1995, S. 80–92; Zedler; ThB.

Walter May

Naumann, *Johann Friedrich,* Ornithologe, Naturforscher, * 14. 2. 1780 Ziebigk b. Köthen (Anhalt), † 15. 8. 1857 ebenda.

V Johann Andreas (1744–1826), Landwirt, Ornithologe in Z. (s. ADB 23), *S* d. Bauern Theodor Andreas († 1755) in Z.; *M* Christiane Marie Sophie Liessmann (1760–89) aus Mosigkau; *B* Carl Andreas (1787–1854), anhalt. Leibjäger, Förster; – ∞ Zschernitz 1807 Marie Juliane (1788–1849), *T* d. Bauern Michael Troitsch in Zschernitz; 5 *S* (2 früh †), Julius (1809–67), Tier- u. Pflanzenmaler, Theodor (1817–78), Tierarzt in Calbe, Edmund (1821–98), Landwirt, N.s Nachfolger als Insp. d. hzgl. Naturalienkab. in Köthen, 4 *T*; *E* Helene Bertha (∞ Peter Thomsen, 1875–1954, Oberstud.-dir. in Dresden, s. *L*).

Nach dem Besuch der Hauptschule in Dessau (1790–94) arbeitete N., der ein talentierter Zeichner war, für seinen Vater als Illustrator für dessen im Selbstverlag erscheinende „Naturgeschichte der Land- u. Wasservögel des nördlichen Deutschland" (4 Bde., 1795–1804). Ab dem 3. Band trug er nicht nur Abbildungen, sondern auch Beobachtungen bei und komplettierte des Vaters Werk 1804–17 mit der Herausgabe von acht „Nachträgen", für die er 233 Tafeln zeichnete und stach. Dies war der Auftakt zu N.s Hauptwerk, der „Naturgeschichte der Vögel Deutschlands nach eigenen Erfahrungen entworfen" (1820–44), einer umfassenden Monographie der Vögel Mittel- und Nordeuropas, die bald hochgeschätzt war. Dazu trugen neben den auf Lebendbeobachtung – statt, wie bisher üblich, auf Stopfpräparate – gegründeten Abbildungen und den zahlreichen Beobachtungen seines Bruders Carl Andreas auch die vergleichend anatomisch-physiologischen Abschnitte bei, die der Hallesche Zoologe Christian Ludwig Nitzsch (1782–1837) verfaßte. Das Werk enthält ausführliche Schilderungen der Lebensweise der Arten (Wandel im Federkleid, Lebensgewohnheiten, Nahrung, Brut und Brutfürsorge, Gesänge und Rufe) und viele Details über das Verhalten und die Verbreitung. Wenngleich aus heutiger Sicht nicht ohne Mängel, diente es doch der Schulung von Generationen von Ornithologen. Als Voraussetzung für den Artenvergleich erweiterte N. die schon vom Vater angelegte Vogelsammlung und vervollkommnete seine Fähigkeiten im Präparieren und Aufstellen, so daß viele Originalpräparate der in der „Naturgeschichte" dargestellten Vögel bis heute erhalten blieben. Seine Sammlungen wurden 1821 vom Hzgt. Anhalt-Köthen erworben und N. zu deren Kustos bestellt. Das auf diesen Beständen fußende naturkundliche Museum trägt seinen Namen. – Prof.-titel (1837); Dr. phil. h. c. (Breslau 1839); Gründungspräs. d. dt. Ornitholog. Ges. (1850).

Weitere W u. a. Die Eier d. Vögel Dtld.s u. d. benachbarten Länder in naturgetreuen Abb. u. Beschreibungen, 1818–28; Ueber den Haushalt d. nord. Seevögel Europa's, 1824; Taxidermie od. d. Lehre, Thiere aller Klassen am einfachsten u. zweckmäßigsten f. Kabinette auszustopfen, 1815, ²1848 (Nachdr. 1982).

L ADB 23; P. Leverkühn, Biographisches üb. d. drei N.s u. Bibliographisches üb. ihre Werke, in: Naturgesch. d. Vögel Dtld.s, ²1904, Bd. 1, S. IX–XLVI; O. Heinroth, in: Btrr. z. Fortpflanzungsbiol. d. Vögel, hrsg. v. L. Schuster, N.-Gedächtnish., 1930 *(W, P)*; P. Thomsen, J. F. N., d. Altmeister d. dt. Vogelkde., Sein Leben u. seine Werke (postum bearb. u. erg. v. E. Stresemann), 1957, in: Lebensdarst. dt. Naturforscher, hrsg. v. d. Dt. Ak. d. Naturforscher Leopoldina, Nr. 6 *(W, P)*; E. Stresemann, Die Entwicklung d. Ornithol., 1951; W. Wenzel, Verz. d. Pflanzendarst. im Nachlaß v. J. F. N. in: Wiss. Hb. d. PH „Wolfgang Ratke" 8, 1981, S. 83–105; L. Baege, Verz. d. Schrr. u. d. N.-Erbpflege, in: Bll.

a. d. Naumann-Mus. 5, 1981, 9, 1986; ders., Kat. d. N.-Korr. in d. Slgg. d. Naumann-Mus., in: ebd. 8, 1984; D. v. Knorre, Das Naumann-Mus. in Köthen, in: Neue Mus.kde., 31, 1988, S. 46–53 *(P)*.

Ilse Jahn

Naumann, *Johann Wilhelm,* Verleger, * 9. 7. 1897 Köln, † 1. 5. 1956 Würzburg. (kath.)

V Anton, Schreinermeister in Langenfeld-Immigrath; *M* Margaretha Fuhrmann; ∞ 1) Hattingen 1922 Anna Katharina (1895–1939), *T* d. Lokführers Emil Schacht u. d. Anna Würschl, 2) Brühl 1939 Gertrud (* 1895), *T* d. Kaufm. Alois Nille u. d. Josefa Braun; 4 *S* aus 1), 4 *T* aus 1).

N. studierte nach dem Abitur in Köln Philosophie, Geschichte, Volkswirtschaft und Literatur. Am 1. Weltkrieg nahm er als Flieger teil. 1920 trat er in Landau in die Redaktion der zentrumsnahen Zeitung „Der Rheinpfälzer" ein. Nach weiteren Stationen wurde N. 1928 Redakteur der „Neuen Augsburger Zeitung" und der „Augsburger Postzeitung". 1932 gab er das richtungweisende Werk „Die Presse und der Katholik" heraus. Darüber hinaus entwickelte er eine rege Vortragstätigkeit über Pressefragen im In- und Ausland. 1932 vertrat er Deutschland auf dem Internationalen Kongreß der kath. akademischen Presse in Lille. Seit 1933 arbeitslos, fand N. eine Tätigkeit beim Päpstl. Missionswerk in Freiburg (Breisgau). 1945 holten die Amerikaner N. nach Augsburg und erteilten ihm und Curt Frenzel am 30. Oktober die Lizenz für die „Schwäbische Landeszeitung". N. gehörte im Dezember 1945 zu den Gründern des Vereins Bayerischer Zeitungsverleger, den er bis März 1950 als 1. Vorsitzender leitete. 1946–49 führte er außerdem den Vorsitz der Arbeitsgemeinschaft der Zeitungsverlegerverbände in der US-Zone. Von der amerikan. Militärregierung erhielt N. auch die Lizenz zur Herausgabe der kath. Zeitschrift „Neues Abendland", die seit März 1946 erschien und 1951 an Fürst Erich von Waldburg-Zeil verkauft wurde. Im August 1948 schied N. aus dem Verlag der „Schwäbischen Landeszeitung" aus, um die „Augsburger Tagespost" mit der Bundesausgabe „Deutsche Tagespost" als erste kath. Zeitung nach dem Krieg herauszugeben. Seit Januar 1950 erschien die „Augsburger Tagespost" als „Neue Augsburger Zeitung", stellte aber bereits Ende Februar 1951 ihr Erscheinen ein. Im selben Jahr verlegte N. die überregionale „Deutsche Tagespost" nach Regensburg und 1955 nach Würzburg. – Päpstl. Gregoriusorden (1956).

L J. W. N. z. Gedächtnis, mit e. Nachwort v. H. Vocke, 1986 *(mit e. Auswahl v. Leitartikeln N.s 1948–55, P)*; Wi. 1955; Kosch, Biogr. Staatshdb. II *(L)*.

Carl-H. Pierk

Naumann, *Max,* jüdischer Funktionär, * 12. 1. 1875 Berlin, † Mai 1939 ebenda.

Die Fam. stammt aus Westpreußen; *V* Markus († 1900), Kaufm.; *M* Mathilde Herrmann (1835–1915); ∞ 1908 Anna Lippmann; 3 *T* (2 früh †), Hildegard (Hilde) (* 1909), Kommunistin, ging angebl. in d. Sowjetunion.

Nach dem Besuch des Friedrichswerderschen Gymnasiums studierte N. seit 1893 in Berlin die Rechte. 1899 mit der Dissertation „Der Erbeinsetzungsvertrag in seinen Beziehungen zum Noterbenrecht" zum Dr. iur. promoviert, erhielt er im selben Jahr die Zulassung als Rechtsanwalt, später jene als Notar. 1902 erwarb er das bayer. Reserveoffizierspatent; da dies in Preußen einem ungetauften Juden nicht möglich war, hatte er 1897 sein Einjähriges in München absolviert. Mit Begeisterung zog er 1914 als Infanterieoffizier ins Feld. 1916 wurde er zum Kriegsgerichtsrat beim Gouvernement Preußen ernannt und zum Hauptmann befördert. Später wurde N. mit dem Eisernen Kreuz I. und II. Kl. sowie mit dem bayer. Militärverdienstorden IV. Kl. (1918) ausgezeichnet. Nach dem Krieg stellte er sich der Charlottenburger Einwohnerwehr als Abteilungsführer zur Verfügung. – Im Oktober 1920 trat N. mit seiner politischen Programmschrift „Vom nationaldeutschen Juden" hervor. Im folgenden Jahr gründete er zur Realisierung seiner Ideen mit 88 Gesinnungsgenossen den „Verband nationaldeutscher Juden", den er bis 1926 und 1933–35 als Vorsitzender leitete; 1926 standen Sanitätsrat Alfred Peyser (* 1870), der Vorsitzende der Jüd. Reformgemeinde, 1926–33 Justizrat Georg Siegmann an der Spitze des Verbandes. 1922–34 gab N. das Verbandsorgan „Der nationaldeutsche Jude" heraus. Obwohl in allen größeren Städten Ortsgruppen entstanden, stagnierte die Mitgliederzahl bei einigen Tausend. Wegen seiner radikalen Zielsetzung gelang es dem Verband nicht, namhafte Teile des „Centralvereins deutscher Staatsbürger jüd. Glaubens" für sich zu gewinnen oder eine dauerhafte Zusammenarbeit mit dem „Reichsbund jüd. Frontsoldaten" und dem „Deutschen Vortrupp" des späteren Religionswissenschaftlers Hans Joachim Schoeps (1909–80) zu erreichen. N.s Ablehnung der jüd. Linksintellektuellen und der jüd. Orthodoxie im allgemeinen, der zugezogenen Ostjuden und des Zionismus im besonderen, mündete bisweilen in offenen Haß. Nur in der völligen Assimilation erblickte er eine Zukunft für die deutschen Juden. Selbst Mitglied der Deutschnationalen Volkspartei, unterstützte N. rechtsradikale Politiker und begrüßte das Erstarken und den Sieg der NSDAP. Zu der gewünschten Zusammenarbeit mit den Nationalsozialisten kam es indes wegen deren Rassenideologie nicht. Vielmehr wurde der „Verband nationaldeutscher Juden" 1935 wegen angeblich „staatsfeindlicher Gesinnung" aufgelöst und N. vorübergehend im Gestapogefängnis Columbiahaus inhaftiert. Die Zulassung als Rechtsanwalt wurde ihm entzogen, nachdem er jene als Notar bereits 1933 verloren hatte.

Weiteres W u. a. Sozialismus, Nat.sozialismus u. nat.dt. Judentum, 1932.

L L. Holländer, Denkschr. üb. d. Bestrebungen d. Rechtsanwalts Dr. M. N. in Berlin auf Begründung e. Verbandes nat.dt. Juden, 1921; A. Peyser, Nat.dt. Juden u. ihre Lästerer, 1925; ders., Der Begriff „nationaldeutsch" in unserer Erziehungsarbeit, 1925; K. J. Herrmann, Das Dritte Reich u. d. dt.-jüd. Organisationen 1933–34, in: Schrr.reihe d. Hochschule f. pol. Wiss. München, H. 4, 1969; U. Dunker, Der Reichsbund jüd. Frontsoldaten 1919–38, 1977; C. J. Rheins, The Verband nat.dt. Juden 1921–33, in: Leo Baeck Inst. Yearbook 25, 1980, S. 243–68 *(P);* ders., Dt. Vortrupp, Gefolgschaft dt. Juden 1933–35, ebd. 26, 1981, S. 207–29; R. Wistrich, Wer war wer im Dritten Reich, 1983; A. Paucker (Hrsg.), Die Juden im nat.soz. Dtld. 1933–43, 1986; W. Benz (Hrsg.), Die Juden in Dtld. 1933–45, 1989; H. Göppinger, Juristen jüd. Abstammung im „Dritten Reich", ²1990; T. Krach, Jüd. Rechtsanwälte in Preußen, 1991.

Franz Menges

Naumann, *Robert,* Bibliothekar, * 3. 12. 1809 Leipzig, † 31. 8. 1880 ebenda. (ev.)

V Johann Gottfried, Schneidermeister; *M* Johanna Christiane Lochmann; ∞ Leipzig 1840 Friederike Sidonie, *T* d. Gymnasiallehrers Friedrich August Schütz; 4 *K.*

Nach dem Abitur am Leipziger Nikolai-Gymnasium 1827 finanzierte N. sein Studium der Theologie und klassischen Philologie an der dortigen Universität mit Stipendien und Übersetzungen (Hesiods Werke, Gedichte der Bukoliker). 1830 promovierte er bei Gottfried Hermann und wurde im selben Jahr als Observator an der Rats-, später Stadtbibliothek Leipzig angestellt. Nach dem theol. Kandidatenexamen 1832 trat er das Katechetenamt an der Peterskirche in seiner Vaterstadt an, das er 1835 zugunsten einer Lehrerstelle für alte Sprachen, Geschichte, Geographie und Religion am Nikolai-Gymnasium aufgab. Hier wirkte N. bis 1876, rückte 1871 zum ersten Oberlehrer und Konrektor auf und erhielt 1873 den Professorentitel.

Seine eigentliche Bedeutung erlangte N. im Nebenamt als Subbibliothekar der Ratsbibliothek (seit 1835). Berühmt wurde N. durch die Veröffentlichung des Handschriftenkatalogs mit der Beschreibung von 941 abend- und 433 morgenländ. Manuskripten der Stadtbibliothek 1836–40. In seiner Amtszeit stieg außerdem der Bestand von 37 000 Bänden (1837) auf etwa 100 000, der jährliche Anschaffungsetat wurde erhöht, es kam zu Erwerbungsabsprachen mit der Universitätsbibliothek und die Benutzungsbedingungen wurden liberalisiert. Auch in der Verbindung von Bibliothek, Ausstellung und wissenschaftlicher Publikation ging N. neue Wege, so mit der ständigen Ausstellung der Kostbarkeiten seit 1856, der Ausstellung zum 50jährigen Bestehen des Börsenvereins deutscher Buchhändler 1875. 1840 gründete N. zusammen mit dem Leipziger Verleger Theodor Oswald Weigel die erste bibliothekarische Fachzeitschrift mit dem Titel „Serapeum, Zeitschrift für Bibliothekswissenschaft, Handschriftenkunde und ältere Litteratur" (1840–70, Nachdr. 1966). Sie erschien 31 Jahre unter N.s Herausgeberschaft mit dem Hauptgewicht auf Handschriftenkunde und älterer Literatur, bis sie 1870 mangels Mitarbeitern eingestellt werden mußte. Die internationale Wirkung dieses Fachorgans wird deutlich durch das Sachregister „A classified index to the Serapeum" (1897) des Inkunabelforschers Emil Proctor.

L Sächs. Schriftst.-Lex., 1875, S. 231 f. *(W-Verz.);* Bursian-BJ III, 1880, S. 27 f.; K. Pilz, Der Geist d. Freimaurerei, 1882, S. 43–50; K. Bader, Lex. dt. Bibliothekare, 1925, S. 180; E. Rothe, in: Zs. f. Bibl.-wesen u. Bibliogr. 6, 1959, S. 335–43. – *Nachlaß:* Univ.-Bibl. Leipzig.

Johannes Buder

Naumann, *Werner,* Politiker, * 16. 6. 1909 Guhrau (Schlesien), † 25. 10. 1982 Lüdenscheid. (konfessionslos)

Aus schles. Gutsbes.fam.; *V* Max, Amtsger.rat; *M* Margarete Schuberth; ∞ Breslau 1937 Ursula Becker; *K.*

N. besuchte das Gymnasium in Görlitz und studierte seit 1929 Rechts- und Staatswissenschaften in Berlin, Genf und Breslau. 1936 bei Robert Nöll v. der Nahmer zum Dr. rer.

pol. promoviert, wollte er die wissenschaftliche Laufbahn einschlagen. Als Universitätsassistent begann er mit der Erstellung einer Habilitationsschrift über „Wirtschaftslenkung durch Menschenführung". N., der 1928 in die NSDAP und in die SA eingetreten war, wurde 1937 Leiter des Reichspropaganda-Amtes in Breslau. Im folgenden Jahr holte ihn Joseph Goebbels als Ministerialdirektor und Leiter seines Büros nach Berlin. 1940 meldete sich N. zur Luftwaffe und wechselte noch im Frühjahr zur Waffen-SS. Nach einer schweren Verwundung im Herbst 1941 nahm er Anfang 1942 seinen Dienst im Reichspropagandaministerium wieder auf. Im April 1944 wurde er zum Staatssekretär ernannt. Gemäß Hitlers Testament hätte er als Nachfolger von Goebbels, der für die Leitung der Reichsregierung vorgesehen war, Propagandaminister werden sollen. In den letzten Kriegswochen übernahm N. die Führung des Volkssturmbataillons „Wilhelmplatz", das er auch während des Endkampfes um das Regierungsviertel befehligte. Nach dem Selbstmord Hitlers und Goebbels' gelang ihm mit Martin Bormann die Flucht aus dem Führerbunker. Er tauchte unter falschem Namen als Landarbeiter in der sowjet. Besatzungszone unter, absolvierte 1946–48 in Westdeutschland eine Maurerlehre und übernahm nach der Amnestie von 1950 unter seinem richtigen Namen die Geschäftsführung der deutsch-belg. Import-Export-Firma Lucht in Düsseldorf.

In seinem „Freundeskreis für Wirtschaft und Kultur" und seinem „Siebziger Kreis" versammelte N. ehemalige Nationalsozialisten, u. a. Gustav Adolf Scheel (1907–79), und versuchte, konservative Parteien – über Friedrich Middelhauve vor allem die FDP – zu unterwandern. Aus diesem Grunde verhaftete die brit. Besatzungsmacht N. und prominente Mitglieder seines neonazistischen Kreises im Januar 1953, brachte sie nach Werl (security arrest) und überstellte sie nach heftigen Angriffen seitens Teilen der deutschen Öffentlichkeit am 1. 4. der deutschen Gerichtsbarkeit. N. wurde am 28. 7. aus der Haft entlassen; der Bundesgerichtshof schlug das Verfahren gegen ihn im Dezember 1954 endgültig nieder, da man ihm keine strafbare Handlung nachweisen konnte. Während seiner Inhaftierung verfaßte N. die Rechtfertigungsschrift „Nau Nau gefährdet das Empire?"; von der Deutschen Reichspartei wurde er im Wahlkreis Diepholz für die Bundestagswahlen 1953 als Kandidat nominiert. Dies wurde ihm jedoch auf Grund eines Entnazifizierungsverfahrens gerichtlich untersagt: In die Gruppe II der Belasteten eingestuft, wurde ihm das aktive und passive Wahlrecht abgesprochen; die gesamte Auflage seines Buches wurde eingezogen. Während N. von der politischen Rechten als Opfer einer politischen Justiz gefeiert wurde, erkannten die Linke und die ausländische Presse im „Fall Naumann" die Gefahr der Wiedererstehung des Nazismus. – Nachdem ihm eine Rückkehr in die Politik verwehrt war, wandte sich N. dank seiner früheren Beziehungen – etwa über Magda Goebbels zum Quandt-Konzern – ganz der Wirtschaft zu. Er leitete die Wildfang-Metallwerke GmbH, Gelsenkirchen, und wurde schließlich in den Vorstand der zum Quandt-Konzern gehörenden Busch-Jaeger Dürener Metallwerke AG berufen. Zuletzt lebte er auf seinem Gut Erlenhof bei Lüdenscheid.

L H. Küsel, Der Löwe v. Diepholz, in: Die Gegenwart 8, Nr. 189 v. 29. 8. 1953, S. 554–58; H. Kruse, Besatzungsmacht u. Freiheitsrechte, Rechtsgutachten nebst Anhang z. „Fall Naumann", 1953; F. Grimm, Unrecht im Rechtsstaat, Tatsachen u. Dokumente z. pol. Justiz, dargest. am Fall Naumann, 1957 (P); T. H. Tetens, The New Germany and the Old Nazis, 1961; M. Jenke, Verschwörung v. rechts?, 1961, bes. S. 161–79; W. A. Boelcke (Hrsg.), Kriegspropaganda 1939–41, Geh. Ministerkonferenzen im Reichspropagandaministerium, 1966; H. Frederik (Hrsg.), NPD, Gefahr v. rechts?, 1966; J. O. Grezer, Der Goebbels-Vertraute im Quandt-Konzern, in: die tat 18, Nr. 34 v. 26. 8. 1967; Lüdenscheider Nachrr. Nr. 252 v. 30. 10. 1982 (P); Der Spiegel 36, Nr. 45 v. 8. 11. 1982, S. 272 (P).

Franz Menges

Naunyn, *Bernhard,* Mediziner, * 2. 9. 1839 Berlin, † 27. 7. 1925 Baden-Baden. (ev.)

V Franz Christian (1798–1860), Bgm. in Berlin, S d. Rentamtmanns Carl Friedrich (1732–1803); M Anna Dorothea Adele († 1880), T d. Kaufm. Friedrich Reinhold Haebler; ∞ Anna, T d. Karl Haebler († 1889) u. d. Adele N. N.

N. besuchte zunächst Privatschulen und wechselte 1848 an das Werdersche Gymnasium in Berlin über, wo er 1858 die Reifeprüfung ablegte. Nachfolgend studierte er an der Univ. Berlin Medizin. 1863 wurde N. mit der Arbeit „De Echinococci evolutione" promoviert. Nach dem im Februar 1863 bestandenen medizinischen Staatsexamen und dem Militärdienst war er bis zu seiner Habilitation 1867 an der Charité Assistent bei dem Internisten Friedrich Theodor Frerichs, der N.s weiteren beruflichen Lebensweg entscheidend prägte. Vorübergehend praktischer Arzt in Berlin, nahm N. 1869 einen Ruf als Prof. für klinische Therapie in Dorpat an. 1871 erfolgte seine Berufung nach Bern, 1873 nach Königsberg als Nachfolger des Internisten Ernst v. Leyden, 1888 nach Straßburg als Nachfolger Adolf Kußmauls. Dort gelang es ihm, den Bau einer der damals modernsten Kliniken durchzusetzen, die 1902 eingeweiht werden konnte. 1904 wurde N. emeritiert und siedelte nach Baden-Baden über, wo er bis zu seinem Tod wissenschaftlich-publizistisch tätig blieb.

N.s besonderes Verdienst liegt in der Einführung des experimentellen Arbeitens in die Innere Medizin. Er forderte stets eine wissenschaftliche Begründung für Diagnose und Therapie. Neben Arbeiten über Erkrankungen der Leber und der Gallenwege beschäftigte sich N. mit der Pathologie und der Diätetik des Diabetes mellitus. 1898 prägte er den Begriff der „diabetischen Azidose". Seit 1890 befaßte er sich verstärkt mit Forschungen zur Pathologie und konservativen Therapie der Cholelithiasis. 1873 gründete N. gemeinsam mit Edwin Klebs und Oswald Schmiedeberg das „Archiv für experimentelle Pathologie und Pharmakologie". Seit 1896 redigierte er mit Johannes v. Mikulicz die „Mitteilungen aus den Grenzgebieten der Medizin und Chirurgie".

Weitere W Klinik d. Cholelithiasis, 1892; Der Diabetes mellitus, 1898; Die Entwicklung d. Inneren Medizin mit Hygiene u. Bakteriologie im 19. Jh., 1900; Notwendigste Angaben f. d. Kostordnung Diabetischer, 1908; Versuch e. Uebersicht u. Ordnung d. Gallensteine d. Menschen nach Anlage u. Struktur, nach Alter u. Standort d. Steine, 1924; Gesammelte Abhh. 1869–1908, 2 Bde., 1909; Erinnerungen, Gedanken u. Meinungen, 1925 *(P).*

L E. Meyer, in: Dt. med. Wschr. 51, 1925, S. 1493–95; L. v. Krehl, in: Münchener med. Wschr. 72, 1925, S. 1695 f.; Altpreuß. Biogr. II; BLÄ; W. Eckart, Ch. Gradmann (Hrsg.), Ärztelex., 1995, S. 261.

Susanne Zimmermann

Naus *(Nauß), Joseph* (fälschlich *Karl),* Kartograph, General, * 29. 8. 1793 Reutte (Tirol), † 6. 4. 1871 München. (kath.)

V Josef Anton, bayer. Landger.asessor u. -aktuar in R.; *M* N. N. († 1822); ∞ Augsburg (?) 1835 Elise († v. 1857), *T* d. Franz Jos. Ferd. v. Schmoeger (1761–1825), auf Adelshausen, bayer. Gen.major, Kdt. d. Festung Wülzburg, u. d. Elisabetha Schneider (1772–1827) aus Amberg; 2 *T*.

Nach der Gymnasialzeit und einer Ausbildung in der bayer. Steuerkataster-Kommission trat N. 1813 in die bayer. Armee ein. Als Unterleutnant nahm er am Krieg 1814/15 teil, danach wurde er Leutnant im Kgl. Topographischen Büro. Nach Studienreisen durch die Alpen und das bayer.-württ. Alpenvorland führte er Geländeaufnahmen im bayer. Oberland sowie im westlichen Karwendel durch. Im Rahmen der Kartierung des Blattes „Werdenfels" bestieg N. als „erster Tourist" am 27. 8. 1820 mit dem Führer Johann Georg Deuschl aus Partenkirchen den höchsten Punkt der Zugspitze, den Westgipfel; diese allgemein anerkannte Erstbesteigung hatte jedoch noch keine Auswirkung auf die Entwicklung des Alpinismus. Erst mit der Kreuz-Aufstellung auf dem Westgipfel 1851 rückte die Zugspitze als höchster Berg Deutschlands ins Bewußtsein der Öffentlichkeit. 1848 zum Oberst befördert, gehörte N. seit 1849 zum Generalquartiermeisterstab, 1851 war er als Generalmajor Kommandant der Bundesfestung Ulm. Seit 1857 im Ruhestand, wurde er im Kriege 1866 als Leiter des Generalquartiermeisterstabes sowie des Topographischen Büros und des Haupt-Conservatoriums reaktiviert. N. war ein entdeckungsfreudiger Topograph; seine Karten galten als hervorragend.

L M. Krieger, Gesch. d. Zugspitzbesteigung, 1884; C. Müller, Der erste Zugspitzbesteiger u. sein Tagebuch, in: Dt. Alpenztg., 1920, S. 164–66; F. Graßler, Aus d. Leben v. J. N., in: Der Bergsteiger, 1970, S. 734–36; B. Kammer u. L. Rosenmeier, Die Vermessung d. Zugspitze, in: Alpinismus 16, 1978, H. 4, S. 14–16 *(L);* B. Ph. Schröder, Die Generalität d. dt. Mittelstaaten 1815–1870, II, 1984.

Peter Grimm

Nausea (eigtl. *Grau, Grave), Friedrich,* Bischof von Wien (seit 1541), * um 1495 Waischenfeld (Oberfranken), † 6. 2. 1552 Trient, □ Wien, Stephansdom.

V Johannes Grau, Wagner; *M* Katharina Erhart.

N.s Geburtsjahr ist nur zu erschließen. 1520 nannte er sich in seiner Schrift „Prudentissima de puero litteris instituendo consilia" 25jährig, in einem Brief an Papst Julius III. vom März 1551 bezeichnete er sich als fast 60jährig. N. besuchte die Lateinschule in Zwickau und wurde 1514 an der Univ. Leipzig immatrikuliert, wo er auch Baccalaureus und Magister wurde. Danach wirkte er als Lehrer in Bamberg. Im Winter 1518/19 begleitete er den Sohn des Bamberger Hofmeisters Johannes v. Schwarzenberg nach Italien und setzte sein Studium in Pavia und anschließend in Padua fort, wo er 1523 zum Dr. iur. utr. promoviert wurde. Anschließend trat er als Sekretär in den Dienst des päpstl. Legaten Kardinal Lorenzo Campeggio, den er im Frühjahr 1524 zum Nürnberger Reichstag und zum Regensburger Konvent begleitete. Hier war er beteiligt an der Abfassung der Regensburger Reformordnung vom 7. 7. 1524 und einer Antwort auf die Gravamina der deutschen Nation (gedr. 1538). Bei einem Besuch in Bretten (1524) versuchte er erfolglos, Philipp Melanchthon zur kath. Kirche zurückzuführen. Nach dem Reichstag begleitete er Campeggio nach Wien und Budapest und kehrte im August nach Italien zurück. Anschließend wurde N. mit Unterstützung von Johannes Cochläus zum Pfarrer von St. Bartholomäus in Frankfurt ernannt, konnte jedoch sein Amt 1526 wegen der reformatorischen Unruhen nicht antreten. Erzbischof Albrecht von Mainz übertrug ihm daher 1526 das Amt eines Dompredigers in Mainz. 1529 erteilte ihm Erzhzg. Ferdinand den Auftrag, die Predigten auf dem Reichstag zu Speyer zu halten. Mehr als 100 seiner Predigten, u. a. über die Sonntagsevangelien, über Heilige und die Muttergottes, die Auslegung des Apostolischen Glaubensbekenntnisses und zur Fastenzeit wurden gedruckt. 1534 wurde N. in Siena zum Dr. theol. promoviert, im selben Jahr berief ihn Kg. Ferdinand I. zum Hofprediger und kgl. Rat nach Wien. 1538 machte ihn Bischof Johannes Fabri zu seinem Koadjutor. 1540/41 nahm N. an dem Religionsgespräch von Hagenau und Worms teil. In seinem damals erstellten Gutachten betonte er, daß die theologischen Unterscheidungslehren nicht durch Religionsgespräche, sondern nur durch ein allgemeines Konzil entschieden werden könnten. Als Fabri 1541 starb, wurde N. sein Nachfolger in dem durch die Osmanen bedrohten, hochverschuldeten Bistum, in dem der Adel starke prot. Neigungen besaß. Entschieden setzte sich N. für die Reform der Kirche und die Abhaltung eines allgemeinen Konzils ein. Als dieses endlich 1545 in Trient zusammentrat, konnte N. wegen der Kriegsgefahr und aus Geldmangel zunächst nicht dorthin reisen. Er nahm erst an der zweiten Sitzungsperiode seit Dezember 1551 als Bischof und zugleich als Orator Ferdinands I. teil. Bei den Konzilsberatungen meldete er sich mehrfach zu Wort, u. a. zur Eucharistie, zur Gewährung des Laienkelches, zum Bußsakrament, zum Meßopfer, zur Priesterweihe und zur Letzten Ölung. – N. gehört zu den humanistischen Reformbischöfen des 16. Jh. Sein umfangreicher Briefwechsel bezeugt das große Ansehen, das er als Prediger und Theologe bei seinen Zeitgenossen besaß. Sein stetes Bemühen war darauf gerichtet, die Einheit der Kirche zu bewahren und die Stellung des kath. Glaubens in Deutschland zu festigen. – Notar d. Apostol. Stuhles u. Comes Palatii Lateranensis (1524).

W-Verz. W. Klaiber (Hrsg.), Kath. Kontroverstheologen u. Reformer d. 16. Jh., 1978, S. 213–19.

Qu Acta reformationis catholicae ecclesiam Germaniae concernentia saeculi XVI, hrsg. v. G. Pfeilschifter, I, S. 334 ff., II, S. 547 ff., IV, 353 ff.; Concilium Tridentinum, Diarium, actorum, epistularum, tractatuum nova collectio, IV, V, VI, VII/2, VII/3, VIII, IX, XII, XIII. – *Briefe:* Zs. f. KGesch. 20, 1900, S. 500 ff., ebd. 21, 1901, S. 537 ff.

L ADB 23; H. Jedin, Die Gesch. d. Konzils v. Trient, I², 1951, III, 1970; ders., Das konziliare Reformprogramm F. N.s, in: HJb. 77, 1958, S. 229–53; J. Wodka, Kirche in Österreich, 1959; F. J. Kötter, Die Eucharistielehre in d. kath. Katechismen d. 16. Jh., 1968; J. Beumer, F. N. u. seine Wirksamkeit in Frankfurt, auf d. Colloquien zu Hagenau u. Worms u. auf d. Trienter Konzil, in: Zs. f. kath. Theol. 94, 1972, S. 29–45; H. Immenkötter, F. N. u. d. Augsburger Rel.verhh., in: Festgabe f. E. Iserloh, hrsg. v. R. Bäumer, 1980, S. 467–86; G. May, Die dt. Bischöfe angesichts d. Glaubensspaltung d. 16. Jh., 1983, S. 529 f.; I. Bezzel, Das humanist. Frühwerk F. N.s, in: Archiv f. Gesch. d. Buchwesens, 1986, S. 217–37; A. Sterzl, Ein Waischenfelder in d. Weltkirche, in: Aus d. Gesch. d. Stadt u. Pfarrei Waischenfeld, 1987, S. 9–25; G. Ph. Wolf, in: Zs. f. bayer. KGesch. 61, 1992, S. 59–101; ders., Cochlaeus u. N., in: Festgabe f. G. Maron, hrsg. v. J. Haustein u. G. Ph. Wolf, 1993, S. 45–58; R. Bäumer, in: Dictionnaire de Spiritualité ascétique et mystique, XI, 1982, S. 55–88; ders., in: Kath. Theologen d. Ref.zeit, II, 1985, S. 92–103; ders., in: Fränk. Lb., 14, 1991, S. 65–83 *(P)*; ders., in: Marienlex., IV, 1992, S. 583 f.; ders., in: FS f. E. Meuthen, II, hrsg. v. J. Helmrath u. H. Müller, 1994, S. 204 f.; PRE; Dict. de théologie catholique; Enc. Catt.; LThK²; TRE; BBKL; Gatz III.

Remigius Bäumer

REGISTER

Zur leichteren Orientierung ist den Namen in Klammern das Todesjahr beigefügt. Die Ziffern I-XII bzw. 13-18 verweisen auf die Bände der NDB, Seitenzahlen in Fettdruck auf die Artikel, Seitenzahlen mit Stern auf die Genealogien.

Achenwall, Gottfried (1772) Hist. 175*
Adler, Cäcilie (* 1828) Philanthropin 110*
− Jacob (1850) Senator in Krakau 110*
Agricola, Johannes (1566) ev. Theol. 626*
Ahlfeld, Friedrich (1884) ev. Theol. 767*
Albinmüller Ps. f. **Müller,** Albin Camillo (1941) **346 f.**
Albrecht (1996) Hzg. v. *Bayern* 49*
Albrich, Carl (1940) Päd. 383*
Alexander (1806) Mgf. v. *Ansbach* 764 in Art. Naumann, Friedr. Gotthard
Alten, Georg v. (1821) auf Stolzenau 230*
Amann, Wilhelm v. (1928) Gen. 211*
Andreae, Brami (1875) Ing. 463 in Art. Mueller, Otto
Arco, Ignaz Gf. v. (1812) 55*
Ardenne, Egmont Frhr. v. (1947) Oberreg.rat 660*
− Manfred Frhr. v. (* 1907) Physiker 660*
Arendt, Olga (1902) Dichterin 110*
− Otto (1936) Pol. 110*
Argoviensis s. **Müller,** Joh. (1896) **421**
Arndt, Dietrich Ps. f. **Müller-Guttenbrunn,** Roderich (1956) 498*
Arnim, Georg v. (1945) Rittmeister 504*
Arnsburg, Kuno v. (11. Jh.) 551 in Art. Münzenberg
Arx, Ildefons v. (1833) Benediktiner 433 in Art. Müller, Karl v.
Asaph (um 600) Med. 599 in Art. Muntner, S.
Asch, Jenny (1907) Malerin 110*
Asch, Robert (1929) Med. 110*
− Siegismund (1901) Med. 110*
Ascher ben Jechiel (1327) Rabbiner 90*
August (1586) Kf. v. *Sachsen* 139*, 141*

Baedeker, Julius (1898) Buchhändler 345*
Baier, Joh. Wilh. (1695) ev. Theol. 621*
Baitzel, Florian (1944) Kaufm. 94*
Baldanus, Eduard (1893) Ornithol. 429 in Art. Müller, John W. v.
Bansa, Christian (1855) Bankier 109*, 478*
Bär, Georg (1952) Päd. 588*
Barkhausen, Friedrich (1896) Landgerichtsdir. 2*
− Heinrich (1956) Elektrotechn. 2*
Bärnwick, Franz (1947) Organist 496*
Barth, Jakob (1914) Orientalist 593*
Basedow, Johann Bernhard (1790) Päd. 320*
− Ludwig v. (1835) Reg.präs. in Dessau 320*
Batthyány-Stratmann, Joh. Bapt. Gf. v. (1865) k. u. k. Geh. Rat 49*
Bauer, Albert (1875) Antiquitätenhändler 109*
− Joh. Heinr. Leonh. (1842) Weinhändler 327*
− Wolfrath Hieron. Wilh. (1822) Gutsbes. 109*

Baumann, Joh. Conrad (* 1866) Ing. 606*
Baumgartner, Gallus Jakob (1869) Pol. 434 in Art. Müller, Karl v.
Beck, Heinrich (1973) Verl. 380*
Behr, Dietrich v. (1574/75) dän. Statthalter auf Oesel u. Kurland 523*
Bender, August (1926) Eisenhüttenmann 736*
Benndorf, Friedrich Otto (1907) Archäol. 250*
− Cornelie (1936) Päd. 250*
Bennigsen, Karl v. (1869) Gen. 439*
− Rudolf v. (1902) Pol. 439*
Bentz, Alfred (1964) Geol. 638*
Bercht, Julius (1887) Schausp. 482*
Berchtold v. *Sonnenburg,* Maria Anna Freifrau (1829) Pianistin 238*
Bergauer, Franz Xaver (1886) Pferdebahnbauer 631*
Berge, Ernst (1952) Maschinenbauer 725 in Art.
− Philipp van s. **Monte,** Filippo di (1603) **42 f.**
Berger, Arthur (1958) Maschinenbauer 725 in Art. Nallinger, Friedr., 726 in Art. Nallinger, Fritz
Berghe, Filippo van den s. **Monte,** Filippo di (1603) 42 f.
Bergmann, Liborius v. (1823) ev. Theol. 370*
Berhandtsky v. *Adlersberg,* Ignaz (* 1720) Jur. 566*
− − Jos. (1789) salzburg. Beamter 566*
− − Placidus (1813) Benediktiner 566*
Bernard, Joh. Christoph (1794) Bankier 230*
Bernstein, Elsa (1949) Schriftst. 753*
− Max (1925) Jur. 753*
Bestelmeyer, Richard (20. Jh.) Chirurg 81 in Art. Moralt
Beyer, Wilh. de (1994) Volkswirt 509*
Bibby, Elke (* 1927) Tierärztin 488*
Bieber, Edgar (1939) Parfümerie-Industr. 237 in Fam.art. Mouson
Billwiller, Reinhold (1919) Kaufm. 696*
Blaschko, Alfred (1922) Med. 213*
− Hermann (* 1900) Pharmakol. 213*
Blass, Joh. Heinrich (1866) ev. Theol. 203*
Bleuer, Konrad (1992) Physiker 203*
Bleyer, Jakob (1933) Pol. 647 in Art. Muth, K.
Bloch, Martin (1954) Maler 213*
Blum, Mathias Jos. (1924) Med. 34*
Bock, Lorenz (1948) Pol. 390 in Art. Müller, Gebhard
Bode, Gerhard (1697) ev. Theol. 394*
− Heinrich v. (1720) Jur. 394*
− Justus Volrad v. (1727) Reichshofrat 394*
Bodmer, Heinrich (1596) Schultheiß v. Baden 609*
Böckmann, Wilhelm (1902) Achitekt 652 in Art. Muthesius, Hermann
Bollstatter s. **Müller,** Konrad (1482/83) **447 f.**
Bolza, Joseph Gf. v. (1834) k. k. Kämmerer 673*

Borst, Hugo (1967) Industr. 699 in Art. Naegele, R.
Bosseck, Benjamin Gottlieb (1758) Jur. 757*
Bouginé, Ernestine s. Müller, Ernestine (1844) 349*
- Karl Joseph (1797) ev. Theol. 349*
Braun, Max (1945) Publ. 220 in Art. Mostar, G. H.
Breitner, Heinrich Ps. f. Morf, Heinrich (1899) 100*
Brentano, Emil Gg. v. (1890) Weingutsbes. 486*
Brenz, Johannes (1570) ev. Theol. 126*
- Jos. (1586) Med. 126*
Brugier, Gustav (1903) kath. Theol. 396*
Buber-Neumann, Margarete (1989) Publ. 553*
Buchinger, Joh. Nep. (1870) Jur. 208*
Bürger, Gottfr. Aug. (1794) Dichter 514*
Büttner, Georg (1937) Schulrat 355*
Burchtorff, Carl Alex. v. (1894) Reg.präs. v. Oberfranken 440*
Burkhardt, Andreas (1839) MdL (württ.) 98*
- German (1890) MdR 98*
Busley, Karl Gg. (1928) Ing. 464 in Art. Mueller, Otto
Buss, Louis (1915) Eisenbahn-Ing. 67*

Callisen, Joh. Leonhard (1806) ev. Theol. 17*
Campbell Hepburn, George John (1864) Kapitän 463*
Campeggio, Lorenzo (1539) Kard. 775 in Art. Nausea, Friedr.
Caninenberg, Hans (* 1917/19) Schausp. 563*
Carbe, Martin (1933) Verl. 213*
Carstensen, Brigitte (* 1924) Chemikerin 164*
Caspari, Georg Sigismuns (1741) Orgelbauer 172*
Casparini, Adam Gottlob (1788) Orgelbauer 172*
- Eugen (1706) Orgelbauer 172*
Christensen, Niels Christian (1939) Architekt 491*
Christian August Hzg. zu Sachsen-Zeitz (1725) EB v. Gran 145*
Christoph (1568) Hzg. v. Württemberg 136*
Cohn, Emil (1905) Verl. 213*
- Heymann (1863) Bankier 746*
- Moritz Frhr. v. (1900) Bankier 746*
Copertini-Amati, Fiorenzo (20. Jh.) Maler 630*
- - Ingrid (* 1941) Übers. 630*
Correns, Elisabeth (1952) Botan. 702*
- Joachim (1964) Versicherungsdir. 69*
- Carl Erich (1933) Botan. 702*
Cramer, Sigmund Carl (18. Jh.) Jur. 717*
Cruciger, Caspar (1597) ev. Theol. 136 in Art. Moritz v. Hessen-Kassel
Csaki, Richard (1943) Volkstumspol. 619 in Art. Murr, W.
Cube, Johann David (1791) ev. Theol. 338*
Curione, Celio Secondo (1569) Humanist 85 in Art. Morata, O. F.
Curjel, Robert (1925) Architekt 196 in Art. Moser, K.
Czermak, Wilhelm (1953) Afrikanist 573 in Art. Mukarovsky, H. G.

Dall'Armi, Augustin v. (1903) Gutsbes. 104*
Dallago, Carl (1949) Schriftst. 197*
Daniel Ps. f. Müller, Daniel (1786) 351 f.
Datichius, Harmannus Ps. f. Mynsicht, Adrian v. (1638) 671
Dawson, Else (1955) Übers. 541*
- William H. (1948) Soz.reformer 541*

Degingk, Caspar (1680) Bgm. v. Lübeck 127*
Dehn, August v. (1889) Pol. 278*
Deichmann, Karl (1931) Bankier 18*
- Wilhelm Ludwig (1876) Bankier 18*
Deuschl, Joh. Georg (19. Jh.) Bergführer 775 in Art. Naus, Jos.
Deybeck, Josephine (1898) Sängerin 81 in Art. Moralt
Diehl, Georg (* 1866) Ing. 725 in Art. Nallinger, Friedr.
Dietrich (1769) Fürst v. Anhalt-Dessau, preuß. GFM 134*
Dietrichstein-Nikolsburg, Maximilian Fürst v. (1655) kaiserl. Min. 44*
Dolgoroukow, Dimitri Nikolajewitsch Fürst (1846) russ. Kollegienass. 535*
Donnolo, Shabtai (985) Rabbiner 599 in Art. Muntner, S.
Dorner, Christian (1917) Landgerichtsdir. 440*
Dorsch, Ernst (1818) Kaufm. 370*
Draskovich, Dyonys Gf. v. (1909) 49*
Droescher, Georg (1945) Schausp. 336*
Dyck, Hermann (1874) Maler 2*
- Carl v. (1888) Eisenbahnbaudir. 2*
- Walther v. (1934) Math. 2*

Eberhard, Gustav (* 1867) Astronom 335*
- Wolfram (1989) Sinol., Soziol. 335*
Eberstadt, Adela (1975) Philol. 97*
Eckbrecht-Dürckheim, Ludwig Carl Gf. v. (1774) Dipl. 64*
Eff, Hans s. Natonek, Hans (1963) 750 f.
Egg, Hans s. Natonek, Hans (1963) 750 f.
Ehrenhaus, Christian (1703) ev. Theol. 666*
Ehrensberger, Emil (1940) Industr. 293*
Ehrentreich, Georg (v. 1827) Antiquar 714*
Eichholz, Anna (1951) Schausp. 698 in Art. Naegele, R.
Eichner, Johs. (1958) Kunsthist. 546*
Eilts, Ludwig (1919) Prokurist 223*
Eimmart, Clara (1707) Astronomin IV 394*, 18 422*, ADB V 758, 22 584 in Art. Müller, Joh. Heinr.
Einstein, Albert (1955) Physiker 74*, 747*
- Alfred (1952) Musikwiss. 747*
- Arthur Emil (1940) Zigarrenfabr. 747*
Eisenhart, Dr. Ps. f. Mordtmann, August Justus (1912) 92*
Elcho, Rudolf (1923) Publ. 191*
Elfinger, Siegfried (1969) Maler 296*
Elias Ps. f. Müller, Daniel (1786) 351 f.
- Artista Ps. f. Müller, Daniel (1786) 351 f.
Elieser ben Joel ha-Levi (1235) Rabbiner 90*
Elling, Franz v. Ps. f. Müller, Carl (1889) 436
Eltze, Kurt (1973) Maschinenbauer 725*
Embden, Moritz (1876) Kaufm. 165*
Emil (1856) Prinz v. Hessen u. bei Rhein 7*
Ende, Hermann (1907) Architekt 652 in Art. Muthesius, Hermann
Endlicher, Stephan (1849) Botaniker 338*
Engelmann, Theodor Wilh. (1909) Med. 734*
Enz, Joh. Conrad (1825) Untern. 694*
- Conrad (1862) Untern. 694*
Erich II. (1584) Hzg. v. Braunschweig-Lüneburg 141*

Ernst (1698) Landgf. v. *Hessen*-Kassel zu Rheinfels 136*
– (1622) Gf. v. *Holstein*-Schaumburg 136*
Eugen (1781) Prinz v. *Anhalt*-Dessau, kursächs. FM 134*
Eversley, David E. (* 1921) Demograph 97*

Fabri, Johs. (1541) Bf. v. Wien 776 in Art. Nausea, Friedr.
Fabrice v. *Westerfeld*, Esaias (1779) Gutsbes. 313*
Farina, Franz Maria (1821) Kartäuser 300 in Art. Mülhens, Wilh.
Faßbender, Zdenka (1954) Sängerin 227*
Fecht, Alexander (1913) Inst.bes. 234*
Feder, Gottfr. (1941) Wirtsch.theoretiker 441*
Federl, Johann v. (1626) leuchtenberg. Kanzler 263*
Fehrle, Jakob Wilh. (1974) Bildh. 698 in Art. Naegele, R.
Felde, Albert zum (1720) ev. Theol. 210*
Feller, Daniel (1832) Päd. 352* .
Feustel, Friedrich v. (1891) Bankier 585 in Art. Muncker, Th. v.
Finke, Heinrich (1938) Hist. 329*
Fischer, Eugen (1967) Anthropol. 685 in Art. Nachtsheim, H.
Flamand, Oscar (1936) Fabr. 491*
Follen, Paul (1844) Auswanderungsfunkt. 518*
Forster, Carl v. (1877) Kattundruckereibes. 379*
Fraas, Oscar v. (1897) Geol. 5*
Franck, Johs. (1914) Philol. 401*, 430 in Art. Müller, Jos.
Frank, Demeter v. (1909) Bankier 87*
– Georg (1859) Fabr. 4*
Frankl v. **Hochwart**, Lothar (1914) Neurol. 102*
– – Ludwig August (1894) Schriftst. 102*
Franz II. (1835) Kaiser 732*
– I. (1658) Hzg. v. *Modena* 45 in Art. Montecuccoli, R.
– I. (1581) Hzg. v. *Sachsen*-Lauenburg 141*
Frederich, Mariquita s. **Müller**, Mariquita (1963) 471*
Frenzel, Gottfried (1865) Wirtsch.insp. 555*
– Curt (20. Jh.) Publ. 772 in Art. Naumann, Joh. Wilh.
Freyberg, Max Frhr. v. (1851) Archivar 55*
Friedberg, Heinrich v. (1895) preuß. Justizmin. 212*
Friedlaender, Ludwig (1898) Med. 670*
– Salomo(n) s. **Mynona** (1946). **670 f.**
Friedrich (1656) Landgf. v. *Hessen*-Kassel zu Eschwege 136*
– v. Pernstein (1341) EB v. *Livland* 36 in Art. Monheim, E. v.
– **Heinrich** (1647) Prinz v. *Oranien* 139*
– **Wilhelm I.** (1740) Kg.v. *Preußen* 134*
– **Heinrich** (1713) Hzg. zu *Sachsen*-Zeitz-Neustadt 144*
– **August I.** (1733) Kf. v. *Sachsen* 143*
Friedrich, Albert (1961) Maschinenbauer 726 in Art. Nallinger, Fritz
Fritzsche, Robert (20. Jh.) Pomologe 510*
Fuchs, Ernestine s. **Morena**, Erna (1962) **99**
– Friedrich (1948) Redakteur 99*
Fugger, Jakob (1469) Kaufm. 303*
– Jakob (1525) Kaufm. 303*

Fülöp-Miller, René Ps. f. **Müller**, Philipp (1963) **467 f.**
Fürst, Margot (* 1912) Kunstschriftst. 43*
– Max (1978) Schriftst. 43*

Gabelentz, Conon v. der (1874) Sprachforscher 525*
Galitzin, Michail Michailowitsch Fürst (1856) russ. Gen. 535*
Gall, Louise Freiin v. (1855) Schriftst. 313*
– Ludw. Frhr. v. (1815) Gen. 313*
Garcaeus, Joachim (1633) Gen.sup. 626*
Garnerin s. **Montgelas 54 f.**
– Jean-François de (1657) auf la Thuille 54 in Art. Montgelas
Gasterstedt, Johannes (1937) Maschinenbauer 697 in Art. Nägel, A.
Gaupp, Eberhard (1796) Kaufm. 319*
Geißhüsler, Oswald s. **Myconius**, Oswald (1552) **662 f.**
Geisthauser, Oswald s. **Myconius**, Oswald (1552) **662 f.**
Geisthirt, Joh. Conrad (1734) Päd. 11 in Art. Molter, J. M.
Georg (1543) Mgf. v. *Brandenburg*-Ansbach 141*
– (1596) Landgf. v. *Hessen*-Darmstadt 136*
– (1539) Hzg. v. *Sachsen* 141*
– I. Rákóczi (1648) Fürst v. *Siebenbürgen* 45 in Art. Montecuccoli, R.
Gerhard, Adolar (1897) Jur. 165*
Gerhold, Franz Jos. Ps. f. **Müller-Guttenbrunn**, Adam (1923) **498 f.**
Germershausen, Arthur (1913) Jur. 29*
Geuer, Theresia s. **Mueller**, Theresia (* 1900) 371*
Gierhake, Renate (* 1925) Med. 164*
Gieser, Hermann (* 1842) Kaufm. 23*
Gilbert, Edward (1823) brit. Lt. 50*
– Eliza s. **Montez**, Lola (1861) **50 f.**
Gilcher, Julius (1950) Maschinenfabr. 164*
Gilles, Joh. Peter (1911) Werkführer 415*
Giovanelli, Joseph Frhr. v. (1845) Kaufm. 237*
Girgensohn, Christopher Reinhold (1814) ev. Theol. 731*
Girndt, Hugo Otto (1911) Schriftst. 189 in Art. Moser, G. v.
Glaß, Joh. Benedikt (1827) Kaufm. 417*
Gmelin, Wilhelm (1901) Landger.rat 5*
Goebbels, Joseph (1945) NS-Pol. 774 in Art. Naumann, Werner
Göckel, August (1774) Jur. 375*
Gögg, Amand (1897) Freiheitskämpfer 418 in Art. Müller, Jac.
Gögler, Adolf (1946) Finanzbeamter 496*
– Jos. Anton (1882) Geometer 496*
– Max (* 1932) Reg.präs. v. *Südwürtt.* 496*
Götz, Gertrud (1972) Textildirektrice 347*
– Johann (1944) Textiling. 347*
Goetze, Georg (1699) Gen.sup. 621*
Gosebruch, Theodor (1887) Architekt 104*
Goßler, Gustav v. (1885) Jur. 286*, 287*
– Gustav v. (1902) preuß. Min. 286*
– Conrad v. (1842) preuß. Justizrat 286*
Gottberg, Ernst Wilh. v. (1814) preuß. Major 434*
Gould, Howard (1959) Industr. 209*
Goumoens, Nik. Theod. Frhr. v. (1767) holländ. Oberst 305*

Gräff, Gerhard (1825) Buchhändler 349*
Grau, Friedr. s. **Nausea**, Friedr. (1552) **775 f.**
Graubner-Müller, Alex. (* 1923) Sektfabr. 456*
Grave, Friedr. s. **Nausea**, Friedr. (1552) **775 f.**
Greiner, Joh. Simon (1800) Glasmacher 511*
– Joh. Christian Simon Karl (1851) Glasmacher 511*
Grillo, Wilh. (1889) Industr. 129*
Grodtschilling, Fridrich v. (1792) dän. Admiral 763*
Gross, Babette (1990) Publ. 553*
Grot, Nic. Immanuel (1775) Med. 469*
Grothaus, Ernst Philipp Frhr. v. (1776) braunschweig. Gen. 533*
Grünbaum, Joh. Christoph (1870) Sänger 482*
– Caroline (1868) Sängerin 482*
– Therese (1876) Sängerin 482*
Grundler, Andreas (1555) Med. 85*
Gruppenbach, Georg (1610) Drucker 125*
– Jakob (1605) Buchhändler 125*
– Oswald (1571) Drucker 125*
Guérard, Theodor v. (1943) Reichsmin. 69*
Guericke, Theodor Konrad (1732) Maler 113*
Gugelmann, Joh. Friedr. (1815) Med. 203*
Guggenbühl-Giger, Carl (1964) Versicherungskaufm. 94*
Guthmann, R. A. Ps. f. **Mordtmann**, August Justus (1912) 92*

Haas, Jos. (1969) Verbandsfunkt. 454 in Art. Müller, Ludwig
Haffter, Heinz (* 1905) klass. Philol. 696*
Hagen, Karl v. (1804) Landrat zu Halberstadt 228*
Halm, Friedrich (1871) Dichter 520*
Hambloch, Joh. Gottfried (1764) kurpfälz. Rat 313*
Hammerstein-Equord, Hans Frhr. v. (1841) Gen. 534*
Hamo Ps. f. **Morgenthaler**, Hans (1928) **120 f.**
Hanau, Friedrich Prinz v. (1940) 55 in Art. Montgelas
Hanfstaengl, Edgar (1958) Verl. 227*
Hanslick, Eduard (1904) Musikkrit. 493*
Hanstein, Friedr. v. (1936) Gen. 439*
Harbou, Thea v. (1954) Schriftst. 615 in Art. Murnau, F. W.
Hardy, Edmund (1904) Rel.hist. 232*
Harlan, Veit (1964) Regisseur 288*
– Walter (1931) Schriftst. 288*
Hart, Hans Ps. f. **Molo**, Hans v. (1941) 7*
Hartenstein, Bernhard (1889) Kreisdir. 601*
– Gustav (1890) Philos. 601*
Hartmann, Johannes (1631) Math. 667*
Hartog, Anselm (n. 1926) Verl. 213*
Hartwig, Heinz (* 1907) Kabarettist 221 in Art. Mostar, G. H.
Hasdeu, Martin (20. Jh.) Industr. 189*
Hasselberger, Maria (1945) Med. 479*
Haßlacher, Jakob (1940) Industr. 212*
Hauptmann, Gerhart (1946) Schriftst. 328*
– Carl (1921) Schriftst. 328*
Hayberger, Gotthard (1764) Baumeister 593 in Art. Munggenast, J.
Haza-Radlitz, Peter Boguslaus v. (1852) Landrat 338*
Hebenstreit, Ernst (1757) Physiol. 757*
Hechtel, Daniel Christian (1796) Verl. 423*

Heckel, Emil (1908) Musikverl. 273*
– Karl (1923) Schriftst. 273*
Hefner, Franz Ignaz Heinr. v. (1846) bayer. Staatsrat 352*
– **-Alteneck**, Friedrich v. (1904) Elektrotechn. 353*
– – Jakob Heinr. v. (1903) Museumsdir. 353*
Heim, Albert (1937) Geol. 203 in Art. Moser, R.
Heimann, Benno (1874) Bankier 632*
Heine, Heinrich (1856) Dichter 165*
Heinrich (1541) Hzg. v. *Sachsen* 141*
Heinrich, Paul (1909) Gutsbes. 160*
Heise, Joh. Arnold (1834) Bgm. v. Hamburg 660*
Helbing, Hugo (1938) Kunsthändler 744*
– Sigmund (1895) Kunsthändler 744*
Held, Franz Xaver v. (1943) bayer. Gen. 80 in Art. Moralt
– Hieronymus (1773) Abt v. Ebrach 40 in Art. Montag, E.
Hellmich, W. (1974) Herpetol. 452 in Art. Müller, Lorenz
Hepting, Gottlieb (um 1910) Kaufm. 193*
Herbert, Michael Frhr. v. (1806) Bleiweißfabr. 154 in Art. Moro
Herbig, Otto (1971) Maler 328*
Herman, Hugo Frhr. v. (1890) Reg.präs. v. Mittelfranken 55 in Art. Montgelas
Hermann (1658) Landgf. v. *Hessen*-Kassel zu Rotenburg 136*
Hermann, Gerhart s. **Mostar**, Gerhart Herrmann (1973) **220 f.**
– v. Lippstadt s. **Müller**, Hermann (1883) 332*, **333 f.**
– Ludimar (1914) Physiol. 499*
Hertz, Paul (1961) Publ. 220 in Art. Mostar, G. H.
Herzog, Wilhelm (1960) Schriftst. 99*
Hesshusen, Tilemann (1588) ev. Theol. 621*
Heydte, Friedrich Aug. Frhr. v. der (1994) Staatsrechtler 54 in Art. Montgelas
Heymann, Jos. (1846) Kaufm. 570*
Heyner, Carl (1867) Pol. 219*
Hiester, Isaac (1855) Med. 280*
Hildesheimer, Hilde (* 1909) Päd. 593*
– Hirsch (1910) Rabbiner 593*
– Israel (1899) Rabbiner 593*
Hille, Julius Jos. (1946) Kaufm. 373 in Art. Müller, Franz Jos.
Himmelweit, Freddy (1977) Virologe 213*
– Hildegard (* 1918) Psychol. 213*
Hintze, Franz Eduard (1876) Zechendir. 736*
Hirschl, Moritz (1883) Industr. 753*
Hobe, Joh. Caspar v. (* 1915) Maschinenbauer 34*
Höck, Alexander (1610) Drucker 126*
Höckner, Ernst (1669) Kaufm. 469*
– Joh. Friedr. (1745) Jur. 469*
Hofacker de Moser s. **Moser v. Filseck 175**
Hoffmann, Daniel (1611) ev. Theol. 621*
– Emil Ludw. (1894) Apotheker 766*
– Carl (1872) Päd. 417*
Hohensinner, Ferdinand v. (*1761) Offz. 4*
Holfelder, Otto (1981) Maschinenbauer 697 in Art. Nägel, A.
Holm, Stine Ps. f. **Tannewitz**, Anna (1988) 483*
Holzrichter, Peter (1878) Fabr. 654*
Holzschuher, Hieronymus (1529) Bgm. v. Nürnberg 557*
Homolka, Oscar (1978) Schausp. 209*

Hopfengärtner, Maximilian (1918) Montanindustr. 291*
Hoppe, Fanny (1953) Zoologin 182*
- Jaroslav (1927) Komp. 182*
Horn, W. O. v. Ps. f. Oertel, Wilh. (1867) 495*
Horst, Gregor (1636) Med. 312*
Hossenfelder, Joachim (1976) ev. Theol. 454 in Art. Müller, Ludw.
Hotop, Franz Jos. (1981) Oberstlt. 400*
Huber, Victor Aimé (1869) Sozialpol. 326*
Hüttenhein, Martin (1875) Fabr. 494*
Hugo (1182) Pfalzgf. v. *Tübingen* 51 in Art. Montfort
Hugo (1109) Abt v. Cluny 82 in Art. Morandus
- Gustav (1844) Jur. 323*
Hupfeld, David (1916) Sup. 326*

Icke, Adam (1893) Fabr. 495*
Ignotus Ps. f. Müller-Guttenbrunn, Adam (1923) 498 f.
Imhof, Hans (1522) Kaufm. 569*
Immanuel s. Natonek, Hans (1963) **750 f.**
Isbary, Rudolf Frhr. v. (1932) Industr. 642*

Jäger, Aug. (1949) Kirchenjur. 455 in Art. Müller, Ludwig
Jägersfeld, Carl Friedr. v. (1847) Gutsbes. 211*
Jaenicke, Karl (1903) Bgm. v. Breslau 110*
Jaenicke, Wolfg. (1968) Dipl. 110*
Jakoby, Wilhelm (1925) Schriftst. 189 in Art. Moser, G. v.
James, Thomas (1871) brit. Captain 50*
Jank, Ferd. (1945) Oberst 498*
Jauch, Joachim Dan. (1754) Architekt 770*
Jechiel ben Josef (1268) Rabbiner 90*
Jechiel ben Josef (14. Jh.) liturg. Dichter 90*
Jechler, Lorenz (16. Jh.) Kaufm. 90*
Jochum, Eugen (1987) Dirigent 18*
Johann Albrecht II. (1636) Hzg. v. *Mecklenburg*-Güstrow 136*
- VI. (1605) Gf. v. *Nassau*-Dillenburg 139*
- VII. (1623) Gf. v. *Nassau*-Siegen 136*
- Ernst (1622) Hzg. v. *Sachsen*-Eisenach, dän. Gen. 136*
- Georg I. (1656) Kf. v. *Sachsen* 144*
- Georg (1600) Gf. v. *Solms*-Laubach 136*
Johannes IV. Naso (1440) Bf. v. *Chur* 672*
Jolly Ps. f. Mühsam, Erich (1934) **296–98**
Jost, Adam (1934) Weingutsbes. 722*
Jürgen, Anna Ps. f. Tannewitz, Anna (1988) 483*
Jürgensmeier, Wilh. (1963) Maschinenbauer 588 in Art. Mundt, R.
Julier, Franz (1898) Bildh. 189*
- Joh. (1964) s. Moser, Hans **189 f.**
Juncker, Friedr. Christian (1770) Med. 282 in Art. Mühlenberg, Heinrich
Jurschitschek, Josef (1825) Päd. 227*
Justi, Ferd. (1907) Orientalist 497*
- Karl (1949) Med. 497*

Kähler, Ernst (1903) Sup. 582*
- Martin (1912) ev. Theol. 582*
Kaesbach, Walter (1861) Ak.dir. 762 in Art. Nauen, H.

Kahlenberg, Hans v. Ps. f. Kessler, Helene (1957) 391*
Kalckbrenner, Gerhard (1750) Notar 352*
Kálnoky, Gustav Gf. v. (1898) österr. Min. 590*
Kandinsky, Wassily (1944) Maler 546*
Karrer, Ulrich (1904) Jur. 678*
Kauffmann, Salomon (1900) Textilindustr. 570*
Kaula, Emilie (1912) Gesangspäd. 585*
- Hermann (1876) Bankier 585*
Kayser, Joh. Jacob (1856) Fabr. 582*
Kehrer, Karl (1924) preuß. Gen. 558*
Keller, Heinr. Ludw. (1869) Justizrat 752*
Kent, N. O. Ps. f. Natonek, Hans (1963) **750 f.**
Kern, Wilhelm (1959) Kaufm. 7*
Kessler, Helene (1957) Schriftst. 391*
Kettner, Heinrich (1980) Baudir. 512*
Khevenhüller, Franz Christoph Gf. v. (1684) kaiserl. Oberstjägermstr. 45*
- Ludwig Andreas Gf. v. (1744) kaiserl. FM 45*
Kiendl, Anton (1871) Geigenbauer 249*
Kimerle, Matthias v. (19. Jh.) siebenbürg. Thesaurariatsrat 372*
Kinsky, Ferd. Fürst v. (1904) WGR 49*
Kirchhofer, Joh. Heinr. (1901) ev. Theol. 678*
Kirchmaier, Thomas s. Naogeorg(us), Thomas (1563) **729 f.**
Kirchmeyer, Thomas s. Naogeorg(us), Thomas (1563) **729 f.**
Klebs, Edwin (1913) Med. 775 in Art. Naunyn, Bernh.
Kleibel, Arno (20. Jh.) Verl. 465*
Kleinbrodt, Joseph Anton (1718) Philos. 84 in Art. Morasch, J. A.
Kleinschmid, Anton Reinhold (1703) Kaufm. 279*
Klenau, Paul v. (1946) Komp. 114*
Klier, Franz (1884) Pol. 551*
Klingelhöfer, Christian (1873) Bankier 175 in Art. Moser
Kloiber, Rudolf (1973) Musikschriftst. 380*
Knoblauch, Theodor v. (1872) Oberstlt. 564*
Koch, Siegfried Gotthelf (1831) Schausp. 247*
- -Gontard, Clotilde (1871) Saloniere 581*
Kögel, Rudolf (1896) ev. Theol. 326*
Königsmarck, Maria Aurora Gfn. v. (1728) 143*
Kolb, Paul Wilh. (20. Jh.) Beamter 722*
Kother, Paul (1963) Maler 328*
Kotzebue, August v. (1831) Schriftst. 623*
Krämer, Matthias (1756) Bankier 39*
Kraft, Stefan (1959) Pol. 647 in Art. Muth, K.
Kraiß, Carl Conrad (1899) Magistratsrat in Coburg 650*
Kramer, Rudolf Jos. v. (1874) Architekt 81 in Art. Moralt
Kraus, Georg Melchior (1806) Kupferst. 668*
Kreutmeier, Anton (1944) Verbandsfunkt. 454 in Art. Müller, Ludw.
Kröller, Anthony G. (1941) Prokurist 485*
- -Müller, Helene (1939) Kunstsammlerin 485*
Krohn, August v. (1856) dän. Kriegsmin. 17*
Krüdener, Alexander v. (1900) russ. Hofrat 758*
- Juliane v. (1824) Schriftst. 531*
- Wilhelm v. (1867) russ. Gen. 759*
Krüger, Christoph Heinr. (1796) sächs. Hofrat 623*
Krüger, Joh. Anton (n. 1779) Kaufm. 623*
Krumbhaar, Friedr. Christian (1819) Bankschreiber 25*

Krummacher, Eduard (1891) Med. 752*
– Friedr. Ad. (1845) ev. Theol. 752*
Kühl, Bernh. (1946) Gen. 110*
Kuenheim, Alexander v. (1956) Major 504*
Künzel, Ferd. (1876) sächs. Rat 449*
Küster, Ernst (1930) Med. 379*
Kuntzen, Joh. Paul (1757) Organist 562 in Art. Müthel, J.G.
Kunze, Joh. Christoph (1807) ev. Theol. 279*
Kurzweil, Max (1916) Maler 197 in Art. Moser, C.

L'Arronge, Adolph (1908) Schriftst. 110*
La Tour d'Auvergne, Henri de (1675) franz. Marschall 140*
Laaths, Erwin (1973) Lit.hist. 509*
Lachmann, George (* 1918) Hist. 213*
Lachmann-Mosse, Hans (1944) Verl. 213*
Lachner, Franz (1890) Komp. 3*
Lampa, Anton (1938) Physiker 679*
Landolt, Hans Caspar (1781) Bgm. v. Zürich 604*
Landsfeld, Maria Gfn. s. **Montez,** Lola (1861) **50 f.**
Lange, Aloysia (1839) Sängerin 240*
– Joseph (1831) Schausp. 240*
Langenbeck, August (1909) Fabr. 655*
Le Monnier, Anton v. s. **Monnier,** Anton v. Le (1873) ADB 22 172 f.
Ledebur-Wicheln, Franz Gf. v. (1954) 49*
Leffler, Siegfried (1983) ev. Theol. 454 in Art. Müller, Ludw.
Lehner, Friedrich Ps. f. **Mosenthal,** Sal. Hermann v. (1877) 173–75
Leist, Karl (1960) Maschinenbauer 726 in Art. Nallinger, Fritz
Lemke, Erika (* 1942) Biol. 387*
Lenhartz, Hermann (1910) Med. 251*
Lennig, Adam Franz (1866) Gen.vikar in Mainz 232*
– Friedrich (1838) Dichter 232*
Lent, Heinr. Joh. Wilh. (1868) Ger.präs. 752*
Lenz, Jacob Michael Reinhold (1792) Dichter 146 in Art. Moritz
Leopold I. (1747) Fürst v. *Anhalt*-Dessau, preuß. Feldherr 134*
– **II.** (1751) Fürst v. *Anhalt*-Dessau, preuß. GFM 134*
– **III. Friedrich Franz** (1817) Hzg. v. *Anhalt*-Dessau 134*
Lessing, Gottfried (1770) ev. Theol. 666*
– Gotthold Ephraim (1781) Schriftst. 666*
– Theophilus (1735) Bgm. in Kamenz 666*
Leutheuser, Julius (1942) ev. Theol. 454 in Art. Müller, Ludwig
Levinsohn, Aaron (1841) Kaufm. 30*
Lickauff, Hans Jörg (1710) Bgm. in Wissenbach 351*
Lieb, Michael (1850) Steuerbeamter 597*
– Michael s. **Munkácsy,** Michael (1900) **597 f.**
Liechtenstern, Friedrich Frhr. v. (1906) preuß. Gen. 104*
Lieth, Heinrich v. der (1682) ev. Theol. 621*
Lindemann, Cyriacus (1568) Päd. 661*
Linder, Gisela (* 1932) Redakteurin 496*
Lindgens, Joh. Wilh. (1793) Mühlenbes. 129*
Linke, George Heinr. (1794) ev. Theol. 323*
Lippstadt, Hermann v. s. **Müller,** Hermann (1883) 332*, **333 f.**

Lobkowicz, Leopold Prinz v. (1933) 49*
Loeben, Ferdinand Adolf v. (1705) 143*
Löwenthal, Adolf (19. Jh.) Fabrikbes. 30*
Ludendorff, Hans (1943) Astronom 335*
Ludwig IV. (1604) Landgf. v. *Hessen*-Marburg 136*
– **V.** (1596) Landgf. v. *Hessen*-Darmstadt 136*
– (1574) Gf. v. *Nassau*-Dillenburg 139*
– (1627) Gf. v. *Nassau*-Saarbrücken 136*
– v. Montjoye (1425) Vizekg. v. *Neapel* u. Sizilien 63 Fam.art.
Ludwig, Peter (1996) Schokoladenfabr. 37*
Lücken, Leopold v. (1853) preuß. Lt. 429*
Lührmann, Heinr. Joh. Dietrich (1839) Kaufm. 561*
Lüneschloß, Karl v. (1805) kurpfälz. Oberlt. 103*
Lütcke, Lothar s. **Müthel,** Lothar (1964) **563 f.**
Lutteroth, Gottfr. Aug. (1839) Kaufm. 581*

Madathanus, Hinricus Ps. f. **Mynsicht,** Adrian v. (1638) **671**
Mäuslin, Wolfgang s. **Musculus,** Wolfgang (1563) **627 f.**
Magnus II. (1503) Hzg. v. *Mecklenburg* 141*
Mahlo, Heinz (20. Jh.) Industr. 82*
Maier, David (1894) Med. 200*
Maimonides (1204) Philos. 598 f. in Art. Muntner, S.
Maisch, Michael (1801) ev. Theol. 349*
– Wilhelmine Augusta s. **Müller,** Wilhelmine Augusta (1807) 349*
Maler Müller Ps. f. **Müller,** Friedrich (1825) **373–75**
Mallmann, Matthias (1883) Weingutsbes. 684*
Mann, Joh. s. **Monn,** Mathias Georg (1750) **38 f.**
– Joh. Christoph (1782) Komp. 38*
Mansbach, Karl v. u. zu (1890) norweg. Min.resident 231*
Marches, Edouard Baron de (1873) Mäzen 597*
Marcus, Franz Julius (1881) Sägewerksbes. 252*
Maria Theresia v. Neapel (1807) Kaiserin 732*
– Gfn. Draskovich (1969) Hzgn. v. *Bayern* 49*
– **Louise** v. *Österreich* (1847) Kaiserin d. *Franzosen* 49*, 732*
Marmorstein, Martin s. **Munkácsi,** Martin (1963) **597**
Martin, Heinrich Theodor (1968) Bankier 380*
Matthaeus, Conrad (1580) Jur. 667*
Mauskopf, Joh. Conrad s. **Musculus,** Joh. Conrad (1651) **627**
Mausolius, Johannes (1631/34) Jur. 669*
Mautner v. *Markhof,* Adolf Ignaz (1889) Industr. 198*
– – Edith (1918) Philanthropin 198*
– – Karl (1896) Industr. 198*
May, Franz Anton (1814) Med. 699*
Mayer, Carl (1944) Drehbuchautor 615 in Art. Murnau, F. W.
– Salomon (1862) Kaufm. 343*
MDSS s. **Fouqué,** Friedrich (1843) **V 306 f.,** 18 227*
Mebes, Paul (1938) Architekt 398 in Art. Müller, Hans
Medelhammer, Albin Joh. v. (1838) Theaterdichter 341*
Meese, Joh. Arnold Friedr. (1832) Kaufm. 485*
Meffert, Carl Josef s. **Moreau,** Clément (1988) **94 f.**
Meffert, José Carlos s. **Moreau,** Clément (1988) **94 f.**

Mehl, Maria (1985) Pferdezüchterin 302*
- Rudi (1980) Versicherungsuntern. 302*

Mehring, Franz (1919) Hist. 398*

Meier, Ernst Julius (1897) Sup. 224*

Meinhart, Roderich Ps. f. **Müller-Guttenbrunn,** Roderich (1956) 498*

Meisel, Ernst (1953) Kaufm. 43*

Meixner, Karl (1919) Päd. 594*

Mekum, Friedrich s. **Myconius,** Friedrich (1546) **661 f.**

Mellendorf, Josef s. **Mühldorfer,** Josef (1863) **273 f.**

Mend, Wilhelm (1978) Kaufm. 29*

Menet, Jean u. E. Ps. f. **Natonek,** Hans (1963) **750 f.**

Menius, Justus (1558) ev. Theol. 661*

Mercator, Arnold (1587) Kartograph 36*

Merckel, Friedr. v. (1875) preuß. Reg.rat 286*
- Wilhelm v. (1861) preuß. Kammerger.rat 286*

Mergenthaler, Christian (1980) württ. Min.präs. 618 in Art. Murr, W.

Messias Ps. f. **Müller,** Daniel (1786) **351 f.**

Meusel, Andreas s. **Musculus,** Andreas (1581) **626 f.**

Meyer, Bär (1820) Kaufm. 30*
- Berta (1952) s. **Morena,** Berta **98 f.**
- German (1917) Kaufm. 98*
- Conrad (1689) Maler 607*

Middelhauve, Friedrich (1966) Pol. 774 in Art. Naumann, Werner

Mielich s. a. **Müelich, Mühlich, Muelich**

Miericke, August (n. 1920) Kreiskämmerer in Nauen 384*

Mikes, Benedikt Gf. v. (1878) 182*

Mikulicz, Johs. v. (1905) Chirurg 775 in Art. Naunyn, Bernh.

Miller, Hans Jakob (1678) Goldschmied 468*
- Michel s. **Müller,** Michel (16. Jh.) ADB 22 653
- R. Ps. f. **Müller,** Philipp (1963) **467 f.**

Minne, George (1941) Graphiker, Bildh. 762 in Art. Nauen, H.

Minz, Bernhard (* 1859) Redakteur 550*
- Ludwig s. **Münz,** Ludwig (1957) **550 f.**

Misch, Robert (1929) Schriftst. 189 in Art. Moser, G. v.

Mislenta, Coelestin(us) s. **Myslenta,** Coelestin(us) (1653). **674 f.**

Misler, Joh. Hartmann (1698) Sup. in Verden 175*

Misliweczek, Josef s. **Myslivecek,** Josef (1781) **675 f.**

Modestin Ps. f. **Müllner,** Adolph (1829) 514 f.

Mögling, Christian Friedrich (1797) Sup. in Brakkenheim 175*

Mölen s. a. **Mühlen**
- Hermen thor (1559) Bgm. v. Narva 275 Fam.art. Mühlen

Möller, Joh. Friedr. (1861) Gen.sup. 332*

Mörike, Alfred (1958) Bankier 699 in Art. Naegele, R.

Mohl, Benjamin Ferd. v. (1845) württ. Pol. 175*
- Gottlob (1812) württ. GHR 175*
- Hugo v. (1872) Botaniker 175*
- Moriz (1888) Nat.ök. 175*
- Robert v. (1875) Staatswiss. 175*

Mohne, Rudolph (1789) Kaufm. 32*

Moissi, Beate s. **Molo,** Beate v. (* 1906) 8*

Moissl, Richard (20. Jh.) Verl. 466 in Art. Müller, Otto

Molen s. a. **Mühlen**

Molitor, Friedrich s. **Mylius,** Friedrich (1584) 667*
- Heinr. (n. 1479) Schreiber 447*
- Jan Ps. f. **Müller-Marein,** Jos. (1981) **504 f.**
- Joh. s. **Müllner,** Joh. (1605) 515*
- Joh. Peter (1756) Maler ADB 22 108
- Johannes s. **Mylius,** Johannes (1584) 667*
- Johs. Siegfried s. **Mylius,** Johs. Siegfried (um 1584) 667*

Molitoris, Oswald s. **Myconius,** Oswald (1552) **662 f.**

Moller s. a. **Möller, Müller**
- Georg (1852) Architekt 394*
- Martin (1606) geistl. Dichter **1**
- Martin (1649) Päd. 1*
- Meta (1758) s. **Klopstock,** Meta XII 116*
- Nicolaus (1673) ev. Theol. 394*
- Olaus Heinr. (1796) Genealoge ADB 22 128–30
- Otto v. (1600) Propst in Braunschweig 17 742*
- Peter (18. Jh.) Kaufm. XII 116*
- Rolof (1529) Bgm. v. Stralsund ADB 22 130–31
- Vincent (1621) Bgm. v. Hamburg VI 72*
- Wilhelm v. (um 1620) ev. Theol. 17 741*

Mollier, Eduard (1906) Schiffbauing. **1***
- Franz Josef (1816) Schirmfabr. XII 62*
- Martin Joseph (1848) Gutsbes. **1***
- Richard (1935) Thermodynamiker **1 f., 2***
- Siegfried (1954) Anatom **2***, **2 f.**

Mollin, Nikolaus s. **Mollyn,** Nikolaus (1625) ADB 22 155, 45 669

Mollinary, Anton Frhr. v. (1904) Gen. **3 f.**
- Franz Anton Karl Frhr. v. (1909) Min.beamter 4*
- Karl (1868) Oberstlt. **3***

Mollison, James (1875) Kupferst. 4*
- Theodor (1952) Anthropol. 17 70 in Art. Mengele, J., **18 3 f.**

Mollweide, Christoph (* 1719) Registrator 6*
- Karl Brandan (1825) Math., Astronom. **6 f.**

Mollwo, Erich (1993) Physiker **7**
- Hans Joachim (* 1941) Päd. **7***
- Ludwig (1936) Hist. **7***
- Ludwig (1922) Päd. **7***

Mollyn, Nikolaus (1625) Drucker ADB 22 155, 45 669

Molner, Diederich (15. Jh.) Drucker IX 356*

Molo, Beate v. (* 1906) Filmproduzentin 17 717*, 18 8*
- Hans v. (1941) Schriftst. **7***
- Jos. v. (1891) Med. **7***
- Carl v. (1923) Kaufm. **7***
- Conrad Kurt v. (* 1906) Filmproduzent 17 717*, 18 8*
- Walter v. (1958) Schriftst. **7–9**

Molre, Bartold s. **Moller,** Bartold (1530) ADB 22 122 f.

Molseym, Jakob s. **Micyllus,** Jacob (1558) **17 459 f.**

Molsheim, Jacob s. **Micyllus,** Jacob (1558) **17 459 f.**

Molshem, Jakob s. **Micyllus,** Jacob (1558) **17 459 f.**

Molt, Alfred (1935) Versicherungsuntern. 10*
- Emil (1936) Zigarettenfabr. **9 f.**
- Karl Gottlob (1842) Mechaniker 10*
- Carl Gottlob (1910) Versicherungsuntern. **10 f.**
- Peter (* 1929) Ministerialbeamter 10*
- Walter (1949) Jur. 10*
- Walter Georg Konrad (* 1906) Kaufm. **9***

Molter, Friedrich Valentin (1808) Bibl. **11***
- Friedrich (1842) Bibl. **11***
- Joh. Melchior (1765) Komp. **11 f.**

- Joh. (1828) Archivar 11*
- Valentin (1730) Päd. 11*

Molther, Menrad (1558) Humanist, Reformator ADB 52 446 f.
- Phil. Heinrich (1780) Prediger d. Brüdergemeine ADB 22 155 f.

Moltke, Adam Gottlob Gf. v. (1792) dän. Oberhofmarschall 13 Fam.art.
- Adam Ludwig Gf. v. (1810) Gen. 13 Fam.art.
- Adam Gottlob Ferd. Gf. v. (1820) dän. Admiral 13 Fam.art.
- Adam Gottlob Detlef Gf. v. (1843) Schriftst. 13 Fam.art., ADB 22 156 f.
- Adam Gf. v. (* 1908) dän. Dipl. 13 Fam.art.
- Adolf (1871) Landrat in Pinneberg 17*
- Frederik Gf. v. (1875) dän. Außenmin. 13 Fam.art.
- Freya Gfn. v. (* 1911) Jur. 18*
- Friedrich Kasimir Siegfried v (1785) kaiserl. Hptm. 13*
- Friedr. Gf. v. (1825), preuß. Oberjägermstr. 16 319*
- Friedrich v. (1845) dän. Gen. 13*, 17*, ADB 52 447 in Art. Moltke, Helmuth Gf. v.
- Friedrich Gf. v. (1927) preuß. Innenmin. 13 Fam.art.
- Gebhard v. (1644) mecklenburg. Staatsmann 12 Fam.art., ADB 22 157 f.
- Gustav Bernhard v. (1710) Dipl. 12 Fam.art.
- Hans Adolf v. (1943) Dipl. 13 Fam.art.
- Harald Gf. v. (1960) Maler 13 Fam.art.
- Heinrich Gf. v. (1922) Vizeadmiral 13 Fam.art.
- Helmuth Gf. v. (1891) preuß. GFM 13 Fam.art., **13–17**, 17*, 18*
- Helmuth Gf. v. (1916) preuß. Gen. III 97*, 18 13 Fam.art., 13*, **17 f.**, 18*
- Helmuth Gf. v. (1939) Gutsbes. 18*
- Helmuth James Gf. v. (1945) Widerstandskämpfer 13 Fam.art., 13*, 17*, **18–21**
- Joachim Godske Gf. v. (1818) dän. Finanzmin. 13 Fam.art.
- Joachim Wolfgang Gf. v. (* 1909) Mus.dir. 18*
- Carl v. (1838) mecklenburg.-strelitz. Oberjägermeister 13 Fam.art.
- Carl Emil Gf. v. (1858) Dipl. 13 Fam.art.
- Carl Gf. v. (1866) dän. Min. 13 Fam.art.
- Carl Gf. v. (1935) dän. Außenmin. 13 Fam.art.
- Conrad Gf. v. (1937) preuß. Gen. 13 Fam.art.
- Kuno Gf. v. (1923) preuß. Gen. 13 Fam.art.
- Ludwig Gf. v. (1864) Dipl. 13 Fam.art.
- Magnus Gf. v. (1813) Gen. 13 Fam.art.
- Magnus Gf. v. (1864) dän. Pol. 13 Fam.art.
- Max. Leop. (1894) Dichter 13 Fam.art., ADB 52 458–62
- Otto Joachim Gf. v. (1853) dän. Min. 13 Fam.art.
- Otto Gf. v. (1928) Pol. 13 Fam.art.
- Siegfried (1955) Bibl. 13 Fam.art.
- Veronica Gfn. v. (* 1932) Pianistin 18*
- Werner Jasper Andreas Gf. v. (1838) Oberpräs. v. Kopenhagen 13. Fam.art.
- Wilhelm Gf. v. (1864) dän. Finanzmin. 13 Fam.art.
- Wilhelm Gf. v. (1905) preuß. Gen. 17*, 18*
- Wilh. Viggo Gf. v. (1987) Städteplaner 18*
- **-Hvitfeld,** Léon Gf. v. (1896) Dipl. 13 Fam.art.
- - Wladimir Gf. v. (1894) dän. Hofjägermstr. 17*

Moltzahn s. a. **Maltzahn, Maltzan, Moltzan, Molzahn, Molzan** 15 740–43

Molzahn s. a. **Maltzahn, Malzahn, Malzan, Moltzan, Molzan**
- Ilse (1981) Schriftst. 21*
- Johs. (1965) Maler 21
- Ludwig (1931) Buchbinder 21*

Moltzer, Jacob (1558) s. **Micyllus,** Jacob **17 459 f.**

Molzan, Hermann v. s. **Maltzan,** Hermann v. (1322) **15 741** Fam.art. Maltza(h)n, ADB 20 154 f.

Momber, Hans (1815) Mennonit ADB 22 158

Mombert. Alfred (1942) Dichter **22 f.**, 23*
- Eduard (1901) Kaufm. 22*
- Franz (* 1909) Nat.ök. 23*
- Jacob Lazarus (1824) Dentist 22*
- Jakob (1894) Kaufm. 22*, 23*
- Moritz (1859) Med. 22*, 23*
- Paul (1938) Nat.ök. 22*, **23 f.**

Momma, Wilhelm (1677) ev. Theol. ADB 22 158

Mommer, Aegid (1570) Jur. ADB 22 158 f.

Mommersloch s. a. **Mummersloch,** v. der Po **24 f.**
- Ludwig (1319) Kölner Patrizier 25 Fam.art.
- Bela (um 1300) Begine 25 Fam.art.
- Gumpert (1541) Kölner Patrizier 25 Fam.art.
- Herbert (v. 1497) Kölner Ratsherr 25 Fam.art.
- Kaspar (1590) Kölner Ratsherr 25 Fam.art.
- Melchior (1564) Kölner Patrizier 25 Fam.art.

Mommsen, August (1913) Päd. 25*
- Ernst (1930) Med. 28*
- Ernst Wolf (1979) Industr. 25*, **28 f.**, 29*
- Friedrich (1892) Jur., Konsistorialpräs. ADB 52 462–64
- Hans Georg (1941) Ing. 29*
- Hans (* 1930) Hist. 25*
- Hans (* 1942) Physiker 29*
- Ingeborg (* 1946) Jur. 29*
- Jens (1851) ev. Pfarrer 25*
- Karl (1922) Bankier 25*
- Konrad (1946) Vizeadmiral 25*
- Theodor (1903) Hist. **25–27**, 28*, 29*
- Theodor (1958) Hist. 25*
- Tycho (1900) Päd. 15 454*, 18 25*
- Wilhelm (1966) Hist. 25*
- Wolfgang (1986) Archivar 25*, 28*, **29**
- Wolfgang J. (* 1930) Hist. 25*

Momsen, Hans (1811) Math., Mechaniker ADB 22 160–62

Monachus, Joh. s. **Münch,** Johann (1599) ADB 22 716

Monasterio, Theodericus de s. **Münster,** Dietrich v. (v. 1419) ADB 23 25–27

Monau, Jakob (1603) schles. Rat, Gel. ADB 22 162 f.
- Peter (1588) kaiserl. Leibarzt ADB 22 163

Monbart, Erich v. (1907) preuß. Oberstlt. 391*

Moncelet, Jean Charles de (1767) franz. Offz. 211*

Mond, Sir Alfred (1930) Industr., Pol. 30*
- Bär Meyer (1820) Kaufm. 30*
- Ludwig (1909) Chemiker **30 f.**
- Meyer Bär (1891) Kaufm. 30*
- Sir Robert Ludwig (1938) Industr. 30*

Mondel, Friedr. Frhr.v. (1886) FZM ADB 52 468–70

Monden, Herbert (1952) Eisenhüttenmann **31 f.**

Mone s. a. **Mohne, Monee, Moonen**
- Franz Jos. (1871) Archivar **32 f.**
- Fridegar (1900) Päd. 32*

Monetarius, Hieronymus s. **Münzer,** Hieronymus (1508) **557 f.**

Monfortius, Basilius s. **Castellio,** Sebastian (1563) III 173 f.
Monforts, August (1926) Maschinenbauer **33 f.,** 34*
- Joh. Caspar (* 1915) Maschinenbauer 34*
- Johs. Matthias (* 1702) Jur. 33 Einl.
- Jos. (1954) Maschinenbauer 33*, **34 f.**
Mongré, Paul s. **Hausdorff,** Felix (1942) **VIII 111 f.**
Monhaupt, Ernst (1835) preuß. Gen.lt. ADB 22 166 f.
Monheim s. a. **Munheim**
- Andreas (1804) Apotheker 37*
- Bernd (* 1933) Schokoladenfabr. 37*
- Dieter (* 1932) Schokoladenfabr. 37*
- Eberhard v. (n. 1346) Landmeister d. Dt. Ordens **35 f.**
- Felix (1983) Geogr. 37*
- Franz (1969) Schokoladenfabr. 37*
- Hans (1992) Schokoladenfabr. 37*
- Hans-Georg (* 1928) Schokoladenfabr. 37*
- Hermann Jos. (1945) Schokoladenfabr. 37*
- Joh. Peter Jos. (1855) Apotheker 37*
- Johs. (1564) Humanist **36 f.**
- Johs. Peter Josef (1855) Chem. ADB 22 168 f.
- Leonard (1913) Schokoladenfabr. **37 f.**
- Richard (1951) Schokoladenfabr. 37*
- Rolf (* 1941) Geogr. 37*
Monkewitz, Joh. Kasimir v. (1789) schaumburg.-lippesch. Oberstlt. ADB 22 169–71
Monn s. a. **Mann**
- Joh. s. **Monn,** Mathias Georg (1750) **38 f**
- Mathias Georg (1750) Komp. **38 f.**
Monnard, Karl (1865) schweizer. Staatsm., Philol. ADB 22 759–64
Monner, Basilius (1566) Jur. ADB 22 171
Monnier, Anton v. Le (1873) österr. Polizeibeamter ADB 22 172 f.
Monogrammist E. S. s. **Meister** E. S. (um 1467) **16 711 f.**
- H. L. s. **Meister** d. Breisacher Hochaltars (um 1533) **16 709 f.**
- I. P. s. **Meister** d. Irrsdorfer Flügeltafeln (um 1520) **16 715 f.**
Monschein, Josef (n. 1763) Jesuit ADB 22 173
Monse, Jos. Wratislaw v. (1793) Jur. ADB 22 173
Monsperger, Jos. Julius (um 1788) Jesuit ADB 22 173 f.
Mont, Johs. (1585) Bildh. 42*
- Jos. du s. **Du Mont,** Jos. (1861) **IV 190 f.**
Mont, de s. a. **Demont, v. Mont-Löwenberg, de Mont-Leuenberg** 39
- Jos. Lorenz, Frhr. v. Löwenberg (1826) franz. Gen. 39 Fam.art.
- Gallus (1608) auf Löwenberg 39 Fam.art.
- Melchior Frhr. zu Löwenberg (1661) Hauptm. 39 Fam.art.
- Michael (16. Jh.) Bgm. v. Chur 39 Fam.art.
- Ulrich (1692) Bf. v. Chur 39 Fam.art.
Montag, Eugen (1811) Abt v. Ebrach **39–41**
- Georg Wilhelm (1767) Jur. 39*
Montaltus, Christianus s. **Hoburg,** Christian **IX 282 f.**
Montanus s. a. **Amberg, Bergmann**
- Arnoldus (1669) Schriftst. ADB 22 182
- Jakob (um 1534) Humanist **41**
- Joh. s. **Berg,** Joh. vom (1563) **II 74**
- Johs. s. **Berg,** Adam (1610) **II 72 f.**
- Martin (n. 1566) Dichter **41 f.**

- Petrus (1621) Päd., Übers. ADB 22 182
- Vincenz Jacob v. s. **Zuccalmaglio,** Vincenz Jacob v. (1876) ADB 45 469–71
Montau, Dorothea v. s. **Dorothea** von Montau (1394) **IV 84**
Monte, Filippo di (1603) Komp. **42 f.**
- Gerhard di s. **Terstegen de Monte,** Gerhard (1480) ADB 54 681 f.
- Hilda (1945) Sozialistin **43 f.**
- Jacob di (1549) Maler 42*
- Johs. de claro s. **Lichtenberger,** Joh. (1503) ADB 18 538–42
- Philippe van s. **Monte,** Filippo di (1603) **42 f.**
Montecuccoli s. a. **Montecuculi**
- Albert Gf. v. (1852) österr. Landmarschall 44 Einl.
- Alfons Karl Gf. v. (1952) Kapitän 47*
- Ernst Gf. v. (1633) kaiserl. ObristFZM 44*
- Leopold Philipp Fürst v. (1698) FML 45*
- Luigi Ranieri Gf. v. (1852) kaiserl. Oberstlt. 47*
- Raimund Fürst v. (1680) österr. Feldherr, Staatsm. XI 363*, 571*, 14 331*, **18 44–47**
- Rodolfo Gf. v. (1922) Admiral 44 Einl., **47 f.**
Montel v. *Treuenfest,* Giovanni Antonio (1869) Vizepräs. v. Welschtirol 48*
- – Johs. (1910) Dipl. **48 f.**
Monten, Dietrich (1843) Maler ADB 22 189 f.
Montenuovo, Fürst v., Alfred (1927) österr. Hofbeamter 16 185*, **18 49 f.**
- Wilh. Albrecht (1895) österr. FZM 16 185*, 18 49*, 732*
- Ferdinand (1951) 49*
Montesperato, Ludovicus de s. **Carpzov,** Benedikt (1666) **III 156**
Montez, Lola (1861) Tänzerin **50 f.**
Montfort, Grafen v. s. a. **Werdenberg, Grafen v.,** **51–54**
- Anton III. (1733) auf Tettnang 53 Fam.art.
- Anton IV. (1787) auf Tettnang 53 Fam.art.
- Ernst (1755) auf Tettnang 53 Fam.art.
- Franz Xaver (1780) auf Tettnang 53 Fam.art.
- Friedrich (13. Jh.) Domherr in Chur 52 Fam.art.
- Friedrich (1290) Bf. v. Chur 52 Fam.art.
- Georg III. (1544) auf Tettnang u. Bregenz 53 Fam.art.
- Georg IV. (1590) auf Tettnang 53 Fam.art.
- Heinrich III. (1272) Bf. v. Chur X 18*, 18 52 Fam.art.
- Heinrich (1307) Dompropst in Chur 52 Fam.art.
- Heinrich IV. (1408) auf Tettnang 52 Fam.art.
- Heinrich VI. (1444) auf Werdenberg 53 Fam.art.
- Hugo I. (1228) X 16*, 18 51 Fam.art.
- Hugo II. (13. Jh.) 52 Fam.art.
- Hugo III. (1309) auf Tettnang 52 Fam.art.
- Hugo IV. (1310) auf Feldkirch 52 Fam.art.
- Hugo V. (1338) auf Bregenz 52 Fam.art.
- Hugo VIII. (XII.) (1423) **X 18,** 18 54 Fam.art.
- Hugo XIII. (1491) auf Rothenfels 53 Fam.art.
- Hugo XIV. (1444) auf Tettnang u. Bregenz, Johanniter 53 Fam.art.
- Hugo XV. (1519) auf Tettnang 53 Fam. art.
- Hugo XVI. (1564) auf Tettnang 53 Fam.art.
- Hugo XVII. (1536) auf Tettnang u. Bregenz 53 Fam.art.
- Hugo XVIII (1662) auf Tettnang 53 Fam.art.
- Jakob. v. (1573) auf Tettnang V 715*, 18 53 Fam.art.

- Johann I. (1529) auf Tettnang 53 Fam.art.
- Johann VI. (1619) Reichskammerger.präs. V 715*, 18 53 Fam.art.
- Johann VIII. (1686) auf Tettnang 53 Fam.art.
- Johannes (1218) Hl. 53 Fam.art.
- Konrad (1399) auf Tettnang u. Bregenz 53 Fam.art.
- Rudolf I. (13. Jh.) auf Werdenberg 52 Fam.art.
- Rudolf II. (1302) auf Feldkirch 52 Fam.art.
- Rudolf III. (1334) Bf. v. Konstanz 52 Fam.art.
- Rudolf IV. (1375) auf Feldkirch 52 Fam.art.
- Rudolf V. (1390) auf Feldkirch 52 Fam.art.
- Rudolf VI. (1425) auf Tettnang 53 Fam.art.
- Rudolf VII. (1445) auf Rothenfels 53 Fam.art.
- Ulrich I. (1287) auf Bregenz 52 Fam.art.
- Ulrich II. (1350) auf Feldkirch 52 Fam.art.
- Ulrich IV. (1574) auf Tettnang 53 Fam.art.
- Ulrich V. (1495) auf Tettnang 53 Fam.art.
- Ulrich VII. (1520) auf Tettnang 53 Fam.art.
- Wilhelm (1301) Abt v. St. Gallen 52 Fam.art
- Wilhelm II. (1354) auf Tettnang 52 Fam.art.
- Wilhelm III. (1373) auf Tettnang u. Bregenz 52 f. Fam.art.
- Wilhelm III. (1378) auf Bregenz X 18*
- Wilhelm V. (1439) auf Tettnang 53 Fam.art.
- Wilhelm VII. (1422) auf Tettnang u. Bregenz 53 Fam.art.
- Wilhelm VIII. (1483) auf Werdenberg 53 Fam.art.

Montgelas, *de Garnerin de la Thuille,* **v. 54 f.**
- Adolf Gf. (1924) Dipl. 55 Fam.art.
- Albert Gf. (* 1950) Tierarzt 54 Fam.art.
- Albrecht Gf. (1958) Journ. 54 Fam.art.
- Auguste Gfn. (1805) bayer. Obersthofmeisterin 55*
- Clemens Gf. (* 1976) 55 Fam.art.
- Eduard Gf. (1916) Dipl. 54 Fam.art.
- Elisabeth Gfn. (1945) Schriftst. 54 Fam.art.
- Emmanuel Gf. (1969) auf Egglkofen 54 Fam.art.
- Franz Gf. (1945) Architekt 54 Fam.art.
- Hugo Gf. (1885) 54 Fam.art.
- Hugo Gf. (1916) württ. Oberstallmstr. 54 Fam.art.
- Janus Frhr. v. (1767) bayer. Gen. 54 Fam.art., 55*
- Joh. Sigmund Garnerin Frhr. v. s. **Montgelas,** Janus (1767) ADB 22 193 in Art. Montgelas, M. J. Gf. v.
- Joseph Gf. (1986) auf Gerzen, Dipl. Forstwirt 54 Fam.art.
- Joseph Gf. (1921) bayer. Offz. 54 Fam.art.
- Karl-Maximilian Gf. (* 1909) Kaufm. 55 Fam.art.
- Ludwig Gf. (1892) Dipl. 54 f. Fam.art., 55*
- Ludwig Gf. (1982) Offz. 55 Fam.art.
- Margarete Gfn. (1976) Übersetzerin 54 Fam.art.
- Maria Josepha Gfn. (1827) bayer. Hofdame 55*
- Maximilian Gf. (1838) bayer. Staatsm. I 338*, V 421*, 16 182*, 18 54 Fam.art., **55–63**
- Maximilian Gf. (1870) Bankier 54 Fam.art., 55*
- Maximilian Gf. (1884) bayer. Offz. 54 Fam.art.
- Maximilian Gf. (1938) bayer. Offz. 55 Fam.art.
- Max Jos. Gf. (* 1947) auf Gerzen, RA 54 Fam.art.
- Paul Gf. (1968) Korvettenkapitän 54 Fam.art.
- Pauline Gfn. (1961) Schriftst. 55 Fam.art.
- Philipp Gf. (* 1969) Betriebswirt 55 Fam.art.
- Rudolf Gf. (* 1913) Kaufm. 55 Fam.art.
- Rudolf Konrad Gf., Frhr. v. der Heydte (* 1939) auf Egglkofen 54 Fam.art.
- Tassilo Gf. (* 1937) Jur. 55 Fam.art.
- Thassilo Gf. (1992) Verbandsfunktionär 54 Fam.art.
- Theodor Gf. (1938) Offz. 55 Fam.art.

Montjoye, v. s. a. **Froberg, 63 f.**
- **-De la Roche,** Beat Albert Ignaz Gf. (1725) auf Vaufrey 63 Fam.art.
- Franz-Paris (1686) auf Eméricourt 63 Fam.art.
- Franz Gf. (1978) 64 Fam.art.
- Johann (1437) auf Heimersdorf 63 Fam.art.
- Joh. Nikolaus (1537) auf Eméricourt 63 Fam.art.
- Joh.-Claudius (1604) Statthalter v. Belfort 63 Fam.art.
- Joh. Georg (1648) Vogt v. Belfort 63 Fam.art.
- Joh. Franz Ignaz Gf. (1716) franz. Gen. 63 Fam.art.
- Joh. Nep. Franz Gf. (1791) auf Hirsingen 64 Fam.art.
- Joh. Nep. Simon Jos. Gf. (1840) bayer. Gen. 64 Fam.art.
- Ludwig (1425) Vizekg. v. Neapel u. Sizilien 63 Fam.art.
- Magnus Ludwig Karl Franz Gf. (1757) auf Hirsingen 63 Fam.art.
- Philipp Jos. Anton Gf. (1757) Dt.ordenskomtur 63 Fam.art.
- Simon Nik. Euseb Gf. (1775) Bf. v. Basel 63 Fam.art.
- Stephan (1540) auf Hirsingen u. Vaufrey 63 Fam.art.
- Wilhelm II. (1350) auf Heimersdorf 63 Fam.art.

Montmartin, v. s. a. **Eckbrecht v. Dürckheim-Montmartin IV 285 f.**
- Friedr. Sam. Gf. M. du Maz (1778) württ. Staatsmann IV 285*, **18 64 f.**

Montigel, Rudolf (1474) Dichter ADB 40 8 in Art. Viol, H.

Montius, Christoph s. **Mundt,** Christoph (1572) ADB 52 537–40

Montmorency, Floris Frhr. v. (1570) niederländ. Dynast ADB 22 204–06
- Philipp v. s. **Hoorne,** Philipp v. M. Gf. v. (1568) ADB 13 99–101

Monzel, Nikolaus (1960) Religionssoziol. **65 f.**

Moog, Ernst (1930) altkath. Theol. 66*
- Georg (1934) altkath. Bf. **66 f.**
- Heinz (1989) Schausp. **67**
- Joseph (* 1867) altkath. Theol. 66*
- Mathilde (1958) Malerin 67*
- Thomas (* 1950) Maler 67*
- Willy (1935) Philos. **67 f.**

Mook, Friedrich (1880) Dichter, Ägyptol. ADB 22 206

Moonen, Joh. Jos. (1840) Kaufm. 32*

Mooren, Albert (1899) Augenarzt VII 281*, **18 68 f.**
- Clemens (1866) Kaufm. 68*
- Joh. Lambert Jos. (1801) Jur. 68*
- Jos. Joh. Hubert (1887) kath. Theol. 68*
- Theodor (1906) MdR 68*
- Virgilius (1888) Kaufm. 761*

Moortgat, Anton Hendrik (1927) Philol. 69*
- Anton (1977) Archäol. **69 f.**
- Elis. Alexandra (* 1947) Redakteurin 69*
- **-Correns,** Ursula (* 1920) Archäol. 69*
- **-Pick,** Waldemar (* 1923) Physiker 69*

Moos, Albert v. (1918) Eisenindustr. 72*, 73*
- André v. (* 1949) Eisenindustr. 73*
- Eduard v. (1911) Eisenindustr. 71 Fam.art., 72*

- Franz Xaver v. (1897) Eisenindustr. 71 Fam.art., 73*
- Joseph v. (1939) Maler 72 Fam.art., 73*
- Jost (1369) Luzerner Bürger 71 Fam.art.
- Heinrich (1386) Hauptm. 71 Fam.art.
- Heinrich (1891) Kaufm. 74*
- Kaspar v. (1629) ev. Theol. 71 Fam.art.
- Ludwig v. (1872) Eisenindustr. 72*
- Martin v. (1842) Eisenfabr. 72*
- Max v. (1979) Maler **73 f.**
- Moritz v. (1972) Eisenindustr. 71 Fam.art., 72*
- Paul (1952) Musikästhetiker **74 f.**
- Peter v. (1713) Luzerner Patrizier 71 Fam.art.
- Robert (1916) Textilindustr. VII 365*
- Salomon (1895) Otologe **75 f.**
- Walter v. (* 1918) Eisenindustr. 71 Fam.art., 73*
- **-Schobinger,** Ludwig v. (1812) Eisenfabr. 71 Fam.art., 72*
- **-Schumacher,** Ludwig v. (1898) Eisenindustr. 71 Fam.art., **72 f.**, 73*
- **-Zetter,** Ludwig v. (1956) Eisenindustr. 71 Fam.art., 72*, 73

Moosbrugger s. a. **Mosbrugger, Moßbrugger**
- Andreas s. **Moosbrugger,** Caspar (1723) **76 f.**
- August (1858) Architekt ADB 22 208
- Fritz (1830) Genremaler ADB 22 208 f.
- Johannes (1710) Maurermstr. 76*
- Josef (1869) Landschaftsmaler ADB 22 209 f.
- Caspar (1723) Baumeister **76 f.**, 77*
- Leopold (1864) Math. ADB 22 207 f., 404 f.
- Michael (n. 1697) Zimmermstr. 76*
- Wendelin (1849) Maler ADB 22 206 f.

Mooser, Anton (1947) Heraldiker 78*
- Hermann (1971) Biol. **78**
- **-Hunkeler,** Emanuel (* 1925) Physiker 78*

Mooyer, Ernst Friedr. (1861) Historiker ADB 22 210

Mor, del s. **Moro, v.** 153 f.

Morach, Albert (1912) Päd. 79*
- Hermana (1974) Bildhauerin 79*
- Otto (1973) Maler **79**

Moraht, Adolf (1884) ev. Theol. ADB 22 213 f.

Moral, Hans (1933) Zahnarzt **79 f.**

Moralt s. a. **Muralt, Muralto,** Münchener Fam. 80–82
- Adam (1811) Musiker 80 Fam.art., 602 in Fam.art. Muralt
- Angelo (1906) Kaufm. 81 Fam.art.
- Anton (1862) Hornist 82 Fam.art.
- Anton (1883) Musiker 81 Fam.art.
- August (1886) Cellist 81 Fam.art.
- August (1906) bayer. Offz. 81 Fam.art.
- August (1986) Holzfabr. 81 Fam.art.
- Augustin (1927) Möbelfabr. 81 Fam.art.
- Clementine (1845) Sängerin 80 Fam.art.
- Eduard Anton (1859) Musiker 81 Fam.art.
- Friedrich (1869) Hornist 82 Fam.art.
- Heinrich Anton (1859) Apotheker 81 Fam.art.
- Jakob (1820) Musiker 81 Fam.art.
- Joh. Bapt. (1825) Komp. 80 f. Fam.art.
- Joseph (1848) Cellist 81 Fam.art.
- Joseph (1855) Violinist 80 Fam.art.
- Josephine (1898) Sängerin 81 Fam.art.
- Julius (1861) Archivar 81 Fam.art.
- Karl (1853) Kontrabassist 81 Fam.art.
- Karl Peter (1901) Musiker 81 Fam.art.
- Ludwig (1888) Maler 81 Fam.art.
- Ludwig (1931) Kaufm. 81 Fam.art.
- Luise (1884) Sängerin 82 Fam.art.
- Otto (1887) Richter 80 Fam.art.
- Otto (1913) Redakteur 80 Fam.art.
- Paul Alois (1943) Maler 81 Fam.art.
- Peter (1856) Violinist 81 Fam.art.
- Peter (1906) Intendanzrat 81 Fam.art.
- Philipp (1830) Cellist 81 Fam.art.
- Rudolf (1958) Dirigent 81 Fam.art.
- Theodor Ludwig (1922) Kaufm. 81 Fam.art.
- Wilhelm (1874) Komp. 81 Fam.art.
- Willy (1947) Maler 81 Fam.art.

Morandus (um 1115) Hl., Benediktiner **82**

Moras, Alfred (1943) Textilfabr. 82*
- Ferdinand (* 1941) Kaufm. 82*
- Gottfried (1984) Textilfabr. 82*
- Joachim (1961) Redakteur **82–84**
- Nikolaus (* 1936) Graphiker 82*
- Otto (* 1871) Textilfabr. 82*
- Otto (1897) Textilfabr. 82*

Morasch, Joh. Adam (1734) Med. **84 f.**
- Joh. Karl (* 1719) Med. 84*
- Maximilian Anton (* 1718) Med. 84*

Morata, Olympia Fulvia (1555) Dichterin **85 f.**

Moravia, de s. **Moravus**

Moravus, Matthias (um 1491) Drucker ADB 22 214 f.
- Valentin (Anf.16.Jh.) Drucker ADB 22 214, 26 830 f.

Morawietz, Kurt (1994) Schriftst. **86 f.**

Morawitz, August (1897) Zool. 88*
- Karl v. (1914) Bankier **87 f.**
- Moritz (1909) Eisenbahntechn. 87*
- Paul (1936) Med. **88 f.**

Morawitzky, Benedict Heinr. Gf. v. (1770) kaiserl. u. bayer. Gen. 89*
- Joseph Clemens Gf. v. (1788) bayer. WGR 89*
- Maximilian Gf. v. (1817) Richter 89*
- Theodor Gf. v. (1810) bayer. Staatsmann **89**

Mordechai ben Hillel (1298) Rabbiner **90**

Mordeisen, Ulrich (1541) Kaufm. 90*
- Ulrich v. (1572) sächs. Staatsmann **90 f.**

Morder, Henning (1517) Bgm. v. Stralsund ADB 22 130 in Art. Moller, R.

Mordo, Peter Rudolf (1985) Komp. 91*
- Renato (1955) Theaterintendant **91 f.**
- Rodolfo (1932) Kaufm. 91*

Mordtmann, Andreas David (1879) Orientalist **92 f.**, 93*
- Andreas (1912) Med. 92*
- August Justus (1912) Schriftst. 92*
- Jens Roloff Elias (1829) Kaufm. 92*
- Joh. Heinrich (1932) Orientalist 92*, **93 f.**

Moreau, Clément (1988) Graphiker **94–96**

Morel s. a. **Morell**
- Benedict s. **Morel,** Gall (1872) **96 f.**
- Gall (1872) Hist. **96 f.**
- Josef (1900) Pol. 96*
- Karl (1866) Hist. 96*, ADB 22 222 f.
- Max (1966) Bankier 97*
- Willy (1973) klass. Philol. **97**

Morell s. a. **Morel**
- Georg Jacob Karl (1881) Päd. 97*
- Karl (n. 1933) Päd. 97*
- Theodor (1948) Med. **97 f.**

Morelli, Genia (1953) Photogr., Schausp. 14 405*
- Giovanni (1891) Kunsthist. ADB 52 566–70

Morena, Berta (1952) Sängerin **98 f.**
- Erna (1962) Schausp. VIII 742*, **18 99**

Morenz, Ruth (* 1929) Musikpäd. 100*
- Siegfried (1970) Ägyptol. **100**
Moretto, Pellegrino (1548) Humanist 85*
Morf, Heinrich (1899) Päd. 100*, ADB 52 470–74
- Heinrich (1921) Romanist **100–02**
- Salomon (1756) ev. Theol. ADB 22 226 f.
Morff, Gottlob Wilh. (1857) Maler ADB 22 227
Morgan, Ernest (1957) Schausp. 102*
- Josa (* 1898) Schausp. 102*
- Paul (1938) Schausp. **102**
- Rosa Ps. f. **Arendt,** Olga (1902) 110*
Morgen, Kurt v. (1928) Gen. V 285*
Morgenroth, Franz Ant. (1847) Musiker ADB 22 227 f.
- Heinrich (1906) Kaufm. 102*
- Julius (1924) Med. **102 f.**
- Lazarus (1881) Kaufm. 102*
Morgenstern, Abraham (1908) Kaufm. 114*
- Alfred (* 1865) Eisenbahnbauer 110*
- Benedict (1599) ev. Theol. ADB 22 228–30
- Christian (1867) Maler **103 f.,** 104*
- Christian (1914) Dichter 103*, **104–08**
- Dan Michael (* 1929) Musikschriftst. 114*
- David (1882) Pol. **108**
- Ernst s. **Morgan,** Ernest (1957) 102*
- Friedr. Wilh. Christoph (1798) Maler 109*
- Friedrich (* 1866) Fabr. **108**
- Friedr. Ernst (1919) Maler 109*
- Guido Franz (1791) Jur. III 324*
- Gustav (1922) Jur. 102*
- Heinrich (1869) Fabr. **108**
- Heinrich (* 1893) Jur. 102*
- Joh. Christoph (1767) Maler 109*
- Joh. Friedrich (1844) Maler 109*, ADB 22 230 f.
- Joh. Heinrich (1813) Maler 103*
- Joh. Ludw. Ernst (1819) Maler 109*, ADB 22 230
- Jos. (1878) Fabr. **108**
- Carl (1893) Maler **109,** 478*
- Carl (* 1950) Math. 111*
- Karl Sim. (1852) Philol. ADB 22 231–33
- Karl Ernst (1928) Maler 103*, 104*
- Lina (1909) Schriftst. **109–11**
- Louise (1874) Malerin 103*
- Oskar (1977) Nat.ök. **111–13**
- Paul s. **Morgan,** Paul (1938) **102**
- Pfeifer (1839) Kaufm. **108**
- Salomo Jak. (1785) preuß. Hofrat **113 f.**
- Soma (1976) Schriftst. **114 f.**
- Theodor (1910) Kaufm. 110*
- Wilh. (v. 1929) Kaufm. 111*
Morgenthaler, Christian Niklaus (1928) Geometer 115*
- Ernst (1962) Maler 115*, **116 f.,** 117*, 118*
- Fritz (1984) Psychoanalyt. 116*, 117*, **118–20**
- Hans (1928) Schriftst. **120 f.,** 121*
- Jacob Andreas (1901) Pol. 120*
- Marco (* 1958) Psychoanalyt. 118*
- Max (1980) Lebensmittelchemiker 120*, **121**
- Niklaus (* 1918) Architekt 116*, 117*
- Otto (1940) Pol. 120*
- Otto (1973) Bienenforscher 115*, **116,** 116*, 117*, 118*
- Ruth (* 1928) Graphikerin 118*
- Walter (1965) Psychiater **115 f.,** 116*, 117*, 118*
- **-v. Sinner,** Sasha (1975) Puppenmacherin 115*, 116*, **117 f.,** 118*
Morgenweg, Joachim (1730) ev. Theol. ADB 22 234

Morgner, Irmtraud (1990) Schriftst. **121–23**
- Wilhelm (1917) Maler **123 f.**
Morgott, Franz (1900) kath. Theol. **124 f.**
- Leonhard (1833) Päd. 124*
- Michael (1886) Päd. 124*
Morhard s. a. **Morhart**
- Johannes (1631) Chronist 125*, **126 f.**
- Ulrich (1554) Drucker **125 f.,** 126*
- Ulrich (1567) Drucker 125*, 126*
Morhart s. a. **Morhard**
Morheim, Friedrich Christian Samuel (1780) Komp., Organist V 399*
Morhof s. a. **Morhoff**
- Daniel Georg (1691) Lit.hist. **127 f.**
- Joachim (1675) Notar 127*
Mori, Gustav (1950) Drucker **128 f.**
- Heinrich Georg (* 1904) Buchhändler 128*
- Karl Alex. (1954) Drucker 128*
Morian, Daniel (1887) Montanindustr. **129 f.**
- Eduard (1904) Montanindustr. 129*
- Jürgen (2. Hälfte 16. Jh.) Stück- u. Glockengießer ADB 22 242
- Carl (1908) Fabr. 129*
- Max (1926) Gewerke 129*
Moriggl, Alois (1866) Tiroler Hist. ADB 22 242 f.
- Josef (1908) Bildh. **130***
- Josef (1939) Bergsteiger **130 f.**
- Simon (1874) Tiroler Patriot ADB 22 243
Morin s. a. **Möringer, Morennd, Morinck**
- Germain (1946) Kirchenhist. **131**
- Léopold s. **Morin,** Germain (1946) **131**
Morinck s. a. **Möringer, Morennd, Morin**
Morinck, Hans (1616) Bildh. **132**
Morini, Amalia (1950) Pianistin 132*
- Erica (1995) Geigerin **132 f.**
- Oscar (1953) Musiker 132*
Moris, Eugen (1989) Geiger **133***
- Heinz (* 1925) Dirigent 133*
- Maximilian (1946) Regisseur **133 f.**
- Klara (1957) Sängerin 133*
- Laurian (1882) Schriftst. 133*
- Margarethe (1967) Sängerin 133*
Moritz s. a. **Mauritius, Moriz**
- Prinz v. *Anhalt*-Dessau (1760) preuß. FM 14 267*, **18 134 f.**
- v. Hutten (1552) s. **Hutten,** Moritz v., Bf. v. *Eichstätt* X 98
- v. Sandizell (1567) Bf. v. *Freising* **135 f.**
- (1632) Landgf. v. *Hessen*-Kassel IV 611*, VI 216*, X 466*, 15 390*, 391*, **18 136–39**
- (1819) Fürst v. u. zu *Liechtenstein,* FML 14 515 Fam.art.
- **Heinrich** (1676) Fürst v. *Nassau*-Hadamar X 502*
- Prinz v. Oranien (1625) Gen.statthalter d. *Niederlande* I 238*, 302*, X 500*, 501*, 502*, **18 139–41,** 141*, 739 in Fam.art. Nassau
- **I.** (1209/17) Gf. v. *Oldenburg* VI 414*, IX 119*
- **IV.** (1420) Gf. v. *Oldenburg* 15 662*
- Gf. v. *Oldenburg*-Delmenhorst (1464) Domherr VI 269*
- (1553) Kf. v. *Sachsen* I 302*, VI 216*, 225*, VIII 391*, X 530*, XI 325*, 15 389*, **18 139*,** **141–43**
- (1612) Hzg. v. *Sachsen* 15 668*
- (1681) Hzg. zu *Sachsen*-Zeitz X 525*, 18 144*
- **Wilhelm** (1718) Hzg. zu *Sachsen*-Zeitz-Neustadt IV 82*, V 508*, 18 144*

- **Adolph** Hzg. zu *Sachsen*-Zeitz-Neustadt (1759) Bf. v. Königgrätz **144 f.**
- Gf. v. *Sachsen* (1750) franz. Feldherr 15 23 Einl. Loeben, **18 143 f.**

Moritz, Alexander (1936) russ. Oberst 146 Fam.art.
- Andreas (1983) Silberschmied **147 f.**, 436*
- Arnold (1902) Meteorol. 146 Fam.art.
- Bernhard (1939) Orientalist **148 f.**
- Berta (1989) Anglistin 147*, 436*
- Burchard (1934) Chem. 146 Fam.art.
- Emanuel v. (1908) Med. 146 Fam.art.
- Erich s. **Mauritius**, Erich (1691) ADB 20 708 f.
- Erwin (1907) Pol. 146 Fam.art.
- Erwin (1940) Jur. 146 Fam.art.
- Friedrich Gottlieb (1833) ev. Theol. 146 Fam.art.
- Friedrich (1857) ev. Theol. 146 Fam.art.
- Friedrich (1947) Maler 146 Fam.art.
- Heinrich (1868) Schausp. **149**
- Joh. Gottfried (1790) Kantor 145 Fam.art.
- Joh. Andreas (1794) ev. Theol. 145 Fam.art.
- Joh. Christian Friedr. (1795) Päd. 146 Fam.art.
- Joh. Gottfried (1840) Blasinstrumentenmacher 146 Fam.art.
- Joh. Carl Albert (1897) Blasinstrumentenmacher 147 Fam.art.
- Josef (P. Benedikt) (1834) bayer. Hist. ADB 22 307 f.
- Julius (1886) Med. 146 Fam.art.
- Julius (1920) Pomologe 146 Fam.art.
- Carl Philipp (1793) Schriftst. **149–52**
- Carl Wilhelm (1855) Blasinstrumentenmacher **146 f.** Fam.art.
- Karl. v. (1870) Med. 146 Fam.art.
- Camillo Walter Arthur (1946) Blasinstrumentenmacher 147 Fam.art.
- Camillo Willy Hans (1968) Blasinstrumentenmacher 147 Fam.art.
- Carl Wilhelm Theodor (1872) Blasinstrumentenmacher 147 Fam.art.
- Carl Willy Hermann (1931) Blasinstrumentenmacher 147 Fam.art.
- Ludwig (1830) ev. Theol. 146 Fam.art.
- Otto v. (1920) Med. 146 Fam.art.
- Robert (1963) Graphiker 147*
- Rudolf (1857) Päd. 146 Fam.art.

Moriz, Joseph (P. Benedikt) s. **Moritz**, Jos. (1834) ADB 22 307 f.
- -Eichborn, Joh. Wolfgang s. **Eichborn**, Joh. Wolfgang (1837) **IV 368**

Morlacchi, Francesco (1841) Komp. **152 f.**
- Alessandro (1818) Violinist 152*

Morle s. a. **Merlin, Mörlein, Mörlin, Morlinus**
- Joachim s. **Mörlin**, Joachim (1571) **17 679 f.**

Morlinus s. a. **Merlin, Mörlein, Mörlin, Morle**
- Joachim s. **Mörlin**, Joachim (1571) **17 679 f.**

Morlot, Adolph v. (1867) Geol., Prähist. ADB 22 325–27

Mormann, Friedrich (1482) Fraterherr in Münster 13 579 in Art. Langen, Rudolf v.

Mornauer, Achaz (um 1500) Domherr in Brixen 153*
- Alexander (um 1490) Stadtschreiber v. Landshut 153
- Ambros (1534) Tiroler Kammerrat 153*
- Paulus (1470) Stadtschreiber v. Landshut 153*
- Wolfgang Jos. (1549) kaiserl. Pfleger zu Kufstein 153*

Moro v. s. a. **del Mor, Moros** 153 f.
- Andreas (1855) Textilfabr. 153 f. Fam.art.
- Anton (19. Jh.) Industr. VIII 581*
- Christoph (1823) Textilfabr. 153 Fam.art.
- Ferdinand (1846) Textilfabr. 154 Fam.art.
- Franz (1866) Textilfabr. 154 Fam.art.
- Johannes (1816) Textilfabr. 153 Fam.art.
- Leopold (1900) Pol. 154 Fam.art.
- Max (1899) Textilfabr. 154 Fam.art.
- Rudolf (1843) Textilfabr. 154 Fam.art.
- Thomas (1871) Bankier 154 Fam.art.

Morolt, Clementine s. **Pellegrini**, Clementine (1845) ADB 25 331

Morone, Giovanni (1580) päpstl. Dipl. **154 f.**
- Girolamo (1529) Kanzler in Mailand 154*

Moros s. **Moro** v. **153 f.**

Morre, Anton (1831) Kaufm. 155*
- Karl (1897) Schriftst. **155 f.**
- Peter (n. 1857) Kaufm. 155*

Morren, Theophil Ps. f. **Hofmannsthal**, Hugo v. (1929) IX 464–67

Morrien, Charlotte Freiin v. (1768) preuß. Hofdame XI 50*

Morris, Joseph (1870) Philol. 156*
- Max (1918) Lit.hist. **156 f.**

Morsbach, Lorenz (1945) Anglist **157 f.**

Morsheim, v. s. a. **Morschheim**, v.
- Heinrich (1477) Jur. 158*
- Joh. v. (1516) Dichter XII 536 in Art. Konrad v. Ammenhausen , **18 158 f.**

Morsius, Jacob (1690) Jur., Pol. ADB 22 328
- Joachim (1642) Polyhistor ADB 22 327 f.

Morstadt (1869) Astronom ADB 22 328 f.
- Amalie s. **Haizinger**, Amalie (1884) **VII 528**
- Eduard (1850) Jur., Nat.ök. VII 528*, ADB 22 329–39
- Georg (1842) bad. Hoffourier VII 528*

Morstein Marx, Fritz (1969) Verw.wiss. **159 f.**
- – Ludwig (n. 1932) Päd. 159*

Mortaigne de Potelles, Kaspar Cornel. (1647) hess.-darmstädt. Gen. ADB 22 339 f.

Mortensen, Christian (1927) Geometer 160*
- Gertrud (* 1892) Hist. 160*
- Hans (1964) Geogr. **160 f.**
- Sören (1892) Kapitän 160*

Mortimer, Peter (1828) Schriftst., Komp. VII 22*, ADB 22 340 f.

Morton, Emanuela (1952) Päd. 161*
- Friedrich (1969) Botaniker **161**
- Margarete (n. 1989) Päd. 161*

Morungen, Heinrich v. s. **Heinrich** v. *Morungen* (1222) VIII 416 f.

Morus s. **Lewinsohn**, Richard (1968) **14 417**
- Alexander (1670) ev. Theol ADB 22 341 f.
- Sam. Friedrich Nath. (1792) ev. Theol. ADB 22 342–44
- Thomas (1535) engl. Kanzler II 354*

Morwitz, Eduard (1893) Verl. **161 f.**
- Ernst (1971) Schriftst. **162 f.**
- Jakob (1870) Kaufm. 162*
- Joseph (20. Jh.) Verl. 162*
- Wilhelm (1902) Kaufm. 162*
- Wolf David (1848) Kaufm. 161*

Mosa, Harminius de s. **Fabronius**, Hermann (1634) ADB VI 528

Mosanus, Hubertus s. **Becman**, Joh. Christoph (1717) **I 730**

Mosbacher, Edith (* 1923) Schausp. 163*
- Manuel (* 1950) Regisseur 164*
- Peter (1977) Schausp. **163 f.**

Mosbrugger s. a. **Moosbrugger, Moßbrugger**
- August (1858) Architekt 77*
- Friedrich (1830) Maler 76*, **77 f.**
- Joseph (1869) Maler 77*
- Leopold (1864) Math. 77*
- Wendelin (1849) Maler 77*

Mosche, Gabr. Christoph Benj. (1791) ev. Theol. ADB 22 344 f.

Moschel, Albrecht (* 1931) Chem. 164*
- Wilhelm (1954) Chem. **164 f.**

Moscheles, Felix (1917) Maler VII 289*, 18 165*
- Ignaz (1870) Pianist **165 f.**
- Joachim Moses (1805) Kaufm. 165*
- Wolf (1812) Kaufm. 165*

Moscherosch, Joh. Michael (1669) Dichter **166–68**

Moschkau, Alfred (1912) Philatelist **168 f.**

Moschner, Adolf (1921) Bgm. v. Wartha 169*
- Elisabeth-Anna (* 1913) Kunstgewerblerin 169*
- Gerhard (1966) kath. Theol. **169 f.**
- Josef (1881) Brauereibes. 169*

Mosel, Friedrich Wilhelm v. der (1777) preuß. Gen. ADB 22 357 f.

Moseler, L. T. s. **Troß,** Karl Ludw. Phil. (1864) ADB 38 652

Mosellanus, Petrus (1524) Humanist **190 f.**

Mosen, Gustav (1895) Päd. 171*
- Julius (1867) Dichter **171 f.**
- Reinhard (1907) Bibl. 171*

Mosengeil, Friedrich (1839) ev. Theol. ADB 22 368
- Joh. Josua s. **Mosengel,** Joh. Josua (1731) **172 f.**

Mosengel, Heinrich (1737) Med. 172*
- Joh. Josua (1731) Orgelbauer **172 f.**

Mosenthal, Sal. Hermann v. (1877) Schriftst. **173–75**

Moser, Alex. (1873) Jur. 14 22*
- Alexander v. (1903) Bankier 175 Fam.art.
- Alfred (1956) Päd. 193*
- Alfred Bernhard (1987) Zahnarzt 185*
- Andreas (1925) Violinist 191*
- Balthasar (1552) württ. Rat 175 Fam.art.
- Balthasar v. (1595) württ. Rat 175 Fam.art.
- Christian Benjamin v. (1774) bad. u. hess. Rat 175*
- Christian (1935) Math. **185 f.**
- Christoph v. (1723) württ. Rat 175 Fam.art.
- Daniel v. (1639) Bgm. v. Wien **186 f.**
- Dietz-Rüdiger (* 1939) Lit.hist. 192*
- Edda (* 1941) Sängerin 192*
- Eduard Conde de (1893) Bankier 175 Fam.art.
- Eduard v. (* 1826) Schausp. 188*
- Elias (* 1955) Architekt 196*
- Emil (1913) Kaufm. 203*
- Emma Maria (1981) Med. 185*
- Erhard (1829) Uhrmacher 181*
- Erika (* 1923) Apothekerin 201*
- Ernst (* 1884) Ing. 201*
- Fanny Louise (1925) 182*
- Friedrich v. (1671) württ. Gen. 175 Fam.art.
- Friedr. Carl Frhr. v. (1798) württ. Staatsm. 17 690*, **18** 175 Fam.art., 175*, **178–81**, 181*
- Georg (1780) Bildh., Baumstr. VIII 498*
- Georg Christoph Heinrich v. (1857) Kaufm. 175 Fam.art.
- Georg Heinrich s. **Moser,** Henri (1923) **182–84**

- Georg Heinrich (1858) Päd. ADB 22 371 f.
- Georg (1988) Bf. v. Rottenburg **187 f.**
- Gottlob (1871) ev. Theol. 175 Fam.art.
- Gustav v. (1903) Dichter **188 f.**
- Hanna (* 1910) Päd. 192*
- Hans v. (1938) Kurdir. in Rostock 188*
- Hans Friedr. (1978) Jur. 185*
- Hans (1964) Schausp. **189 f.**
- Hans Joachim (1967) Musikwiss. **191–93**
- Hans Albrecht (1978) Schriftst. **191**
- Hans (1990) Volkskundler **184,** 184*
- Hans Peter (* 1920) Verw.ger.präs. 203*
- Heinrich (1874) Uhrenindustr. **181 f.,** 182*
- Heinrich Conde de (1923) Bankier 175 Fam.art.
- Helmut (1991) Physiker **193 f.**
- Henri (1923) Forschungsreisender 182*, **182–84**
- Hermann (1891) Kaufm. 193*
- Hermann Friedrich v. (1901) Bankier 175 Fam.art.
- Herrmann (1826) Apotheker 195*
- Hugo (1989) Germanist **194 f.**
- Joh. Jakob v. (1717) württ. Rat 175*
- Johann (1729) württ. Rat 175 Fam.art.
- Joh. Jakob (1785) Reichsrepubl. I 32*, II 598*, **18** 175 Fam.art., **175–78,** 178*, 181*
- Joh. Georg (* 1763) preuß. Oberhofbaurat 188*
- Joh. Heinrich (1874) Industr. ADB 22 382
- Johann v. (1842) Garnisonbaudir. 188*
- Johann (1855) Baumstr. 196*
- Joh. Adolf (1916) Fabr. 191*
- Johs. (1821) Textilfabr. 203*
- Joseph (1836) Apotheker **195 f.**
- Josef (1888) Kanzlist 198*
- Josef (1941) Bildh. 197*
- Josef (1956) Maler 197*
- Karl v. (1825) Jur. 175 Fam.art.
- Carl Sigmund (1865) Krippenbauer 197*
- Carl Vincenz (1882) Maler 197*
- Karl (1936) Architekt **196 f.**
- Carl (1939) Maler **197 f.**
- Carl v. (1949) württ. Dipl. IV 668*, 18 175 Fam.art.
- Koloman (1918) Maler **198–200**
- Lazar (1912) Restaurateur 200*
- Lorenz (* 1924) Architekt 196*
- Lucas (15. Jh.) Maler **201 f.**
- Ludwig (1510) Humanist, Übersetzer ADB 52 485 f.
- Ludwig (1916) Glasfabr. **200**
- Ludwig (1930) Chem. **200 f.**
- Matthias (1809) Apotheker 195*
- Maximilian v. (1922) preuß. Rittmeister 188*
- Mentona (1971) Frauenrechtlerin 182*
- Michael (1751) Bildh. ADB 25 384 in Art. Permoser, B.
- Michael (* 1940) Geol. 204*
- Moses (1838) Philanthrop 16 70 in Art. Mannheimer, I. N., **18 202 f.**
- Paul Friedr. (1958) Ing. 203*
- Robert (1901) Architekt 196*
- Robert (1918) Eisenbahning. **203 f.**
- Rudolf v. (1862) württ. Rat 175 Fam.art.
- Rudolf v. (1909) württ. Dipl. 175 Fam.art.
- Rudolf v. (1909) württ. Gesandter IV 668*, XII 719*
- Samuel Friedr. (1891) Kaufm. 203*
- Simon (1988) Philos. **204 f.**

– Simon (1953) Postamtsdir. 204*
– Stefan (* 1941) Verfahrenstechn. 204*
– Valentin v. (1576) Vogt in Herrenberg 175 Fam.art.
– Volker (* 1934) Ing. 193*
– Werner Max (* 1896) Architekt 196*
– Wilhelm v. (1682) Jur. 175 Fam.art.
– Wilhelm Gottfried v. (1793) Forstmann 175 Fam.art., 175*, 178*, **181**
– Wolf-Hildebrand (* 1943) Sänger 192*
– Wolfgang Heinrich v. (1780) Med. 175 Fam.art.
– **-Hasdeu**, Grit (* 1913) Schausp. 189*
– **-Moser**, Amélie (1925) Sozialpol. 203*
– **-Rath**, Elfriede (1993) Volkskundlerin 184*, **184 f.**
Moses, Erwin (1976) Prokurist 205*
– Johannes Gottlob (1823) Päd. 171*
– Julius s. **Mosen**, Julius (1867) **171 f.**
– Julius (1942) Sozialpol. **205 f.**
– **Pardo** s. **Vietor**, Konrad (n. 1614) ADB 39 686
– Raphael s. **Merton**, Raphael (1883) 17 184*
– Rafael (* 1924) Psychiater 206*
– Rudi (1979) Med. 205*
– Siegfried (1974) Zionist **206 f.**
– **Reinganum**, Lemle (1724) kurpfälz. Hoffaktor **207**
Mosetig, Albert v. (1907) Med. **207 f.**
Mosewius, Ernst Theodor (1858) Musiker ADB 22 390 92
Mosham, Ruprecht v. (1543) ev. Theol. ADB 22 393 f.
Moshammer, Franz v. (1791) Bgm. v. Burghausen 208*
– Franz Xaver v. (1826) Kameralist **208 f.**
– Josef Alois (1878) Schriftst. ADB 22 394 f.
Mosheim, Grete (1986) Schausp. **209 f.**
– Joh. Lorenz v. (1755) ev. Theol. V 140* **18 210 f.**
Mosle, Alexander (1833) Jur. 211*
– Alexander Georg (1882) MdR 211*
– Georg Rudolph (1870) Kaufm. 211*
– Joh. Ludwig (1877) oldenburg. Gen. **211 f.**
Mosler, Christian (1895) preuß. Min.rat 212*
– Eduard (1939) Bankier **212 f.**
– Karl Josef Ignaz (1862) Kunsthist. ADB 22 403
Mosqua, Friedrich Wilhelm (1826) preuß. Gerichtsbeamter ADB 22 403 f.
Moßbrugger, Leopold s. **Moosbrugger**, Leopold (1864) ADB 22 207 f., 404 f.
Mosse, Albert (1925) Jur. 213*, **216–18**
– Emil (1911) Verl. 213*
– Erich (1963) Psychiater 216*
– Felicia (1972) Verl. 213*
– Hans (1916) Jur. 216*
– Marcus (1865) Med. 213*
– Martha (1977) Jur. 216*
– Max (1936) Med. 213*
– Rudolf (1920) Verl. **213–16**, 216*
– Sal. Moses (1811) Kaufm. 213*
– Salomon (1903) Textilkaufm. 213*
– Walter (1973) Jur. 213*, 216*
– Werner E. (* 1918) Hist. 15 82*, 18 213*
Mosson, Joseph (1834) Kaufm. 17 386*
Most, August (1948) Med. V 202*
– Ingeborg (1973) Hist. XII 452*
– Johann (1906) Pol. **218 f.**
– Ludwig (1883) Maler 219*
– Otto (1918) Fabr. 219*

– Otto (1971) Pol. **219 f.**
– Rolf (1941) Hist. XII 452*, 18 219*
Mostar, Gerhart Herrmann (1973) Schriftst. **220 f.**
Mosterts, Carl (1926) kath. Theol. **221 f.**
– Wilhelm (1868) Med. 221*
Moszkowski, Moritz (1925) Komp. **222 f.**
– Alexander (1934) Musikkritiker 222*
Moth, Franz (1879) Math. ADB 22 406 f.
Motherby, Johanna (1842) III 641*
– William (1847) Med. III 641*
Mothes, Aug. Ludwig (1856) Jur. 224*
– Christian Gottlieb (1816) Bgm. v. Werdau 224*
– Gottlob Friedrich (n. 1818) span. Markscheider 224*
– Hilda (1992) Germanistin 223*
– Joh. Christian (1782) Blaufarbenfabr. 224*
– Josef (* 1784) preuß. GHR 224*
– Kurt (1983) Botaniker **223 f.**
– Oscar (1903) Architekt **224 f.**
Motta, Benvenuto (1899) Reg.kommissär 226*
– Camilla s. **Motta**, Carmela (1923) 226*
– Carmela (1923) Ordensfrau 226*
– Cristoforo (* 1910) Jur. 226*
– Giuseppe (1940) schweizer. Staatsmann **225 f.**
– Ricardo (1976) Bankier 226*
– Sigismondo (1977) schweizer. Beamter 226*
– Stefania (1972) Ordensfrau 226*
Motte, August de la s. **La Motte**, August de (1788) ADB 17 573
– **-Fouqué**, Friedrich Frhr. de la s. **Fouqué**, Friedrich (1843) **V 306 f.**, 18 227*
– – Heinr. Aug. Frhr. de la (1774) preuß. Gen. **227**
– – Heinr. Aug. Friedr. Louis (1792) preuß. Offz. 227*
– – Heinrich Frhr. de la (1796) Domherr zu Brandenburg 227*
Mottl, Felix (1911) Dirigent **227 f.**
– Felix (* 1925) Jur. 227*
– Henriette (1933) Sängerin 227*
– Wolfgang (1962) Domänenverw. 227*
Motz, Christian Heinr. (1751) hess. GR 228*
– Friedrich v. (1817) kurhess. GR 228*, 230*
– Friedrich v. (1830) preuß. Finanzmin. **228–30**, 230*
– Friedr. Christian v. (1833) kurhess. GR 228*
– Gerhard Heinr. v. (1868) kurhess. Finanzmin. 228*, **230 f.**
– Joh. Heinr. v. (1803) hess. Reg.präs. 228*
– Justin v. (1813) kurhess. WGR 228*
– Karl Heinr. v. (1823) kurhess. Gen. 228*
– Philipp v. (1846) sachsen-weimar. WGR 228*
Motzkin, Gabriel (* 1945) Hist. 231*
– Joseph J. Elhanan (* 1939) Math. 231*
– Leo (1933) Zionist 231*
– Leo (* 1937) Philosoph 231*
– Theodor Sam. (1970) Math. **231 f.**
Moufang, Christoph (1890) kath. Theol., Pol. VII 670*, **18 232–34**
– Eduard (1941) Brauer 234*
– Friedrich Carl (1885) Kaufm. 234*
– Ruth (1977) Math. **234 f.**
– Wilhelm (1845) Kaufm. 832*
Moulin, Peter Ludwig du s. **Du Mulin**, Peter Ludwig (1756) ADB V 466
Mount, Christoph s. **Mundt**, Christoph (1572) ADB 52 537–40
Mourek, Václav Emanuel (1911) Philol. **225**

Mouson, August Friedrich (1837) Seifenfabr. 236 Fam.art.
- August Friedrich (1958) Parfümerie-Industr. 236 Fam.art.
- Fritz (1926) Parfümerie-Industr. 236 f. Fam.art.
- Joh. Georg (1894) Seifenfabr. 236 Fam.art.
- Joh. Daniel (1909) Seifenfabr. 236 Fam.art.
- Joh. Georg (1911) Parfümerie-Industr. 236 Fam.art.
- Joh. Jacques (1915) Parfümerie-Industr. 236 Fam.art.
- Joh. Daniel (1943) Parfümerie-Industr. 237 Fam.art.
- Paul (1808) Ofenmeister 236 Fam.art.

Mousson, Joh. Heinrich Emanuel (1869) Bgm. v. Zürich ADB 22 415–17
- Markus (1861) schweizer. Kanzler X 203*, ADB 22 412–15

Movers, Franz Karl (1856) kath. Theol. ADB 22 417 f.

Movius, Kaspar (1639) ev. Theol. ADB 23 147 in Art. Myslenta, C.

Moy de Sons, v., Ernst Frhr. (1867) Jur. **237 f.**
- Ernst Frhr. (1922) österr. Beamter 237*
- Ernst Frhr. (1922) bayer. Zeremonienmeister 237*
- Johannes Frhr. (1995) Schriftst. 237*
- Karl Anton (1836) Kaufm. 237*
- Karl Gf. (1894) bayer. Zeremonienmeister 237*
- Karl Maria Frhr. (1932) Dipl. 237*
- Maximilian Frhr. (1933) bayer. Hofmarschall 237*

Moyse, Otto s. **Musaenius,** Otto (1613) ADB 23 84

Mozart, Anton (1625) Maler 238*
- David (1685) Baumeister 238*
- Franz Xaver (1844) Pianist 240*
- Hans Georg (1719) Baumeister 238*
- Carl (1858) Übersetzer 240*
- Konstanze (1842) Sängerin 240*
- Leopold (1787) Komp. **238–40,** 240*
- Nannerl (1829) Pianistin 238*
- Wolfgang Amad. (1791) Komp. 13 563* 18 238*, **240–46**

Mozer, Alfred (1979) Pol. **246 f.**

Mozser, Alfred s. **Mozer,** Alfred (1979) **246 f.**

Mras, Johann (1903) Päd. 247*
- Karl (1962) klass. Philol. **247 f.**

Mrongovius, Christoph Cölestin (1855) Polonist **248 f.**

MRD s. **Manuel,** Hans Rudolf (1571) **16 97 f.**

Much, Franz (1859) Amtmann in Petschau 249*
- Hans (1932) Med. **251 f.**
- Horand (1943) Med. 250*
- Karl (1925) ev. Theol. 251*
- Cornelie (1963) Päd. 250*
- Matthäus (1909) Vorgeschichtsforscher **249,** 250*
- Michael Torsten (* 1955) Tibetologe 250*
- Rudolf (1936) Germanist 249*, **250 f.**
- Sebastian (1843) Päd. 249*
- Wolf Isebrand (1943) Germanist 250*

Muchar, Albert v. (1849) Hist. ADB 22 436–38
- v. Bied u. Rangfeld, Anton s. **Muchar,** Albert v. (1849)

Muche, El (1980) Malerin 252*
- Felix (1947) Maler 252*
- Georg (1987) Maler **252 f.**

Muchow, Hans Heinrich (* 1900) Päd. 253*
- Martha (1933) Päd. **253 f.**

Muck, Christian Eugen (1858) Med. 255*
- Fritz (1891) Chem. **254 f.**
- Georg (1879) ev. Theol. 255*
- Jacob (1891) Komp. 255*
- Joh. Friedr. Albr. (1839) ev. Theol., Komp. 255*, ADB 22 439
- Carl (1940) Dirigent **255 f.**

Mucke, Ernst (1932) Slawist **256 f.**
- Johann Georg (1875) Gutsbes. 256*

Muckermann, Friedrich (1946) kath. Theol. 257*, **258–60**
- Hermann (1962) Eugeniker **257 f.,** 258*
- Ludwig (1976) Dipl. 257*
- Marie-Therese (1967) Schriftst. 257*
- Richard (1981) Redakteur 257*

Mudersbach, Juliane s. **Giovane,** Julie Hzgn. v. (1805) ADB IX 180 f.

Mudra, v., Bruno (1931) Gen. **260 f.**
- Herbert (1945) Oberst 260*

Mudre, Hans (1810) ev. Theol., geistl. Dichter ADB 22 440

Müchler, Joh. Georg (1819) Päd., Schriftst. 261*, ADB 52 488–91
- Karl Friedr. (1857) Schriftst. **261 f.**
- Karoline s. **Woltmann,** Karoline v.(1847) ADB 44 190 f.

Mücke s. a. **Mügge**
- Alexander (1883) sächs. Gerichtsdir. 262*
- Hellmuth v. (1957) Seeoffz. **262 f.**
- Joh. Leberecht (1814) Kaufm. 268*
- Curt v. (1886) sächs. Hptm. 262*

Müeg s. **Mieg** 17 467–69

Müelich s. a. **Mielich, Mühlich, Muelich**
- Hans (1573) Maler **263–65**
- Wolfgang (1541) Maler 263*
- Wolfgang (1563/64) Maler 263*

Müffling, v., Joh. Friedr. Wilh. (1808) preuß. Gen. 265 Fam.art., 266*
- Karl Friedr. (1780) preuß. Major 265 Fam.art.
- Karl Frhr. (1851) preuß. Gen. 265 Fam.art., **266 f.**
- Wilhelm (1858) preuß. Offz. 265 Fam.art.

Müge s. **Mieg** 17 467–69

Mügeln, Heinr. v. s. **Heinrich** v. Mügeln (14. Jh.) VIII 417 f.

Mügge s. a. **Mücke**
- Otto (1932) Mineral. 267, 267*
- Ratje (1975) Geophysiker 267*, **267 f.**
- Theodor (1861) Schriftst. IV 67*, **18 268 f.**

Müglich, Karl (1862) Schriftst. ADB 22 456 f.

Mühl, Gustav (1880) Bibliothekar, Dichter III 121*, 13 467*, ADB 22 457 f.
- Mühl, Joh. Christian (1769) Kaufm. 17 291*
- Sophie Luise s. **Fleck,** Sophie Luise (1846) V 227*, ADB VII 110 f.

Mühlan, Ferd. (1914) ev. Theol. V 232*

Mühlbach, Luise (1873) Schriftst. **269 f.,** 588*

Mühlbacher, Engelbert (1903) Hist. **270 f.**

Mühlberg, August (1881) Färbereiuntern. 271*
- Friedr. Christoph (1915) Geol. **271 f.**
- Max (1947) Geol. 271*
- Otto v. (1934) Dipl. XII 134*
- Paul v. (1926) preuß. Gen. XII 134*

Mühlberger, Alois (1965) Päd. 272*
- Josef (1985) Schriftst. **272 f.**

Mühldörfer, Josef s. **Mühldorfer,** Josef (1863) **273 f.**
Mühldorfer, Josef (1863) Maler VIII 178*, **18 273 f.**
- Karolina (1876) Sängerin V 440*
- Wilhelm (1867) Maler 273*
- Wilh. Karl (1919) Kapellmstr. V 440*

Mühleisen, Paul (1967) Ing. 274*
- Richard (1988) Physiker **274 f.**

Mühlen, Wilhelm v. u. zu (1871) preuß. WGR IV 132*

Mühlen, zur, balt. Fam. **275–78**
- Agneta (1781) Kauffrau 276 Fam.art.
- Alexander v. (1955) Med. 277 Fam.art.
- Alfred v. (1945) Bankier 277 Fam.art.
- Arist v. (* 1924) Kaufm. 277 Fam.art.
- Arthur v. (1900) Pol. 277 Fam.art.
- Arthur v. (1928) Landwirt 277 Fam.art.
- Arthur v. (1958) Kaufm. 276 Fam.art.
- Bengt v. (* 1932) Filmemacher 276 Fam.art.
- Berend v. (1826) Kaufm. 276 Fam.art.
- Bernt v. (1984) ev. Theol. 277 Fam.art.
- Bernt v. (1995) Prähist. 277 Fam.art.
- Blasius (1605) Kaufm. 275 Fam.art.
- Blasius (1628) Kaufm. 275 Fam.art.
- Cornelius (1756) Kaufm. 276 Fam.art.
- Cornelius v. (1815) Kaufm. 276 Fam.art.
- Dagmar v. (1971) Musikpäd. 277 Fam.art.
- Edith v. (1977) Malerin 277 Fam.art.
- Egolf v. (1942) Ing. 276 Fam.art.
- Elise v. (1924) Malerin 277 Fam.art.
- Erich v. (1940) Jur. 277 Fam.art.
- Ernst (1750) Kaufm. 276 Fam.art.
- Ernst v. (1912) Versicherungskaufm. 277 Fam.art.
- Evert (1615) Jur. 275 Fam.art.
- Evert (1763) Kaufm. 275 Fam.art.
- Ferdinand v. (1837) Pol. 277 Fam.art.
- Ferdinand v. (1906) Pol. 277 Fam.art.
- Frederik v. (* 1934) Jur. 277 Fam.art.
- Friedrich v. (1798) Kaufm. 276 Fam.art.
- Friedrich v. (1897) russ. Gen. 277 Fam.art.
- Friedrich v. (1907) Med. 277 Fam.art.
- Friedrich v. (1934) Med. 277 Fam.art.
- Georg v. (1877) auf Arrohof 277 Fam.art.
- Heiner v. (1964) Fluglehrer 276 Fam.art.
- Heinrich (1708) schwed. Rittmeister 275 Fam.art.
- Heinrich (1710) Kaufm. 275 Fam.art.
- Heinrich (1750) Kaufm. 276 Fam.art.
- Heinrich v. (1802) Kaufm. 276 Fam.art.
- Heinrich v. (1864) russ. Gen. 276 Fam.art.
- Heinrich v. (1994) Min.beamter 276 Fam.art.
- Heinrich v. (* 1909) Landwirt 277 Fam.art.
- Heinrich v. (* 1936) Med. 277 Fam.art.
- Heinz v. (* 1914) Hist. 277 f. Fam.art.
- Hellmut v. (1924) Versicherungskaufm. 277 Fam.art.
- Helmold (1649) ev. Theol. 275 Fam.art.
- Hermann (1690) Kaufm. 275 Fam.art.
- Hermann (1708) Kaufm. 275 Fam.art.
- Hermann Josef (1789) Bgm. v. Reval 276 Fam.art.
- Hermann v. (1827) Kaufm. 276 Fam.art.
- Hermann v. (1856) Med. 276 Fam.art.
- Hermann v. (1872) Jur. 276 Fam.art.
- Hermann v. (1910) Pol. 276 Fam.art.
- Hinrich (1750) Bgm. v. Reval 276 Fam.art.
- Karl (1837) Kaufm. 276 Fam.art.
- Karl v. (1881) Bankier 277 Fam.art.
- Kaspar (1710) Kaufm. 276 Fam.art.
- Kaspar (1810) russ. Brigadier 276 Fam.art.
- Kaspar v. (1817) livländ. Landrichter 276 f. Fam.art.
- Konrad (1741) schwed. Offz. 275 Fam.art.
- Konrad (1945) ev. Theol. 277 Fam.art.
- Leo v. (1973) Geol. 276 Fam.art., **278**
- Manfred v. (1979) Bankier 277 Fam.art.
- Max v. (1918) Zool. 276 Fam.art., **278***
- Max v. (* 1932) Statistiker 276 Fam.art.
- Michael v. (1922) Musikpäd. 277 Fam.art.
- Moritz v. (1883) russ. Stabskapitän 278*
- Moritz v. (1945) Kaufm. 276 Fam.art.
- Oskar v. (1877) Komp. 276 Fam.art.
- Oskar v. (1990) Chem. 277 Fam.art.
- Oswald v. (1901) Musiker 277 Fam.art.
- Patrik v. (* 1942) Hist. 278 Fam.art.
- Paul (1657) Kaufm. 275 Fam.art.
- Paul v. (1979) Forstwirt 276 Fam.art.
- Raimund v. (1931) Musikpäd. 277 Fam.art.
- Rainer v. (* 1943) Untern.berater 276 Fam.art.
- Ralph v. (1947) ev. Theol. 277 Fam.art.
- Richard v. (1935) Med. 277 Fam.art.
- Robert v. (1899) Med. 277 Fam.art.
- Roland v. (* 1942) Dolmetscher 277 Fam.art.
- Rudolph v. (1913) Maler 277 Fam.art.
- Simon (1682) Kaufm. 275 Fam.art.
- Thomas (1709) Bgm. v. Reval 275 Fam.art.
- Thomas (1772) Kaufm. 276 Fam.art.
- Thomas v. (1833) Fabrikdir. 276 Fam.art.
- Ture v. (* 1939) Buchwiss. 278 Fam.art.
- Victor v. (1950) Pol. 276 Fam.art.
- Walter v. (1990) Geophys. 277 Fam.art.
- Wanda v. (1962) Malerin 277 Fam.art.
- Werner v. (1931) Bankier 276 Fam.art.
- Werner v. (1989) Musiker 277 Fam.art.
- Wilhelm v. (1847) russ. Gen. 277 Fam.art.

Mühlenberg s. a. **Muhlenberg**
- Friedr. Aug. (1801) amerikan. Pol. 279*, 280*, **281 f.**, 282*
- Heinr. Melchior (1787) ev. Theol. **279 f.**, 280*, 281*, 282*
- Heinrich (1815) ev. Theol. 279*, 280*, 281*, **282 f.**
- Peter (1807) amerikan. Pol. 279*, **280 f.**, 281*, 282*

Mühlenbruch, Christian Friedr. (1843) Jur. VI 708*, **18 283 f.**
- Gottlieb (1826) Med. 283*
- Caspar (* 1776) Gutsbes. 283*
- Katharina s. **Eunike,** Katharina (1842) ADB VI 431

Mühlenfels, Joh. Jakob v. (1830) schwed.-pomm. Jurist ADB 22 467 f.
- Ludwig v. (1861) Jur. IV 195*

Mühlengasse, von der, Kölner Patrizier **284 f.**
- Dietrich (n. 1205) Kölner Patrizier 284 Fam.art.
- Dietrich (v. 1245) Kölner Patrizier 284 Fam.art.
- Dietrich (v. 1259/60) Kölner Patrizier 284 Fam.art.
- Heinrich (13. Jh.) Kölner Patrizier 284 Fam.art.
- Ludwig (n. 1237) Kölner Patrizier 284 Fam.art.
- Ludwig (13. Jh.) Kölner Patrizier 284 Fam.art.

Mühlens, Peter (1943) Tropenmed. **285 f.**
Mühler s. a. **Miller,** Stahlfabr. **17 512 f.**
- Auguste v. (1906) Stiftsdame in Kapsdorf 286*
- Ferdinand v. (1870) preuß. Geh. Kabinettsrat 286*

- Heinrich (1751) Spitalverw. 286*
- Heinrich (1810) anhalt.-pleß. Kammerrat 286*
- Heinrich v. (1857) preuß. Justizmin. VI 650* **18 286 f.**, 287*
- Heinrich v. (1874) preuß. Kultusmin. VI 650* **18** 286*, **287 f.**
- Karl v. (1888) Jur. 286*
- Louise (1856) Jugendschriftst. 17 401*

Mühlestein, Emil (1972) Chem. **288***
- Hans (1969) Kulturhist. **288 f.**
- Hugo (* 1916) klass. Philol. 288*

Mühlfeld, Julius Ps. f. **Roesler**, Robert (1881) ADB 29 242 f.

Mühlhäuser, Eberhard (1943) Völkerkundler **289 f.**

Mühlhäußer, Karl Aug. (1881) ev. Theol. ADB 22 476–81

Mühlhausen, Lipmann v. s. **Lipmann**, Jom Tob (15. Jh.) **14 644 f.**

Mühlich s. **Mielich**, **Müelich**, **Mülich**

Mühlig, Anton (1951) Glasindustr. 290*, 291*
- Joh. Ernst (1850) Kaufm. 290*
- Joh. Gottfried Gottlob (1884) Naturforscher ADB 22 481
- Josef (1954) Glasindustr. 290*, **290–92**
- Ludwig Ernst (1888) Kaufm. 290*
- Max (1915) Glasindustr. **290**, 291*
- Peter Paul Max. Jos. (1941) Glastechn. 291*
- -Versen, Friedr. Rud. Rich. (1982) Glasindustr. 291*

Mühling, Julius (1874) Theaterdir. ADB 52 491–93

Mühlmann, Annemarie (1989) Med. 292*
- Johannes (1613) geistl. Dichter ADB 22 482 f.
- Wilhelm Emil (1988) Soziol. **292 f.**

Muehlon, Joh. Wilh. (1944) Dipl. **293 f.**

Mühlpfort, Heinrich (1626) Schriftst. 294*
- Heinrich (1647) Kaufm. 294*
- Heinrich (1681) Dichter **294 f.**
- Herrmann (1609/10) Kaufm. 294*
- Heinrich s. **Mühlpfort**, Heinrich (1681) **294 f.**

Mühr, Alfred (1959) preuß. Amtmann 295*
- Alfred (1981) Intendant **295**

Mühry, Adolf (1888) Bioklimatol. **295 f.**
- Ernst Friedr. (1843) Jur. 295*
- Georg Friedr. (1848) Med. 295*, ADB 22 486
- Heinr. Andreas (1816) Med. 295*
- Karl (1840) Med. 295*, ADB 22 486 f.

Mühsam, Erich (1934) Schriftst. **296–98**
- Paul (1960) Jur. 296*
- Samuel (um 1900) Rabbiner 296*
- Siegfried Seligmann (1915) Apotheker 296*

Mülbe, v. der, westpreuß. Fam. **298 f.**
- Adam Gottfr. (1716) auf Mickelnick 299 Fam.art.
- Bartholomäus (16. Jh.) 298 f. Fam.art.
- Christian (1812) westfäl. Tribunalpräs. 299 Fam.art.
- Christoph Ludwig (1780) preuß. Gen. 299 Fam.art.
- Dietrich (16. Jh.) auf Milwen 299 Fam.art.
- Franz (1915) preuß. Gen. 299 Fam.art.
- Gustav (1917) preuß. Gen. 299 Fam.art.
- Hans Christoph (1811) preuß. Gen. 299 Fam.art.
- Hermann (1849) Richter 299 Fam.art.
- Ludwig (1877) preuß. Oberst 299 Fam.art.
- Otto (1891) preuß. Gen. 299 Fam.art.
- Otto (1916) preuß. Gen. 299 Fam.art.
- Otto (1962) Jur. 299 Fam.art.
- Wilhelm (1909) preuß. Hptm. 299 Fam.art.

- Wolf Heinr. (1965) Kunsthist. 299 Fam.art.

Müldener, Friedrich (1766) Hist. ADB 22 487 f.

Müldner v. *Mülnheim*, Carl (1863) Gen., kurhess. Kriegsmin. V 128*

Muelen, Gerhard Wolter van der s. **Molanus**, Gerardus Wolterus (1722) **17 719 f.**

Mülen, Laurenz van der (n. 1550) Drucker ADB 22 488
- Walter van der (n. 1622) ev. Theol. 17 719*
- Wilken Ludwig van der (1655) Jur. 17 719*

Muelhausen, Yom Tov Lipmann s. **Lipmann**, Jom Tob (15. Jh.) **14 644 f.**

Mülhens, Ferdinand (1928) Parfümeriefabr. 300*, **301 f.**, 302*
- Ferdinand (* 1937) Parfümeriefabr. 302*
- Franz Wolfgang (1835) Kaufm. 299*
- Heinrich (1838) Bankier 299*
- Joh. Theodor (1837) Bankier 299*
- Julius (1910) Parfümeriefabr. 300*
- Peter Jos. (1873) Parfümeriefabr. 300*, **300 f.**, 301*
- Peter Paul (1945) Parfümeriefabr. 301*, **302 f.**
- Wilhelm (1841) Parfümeriefabr. 299 Einl., **299 f.**, 300*

Muelich s. a. **Mielich**, **Müelich**, **Mühlich**
- Hektor (1489/90) Chronist **303**
- Jörg (1462) Kaufm. 303*
- Jörg (1501/02) Kaufm. 303*
- Johann (1420) Kaufm. 303*
- Kunz (n. 1541) Rotgießer ADB 22 491
- Peter d. Ä. (n. 1488) Rotgießer ADB 22 490
- Peter d. J. (n. 1557) Rotgießer ADB 22 490 f.
- v. Prag (1. H. 14. Jh.) Meistersinger ADB 22 490

Mülinen, v., aargau. Fam. **303–05**
- Albrecht (14. Jh.) auf Rauchenstein 303 Fam.art.
- Albrecht (1386) österr. Rat 303 Fam.art.
- Albrecht (1705) Oberst 304 Fam.art.
- Albrecht Frhr. (1807) schweizer. Staatsm. 305 Fam.art., 305*
- Alice (* 1868) Dichterin 306*
- Beat Ludwig (1597) Schultheiß v. Bern 304 Fam.art., ADB 22 492 f.
- Beat Ludwig (1674) Oberst 303 Fam.art.
- Bernhard Gf. (1851) württ. Dipl. 304 Fam.art.
- Christoph (1550) Schultheiß v. Murten 304 Fam.art.
- Eberhard (1927) preuß. Dipl. 305 Fam.art., 306*
- Egbert Friedr. (1887) Hist. 305 Fam.art., 306*
- Egbrecht (1370) Hofmstr. in Königsfelden 303 Fam.art.
- Egbrecht, gen. Truchseß (1400) 303 Fam.art.
- Eleonore (1967) Bildh. 305 Fam.art.
- Frédéric (* 1928) Mil.jur. 305 Fam.art.
- Friedrich (1769) Bezirkskdt. 304 Fam.art., 305*
- Gottfried (1840) Amtmann in Nidau 306*
- Hans Wilh. (1449) Chorherr in Beromünster 303 f. Fam.art.
- Hans Friedr. (1491) 304 Fam.art.
- Hans Albrecht (1507) 304 Fam.art.
- Hans Albrecht (1517) 304 Fam.art.
- Hans Albrecht (1544) Dt.ordensritter 304 Fam.art.
- Hans Rud. (1801) Landvogt v. Oron 304 Fam.art.
- Hans (1936) bern. Forstmstr. 306*

– Helene (1924) Frauenrechtlerin 305 Fam.art., 305*, **306 f.**
– Henmann (1421) Hofmstr. in Königsfelden 304 Fam.art.
– Henmann Egbert Friedr. (1976) Elektroing. 305 Fam.art.
– Joh. Rudolf (1522) 304 Fam.art.
– Kaspar (1538) bern. Staatsm. 304 Fam.art., ADB 22 491 f.
– Nikolaus (1620) bern. Ratsherr 304 Fam.art., ADB 22 493 f.
– Nikolaus (1748) Landvogt v. Granson 304 Fam.art.
– Nikolaus Friedr. Gf. (1833) Staatsmann, Hist. 304 f. Fam.art., **305 f.**, 306*
– Paul Heinr. Rud. (1934) Jur. 304 Fam.art.
– Rudolf (1879) Gutsbes. 306*
– Rudolf (1898) österr. Dipl. 304 Fam.art.
– Wilh. Paul Dionys (1863) österr. Offz., franz. Dipl. 304 Fam.art.
– Wolfgang (1679) Hofmstr. in Königsfelden 304 Fam.art.
– Wolfgang (1735) Oberst 304 Fam.art.
– Wolfgang (1917) Hist. 305 Fam.art., 306*
Müling s. **Adelphus**, Johannes (1515) **I 62 f.**
Müllenark, Heinr. v. s. **Heinrich I.** (1238) EB v. **Köln 3 f.**
Müllenheim s. a. **Mullenheim, Mulnheim,** elsäß. Fam. **307 f.**
– Adolf Frhr. v. (1872) preuß. Steuerrat 308 Fam.art.
– Anton Ludw. Ferd. Frhr. v. (1823) straßburg. Großjägermstr. 308 Fam.art.
– Bernhard v. (1404) Stettmstr. zu Straßburg III 243*
– Burkard Frhr. v. (* 1910) Dipl. 308 Fam.art.
– Burkhard (15. Jh.) Straßburger Patrizier 307 Fam.art.
– Burkhard (1479) Abt v. St. Walburg 307 Fam.art.
– Franz Jakob Ferd. Frhr. v. (1814) 308 Fam.art.
– Hans (15. Jh.) Schultheiß v. Zabern 307 Fam.art.
– Heinrich (1336) Straßburger Patrizier 307 Fam.art.
– Heinrich (1561) Abt v. St. Pantaleon 307 Fam.art.
– Hermann Frhr. v. (1903) Hist. 308 Fam.art.
– Conrad (1507) Abt v. Gengenbach 307 Fam.art.
– Louis Maria Ed. Frhr. v. (1867) franz. Offz. 308 Fam.art.
– Ludwig Heinr. Frhr. v. (1723) franz. Offz. 308 Fam.art.
– Sigelin (1320) Propst in Straßburg 307 Fam.art.
– Sigelin (1343) Propst in Straßburg 307 Fam.art.
– Walter (13. Jh.) Straßburger Patrizier 307 Fam.art.
– Walter (14. Jh.) Stiftspropst v. Rheinau 307 Fam.art.
– **-Landsberg**, Heinrich (15. Jh.) Straßburger Patrizier 307 Fam.art.
– **-Rechberg**, Gebhard v. (1673), poln. Starost 308 Fam.art.
Müllenhoff, Adolf (1954) Bauing. 309*, **309 f.**
– Joh. Karl Franz (1815) Kaufm. 308*
– Joh. Anthon (1857) Kaufm. 308*
– Karl (1884) Philol. **308 f.**, 309*
Müllensiefen, Gustav (1874) Bergwerksbes. 310*, 311*
– Hermann (1897) Glasindustr. 310*
– Joh. Peter (1804) Beamter 310*
– Julius (1893) ev. Theol. 310*
– Peter Eberhard (1847) Fabr. **310 f.**, 311*
– Theodor (1879) Glasindustr. 310*, **311 f.**
– Theodor (1926) Glasindustr. 310*
Müller s. a. **Miller, Möller, Molitor, Moller, Mühler, Mueller, Müllner, Mülner, Muller, Myler, Mylius, Myller**
– Adalbert v. (1879) bayer. Schriftst. ADB 22 511 f.
– Adam v. (1829) Staatstheoretiker III 496*, **18 338–41**
– Adam (1903) Sektfabr. 456*
– Adam s. **Müller-Guttenbrunn,** Adam (1923) **498 f.**
– Adam (1946) Sektfabr. 456*
– Adelbert (1850) sachsen-weimar. Rat 375*
– Adolf (1886) Komp. **341 f.**
– Adolf (* 1866) Kaufm. 344*
– Adolf (1901) Komp. 341*
– Adolph (1928) Fabr. **342 f.**
– Adolf (1943) Pol. **343 f.**
– Adolf (1972) Lebensmittelfabr. **344 f.**
– Adolf (* 1894) Dir. 473*
– Adrian Lukas (* 1902) Kunsthist. 472*
– Aegidius (1841) Musiker ADB 22 499
– Aegidius (1898) kath. Theol., Hist. ADB 52 494 f.
– Albert Wilh. (1912) Med. 449*
– Albert (1921) preuß. Gen. 16 419*
– Albert (1925) Bankier XII 109 in Art. Klönne, Carl, **18 345 f.**
– Albert (1940) Architekt 491*
– Albert Frhr. v. (* 1881) Med. 354*
– Albert v. (1941) Hist. 441*
– Albin (1941) Architekt **346 f.**
– Alexander (1906) Chem. 391*
– Alfons (1988) kath. Theol. 389*
– Alfred (1896) Med. 357*
– Alois (1901) Orientalist 378*
– Andreas s. **Mylius,** Andreas (1594) III 164* ADB 23 133 f.
– Andreas s. **Möller,** Andreas (1660) ADB 52 440–43
– Andreas (1694) Orientalist, Sinologe ADB 22 512–14
– Andreas s. **Mylius,** Andreas (1702) ADB 23 134–36
– Andreas (1890) Maler, Radierer V 162*, 329*, **330 f.**, 331*
– Anna (1812) Schausp. 482*
– Anna Maria (1853) Steingutfabr. 352*
– Anna s. **Tannewitz,** Anna (1988) 483*
– Anton Maria (1813) franz. Offz. 442*
– Anton (1860) Math. ADB 22 514
– Anton Frhr. v. (1873) niederländ. Major 433*
– Anton Jos. (1969) Textilfabr. **347 f.**
– Arno (1983) Parfümeur **348**
– Arthur (1873) Dichter ADB 22 515
– Arthur s. **Kraußneck,** Arthur (1941) **XII 720 f.**
– August (1749) ev. Theol. 434*
– August (1789) ev. Theol. 434*
– August (1801) ev. Theol. 434*
– August Eberh. (1817) Musiker **348 f.**
– August (1850) sachsen-weimar. Major 375*
– August Benjamin (1855) Kaufm. 434*
– August (1874) Gerichtsschulze 357*
– August (1885) Maler ADB 52 496 f.
– August Friedr. (1890) Päd. 393*

- August (1892) Orientalist **334**, 334*
- August (n. 1897) Kunstgärtner 332*
- Balthasar (1861) Gutsbes. 409*
- Bernhard (1912) Sektfabr. 456*
- Bernhard (* 1905) Untern. 355*
- Bernhard (* 1916) Philanthrop 427*
- Berthold (1973) kath. Theol. 464*
- Brigitte (* 1965) Photographin 403*
- Bruno (1648) Kartäuser 609 in Art. Murer, H.
- v. d. *Lühne*, Burchard (1670) Gen. ADB 22 701 f.
- Christa (* 1935) Geschäftsführerin 431*
- Christian Rud. (1712) geistl. Dichter ADB 22 518
- Christian Ernst (1776) Goldschmied 468*
- Christian Gottfried (1819) Päd. ADB 22 518–20
- Christian Friedr. (1821) Verl. **349 f.**
- Christian Gottlieb (1863) Komp. ADB 22 ADB 520 f.
- Christian (1877) Päd. 505*
- Christoph Helfrich (1691) Baumstr. 312*
- Christoph Ant. (18. Jh.) geistl. Dichter ADB 22 518
- Christoph Heinr. (1807) Philol., Schriftst. **350 f.**
- Clea (* 1973) Kauffrau 401*
- Clemens (1902) Nähmaschinenfabr. **351**
- Cölestin (1846) Fürstabt zu Einsiedeln ADB 22 ADB 521
- Cornel. Friedr. Gottfr. (1879) Päd. ADB 22 ADB 522
- Daniel s. **Moller,** Daniel (um 1600) ADB 22 123, 28 108
- Daniel (1786) Schwärmer **351 f.**
- Daniel (1801) Kantor 323*
- Daniel Ernst (1829) bayer. Oberförster ADB 22 ADB 522
- Daniel Ernst (1868) Untern. **352 f.**
- David (1877) Hist. 492*
- David Heinr. Frhr. v. (1912) Orientalist **354 f.**
- Dedo (1972) ev. Theol. **355**
- Eberhard (1989) ev. Theol. **355–57**
- Eberhard (* 1905) Schausp. 427*
- Edgar (1977) Heimatforscher 467*
- Eduard (1875) Päd. 323*, 328*, ADB 22 522 f.
- Eduard (1895) kath. Theol. **357**
- Eduard (1900) ev. Theol. 357*
- Eduard (1919) schweizer. Bundespräs. **357 f.**
- Eduard s. **Müller-Hess,** Eduard (1923) **500**
- Emanuel s. **Müller,** Karl Emanuel (1869) **442–44**
- Emil (1910) Sprengstoffindustr. **358 f.**
- Emil (1927) Math. **359 f.**
- Emma (1936) Frauenrechtlerin 357*
- Enzio (* 1969) Kaufm. 401*
- Erich (1948) Elektrochem. **336 f.**, 337*
- Erich (1963) Waffentechn. **360 f.**
- Erich Albert (1977) Physiol. 336*, **337 f.**
- Erich (1992) Zahnarzt **361 f.**
- Erich (* 1938) Braumeister 361*
- Ernest Maria (1888) Bf. v. Linz ADB 52 497 f.
- Ernestine Wilhelmine (1861) Verl. 14 347*, 18 349*
- Ernst (1681) ev. Theol. 312*
- Ernst (1875) Bildh. ADB 22 525
- Ernst (19. Jh.) Maschinenfabr. 362*
- Ernst Jos. (1915) Fabr. 14 691*
- Ernst (1929) Textilforscher **362 f.**
- Ernst v. (1934) bayer. Min.beamter 379*
- Ernst s. **Müller-Meiningen,** Ernst (1944) **505–07**
- Ernst (1957) Kaufm. **363 f.**
- Ernst Ferd. (1957) Statistiker **365 f.**
- Ernst Lothar s. **Lothar,** Ernst (1974) **15** 232 f.
- Ernst (1982) Lebensmittelfabr. **364 f.**
- Ernst s. **Müller-Hermann,** Ernst (1994) **499 f.**
- Erwin (1968) Pol. **366**
- Erwin (1977) Phys. **366 f.**
- Erwin (* 1892) Verl. 473*
- Eugen Ephraim (1888) Verl. **14** 347*
- Eugen (1948) kath. Theol. **367 f.**
- Eugen (1976) Chem. **368 f.**
- Eugen (* 1889) kath. Theol. 479*
- Ferdinand (1877) Schriftst. **370 f.**
- Ferdinand s. **Nesmüller,** Ferd. (1895) ADB 52 612 f.
- Ferdinand Frhr. v. (1896) Botaniker, Naturforscher **369 f.**
- Ferd. Gottlob Jakob v. (1897) Prälat v. Stuttgart 436*
- Ferdinand (1900) Geograph **370**
- Ferdinand (1944) Pol. 479*
- Fooke Hoissen (1856) Math., Dichter ADB 22 525–27
- v. *Friedberg*, Franz Jos. Frhr. (1803) schweizer. Staatsmann 433*, ADB 22 694–98
- v. *Reichenstein*, Franz Jos. Frhr. (1825) Montanwiss. **372 f.**
- Franz Tobias (1827) kath. Theol. 314*, ADB 22 679
- Franz Hubert (1835) Maler V 162*, 18 329*, 330*
- Franz Carl (1839) Stadtdir. in Karlsruhe 503*
- Franz Jos. (1848) Hist. 314*, **315**
- Franz Leonh. Frhr. v. (* 1819) siebenbürg. Vizekanzler 372*
- Franz (1880) bayer. Schulrat VII 570*, ADB 22 528
- Franz (1884) Münzamtsdir. 440*
- Franz v. (19. Jh.) brit. Oberstlt. 313*
- Franz (1905) Tiermed. **370 f.**
- Franz Hermann s. **Müller-Lyer,** Franz Carl (1916) **503 f.**
- Franz Jos. (1917) Industr. IX 146 in Art. Hille, J. J., **373**
- Franz (1929) Maler 330*
- Franz (1929) Bankier 17 203*
- Franz (1935) Dománenverw. 499*
- Franz Xaver (1974) Jesuit 389*
- Franz (1994) Wirtsch.wiss. **371 f.**
- Fridolin Franz (1757) Gemeindepräs. v. Näfels 433*
- Friedr. Theodosius (1766) ev. Theol. ADB 22 529
- Friedr. Gottlieb (1772) Med. X 1*
- Friedr. Aug. (1807) Dichter ADB 22 529
- Friedr. Christoph (1808) Astronom ADB 22 530
- Friedrich (1825) Dichter, Maler VI 539*, 589*, **18** 373–75
- Friedrich (1830) Bgm. v. Neubrandenburg 269*
- Friedrich (1834) Schausp. V 686*
- Friedrich (1835) Strandvogt in Rostock 369*
- Friedrich (1839) Med. 453*
- Friedrich v. (1849) weimar. Kanzler **375–77**
- Friedrich (1859) Landschaftsmaler ADB 22 537
- Friedr. Wilh. (1868) Gutsbes. 409*
- Friedrich (1871) Komp. ADB 22 528 f.
- Friedrich v. (1874) Industr. 13 130*
- v. der *Werra*, Friedr. Konrad (1881) Dichter ADB 22 702–04
- Friedr. Justus (1893) Päd. 505*

– Friedr. Franz (1894) Sektfabr. 456*
– Friedrich (1898) Sprachwiss., Ethnogr. **378 f.**
– Friedrich Max (1900) Indol. 15 250 in Art. Lottner, C. F., **18** 320*, **322 f.**
– Friedrich (1912) Med. 379*
– Friedrich (1915) ev. Bf. v. Hermannstadt I 139*, **18 377 f.**
– Friedrich (1930) Orientalist **381 f.**
– Friedrich (1931) Chem. **379**
– Friedrich (1934) Eisenbahnbeamter 406*
– Friedrich v. (1941) Med. 13 236*, **18 379–81**
– Friedrich (1941) Papiering. **382 f.**
– Friedrich (1953) Kaufm. 368*
– Friedrich (1957) Kreisamtmann in Neckarsulm 414*
– Friedrich (1969) ev. Bf. v. Hermannstadt **383 f.**
– Friedr. Paul (∗ 1951) Jur. 414*
– Fritz (1880/81) Spediteur 507*
– Fritz (1897) Biol. **332 f.**, 333*
– Fritz s. **Müller-Partenkirchen,** Fritz (1942) **507 f.**
– Fritz (1947) Chem. **385–87**
– Fritz (1954) Med. 499*
– Fritz (1964) Verkehrsjur. **384 f.**
– Fritz Paul (1989) Entomol. **387 f.**
– Fritz (∗ 1894) Med. 438*
– Fritz (∗ 1926) Hist. 479*
– G. (16. Jh.) Komp. ADB 22 538
– Gallus (1546) kath. Theol. **388 f.**
– Gebhard (1990) Jur., Pol. **389–91**
– Georg (1559) Jur., mansfeld. Kanzler VI 622*
– Georg (1627) kath. Theologe 17 521*
– Georg (1819) ev. Theol., Schriftst. 315*, **319 f.**
– Georg (1826) niederländ.-ostind. Beamter ADB 22 546
– Georg (1842) Med. 486*
– Georg Ludw. (1845) Med. 379*
– Georg (1845) Päd. 377*
– Georg (1855) Musiker ADB 22 499–501
– Georg v. (1881) preuß. Major 439*
– Georg (1906) preuß. Major 492*
– Georg (1917) Verl. **392 f.**
– Georg (1919) Sektfabr. 456*
– Georg Elias (1934) Psychol. **393 f.**
– Georg v. (1940) Admiral **391 f.**
– Gerd (∗ 1945) Automobilkaufm. 415*
– Gerda (1951) Schausp. 15 133*
– Gerhard Andr. (1762) Med. VI 540*, ADB 22 546 f.
– Gerhard Friedr. v. (1783) Forschungsreisender 17 743*, **18 394 f.**
– Gerhard (1970) Automobilkaufm. 415*
– Gertrud s. **Götz,** Gertrud (1972) 347*
– Gottfried (1704) ev. Theol. 469*
– Gottfried Ernst (1747) ev. Theol. 469*
– Gottfried (1881) Jurist ADB 22 553 f.
– Gottfried (1965) Jur. 474*
– Gotthelf (1758) ev. Theol. 15 690*
– Gottlieb Friedr. (1847) Landger.dir. 434*
– Gottlieb Daniel (1890) ev. Theol. 358*
– Günther (1957) Germanist **395–97**
– Gustav (1855) Musiker ADB 22 499
– Gustav (1875) Pol. V 47*
– Gustav Henry (1913) Reeder 485*
– Gustav (1916) Päd. 464*
– Gustav (1925) Astronom IV 240*, **18 335 f.**, 336*
– Gustav (1928) Kaufm. 473*
– Hans s. a. **Müller,** Johann
– Hans (1525) Bauernführer **397 f.**

– Hans (1643) Tuchhändler 15 303*
– Hans Conrad (1838) ev. Theol. 350*
– Hans (1897) Musikwiss., Kunsthist. 486*, ADB 52 503 f.
– Hans (n. 1919) Verl. 392*
– Hans (1948) Päd. 400*
– Hans s. **Müller-Einigen,** Hans (1950) **492–94**
– Hans (1951) Architekt **398 f.**
– Hans (1951) Markscheider **399 f.**
– Hans s. **Müller-Schlösser,** Hans (1956) **509 f.**
– Hans Michael (1989) ev. Theol. 427*
– Hans-Reinhard (1989) Regisseur **400 f.**
– Hans Wolfgang (1991) Ägyptol. **401–03**
– Heiner (1995) Dramatiker **403–05**
– Heinrich s. **Heinrich** v. **Zütphen** (1524) VIII 431
– Heinrich s. **Moller,** Heinrich (1589) 17 741*, ADB 22 758 f.
– Heinrich (1675) ev. Theol., Schriftst. **405 f.**
– Heinr. Justus (1783) Päd. **394**
– Heinrich (1814) Katechet ADB 22 556 f.
– Heinrich (1817) ev. Theol. 350*
– Heinr. Gottfr. (1833) ev. Theol. 14 574*
– Heinr. Friedr. (1847) Kunsthändler XII 644*
– Heinrich (1849) Münzdir. 14 347*
– Heinr. David (1850) Lederfabr. XII 196*
– Heinrich (1864) Anatom ADB 22 557 f.
– Heinr. Ernst (1866) Med. 449*
– Heinrich (1890) Architekt ADB 52 504–06
– Heinr. Dietrich (1893) Päd. ADB 52 506–11
– Heinrich (1910) Apotheker 400*
– Heinrich (1934) Päd. 512*
– Heinrich v. (1935) Jur. 410*
– Heinrich (1945) Rechnungshofpräs. **406 f.**
– Heinrich (1945) Gestapo-Chef **407 f.**
– Heinrich (1956) Päd. 480*
– Heinrich (1970) ev. Theol. 483*
– Heinz-Otto (1945) Elektrotechn. **409**
– Heinz (1992) Nat.ök. **408 f.**
– Helfrich (1759) Architekt 313*
– Helga (1965) Kunsthist. 448*
– Hellmuth s. **Müller-Clemm,** Hellmuth (1982) **492**
– Helmut (∗ 1933) Industriekaufm. 428*
– Helmut (∗ 1936) Ing. 474*
– Henning (1674/75) Drucker 15 279*
– Herbert (∗ 1953) Wirtsch.prüfer 414*
– Hermann (1876) Jur. ADB 22 559–61
– Hermann (1880) Med. 503*
– Hermann (1883) Zool., Botaniker, 332*, **333 f.**
– Hermann v. (1908) Gen. **409 f.**
– Hermann (1912) Verl. 332*
– Hermann s. **Müller-Thurgau,** Hermann (1927) **510 f.**
– Hermann (1931) Reichskanzler **410–14**
– Hermann s. **Müller-Lichtenberg,** Hermann (1932) **502 f.**
– Hermann Jos. (1967) Biol. XI 127*
– Hermann Paul (1975) Rennfahrer **415 f.**
– Hermann (1990) Pol. **414 f.**
– Hieronymus (1861) klass. Philol. 332*, ADB 22 561
– Horst (1949) Gutsbes. 336*
– Hugo (1882) Schausp., Dramatiker ADB 22 562
– Hugo v. (1911) preuß. Oberst 439*
– Ignaz (1782) Augustinerchorherr **416 f.**
– Ilse (1979) Chem. 368*
– Inge (1966) Lyrikerin 403*
– Irene (1957) Bildhauerin 426*

- Irma v. (1965) Malerin 441*
- Iwan v. (1917) klass. Philol. 417
- J. K. s. **Löhr,** Joh. Andr. Christian (1823) ADB 19 137 f.
- Jacob (1637) Med., Math. **312 f.,** 313*
- Jakob Aurelius (1806) ev. Bf. v. Hermannstadt **418 f.**
- Jacob (1905) Pol. **417 f.**
- Joachim s. **Burck,** Joachim v. (1610) **III 33 f.**
- Joachim Eugen (1833) Topogr. **419 f.**
- Joel (1895) Talmudgel. **420**
- Johann (1. H. 16. Jh.) Komp. ADB 22 581
- Johann (1600/01) Chronist ADB 22 581
- Joh. Heinr. v. (1606) Goldmacher **424 f.**
- Johann (1671) Math. **420 f.**
- Joh. Jakob (1704) Textilkaufm. 17 14 in Art. Melem
- Joh. Sebastian (1708) sächs. Hist. ADB 22 581 f.
- Joh. Christoph (1721) Kartogr. **422 f.**
- Joh. Ernst (1723) Baumeister 312*
- Joh. Heinrich (1731) Physiker, Astronom IV 394*, 18 422*, ADB 22 583–85
- Joh. Joachim (1731) weimar. Archivar ADB 22 583
- Joh. Georg (1745) geistl. Dichter ADB 22 585
- Joh. Joachim Christian (18. Jh.) preuß. Hofgoldschmied 17 624*
- Joh. Caspar (1753) Med. X 1*
- Joh. Peter s. **Molitor,** Joh. Peter (1756) ADB 22 108
- Joh. Nikolaus (1763) Med. 423*
- Joh. Stephan (1768) ev. Theol. ADB 22 585
- Joh. Samuel (1773) Päd. ADB 22 585 f.
- Joh. Georg (1779) ev. Theol. 315*
- Joh. Martin (1781) Päd. ADB 22 586 f.
- Joh. Heinr. s. **Miller,** John Henry (1782) **17 523 f.**
- Joh. Sebastian (n. 1783) Kupferst. ADB 22 587
- Joh. Wilh. (1785) Feilenschmied 16 60 Einl.
- Joh. Thomas (1790) Kaufm. 314*
- Joh. Daniel (1794) ev. Theol. ADB 22 587
- Joh. Jost (1805) Bgm. v. Wissenbach 351*
- Joh. Friedr. (1807) preuß. Hofrat 375*
- Joh. Ludw. Ernst (1813) Kaufm. 358*
- Joh. Heinr. (1815) Schausp., Schriftst. V 686*
- Joh. Friedr. Wilh. (1816) Kupferst. ADB 22 617–20
- Joh. Nikolaus (1819) Glasbläser 444*
- Joh. Friedr. (1820) ev. Theol. 332*, 758*
- Joh. Aug. (1827) Leinenfabr. 15 447*
- Joh. Gottwerth (1828) Schriftst. **423 f.**
- Joh. Gotthard v. (1830) Kupferst. ADB 22 610–16
- Joh. Helfrich v. (1830) Architekt 312*, **313 f.**
- Joh. Carl (1834) Jur. 349*
- Joh. Michael (1835) Violinist ADB 22 620 f.
- Joh. Andreas (1849) Glasmacher 511*
- Joh. Gg. (1849) Architekt, Dichter ADB 22 621–25
- Joh. Jos. (1861) schweizer. Pol. ADB 22 628 f.
- Joh. Baptist (1862) Dichter ADB 22 625
- Joh. Heinr. Traugott (1862) Math. ADB 22 629–31
- Joh. Christoph (1863) Klavierfabr. 417*
- Joh. Frhr. v. s. **Müller,** John W. Frhr. v. (1866) IX 42 in Art. Heuglin, Theodor v., **18 429 f.**
- Joh. Baptist (1869) Historienmaler ADB 22 631–33
- Joh. Georg (1870) Bf. v. Münster ADB 52 513 f.
- Joh. Friedr. (1873) ev. Theol. **332**
- Joh. Georg (1875) ev. Theol. ADB 22 634 f.
- Johann (1875) Physiker, Math. **329 f.,** 330*, 331*
- Joh. Nikolaus s. **Myler** ab *Ehrenbach,* Joh. Nikolaus (1877) ADB 23 130–33
- Joh. Jakob (1878) Hist. ADB 22 635–37
- Johann (1896) Botaniker **421**
- Joh. Friedr. Theodor s. **Müller,** Fritz (1897) **332 f.,** 333*
- Joh. Christian Gustav (1901) Glasbläser 444*
- Joh. Gottfr. Lobegott (1905) Päd. 426*
- Joh. Peter (1913) Päd. 430*
- Johann (1929) Min.beamter 366*
- Johs. (Regiomontanus) (1476) Math., Astronom ADB 22 564–81
- Johs. Gg. (1771) Offz., Mil.baumeister VI 484*
- Johs. v. (1809) Hist., Staatsmann **315–18,** 319*
- Johs. (1816) Kartogr. 350*
- Johs. v. (1848) Kaufm. 429*
- Johs. (1858) Physiol., Zool. **425 f.**
- Johs. (1921) ev. Theol. 401*
- Johs. (1945) Päd. 389*
- Johs. (1946) Statistiker **334 f.**
- Johs. (1949) ev. Theol. **426–28**
- Johs. (1992) Pol. **428 f.**
- John W. Frhr. v. (1866) Naturkundler, Ornithol. IX 42 in Art. Heuglin, Theodor v., **18 429 f.**
- John v. (1874) Buchdrucker 429*
- John Henry (1886) Kaufm. 485*
- Jos. Anton (1793) Landammann v. Uri 442*
- Jos. (1827) Päd. VII 570*, ADB 22 637
- Jos. Maria Frhr. v. (1843) Dompropst in St. Gallen 433*
- Jos. Ferd. (1864) kath. Theol. **432 f.**
- Jos. (1872) Naturforscher, Philol. ADB 22 637 f.
- Jos. (1895) Philol., Hist. ADB 52 518 f.
- Jos. Friedr. (1901) schweizer. Pol. 419*
- Jos. (1933) Jur. 15 232*, 18 493*
- Jos. (1945) Mundartforscher **430**
- Jos. (1974) Kommunalpol. 447*
- Jos. (1979) Pol. **430–32**
- Josephine Hortense (1808) Schausp. V 686*
- Josine (1930) Psychoanalyt. 488*
- Julian (1909) Steuerbeamter 328*
- Julius (1878) ev. Theol. XII 296*, 18 323*, **326 f.,** 327*, 328*
- Julius Otto (1918) ev. Theol. 476*
- Justus Balthasar (1824) geistl. Dichter ADB 22 641 f.
- Justus (1970) Bankier 336*
- Karl Gotthold (1760) ev. Theol. X 1*, ADB 22 642
- Karl Frhr. v. (* 1780) Bergrat 372*
- Karl Wilh. (1801) Bgm. v. Leipzig VII 349*, ADB 22 642 f.
- Carl v. (1805) russ. Hofrat 394*
- Karl Frhr. v. (1836) schweizer. Staatsmann **433 f.**
- Karl s. **Müller,** Otfried (1840) X 26*, **18 323–26**
- Carl (1843) Jur. 375*
- Karl (1847) preuß. Agent **434 f.**
- Karl Friedr. (1857) Kaufm. 335*
- Karl Daniel (1858) Sup. in Ohlau 323*
- Karl Frhr. v. (1863) Jur., Pol. 433*, ADB 22 698
- Carl Heinr. Emanuel (1864) Rentmstr. 463*
- Carl (1866) Verl. 349*
- Karl Emanuel (1869) Bauing., Pol. **442–44**
- Karl Gustav Adolph s. **Schottmüller,** Karl Gustav Adam (1871) VII 235*
- Karl (1873) Musiker ADB 22 499

- Karl Wilh. (1874) Philol., Lit.hist. ADB 52 522–24
- Karl Friedr. Joh. v. (1881) Maler ADB 22 647 f.
- Carl (1885) Kaufm. 342*
- Carl (1889) Schriftst. 436
- Karl (1893) Maler V 162*, 18 329*, 330*, ADB 52 519–21
- Karl Otto (1898) Jur. ADB 52 521 f.
- Karl (1899) Botaniker **435 f.**
- Karl (1901) Veterinär 14 88*
- Karl Friedr. Ed. (1905) Päd. 355*
- Carl (1907) Botaniker **437 f.**
- Karl Herrmann (1907) Montanwiss. **445**
- Carl Hugo (1908) Jur. 323*, 327*
- Carl Heinr. Florenz (1912) Kunstglasbläser **444**
- Carl Louis (1913) Rechnungsrat 415*
- Karl (1921) klass. Philol. 495*
- Karl v. (1923) Seeoffz. **439**
- Carl (1931) Chem. **438 f.**
- Karl (1934) Med. 497*
- Karl (v. 1935) Ing. 329*, 331*
- Karl (1936) kaufmänn. Dir. 474*
- Karl (n. 1939) Päd. 445*
- Karl (1940) Kirchenhist. 147*, **18 436 f.**
- Karl Eugen (1951) Redakteur 471*
- Karl (1955) Botan. **439 f.**
- Karl (1957) Fabrikdir. 355*
- Carl s. **Müller-Braunschweig,** Carl (1958) **488–90**
- Karl Valentin (1963) Soziol. **445–47**
- Carl-Hermann s. **Mueller-Graaf,** Carl-Hermann (1963) **497 f.**
- Karl Alex. v. (1964) Hist. V 42*, VIII 483*, **18 440–42**
- Karl (∗ 1891) Kaufm. 438*
- Kaspar (n. 1530) mansfeld. Kanzler ADB 22 648
- Kaspar (16. Jh.) geistl. Dichter ADB 22 648
- Caspar Matthäus (1717) Jur. 405*
- Clara (1707) Astronomin IV 394*, 18 422*, ADB V 758, 22 584 in Art. Müller, Joh. Heinr.
- Klara s. **Mühlbach,** Louise (1873) **269 f.**, 588*
- Claus-Hinrich (1897) Päd. 480*
- Klaus (∗ 1934) Jur. 361*
- Klaus (1936) Architekt 398*
- Klaus (1980) OB v. Augsburg **447**
- Klaus (1984) Brauereidir. 447*
- Konrad (v. 1440) Schreiber 447*
- Konrad (1482/83) Schreiber **447 f.**
- Konrad (1945) Hist., Geogr. 383*
- Conrad (1953) Math. **448 f.**
- Constantin (1849) Kupferst. V 162*, 18 329*, 330*
- Konstantin (1892) Kaufm. 439*
- Kraft (1547) Drucker IV 734*
- Kurt (1959) Kaufm. 451*
- Kurt (1972) Archäol. **449 f.**
- Kurt (1983) Leibniz-Forscher **451 f.**
- Kurt (1990) Pol. **450 f.**
- Laurentius (1598) Hist. ADB 22 648–50, 29 775
- Laurenz (1891) Knopf- u. Metallwarenfabr. IX 146*
- Laurenz Jos. (1904) Knopf- u. Metallwarenfabr. 373*
- Laurenz Franz (∗ 1905) Ing. 373*
- Leopold Karl (1892) Maler ADB 52 524–27
- Lillian (1947) Sängerin 472*
- Lorenz Friedr. (1796) Architekt 313*
- Lorenz (1953) Herpetol. **452 f.**
- Louise Wilh. (1860) Tänzerin IX 553*
- Lucian (1898) klass. Philol. **453**
- Ludwig Aug. (18. Jh.) Chemieindustr. 15 277*
- Ludwig Christian (1804) preuß. Ing.major ADB 22 650
- Ludwig (1813) Meteorol. 314*, ADB 22 679
- Ludwig s. **Müller-Uri,** Ludwig (1888) **511 f.**
- Ludwig (1891) Museumsmann XII 677*
- Ludwig v. (1895) bayer. Min. 440*
- Ludwig (1899) Kaufm. 379*
- Ludwig (1924) Kommunalpol. 453*
- Ludwig (1924) Forstmann 439*
- Ludwig (1934) kath. Theol. **453 f.**
- Ludwig v. (1944) Chem. 441*
- Ludwig (1945) ev. Reichsbischof **454 f.**
- Ludwig Robert (1962) Med. 379*
- Magdalene (1794) Sängerin 482*
- Manfred (20. Jh.) Lebensmittelfabr. 344*
- Manfred (1987) ev. Theol. 355*
- Marga (1981) Schriftst., Kulturpol. 400*
- Mariquita (1963) Malerin 471*
- Marcus Jos. (1874) Oriental. VII 570*, ADB 22 651 f.
- Martin s. **Myllius,** Martin (1521) ADB 23 145
- Martin (1960) Med.hist. **455 f.**
- Matheus (1847) Sektfabr. **456 f.**
- Matheus (1870) Sektfabr. 456*
- Matthäus (1925) kath. Theol. **457 f.**
- Matthias (19. Jh.) Math. VIII 51*
- Max (1896) Med. 425*
- Max (1900) Sprachwiss. 15 250 in Art. Lottner, C. F., **18 320*, 322 f.**
- Max (1910) Verl. 349*
- Max (1919) Ägyptol. 505*
- Max (1994) Philos. **458–60**
- Methusalem (1837) Schriftst. ADB 22 652
- Michael (1704) geistl. Dichter ADB 22 653
- Michel (16. Jh.) Meistersinger ADB 22 653
- Moritz s. **Steinla,** Moritz (1858) ADB 35 741
- Moritz (1865) Genremaler ADB 22 653–55
- Moses (1853) Rabbiner 420*
- Niklas (1875) Dichter, Pol. 17 682* ADB 22 655
- Nikolaus (1851) Dichter, Kunstschriftst. **460 f.**
- Nikolaus (1912) Kirchenhist. **461–63**
- Norbert (∗ 1925) ev. Theol. 355*
- Olga (1939) Geigenvirtuosin 15 679*
- Otfried (1840) Altertumsforscher X 26*, **18 323–26,** 326*, 327*, 328*
- Otto (1867) Bgm. in Riga ADB 22 667 f.
- Otto (1894) Romanschriftst., Journalist ADB 52 527–29
- Otto (1897) Ing. **463 f.**
- Otto (1908) Fabr. 336*
- Otto Hildebert (1916) Ing. 463*
- Otto Victor (1922) Med. 478*
- Otto (1930) Maler VIII 107*, **18** 323*, 326*, 327*, **328 f.**
- Otto (1943) Landger.dir. 458*
- Otto (1944) Arbeiterführer **464 f.**
- Otto (1945) Fabr. 336*
- Otto (1947) Landger.rat 458*
- Otto (1956) Verl. **465 f.**
- Otto (1968) Bankier 447*
- Paul (1931) Sektfabr. 456*
- Paul (1936) Musiker 15 679*
- Paul (1945) Sprengstoffindustr. 358*
- Paul (1965) Chem. **466 f.**

- Paul (1972) Päd. 496*
- Peter (n. 1499) Dichter ADB 22 668
- Peter (1658) Kaufm. 405*
- Peter Erasmus (1834) luth. Theologe, Altertumswiss. XII 677*
- Peter Wilh. Carl s. **Müller,** Wolfgang (1873) **486 f.**
- Peter (1929) Landwirt V 315*
- Peter (* 1922) Med. 355*
- Peter J. (* 1936) Treasurer 401*
- Peter (* 1941) Chem. 368*
- Philipp (1659) Math., Astronom ADB 22 668
- Philipp (1713) ev. Theol. ADB 22 668
- Philipp Heinr. (1719) Medailleur **468 f.**
- Philipp Friedr. (1844) Buchhändler 349*
- Philipp (1963) Kulturhist. **467 f.**
- Polycarp (1747) Rhetoriker, Bf. d. Mähr. Brüder **469 f.**
- Reinhard (* 1952) Kaufm. 414*
- Reinhart (1898) Bgm. v. Ranspach 367*
- Reinhold (1939) Math., Kinemat. **470 f.**
- Reinhold Christopher (* 1940) Hist. 371*
- Renate (1937) Schausp. **471**
- Richard (19. Jh.) Zuckerfabr. 334*
- Richard (1933) Schirmfabr. 336*
- Richard (1954) Maler **471–73**
- Richard v. (* 1869) Gen. 439*
- Robert (1924) Schriftst. **473 f.**
- Robert (1951) Chem. **474 f.**
- Robert (1987) Wasserbauing. 17 384 in Art. Meyer-Peter, Eugen
- Rolf (1981) Astrophys. 335*, 336
- Rosalie Ps. f. **Rothpletz,** Anna (1841) ADB 29 372 f.
- Rudolf (1934) Dermatol. **475**
- Samuel Jakob (1838) ev. Theol. ADB 22 673 f.
- Sanderad (1819) Benediktiner **314 f.,** 315*
- Sigismund (1649) schwed. Gen.kriegskommissar X 398*
- Sigrid (* 1926) Pol. 414*
- Sophie (1830) Schausp. ADB 22 674
- Statius (1776) Naturforscher ADB 22 668 f.
- Stefan Frhr. v. (1938) Chefred. 354*
- Sven v. (* 1893) Jur. 391*
- Thaddäus (1826) kath. Theol. **475 f.**
- Theodor Amadeus (1846) Violinist 348*, ADB 22 517
- Theodor (1875) Musiker ADB 22 499
- Theodor (1881) Philol. ADB 22 677 f.
- Theodor (1996) Museumsdir. **491***
- Theresia (* 1900) Soziol. 371*
- Thomas (1720) Päd. 394*
- Thomas s. **Müller,** Sanderad (1819) **314 f.**
- Traugott (1944) Bühnenbildner **476 f.**
- Traugott (* 1927) Industriekaufm. 476*
- Trudpert (1991) Reg.präs. in Karlsruhe 440*
- Ulrich (1715) Kartograph **477 f.**
- Ulrich (1959) kath. Theol. 447*
- Ursula (* 1936) Kieferorthopädin 361*
- Valentin Christian (1852) Med. 478*
- Valentin (1898) Päd. 445*
- Valesca s. **Voigtel,** Valesca (1876) ADB 40 213
- Viktor (1871) Maler 109*, **478 f.**
- Vincenz (1961) Gen. **479 f.**
- Walter (1979) Phys. **480 f.**
- Walter (1992) Architekt 440*
- Walter Jos. (* 1912) Textiling. 347*

- Wenzel (1835) Komp. **482**
- Werner (1990) Amerikanist **482–84**
- Wilhelm (n. 1673) Reiseschriftst. ADB 22 682 f.
- Wilhelm Heinr. (1818) Hofrentmeister 338*
- Wilhelm (1827) Dichter **320–22,** 322*
- Wilhelm (1862) Schausp., Schriftst. ADB 52 529 f.
- Wilh. Daniel (1870) ev. Theol. 476*
- Wilhelm s. **Müller v. Königswinter,** Wolfgang (1873) 15 277*, **18 486 f.**
- Wilh. Heinr. (1889) Erzhändler **485 f.**
- Wilhelm (1890) Germanist ADB 52 530–37
- Wilhelm (1890) Verl. 349*
- Wilhelm (1909) Anatom 15 174*
- Wilhelm (1914) Chem., Phys. **494**
- Wilhelm (n. 1920) Verl. 384*
- Wilhelm (1929) Kaufm. 343*
- Wilhelm (1940) Zool. 332*
- Wilhelm (1951) Ing. 15 59*
- Wilhelm (1956) Eisenbahn-Ing. **484 f.**
- Wilhelm (1993) Jur. 458*
- Wilhelm Christian (* 1931) Kieferorthopäde 361*
- Wilhelmine Augusta (1807) Schriftst. 349*
- Wolf Johs. (1941) Chemiker 329*, 330*, **331 f.**
- Wolfgang (1873) Schriftst. 15 277*, **18 486 f.**
- Wolfgang s. **Stöckel,** Wolfgang (n. 1539) ADB 36 283 f.
- Wolfgang (1968) Ing. 336*
- Wolfgang (1957) kath. Theol. 430*
- Wolfgang (* 1926) Industr. 447*
- Wolfgang (* 1931) Ing. 474*
- Wolfgang (* 1941) Drehbuchautor 403*
- Wolfgang (* 1943) Lebensmittelfabr. 364*
- Wolfgang (* 1947) Ing. 387*
- **-Armack,** Alfred (1978) Nat.ök., Kultursoziol. **487 f.**
- – Andreas (* 1941) bayer. Min.dirigent 487*
- **-Berner,** Alfred (1979) Motorenbauer 15 42 in Art. Löhner, Kurt
- **-Braunschweig,** Ada (1959) Psychoanalyt. 488*
- – – Hans (* 1926) Psychoanalyt. 488*
- – – Carl (1958) Psychoanalyt. **488–90**
- **-Breslau,** Georg (1911) Maler 490*
- – – Heinrich (1925) Baustatiker **490 f.**
- – – Heinrich (1972) Baukonstrukter 490*
- **v. Bulgenbach,** Hans s. **Müller,** Hans (1525) **397 f.**
- **-Christensen,** Sigrid (1994) Kunsthist. **491 f.**
- **-Clemm,** Berndt (* 1923) Graphiker 492*
- – – Dieter (* 1929) Bankkaufm. 492*
- – – Heinz (* 1923) Tierarzt 492*
- – – Hellmuth (1982) Papierchem. **492**
- – – Kurt (1970) Hotelier 492*
- – – Wolfgang (1972) Schriftst. 492*
- **-Desterro,** Fritz s. **Müller,** Fritz (1897) **332 f.,** 333*
- **-Dolezal,** Heide (1994) Med. 368*
- **-Einigen,** Ernst Lothar (1970) Theaterregisseur 493*
- – – Hans (1950) Schriftst. 15 232*, **18 492–94**
- – – Robert (1942) Jur. 493*
- **-Emden,** Karl v. s. **Müller,** Karl v. (1923) **439**
- **-Erzbach,** Rud. (1959) Jur. **494 f.**
- **-Franken,** Hermann s. **Müller,** Hermann (1931) **410–14**

– **-Freienfels,** Käte (1973) Päd. 495*
– – Reinhart (* 1925) Dramaturg 495*
– – Richard (1949) Päd., Psychol. **495 f.**
– – Wolfram (* 1916) Jur. 495*
– **v. Friedberg,** Karl Frhr. s. **Müller,** Karl Frhr. v. (1836) **433 f.**
– – Karl Frhr. s. **Müller,** Karl Frhr. v. (1863) 433*, ADB 22 698
– **-Gastell,** Henry-Jos. (1940) Sektfabr. 456*
– – Fritz (1975) Sektfabr. 456*
– – Otto (* 1908) Sektfabr. 456*
– **-Gögler,** Maria (1987) Schriftst. **496 f.**
– – Paul (1989) Richter 496*
– **-Graaf,** Carl-Hermann (1963) Wirtsch.pol. **497 f.**
– **-Guttenbrunn,** Adam (1923) Schriftst. **498 f.**
– – Herbert (1945) Schriftst. 498*
– – Manfred (1970) Volkstumspol. 498*
– – Roderich (1956) Schriftst. 498*
– **-Hermann,** Ernst (1994) Pol. **499 f.**
– **-Hess,** Eduard (1923) Sprachwiss. **500**
– **-Hillebrand,** Dietrich (1964) Elektrotechn. **500 f.**
– **v. Itzehoe,** Joh. Gottwerth s. **Müller,** Joh. Gottwerth (1828) **423 f.**
– **-Jabusch,** Maximilian (1961) Redakteur **501 f.**
– **-Jost,** Carl (* 1900) Med. 343*
– **v. Königswinter,** Wolfgang s. **Müller,** Wilhelm (1873) 15 277*, **18 486 f.**
– **-Kurzwelly,** Konrad (1914) Maler 391*
– **-Langenthal,** Friedrich s. **Müller,** Friedrich (1969) **383 f.**
– **-Lichtenberg,** Hermann (1932) Sozialpol. **502 f.**
– **v. der Lüne,** Burchard (1670) Gen. ADB 22 701 f.
– **-Lyer,** Betty (* 1879) Schriftst. 503*
– – Franz Carl (1916) Psychol., Soziol. **503 f.**
– **-Mainz,** Lorenz s. **Müller,** Lorenz (1953) **452 f.**
– **-Marein,** Götz (* 1938) Werbeleiter 504*
– – Jos. (1981) Journ. **504 f.**
– **-Meiningen,** Ernst (1944) Pol. **505–07**
– – Ernst (* 1908) Journ. 505*
– – Johanna (* 1937) Kunsthist. 505*
– **v. Mühlenfels,** Joh. Heinr. s. **Müller,** Joh. Heinr. v. (1606) **424 f.**
– **v. Nitter(s)dorf,** Adam s. **Müller,** Adam v. (1829) III 496*, **18 338–41**
– **-Osten,** Andrea (* 1938) Malerin 17 675*
– **-Otfried,** Paula (1946) Sozialpol. 323*, 326*, 327 f., 328*
– **-Pack,** Joh. Jakob (1899) Farbstoffindustr. VI 149 in Art. Geigy, Rud., **18 507**
– **-Partenkirchen,** Fritz (1942) Schriftst. **507 f.**
– – Fritz (1955) Bildh. 507*
– – Hans (* 1907) Kaufm. 507*
– **-Rastatt,** Carl (1931) Schriftst. 396*
– **v. Reichenstein,** Franz Josef Frhr. v. s. **Müller,** Franz Jos. Frhr. v. (1825) **372 f.**
– **-Russell,** Heinr. Paul (1983) Industriekaufm. 466*
– **-Sagan,** Hermann s. **Müller,** Hermann (1912) 332*
– **-Salzburg,** Leopold (1988) Felsmechan. **508 f.**
– **-Schlösser,** Hans (1956) Schriftst. **509 f.**
– – Heiter (* 1924) Graphiker 509*
– **v. Sylvelden,** Johs. s. **Müller,** Johs. v. (1809) **315–18**
– **-Thurgau,** Hermann (1927) Botaniker **510 f.**
– **-Uri,** Albert Carl (1923) Glasaugenfabr. 511*
– – Albin (1941) Glasaugenfabr. 511*
– – Friedrich (1879) Pol. 511*
– – Friedr. Adolf (1879) Glasaugenfabr. 511*
– – Ludwig (1888) Glasaugenfabr. **511 f.**
– – Reinhold (1900) Glasaugenfabr. 511*
– – Werner (1914) Glasaugenfabr. 511*
– – Friedr. Adolf (1939) Glasaugenfabr. 511*
– **v. der Werra,** Friedr. Konrad s. **Müller,** Friedrich Konrad (1881) ADB 22 702–04
– **-Wiener,** Elfriede (1924) Architektin 512*
– – Heinrich (1967) Botan. 512*
– – Wolfgang (1991) Bauhist. **512**
– **-Wipperfürth,** Alfons (1986) Textilfabr. **513 f.**
– **-Wirth,** Christof (* 1930) Verl. 349*
– – Robert (1982) Verl. 349*
Müllner s. a. **Miller, Molitor, Müller, Mülner**
– Adolph (1829) Dramatiker **514 f.**
– Barbara Juliana s. **Penzlin,** Barbara Juliana (1674) ADB 25 364 f.
– Heinrich Adolph (1803) Amtsprokurator 514*
– Johann (1605) ev. Theol. 515*
– Joh. Christoph (1662) Ratsschreiber 515*
– Joh. Tobias (1725) Ratsschreiber 515*
– Joh. Jos. (1749) Ratsschreiber 515*
– Johs. (1634) Historiograph **515 f.**
– Laurenz (1911) Philos. 493 in Art. Müller-Einigen, Hans
– Sebastian (1768) Grundrichter 372*
Mülmann, Johannes s. **Mühlmann,** Johs. (1613) ADB 22 482 f.
Mülner s. a. **Miller, Molitor, Müller, Müllner,** Zürcher Fam. ADB 22 710
– Eberhard (1382) Schultheiß in Zürich, Chronist 17 526 in Fam.art. Miller zu Aichholz, ADB 22 710
– Gottfried (1386) 17 526 in Fam.art. Miller zu Aichholz
– Jakob (1287) Reichsvogt in d. Schweiz II 675*, 17 526 in Fam.art. Miller zu Aichholz
Mülnhausen, Wachsmuot v. (um 1240) Minnesänger ADB 22 711
Mülverstedt, George Adalbert v. (1914) Archivar **516 f.**
Münch s. a. **Mönch, Muench, Munch**
– Alfred (* 1917) Med. 517*
– Christian (1747) Ratsherr zu Fischern 16 579*
– Ernst Hermann Jos. (1841) Historiker, Publizist ADB 22 714–16
– Ernst (1928) Organist 519*
– Ernst (1946) Forstmann 517
– Eugen (1897) Organist 520*
– Eugen Gottfr. (1944) Dirigent 520*
– Franz Xaver (1940) kath. Theol. **517 f.**
– Friedr. (1881) Pol. **518 f.**
– Fritz (1970) Musiker 520*
– Fritz (1995) Jur. 517*
– Georg (1879) ev. Theol. 518*
– Hans-Wilh. (* 1911) Med. 517*
– Hans (1983) Komp. 517*
– Johann (1599) Bgm. in Nürnberg ADB 22 716
– Carl (1968) Dirigent **519 f.**
– Ludw. Friedr. (1875) ev. Theol. 518*
– Paul (1951) Mundartdichter 517*
– Philipp (1929) ev. Theol. 517*
– Wilh. Otto (1890) Päd. 515*
– **-Bellinghausen,** Anton Frhr. v. (1864) österr. Min.beamter 520*
– – Eligius Franz Jos. Frhr. v. s. **Halm,** Friedrich (1871) **VII 569,** 18 520*

– – Franz Jos. Frhr. v. (1802) Reichshofrat VII 569*, 18 520*
– – Joachim Gf. v. (1866) Dipl. VII 569*, **18 520 f.**
– – Joh. Joachim Gg. Frhr. v. (1774) kurtrier. Hofkanzler 520*
– – Joseph Frhr. v. (1861) hess. Dipl. VII 569*
– – Cajetan Michael Frhr. v. (1831) österr. Staatsrat VII 569*
München, Heinrich v. s. **Heinrich** v. *München* (1. H. 14. Jh.) **VIII 418 f.**
– Nicolaus (1881) Dompropst zu Köln ADB 22 726 f.
Münchhausen, v., niedersächs. Geschlecht **521 f.**
– Adolf Frhr. (1837) württ., sachsen-gotha. Oberhofmarschall 522 Fam.art.
– Albrecht Frhr. (1796) Min. in Wolfenbüttel 522 Fam.art.
– Albrecht Frhr. (1880) hann. Drost 525*
– Alex. Frhr. (1886) hann. Min. 522 Fam.art.
– Anna Sibylla (1808) Oberhofmstrn. VII 659*
– Anton Frhr. (1772) kaiserl. Gen.feldwachtmstr. 521 Fam.art.
– August Ferd. Frhr. (1858) Hoftheaterintendant 522 Fam.art.
– Börries Hilmar Frhr. (1794) hess. Oberst 521 Fam.art.
– Börries Frhr. (1810) Oberhofmarschall in Wolfenbüttel 522 Fam.art.
– Börries Frhr. (1931) Jur. 525*
– Börries Frhr. (1934) Dipl.-Landwirt 525*
– Börries Frhr. (1945) Dichter II 198*, VI 2*, 18 522 Fam.art., **525–27**
– Busso Frhr. (1697) GR in Wolfenbüttel 522 Fam.art.
– Christian Frhr. (1832) Oberstaatsrat in Wolfenbüttel 522 Fam.art.
– Christoph (v. 1565) Statthalter in Estland 521 Fam.art., 522*
– Ernst (16. Jh.) Dt.ordenskomtur v. Goldingen 522*
– Ernst Friedemann Frhr. (1784) preuß. Min. 522 Fam.art., ADB 22 727 f.
– Eugen Frhr. (1854) Präs. d. thür. Ritterschaft 522 Fam.art.
– Ferd. Frhr. (1882) Oberpräs. v. Pommern 522 Fam.art.
– Georg Frhr. (1724) hann. Obristlt. 524*
– Georg Frhr. (1829) meckl. Oberforstmstr. 522 Fam.art.
– Gerlach Adolf Frhr. (1770) hann. Staatsmann IV 399*, **18 521** Fam.art., **523 f.**
– Gerlach Heino Frhr. (1710) brandenburg. Oberstallmeister 523*, ADB 22 729
– Heinrich Frhr. (1648) schwed. Oberst 521 Fam.art.
– Hieronymus Frhr. (1742) braunschweig. Min. VII 163*, 18 522 Fam.art., ADB 22 728 f.
– Hieronymus Frhr. (1797) Erzähler VII 163*, **18 522 Fam.art., 524 f.**
– Hilmar Frhr. (1573) Söldnerführer IX 54*, 18 521 Fam.art., ADB 23 5 f.
– Hilmar Frhr. (1617) 521 Fam.art.
– Hilmar Frhr. (1672) Landdrost zu Jever 523*
– Johann (16. Jh.) Statthalter im Stift Kurland 523*
– Johs. (1572) Bf. v. Kurland u. Oesel 15 665 in Art. Magnus, Hzg. v. Schleswig-Holstein, **18 521** Fam.art., **522 f.**
– Karl Frhr. (1836) Dichter 522 Fam.art., ADB 23 7

– Carl Wilh. Frhr. (1849) hess. Oberforstmstr. VIII 46*
– Karl Frhr. (1854) Dipl. 522 Fam.art.
– Karl Frhr. (1869) sachsen-altenburg. Oberhofmarschall 522 Fam.art.
– Ludolf Frhr. (1640) Humanist 521 Fam.art.
– Moritz Friedr. Frhr. (1799) hessen-kassel. Min. 522 Fam.art.
– Otto Frhr. (1774) hann. Landdrost 522 Fam.art., 537*, ADB 23 7 f.
– Philipp Adolf Frhr. (1657) oldenburg. GR 523*
– Philipp Adolf Frhr. (1762) hann. Min. in London 522 Fam.art., 523*
– Philipp Otto Frhr. (1892) Schriftst. 522 Fam.art.
– Statius Frhr. (1615) span. Oberst 521 Fam.art.
– Statius Frhr. (1633) 521 Fam.art.
– Thankmar Frhr. (1909) Verbandsfunkt. 522 Fam.art.
– Ulrich (16. Jh.) Koadjutor d. Bf. v. Kurland 523*
– Wilh. Frhr. (1788) hann. Oberst 524*
– Wilh. Frhr. (1799) auf Bodenwerder 524*
– Wilh. Frhr. (1849) kurhess. Oberforstmstr. 522 Fam.art.
– Wilh. Frhr. (1849) Dipl. 522 Fam.art.
Münchow, Karl Dietrich v. (1836) Math. ADB 23 8
Müncker, Theodor (1902) Kaufm. 527*
– Theodor (1960) kath. Moraltheol. **527**
Münckner, Christian August (1864) ev. Theol., Dichter ADB 23 8
Mündel, August (1919) Fabr. 528 Fam.art.
– Erich (1954) Fabr. 528 Fam.art.
– Joh. Wilh. (1887) Fabr. 528 Fam.art.
– Carl (1926) Fabr. 528 Fam.art.
– Margarethe (1965) Vokstumspol. 528 Fam.art.
Münden, Christian (1741) ev. Theol. ADB 23 9 f.
Mündler, Hermann (1898) Industr. 13 207 in Art. Kühnle, G. A.
– Otto Philipp (1851) Päd. 528*
– Otto (1870) Kunsthist. **528 f.**
Münemann, Rud. (1982) Finanzier **529 f.**
Münich, Arnold (1788) Jur. ADB 23 13
– Friedrich (1875) bayer. Major ADB 23 13 f.
Münnich s. a. **Mönch, Mönnich**
– Anton Günther v. (1721) oldenburg. Deichgraf 530*, ADB 23 18
– Barbara Eleonore Gfn. v. (1774) 15 741 in Fam.art. Maltza(h)n
– Burchard Christoph Gf. v. (1767) russ. Gen. u. Min. 13 95*, **18 530–32**
– Christian Wilh. v. (1768) Drost v. Esens 530*
– Ernst Joh. Gf. v. (1788) russ. GHR 530*
– Joh. Rud. v. (1730) oldenburg. Deichgraf 530*
– Joh. Gottlieb Gf. v. (1813) livländ. Landrat 530*
Münscher, Wilhelm (1814) ev. Kirchenhist. III 669*, ADB 23 22
Münsinger, Heinrich s. **Mynsinger,** Heinrich (um 1476) 672*, ADB 23 146, 26 832
– v. *Frundeck,* Joachim s. **Mynsinger** v. *Frundeck,* Joachim (1588) V 136*, **18 671–73**
– Joseph (1560) württ. Kanzler V 136*, 18 672*
Münster, Andreas (1527/34) Spitalmstr. 539*
– Bernhard (1557) Dompropst in Münster 532 Fam.art.
– Dederich v. s. **Coelde,** Dederich (1515) ADB IV 386–88
– Dietrich v. (v. 1419) Prager Theol. ADB 23 25–27

- Dyryk (Dirich) v. (2. H. 14. Jh.) Glockengießer ADB 23 25
- Eleonore Freifrau v. (1794) Schriftst. 533 Fam.art., 533*
- Ernst Gf. zu (1839) hann. Staatsmann IV 34*, VII 595*, X 653*, 18 532 Fam.art., **533–35**, 535*, 537*
- Ernst Karl Gf. v. (1938) Landstallmstr. 533 Fam.art.
- Georg Frhr. v. (1773) osnabrück. Hofmarschall 533*
- Georg Gf. zu (1844) Paläontol. 533 Fam.art., 534*, 535*, **537 f.**
- Georg Ludw. Gf. v. (1890) Landstallmstr. 533 Fam.art.
- Gustav Maximilian Ludw. Uniko Gf. v. (1839) preuß. Gen. 533 Fam.art.
- Hans (1963) Zeitungswiss. **538 f.**
- Hermann Gf. v. (1928) Geneal. 533 Fam.art.
- Hugo Eberh. Leop. Unico Gf. v. (1880) preuß. Gen. 533 Fam.art.
- Jasper v. (1577) Dt.ordens-Landmarschall 532 Fam.art.
- Joh. v. (1632) Staatsmann, Schriftst. ADB 23 29 f.
- Joh. Georg Gf. v. (1929) Jagdschriftst. 533 Fam.art.
- Carl (1926) Architekt 538*
- Karl Herbert Gf. v. (1938) Landstallmstr. 533 Fam.art.
- Carsten (∗ 1953) Architekt 538*
- Ludw. Frhr. v. (1790) hann. Oberlandesmarschall 537*
- Renatus s. **Schießler**, Seb. Willib. (1867) ADB 31 187 f.
- Ruth (1988) Publizistikwiss. 538*
- Sebastian (1552) Kosmograph, Hebraist VIII 552*, **18 539–41**
- v. *Derneburg*, Alexander Fürst (1922) hann. Erblandmarschall 532 Fam.art., 535*
- – – Georg Fürst (1902) Dipl. 532 Fam.art., **535–37** 537*
- zu *Meinhövel*, Georg Gf. (1801) Erbmarschall v. Herford IV 34*, 18 533*

Münsterberg, Anna (1875) Malerin 542*
- Emil (1911) Sozialpol. 541, 542*
- Hugo (1916) Psychol. 541*, **542 f.**, 543*
- Hugo (∗ 1916) Kunsthist. 543*
- Johannes s. **Johannes** v. *Münsterberg* (1416) X 562
- Moritz (1880) Holzexporteur 541*, 542*, 543*
- Oskar (1920) Fabr., Kunsthist. 541*, 542*, **543 f.**
- Otto (1915) Pol. 541*, 542*, 543*

Münsterer, Hanns Otto (1974) Schriftst., Volkskundler **544 f.**
- Otto (1883) Rentamtmann 544*
- Otto Wilh. (1920) Major 544*

Münsterlin, Sigmund s. **Meisterlin**, Sigmund (n. 1497) **16 730**

Münstermann, Joh. (17. Jh.) Bildh. 545*
- Ludwig (1637/38) Bildh. **545 f.**
- Ludwig (∗ 1616) Bildschnitzer 545*

Münter, Balthasar (1793) ev. Theol., Liederdichter II 676*, IV 335* ADB 23 33–35
- Friedrich (1830) ev. Bf. v. Seeland II 676*, IV 335* ADB 23 35–37
- Friederike s. **Brun**, Friederike (1835) **II 676 f.**
- Gabriele (1962) Malerin XI 97 f. in Art. Kandinsky, W., **18 546 f.**

- Hermann (1732) Gen.sup. X 140*
- Jul. (1885) Botaniker, Zool. ADB 23 37
- Carl Friedr. (1886) Zahnarzt 546*

Müntzer s. a. **Münzer**
- Georg (n. 1652) Kirchenjur. ADB 23 37
- Thomas (1525) ev. Prediger **547–50**

Münz s. a. **Minz**
- Ludwig (1957) Kunsthist. **550 f.**
- Martin (1848) Arzt ADB 23 38

Münzberg, Hermann (1902) Textilfabr. 551*
- Joh. Gottfr. Lorenz (1824) Textilfabr. 551*
- Joh. (1878) Textilfabr. **551**
- Jos. (1867) Textilfabr. 551*
- Julius (1899) Textilfabr. 551*

Münzenberg s. a. **Hanau-Münzenberg VII 602**
- v. rheinfränk. Geschlecht **551 f.**
- Kuno v. (um 1200) Reichskämmerer 552 Fam.art., **552 f.**
- Kuno v. (13. Jh.) 552 Fam.art.
- Ulrich v. (13. Jh.) 552 Fam.art.
- Willi (1940) Pol., Publ. **553 f.**

Münzenberger, Franz (1890) Kunsthist. **554 f.**
- Georg (1870) Kunsthändler 554*

Münzer s. a. **Müntzer**
- Adolf (1953) Maler **555 f.**
- Alfred (1924) Päd. 555*
- Eduard (1877) Jur. 555*
- Emanuel (1904) Zigarrenfabr. 556*
- Eva (1932) Vinzentinerin 555*
- Florian (1944) Philol. 555*
- Florian (∗ 1948) Regisseur 555*
- Friedrich (1942) Althist. **556**
- Hieronymus (1508) Humanist **557 f.**
- Ludwig (1518) Kaufm. 557*
- Wolfgang (1994) Patentrichter 555*

Münzinger, Adolf (1962) Agrarwiss. **558 f.** 559*
- Friedr. (1962) Kraftwerksbauer 558*, **559 f.**
- Georg Philipp (1898) Med. 558*
- Wilh. (1896) Med. 558*

Mürrenberg, Heinrich (1868) s. **Moritz**, Heinrich **149**

Müsch, Leo (1911) Bildh. 17 705 in Art. Mohr, Ch.

Müsebeck, Ernst (1939) Archivar **560 f.**

Müser, Friedr. Wilh. (1874) Med. 561*
- Robert (1927) Bergbauindustr. **561 f.**

Müslin, David (1821) ev. Theol. ADB 23 101
- Wolfgang s. **Musculus**, Wolfgang (1563) **627 f.**

Muestinger, Georg (1442) Propst v. Klosterneuburg 562

Müthel, Anthon Christian (1773) russ. Oberfiskal 562*
- Christian Caspar (1764) Organist 562*
- Ernst Gottlieb (1765) Organist 562*
- Gottlieb Friedr. (1806) ev. Theol. 562*
- Joh. Gottfr. (1788) Komp. **562 f.**
- Johann Ludwig (1812) Jur. X 288*, 18 562*, ADB 23 104
- Lola (∗ 1919) Schausp. 563*
- Lothar (1964) Schausp. **563 f.**
- Marga (∗ 1898) Schausp. 563*

Mütler, Johannes (2. H. 16. Jh.) geistl. Dichter ADB 23 114 f.

Mütting s. **Meuting 17 275–77**

Müttrich, Anton (1904) Meteorol. **564 f.**
- Joh. August (1898) Päd. 564*

Mützelburg, Adolf (1882) Schriftst. ADB 23 117 f.

Mützeltin, Franz (1594) braunschweig. Kanzler ADB 23 118 f.

Muff, Friedr. Erich (1948) Automobilkaufm. 565*
- Karl Ludw. v. (1935) württ. Gen. 565*
- Wolfgang (1947) Gen. **565 f.**
Muffat, Franz Georg Gottfr. (1710) Musiker 566*
- Friedr. Sigmund (1723) Musiker 566*
- Georg (1704) Komp. **566 f.**, 567*
- Gottlieb (1770) Komp. 566*, **567 f.**
- Joh. Ernst (1746) Violinist 566*
- Jos. (1756) Musiker 567*
- Karl Aug. v. (1878) Hist. ADB 22 443 f.
Muffel, Adolf Frhr. v. (1912) bayer. Oberst 569 Fam.art.
- Gabriel (1498) Ratsherr in Nürnberg X 150*, 18 568 Fam.art., 569*
- Gg. Marquard v. (1784) Nürnberger Patrizier 568 Fam.art.
- Jakob (1526) Ratsherr in Nürnberg 568 Fam.art.
- Jakob (1569) Ratsherr in Nürnberg 568 Fam.art.
- Joh. Christoph Helmhard (1760) ev. Theol. 569 Fam.art.
- Joh. Karl Heinr. v. (1788) russ. Gen. 569 Fam.art.
- Nikolaus (1392) Bgm. in Nürnberg 568 Fam.art.
- Nikolaus (1415) Ratsherr in Nürnberg 569*
- Nikolaus (1469) Nürnberger Staatsmann 568 Fam.art., **569**
- Nikolaus (1496) auf Ermreuth 568 Fam.art., 569*
- Paulus (1399) Nürnberger Patrizier 568 Fam.art.
Mugdan, Abraham (1927) Rabbiner 570*
- Benno (1928) Kammerger.rat 570*
- David (1828) Rabbiner 570*
- David (1921) Kaufm. 570*
- Joachim (1900) Textilkaufm. 569*
- Jos. (1864) Kaufm. 569*
- Leo (1926) Kommunalpol. 570*
- Otto (1925) Sozialpol. **569-71**
Mugler, Joh. Gg. Jak. Friedr. (1860) Päd. 15 192*
Muheim s. a. **Mucheim, Muchenheim, Muhaheim,** Urner Fam. **571 f.**
- Alexander (1867) Schweizer Nat.rat 571 Fam.art.
- Anton (1830) Kaufm. 571 Fam.art.
- Georg Franz Jos. (1776) Kaufm. 571 Fam.art.
- Gustav (1917) Schweizer Staatsmann 571 Fam.art.
- Hieronymus (um 1650) Landschreiber v. Uri 571 Fam.art.
- Jakob (1591) Urner Patrizier 571 Fam.art.
- Joh. Seb. (1694) Landammann v. Uri 571 Fam.art.
- Jost (1880) Maler 571 Fam.art.
- Jost (1919) Maler 571 Fam.art.
- Carl (1867) Landammann v. Uri 571 Fam.art.
- Karl (1883) Landammann v. Uri 571 Fam.art.
- Karl (1954) Pol. 571 Fam.art.
- Meliora (1628) Priorin zu Hermetschwyl 571 Fam.art.
Muhlenberg s. a. **Mühlenberg**
- Fredrick Aug. (1901) klass. Philol. 282*
- Henry Aug. Philip (1844) amerik. Dipl. 282*
- William Aug. (1877) anglikan. Theol. 281*
- Hiester, William (1878) amerik. Pol. 280*
Muhler, Emil (1963) kath. Sozialpol. **572**
- Josef (* 1860) Kaufm. 572*
Muhlius, Heinrich (1733) ev. Theol. ADB 22 481 f.
Muhr, Abraham (1844) Schriftst. 13 517*
- Julius (1865) Maler 13 517*, ADB 22 484 f.
Muhrbeck, Friedrich Phil. Albert (1827) Philosoph ADB 22 485
- Joh. Christoph (1805) Philosoph ADB 22 485 f.

Muka, Arnošt s. **Mucke,** Ernst (1932) **256 f.**
Mukarovsky, Elisabeth (1980) Schausp. 572*
- Geza Engelbert (1956) Bankier 572*
- Geza (1990) Wirtsch.journ. 573*
- Hans Günther (1992) Afrikanist **572 f.**
- Vinzenz (1923) k. u. k. Offz. 572*
Mulberg s. a. **Maulberg, Maulperg**
- Johannes (1414) Dominikaner **573 f.**
Mulert, Alwin Theodor (1901) ev. Theol. 574*
- Botho (1963) Min.beamter 574*-
- Franz (1895) ev. Theol. 574*
- Heinrich (1521) Jur. ADB 22 488 f.
- Oskar (1951) Kommunalpol. **574 f.**
Mulher, Detmar (n. 1620) Dortmund. Chronist ADB 22 489 f.
Mulichius s. **Adelphus,** Johannes (1522) **I 62 f.**
Mulin, Jakob s. **Möllin,** Jakob (1427) **17 655 f.**
Muling s. **Adelphus,** Johannes (1522) **I 62 f.**
Mul(t)san s. **Maltza(h)n 15 740-43**
Multager, Jacob s. **Vielfeld,** Jacob (16. Jh.) ADB 39 677 f.
Multer, Johann Christian (1838) kath. Theol. ADB 22 711
Multhopp, Hans (1972) Aerodynamiker **575 f.**
Multicampianus, Jacob s. **Vielfeld,** Jacob (16. Jh.) ADB 39 677 f.
Multscher, Hans (1467) Bildh. **576 f.**
- Heinrich (15. Jh.) Bildh. 576*
Mulvany, George (1869) Maler 577*
- John George (1838) Maler 577*
- Thomas James (1845) Maler 577*
- Thomas John (1892) Bergbauindustr. 577*
- Thomas Robert (1897) brit. Gen.konsul 577*
- William Thomas (1885) Bergbauindustr. **577 f.**
Mulzer, Ignaz (1772) Jesuit ADB 22 711 f.
Mumenthaler, Hans Jacob (1774) Kaufm. 579*
- Hans Jacob (1813) Optiker **579**
- Jakob (1787) Med. 579*
- Johann Jakob (1820) nat.ök. Schriftst. 579*
- Johann David (1838) Literat 579*
Mumm, Albert (1880) Bankier 650*
- Alfons Frhr. v. (1924) Dipl. 580 Fam.art., **581 f.**
- Bernd v. (1981) Dipl. 580 Fam.art.
- Christian v. (1906) Kaufm. V 25*, 18 580 Fam.art.
- Gottlieb (1852) Kaufm. 580 Fam.art., 580*, 581*
- Heinrich v. (1890) OB v. Frankfurt 580 Fam.art., **580 f.**
- Herbert v. (1945) Dipl. 580 Fam.art.
- Hermann v. (1887) Kaufm. 580 Fam.art., 581*
- Peter Arnold (1797) Kaufm. 580 Fam.art., 580*, 581*
- Reinhard (1854) Kaufm. 582*
- Reinhard (1891) Kaufm. 582*
- Reinhard (1932) Pol. **582**
- Wilhelm (1832) Kaufm. 580 Fam.art., 580*
Mumme, Joh. Bernh. (1795) preuß. Kriegsrat V 289*
Mummendey, Dietrich (1984) Journ. 583*
- Richard (1978) Bibl. **583**
Mummenhoff, Albert (1939) Jur. 8*
- Ernst (1931) Hist. **583 f.**
- Franz (1895) Päd. 583*
- Gerhard (* 1920) Kaufm. **584**
- Oskar (1947) Richter 583*
- Wolfgang (1993) Min.beamter 583*
Mummerius, Aegidius s. **Mommer,** Aegid (1570) ADB 22 158 f.
Mummersloch s. **Mommersloch 24 f.**
Mummolus (585) fränk. Herzog ADB 22 712-14

Munch, Charles s. **Münch,** Carl (1968) **519 f.**
Muncker, Franz (1926) Lit.hist. 585*, **585–87**
– Theodor v. (1900) Bgm. v. Bayreuth **584 f.**, 585*
Mundt, Alfred (1945) Polizeirat 587*
– Bernhard (* 1935) Ing. 588*
– Christoph (1572) pol. Agent ADB 52 537–40
– Gustav Rob. (1928) Polizeihptm. 587*
– Joh. Heinr. (1691) Orgelbauer **587**
– Joh. Friedr. (1848) preuß. Major ADB 23 10
– Clara s. **Mühlbach,** Luise (1873) **269 f.**, 588*
– Manfred (* 1932) Ing. 588*
– Robert (1964) Maschinenbauer **587 f.**
– Theodor (1861) Schriftst. 269*, **588–90**
– Theodora (* 1847) Schausp. 588*
Mundy, Jaromir Frhr. v. (1894) Med. 590*, **590 f.**
– Wilhelm Frhr. v. (1805) Textilfabr. **590**, 590*
Muneles, Otto (1967) Judaist **591 f.**
Munggenast, Franz (1748) Baumeister 592*
– Joseph (1741) Baumeister **592 f.**
– Matthias (1798) Baumeister 592*
– Paul (1797) Baumeister 592*
– Sigismund (1770) Baumeister 592*
Munheim, Eberhard v. s. **Monheim,** Eberhard v. (n. 1346) **35 f.**
Munier, Ulrich (1759) Jesuit ADB 23 14 f.
Munk, Arthur (* 1903) Bankier 593*
– Eduard (1871) Philologe ADB 23 15 f.
– Elias (1899) Rabbiner 593*
– Elias (1978) Rabbiner 593*
– Elie (* 1900) Rabbiner 593*
– Esra (Esriel) (1940) Rabbiner **593 f.**
– Felix Baruch (* 1903) Chem. 593*
– Franz (1964) Chem. **594 f.**
– Hermann (1912) Physiol. **595**
– Immanuel (1903) Physiol. 595*
– Jens Otto (1853) Schausp. 594*
– Leo (1917) Rabbiner 593*
– Marie (1978) Frauenrechtlerin **595–97**
– Meier (1928) Rabbiner 593*
– Michael L. (1984) Rabbiner 593*
– Paul (* 1852) Schausp. 594*
– Salomon (1867) Orientalist ADB 23 16–18
– Samuel (* 1868) Kaufm. 593*
– Sofie (1976) Psychol. 14 10*
Munkácsi, Martin (1963) Photograph **597**
– Michael s. **Munkácsy,** Michael v. (1900) **597 f.**
Munkácsy, Michael v. (1900) Maler **597 f.**
Munke, Georg Wilhelm (1847) Physiker V 41*, ADB 23 18
Munkepunke Ps. f. **Meyer,** Alfred Richard (1956) **17 327 f.**
Munre, Rüdeger v. (13. Jh.) Dichter ADB 23 21 f.
Munsch, Joseph (1896) Maler ADB 52 541 f.
Munsterman, Ludewich (Lütke) s. **Münstermann,** Ludwig (1637/38) **545 f.**
Muntner, Jakob (* 1863) Kaufm. 598*
– Süßmann (1973) Medizinhist. **598 f.**
Munz, Georg Christoph (1768) geistl. Dichter ADB 23 37 f.
Munzingen, Anna v. s. **Anna** v. *Munzingen* (1. H. 14. Jh.) **I 303**
Munzinger, Arnold (1903) Fabr., Maler 599 Fam.art.
– Bernhard (1832) Ger.präs. 599 Fam.art.
– Edgar (1905) Komp. 599 Fam.art.
– Eduard (1899) Komp. 599 Fam.art., ADB 52 542–44
– Emil (1877) Kaufm. 599 Fam.art.
– Ernst (* 1953) Verl. 601*
– Eugen (1907) Med. 599 Fam.art.
– Friedr. Ludwig (1894) Ger.präs. 601*
– Hans (1953) Maler 599 Fam.art.
– Josef (1855) Schweizer Staatsmann 599 Fam.art., **599 f.**
– Karl (1911) Komp. 599 Fam.art.
– Konrad (1835) Kaufm. 599 Fam.art., 599*
– Konrad (1867) Baumeister 599 Fam.art.
– Ludwig (1897) Reg.rat 601*
– Ludwig (1957) Verl. **601 f.**
– Ludwig (* 1921) Verl. 601*
– Oskar (1932) Reg.rat 599 Fam.art.
– Ulrich (1876) Kaufm. 599 Fam.art.
– Viktor (1853) Ger.präs. 599 Fam.art.
– Viktor (1862) Med. 599 Fam.art.
– Walter (1873) Jur. 599 Fam.art., 599*, ADB 23 49 f.
– Werner (1875) Afrikareisender 599 Fam.art., 599*. **600 f.**
– Wilhelm (1878) Jur. 599*
– -Pascha, Werner s. **Munzinger,** Werner (1875) 599 Fam.art., 599*. **600 f.**
Murad Effendi Ps. f. **Werner,** Franz v. (1881) ADB 42 44–48
Muralt s. a. **Moralt, Muralti, Muralto,** schweizer. Fam. **602**
– Abraham Rud. v. (1859) niederländ. Gen. 602 Fam.art.
– Alexander v. (1990) Physiol. 602 Fam.art., **606 f.**
– Amedée v. (1909) Ratsherr in Bern 602 Fam.art.
– Anton Sal. Gottlieb v. (1818) Ratsherr in Bern 602 Fam.art.
– Beat Ludwig v. (1749) Schriftst. 602 Fam.art., **603 f.**
– Franciscus (15. Jh.) Med. 602 Fam.art.
– Franz Ludwig v. (1684) franz. Brigadier 603*
– Franz Ludwig v. (1753) Ratsherr in Bern 604*
– Georg v. (1754) Ratsherr in Bern 602 Fam.art.
– Giovanni Galeazzo (1557) kath. Theol. 602 Fam.art.
– Hans Ludwig v. (1606) Med. 602 Fam.art.
– Hans Conrad v. (1795) Kaufm 604*
– Hans Heinr. (1865) Kaufm 604*
– Hans Conrad v. (1869) Bgm. v. Zürich 602 Fam.art., **604 f.**
– Heinrich v. (1823) Kaufm. IV 646*, 18 604*
– Joh. Melchior v. (1688) Kaufm. 602*
– Joh. Bernhard v. (1710) Ratsherr in Bern 602 Fam.art., 603*
– Joh. Conrad v. (1732) Med. 602*,
– Johann v. (1733) Med. 602 Fam.art., **602 f.**
– Joh. Bernhard v. (1780) Ratsherr in Bern 602 Fam.art.
– Johs. v. (1645) Kaufm. 602 Fam.art., 602*
– Johs. v. (1850) ev. Theol. 602 Fam.art.
– Jost v. (1676) Vogt v. Gottstatt 603*
– Laurentius v. (v. 1532) Med. 602 Fam.art.
– Leonhard v. (1889) Kaufm. 605*, 606*
– Leonhard v. (1924) Ing. 605*
– Leonhard v. (1970) Hist. 602 Fam.art., **605 f.,** 606*
– Ludwig Bernh. Karl v. (1854) napolitan. Gen. 602 Fam.art.

– Ludwig (1917) Med. 606*
– Martinus v. (1567) Jur. 80 in Art. Moralt, 602 Fam.art.
Muralto s. a. **Moralt, Muralt, Muralti**
– Johannes v. (1579) Med. 80 in Art. Moralt, 602 in Art. Muralt
– Martin (1567) Jur.80 in Art. Moralt, 602 in Art. Muralt
Murant, Emanuel (1700) Maler ADB 23 56 f.
Murat, Joachim s. **Joachim** (1815) Ghzg. v. *Berg* **X 433 f.**
– Joachim Prinz v. (1901) franz. Gen. VI 638*, X 433*
– Lucien Prinz v. (1878) Großmstr. d. Freimaurerloge X 433*
Murbeka, Guilelmus de s. **Mörbeke,** Wilhelm v. (n. 1281) ADB 22 215, 43 226 f.
Mure, Heinrich v. der (13. Jh.) Dichter ADB 23 57
– Konrad v. s. **Konrad** v. *Mure* (1281) **XII 547**
Murer s. a. **Maurer**
– Christoph (1614) Glasmaler, Radierer 607*, **608**
– Dietrich (1488) franz. Stallmeister 609*
– Hans (1564) Ratsherr in Zürich 607*
– Hans Christof (1571) Vogt zu Klingnau 609*
– Heinrich (1638) Kartäuser, Hagiograph **608 f.**
– Heinrich (1822) Maler 607*, ADB 23 60 f.
– Jos (Jodocus) (1580) Zeichner, Dramatiker **607 f.**, 608*
– Josias (1630) Glasmaler 607*, 608*, ADB 23 62
– Kaspar (1517) Ratsherr in Zürich 609*
– Kaspar (1588) franz. Hptm. 608*
Muret, Eduard (1904) Lexikogr. **609 f.**
Murhard, Friedrich (1853) pol. Publ. XII 261*, **18 610 f.**, 611*
– Henrich (1809) Reg.prokurator 610*
– Karl (1863) nat.ök. Publ. XII 261*, **18** 610*, **611 f.**
– Niclas Conrad (1754) hessen.-kassel. Rat 610*
Muria s. **Merian 17 134**
Murko, Ivo (1984) Dipl. 612*
– Mathias (1952) Slawist **612 f.**
– Vladimir (1986) Finanzwiss. 612*
Murmel, Johannes s. **Murmellius,** Johannes (1517) **613 f.**
Murmellius, Johannes (1517) Humanist **613 f.**
Murmester, Hinrich (1481) Bgm. v. Hamburg **614 f.**
– Johannes (1465) Kaufm. 614*
Murnau, Friedr. Wilh. (1931) Filmregisseur **615 f.**
Murner, Beatus (1512) Drucker 616*, ADB 23 66 f.
– Johann (16. Jh.) Jur. 616*, ADB 23 67
– Matthäus (1506) Prokurator v. Straßburg 616*
– Thomas (1537) Humanist **616–18**
– Thomas Ps. f. **Missong,** Alfred (1965) **17 566 f.**
Muron, Johannes s. **Keckeis,** Gustav (1967) **XI 388**
Murr s. a. **Murrh, Murrho**
– Christoph Gottlieb v. (1811) Kulturhist. ADB 23 76–80
– Sebastian s. **Murrho,** Sebastian (1495) **620**
– Wilhelm (1945) nat.soz. Pol. **618 f.**
Murray, Adolph (1803) Med. 619*
– Andreas (1771) ev. Theol. 619*
– Joh. Philipp (1776) Hist. 619*
– Joh. Andreas (1791) Botaniker **619 f.**
– Philipp Friedr. David (1828) Apotheker 619*
Murrho, Sebastian (1495) Humanist **620**
– Sebastian (um 1514) Humanist 620*, ADB 23 81

Murschhauser, Franz Xaver (1738) Kirchenkomp. **620 f.**
– Ignaz (1734) Sänger 620*
– Urban Ludwig (1666) Päd. 620*
Mursinna, Christian Ludwig (1823) Chirurg ADB 23 81–84
– Samuel (1795) ev. Theologe ADB 23 84
Mus, Jakob (Yeppe) (n. 1384) Seeräuber ADB IX 790
– Trwt (14. Jh.) Seeräuber ADB IX 790
Musa, Matthäus s. **Flege,** Matthäus (1564) ADB VII 112 f.
Musaenius, Otto (1613) ev. Theol., geistl. Dichter ADB 23 84
Musäus, Joh. Wolfgang (1654) ev. Theol. 621*, 623*
– Joh. Ernst (1732) ev. Theol. 623*
– Joh. Christoph (1764) Jur. 623*
– Johannes (1619) ev. Theol. 621*
– Johannes (1654) ev. Theol. 621*
– Johannes (1681) ev. Theol. I 543*, **18 621–23**
– Karl Aug. (1787) Märchendichter VI 395*, XII 624*, **18 621***, **623 f.**
– Carl (1831) russ. Hofrat 623*
– Peter (1674) ev. Theol. 621*, ADB 23 90 f.
– Simon (1582) ev. Theol. IX 24*, 404*, 18 621*, ADB 23 91 f.
– Simon Heinr. (1711) Jur. 127*
Musca, Matthäus s. **Flege,** Matthäus (1564) ADB VII 112 f.
Muschg, Adolf (1946) Päd. 624*
– Adolf (* 1934) Schriftst. 624*
– Elsa (1976) Kinderbuchautorin 624*
– Walter (1965) Lit.hist. **624 f.**
Muscov, Johann (1695) luth. Theol. VII 573*
Musculus, Abraham (1591) ev. Theol. 627*
– Andreas (1581) ev. Theol. III 709*, **18 626 f.**
– Balthasar (16. Jh.) Komp. ADB 23 94
– Joh. Conrad (1651) Kartogr. **627**
– Valentin s. **Loienfels,** Valentin v. (1670) ADB 19 139
– Wolfgang (1563) ev. Theol. **627 f.**
Musger, August (1929) Erfinder **628–30**
– Augustin (* 1843) Päd. 628*
– Augustin (* 1801) Päd. 628*
– Erwin (1985) Flugzeugkonstrukteur **630 f.**
Mushard, Luneberg (1708) Päd., Hist. ADB 23 97 f.
– Martin (1770) Prähist. ADB 23 98 f.
Musil, Alfred v. (1924) Maschinenbauer **631 f.**, 632*, 636*
– Alois (1944) Orientalist 631*, 632*, **636 f.**
– Matthias (1889) Med. 631*
– Richard (* 1848) Ing. 631*
– Robert (1942) Schriftst. 14 177 in Art. Lejeune, R., **18** 631*, **632–36**, 636*
– Rudolf v. (* 1838) FML 631*
Musius, Cornelius (1572) kath. Theol. ADB 23 99
Muskatblüt (Hans, Conrad) (n. 1458) Meistersänger **637 f.**
Musophilus s. **Gerbellius,** Nikolaus (1560) **VI 249 f.**
Musper, August (1939) Kaufm. 638*
– Fritz (1943) Geol. 638*
– Theodor (1976) Kunsthist. **638 f.**
Mussgay, Manfred (1982) Virologe **639 f.**
– Paul Friedr. (1946) württ. Reg.rat 639*
Mussinan, Jos. Anton v. (1837) bayer. Beamter, Hist. ADB 23 101 f.

Mußmann, Joh. Georg (1833) Philos. ADB 23 103
Musso, Alex. Friedr. Wilh. (1959) Jur. **640***
– Andreas (* 1954) Jur. 640*
– Emil (1945) Päd. 640*
– Hans (1988) Chem. **640 f.**
Muster, Josef (1950) Zollbeamter 641*
– Wilhelm (1994) Schriftst. **641 f.**
Musterlin, Sigmund s. **Meisterlin,** Sigmund (n. 1497) **16 730**
Musulin, Alexander Frhr. v. (1947) Dipl. **642**
– Emil v. (1904) FML 642*
– Janko Frhr. v. (1978) Schriftst. 642*
– Marko Frhr. v. (* 1948) Bankier 642*
Muth, Franz (1979) Schriftst. **647**
– Fritz (1943) Maler 644*
– Georg (* 1864) Chem. 644*
– Heinz (* 1871) Maler 674*
– Henning (* 1960) Sportwiss. 642*
– Hermann (1994) Biophysiker **644**
– Jacob Friedr. (1968) Industr. 644*
– Jakob (1993) Päd. **642–44**
– Johann (1504) hess. Kanzler 656*
– Carl (1944) kath. Publ. **644–46**
– Kaspar (1966) Pol. **646–48**
– Konrad s. **Mutianus Rufus,** Konrad (1526) 17 79*, **18 656 f.**
– Ludwig (1903) Maler 644*
– Peter v. (1855) Polizeidir. v. Wien **648 f.**
– Peter (1904) Maler 644*
– Peter (1913) Maler 644*
– Placidus (1821) kath. Theol. ADB 23 103
– Richard v. (1902) Schriftst. 648*
– Wolfg. Karl Heinr. (1979) Kaufm. 644*
Muther, Ernst Carl Wilh. (1892) Kaufm. 649*
– Ferdinand (1867) Jur. 650*, ADB 23 106
– Richard (1909) Kunsthist. **649 f.**
– Rudolf (1898) OB v. Coburg 650*
– Theodor (1878) Jur. **650**
Muthesius, Eckhart (1989) Architekt 651*
– Gertrud (1957) Journ. 653*
– Günther (1974) Architekt 651*
– Hans (1977) Pol. 651*, **653 f.**
– Hermann (1927) Architekt 651*, **651–53,** 653*
– Karl (1929) Päd. **650 f.,** 651*, 653*
– Klaus (1959) Landwirt 651*
– Peter (1993) Wirtsch.journ. 651*
– Stefan (* 1939) Kunsthist. 651*
– Volkmar (1979) Wirtsch.journ. 651*
Muthmann, Friedrich (1926) Fabr. 655*
– Friedrich (1981) Archäol. 655*
– Günther (1985) Fahrzeugfabr. 654*, **655 f.**
– Joh. Gottlob (n. 1745) geistl. Dichter ADB 23 107 f.
– Johannes (1747) ev. Theol. V 182*, ADB 23 107
– Walter (* 1902) Min.beamter 655*
– Wilhelm (1908) Fabr. 654*, 655*
– Wilhelm (1913) Chem. **654 f.,** 655*
– Wilhelm (* 1912) Fahrzeugfabr. 655*
Mutianus Rufus, Konrad (1526) Humanist 17 79*, **18 656 f.**
Mutina, Thomas v. (1356) Maler ADB 23 109–13
Mutius, Huldreich (n. 1539) Chronist ADB 23 113 f.
– (Joh.) Karl v. (1816) preuß. Gen. III 493*, ADB 23 114
– Louis v. (1866) preuß. Gen. ADB 23 114
Mutschele, Bonaventura Jos. (1780/82) Bildh. VI 587*, 18 657 f. Fam.art.

– Franz Martin (1804) Bildh. VI 587*, 18 657 f. Fam.art.
– Georg Jos. (1817) Bildh. 658 Fam.art.
– Joh. Georg (1746) Bildh. VI 587*
Mutschelle, Sebastian (1800) kath. Theol. **658 f.**
Mutschmann, Martin (1947) NS-Pol. **659 f.**
Muttenthaler, Anton (Tony) (1870) Maler, Lith. ADB 23 116 f.
Mutter, Leopold (1887) Bildh. ADB 52 544 f.
Mutz, Ernst (1950) Kaufm. 16 449*
Mutzenbecher, Franz Matthias (1846) Kaufm. 660*
– Franz Ferd. (1960) Versicherungsuntern. 660*
– Friedrich (1855) oldenburg. Staatsrat ADB 23 120 f.
– Geert (1982) Versicherungsuntern. 660*
– Geert-Ulrich (* 1922) Versicherungsuntern. 660*
– Heinrich (1801) ev. Theol. ADB 23 119 f.
– Hermann (1906) Versicherungsuntern. 660*
– Hermann (1932) Versicherungsuntern. **660 f.**
– Hermann Wilh. (* 1888) Versicherungsuntern. 660*
– Wilhelm (1878) oldenburg. Staatsrat ADB 23 121
Muxel, Franz Jos. (1812) Bildhauer ADB 23 121 f.
– Joh. Baptist (n. 1815) Maler ADB 23 122
– Joh. Nepomuk (1870) Zeichner, Radierer ADB 23 122
– Jos. Anton (1814) Schnitzer ADB 23 122
– Jos. Anton (1842) Maler ADB 23 122
Muytinckx s. **Meuting 17 275–77**
Muzelius, Friedrich (1753) Päd. ADB 23 122 f.
Muzell, Friedrich s. **Muzelius,** Friedrich (1753) ADB 23 122 f.
Myconius, Friedrich (1546) gotha. Sup. 17 79*, **18 661 f.**
– Oswald (1552) ev. Theol. **662 f.**
Myler ab *Ehrenbach,* Joh. Nik. (1877) württ. Staatsmann ADB 23 130–33
Mylitor Ps. f. **Werner,** Franz v. (1881) ADB 42 44–48
Mylius s. a. **Müller, Myllius**
– Andreas (1594) meckl. Rat III 164*, ADB 23 133 f.
– Andreas (1702) Jur. ADB 23 134–36
– Andreas Frdr. (1740) Jur. ADB 23 136
– Anton Ulrich Frhr. v. (1812) österr. FML 664 Fam.art., ADB 23 136–38
– Arnold v. (1525) kaiserl. Oberst 663 Fam.art.
– Arnold (1604) Buchhändler, Drucker II 255*, 663 Fam.art., ADB 23 138 f.
– Arnold (1680) Jesuit 663 Fam.art.
– August (18. Jh.) Verl. X 26*, 18 323*
– Christian Otto (1760) preuß. Gen.-Auditeur 664*, ADB 23 139 f.
– Christian Ludw. (1845) preuß. Heereslieferant 665*
– Christlob (1754) Schriftst. **666 f.**
– Daniel (n. 1628) Iatrochem. **667 f.**
– Dietrich Frhr. v. (1944) Major 664 Fam.art.
– Eberhard Gereon Frhr. v. (1865) k. k. Oberstlt. 664 Fam.art.
– Eberhard Frhr. v. (1922) Jur. 664 Fam.art.
– v. *Ehrengreif,* Ernst Heinrich (1781) württ. Staatsmann 664*, ADB 23 142
– Ernst (1929) Apotheker 665*
– Franz Frhr. v. (1904) Jur. 664 Fam.art.

– Franz (1931) Chem. 664*, **665 f.**
– Friederike (1851) Schriftst. 668*
– Friedrich (1584) ev. Theol. 667*
– Georg (1607) ev. Theol. 664*, ADB 23 142 f.
– Georg (1637) Jur. VI 434*
– Gottlieb Friedr. (1726) Jur., Naturforscher **664 f,** 666*
– Gustav Heinrich (1765) Jur. 664*, ADB 23 141
– Heinrich (1721) Arzt ADB 23 144
– Heinrich (1854) Kaufm., Bankier **668 f.**
– Hermann (n. 1396) Kölner Patrizier 663 Fam.art.
– Hermann (1583) Statthalter d. Gfsch. Moers 663 Fam.art.
– v. *Gnadenfeld,* Hermann (1657) oldenburg. Staatsmann **669 f.**
– Hermann (1657) Buchhändler 663 Fam.art.
– Hermann v. (1667) Bgm. in Köln 663 Fam.art.
– Hermann v. (1698) Bgm. in Köln 663 Fam.art.
– Hermann (1735) Jesuit 663 Fam.art.
– Hermann Frhr. v. (1786) sard. Major 664 Fam.art.
– Hermann August Paul (* 1851) Baumstr. 665*
– Hermann Frhr. v. (1995) Landwirt 664 Fam.art.
– Joachim Friedr. (1669) ev. Theol. 664*
– Joh. Heinrich (1722) Jur. 664*, ADB 23 140 f.
– Joh. Ernst Andreas (1722) Fabr. 668*
– Joh. Arnold v. (1731) Bgm. in Köln 663 Fam.art.
– Joh. Heinrich (1733) Jur. 664*, ADB 23 141 f.
– Joh. Christoph (1757) Bibl. 664*, ADB 23 134 f.
– Joh. Heinr. Arnold v. (1774) Bgm. in Köln 663 f. Fam.art.
– Joh. Christoph (1791) Bankier 668*
– Joh. Jakob (1835) Kaufm., Bankier 668*
– Johannes (1584) ev. Theol. 667*
– Johs. Siegfried (um 1584) ev. Theol. 667*
– Karl Jos. Frhr. v. (1838) Bgm. in Köln 664 Fam.art., ADB 23 139
– Carl Franz Emmerich v. (1839) k. k. Oberstlt. 664 Fam.art.
– Carl (1880) Apotheker 665*
– Karl Jonas (1883) Architekt 668*
– Carl (1914) Apotheker 665*
– Caspar (1742) ev. Theol. 666*
– Kaspar Frhr. v. (1831) österr. Gen.feldwachtmstr. 664 Fam.art.
– Markus (1682) Jesuit 663 Fam.art.
– Otfried Ps. f. **Müller,** Carl (1889) **436**
– Otto (1941) Maschinenfabr. XII 324 in Art. Köllmann, Gustav
– Ulrich Frhr. v. (1974) Landrat 664 Fam.art.
– Ulrich Frhr. v. (* 1941) Physiker 664 Fam.art.
– Viktor v. (1897) k. u. k. Oberst 663 Fam.art.
– Werner (1940) Chem. 665*
– Wilh. Christhelf Sigmund (1827) Schriftst. 666*
– Wolfgang Michael (1712/13) Musiker ADB 23 144 f.
Myller, Christoph Heinr. s. **Müller,** Christoph Heinr. (1807) **350 f.**
Myllius s. a. **Mylius**
– Martin (1521) Chorherr in Ulm ADB 23 145
Mylphort, Heinrich s. **Mühlpfort,** Heinrich (1626) 294*
Mynden, Bertram van s. Meister **Bertram II 168–70**
Myniewit s. **Minuit 17 549**
Mynona (1946) Schriftst. **670 f.**
Mynsicht, Adrian v. (1638) Med. **671**

Mynsinger, Heinrich (um 1476) Med. 672*, ADB 23 146 ADB 26 832
– Johann (Hans) (n. 1502) Med. 672*, ADB 23 146
– v. *Frundeck,* Heinrich Albert (1613) braunschweig. Erbkämmerer 672*
– – Joachim (1588) braunschweig. Kanzler V 136*, **18 671–73**
– – Joseph (1560) österr. Kanzler in Württemberg V 136*, 18 672*
– – Siegmund Julius (1597) Dichter 672*
Myrbach v. *Rheinfeld,* Felician Frhr. (1940) Maler 673*
– – Franz Xaver Frhr. (1882) Landespräs. d. Bukowina 673*
– – Franz Frhr. (1919) Finanzwiss. **673**
– – Karl Frhr. (1844) k. k. Gen. 673*
– – Otto Frhr. (1969) Meteorol. 673*
Myrdacz, Gustav v. (1945) Gen. **673 f.**
– Paul v. (1930) Mil.arzt 673*
Myricius, Melchior s. **Miritz,** Melchior (n. 1525) ADB 21 779 f.
Myritzsch, Melchior s. **Miritz,** Melchior (n. 1525) ADB 21 779 f.
Myropola s. **Aucuparius,** Thomas (1532) **I 428**
Myrthenbaum, Maimon s. **Mack,** Max (1973) **15 615 f.**
Myslenta, Coelestin(us) (1653) ev. Theol. **674 f.**
– Matthäus (n. 1599) ev. Theol. 674*
Mysliveček, Joachym (1788) Müller 675*
– Josef (1781) Komp. **675 f.**
Myslonius, Matthäus s. **Myslenta,** Matthäus (n. 1599) 674*
Myt, Jakob (1498) Drucker ADB 18 428
Mytens, Martin van s. **Meytens,** Martin van **17 409 f.**

N., Emmy v. Ps. f. **Moser,** Fanny Louise (1925) 182*
Naab, Ingbert (Karl) (1935) Kapuziner, Publ. **677 f.**
Naamann, Ludolf (1575) Franziskaner ADB 23 187 f.
Naarßen, Johann v. s. **Narsius,** Johann (n. 1635) ADB 23 256 f.
Nabholz, Adolf (1931) Päd., Hist. 678*
– Andreas (* 1912) Veterinär 678*
– Hans Ulrich (1678) Obervogt in Laufen 678*
– Hans (Joh.) Ulrich (1740) Rathsherr in Zürich ADB 23 189–92
– Hans Caspar (1833) ev. Theol. 678*
– Hans (1943) Med. 678*
– Hans (1961) Hist. **678 f.**
– Joh. Caspar (1870) ev. Theol. 678*
– Johannes (Hans) (1923) ev. Theol. 678*
– Salomon (1749) Landvogt in Knonau 678*
– Sebastian (1586) ev. Theol. 678*
– Walter Karl (* 1918) Geol. 678*
Nabl, Franz (1913) Domänenrat 679*
– Franz (1974) Schriftst. **679 f.**
Nablas, Johannes (1639) Abt v. St. Emmeram **680**
Naboth, Ferdinand (1715) Maler VII 607*
Nachmann, Otto (1961) Kaufm. 680*
– Werner (1988) jüd. Verbandspol. **680 f.**
Nachmansohn, David (1983) Physiol. **681 f.**
– Edith (* 1903) Med. 681*
Nachtenhöfer, Kaspar Friedr. (1685) Dichter ADB 23 192 f.
Nacht(i)gall, Othmar s. **Luscinus,** Othmarus (1537) **15 531 f.**

Nachtigal, Gustav (1885) Afrikaforscher **682–84**
– Joh. Konrad Christoph (1819) Päd., Orientalist ADB 23 199 f.
– Carl Friedr. (1839) ev. Theol. 682*
Nachtigall, Konrad (1484/85) Meistersinger **684**
– Michel (n. 1427) Meistersinger 684*
– Sebald (1518) Komp. 684*
Nachtmann, Franz Xaver (1846) Maler, Lithogr. ADB 23 200 f.
Nachtsheim, Friedrich (1908) Berging. 684*
– Friedrich (1942) Jur. 684*
– Hans (1979) Biol. **684–86**
Nack, Karl Alois (1828) kath. Theol. ADB 23 201
Nacke, Emil (n. 1926) Fabr. **686 f.**
Nacken, Richard (1971) Mineral. **687 f.**
Nadel, Lisbeth (* 1900) Musikwiss. 688*
– Moriz (* 1871) Jur. 688*
– Siegfried (1956) Musikwiss. **688**
Nádasdy, Franz (1604) kaiserl. Oberst ADB 23 203–05
– Franz Leopold Gf. (1783) kaiserl. GFM ADB 23 205–08
Nadasy, Johann (1676) Jesuit ADB 23 208
Nader, Ludwig Michael (1840) Lithograph, Aquarellist ADB 23 209
Nadermann, Hermann Ludwig (1860) Philol., ev. Theol. ADB 23 209, 24 787
Nadherny, v., Ernst Frhr. (* 1856) Min.beamter 689 Fam.art.
– Erwin (1944) Großgrundbes. 689 Fam.art.
– Franz (1848) Kanzleidir. 689 Fam.art.
– Franz Frhr. (1919) Archivar 689 Fam.art.
– Ignaz (1867) Med. XI 695*, 18 689 Fam.art.
– Johann (1860) Großgrundbes., Industr. 689 Fam.art., **689 f.**
– Johann Frhr. (1891) Bgm. v. Tabor 689 Fam.art.
– Joseph Frhr. (1970) Schriftst. 689 Fam.art.
– Julius Frhr. (1900) Min.beamter 689 Fam.art.
– Kajetan (1857) Archivar 689 Fam.art.
– Constantin Frhr. (1952) Gutsbes. 689 Fam.art.
– Kurt Frhr. (1964) Motorsportfunkt. 689 Fam.art.
– Ludwig Karl (1867) Großgrundbes. 689 Fam.art., 689*
– Oskar Frhr. (1952) Min.beamter 689 Fam.art.
– Othmar Frhr. (1925) Pol. 689 Fam.art.
– Robert Frhr. (1905) Finanzfachmann 689 Fam.art.
– Sidonie Freiin (1950) Literatin 689 Fam.art.
Nadler v. *Dorndorf,* Hieron. (16. Jh.) Kanzler d. Landsberger Bundes V 423*
– Josef (1963) Germanist **690–92**
– Karl Christian Gottfried (1849) Dichter ADB 22 209 f.
Nadolny, Burkard (1968) Schriftst. 692*
– Heinrich (1944) Gutsbes. 692*
– Isabella (* 1917) Schriftst. 692*
– Rudolf (1953) Dipl. **692 f.**
– Sten (* 1942) Hist. 692*
Nadorp, Franz (1876) Zeichner **693 f.**
– Joh. Theodor (n. 1742) Maler 693*
– Joh. Franz (1798) Bildh. 693*
– Joh. Theodor (1802) Bildh. 693*
Näbisuli Ps. f. **Bräker,** Ulrich (1798) **II 506**
Näcke s. **Naeke**
Näf, Anna Maria (1890) Industr. 695*
– Gustav (1930) Kaufm. 696*
– Hans (Joh. Rudolf) (1865) Seidenfabr. 694*

– Joh. Jakob (1880) Industr. 695*
– *-Enz,* Johannes (1886) Seidenfabr. **694 f.**
– Jos. (1881) Hist. ADB 23 211 f.
– Maria Verena (1881) Industr. 695*
– Matthias (1846) Industr. **695 f.**
– *-Gallmann,* Rudolf (1883) Seidenfabr. **694 f.**
– Werner (1959) Hist. **696**
Nägel, Adolph (1939) Maschinenbauer **696 f.**
– Adolph (1988) Oberforstmstr. 696*
– Andreas (1936) Maschinenbauer 696*
– Andreas (1994) Lektor 697*
– Klaus (* 1914) Ing. 697*
Naegele s. **Nägele**
– Alice (1961) Dermatol. 698*
– Eugen (1937) Heimatforscher **698,** 698*
– Ferdinand (1879) Pol. 698*
– Franz Carl Jos. (1851) Gynäkol. **699 f**
– Hermann (1851) Gynäkol. 699*, ADB 23 218 f.
– Joseph (1813) Mil.arzt 699*
– Reinhold (1940) Maler 698*
– Reinhold (1972) Maler **698 f.**
Naegeli s. **Nägeli**
– Benedikt (1577) bern. Landvogt 700*
– Berta (Betty) (* 1853) Malerin 702*
– Burkhard (1574) bern. Landvogt 700*
– Burkhard (1715) bern. Landvogt 700*
– Hans Franz (1579) Ratsherr zu Bern **700**
– Hans Rudolf (1522) Ratsherr zu Bern 700*, ADB 23 219
– Hans Jakob (1806) Päd. 701*
– Hans Jakob (1829) Richter 702*
– Hans Georg (1836) Musikverl., Päd. **701 f.**
– Hans Caspar (1849) Med. 702*
– Hermann (1872) Musikverl. 701*
– Carl v. (1891) Botaniker III 368*, **18 702–04**
– Carl (1942) Chem. **704**
– Sebastian (1549) bern. Landvogt 700*, ADB 23 223 f.
– Walter (1919) Chem., Fabr. 702*
– Walter (* 1888) Fabr. 702*
Nägelin, Johannes s. **Carion,** Johannes (1537/38) **III 138**
Naegelsbach s. **Nägelsbach**
– Eduard (1880) ev. Theol. 705*
– Elisabeth (1984) Pol. 705*
– Ernst (1945) Päd. 705*
– Friedrich (1932) ev. Theol. 705*
– Georg Ludw. (1826) Richter 705*
– Hans (1899) Math. 705*
– Karl Friedr. v. (1859) klass. Philol., Päd. **705**
– Karl (1909) Päd. 705*
Naegle, August (1932) kath. Theol., Pol. **706**
– Thomas (1920) Päd. 706*
Naeke, August Ferd. (1838) Philol. 706*, ADB 23 202 f.
– Gustav Heinrich (1835) Maler **706 f.**
Naeser, Gerhard (1985) Chem. **707 f.**
– Hermann (n. 1896) Kaufm. 707*
– Walter (1943/50) Jur. 707*
Naeve, Joh. Karl (1714) Jur. ADB 23 325 f.
– Sebastian (1643) Jur. ADB 23 326 f.
Naevius s. **Naeve**
Nagel, Albrecht (1895) Med. 712*, ADB 52 571
– Anton (1812) Hist., Dichter ADB 23 213 f.
– August (1898) Mühlenbes. 16 100*
– August (1943) Kamerafabr. **708 f.**
– Bartholomäus (1858) Päd. 710*

- Christian Heinrich v. (1882) Math. **709 f.**
- Friedrich (19. Jh.) Kaufm. VII 149*
- Friedrich (1907) Spediteur 13 199*
- Helmut (* 1914) Kamerafabr. **709***
- Hermann (1945) Jur. **710***
- Joh. Andreas Michael (1788) Hebräist ADB 23 214 f.
- Lorenz Theodor (1895) Publ. **710 f.**
- zu *Aichberg*, Ludwig v. (1899) Maler ADB 52 571–73
- Otto (1967) Maler **711 f.**
- Paul (um 1621) Chiliast ADB 23 215 f.
- Wilhelm (1864) ev. Theol. ADB 23 216–18
- Wilhelm (1941) Kamerafabr. **708***
- Willibald (1911) Physiol. **712 f.**

Nagelschmidt, Georg (1540) Räuber ADB 16 449

Nagiller, Matthäus (1874) Komponist ADB 23 227 f.

Nagl, Joh. (Hans) Willibald (1918) Mundartforscher **713 f.**

Nagler, Ferd. Friedr. v. (1846) preuß. Gen.-postmstr., Pol. **717 f.**
- Friedr. Zacharias (1766) Bgm. in Obernbreit 717*
- Georg Kaspar (1866) Kunsthist. **714 f.**
- Johannes (1951) Jur. **715 f.**
- Josef (1990) Physiker **716 f.**
- Simon Friedr. (1793) Reg.rat 717*

Naglo, Emil (1908) Elektroindustr. **718**
- Moritz (19. Jh.) Bergbauindustr. 718*
- Wilhelm (* v. 1845) Elektroindustr. 718*

Nagy v. *Czisier*, Ekaterina s. **Nagy,** Käthe v. (1973) **718 f.**
- de *Alsó-Szopor*, Imre (1894) Jur., Hist. 719*
- Käthe v. (1973) Schausp. **718 f.**
- de *Alsó-Szopor*, Ladislaus Frhr. (1872) k. k. Gen. **719 f.**

Nahl, Alex. Theodor (1875) Gel. 721*
- Georg Valentin Friedr. (1857) Kupferst. 720*
- Joh. August (1781) Bildh. **720 f.**, 721*
- Joh. August (1825) Maler 720*, **721 f.**
- Carl (1878) Maler 720*
- Matth. (1668) Schreiner 720*
- Samuel (1728) Bildh. 720*, ADB 23 239 f.
- Samuel (1813) Bildh. 720*, ADB 23 241
- Wilhelm (1880) Maler 721*, ADB 23 241

Nahlowsky, Joh. Wilhelm (1885) Philos. ADB 23 242

Nahm, Peter Paul (1981) Journ., Pol. **722**

Nahmer, von der, Adolf (1939) Textilfabr. **723 f.**
- Alexander (1888) Industr. **723**
- Johann Heinr. (1864) Textilfabr. XII 228*
- Wilhelm (1834) Jur. 723*
- Wilhelm (1938) Textilfabr. **723**

Naibod, Valentin (n. 1563) Math., Astrol. ADB 23 242 f.

Nakatenus, Wilhelm (1682) Jesuit **724**

Nallinger, Friedrich (1937) Maschinenbauer XI 685 in Art. Kissel, W., **18 724–26**, 726*
- Fritz (1984) Maschinenbauer 725*, **726 f.**
- Jörg (* 1928) Maschinenbauer 726*

Namuth, Adolph (1948) Kaufm. **727***
- Hans (1990) Photogr. **727 f.**
- Peter (* 1948) Photogr. 727*

Nanckelmann, Eberhard s. **Anckelmann,** Eberhard (1703) I 266

Nanker (1341) Bf. v. Breslau **728 f.**

Nansen, Margarete (20. Jh.) Schausp. XI 33*

Nanthilde (642) *fränk.* Kgn. in Neustrien 17 172 Fam.art. Merowinger

Naogeorg(us), Thomas (1563) ev. Theol., Dichter **729 f.**

Naphtali, Fritz (Perez) (1961) Journ., Pol. **730 f.**
- Hugo (1909) Kaufm. 730*

Napiersky, August v. (1885) Meteorol. 731*
- Karl Ed. v. (1864) Schriftst. **731 f.**
- Leonhard v. (1890) Jur. 731*

Napoleon I. (1821) Kaiser d. *Franzosen* V 96*, 358*, X 414*, 433*, XI 260*, 14 300*, 369*, 16 185*, 18 732*
- **II.** (1832) Kaiser d. *Franzosen*, Hzg. v. Reichstadt 16 185*, **18 732–34**
- **III.** (1873) Kaiser d. *Franzosen* X 414*

Napp, Cyrill (Franz) (1867) Abt. v. Altbrünn **734**

Narath, Albert (1924) Med. 734*
- Albert (1974) Photochem., Filming. **734 f.**
- Rudolf (* 1903) Astronom 734*

Nardini, Paul Josef (1862) kath. Theol. **735 f.**

Narhamer, Johann (16. Jh.) ev. Theol., Dramatiker ADB 23 253

Narjes, Hermann (1972) Untern. **736***
- Joh. Heinr. Ludw. (1846) Kaufm. 736*
- Theodor Gustav (1905) Eisenhüttenmann II 39*, **736**

Narnia-Romanus, Fabius Arcas de (1554) Jur. ADB 23 253–56

Narsius, Johann (n. 1635) ev. Theol., Arzt, Dichter ADB 23 256 f.

Narutowicz, Gabriel (1922) Wasserbauing. **736 f.**
- Stanislaw (1930) Jur. 736*

Nas(us), Johannes (1590) kath. Theol. **737 f.**

Nase, Johannes s. **Nas(us),** Johannes (1590) **737 f.**

Nasemann, Otto (1895) Päd. ADB 52 582–88

Naso, Ephraim Ignatius (n. 1680) Jur., Hist. ADB 23 261

Nasos, Nikolaus (1886) Bankdir. VII 364*

Naß, Johannes s. **Nas(us),** Johannes (1590) **737 f.**

Nassau, Gf. v. **738–40**
- Adolf s. **Adolf** (1298) König I **74 f.**, 18 738 f. Fam.art.
- Adolf I. (1370) 739 Fam.art.
- Adolf s. **Adolf I.** (1390) EB v. *Mainz* I **84**, 739 Fam.art.
- Adolf (1420) v. Diez 739 Fam.art.
- Adolf s. **Adolf II.** (1475) EB v. *Mainz* I **84 f.**, 739 Fam.art.
- Adolf s. **Adolf** (1905) Ghzg. v. *Luxemburg* I **85**, 18 739 Fam.art.
- Amalie s. **Amalie** (1675) Prn. v. *Oranien* I **238 f.**,
- Anna s. **Anna** (1577) Hzgn. v. *Sachsen*, Prn. v. Oranien I **302**, 18 139*, 141*
- Arnold (1148) 738 Fam.art.
- Christoph Ernst (1755) preuß. Gen. ADB 23 262 f.
- Dieter s. **Dieter** (1307) EB v. *Trier* III 668 f.
- Emich (1334) v. Hadamar 739 Fam.art., ADB VI 80
- Engelbert I. (1442) v. Breda 739 Fam.art.
- Friedrich August (1816) Fürst v. *Nassau*-Usingen 739 Fam.art., ADB VII 567 f.
- Friedrich Wilh. s. **Friedrich Wilh.** (1816) Fürst v. *Nassau*-Weilburg V **521 f.**
- Gerlach I. (1361) 739 Fam.art.

- Gerlach s. **Gerlach** (1371) EB v. *Mainz* **VI 293**, 18 739 Fam.art.
- Heinrich (1247/50) ADB XI 547 f.
- Heinrich I. s. **Heinrich I.** (1343) v. *Nasssau*-Dillenburg **VIII 374**, 18 739 Fam.art.
- Heinrich (v. 1380) v. Beilstein ADB XI 549 f.
- Heinrich (n. 1412) v. Beilstein ADB XI 550
- Heinrich (1499) v. Beilstein ADB XI 550
- Heinrich III. (1538) v. Breda 739 Fam.art., ADB XI 551 f.
- Heinrich Casimir (1696) Fürst v. *Nassau*-Diez ADB XI 553
- Heinrich (1701) Fürst v. *Nassau*-Dillenburg ADB XI 553
- Heinrich (1797) Fürst v. *Nassau*-Saarbrücken ADB XI 553 f.
- Johann s. **Johann I.** (n. 1288) Bf. v. *Utrecht* ADB 14 430
- Johann (1328) v. *Nassau*-Dillenburg 739 Fam.art.
- Johann I. (1371) 739 Fam.art., ADB 14 272
- Johann (1416) v. *Nassau*-Dillenburg ADB 14 250 f.
- Johann II. (1419) EB f. *Mainz* 739 Fam.art.
- Johann II. (III.) (1472) v. *Nassau*-Saarbrücken ADB 14 262 f.
- Johann IV. (1475) v. *Nassau*-Dillenburg 739 Fam.art., ADB 14 251 f.
- Johann V. (1516) v. *Nassau*-Dillenburg ADB 14 252–54
- Johann Ludwig (1545) v. *Nassau*-Saarbrücken ADB 14 263 f.
- Johann VI. s. **Johann VI.** (1606) v. *Nassau*-Dillenburg **X 500 f.**, 739 f. Fam.art.
- Johann VII. s. **Johann VII.** (1623) v. *Nassau*-Siegen **X 501**
- Johann VIII. s. **Johann VIII.** (1638) v. *Nassau*-Siegen **X 501 f.**
- Johann Ludwig (1653) Fürst v. *Nassau*-Hadamar 740 Fam.art., ADB 14 258–60
- Johann (1677) v. *Nassau*-Idstein ADB 14 260–62
- Johann Moritz s. **Johann Moritz** (1679) Fürst v. *Nassau*-Siegen **X 502 f.**
- Johann Ernst (1719) v. Weilburg ADB 14 272 f.
- Juliane (1580) ADB 23 263–65
- Ludwig s. **Ludwig** (1574) v. *Nassau*-Dillenburg **15 402 f.**
- Ludwig II. s. **Ludwig II.** (1627) v. *Nassau*-Saarbrücken **15 404 f.**, 739 Fam.art.
- Ludwig Heinr. s. **Ludwig Heinr.** (1662) Fürst v. *Nassau*-Dillenburg **15 403 f.**
- Moritz s. **Moritz** Prinz v. *Oranien* (1625) **139–41**, 739 Fam.art.
- Otto I. (1289) 738 f. Fam.art., ADB 24 707 f.
- Otto II. (1350/51) 739 Fam.art., ADB 24 707 f.
- Philipp (1429) 739 Fam.art., ADB 26 10–12
- Rupert I. (n. 1152) 738 Fam.art.
- Walram II (1266/74) 738 Fam.art., ADB 40 778 f.
- Wilhelm (1584) v. *Oranien* 139*, 141*, 739 Fam.art., ADB 43 139–55
- Wilhelm III. (1702) König v. *England* 740 Fam.art.
- Wilhelm Friso (1711) Prinz v. *Oranien* ADB 14, 275 f.
- Wilhelm (1839) Hzg. v. *Nassau* 739 Fam.art., ADB 43 136–39
- Wilhelm Friedr. (1843) König d. *Niederlande* 740 Fam.art.
- Wilhelm (1912) Hzg. v. *Nassau* 739 Fam.art.

Nassauer, Alfred (1939) Kaufm. 740*
- Else (1973) Künstlerin 740*
- Hans (1981) Journ. 740*
- Jean (Jesaias) (* 1841) Kaufm. 740*
- Max (1931) Med., Schriftst. **740 f.**
- Siegfried (1940) Journ. 740*
- **-Müller,** Kurt (* 1911) Pol. 740*

Nasse, Berthold v. (1906) preuß. Oberpräs. IV 345*, 18 741*
- Christian Friedr. (1851) Med. **741 f.**, 742*
- Dietrich (1898) Med. 741*, **742 f.**
- Erwin (1890) Nat.ök. XII 394*, 18 741*, **742**
- Hermann (1892) Med. 741*
- Johann Christian (1788) Med. 741*
- Leopold Rud. Theodor (1945) Jur. 742*
- Otto (1903) Med. 741*
- Werner (1889) Med. 741*, ADB 52 588

Nasser, Joh. Adolf (1828) Philol. ADB 23 270

Nast, Jakob (1822) Päd., ev. Theol. IX 108* ADB 23 270 f., 24 832
- **-Kolb,** Adam (1902) Bankier XII 443
- – Adolf v. (1921) Bankier XII 443*, **18 744**
- – Alban (1940) Med. 744*

Natalie Ps. f. **Ahlefeldt,** Charlotte Gfn. v. (1849) **I 108**
- Großfürstin v. Rußland s. **Wilhelmine** v. *Hessen*-Darmstadt (1776) 15 392*, 395*

Natalis, Friedrich (1935) Ing. **743 f.**

Nath, v. der s. a. **Dernath**
- Gerhard Gf. (1689) FM III 606*

Nathan, Alexander (1908) Kaufm. 744*
- Fritz (1972) Kunsthändler **744**
- Hans (1971) Jur. **745**
- Henry (1932) Bankier **745 f.**
- Oskar (1985) Bankier 745*
- Otto (1930) Kunsthändler 744*
- Paul (1927) jüd. Pol., Publ. **746 f.**
- Peter (* 1925) Kunsthändler 744*
- Wilhelm (1877) Bankier 746*

Nathanael Ps. f. **Feneberg,** Joh. Mich. (1812) **V 77**

Nathorff, Erich (1954) Med. 747*
- Heinz (Henry) (1988) Ing. 747*
- Hertha (1993) Med., Publ. **747 f.**

Nathusius, August v. (1884) Landwirt 748*
- Gottlob (1835) Untern. **748 f.**, 749*
- Gottlob v. (1899) Landrat 749*
- Hans v. (1903) Landstallmstr. 749*
- Hans Joachim (1945) Fabr. 748*
- Heinrich Wilh. (1786) sächs. Gen.akziseeinnehmer 748*
- Heinrich v. (1890) Landrat 748*
- Hermann v. (1879) Tierzüchter 748*, **749 f.**
- Joachim v. (1915) Landesök.rat 749*
- Johanne (1885) Malerin 748*
- Maria (1857) Schriftst. ADB 23 283–85
- Martin (1906) ev. Theol. 748*
- Martin (* 1883) Fabr. 748*
- Philipp (1872) Publ. 748*, ADB 23 283–85
- Simon v. (1913) Agrarwiss. 748*
- Wilhelm (1899) Landwirt 748*
- **-Ludom,** Philipp v. (1900) Pol., Publ. 748*

Natonek, Hans (1963) Schriftst. **750 f.**

Natorp, Adalbert (1891) ev. Theol. 752*
- Bernh. Christoph Ludwig (1846) ev. Theol. 752*
- Franz Wilh. Frhr. v. (19. Jh.) Apotheker, Großhändler X 257*, 18 751*

– Gustav Ludwig (1864) ev. Theol. 752*
– Gustav (1891) Industr. 13 123*, 18 752*
– Impératrice v. (1808) Sängerin 751*
– Joh. Theodor Frhr. v. (19. Jh.) Bergwerksbes. 751*
– Johs. (1892) Bergassessor 752*
– Ludwig (1847) ev. Theol., Päd. VIII 446*, 14 280* ADB 23 285 f.
– Maria Anna Freifr. v. (1847) Sängerin 751
– Paul (1924) Philos. 13 123*, **18 752 f.**
– -Sessi, Maria Anna s. **Natorp,** Maria Anna Freifr. v. (1847) 751
Natter, Anton (1885) Med. 753*
– Heinrich (1892) Bildh. **753 f.**
– Lorenz (1763) Edelsteinschneider, Medailleur ADB 23 286–88
Natterer, Johann (1843) Zool. **754 f.,** 755*
– Johann (1900) Erfinder 754*, **755**
– Josef (1823) Zool. 754*, 755*
– Josef (1852) Naturforscher 754*, 755*
– Josef (1862) Photogr. 755*
– Konrad (1901) Chem. 755*
Natzmer, v., pomm. Fam. **755 f.**
– Adolf Albrecht (1884) preuß. Gen. 756 Fam.art.
– Dubislaw Gneomar (1739) preuß. GFM 755 Fam.art., ADB 23 288–90
– Ernst Hans Karl Gneomar (1896) preuß. Oberst ADB 52 591 f.
– Friedr. Wulf Ernst (1810) preuß. Kapitän 756 Fam.art.
– George Christoph (1751) preuß. Gen. 755 Fam.art., ADB 23 290 f.
– Gert (1981) Schriftst. 756 Fam.art.
– Gneomar Ernst (1896) Mil.schriftst. 756 Fam.art.
– Hans Christoph (1807) preuß. Oberst 755 Fam.art.
– Joachim Heinr. (1771) preuß. Gen. 755 Fam.art.
– Joh. Christoph. (1743) sächs. Gen. VI 456*
– Karl Heinr. (1875) preuß. Gen. 756 Fam.art.
– Oldwig (1861) preuß. Gen. 756 Fam.art., ADB 23 291–94
– Theodor Wilh. Ferd. (1868) preuß. Gen. 756 Fam.art.
– Wilh. Dubislav (1842) preuß. Gouverneur 756 Fam.art.
– Wulf Heinr. (1787) preuß. Oberst 756 Fam.art.
Nau, Alfred (1983) Parteifunkt. **756 f.**
– Bernh. Seb. v. (1845) Kameralist ADB 23 294 f.
Naubert, Benedikte (1819) Schriftst. VIII 168*, **18 757 f.**
Nauck, August (1892) Philol. **758 f.,** 759*
– August (1912) Med. 758*, 759*
– Ernst (1967) Med. 758*, **759 f.**
– Joh. Gottlieb (1796) ev. Theol. 758*
– Karl Christian (1830) ev. Theol. 758*
– Karl Wilh. (* 1813) Philol. 758*
Nauclerus, Johannes (1510) Jur., Chronist **760 f.**
Naudé, Albert (1896) Hist. ADB 52 592–97
– David (1794) Astronom VI 190*
– Philipp (1729) Math. VI 190*
– Philipp (1745) Math. VI 190*
Naue, Johann Friedr. (1858) Musiker, Musikwiss. ADB 23 298 f.
Nauen, Heinr. (1940) Maler **761 f.**
– Marie (1943) Malerin 761*
Nauendorf, Friedr. August Gf. (1801) österr. FML ADB 23 299–301
Naujocks, Alfred (1960) pol. Agent **762 f.**

Naum, Jodocus (1597) ev. Theol. ADB 23 301 f.
Naumann, Alexander (1983) Physiker **765 f.**
– August Friedr. (1878) Med. 767*
– Bruno (1903) Industr. **766 f.**
– Christian Nikolaus (1797) Philos. ADB 23 302–05
– Dieter (* 1942) Chem. 765*
– Edmund (1898) Naturforscher 771*
– Edmund (1927) Geol. **767**
– Emil (1888) Musikschriftst. 763*
– Ernst (1910) Organist 765*
– Ernst (1968) Geol. 765*
– Franz Rud. v. (* 1703) sächs. Offz. 770*
– Franz Heinr. v. (1795) Zeichner 770*
– Friedr. Gotthard (1821) Maler 763*, **764**
– Friedr. Hugo (1890) ev. Theol. 767*
– Friedrich (1919) Pol. **767–69**
– Hans (1951) Germanist **769 f.**
– Hilde (* 1909) Kommunistin 772*
– Johann (1668) Buchhändler ADB 18 581
– Joh. Christoph v. (1742) Architekt **770 f.**
– Joh. Christoph v. (1779) sächs. Ing.offz. 770*
– Joh. Gottlieb (1801) Musiker 763 f., 764*, 765*
– Joh. Andreas (1826) Ornithol. 429 in Art. Müller, John W. v., 771*, ADB 23 315
– Joh. Friedr. (1857) Naturforscher **771**
– Joh. Wilh. (1956) Verl. **772**
– Julius (1867) Maler 771*
– Carl Andreas (1854) anhalt. Leibjäger 771*
– Karl Friedr. (1873) Mineraloge 763*, 764*, **765**
– Karl (* 1872) Maler 765*
– Constantin (1852) Math. 763*
– Markus (1900) Kaufm. 772*
– Max (1939) jüd. Funkt. **772 f.**
– Moritz (1871) Med. 763*
– Moritz Ferd. (1882) Strumpffabr. 766*
– Robert (1880) Bibl. **773**
– Rudolf (1927) Kaufm. 765*
– Theodor (1878) Tierarzt 771*
– Werner (1982) Pol. **773 f.**
– zu *Königsbrück,* Clas (* 1939) Zool. 766*
– – Günther (1989) Industr. 766*
– – Robert Bruno Eberh. (1974) Landwirt 766*
– – Robert Alexander (* 1929) Chem. 766*
– – Walther (1944) Industr. 766*
Naundorf, Karl Wilh. (1845) Hochstapler ADB 23 319–21
Naunyn, Bernhard (1925) Med. **774 f.**
– Franz Christian (1860) Bgm. in Berlin 774*
– Carl Friedr. (1803) Rentamtmann 774*
Naus, Joseph (1871) Kartograph **775**
Nausea, Friedrich (1552) Bf. v. Wien **775 f.**
Naville, Gustave (1929) Industr. 182*
Neese, Gottfr. Heinr. (1878) Kaufm. 485*
Neher, Georg (1885) Fabr. 182*
Neipperg, Gf. v., Adalbert (1829) Obersthofmstr. in Parma 49*
– Adam Adalbert (1829) Obersthofmstr. in Parma 732*
Nemitz, Elfriede (1979) Pol. 205*
– Kurt (* 1925) Bankier 205*
Neubauer, Thomas s. **Naogeorg(us),** Thomas (1563) **729 f.**
Neufeld, Conrad (1656) Päd. 674*
Neumann, Alfred (1952) Schriftst. 392*
– Anna-Maria (1864) Sängerin 751*
– Heinz (1937) kommunist. Funkt. 553*
– Heinz (1937) Pol. 450 in Art. Müller, Kurt

– John v. (1957) Math. 112 in Art. Morgenstern, O.
Neumeister, Erdmann (1756) ev. Theol. 423*
Neumeyer, Thomas s. **Naogeorg(us),** Thomas (1563) **729 f.**
Neurath, Konstantin Frhr. v. (1956) Reichsmin. 175 in Art. Moser
Neuschaefer, David (1894) Essigfabr. 438*
Ney, Gg. Ludw. (1878) ev. Theol. 517*
Nick, Edmund (1974) Komp. 110*
– Kaete (1967) Sängerin 110*
– -**Braun,** Dagmar (* 1926) Schriftst. 110*
Nickel, Joh. (1803) Glasmacher 511*
Niggl, Wendelin (* 1915) Oberstlt. 289*
Nissen, Georg Nicolai v. (1826) dän. Dipl. 240*
Nitzsch, Christian Ludw. (1837) Zool. 771 in Art. Naumann, Joh. Friedr.
Noorden, Carl H. v. (1944) Med. 741*
– Werner (20. Jh.) Med. 741*
Norbert Ps. f. **Natonek,** Hans (1963) **750 f.**
Nordermann, Hermann Ps. f. **Muth,** Richard v. (1902) 648*

Obentraut, Adolf v. (1909) Pol. 551*
Ochsensepp s. **Müller,** Jos. (1979) **430–32**
Oertel, Wilh. (1867) Schriftst. 495*
Oesterreicher-Mollwo, Marianne (* 1939) Schriftst. 7*
Ötken, Joh. (1679) Landrentmstr. 530*
Oettingen, Karl Fürst zu (1930) 49*
Olday, Hilda s. **Monte,** Hilda (1945) **43 f.**
– John (1977) Maler 43*
Oldenbourg, Eberhard (* 1911) Verl. 705*
Oldenkott, Jacobus Bernard (1853) Tabakfabr. 68*
Opel, Carl A. (1927) Automobilindustr. 236 in Fam.art. Mouson
Oppeln-Bronikowski, Ferd. Franz v. (1851) Orientalist 310*
– – Hans Hermann v. (1902) Gen. 310*
Oriola, Joaquim Gf. v. (1846) portugies. Dipl. 619*
– Louise Gfn. v. (1899) kaiserl. Hofdame 619*
Ortmeyer, Clemens Jos. (1918) Kaufm. 169*
Ott, Hans Conrad (1858) Kaufm. 702*
Otto v. *Hessen*-Kassel (1617) Administrator v. Hersfeld 136*

Pabst, August (1907) Schulrat 749*
Pack, Isaak (1856) Kaufm. 507*
Pählig, Klara s. **Moris,** Klara (1957) 133*
Panofsky, Erwin (1968) Kunsthist. 217*
– Wolfgang (* 1919) Physiker 217*
Panther, Albert (20. Jh.) Jur. 726*
Papier, Charles (1898) Ger.schreiber 597*
Parrey, Ludwig (1911) ev. Theol. 219*
Paschen, Joh. Bernh. (1816) Kaufm. 13*
Pascho (14. Jh.) Domherr in Breslau 728*
Pasco (14. Jh.) Richter 728*
Pellegrini, Clementine (1845) Sängerin 80 in Art. Moralt
– Julius (1858) Sänger 80 in Art. Moralt
Pellikan, Konrad (1556) Philol. 539 in Art. Münster, Seb.
Penzlin, Barbara Juliana (1674) Schriftst. ADB 25 364 f.
Pertl, Wolfgang Nik. (1724) Jur. 238*
Petri, Adam (1525) Drucker 539*
– Heinr. (1579) Drucker 539*

Petz, Leopold (1922) Maschinenbauing. 641*
Peyser, Alfred (* 1870) Sanitätsrat 772 in Art. Naumann, Max
Pfalzgraf, Wilhelm (1923) Oberpostsekr. 4*
Pfeiffer, Franz (1897) Pol. 551*
– Peter Wilh. (1914) Gen.sup. in Kassel 560*
Pfyffer v. *Altishofen,* Christoph (1673) Schultheiß v. Luzern 609*
– Ludwig (1594) Schultheiß v. Luzern 609*
Philipp (1595) Gf. v. *Nassau*-Dillenburg 140*
– I. (1567) Landgf. v. *Hessen* 136*
– (1567) Landgf. v. *Hessen* 141*
– **Ludwig** (1689) Hzg. zu *Holstein*-Sonderburg-Wiesenburg 144*
– **Wilhelm** (1618) Prinz v. *Oranien* 139*
Pick, Henrikus Jacobus (1896) Möbelmaler 69*
Pieczynska-Reichenbach, Emma (19. Jh.) Frauenrechtlerin 306 in Art. Mülinen, H. v.
Pillerstorff, Albert Frhr. v. (1869) k. u. k. Oberst 673*
Pistoris, Hartmann (1603) Jur. 90*
– Modestinus (1565) Jur. 90*
Plumpe, Bernh. Joachim (1932) Photogr. 615*
– Friedr. Wilh. s. **Murnau,** Friedr. Wilh. (1931) **615 f.**
– Heinrich (1914) Textilfabr. 615*
– Heinrich (1945) Ing. 615*
– Robert (1961) Filmkaufm. 615*
– Wilhelm (1875) Steuerbeamter 615*
Pommer, Erich (20. Jh.) Filmproduzent 615 in Art. Murnau, F. W.
Porges, Heinr. (1900) Dirigent 753*
Portugall, Ferdinand (1901) Bgm. v. Graz 255*
Praetorius, Andreas (1586) ev. Theol. 626*
- Michael (1621) Kirchenmusiker 626*
Prandtauer, Jakob (1726) Baumstr. 592 in Art. Munggenast, J.
Pschorr, Joseph (19. Jh.) Brauer 81 in Art. Moralt
Pulver, Johs. (1888) Tierarzt 288*
Purdy Hall, Patrick (1853) Journ. 50*
Puthon, Karl Frhr. v. (* 1780) Bankier 47*
Putz, Eduard (1893) Med. 400*

Rabert, Johann Gg. (1789) Organist 348*
Racke, Jos. Ad. Nicola (1890) MdR 232*
Ramholz, Felix Ps. f. **Muche,** Felix (1947) 252*
Ranke, Ernst (1888) ev. Theol. 741*
Rapoport, Armande (1966) Kinountern. 680*
Raspe, Rud. Erich (1794) Schriftst. 525 in Art. Münchhausen, H. v.
Rath, Rudolf (1966) Jur. 184*
Reden, Jobst Joh v. (1734) Land- u. Schatzrat 524*
Reibnitz, Karl Frhr. v. (1856) Zolldir. 188*
– Paul Frhr. v. (1900) Vizeadm. 188*
Reichstadt, Franz Hzg. v. s. **Napoleon II.** (1832) **732–34**
Reiff, Wilhelmine (1842) Tänzerin 268*
Reimer, Karl (1858) Buchhändler 25*
Reinacher, Eduard (1968) Dichter 698 in Art. Naegele, R.
Reinike, Caroline (1924) Schausp. 336*
Reiningsthal, Magdalene s. **Müller,** Magdalene (1794) 482*
Reitsamer, Martin (1881) Postamtsleiter 474*
Reitter, Emmerich (1971) Pol. 647 in Art. Muth, K.
Rem, Wilhelm (1528/29) Chronist 303*

Rendorff, Georg Rudolf (1816) Kaufm. 211*
Rengger, Albrecht (1835) Pol. 433 f. in Art. **Müller, Karl** v.
Renner, Paul (1956) Buchillustrator 392 in Art. **Müller, Georg**
Ribon, Trude de (* 1906) Filmschausp. 8*
Richardsen, Uwe (20. Jh.) Geschäftsführer 427*
Richter, Adolph Sam. (1807) Kaufm. 224*
– Friedr. Wilh. (1946) sächs. Min. 82*
– Georg (1902) Fabr. 441*
– Irma s. **Müller,** Irma v. (1965) 441*
– Karl Thomas (1878) Nat.ök. 149*
Riebeling, Konrad (1873) ev. Pfarrer 5*
Riedel, Joh. Gisbert (1785) Kaufm. 310*
Riedler, Alois (1936) Ing. 464 in Art. Mueller, Otto
Riemerschmid, Heinrich (1883) Chemiefabr. 2*
– Richard (1957) Architekt 3*
Ries, Ferdinand (1838) Komp. 300*
Rieß, Joh. Philipp (1768) hess. GR 228*
Rösler, Gustav (1959) Schulrat 383*
Rose Innes, Sir James (1942) Jur. 18*
Rosen, Friedrich (1931) Reichsmin. 165*
– Georg (1891) Dipl. 165*
– Richard (* 1901) Maschinenbauer 697 in Art. Nägel, A.
Rosenthal, Heinemann (1906) Med. 570*
– Otto (* 1898) Biochem. 632*
Rosmer, Ernst Ps. f. **Bernstein,** Elsa (1949) 753*
Roßhirt, Wilhelm (1791) Abt v. Ebrach 40 in Art. Montag, E.
Roßknecht, Jos. (1903) Med. 440*
Roth, Clara (* 1855) Übers. 110*
Rothpletz, Anna (1841) Schriftst. ADB 29 372 f.
Rothschild, Deborah (* 1931) Kunsthist. 681*
Rudolf (13. Jh.) Pfalzgf. v. *Tübingen* 51 in Art. Montfort
Rudolf v. *Ems* (1254) Dichter 52 in Art. Montfort
Rüdinger, Nicolaus (1896) Med. 3 in Art. Mollier, Siegfried
Rummel, Paul (1945) Kaufm. 414*
Rumpe, Joh. Caspar (1833) Kaufm. 310*
Ruppenthal, Karl Ferd. (1851) Gen.prokurator 287 in Art. Mühler, Heinr. v.
Ruyter, Frederic de Ps. f. **Muckermann,** Friedrich (1946) **258–60**

Saalfeld, Hans Frhr. v. (* 1903) Ing. 401*
Saemisch, Friedrich (1945) Min. 741*
– Theodor (1909) Med. 741*
Sales, Franz v. (1622) kath. Theol. 54 in Art. Montgelas
Salm-Salm, Constantin Fürst zu (1828) 693 in Art. Nadorp, F.
Samuel, Ernst (1943) Schriftst. 670*
– Salomon (1942) Rabbiner in Essen 670*
Sand, George (1876) Schriftst. 143*
Sandberg, Herbert (* 1908) Publ. 221 in Art. Mostar, G. H.
Sanderson, Lillian s. **Müller,** Lillian (1947) 471*
Sattler, Joh. Ernst (1923) Maler 427*
Sauer, Bruno (1919) Archäol. 556*
Saxe, Marie Aurore de (1821) 143*
Schade, Peter s. **Mosellanus,** Petrus (1524) **170 f.**
Schaeffer, Sigmund (1817) Kaufm. 705*
Schallenberg, Sibylle (* 1943) Kunsthist. 711*
Schaumann, Ruth (1975) Schriftst. 99*

Schaumburg-Lippe, Georg Wilh. Fürst zu (1860) 534*
– – Philipp Gf. zu (1787) köln. Geh. Kriegsrat 534*
Scheel, Gustav Adolf (1979) NS-Pol. 774 in Art. Naumann, Werner
Scheffer, Joh. Justus Hartmann (1733) hessenkassel. Kanzler 610*
Scheibler, Hans Carl (* 1887) Fabr. 485*
Schele, Ludwig Clamor Frhr. v. (1825) Gutsbes. 266*
Schelling, Friedr. Wilh. (1854) Philos. 436*
– Karl Eberhard (1854) Med. 436*
Schenck, Joh. Theodor (1671) Med. 621*
Scherer, Christian (1972) Ing. 337*
Scherl, Heinr. (1548) Metallkaufm. 90*
Schertel, Jos. (1869) Maler 104*
Schießler, Seb. Willibald (1867) Schriftst. ADB 31 187 f.
Schlatter, Adolf (1938) ev. Theol. 306 in Art. Mülinen, H. v.
Schlemüller, Margarethe s. **Moris,** Margarethe (1967) 133*
Schlez, Joh. Ferd. (1839) ev. Theol. 255*
Schlüter, Ferdinand (1867) Kaufm. 660*
– Gottfried (1637) ev. Theol. 545 in Art. Münstermann, L.
Schmid, Friedrich (1853) Bankier 379*
– Gottlieb (1824) Bgm. in Frankfurt/M. 478*
– v. *Böttstein,* Joseph (1854) Pol. 73*
– – Karl (1889) Pol. 73*
Schmidt, Gustav (* 1842) Postdir. in Stralsund 250*
Schmiedeberg, Oswald (1921) Pharmakol. 775 in Art. Naunyn, Bernh.
Schmieger, Ignaz Anton (1887) Textilfabr. 290*
Schmitt, Franz (1876) Gutsbes. 706*
– Hans (1907) Komp. 91*
– Karl (1952) Tanzlehrer 638*
– Robert Hans (1899) Afrikaforscher 91*
Schmoeger, Franz Jos. Ferd. v. (1825) bayer. Gen. 775*
Schmückert, Heinrich (1862) preuß. Gen.postdir. 410*
Schneegaß, Cyriacus (1597) Dichter 661*
Schneider, Ernst (1974) Gartenbaudir. 295*
Schnitzler, Karl Ed. (1864) Bankier 486*
– Robert (1897) preuß. Reg.rat 486*
Schoch, Armin (1886) Bankier 182*
Schönthan, Franz v. (1913) Schriftst. 189 in Art. Moser, G. v.
Schoepf, Joh. David (1800) Naturforscher 282 in Art. Mühlenberg, H.
Schöppe, Hermann (1911) Jur. 653*
Schoeps, Hans Joachim (1980) Rel.wiss. 772 in Art. Naumann, Max
Scholderer, Joh. Christof (v. 1868) Päd. 478*
Scholz v. *Rarancze,* Friedr. Max Karl (1944) Gen. 291*
Schoop, Johs. (1757) ev. Theol. 315*
Schorlemer, Clemens Frhr. v. (1922) preuß. Landwirtsch.min. 54 in Art. Montgelas
Schott, Karl (1917) Jur. 11 in Art. Molt, C. G.
Schröckinger v. *Neudenberg,* Julius Frhr. (1882) Min.beamter 754*
Schubert, Conrad v. (* 1921) Dipl. 769*
Schücking, Levin (1883) Schriftst. 313*
Schulenburg, Achaz v. der (1731) preuß. Gen. 523*
Schullerus, Gerhard (* 1927) ev. Theol. 383*
Schultze, Christoph Emanuel (1809) ev. Theol. 279*

– John Andrew Melch. (1852) Gouv. v. Pennsylvania 279*
– Leop. (1893) Gen.sup. 326*
Schumacher-Guttenberg, Jos. (1860) Stadtpräs. v. Luzern 72*
Schumann, Clara (1896) Pianistin 192*
– Robert (1856) Komp. 192*
Schwarz, Gabriele (1986) Journ. 471*
Schwarzschild, Karl (1916) Astronom 335 in Art. Müller, Gustav
Schwerin, Heinrich Gf. v. (1888) pomm. Gen.landschaftsdir. 287*
Schwindratsheim, Georg Friedr. (1893) Kaufm. 558*
Schwollmann, Ilse s. **Molzahn,** Ilse (1981) 21*
Seckendorff, Wilh. Adolf Frhr. v. (1866) 553*
Seemann, Franz v. (20. Jh.) österr. Hauptm. 87*
Seidel, Franz Emil (1916) Industr. 766 in Art. Naumann, Bruno
– Karl Theodor (1918) Kaufm. 82*
Seinsheim, Maximilian Gf. v. (1885) MdR 54 in Art. Montgelas
Selb, Joh. Gabriel v. (17. Jh.) Jur. 186*
Sessi, Maria Anna s. **Natorp,** Maria Anna Freifr. v. (1847) **751**
Seumenicht, Adrian s. **Mynsicht,** Adrian v. (1638) **671**
– Anton (1643) ev. Theol. 671*
Siebeck, Richard (1965) Med. 147*
– Richard (1965) Med. 436*
Siebel, Friedr. Wilh. (1877) Dachziegelfabr. 358*
Siegmann, Georg (20. Jh.) Justizrat 772 in Art. Naumann, Max
Siemens, Hermann Werner (1969) Med. 380*
Siemonsen, Ludwig (* 1855) Päd. 309*
Siemsen, Peter (* 1825) Kaufm. 660*
Silberschmidt, William (1947) Hygieniker 78 in Art. Mooser, H.
Silens, Constantin Ps. f. **Mueller-Graaf,** Carl-Hermann (1963) **497 f.**
Simon Gf. v. Montjoye-Hirsingen (1775) Bf. v. *Basel* 63 Fam.art.
Sinner, Eduard Frhr. v. (1894) auf Weißenstein 117*
Siracusano, Erica s. **Morini,** Erica (1995) **132 f.**
– Felice (* 1901) Kunsthändler 132*
Sittewald, Philander v. Ps. f. **Moscherosch,** Joh. Michael (1669) **166–68**
Snay, George (1930) OB v. Görlitz 54 in Fam.art. Montgelas
Sophie (1817) Mgfn. v. *Bayreuth* 764 in Art. Naumann, F. G.
Spitzweg, Eduard (* 1811) Musikalienhändler 81 in Art. Moralt
Spörer, Gustav Friedr. Wilh. (1895) Astrophys. 335*
Springer, Daniel Lazarus (1687) Bgm. v. Wien 186*
St. Clair Erskine, James Alexander, Earl of Rosslyn (1837) brit. Gen. 535*
Stamm, Isaak (* 1851) Fabr. 108*
Standfuß, Julius (1902) Bildh. 336*
Starck, Joh. Anton Frhr. v. (1883) Industr. 290*
Stauß, Emil Gg. v. (1942) Bankier 391*
Stein zum *Altenstein,* Friedr. Ernst v. (1779) Kammerherr 717*
– – Karl Frhr. v. (1840) preuß. Min. 717*
Steiner, Rudolf (1925) Anthroposoph 10 in Art. Molt, E.

Steinhard, Heinrich (1893) Richter 505*
Steinhauer-Beuthner, Marieluise (1992) Filmdramaturgin 451*
Steinkrauss, Eduard (1891) Prokurist 160*
Steinl, Matthias (1727) Bildhauer 592 in Art. Munggenast, J.
Steinla, Moritz (1858) Kupferst. ADB 35 741
Stenzel, Julius (1935) Philos. 570*
Stepner, Barth. (1659) ev. Theol. 469*
– Stephan (1667) ev. Theol. 469*
Stern, Fritz (* 1926) Hist. 110*
Stieve, Hermann (1952) Med. 380*
Stockum, Peter Friedr. Frhr. v. (1834) hess. Geh. Kriegsrat 231*
Stöckel, Wolfgang (n. 1539) Drucker ADB 36 283 f.
Stoecker, Adolf (1909) ev. Theol. 582*
Stoll(e), Joh. Philipp (1700) Bgm. in Zittau 469*
– Karl Philipp (1741) Bgm. in Zittau 469*
Stoltz, Renate (* 1939) Apothekerin 368*
Strauss, Richard (1949) Komp. 81 in Art. Moralt
Streit, August (1737) ev. Theol. 623*
Strobach, Franz (1919) Papierfabr. 373*
Struve, Werner (* 1918) Päd. 133*
Stryk, Friedr. v. (1719) Jur. 469*
– Samuel (1710) Jur. 469*
Sturz, Helfrich P. (1779) Schriftst. 313*
Süßheim, Max (1933) MdL (bayer.) 108*
Sulzer-Wart, Heinrich Frhr. v. (1887) Gutsbes. 182*
Sunde, Friedrich am Ps. f. **Muckermann,** Friedrich (1946) **258–60**

Tacoli, Gherardo Marchese (* 1911) Gutsbes. 642*
Tannewitz, Anna (1988) Schriftst. 483*
Thieß, Joh. Otto (1810) ev. Theol. 423*
Thimm, Carola (1991) Photographin 336*
Thomsen, Peter (1954) Päd. 771*
Thomson, Erhard Konstantin (1983) Richter 640*
– Paul (1957) Geol. 640*
– Waldemar (1945) ev. Theol. 640*
Thüring, Heinrich (1942) Braumeister 553*
Thüssing, Fritz (1949) Apotheker 366*
Thuillières, Joh. Ludwig v. (1454) 63 in Art. Montjoye
Thuyll, Isabelle van (1805) Schriftst. 604*
Togo, Frank Ps. f. **Muth,** Franz (1979) 647*
Topor, Theodor **Morawitzky** Gf. v. s. **Morawitzky,** Theodor Gf. v. **89**
Tormolen, Hans s. **zur Mühlen,** Heiner v. (1964) 276 Fam.art.
Torresani, Carl Frhr. v. (1907) Offz. 4*
Trafford Heald, George (1853) brit. Cornett 50*
Trautmann, Anna s. **Müller,** Anna (1812) 482*
Der Träumende Ps. f. **Moscherosch,** Joh. Michael (1669) **166–68**
Tribolet, Joh. Jacob (1761) ev. Theol. 579 in Art. Mumenthaler, H. J.
Tribudenius Ps f. **Mynsicht,** Adrian v. (1638) **671**
Triller, Georg (1926) Gen.vikar in Eichstätt 454 in Art. Müller, Ludw.
Trommsdorf, Joh. Barth. (1837) Chem. 332*
Trotha, Thilo v. (1905) Schriftst. 189 in Art. Moser, G. v.

Ullstein, Hermann (1943) Verl. 213*
Unterweger, Lothar (1949) Dompropst in Temeswar 467*

Velstein, Hermann (1634) ev. Theol. 545 in Art. Münstermann, L.
Vender, Philipp (1898) Fabr. 588*
Vergenhans, Johs. s. **Nauclerus,** Johs. (1510) **760 f.**
− Ludw. (1512/13) württ. Kanzler 760*
Vespermann, Leonore (1970) Schausp. 336*
Vetter Michel Ps. f. **Müller-Guttenbrunn,** Adam (1923) 498 f.
Vielfeld, Jacob (16. Jh.) Verl., ev. Schriftst. ADB 39 677 f.
Vietinghoff, Otto Hermann v. (1792) russ. GR 563 in Art. Müthel, J. G.
Vigoni, Ignazio (1860) Kaufm. 668*
Vischer, Joh. Jakob (1705) württ. Oberratspräs. 175*
Vogl, Ludwig (1920) Bauuntern. 82 in Art. Moralt
Vogt, Adolf (1907) Hygieniker 357*
− Emma s. **Müller,** Emma (1936) 357*
Voigt, Woldemar (1919) Physiker 7*
Voigtel, Valesca (1876) Schrifst. ADB 40 213
Volbracht, Robert (1909) Brauereibes. 615*
Vollrath, Paul (* 1851) Schreibmasch.bauer 767 in Art. Naumann, Bruno
Vollsack, Christian Gottlob (1814) Kaufm. 290*
Vorster, Pankraz (1829) Abt v. St. Gallen 433 in Art. Müller, Karl v.
Vultejus, Friedr. v. (* 1864) Schulrat 365*

Wachter, Paul (1632) Goldschmied 468*
Waechter-Spittler, Karl Frhr. v. (1861) württ. Reg.-rat 323*
Wagner, Franz Xaver (1907) Schreibmasch.bauer 767 in Art. Naumann, Bruno
− Gustav Rich. (1861) Jur. 336*
Walch, Alfred (1912) Architekt 192*
− Julie (1955) Musikpäd. 192*
Wald, Abraham (1950) Math. 112 in Art. Morgenstern, O.
Waldburg, Georg Truchseß v. (1467) 576 in Art. Multscher, H.
Walewski, Alexandre Comte (1868) Dipl. 732*
Wallich, Hermann (1928) Bankier 574*
− Paul (1938) Bankier 574*
Wallner, Paul Ps. f. **Muth,** Richard v. (1902) 648*
Walser, Karl (1943) Maler 698 in Art. Naegele, R.
Walther, Lina (1907) Schriftst. 332*
Wanderer, Friedr. Christian (1825) ev. Theol. 705*
Wangenheim, Friedr. v. (1705) sachsen-gotha. Reisemarschall 523*
Warnkönig, Anton (1828) Gutsverw. 32*
− Leopold Aug. (1866) Jur. 32*
Waser, Heinrich (1780) ev. Theol. 350 in Art. Müller, Ch. H.
Wattenwyl, Nikolaus Frhr. v. (1766) Richter 305*
Weber, Alfred (1958) Soziol. 28*
− Carl Maria v. (1826) Komp. 240*
− Franz Fridolin (1779) Sänger 240*
− Max (1897) Pol. 28*
Wegelin, Karl August (1968) Pathol. 696*
Wegner, Georg Coelestin (1715) ev. Theol. 674*
− Henning v. (1636) Bgm. in Königsberg 674*
Weigel, Theodor Oswald (1881) Verl. 773 in Art. Naumann, R.
Weigert, Rud. (1953) Mühlenbes. 570*

Weil, Heinrich v. (* 1834) Med. 173*
− Karl v. (1878) Publ. 173*
Weisenborn, Günther (1969) Publ. 221 in Art. Mostar, G. H.
Weiser, Joh. Conrad (1760) Pol. 279*
Weißenborn, Johann (1761) Gen.sup. 623*
Weißwange, Gottlob (1927) Kaufm. 100*
Weizsäcker, Julius (1889) Hist. 436*
Wellenstein, Max (1950) Parfümerie-Industr. 237 in Fam.art. Mouson
Wenthen, Georg (1661) Math. 312*
Wepler, Emilie (1893) Schriftst. 721*
Westermann, Wilhelm (1920) Päd. 193*
Wettbergen, Heinr. v. (1510) Drost zu Bückeburg 522*
Whiting, Anne-Marie (* 1949) Soziol. 538*
Widmer, Johann (1636) Syndikus v. Wien 186*
Wiedemann, Paul (1650) Bgm. v. Wien 186*
Wiener, Karl (1928) Landger.dir. 512*
Wiens, Paul (1982) Schriftst. 121*
Wilamowitz-Moellendorff, Ulrich v. (1931) klass. Philol. 25*
Wilhelm (1559) Gf. v. *Nassau*-Dillenburg 139*
− **Gustav** Prinz v. *Anhalt*-Dessau (1737) preuß. Gen. 134*
− I. (1584) Fürst v. *Oranien* 139*, 141*
− IV. (1592) Landgf. v. *Hessen*-Kassel 136*
− (1637) Landgf. v. *Hessen*-Kassel 136*
− Ludwig (1620) Gf. v. *Nassau*-Dillenburg 139*
Wilkens, Heinrich (1912) Fabr. 494*
Willdenow, Karl Ludwig (1812) Botan. 282 in Art. Mühlenberg, Heinrich
Wimpffen, Felix Gf.v. (1882) Dipl. 55 in Art. Montgelas
Windheim, Christian Ernst v. (1766) ev. Theol. 210*
Winkler, Joh. (v. 1689) ev. Theol. 113*
Wittig, Georg (1987) Chemiker 368 in Art. Müller, Eugen
Woermann, Emil (1980) Betriebswirt 766*
Wohl, Alfred (1939) Chemiker 368 in Art. Müller, Eugen
Wohlmuth, Alois (1930) Schausp. 493*
Woker, Gertrud (1968) Chem. 357*
− Philipp (1924) Hist. 357*
Wolff, Adolf (1893) Textilkaufm. 213*
− Theodor (1943) Redakteur 213*
Wolters, Paul (1936) Archäol. 556*
Wrede, Carl Fürst v. (1945) 55 in Art. Montgelas
Wutz, Franz Xaver (1938) kath. Theol. 677 in Art. Naab, I.
Wyss, Viktor (1884) Päd. 79*

Zabel, Johann (1638) Bgm. v. Leipzig 294*
Zahn, Friedr. Wilh. (1904) Pathol. 517*
Zeiller, Ferd. (1856) Kreisdir. in Koblenz 425*
− Ferd. (1874) Botaniker, Geol. 425*
Ziebland, Adolf (1934) Architekt 81 in Art. Moralt
Ziegler, Friedr. Wilhelm (1827) Schausp. 195*
Zimmermann, Joh. Bapt. (1926) Gen.arzt 544*
− Cuno Moritz (1898) ev. Theol. 767*
Zoeller, Friedr. Max (* 1840) Althist. 458*
Zollikofer, Richard (1963) Med. 624*
Zonnor, Franz (1940) ev. Pfarrer 28*
Zumbusch, Leo v. (1940) Med. 380*
Zuypen, Ferd. van der (1914) Kaufm. 302*